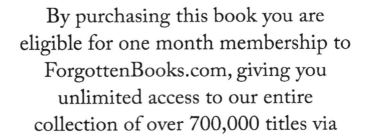

ISBN 978-0-331-90516-8
PIBN 11036733

FB &c Ltd, Dalton House, 60 Windsor Avenue, London, SW19 2RR.
Company number 08720141. Registered in England and Wales.

For support please visit www.forgottenbooks.com

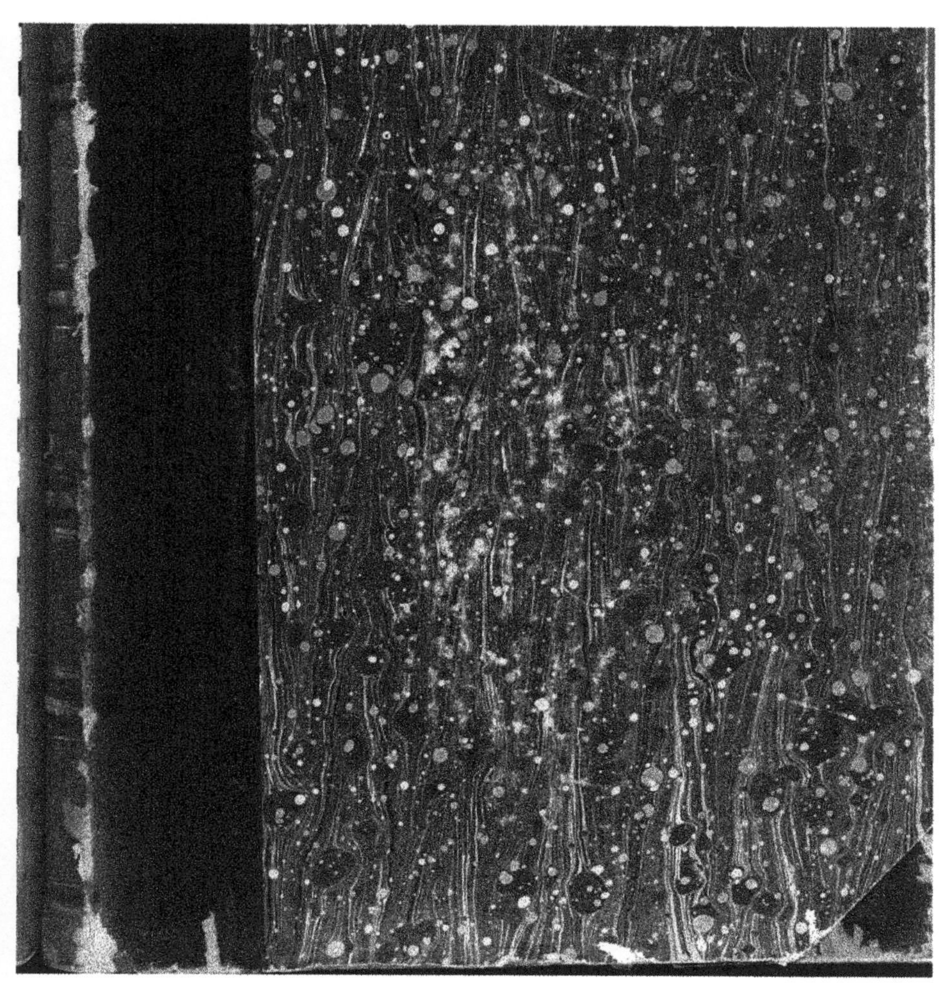

Inhalt.

1.

10.

11.

14.

15.

Von J. W.

16.

17.

18.

29. 61. 78. 93. 109. 189. 269. 348. 412.

19.

14. 32. 46. 62. 78. 93. 109. 126. 141. 158. 173. 190. 206. 223. 238. 254. 286. 302. 318. 335. 350. 365. 381. 397. 413.

16. 30. 48. 64. 80. 96. 112. 128. 144. 160. 176. 192. 208. 224. 240. 256. 272. 288. 303. 320. 336. 351. 367. 384. 399. 415.

Das Magazin

für die Litteratur des In- und Auslandes.

Wochenschrift der Weltlitteratur.

1832 gegründet von Joseph Lehmann

55. Jahrgang.

Preis Mark 4.— vierteljährlich.

Herausgegeben von Hermann Friedrichs.

Verlag von Wilhelm Friedrich in Leipzig.

No. 1. Leipzig, den 2. Januar. 1886.

Inhalt:

Das Ça ira der Muse.

Nun ists genug der alten Leier!
Ich habe satt den Backfischton!
Merkt auf, ihr feilen Kunstentweiher:
Zu Ende geht der Mode Frohn!

Legt euch aufs Ohr, ihr Frühlingssimpel,
Ihr Wiederkäuer ohne Zahl —
Schweigt still, ihr Gartenlaubengimpel,
Ihr singt den Lenz mir winterkahl!

Wir stehn an des Jahrhunderts Wende —
Im neuen ist für euch kein Platz,
Zu lang entweihten eure Hände
Mir Hochaltar und Tempelschatz!

Ihr konntet stets nur Verse drehen
Und preisen sie als echte Kunst . . .
Mit meinem Hauch will ich verwehen
Der Aftermuse blöden Dunst!

In meinem Heiligtume tagen
Soll Leidenschaft nur und Gestalt!
Was schiert mich euer Paukenschlagen,
Zu dem ihr nur Gefühle lallt?!

Ihr habt mein Wesen nie verstanden!
Jetzt ahnt es eine kleine Schaar. ·
Gewiss, von ihr wird Mancher stranden
Mein Glutenkuss bringt oft Gefahr!

Und dennoch seh ich kühn sie bahnen
Den Weg, auf dem die Zukunft schafft . . .
Seh einen Sprössling dieser Ahnen
Stolz dienen mir mit Götterkraft.

Antike Schönheit wird verschmelzen
Im Lied er mit germanischer Zucht —
Euch aber schlägt mit euren Stelzen
Der Unnatur er in die Flucht.

Zeit ists! Der große Tag muss kommen!
Schon gährt es rings — das Wort wird Tat —
Ein kräftiger Ton nur mag mir frommen;
Auf, keime kräftig, junge Saat!

Auf, weih dem Umsturz Geist und Hände!
Der Mine Zündstoff liegt bereit . . .
Hinein der Zukunft Feuerbrände!
— Und Jenen die Vergessenheit! —

Leipzig. Hermann Friedrichs.

Unser litterarisches Elend.

Die Klagen über Abnahme des allgemeinen Anteils an den Erzeugnissen des schönen Schrifttums werden immer allgemeiner, und wenn man das lesende Publikum von heut mit dem der letzten Hälfte des vorigen Jahrhunderts vergleicht, so kommt man in die Versuchung, auch an eine Abnahme des ästhetischen Gewissens und Urteils der mitlebenden Welt zu glauben. Und nicht nur das Interesse an der Belletristik, auch das an der wissenschaftlichen Litteratur vermindert sich, wie die Anzahl der verkauften Exemplare der betreffenden Werke bezeigt. Die „Geschichte Englands" von Macaulay wurde im Zeitraum der ersten zehn Wochen nach dem Erscheinen in 27 000 Exemplaren verkauft, und binnen einem Jahre waren 150 000 abgesetzt; das sind Tatsachen, für die der Vertrieb unserer buchhändlerischen Neuigkeiten von heute nichts Aehnliches aufzuweisen vermag. Die Werke, gleichviel ob schöngeistige oder wissenschaftliche, die bei uns in Deutschland eine Auflage von nur 100 000 erleben, kann man an den Fingern herzählen, ohne dabei bis zum zehnten Finger zu gelangen; nur Bodenstedts „Mirza Schaffy" und Scheffels „Trompeter" dürften die Hunterttausend überschritten haben, die sonst noch am Meisten in Aufnahme gekommenen Werke, wie die ägyptischen Romane Ebers, die „Ahnen" Freitags, die epischen Dichtungen Wolffs und, allerneusten Datums, Stindes „Familie Buchholz", haben noch lange nicht den dritten Teil dieses Absatzes erreicht, wie kräftig auch manche Sortimenter, die diese Schriften partieweise bezogen, das Fell der Reklametrommel bearbeitet haben.

Das Volk der Dichter und Denker, das deutsche, verhält sich seinen Dichtern und Denkern gegenüber mehr und mehr apathisch und es fühlt immer weniger Beruf, es etwa den Amerikanern gleich zu tun, die von „Uncle Toms cabin" seiner Zeit in acht Monaten eine Million Exemplare kauften und die Verfasserin, die Theologie-Professors-Gattin Harriet Beecher-Stowe, zur reichen Frau machten. Von vielen Seiten wird den Schriftstellern zugerufen: „Ihr steht nicht auf der Höhe eurer Aufgabe! ihr seid Epigonen! leistet mehr! und es wird auch euch ein größerer Anteil des Lesepublikums zu teil werden." Ob dieser Einwurf ein berechtigter ist, das wird erst eine klarer erkennende Nachwelt endgültig entscheiden können; ich, meinerseits, halte die Redensart vom Epigonentum für eine Verlegenheitsphrase der blöden Menge und für eine dünkelhafte Aeußerung unzuständiger Philologen und Litteraturhistoriker.

Andere finden den Grund des verminderten Anteils an unserer Belletristik in der Politik, die das Interesse der kämpfenden Parteien einseitig verschlinge und fast nur noch den Frauen und Jungfräulein überlasse, sich um eine neue Dichtung zu kümmern. Hierin mag viel Wahres liegen, aber eine völlige Erklärung der befremdlichen Erscheinung ist damit auch noch nicht gegeben. Kein Volk ist leidenschaftlicher in seinen politischen Kämpfen als das französische, und doch bleibt bei ihm die Ausgabe eines neuen Romanes aus der Feder eines berühmten Schriftstellers ein Ereigniss, das nicht nur die Frauen elektrisirt, sondern auch die Männer, und unter diesen Generale und Minister, veranlasst, nach dem Buchladen zu gehen und das betreffende Werk zu kaufen. Und in Russland, wo den politischen Ideen, wenigstens in den Kreisen des lesenden Publikums, ein viel wirksameres Ferment inne wohnt als in dem zahmeren und kühleren Deutschland, wendet man sich den neuen schöngeistigen Erzeugnissen mit ungleich lebhafterer Spannung zu als z. B. in Berlin oder Wien; der Verleger ist dort der Unterstützung der gebildeten Kreise so sicher, dass er den ersten Abdruck eines Pissemkijschen Romanes in einer Wochenschrift mit zehntausend Silberrubeln honoriren kann, ein Ehrensold, der unsern erfolgreichsten Romandichtern kaum jemals von einer Berliner, Kölner, Hamburger oder Wiener Zeitung geboten werden dürfte.

Es ist ein sehr verwickeltes Problem, dem wir gegenüberstehen. Die Politik entfremdet unzweifelhaft nur die niederen Geister dem Anteil an der Litteratur; ein Staatsmann höherer Ordnung wird unbedingt die Zeit finden müssen, auch die litterarischen Hervorbringungen seines Volkes zu studiren, denn wo könnte er sich besser über die geistigen Bedürfnisse, über die geheimen Wünsche und Neigungen desselben orientiren?

Mehr aber als die Politik schädigt die Auslandssucht des Deutschen unser Schrifttum. Englische, französische und russische Romane, nordische und französiche Dramen, überschwemmen unsern Büchermarkt und unsere Theater; der deutsche Leser und Schauspielbesucher kokettirt mit allem Fremden und verhält sich kühl oder ablehnend gegen alles Heimische. Das ist ein Jammer und ein — Selbstmord! denn was er für das Ausland übrig hat, das entzieht er seinem eigenen Fleisch und Blute. Zu diesem Affentum gesellt sich eine wahrhaft nichtswürdige Scheinzüchtigkeit und Ziererei.

Die Werke des französischen Naturalismus werden von uns verschlungen, und der arme deutsche Schriftsteller, der einmal als berechtigter Realist ohne Feigenblatt spricht oder ein freies Wort als Philosoph wagt, läuft Gefahr auf den Index gesetzt oder durch einen übereifrigen Staatsanwalt öffentlich angeklagt zu werden. Aus dieser traurigen Tatsache entstehen, wie aus einem Brutherde von Unheil, zehn neue. Der Zeitungsherausgeber, der Journalbesitzer, der Buchverleger kennt sein verlogenes und prüdes Publikum; er will es um Gotteswillen nicht durch irgend welche Dinge verletzen, die das Gebiet der Religion, der Politik, oder sittlicher Probleme streifen; er verlangt Novellen und Romane, die nirgends Anstoß erregen und von Jung und Alt, von Rechten und Linken, von Christ und Jude, vom Weltkinde und vom Backfisch gelesen werden können. Was ist die Folge? Die Erzeugung jener neutralen, gänzlich indifferenten epischen Wassersuppen, auf denen nur das homöopathische Fettauge eines abgestandenen Liebesverhältnisses schwimmt, und die besonders von weiblichen Köchen jetzt in einer beängstigenden Menge zusammengebraut werden. Diese Wassersuppen-Epik, wie sie von den meisten unserer illustrirten Wochenblätter immer rücksichtsloser dem hohen Adel und verehrten Publikum vorgesetzt wird, ertötet nun noch den letzten Rest von Interesse der männlichen Leser an unserer Belletristik, und diese wird täglich mehr der Tummelplatz, auf dem alternde Jungfrauen, beruflose Dilettantinnen, naiv-verwegene Plaudertaschen, die nicht einmal mit den Regeln der Rechtschreibung vertraut sind, ihre kindlichen und substanzlosen Gouvernanten- und Hauslehrergeschichten mit dem bekannten Schlusskapitel, in dem sich „Beide kriegen", an den Mann — will sagen, an die Frau — bringen, denn ein deutscher Mann liest das Zeug nicht. Diese Verwässerung unserer Erzählkunst verdirbt aber auch den Geschmack und das ästhetische Urteil der Leserinnen, und so kommt es, dass gerade dasjenige Publikum, das allein noch liest und die Belletristik zu fördern im Stande wäre, sich immer hülfloser und unselbständiger zu den Erzeugnissen der Belletristik verhält. Nur so lässt es sich erklären, dass sich in der Weihnachtszeit die Verlagshandlungen den deutschen Frauen als Ratgeber auf dem Büchermarkte anzupreisen beginnen. Ich wette, eine tüchtige Hausfrau würde verächtlich die Nase rümpfen, wollte ihr der Schlächter anraten, welchen Braten sie für die Sonntagstafel auswählen soll; die geistige Nahrung für den Weihnachtstisch vermag aber die durch ihre Wassersuppen um allen Geschmack gebrachte Dame nicht mehr selbständig zu wählen, sie muss sich der Führung eines ihr fremden Verlegers anvertrauen, der ihr natürlich nur die eigenen Verlagsartikel empfehlen und sie vielleicht noch schlechter bedienen wird als der Fleischhauer es anderenfalls getan hätte.

Wie sollte auch die deutsche Durchschnittsleserin unter sotanen Verhältnissen zu einem eigenen Urteile in der Litteratur kommen? Selbst die geistig begabteren Damen haben heute so viel mit den bildenden Künsten zu kokettiren und so viel Zeit der Pflege der Klaviersimpelei und des unechten Wagner-Enthusiasmus zu opfern, dass ihnen ja gar keine Muße zu einem bedächtig-ausgewählten Lesen bleibt. Die erste beste, mit Fremdwörtern gespickte Salonlitteratur, die eine Schundlitteratur des vornehmen Pöbels ist, gerade wie die Kolportagelitteratur des niederen, muss ihnen genügen. Dabei geht freilich die geistige Verdauungskraft in die Brüche, und der deutsche Magen will eine echte und rechte Kraftspeise nicht mehr annehmen. Oder dürfte ein deutscher Romandichter heute seinem Publikum etwa ein Werk wie Daudets „l'Evangéliste" anbieten? Wie würden da die frommen und prüden Seelen Zeter schreien! Freilich als Pariser Importe lesen sie es; aber wehe dem Deutschen, der auf ein vorurteilsloses, objektives Publikum rechnet! Bei uns will jede Lesende einen Roman haben, der ihre eigenen Ansichten und Richtungen verherrlicht; die Orthodoxe verlangt einen orthodoxen Autor, die Freisinnige einen freisinnigen; zur reinen, wunsch- und begierdelosen Würdigung des Kunstwerkes an und für sich gelangt sie nur einem — Franzosen gegenüber; der Landsmann muss Wassersuppen kochen oder ein — Tendenzschmierer sein.

So liegen die Sachen. Unser Lesepublikum geht bergab; und da sollte mit der Zeit die Produktion nicht auch bergab gehen?

Wie es besser werden soll, mögen Andere in Vorschlag bringen. Ich halte von solchen Vorschlägen Einzelner nicht viel; denn die Heilung öffentlicher Schäden kann nur von der Allgemeinheit vollzogen werden. Ich denke mir aber, als Uebergang zur Heilung ist eine Zeit des ausschließlichsten Nationalbewusstseins, der Ablehnung alles Fremden, der Verleugnung unseres Kosmopolitismus, der unsere Stärke und unsere Schwäche ist, durchaus not. Wenn wir es wie die weniger gebildeten Franzosen machen, die jetzt wieder gegen die Ein- und Aufführung des Lohengrin in Paris Einsprache erheben, wenn wir kein französisches oder englisches Buch mehr in die Hand nehmen und den Residenztheatern mit ihren Sardouschen Novitäten empört den Rücken kehren, dann wird unser Anteil und unsere Freude an der vaterländischen Produktion wieder wachsen und diese Produktion selbst wird ungeahnte Blüten treiben, deren Keime ja immer vorhanden sind, aber wegen Mangels an Gunst und Sonnenschein abseiten unseres Publikums nicht zur Entfaltung gelangen. Dann wird wieder ein unverdorbener Kunstgeschmack unsere Frauen beseelen; begeistert werden sie ihre Männer zum Lesen dieses oder jenes schöngeistigen Werkes auffordern; die Männer werden sich beraten lassen, ihr ästhetisches Gewissen wird erwachen, und aus dem Banne des Schönen werden sie geweiht und gefeit in die politische Arena treten und dort ihre Kämpfe mit größerer Anmut und Würde kämpfen. Dann . . . doch wir wollen dieses Bild nicht weiter ausmalen, denn unsern litterarischen Zuständen gegenüber bin ich ein Pessimist, und ich bin überzeugt, dass, wenn ein nichtschriftstellernder Leser des „Magazin" diesen Artikel seiner schöneren Hälfte reichen sollte, diese das Blatt sehr bald gähnend aus der Hand legen und nach einem Romane von Pauline A. oder Karoline B. greifen würde.

Potsdam. Gerhard von Amyntor.

Der Begriff des Humoristischen in der modernen Aesthetik.

Von **Eduard von Hartmann.**

Der erste Aesthetiker, welcher sich eingehender mit dem Begriff des Humoristischen beschäftigt hat, ist Jean Paul Friedrich Richter in seiner Vorschule der Aesthetik (1804). Er behandelt das Humoristische als eine Unterart des Komischen, worin ihm die meisten späteren Aesthetiker gefolgt sind; zugleich stellt er aber auch das Humoristische als den Gipfel des Komischen hin, in welchem sich eigentlich der Begriff des Komischen erfüllt, während die vorher behandelten sonstigen Unterarten des Komischen im Vergleich zum Humoristischen nur als unvollkommne Anläufe zur Verwirklichung des Begriffs erscheinen.

Jean Paul hatte für das Lächerliche die Erklärung aufgestellt, im Gegensatz zum unendlich Großen des Erhabenen ein unendlich Kleines zu sein. Diese Anforderung ist aber im Lächerlichen nicht erfüllt; denn das minus im Verstandesgebrauch des Handelnden ist kein minimum, geschweige denn ein unendlich kleines Minimum, weil das Komische „bloß im Kontrastiren des Endlichen mit dem Endlichen besteht und keine Unendlichkeit zulassen kann“ (§ 31). Soll das Komische auf seinen Gipfel gelangen, so muss „die Endlichkeit des Verstandes und der Objekten-Welt“ zu einem, zwar nicht an und für sich, aber doch im Kontrast mit einem Unendlichen sich als unendlich klein darstellenden herabgesetzt werden. Wie das Erhabene als das auf die Endlichkeit der Sinneswelt angewandte Unendliche galt, so muss das höchste Komische das auf die Unendlichkeit der übersinnlichen Idee angewandte Endliche sein, und muss durch den Kontrast mit der Idee das Endliche als solches (also nicht etwa bloß das Einzelne) vernichten. Dieses erst seiner Definition adäquat gewordene Komische ist der Humor (§ 31). Der Humor geißelt nicht diese oder jene Torheit oder diesen oder jenen Charakter, sondern alles Endliche in seiner Totalität; er ist das Romantische des Komischen, und wie nach Schlegel in der Poesie immer Alles romantisch sein muss, so muss auch im Komischen immer Alles humoristisch sein. Die allumspannende Totalität nimmt dem Humor jede Schärfe und Bitterkeit gegen das Einzelne, und gestattet ihm die Bewahrung der Gefühlswärme, welche der Persiflage notwendig fehlen muss (§ 32). Da der Humor darin besteht, die Welt des Endlichen durch den Kontrast mit der unendlichen Idee zu vernichten, so muss er notwendig weltverachtend sein (§ 32), aber nur, um vor der Idee desto frömmer niederzufallen; darum ist der Humor melancholisch in Bezug auf die Welt, ernst in Bezug auf die Idee, und gedeiht am wenigsten auf dem Boden einer die Lebensverachtung ausschließenden Lebenslust. Er geht auf dem Sockus, trägt aber die tragische Maske wenigstens in der Hand (§ 33); seine Subjektivität ist so hervorstechend, dass er nichts weniger als unbewusst und unwillkürlich zu sein braucht (§ 34).

Diese Bemerkungen zeigen sehr viel Wahres, trotz der verkehrten Ableitung, an welche sie geknüpft sind. Eben weil der Humor ernst, gefühlvoll, melancholisch und tragisch ist und seine Blicke auf die höchsten Ideen richtet, kann er nicht einseitig der Gipfel des Komischen sein, und die Definition des Komischen muss schon deshalb falsch sein, weil sie auf das Komische gar nicht und auf den Humor nur mit einer gewaltsamen Verwandlung des an und für sich Endlichen zu einem durch den Kontrast unendlich klein Scheinenden passt. Was der Definition nach komisch sein müsste, ist es nur mit einer Seite seines Wesens, und was voll und ganz komisch ist, passt wieder nicht unter die Definition. Weit entfernt, ein Gegensatz zum Erhabenen zu sein, fällt der Humor zum Teil selbst in das Gebiet des Erhabenen, insofern er die Erhabenheit der Idee für die ästhetische Anschauung fasslich macht. Jedenfalls hat Jean Paul das Verdienst, zuerst auf die hohe ästhetische Bedeutung des Humors hingewiesen zu haben.

Wie Jean Paul für alle Nachfolger, und ganz besonders für Vischer bestimmend geworden ist in Bezug auf die Einreihung des Humoristischen in die Aesthetik und in Bezug auf die hohe Schätzung seiner ästhetischen Bedeutung, so ist Solger (1815) derjenige, welcher zuerst das Humoristische als Einheit des Komischen und Tragischen erfasst und dadurch auf die wahre Stellung desselben in der Aesthetik hingewiesen hat, wenn es ihm auch nicht gegeben war, dieselbe genauer durchzuführen und zu entwickeln. Die in der Wirklichkeit unversöhnlichen Gegensätze vermag nur die Kunst zur höheren Einheit zusammen zu binden, und wo dies geschieht, wird das Lächerliche und Traurige zum Komischen und Tragischen („Erwin“ II 69—70). Diese künstlerische Einheit des Komischen und Tragischen liefert der Humor; „nichts ist lächerlich oder komisch darin, das nicht mit einer Mischung von Würde oder Anregung von Wehmut versetzt wäre, nichts erhaben und tragisch, das nicht durch seine zeitliche und selbst gemeine Gestaltung in das Bedeutungslose oder Lächerliche fiele“ (II 231).

Trahndorff (1827) stützt seine Erklärung des Humors ebenso wie die des Komischen auf das Verhältniss des Subjekts zur Wahrheit und Unwahrheit. Wenn die Toren gewöhnlich selbst das Leben in der Zerstörung der Unwahrheit durch Unwahrheit, also als ein Lächerliches erfassen, so fördern sie eben dabei wieder die Unwahrheit durch Unwahrheit und werden selbst lächerlich (insofern sie die Wahrheit als solche mit nüchternem Ernst zu erfassen und direkt zu fördern unfähig sind, aber mit ihrer Torheit doch Aufgaben ergreifen, die nur für den Ernst zu lösen sind). Wenn nun das Bewusstsein hiervon erwacht, so wird es von einer tiefen Wehmut ergriffen über das Loos der Menschheit und erblickt in dem (vermeintlich) ernsten Treiben der Menschen gewöhnlich Lächerliches, sowie in dem gewöhnlich lächerlich Erscheinenden, und als solches Anerkannten tiefen Ernst. Diese Eigentümlichkeit der Weltauffassung ist der Humor; derselbe ist in seiner Objektivität, d. h. sofern er sich auf den objektiven Standpunkt des Universums stellt, heiter und lachend, in seiner Subjektivität aber, d. h. sofern er sich an die Stelle des Toren versetzt, schmerzlich-wehmütig, und er ist Humor nur, indem er beides zugleich in sich schießt (Aestb. II 34).

Diese Erklärung ist nichts weniger als präzis und unanfechtbar, aber sie hebt doch das Wesentliche des Humors, sein Doppelantlitz mit einer lachenden und einer schmerzlich wehmütigen Hälfte deutlich heraus und deutet auf die Begründung dieser Eigentümlichkeit hin.

Schopenhauer (1844) definirt die Ironie als den hinter Ernst versteckten (oder zum Schein auf den Ernst des Anderen eingehenden) Scherz, den Humor als den hinter den Scherz versteckten Ernst (Welt als Wille u. Vorstellung 2. bis 5. Auflage II 109). Wenn die Ironie objektiv, d. h. für den Anderen da ist, so ist der Humor zunächst subjektiv, d. h. für den Humoristen, da und beruht auf einem Uebergewicht des Subjektiven über die objektive Auffassung der Außenwelt (II 110, 111). Das Humoristische ist eine über dem Komischen stehende Klasse, und es ist unrecht, etwas bloß Komisches dadurch vornehmer machen zu wollen, dass man es als humoristisch bezeichnet (II 111). Die Ironie beginnt ernsthaft und endet lächelnd, der Humor umgekehrt, denn er beruht auf einer tief ernsten, so sogar erhabenen Stimmung, welche dem Konflikt mit einer gemeinen, ihr heterogenen Außenwelt weder ausweichen, noch sich selbst aufgeben kann, weshalb sie verschämt hinter den Scherz flüchtet, ohne ihren verschleierten Ernst einzubüßen (II 110). — Zu dieser Erhebung des Humors über das Gebiet des Komischen, in der Enthüllung der mit ihm gegebenen Synthese des Heiteren und Ernsten, Lächerlichen und Erhabenen ist Schopenhauer wahrscheinlich durch die Lektüre Jean Pauls und Solgers bestimmt worden; hätte er den wahren und eigentümlichen Gegensatz des Komischen und Tragischen erkannt, so würde er sich vielleicht schon ebenso wie Solger dazu aufgeschwungen haben, im Humor die Synthese des Komischen und Tragischen zu finden, da er ja das Tragische als den höchsten Grad des Erhabenen anerkennt (II 493). So aber bleibt die Hindeutung auf die Erhabenheit der dem Humor zu Grunde liegenden Stimmung eine flüchtige Streifbemerkung, aus der keine näheren Folgerungen für die Gliederung der Besonderungen des Schönen gezogen werden.

Vischer (1846) sucht den Uebergang vom Witz zum Humor darin, dass das witzige Subjekt, indem es alles in der Welt als Gegenstand des Witzes behandelt, also den Witz universell macht, auch seine eigene Person nicht mehr ausschließen kann (Aestb. § 205). Diese Universalität des Witzes bleibt aber immer nur Witz und wird niemals etwas anderes wenn nicht etwas Neues hinzu kommt außer der Erweiterung des Stoffes für die Witze auf die eigene Person. Ist die eigene Person objektiv komisch, so ist doch das über sie lachende Subjekt ideell verschieden von dem Belachten; denn es kann nur über sich lachen, insofern es sich über sich selbst erhebt, und sich den Lachenden sich dem Belachten entgegensetzt. Verkehrt handeln mit dem Bewusstsein, verkehrt zu handeln, hebt grade das Komische an der Verkehrtheit auf, welches darin besteht, dass dieselbe bewusstlos ist und erst durch ihre sinnliche Darstellung sich zum Bewusstsein bringt. Eine „Einheit des komischen Subjekts und Objekts“ im eigentlichen Sinne kann daher nie eintreten, und am wenigsten auf dem Wege, dass aus der Vielheit der komischen Subjekte, die in ihrer Stufenfolge für einander Objekt sind, sich „eine einzelne ungeteilte Persönlichkeit“ entwickelt, welche das Komische, das sie erzeugt, auch ist (§ 206); diese Vischersche Ableitung war schon im Tragischen völlig verfehlt, ist es aber im Komischen in noch höherem Grade.

Nun kennt aber Vischer ganz wohl das Neue, was zum Witz hinzukommen muss, um den Humor zu geben: Das Gemütsleben mit seinen endlosen Schmerzen und der Trauer und der Entrüstung über dieselben (§ 207—8), den Weltschmerz, d. h. das tiefe Schmerzgefühl, dass die allem Endlichen anhaftenden Widersprüche und Verkehrtheiten für das Gefühl ebensoviel Uebel und Leiden sind, über die Jeder, der ein Herz hat, ebensosehr weinen muss, wie der kalte Verstand über sie lacht, ja dass das ganze Dasein der Welt von Uebel ist (§ 201). Diesen neu hinzukommenden Bestandteil sucht Vischer sophistisch aus dem Komischen abzuleiten, indem er auf das Erhabene als angeblich erstes Glied des komischen Prozesses zurückgreift und das Vorhandensein desselben im Subjekt als Macht des Gemütes fordert. Dabei ist erstens die falsche Ableitung des Komischen aus dem Erhabenen als richtig angenommen, und zweitens ganz willkürlich das Erhabene als gefühlsmäßig Erhabenes bestimmt. Der Schmerz und die Empfindsamkeit des Humoristen sind doch nur in sehr bedingter Weise ein Erhabenes; soweit sie es aber sind, sind sie jedenfalls nicht mehr erstes Glied eines Komischen, sondern Parallelglied zu dem ganzen Komischen.

Das Gemüt erkennt ebensosehr, dass das Sein der Welt als eines Ganzen vom Uebel ist, wie sie den unendlichen Wert des Kleinsten in derselben versteht und mit Liebe und Wärme pflegt (§ 209); dieser Gegensatz in dem Gefühlsleben bildet selbst wieder nur das eine Glied in dem Gegensatz der ganzen Gefühlsauffassung zu der Verstandesauffassung des Komischen, welche die Welt in ihrem absoluten, und alles Einzelne in derselben in seinem relativen Unwert erkennt. Auch jenen ersten Gegensatz kann Vischer nur konstatiren, nicht erklären (§ 212).

Den Unterschied von objektivem und subjektivem Humor will Vischer nicht gelten lassen (§ 213), weil er eben unrichtiger Weise den Humor ganz auf die Selbstverlachung basirt hat; tatsächlich kann Humor auch da walten, wo der Autor als solcher gar nicht hervortritt, also zur Selbstverlachung auch keine Gelegenheit hat, wogegen der subjektive Humor nur in dem Menschen und seinem realen Leben, nicht in der Kunst zu voller Darstellung gelangt (§ 215 Anm.). Der Humor benutzt alle Formen des Komischen (§ 214) und zwar gerade darum, weil er selbst keine besondere Form des Komischen ist oder hat.

Der naive Humor oder die Laune ist Einheit des Launigen und Launischen, (des naiven Optimismus und Pessimismus); der Ernst geht hier noch nicht tief, der instinktive Optimismus der Lebensfreudigkeit überwindet den Situationspessimismus, die Lustigkeit überwiegt und schlägt durch Selbstbeschönigung die etwaigen Gewissensbedenken und Selbstvorwürfe nieder (der humoristische Taugenichts) (§ 216—217.) Bei diesem naiven Humor bleibt die immanente Gemüts- und Verstandeslösung des gegebenen Konflikts in naiver Einheit bestehen; er ist also nicht oscillirend, braucht es wenigstens nicht zu sein. Der Situationspessimismus vertieft und verbreitert sich zum Stimmungspessimismus und Entrüstungspessimismus; der Humor wird in ersterem Falle sentimental, larmoyant, schwächlich, empfindselig, im letzteren Falle ärgerlich, verdrießlich, unwirsch, bitter. Wo beide sich zum Miserabilismus verbinden, entsteht die widerwärtigste Gestalt des krankhaften (hypochondrischen, hysterischen) Humors, von welchem jedes kleinste Uebel und jeder kleinste Fehl zu unendlicher Größe aufgebauscht wird, und des Klagens, der Entrüstung und der Selbstanklagen kein Ende ist. Hier schwindet die zur Komik nötige Geistesfreiheit, und der Witz wird forcirt witzlos, bloße Velleität. Dieser gebrochene Humor ist wesentlich Versöhnungs-los, und der oscillatorische Umschlag ins Komische ist bloße Scheinversöhnung, aus der er ebenso stets in die versöhnungslose Stimmung zurückfällt; es ist der Galgenhumor der Verzweiflung. Der naive Humor macht den positiven ästhetischen Wert des Rührenden noch größer; der gebrochene Humor kann den negativen ästhetischen Wert, die abstoßende Widerlichkeit des Miserabilismus so weit mildern, dass sie ästhetisch erträglich wird, aber nicht zu positivem ästhetischen Werte erheben, sondern höchstens als charakteristische Episode oder Nebenfigur rechtfertigen. Günstigen Falls verklärt er das Traurige zur Wehmut und kehrt so zum rührenden, empfindseligen Humor zurück (§ 220). Den falschen Pessimismus überwindet nur der wahre, philosophische Pessimismus, der nicht bloß träumerischer abstrakter Idealismus und empfindselige Weichherzigkeit, sondern ebensosehr praktischer Realismus und männlich erhabene Unterwerfung unter das Weltgesetz des Tragischen ist. Vor den großen Perspektiven der Welttragik verlieren alle kleinlichen Klagen und Aergernisse des empfindseligen und gebrochenen Humors ihre Bedeutung und werden damit erst Stoff für eine relativ unbeteiligte Weltkomik. Erst die Synthese von Welttragik und Weltkomik macht den Humor zugleich absolut (nach Tiefe und Weite) und frei (in Bezug auf die relative Unbeteiligtheit des Subjekts an den kleinen verspotteten Leiden des Lebens). Die Welttragik erst, die auf den Standpunkt der transcendenten Versöhnung stellt, überwindet die Bitterkeit und Verzweiflung ebenso wie die Empfindseligkeit, denn sie lehrt: „dass im ganzen Umfang der Geschichte durch den Reiz und Schmerz des Widerspruchs ihr großer Zweck sich herausarbeitet“ (§ 222). Mit anderen Worten in meiner Ausdrucksweise: erst der eudämonologische Pessimismus, der den teleologischen evolutionistischen Optimismus in sich schließt, kann eine wahrhafte, d. h. zugleich realistisch radikale und universelle Versöhnung als möglich erscheinen lassen.

(Schluss folgt.)

Italienische Lyrik.

Ein liebefähiges, liebebedürftiges Herz, mehr oder weniger poetisch angehaucht, bildet sich immer gern ein Ideal. Da man sich aber auf die Dauer dabei langweilt, ein solches Ideal immer nur in der eigenen Brust zu finden, einem fleisch- und blutlosen Wolkengebilde nachzutrachten, so macht die willige Kupplerin Phantasie greifbare Erscheinungen der Wirklichkeit zu Bildern und Symbolen des Erträumten, schiebt für das Ideal ein Idol unter, das sich hätscheln lässt — wohl auch mehrere zugleich. Ein etwas gefährliches Spiel, das aber für Dichter und Dichterinnen eine gewisse Berechtigung hat. Denn durch das Anlehnen an bestimmte Wirklichkeiten gewinnt der Ausdruck des poetischen Idealkultus Lebensfrische, Farbe und Gestalt, und wenn der erkorene Fetisch in Versen jetzt angebetet, jetzt mit gelinder Ironie behandelt, oder gar ein bischen geohrfeigt wird, so giebt dies der Poesie einen pikanten Beigeschmack. Hübscher ist dies poetische, aber, wie gesagt, nicht ganz gefahrlose Spiel kaum irgendwo getrieben worden, als in den „Nuove Poesie“ der Marchesa Maria Ricci Paternò-Castello (Florenz, Lemonnier, 1885), in einem umfangreichen lyrischen Cyklus, „Rosalinda“, den die Dichterin „Idillio fantastico“ benennt, wobei aber das Wort Idylle nicht im Gessnerschen, sondern im derberen des Theokrit zu nehmen ist. Mit der Wahrheit, Frische und Lebendigkeit, deren die Frau in der Lyrik fähig ist, wird hier ein Ideal, oder sagen wir es nur gleich, ein Idol besungen, das gar nichts Schattenhaftes an sich hat, vielmehr mit sehr anschaulichen, realistischen Zügen auftritt, in meist sinnreichen, bedeutenden Szenen, deren Grundmotiv wenigstens immer ein der Wirklichkeit abgelauschtes, empfundenes, erlebtes ist. Wenn sodann nach Situations- und Gefühlsbildern, wie sie sich beispielsweise auf Seite 10, 14, 23, 30, 33, 38, 41, 53 finden, die Dichterin zwischendurch versichert, das Alles sei nur Laune und Phantasie — wenn sie sich als Biene giebt, die den Nektar der Poesie aus allen Blumen saugt, wenn sie die Aeußerung fallen lässt, genau genommen sei ihr das hübsche Gesicht des interessanten Mannes nicht weniger und nicht mehr, als ihr das Gesicht eines niedlichen Kätzleins auch sein kann — wenn sie in den Schlusssonetten dem Leser ihren Standpunkt noch einmal so deutlich als möglich zu machen sucht: da muss der galante und zartfühlende Kritiker sich wohl damit zufrieden geben, und der Dichterin das Kompliment machen, dass ihr poetisches Verdienst um so größer ist, insofern sie Launen und Phantasien einen so realistischen, so täuschenden Schein individueller Naturwahrheit zu verleihen weiß.

Das frische, bedeutende Talent verrät sich nicht weniger in den weiteren Abteilungen der lyrischen Sammlung: in den „Note tragiche", in welchen die Dichterin weit tiefere und erstere Töne anschlägt, Geister ihrer Vergangenheit heraufbeschwört, und mit eigentümlich-düsteren Stimmungsbildern wie „Terrori notturni" (S. 97) und „Quando esanime e fredda" (S. 86) geradezu erschütternd wirkt. In der Nachlese („Spigolature") tritt das Gedicht „Caino" charakteristisch als echt südländischer Gefühlsausbruch hervor, während man in dem Sonett „Povero alocco" einen übermütig-heitern Nachklang der „Launen" des „phantastischen Idylls" zu finden versucht ist.

Frau Maria Ricci Paternò-Castello, geboren im Jahre 1845 zu Catania in Sicilien, wurde, früh verwaist, in Palermo erzogen, bekundete bald ein lebhaftes, originelles Talent, ging auf Reisen, lernte in Florenz den junge Marchese Antonio Ricci kennen, die Beiden gefielen einander, ließen sich trauen, und lebten fünf Jahre lang in glücklicher Ehe zu Florenz, bis „ein Wirbelsturm zwischen ihnen hindurchging" und sie trennte. Der Marchese machte sich Luft in einem Roman „Teodora", die Marchesa in einem Band Gedichte, dem nun dieser zweite gefolgt ist.

Ein Veteran der italienischen Poesie der Gegenwart, der klassische Uebersetzer Schillers, Andrea Maffei, spendet ein letztes zierliches Bändchen Gedichte, „Affetti" betitelt (Mailand, Hoepli 1885), das die Spuren des Alters nur in einer gewissen sophokleischen Milde zur Schau trägt. Ein Sophokles, Simonides, Goethe stehen als Beispiele ungetrübter Geisteskraft in höchstem Alter nicht vereinzelt da, und es ist interessant zu sehen, dass, wenn im Alter die Fähigkeiten und Funktionen des menschlichen Organismus erschlaffen, die feinste und geistigste derselben sich nicht selten noch erhält, und wie selbst bei abnehmendem Intellekt die Quintessenz desselben, die Blüte der Organisation, das Talent, am spätesten erlischt. Der greise Sänger dieser „Affetti" selber beklagt es in dem Cyklus von Sonetten, welchen er seinen verstorbenen Lieben widmet, dass die Natur ihn, den nunmehr bald Sechsundachtzigjährigen, zwar mit den körperlichen Gebrechen des Alters heimsucht, ihm aber die Lebhaftigkeit des Empfindens, das „Feuer der Seele" gelassen, das ihm eben die Vereinsamung, den Verlust aller seiner Freunde so schmerzlich macht. Er fragt, ob er der Natur überhaupt Dank schulde dafür, dass sie sein Dasein so sehr verlängere?

„L'istinto, che nell' uomo è forse il peggio,
Vuol che grato io ti sia, però che il male
Sommo è la morte, e il ben, di cui l'uguale
Non è, la vita; ond' io perplesso ondeggio."

Auf diesen Cyklus, der die kleine Sammlung eröffnet und zugleich ihr hervorragenster Bestandteil ist, folgen Nachklänge, die in fast rührender Weise verraten, was im Gemüte des Greises, während sich der Horizont seiner Anschauungen und Empfindungen immer enger um ihn zusammenzieht, sich am dauerndsten erhält. Kränze der Pietät legt er nieder auf Gräber befreundeter Geister, Monti's und Manin's, widmet einen patriotischen Klang seiner Heimat Riva, beklagt den einreißenden Realismus in Poesie und Kunst, auch den der fremden Musik im Mutterlande der Melodie, und tut schließlich, was kein lebender italienischer Poet der Gegenwart versäumt, indem er ein Preislied anstimmt zu Ehren der guten und schönen Königin von Italien.

Und nun ist auch er dahingegangen. Die Nachricht vom Tode des greisen Poeten kommt aus Mailand. Als sein Geburtsjahr wird 1800, von Anderen 1803 angegeben. Der Vers „L'ottuagesimo sesto anno io già varco" auf Seite 21 der „Affetti" entscheidet für die Richtigkeit der ersten Angabe.

Graz. Robert Hamerling.

Henri Rabusson.

„Es ist ein neuer Stern am Schwabenhimmel aufgegangen" singt der Staar in Ekkehard. Wir können dasselbe sagen vom französischen Romanhimmel und das neue Gestirn hat gewiss etwas von dem absonderlich funkelnden der Frau Hadwig, es ist kein Dutzendsternlein, es hat sein eignes, ureignes Leuchten und Glitzern.

Der Name Rabusson ist auch ominös, es erinnert an Rabulist und wer die „Aventure de Mademoiselle de Saint-Alais" liest und die soeben in der Revue des Deux Mondes erschienene „L'amie", wird sich kaum des Gefühls erwehren können, man habe es hier mit einem haarspaltenden Dialektiker zu tun, der sich seines Talentes bewusst ist, die feinsten Fäden, aus der die menschliche Natur zusammengesetzt ist, zu verfolgen, aus- und gegeneinander zu halten und das verwickelte Spiel der Ursachen und Effekte aufs Genauste zu beobachten.

Das genügte aber noch nicht, in diesem Zeitalter weitfortgeschrittener Analysis, Herrn Rabusson den Rang zu sichern, den wir für ihn vindiziren. Das Eigenartige an ihm ist, dass er denjenigen Teil der Menschheit zum Gegenstande seines Studiums gewählt hat, der sich am besten dazu zu eignen scheint, die vornehme Welt. Aber dieser Schein trügt Gerade hier ist es am schwierigsten die wahren Beweggründe menschlicher Handlungen von den angeblichen zu unterscheiden und somit feiert die Virtuosität des Operateurs ihren höchsten Triumph, Subjekten gegenüber, denen beizukommen am Schwersten ist.

Einen andern Vorzug Rabussons sehe ich darin, dass er seine Analyse auf beide Geschlechter erstreckt: er begnügt sich nicht das ewig Weibliche psychologisch zu untersuchen; das ewig Männliche ist ihm eben so wichtig und ebenso interessant.

Somit haben wir in beiden Romanen, neben der Heldin den Helden und beide Subjekte kommen gleich schlecht weg. In Mademoiselle de Saint-Alais ist es die sogenannte „Flirtation", dem Namen nach etwas Englisches, der Natur nach das Menschlichste was es geben mag, die den Hauptgegenstand des Buches bildet.

Es fällt einem dabei unwillkürlich der Ausspruch Pascals ein „ni ange, ni bête". Man sollte meinen in diesem „Hangen und Bangen", nicht der Herzen, sondern der Leiber, in diesem Spiel des tierischen Magnetismus sei mehr von der „bête" als von dem „ange" zu finden und doch ist gerade der Rabussonsche Roman dazu angelegt den Triumph wenn nicht des sittlichen Gefühls so doch der Vernunft, der instinktiven, über den physischen Trieb konstatiren zu lassen.

Man denke sich nur: Zwei junge, schöne Menschen wissen, dass die äußern Verhältnisse ihnen nicht gestatten sich zu heiraten und doch wollen sie sich lieben: er mit dem wenig noblen Hintergedanken das Mädchen könne die Seine werden ohne „den Ring am Finger", sie in der stillen Hoffnung, der junge Herzog werde sich trotz des schlimmen Vermögensstandes dennoch entschließen eine Duchesse aus ihr zu machen.

Er ist ein Lebemann, sie ein Wesen, das zwar ein Herz hat, aber eines jener von dem Weltleben und dem beständigen Anblick des Scheinlebens dieser Welt entherzten Herzen, während die Sinne den entgegengesetzten Prozess durchgemacht und ihre Tätigkeit sich potenzirt hat.

Er heiratet sie nicht, ist aber auf dem Punkte sie zu Fall zu bringen. Ein anderer als Rabusson hätte es gewiss vorgezogen wie Stendhal und Balzac sein Mädchen aus den höhern Ständen wie die erste beste Nähmamsell unterliegen und dann in Dumassches Fahrwasser übergehend den „reinen Toren" erscheinen zu lassen, der die gesunkne Unschuld aufgefangen und rehabilitirt hätte. Unser Autor dagegen glaubt nicht so ganz an die Dumasschen Retter und darin mag er schon so Unrecht nicht haben. Er lässt, da die junge Saint-Alais, Kraft ihres Temperaments, nicht unbemannt bleiben darf, einen gutmütigen Afrikareisenden — diese Spezies fängt an die Ingenieure zu verdrängen — erscheinen, der die Heldin vor dem Falle bewahrt und ihr die Hand fürs Leben reicht.

In der „Amie" hat man es desgleichen mit einem Er und einer Sie zu tun, doch sind es keine freien Leute mehr. Beide tragen das Ehejoch und fühlen sich unwiderstehlich einer zum andern hingezogen. Die reinen Wahlverwandtschaften! Das Packende in diesem Roman ist also nicht der Gegenstand selbst, es ist die Art und Weise wie die Heldin dargestellt wird. Hier wiederum haben wir es mit einem Temperament zu tun, einer jungen Frau, der alles sittliche Gefühl abgeht, die aber im Gegensatz der Mademoiselle de Saint-Alais, ganz „endehors" ist, wie die Franzosen sagen. Sie wirft sich den Männern an den Hals aber dabei lässt sie es auch bewenden. Sie schwelgt in dem Hochgenuss, die jähsten Abstürze entlang ohne Schwindel einherzuwandern, und ob sie mit diesem Sport andere Männer unglücklich macht und Ehen trübt, sie lässt sich darob keine grauen Haare wachsen.

Heikle Gegenstände, die da behandelt werden! Gewiss und doch hat Rabusson eine Eigenschaft — einen Fehler werden die Meisten denken — die seine Bücher hindern wird von denen fertig gelesen zu werden, welchen sie schaden könnten, von den jungen Leuten nämlich, und diese Eigenschaft ist, dass er wie der große Goethe in seinen Romanen, seine subtile Analyse gern auseinandersetzt; wir müssen sie mit ihm durchmachen, er schenkt uns nichts davon. Seine Bücher sind für gesetzte Leute geschrieben, denen es auf eine heikle Szene mehr oder weniger nicht ankommt und die sich gern in retrospektiven Untersuchungen über ihre eigene Sturm- und Drangperiode ergeben.

Dabei ist das alles sehr schön geschrieben und der Stil ist den hübschen Subtilitäten des Inhalts würdig. Rabusson eröffnet eine neue Manier in Frankreich, die der psychologischen Untersuchungsromane, und er hat das Zeug in sich, eine Reihe feiner, tiefer und schön geschriebener Werke zu liefern. Die sogenannte große Welt kommt schlecht dabei weg. Sie ist es aber gewohnt und amüsirt sich deshalb um kein Krümchen weniger.

Versailles. James Klein.

Armenische Schriftsteller.

I.

Raphael Patkanian.

Die Armenier, die gewöhnlich das Krämervolk des Orientes genannt werden, haben allerdings eine bedeutende Dose Krämergeist in sich, aber sie wissen auch das Schöne zu würdigen und zu pflegen. In ihrem geistigen Leben ist viel Ernst, sie bevorzugen das Gehaltsvolle, sind Gegner des Aufgebauschten und Ueberschwänglichen und der Umstand, dass sich ein beträchtlicher Teil der zeitgenössischen armenischen Schriftsteller an das deutsche Geistesleben anlehnt, kennzeichnet zur Genüge ihren litterarischen Geschmack sowie den Gehalt ihres geistigen Wirkens. Fast alle hervorragenderen kaukasisch-armenischen Schriftsteller haben auf deutschen Hochschulen studirt und stehen in vieler Hinsicht unter dem Einflusse der deutschen Wissenschaft. Noch in den Fünfziger Jahren nahm diese Beeinflussung ihren Anfang und der erste der armenischen Schriftsteller, welcher sich der deutschen Bildung zuwandte, war der berühmte Gelehrte Nasarianz. Er war der eigentliche Urheber dieser Strömung und mit einem wahren Enthusiasmus suchte er die armenische Jugend für die deutsche Litteratur und Wissenschaft zu begeistern. Dies gelang ihm allerdings teilweise, aber da er dem armenischen Leben einigermaßen entfremdet war und in seinen Bestrebungen allzu eifrig auftrat, so erwarb er sich auch viele Gegner. Ihm fehlte das eigentliche Verständniss für die geistigen Bedürfnisse seiner Landsleute und allzu sehr dem Einflusse der deutschen Wissenschaft ergeben, entging seinem Blicke die weite Kluft, welche zwischen dem Geiste eines germanischen Volkes und dem eines orientalischen liegt. Trotzdem blieb seine Wirksamkeit nicht ohne Folgen für die weitere Entwicklung der armenischen Litteratur und der Kreis von Schriftstellern, welcher unter seiner Beeinflussung heranwuchs, nahm sich die deutsche Wissenschaft und die deutsche Litteratur zum Muster seines litterarischen Schaffens. Diesem Kreise gehört auch der Dichter Raphael Patkanian an, welcher unter den zeitgenössischen armenischen Schrifttsellern eine sehr hervorragende Stelle einnimmt. Er stammt aus einer Dichterfamilie, denn schon sein Vater und Großvater zeichneten sich durch poetische Begabung aus. Seine höhere Ausbildung genoss Patkanian auf der Dorpater Universität, wo zu seiner Zeit noch einige andere Armenier studirten, die alle zur Schriftstellerei berufen zu sein glaubten und auch vielfach ihre Feder probirten. Aus ihrem Kreise hat sich jedoch nur Patkanian als wirklich zum Dichter und Schriftsteller berufen gezeigt.

In seinen Jugendjahren stand dieser Dichter ohne Zweifel unter dem Einflusse der deutschen romantischen Schule, denn dafür zeugen deutlich seine damaligen lyrischen Gedichte. Später, als er tiefer in die Seele seines Volkes schaute und so manche Schattenseite in dessen Leben erkannte, verließ er die Flur der Romantik und ging zur satyrisch-didaktischen Richtung über. Auch ist er als Epiker und Novellist aufgetreten, ohne jedoch auf dem Gebiete der erzählenden Dichtung denselben Erfolg zu haben, den er als Lyriker hatte. Unter allen seinen Werken stehen seine lyrischen Gedichte oben an; sie haben Schwung, Farbenreichtum, künstlerische Form und tragen meistens echt orientalisches Kolorit. Z. B.

Hasarem meka. (Eine von Tausenden.)

„Sag' an, warum bist du denn stets so traurig,
Bezaubernde Gebieterin, o sage,
Wonach sehnt sich dein Herz, was kann dir fehlen?
Dein Wuchs ist schlank und reizend schön dein Antlitz.
Umhüllt bist du von Sammt und feiner Seide,
Dein Wink, dein Blick genügt und schon erfüllen
Ergeb'ne Dienerinnen deine Wünsche.
Bei Tag und Nacht ergötzt Musik dein Ohr,
Auf weichen Teppichen ruh'n deine Füße,
In deinen Zimmern prangen duft'ge Blumen,
Auf deinen Tischen liegen süße Früchte
Und vor dir steht das kostbarste Nargila.
O sei nicht neidisch auf das Glück der Engel,
Denn deine Wohnung ist ein Paradies,
Nicht eines niedern Dieners Weib bist du,
Du bist des Paschas mächtige Gemahlin
Und Wahnsinn ist's in solchem Glück zu träumen!"
So sprach die alte Haremswärterin
Zur Herrin, der Armenierin Hripsime,
Die mit Gewalt einst war gezwungen worden
Dem lichten Christenglauben zu entsagen.
Mit keinem Wort erwiderte Hripsime
Der Alten Rede, schweigend und mit Ekel
Sie nur ihr Antlitz ab zur Seite wandte.
Ach, trüb, von Gram umwölkt war dieses Antlitz
Und tränenfeucht die schönen, dunkeln Augen,
Die sie verzweiflungsvoll erhob zum Himmel.
Dann stumm der Lippen Klag im Herzen bergend
Starrt' hin sie auf die dunkeln Sommerwolken,
Die blitzesschwanger waren wie ihr Herz.
Ach, sie gedachte jetzt der Kindheit Tage,
Der lieben Eltern, Brüder und Verwandten,
Der schönen Zeit, da sie noch harmlos lebte,
Des längst verlornen Glücks — denn damals plötzlich,
Es war an einem Osterfeiertage,
Erschien ein Offizier mit vier Kawassen
In ihrem Elternhause und verlangte
Hripsime für des Paschas Harem.
Der armen Mutter brach das Herz, der Vater
Lief schnell herbei sein liebes Kind zu retten,
Doch ach, da blitzte des Kawassen Säbel
Und tot zu Boden fiel der arme Vater.
So kam Hripsime in des Paschas Harem,
Sie nahm den Türkenglauben an und sagte
Für immer los sich von den Ihrigen.
Ob sie gezwungen ward hierzu, ob sie
Es freiwillig getan, das weiß ich nicht.
Doch weiß ich wohl, dass sie seit jenem Tage
Nicht einmal mehr gelächelt, dass sie weder
An Tanz noch schönen Kleidern Freude fand.
Nie hat der Mund des unschuldsvollen Weibes
Geflucht den Feinden, die ihr Glück vernichtet.
Verwundert flüsterte sie nur fortwährend:
Warum, warum kommt Niemand mir zu Hülfe?

Sirelik ognutjun hasek!

Teure Freunde, eilt herbei,
Macht von meinem Schmerz mich frei!
Macht mich frei von dieser Glut,
Die mein Herz durchbebt mit Wut!
Ach, zu tief ist meine Wunde,
Die mich quält seit langer Stunde,
Keine Heilung giebt es mehr,
Nie erlischt mein Flammenmeer.

Rosen wollte pflücken ich,
Doch die Dornen stachen mich,
Nimmer kann ich mich ermannen,
Bin im Joche des Tyrannen.
u. s. w.

Im Liebesliede ist Patkanian der leidenschaftliche, sprachgewandte Orientale, dem alle Herzensglut ins Wort fließt, der über die packendsten Vergleiche und Farben verfügt, wenn es ihm gilt seine Gefühle und die Reize der Geliebten zu schildern. Besingt er die Heimat, so schlägt er bald den Ton der Wehmut an, die gewöhnlich denjenigen eigen ist, die fern von ihrer Heimat leben. Dabei malt er die Naturschönheiten Armeniens mit wahrhaft glänzenden Farben und wird geradezu hinreißend bei der Schilderung der südlichen Landschaftspracht und der herrlichen Majestät des Ararat. Während des letzten russisch-türkischen Krieges schrieb er „Freie Lieder", die gegen die Türken gerichtet waren und bei den in der Türkei wohnenden Armeniern so regen Beifall fanden, dass davon in wenigen Monaten 8000 Exemplare verkauft wurden. Patkanian ist überhaupt einer der volkstümlichsten armenischen Dichter und viele seiner Lieder werden vom Volke gesungen.

In der Satire wendet er sich besonders gegen die gebildetere armenische Gesesellschaft. Der jeunesse dorée, die ein müßiges Leben führt und für alle Oberflächlichkeiten der europäischen Civilisation sehr empfänglich ist, teilt er tüchtige Hiebe aus. Auch den „europäisirten" Frauen, die nur dem Vergnügen nachlaufen und in ihrer Verschwendungssucht keine Grenze kennen, sagt er gehörig die Wahrheit und seine geißelnden Worte haben hier ein ästhetisches Gewicht, denn viele der schwarzäugigen Töchter Haiks halten den Luxus und die fremde Tünche für Civilisation.

Auch hat Patkanian ein historisches Epos geschrieben und zwar den „Tod des Wartan Mamikonian", eines armenischen Helden aus dem vierten Jahrhundert.

Seine prosaischen Erzählungen „Der Ehrgeizige" und „Ich war verlobt" sind voller Leben und trotz eines sie durchwehenden romantischen Hauches ziemlich realistisch.

Die schriftstellerische Tätigkeit Patkanians war lange ein sehr rege, denn er gab auch Zeitschriften heraus und hat sich überhaupt um die Hebung der armenischen Litteratur viele Verdienste erworben. Heute scheint die Schaffungskraft dieses ausgezeichneten Dichters schon gebrochen zu sein und er lebt fast vergessen von seinen Landsleuten in sehr bedrängten Verhältnissen. Die Armenier, die die reichsten Kaufleute des Orientes sind, haben es sich bis jetzt noch nicht angelegen sein lassen, ihrem größten zeitgenössischen Dichter durch eine Unterstützung das Leben zu erleichtern.

Tiflis. Arthur Leist.

Deutsche in England.

Nicht besser könnte ich diese allzulang unterbrochenen Mitteilungen wieder aufnehmen, als durch Erwähnung eines vor wenig Wochen erschienenen Buches, welches in sehr gelehrter und sehr sympathischer Weise ein neues Band zwischen England und Deutschland schlingt oder aufzeigt. Es ist dies die „Geschichte der Deutschen in England",*) von Dr. Karl Heinrich Schaible, dessen segensreicher Tätigkeit ich bereits früher im „Magazin" zu gedenken hatte.**) Der Verfasser, welcher einst durch die Ereignisse von 1848—49 aus dem Vaterlande getrieben, dreißig Jahre lang in London als Arzt und Lehrer gewirkt hat und mit englischen Dingen und Persönlichkeiten aufs Engste vertraut ist, ohne irgendwie den Faden des Zusammenhanges mit Deutschland verloren zu haben, gehört zu jenen Männern der Vermittlung, welche durch Wort und Tat, der unseligen Reizung, Verbitterung und Verfeindung entgegenwirken, die allzuhäufig zwischen den Völkern durch übertriebenes Nationalgefühl — „Chauvinismus" — und mangelhafte Kenntniss entstehen, und dann durch wirklich oder scheinbar entgegengesetzte Handelsinteressen, durch die Ereignisse der Tagespolitik, durch oberflächliche Reisende, ja auch durch Verkennung der Aufgaben der Litteratur zu hässlich-duftenden Blüten treibhausartig gepflegt werden, welche sich dann, je nach Gunst und Ungunst der Umstände, zu noch hässlicheren Früchten entwickeln mögen, denen selbst Blutgeruch entsteigen kann.

Wie schlimm in dieser Beziehung sich namentlich seit dem letzten Kriege die Franzosen verrannt haben, ist männiglich allzu bekannt, als dass es nötig wäre, darauf näher einzugehen. Es ist gut, dass man auf alles Feindselige derart im Wesentlichen von Deutschland aus nicht viel oder nicht oft in derselben Tonart erwidert hat. Auch konnte Deutschland, als der Sieger im Waffenkampfe, jene immer törichten und nicht selten unwürdigen Ausbrüche zum großen Teile übersehen, — hoffend, wenn auch mit wenig Zuversicht, dass sich die Wellen des schlimmen Zornes noch während der Dauer des lebenden Geschlechtes verlaufen, und man, wenigstens in der Litteratur und im persönlichen Verkehr, wenn auch noch nicht in der Politik, zu jener freundlichen Stellung zurückkehre, welche Nachbarvölkern hoher Begabung und Sendung im Werke der Bildung und Freiheit vor Allem ansteht, und deren Bekräftigung von den besten Geistern im deutschen Schriftentum, nicht nur von Heinrich Heine, sondern auch von Wolfgang Goethe immer erstrebt worden. Also gegenüber Frankreich hat sich, so scheint mir, Deutschland in den letzten fünfzehn Jahren wenig oder keine

*) Geschichte der Deutschen in England, von den ersten germanischen Ansiedlungen in Britannien bis zum Ende des achtzehnten Jahrhunderts. Von Karl Heinrich Schaible. — Straßburg, Trübner, 1885. — XIV und 483 S. 8°.

**) Magazin, vom 18. April 1885. Nr. 16.

Vorwürfe zu machen, und das gereicht den Deutschen zur Ehre, und wird wohl auch so von Außenstehenden anerkannt.

Anders liegt manchfach die Sache zwischen England und Deutschland. Hier allerdings ist nicht ein vorausgegangener Krieg anzuklagen, der Gereiztheit als böse Frucht zurückgelassen: aber eine Gereiztheit hat sich vielerorts, in Köpfen und Herzen, eingestellt, welche allerdings eines Tages die böse Frucht eines Krieges zwischen Stammverwandten hervorbringen mag. Liegt mir doch ein deutsches Lokalblättchen vor, in dem ein deutscher heißsporniger Feuilletonist mit russischem Namen geradezu in chauvinistischem Uebermut „auf der Reise nach London" dem Leser predigt, *à propos des bottes*, dass wie die deutschen Waffen die Franzosen gezüchtigt haben, so nun bald die Reihe an die Engländer kommen solle. Schmach solchem Federfuchser, dessen einzige Entschuldigung höchstens darin liegen könnte, dass der Herr ihm vergeben werde, „denn er weiß nicht was er tut". Und hier ist zu sagen, dass in dieser Beziehung das Verhalten zwischen England und Deutschland gerade das umgekehrte von dem ist, welches wir zwischen Frankreich und Deutschland bemerkt haben. Der Angriff kommt hier beinahe ausschließlich — in unsern Tagen — von Deutschland, und wird selten, und wahrscheinlich nie so gröblich, von England erwidert.

Ein durchaus tadelnswerter, hämischer, unwirscher, ungerechter Ton hat sich seit Jahren in Deutschland gegen England breit gemacht, und er begründet sich beinahe immer auf Unwissenheit. Beinahe immer, aber nicht immer. Wer das Buch „Berlin und Petersburg" gelesen, der weiß, dass, vor nicht allzulanger Zeit, mit der Billigung der damals höchstgestellten Person, im maßgebenden Kreise alles Englische in den Schatten gestellt oder möglichst verschwiegen wurde, um allem Russischen eine wohlgeneigte Aufmerksamkeit zu schenken, — wonach sich gutgesinnte Zeitschriften zu richten hatten und wirklich richteten. Wenn nun auch die russische Press-Agentur verschwunden, so ist doch von ihrem Geist oder Ungeist etwas zurückgeblieben. Einen andern Teil des Uebels hat unser lieber Heinrich Heine verschuldet, der, in seiner Freude an Frankreich und in seinem Parteigängersinn für Napoleon den Ersten, einen gegen England durchaus gehässigen Ton einschlug, den man vorher, soviel ich weiß, in Deutschland nicht gekannt hatte, von dem er sich erst spät im Leben heilte, und der seine unverkennbaren Spuren in vielen deutchen, namentlich auch österreichischen Schriftstellern zweiten und dritten Ranges zurückgelassen hat. Das war anders in Schillers und Goethes Kreisen. Und noch dazu ist das heutige England himmelweit von dem Heines entfernt: die Fortschritte, die Verbesserungen sind ungeheuer. Aber es will mich bedünken, dass die Kenntniss des Landes, trotz Tauchnitz, und trotz mancher tüchtigen Einzelnwerke über Staatsform, Ackerbau, Schulwesen und dergleichen, die eben nur auf Spezialkreise hinweisen und hinwirken, tatsächlich abgenommen habe. Der Hauptverbreiter der Unkenntniss sind die flüchtigen Reisenden, die häufig noch mit mehr Vorurteil wieder abziehen, als sie hierher mitgebracht, wo sie allen wirklichen Eintritts in die Gesellschaft entbehrten, und die dem Lande gram sind, das ihnen freilich nicht den ewig heitern Himmel zeigen kann, der über Griechenland lächelt, oder das artige Gesicht und kokette Wesen das Paris ihnen bietet. Unter solchen Leuten hat sich neuerdings ein Berliner ausgezeichnet, welcher doch heute namenlos bleiben soll, in Erwägung, dass man seine Besserung noch nicht als hoffnungslos betrachten darf. Andere, den gebildeten Ständen Angehörige, haben uns mit solchen Fragen erstaunt: „Hat man in England auch Geschworene?" und „Wo haben denn die Engländer ihre Soldaten?" oder haben nach vielmonatelangem Aufenthalt darüber geklagt, dass es in England keine lesbaren Wochenschriften gebe, im Lande der *Saturday Review*, des *Spectator*, des *Athenaeum*, der *Academy* u. s. w., u. s. w. Man wird da bisweilen an die Art erinnert, in welcher, kaum hundertfünfzig Jahre nach dem Abzug der Römer von Britannien, den Nachkommen derselben, den Zeitgenossen des Justinian, die Kenntniss des Landes entschwunden war, und an die wunderlichen Dinge die Procop, — ganz wie ein deutscher Feuilletonist — seinem Publikum auftischen konnte, und die unser geneigter Leser im ersten Bande seines Macaulay sich wieder nachlesen mag. Freilich war das nur Unwissenheit; den hämischen Ton haben unsere deutschen Zeitungsschreiber beigefügt. Davon giebt es Ausnahmen, z. B. eine Reihe von sorgfältigen Feuilletonartikeln, in welchen ein zufällig in England und Schottland reisender Mitarbeiter der Weser-Zeitung ganz große Stücke zeitgenössischer englischer Litteratur und Kunst entdeckt hat, wovon der Tauchnitz-Gebannte auch kein Sterbenswörtchen gehört hat, — ferner das Meyersche „Schriftsteller-Lexikon", in welchem zum erstenmal für das Ausland diese zeitgenössische Litteratur im Einzelnen und wohlwollend dargestellt ist; — ebenso Eduard Engels sehr beachtenswerte, wenn auch von Heineschem und Berliner Vorurteil nicht ganz freie Geschichte der englischen Litteratur und ein großer Teil von Blinds verdienstlicher Tätigkeit. Aber daneben läuft viel Widerwärtiges. So hat ein neugegründetes Litteraturblatt es für geeignet befunden, wieder *à propos des bottes*, von dem „Krämergeist" der Engländer, den „englischen Krämerseelen" zusprechen. Das für das Vaterland Shakespeares, Tennysons, Carlyles! Es ist ja schlimm genug, dass in allen Ländern die Tagespolitik bisweilen die Zeitungen veranlasst oder verführt, derlei Abgeschmacktheiten von sich zu geben; aber ein Litteraturblatt, dessen Aufgabe eine so viel höhere ist, die Pflege alles Guten, Wahren, Schönen, die Verklärung alles Leidenschaftlichen! Aber da tritt ein „was uns Alle bändigt, das Gemeine“. Dahin gehört auch der dumme Vorwurf, England sei selbstsüchtig. Nun wo sind denn die Beweise der Selbstlosigkeit Oesterreichs, Frankreichs, Preußens, Russlands? Wer in Glashäusern wohnt, hüte sich doch andern Leuten die Fenster einzuwerfen! Am Ende waren es doch die englischen Geldsäcke und „Krämerseelen“, die zwanzig Millionen Pfund Sterling bezahlt haben, um die Sklaverei in ihren Kolonien aufzuheben. Auf persönliche Verhältnisse werfen die umlaufenden gehässigen Vorstellungen, die hergebrachten Verhöhnungen, denen sich Bühne, Roman und Feuilleton so häufig hingeben, oft einen bösen Schatten. Und wieder und wieder ist es uns hier vorgekommen, dass würdige Männer, mit Vorurteilen hier eingetroffen, aber während einiger Monate in wirklich lebendigem Verkehr mit hiesiger Gesellschaft lebend, freudig bekannten, ihre frühere Ansicht habe unter dem Eindruck der empfangenen Gastlichkeit und des kräftig-strebenden Geisteslebens sich völlig gewandelt. Von dem „Marasmus“, in den England verfallen sein sollte, erfuhren sie gerade das Gegenteil, und die nicht zu leugnenden Fehler, durch welche eine englische Regierung dem Ansehen wie den Interessen des Landes allerdings Jahre lang geschadet, täuschten sie nicht länger über die Festigkeit, Vielseitigkeit und Springkraft, durch welche das Land Shakespeares, dessen die europäische Civilisation ebensowenig entbehren kann als Deutschlands, auch die schwersten Krisen überdauern mag.

Uebertreibe ich? Schreibt mir doch ein hochstehendes Mitglied des deutschen Reichstages:

„Anti-englisch sind die allermeisten Deutschen. Unsere Partei ist die einzige, welche es nicht ist. Und wirkliche Freundschaft zu England hegen auch unter uns nur Wenige. Vielleicht wird die Stimmung etwas besser, wenn Salisbury am Ruder bleiben sollte. Denn ein Teil des Hasses kommt von der Abneigung gegen den Liberalismus, ein anderer, größerer wahrscheinlich, aus Handelsneid. Ich weiß recht gut, dass die englischen Tories liberaler sind, als viele unserer Liberalen, aber die Meisten glauben „konservativ“ bedeute in allen Ländern dasselbe.“

Wohl könnte ich dies Kapitel fortsetzen, und mit viel anderen Belegstellen aus Briefen, Zeitungen und Gesprächen aufwarten, aber es mag genug sein.

(Schluss folgt.)

London. Eugen Oswald.

Heidelberger Erinnerungen.

Irren wir nicht, so wird in der ersten oder zweiten Augustwoche dieses Jahres das 500jährige Jubiläumsfest der Heidelberger Universität, der altehrwürdigen von Pfalzgraf Ruprecht I. 1386 gegründeten Ruperto-Carola feierlich begangen. Berühmte Professoren, Männer von hoher wissenschaftlicher Bedeutung haben in den fünf Jahrhunderten, auf die die Hochschule am Neckar jetzt herabblickt, ihr Lehrstühle eingenommen und durch Wort und Schrift die von überall her in die Musenstadt strömende Jugend in allen Wissenszweigen unterrichtet. Gelehrte wie Marsilius v. Inghem und Reginald v. Alva, welche zu den ersten gehörten, die an der neugestifteten Universität Vorlesungen hielten, ferner Agricola, Reuchlin, Pirkkeimer, Pufendorf bis herab auf Thibaut, Schlosser, Mittermaier, Rau, v. Vangerow, Windscheid, Bunsen und von Helmholtz haben in Heidelberg als Docenten gewirkt und ernsten wissenschaftlichen Forschungen sich hier hingegeben.

Das sechzehnte Jahrhundert war wohl die glanzvollste Epoche der alten Ruperta. Denn es fanden gerade zu dieser Zeit wenn auch langsam die humanistischen Studien im Gegensatz zu der bis dahin allein geltenden scholastischen Methode in die Professorenkreise Eingang. Mit ihnen zog auch die Reformation, durch Otto Heinrich in die Pfalz offiziell eingeführt, Stadt und Universität in ihren Bannkreis. Ja letztere erlangte sogar einen kosmopolitischen Charakter, als Kurfürst Friedrich III., der Nachfolger Otto Heinrichs, die Lehre Luthers mit den Glaubenssätzen Calvins vertauschte.

Mit dem 30jährigen Kriege aber kamen schwere Tage über das schöne Land. Die ganze „Pfalz wurde in eine Wüstenei verwandelt, die Universität versprengt, die palatinische Bibliothek nach Rom entführt“. Nach Abschluss des westfälischen Friedens hat Kurfürst Karl Ludwig durch zweckmäßige Reformen und religiöse Duldsamkeit viel zum schnellen Wiederaufblühen des Landes gethan. „Wiederhersteller der Pfalz“ nannte man ihn und die Heidelberger Hochschule „eine feste Burg akademischer Freiheit inmitten der Bande des Krummstabs“. Diese so glücklichen Zeiten aber währten leider nicht lange. Ludwig XIV. überzog die Pfalz von 1689 an während voller acht Jahre mit Krieg. Französische Horden raubten, wo nur noch Etwas zu finden war, mordeten schwache Weiber oder wehrlose Greise und brandschatzten jedes Dorf, jedes Gehöft. Die Krone aber setzte allem der „allerchristlichste“ König selbst mit der Zerstörung Heidelbergs auf. Dazu kam dann noch die Bestimmung des Ryswiker Friedens (1697), dass in den Ortschaften, wo von der im Gefolge des französischen Heeres befindlichen Geistlichkeit einmal eine Messe gelesen worden, der katholische Gottesdienst hinfort geduldet sein sollte. Diese Klausel verfehlte nicht auch auf die Universität ihre Wirkung zu üben. Alles, was in Beziehung zu derselben stand, trug von nun an ein klerikales Gepräge zur Schau. Katholische Priester, jesuitische Professoren hatten die Heidelberger Lehrstühle fast ausnahmslos inne. Mehr als ein Jahrhundert (von 1685 bis 1799) blieb die Hochschule von diesem pfäffischen Geiste beherrscht.

Mit dem Todesjahre des kunstsinnigen Karl Theodor, dem zur Erinnerung das Karlsthor in Form eines Triumphbogens und an der unteren Brüstung der (alten) Neckarbrücke ein Standbild errichtet wurde, brachen abermals, wie für ganz Europa, so auch für das Pfälzer Land schwere Tage herein. Im Oktober 1799 besetzten französische Truppen Heidelberg, welches in den nächsten Jahren die verschiedensten Armeen, bald Freund, bald Feind, je nach der wechselvollen Laune des Kriegsgottes, in seinen Mauern beherbergte. In Folge wirtschaftlicher Kalamität und finanzieller Bedrängniss lag auch die Universität in dieser stürmischen Zeit darnieder: Der Besuch war mangelhaft, da Jeder bei dem allgemeinen Weltbrande, den der korsische Eroberer an allen Ecken und Enden entfacht hatte, die Feder mit dem Schwerte vertauschte. Die Besoldungen der Professoren waren höchst spärlich. Doch Dank der eifrigen Bemühungen des Geh. R. v. Zentner, eines früheren Heidelberger Professors, blieb wenigstens der Bestand der Universität trotz der Ungunst der Zeiten gesichert. Durch den Lüneviller Frieden kamen Mannheim und Heidelberg an den Markgrafen Karl Friedrich von Baden und unter ihm wandelte sich die klerikal-scholastische Ruperta in die vom Geist des neunzehnten Jahrhunderts beseelte Ruperto-Carola um, an der ein Schlosser und Thibaut, ein Paulus und Voss im fortschrittlichen, freiheitlichen Sinne wirkten. Mit dem von Karl Friedrich 1803 erlassenen Organisationsedikt begann für die Heidelberger Universität eine Epoche hohen Glanzes. Wie Karl Friedrich so scheuten auch die auf ihn folgenden Herrscher aus dem Geschlechte der Zähringer weder Kosten noch Mühe, um stets hervorragende Kräfte auf allen Wissensgebieten in die idyllische Musenstadt zu ziehen, damit ihr die achtunggebietende Stellung, die sie unter den Warten deutscher Wissenschaft einnimmt, stets ungeschmälert erhalten bliebe.

Und so verspricht denn auch das fünfte Säkularfest, zu dem schon jetzt Bürger und Angehörige der Hochschule vereint die umfangreichsten Vorkehrungen treffen, ein glänzendes zu werden. Zur Vorbereitung auf dasselbe, als „ein Vermächtniss für Stadt und Universität" hat kürzlich Georg Weber ein beachtenswertes Buch „Heidelberger Erinnerungen" bei J. G. Cotta in Stuttgart veröffentlicht, welches uns in knappen Zügen die Geschichte des Pfälzer Landes, der Stadt Heidelberg und seiner Universität, während der 5 Jahrhunderte vorführt, und welches namentlich durch die treffenden Charakteristiken der hervorragendsten Professoren von ungefähr 1800 an jedem ehemaligen Heidelberger Studenten besonderes Interesse bieten muss. Mit den meisten der in den letzten Kapiteln des Buches geschilderten Persönlichkeiten stand Weber in freundschaftlichem Verkehr. Er konnte somit viele kleinere Züge, die dem Auge des flüchtigen Beobachters entgehen, aufzeichnen und zu einem einheitlichen Bilde zusammenfassen.

Wir hätten gewünscht, dass auch der historischen Entwicklung der studentischen Korporationen, vor allen den aus den ehemaligen Landsmannschaften hervorgegangnen Korps, die manchen bedeutenden Gelehrten und Staatsmann zu ihren Mitgliedern zählen, eine kurze Betrachtung gewidmet worden wäre. Die Archive derselben bieten Material dazu in Menge.

Auf die Weberschen Aufzeichnungen, die sich schon jetzt einen großen Kreis von Freunden erworben, aufmerksam zu machen, war der Zweck dieser Zeilen.

Steglitz b. Berlin. Fr. Simonson.

Savages „Moral der Entwicklung".

„The Morals of Evolution." By M. J. Savage. Boston. Geo. H. Ellis.

Die zwölf Kapitel, welche das vorliegende Werk bilden*), waren ursprünglich Sonntagspredigten. Sie haben aber — wie so oft die amerikanischen und englischen Predigten — nichts von dem an sich, was wir als die spezifischen Merkmale einer Predigt ansehen: sie sind gemeinverständliche wissenschaftliche Vorträge. Der Verfasser, ein liberaler unitarischer Geistlicher, ist ein Anhänger Herbert Spencers, des berühmtesten englischen Philosophen der Gegenwart. Er führt in diesen Reden den Nachweis, dass die Moral durch die Entwicklungslehre oder den „Darwinismus" in keiner Weise gefährdet, sondern vielmehr durch sie unterstützt wird. Denjenigen, welche die Moral auf gewisse theologische Dogmen basiren wollen, tritt er mit großer Schärfe entgegen. Die Kirchen, sagt er, seien in hohem Maße Schuld an der Flut von Unsittlichkeit, welche die Gesellschaft bedrohe wenn die Menschen ihren Glauben an ein bestimmtes theologisches System verlieren: denn sie haben uns beständig versichert, dass es keinen Grund gäbe, warum die Menschen rechtschaffen leben sollten, wenn ihre Theologie nicht wahr wäre. Was die Religion der Zukunft anbetrifft, so glaubt der Verfasser nicht, dass dieselbe „ausschließlich irgend eine der Religionen der Gegenwart oder der Vergangenheit sein wird. Das religiöse Leben des Menschen ist etwas Größeres, als irgend eine Religion es ist. Wenn es das nicht

*) Ist das Leben lebenswert? — Moral und Religion in der Vergangenheit. — Der Ursprung des Guten. — Die Natur des Guten. — Das Gefühl der Verpflichtung. — Selbstsucht und Aufopferung. — Die Relativität der Pflicht. — Wirkliche und konventionelle Tugenden und Laster. — Moral und Erkenntniss. — Rechte und Pflichten in Meinungssachen. — Moralische Sanktionen. — Moral und Religion in der Zukunft.

wäre, so würde es sich in jener einen ausgedrückt haben und in keiner andern. Wir haben, meine ich, auf die Religionen der Welt nicht als auf solche zu blicken, von denen eine absolut wahr und alle übrigen absolut falsch sind, eben so wenig wie wir eine besondere Kunstschule als absolut wahr und alle andern als absolut falsch anzusehen haben. Die Religionen der Welt waren, wenigstens an erster Stelle, das ehrliche, fromme, ernste Bestreben des Menschen, die religiöse Seite seines Lebens zum Ausdruck zu bringen."

So wohlgelungen die Ausführungen Savages in vielen Hauptpunkten auch sind, so wird die Kritik doch Manches an denselben auszusetzen finden. Ein wesentlicher Fehler seiner Auseinandersetzungen ist, dass sie den Unterschied zwischen Naturgesetz und Sittengesetz außer Acht lassen. Den „Naturgesetzen" entspricht alles Geschehen, alles menschliche Handeln: und jede Handlung ohne Ausnahme würde daher gut sein, wenn der bloße Umstand, dass sie den Naturgesetzen gemäß ist, sie rechtfertigte. Wenn unser Autor von einem „Bruche der Naturgesetze" spricht, so meint er in Wirklichkeit nicht Naturgesetze, im Sinne der positiven Wissenschaft, sondern Regeln des Verhaltens, — die zwar auf die Kenntniss der Naturgesetze sich gründen mögen, nicht aber selbst Naturgesetze sind. Man glaube nicht, dass sein Fehler nur ein Fehler der Terminologie ist: die mangelnde Unterscheidung zwischen jenen beiden Begriffen zeigt sich vielmehr in seinem ganzen Denken über diese Verhältnisse. Ein anderer, nicht geringerer Fehler ist der, dass er das Selbstinteresse als die im menschlichen Leben rechtmäßig herrschende Macht ansieht, als das Motiv, an welches der Ethiker zu appelliren habe. „Es wird einst," so erklärt er, „als eine buchstäbliche Wahrheit erkannt werden, dass kein Mensch — außer aus Unwissenheit, aus Wahnsinn, oder wegen einer solchen Unterjochung durch seine Leidenschaften, dass er kein verantwortliches Wesen mehr ist — jemals unrecht gehandelt hat."

In diesen alten sokratischen Irrtum ist der Verfasser, wie es scheint, dadurch verfallen, dass er den Unterschied zwischen der Erkenntnissseite und der Gefühlsseite der Willensakte verkannt hat: der Mensch kann nur aus seinen eigenen Gefühlen handeln, aber die Vorstellung, an die seine stärksten Gefühle sich heften, brauchen nicht die Voraussicht seines eigenen größten Wohles zu sein: die Vorstellung, unrecht zu tun, kann einem Menschen schmerzlicher sein, als die Vorstellung, sein Lebensglück zu beeinträchtigen. Eine Folge jenes psychologischen und ethischen Fehlers ist der, dass den Worten unsers Autors die eigentlich moralische, zum Herzen dringende, zum Guten begeisternde Kraft fehlt. Man lese Salters unvergleichliche moralische Reden*), und man wird der ganzen Größe des Kontrastes zwischen einer an die Selbstliebe und einer an das Gewissen appellirenden Moralpredigt inne werden. Und mit jenem Fehler hängt ferner zusammen, dass Savage eine vollkommene Harmonie von Tugend und Eigeninteresse annimmt und wirkliche, unkompensirte Selbstverleugnung als ein Ding der Unmöglichkeit darstellt. Sein allgemeiner Optimismus, der die Welt, wie sie ist, als einen Schauplatz der Gerechtigkeit ansieht, mag den oberflächlichen Leser befriedigen; wer ernster über diese Fragen nachdenkt, wird erkennen, dass ein solcher Glaube ein Hinderniss für den moralischen Fortschritt ist. Wenn wirklich eine vollkommene Harmonie zwischen Rechthandeln und Glücklichsein besteht, wenn schon durch die allgemeinen Kräfte des Universums unsere Ideale der Gerechtigkeit realisirt werden, so ist unser mühevoller Kampf, die Gerechtigkeit triumphiren zu machen, zwecklos. Unsere Arbeit ist überflüssig, wenn Gott oder das Universum unser Werk tut.

Das Gesagte schließt keineswegs die Anerkennung aus, dass Savages, durch Wahrheitsliebe und echte Freisinnigkeit ausgezeichnetes Werk ein gutes, empfehlenswertes Buch ist.

Berlin. Georg von Gizycki.

*) Salter, „Die Religion der Moral". Leipzig, Wilhelm Friedrich, 1885.

Litterarische Neuigkeiten.

Ein bedeutsamer historischer Gedenktag fällt auf den 4. Januar 1886: der 100jährige Todestag **Moses Mendelssohns**, jenes feinsinnigen Denkers und Schriftstellers, der ohne Zweifel einer der hervorragendsten Geister des achtzehnten Jahrhunderts war. Der „deutsche Sokrates" wie ihn einst seine bewundernden Zeitgenossen nannten, hat nicht bloß auf dem Gebiete der philosophischen und religiösen Aufklärung große Verdienste, insofern er in der damals herrschenden Leibnizschen Schule der geistvollste Vertreter ihrer Ideen und der beredteste Anwalt des vorkantischen Deismus und Humanismus war. Mendelssohns schriftstellerische Wirksamkeit hat auch noch eine große **national-litterarische** Bedeutung erlangt, da er als einer der Schöpfer unserer klassischen philosophischen Prosa bezeichnet werden kann. Ist es doch kein Geringerer als **Immanuel Kant**, der über ihn schreibt: „Man soll zwar ebenso wenig allen Verfassern einen Stil, wie allen Bäumen eine Rinde wünschen; aber dennoch scheint uns Mendelssohns Schreibart für die Philosophie die zuträglichste zu sein. So frei von aller Sucht nach blendendem Schmuck und doch so elegant; so scharfsinnig und doch so deutlich; so wenig auf Rührung dem Scheine nach arbeitend und doch so eindringend. Wenn sich die Muse der Philosophie eine Sprache erkiesen sollte, so würde sie diese wählen." Dieses Urteil Kants dürfte wohl einigen Wert beanspruchen und wir begreifen, dass Dr. **Moritz Brasch**, der neuere Herausgeber und Kommentator von Mendelssohns philosophischen Werken (2 Bde. Lpz. 1880), die Beziehungen des Letztern zu dem großen Königsberger Denker vielfach betont. Im Uebrigen machen wir in Veranlassung des Mendelssohnschen Jubiläums auf diese treffliche und streng wissenschaftliche Edition aufmerksam. Band I enthält die größern metaphysischen und ethischen Schriften, Bd II die ästhetischen und religionsphilosophischen Arbeiten. Jeder der Schriften hat der Herausgeber eine kommentirende Einleitung vorausgeschickt, außerdem aber das Ganze durch eine umfassende litterarhistorische Studie eingeleitet. Ein soeben erschienenes kleineres Werkchen über „Mendelssohn und seine Familie" von Dr. **Adolf Kohut** (Dresden bei Pierson), trägt mehr den Charakter einer Festschrift. Sie erhebt keinen wissenschaftlichen Anspruch, ist aber in gehobenem, warmem, nur hier und da etwas zu apologetischem Tone gehalten.

Noch kurz vor Weihnachten gelangte im Verlag von J. F. Richter in Hamburg in einer großen illustrirten Salon-Pracht-Ausgabe die fünfzehnte Auflage von Robert Hamerlings bekannter Dichtung „Ahasver in Rom“ zur Ausgabe, welche die Bezeichnung „Prachtwerk allerersten Ranges“ wie wohl kaum ein ähnliches in jeder Beziehung verdient. Die wirklich vorzüglichen Illustrationen hat der Maler E. Fischer-Cörlin in Berlin geschaffen. Der stattliche Band enthält deren über hundert in Holzschnitt (Vollbilder auf Doppel-Velin, große und kleine Text-Illustrationen, Leisten, Initialen etc.). Seitens der Verlagshandlung ist nichts versäumt worden, um das berühmte Werk durch eine glanzvolle, typographisch wie künstlerisch gleich prächtige Ausstattung zu ehren. Der Preis beträgt in Original-Prachteinband 50 Mark.

Georg Taylor, der bekannte Verfasser der Romane: „Antonius“, „Klytia“ und „Jetta“, welche bereits zahlreiche Auflagen erlebten, veröffentlichte soeben im Verlag von S. Hirzel in Leipzig eine neue Erzählung betitelt: „Elfriede“.

In ihrer Sitzung vom 26. November hat die Académie Française die Montyon- und Litterarischen Preise ausgeteilt. Es ist dabei ein posthumes Werk gekrönt worden: „La Renaissance de Dante à Luther“ vom Genfer Marc Monnier. Unter den rein litterarischen Werken mögen genannt werden: „Tony“ von Frau Bentzon und „La Meilleure Part“ von Léon Tinseau, zwei sehr hübsche Romane, die man nicht vor den Fräuleins zu verbergen braucht. Preisgedichte über das Motiv: Sursum corda sind zweihundertsiebenundvierzig eingelaufen, wovon sieben gekrönt wurden, unter andern das Gedicht Nr. 179 vom Hauptmann von Borelli auf dem Schiffe niedergeschrieben das ihn nach Tonk-King brachte. Unter den Jugendschriften wurde dem Werke von Emile Desbeaux „Les Projets de Mademoiselle Marcelle et le Étonnements de Monsieur Robert“ ein Preis von tausend Franken erteilt.

Bei Duncker & Humblot in Leipzig erschien vor Kurzem: „Hans Joachim von Zieten“. Eine Biographie von Georg Winter. Mit einer Radirung von H. Meyer und 10 facsimilirten Briefen Friedrichs des Großen und Zietens. Zwei Bände. Der Verfasser hat sich die Aufgabe gestellt, die populärste Heldengestalt unter den Feldherren Friedrichs des Großen, welche bisher meist Gegenstand einer reich entwickelten poetisch-fabulosen Volkstradition war, in ihrem historischen Lichte zu zeigen, die einfache geschichtliche Wahrheit durch kritische Prüfung der vorhandenen Ueberlieferung und Erweiterung derselben durch neue Quellen herzustellen. Doch ist das Werk dadurch keineswegs zu einem nur für das gelehrte Publikum bestimmten geworden, vielmehr wendet es sich an Alle, welche patriotisch denken und fühlen und sich gern jene Zeiten der Morgenröte des Deutschen Reiches vor Augen führen lassen.

Im Verlag von J. Pellas in Florenz erschien der 1. Band eines hochinteressanten Werkes aus der Feder des bekannten Grafen De Gubernatis. Daselbe trägt den Titel: „La Hongrie politique et soziale“ und ist die Frucht einer ungarischen Reise, während welcher der Verfasser Land und Leute, Sitten und Gebräuche mit offenem Auge und liebevoller Zuneigung studirte.

Die G. Grotesche Verlagshandlung in Berlin versendet seit Kurzem: „Goethes Werke“. Herausgegeben von Ludwig Geiger. Neue Ausgabe. 10 Bände geb. 20 Mark, in Halbfranzband 25 Mark. Diese neue von Professor Ludwig Geiger, dem Herausgeber des Goethe-Jahrbuchs, bearbeitete Ausgabe von Goethes Werken ist das Resultat jahrelanger Arbeit. Die Tendenz der Ausgabe ist nicht die einer historisch-kritischen, die Bearbeitung berücksichtigt vielmehr litterarisch-ästhetische Gesichtspunkte und giebt besonders nach Form und Stoff anziehende und orientirende Anmerkungen, litterargeschichtliche Einleitungen zu jedem Bande, sowie eine 8 Bogen umfassende Lebensbeschreibung.

„Parrucche e Sansculotti nel secolo XVIII.“ betitelt sich eine geistreiche Monografie von Ernesto Masi, welche soeben bei Fratelli Treves in Mailand erschien. Man kann dieselbe eine Gallerie von Pastell-Bildern nennen mit großer Wahrheit und lebhaften Farben von Meisterhand gemalt.

„Cicerone durch das alte und neue Aegypten“. Ein Lese- und Handbuch für Freunde des Nillandes von Georg Ebers. Mit zahlreichen Holzschnitten und zwei Karten. 2 Bände. (Stuttgart und Leipzig, Deutsche Verlags-Anstalt, vorm. Eduard Hallberger.) Es liegt diesem vorzüglichen Buche der von der gelehrten und belletristischen Kritik einstimmig für mustergültig erklärte Text des großen Prachtwerkes „Aegypten in Bild und Wort“ zu Grunde; doch hat der Verfasser denselben von Grund aus durch- und umgearbeitet und auch den jüngsten Ereignissen und Entdeckungen auf ägyptischem Boden volle Berücksichtigung zu teil werden lassen. Der „Cicerone“ soll, wie der Verfasser im Vorwort mit vollem Rechte selbst sagt, dem Leser, dem es nicht vergönnt war, das Nilthal selbst zu besuchen, alles vorführen, was wissenswert und bemerkenswert ist, und er wird ihn vertraut machen mit Land und Leuten, der Geschichte und den Denkmälern Aegyptens von der ältesten Zeit an bis in unsere Tage.

Bei Firmin-Didot & Cie. in Paris erschien der zweite Band der „L'Histoire de la littérature moderne“ von Marc Monnier. Durch den Tod des bekannten Dichters und Litteraturhistorikers wurde das Erscheinen dieses zweiten Bandes verzögert, an welchem er noch in letzter Stunde arbeitete. Die acht Kapitel handeln über: Luther, Calvin, Rabelais et Montaigne, Le Tasse, Giordano Bruno, Camoens, Cervantes und Shakespeare.

Walt. Whitmann, der originellste amerikanische Dichter, von dessen reimloser Poesie einst Spielhagen und Freiligrath verdeutschte Proben gegeben haben, hat nun Uebersetzer eines größeren Teiles seiner Gedichte gefunden. Der deutsch-amerikanische Schriftsteller Knortz in New-York und der Herausgeber der Dubliner Review, Herr Ralleston haben eine Auswahl aus Whitmanns 'leaves of grass' übersetzt. Nachdem sich Herr Ralleston, der eine Zeit lang in Dresden lebte, vergeblich bemüht, einen Verleger in Deutschland für den deutschen Whitmann zu finden, — obwohl er bereit war, die Kosten zu übernehmen — ist es den Genannten nun gelungen, in Zürich einen Verleger zu gewinnen. Die 'leaves of grass' sind das freieste und humanste Glaubensbekenntnis eines von einer idealen Demokratie in der neuen Welt erfüllten Amerikaners.

Professor M. Lazarus': „Ideale Fragen in Reden und Vorträgen“ hat im Verlag der C. F. Winterschen Buchhandlung in Leipzig die 3. durchgesehene Auflage erlebt.

Von Paul Heyse erschien im Verlag von Wilhelm Hertz in Berlin ein neuer Band Novellen (der Sammlung achtzehnter). Derselbe trägt den Titel: „Himmlische und irdische Liebe“ und enthält außer einer Novelle dieses Titels noch zwei andere deren erste „F. V. R. J. A“ benannt ist, während die zweite und letzte sich „Auf Tod und Leben“ betitelt.

Im Verlage von Moritz Ráth, Budapest, beginnt demnächst das Erscheinen einer illustrirten Prachtausgabe der dramatischen Werke Shakespeares, welche auf hundert Hefte berechnet ist. Es gelangen dabei die charakteristischen, flotten Illustrationen Gilberts zur Verwendung und wird Gregor Csiky, heute der begabteste ungarische Dramatiker, zu jedem Stücke eine Einleitung und erklärende Notizen schreiben.

Die nächsten Nummern des „Magazin“ werden Beiträge enthalten von:

Hermann Heiberg.
Ernst Eckstein.
Gerhard von Amyntor.
Emil Peschkau.
Wilhelm Loewenthal.
Rudolf Kleinpaul.
H. Nitschmann.
August Boltz.
Edmund Dorer.
Alex. Büchner.
Emil Jonas.
Rud. Schmidt (Kopenhagen).
Ludw. Aug. Frankl.
Ferdinand Gross
und Anderen.

Alle für das „Magazin“ bestimmten Sendungen sind zu richten an die Redaktion des „Magazins für die Litteratur des In- und Auslandes“ Leipzig, Georgenstrasse 6.

Im Verlage von **Wilhelm Friedrich** in **Leipzig** erschien:

Abel, Carl. Dr. ph.: **Sprachwissenschaftliche Abhandlungen.** br. M. 10.—, geb. M. 11.50.

— **Gross und Klein-Russisch.** Aus Ilchester-Vorlesungen über vergleichende Lexicographie gehalten an der Universität Oxford. br. M. 6.—.

— **Ueber den Gegensinn der Urworte.** br. M. 2.—.

— **Einleitung in ein Aegyptisch-semitisch-indoeuropäisches Wurzelwörterbuch.** Heft I und II. br. à M. 20.—.

Aristokratie, die, des Geistes als Lösung der socialen Frage. Ein Grundriss der natürlichen und der vernünftigen Zuchtwahl in der Menscheit. br. M. 3.—.

Bitter, C. H., Königl. preuss. Staatsminister: **Gesammelte Schriften.** br. M. 10.—, geb. M. 11.50.

Cassel, D. Paulus: **Aus Literatur und Symbolik.** Abhandlungen. br. M. 8.—, geb. M. 9.—.

— **Aus Literatur und Geschichte.** Abhandlungen. br. M. 10.—

Günther, Georg: **Grundzüge der tragischen Kunst.** Aus dem Drama der Griechen entwickelt. br. M. 10.—.

Hartmann, Eduard von: **Das Judenthum in Gegenwart und Zukunft.** br. M. 5.—.

— **Philosophische Fragen der Gegenwart.** br. M. 6.—.

Hartmann, Eduard von: **Der Spiritismus.** br. M. 3.—.

— **Moderne Probleme.** br. M. 5.—.

Keil, Robert: **Wieland und Reinhold.** Original-Mittheilungen, als Beiträge zur Geschichte des deutschen Geisteslebens. br. M. 6.—.

Landau, Marcus Dr.: **Rom, Wien, Neapel während des spanischen Erbfolgekrieges.** Ein Beitrag zur Geschichte des Kampfes zwisch. Papstthum u. Kaiserthum. br. M. 10.—, geb. M. 11.—.

Lazarus, M. Dr. Prof.: **Schiller und die Schillerstiftung.** br. M. 1.—

Littré, Ernest: **Wie ich mein Wörterbuch der französischen Sprache zu Stande gebracht habe.** Mit L's. Portrait. br. M. 2.—, geb. M. 3.—.

Reinhardstoettner, Carl von: **Plautus.** Spätere Bearbeitungen plautinischer Lustspiele. Ein Beitrag zur vergleichenden Litteraturgeschichte. br. M. 18.—.

Schasler, Max Dr.: **Das System der Künste** aus einem neuen im Wesen der Kunst begründeten Gliederungsprincip mit besonderer Rücksicht auf das Drama. br. M. 6.—.

Emmer-Pianinos,

von 440 Mk. an (kreuzsaitig). **Abzahlung** gestattet. Bei Baarzahl. Rab. Preisl. etc. gratis und Francosendung. **Harmoniums v. 120 M.**

Wilhelm Emmer, Magdeburg.

Auszeichn., Ehrendiplome, Orden, Staatsmedaillen etc.

Ganze Bibliotheken,

wie einzelne gute Bücher, sowie alte und neuere Autographen kauft stets gegen Barzahlung

M. Barsdorf, Leipzig, Neumarkt 2.

Das Aufsehen erregende Werk:

Die Kunst der Rede

von Dr. Ad. Calmberg,

das in wenigen Wochen ausverkauft war, ist nun in zweiter erweiterter Auflage wieder zu haben in allen Buchhandlungen.

Im Verlag von **J. D. Sauerländer in Frankfurt a. M.** erschien vor Kurzem und ist durch alle Buchhandlungen zu beziehen:

Trotz alledem!

Gedichte

von Johannes Proelss.

Ein starker Band. 8. Elegant gebunden M. 3.50.

„Johannes Proelss hat als Lyriker eine vollkommen moderne Richtung eingeschlagen und freudig, tröstlich und erfrischend wirken seine Poesien, die vom Boden der Wirklichkeit sich zum sonnigen Himmel des Ideals erheben.“ *Berl. Volks-Ztg.*

„Freiligrath'scher Muth, Zorn und Begeisterung brechen in starken und schönen Klängen hervor.“ *Schw. Merkur.*

„In den »Jungen Freuden« klagt es recht minneliederlich in vollen Liebestönen.“ *N. Fr. Pr.*

„Aus diesen Gedichten tritt uns überall eine ideale dichterische Persönlichkeit entgegen, deren echt männliches Gepräge und lautere Gesinnung in allen Stimmungen und Schilderungen den gleich gewinnenden und bedeutenden Eindruck macht.“ *Darmst. Ztg.*

Einbanddecken zum **„Magazin für die Litteratur des In- und Auslandes“** in reicher Goldprägung sind pro Semesterband zu **1 M. 20 Pf.** durch jede Buchhandlung zu beziehen. —

Verlag von Wilhelm Friedrich in Leipzig:

Gedichte

von

Hermann Friedrichs.

In elegantem Leinenband mit Goldschnitt 5 Mark.

Zu beziehen durch alle Buchhandlungen.

Mitarbeiter,

die in der Lage sind, interessante **Original-Miscellen** unter sehr günstigen Honorarbedingungen zu liefern, werden von einer Redaction **gesucht**, die für derartige Beiträge fortwährend Verwendung hat. Offerten nimmt entgegen unter Chiffre J. B. 146 die Annoncen-Expedition von **Haasenstein & Vogler in Frankfurt a. M.**

Im Verlage von **Carl Konegen in Wien** erschien soeben:

Amalie Crescenzia, Liebeslegenden. Drei Erzählungen. Preis fl. 2.— = M. 4.—

Deutsche Puppenspiele. Herausgegeben von **R. Kralik** und **J. Winter.** Preis fl. 2.— = M. 4.—

Inhalt: Genovefa. — Graf Paquafil. — Fürst Alexander. — Don Juan. — Graf Heinrich — Doctor Faust. — Der bayrische Hiasel. — Schinderhannes. — Kasperl als Bräutigam.

Zu beziehen durch alle Buchhandlungen.

Im Verlage von **Wilhelm Friedrich in Leipzig** erschien soeben:

Geschichte der deutschen Litteratur

von ihren Anfängen bis auf die neueste Zeit

von Franz Hirsch.

3 starke Bände. eleg. br. M. 24.50, hocheleg. geb. M. 29.—

Das Werk zeichnet sich von Vornherein bei ausserordentlicher Gründlichkeit und Forschung, durch Flüssigkeit und Lebendigkeit des Stiles aus, es sticht durch die künstlerische Gliederung sehr vortheilhaft von dem dilettantischen Wirrwar gewisser anderer Leistungen dieses Genres ab und ist es ein wahrer Genuss, endlich einmal einen Litteraturhistoriker zu finden, welcher den Gelehrten mit dem Dichter und Litteraten vereint. Der Stil ist gleichfalls ein ungemein frischer und anregender, welcher den Leser des Werkes stets fesseln wird.

Zu beziehen durch jede Buchhandlung.

Verlag von **Eduard Trewendt in Breslau.**

Soeben erschien:

Schulröschen.

Erzählung

von

Rudolf von Gottschall.

Zweite Auflage.

Preis eleg. geb. Mk. 5,50.

Zu beziehen durch alle Buchhandlungen.

Für die Redaktion verantwortlich: Hermann Friedrichs in Leipzig. — Verlag von Wilhelm Friedrich in Leipzig. — Druck von Emil Herrmann senior in Leipzig.

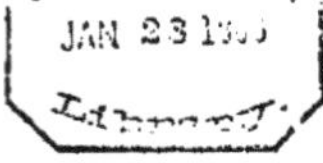

Das Magazin

für die Litteratur des In- und Auslandes.

Wochenschrift der Weltlitteratur.

1832 gegründet von Joseph Lehmann

55. Jahrgang.

Preis Mark 4.– vierteljährlich.

Herausgegeben von Hermann Friedrichs.

Verlag von Wilhelm Friedrich in Leipzig.

No. 2. Leipzig, den 9. Januar. 1886.

Inhalt:

Blindheit und Poesie.

Von Ludwig August Frankl.

Es ist eine eigentümliche Erscheinung, dass von den ältesten Zeiten bis in die neusten häufig Blinde als die Dichter, oder doch als die Träger der epischen Lieder genannt werden. Von Homer bis Ossian, von Milton bis zum serbischen Guslar und sicilianischen Meistersänger, welch Letztere noch heutigen Tages als Dichtende, oder doch liedverbreitende blinde Rhapsoden durch Städte und Dörfer, durch Täler und Gebirge ziehen.

Vates nennt die altklassische Sprache einen Propheten und gottbegeisterten Sänger.

Nun hat die antike Weltanschauung den Blinden, wie den von Wahnsinn umfangenen Menschen, wie den vom Blitze getroffenen Baum als heilig verehrt und geglaubt, dass ihm prophetischer Geist innewohne.

Wer von der Gegenwart getrennt und unbeirrt ist, gewinnt einen Blick in die Zukunft, ein prophetisches Schauen. Wie der Mensch instinktiv, wenn er intensiver denken, oder neue Ideen und Entschlüsse, die sich auf seine Zukunft beziehen, fassen will, die Augen unwillkürlich schließt, um von den ihn umgebenden Bildern und Erscheinungen nicht gestört, ruhiger meditiren oder auch träumen zu können.

In diesem Zustande ist der Blinde fort und fort. Die Einsamkeit erhöht seine Stimmung, sein Gehör und das Gedächtniss seines Gehöres ist unendlich gesteigerter als das der Sehenden, um Alles, was ihn umgiebt schärfer zu unterscheiden. Er neigt, wie der Dichter zu Träumerei und gewinnt für Musik eine oft überraschende Begabung. Unempfindlich ist kein Blinder für die Kunst der Töne, welche ihm zur zitternden Brücke zu den Erscheinungen und Gegenständen der Welt werden. Die auch dem Sehenden unsichtbaren Schallwellen, die sogenannten Klangfiguren, sind ihm die Jakobsleiter in den Himmel.

Wer aber an musikalischen Rhythmus gewöhnt, wer einsam ist und in träumerische Gedanken versinkt, dem werden sich diese leicht in taktgemäße Worte fügen; es entstehen Verse, was allerdings noch nicht Gedichte bedeutet.

Der Umstand, dass in den altklassischen Zeiten der griechischen Poesie epische wie lyrische Gedichte nicht deklamirt, sondern gesungen worden sind und es heute in Serbien und Sizilien noch werden, brachte manchen musikalisch gebildeten Blinden auf den Gedanken, die Lieder der Dichter zu singen und mit den Tönen eines musikalischen Instrumentes begleiten zu lernen. Gedicht und Musik wurde so eine angenehme und für den Blinden leichte Erwerbsquelle, er selbst dadurch zugleich in jedem Hause, bei jedem Feste ein willkommener Gast. Wenn auch nicht immer der Kunstsinn, das Mitleid belohnte jedenfalls den armen Spielmann und vielleicht auch die eigene, wenn auch nicht immer zum Bewusstsein erwachte Empfindung, wenn ein gleiches Unglück uns selbst träfe!

„Alle Menschen sind geblendet, so lange ihnen Gott nicht die Augen öffnet", ist ein sinnreicher ethischer Spruch der Agada. Es ist ein wohl nie zu lösendes psychologisches Rätsel, wie sich eine poetische Begabung, wenn sie einem blind Geborenen zu Teil wäre, äußern würde? wenn es möglich wäre dem Blinden niemals von den bunten Erscheinungen der sichtbaren Welt zu sprechen. Ein blinder Dichter, dessen Auge fast nur das Ohr ist, müsste jedenfalls eine eigentümliche, phantastische Produktion entwickeln.

Ehe wir über den berühmtesten blinden Dichter, über Homer sprechen, wollen wir einer eigentümlichen Erscheinung erwähnen.

Es scheint ein Lieblingsgedanke der griechischen Mythe gewesen zu sein, Dichter mit Blindheit geschlagen sein zu lassen.

Es mag dies mit der Eingangs entwickelten Anschauung zusammenhängen, nach welcher der Poet für einen Propheten, ein Blinder für einen Seher gehalten wurde.

Der Dichter Thamyris, der Sohn des Philämon, wurde blind, berichtet die Sage, weil er vermessen die Musen zum Wettkampfe herausgefordert haben soll.

Homer besingt dies in der Iliade in folgender Weise:

„Denn sich vermessend
Prahlt er laut, zu singen ein Lied, und sängen auch selber
Gegen ihn die Musen, des Aegiserschütterers Töchter;
Doch die Zürnenden straften mit Blindheit jenen und nahmen
Ihm den holden Gesang und die Kunst der tönenden Harfe.“

Stesichoros, der Dichter, wurde blind als er Spottgedichte auf Helena sang und wieder sehend, als er sie in Versen pries.

Anchises, zwar kein Dichter, aber doch ein Fabulant, wurde blind, weil er sich rühmte flüchtig der Gatte der Göttin der Liebe gewesen zu sein.

Antipater von Cyrene, als er von Weibern seiner Blindheit wegen bedauert wurde, sagte ihnen: „Warum bemitleidet ihr mich? Kennt ihr etwa die Freuden der Dunkelheit nicht?“

Und selbst von Homer berichtet eine seiner Lebensbeschreibungen, dass er wie Stesichoros durch den Zorn der Helena, die er beleidigt hatte, wodurch wird nicht gesagt, geblendet worden sei. Nach einer anderen Lesart betete er am Grabe des Achilles zu den Göttern, ihm den Helden in voller Rüstung erscheinen zu lassen. Die Götter erfüllten die Bitte, aber Homer erblindete vom Glanze der Waffen.

Woher aber stammt die im Altertume allgemein verbreitete Sage, dass Homer blind gewesen sei? wie wohl sie schon damals, wie wir mitteilen werden, vielfach bezweifelt worden ist. Fast Alle, welche über die Blindheit Homers berichten, führen als Quelle einen Vers an, welcher im achten Gesange der Odyssee enthalten ist und der von Demodoktos berichtet:

„Herzlich liebt' ihn die Mus' und gab ihm Gutes und Böses,
Denn sie nahm ihm die Augen und gab ihm süße Gesänge.“

Wir können nicht verstehen, wie diese ganz objektiv gehaltenen, eine bestimmte Person bezeichnenden Verse, auf Homer selbst bezogen werden konnten. Die Biographen des Dichters scheinen, da ihn die Sage als blind bezeichnete, nach einer Quelle derselben gespürt zu haben.

Es scheint die Meinung verbreitet gewesen zu sein, dass Homer blind geboren worden ist. Eine seiner Lebensbeschreibungen, die von den Alten als von Herodot herrührend gehalten wird, bezeichnet ihn als den Sohn des Flussgottes Meles und der Nymphe Kretëis, welche ihn ὀυ τυφλὸν ἀλλὰ ὁρῶντα (?) d. h. nicht blind, sondern sehend geboren hat. Nur wenn einem Neugebornen irgend ein Gebrechen anhaftet wird dasselbe allenfalls namhaft gemacht, niemals aber wird bei einem normal gebildeten Kinde die Abwesenheit irgend eines Gebrechens bemerkt.

Die Stelle scheint also als eine Berichtigung einer allgemein verbreiteten Annahme hingestellt worden zu sein. Nach derselben Quelle war er Melisigenes genannt. Auf seinen Wanderungen sei er nach Ithaka gekommen und daselbst erblindet. Die Kolophonier hingegen scheinen es als einen freilich traurigen Ruhm betrachtet zu haben, indem sie erzählten, Homer sei in ihrer Stadt erblindet. Er soll sich hierauf nach Smyrna haben geleiten lassen, um daselbst die Dichtkunst zu studiren. Später begab er sich nach Kymä.

Eine andere Lebensbeschreibung berichtet: „Der Name Homer überwog den Namen Melesigeina seit jenem Unglücksfalle, denn die Kymäer nennen die Blinden ὅμηρος, lies: Homeros.

Der aus Kymä stammende Ephoros schreibt: „Er ward Homer zubenannt, weil er erblindet war. So aber nannten die Kymäer und Ionier die Erblindeten, weil sie der Hülfe von Führern ὁμηρεῦντες, lies: Homereontes bedürfen.“

Eine von Proklos herrührende Biographie leitet den Namen von ομηρος, lies: Omeros, was Blindheit, aber auch Geißel bedeutet, ab, weil er den Chiern als Geißel gegeben worden sein soll. Der Biograph fügt aber die Bemerkung bei: „Alle, die von des Dichters Blindheit berichten, scheinen mir selber mit Blindheit geschlagen zu sein; denn nie hat Einer den Blick gehabt, wie jener Mann.“

Vellejus äußert sich viel später in gleichem Sinne: „Homerum si quis caecum genitum putat, omnibus sensibus orbus est“, d. h. wer Homer als blind geboren glaubt, ist selbst aller Sinne bar. Cicero spricht sich in ähnlichem Sinne aus: „Es wurde uns überliefert, dass Homer blind gewesen sei; aber wir sehen seine Gemälde, nicht seine Poesie. Diese Gegenden, diese Küsten, Griechenland, die Art der Bilder, den Kampf, die Schlachtreihe, die Bewegung der Tiere hätte er nicht so schildern können, dass wir all' dies sehen, wenn er selbst nicht gesehen hätte.“

Dagegen meint Ovid, es hätten ihn Bienen geblendet:

Und wie den Augen einst geschah des achäischen Sängers,
„Mögen Aufstacheln scharf Bienen die Augen auch dir!“

Einen kunsthistorisch schwer zu rechtfertigenden Beweis für die Blindheit Homers führt Davis an, indem er die Beobachtung mitteilt, dass die aus dem Altertume stammende Porträtbüste des Dichters keine Augensterne habe. Er scheint nicht gewusst zu haben, dass dies allen Statuen der alt-klassischen Zeit gemein ist.

Der deutsche Gelehrte Nitzsche, der um die Erforschung Homers sich bedeutende Verdienste erworben hat, führt auch andere Schriftsteller an, welche in einzelnen Notizen über die Blindheit Homers sprechen: Tertullian de pallio I, Lucianus Ver. hist. 2, p. 678, Max Tyrina Diss. 38, 1, Pausanias 2. 139. Diese Schriften waren uns, während wir uns mit dem Gegenstande beschäftigten, nicht zugänglich und mögen Demjenigen, der eine eingehendere Studie schreiben will, empfohlen sein.

Dagegen können wir mitteilen, was Daniel Heynsius in seiner „Crepundia Siliana" zu einigen auf Homer bezüglichen Versen des Silius Italicus bemerkt: „Obgleich scharfsinnige Menschen über die Blindheit des Dichters die Volksmeinnung nicht zurückweisen, dass Homer Alles sang, bevor er sah, da er nämlich nichts sah, habe ich über diesen organischen Fehler des göttlichen Mannes folgende Distichen verfasst:

„Der in Geist und Sprache göttliche Dichter Homeros,
Welcher den Göttern nah', Menschen erschienen als Gott,
Seine Brust hatte sehende Augen in edler Gestaltung,
Weil seinem Angesicht waren die Augen versagt.
Welcher Alles geseh'n, die Erde, die Menschen, die Götter,
Welcher Alles durchschaut, meint ihr denn wirklich, war blind?"

Eines ist unwiderlegbar: Homer war sehend geboren und ist, wenn er überhaupt erblindete, erst in späterem Lebensalter blind geworden. So der englische Dichter Milton, der das Augenlicht, schon vierundzwanzig Jahr alt, verlor; so der deutsche Dichter Pfeffel, der im einundzwanzigsten Lebensjahre und Justinus Kerner erst nicht lange vor seinem Tode erblindete. Der nebelhafte Barde Ossian klagt:

„Im Alter erlosch mir der Glanz der Sonne."

Und ist es nicht ein merkwürdiger Zufall, dass der portugiesische Epiker Camões, wenn auch nicht völlig, doch auf einem Auge erblindet war.

(Schluss folgt.)

Das Mädchen und das Blatt.

Von Stamatios D. Dalhis. (Ποιήματα, 31.)

Maiabend dämmert auf die Erde . . . .
Die ganze Welt sprach zum Gemüte,
Auf dass dem Schöpfer Ehre werde,
Durch den sie also herrlich blühte.

Ein Mägdlein minnig
Schauet sinnig
Zum Mond, der silbern prangt und groß.
Da haucht, im Kreise
Es wirbelnd, leise
Der Wind ein Blatt ihr in den Schooß.

„Welch süßer Duft!" spricht atmend, lauschend
Das holde Kind. „Er kommt in Wogen
Leis über mich, den Sinn berauschend
Wie aus dem Paradies gezogen!

Ist deine Mutter wohl die Rose?
Ist es die Hyacinthe? Sage!
Es passen Duft und Form so lose,
Dass ich nicht zu entscheiden wage!"

„Ein luftig Wehen
Von den Höhen
Hat, Jungfrau, mich hierher gebracht.
Bei Blütenschwestern
Hat es gestern
Der Wanderung ein End' gemacht.

Und von den Nachbarinnen drüben
Ward mir der Duft, der um mich waltet, —
So hat dein Herz sich an den lieben
Und edlen Eltern rein entfaltet!"

(Nachahmung des persischen Dichters Saadi.)

Freiburg i. Br. August Boltz.

Der Begriff des Humoristischen in der modernen Aesthetik.

Von Eduard von Hartmann.

(Schluss.)

Lazarus*) erfasst ganz richtig das Humoristische als die Einheit des Tragischen und Komischen (Leben der Seele I 203), glaubt aber sonderbarer Weise mit dieser Ansicht mit der Solgerschen in Gegensatz zu treten. Die Art, wie er Humor und Romantik als relative Gegensätze behandelt (195) und beide aus den vier Weltanschauungen Materialismus, Rationalismus, objektiven und subjektiven Idealismus entwickelt beziehungsweise denselben entgegengesetzt (185—195), erscheint völlig verfehlt; auch die psychologischen Erklärungsversuche aus Herbartschen Prinzipien sind teils trivial und nichtssagend, teils ganz unzulänglich. Dagegen bringt er in der Beschreibung des Humors (204—216) manches Treffende und auch noch heut Beachtenswerte vor, namentlich ist der Hinweis auf die gegenseitige

*) In der Abhandlung „Der Humor als psychologisches Phänomen". Dieselbe erschien zuerst 1858 im Cottaschen „Morgenblatt" Jahrgang 47 Nr. 33—37 und dann in revidirter und erweiterter Gestalt in „Das Leben der Seele" Band I. 1856.

Steigerung der im Humor verbundenen Bestandteile durch den ästhetischen Kontrast und die dazu gegebenen Beispiele zu loben. Als ein Mangel erscheint es, dass Lazarus das Humoristische nur im Individuum nicht auch in der Geschichte gelten lässt, während doch gerade in der letzteren dem unbefangenen Zuschauer der objektive Welthumor in seiner ganzen Großartigkeit sich aufdrängt; es hängt dieses Verkennen damit zusammen, dass er unter den Ideen wesentlich nur sittliche Ideen versteht, deren Verwirklichungsstätte freilich nur im Individuum zu suchen ist. Darum entgeht ihm auch der tragische Humor der großen Völker- und Geschlechterschicksale, und er sieht sich darauf angewiesen, den tragischen Humor des Individuums auf Wahnsinn, Tiefsinn (?) und moralischen Verfall (!) zu beschränken. (245).

Zeising (1854) erhebt gegen die meisten Vorgänger den begründeten Vorwurf, dass sie das Humoristische als eine Unterart des Komischen behandelt haben, obwohl doch der tragische Beigeschmack, welchen sie dem Humoristischen zugestehen, in keinem Falle aus dem Komischen abzuleiten ist, und oft genug so sehr im Humoristischen dominirt, dass das Komische nur 'als sein Beigeschmack erscheint (Aesth. Forsch. 443—444). Außerdem tadelt er seine Vorgänger, dass sie fast alle nur den Humor und die humoristische Weltanschauung im Geiste des Künstlers behandelt und es dem Leser überlassen haben, sich selbständig aus dieser Beschreibung die Idee des Humoristischen und die charakteristischen Merkmale des humoristischen Objektes zu entwickeln; dieser Weg sei aber schon darum unzulänglich, weil das Humoristische uns nicht ausschließlich als Produkt der Kunst, sondern teilweise auch als ein solches des wirklichen Lebens entgegentrete (445). Zeising selbst definirt das Humoristische als eine Mischung des Komischen und Tragischen, und bestimmt es demgemäß als diejenige Modifikation des Schönen, welche einerseits die Idee der subjektiven, andrerseits die der absoluten Vollkommenheit vergegenwärtige (445). Im Komischen erhebt sich das Subjekt über das Objekt, im Tragischen lässt es sich von dem untergehenden Objekt zum Absoluten erheben; im Humoristischen erhebt sich das Subjekt über das Objekt als ein lächerliches, und versenkt sich mit ihm als einem Tragischen ins Absolute (447—448).

Das Humoristische beginnt entweder mit dem Komischen und schreitet von da zum Tragischen fort, oder umgekehrt, oder aber es besteht bei längeren Dichtungen aus einem beständigen Herüber- und Hinüberspringen aus dem einen ins andere, so dass beide wie die Fäden eines schillernden Gewebes zusammengewirkt sind, und es vom Standpunkt des Beschauers abhängt, ob er zuerst oder überwiegend die eine oder die andre Farbe wahrnimmt und beachtet (448—450). Das Subjekt, welches ganz den Intentionen des Dichters folgt, nimmt beide Farben gleichmäßig wahr, indem es selbst mit dem Dichter fortwährend den Standpunkt wechselt, sodass das Tragische und Komische, obwohl sie nur successive vom Subjekt wahrgenommen werden, doch wegen der Häufigkeit und Schnelligkeit dieses Wechsels als gleichzeitig wahrgenommene und in einander wirkende erscheinen (446—447).

Zeising unterscheidet drei Unterarten des Humoristischen: das heiter-, rein-, und düster-Humoristische, oder das Barocke, Launige und Bizarre (451). In dem ersten überwiegt das komische Element, in dem letzten das Tragische, in dem mittleren stehen beide im Gleichgewicht (453, 455, 459). Als „mildere Vorstufen" des Bizarren oder düster Humoristischen betrachtet er das wehmütig und schwermütig Humoristische, oder das Sentimentale und Melancholische, so zwar, dass das dominirende tragische Element im wehmütigen Humor in Gestalt des Rührenden, im schwermütigen in Gestalt des Pathetischen, im bizarren Humor in Gestalt des Dämonischen auftreten soll (455). Hiergegen ist folgendes zu bemerken. Sofern der bizarre dämonische Humor versöhnungslos ist, fällt er aus dem wahren Begriff des Humors heraus und äfft nur dessen Formen nach; so hat er an und für sich keine ästhetische Berechtigung, sondern nur als Mittel zur Charakteristik von Personen und Stimmungen. Sofern er die tragische, transcendente Versöhnung in sich hat, fällt er mit dem tragischen Humor in seiner eigentlichen Gestalt zusammen und bildet keine Abart desselben. Das Humoristische, sofern es Einheit des Komischen und Rührenden ohne tragischen Hintergrund ist, stellt allerdings eine besondere Art des Humors dar, kann aber deshalb ebensowenig mehr für eine Einheit des Komischen und Tragischen erklärt werden, wie das Rührende für eine Unterart des Tragischen.

Carriere (1859) folgt in der Stellung, die er dem Humoristischen anweist, Solger und Zeising, in der Durchführung des Einzelnen lehnt er sich mehr an Jean Paul und Vischer an und widmet namentlich der Dialektik des Gefühls und des Witzes eine breitere Ausführung als Zeising. Mit diesem Letzteren hat auch er noch den Mangel gemein, dem Rührenden keinen besonderen Platz unter den Besonderungen des Schönen anzuweisen, so dass auch er genötigt ist, das Rührende unvermerkt mit unter das Tragische zu befassen, nachdem er einmal das Humoristische als Einheit des Tragischen und Komischen definirt hat. Wer eine Menge geistreicher Bilder und hübscher Aussprüche über das Humoristische zu lesen wünscht, wird bei Carriere eine reichliche Zusammenstellung finden.

Kirchmann (1868) teilt den von Zeising getadelten Fehler, anstatt des Humoristischen im objektiven Sinne den Humor oder die humoristische Sinnesart zu untersuchen; ja er geht sogar soweit, an Stelle des subjektiven Humors durch eine zweite Unterstellung das humoristisch veranlagte Individuum zu setzen. Nun wird freilich die Dichtkunst das Objektiv-Humoristische oft genug an humoristischen Figuren zur Darstellung zu bringen haben, aber der Begriff des Humoristischen ist davon unabhängig, und kann sich auch ganz objektiv und unpersönlich in der Art der Zusammenstellung der Tatsachen oder in der Komposition eines Bildes bekunden.

Kirchmann polemisirt gegen die Auffassung des Humoristischen bei den dialektischen Hegelianern, insbesondere bei Vischer. Er bestreitet erstens, dass das Humoristische eine besondere Art des Komischen, eine dritte Art desselben gegenüber dem einfach Komischen und dem Witz sei, und bemerkt dagegen mit Recht, dass alle komischen Bestandteile des Humoristischen sich auf eine dieser beiden Arten des Komischen zurückführen lassen. (Aestb. II 67, 68, 72). Er bestreitet zweitens, dass das Humoristische eine besondere Art des Schönen sei, weil alle Bestandteile, die in ihm aufzuweisen, schon bekannte Elemente des Schönen sind (II 72); er lässt dabei aber unbeachtet, dass aus der Vereinigung verschiedenartiger, zunächst unvereinbar scheinender Bestandteile denn doch sehr wohl ein Resultat hervorgehen kann, das in seinem Charakter sich von den bekannten in ihm zusammengetretenen Bestandteilen sehr unterscheiden kann. Er bekämpft drittens den widerspruchsvollen, in sich gebrochenen Humor, insofern derselbe aus einer krankhaften Natur- und Gemütsanlage, aus mangelhafter Erziehung durch Schicksale und Selbstzucht, oder aus einem unvollkommenen, in Widersprüchen stecken gebliebenen philosophischen Dencken entspringt (II 69—71); er weist mit Recht darauf hin, dass diese Art des Humors den Alten und allen gesunden Kulturperioden gänzlich fehlt und von unsern grössten Dichtern verschmäht wird, dass er nur in widerspruchsvollen und innerlich gebrochenen Zeitaltern seinen Ursprung hat und nur von krankhaft veranlagten und in sich gebrochenen Dichternaturen gepflegt wird, dass derselbe endlich von einer der Widerspruchsdialektik huldigenden ästhetischen Richtung maßlos überschätzt worden ist und in echten Kunstwerken nur eine untergeordnete Rolle zur Charakteristik bestimmter Figuren spielen darf.

Man kann dies Alles unterschreiben, ohne darum Kirchmann Recht zu geben, wenn er seine Kritik des krankhaft in sich gebrochenen Humors auf allen Humor ausdehnt. Es giebt einen empfindsamen und einen philosophischen Humor, dessen widerspruchsvolle Beschaffenheit nicht aus einer krankhaften, in sich gebrochenen Naturanlage entspringt, sondern aus einem feinen Gefühl und einem scharfen Blick für die objektiv gegebenen Widersprüche in der Welt und im Leben, welcher aber auch nicht sich in die Widersprüche und ihren Schmerz verbohrt oder das Antithesenspiel mit demselben zur Befriedigung seiner Eitelkeit missbraucht, sondern ernstlich damit ringt, dieselben gefühlsmäßig und verstandesmäßig zu überwinden. Auch wenn er nicht vollständig mit dieser Ueberwindung ins Reine kommt, kann ein solcher Humor doch sehr wertvolle Beiträge zum Verständniss und der gefühlsmäßigen Durchdringung des Lebens liefern, und zugleich tiefer sein als derjenige Humor, der den Ernst und die Wucht der objektiv gegebenen Widersprüche des Daseins noch gar nicht erfasst hat.

Neben diesem gesunden, durch Widersprüche hindurch gehenden Humor, den Kirchmann gar nicht zu kennen scheint, sollte doch schon dasjenige, was er den natürlichen (oder widerspruchslosen) Humor nennt, dazu ausreichen, ihn von der ästhetischen Bedeutung des Humoristischen zu überzeugen. Er teilt diesen natürlichen Humor wie den widerspruchsvollen nach seiner vorwiegenden Aeußerung in Gefühlen oder Gedanken in den lustigen und trübseligen Humor einerseits und den pfiffigen Humor andererseits. Der pfiffige Humor, wie er sich in den pfiffigen Sklaven der alten Komödie und den Narren und lustigen Dienern der neueren Komödie darstellt, ist unter der Maske der Einfalt der Umgebung an Geist und Witz überlegen, lacht über sie und spielt mit ihr; zugleich aber verwickelt er sich durch die gespielte Dummheit in Verkehrtheiten, die ihn wirklich für die Umgebung lächerlich machen (II 67—68). Kirchmann lässt sich lediglich durch Vischer zu der Annahme verleiten, als ob in dem Wissen um die eigene Verkehrtheit und dem Stolz auf dieselbe schon Humor läge (II 66), während doch so lange bloß Komplikationen des Komischen gegeben sind, als nicht das Gemüt sich einmischt. Erst das Gemüt ist es, was den Narren humoristisch macht, das warme Herz, das unter seiner Narrenjacke schlägt und sich offenbart in den scheinbaren Bemühungen, sich hinter Lachen und Spott zu verbergen. Umgekehrt wird die unverwüstliche Heiterkeit, welche sich über alle Unfälle als über Kleinigkeiten hinwegsetzt (II 68—69), erst dadurch zum Humor, dass das launige Behagen sich mit der Geistesfreiheit des Witzes und mit der pfiffigen Ueberlegenheit über die Umgebung verbindet. Wer endlich auch die kleinsten Leiden, mit denen man kein Mitleid empfinden kann, für schwer nimmt und beständig über dieselben klagt und jammert, kann dadurch wohl bis zu einem gewissen Grade zur komischen Person werden (II 69), aber es ist an dieser komischen Trübsal erst dann etwas Humoristisches, wenn einerseits das betroffene Individuum selbst seine Komik erkennt und andrerseits sein Leiden unter der kleinen Widerwärtigkeit doch berechtigt genug ist, um auch den Zuschauern Teilnahme zu erwecken. Entspringt sein Leiden nur aus einer krankhaften Ueberempfindlichkeit seiner Organisation, so fällt dieser Humor schon unter den krankhaften in sich gebrochenen Humor, zu dem er unter allen Umständen wenigstens eine Uebergangsstufe bildet. Der echte natürliche Humor ist immer bloß der heiter-pfiffige Humor, wobei bald die Heiterkeit, bald die Pfiffigkeit überwiegen kann.

aber das tiefe Gefühl für die wegzuscherzenden Leiden niemals fehlen darf.

Kirchmann bestreitet die Möglichkeit einer wirklichen Vereinigung des Tragischen und Komischen, und lässt nur eine äußerliche Nebeneinanderstellung Beider gelten, wobei die komischen Zutaten der Episoden als Ruhepunkte für die Zuschauer oder Zuhörer gelten, in welchen derselbe sich erholt und zu neuer Empfänglichkeit für das Ernste stärkt (II 171). Dabei muss der ernste Grundcharakter des Kunstwerks festgehalten werden; wo die possenhaften Elemente zu sehr in den Vordergrund treten (wie in Shakespeares Heinrich IV.) zerstören sie die Stimmung des Zuschauers für den Genuss der ernsten Handlung, und wo in einer Posse plötzlich erhabene Episoden auftreten, verfehlen sie ästhetisch ihre Wirkung (wie die betreffenden Aristophanischen Chöre) (172). Das Bedürfniss des Menschen nach Parodien und Travestien erklärt Kirchmann daraus, dass der Geist sich von dem Druck der Ehrfurcht zeitweilig zu erholen wünscht; daher die possenhaften Züge in der griechischen Götterwelt, die possenhafte Behandlung von Gott-Vater und Sohn in mittelalterlichen Passionsspielen (171). Dieses seelische Bedürfniss ist aber doch wohl nur die eine Seite der Sache, und würde keine Anhaltspunkte zur Entfaltung und Befriedigung finden, wenn nicht in den mythologischen Personifikationen der Idee Unvollkommenheiten und anthropopatische Widersprüche steckten, welche zur Betrachtung aus dem Gesichtspunkt des Komischen herausforderten. Kirchmann nimmt an, dass in solchem Falle das Erhabene als solches zu Grunde geht (171); das ist auch ganz richtig, aber nur für so lange, als der Zuschauer auf dem Gesichtspunkt des Komischen verharrt. Dagegen muss die Erhabenheit des Objekts sich wiederherstellen, sobald der komische Gesichtspunkt dem ernsten wieder Platz macht, was ja spätestens nach dem Gesetz der Ermüdung (168) geschehen muss. Nur wenn das Objekt der Erhabenheit ein falsches, unwahres Erhabenes war, bleibt es durch die Komik zerstört (171), aber nicht wenn es ein wahrhaft Erhabenes war. So wenig die reelle Erhabenheit hindern kann, dass ein Objekt nicht doch nach gewissen Seiten hin den Gesichtspunkt des Komischen herausfordert, ebensowenig kann das Behaftetsein mit komisch wirkenden Widersprüchen hindern, dass das Objekt nach wesentlichen Seiten hin wirklich erhaben sei, und in seiner Erhabenheit sich immer wieder geltend mache. Sobald die Erhabenheit die Hauptsache, und die Lächerlichkeit bloß Nebensachen betrifft, ist der Wechsel der Gesichtspunkte sowohl hin wie her ohne Schwierigkeit zu vollziehen. Dieser Wechsel der Gesichtspunkte giebt nun, sofern er nicht nur der menschlichen Natur des Subjekts, sondern auch der Beschaffenheit des Objekts entspricht, offenbar einen vollständigeren und erschöpfenderen ästhetischen Eindruck von dem Objekt als die bloß einseitige Betrachtungsweise desselben, und zugleich eine vollere und vielseitigere ästhetische Befriedigung. Sofern nun eine künstlerische Darstellung der Art ist, dass sie zu diesem Wechsel der Gesichtspunkte mit größerer oder geringerer Geschwindigkeit nötigt oder doch anreizt, heißt sie humoristisch, und dies ist der Grund, dass das Humoristische sowohl objektiv wie subjektiv betrachtet ästhetisch einen höheren Rang einnimmt, als jeder der in ihm verbundenen einseitigen Gesichtspunkte.

Deutsche in England.

(Schluss.)

Diesem verkehrten und gemeinschädlichen Gebahren tritt der jetzt in Heidelberg lebende Dr. Schaible und sein Werk, an der Hand fleißig gesammelter Tatsachen, und mit dem weiten Blick des welterfahrenen Mannes, dem großen und starken Herzen des Vielgeprüften, wohlwollend und mahnend entgegen. Der Geist seines Buches mag aus der Widmung und einigen Stellen desselben ersehen werden. Jene lautet:

„Den Deutschen in England widme ich von der alten Heimat aus dies Werk, in Erinnerung der dreißig Jahre, die ich unter ihnen gelebt und zum Andenken an unsere Landsleute, welche im Verlauf vergangener Jahrhunderte in jenem gastlichen Lande gelebt und gewirkt."

Ueber die Entstehung seiner Arbeit sagt er:

„Mein Wunsch von der Wirksamkeit der Deutschen, die in vergangenen Jahrhunderten in England gelebt, mehr zu erfahren, veranlasste das allmähliche Entstehen dieser Arbeit. Den größten Teil derselben verfasste ich zuerst in Form von einzelnen Vorlesungen, welche ich seit 1878 in größeren Zwischenräumen, im Londoner deutschen Athenäum gehalten habe*). Die einzelnen Kapitel dieses Buches waren anfangs unabhängige Abhandlungen. Der Umstand dieses allmählichen Entstehens des Buches und der zuerst getrennten Behandlung des Stoffes, ohne Einhaltung historischer Reihenfolge, wird vielleicht als Entschuldigung für den Mangel an Einem Guse, an Zusammenhang unter den einzelnen Kapiteln angenommen werden."

Doch darf aus diesen bescheidenen Worten keineswegs auf lose Arbeit geschlossen werden. Die Reihe von Bildern, die uns der Verfasser bietet, ist nicht nur sehr zahlreich, sondern auch mit großer Sorgfalt zusammengetragen und hinreichend übersichtlich geordnet. Einige Wiederholungen sind vielleicht Folge der angegebenen Genesis des Werkes, und lassen sich in einer zweiten Auflage leicht ausmerzen.

Sehr schön sagt der Verfasser am Schlusse des Vorwortes:

„Nachfolgende Arbeit ist im Geiste aufrichtiger Liebe zu England geschrieben. Nach dreißigjährigem Aufenthalt in London haben mich gesundheitliche Rücksichten gezwungen, in meine liebe alte Heimat zurückzukehren, für die ich stets die

*) Ueber diese wichtige Anstalt vergleiche man meinen ausführlichen Bericht im „Magazin" vom 18. April vorigen Jahres.

alte, warme Sohnesliebe genährt habe. Ich schied aber mit herzlichem Dank und mit einer nie erkaltenden Liebe für das Land, das mich gastlich aufgenommen, mir eine Heimstätte und einen Wirkungskreis geboten."

Die Versuchung liegt nahe, aus der vorliegenden Bilderhalle einen und den andern Mann an der Hand unseres Führers hier näher anzuschauen, einen Holbein, Kneller, Fischart, Händel, Herschel, Theodor von Neuberg, oder ganze Gruppen zu betrachten, wie die religiösen Flüchtlinge unter Elisabeth, oder die deutschen Gaukler auf englischen Jahrmärkten, oder auch ihn über Sitten und deren Aenderung oder Verschiedenheit von Land zu Land sprechen zu lassen, und da wären die Abschnitte: „Eigentümliche Art die Damen zu grüßen" und die Abhandlung vom „Kuss" ganz verlockend. Aber unser Raum ist bereits überschritten.

Und so sei nur noch dies angeführt, dass wir, mit der hoffentlich recht bald erscheinenden zweiten Auflage und weiteren Erschöpfung des Gegenstandes ein vollständiges Namen- und Sachregister erhalten mögen, welches bei einem so sehr zum Nachschlagen geeigneten Werk, das in keiner Bibliothek fehlen dürfte, besonders geeignet, und auch, dass der Verfasser eine gründliche Säuberung in Bezug auf Fremdwörter vornehme, von welch hässlichen Popanzen sich, bitterböser deutscher Sitte gemäß, allzuviele eingeschlichen haben.

An der Fremdwörterseuche leidet auch Herr Leopold Katscher, dessen Büchlein „Aus England" *) übrigens sehr lesenswert, und auch bereits in England selbst, in der „Saturday Review", recht günstig erwähnt worden ist. — Herr Katscher hat sich zu wiederholten Malen einige Monate, oder auch länger, in England aufgehalten, und hat sich ernstlich, und nicht ohne Erfolg, bemüht, mit Menschen und Dingen vertraut zu werden. Dass er überall richtig gesehen, dass er gänzlich frei von Vorurteilen, möchten wir nicht sagen. Auch nicht, dass die verschiedenen Aufsätze, welche wohl zuerst in Zeitschriften erschienen, keinerlei sachliche Irrtümer enthalten. Das ist wohl unvermeidlich, wo der Beobachtende immer den Zweck alsbaldiger Veröffentlichung im Auge hat, und ihm demnach die Zeit fehlt, allerlei den ersten und Haupteindruck Einschränkendes oder Vervollständigendes auf sich einwirken zu lassen. Aber kein solcher Irrtum ist wesentlich. Die Auffassung des Verfassers ist eine durchaus wohlwollende, und der deutsche Leser wird aus dem Gegebenen ein hinreichend richtiges Gesammtbild erhalten, und über die verschiedenen abgehandelten Gegenstände: — Studentenleben, die Presse, — die Seligmacher-Armee, — Postalisch-Telegraphisches, — Kunst u. s. w. — sich angenehm belehrt finden. Ja, ein Beobachter, der in der Lage Herrn Katschers, hat, als Gegengewicht gegen das immerhin Vorübergehende seiner Beobachtungsperiode und die daraus folgende Unmöglichkeit in die innersten Falten des Lebens einzudringen, auch einen beträchtlichen Vorteil gegenüber uns, die wir hier festsitzen mitten in diesem Leben. Er sieht es eben von außen an, und da fällt ihm Manches als bemerkenswert auf, — was es auch wirklich ist — woran wir in Gefahr sind vorüberzugehen, eben weil wir uns eingelebt haben, und die Sache uns nicht mehr als besonders bemerkenswert erscheint. Um, nach der Heimat hin, einem Leserkreis ein ebenso anschauliches als richtiges Bild der äußeren Erscheinung eines fremden Landes zu geben, kann man zu kurz in dem Lande geweilt haben — um das ist der gewöhnliche Fall —, aber auch zu lang. Herr Katscher nimmt etwa die richtige Mitte ein.

Und so ist es wirklich ein Vergnügen, sein Büchlein zu lesen, oder würde es sein, wenn die Ausstattung nicht so entsetzlich wäre. Aber da stehe ich vielleicht allein da, von meinen Lesern verlassen. Denn ich finde nicht, dass die Leute meine Ansicht über diese Reclam'schen Ausgaben teilen. Ich finde sie hässlich, und ich glaube wir müssen dahin kommen, dass ein Buch nicht nur durch seinen Inhalt, sondern auch in seiner Erscheinung, ein Schönes sei. Dies Ding aber ist höchstens da um rasch gelesen, dann weggelegt oder weggeworfen zu werden. Nicht England, nicht Amerika, nicht Frankreich liefern solche Bändchen. Man nennt solche Ausgaben „billig", womit man das gute deutsche Wort „wohlfeil" meint. Ich finde sie aber sehr unbillig. Man giebt da in Geld ein paar Pfennige, aber man giebt für diesen Druck ein gut Stück seiner Augenkraft, und man beeinträchtigt seinen Schönheitssinn, solange man das Ding in der Hand hat, und schließlich kann man es ja gar nicht auf einem anständigen Büchergestell einreihen. Die deutsche Nation ist noch immer nicht reich, und „wir müssen sparen". Geschähe das aber nicht besser am Bier oder Wein oder Tabak oder an der Sommerfrische und Befriedigung der Reisewut? Es muss dahin kommen, dass auch in Deutschland wie bereits in England, jede anständige und gebildete Familie, ja jeder einzeln stehende Mann, der auf Bildung Anspruch macht, sich eine Bibliothek anschafft, wenn auch auf Kosten der Kneiperei. Aber mit dieser sogenannten „Universal-Bibliothek" wird man es nicht dahin bringen. Niemand wird in sein Besuch-, Arbeits- oder Schlafzimmer einen Stuhl oder Tisch stellen wollen, der, in seiner Art, so auf „Billigkeit" berechnet wäre, wie diese Heftchen. In der Einrichtung, welche der Tischler oder Tapezierer liefert, gibt man gerne Geld aus, um das zu haben, was das gebildete Rotwälsch „stilvoll" nennt. So verlange man doch von sich selbst, vom Verleger und Drucker nichts Geringeres für die Bücher, und zwar nicht nur im Falle von Prachtausgaben — in welchen Deutschland ja sehr Schönes liefert —, sondern in allen Fällen, auch für

*) Aus England. Bilder und Skizzen von Leopold Katscher. — Leipzig, Philipp Reclam jun. 1885. 109 S. 16°.

diejenigen Bücher, welche mehr zum Lesen sind, als zum Ansehen und Vorzeigen an Gäste. Und man zahle dafür. Davon wird der Schriftsteller, der Buchhändler und der Leser Gewinn ziehen; der Letztere an — man verzeihe mir einmal das englische Wort — *self-respect*, welcher doch immer leiden muss, wenn man ein solches Häufchen bedruckten Papieres wirklich mit den Fingern anrührt.

Uebrigens ist die Fremdwörter-Pest nicht die einzige Krankheit, an welcher Herr Katscher leidet: er ist auch sehr der Seekrankheit ausgesetzt. Oder wenn nicht er, dann doch die ihm lieb und nahe. Und so liegen seine Gründe mehr im rebellischen Magen oder im guten Herzen, als im ruhigen Verstand, wenn er die Engländer — „die einseitigen Insulaner" scheint ihm hier der geeignete Ausdruck — grimmig anfährt, weil sie ihm nicht das Vergnügen machen wollen, den Eisenbahntunnel unter dem Kanal nach Frankreich zu bauen. Herr Katscher ist sicher, dass dies sich ändern wird: die „bei den Haaren herbeigezogenen strategischen Rücksichten" werden beseitigt werden; „der heutige Zeitgeist wird nicht gestatten" u. s. w. Bester Herr Katscher, erinnern Sie sich nicht, dass, was ihr den Zeitgeist nennt „das ist zuletzt der Herren eigener Geist". O, wie seekrank müssen Sie bei der letzten Ueberfahrt gewesen sein! Aber noch schlimmer würde es den französischen Soldaten ergeben: zwei Drittel oder drei Viertel von denen würden der Seekrankheit zum Opfer fallen. Der Kanal soll das Band der Brüderlichkeit zwischen den Nationen knüpfen? Der Eine Punkt unmittelbarer Berührung sollte das tun? Und wie viele solche Punkte lagen zwischen Frankreich und Deutschland? zwischen Preußen und Oesterreich? zwischen allen festländischen Nationen, die dennoch in Krieg geraten sind? Die Trojaner, so erzählt uns Virgil, machten Bresche in ihre Stadtmauer, das hölzerne Pferd einzulassen. Werden die Besitzer dieses seeumgürteteten Gemeinwesens ihren Wogenwall, der sie vor dem Feinde schützt, durchbrechen und offen legen, um einigen guten Leuten die Seekrankheit zu ersparen? — Keineswegs sage ich, dass der Tunnel den Feindeseinfall zur Folge haben würde. Aber ganz gewiss die Furcht davor, oder wenn man will die Berechnung der Möglichkeit, und die Ergreifung der nötigen Maßregeln um die Gefahr fernzuhalten. In einem Staate, dessen heikle Grenzen die allgemeine Wehrpflicht nötig machen, sind solche Maßregeln möglich, ohne im ganzen Volksleben große Störungen hervorzubringen. Aber anders in England: der panische Schrecken, der sich bei jeder von Außen drohenden politischen Verwicklung einstellen würde, namentlich in Verbindung mit irischen Wirren, könnte nur durch Ein Mittel gebändigt werden. Das heisst Conscription. Aber mit der Conscription ist eben das Maaß der persönlichen Freiheit, an welches wir hier gewöhnt, nicht vereinbar. Und diese Freiheit ist doch besser als die Befreiung von einem gelegentlichen Anfall von Seekrankheit, nicht wahr, lieber Herr Katscher? Das aber ist ein Standpunkt, den wir von dem feuilletonistischen Touristen — die Fremdwörter stehen hier absichtlich — nicht billiger Weise erwarten dürfen.

Noch sei hier die zweite, vermehrte Auflage eines sehr lustigen Büchleins über England erwähnt. Jedem Freund — ich sage nicht jeder Freundin — des Englischen seien die englischen „Sprach-Schnitzer"*), von O'Clarus Hiebslac aufs beste empfohlen. Er findet darin eine Masse Belehrung in kräftig humoristischem Vortrag. Das Anagramm des Verfassers ist unschwer zu erraten. Er versteht seine Sache vortrefflich, spricht mit umfassender Kenntniss, und nach seinen sehr ergötzlichen Geschichten, über das was einem Engländer oder Deutschen mit der Sprache des Anderen begegnen kann oder begegnet ist, sowohl im Druck als im gesprochenen Wort, giebt er uns noch eine Anzahl höchst verständiger Bemerkungen über Namen und Verhaltungsregeln in englischer Gesellschaft. Aber der Witz ist bisweilen etwas grobkörnig, erinnert sehr an Rabelais. Ich glaube nicht, dass *la mère en permettra la lecture à sa fille*. Indess meint der Verfasser das Buch auch nur für Männer, oder doch für Erwachsene. Und so mag es vielleicht die Mutter selbst lesen, aber ja nicht der Backfisch.

London. Eugen Oswald.

Rudolf Schmidt, Murmesterens Dötre

og andre Fortaellinger. Haandtegninger: Fjerde Samling. — Kjöbenhavn, J. H. Schubothe 1886.

Als Rudolf Schmidt im Jahre 1881 seine erste Novellensammlung veröffentlichte, meinte Henrik Ibsen, nie etwas Feineres, Sichreres und Wahreres gelesen zu haben, als diese „Handzeichnungen"; die Beobachtung sei überall scharf und treffend und die Sprache unvergleichlich auf Grund der Unfehlbarkeit, mit welcher sie stets genau die Schattirung des Gedankens oder der Stimmung wiederzugeben wisse, welche der Dichter beabsichtige.

Seitdem hat dieser Schriftsteller drei weitere Sammlungen herausgegeben, auf welche der erwähnte Ausspruch in nicht geringerem Grade Anwendung findet; man weiß nicht, was man bei Schmidt am meisten bewundern soll: die psychologische Feinheit der Zeichnung oder den unvergleichlichen Stil.

Unter den Novellen der letzten Sammlung steht meiner Meinung nach die Erzählung „Murmesterens

*) Englische Sprach-Schnitzer. Zur Belehrung Erwachsener. — 2. Auflage. Straßburg; Trübner, 1885. VI. und 114 S. 8.

Dötre" entschieden obenan, und nicht allein unter diesen, sondern unter den bisher veröffentlichten Novellen Schmidts überhaupt.

Unter der Bürgerschaft des Städtchens Rosted spielt Maurermeister Magner die erste Violine. Er hat drei Töchter, die seinen Stolz und seine Herzensfreude ausmachen und eine merkwürdige Aehnlichkeit mit ihm aufweisen, und dann haben die drei ein böses Erbteil vom Vater überkommen: heißes, leidenschaftliches Blut. — Und es geschieht, dass die erste „fällt" und die zweite. Das Verhältniss der Magnerschen Familie zu dem Verführer der zweiten Tochter, einem Grafen, ist mit einer Plastik dargestellt, die, in Verbindung mit der außerordentlich feinen Zeichnung der seelischen Vorgänge in den beiden Gefallenen, dem Dichter über die Gefahr, einförmig zu werden, hinweghilft.

Nachdem sich so bei zweien der Kraftmädels des hochnasigen Mauermeisters herausgestellt hat, dass sie „schwachnervige Dinger" (Krampetöse) sind, ist es der guten Stadt Rosted nur eine Frage der Zeit, dass auch die jüngste „fallen" wird: es liegt so in der Luft, es teilt sich allen mit — sogar Laura selber.

Und nun kommt der vorzüglichste Teil der Erzählung. Wie ein gewisses Etwas ihr dasselbe im Geheimen zuflüstert, sie mahnt und warnt und zu gleicher Zeit doch wieder mit betörenden Lauten lockt, wie sie's in den Mienen der Ihren liest, dass diese auf ihren Sturz lauern, wie sie Grauen und Entsetzen und auf der andern Seite ihre Schwäche fühlt, wie ihr ein Schiff, das sie vom Stapel laufen sieht, zu einem Bild ihrer selbst wird, wie sie dann nahe daran ist zu „fallen" und ihr eine Reise nach Kopenhagen die Augen öffnet über den vermeintlichen Dichter, dem sie sich hatte hingeben wollen, und wie in demselben Augenblick die Einwirkung der heimatlichen Luft überwunden ist und der Trieb ihres Blutes und die boshafte Vorherbestimmung der Menschen: das alles ist mit einer Meisterschaft geschildert, welche die höchste Bewunderung verdient.

Und nun will sie im väterlichen Hause nicht länger bleiben. Ein Unfall verursacht eine mehrstündige Unterbrechung der Rückfahrt.

„Aber Sie haben drüben ja das hübsche Gebäude, das Ihnen die Zeit vertreiben helfen kann!" meint scherzend der Schaffner.

Und ehe sie selber weiß, wie's geschehen, sieht sie sich dem Vorsteher der Diakonissen-Anstalt gegenüber und tut ihren Entschluss kund, Diakonissin zu werden.

Bei einer ansteckenden Seuche wird ihr Gelegenheit zu zeigen, dass sie die Tochter ihres Vaters ist und kein „schwachnerviges Ding", und der Professor, mit dem sie zu tun hat, bekommt allen Respekt vor ihr.

Und dieser Respekt soll sich derart steigern, dass er seiner Hochachtung in einer öffentlichen Anerkennung Ausdruck giebt.

Ein Zimmermann zerquetscht sich den Fuß. Soll dem Unglücklichen das Leben erhalten bleiben, so muss das zerquetschte Glied an Ort und Stelle amputirt werden. Die Assistenten des Professors sind augenblicklich abwesend, da bietet sich Laura zur Hülfeleistung an.

Und nun schildert uns der Dichter die Amputation mit solcher realistischen Kraft, dass dem Leser die Füße förmlich zu schmerzen beginnen. Aber damit verknüpft er eine wunderbar schöne Schilderung dessen, was während der mühseligen Arbeit in der Seele des jungen Mädchens vorgeht. Sie bildet den Höhepunkt des Ganzen.

Wenn ich auf die übrigen Erzählungen der Sammlung, unter denen besonders „Die jüngere Schwester" und „Der Möenenser" hervorgehoben zu werden verdienen, nicht näher eingehe, so geschieht dies nur, weil ich mich so kurz wie möglich zu fassen habe, und weil es mir vor allen Dingen darauf ankam, die Freunde dänischer Litteratur auf die gedachte hervorragende Schöpfung Rudolf Schmidts aufmerksam zu machen.

Flensburg. J. Langfeldt.

Das Nirvâna und das Sein.

Von Carl Schöbel.

II.

Der Zweck des Reformators von Mâgadha, der, was auch Herr Renan dagegen sagen möge*), eine vom Brahmanismus total verschiedene Religion beabsichtigte, war augenscheinlich ein dreifacher: ein patriotischer, ein sozialer und ein religiöser. Als Patriot sann er, der rein indischer Abkunft aus dem aborigenen Indusstamm der Çâkyas war**), sein Vaterland, das wie Hiuen-thsang sich ausdrückt das Königreich der Polomen (Brahmanen) geworden, von dem Fremdjoch der Vedapriester zu befreien; als Sozialist, hatte er die natürliche Gleichstellung der durch das Kastenwesen unbeugsam dogmatisch getrennten Inder im Auge; als Religionstifter und Erneuerer wollte er seinen Mitmenschen die Mittel zu ihrer allseitig gründlichen Befreiung verschaffen. Diese letztere Absicht schließt dem Wesen nach die beiden ersten mit in sich.

Wie es nun aber tief- und weitgreifenden Unternehmungen, auch wenn sie in ihren Beweggründen groß und edel angelegt sind, meist geht, der Erfolg hat die des Einsiedlers von Kapilavastu nicht gekrönt, meistenteils wohl deshalb, weil der Königssohn

*) V. Journal des Savants 1883, p. 265.

**) Ich habe diese Descendenz in meinem Le Buddhisme, 1874, ins Licht gestellt. S. Kap II.

an die Menschen königliche, ich will sagen zu hohe Forderungen machte.

So viel man auch gegen den Eigennutz und vom rein moralischen Standpunkt aus immer mit Recht sagen und predigen mag, um ihm die Selbstlosigkeit zu substituiren, der Mensch ist von Natur aus gestimmt, sich durch Eigennutz mehr oder weniger leiten und beherrschen zu lassen, — ausgenommen in Augenblicken wo sein Handeln ein unbewusstes ist. Solche Augenblicke dauern aber auch wirklich nur einen Augenblick. Sobald man wieder zur Besinnung kommt, macht sich auch der Eigennutz wieder geltend, so dass selbst der frömmste Mensch seinem Gott nichts giebt als in der Berechnung dessen was er als Gegengabe von ihm dafür erhalten könne. Das do, ut des, auch in der Fassung: debime, dadam, te, ist so alt wie die Menschheit. Auf dieser unsrer Eigennützigkeit fußen alle Religionen, und wer versucht an ihrer Selle der Triebfeder der Uneigennützigkeit Raum zu geben wird, wie Fénelon es in Folge seiner Maximes des Saints erfuhr, von Gott selbst in der Person seines unfehlbaren Statthalters ex cathedra abgekanzelt und mit den Gleichdenkenden in das obligate alte Geleise oder, wie Seume sagt, unter „die alte graue Decke" zurückgeworfen.

Dem Löwen der Çâkyas war um so mehr dasselbe Schicksal bereitet, als er sich und den Seinen eine noch viel tiefer greifendere Umwandlung zumutete als die, welche aus der Lehre des Erzbischofs von Cambray folgerte; sie war der Art, dass sein Werk auch wohl ohne den Widerspruch des göttlichen Brahmanenmundes nicht hätte bestehen können. Der Ehrwürdige nämlich, um gleich dem Stachel der Eigennützigkeit, dieser Erzeugerin aller schlechten Geburten (durgati), die Spitze gründlich abzubrechen, begnügte sich nicht den anthropomorphischen und daher leidenschaftlichen Gott bei Seite zu lassen: er ignorirte selbst die Idee der idealen Gottheit. Ja er ging noch weiter. Man soll nicht allein, lehrte er, allem Irdischen und Himmlischen entsagen um ein Weiser zu sein, und als wahrhaft Bandloser (visanutta) dafür halten, dass es weder ein Hier noch ein Dort giebt*); man soll auch, um sich radikal zu befreien, in sich die Idee an sich vernichten, wie dies denn das technische Wort nirodha kurz und bündig ausdrückt. Eines solchen Heroismus oder einer solchen Dummheit (die Extreme berühren sich hier), wäre aber nur ein Mensch fähig, der gar nicht existirt. Çâkya begnügte sich diese seine Lehre als schwer zugänglich (durâroha) zu bezeichnen. Dass ihre Befolgung unmöglich sei, durfte er nicht sagen noch selbst glauben, denn was sollte ihm sonst das Nirvâna? Ich meine das wirklich wie aus der Luft gegriffene und auf Nichts gestellte Nirvâna. Zwar mochte es noch als bloß rhetorisches Wort eine große Wirkung haben, denn:

*) Dhammapadam, 385, 417.

Wo Begriffe fehlen,
Da stellt ein Wort zur rechten Zeit sich ein.
Mit Worten lässt sich trefflich streiten,
Mit Worten ein System bereiten,
An Worte lässt sich trefflich glauben.

Und in der Tat, mystische wie trunkene Geister reißt oft ein Wort hin, ein Wort besonders, welches ihnen, wie das in Rede stehende, jene unendliche Leere bedeutet, die ihrem schwermütigen Pessimismus eine herbe Wollust und der einzig ersehnte Trost ist. Sagte nicht Goethe von solchen Gemütern, dass sie

Nur dann sich glücklich fühlen, wenn nichts mehr
Zu unterscheiden wäre, wenn wir alle
Von einem Strom vermischt dahingerissen
Zum Ozean uns unbemerkt verlören?*)

Diese Stimmung, deren namhaftester Vertreter unter uns in neuerer Zeit, wie wir es schon bemerkt, Leopardi war, verraucht aber, so stark auch unser Hang zum Dumpfen sein möge, bei den meisten eben so schnell als sie uns überfallen, und jedenfalls hält sie „den Blick nach Oben gerichtet" nicht aus. Die verewigte Herzogin von Orléans, diese unvergessliche Spenderin alles Guten, sagte wohl eines Tages, gewiss so aufrichtig als eine Bekennerin des Nirvâna je hätte sagen können: Je sens comme des lueurs de complet détachement; l'ambition maternelle disparait même de mon âme**); aber diese Verkümmerung ihres moralischen Selbsts war nicht von Dauer: ihr Wahlspruch: juvante Deo half der hart Geprüften wieder auf.***)

Mit dem allen soll aber keineswegs gemeint sein, dass der Weg zum Heil (dhammapadam) von der Idee eines persönlichen Gottes ausgehen müsse oder sie in Aussicht zu nehmen habe; das wäre von der Charybde in die Scylla fallen. Wenn die absichtliche Nichtbeachtung des absoluten Seins den geistigen Menschen verkümmert und verkrüppelt, ist der anthropomorphische Gott, wie es die Geschichte sattsam lehrt, eine unversiegbare Quelle der geistigen und politischen Knechtung. So haben nun auch weißlich alle philosophischen Disciplinen, die auf diese Benennung legitimen Anspruch erheben können, den menschlich geformten Gott bei Seite gelassen, wie denn anderseits keine von ihnen die formlose Verschwimmung der Substanz oder Urmaterie als eine Grenze erkannt hat, über die der Gedanke nicht hinaus kann. Zumal wie der Muni oder Mönch von Kapilavastu, mit einem Nirvâna, als dem Verwehen nicht nur aller Form, sondern auch dem Erlöschen aller Idee vorzutreten, hat keine Weltweisheit je gewagt noch selbst für möglich gehalten. Çâkya ist hier ohne Vorgänger noch Nachfolger. Warum? Wäre es, weil mit dieser Lehre die Moral unmöglich ist? In der Theorie ge-

*) Goethe, die natürliche Tochter. V. Sz. 1. Akt.

**) D'Harcourt, Madame la Duchesse d'Orléans, p. 204; ed. 1859.

***) Aehnliche Zustände machen sich auch im Leben der Gräfin Ida H.-Hahn geltend. (S. ihren Brief an Pückler-Muskau. 10. März 1845, ed. Ludmilla Assing, 1873, u. a.)

wiss nicht; im Gegenteil, da ja die Erwerbung des Nirvâna die unüberschwengliche Tugend der vollkommensten Entsagung, die Selbstlosigkeit bis zur Vernichtung des Selbsts erheischt*). Aber in der Wirklichkeit muss eine solche Anforderung stets unbedingt an dem unausrottbaren Eigennutz, sagen wir an der Pflicht der Selbsterhaltung, scheitern.

So war denn nun der **reine** Buddhismus gleich von Anfang an für die unmittelbaren Schüler Çâkyas, selbst für seine eifrigsten, verloren, und nur als Zwitterkind, mehr und mehr entstellt, konnte er sich geltend machen. Heute und bereits seit tausend Jahren ist der Buddhismus nur noch die Religion des unsinnigsten Götzendienstes und des bodenlosesten Aberglaubens, wie man das schon des breitesten aus den kanonischen Lehrbüchern, von denen wir nur das **Mahâvastu** und das **Saddharmapundarika** nennen, ersehen kann. Um einer solchen Ausartung vorzubeugen, durfte Câkya nur seinem After-Sein, in welchem das Nirvâna gipfelt, den inneren Halt des idealen Alls, des wahren Seins geben, und sogleich fand der Weglose in der Oede der leeren Substanz den großen Weg (**maggavaggo**) der Freiheit in der Identität des reinen Ideals. Im absoluten Sein dieser notwendigen Kausalität ist allein der Raum für den wahrhaft Erwachten,**) ist der Ort jenes Nirvânas, dem sich des Menschen ganzes Dichten und Trachten freudig und freiwillig unterwirft, ist der unveränderlich ruhige Zustand, worauf Goethe so schön hinweist, wenn er von dem Dichter der reinen Formen sagt:

> Und unter ihm im wesenlosen Scheine
> Lag, was uns Alle bändigt, das Gemeine.

Um uns darüber zu verständigen, wollen wir einen dritten und letzten Artikel schreiben.

*) S. Accord de la morale avec le Nirvâna, im Le Buddhisme, Ch. III.

) Etymologischer Sinn des Wortes **Buddha.

Paradoxe der konventionellen Lügen.

Unter diesem Titel ist im Verlage von Steinitz und Fischer in Berlin bereits in vierter Auflage eine Broschüre erschienen. Der Verfasser tut meiner Meinung nach Unrecht, uns, wenn auch nur einstweilen, seinen Namen zu verbergen; denn, nachdem die Offenbarungen des Weisheitsapostels von Paris, des unentwegten Kämpfers für die Wahrheit, der sich aber auch nicht frei machen konnte von der kleinen konventionellen Lüge, seinen Namen Max Schönfeld in den noch wohllautenderen Max Nordau zu verwandeln, die Welt mit ihrem Licht erfüllt, nachdem der Prophet durch kräftige Trompetenstöße als neuer Messias gefeiert, dass er in edler Bescheidenheit von sich selber sagen konnte, dass alle Anfeindungen der Unwissenden weder die Gedanken von Nazareth noch von Max Nordau gehindert haben, ihren Weg zu machen, da möchte man doch auch gern den Verfasser kennen, der es hier unternommen, jene neue Offenbarung einmal einer gründlichen Prüfung zu unterziehen. Wenn auch manchen, so wird doch auch nicht jeden das Resultat dabei überraschen, dass die angestaunte Weisheit der konventionellen Lügen und Paradoxe, wenn auch von Paris, dennoch nicht allzu weit her ist; legt ja doch Schopenhauer schon klar, dass gerade das Genie, das der Erkenntniss seiner Zeit vorauseilt, stets schwerer und später zur Anerkennung und zum Verständniss gelangt, wie das Talent, das der Erkenntnisssphäre seiner Mitmenschen näher steht, ja gewissermaßen nur der Mund derselben ist, daher auch gleich zur Anerkennung gelangt. Nun, dass seine Wahrheit den Weg bereits gemacht, erkennt Max Nordau ja selber an, und den Ruhm wollen wir ihm daher auch gern lassen, dass er, wenn auch kein Wahrheit verkündendes Genie, so doch ein Talent ist, das in geistreich belletristischer Weise, wie der Verfasser sich ausdrückt, ein feingeschliffenes, zierliches Stilet, eine litterarische Floretklinge führt, und mit großer Klarheit Gedanken als große Wahrheiten ausspricht, die sich jeder normal denkende, gebildete Mensch mit mehr oder weniger Klarheit selbst schon unzählige Male gesagt hat, und sich nun freut, durch Max Nordau seine eigenen Gedanken so wohlgeordnet und klar ausgesprochen zu sehen. Daher das große, rasche Verständniss, das die Welt ihm entgegen bringt, die so große Anerkennung dieses Talents! Schade nur, dass Max Nordau selbst das Talent für **etwas** erklärt, das sich jeder Durchschnittsmensch anzueignen vermag! Doch das weist ihm ja der Verfasser der vorliegenden Broschüre alles viel besser nach, wie auch die großen Fehlschlüsse, die der große Stilist Max Nordau, der Talmi-Philosoph, wie ihn Oskar Welten genannt, aus solchen allgemein und offenkundig daliegenden Wahrheiten zieht, und ich kann versichern, dass die geistreiche Art und Weise, in welcher der Verfasser sich seiner Aufgabe erledigt, auch in stilistischer Beziehung seinem Partner nicht nachsteht.

Der erste Abschnitt behandelt „Die Naturgeschichte der Liebe und die Ehelüge". Wenn Max Nordau die Liebe als instinktive Erkenntniss eines Wesens erklärt, sich mit einem bestimmten Wesen andern Geschlechts zu paaren, um die notwendige Ergänzung für die Fortpflanzung zu finden, welche die Erhaltung und Verbesserung der Gattung zum Zweck habe, und in dem Goetheschen Wort „Wahlverwandschaft" eine erschöpfende Definition dieses Triebes erblickt, so braucht man ihm noch nicht zu widersprechen. Wenn er aber nun auf Grund dieses Sturm gegen die Ehe läuft, die Treue für widersinnig und Monogamie für unnatürlich erklärt, wenn er sich sogar dazu versteigt, zu fordern, dass der Paarungsakt öffentlich ausgeübt werden müsste, so muss man dem Verfasser dieser Broschüre völlig beistimmen, wenn er den Nachweis führt, dass, wenn die Liebe auch aus dem rein tierischen Geschlechtstrieb sich entwickelt hat, diese dennoch etwas mehr bedeutet, als reine Sinnlichkeit, und dass Nordau bei seinem Sturmlauf gegen Ehe und Treue übersieht, dass gerade das von ihm aufgestellte Ergänzungsideal logischer Weise die Treue in sich schließt; denn wenn ein sein Ergänzungsideal suchendes Wesen ein solches gefunden, so hört doch mit dem Finden das weitere Suchen auf, und auf dieser Basis ruht ja doch der Begriff der monogamischen Ehe. Die freie Liebe, die Nordau predigt, erweist sich also logischer Weise nicht als eine Forderung im Sinne einer Fortentwicklung der Kulturmenschheit, sie wäre vielmehr nur eine Rückkehr zum tierischen Standpunkt, und sehr mit Recht meint der Verfasser, dass ein Verlangen nach Oeffentlichkeit des Paarungsaktes sich doch nur wie ein schlechter Scherz ausnimmt. Der beschränkte Raum gestattet mir nicht, diese hochinteressanten Ausführungen noch näher zu beleuchten; nur möchte ich noch bemerken, dass ich gewünscht hätte, es wäre bei Beurteilung des weiblichen Charakters auch den edleren Seiten desselben etwas mehr Rechnung getragen. Ich gehe auch über den zweiten Abschnitt „Die aristokratische Lüge und die geistige Aristokratie", der den unbefangenen, klaren Blick des Verfassers wieder neu beweist, kurz hinweg, um noch bei dem letzten Abschnitt, den ich für den bedeutendsten und in jeder Weise gelungensten halte, zu verweilen; es ist dies die „Psycho-Physiologie des Genies und Talents". Bei aller Anerkennung, die auch hier dem ungewöhnlichen Esprit und der umfassenden Verstandesbildung Max Nordaus vom Verfasser gezollt wird, zeigt derselbe doch gerade bei diesem Abschnitt eine solche Geistesüberlegenheit und einen so viel bedeutenderen Tiefblick für das Psychische der Menschennatur, insonderheit der Natur der großen Ingenien, dass man sich immer wieder fragt: wer mag nur der Verfasser sein?

Mit überzeugender Klarheit und Deutlichkeit widerlegt er gerade an den von Nordau selbst als Haupttypen des Genies angeführten historischen Persönlichkeiten die ganz unzureichende Auffassung desselben. Er weist nach, dass ein ungewöhnlich starkes Willenscentrum und Urteilscentrum noch nicht genügt, um Männer wie Napoleon, Cromwell, Muhamed und Columbus hervorzubringen, dass Nordau vielmehr noch einen, wenn nicht gerade den bedeutendsten Faktor völlig übersehen: die Einbildungskraft! ohne welche ein Genie überhaupt gar nicht denkbar ist. Er weist hin auf jene ausschweifende, an Wahnsinn grenzende Phantasie Napoleons, der vor der kleinen Bresche des kleinen St. Jean d'Acre von Eroberung Konstantinopels und dem Einmarsch in Indien schwärmte, der vor der Schlacht bei Austerlitz sich über die Schicksalstragödie des Corneille unterhielt und während der Schlacht bei Borodino die Statuten des Theatre français reformirte; er führt an, wie Cromwell seine Phantasie an der Poesie des alten Testaments bis zur Verzückung berauschte, wie Columbus eine ganze Welt als Traumbild vor sich aufsteigen sah, und wie Muhamed, der Wüstendichter des Koran, ewig in den Hallucinationen seiner zügellosen Einbildungskraft schwelgte.

Wer diesen Abschnitt gelesen, der wird zugestehen müssen, dass die Nordausche Auffassung von Genie und Talent glänzend ad absurdum geführt ist; dennoch kann ich mich nicht ganz mit der Ansicht des Verfassers befreunden, der zwischen Talent und Genie nur einen quantitativen, keinen qualitativen Unterschied zu machen geneigt ist. Ich stimme ganz mit ihm überein, dass nur die Vereinigung einer ungewöhnlichen Urteilskraft, Willenskraft und Einbildungskraft in einem Menschenhirn dieses zum Genie stempelt, dass vor allem beim poetischen Genie nur dem Dichter-Denker diese Bezeichnung wirklich gebührt; denn der Tiefblick, der stete auf die großen, ewigen Probleme des Daseins gerichtete Blick, das ist das Kennzeichen des Genies! Unter Talent versteht man doch eigentlich nur die Begabung für das Technische, also beim Poeten die Begabung für das Sprachliche. Das Talent muss also dem Genie sich paaren, ist aber doch wesensverschieden von demselben. Man kann daher wohl Rückert für ein ebenso großes Talent halten wie Goethe, ohne dass es einem beifallen wird, ihn für eben solch Genie zu erklären; ja man könnte wohl einen Julius Wolff, dem die Verse so leicht und sprudelnd aus der Feder fließen, für ein größeres Talent halten wie Heinrich von Kleist; aber wie unendlich weit überragt Kleist einen Julius Wolff durch den Tiefblick seines Genies! Man darf daher behaupten, so paradox es erscheinen mag, dass es Menschen giebt, denen wohl der geniale Blick verliehen ist, denen aber die Natur das Talent versagt hat, sich auszusprechen. Das sind die stumm geborenen Genies, die Raphaels, die ohne Hände geboren sind, und denen doch der Nordausche Satz wenig helfen könnte, dass das Talent nur etwas sei, was sich jeder Durchschnittsmensch anzueignen vermag; denn so töricht wird doch wohl Niemand sein, behaupten zu wollen, das Sprachtalent eines Rückert oder Julius Wolff könne jeder Durchschnittsmensch sich zu eigen machen.

Von besonderem Interesse ist zum Schluss noch die Beleuchtung des Nordauschen materialistischen Optimismus und die naive Auffassung desselben von einer pessimistischen Weltanschauung. Der Verfasser zeigt, dass der Optimismus des Materialisten schließlich in einer Menschenvergötterung gipfelt, zu der sich der Idealist niemals verstehen wird, und gerade dadurch einen viel realistischeren Blick auch für die Welt der Erscheinungen bekundet, wie jener. Aus der Unvollkommenheit der Welt erwächst ihm nicht jener Wahnoptimismus, eine allgemeine Welt- und Menschenbeglückung jemals zu erreichen, noch dazu allein auf dem Wege der Cogitation; diese Unvollkommenheit ist ihm vielmehr die Quelle der pessimistischen Weltanschauung, aber nicht jenes krankhaften Pessimismus, der in stumpfer Lethargie verharrt, sondern jenes thatkräftigen Pessimismus, dem sich die Liebe und das Mitleid paart, der als Grundsatz an der Stirne trägt: „Kannst du nicht glücklich sein, kannst du doch Unglück lindern!“ Es ist jener Pessimismus, der getränkt mit der Weltliebe und dem Weltmitleid aus der großartig tiefen Weltanschauung des Jesus von Nazareth hervorquillt, wie es der Verfasser auf den letzten Seiten so schön entwickelt, einer Weltanschauung, dagegen das ganze materialistische Menschenbeglückungsideal wie ein kläglicher Rausch erscheint, auf den der nüchterne Idealist mitleidig lächelnd herabsieht.

Möchte das Buch von Vielen gelesen werden; Mancher, der sich an der Nordauschen Weisheit berauscht, wird sich an diesen Ausführungen eines Idealisten wieder ernüchtern.*)

Berlin. Richard von Hartwig.

Sprechsaal.

Es ist die höchste Zeit, die öffentliche Aufmerksamkeit auf einen der unsinnigsten Missbräuche zu lenken, die unsere Sprache verunziren: ich meine die falsche und sinnlose Verdoppelung der Präposition „zwischen.“

„Himmelfahrt fällt zwischen Ostern und zwischen Pfingsten.“ „Zwischen Frankreich und zwischen England drohte ein Krieg auszubrechen.“ Kann es etwas Widersinnigeres geben! Und dennoch bürgert sich dieser ungeheuerliche Fehler, wie man bei einiger Aufmerksamkeit leicht beobachten kann, von Tag zu Tag mehr ein; nicht bloß in der gewöhnlichen Unterhaltungssprache, sondern fast noch mehr in den gewählteren Formen der Rede. Beinahe scheint es, als hielte einer und der andere jene Verdoppelung für vornehmer als das einfache „zwischen“. Wenigstens fällt mir dieser seltsame Missbrauch fast alle Tage gerade in den Vorträgen der geschultesten Redner auf.

Aber das Bedenklichste ist, dass sich das doppelte „zwischen“ in besorgnisserregender Weise auch in die Schriftsprache eindrängt. Ohr und Auge der Meisten haben sich schon derart an den unleidlichen Fehler gewöhnt, dass er ihnen beim Hören und Lesen kaum noch auffält. Wie wenige achten darauf, dass gleich der Eingang von Goethes schönem Gedicht „Zum neuen Jahr“ durch ein doppeltes „zwischen“ entstellt wird:

Zwischen dem Alten,
Zwischen dem Neuen,
Hier uns zu freuen
Schenkt uns das Glück.

Lechler schreibt in seiner verdienstvollen Geschichte des Englischen Deismus (J. G. Cotta. 1841. S. 8):

„Man unterscheidet in der Weltgeschichte mit Recht zwischen dogmatischen und kritischen Perioden d. h. zwischen Zeiten, wo ein bestimmtes Ganzes von Lösungen der wichtigsten Fragen der Menschheit Befriedigung gewährt, als unbefangener Glaube und als unmittelbarer Zustand herrscht, und zwischen Zeiten, wo eine genügende Lösung erst angestrebt wird.“

Bei Mommsen (Römische Geschichte. Band I. 5. Auflage. 1868. Seite 21) lesen wir:

„Für jetzt muss es darum hier genügen, auf die Unterschiede hinzuweisen zwischen der Kultur der indogermanischen Familie in ihrem ältesten Beisammensein und zwischen der Kultur derjenigen Epoche, wo die Gräcoitaliker noch zusammen lebten.

Hermann Hettner schreibt in der Litteraturgeschichte des achtzehnten Jahrhunderts I. Teil. 4. Auflage. Seite 105:

„Zwischen dem altenglischen und zwischen dem französischen und spanischen Lustspiel hatte niemals eine so tiefgreifende Stilverschiedenheit stattgefunden wie in der Tragik.“

Und endlich noch ein letztes Beispiel: Sogar der sorgfältigen stilistischen Feile Gustav Freytags ist folgender Satz entgangen. (Die Technik des Dramas. 4. Auflage. 1881. S. 15):

„Im Gegenteil ist gerade zwischen den großen Gebilden der epischen Poesie, welche Begebenheiten und Helden schildert, wie sie neben einander stehen, und zwischen der dramatischen Kunst . . . . . ein tiefer Gegensatz.“

Wie stumpf muss das sprachliche Gewissen in Deutschland geworden sein, wenn selbst so gebildete und feinfühlige Stilisten wie Goethe, Mommsen, Hettner, Freytag nicht vor dem widersinnigsten, grammatikalischen Schnitzer sicher sind; welcher traurigen Zukunft geht unsere Sprache entgegen, wenn wir uns nicht bei Zeiten der hereinbrechenden Zügellosigkeit und Verwilderung erwehren?

Es ist die Pflicht eines jeden, dem die Reinheit unserer Sprache am Herzen liegt, derartige Barbareien an den Pranger zu stellen.

Wer schreiben will, der bemühe sich vor allem richtig zu schreiben! Ist es unbillig, von einem Schriftsteller zu verlangen, dass er wenigstens die Elementar-Grammatik seiner Sprache mit Sicherheit handhabe?

Berlin. Erich Sello.

Erklärungen.

In der letzten Zeit erfuhr ein Werk „Moderne Dichtercharaktere“ mehrfache Besprechung. Dasselbe ist herausgegeben durch Herrn Wilhelm Arent. Durch Zufall — ich erhielt es weder vom Herausgeber, noch vom Verleger persönlich zugeschickt — sehe ich, dass in dieser Blumenlese aus neuen Dichtern auch mein Name figurirt. So sehr es mir nun zur Ehre gereichen muss, meinen Namen neben dem eines Wildenbruch, Heinrich Hart u. A. in dieser Sammlung zu sehen, so fühle ich mich doch zu der Erklärung veranlasst, dass gänzlich ohne mein Vorwissen, ohne meine Ermächtigung, ohne eine Anfrage bei mir von Seiten des Herausgebers eine Anzahl meiner Gedichte meinen „Ausgewählten Gedichten“ für jenes Sammelwerk entnommmen wurde. Gegen eine derartige unerlaubte moralische Ausplünderung meiner Arbeiten muss ich um so mehr protestiren, als ich die gesammte Anschauungsweise, welche mir aus diesen „Modernen Dichtercharakteren“ entgegentritt, für das vollkommene Gegenteil alles Dessen erkennen muss, was ich litterarisch vertrete. Ich bitte diese Erklärung abzudrucken alle diejenigen Zeitschriften, welche gegen unbefugten Nachdruck einen Schriftsteller zu schützen für Ehrensache halten.

München. Wolfgang Kirchbach.

Julius Stinde der Verfasser von „Familie Buchholz“ und „Buchholtzens in Italien“ versendet eine Erklärung, welche mit folgenden Worten beginnt: „Das bei Albert Unflad in Leipzig erscheinende Buch: „Buchholtzens in Paris“ ist von irgend einem litterarischen Gauner verfertigt und darauf berechnet, nicht nur den Titel, sondern auch durch die Nachahmung der bekannten Ausstattung des Verlages von Freund & Jeckel dem Publikum eine Fortsetzung der beiden Stindeschen Werke vorzutäuschen.“

*) Wie ich nachträglich erfahren, hat sich Karl Bleibtreu bereits als Verfasser der Broschüre bekannt.

Litterarische Neuigkeiten.

Am 19. Dezember vorigen Jahres starb in Madrid, wohin er gelegentlich der Begräbnissfeierlichkeiten des spanischen Königs sich begeben hatte, unser hochgeschätzter sowohl auf dem Gebiet der Politik als auch auf dem der Litteratur verdienstvoller Mitarbeiter Carlos von Gagern. Sein vor ungefähr zwei Jahren erschienenes zweibändiges Werk „Lebende und Todte" ist weiteren Kreisen bekannt geworden. Der Verstorbene beabsichtigte neben einem dritten Bande dieses Werkes ein neues grösseres Werk im Verlag der königl. Hofbuchhandlung von Wilh. Friedrich in Leipzig herauszugeben, welches den Titel tragen sollte: „Kelle und Schwert". Ob die Vorarbeiten hierzu soweit gediehen sind, dass auch jetzt noch an seine Veröffentlichung gedacht werden kann, ist noch ungewiss. Der Verstorbene war ein ebenso hervorragender Journalist wie Schriftsteller und als Mensch ein Charakter, wie es deren in unserer charakterlosen Zeit immer weniger giebt.

Der Roman „Grossmutter" von Božena Němcová ist von dem Professor der romanischen Sprachen in Prag Dr. U. Jarnik ins Rumänische übersetzt worden. Eine deutsche Uebersetzung erschien in Reclams Universalbibliothek.

„Die Reform der Russischen Universitäten nach dem Gesetze vom 23. August 1884" betitelt sich ein bei Duncker & Humblot in Leipzig erscheinendes interessantes Werk, welches für Universitätskreise wie für Pädagogen von hoher Wichtigkeit ist. Der Herausgeber erleichtert das Verständniss dieser neuesten Reform durch eine historische Beleuchtung der Hauptpunkte derselben; für seine Darstellung durfte er die vornehmsten, grösstenteils offiziellen Dokumente zu Grunde legen.

Mit Arnold Ruges Porträt geschmückt erschien im Verlag der Weidmannschen Buchhandlung in Berlin der erste starke Band von Paul Nerrlichs: „Arnold Ruges Briefwechsel und Tagebuchblätter aus den Jahren 1825—1880". Dieser erste Band umfasst die Jahre 1825—1847.

In Washington in der Government printing office erschien der „Annual report of the board of regents of the Smithsonian institution, showing the operations, expenditures, and condition of the institution for the year 1883."

Im Verlag von Mahlau & Waldschmidt in Frankfurt a/M. erschienen: „Drei Operndichtungen" Alrog — Der Schmied von Gretna-Green und Meerkönigs Tochter — (in einem Bändchen) von B. Bajohr. Ferner: „Dynastische Gelüste". Schwank in einem Aufzug von Helene Wittlinger und „Das Jahr". Ein lyrisches Gedicht in fünf Teilen mit Prolog und Epilog von Eduard Stilgebauer.

In der deutschen Berufsstatistik vom 5. Juni 1882 wurden 19700 „Schriftsteller, Journalisten und Korrespondenten" verzeichnet, unter denen 350 Damen waren. Nach der italienischen Volkszählung vom 31. Dezember 1881, deren berufsstatistischer Teil vor wenigen Wochen veröffentlicht wurde, gab es im Königreich damals 1319 Publizisten, während nach einer statistischen Veröffentlichung über die Presse am 1. Januar 1884 nicht weniger als 1298 Zeitungen und Zeitschriften erschienen. Es ist anzunehmen, dass viele Kollegen sich als Advokaten, Ingenieure, Professoren u. s. w. einschrieben, weil der betreffende Titel akademisches Studium voraussetzt. Uebrigens kennt die cisleithanische Statistik vom 31. Dezember 1880 auch nur 1224 von ihrem Beruf lebende „Litteraten und Journalisten", worunter 49 Damen.

Im Verlag von E. A. Schwetschke & Sohn (Wiegandt & Appelhans) in Braunschweig erschien: „Unter Halbmond und Kreuz" Roman aus unsern Tagen von Christian Benkard. Der Verfasser, welcher bisher noch mit keiner umfangreicheren schriftstellerischen Arbeit vor das lesende Publikum getreten ist, hat sich seit der Beendigung seiner zehnjährigen Reisen in allen Erdteilen, durch seine in geographischen und kolonialpolitischen Vereinen gehaltenen und mit großem Beifall aufgenommenen Vorträge den Ruf eines ausgezeichneten Erzählers und gediegenen Kenners unserer maritimen und Handelsverhältnisse erworben.

Alkan giebt eine Uebersetzung der Elemente der physiologischen Psychologie von Wundt heraus. Der Philosoph Nolen, Rektor der Académie zu Douai hat ein Vorwort dazu geschrieben.

Bei Theodor Bertling in Danzig erschien der erste Teil von „Wjctoslawa, eine Erzählung aus altpommerellischer Vergangenheit". Von H. Schuch. Die weitere Folge von Schuchs vaterländischen Erzählungen wird eine Reihe kulturhistorischer Schilderungen aus der Geschichte der bisher wenig ans Tageslicht gezogenen pommerellischen Lande in novellistischer Form enthalten.

Ein amerikanischer Professor der Cornell-Universität, Herr Crane, hat die Volkserzählungen der Italiener gesammelt und steht nun im Begriff dieselben in englischer Sprache herauszugeben. Das aus 109 Erzählungen bestehende Werk wird gleichzeitig in England und Amerika gedruckt. Die meisten dieser Geschichten sind ursprünglich im Dialekt erzählt, eine Anzahl davon ist Schriften entnommen, die in nur wenigen Exemplaren privatim gedruckt wurden. Die Sammlung wird durch eine Geschichte der italienischen Volkserzählungen und eine Bibliographie der darüber erschienenen Schriften eingeleitet.

Gabriel Strands (Frau Luise Tesdorpf) seiner Zeit im „Hamburger Korrespondenten" veröffentlichter Roman: „Atalanta van der Hege" gelangte in der Kollektion Spemann als achtundachtzigster Band zur Ausgabe. Dieselbe Verfasserin veröffentlichte im Kommissionsverlag der Dittmerschen Buchhandlung in Lübeck ein Erstlingsdrama unter dem Titel: „Hadrian". Tragödie in 5 Aufzügen.

Die Verlagshandlung von J. J. Reiff in Karlsruhe bereichert die neueste Erzählungslitteratur durch ein Buch von Maria Rebe betitelt: „Am Strengbach".

Im Verlag von J. Otto in Prag soll eine „Böhmische Encyklopädie" erscheinen als deren Herausgeber der Professor der Philosophie T. G. Masaryk genannt wird. Der von Rieger und Malý herausgegebene „Naučný slovník" ist gründlich veraltet, erscheint aber trotzdem mit neuen Titelblättern in zweiter „unveränderter" Auflage. Das neue Werk soll sich in der äußeren Ausstattung, dem Umfange und der Einrichtung nach Meyers Konversationslexicon richten, im Wesentlichen jedoch ganz selbständig sein, und namentlich entlegenen Gebieten des Wissens, zu deren Behandlung sich sonst keine Gelegenheit bietet, ausführliche Artikel widmen.

Pietro Amat di S. Filippo, der schon in den siebziger Jahren ein zum zweiten Mal aufgelegtes Buch über die gleiche Materie veröffentlichte, hat das Leben von 48 berühmten italienischen Reisenden in populärer Weise beschrieben. Den Reigen eröffnen die dem dreizehnten Jahrhundert angehörigen Giovanni Piano Carpini und Marco Polo, den Schluss bilden die in unserer Zeit verschiedenen Giovanni Miani, Romolo Gessi, Giovanni Chiarini, P. Matteucci, C. Piaggia und O. Antinori. Den meisten Biographien folgen ausgewählte Lesestücke der Reisenden (Pietro Amat di S. Filippo Gli illustri viaggiatori italiani. Roma, stabilimento tipografico dell Opinione 1885. VIII a 548 S. in 8° Lire 7.—).

Die poetisch-tiefen „Märchen" von Carmen Sylva, der kgl. Dichterin, welche im Originale zuerst im Verlage von Wilhelm Friedrich erschienen sind, hat kürzlich der strebsame Budapester Verleger Ludwig Aigner in der gediegenen Uebersetzung von Louise Harmath auf den ungarischen Büchermarkt gebracht.

Im Verlag der Deutschen Hausfrauenzeitung in Berlin erschien der zweite Jahrgang von Lina Morgensterns internationalem Archiv und Hülfsbuch für Frauenbestrebungen betitelt: „Allgemeiner Frauenkalender für 1886".

Ary. Ecilaw (Verfasser von „Roland") veröffentlichte im Verlag von Alphonse Lemerre in Paris ein neues Werk unter dem Titel: „Le roi de Thessalie".

„Maske und Lyra" betitelt sich ein neues Buch von Theodor Graf von Hensenstamm, welches soeben im Verlag von Otto Wigand in Leipzig erschien. Dasselbe enthält mehrere Dramen und eine Anzahl lyrischer Gedichte.

Von Max Eyths Erzählung aus dem Bauernkrieg: „Mönch und Landsknecht" erschien vor Kurzem im Verlag der Carl Winterschen Universitätsbuchhandlung in Heidelberg die zweite Auflage.

Lorédan L. Larchey giebt die Briefe der Rachel heraus Calman Levy). In seinem Vorwort kündet er an, dass dieselben ihm von dem Sohne der großen Tragödin selbst, Herrn Walesvski (der Vater war der Minister des Aeußeren unter dem zweiten Kaiserreich), mitgeteilt worden. Aus Pietät habe derselbe nur ganz intime Schriftstücke zurückbehalten, die aber weiter nicht dazu beitragen könnten das Bild der ebenso liebenswürdig gutmütigen als unorthographisch schreibenden Künstlerin zu vervollständigen.

Oskar Schwebel veröffentlichte im Verlag der königl. Hofbuchdruckerei von Trowitzsch & Sohn in Frankfurt a. O. eine märkische Geschichte aus dem Zeitalter der Reformation unter dem Titel: „Hie gut Brandenburg alleweg!“

Von „Der Wiener Hanswurst Stranitzkys und seiner Nachfolger ausgewählte Schriften“ herausgegeben von R. M. Werner erschien soeben im Verlag von Karl Konegen in Wien der zweite Teil. Ebenda gelangte zur Ausgabe ein stattlicher Band unter dem Titel: „Scherzinger Spiele“, nach Aufzeichnungen des Vigil Raber herausgegeben von Oswald Zingerle.

H. Keller-Jordan veröffentlichte im Verlag von W. Kohlhammer in Stuttgart eine neue Erzählung unter dem Titel: „Hacienda Felicidad“. Der Schauplatz derselben ist Mexiko.

Von Giacinto Gallina sind zwei ursprünglich für die venetianische Dialektbühne geschriebene Lustspiele im Buchhandel erschienen. „Die Augen des Herzens“ wurden 1879, „Die Mamma stirbt nicht“ 1880 zum ersten Mal aufgeführt; den Weg auf das italienische Theater fanden beide zweiaktige Stücke je vier Jahre später. (Teatro italiano di Giacinto Gallina. Gli occhi del cuore, comedia in 2 atti. La mamma non muore, comedia in 2 atti. Milano, fratelli Treves editori 1886. VIII u. 292 S. in 8°. Lire 3,50.)

Bei Rudolphi & Klemm in Leipzig und Zürich erschienen drei Novellen von Emil Licht betitelt „Thüringer Waldblumen“.

„Unser Wissen von der Erde“. Von diesem bekannten im Verlag von Tempsky in Prag und G. Freytag in Leipzig erscheinenden Lieferungswerk liegt nunmehr der erste Band in 50 Lieferungen vollständig vor. Derselbe enthält „Allgemeine Erdkunde“ von J. Hann, F. von Hochstetter und A. Pokorny und ist als Einleitung für die jetzt nachfolgende spezielle „Länderkunde der fünf Erdteile“ aufzufassen. Dieses neue Lieferungswerk gelangt aber nicht nur als Fortsetzung von „Unser Wissen von der Erde“ zur Ausgabe, sondern gleichzeitig unter dem Spezialtitel: „Länderkunde der fünf Erdteile“. Die Herausgabe beider Lieferungswerke leitet Professor Dr. A. Kirchhoff unter fachmännischer Mitwirkung.

Bei Bouillon & Bussenius in Straßburg erschien vor Kurzem eine neue im Auszug von E. Grupe redigirte Ausgabe von Jens Baggesens, des einst in Deutschland vielgelesenen dänischen Dichters, humoristischem Epos „Adam und Eva“. Mit Beilagen ist dasselbe von des Dichters Enkel Jens Carl Theodor Baggesen versehen und Ed. Reuss hat dieser neuen Ausgabe ein warmes Vorwort gewidmet.

Im Verlag von Paul Schettler in Köthen erschien eine „Grammatik und Wörterbuch der altprovenzalischen Sprache“ von A. Mahn. Erste Abteilung: „Lautlehre und Wortbildungslehre. In diesem Werke ist die altprovenzalische Sprache, die jetzt auf den deutschen Universitäten gelehrt wird, im Sinne J. Grimms, Diez's und Anderer wissenschaftlich betrachtet und ausführlich dargestellt.

Im Verlag von Braun & Schneider in München erschien ein eleganter Band „Gedankensplitter“, gesammelt aus den „Fliegenden Blättern“ von den Verlegern selbst.

Im Verlag von Otto Heinrichs in München und Leipzig erschien P. Letnews Roman „An einem Haar“. Die Uebertragung desselben aus dem Russischen stammt aus der Feder Wilhelm Goldschmidts.

Die „Nouvelle Revue“ brachte in der Nummer vom 15. September eine Reihe von Briefen, die der berühmte Stendhal (Henri Beyle aus Grenoble) an seinen Freund Mounier richtete und die zum ersten Male herausgegeben werden. Der Adressat ist in sofern für Deutschland interessant, als er der Sohn des Herrn Mounier, Mitglieds der konstituirenden Versammlung war, dem Karl August ein Asyl auf Schloss Belvedere öffnete und mit dem Goethe viel verkehrte. Die genauere Kenntnis, die Stendhal von deutscher Litteratur und deutschem Wesen hatte, datirt also nicht bloß von seinen Feldzügen — als Adjunct Daru's. Als ganz junger Mann schon muss er gar Manches von dem Belvederezögling Mounier erfahren haben.

Im Verlag von Vandenhoeck & Ruprecht in Göttingen erschien eine beachtenswerte Studie von A. Dehlen. Dieselbe trägt den Titel: „Die Theorie des Aristoteles und die Tragödie der antiken, christlichen, naturwissenschaftlichen Weltanschauung“. Zur Charakteristik des Buches mag hier der erste Satz derselben eine Stelle finden. Er lautet: „Es ist eine auffallende und öfter bemerkte Tatsache, dass seit Schillers Tod keinem Dichter eine Tragödie gelungen ist, kein Kritiker den Wert oder den Erfolg einer Tragödie im Voraus zu bestimmen vermocht hat.“

Die Tauchnitz Edition Collection of british authors veröffentlichte Vol. 2366—72. Davon enthalten Vol. 2366 und 2367 „Andromeda“ by George Fleming. Vol. 68 enthält: „Murder or Manslaughter?“ by Helen Mathers. Vol. 2369 und 2370 enthalten: „A Girton girl“ by Mrs. Edwardes. Vol. 2371 und 2372 enthalten: „The luck of the Darrells“ by James Payn.

Die Reclamsche Universal-Bibliothek veröffentlichte Bändchen 2061—2070. 2061 und 2062 enthalten: „Erzählungen von Rudolf Schmidt“. Aus dem Dänischen übersetzt und eingeleitet von J. C. Poestion. 2063 enthält: „Erträumt“. Schwank in einem Aufzug von Julian Olden. 2064: „Wunderlichkeiten“ Novelle von Ludwig Tieck. 2065: „Wien“. Herausgegeben von Eduard Pötzel. Erstes Bändchen: Skizzen von demselben. 2066: „Falkenström und Söhne“. Schauspiel in 4 Aufzügen von John Paulsen. Nach dem Norwegischen Original-Manuskript übersetzt von Emil Jonas. 2067—2070 enthalten: „Joseph Königs Geist der Kochkunst“ überarbeitet von K. F. von Rumohr nebst Griomod de la Reynières Kuchen Kalender und Grundzüge des gastronomischen Anstands mit Vorwort und Anmerkungen herausgegeben von Robert Habs.

Von dem bekannten Afrikareisenden, Kapitän Anton Cecchi, der von seiner auf Kosten der italienischen Regierung unternommenen Reise nach Sansibar demnächst in Rom zurückerwartet wird, soll in Bälde ein dreibändiges Werk erscheinen. Dasselbe beschreibt die Expedition, welche ihn mit Chiarini (und für eine gewisse Strecke auch mit Antinori) durch Abyssinien bis an die Grenzen Kaffas geführt hat. Zwei Bände mit wertvollen Karten sind bereits von der Druckerei der römischen Akademie der Luchsäugigen vollendet. Die Italienische Geographische Gesellschaft, die eigentliche Herausgeberin des Werks, hat dem Reisenden für die Ausarbeitung des Manuskripts 15000 Lire bezahlt.

Bei C. S. Mittler & Sohn in Berlin erschien „Heros v. Borke (ehemals Stabs-Chef des General J. E. B. Stuart). Zwei Jahre im Sattel und am Feinde. Erinnerungen aus dem Unabhängigkeitskriege der Konförderirten. Aus dem Englischen übersetzt von Kaehler (Oberst-Lieutenant und Kommandeur des 2. Schles. Husaren-Regiments Nr. 6). Deutsche Original-Ausgabe. Zwei Bände. Zweite mit einem Nachtrage „Zwanzig Jahre später“ vermehrte Auflage. Mit zwei Porträts und einer Karte.

Xanthipus, der bekannte Verfasser der „Römischen Xenien“, veröffentlichte vor Kurzem im Verlag von Otto Heinrichs in München und Leipzig eine kleine Dichtung in vierfüßigen jambischen Blankversen betitelt: „Kalypso“. Dieselbe enthält einen Lichtdruck nach einer Originalzeichnung von Frank Kirchbach in München: „Odysseus und Kalypso“.

Karl Gustav Andresens' „Sprachgebrauch und Sprachrichtigkeit im Deutschen“ erschien soeben im Verlag von Gebr. Henninger in Heilbronn in vierter Auflage.

Alle für das „Magazin“ bestimmten Sendungen sind zu richten an die Redaktion des „Magazins für die Litteratur des In- und Auslandes“ Leipzig, Georgenstrasse 6.

Greiner & Caro

vormals Ludwig Greiner.

Belletristik **Literarisches Institut** Theater

Berlin, Unter den Linden 40.

Durch Vermittelung des Instituts gelangten zur Buchausgabe u. a. Arbeiten von

Friedrich Spielhagen, Paul Lindau, Adolph Wilbrandt.

Wir kaufen und übernehmen zum commissionsweisen Vertrieb belletristische Arbeiten und stehen im regsten Geschäfts-Verkehr mit den Redactionen der vornehmsten deutschen Zeitungen, Wochen- und Monatsschriften, als auch mit den ersten Verlegern.

Bei Angeboten ersuchen wir um Beantwortung folgender Fragen:

a) Wie stark ist das Werk? (Spalten der Gartenlaube.)
b) Ist es noch nirgends veröffentlicht, und wenn **ja**, wann und wo erschienen?
c) (Uebersetzungen.) Ist die Bearbeitung eine autorisirte (bei englischen, ob es zum Schutz eingetragen), wann und wo erschienen, wie lautet der Originaltitel?
d) Welchen Redactionen, Verlegern oder lit. Agenturen bereits angeboten oder vorgelegen?
e) Welches Honorar wird für den ersten Abdruck, event. Nachdruck, welches für den Verkauf mit allen Rechten (Buchausgabe) beansprucht?

Unser Geschäftsprincip!

1. Wird das Werk 6 Monate nach Einsendung durch uns nicht verwerthet, so empfängt es der Autor auf Wunsch (franco) zurück, ohne Porto oder eine andere Entschädigung an uns zu leisten.

2. **Sofort** nach Eingang des Honorars an uns, befördern wir dasselbe an den Eigenthümer.

3. Wir berechnen bei Vermittelung zum ersten Abdruck 10 Procent, bei Nachdrucken 15 Procent. Bei Buchausgaben nach Uebereinkunft zu den solidesten Bedingungen.

4. Bei Vermittelung von Redacteurposten, Berichterstattungen u. s. w. verzichten wir auf **jede** Entschädigung oder Provision zu Gunsten der Wohlthätigkeitsvereine der Schriftstellerwelt.

Mitarbeiter,

die in der Lage sind, interessante **Original-Miscellen** unter sehr günstigen Honorarbedingungen zu liefern, werden von einer Redaction **gesucht**, die für derartige Beiträge fortwährend Verwendung hat. Offerten nimmt entgegen unter Chiffre J. B. 146 die Annoncen-Expedition von **Haasenstein & Vogler** in **Frankfurt a. M.**

Redacteur-Gesuch.

Ein wissenschaftlich gebildeter unverheiratheter Journalist wird als Redacteur gesucht. Hauptforderung ist schlanke Bearbeitung des lokalen Theiles. Der Betreffende muss ausserdem in der Lage sein kommunale Angelegenheiten, das Vereinswesen, die öffentliche Rechtspflege, Kunst und Wissenschaften eingehender Besprechung unterziehen zu können.

Offerten mit curriculum vitae sub „**J. E. 8022**" nimmt **Rudolf Mosse, Berlin SW.** entgegen.

Verlag von Wilhelm Friedrich in Leipzig.

Bilder aus dem englischen Leben.

Studien und Skizzen von **Leopold Katscher.**

II. **Auflage.** Preis broch. M. 3.—.

Durch alle Buchhandlungen zu beziehen.

Emmer-Pianinos,

von 440 Mk. an (kreuzsaitig). **Abzahlung** gestattet. Bei Baarzahl. Rab. Pretsl. etc. gratis und Francosendung. **Harmoniums** v. M. 120.

Wilhelm Emmer, Magdeburg.

[illegible]

Ganze Bibliotheken, wie einzelne gute Bücher, sowie alte und neuere Autographen kauft stets gegen Barzahlung

M. Barsdorf, Leipzig, Neumarkt 2.

Im Verlage von A. Reisewitz in Gera erschien soeben:

Reisebilder aus Island

von **Dr. K. Keilhack.**

Mit einer Karte. Geheftet 3 Mark.

Das Aufsehen erregende Werk:

Die Kunst der Rede

von **Dr. Ad. Calmberg,**

[illegible]

Verlag von Wilhelm Friedrich in Leipzig.

Thomas Carlyle.

Ein Lebensbild und Goldkörner aus seinen Werken

dargestellt, ausgewählt, übertragen von

Eugen Oswald,

Vorsitzender der Carlyle-Gesellschaft in London.

8. eleg. brosch. 4 M., eleg. geb. 5 M.

Das Buch hat vielfach die günstigste Aufnahme gefunden. Anerkennende Besprechungen haben gebracht:

In Deutschland und Oesterreich:

Vossische Zeitung, Frankfurter Zeitung, Norddeutsche Allgemeine, Europa, Triester Zeitung, Mannheimer Journal, Göttinger Zeitung, Lippische Post, Magazin für die Litteratur, Prager Tageblatt, Oldenburger Zeitung, Hannoversche Zeitschrift, Heidelberger Zeitung, Politik, Auf der Höhe, Deutsche Volksschule, Solinger Zeitung, Anglia, Meyer's Jahres-Supplement zum Conversations-Lexikon, Blätter für literarische Unterhaltung, Deutsche Rundschau, Goethe-Jahrbuch, Brünner Tageblatt, Saalfelder Anzeiger, Engel's Geschichte der englischen Literatur.

In England und Schottland:

Saturday Review, Spectator, Illustrated London News, Glasgow Herald, Modern Thought, Weekly Times, Academy, St. James's Gazette, Weekly Dispatch, Vanity Fair, Westminster Review, Carlisle Journal, Newcastle Chronicle, Telephone.

Ausserdem haben die Schriftsteller: **Matthew Arnold, Edward Dowden, Max Müller, David Masson** u. s. w. besondere Veranlassung genommen, ihre Befriedigung auszusprechen.

Verlag von Wilhelm Friedrich in Leipzig.

Soeben erscheint:

Moderne Probleme.

Von

Eduard von Hartmann.

gr. 8. Preis broch. M. 5.—

Von demselben Verfasser erschien früher:

Der Spiritismus.

gr. 8. Preis broch. M. 3.—

Philosophische Fragen der Gegenwart.

gr. 8. Preis broch. M. 6.—

Das Judenthum in Gegenwart und Zukunft.

Zweite durchgesehene Auflage.

gr. 8. Preis br. M. 5.—

Vorräthig in allen Buchhandlungen.

Für die Redaktion verantwortlich: Hermann Friedrichs in Leipzig. — Verlag von Wilhelm Friedrich in Leipzig. — Druck von Emil Herrmann senior in Leipzig.

Das Magazin

für die Litteratur des In- und Auslandes.

Wochenschrift der Weltlitteratur.

1832 gegründet von Joseph Lehmann.

55. Jahrgang.

Preis Mark 4.– vierteljährlich.

Herausgegeben von Hermann Friedrichs.

Verlag von Wilhelm Friedrich in Leipzig.

No. 3. — Leipzig, den 16. Januar. — 1886.

Inhalt:

Die litterarische Bedeutung deutscher Theaterstücke.

Die Frage nach der litterarischen Bedeutung moderner deutscher Theaterstücke formulirt sich sehr einfach: werden sie gelesen? Die Verneinung der Antwort ist eine ebenso einfache, weil keines Beweises bedürftige. Jeder, der aus einem rein persönlichen oder auch aus einem ästhetischen Interesse nach dem Vertrieb der Bücher forscht, hat Kenntniss, dass Bücher, welche Dramen enthalten und zwar nicht bloß die vielgefürchteten Bücher-Dramen, worunter man die nicht aufgeführten Stücke versteht, dass auch die Bücher mit von der Bühne her vielgekannten Theaterstücken in Deutschland keinen nennenswerten Artikel auf dem litterarischen Markt bilden. Kollektionen von Werken vielgenannter Dramatiker wie Benedix, Feldmann u. s. w. liegen unangetastet in den Magazinen, unangetastet nicht von der Kritik, die sich mit den Aufführungen viel beschäftigt hat, sondern vom Publikum, welches sich mit dem Lesen von Theaterstücken nicht beschäftigen will.

Man sucht vielfach zu konstatiren, dass unsere Litteratur in einer Epoche des Niedergangs begriffen wäre und bezeichnet die Wenigen, welche der heutigen Litteratur Klang und Namen geben, mit dem Gemeinplatz der die Regel bestätigenden Ausnahmen. Allein von einem Niedergang der Zeit in ihren rein geistigen, folglich litterarischen Beziehungen, kann überhaupt nicht gesprochen werden. Verschlechtern können sich Institutionen, die tatsächlich in das praktische Leben eingreifen; der Geist einer Zeit jedoch ist immer der beste, denn er repräsentirt die Summe des Geistes aller vorhergegangenen Zeiten. Es hat auch in der Tat keine Epoche gegeben, in der die Kurzsichtigen nicht der gleichsam optischen Täuschung unterworfen gewesen wären, die zeitgenössische Litteratur im Rückschritt zu erblicken. Denn in jeder Epoche fühlt sich der Mitlebende im lästigen Gedränge der zahlreichen unberufenen Streber, welche ihm die freie Aussicht auf das Bleibende mit Mauern von Vergänglichem verstellen. Blickt dann eine spätere Epoche auf die vorhergegangene zurück, so erscheint diese in einem verklärtern Licht des Geistes, weil das Schlechte und Wertlose spurlos verschwunden ist und die Charakteristik der bessern alten Zeit sich ausschließlich auf die wenigen Namen stützt, die das Bleibende geschaffen haben. Dass aber solche „Ausnahmen“ auch in unsern Tagen vorhanden seien, leugnen selbst Diejenigen nicht, die vom Niedergang unserer Litteratur sprechen; sie vergessen nur, dass eine spätere Epoche unsere Gegenwart ausschließlich nach diesen Ausnahmen charakterisiren und vielleicht in einem bessern Lichte als ihr eigenes Zeitalter erblicken wird.

Nicht also einem angeblichen Verfall der Litteratur ist es zuzuschreiben, wenn die modernen Theaterstücke nicht gelesen, nicht zum Rang einer litterarischen Bedeutung erhoben werden. Wie oben bemerkt, können sich tatsächliche Institutionen mit der Zeit verschlechtern, wenn auch der Zeitgeist niemals zurückgeht. Das Theater ist eine solche Institution, seine moderne Verschlechterung besteht darin, dass es sich immer entschiedener von der

Litteratur getrennt hat, womit auch der Grund angegeben ist, weshalb den modernen deutschen Theaterstücken, wenn sie auf der Bühne Erfolg hatten, nur in höchst seltenen Fällen eine litterarische Bedeutung zuzuerkennen ist.

Das Buchdrama, welches nicht aufgeführt oder gar unaufführbar ist, erregt die Langeweile, die jede offenbar zwecklose Tätigkeit verursacht. Das Theaterdrama, wenn es als Buch erscheint, erregt den nur zu oft bestätigten Verdacht, als litterarische Erscheinung ebenfalls zwecklos zu sein, weil es seine Wirkungen ausschließlich auf die Szene berechnet hat und diese Berechnung heutzutage von vornherein die litterarische, die poetische Wirkung ausschließt. Nur die Vereinigung der poetischen mit der szenischen Wirkung macht die litterarische Bedeutung eines Theaterstückes aus.

Was an einem dramatischen Gedicht, wenn es das Werk eines höher begabten Geistes ist, zur sichtbaren, gleichsam materiellen Darstellung kömmt, ist nicht immer das, was den eigentlichen Inhalt desselben in sich schließt. Der Grundfaden wird völlig versteckt von dem einschlägigen Gewebe und dem Zuschauer erst wieder nach Abwicklung des ganzen Gewebes sichtbar oder vielmehr fühlbar in dem Eindruck, den er mit fortträgt, in der rein geistigen Nachwirkung. Diese allein ist es, die zum Lesen eines angeschauten Bühnenwerkes anregt und ihm folglich litterarische Bedeutung verleiht.

Sehr im Irrtum sind die massenhaft aufgehäuften Bücherdramen, die bloß auf litterarische Bedeutung ausgehen, im Wahne, eine solche wäre auch ohne szenische Brauchbarkeit erreichbar. Ein Theaterstück muss vor Allem mit Erfolg aufgeführt werden können, sonst hat es auch keine litterarische Bedeutung. Dass aber die letztere nicht schon mit der szenischen Brauchbarkeit allein gegeben ist, beweist die unermessliche Gleichgültigkeit des Lesepublikums gegen Theaterstücke, die mit Erfolg über die Bretter gegangen sind.

Das Theaterstück von litterarischer Bedeutung muss daher die szenische mit der poetischen Wirkung vereinigen und es fragt sich somit, ob Theaterstücke von litterarischer Bedeutung gegenwärtig vorhanden seien. Um ihr Dasein in der Vergangenheit zu beweisen, braucht man nicht auf die französischen, englischen, spanischen und deutschen Klassiker zurückzugehen. Immerhin aber ist es schon eine geraume Zeit, seit wir sie nicht mehr haben, und wenn wir Goethes Tod als den Zeitpunkt nehmen, mit dem wir unsere Betrachtung anfangen, so finden wir nur zwanzig Jahre einer fruchtbaren litterarischen Tätigkeit des Theaters, auf welche bis zum heutigen Tage mehr als dreißig Jahre fast völliger Unfruchtbarkeit in dieser Beziehung folgen. Diese Tatsache wiegt schwer, aber sie überrascht, weil man sich bisher nicht die Mühe genommen hat, die immer weitergehende Trennung des Theaters von der Litteratur ins Auge zu fassen.

In die erwähnten zwanzig Jahre nach Goethes Tod fällt zunächst die litterarische Wirkung der Theaterstücke Grillparzers, denen erst vor Kurzem in diesen Blättern Herr Rochlitz-Seiht eine so kenntnissreiche und beherzigenswerte Würdigung zu Teil werden ließ.

Mit der unverzeihlichen Vernachlässigung dieser Stücke von Seite der Bühnen in Deutschland beginnt schon die vorbemerkte Trennung des Theaters von der Litteratur. Einigermaßen hat auch Friedrich Halm unter dieser Trennung zu leiden und wenn auch seine „Griseldis“ und sein „Adept“ die erwähnte Nachwirkung nicht üben können, von welcher, wie oben gesagt, die litterarische Bedeutung des Schauspiels abhängt, so haben diese Nachwirkung umso mehr die besten seiner spätern Stücke und auch seine Bearbeitung eines Werkes von Lope de Vega: „König und Bauer“. Das graziöse, sinnreiche und wirksame Stück des spanischen Klassikers, das einst in Wien längere Zeit ein dankbares Publikum gefunden, hat Halms Bearbeitung allein dem litterarischen Genuss und den deutschen Bühnen zugänglich gemacht; diese haben es jedoch völlig von sich gestoßen, obgleich sie sich für manche Unterlassungssünde mit der sorgfältigen Pflege des Klassischen zu entschuldigen suchen.

Grillparzers und Halms Stücke hatten litterarische Bedeutung, das heißt, sie waren sehens- und lesenswert zugleich. Ihnen zur Seite ging Raupach, nicht von demselben dichterischen Rang wie Jene, aber keineswegs mit Recht der vollständigen Ignorirung ausgesetzt, die ihm heute zu teil wird. Manche seiner Hohenstaufen-Dramen wie „König Enzio“, sein russisches Drama „Isidor und Olga“, sein etwas kleinbürgerliches, aber im Kolorit und in der Charakteristik sauber ausgeführtes Trauerspiel „Tassos Tod“ lesen sich noch heute mit großem Vergnügen und nicht wert, mit ihnen auch nur verglichen zu werden, sind die meisten Stücke, aus welchen das deutsche Theater ein Recht zu schöpfen glaubt, Raupach für immer den Rücken zu wenden.

Zehn Jahre nach Goethes Tod entdeckten die beiden talentvollsten Träger des farb- und inhaltslosgewordenen Begriffes „Das junge Deutschland“, dass die Theaterbretter die einzig richtige Tribüne für die Ideen der neuen Zeit seien. Gutzkow und Laube lieferten dem Theater gute litterarische Werke und der Litteratur gute Theaterstücke. Diese werden sich nicht nur noch lange auf der Bühne erhalten, sie werden auch noch lange zu dem unabweislichen litterarischen Material gehören, aus welchem man die Entwicklung des deutschen Geistes kennen lernt.

Abermals verstreichen zehn Jahre nach Goethes Tod und 1853 stehen wir bereits vor den letzten Trägern des Theaterstückes von litterarischer Bedeutung. Sie zählen abermals nur zwei Köpfe: Otto Ludwig und Gustav Freitag. Der „Erbförster“

wird niemals vergessen werden können und neben den theatralisch weniger wirksamen Schauspielen „Die Valentine“ und „Graf Waldemar“ behaupten sich seit dreißig Jahren „Die Journalisten“ als das einzige Lustspiel dieser Zeit, welches zugleich von vollendeter litterarischer Bedeutung ist. Inzwischen aber hatte 1849 Laube den höchsten Tron eines Dramaturgen bestiegen, er war zur Leitung des Wiener Hofburgtheaters gelangt. Und gerade er, der sich selbst noch mit eigenen Werken als Schriftsteller auf dem Theater bewährt hat, bewirkt die fast absolute Trennung des Theaters vom Schriftsteller. Er schließt Frau Birch-Pfeiffer ins Herz und trägt sie auf seinen Armen in das altberühmte Haus, das er regiert; er lässt sich in dieser fanatischen Liebe sogar den Schleppträger der alten Dame, den schwächlichen und fast geistesabwesenden S. H. Mosenthal gefallen, dessen Stücke heute aus der Litteratur hinausgeworfen würden, wenn sie sich jemals darin befunden hätten, und da mit diesen beiden Koryphäen das Repertoir eines täglich spielenden Theaters nicht zu füllen ist, so greift Laube in derselben ausschließlich auf den unlitterarischen Effekt losgehenden Tendenz und mit demselben glühenden Eifer nach den Produktionen des französischen Theaters.

Diese haben allerdings meistens auch eine eminente litterarische Bedeutung, sie gehören größtenteils zu den besten Hervorbringungen der französischen Litteratur. Um jedoch in dieser hervorzuragen, müssen sie von durchaus französischem Geiste beseelt sein und während sich ihre bloße Theaterwirkungen ungeschwächt nach Deutschland übertragen lassen, verlieren sie zugleich für Deutschland jede litterarische Bedeutung. Allein um die Theaterwirkung war es eben Laube ausschließlich zu tun und zwar durch nichts dazu genötigt, als durch einen angebornen Hang nach unmittelbar praktischer, sinnfälliger Wirksamkeit.

(Schluss folgt.)

Dresden. Hieronymus Lorm.

Am Strande.

Der lange Junitag war heiß gewesen.
Ich saß im Garten einer Fischerhütte,
Wo schlicht auf Beeten, zierlich eingerahmt
Von Muscheln, Buchs und glatten Kieselsteinen,
Der Goldlack blüht, und Tulpen, Mohn und Rosen
In bäurisch buntem Durcheinander prunken.
Es war die Nacht schon im Begriff dem Tag
Die Riegel vorzuschieben; stiller ward
Im Umkreis Alles; Schwalben jagten sich
In hoher Luft; und aus der Nähe schlug
Ans Ohr das Rollen auf der Kegelbahn.
Im Gutenacht der Sonne blinkerten
Die Scheiben kleiner Häuser auf der Insel,
Die jenseit lag, wie blanke Messingplatten.
Den Strom hinab glitt feierlich und stumm,
Gleich einer Königin, voll hoher Würde,
Ein Riesenschiff, auf dessen Vorderdeck
Die Menschen Kopf an Kopf versammelt stehn.
Sie Alle winken ihre letzten Grüße
Den letzten Streifen ihrer Heimat zu.
In manchen Bart mag nun die Mannesträne,
So selten sonst, unaufgehalten tropfen.
In manches Herz, das längst im Sturz und Stoß
Der Lebenswellen hart und starr geworden,
Klingt einmal noch ein altes Kinderlied.
Doch vorwärts, vorwärts ins gelobte Land!
Die Pflicht befiehlt zu leben und zu kämpfen,
Befiehlt dem Einen, für sein Weib zu sorgen,
Und für sich selbst dem Andern. Jeder so
Hat seiner Ketten schwere Last zu tragen,
Die, allzuschwer, ihn in die Tiefe zieht.
Geboren werden, leiden dann und sterben,
Es zeigt das Leben doch nur scharfe Scherben.
Vielleicht? Vielleicht auch jetzt gelingt es nicht
Auf fremdem Erdenraum, mit letzter Kraft,
Ein oft geträumtes, großes Glück zu finden.
Das Glück heißt Gold, und Gold heißt ruhig leben:
Vom sichern Sitze des Amphitheaters
In die Arena lächelnd niederschaun,
Wo, dichtgedrängt, der Mob zerrissen wird
Vom Panthertier der Armut und der Schulden . . .
Das Glück heißt Gold, und Gold heißt ruhig leben,
Und ruhig leben weckt ein rastlos Sehnen,
Zurückzusteuern nach den Sommerlauben,
Wo erster Frühling uns und erste Liebe
Das Herz auf ewig in die Scholle pflügten.

— — — — — — — — — — — —

Das Schiff ist längst getaucht in tiefe Dunkel.
Bleischwere Stille gräbt sich in den Strom,
Indessen auf der Kegelbahn im Dorf
Beim Schein der Lampe noch die Gäste zechen.
In gleichen Zwischenräumen heilt ein Hund.
Und eine Wiege knarrt im Nachbarhause.

Kellinghusen.
Detlev Freiherr von Liliencron.

Skandinavische Litteraturbriefe.

Von Rudolf Schmidt.

I.

Indem ich der wiederholten Aufforderung der geehrten Redaktion des Magazins Folge leiste und eine Reihe skandinavischer Litteraturbriefe beginne, muss ich die Erklärung an die Spitze stellen, dass der Verfasser dieser Briefe ein Mann von sehr individuellen Ansichten ist und ganz proprio Marte schreibt. Wer also eine Musterkarte litterarischer Meinungen, die in den skandinavischen Ländern Kurs haben, zu finden erwartet, wird getäuscht werden. Der Verfasser wird jedoch Sorge tragen, seine Aussprüche so wenig wie möglich als „Meinungen" darzubieten, sondern dieselben immer, so weit es der beschränkte Raum erlaubt, mit Gründen zu belegen, über welche jeder gebildete Leser Richter sein kann. Allerdings darf er versprechen, ehrlicher zu verfahren als diejenigen unserer litterarischen Wortführer, die bisher im Alleinbesitz des Ohres der deutschen Leserwelt waren und diesen Umstand auf sehr schnöde Weise ausnützten, in der naiven Hoffnung, in alle Ewigkeit ganz ungestört so fortfahren zu können.

An und für sich dürfte Nichts natürlicher sein als eine Reihe skandinavischer Litteraturbriefe mit dem ruhmvollen Namen Henrik Ibsens zu eröffnen. Wenn auch das letzte, fünfaktige Schauspiel „Vildanden" („Die wilde Ente") des gefeierten norwegischen Dichters bereits ein Jahr alt ist, so habe ich doch in keinem deutschen Blatte ein Wort darüber gefunden und darf voraussetzen, dass eine kurze Darlegung des Inhalts das Interesse der Neuigkeit haben wird.

Ueber den späteren dichterischen Leistungen Henrik Ibsens schwebt ein verborgenes Etwas, über das man notwendig klar sein muss, wenn man zu einem wirklichen Verständniss gelangen will.

Die Ablehnung sowohl der dänischen wie der norwegischen Nationalbühne von „Gengangere" (Deutsch: Gespenster, wörtlich Wiedergänger, revenants) zog das Stück „Ein Volksfeind" nach sich, dessen symbolisch versteckter Sinn der ist, dass die offiziellen Träger einer Gesellschaft immer an der Verhüllung geheimer Krebsschäden derselben dermaßen interessirt sind, dass der unerschrockene Vorkämpfer der Wahrheit nur allzu leicht wie ein Feind des gemeinen Besten gehetzt und zu Tode gejagt wird. „Ein Volksfeind" wurde freilich in musterhafter Inszenirung zur Aufführung gebracht, hatte aber ein für ein Ibsensches Drama nur fragliches szenisches Glück; der grollende Dichter hat daher sein neustes Stück auf den, allerdings keineswegs absolut originellen Gedanken gebaut, dass die meisten Menschen gar nicht die ernste, herbe Wahrheit ertragen können und sich in einem verlogenen, von moralischer Unsauberkeit infizirten Dasein eigentlich so trefflich befinden, dass ein mitleidiger Seelenarzt es schlechterdings für seine Pflicht halten muss, durch sinnreiche Mittel „die Lebenslüge" in ihnen zu erhalten. Wie die wilde Ente, die auf der Jagd von etlichen Schrotkörnern getroffen wird, ins Röhricht des Sees regungslos niedersinkt und mit trübem Wohlgefallen auf dem seichten Grunde liegen bleibt, so geht es auch dem Menschen vom gewöhnlichen Schlage, wenn er von einem bischen Unheil betroffen wird. Der Vater Hjalmar Ekdahls hat ein Verbrechen begangen, dessen Früchte von seinem Kompagnon, dem Großhändler Werle, der vielleicht selbst das heimliche agens seiner Uebertretung des Strafgesetzes war, mit größter Kaltblütigkeit eingeerntet worden sind. Durch die Bestrafung des Vaters bekommt Hjalmar einige fatale Schrotkörner in den Leib; er fühlt sich untüchtig zum fortgesetzten Studiren, wie eine verwundete wilde Ente taucht er nieder. Aus erheuchelter Güte etablirt ihn der Großhändler als Photograph und verheiratet ihn mit seiner Hausmamsell, die lange seine Liebhaberin war. Hjalmar ist ein eitler Schwätzer, der sich mit einer von ihm projektirten Erfindung auf dem Gebiete der Photographie dick tut („die Lebenslüge"!), seinen kommenden Ruhm mit glänzenden Farben ausmalt und einstweilen sich die guten Bissen schmecken lässt, welche seine sorgsame Frau immer für ihn bereit hat. Mit seinen Schrotkörnern im Leibe befindet er sich eigentlich ganz kannibalisch wohl. Gregers, der Sohn des Großhändlers, ist ein wohlmeinender Enthusiast, der es für seine Pflicht hält, ihm die Augen zu öffnen, aber zu seiner eigenen größten Verwunderung an seinem vollendeten Werke gar keine Freude hat. Selbst als sich seine vierzehnjährige Tochter, die eigentlich die Tochter des Großhändlers ist, freiwillig, um ihn anzusporen, erschießt, bleibt Hjalmar beim Falle des Vorhangs derselbe blödsinnige Weichling wie immer.

Auch dieses Stück hatte keinen bedeutenden szenischen Erfolg und leidet allerdings an der Schwäche, das die allgemeine Wahrheit, welche der Dichter einschärfen will, durch allzu unbedeutende Individuen veranschaulicht wird. Gregers Werle ist geradezu ein Tollhäusler, dem es nicht gestattet werden sollte, mit seiner stupiden Wahrheitsliebe los umher zu gehen, und der gute Hjalmar ist ein zu garstiger Lump um die moralischen Gebrechen des gegenwärtigen, für die Ibsensche Wahrheit tauben Geschlechts in Fleisch und Blut zu verwirklichen. In theatralischer Rücksicht ist aber auch dieses Schauspiel das Werk eines Meisters, der in der Gegenwart unübertroffen dastehen dürfte. Der erste Akt ist freilich ein bischen konventionell: das von beinahe einem Dutzend französischer Dramen bekannte Plaudern nach beendigtem Diner. Aber schon der zweite Akt, wo der Hjalmar Ekdahl nach Hause kommt und dem staunenden Weibe und Töchterlein seine geflügelten Worte nach beendigter Mahlzeit auftischt, ist, wie viele andere Auftritte im Folgenden, aus der wunderbarsten dramatischen Intuition hervorgegangen.

Wenn das neue dreiaktige Schauspiel Björnsons: „Geografi og Kjærlighed" („Geographie und Liebe") in Christiania einen kurzdauernden Erfolg durch den besonderen Umstand errang, das der junge Björnson die Hauptperson mit der Maske des allgemein bekannten Vaters spielte, lässt es sich mit größter Wahrscheinlichkeit voraussagen, dass sich dieser

Erfolg nirgends anderswo wiederholen wird.*) Ein seltsames litterarisches Geschick, das Björnsonsche! In den fünfziger Jahren, während der Blütezeit des politischen Skandinavismus, der in Dänemark aus Politik bereit war, alle geistigen Leistungen der zwei nordischen Brüdervölker so hoch wie nur möglich zu schätzen, debutirte er mit seiner, in Kopenhagen geschriebenen, reizenden Bauern-Novelle: „Synnöve Solbakken" und wurde von der damals allmächtigen dänischen Kritik mit Fanfaren begrüßt, die ihn auch in seinem Vaterlande und in Schweden zum gefeierten Dichter der Zukunft machten. Hat sich das Erlebniss des Helden im alten Märchen vom Dornröschen, dass sich die tödtenden Dorne für ihn in neigende Lilien verwandeln — hat sich dieses Erlebniss je auf bestimmte Bedingungen einer gegebenen Zeit im wirklichen Leben wiederholt, dann war es ganz gewiss beim Hervortreten Björnsons in der skandinavischen Litteratur.

Im wirklichen Leben geschieht es aber gar leicht, dass die sich anfangs verneigenden Lilien späterhin in zerfetzende Dornen sich verwandeln. Auch dieses ist leider der Fall Björnsons gewesen. „Was dir als Gabe geschenkt, hast du selbst in eine Aufgabe umzugestalten!" war das Lieblingswort des verstorbenen Rasmus Nielsen. Björnson unterließ, dieser Lehre Folge zu leisten; als intuitives Glückskind mischte er sich, seinem Sterne vertrauend, beinahe in alle inneren Angelegenheiten des skandinavischen Nordens, ohne Einsicht und Urteil, blindlings hinein und vergeudete dadurch seine bedeutenden Kräfte nutzlos. Freilich ist dies kein direkter Beweis, dass er seine Popularität als Dichter um ein Bedeutendes eingebüßt; den Beweis liefert aber in überzeugender Weise die ganze dichterische Produktion seiner späteren Jahre. Wären die dichterischen Mannestaten Björnsons ein Zeugniss wirklich fortschreitender Entwickelung, dann würden sie die Anmut und bezaubernde Frische seiner jugendlichen Muse durch Ideengehalt, gründliche Charakterschilderung, geistige Ueberlegenheit und immer wachsende Gedankentiefe ersetzt haben. Das ist aber keineswegs geschehen. Daher bietet das Verfasserleben Björnsons so seltsame Gegensätze, die ausdrücklich von der Ironie einer litterarischen Nemesis zusammengestellt erscheinen. Eine kleine Erzählung von ihm: „Der Vater", nur fünf bis sechs Blätter groß, wurde im Jahre 1860 von einer überschwenglichen Kritik als „beinahe das Größte", welches die skandinavische Litteratur hervorgebracht, ausposaunt. Seinem im Jahre 1884 erschienenen, 5—600 Seiten umfassenden Romane „Det flager i Byen og paa Havnen" (deutsch: „Thomas Rendalen") gegenüber wurden die Fanfaren gänzlich eingestellt. Es wurde bereitwillig anerkannt, dass der erste Abschnitt „Ein altes Dokument" mit meisterhafter Kunst eine antikisirte Sprachform wiederklingen ließ und an und für sich eine treffliche Exposition, voll finsteren Ernstes, eines sich durch mehrere Generationen abspielenden Dramas bildete; man hatte an den, allerdings nicht besonders, zahlreichen Funken eines ganz eigentümlichen Humors seine Freude; man übersah keineswegs die rührende Anmut einzelner wohlgelungener Episoden. Von einem Ausposaunen, wie vierundzwanzig Jahre früher der genannten ganz kleinen Erzählung gegenüber, war doch, als der Dichter sein größtes und sorgfältigst durchgearbeitetes Werk darbot, gar keine Rede. Jedem, nur mit schlichtem Menschenverstande begabten Leser war es ohne Beihülfe der Kritik klar, dass der Dichter seine ursprüngliche Idee nicht zu bemeistern verstand, sondern, wie ein unmündiger Zauberlehrling, sich dem mutwilligen Spiele der sich einmischenden Vorstellungen machtlos hingab. Die Aufgabe war: ein Stück menschlichen Atavismus zu liefern, die Fortpflanzung und allmähliche Modifikation wildbrausender Gemüts- und Geisteskräfte, deren ungezügeltes Walten bis an Wahnsinn geht, durch fünf oder sechs Zweige desselben Geschlechts zu schildern, bis zum Augenblick, wo zuletzt der Einfluss einer tüchtigen Mutter dem jüngsten Sprössling der Rendalen weit genug hilft, um durch sittliche Kraft die ungeregelten Neigungen des väterlichen Gemütes so vollständig zu bändigen, dass er seiner Liebe an ein edles Mädchen endlich Raum geben und die Verantwortlichkeit einer Fortsetzung des Rendalenschen Geschlechts übernehmen darf. Die fortgesponnene, in Blut und Gehirn waltende Kausalität wird uns aber nur sehr lückenhaft dargelegt und die Entwicklung des Hauptgedankens durch seltsame Absprünge gestört, die sehr oft in das verworrenste Durcheinander ausarten.

Dasselbe Durcheinander ist das vornehmste Merkmal des obengenannten Dreiakters „Geographie und Liebe". Jeder Darlegung der Fabel halte ich mich mit Bezug auf dieses Stück überhoben. Es muss genug sein, als allgemeine Charakteristik anzuführen, dass Reminiszenzen aus G. Moser mit Reminiszenzen aus den französischen Ehebruch-Dramen auf die sonderbarste Weise verflochten, und dass die schlecht aufgebaute Handlung obendrein durch die absonderlichsten pseudowissenschaftlichen Erörterungen bis zur stockenden Langeweile gehemmt wird. Nur für Diejenigen, die in die Individualität Björnsons einen Einblick haben, bietet das Stück in psychologischer Hinsicht kein geringes Interesse dar. In der Gestalt des berühmten, phantasiebegabten Geographen Tygesen hat Björnson sich selbst, überreizt von Arbeit, „nur Gehirn und Nerven", in drastischen Zügen geschildert. Daher rührt die starke

---

*) Nachdem das Obige geschrieben, hatte das Stück im Dezember vorigen Jahres durch eine beinahe beispiellos treffliche Aufführung auch in Kopenhagen einen, wenn auch an den ersten Abenden stark bestrittenen, Erfolg. Auch der hiesige, hochbegabte und feingebildete Darsteller der Hauptrolle, Herr Emil Poulsen, hatte in seiner Maskirung eine diskrete Aehnlichkeit mit der äußeren Erscheinung des Dichters erzielt.

Wirkung, welche die vom Sohne gewagte Benutzung der Maske des Vaters auf das, trotz aller persönlichen und politischen Differenzen, Björnson als **Dichter** mit immerdauernder Anhänglichkeit ergebene Christiania-Publikum machen konnte. Selbst das Tygesen Tyran, das als Stichwort im Stücke vorkommt, hat mit seinen zwei T auf die zwei B des Namens des Dichters Bezug. Und wer Björnson kennt, der findet in Tygesens Repliken nicht ohne Wehmut verschleierte Selbstbekenntnisse des alternden Glückskindes, das sich so vertrauensvoll eine Ausnahme von den Gesetzen des menschlichen Lebens geglaubt und kindisch-sanguinisch auf einen immer dauernden Frühling für sich allein gehofft. Nur ein einziges Beispiel! „Statt Jugend und Sonnenglanz nur Täuschung und Mühe. — Ich weiß, dass der Zweck des Lebens nicht Genuss ist. — Das Leben ist eine **Aufgabe**, die nur durch Arbeit und Versagen gelöst wird, ich weiß es. — Es nützt aber nicht. Wenn mich die entsetzliche Finsterniss befällt — — dann ist Alles verzehrt, zu Asche verbrannt.“ (S. 95.) So spricht ein Mann, dem aus den sich verneigenden Lilien Dornen ins Fleisch hineingewachsen sind!

Um diesen ersten Brief nicht zu lang zu machen, breche ich hier ab und lasse nur eine kurze Besprechung von ein paar Kollektivwerken folgen, die mir auf die Aufmerksamkeit des deutschen Publikums Anspruch zu haben scheinen.

Das erste ist „**Fra Viktor Rydberg til Albert Bååth**“ (Gylenddalske Boghandel) — eine aus lauter Proben bestehende Uebersicht des Entwicklungsganges der neusten schwedischen Litteratur, welche der eifrige und wohlmeinende Mittler zwischen den skandinavischen Brüdervölkern, Herr **Otto Borchsenius** neulich in dänischer Uebersetzung veröffentlichte. Viktor Rydberg war lange der einzige nennenswerte Repräsentant der modernen, in den letzten Jahren wieder rasch emporblühenden schwedischen Litteratur; noch immer behauptet er seinen Platz als der unbedingt größte und ragt, bedeutend als Mythograph, Historiker, Lyriker und Romandichter, über das junge, in Frühlingsfarben gekleidete Unterholz wie eine stolze Eiche mit breiten, schattigen Aesten hervor.

Das zweite betitelt sich „**Juleroser**“ („Weihnachts-Rosen“), welches der kühne Verleger, Herr E. Bojesen, heuer mit drei Redakteuren, einem dänischen, norwegischen und schwedischen, in einer Auflage von 21000 Exemplaren hat drucken lassen und am selben Tage in Kopenhagen, Christiania und Stockholm erscheinen ließ. Hier sind **alle** litterarischen Richtungen des skandinavischen Nordens vertreten; obendrein haben auch hervorragende skandinavische Künstler und Komponisten wertvolle Beiträge geliefert — einzelne Kunstblätter sind bei Goupil in Paris gedruckt; und das Alles, vierzig große Folioseiten, wird für anderthalb Kronen verkauft! „Juleroser“ bildet aber nur den Prolog einer nach denselben Prinzipien redigirten Monatsschrift „**Norden**“ mit Beiträgen von Dänen, Schweden und Norwegern — Dichtern und Künstlern — deren erstes Hoft im Februar dieses Jahres erscheint.

Nachschrift. Die Kühnheit wird belohnt! Am Weihnachts-Abend waren sämmtliche 21000 Exemplare von „**Juleroser**“ vergriffen.

Blindheit und Poesie.

Von **Ludwig August Frankl.**

(Schluss.)

Von den blinden Troubadours und Rhapsoden auf Sizilien.

Wer auf einem Berge Griechenlands steht, kann mit freiem Auge durch die klare transparente Luft die Küste Siziliens erreichen. Wir wenden denn unser Auge den von Dichtern geliebten und viel besungenen seligen Gestaden dieser Insel zu, um eine daselbst eigentümliche Erscheinung zu beobachten, die mit unseren Betrachtungen im Zusammenhang steht.

Wir verdanken die Nachricht einem sehr verdienstvollen poetischen Werke des Lionardo Vigo, der dasselbe im Jahre 1857 zu Catania unter dem Titel: Canti popolari Siciliani herausgab und ein Kapitel mit der obigen Aufschrift einleitet.

Viele Blinde auf Sizilien sind Rhapsoden, welche teils die Guitarre oder die Violine spielen, teils Lieder oder heilige und profane Geschichten singen. Beinahe alle diejenigen, welche blind geboren werden, oder schon in der Jugend das Augenlicht verlieren, widmen sich dem Gewerbe des Gesanges und der Musik. Die unzählbare Menge von kleinen Tabernakeln von Kapellen, in denen man Heiligenbilder verehrt und die neuntägigen Andachten der Schutzheiligen, besonders aber jene von Weihnachten, des heiligen Josef, Mariens, der heiligen Rosalie u. s. w. feiert, die heilige Woche, die Feiertage des März, die Tage einer besonderen Andacht, wie z. B. die der Madonna geweihten Mittwoche, außerdem die Hochzeitsfeierlichkeiten, die Serenaden für Brautleute, der Carneval, das Bedürfniss die langen Mittagsstunden des Sommers zu vollbringen, sind Anlass zu Gesang.

Alle diese Dinge zusammengenommen reichen hin zum Unterhalte der Blinden, welche, von einem Knaben an der Hand geführt, unermüdet von einem Ende der Stadt zum andern ziehen und an einem Orte die Passionsgeschichte singen, Lobgesänge für Maria, die Geschichte der heiligen Genovefa, die Weihnachtslieder; an einem andern Lieder der Liebe, des Hasses, der Eifersucht, der Verachtung; an einem dritten die Geschichte der berühmten Banditen Testalonga, Zzuzza, Fra Diavolo, Colombo, Tabusso u. s. w., so dass man ihrer bloß für bestimmte Tage und Stunden und nach vorheriger Anzeige habhaft werden kann. In ganz Sizilien stehen sie unter der Willkür der Polizeiagenten, nur in Palermo, wo sie zahlreicher sind, unter besonderen Gesetzen.

Im Jahre 1661 vereinigten sich die Blinden der Hauptstadt und erhielten die Erlaubniss, sich als Körperschaft zu konstituiren. Sie bekamen von einigen Wohltätern 42.8 Unzen jährlicher Einkünfte, um damit die Bedürfnisse des neuen Rhapsodenvereins zu bestreiten; unter jenen waren die Tabita, welche ihnen 5.18 Unzen, die Puarnasshelli, welche 6, die Paterno, welche 4 Unzen für ewige Zeiten anwiesen. Der Jesuitengeneral Pater Tirso Consales versammelte sie im Jahre 1690 in der Vorhalle des Professhauses seines Ordens, wo sie noch heutzutage zusammenkommen. Auch nach der Unterdrückung des Ordens fuhren sie fort, daselbst sich aufzuhalten. Als er wieder eingeführt wurde, gab der König den Jesuiten die Erlaubniss, den dritten Teil der Einkünfte aller jener Körperschaften einzuziehen, die sich im Professhause vereinigten. Die Blinden aber wehklagten, die Patres hätten ihr ganzes Vermögen an sich gezogen, und um ihr Recht, dieses wieder zu verlangen, nicht verjähren zu lassen, erhoben sie von Zeit zu Zeit, gegen den Provinzial erneuerte gerichtliche Klagen. Wie immer dies sich verhalten möge, sie ermüdeten die Krone mit ihren unaufhörlichen Reklamationen und König Ferdinand III. wies ihnen im Jahre 1815 die Summe von 14.4.14 Unzen jährlich auf die Einkünfte erledigter Bistümer an. Seit jener Zeit war fortwährend Krieg zwischen den Blinden und den Jesuiten; diese wollten sie aus der Klosterhalle verjagen, in der sie sich versammeln, jene blieben standhaft, auf ihre alten Rechte pochend. Während der Herzog von Laurenzena Sizilien regierte, bedurfte es eines unmittelbaren Erlasses der Generalstatthalterschaft, dass sie nicht aus der bestrittenen Klosterhalle vertrieben würden. In einer Kasse mit drei Schlüsseln verwahren sie die königlichen Diplome, sowie die Papiere, die sie betreffen, mit solchem eifersüchtigen Misstrauen, dass selbst Vigo, ihrem wertgeschätzten Freunde und Wohltäter, nicht gestattet wurde, sie zu sehen, denn ganz gewiss beargwohnten sie ihn als Emissär der Jesuiten.

Die Vereinsmitglieder sind dreißig an der Zahl, alle Spielleute und Sänger, die Einen Erfinder neuer Weisen, die Andern Rhapsoden, welche diese wiederholen und verbreiten. Sie verpflichten sich, nicht in den Bordellen zu spielen, nicht profane Gedichte auf den Straßen zu singen, täglich den Rosenkranz zu den fünf Wunden Christi, sowie Abends den gewöhnlichen Rosenkranz zu beten, alle Jahre zehn Grane zu zahlen für die am 2. November stattfindende Todtenfeier der verstorbenen Blinden und einen Tari für das Fest der unbefleckten Jungfrau am 8. Dezember.

Sie haben einen Kapellan, der ihnen jeden Donnerstag die Messe ließt, einen Jesuitenpater als Direktor, bei dem sie am ersten Donnerstage eines jeden Monats beichten, dieser prüft auch ihre Gedichte und giebt die Erlaubniss zu deren Veröffentlichung. Die Leitung führen ein Vorsteher, zwei Vereinsmitglieder und sechs Konsultoren; ferner haben sie einen Visitator für die kranken Brüder und einen Ermahner, der das Amt eines Censors führt. Voll edlen Ehrgeizes für ihre Genossenschaft rühmen sie sich der Solidarität mit der römischen Kongregation der heiligen Maria Magdalena, sowie des vom Erzbischofe Mormile ihnen verliehenen Privilegiums, dass Jeder, der durch einen Blinden eine geistliche Dichtung vortragen lässt, eines vierzigtägigen Ablasses teilhaftig wird.

Und alle diese Dokumente sind in dem unzugänglichen Kasten mit den drei Schlüsseln verschlossen. Jeder Mitbruder hat die Verpflichtung, jedes Jahr am 8. Dezember, dem Festtage der unbefleckten Jungfrau, der Kongregation ein neues Gedicht zum Lobe der Madonna vorzulegen, doch wird diese Verpflichtung seit einiger Zeit vernachlässigt. Wenn aber der Tag der Versammlung erscheint, ist es ein schöner Anblick, wie die im Kreise sitzenden Blinden in den sonderbarsten Stellungen einander die Zustimmung des Publikums streitig machen und einer nach dem andern mit seiner neuen Komposition und seinem neuen Gesange Staat macht, während die Jungen, die ihnen als Führer dienen, ihre momentane Enthebung vom Dienste benützend, sich zusammenrotten und kindischen Unterhaltungen hingeben.

Der treffliche Gregorovius erzählt in seinem klassischen „Siciliana" von diesen Volkssängern folgendes:

„Während meines Aufenthaltes hatte ich oft Gelegenheit, Improvisatoren, oder jene blinden Rhapsoden zu hören, welche in den Straßen in einem Kreise von Zuhörern Märchen und Rittergeschichten erzählen und Romanzen vortragen. Meistens sind sie blind oder bucklig und ich erinnere mich namentlich an einen solchen Volkserzähler in Catania, der mit einem Szepterstabe in den Lüften herumhieb. Wenn man den Ernst und die Begierde sieht, mit welcher das Volk diesen Improvisationen zuhört, so darf man sich nicht mehr wundern, dass die Insel von zahlreichen Volksliedern, wie von Grillengesang wiederklingt. Auf ganz Sizilien ist der Stein der Poesie: la pietra della poesia, berühmt. Er steht in Mineo und es ist Volksglaube, dass man, um Poet zu werden, nach Mineo gehen und den Stein der Poesie küssen muss. Es ist merkwürdig, dass auch die Irländer einen ähnlichen Zauber haben, denn sie behaupten dasselbe von dem Blarneystein im Turme Blarney; wer diesen küsst wird beredt."

Der Guslar in Serbien.

Wer ist ein Guslar?

Derjenige Sänger, der zur Gusla die serbischen Helden-, Frauen- und Bettlerlieder, Legenden und Sagen, ein wandernder Rhapsode, auf offenem Markte und in Familienkreisen bei frohen und traurigen Anlässen, aber auch um Almosen zu erlangen, singt.

Was ist die Gusla?

Gusla, zu Deutsch Geige, ist ein Instrument, das nicht größer als die bekannte Geige, nur mit einer Saite bespannt ist; aber nicht wie die Geige, sondern wie ein Violoncell gestrichen wird und einen schnarrenden Ton giebt. Die Gusla ist dem serbischen Dichter oder Sänger, was die Lyra dem griechischen Poeten war, was in gewissem Sinne dem Tyroler die Zither ist, eine tönende Freundin des Hauses.

Wir haben über die eigentliche Entstehung des serbischen Liedes, über seine Fortpflanzung durch singende, häufig blinde Rhapsoden eine kleine Abbandlung geschrieben, welche einer Sammlung von Helden-, Frauen-, Klage- und Bettlerliedern ins Deutsche übersetzt vorgedruckt, unter dem Titel „Gusle“ im Jahre 1852, in zweiter Auflage 1853 in Wien erschienen ist.

Es giebt kaum einen Serben, der nicht einige Lieder, oder wenigstens Fragmente von solchen wüsste. Der das Lied begleitende Gesang ist ein einfacher mit wenigen Modulationen stets derselbe. Das epische Maß ist wie das der Griechen unwandelbar, ein fünffüßiger weiblich ausgehender Trochäus mit einem Abschnitte nach den ersten vier Silben. Das Lied tönt selten vollendet von des ersten Sängers Munde, ein Zweiter hört es und giebt aus eigener Erfindung ein Bild, einen Gedanken hinzu, oder lässt auch aus; des Dritten Phantasie modellirt, etwa mit feinerer Empfindung begabt, bis sich allmählich aus dem rohen Marmorblocke die reine, schöne Göttergestalt formt. Eigentümlich ist die Bescheidenheit des Serben, nie gesteht er ein Lied, das er singt, gedichtet zu haben, er hat es ja wirklich nicht selbst, wenigstens nicht allein hervorgebracht, sondern das Volk, der große Poet. Es dünkt ihm aber auch nichts Besonderes, ein Lied zu machen, wo so viele, wie die Blumen des Waldes, entstehen. Die Muse ist verschämt. Der Räuber, welcher, der Blutrache zu entgehen, wie auf Korsika, in die Berge flüchtet, ist nicht selten der Dichter des Volksliedes. Im Frühling und Sommer ist er der Bewohner des Waldes, im Winter flüchtet er sich in die einsame Hütte eines Freundes und singt für gastliche Aufnahme zur Gusla das Lied von blutigen Schlachten, von Mädchenraub, von den weißen Wilen, von Hochzeiten, von Heiligen, von den Helden und dünkt sich wohl selbst ein Junak, d. h. ein Held zu sein.

Nebst dem Räuber sind die Blinden diejenigen, welche zumeist die Lieder verbreiten. Der erste Sammler der tief poetischen, durch einfache Erhabenheit und Pracht ausgezeichneten Lieder war der berühmte Wuk Stephanowitsch Karadschitsch; wie er denn überhaupt der litterarische Apostel seines Volkes geworden ist. Die schönsten Lieder, die er im Jahre 1814 bis zu seinem Tode in mehreren Bänden herausgab, hat er blinden Sängern, denen er sie abhörte, zu danken. Einer der merkwürdigsten dieser blinden Sänger war Philipp Wischnitsch, Sljepaz, das heißt der Blinde genannt, der noch jung durch Blattern das Augenlicht eingebüßt hatte. Er sang aber nicht allein die Lieder, er dichtete auch viele und erfreute sich großer Auszeichnung. Bei einem Festmahle, das der Held Stojan Tschupitsch nach seiner siegreichen Schlacht bei Salasch gab, besang sie Wischnitsch improvisirend und erhielt von ihm ein weißes Pferd zum Geschenk. Er fuhr oder ritt im Lande, ein überall willkommener Gast umher. Er war kein Schmeichler. Als er einmal gefragt wurde, warum er nicht den Mladen, die erste Person im Senate, die aber nicht den Ruhm der Tapferkeit besaß, besinge? antwortete er lakonisch: Wer besingt eine Kuh?“

Durch unseren verewigten Freund Karadschitsch geleitet, waren wir so glücklich der Erste zu sein, der den Deutschen von den bis dahin ihnen unbekannten Klage- und Bettlerliedern in dem oben genannten Buche Kunde geben und einige derselben übersetzen konnte. Sie kommen nur in Sirmien, Slavonien, in der Batschka und im Banate, wo das Heldenlied völlig ausgestorben ist, vor. Bettler singen sie stehend zur Gusla vor Klöstern und Häusern, auf Jahrmärkten auf der Erde sitzend, um ein Almosen zu erhalten. Sie singen vom frühen Morgen bis zum späten Abend unermüdlich und sind immer von einem dichten Hörerkreise umgeben, der ihren Gesängen mit immer gleichem Interesse lauscht. Diese Lieder heißen „Prodkutnize“ (Vorhauslieder); die auf Jahrmärkten gesungenen „Klanjalice“ d. h. Beugelieder, weil sich der Sänger vor den Leuten beugt und bittet. Hier eine Probe.

Eine blinde Bettlerin bittet um ein Almosen.

Mensch gerechter, Diener Gottes!
Wenn du Gott willst angehören,
Tue Gutes hier im Leben,
Ehre deinen ältern Bruder
Und dich werden es die jüngern.
Sei nicht stolz in deinem Glücke
Und verzage nicht im Unglück.
Lass' nach fremdem Gut die Habsucht,
Denn, gerechter Mensch, das merke:
Wenn der Tod den Menschen findet,
Nimmt er nichts mit sich zur Erde,
Als gekreuzte, weiße Hände,
Nichts, als die gerechten Taten.
Was du teilst um Gottes Willen
Und was du Vermeinst den Blinden,
Dafür wird dir's Wohlergehen,
Hier in dieser Welt und jener.

Dank für gespendetes Almosen.

Dank sei dir du Rechte! Blühen
Soll die Rechte dir mit Blumen,
Von der Sonne warm beschienen.
Heilig soll die Rechte werden.
Die mit Gaben reich beschenkt.
Und des Paradieses Tore
Tun sich auf einst deiner Seele
Was der Seele du vermeinest,
Schreibt ein Engel und der Herr schaut
In des Engels rechten Flügel;
Küssen wirst du Gottes Antlitz.
Paradiesesruhm genießen!

Kunst oder Natur?

Der Kampf ums Dasein, das Gesetz vom Rechte des Stärkeren, der Begriff, dass Macht gut, Schwäche bös ist, alles dieses ist auf dem Wege des Naturalismus allmählich in der schönen Litteratur und besonders im Roman der Franzosen eingerissen. Die älteren Leute unter der gegenwärtigen Generation waren noch mit der Ueberzeugung aufgewachsen, die poetische Gerechtigkeit sei in den guten Lesebüchern dazu da, um uns mit den häufigen Ungerechtigkeiten des wirklichen Daseins auszusöhnen. Weltgeschichte — Weltgericht! Nur das Bestehende vernünftig, weil nur das Vernünftige besteht! Das waren so die Leitpunkte bei dem dichterischen Schaffen wie bei dessen kritischer Beleuchtung. Dann kam die pessimistische Weltanschauung auf, Byrons Poesie der Verzweiflung, Buddha und Schopenhauer, Mephisto mit seinem: Alles was entsteht u. s. w. und Hamlet mit seinem: Sterben! Schlafen! Aber auch dies ist schon ein überwundener Standpunkt gegenüber der neusten Mode des reinen Naturalismus. (Der Naturalist kennt nur die Tatsache an und für sich und giebt sie als solche wieder. Sein Werk beruht auf der rein persönlichen Beobachtung und Nachahmung. Er wendet nur die Experimentalmethode, das Skalpel und das Mikroskop an und beschreibt nichts als das Selbsterlebte. Deshalb bleibt er auch stets in der ihn umgebenden Mitte, in dem Heute und Gestern, wo er selbst mit dabei war, so dass für ihn z. B. der historische Roman ein Unding wird. Was dabei herauskommt, Trost oder Weltschmerz, Rührung, Zorn, Hohn, das ist ihm einerlei.) Man nehme nur die treffliche Dorfgeschichte: la grosse Louise, welche Eduard Rod vor einem Jahr (November und Dezember 1884) in der Revue Contemporaine veröffentlichte. Da kommen lauter sehr brave Leute vor, welche redlich arbeiten und doch nichts vor sich bringen. Krankheiten, Unfälle, allmähliche Altersschwäche treten ein. Die Kinder, welche heranwachsend nachhelfen sollten, missraten. Alles wird eben immer schlimmer. Damit bricht die äußerst anziehende und naturwahre Darstellung plötzlich ab. Wahrscheinlich ist die wirkliche Begebenheit noch nicht bis zum Ende gelangt, konnte also auch nicht berichtet werden. Ebenso ist es mit der Erzählung Jacques Hardior von Adrien Remacle. Dieselbe hat einen städtischen und gesellschaftlichen Hintergrund; sie behandelt eine Nervenkrankheit, welche zu Visionen und Monomanieen führt und den Tod der Hauptperson — Heldin wagt man nicht mehr zu sagen — veranlasst. Die betreffenden Zustände sind mit einer erschreckenden medizinischen Sachkenntniss dargestellt und darum nicht immer verständlich, da die Naturalisten ganze technische Wörterbücher in ihre Schriften auszuleeren pflegen. Aber auf die Frage nach dem Woher? und Wohin? der Geschichte erhalten wir keine Antwort. Wozu auch? Die Sache ist nun einmal so und nicht anders. Auch dieses Stück — Novelle wäre hier ein veralteter Ausdruck — erschien in der Revue Contemporaine, welche Zeitschrift schon als das Hauptquartier der theoretischen Naturalisten und der doktrinären Neologisten zu betrachten ist. (Hauptsächlich aber geht der Naturalismus wild einher und liefert tagtäglich massenhafte Produkte. Der Unterschied des Heute von dem Gestern liegt hier nur in der Zunahme der moralischen Gleichgültigkeit seitens der Schriftsteller. Selbst in den berühmtesten Sachen von Zola ließ sich noch eine Art von Zweckmäßigkeitsabsicht auffinden. Sein Assommoir müsste in der Verdeutschung die Brantweinpest heißen. Die Moral davon ist: Seht Ihr, das kommt Alles vom Schnaps! Trinkt also keinen Schnaps! — Das lautet freilich etwas platt, aber das Ding hat doch Hand und Fuß, man weiß wo man es hintun soll. Auch die berüchtigte Nana hat ihre moralische und selbst allegorische Bedeutung. Nana ist die Personifikation des zweiten Kaiserreichs, insoweit sich dasselbe amüsirte. Dieses Amüsement war oft etwas verwerflicher Natur und führte zur Entnervung der sogenannten dirigirenden Klassen. Als die letzteren einmal etwas ordentliches leisten sollten, waren sie zu nichts mehr gut, was Zola damit ausdrückt, dass er Nana im Sommer 1870, im Grand Hotel, an den Blattern sterben lässt, während die auf dem Boulevard dahintobenden Massen brüllen; à Berlin! à Berlin! Solche nützliche Lehren kann man sich merken. Wo aber ist der Advokat, der Moralist, der Kritiker, der mir aus dem allerneusten Naturalismus etwas anderes herausklauben wird als die objektive Tatsache des Erfolgs der Stärke oder des Misserfolgs der Schwäche? Davon haben wir das sprechendste Beispiel in Guy de Maupassants Bel Ami, welcher zuerst im Feuilleton des Gil Blas und dann als Band (Ollendorf 1885), ein gerechtes Aufsehen erregt hat. Der Verfasser war schon vorher wohlbekannt. Seine humoristischen Skizzen (les Soeurs Rondoli, 1884, und anderes) aus dem normännischen und bretonischen Bauernleben, sowie aus dem Treiben der Hauptstädter im Salon, im Restaurant, vor Gericht, auf der Jagd und auf Reisen hatten ihm bereits einen dankbaren Leserkreis erworben. Mit dem Bel Ami schlug er entschieden durch, und schon kommt ein neuer Band, Monsieur Parent, Ollendorff, 1886. Halt! Wer lacht da? Ein Naturalist darf doch nur Erlebtes schildern, und Wer hat 1886 erlebt? Wenn ich Maupassant wäre, würde ich Ollendorfen einen Prozess anhängen wegen Verletzung der Tatsachen. Nichts destoweniger aber scheinen die beiden Herrn ganz vergnügt und zufrieden mit einander zu sein.

Um nun von Bel Ami zu reden, so ist das ein mannigfaltiges, tatenreiches, farbenprächtiges Werk, frisch und lebendig aus der nächsten Umgebung gegriffen, rasch hin erzählt mit größter Sachkenntniss und doch ohne ermüdende Detailmalerei, so recht nach dem Satz:

Wer Vieles bringt, wird Jedem Etwas bringen.

Die Handlung aber schließt sich streng an die Hauptperson und bildet eine Art von biographischem Abriss in einer Reihe von Bildern. Diese Hauptperson ist freilich im Grunde ein trauriger Held, ein pikaresker Abenteurer vom Schlage der Lovelace und Schelmufski, der Don Juan und Gil Blas, dem Alles gelingt, weil er das eiserne Wollen des Erfolgs um jeden Preis für sich hat. Er heißt eigentlich Georg Duroy — der Name Bel Ami wird ihm von seinen Anbeterinnen oktroyirt — und ist der Sohn kleiner Wirtsleute in einem Dorf nahe bei Rouen, also ein Normand, und der Normanne der Gegenwart gilt für einen regelrechten Seeräuber — zu Land, was hier vollkommen zutrifft. Die Eltern haben den Sohn mit Ach und Krach aufs Gymnasium gebracht, aber, bei der Maturitas durchgefallen, tritt er als volontaire in die Truppe der Chasseurs d'Afrique und bringt es im Laufe der Dienstzeit bis zum Unteroffizier (sousoff, um einen Neologismus zu erwähnen). Verabschiedet kommt er nach Paris, und was nun anfangen um zu leben? Er kann sich nicht bequemen den Spaten in die Hand zu nehmen; das enge Leben steht ihm gar nicht an. Auch kann er ja lesen, rechnen und schreiben und hat selbst noch einen Anflug der humaniora von den Schulbänken her an sich. Außerdem ist er ein „gedienter Mann" mit guten Zeugnissen, und so kommt er unter bei dem ultimum refugium aller zweifelhaften Existenzen, bei einer Eisenbahnverwaltung. Da sitzt er jetzt als Rechner oder Schreiber in dem Büreaux des Ostbahnhofs mit Hundert und einigen Franken im Monat. Das wäre für viele junge Leute ein erwünschtes Unterkommen. Duroy hat aber zwar keinen Ehrgeiz, dagegen Genusssucht — ein häufiges Uebel in einer Weltstadt wie Paris, wo alle Gegensätze eng aufeinanderstoßen. Bei scharfem Appetit nach einem guten Leben und namentlich nach schönen Frauen ist er was man so einen hübschen Kerl nennt, und als rücksichtsloser Egoist in der höchsten Potenz macht er seinen Weg, wie er eben kann. Hier beginnt die eigentliche Romanhandlung. Ein bloßer Zufall, nicht redliches Streben oder höhere Fähigkeit, führt ihn aus der Sackgasse, in die er sich verrannt hat. Eines Abends begegnet ihm auf der Straße ein ehemaliger Regimentskamerad, welcher einen hübschen und jungen Blaustrumpf geheiratet hat und durch seine Frau bei einem neuen, halb politischen, halb finanziellen Blatt, la Vie française, eingeführt worden ist. Beide schleifen ihn mit in diese Journalistik hinein, und anstellig wie er ist, lernt er bald das „Geschäft" kennen und rückt allmählich zu einem höheren Redaktionsposten vor. Wie sich das alles macht, wird mit größter Anschaulichkeit beschrieben. Wir gucken hinter die Coulissen des Journalismus und sehen wie Politik, Finanz und — Geld gemacht wird. Das ganze gegenwärtige Regierungssystem geht da mit drein, und der Verfasser ist unbarmherzig für dessen Schwächen, Unfähigkeiten und Gewissenslosigkeiten. Er handelt wie Guevaras und Lesages hinkender Teufel, der vor dem Studenten Kleophas die Dächer der Häuser abhebt und ihm das inwendige Wesen der Menschheit zeigt, welches sich von außen so anständig ausnimmt. Man hat Maupassant darob eines boshaften Pessimismus geziehen. Aber solange er wahr bleibt, kann man ihn höchstens fragen, warum er solche Sachen schreibe, statt lieber zu schweigen? Und wenn er dann antwortet: Es ist Tatsache, dass ich Schriftsteller bin, und wenn ich einmal schreibe, dann bleibe ich bei den Tatsachen! so hat man nichts mehr zu erwidern. Sein Held oder vielmehr sein Schelm kommt eben durch Dick und Dünn weiter, besonders unter Befolgung des mephistophelischen Rats:

Vor Allem lernt die Weiber führen!

Von einigen bloß frivolen Liebschaften zu schweigen, so heiratet Bel Ami mit der Zeit die Wittwe seines alsbald versterbenden Freundes. Dieselbe — eine Madame de Staël de fort bas étage — ist in alle Regierungsgeheimnisse eingeweiht. Wie so? Sie unterhält Liebschaften mit einflussreichen Deputirten, beziehungsweise Ministern, und zieht denselben in schwachen Stunden die politischen Würmer aus der Nase, welche sie dann in ihren Leitartikeln und finanziellen Operationen zu verwerten weiß. Sie verschafft ihrem Manne das Band der Ehrenlegion und veranlasst ihn sich einen Adelstitel beizulegen. Nichts leichter wie das!

Du nennst mich Herr Baron! so ist die Sache gut.
Ich bin ein Kavalier wie andre Kavaliere.

Dank den „Fachkenntnissen" seiner Frau bringt es Bel Ami zu einer überlegenen Stellung in der Journalistik. Mit dem Glück wachsen ihm Mut und Begierde, und nun wirft er die Augen auf die schon angejahrte, aber immer noch appetitliche Gattin des Patron, d. h. des Direktors und Eigentümers der Vie française, eines schon sehr reichen und nicht weniger anrüchigen Finanzjuden. Er wird glücklicher Liebhaber und erfährt seinerseits — immer wie seine Frau: entre deux draps — die wichtigsten geheimen Anschläge, z. B. einen auf die Eroberung von Marokko (!). Wer da sein Geld rechtzeitig anlegt, der gewinnt ungeheuer. Dies tut der Patron, und auch für Bel Ami fällt etwas ab. Mittlerweile hat des Letzteren Frau von einem „väterlichen" und Hausfreund eine Million geerbt, welche sie aber mit Bel Ami zur Hälfte teilen muss. Für diesen ist sie jetzt der seine Schuldigkeit getan habende Mohr und kann gehn. Paulo majora canamus, sagt er sich. Unter gefälliger Mitwirkung der Polizei überrascht er die Gattin in einem garni mit einem neugebackenen Minister des Auswärtigen in einer Szene von riesiger Wirkung und — die Ehescheidung ist fertig. Bel Ami wird sich jetzt wieder verheiraten und zwar nur in der vorteilhaftesten Weise. Da ist ja das Töchterchen des zu einer Pariser Geldgröße herangewachsenen Patron. Freilich hieße dies von der Mutter auf die Tochter übergehn! Abscheulich! Aber noch abscheulicher wäre es, wenn er von der Tochter auf die Mutter überginge. Einerlei, er macht sein Millionengeschäft. Das Geschöpfchen, ein purer Backfisch, lässt sich beschwatzen, betören, entführen, und um den Skandal zu vermeiden, muss man sie unseren Bel Ami heiraten lassen. Mit diesem Meisterstreich einer pomphaften Vermählung in der Madeleinekirche geht die Geschichte aus. Wir sehen Bel Ami voll von Hochgefühlen und selbst mit einer gewissen Empfindung des Dankes gegen die so überaus gütige und gefällige Vorsehung aus dem Heiligtum treten, umringt, bewundert, angestaunt von den vornehmen Hochzeitsgästen, die ihm folgen, begafft von der blöden Menge, welche sich auf den Treppenstufen und dem Platz vor der Kirche umherdrängt. Da fällt sein Auge auf das vom anderen Ende der Rue royale her, jenseits der Place de la Concorde und der Seine, ragende Gebäude der Deputirtenkammer. Bald wird er dort als Abgeordneter eintreten, und abermals bald wird er auf der Ministerbank sitzen. Und das kommt davon, dass man einen starken Willen und ein weites Gewissen, viel Temperament und Magen, aber gar kein Herz hat.

Mit Ueberraschung las ich beim letzten Feuilleton das Wort: Schluss. Warum konnte das nicht weiter so fortgehn? Einen Anfang und eine Mitte hat die Erzählung ja schon, aber warum kein Ende, wie das also üblich ist bei den Romanschützen? Je nun, wir haben es mit einem Naturalisten zu tun, der die Gegenstände nicht weiter beschreiben konnte als sie da waren. Marokko ist noch nicht erobert, Bel Ami ist noch nicht Deputirter und Minister. Sobald das kommt, kann auch die Fortsetzung kommen — vielleicht auch die poetische Gerechtigkeit.

Ich komme spät, doch sicher nach,

sagte die Strafe, welche mit der Krücke ganz langsam hinter den Kindern des verworfenen Drachen, den Lastern, herhinkte, als dieselben über Land reisten.

Dennoch möchten wir behaupten, dass Maupassant in seinem Werk den Naturalismus übernaturalisirt hat und de facto auf das Gebiet des Kunstromans und zwar der pikaresken Gattung des Schelmen-, Abenteurer- und Vagabundenromans zurückgegangen ist. Was die Form betrifft, so sagten wir schon, dass der Verfasser vortrefflich zu erzählen weiß und die Begebenheiten sehr geschickt um die Person seines Helden gruppirt hat. Und ferner ist es nicht Natur, sondern Kunst, wenn er mit Balzacscher Schärfe und Intuition, sowie mit einer ganz verteufelten Psychologie in das innerste Geistesleben seiner Typen eindringt. Da sind z. B. die Empfindungen unseres Bel Ami in der Nacht, welche seinem Pistolenduell vorhergeht, dann bei und nach demselben. Doch Maupassant kann das an sich selber erfahren haben. Aber dann ist er nicht der ergraute, von Allem zurückgekommene Norbert, der Dichter und Fantasist der Vie française, welcher bei einem nächtlichen Spaziergang seinem jungen Kollegen die Nichtigkeit unseres Daseins und seine eigene Furcht vor dem Tode und der Einsamkeit mit ergreifender Melancholie darlegt. Oder wo hat er die wahrhaft erschreckende Stelle her, in welcher Bel Ami sich über die Religion der Frauen lustig macht, während er die Patronin in der Trinité erwartet: „Die Kirchen sind ihnen für Alles gut, sie brauchen die Religion wie einen en tout cas: bei schlechtem Wetter ist's ein Regen-, bei heller Luft ein Sonnenschirm, und im Zweifel ein Stock. Wenn man nicht ausgeht, so lässt man das Ding auf dem Vorplatz. Es giebt ihrer Hundert, die den lieben Herrgott nicht höher halten als eine Süßkirsche, und doch nicht wollen, dass man übel von ihm rede, ihn aber bei Gelegenheit als Kuppler benutzen. Wenn man ihnen vorschlüge, in ein Hotel meublé zu gehn, würden sie das infam finden; aber es scheint ihnen ganz natürlich ihren Liebesfaden vor dem Altar zu spinnen.“ Diese Patronin hat Maupassant doch nicht persönlich erlebt, diese in Ehren reif gewordene Matrone, die plötzlich zwischen Pflicht und Leidenschaft hin- und hertaumelt und schließlich, um der eigenen Tochter willen ausrangirt, halb wahnsinnig vor Reue und Liebeswut, dem jungen Paar in die Kirche nachschwanken muss. Solche Stellen setzen den Verfasser den berühmtesten Seelenmalern im Roman zur Seite, aber sie setzen ihn auch aus dem Naturalismus hinaus. Ein Gleiches gilt von dem, freilich auf Beobachtung beruhenden episodischen Beiwerk. Bei den Naturalisten erscheint dasselbe gern als Selbstzweck in ungebührlicher Breite. Bei Maupassant führen die Episoden im Gegenteil die Handlung aus und weiter. Man lese die Beschreibung des Nachtfestes bei dem Israeliten Walter, welcher einen auf dem Meer wandelnden Christus einem berühmten ungarischen Maler abgekauft hat und bei dieser Gelegenheit zeigt. Inmitten des Gewühls kann sich Bel Ami bei dem Töchterchen des Hauses in die Wolle setzen. Man trete ins Innere des Redaktionsbureaux; da sitzen und liegen die gerade unbeschäftigten Journalisten auf dem großen Tisch herum, verschneiden die allerneusten Tagesskandäler und spielen Fangbecherchen, bis plötzlich dringende Arbeit kommt, und das Ganze den Anblick eines emsigen Bienenstocks gewinnt. Und nun gar das Wohltätigkeitsfest, welches Einer derselben in seinem Keller abhält. Großer Gott, warum im Keller? Weil ihm derselbe als Fechtsaal und Schießstand dient. Da werden Uebungen gemacht von Fachleuten, von Liebhabern, von Damen. Das Publikum, dabei viel schönes Geschlecht und die von Bel Ami geleitete Patronin, sitzt da und schwitzt und erstickt, und Wer von den allzu zahlreich Eingeladenen nicht hereinkann, der bleibt in den oberen Gemächern und tanzt, verzehrt die Erfrischungen, zahlt aber nicht bei der Sammlung, welche unten vor sich geht und 3000 Franks ergiebt, wovon nach Abzug der Kosten, 220 Franks übrig bleiben! Aber wenn die Armen nicht wären, unter welchem Vorwand sollten sich dann heutzutage die Reichen amüsirèn? — und zwar nicht nur in Paris!

Doch hiermit genug von Bel Ami, diesem Triumphator des Unheils. Maupassant hat in ihm die volle Kraft seines Darstellungstalents gezeigt und die Mitwelt mit seltener und kühner Treue abkonterfeit. Den Prozess wegen der Abwesenheit moralischen Bewusstsein mag ihm ein Anderer machen: wir entschuldigen ihn mit der Allgewalt seines unverwüstlichen Welthumors. Er wollte den bewussten großen Baum aus dem Simplicius Simplicissimus zeigen, wo alle Menschenkinder auf Aesten und Zweigen in verschiedenen Höhen und Gruppen umhersitzen, während sein Schelm mit affenartiger Gewandtheit von der Wurzel bis zum Wipfel emporklimmt.

Um endlich noch ein Wort von der jüngsten, Monsieur Parent betitelten Novellen- und Skizzensammlung zu sagen, so begnügen wir uns mit einer der amüsantesten Episoden, denen man begegnen kann. Dieselbe steckt in der Erzählung Ça Ira, und es wird uns darin berichtet, wo die Pariser Grisetten ihre — Regenschirme herbekommen. Grisette? Wie so? Verschiedene zeitgenössische Fachmänner haben ja doch dargetan, dass es keine Grisette mehr giebt, weil sie, im Kampf ums Dasein, von einer andern Kokottenspezies, damals Lorette, jetzt Horizontale genannt, aufgefressen worden ist. Ich hatte immer an der Richtigkeit dieser Behauptung gezweifelt, wollte aber nichts sagen. Da sich jedoch ein Beobachter und Sachkenner wie Maupassant für die Existenz jener Gattung ausspricht, so kann man daran glauben. Wenn also der Grisette ein Regenschirm alle geworden ist, dann begiebt sie sich in die Sakristei der Madeleinekirche. Dieses Gotteshaus wird wesentlich von eleganten Welt- und Modedamen heimgesucht, welche immer sehr schöne Regenschirme besitzen aber nicht mehr darauf halten als auf eine Orange um Neujahr, gewöhnlich auch ganz andere Katzen zu bürsten haben, so dass sich das bewusste Möbel oft in herrenlosem Zustande dort vorfindet und vom Sakristan in Verwahrung genommen wird. Reklamirt wird es meistens nicht; wenn aber, dann muss seine allgemeine Physiognomie und besonders sein Griff vor der Herausgabe beschrieben werden. Nun verlangt die Grisette, welche sich für diese Expedition möglichst fein gemacht hat, einen Schirm mit einem ganz absonderlichen Agatknopf. Der Sakristan sucht und sucht in seinem wohlgefüllten Arsenal und findet nichts. Währenddem aber merkt sich das Mädchen einen vorhandenen Parapluie mit einem elfenbeinernen geschnitzten Griff, und zwei Tage später fragt eine Freundin, der sie ihn beschrieben, darnach und — erhält ihn ohne Murren. Man wird denken, Maupassant tue den guten Mädchen einen schlechten Gefallen, indem er solche ebenso sinnreiche wie einfache Vorkommnisse ausplaudert. Aber erstens liest der Sakristan zwar solche Bücher, bütet sich aber, die dort erworbenen Kenntnisse vor Mitmenschen in die Erscheinung treten zu lassen; und dann, selbst wenn er ein Felsen von tertiärer Güte wäre, so würden die braven Kinder doch wieder andere Mittel und Wege finden, um ihn auf den Leim zu führen.

Caen. Alex. Büchner.

Svatopluk Čechs „Dagmar“.

Svatopluk Čech hat das Wolkenkukuksheim der Allegorie verlassen und wandelt wieder auf festem realem Boden. Denn eine Allegorie ohne Knochen und Mark war sie doch, die vielbewunderte Slavia; ihre Handlung war ungenießbar, voll der abenteuerlichsten Zufälle. Nicht ein Russe und eine Polin, sondern der Russe und die Polin vereinigten sich allem alten Hasse zum Trotz auf dem Deck der „Slavia“, eines merkwürdigen Pontusschiffes, das Repräsentanten aller slavischen Stämme führt und im Kampfe gegen den internationalen Nihilismus einigt. Der Montenegriner mit dem Handschar, die in Streit geratenen Südslaven, Serbe und Croate, der russenfeindliche polnische Edelmann mit der Carabelle gruppiren sich, wie auf einem allegorischen Gemälde, um den Mastbaum der „Slavia“, die endlich glorreich in den Hafen einläuft. — Die Absicht des Dichters, sein Gedicht „Europa“, die Schilderung eines Schiffes verbrannter französischer Revolutionäre, zu übertreffen, war deutlich, aber erreicht wurde sie nicht.

Wie viel mehr individuelles Leben, wie viel mehr poetische Wahrheit lag nur in dem satirischen Gegenstücke, in welchem der Dichter die Gegenwart der Slaven an dem in der „Slavia“ aufgestellten Ideale maß. Der Titelheld „Hanuman“ ist ein Affenkönig in Hindostan, der früh geraubt in Europa dessen Kultur kennen und lieben lernt. Er kehrt glücklich zurück, und seine erste Sorge ist es, seinen Staat zu civilisiren und zu europäisiren, worin er es auch „herrlich weit“ bringt.

„Dagmar“ entnimmt im Gegensatze zu diesen Gedichten ihren Stoff der Geschichte und lenkt so in die Bahn wieder ein, die der Dichter in seinen „Adamité, Žižka, Václavz Michalovic, Lešetinský kovář“ verfolgte, auf der er lernte, in immer engerem Rahmen, zuletzt in dem einer Dorfgeschichte, die Fragen zu behandeln, die das ganze Volk bewegen.

Die böhmischen Königstöchter auf fremden Tronen sind Lieblinge der neuern Dichter geworden, Heyduk besang den Tod der Königin Anna von England, der Tochter Karls IV. in einem Gedichte, an das der Schluss der Dagmar lebhaft erinnert, und Dagmar selbst hat Beneš Třebizský zur Heldin eines Romanes gemacht.

Sie ist die Tochter Ottokars I. von Böhmen, und der erste Gesang zeigt uns die Gesandtschaft des Dänenkönigs Waldemar II., die um sie wirbt. — Ihr Sprecher, der mädchenschöne Strange Ebbesön erglüht in Liebe zu der Königstochter, ehe er ihren wahren Stand kennt; — ein böhmischer Kreuzfahrer erzählt, wie er im Morgenlande von einer Vandalin ein wunderbares Schachbrett gewonnen, Strange spielt auf diesem mit Dagmar und giebt sich selbst zum Einsatz; — er gewinnt ihren Ring — aber für seinen König.

„Vineta“ heißt der zweite Gesang, der uns Dagmar auf dem Schiffe zeigt, das sie Oderabwärts nach Stettin und Ribe führt. — Die Reise geht durch das Land ihrer Stammesgenossen, der unterjochten Wenden, unterjocht durch ihre neuen Landsleute. Einer der Kämpfer, der Wate ähnliche Lykke, erzählt aus eigener Erinnerung die Seeschlacht und die Zerstörung von Wollin, Vineta, und zeigt ihr das mächtige Kreuz, das an dessen Stelle steht. Dagmar sieht — die unglückliche Slavia selbst an das Kreuz geschlagen; unter den Wellen erblickt sie das versunkene Vineta, hört den vorwurfsvollen Gesang der hinabgeflüchteten Wenden, drohend blicken die alten Götter sie an.

Der Empfang zu Ribe ist glänzend; von ihrem Gemahl erbittet Dagmar als Morgengabe die Freilassung seines meuterischen Oheims, des Bischofs Waldemar, die Entlastung des Bauernstandes, und die bessere Behandlung ihrer Stammesgenossen, der unterworfenen Slaven. Das Königspaar zieht sich dann an den reizenden See von Gurre zurück, wo es seine Flitterwochen verlebt, indess tiefer, glücklicher Friede im Lande waltet. Freilich nach der Ansicht der Ritterschaft hat sich der König bloß „verlegen“, und Lykke wagt ihm das ins Antlitz zu sagen. Jedoch einem andern erst gelingt es, den König an seine Heldenpflicht zu mahnen. Dagmar, nicht zufrieden mit der Freilassung des Bischofs, bringt auch seine Versöhnung mit ihrem Gemahl zu Stande, und seine erste Tat ist es dafür, beim Mahle mit listigen Worten König und Volk zum Kampfe gegen die Ungläubigen unwiderstehlich zu begeistern. Das Heerhorn ertönt, die Idylle ist zerstört — wir ahnen es — für immer. Der schöne Strange zieht nicht mit, — er ist vom Hofe verschwunden, nachdem er einem Pagen ein Kleinod von böhmischem Granat geraubt hat, das ihm die Königin geschenkt.

Waldemar wirft nach dem Auszuge des Kreuzheeres die Maske ab; Dagmar wird von ihren Getreuen abgeschnitten und in immer engerer Haft gehalten, aber ihre Güte gegen die Untertanen trägt ihr reiche Früchte, ein Vermummter wirbt die Bonden zu Kämpfern, in Ribe selbst schnallt einer der Brautwerber, der dicke Peter Globe, den ungewohnten Harnisch an; die Bürger, deren Liebling und Stolz er ist, belagern mit den Bonden den Bischof mit Dagmar im Königsschloss. — Vergeblich erwartet er seine versprochenen deutschen Hülfstruppen, zugleich mit ihnen naht der siegreiche König; sie werden geschlagen, während das Schloss vom Volke erstürmt wird; — Waldemars letzter Stoß tödtet noch den Verkappten. Dagmar verhilft ihm zur Flucht, und lehrt ihn so zuerst das Christentum kennen, das er zu predigen gewagt hat. — Dann wendet sie sich zu dem Todten: der mädchenschöne Strange ist es, und der Lohn, den er im Leben nie erstrebt, wird ihm im Tode; — dass sein Bild sich manchmal vor das des Königs drängte, ist die größte Sünde, deren sich die sterbende Dagmar in ihrer Beichte zeiht.

Das Heer des Königs zieht ein, Lykke eilt voraus und erzählt von der Finnenschlacht, während welcher dem Dänenheere der Danebrog zu Teil geworden ist, der es unüberwindlich machen wird. Jubelnd verlangt draußen das Volk Dagmar zu sehen, — Lykke und Globe heben die Herrliche auf einen Schild und tragen sie so ihrem Gemahl entgegen.

Es ist das letzte freudige Wiederfinden. Der König kommt nicht so wieder, wie er gegangen; eine kriegerische Gotentochter aus Portugal, Berengaria, hat sich dem Kreuzzuge angeschlossen; diese Amazone entführt ihn bald völlig seiner stillen Taube, er schwelgt an ihrer Seite und erst die Nachricht, Dagmar liege im Sterben, schreckt ihn aus diesem Rausche.

Sie hat ein trauriges Leben geführt, zwar noch immer vergöttert vom Volke, vor dessen Wut sie mit leichter Mühe eine Wasserhexe rettet. Es ist eine alte Wendenpriesterin, die ein Götterbild über die Wellen retten wollte; sie flucht dem Volke, dass das ihre vernichtet und flucht seiner Königin und ihrem Kinde; — aber ihr versteinertes Herz wird weich, als sie Worte der Liebe in einer der ihren so ähnlichen Sprache von den schönen Lippen tönen hört, — als sie sich gerettet sieht ohne das alte Haupt von der Taufe benetzen lassen zu müssen.

Dagmar stirbt, — der reuige König, der getreue Page, Peter Globe weinen an ihrem Lager — Bischof Waldemar naht, ihre Verzeihung zu erflehen, und muss, obwohl er sich unwürdig fühlt, ihre Beichte hören — ein Engel ist von dieser Erde geschieden.

Schon diese kurze Inhaltsangabe zeigt deutlich dass die Komposition dieses Gedichtes überhaupt nicht erlaubt, von einem Epos zu sprechen; manche Motive werden angeregt und wieder fallen gelassen, andere wirksamere treten nur leicht gezeichnet auf. Die unterdrückten Slaven wirken bloß episodisch; — das Versprechen des Königs verbessert ihr Loos nicht, aber Dagmar geht nicht an dieser Doppelstellung als Slavin und Gemahlin des Slavenbesiegers zu Grunde, sondern an einer gewöhnlichen Untreue, und auch diese ist mit ihrem Tode nicht in ursachlichen Zusammenhang gebracht.

Der Dichter scheint es sogar zu vermeiden, jenen Konflikt zu verschärfen; nicht das geringste Murren erhebt sich im Volke, als sie das wendische Meerweib befreit, mit ihm in ihrer Muttersprache sich unterredet. Auch die Meuterei des Bischofs wirkt episodisch, — die Untreue des Königs bereitet sich inzwischen im Felde vor: kurz statt eines Epos finden wir eine Reihe von Bildern aus Dagmars Leben, eine Gruppe von Erzählungen, jede freilich vollendet an sich und voll herrlicher Details.

Ohne nationale Parteilichkeit werden die Charaktere entwickelt; mit Wahrheit und nicht ohne entschuldigende Züge ist der Unhold, Bischof Waldemar, in seiner geheuchelten und seiner wahren Reue, seiner Rachsucht für die Kerkerqualen und seiner listigen Beredsamkeit geschildert. — Auch König Waldemar fällt nur auf einige Zeit in die Netze Berengarias, — freilich zu lange für Dagmars Lebenszeit; daneben stehen der in Liebesqual sich verzehrende und doch bis zum Tode loyale Strange, der ehrliche Peter Globe, der vergötternde Page, der kampflustige Lykke.

Die Kampfschilderungen: die Eroberung des Schachbrettes, der Wendenkampf, die Danebrogschlacht, die Erstürmung der Burg zeigen die reiche Gestaltungskraft des Dichters, der das oft Geschilderte immer wieder neu zu erzählen weiß. — Gegen die Erzählung vom Danebrog wäre noch am meisten einzuwenden; es ist störend, dass das Kreuzheer, dessen Triebfedern irdische Kampflust und Habsucht sind, dass diese Vernichter der friedlichen Wenden vom Himmel so wirksame Unterstützung erhalten.

Wie alle Werke Svatopluk Čechs verrät auch dieses eine ganze Fülle vorhergegangener Studien; um nur einer Kleinigkeit zu erwähnen, wird Ottokar I. nie nach alter Gewohnheit Přemysl Otakar, sondern nach den neuesten Forschungen bloß Přemysl genannt. Der Kampf um das Schachbrett erinnert in seiner Treue an Schilderungen mittelhochdeutscher Dichter. Nur einen Irrtum muss ich berichtigen; die mittelhochdeutschen „venden", Bauern im Schachspiel, haben mit den Wenden nichts gemein.

Es dürfte noch lange dauern, ehe Svatopluk Čech, dieser größte böhmische Dichter, von dem deutschen Publikum gekannt und geschätzt werden wird. Es giebt wohl sprachgewaltige deutsch-österreichische Dichter, die ihn zu lesen und gewiss auch zu schätzen wissen, aber der gegenwärtige nationale Gegensatz hindert sie vermutlich, eine Uebersetzung dem deutschen Volke zu bieten. Was dagegen die von Böhmen herrührenden, ungelenken Uebersetzungen betrifft, die sich hie und da zeigen, so ist es fast ein Glück, dass sie in Zeitschriften erscheinen, die das große deutsche Publikum nie zu Gesichte bekommt.

Auch die Uebersetzer seiner Novellen haben ihm keine guten Dienste erwiesen; sie wählten gerade die am wenigsten charakteristischen davon, selbst solche, die für das augenblickliche Bedürfniss eines Feuilletons entstanden sind; während man dem Volke Heyses und Kellers auch die besten von ihnen nur mit Vorsicht hätte bieten dürfen; verwischt doch die Uebersetzung fast alle jene Vorzüge, die den kleinsten Einfall Čechs adeln, und zu einem dauernden Schatze der Nationallitteratur machen: die Formvollendung und das ernste Streben, „der Muttersprache Schatz zu mehren".

Prag. Ernst Kraus.

Litterarische Neuigkeiten.

Nochmals Herr Adolf Hinrichsen. „Das deutsche Schriftsteller-Album" und „Für edle Frauen" — aber wir können nicht umhin unsere Leser auf eine höchst lesenswerte Geschichte aufmerksam zu machen, welche Otto von Leixner in Heft 10 des 23. Jahrgangs 1886 der Jankeschen Deutschen Romanzeitung veröffentlicht hat. Diese für den Herausgeber des „Deutschen Schriftsteller-Albums" höchst charakteristische kleine Erzählung trägt den Titel: „Adolf, der Emanzipierte" Eine Geschichte „für edle Frauen". Von Otto von Leixner und führt das Motto: . . . .: höhnisch gegen den Prahler und so bitter als möglich gegen den Kabalenmacher. (Lessing.) Es wäre dringend zu wünschen, dass alle diesem „Adolf dem Emanzipirten" ähnlichen litterarischen Dunkelmänner auf gleiche Weise von hervorragender Seite abgetan würden. Auf Wunsch und mit Genehmigung des Herrn O. v. Leixner werden wir diesen „Adolf, den Emanzipirten" in einer der nächsten Nummern abdrucken.

Die bei G. Grote in Berlin erscheinende „Geschichte des Altertums" liegt nunmehr in drei Bänden komplett vor. Dieselben enthalten: I. Geschichte der orientalischen Völker; von Prof. Dr. Ferd. Justi. II. Geschichte der Griechen; von Prof. Dr. G. F. Hertzberg. III. Geschichte der Römer; von Prof. Dr. G. F. Hertzberg. Mit ca. 450 Abbildungen im Text, 125 Tafeln in Holzstich, 15 Tafeln in Farbendruck und Karten. Preis gebunden à 14 Mark.

Wir berichten in Kürze über den ersten Band eines von dem jetzigen Kardinal Wilhelm Massaia verfassten Reisewerks über Ober-Aethiopien. Schon Gregor XVI. hatte den Kapuzinermönch, der in der Fremde seine italienischen Landsleute gut aufzunehmen pflegt, obschon er später nach der Rückkehr ins Vaterland die ihm von der Regierung zugedachten Orden nicht annahm, zum Bischof von Cassia in partibus und zum Haupt der Mission in den Galleländern ernannt. Massaia war achtmal in Afrika und beschreibt nunmehr, auf höheren Befehl, seine Erlebnisse, obschon er seine sämmtlichen Aufzeichnungen bei den letzten Verfolgungen eingebüßt hat. Das dem Papste gewidmete und mit einem Bildnisse desselben, sowie dem des Verfassers geschmückten, mit Kupferstichen und Landkarten ausgestatteten Werk verleugnet nicht den religiösen, dem Muhamedismus feindlichen Charakter des katholischen Missionärs. (I miei 35 anni di Missione nell' Alta Etiopia. Memorie storiche del Cardinale Guglielmo Massaia, cappuccino, già vicario apostolico dei Galla, illustrate da incisioni e carte geografiche vol. I XVI u. 216 S. in 4° Lire 12.— gedruckt in der Tipografia di San Giuseppe, Milano.

Bei S. Schottlaender in Breslau erschienen zwei nachgelassene Werke von Levin Schücking, ein Roman betitelt „Recht und Liebe", welchem alle Vorzüge aber auch alle Schwächen der Schückingschen Erzählerweise eigen sind. Um so wertvoller sind die zwei Bände Memoiren unter dem Titel: „Lebenserinnerungen". Sie zeichnen sich von der Mehrzahl ähnlicher Werke durch den Reichtum ihres Inhalts und durch Schönheit und Wärme der Schreibart aus. Er schildert in den ihm eigenen farbenreichen Tönen seine Begegnungen und Beziehungen mit nahezu sechzig berühmten Männern und Frauen, zu denen er in mehr oder weniger nahen Beziehungen gestanden hat. Da er über alle diese Persönlichkeiten etwas Interessantes zu sagen weiss, was auf deren eigenes Leben oft die wichtigsten Streiflichter fallen lässt, da er in Deutschland, Frankreich, Italien bald hier bald dort seinen Lebensanker einschlug, so lässt sich danach der hohe litterarische und zeitgeschichtliche Werth der „Lebenserinnerungen" ermessen. Der Verfasser hat sich damit ein dauerndes Denkmal gesetzt.

Im Verlag der Meyerschen Hofbuchhandlung (H. Dencke) in Detmold erschien soeben in völlig umgearbeiteter Auflage: „Mimik und Physiognomik" von Dr. Theodor Piderit. Mit 95 photolithographischen Abbildungen auf 40 Tafeln. Die erste Auflage erschien 1860 und erfreute sich nicht nur in den Fachjournalen des In- und Auslandes der glänzendsten Recensionen, sondern, wo im Laufe der Zeit jetzt von Mimik und Physiognomik die Rede, wird dieses Buch Piderits als klassisches Zeugniss für diesen Gegenstand angeführt.

„Les Contemporains" betitelt sich ein Band études et portraits littéraires par Jules Lemaître. (Librairie Lecène et Oudin, Paris. Les Contemporains enthalten kritische Studien über Théodore de Banville, Sully Prudhomme, François Coppée, Édouard Grenier, Madame Adam, Madame Alphonse Daudet, Renan, Brunetière, Zola, Guy de Maupassant, Huysmans, Georges Ohnet. Der noch jugendliche Verfasser ist der Nachfolger des bekannten dramatischen Kritikers J. J. Weiss am „Journal des Débats".

Bei G. Freytag in Leipzig und F. Tempskyi in Prag erschienen drei neue Bände des „Wissens der Gegenwart" und zwar Band 41, 42 und 43. In Band 41, enthaltend: „Otto Taschenberg: Bilder aus dem Tierleben", mit 86 in den Text gedruckten Abbildungen, wird eine Reihe hoch interessanter Themen behandelt. Es sind nicht Anekdoten und Schilderungen gewöhnlicher Art, wie der Titel vermuten lassen könnte, die wichtigen und schwierigen Fragen der modernen Naturwissenschaft finden auf knappem Raume eine durchaus anregende und trotz der populären Darstellung streng sachliche Behandlung. — Band 42 enthält: „Hermann Brosien: Karl der Große". Mit 23 in den Text gedruckten Abbildungen. Der Verfasser bietet in diesem Buche eine Biographie Karls des Großen in populärer Form. Die quellenmäßigen Belege blieben natürlicherweise weg; ebenso fanden die oft einander widerstreitenden Ansichten neuerer Bearbeitungen keine Berücksichtigung. Dafür erzählt der Verfasser mit sorgfältigster Benützung und Auswahl des vorliegenden reichen Materials in klarer, übersichtlicher Darstellung das Leben und die Taten des großen Herrschers. — Band 43 enthält: Moritz Willkomm: Die pyrenäische Halbinsel". Mit einem Titelblatt und 46 in den Text gedruckten Abbildungen. — In dieser dritten und letzten Abteilung seines Werkes über „die pyrenäische Halbinsel" behandelt der bekannte Verfasser Ost- und Südspanien und die Inselgruppen der Balearen und Pithyusen.

„Die Königin des Tages und ihre Familie" betitelt sich ein stattlicher Band Unterhaltungen über unser Planetensystem und das Leben auf andern Erdsternen. Von M. Wilhelm Meyer. Mit einem Titelbild und drei Text-Illustrationen. Dasselbe erschien in der bekannten feinen Ausstattung in der Salon-Bibliothek von Karl Prochaska in Wien und Teschen.

In London besteht seit einigen Monaten eine Hugenottengesellschaft, deren Zweck es ist, einen Mittelpunkt für die Pflege der auf die Geschichte, Genealogie und Heraldik des Hugenottentums bezügliche Litteratur zu schaffen und ein geselliges Band zwischen den Hugenottenabkömmlingen der verschiedenen Länder herzustellen.

Im Verlag der königl. Hofbuchhandlung von Wilhelm Friedrich in Leipzig erschien soeben: „Die Pflanzen im alten Aegypten", ihre Heimat, Geschichte, Kultur und ihre mannigfache Verwendung in Kultus, Sitten, Gebräuchen, Medizin, Kunst und Handel etc. Nach den eigenen bildlichen Darstellungen der alten Aegypter, Pflanzenresten der Gräberfunde, Zeugnissen alter Schriftsteller und den Ergebnissen der Forschung" von Franz Woenig. Mit zahlreichen pflanzlichen und kulturhistorischen Abbildungen. Dieses ohne Zweifel Epoche machende Werk eines früheren Schülers des Prof. Georg Ebers, der sich mit einem Schlage einen Ehrenplatz in der Reihe zeitgenössischer Aegyptologen erobern wird, verdient schon insofern die höchste Beachtung, als es tatsächlich die erste umfassende Arbeit in der in- und ausländischen Litteratur auf diesem bisher vollständig unbebauten interessanten Gebiete der Natur- und Kulturhistorie ist. Was die Fachkritik schon über die früher erschienene Schrift des Verfassers; „Pflanzenformen im Dienste der bildenden Künste" einstimmig lobend hervorhob: wissenschaftliche Gründlichkeit, geistvolle fesselnde Darstellung, gehört auch zu den Vorzügen dieser neuen bedeutenden Arbeit des Autors, die das Interesse der Aegyptologen und Botaniker von Fach, Lehrer der Naturwissenschaften, der Archäologen, Kunsthistoriker, Mediziner, Künstler u. s. w. im höchsten Maße erwecken wird. Autoritäten ersten Ranges, welche das Werk in Aushängebogen lasen, haben sein Erscheinen bereits enthusiastisch begrüßt.

Von Francesco Torraca, dem Verfasser der von der Fachkritik beifällig aufgenommenen „Studien über die neapolitanische Litteratur" (Studi di Storia Letteraria Napoletana, Livorno 1884) liegt uns ein gut gedruckter Band „Essays und Besprechungen" vor. Von vierundzwanzig Arbeiten beschäftigen sich siebzehn ganz oder teilweise mit italienischen Autoren und Büchern, zwei mit Victor Hugo, je einer mit André Chénier, Sainte-Beuve und Perrault, einer mit der Légende des Oedipus auf Grund einer französischen Veröffentlichung; $^3/_4$ des Aufsatzes „Biographien und Denkwürdigkeiten" handeln von Alfred de Musset, Philarète Chasles und Renan. Nur einer der kürzesten Artikel ist einem deutschen Buche gewidmet. Wer auf Grund dieser Inhaltsangabe der Meinung wäre, Torraca sei einer jener Italiener, welche alles Heil von Frankreich erwarten, sei namentlich auf eine Stelle (S. 48) verwiesen, in welcher die französische Kultur selbst zu schlecht wegkommt und „die sehr garstige Pest der Nachahmung der Franzosen" beklagt wird. Andrerseits fällt es ihm nicht schwer, „von dem kargen Kapitale der italienischen Kultur" zu reden (S. 68.) Er ist keineswegs der in Italien ziemlich allgemein herrschenden Meinung, dass man der Zeit im Lande viele Dichter besitze, er glaubt auch wenig an die Tüchtigkeit der neuesten italienischen Romanschriftsteller, von denen er außer Giovanni Verga, Antonio Fogazzaro, Matilde Serao, Salvatore Farina gar wenige gelten lassen zu wollen scheint. Dass übrigens der philosophisch gebildete Verfasser der Begeisterung fähig ist, beweisen nicht nur die Artikel über seine Lehrer De Sanctis und G. Calvello, sondern die Art wie er beispielsweise den Roman „Fantasia" von M. Serao bespricht, sich über die Fortschritte freut, welche die italienische Litterarkritik seit Tommaséo und Cantù gemacht habe oder am Grabe Pratis einen Gruß an Carducci sendet. Seine „Neapolitanischen Profile" führen uns ehrliche Gelehrtentypen vor, der Artikel Camerini erneuert uns das Gedächtniss eines arbeitsamen und feinsinnigen, aber auch leidenschaftlichen Litteraten. Gut hat uns die Verteidigung des Abate Galliani gefallen, zutreffend erscheinen uns seine Ausführungen über Guerazzi, De Amicis u. s. w. Das gehaltreiche Buch kann, wie wenig andere, als eine treffliche Einführung in die moderne italienische Litteratur dienen. (Francesco Torraca Saggi e Rassegne. In Livorno coi tipi di F. Vigo editore 1885. 470 S. in 8°. Lire 5. —.)

Allgemeiner deutscher Schriftsteller-Verband.

Unser langjähriges Verbandsmitglied, Dr. Heinrich Kruse in Bückeburg, hat am 15. Dezember 1885 sein siebenzigstes Lebensjahr vollendet. Wir haben dem als dramatischen Dichter wie als politischen Publizisten hochverdienten Manne zu diesem Tage die Glückwünsche des Gesammtvorstandes dargebracht.

Leipzig, 18. Dezember 1885.

Der engere geschäftsführende Vorstand.

Dr. Carl Braun, Vorsitzender. Dr. Moritz Brasch, Schriftführer. L. Soyaux, Schatzmeister.

Alle für das „Magazin" bestimmten Sendungen sind zu richten an die Redaktion des „Magazins für die Litteratur des In- und Auslandes" Leipzig, Georgenstrasse 6.

Für die Redaktion verantwortlich: Hermann Friedrichs in Leipzig. — Verlag von Wilhelm Friedrich in Leipzig. — Druck von Emil Herrmann senior in Leipzig.

Dieser Nummer liegt bei: Ein Verlags-Katalog der K. R. Hofbuchhandlung von Wilhelm Friedrich in Leipzig.

Das Magazin

für die Litteratur des In- und Auslandes.

Wochenschrift der Weltlitteratur.

1832 gegründet von Joseph Lehmann.

65. Jahrgang.

Preis Mark 4.– vierteljährlich.

Herausgegeben von Hermann Friedrichs.

Verlag von Wilhelm Friedrich in Leipzig.

No. 4. — Leipzig, den 23. Januar. — 1886.

Inhalt:

Zeitungsromane.

Von Schack von Igar.

Einer unserer Dichter behauptete: „Politik verdirbt den Charakter der Zeitungsleser“, — ich wage zu behaupten: Zeitungsromane verderben den Geschmack des lesenden Publikums überhaupt. Man hat auf die armen Leihbibliotheken als Feinde der Schriftstellerei in Betreff des Absatzes gescholten, und doch ist es nur die wie eine Krankheit grassirende und wie eine Epidemie immer weiter um sich greifende Journal- und Zeitungs-Litteratur, welche den in Buchform erscheinenden Werken im Lichte steht. Bei der löffelweisen, von Tag zu Tag verabreichten geistigen Unterhaltungskraft, bei dem Zerstücken eines Werkes — das eigentlich ein Kunstwerk sein soll — in Brocken, die nur alle acht Tage einmal verschlungen werden können, verlangt der Konsument fürs lange Warten, das überdies seinen Appetit geschärft, sehr verständlicher Weise, jedes Mal etwas Konsistentes, etwas recht Pikantes, etwas, das ihm durch alle Tagesereignisse hindurch, ja trotz dieser, im Gedächtnisse bleibt und das selbst nach acht Tagen noch seine Wirkung tut, und dazu bedarf es denn schon einer gehörigen Portion Paprikas, Cayenne-Pfeffers oder allerhand sonstiger prickelnder Ingredienzien, — und so hat die unschöne Mode: Hunderte von Romanen nicht mehr als Ganzes zu genießen, sondern in Stückelchen und Flickerchen zerlegt, allmählich in sich aufzunehmen, die Sensationsromane — eine Geistesnahrung, nur zu oft ohne Kern und Gehalt — in die Welt gesetzt, und diesen als seltsames Gegenstück: eine Unterhaltungslektüre, ganz so kern- und gehaltslos wie jene, doch in betrogenestem Gegensatz, von einer erschütternden Harmlosigkeit, aber trotzdem ebenfalls mit dem unberechenbaren Vorzug vor solchen Werken, die nicht für den „täglichen Morgenkaffee“ geschrieben sind, dass alle Fortsetzungen — Etwas passirt, und das macht sie nun wieder den Sensationsromanen, ihren Antipoden, nahe stehend. Passiren muss etwas, und zwar alle Tage oder alle acht, je nach Verordnung, aber fragt mich nur nicht: was? Es ist von neunzig Fällen achtzigmal unlogisch, oft von einer kaum mehr begreiflich zu machenden Unbedeutenheit, oft unwahr und theatralisch zurecht gestutzt.

Doch was schadet's, man ist daran gewöhnt worden, auch das als dramatisches Leben gelten zu lassen und es „Handlung“ zu nennen; und nach Handlung lechzt das Publikum und ihm notgedrungen nach, Redakteur und Herausgeber. Ueberdies sind nicht alle Leser solche Gourmands: einen logischen Entwicklungsgang von ihrer Lektüre zu erwarten, wenn nur immerzu Etwas geschieht. An die Tat klammert sich das Gedächtniss — wie sie getan wird, welche Gedanken sie begleiten — — solche Gedanken sind Tausenden von Lesern eine terra incognita. Also Handlung ist das Losungswort; Handlung muss sein und zwar um jeden Preis; Handlung ist der Schlüssel zum Geldschrank für Verfasser und Alle, die mit ihm stehen und fallen, und wäre diese Handlung nun: Massenmord, Leser und Delinquenten marternde Grausamkeit, oder grober Sinnenkitzel oder auch nur: die veränderte — Frisur der Prinzessin, über die sich eine respektable Seite herunter der Hof verwundert und entzückt, die neue Ausschmückung des Boudoirs einer Hofdame oder die Capriolen und Courbetten eines Pferdes.... Ja, meine Herrschaften, warum lachen Sie? Es ist doch immerhin ein Geschehniss, kann sogar fortschreitende Handlung sein und somit ist allen Kunstanforderungen genügt und zugleich das Tagesprogamm eingehalten.

Die Romanmenschen unserer ereignisshungrigen Jetztzeit müssen also beständig etwas tun — aber dürfen bei Leibe nicht oder doch nur homöopatisch denken — und wäre es das Höchste und Schönste, was Menschen überhaupt zu denken möchten! Auch empfinden oder diesen Empfindungen Ausdruck geben, dürfen sie nur bis zu einem gewissen, diskreten, nicht zu tief berührenden Grade, denn, der noch halbverschlafene oder arbeitsmüde Zeitungsleser will nicht wissen: wie's geschah, sondern nur: was geschah; er hat weder Ruhe, noch Muße, noch Stimmung, den zarten, vielfach verschlungenen Fäden psychologischer Entwicklung zu folgen.

Ein Zeichen der Zeit möcht ich's nennen, dass selbst Meister des Romans zum Sensationellen greifen; aber beim Meister bleibt auch das meisterhaft. Da sehen wir immer noch: wie es von innen heraus treibt und drängt und sich entwickelt — bei den Anderen sieht man eben nur die Blasen an der Oberfläche, aber von Grund sieht man nichts, — — und wie das bildet, fördert und den Geschmack hebt, es ist ganz unglaublich! ... Und wen sollen wir nun darob scheiten oder verantwortlich machen? Das Publikum, das dergleichen liest und an seichtestem Machwerk Gefallen findet, wenn es nur so wenig wie möglich Denkarbeit dabei zu verrichten braucht und sein Gefühl nicht in unbequemer Weise durch zu schmerzliche Wahrheiten — der Menschheit im Spiegelbilde vorgehalten — erschüttert wird? (Darauf halten nämlich zumeist die Antipoden der Sensation, die mit „Gemütlichkeit arbeiten") oder Denjenigen, die zu der Verbildung bereitwillig mithelfen?

Das Publikum lässt sich wie ein Kind ziehen und erziehen, wenn auch oft nicht leicht. Sollen wir Redakteur und Herausgeber darob anklagen? Ja, mein Gott, die wollen leben und keine Danaiden-Arbeit verrichten. Da heißt es einfach: „Was nützen Geist und Witz und hohe Gedanken, wenn es nicht Kassenfüller sind? und somit ist uns das, was am meisten Absatz findet, begreiflicher Weise das Willkommenste." ... Das Cri-Cri fand seiner Zeit auch viel Absatz, — war es darum mehr als eine Albernheit, die beinahe — dem Himmel sei's geklagt — ihre Reise um die Welt gemacht?

Solche Philippika gegen den schlecht erzogenen oder verzogenen Geschmack unserer Zeit, mag vielleicht wie ein Donquichotischer Windmühlenkampf erscheinen, und zwar: weil idealeres Streben wohl und stets und so lange die Welt steht, zum Kampf, aber selten zum Sieg berufen ist. Doch ist ja Unterliegen in manchem Kampf immer noch ehrenvoller denn Siegen, und so kehre auch ich getrost zu meinem Ausgangspunkt zurück und sage, manchem meiner geehrten Vorredner zustimmend: nicht in der Leihbibliothek liegt für die litterarisch Schaffenden eine Gefahr, sondern in jenen künstlich von Fortsetzung zu Fortzetzung hingereckten und gelesenen Journal- und mehr noch Zeitungsromanen voll exotischer Spannung und unlogischer Entwicklung oder anderseits übernichtigem Gehalte, die, nur durch die Art des Servirens genießbar gemacht, heute gelesen werden und morgen vergessen sind, als wären sie nie gewesen. Schade um die darauf gänzlich zwecklos vergeudete Zeit, und mehr als das, schade auch um den durch solche Kost nur zu leicht verdorbenen Geschmack des lesenden Publikums überhaupt. — „Bücher sind teuer." Das ist eine der am häufigsten vernommenen und berechtigten Klagen, und Essen, Trinken, Kleidung und Wohnung ist Notdurft. Ein Buch bleibt immer ein Luxusgegenstand, und Luxus schafft selbst der Bemittelte nicht wie tägliches Brod ins Haus. Wer soll sich nun aber gar den Luxus des Bücherkaufens gestatten, wenn Zeitungen und Journale ihm Romane und Novellen, mehr oft als er konsumiren kann, so zu sagen: von selbst ins Haus schaffen. Er bezahlt jene zwar auch, aber er hält sie zumeist noch aus anderen Gründen als um des feuilletonistischen Inhaltes willen; und dann sind sie ja auch so wohlfeil, und nun gar erst im Lesezirkel! Da kosten zehn Journale jede Woche das ganze Jahr hindurch, kaum soviel wie zwei bis drei Romane in Buchform. Nein, wahrlich, nicht die Leihbibliothek trägt die Schuld an mangelndem Absatz und nicht diese ist die Feindin der Schriftsteller, die gerechten Grund haben mögen, sich zu beklagen, wenn sie mit gediegenen, tüchtigen Arbeiten keinen Erfolg erzielen! Auch liegt eine der schädigenden Ursachen sicher in der zu geringen Miete, die der Buchverleiher vom Publikum erhebt.

Ferner, der Roman in Buchform muss aufgesucht werden — der in Journal und Zeitung drängt sich auf; und überdies schlingt sich oft noch von Seiten des Blattes, in dem er erscheinen wird, ein Lorberkranz voll schmeichelhafter Epitheta um des illustren Verfassers Namen.... Es zeigt sich zwar nicht ein Jeder solchen Prophezeiungen und Heiligkeitserklärungen gegenüber, glaubensvoll, und Jeder vom Handwerk weiß: dass dergleichen nur kleine Geschäftstricks sind, aber die Gesammtmasse glaubt an das, was es gedruckt liest.... Und wie soll nun gegen solche, gleichsam in geschlossener Reihe vordringende „Berühmtheit" das arme Buch aufkommen, dem keine Zeitung-Posaune zur Verfügung steht, um es zu „poussiren", das Publikum von seiner Tüchtigkeit zu „persuadiren" und schliesslich glänzend zu „reussiren"?

Und wenn's so ist, von wem und wie soll Abhülfe kommen?

Nur das Publikum selbst kann in dieser Kalamität helfen, indem es den lieben, alten, anheimelnden, in letzter Zeit arg vernachlässigten Freund: ein gutes, gediegenes, gemütlich-handliches Buch von bleibendem Werte, zurückgeleitet zu einem Ehrenplatze in seinem Hause, den es nimmer verlassen hätte ohne das Ueberhandnehmen seiner mächtigen Gegner und Feinde, hervorgegangen aus der Form des Erscheinens: nervenerregende, spannende Sensation und bequeme, behaglich-plaudernde Geistlosigkeit, die beide den Geschmack der Leser verderben und in der Folge Anschauungen über Litteratur und Leben verbilden — womit wahrlich der Menschheit ein schlechter Dienst geleistet wird.

Vom lustigen Freierlein.

Nach dem Vlämischen von Pol de Mont.

Wenn in dem Walde ich erschein',
Da kennen die Vögel mich alle,
— „Sieh da, unser fröhlich Sängerlein!
Ohe! nun lasst uns lustig sein!"
So tönt's in der grünenden Halle.

Geschwirre hier, und Geflatter da —
Von vornen und hinten im Rücken,
Ein tolles Geschmetter, „er ist es! Ja, ja!
Widdewitt! der lustige Vogel ist da,
Der kommt nicht, um Blümchen zu pflücken!"

Fürwahr, die Vögel vergessen es nicht,
Was einst sie mit Augen gesehen,
Was Zweige hüllten in dämmerig Licht,
Das weben sie traun in ein Spottgedicht,
Dem Spott kann kein Dichter entgehen.

„Der Bengel ist nicht dumm fürwahr,"
So lauten Hans Kukuks Worte,
„Kaut in der Still' den Anschlag gar,
Sag', Sängerlein, denkst du an's nächste Jahr?
Meinst, immer gäb's Mandeltorte?"

„Ja, 's ist 'ne Schand'," sagt Jungfer Spatz
Und blinzt zu den Andern hinüber,
„Noch immer klingt mir im Ohr der Schmatz,
O Himmel, wie küsste er seinen Schatz!
Das schallte! doch schweig' ich darüber."

„Und was er da hatte Stunden lang
Dem Liebchen ins Ohr zu flüstern!"
Bachstelzchen rief es. „Vom nahen Hang
Erlauscht ich's und leis mich hernieder schwang,
War mehr zu erfahren, lüstern."

„O, das war eine Salbaderei,
Den finstersten Ernst zu besiegen!
Von Liebesschwüren 'ne Litanei,
Von Kosenamen 'ne ganze Reih!
Das Tollste bleibe verschwiegen."

„Ob unter dem Baum die törichte Maid
Dem dummen Gewäsche schenkt Glauben,
Da hab ich die Antwort nicht bereit,
Doch mein' ich, sie spürte kein arges Leid,
Als sie einen Kuss sich ließ rauben."

Ein Schallgelächter erhob sich sofort,
Das war nun im Walde ein Leben!
Hier hieß es: „Du Spitzbub'!" — „Du Prahlhans!",
dort.
Ich weiß nur, ich machte mich schleunigst fort.
Darauf war nicht Antwort zu geben.

Freiburg i. B. Heinrich Flemmich.

Sardou als Moralphilosoph.

Alexander Dumas hat bekanntlich von sich und seinen Werken eine seltsame Meinung. Wenn man seine Theaterstücke als poetische Hervorbringungen bezeichnen würde, die bestimmt sind, die Zuschauer zu unterhalten, dem Verfasser Geld und Ruhm einzubringen und den Darstellern Gelegenheit zu wirkungsvollem Komödiespielen zu geben, so wäre er tief gekränkt. Sein Ehrgeiz ist ein anderer. Er erhebt den Anspruch, ein Philosoph, ein Moralist, ein Gesetzgeber, ein Lehrer des Volks zu sein. Bei ihm wird, wie in den Kranichen des Ibykus, die Szene zum Tribunal. Seine Dialoge sind Doktor-Disputationen über Fragen des Rechts, des Sittengesetzes, der Volkswirtschaft, und seine Dramen sollen veranschaulichen, wie sich die von ihm gepredigten Neuerungen und Umwälzungen in der Wirklichkeit ausnehmen würden.

Sardou war bisher bescheidener. Er begnügte sich mit dem ganz annehmbaren und im heutigen Paris namentlich sehr einträglichen Berufe eines Theaterdichters und ging ohne Neid an den langbärtigen, kahlköpfigen und stirnrunzelnden Philosophenbüsten der Sammlung antiker Bildwerke im Louvre vorüber. Auf seine alten Tage scheint aber nun auch er vom Hochmutsteufel besessen zu werden und er sucht seine Füße in die peripatetischen Schuhe Dumas zu zwängen. Da wird gegenwärtig von ihm im Vaudevilletheater eine „Comédie" in vier Akten, „Georgette" betitelt, gespielt, die mit den großartigen Mienen und Geberden eines „Thesenstücks" vor uns hintritt.

Die „These“, auf deren dramatisch-philosophische Erörterung Sardou sich eingelassen hat, ist diese: Kann ein anständiger Mann die wohlgeratene und engelreine Tochter einer Person heiraten, die in ihrer Jugend ohne Vorurteile und Ausschließlichkeit der Männerwelt viel Liebes erwiesen hat, im reifen Alter aber, Dank einer reichen Ladung gemünzter „Ehrbarkeit“, majestätisch in den Hafen der Ehe eingelaufen ist, noch dazu einer Ehe, die sie zur rechtlichen Trägerin eines schmetternden Titels und einer Bügelkrone macht?

Was schon diese Frage des Hanswurstigen an sich hat, das will ich später zu zeigen suchen. Zunächst wollen wir nur sehen, wie sich Sardou mit ihr abgefunden, wie er sie gestellt, dramatisch eingekleidet und gelöst hat.

Monsieur Clavel de Chabreuil, ein ehemaliger Offizier und an der Altersgrenze angelangter Stutzer, ist bei seiner Rückkehr von langjährigem Aufenthalte im Auslande durch ein Briefchen überrascht worden, worin ihn eine ihm gänzlich unbekannte Herzogin von Carlington einlädt, sie zu besuchen. Er wittert ein Abenteuer, dem der reife, ja edelfaule Sünder noch immer nicht aus dem Wege geht, und folgt der Einladung. Sein Erstaunen ist groß, als er in der ihm entgegentretenden Herzogin — Georgette erkennt, dieselbe Georgette, die, bekannter unter dem Kosenamen Jojotte, vor soundsoviel Jahren ihm und einer ganzen Anzahl anderer Offiziere und Zivilisten den Aufenthalt in Marseille anziehender gemacht hat! Die Geschichte dieser interessanten Dame ist kurz und einfach. Die Tochter eines braven Tischlers in Toulouse, entlief sie mit sechszehn Jahren dem etwas langweiligen väterlichen Hause, entfaltete zuerst als Tänzerin in Lyon, dann als Tingel-Tangel-Sängerin in Marseille wertvolle Naturanlagen, amüsirte sich und Andere mehrere Jahre lang in Europa und Amerika, machte in diesem letztern gesegneten Weltteil die Bekanntschaft eines Erzmillionärs, der so dumm war, sie zu heiraten, und so klug, gleich darauf zu sterben, wodurch er sich zweifellos manchen Kummer ersparte. Seine Millionen aber hinterließ er der lustigen Jojotte, die sich um dieselben einen zu Grunde gerichteten und vollständig gehirnerweichten alten Herzog von irischem Adel kaufte und Herzogin von Carlington trotz dem Gothaschen Almanach wurde. Aus ihrer fahrenden Zeit her hat sie ein Kind, ein Mädchen, Paula, dem sie die beste und sittlichste Erziehung gegeben, das von der Vergangenheit seiner Mutter keine Ahnung hat und das wir nun als einen Ausbund aller Schönheit, Anmut, Bildung und Tugend kennen lernen. Jojotte will wissen, der Vater Paulas sei Herr Paul de Cardillac gewesen, der früh verstorbene beste Freund de Chabreuils, und dieser ist später so liebenswürdig, zwischen dem Mädchen und seinem Jugendgenossen in der Tat eine auffallende Aehnlichkeit zu finden.

Jojotte hat de Chabreuil natürlich nicht bloß darum eingeladen, damit sie ihm all diese Umstände erzählen könne. Da er der intimste Freund von Paulas Vater war, so verlangt sie im Interesse ihrer Tochter einen Rat und einen Dienst von ihm. Sie will Paula verheiraten; aber ihr Schwiegersohn muss reich, schön, vornehm sein; anders tut sie es nicht. „Die Schlumperei,“ setzt sie Chabreuil mit anbetungswürdiger Offenherzigkeit auseinander, „hat mich zu dem gemacht, was ich bin: Herzogin mit fünf- oder sechsmalhunderttausend Franken Rente. Meine Tochter ist ein Engel, würdig im Himmel und auf Erden zu herrschen. Wäre ihre Mutter tugendhaft gewesen, so könnte die Tochter jetzt Flügel haben, aber ohne Mitgift würde sich doch keine Seele um sie kümmern.“ Allein nun ist sie ein Engel, nicht bloß mit Flügeln, sondern auch mit Geld, und so sieht die Mama nicht ein, weshalb sie nicht nach einem idealen Schwiegersohne, nach dem leibhaftigen prince charmant selbst, aussehen solle. Chabreuil, der ein Mann von guter Erziehung ist, giebt ihr in Allem Recht. Sie verlangt nun von ihm, dass er ihr Verschwiegenheit über ihre Vergangenheit verspreche. Er sagt das ohne Zögern zu, denn ihre Vergangenheit geht ihn ja nichts an. Ehe er von ihr Abschied nimmt, will sie ihm noch Paula vorstellen. Als Jojotte ihrer Tochter seinen Namen nennt, ruft das Mädchen freudig aus: „Herr de Chabreuil? Wohl der Schwager der Frau von Chabreuil und Oheim meiner liebsten Freundin Aurora?“ Die Herzogin von Carlington verkehrt also mit seiner Familie! Das steht nicht im Pakt. Er nimmt deshalb sogleich sein Wort zurück, macht Jojotte heftige Vorwürfe, dass sie ihm eine Falle stellen gewollt, und erklärt, er müsse sie unbedingt entlarven, wenn sie nicht unverzüglich den Verkehr mit seiner verwittweten Schwägerin abbreche. Um ihr Zeit zu lassen, dafür einen Vorwand zu finden, wird er vierundzwanzig Stunden lang schweigen. Doch auch so lange nur unter der Bedingung, dass sich nichts Unvorhergesehenes ereigne.

Dieses Unvorhergesehene ereignet sich natürlich. Jojotte verkehrt nicht bloß gesellschaftlich mit Frau von Chabreuil, deren Bekanntschaft sie in der geistlichen Erziehungsanstalt gemacht hat, wo Paula und zugleich die Nichte der Frau von Chabreuil, Aurora des Haudrettes, Schülerinnen gewesen sind, der einzige Sohn dieser verwittweten Dame, Gontran de Chabreuil, ist auch in Paula sterblich verliebt und diese Liebe wird von Paula erwidert. Frau von Chabreuil hat seit vielen Jahren von einer Verbindung Gontrans mit Aurora geträumt. Er ist nun 26 oder 27 Jahre alt und es ist Zeit, dass er in den heiligen Ehestand trete. Sie äußert ihm mit mütterlicher Liebe diesen Herzenswunsch. Gontran hat nichts dagegen; er hat sogar schon seine Wahl getroffen. Aber Aurora ist nicht der Gegenstand seines Verlangens. Wer denn? Paula . . . Onkel Clavel de Chabreuil, der bei dieser Unterredung anwesend ist, erhebt mit Heftigkeit Einsprache. Er erzählt, wer die Mutter Paulas ist, und verlangt, dass sein Neffe mit dem Mädchen unverzüglich breche. Gontran bleibt aber standhaft. Die Mutter ist, was sie ist, aber dem Mädchen ist doch nichts vorzuwerfen; sie ist der reine, vom Himmel herabgestiegene Engel; alle sind darüber einig; und da er ja nicht die Mutter, sondern das Mädchen heiraten soll, so ... Frau von Chabreuil bleibt aber dieser Logik unzugänglich. Sie zeigt mit bitterer Beredsamkeit, wie demütigend es für sie, das tugendhafte Weib, sein müsse, in nächste Verwandtschaft zu einer Jojotte zu treten und sie fordert unbedingt von ihrem Sohne das Opfer seiner Liebe.

Paula, die an diesem Nachmittag von Frau von Chabreuil eingeladen war, um mit ihr spazieren zu fahren, erscheint und wird unter einem Vorwande abgewiesen. Dadurch stutzig gemacht, geht sie nach Hause und beginnt ihre Zofe Miss Burton über die Geschichte ihrer Mutter auszufragen. Diese angebliche Miss Burton ist in Wirklichkeit eine gewisse Robertine, die ehemalige Bonne Jojottes, als diese noch in Marseille und an anderen Orten das lustige Leben führte. Sardou mutet uns da eine Leichtgläubigkeit zu, die mehrere Zoll über die Hutkrempe geht. Was, diese schlaue, mit allen Salben geriebene Jojotte, die so geschickt alle Spuren ihrer unorthodoxen Vergangenheit zu verwischen wusste, wird ihr Dienstmädchen aus jenen Tagen bei sich behalten und in den Herzogspalast mit herübergenommen haben? Und Paula, dieser unschuldige Engel, den bisher nichts auf den Gedanken bringen konnte, seine Mutter sei anders wie alle Herzoginnen, Gräfinnen und sonstigen vornehmen und tugendsamen Damen, soll mir nichts, dir nichts auf den Gedanken kommen, ihre Mutter müsse eine ehemalige Cascadeuse sein, und sie soll ihre Zofe mit der Zielbewusstheit und Geschicklichkeit eines alten Untersuchungsrichters auf diesen Punkt hin verhören? Das glaube der Jude Apella, wie Horaz sagen würde! Doch das mag Sardou mit seinem poetischen Gewissen ausmachen, wenn er ein solches Requisit besitzt; genug, Miss Burton erzählt Paula haarklein, was wir schon wissen. Das arme Mädchen ist natürlich niedergeschmettert; die Mutter tritt ein, sie sieht mit einem Blicke, was vorgegangen ist, sie fürchtet, das Herz ihres Kindes verloren zu haben, aber Paula wirft sich ihr an die Brust — sie sucht in der schuldigen Frau nur die Mutter, die sie mit hingebender Liebe großgezogen hat, und sie wird ihr immer die treue Tochter bleiben.

Gerührt von Gontrans und Paulas Liebe hat Herr Clavel de Chabreuil mittlerweile seine Schwägerin überredet, die Sünde der Mutter nicht an der Tochter heimzusuchen und in die Heirat der beiden jungen Leute einzuwilligen, wenn die Herzogin verspricht, sich für immer von Paula zu trennen. Gontran eilt zu seiner Geliebten, um ihr diese frohe Botschaft mitzuteilen. Da kommt der einfache Jüngling aber schön an! Die Herzogin Georgette und der ätherische Engel Paula fallen wie Furien über ihn her. Die Erstere will nichts davon wissen, ihr Kind zu verlieren, und Letztere fordert kategorisch, dass Gontran sich über die Zustimmung seiner Mutter hinwegsetze, wenn diese Zustimmung an eine so grausame Bedingung geknüpft sei. Nein, sagt Gontran, dass tue er nicht. „Und Sie verlangen, dass ich meine Mutter opfere, um bei Ihnen einzutreten, der Sie sie von Ihrer Türe weisen? Dazu reicht meine Liebe für Sie nicht aus. Wir müssen einsehen, dass unsere Verbindung unmöglich ist.“ Ein wohlerzogener Junge, wie Gontran ist, verzichtet er auf Paula, was ihm um so leichter wird, als Paulas Pensionsfreundin, die reizende Aurora, sterblich in ihn verliebt ist und das Bewusstsein, von einem so holden Geschöpfe angebetet zu werden, einem gehorsamen, etwas weichlichen Muttersohne rasch über den Kummer einer Trennung hinweghelfen kann. Auch die arme Paula soll übrigens nicht ohne Trost bleiben. Monsieur Clavel de Chabreuil hat an ihr entschieden Gefallen gefunden. Wäre es nach ihm gegangen, so hätte er sie mit seinem Neffen verheiratet. Das ist nun zwar nicht möglich gewesen, aber er verspricht, immer ihr Freund zu bleiben, beim Fallen des Vorhanges drückt er ihr gar zärtlich die Hand und wenn das Stück noch einen fünften Akt hätte, so würden wir ganz bestimmt gerührte Zeugen der Vermählung des Herrn Clavel de Chabreuil mit Fräulein Paula sein.

Das ist das Stück, welches vom Pariser Publikum mit Achselzucken aufgenommen worden ist.

Wie beantwortet nun Sardou seine „These“? Kann ein anständiger Mann die vorwurfsfreie Tochter einer berufsmäßigen Sünderin heiraten oder nicht? Sordou sagt zugleich ja und nein und lässt uns Alles in Allem so klug wie zuvor. Die Mutter, der Onkel Gontrans verneinen die Frage zuerst mit großer Entschiedenheit und tatsächlich geht die Komedie zu Ende, ohne dass Paula die Frau eines anständigen Menschen wird. Aber sowohl die Mutter als auch der Onkel Gontrans geben nach einiger Schöntuerei ihre Einwilligung zur Hochzeit Gontrans mit Paula, die dann nur noch an dem Widerstande der Letztern scheitert, und der Dichter lässt erraten, das Paula schließlich doch noch Frau von Chabreuil werden wird, wenn schon nicht Frau Gontran de Chabreuil, so doch Frau Clavel de Chabreuil. Also: ein anständiger Mann kann die Tochter einer Kourtisane nicht heiraten (Moral des zweiten Aktes): ein anständiger Mann kann die Tochter einer Kourtisane heiraten, wenn die Mutter vernünftig genug ist, sich von ihr zu trennen (Moral des dritten Aktes); die Tochter einer Kourtisane muss darauf verzichten, einen siebenundzwanzigjährigen Gentleman zu heiraten, es steht ihr jedoch frei, sich für das Opfer mit dem reifen, aber im übrigen sehr charmanten, vornehmen und begüterten Onkel des obigen schadlos zu halten (Moral des vierten und namentlich des ungeschriebenen fünften Aktes).

Sardou musste zu so verschiedenartigen und widersprechenden Ergebnissen gelangen, weil sein Ausgangspunkt ganz falsch war. Seine These ist keine These. Die Frage ist schlecht gestellt und kann darum nicht unzweideutig beantwortet werden. Jeder vernünftige Mensch, an den man sie richtet, wird sagen: Es kommt Alles auf die Menschen und auf die Umstände an. Ist der anständige Mensch nur ein bischen verliebt, so dass er noch auf die Stimme seiner Vernunft hört, so wird er schwerlich den Wunsch haben, eine von den Geschäften zurückgezogene galante Dame seine Schwiegermama zu nennen. Ist der anständige Mensch aber eine willensschwache und leidenschaftliche Natur und stark verliebt, so wird er den Gründen eigener und fremder Vernunft unzugänglich sein und nicht nur die vorwurfsfreie Tochter der Sünderin, sondern, wenn er so unglücklich ist, in diese verliebt zu sein, sogar die Sünderin selbst heiraten. Was Leidenschaft, was Liebeswahnsinn aus Menschen machen kann, das lehrt der alte und der neue Pitaval zur Genüge. Liebestolle Männer haben gemordet, geraubt, gestohlen, haben alle Verbrechen des Strafgesetzbuches begangen, um in den Besitz ihrer Geliebten zu gelangen. Natürlich werden sie noch weit weniger schwanken, dieselbe vor den Standesbeamten oder an den Altar zu führen. Allein aus dieser Erfahrungstatsache lässt sich doch keine Moral-These ableiten, ja man kann sie nicht einmal zum Gegenstande einer moralphilosophischen Kontroverse machen. Sardou fragt: Kann ein anständiger Mann die unschuldige Tochter einer Kourtisane heiraten? Ebenso gut könnte er ein andermal fragen: „Darf ein Mann stehlen oder morden, um in den Besitz seiner Geliebten zu gelangen?“ Natürlich darf er es nicht, aber er tut es manchmal dennoch, und ebenso wird ein leidenschaftlich verliebter Mann die Tochter — sei sie unschuldig oder nicht — einer Kourtisane, ja die Kourtisane selbst, heiraten, und wenn die Vernunft, die Sitte, das Urteil der Gesellschaft es hundertmal verbieten.

Wenn Sardou uns wirklich interessiren wollte so musste er die Frage ganz anders stellen. Er musste unsere Teilnahme für das unschuldige Mädchen zu erwecken suchen. Er musste von den Sitten, Urteilen oder Vorurteilen absehen und bloß das individuell Menschliche hervorheben. Gontran hat Recht, zurückzutreten, als er erfährt, was die Herzogin von Carlington ist; aber Paula kann ja nichts dafür, dass ihre Mutter das und jenes getan hat; Paula ist rein, Paula hat nichts verschuldet und verdient keine Strafe, Paula liebt und geht zu Grunde, wenn sie verzichten soll! So erfasst, hätte das Thema sentimentale Naturen sicherlich bewegt und gerührt. Freilich, klare Köpfe, welche nicht empfindsam umnebelt sind, geben auf die Frage auch in dieser Form eine unerbittlich grausame Antwort. Paula selbst hat nichts verschuldet, aber die Schuld der Väter wird an den Kindern heimgesucht. Das ist eine Tragik, der sich das Individuum nicht entziehen kann. Paul Lindau hat in seiner jüngsten Novelle, „Helene Jung“, ein verwandtes Problem zu lösen gehabt. Die Heldin, die noch viel reizender geschildert ist als Paula im Sardouschen Stücke, hat das Unglück, die Tochter eines Mannes zu sein, der seine Frau ermordet hat, um seine Geliebte heiraten zu können. Sie liebt und wird geliebt, aber nach kurzem Ringen mit sich selbst verzichtet sie auf den Geliebten und geht in ein Kloster. Sie hat selbst nichts verschuldet, aber sie hat die klare Empfindung, dass das Verbrechen ihres Vaters auf ihrem Leben laste und dass sie für die Sünden der Väter leiden müsse.

Aber wie gesagt, diese einzig dankbare, einzig behandelnswerte Seite seines Problems hat Sardou gar nicht gesehen und seine Paula kann unsere Teilnahme nicht erwecken, weil sie nicht mächtig genug liebt, weil wir nicht überzeugt sind, dass sie unter dem Verzicht auf Gontran sonderlich leiden wird, weil wir — der Gipfel der Ungeschicklichkeit Sardous! — voraussehen, dass sie sich bald mit Gontrans Onkel über Gontrans Verlust trösten wird.

Uebrigens ist die ganze „These“ mit Allem, was drum und dran ist, dummes Zeug. Ein unsagbar einfältiger Pariser Atelier-Scherz besteht darin, dass ein Maler dem andern sagt: „Nimm an, du hießest Monsieur Ram und heiratetest ein Fräulein Olli, dann wäret ihr beide un couple ramolli (ein gehirnerweichtes Ehepaar).“ Ich bitte um Verzeihung, ich kann nichts für diesen Blödsinn, ich erzähle ihn wieder, wie ich ihn gehört habe. Sardou verlangt von uns, wir sollen ähnliche Unglaublichkeiten annehmen, wie dass ein Herr Ram ein Fräulein Olli heiratet. Jojotte soll eine wunderbare, aufopfernde, musterhafte Mutter, Paula ein Engel an Unschuld und Sittlichkeit sein. Beides ist im höchsten Grade unwahrscheinlich. Die Jojottes, die bloß die Eitelkeit haben, in der vornehmen Gesellschaft Fuß zu fassen, die sich mit dem erarbeiteten Gelde Herzogstitel kaufen, die keinen Augenblick der Reue über ihre Vergangenheit kennen, sondern sich im Gegenteil beglückwünschen, so geschickt operirt zu haben, dass sie nun reich und vornehm sind, diese Jojottes sind erfahrungsgemäss herzlos, selbstsüchtig, ohne Spur eines moralischen Gefühls, und sie sind ebenso schlechte Mütter, wie sie verworfene Frauen sind. „Perversion der Affektivität“, („Verderbtheit der Zuneigungs-Gefühle“) ist der technische Ausdruck, mit dem die Psychiatrie und Kriminalistik (zwei Wissenschaften, die sich immer mehr durchdringen) die charakteristische Unfähigkeit bezeichnen, irgend Jemand oder etwas außer sich selbst zu lieben, und dieser Unfähigkeit begegnet man, wie bei Gewohnheits-Verbrechern, so bei berufsmäßigen Sünderinnen. Und wenn derartige Frauenzimmer eine Tochter haben, so wird aus ihr keine Paula, sondern ein erblich belastetes, nervenzerrüttetes hysterisches Geschöpf, in welchem früher oder später, meist aber früh, alle bösen Instinkte der Mutter durch alle künstlichen Hüllen der Erziehung hervorbrechen. Wer mir nicht aufs Wort glauben will, dem empfehle ich die Lektüre von Dufours „Histoire de la prostitution", besonders aber von Parent-Duchatelets klassischem Werke über diesen unsaubern Gegenstand. Er wird da lehrreiche und ganz zuverlässige Angaben über die Vererbung der mütterlichen Laster auf ihre Kinder, selbst auf die fern vom bösen Beispiel erzogenen Kinder finden.

Also: wenn Monsieur Ram Mademoiselle Olli heiratet, so giebt es ja allerdings ein couple ramolli und wenn die erbärmliche Jojotte eine rührend liebevolle Mutter und die Jojotten-Tochter Paula ein Engel an Unschuld und Reinheit ist, dann mag sich ja immerhin darüber streiten lassen, ob Gontran sie heiraten kann oder nicht. Aber gewöhnlich heißen die Menschen nicht Ram und Olli und die Jojotten sind keine guten Mütter und die Jojottentöchter schlagen nicht aus der Art und so ist Sardous These genau derselbe Blödsinn wie der Pariser Atelierscherz vom couple ramolli.

Kurios ist nur, dass die Dirne als Mutter die französischen Dramatiker so anhaltend beschäftigen kann. Mallefille in seiner „Mères répenties", Delpit im „Fils de Coralie" haben denselben Gegenstand und fast dieselbe Seite desselben behandelt, nur mit dem Unterschied, dass die Kinder in den beiden genannten Stücken nicht weiblichen, sondern männlichen Geschlechts sind, was das Problem wesentlich vereinfacht. Man wird in anderen Litteraturen vergebens nach so vielen dramatischen Bearbeitungen eines derartigen Stoffes suchen. Daran kann man erkennen, welchen Platz die Dirne im Leben und Bewusstsein, ich will nicht sagen des Franzosen, aber doch des Parisers der bessern Klassen einnimmt, und wohin schließlich eine Kultur gelangt, welche die sogenannte „Galanterie", das heißt die viehische Sinnlichkeit, als die edelste und ritterlichste Eigenschaft des Mannes feiert.

Paris. Max Nordau.

Die litterarische Bedeutung deutscher Theaterstücke.

(Schluss.)

Es ist die Sache des Handwerks, der mit geistigen Mitteln, aber nicht zu geistigen Zwecken hantirenden bloßen Technik, durch das, was man im Drama Handlung nennt, allein zu interessiren, indem rein äußerliche Geschehnisse derart gruppirt und kombinirt werden, dass sie den Anschein des Neuen bekommen und somit das Interesse der Neugierde, nicht aber das eigentliche moralische und poetische Interesse erregen.

Bei einer allgemeinen Betrachtung menschlicher Geistesgaben dürfte auch die Kunst der bloß theatralischen Technik nicht unterschätzt werden. Sie reicht nicht in die Litteratur hinein, das will sagen, sie bildet keine beachtenswerte Stufe in der nationalen Entwicklung, ist aber gleichwohl anzustaunen wie Alles, was nicht erlernt, nicht erworben wird, sondern seinen Ursprung in dem geheimnissvollen Fluidum des Talentes hat. Die theatralische Technik, wie gering ihre allgemeine Bedeutung sei, ist eine besondere Begabung, geht aber keineswegs schon mit dem poetischen Talent überhaupt Hand in Hand. Die große Meisterin Georges Sand hat viele Stücke geschrieben, in denen sie zum teil den litterarischen Wert der bühnlichen Wirkung opferte und diese trotzdem nicht erreicht hat. B. Auerbach, erbittert über den Raub der Frau Birch-Pfeiffer an seiner „Frau Professorin", glaubte ihr mit Leichtigkeit den Rang als Theaterdichter ablaufen zu können. Sein „Andrä Hofer" ist aber geradezu ein Zerrbild von der Art, wie es ein Schulknabe mit Kreide auf die Tafel zeichnet, und wenn er dann seine eigenen Novellen zu Hülfe nahm, um „Dorf und Stadt" durch die Selbstbearbeitung seiner ebenso vortrefflichen Erzählung „Joseph im Schnee" zu verdrängen, so wiesen ihn die Direktionskanzleien der Hoftheater und zuletzt das Publikum eines Vorstadttheaters mit Entsetzen zurück.

Das geheimnissvolle Fluidum der bloß technischen Begabung für das Theater steht immerhin in Verwandtschaft mit dem wirklichen Genie und daraus erklärt sich bei einem Manne von so großer Intelligenz wie Laube die ausschließende Vorliebe für das bloß theatralische Stück. Die Vorliebe dafür sank bei ihm nicht zum gemeinen Métier herab wie etwa bei jenen Theaterdirektoren, die vom Ertrag ihrer Bühne leben müssen. Laube folgte einer zwar einseitigen aber festgewurzelten Ueberzeugung und suchte sie in seinen einschlägigen Büchern auch theoretisch zur Geltung zu bringen. Ich habe zufällig im Anfang seiner dramaturgischen Laufbahn öfter persönlich mit ihm verkehrt und selbst erfahren, wie er zu Werke ging. Lag ihm ein noch so kleines Stück vor, dem er dramatische Poesie zuerkennen musste, das er aber nicht für szenisch wirksam halten konnte, so gab er es dem Autor mit der Aufforderung zur Umarbeitung und mit dem Versprechen der Aufführung zurück, falls die Umgestaltung gelingen sollte. War er sonst sehr lakonisch in der Abweisung, die einmal sogar nur mit den brieflichen Worten erfolgte: „Ew. Wohlgeboren! Ihr Stück ist hoffnungslos! Ihr ergebener Laube," und blieb er dann hartnäckig bei solchem Bescheid — im Falle er von einer kleinen Umarbeitung eine szenische Wirkung erhoffte, prüfte er unermüdlich und geduldig die immer neuen Versuche des Autors, das Richtige zu treffen und belohnte das Gelingen mit der Aufführung. Dieses

Verfahren erinnerte an die Dressur der Circuspferde, welchen das Niederknien nicht anders begreiflich zu machen ist als dadurch, dass sie in der Verzweiflung über die Peitschenhiebe zum Aeussersten getrieben endlich selbst darauf verfallen. Dann bekommen sie reichlich Zucker und haben sich das Kunststück für immer eingeprägt.

Was man dem Fanatismus Laubes für das rein Theatralische damals in Wien entgegenstellte, war nur geeignet, ihn in seiner Hartnäckigkeit zu bestärken. Ueberall giebt es eine Clique heuchlerischer Litteraturfreunde, welche einem nebelhaft unklaren Begriff von „Bedeutung“ zur Herrschaft verhelfen möchten. In einen solchen Weihrauch-Nebel wurde damals der ebenfalls in Wien ansässige Friedrich Hebbel gehüllt und Laube hatte alle aufrichtigen Litteraturfreunde und die Verständigen überhaupt zur Seite, wenn er sich den Abnormitäten und Missgeburten dieses scheinkräftigen Dramatikers verschloss. In den Stücken Hebbels stellen sich die Charaktere, sein Holofernes, sein Golo etc. vor das Publikum hin, um reflektirend ihr eigenes Wesen, was eben ihren Charakter ausmachen soll, ausführlich und abstrakt zu definiren. Hebbels Stellung zur dramatischen Litteratur bedürfte übrigens einer besondern Betrachtung, denn noch heute giebt es arme Narren, die sich mit dem trügerischen Schein von Kraft und Bedeutung täuschen lassen. Hohe Personen hatten sich unter die Clique der Dränger gemischt und um sie los zu werden, gab Laube einmal Hebbels „Genovefa“ (unter dem Titel „Melusine“) und das Stück fiel auch Schauder erregend durch, wie unter einer frühern Direktion „Herodes und Marianne“ und „Der Rubin“. Auch die „Nibelungen“, gab Laube aus Motiven, deren Darstellung von dem Zweck dieser Betrachtung zu weit abweichen würde. Hebbel war die einzige Inkonsequenz Laubes und sie ist ihm immerhin noch eher zu verzeihen als die Konsequenz, die fast alles als „chaldäisch“ bezeichnete, was nicht dem brutalen Theatereffekt huldigte. Selbst die verdienstvolle Erneuerung Grillparzers machte er möglichst von einer schon bewährten theatralischen Wirkung abhängig und brachte deshalb weder „Esther“ noch „Weh dem, der lügt“ zur Aufführung.

Da Laubes Direktionsführung für das deutsche Theater ziemlich maßgebend wurde, so hatte sie die Folge, dass wir nun schon über ein Menschenalter hinaus der deutschen Theaterstücke von litterarischer Bedeutung entbehren. Geibels doktrinäre Tragödien „Sophonisbe“ und „Brunhild“ sind den Freunden des edlen Dichters kostbare litterarische Reliquien, für das Theater jedoch ohne Wert. Umgekehrt aber sind die letzten dreißig Jahre seit Freitags „Journalisten“ mit Theaterstücken angefüllt, die für die Litteratur keinen Wert haben. Die lange Namensreihe der Verfasser braucht hier nicht angeführt zu werden, da sie jedem Mitlebenden, der dem modernen deutschen Theater eine Aufmerksamkeit schenkt, ohnehin geläufig ist.

Von dieser Liste der im Theater Vielgenannten und in der Litteratur Namenlosen, scheint Bauernfeld in Rücksicht auf seinen großen Ruf ausgeschieden werden zu müssen. Allein der Litteratur wird gleichwohl nichts von seinen Stücken übrig bleiben, sie können nicht mit Interesse gelesen werden. Er ist der Vertreter eines — dank der ausschließlichen Huldigung für den Theatereffekt — den Zeitgenossen aus dem Gesichte entschwundenen Genres des puren Konversations-Stückes. Dieses könnte noch immer geistig anregen, wenn es nicht ausschließlich dem Rayon der Wiener Gesellschaft angehörte. Die beiden Ludwige Anzengruber und Ganghofer, höchst verdienstvolle Volksdramatiker, sondern sich von der allgemeinen Litteratur dadurch ab, dass der Buchgenuss ihrer Werke Kenntniss des Dialekts und ethnographischer Eigentümlichkeiten voraussetzt. Paul Heyse, der treffliche und in seiner Art einzige Novellist, kann es nach seinem ganzen zarten und poetischen Naturell als Dramatiker nur zum succès d'estime bringen, für welchen er eine leidenschaftliche Vorliebe zu hegen scheint, da er sich immer wieder um denselben bemüht.

In neuester Zeit liegen von drei Autoren Theaterstücke vor, welche sehens- und zugleich lesenswert und folglich litterarisch bedeutend sind, von Ernst von Wildenbruch, Richard Voss und Oscar Blumenthal. Des Letztgenannten „Probepfeil“ entzieht sich allerdings durch den dritten und vierten Akt, welche nicht bloß die Idee dieses Lustspiels, sondern den ästhetischen Sinn des Lustspiels überhaupt todtschlagen, der litterarischen Bedeutsamkeit, was umsomehr zu bedauern ist, als die erste Hälfte des Stückes zum Besten gehört, was die Komödie geliefert hat. Ungebrochen hingegen bleibt der litterarische wie der theatralische Wert seines Lustspiels „Die große Glocke“, welches sich, obgleich der Zeit nach durch dreißig Jahre davon geschieden, dem Werte nach unmittelbar an die „Journalisten“ reiht, wobei freilich eine kleine unelegante Ausschreitung im vierten Akt übersehen werden muss. Der Bildhauer Theobald Vogt ist wie Conrad Bolz eine neue Figur auf dem Theater und das Ganze durch sittliche Wahrhaftigkeit ein echtes deutsches Lustspiel. Zwischen diese beiden chronologisch so weit von einander getrennten, künstlerisch einander so nahe gerückten Stücke von Freitag und Blumenthal fiele annähernd von gleichem Werte das Lustspiel von Adolf Wilbrandt „Die Maler“, nur dass die humoristische Grundidee nicht kräftig genug ist, um bis zum Schlusse auszuhalten. Dessenungeachtet ist das Stück ein reizendes Besitztum des Theaters und der Litteratur. In seinen fernern Leistungen, so weit sie mir gedruckt vorliegen, hat sich Wilbrandt ganz und gar dem Theatereffekt verschrieben, dem Effekt aus der Laubeschen Schule, der die Bretter erschüttert und Herz und Geist unbewegt lässt. Seine drei Tragödien aus der römischen Geschichte machen einen erhabenen Vorwurf kurfähig,

d. h. für die Hoftheater zurecht und haben sich nur in Wien eingebürgert, wo der Dichter mit dem Direktor des Burgtheaters in einem angenehmen Verkehr lebt, wenn auch nur für den Erstern. Da auch die übrigen Sachen Wilbrandts den so heißersehnten Theatereffekt suchen und nicht erreichen, so machen sie den Eindruck wie Einer, der sich dem Teufel verschrieben hätte, ohne etwas davon zu haben.

Ob der Direktor von dieser Verschreibung erntet, was dem Dichter entgeht, lässt sich bezweifeln im Angesicht einer Mitteilung der Münchener (Augsburger) „Allg. Ztg.", welche sich aus Wien den unaufhaltsamen Niedergang des Burgtheaters berichten lässt. Nimmt man den amtlichen Nachweis hinzu, nach welchem sich das Defizit dieses Theaters in letzter Zeit um das Vierfache vergrößert hat, so fragt man sich unwillkürlich, ob es sich um diesen Preis nicht auch schon hätte wagen lassen, Stücke vorzuführen, poetisch in der Idee und schön in der Form, wenn ihnen auch die polternde Wirkung und der donnernde Erfolg nicht auf der Stirne geschrieben stehen.

Wo sind diese Stücke? Unzweifelhaft unter den Bücherdramen, welche die Kritik mit Recht ignorirt, weil sie nicht aufgeführt wurden, während der Dramaturg die Pflicht hat, zu suchen, ob sie nicht aufführbar seien. Ohne die mutige Initiative, ohne die Energie, auf die Bühne zu bringen, was nicht die schablonenhaften Garantieen des Erfolges an sich trägt, die doch unausgesetzt täuschen, werden die Wiener Theaterkrisen dem rezitirenden Schauspiel gegenüber geistig und kulturhistorisch gerechtfertigt sein. Es ist Zeit, dass die Direktoren nach der litterarischen Bedeutung deutscher Theaterstücke fragen.

Dresden. Hieronymus Lorm.

Die Nereïde Mutter.

Eine kretische Volkssage.

„Der große Pan ist noch nicht todt," so beginnt Herr Karl Blind seine Besprechung der „Griechischen Volkslieder außerhalb Hellas" in Nr. 38 des Magazin. Und weiter: „Der große Pan ist noch lange nicht todt.' Er und andere Gestalten der klassischen Götterwelt, welche die Erscheinungen und Kräfte der Natur versinnbildlichen, leben sogar in griechischen Volksliedern fort." — Wie solches mit den Gorgonen der Fall, zeigte die moderne Gorgonensage, die in Nr. 39 mitgeteilt worden. Die noch lebende kretische über die Nereïden dürfte dieselbe Beachtung verdienen.

Die Nereïden entsprechen bekanntlich keineswegs unseren Feen, sondern den Nixen. Die Nixen aber, „wenn sie ans Land unter Menschen gehen," sagt Grimm, Deutsche Mythol. I, 459, „sind gleich menschlichen Jungfrauen gestaltet und von hoher Schönheit . . . Auch die russischen Rusalki sind schöne Jungfrauen mit grünem oder bekränztem Haar (ib. 460). Abends steigen die Jungfrauen aus dem See, um an dem Tanze der Menschen Teil zu nehmen und ihre Geliebten zu besuchen. (460)."

Die Nereïden, altgriechisch *Νηρηΐδες*, gegenwärtig *αἱ Νεράϊδες* neben *νερόνυ(μ)φαι*, werden gedacht als die lieblichen Nymphen des Meeres, die — heiteren Tanz, Gesang und Musik liebend — den Schiffern bei der Fahrt gunst- und hülfreich beistanden. Sie waren die Töchter des *Νηρέως*, des göttlichen, liebreichen Meergeistes. *Νηρεύς* aber hatte deren fünfzig (Hesiod, Orpheus), nach anderen noch mehr. Die Nereïden, im allgemeinen auch *λευκοθέαι*, weißschimmernde, genannt, stellen recht eigentlich die lebendige Fülle des Meeres vor, in dessen anmutigsten, reizvollsten und fesselndsten Erscheinungen. So waren sie bei dem meerschweifenden Griechenvolk in allgemeiner hoher Verehrung, wie auch ihre Namen besagen. Selbst *Θάλασσα* ist noch heute ein beliebter Mädchenname. Nach einigen derselben entwirft Preller (Griech. Myth. I, 455) ein reizendes Namengemälde: „So paart sich ‚bergende Rettung' mit der ‚wogenumrauschten Meeresherrschaft (*Σαώ τ' Ἀμφιτρίτη τε*)', Windstille (*Γαλήνη*) mit ‚glänzendem Farbenschimmer (*Γλαύκη*)', Wogenschnelle (*Κυμοθόη*) mit der ‚bergenden Grotte (*Σπειώ*)'; flinkes Wellenspiel (*Θόη*) und ‚reizende Strömung (*Ἁλίη ἐρόεσσα*), sanftes ‚Tragen' (*Φέρουσα*) mit ‚mächtigem Andrang' (*Δυναμένη*). Oder es wird das Bild der ‚Anmut' (*Μελίτη*) mit dem einer ‚schönen Bucht' (*Εὐλιμένη*) und ‚hoher Würde' (*Ἀγαυή*) zusammengestellt, der lockende ‚Reiz des Wassers' (*Πασιθέη*) mit ‚Liebesfülle' (*Ἐρατώ*) und Siegesfreude (*Εὐνίκη*), das ‚Wellengeflüster am Strande' (*Ἀκταίη*) mit der ‚rings umflossenen Insel' (*Νησαίη, Νησώ*)."

„Und noch lebendiger wird dieses Namengemälde, wenn es an die „reichen Gaben des Meeres" (*Δωρίς, Δωτώ, Εἰδυίρη*), die „weite Ansicht seiner Fläche" (*Πανόπη*) erinnert, oder an „die Schnelligkeit und Verschlagenheit seiner gleitenden Wogen" (*Ἱπποθόη, Ἱππονόη*), an den „Handelsmarkt" (*Λειαγόρη*) und sein „geschäftiges Treiben" (*Εὐαγόρη*), in welchem doch „Ordnung waltet" (*Λαομέδεια*), an „Geschäft und Gewinn" (*Λυτονόη* und *Λυσιάνασσα*) oder endlich an den landschaftlichen Hintergrund der „sandigen Küste" (*Ψαμάθη*) oder der grünenden „Bucht an welcher Lämmer und Pferde weiden" (*Εὐάρνη, Μενίππη*). Auch werden an den Töchtern dieselben Tugenden gepriesen, die den Vater zieren: rechtliche Billigkeit (*Θεμιστώ*), erfahrene Weisheit (*Προνόη*), offene Rechtlichkeit (*Νημερτής*). Vor allen berühmt sind Amphitrite, Poseidons Gemahlin, Thetis, die Herrin und Chorführerin der anderen; Psamathe, die Geliebte des Aeakos, sowie Panope und die „milchweiße" Galateia, die schalkhafte Geliebte des Kyklopen Polyphemos, ein großer Liebling der Sizilianer und Großgriechen."

Zu weiterer Ausgestaltung dieser Bilder hier noch folgende Namen: in Beziehung auf **Schiffahrt und Meeresherrschaft:** *Ἁλιμήδη, Ποντοπόρεια, Εὐρυδίκη, Ἀμφινόμη, Ναυσιθόη, Ἀμφιθώ (-θόη); Κυμώ, Κυμοδόκη, Κυματολήγη, Γλαυκονόμη;* auf **Rang, Stellung, Herkunft:** *Ἰάνασσα, Καλλιάνασσα, Εὐκράτη, Εὐπόμπη, Εὐμόλπη, Κλειώ, Κλυμένη, Ἴσαιη; Πρωτώ (-ομέδεια, -ομέδουσα), Κυδίππη, Διώνη Ἀσία;* auf **Charaktereigenschaften:** *Πολυνόη (-νόμη), Ἀψευδής, Ἀμάθεια, Δηϊάνειρα;* äußere **Erscheinung, Aehnlichkeiten:** *Θαλίη (Θάλεια), Μαῖρα, Καλλιάνειρα, Νεόμηρις, Ἰάνειρα, Γλαυκοθόη, Λευκοθόη, Ξανθώ, Ἴαιρα, — Μελίη, Δηρώ, Πληξαύρη; Κρηνώ, Αἴγεια Ὦπις, Δηϊόπεια;* nach **Lieblings-Aufenthalt:** *Δρυμώ Ἐφύρη, Καλυψώ, Ὠρείθυια;* **Gestaden, Brunnen und Quellen** etc.: *Ἰώνη, Ἀρέθουσα, Κρηνίς, Βηρόη, Δεξαμένη, Λιμνώρεια, Φυλλοδόκη* und andere mehr.

Die W. *νηρ-* in *Νηρ-εύς*, Wassermann, demotisch *νερ-* in *νερό-ν*), Wasser, stimmt zu arischem nar- in sanscr. nira, nàra, fließend (altgr. *ναρό-ς*), subst. nàra Wasser (P. W. IV, 116—117), wo der bei Abfassung des Artikels berechtigte Zweifel nunmehr gehoben sein dürfte, da selbst *νάρα* noch im heutigen Kretischen voll erhalten ist in *ἡ κουτσου-νάρα* (auch *κουτσουν-*), **Rinnwasser,** Abfluss = *ὑδρόρροια, ἐχροή*, auch **Wasserrinne** = *ὁ νερο-χύτης*, wobei *κουτσ-* die rollende Bewegung bezeichnet. Dazu ist zu vergleichen lit. nár-as, Taucher, pa-nerù, tauche unter (Mielcke, Lit. Wörterb., Königsberg 1800), tschech. nořiti se, sich untertauchen, ú-nor, Februar, Wassermonat; poln. nur, Taucher(vogel), nur-ek, Seemöve; nurt, Taucher; Flut, Strömung; nur-z-ać, tauchen; nur-to-wać, wegspülen; russisch nyr-jàtj, tauchen; njár-ka, Tauchfisch (Art Lachs). — *Νερό* aber, in Kappadokien noch jetzt *νίαρο* (Silly), *λερό, χλερό* (Fertákäna), das bei den Alten zufällig nicht vorkommt, ist in einer großen Anzahl von Abl. und besonders von Zusammensetzungen im lebendigen Sprachgebrauch erhalten, neben *ὕδωρ*, das mehr der Schriftsprache angehört. Die interessante Gruppirung dieser Wörter muss, als nicht hierher gehörig, einer anderweitigen Mitteilung vorbehalten bleiben.

Die Nereïde Mutter. (Von Geo. Drosinis, EΣ. 98.)

Dort in der Nixengrotte, hart am obern Quellenrand,
Wo fort und fort die Wasser gehn, ist wirrer Strudelschwall zu schaun,
Denn nächt'ger Weil' erscheinen dort und baden Hand in Hand
Die schaumgestalt'gen Wasserfrau'n.

Und einem Spielmann aus dem Ort war einst in alter Zeit
Ob seiner großen Lyrakunst als Schickung aufgetragen,
Dass er, wenn jene in der Nacht zum Reigen sich gereiht,
Die Zither durfte schlagen.

Wie jede Nacht der Arme nun da drüben saß allein
Vor so viel schönem Elfenspuk voll Jugendreiz und Leben,
Trug er es nicht; er war an ein schwarzäugig hellblond Nixelein
In Liebe hingegeben.

Er rafft sich auf und geht besorgt zu einer kund'gen Frau
Und fängt in Klagelauten an sein Leid ihr vorzutragen;
Zu süßer Gegenliebe weiß auch gleich die Meisterin genau
Das Mittel ihm zu sagen:

„Nachts, wenn sie tanzen mitten in der Grotte tief und klar,
Ergreif' die schöne Herrin kühn, die du zur Lieb' erspähet,
Und lass nicht los ihr goldenes und üppig wallend Haar
Bis dass der Hahn gekrähet!"

So an den Haaren packt sie denn der Bursche; doch geschwind
Ward sie Seelöwin, Hündin, Wurm, in seiner Hand, der warmen;
Doch als der Hahn gekrähet blieb ein wunderholdes Kind
Zurück in seinen Armen.

Und unser Jüngling nahm sie heim und zeugte ihr ein Kind . . .
Jedoch vor Gram ließ keinen Laut den Lippen sie entschweben.
Und wieder geht der Bursche hin, dass er die Alte find'
Ihm einen Rat zu geben.

Sie sagte: „Schür' ein Feuer an im Ofen, hoch in Glut,
Und greife flugs das Kind, um es beherzt hinein zu schwingen" . . .
Jedoch was wollt ihr? Solcher Rat der Alten war nicht gut,
So konnt' er Glück nicht bringen.

Denn Mutter, wie die Aermste nun doch war, mit anzusehn
Wie ihr geliebtes Einziges ins Feuer, voll entzündet,
Gleich fliegen soll, schreit graus sie auf: „Nein, Hund, das Kind lass gehn!"
Entreißt's ihm und verschwindet.

Die Andern aber ließen sie nicht mehr zur Grotte ein.
Drum, wer nun kommt um Mitternacht, dass er den Steinkrug fülle,
Sieht eine Nereïde stehn, im Arm ein Kindelein,
Am Quell, und die weint stille.

Freiburg i. B. Aug. Boltz.

Die geistige Entwicklung im Tierreich von G. John Romanes.

Nebst einer nachgelassenen Arbeit „Ueber den Instinkt" von Charles Darwin. Autorisirte, deutsche Ausgabe. Leipzig. Ernst Günthers Verlag.

Der Naturforscher Romanes schreibt ein aus drei Bänden bestehendes Lehrbuch der vergleichenden Psychologie. Zwei dieser Bände sind bereits erschienen. Jeder derselben bildet trotz seines engen Zusammenhanges mit dem anderen ein in sich abgerundetes Werk. Im ersten „Animal Intelligence", 1882 herausgegeben, lässt der Verfasser das Tierreich Revue passiren und sucht uns auf Grund eigener und glaubwürdig fremder Beobachtung das Geistesleben der verschiedenen Arten zur Anschauung zu bringen. Das zweite, in sehr guter Uebersetzung vor uns liegende Buch „On Mental Evolution" hat eine weit schwierigere Aufgabe. Es bestrebt sich die verwickelten Organisationen des geistigen Lebens im Tierreich in ihrem Bau zu erforschen und zu analysiren, die auf diesem Wege erlangten Tatsachen miteinander zu vergleichen und sodann eine Klassifikation der gefundenen Strukturen anzubahnen. Das dritte Buch, dessen Erscheinungstermin noch nicht festgesetzt ist, wird der Geistesentwicklung des Menschen gewidmet sein. Darwin interessirte sich so sehr für die unter seinen Augen entstehende Schrift, dass er dem Verfasser seine sämmtlichen Manuskripte psychologischen Inhalts mit der Erlaubniss beliebiger Verwertung anvertraute. Dieser hat die zahlreichen, unzusammenhängenden Notizen der wertvollen Mappe in den Text eingewoben. Einen zusammenhängenden Essay seines Lehrers über die Wanderungen und die instinktive Furcht der Tiere, den Nestbau der Vögel und die Wohnungen der Vierfüßler fügte er dagegen seinem Werke als eine abgesonderte Arbeit bei. Dass eine auf solche Weise entstandene Publikation unsre Aufmerksamkeit im hohen Grade verdient, bedarf kaum der Erwähnung. Zudem ist das Bestreben des Verfassers uns durch wissenschaftliche Forschung die wahrscheinliche Geschichte der geistigen Entwicklung darzutun, also mit anderen Worten „eine Genesis des Geistes“ zu geben, im hohen Grade dankenswert. Andrerseits aber sind uns beim Lesen des Buches die enormen Schwierigkeiten entgegengetreten, mit denen die vergleichende Psychologie zu ringen hat, falls sie sich der vergleichenden Anatomie ebenbürtig zur Seite stellen will. Der Verfasser glaubt, dass es ihm, wenn auch nach mühevoller Arbeit gelingen wird, sich diesen Platz zu erobern. Uns scheint das zum mindesten zweifelhaft. Die Tatsache, dass sie durch die Anekdotenjägerei unwissenschaftlicher Naturfreunde bei der Gelehrtenwelt in Misskredit gekommen ist, vermag sie durch sorgfältige Sichtung des Untersuchungsmaterials aufzuheben. Weit misslicher aber ist es, dass sie niemals zu einem direkten Einblick in die Sachlage gelangen kann und sich mit Schlussfolgerungen begnügen muss. Sie läuft auf Schritt und Tritt Gefahr, von dem Tun der Tiere einen falschen Schluss auf deren Innenleben zu machen. In zahllosen Fällen ist es absolut unmöglich die Reflexhandlungen von den Instinkthandlungen und diese von den Vernunfthandlungen zu sondern. Die Aeußerungen bewussten Wahlvermögens, das Kennzeichen geistigen Lebens, und die des unbewussten Wahlvermögens, das charakteristische Merkmal aller lebenden Materie, sind nicht minder schwer zu unterscheiden. Die wahrscheinliche Stufenfolge der intellektuellen Entwicklung im Tierreich in aufwärtssteigender Linie hält nach der Ansicht des Verfassers mit der geistigen Entwicklung eines Kindes vom ersten Tage bis zum Schluss des fünfzehnten Monats gleichen Schritt. Der Reihe nach allmählich aus Empfindung, Wahrnehmung, Einbildungskraft, Arterhaltungstrieb, Selbsterhaltungstrieb und sozialen Erregungen entsprießend, ergeben sich, von einfachen zu vollkommeren Bildungen übergehend, für das Gemüt und den Intellekt folgende Stadien: 1. Das Gedächtniss (Echinodermen), 2. primärer Instinkt, Ueberraschung und Furcht (Insektenlarven und Ringelwürmer), 3. Assoziation durch Contiguität, geschlechtliche Gefühle ohne geschlechtliche Auswahl (Mollusken), 4. Erkennung der Nachkommenschaft, sekundärer Instinkt, elterliche Zuneigung, soziale Gefühle, geschlechtliche Auswahl, Kampflust, Neugier (Spinnen und Insekten mit Ausschluss der Ameisen und Bienen), 5. Assoziation durch Aehnlichkeit, Eifersucht, Aerger, Spielerei (Fische und Batrachier), 6. Vernunft, Neigung (höhere Krustazeen), 7. Erkennung von Personen (Reptile und Cephalopoden), 8. Mitteilung von Ideen, Sympathie (Hymenopteren), 9. Verständniss von Worten, Träume, Nacheiferung, Stolz, Empfindlichkeit, ästhetische Vorliebe, Schreck (Vögel), 10. Verständniss von Mechanismen, Kummer, Hass, Grausamkeit, Wohlwollen (Raubtiere, Nager, Wiederkäuer), 11. Benutzung von Werkzeugen, Rachsucht, Zorn (Affen und Elefant), 12. Unbestimmte Moralität, Scham, Reue, Verschlagenheit, Lustigkeit (anthropomorphe Affen und Hunde).

Jena. A. Passow.

Das armenische Zeitungswesen.

Von Arthur Leist.

Unter allen Völkern Vorderasiens sind die Armenier nicht nur das begabteste und tüchtigste, sondern überhaupt das einzige, welches im Laufe der Jahrhunderte der Kultur nie ganz fremd geblieben ist. Wenn wir die Griechen zu den orientalischen Völkern rechnen, dürfen wir die Armenier mit gutem Recht an ihre Seite stellen, denn nächst den Hellenen scheint kein Volk des Orientes mehr zu einem höheren Kulturleben befähigt zu sein als die Armenier. Es ist bekannt wie eifrig sie an der Erhaltung ihrer Sprache und Schriftwerke auch in der weitesten Fremde arbeiteten, wie sie ihr geistiges Schaffen selbst in Indien, Persien und sogar in Westeuropa ununterbrochen fortsetzten und somit die Grundlage ihres Kulturlebens immer mehr befestigten. Ihr Schaffen auf dem geistigen Gebiete war nie geräuschvoll, wie überhaupt ihrem Charakter alle Prunksucht fern ist. Deshalb weiß auch Europa verhältnissmäßig wenig von der Litteratur der Armenier und nur manche Gelehrten kennen den reichen Schatz wissenschaftlicher Werke, den sie im Laufe der Zeit in ihrem Schrifttum angesammelt haben. Auf eine Besprechung des Wertes und Inhaltes dieser Werke wollen wir uns heute nicht einlassen; unsere Absicht ist es nur in diesem Aufsatz den deutschen Leser mit dem Entwicklungsgange und dem heutigen Zustande der armenischen Presse bekannt zu machen, während wir die neuesten Erscheinungen der schönen Litteratur in weiteren Skizzen besprechen werden.

Die erste armenische Zeitung erschien im Jahre 1795 in Kalkutta und zwar wurde sie von der dortigen armenischen Kolonie ins Leben gerufen. Wie alle derartigen Anfänge schwach zu sein pflegen, war ihr Bestehen nicht von Dauer und schon nach zwei Jahren ging sie wieder ein. Uebrigens war dieses Unternehmen ein sporadisches und eben nur für die Bedürfnisse der in Indien wohnenden Armenier berechnet.

Die eigentliche Wiederbelebung und Modernisirung ihrer Geisteskultur verdanken die Armenier dem berühmten Mechitar, welcher bekanntlich in der zweiten Hälfte des achtzehnten Jahrhunderts in Venedig das allbekannte Mechitaristenkloster gründete, welches fortan der Hauptsitz der litterarischen Bewegung wurde. Im Jahre 1799 begannen die Mechitaristen die Herausgabe des „Taregrutiun" oder „Jahrbuches" in neuarmenischer Sprache und zwar bestand dasselbe siebzehn Jahre. Im Jahre 1807 gesellte sich hierzu eine gleichfalls in Venedig heftweise herausgegebene Zeitschrift. Fünf Jahre später gründeten sie in Konstantinopel den „Byzantinischen Beobachter" (Ditak Büzandian), welcher mehrere Jahre bestand. Nach diesen mehrfachen Versuchen, die wahrscheinlich noch keinen rechten Anklang im Volke fanden, trat in der Entwickelung der Presse eine Pause ein, denn von 1820—1838 hatten die Armenier gar keine Zeitung oder wenigsten keine solche, die ein Alter von mehreren Jahren erreicht hätte. Nach dieser Unterbrechung waren es amerikanische protestantische Missionäre, welche die Herausgabe einer armenischen Monatsschrift unternahmen. Ihr Blatt hatte ein umfangreiches Programm und erschien monatlich in Smyrna. Es war illustrirt und brachte viel Gediegenes und Gemeinnütziges, aber da die Herausgeber allzusehr ihre protestantischen Tendenzen zeigten, verlor das Blatt bald alle Leser und musste zu erscheinen aufhören.

Mit dem Jahre 1840 beginnt für das armenische Zeitungswesen die Zeit der ununterbrochenen Entwickelung und der in diesem Jahre von Lukas Balthasarian in Smyrna gegründete „Arschaluis Araratian" (Die Morgenröte des Ararat) besteht noch heute. Es ist das eine groß angelegte Monatsschrift, die bald unter allen Armeniern viel Anhang fand und besonders durch ihre zahlreichen Berichte aus Indien eine gewisse Bedeutung erlangte. Balthasarian, obgleich arm, betrieb die Herausgabe des Blattes aus eigenen Mitteln und musste ununterbrochen bedeutende Opfer bringen, denn die Zahl seiner Abonnenten betrug nie mehr als 600. Gleichfalls im Jahre 1840 erschien in Konstantinopel eine in türkischer Sprache, aber mit armenischen Buchstaben gedrucke Zeitung, die bald unter den Türken, Verbreitung fand, denn bekanntlich ist das Lesen der einfachen armenischen Schriftzeichen viel leichter als das der türkischen. Gegenwärtig giebt es in Konstantinopel vier oder fünf türkische Blätter, die mit armenischen Lettern gedruckt werden. Im Jahre 1845 gründeten die Venediger Mechitaristen die Monatsschrift „Basmawep" (der Polygraph), welcher ebenfalls noch heute besteht. Zwei Jahre später begann der berühmte Dichter Tagatian in Kalkutta die Herausgabe des „Asgasser" oder Patrioten, während in Konstantinopel wieder die protestantischen Missionäre mit einem Tagesblatte, dem „Awetaber" oder „Glücksboten" auftraten, um unter der armenischen Bevölkerung desto nachhaltiger ihre Propaganda betreiben zu können. Zur Bekämpfung derselben wurde der „Surhandak Konstantinopolso" oder „Konstantinopoler Bote" gegründet, welcher später seinen Titel änderte und halbamtliches Organ des Patriarchen wurde.

Um dieselbe Zeit entstand auch in Tiflis eine armenische Zeitung, zu der der damalige Statthalter Transkaukasiens, Fürst Woronzow den Anlass gab. Der Fürst wollte in jeder Hinsicht Bildung und europäische Kultur in der von ihm verwalteten Provinz verbreiten und unterstützte daher auch das Zeitungswesen.

Da allmählich auch die Belletristik rege wurde und sich das Bedürfniss, die gebildeteren Klassen des armenischen Volkes über die politischen und sozialen Vorgänge im Abendlande aufzuklären, fühlbar machte, so wurde von einem Verein gebildeter Konstantinopoler Armenier den Wiener Mechitaristen eine bedeutende Geldsumme mit dem Auftrage überwiesen, eine ganz den Zeitforderungen entsprechende Monatsschrift herauszugeben. Dieselbe trug den Namen „Europa" und wurde im Jahre 1858 in ein Familienblatt umgewandelt. Noch vier Jahre vorher entstanden in Konstantinopel zwei Zeitungen, die sich bald eine gewisse Bedeutung errangen. Die erste war die „Taube Noahs" und wurde von zwei jungen Leuten, Markosian und Abro herausgegeben. Beide waren Dolmetscher bei der Pforte und hatten daher die Möglichkeit immer neue und zuverlässige Nachrichten zu bringen. Die zweite ist der noch heute bestehende „Massis" oder „Ararat", welcher in Konstantinopel eifrig die Interessen der Armenier verteidigt und sich trotz der vielen Hindernisse, die einem solchen Unternehmen in der Türkei entgegenstehen, geschickt durch die Scylla und Charybdis hindurchzuwinden wusste. Der Herausgeber des „Massis", welcher nunmehr als belletristisches Wochenblatt besteht, ist Ütüdschiana. Er hat sich durch Uebersetzungen aus dem Französischen und Englischen bereits einen Namen gemacht.

Gegen Ende der fünfziger Jahre entstanden neben Konstantinopel auch an andern Orten armenische Zeitschriften, die teils der Politik, teils den Wissenschaften und der schönen Litteratur gewidmet waren. So erschien in Paris eine illustrirte Monatsschrift, in Konstantinopel der „Musajk Massiaz", die „Muse des Ararat", welche nur Uebersetzungen von Bühnenstücken brachte, in Tiflis die bis heute bestehende „Biene Armeniens", in Moskau das „Nordlicht" unter der Leitung des Professors Nasarianz, in Konstantinopel ferner die humoristische „Konstantinopoler Biene“ u. s. w.

Die eigentliche Blütenzeit für die türkisch-armenische Presse begann in den sechziger Jahren nach der von der türkischen Regierung den Armeniern zugestandenen teilweisen Konstitution. Nach dieser Reform vermehrte sich auch die Zahl der armenischen Schulen und bald begann es sich auf allen Gebieten des geistigen Lebens sichtlich zu regen. Die Zeitungen wuchsen nun wie Pilze nach dem Regen hervor, aber die meisten derselben hatten nur ein kurzes Dasein. Ein junger Buchdrucker schuf sogar einen „Papagei Armeniens“, zu dem er selbst den Inhalt schrieb und ihn persönlich seinen wenigen Zahllesern ins Haus trug.

Später entstanden in Petersburg unter der Leitung von Rafael Patkanian der „Hüssis“ oder „Norden“, in Tiflis „der Kranich der armenischen Welt“, „Krunk Hajos Aschchari“, in Etschmiadsin auf Veranlassung des verstorbenen Patriarchen Georg IV. der bis heute bestehende „Ararat“ und noch andere länger oder kürzer sich haltende Blätter in den transkaukasischen Städten Baku, Tiflis und Schuscha. Eines der bedeutendsten armenischen Blätter, welches je erschienen, war die im Jahre 1876 in Tiflis von Abgar Johannissiani gegründete Monatsschrift „Pords“, welche die Erscheinungen des gesammten Kulturlebens der Gegenwart umfasste und seinem Inhalte nach den europäischen Revüen nahe kam. Um dem deutschen Leser einen Begriff von dem Wert und Gehalt derselben zu geben, wollen wir hier den Inhalt einer Nummer aus dem Jahre 1877 anführen: Die Jungfrau von Orleans, übersetzt von Bachurdarianz — Die Volksbildung — Jugendjahre des Patriarchen Narses V. — Gedichte von Rafael Patkanian — Ein Gedicht von Petöfi — Eine Novelle von Emile Zola — W. Hanka, Biographie — Die Rechte der türkischen Armenier und ihre Konstitution — Bibliographie — Reiseeindrücke aus Armenien von Kadschberuni — Inländische Uebersicht — Politische Rundschau — Beilage: Ein Roman von George Sand.

Der „Pords“ bestand nur sechs Jahre, denn da seine Ausstattung zu kostspielig war, wandelte ihn der Herausgeber im Jahre 1881 in ein Wochenblatt, „Das Echo“ (Ardsagank), um, welches noch heute besteht und sich gleichfalls durch gediegene Aufsätze auszeichnet. Abgar Johannissiani hat in Deutschland studirt, ebenso die Redakteure der übrigen Tifliser armenischen Zeitungen, wie Dr. Arzruni vom „Mschak“, Spandarianz vom „Nor Dar“ u. s. w.

Gegenwärtig beläuft sich die Zahl aller in armenischer Sprache erscheinenden Blätter auf 22, von denen die meisten in der Türkei erscheinen, während die Zahl aller seit 1795 erschienenen armenischen Zeitungen 141 ausmacht. Unter diesen waren 51 politische Tagesblätter, 29 wissenschaftlich-belletristische Monatsschriften, 30 politisch-belletristische, 7 satirische, 4 musikalische, 4 pädagogische Blätter u. s. w. Die älteste von allen Zeitungen ist der Smyrnaer „Ararat“, welcher bereits fünfundvierzig Jahre besteht.

Was nun die Abonnentenzahl der armenischen Zeitungen betrifft, so betrug sie durchschnittlich fast nie mehr als einige Hundert und kein Blatt hat bis jetzt mehr als 1600 Abonnenten gehabt. Uebrigens lässt sich bei den in Konstantinopel erscheinenden Blättern diese Ziffer nicht genau feststellen, da hier der Einzelverkauf bedeutend ist.

Bei einer so geringen Abonnentenzahl können die Zeitungen natürlich ihren Herausgebern nur wenig oder gar keinen Ertrag bringen und von einer Bezahlung der Mitarbeiter ist natürlich keine Rede. Nur der „Kranich“ zahlte 8—12 Rubel und der „Pords“ 16—40 Rubel Honorar für den Bogen.

Sprechsaal.

Entgegnung

auf die von J. von Tschudi in Nr. 31. der Deutschen Litteratur-Zeitung veröffentlichten Kritik meines „Inka-Reichs“.

Wer von den geehrten Lesern nachstehender Zeilen das Vorwort zu meinem obengenannten Werke nachlesen will, wird ersehen, dass ich weit davon entfernt, war, daran zu denken, durch Veröffentlichung des Buches „ernsten Geschichtsforschern“ etwas Neues, Unbekanntes bieten zu wollen, denn voraussetzen musste ich doch wohl, dass solche die Geschichte des peruanischen Kaiserreichs kennen. Mein Bestreben ging vielmehr dahin, in populärer Schreibweise das gebildete deutsche Publikum im Allgemeinen mit jenem alten amerikanischen Kulturstaate, mit seiner Geschichte, seinen Staatseinrichtungen, mit den Sitten und Gebräuchen seiner früheren Bewohner näher bekannt zu machen, weil ich bei längerem Aufenthalte in der Heimat mich überzeugen konnte, dass trotz aller gelehrten Werke, welche J. von Tschudi über Peru veröffentlicht haben mag, dennoch die früheren Zustände jenes Landes den meisten gebildeten Deutschen so gut wie gänzlich unbekannt geblieben sind.

J. von Tschudi sagt, dass mein Buch „für ernste Geschichtsforscher“ nicht verwendbar sei. Andere weltberühmte Gelehrte, von denen ich nur Professor Bastian und Dr. Reiss nenne, haben sich über meine bescheidene Arbeit günstiger mir gegenüber ausgesprochen, ja sogar mich ermuntert, auf dem einmal betretenen Wege fortzuschreiten und in spanischen Archiven weiter zu forschen, ob mir es vielleicht gelingen möchte, dem über den hochinteressanten Stoff, bereits veröffentlichten Material weitere Beiträge hinzufügen zu können.

J. von Tschudi nennt meine Arbeit „eine unkritische Kompilation aus den Werken älterer spanischer Chronisten“, spricht auch im allgemeinen sich geringschätzend über letztere aus und behauptet, ich hätte die Geschichte der Inkas bis in kleine Details nach Garcilasso de la Vega gegeben, mit dessen Kommentaren Dr. Külb bereits 1848 das deutsche Publikum vertraut gemacht habe.

Die eigentliche Geschichte der Inkas nimmt in meinem Buche von 840 Seiten nur 128 ein, also etwa den siebenten Teil des Ganzen; für sie habe ich außer Garcilasso noch ganz besonders Cieza de Leon, den Princeps aller spanischen Chronisten, welche über Peru geschrieben haben, sodann Juan de Betanzos, Francisco de Toledo u. A. benutzt. Zuverlässigere Quellen standen mir nicht zu Gebote; wenn aber J. von Tschudi mir solche nennen will, werde ich ihm sehr dankbar sein.

Auf Sagen und lebendigen Ueberlieferungen beruhten die Nachrichten, welche spanische Chronisten über das Inka-Reich sammelten und uns hinterlassen haben. Dass aber Sagen und Traditionen keine zuverlässigen Quellen genannt werden können, weiß Jedermann; zuverlässigere existiren leider nicht, dürften auch schwerlich von J. von Tschudi aufgefunden werden, noch dazu über ein Volk, welchem der Gebrauch der Schrift unbekannt war. „Alle Begebenheiten, welche sich vor Erfindung der Schreibekunst zugetragen, sind für die Weltgeschichte so gut wie verloren."

Großen Dank würde ich ferner J. von Tschudi wissen, wenn er die Gefälligkeit haben und mir alle Irrtümer nennen wollte, welche er in meinem Buche aufgefunden, ich werde sodann solche in einer folgenden Auflage vermeiden.

Bezüglich der Etymologie des Namens Tahuantinsuyu lasse ich mich gerne belehren; Garcilasso, der Inkanachkomme, giebt ihn durch „vier Himmelsrichtungen, vier Weltteile (Weltgegenden) wieder. J. von Tschudi übersetzt ihn mit „vier Provinzen zusammen". Wenn Letztgenannter Seite 55 meines Buches nachschlagen will, wird er finden, dass ich den Sessel der Inkas mit „tiana" benenne. Dass der Setzer anstatt n ein r gesetzt hat, ist mir bei eiliger Korrektur entgangen; ob das Wort jedoch „tiyana" geschrieben werden muss, wie J. von Tschudi behauptet, dürfte für eine analphabetische Sprache schwer zu beweisen sein, die Akademie der Amautas des Inkareichs können wir leider nicht um Rat fragen.

Ich schreibe Puitu anstatt Quitu, weil die Hauptstadt der heutigen Republik Ecuador zu der Zeit, in welcher unsere Geschichte spielt, Puitu hieß.

Dass J. von Tschudi von einem Ç in der spanischen Sprache spricht und behauptet, Caci müsste durch Sasi, Cupay durch Supay wiedergegeben werden, ist ein großer Irrtum. In genannter Sprache existirt überhaupt kein Ç; wenn einige alte Chronisten diesen Buchstaben gebrauchen, könnte er dennoch niemals durch ein scharfes S, sondern etwa durch sz ausgedrückt werden. Das spanische c wird vor e und i wie ein weiches z, niemals wie s, vor a, o und u wie k ausgesprochen.

Ob mein Buch bei dem gebildeten deutschen Publikum Aufnahme finden wird, und ob es mir gelungen, den zwar sehr interessanten, aber doch immerhin trockenen Stoff in lesbare Form zu kleiden, solches muss die Zukunft lehren. Habent sua fata libelli!

Madrid. R. Brehm.

Hochgeehrter Herr Redakteur!

Nach den Erklärungen Karl Bleibtreus und meinem eigenen notgedrungenen Wort in Sachen der „Modernen Dichtercharaktere", welche in Nr. 24 Jahrgang 1885 und Nr. 1 Jahrgang 1886 der „Schriftstellerzeitung" erschienen sind, halte ich es für überflüssig, gegen die aufs neue produzirte Erklärung des Herrn Wolfgang Kirchbach zu protestiren. Wer sich über die Haltlosigkeit der Kirchbachschen Behauptungen unterrichten will, lese das Kürschnersche Organ. Ich nehme zur Ehre des Herrn Kirchbach an, dass derselbe vollkommen bona fide gehandelt hat, aber ein Recht zu seinem Vorgehen gegen mich wird ihm jeder Unparteiische absprechen.

Hochachtungsvoll

Berlin. W. Arent.

Litterarische Neuigkeiten.

Eine in der Fachlitteratur einzig dastehende Novität dürfte Cornelius Gurlitts „Geschichte des Barockstiles, des Rokoko und des Klassizismus" vollständig in zwei Bände mit dreihundert Illustationen, sein. Die Ausgabe erfolgt in ca. zwanzig Lieferungen à M. 1,40. In diesem Werke wird zum ersten Male in ausführlicher, historischer Darstellung das umfangreiche Material dieser großen Kunstgebiete behandelt. Die bislang bestandene, äusserst fühlbare Lücke in der einschlägigen Litteratur auszufüllen, scheute der Verfasser in jahrelanger Arbeit weder Kosten noch Mühe. Nach mehrmaligen Reisen durch Italien, Frankreich, Belgien, Holland, England etc. und erst nach Ueberwindung eminent großer technischer Schwierigkeiten ist es nunmehr gelungen, ein Werk zu vollenden, das dem Fachmann wie dem Laien eine Fülle des Belehrenden und Ueberraschenden bieten wird. Stuttgart. Verlag von Ebner & Seubert (Paul Neff).

Von Ernest Renans bekanntem „Drame philosophique" „Le prêtre de Nemi" erschien im Verlag von Calmann Lévy in Paris die fünfte Auflage.

Von Max Eyths „Wanderbuch eines Ingenieurs" in Briefen erschien der erste Band in zweiter Ausgabe. Derselbe enthält: Europa, Afrika und Asien. Heidelberg. Verlag der Winterschen Universitätsbuchhandlung. Die erste Ausgabe hatte seiner Zeit einen durchschlagenden Erfolg, so dass man diese Neuausgabe mit Freuden willkommen heißen darf.

Von Gerhard Gietmanns: „Klassische Dichter und Dichtungen" erschien soeben im Verlag der Herderschen Buchhandlung in Freiburg im Breisgau der erste Teil. Derselbe enthält: „Das Problem des menschlichen Lebens in dichterischer Lösung: Dante, Parzival und Faust nebst einigen verwandten Dichtungen. Erste Hälfte: Die Göttliche Komödie und ihr Dichter Dante Alighieri".

Im Verlag von Paul Ollendorff in Paris erschien vor Kurzem: „Mémoires d'un ancien Ministre" (1807—1869) von Lord Malmesbury. Diese Geschichte eines halben Jahrhunderts ist hauptsächlich dadurch sehr interessant, dass sie von einem Manne erzählt wird, welcher während der ganzen Zeit eine hervorragende politische Rolle gespielt hat.

Heinrich Kruses Trauerspiel in fünf Aufzügen „Das Mädchen von Byzanz" erlebte im Verlag von S. Hirzel in Leipzig die zweite Auflage.

„Schmetterlinge" ist der Titel eines elegant ausgestatteten Novelletten und Stimmungsbilder-Buches von Helene von Götzendorff-Grabowski, welches Bodenstedt gewidmet und im Verlag von Rud. Bechtold & Comp. in Wiesbaden erschienen ist.

Unter den Vorträgen für ein gemischtes Publikum, welche nunmehr auch in Italien Mode werden, sind uns zwei von Georg Arcoleo über den Humor in der modernen Kunst aufgefallen. Bemerkenswert dünkt uns der gelegentliche Versuch, zu erklären (S. 52), warum Heine so außerordentlichen Anklang in Italien findet. „In Goethe haben wir immer den Künstler, in Hegel den Philosophen, in Heine den Menschen, deshalb steht er uns näher." Giorgio Arcoleo L'umorismo nell'arte moderna Napoli Enrico Detken editore 1885. 97 S. Lire 2. —

Joseph Kiss nimmt unter den ungarischen Poeten der Gegenwart eine hervorragende Stelle ein, welche ihm jedoch die Kritik des Auslandes früher als die seines engeren Vaterlandes einräumte. Dass aber den vielverkannten Dichter sein Volk anerkennt und liebt beweist der Absatz seiner zum Herzen sprechenden, weil dem Herzen entquollenen „Gedichte", welche die Verlagsfirma Brüder Révai, Budapest nun schon in vierter Auflage auf den Büchermarkt bringt. Der elegante Band enthält auch Kiss jüngste Dichtungen, welchen dieselbe Tiefe der Empfindung, Klarheit des Ausdrucks und Fülle der Gedanken in der etwas mangelhaften, ungeleckten Form eigen ist. An ihr reiben sich des Dichters Gegner hämisch ihre Pfoten.

„Moderne Geistesheroen". Biographisch-kritische Charakterbilder und Porträt-Skizzen aus der Gegenwart. Von Adolph Kohut. Berlin 1886. Wilhelm Issleib (Gustav Schuhr). 6 M. Der als Litterar- und Kulturhistoriker bekannte Verfasser bietet in seiner neuesten Schrift höchst interessante und lehrreiche biographisch-kritische Studien über vierzehn namhafte Forscher, Staatsmänner, Dichter, Schriftsteller Maler und Bildhauer der Gegenwart. Glänzende Darstellungsweise, vortreffliche Fachkenntnisse, scharfes Urteil und gründliche Forschungen machen das Vorliegende — übrigens auch sehr hübsch ausgestattete — Werk zu einer der besseren litterarischen Erscheinungen auf dem diesjährigen Büchermarkt. Es ist hier die Frucht jahrelanger Arbeiten niedergelegt, aber man merkt der Arbeit nicht den Schweiß an.

Bei Berger-Levrault & Cie. in Nancy erschien ein interessantes illustrirtes humoristisches Werk unter dem Titel: „Strosburjer Holzhauerfawle" von Jules Frœlich. Mit Titelkupfar un zwanzig Bildle fum Joseph Lindebluest.

Im Verlag von H. Barsdorf in Leipzig beginnt zu erscheinen „Floegels Geschichte des Grotesk-Komischen". Dritte durchaus umgearbeitete und bedeutend vermehrte Auflage, bearbeitet von Dr. Fr. Ebeling. Mit vierzig

Tafeln, darunter vierundzwanzig in Gold- und Farbendruck. Komplet in sechs Lieferungen à 3 Mark. Dieses bekannte Werk, welches seit Jahren im Handel fehlte und antiquarisch sehr hoch bezahlt wurde, hat eine vollständige Umarbeitung gefunden, nicht nur hinsichtlich seines Textes, sondern auch dadurch, dass um den Liebhabern im Auslande das Lesen zu erleichtern lateinische Lettern in Anwendung kommen, und das ganze Werk auf gelbem Papier in blau gedruckt ist. „Floegel-Ebelings Geschichte des Grotesk-Komischen“ behandelt das Grotesk-Komische vollständig, und zwar in der Komödie, bei den religiösen Festen, bei weltlichen Veranlassungen, in der Musik, in den zeichnenden Künsten, im Kostüm u. s. w. sowie auch die komischen Gesellschaften eingehend. Wir nennen als zum ersten Mal gedruckt, die „Allschlaraffia“ deren Hauptsitz Prag ist, die jedoch in mehr als achtzig Städten ihre Heimstätten hat, ferner die „Wetzlarer Rittertafel“ deren Mitglied auch Goethe war, sowie die „Vereinigten Ritterschaften in Bayern und Oesterreich-Ungarn“. Wir behalten uns vor, eingehender über dieses Werk, bei Ausgabe der Lieferungen zu berichten, und wollen nur noch hinzufügen, dass die Tafeln in einer der ersten lithographischen Anstalten Leipzigs gefertigt werden, zum Teil sehr interessante Sujets enthalten — einige derselben werden nur in Enveloppe ausgegeben, da sie nicht die Bestimmung haben, müssiger Neugier zu dienen noch weniger den Verdacht der Spekulation nach Pikantem aufkommen lassen sollen

---

Engelhorns Allgemeine Romanbibliothek veröffentlichte Band 6 und 7 des zweiten Jahrgangs. Dieselben enthalten: „Criquette“ Roman von Ludwic Halévy. Autorisirte Bearbeitung nach dem Französischen von Natalie Rümelin und „Der Wille zum Leben“ — „Untrennbar“ Novellen von Adolf Wilbrandt.

In London ist als erster Band einer Sammlung von Lebensläufen „englischer Ehrenmänner“ die Biographie von Charles Darwin verfasst von G. Allen bei Longmans erschienen. Es ist dies das erste englische Buch über Darwin nach seinem Tode, welches eine zusammenhängende und gedrungene Darstellung von Darwins Laufbahn als Forscher, Schriftsteller und Privatmann giebt. Das Buch ist ein würdiger Vorläufer der grösseren Biographie, welche der Sohn Darwins gegenwärtig vorbereitet. Gleichzeitig mit der Darwinbiographie ist in London die Lebensbeschreibung eines anderen hervorragenden Mannes, eines Freundes des Vorgenannten erschienen, nämlich die Biographie des vor ein bis zwei Jahren gestorbenen Professors und Postmeisters im Kabinet Gladstones, Henry Fawcett. Dieses Leben hat ein doppeltes Interesse, einmal weil Fawcett sich als Schüler J. St Mills unter den neueren Schriftstellern der Volkswirtschaft einen Namen gemacht hat, sodann weil derselbe trotz früher Erblindung mit Erfolg der öffentlichen Laufbahn als Politiker, Universitätslehrer und Staatsmann mit ausserordentlicher Energie und heroischer Willenskraft sich gewidmet hat.

„Der Mond“ betitelt sich ein Gedicht von Franz Königsbrunn-Schaup, welches vor Kurzem im Verlage von E. Pierson in Dresden und Leipzig erschienen ist.

„Der Idealismus und die deutsche Landwirtschaft“ betitelt sich ein Buch von H. Settegast, welches in Breslau im Verlage von Wilh. Gottl. Korn erschien.

Im Verlag der Schulzeschen Hofbuchhandlung (A. Schwartz) in Oldenburg erschienen zwei neue dramatische Werke. Eine aus der Feder des Dresdener Hofschauspielers Max Grube betitelt „Strandgut“, Schauspiel in einem Akt — und von Heinrich Bulthaupt: „Eine neue Welt“, Drama in fünf Akten. Im gleichen Verlage veröffentlichte Frau Anna Löhn-Siegel ihre letzten Theatertagebuchblätter unter dem Titel: „Vom Oldenburger Hoftheater zum Dresdener.“

Im Verlag von Halm & Goldmann in Wien erschien soeben eine lesenswerte Monographie in populärer Fassung von Josef Kreibig. Dieselbe trägt den Titel: „Epikur. Seine Persönlichkeit und seine Lehre“.

Robert Lutz, bisheriger Redakteur des bekannten „Schwäbischen Merkur“, ist am 1. Dezember aus der Redaktion dieses Blattes ausgetreten und hat in Stuttgart eine Verlagsbuchhandlung eröffnet. Als Erstlingswerk dieses neuen Verlages erschien vor Kurzem „Der verzauberte Apfel“ eine Seminaristengeschichte von H. Bauer. Der Verfasser, Redakteur der Nationalzeitung in Berlin, hat in derselben aus den Erinnerungen an das gefürchtete „Landexamen“ und an seine in einem württembergischen theologischen Seminar verbrachten Schuljahre geschöpft. Die Schriftsteller unter den schwäbischen „Stiftlern“, z. B. Hermann Kurz, haben dieses Gebiet hin und wieder gestreift, keiner aber hat den Aufenthalt in einer dieser weltabgeschiedenen Klosterschulen zum Mittelpunkt einer ganzen Geschichte gemacht, wie hier Bauer getan. Wer als Nichtschwabe ein Stück eigentümlichen schwäbischen Kulturlebens kennen lernen will, dem sei der „verzauberte Apfel“ warm empfohlen.

Nach dem Tode Francesco Fiorentinis (22. Dezember 1884) beschloss die Akademie von Neapel, das von ihrem Präsidenten hinterlassene Werk über das Wiedererwachen der Philosophie im 15. Jahrhundert auf ihre Kosten drucken zu lassen. Vittorio Imbriani hat sich dem undankbaren Geschäfte der Herausgabe eines nicht druckfertigen Manuskripts unterzogen. Dasselbe umfasst sechs Kapitel: die Konzilien, die Philosophie des Cusanus, der Humanismus in der Philosophie, die Moralisten, die Ankunft der Griechen in Italien, Egidio da Viterbo. Philosophen von Fach werden sich mit der eingehenden Darstellung der Philosophie des Cusanus, mit der prächtigen Analyse des Buches: de voluptate von Lorenzo de Valle u. s. w. zu befassen haben. Allgemeines Interesse wird besonders das erste Kapitel erregen, auf dessen zweiter Seite das Programm des Buches enthalten ist: im besten Falle habe der Humanismus und die Wirksamkeit der nach Italien übergesiedelten Griechen sich nur auf einen Faktor, nämlich die Wiederbelebung der griechisch-römischen Kultur bezogen, in der Tätigkeit der Konzilien, in den Problemen, die man daselbst studirt habe, sei der Ausgangspunkt der Philosophie der Renaissance zu suchen. Durch Cusanus, den späteren Kardinal, sei die deutsche Spekulation, die man nicht mehr als eine Fortsetzung der griechischen Philosophenschulen betrachten könne, nach Italien; durch Piccolomini, den vom deutschen Kaiser bekränzten Dichter und späteren Papst, der italienische Humanismus nach Deutschland gekommen. Aus der geistigen Verbindung der beiden Rassen sei die moderne Kultur erwachsen. (Il risorgimento filosofico nel quattrocento. Opera postuma di Francesco Fiorentino. Tiratura a cinquecento esemplari. Napoli tipografia della regia università 1885. IX und 275 S. in Großoktav.)

Der kroatische Kunst- und Kunstgewerbeverein in Agram giebt seit August d. J. unter dem Titel: „Glasnik družtva za umjetnost“ eine kroatische Zeitschrift für Kunst- und Kunstgewerbe heraus. Die Zeitschrift — das erste ähnliche Unternehmen in der österr.-ungar. Monarchie — erscheint in vierteljährigen Heften in elegantester Ausstattung mit zahlreichen Illustrationen und Kunstbeilagen. Die beiden ersten uns vorliegenden Hefte des „Glasnik“ enthalten unter anderen folgende interessante Artikel: Dr. Bojničić, Die Hebung der kirchlichen Kunst in Kroatien; Dr. Trubelka, Ueber Holzschnitzerei; Prof. Dr. Kršnjavi, Die kroatische Hausindustrie auf der Budapester Ausstellung; Dr. Trubelka, Andrea Schiavoni, sein Leben und seine Werke; Dr. Bojničić, Das Glas im Kunstgewerbe; etc. Die Redaktion des „Glasnik“ leitet der Vereinsekretär Herr Prof. Dr. Ivan v. Bojničić in Agram.

Johann Segebarth, der Verfasser der „Darsser Smuggler“, veröffentlichte vor Kurzem eine neue Erzählung in niederdeutscher Mundart betitelt: „Ut de Demokratentid“, Berlin. Verlag von H. Th. Mrose. In Kommission von August Schnurr. Pasewalk.

Die Verlags-Kommission der ungarischen Akademie der Wissenschaften wird demnächst eine Reihe wertvoller Werke ediren: Taines „Geschichte der englischen Litteratur“ in Gregor Csikys vortrefflicher Uebertragung, Hermann Vámbérys ethnographisches Werk „Das Türkenvolk“, Amadé Thierrys „Aus der Geschichte Roms“, Rankes „Geschichte des Papsttums“ in der ungarischen Uebersetzung von Albert Lehr und endlich die von Lorenz Tóth übertragene, berühmte Arbeit Paul Gidés „Die Geschichte der Frauenrechte“.

Alle für das „Magazin“ bestimmten Sendungen sind zu richten an die Redaktion des „Magazins für die Litteratur des In- und Auslandes“ Leipzig, Georgenstrasse 6.

Für die Redaktion verantwortlich: Hermann Friedrichs in Leipzig. — Verlag von Wilhelm Friedrich in Leipzig. — Druck von Emil Herrmann senior in Leipzig.

Dieser Nummer liegt ein Prospekt bei über die „Sphinx", Monatsschrift für übersinnliche Weltanschauung auf monistischer Grundlage.

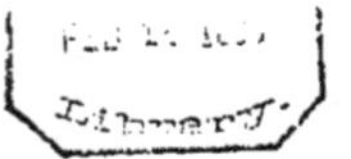

Das Magazin

für die Litteratur des In- und Auslandes.

Wochenschrift der Weltlitteratur.

1832 gegründet von Joseph Lehmann. | 55. Jahrgang. | Herausgegeben von Hermann Friedrichs.

Preis Mark 4.– vierteljährlich.

Verlag von Wilhelm Friedrich in Leipzig.

No. 5. —— Leipzig, den 30. Januar. —— 1886.

Inhalt:

Unsere Zeitungen.

Versuch einer Charakteristik.

Von Theo Rassmuth.

Es giebt Frauen, um deren Gunst Alles buhlt, und die Niemand liebt; Frauen, die von denselben Leuten beschimpft werden, die ihre Küsse mit schwerem Golde bezahlten oder gern bezahlen würden. Mit diesen Frauen kann man die meisten unserer Zeitungen vergleichen und was den Rest betrifft, so stehen sie zwar bei den Einsichtigen frei von jedem Makel da, sie leiden aber durch den Ruf der Anderen, gerade so wie ehrbare Frauen, die sich in der Gesellschaft berüchtigter Damen zeigen. Einst war das anders. Zur Zeit, da die Presse emporblühte, konnte man die Zeitungen Priesterinnen vergleichen, in deren Herzen das reine Feuer der Begeisterung glühte, und zu denen Alles gläubig und vertrauend aufsah. Was hat nun diese merkwürdige Veränderung in verhältnissmäßig kurzer Zeit bewirkt? Die Anwort gestaltet sich ziemlich einfach. Das Nachrichtenblättchen der frühesten Zeit schwang sich zu einer Großmacht empor, als es begann, eine Meinung zu haben, als die Zeitung der Sprecher des Volkes und zugleich sein Lehrmeister wurde. Was unausgesprochen in den Herzen lebte, das las man hier, wo immer Ungerechtigkeiten geschahen, hier wurden sie an das Tageslicht gezogen, und die Bildung, die Aufklärung, die allgemein verständliche Darstellung der Fortschritte auf allen Gebieten, hier fand man sie. Die Männer, die diese Zeitungen schrieben, schrieben aus innerem Drange, bald um das auszusprechen, was sie selbst bewegt, bald um zu belehren, anzuregen, zu bessern. Sie hatten alle eine Tendenz, die Tendenz, für das, was sie als gut erkannt — ob es gut war, tut hier gar nichts zur Sache — zu kämpfen. Und siehe da — die Zeitungen errangen einen ungeahnten Einfluss, sie brachten Reichtümer ein und waren die Schlüssel zu glänzenden Ehrenstellen. Mit einer Zeitung ließ sich ein Geschäft machen und das blieb jenen Leuten, deren Tendenz ist — Geld zu verdienen, nicht verborgen.

Da tauchte denn nun bald in allen Winkeln unseres Vaterlandes eine Zeitung nach der andern empor, ein neuer Industriezweig war entdeckt und wer ein paar tausend Thaler besaß oder zu leihen bekam, der gründete flugs eine Zeitung. Ob der Mann die dazu nötige Bildung besaß oder das noch nötigere Gewissen — wer fragte danach? Das Publikum war einmal den Zeitungen gewogen, es kam ihnen mit Vertrauen entgegen und jeder Tag gebar neue Lockmittel, mit denen man Abonnenten gewann. Die steigende Konkurrenz verschlimmerte nun freilich bald wieder die Verhältnisse des neuen Schachers, und wenn Hunderte und Hunderte von Geldmännern ihren Reichtum den Zeitungen verdanken, heute macht ein Anfänger aus einem Journal kaum mehr eine Goldgrube — höchstens in dem Sinne, dass er das Gold hinein steckt. Die Zeitungen mussten, um ihre kolossalen Ausgaben zu decken, nach neuen Hülfsquellen Ausschau halten und dadurch kam der geschäftliche Charakter, den sie schon angenommen hatten, immer energischer zum Ausdruck.

Bei einigen Blättern wurde er sogar ein ganz modern geschäftlicher, er wurde der der femme soutenue, während andere sich zu halten suchten, in dem sie die Feigheit auf ihr Banner schrieben und durch pedantisch-trockenen, engherzigen und hochmütigen Schulmeisterton in den Geruch besonderer Ehrlichkeit zu kommen suchten, womit sie aber nicht einmal alle Pedanten zu täuschen vermochten.

Die Zeitung ist also ein Geschäft (und mitunter sogar ein unreelles Geschäft) geworden. Da sitzt der Kern des Uebels. Es ist ja selbstverständlich, dass auch ein Geschäftsmann ein feingebildeter, gewissenhafter Mensch sein kann und es fehlt glücklicher Weise auch im Reich der Presse nicht an solchen. Es ist sogar ein erfreuliches Zeichen, dass einige unserer ersten Zeitungseigentümer ihre ungewöhnlichen Erfolge gerade dem mannesmutigen, ehrlichen Ton ihrer Blätter und dem entschieden litterarischen Gepräge derselben verdanken. Das sind aber schon unter den großen Zeitungen die Ausnahmen und unter den kleineren, da sind sie trotz der wahrhaft erschreckenden Zahl derselben leicht an den Fingern abzuzählen. Ich möchte nicht behaupten, dass diese große Mehrzahl der Zeitungen „unehrlichen" Leuten gehört oder von „unehrlichen" Männern geleitet wird. Was man im gewöhnlichen Leben so ehrlich nennt, das sind wohl die meisten derselben, aber das genügt für die Zeitung nicht. Die Zeitung wird nur dann jene Höhe einnehmen, die sie in einem gesunden Volkskörper einnehmen muss, wenn ihr Leiter ein Mann von jener strengen Gewissenhaftigkeit ist, die nur aus tiefem Gemüt, ernster Bildung und reicher Lebenserfahrung entspringt. Das ist etwas ganz anderes als die landläufige „Ehrlichkeit". Diese erlaubt es wohl, den Freund zu loben und dem Feind einen Fußtritt zu geben, während der Gewissenhafte keinen Zoll breit von dem als wahr Erkannten abweichen wird, auch wenn er weiß, welche Nachteile ihm das bringt. Im Privatleben meinen Freund zu loben, als Geschäftsmann meinem Kunden eine Waare anzupreisen, von der ich weiß, dass sie besser sein könnte, — das Alles wirkt immer nur zwischen mir und Dir, es wirkt nur in kleinen Kreisen und deshalb setzt sich unsere landläufige Moral über diese Dinge wahrscheinlich hinweg. Ganz anders aber ist es, wenn ich in einer Zeitung spreche, wenn ich tausenden, ja hunderttausenden Lügen vorschwatze, wenn ich täglich vor einer vielköpfigen, vertrauensvollen Menge über Dinge rede, von denen ich selbst nichts verstehe, wenn ich vor diesen meine Freunde preise, oder diejenigen, die mich bezahlt haben. Sollen nicht Verblendung, Verdummung, Verrohung und Entsittlichung die Folgen sein, dann darf derjenige, der da spricht, kein Charlatan, er muss ein Prediger sein, die Zeitung darf kein Geschäft sein, sie muss auf einer Stufe mit der Schule stehen. Dass diese Bedingungen nicht erfüllt werden, das ist die Ursache des Uebels. Die meisten Zeitungen sind Geschäfte und den meisten Redakteuren und Verlegern mangelt das nötige Gewissen oder die nötige Bildung oder beides zugleich.

Was die bereits erwähnten, glücklicher Weise zahlreichen Ausnahmen betrifft, so beweisen sie nichts dagegen. Auch sie sind Geschäfte, nur dass diese Geschäfte eben auf den besseren Teil des Publikums berechnet sind und deshalb auch mit tüchtigen, ehrlichen Kräften arbeiten müssen. Die andern dieser „Geschäfte" wenden sich an einen bereits verdorbenen Leserkreis oder an die breite Masse des Volkes, die noch naiv, verständnisslos, vertrauensselig ist und die sie durch allerlei Mittelchen ködern. Fragen wir uns nun, wie sich denn dieser geschäftliche Charakter einer Zeitung äußert. Zunächst in dem direkten Einfluss des Eigentümers, sei dieser nun eine Person oder eine Aktiengesellschaft. Dieser Einfluss äußert sich im Großen im politischen und im Handelsteile der Zeitung. Der politische Teil wird ausgenutzt z. B. im Interesse einer Bank, die aus gewissen staatlichen Gestaltungen ihren Vorteil ziehen will. Im Handelsteile wird gegen Entschädigung — die häufig in jenen riesengroßen Inseraten besteht, mit welchen Geldunternehmungen angekündigt werden, bisweilen aber über solche kleinliche Dinge weit hinaus geht — Reklame für bestimmte Papiere gemacht. Ja, es giebt sogar Zeitungen, die nur für solche Reklame-Zwecke erhalten werden. Der Einfluss des Eigentümers äußert sich sodann auch im Kleinen, indem seine ganze Freundschaft und alle Personen, die ihm wieder nützen können, ihre Vorteile aus der Zeitung ziehen. Wohl dem Schauspieler, dem Schriftsteller, dem Fabrikanten, dem Beamten-Streber, dem Klaviertrommler, dem Käsehändler, der einen Zeitungsbesitzer oder den Aufsichtsrat einer Zeitungs-Aktiengesellschaft zum Freund oder Verwandten hat!

Was aber der Zeitungs-Eigentümer en gros tut, das tuen seine Angestellten en detail oder — auch en gros. Ich will nun auch hier diejenigen ganz außer Auge lassen, deren Vorgehen schon nach dem gemeinen Moral-Codex unehrlich zu nennen wäre. Schufte giebt es heute in allen Branchen, warum sollten die Zeitungen eine Ausnahme machen? Auch unter den „Ehrlichen" haben aber die meisten keine Berechtigung zum Zeitungs-Redakteur, weil ihnen das Gewissen, die Empfindung für die Bedeutung und Verantwortlichkeit ihres Berufs fehlt, weil auch ihnen die Zeitung nichts Anderes ist als ein Geschäft. Sie haben oft gar keinen persönlichen Vorteil, wenn sie die Unwahrheit sagen, sie tun es nur, wie sie meinen, „im Interesse der Zeitung" oder aus allzugroßer Liebenswürdigkeit und Gefälligkeit. Kannte ich doch einen Chefredakteur, der mir, dem Mitredakteur, als ich eine Reklame ablehnte, entgegnete: „'s ist ja Schwindel, aber wir machen uns einen Freund damit; warum wollen Sie's nicht nehmen?" So fehlt den meisten Redakteuren das Gewissen und deshalb machen sie sich nicht den mindesten Skrupel daraus, heute die albernste Reklame, morgen gehässige Tadelnotizen aufzunehmen, seitenlanges Reporter-Geschwätz über einen Quark zu bringen und sich über bedeutende Erscheinungen auszuschweigen, vielleicht nur, weils ihnen nicht bequem war, darüber zu schreiben. Ich verfolge seit Jahren eine Unzahl von Zeitungen und habe mir eine Sammlung der haarsträubendsten Albernheiten, Reclamen und dergleichen angelegt. — Dieselbe ist so riesig angeschwollen, dass ich an eine Verwertung derselben, in dem Augenblick, wo ich darüber schreibe, gar nicht denken kann. Sollte man es z. B. für möglich halten, dass eine große Anzahl der **angesehensten großen Zeitungen**, die auch gewichtige litterarische Werke nur selten einer Besprechung würdigen, unter ihrer Rubrik „**Litteratur**", zum Teil sogar an hervorragender Stelle, im **Feuilleton**, die folgende Reklame brachten:

„Zur Unterhaltung an langen Winterabenden soll ein originelles Album dienen, betitelt: „Das Schweine-Album", ein Skizzenbuch für Jedermann. 11. Auflage. Hagen i. W., Verlag von Hermann Risel & Komp. Mit der Politik hat es trotz seines Titels und Verlagsortes nichts zu tun, sondern es ist ein harmloser Scherz, der witziger Pointen nicht ermangelt. Mit scherzhaften, meist recht gelungenen Zeichnungen und Versen abwechselnd enthält das Album zum Zeichnen vorgerichtete Blätter mit der Aufschrift: „Dies soll ein Schwein sein, gezeichnet von . . . ." In der Gebrauchsanweisung heißt es: „Man wird freundlichst gebeten, zu beachten, dass das Buch kein Bilderbuch, sondern ein Zeichenbuch sein soll. Die Pointe liegt in dem Zeichnen von Schweinefiguren mit verbundenen Augen, wodurch in geselligen Kreisen die Heiterkeit der Zeichner und Zuschauer sich zuweilen bis zum Tränenlachen (!) steigert. Der Effekt der Zeichnungen wird wesentlich dadurch vermehrt, dass der Zeichner, noch bevor ihm die Binde von den Augen genommen wird, darauf aufmerksam gemacht wird, dass er etwa die Ohren oder die Augen zu zeichnen vergessen hat. Diese Teile müssen dann, ohne dass ihm ein Anhalt gegeben wird, sofort eingezeichnet werden. Nur durch den Versuch in einer Gesellschaft oder Familie kann man sich einen Begriff von dem Humor (!!), der durch das Schweine-Album erzielt wird, verschaffen." Das lustige Buch wird auch in dieser neuen Auflage viele heitere Gesichter und fröhliche Stunden hervorbringen."

Das ist ein Beispiel aus meiner Sammlung — ist es nicht ein empörender Beweis für die Gewissenlosigkeit der betreffenden Herren „Litteratur"-Redakteure? Und ich könnte Dutzende solcher Beispiele anführen. Da fällt mir z. B. aus einem der verbreiteteren deutschen Blätter, welches Bücherbesprechungen nur ganz ausnahmsweise — wenn es sich um befreundete Autoren handelt — bringt, eine Notiz in die Hände, aus welcher ich folgende Stellen hervorhebe:

„Von X. Y., der seit einiger Zeit seinen Wohnsitz in N. N. genommen hat, wird demnächst eine neue Novelle erscheinen, die von all denen, welche Gelegenheit hatten, sie im Manuskript kennen zu lernen, als eine der bedeutendsten neueren Schöpfungen auf novellistischem Gebiete gerühmt wird."

Weiter wird dann von dem Herrn X. Y. versichert, dass er „zu großen Leistungen" berufen erscheint. Leider ist diese Prophezeiung nicht in Erfüllung gegangen. Man hat von dem Herrn X. Y. seitdem nichts mehr gehört und „eine der bedeutendsten neueren Schöpfungen auf novellistischem Gebiete" ist wohl gar nicht gedruckt worden. In ähnlicher Weise wird von den Zeitungen immer und immer wieder Reklame gemacht für Leute, die noch gar nichts geleistet haben, und wenn man einen alten Jahrgang solch einer Zeitung durchblättert, so wird es Einem zu Mute, als ob man durch einen Kirchhof schritte, auf dem lauter Säuglinge begraben liegen. Da liegt ein neuer Mozart, dort ein Erbe Schillers, hier ein deutscher Dickens — ach! lange Jahre sind vorübergerauscht und kein Mensch hat seit jenen volltönenden Reklamen mehr etwas von diesen Genies vernommen, sie sind alle in den Windeln gestorben. Es ist psychologisch erklärlich, dass dieselben Leute, die sich zu solchen Manövern hergeben, wenn sie nicht — wie meistens — vollkommen gleichgültig sind für Alles, was außer ihrem engen Interessenkreise liegt, jedes Talent, welches sich aus eigener Kraft emporhebt, mit misstrauischen Augen betrachten und es entweder „todtschweigen" oder mit einer hämischen Bemerkung vor dem Publikum zu diskreditiren suchen. Wohlgemerkt — kritisirt wird nicht, denn dazu müsste man ein Buch doch lesen; nur ein Witzchen wird gemacht, ein Fußtritt wird gegeben.

Die Zeitung, die der Wahrheit dienen soll, dient also der Lüge. Das ist aber noch nicht Alles. Statt Bildung zu verbreiten, die Bildung zu fördern, arbeitet sie dieser entgegen, denn ihre Redakteure (immer abgesehen von den Ausnahmen) haben selbst keine Bildung, kein eigenes Urteil. Das gilt namentlich für die kleineren — freilich oft sehr verbreiteten — Provinzialzeitungen, aber auch für viele große Blätter. Wird z. B. ein gebildeter Mann, der eine Litteraturzeitung redigirt, jene Schweine-Reklame aufnehmen? Das ist aber noch ein sehr harmloses Ding gegenüber den blödsinnigen Geschichten, die man oft in den Zeitungen liest. Spaßvögel machen sich mitunter den Scherz, einem Blatte eine recht alberne Erfindung einzuschicken — und siehe da, das Blatt druckt das Ding und neunzig Prozent aller übrigen Blätter drucken die Geschichte nach. Da nun in Folge der riesigen Konkurrenz die Zeitungen ihre Hände über alle Gebiete ausgestreckt haben, da sie mit derselben Unverfrorenheit über Wissenschaft, Kunst, Litteratur und Politik referiren und urteilen, so kann man sich ungefähr vorstellen, welche „Weisheit" durch sie unter dem Volke verbreitet wird. Ich drückte einmal einem modernen Journalisten, den ich von Kindheit auf kannte — er hatte die unterste Klasse der Realschule dreimal absolvirt und war dreimal durchgefallen, kam dann zu einem Kaufmann in die Lehre, ging durch, wurde Mitglied einer wandernden Schauspieltruppe und wurde endlich von einer hübschen Schauspielerin einem Redakteur als Theaterreferent empfohlen — meine Verwunderung aus, dass er es gewagt habe, ein „Feuilleton" über — Telephon und Phonograph zu schreiben, Apparate, mit denen damals in der Stadt unseres Journalisten die ersten Versuche gemacht wurden. Das Männchen zog seine müden Augenlider in die Höhe, besann sich aber gleich und lächelte ironisch-cynisch wie immer: „Das ist ja eben die Kunst der Journalistik, dass man über Alles schreibt, was man nicht versteht.“ Der Mann war von diesem Gesichtspunkte aus betrachtet wirklich ein Künstler, denn er schrieb über Alles, über Alles ohne Verständniss, ohne Interesse, ohne die Lust zu lernen und ohne die Zeit dazu. Er schrieb Phrasen, Brocken, die er bei Sachverständigen aufgeschnappt hatte, und verbrämte Alles mit sogenanntem „Witz“ — einem Witz, der nie Sachwitz, sondern stets nur eine über alle Maßen einfältige Spielerei mit ähnlich klingenden Worten und dergleichen ist.

(Schluss folgt.)

Schwedische Dichter der Gegenwart.

Aus der Jubelfest-Promotions-Kantate.

Von Viktor Rydberg.

Theologia.

Zweifelst du, dass in der Ferne harret ein gelobtes Land?
Sinkst du dürstend, ohne Hoffnung, nieder in den heißen Sand?
Sieh'! da fordert Moses' Stecken Wasser aus dem Felsen hell —
Darum vorwärts durch die Wüste, du, der Menschheit Israel!
Noch hast du den Stab, der öffnet dir den heil'gen Quell der Gnad',
Und der Fels — welch himmlisch Wunder! — folget dir auf deinem Pfad.
Beug dein Knie an diesen Fluten, fühl', mit welcher Wunderkraft
Dieser Sprudel dich erquicket für die schwere Wanderschaft!

Jurisprudentia.

Wie vorm heißen Wüstenwinde Wolken wirbeln auf aus Staub,
So zog Israel vom Horeb, scharenweis zerstreut wie Laub.
Kann der Zug zum Jordan dringen, wenn nicht Ordnung herrschet? — Nie!
Sieh', da ragt hinan zum Himmel blitzumzuckt der Sinai!
Berg und Tal erdröhnt vom Donner, des Gesetzes Stimm' erschallt,
Und aus banger Brust als Antwort still ein Amen wiederhallt.
Und die losen Scharen wachsen — einen Dolmetsch fand das Recht —
Wachsen an zum großen Reiche, wachsen fort — ein fromm Geschlecht.

Medicina.

Um das Zelt der heil'gen Stätte schart ein Volk sich nun, geeint,
Bricht sich Bahn zum Strom der Freiheit, schlägt mit seinem Schwert den Feind.
Doch, warum erblasst die Menge und zieht scheu das Banner ein?
Gift'ge Schlangen zieh'n verheerend durch des Heeres tapfre Reih'n.
Wo ist Rettung? — Hier ist Rettung! Schau dies Zeichen, das Gott gab!
Sieh' die Natter, die geringelt glänzt um des Propheten Stab!
Und wie Israel befreit ward durch das heilende Symbol,
So, hinan zum Ziel der Menschheit, zieht, o Völker, stark und wohl!

Philosophia.

Wandert weise, ihr Geschlechter, hin zum Ziel vom Herrn erdacht!
Doch, wie finden recht die Wege durch Phantome und durch Nacht?
Siehe! eine Feuersäule zeigt den Pfad, der kenntlich kaum;
Dieses ist das Licht des Geistes, leuchtend uns im nächt'gen Raum.
Und bei Tagesschwüle ziehen Wolkensäulen vor uns hin,
Sind gewebt von Idealen, und der Geist des Herrn wohnt drin.
Auf dem Nebo steht der Seher, jubelnd laut vom hohen Ort:
Salem, Salem winkt von ferne! Fort zum Vaterhause, fort!

Stockholm. A. Streich.

Ludwig Holberg und das spanische Theater.

Plautus und Molière waren die Vorbilder, denen Ludwig Holberg bei der Gründung eines volkstümlichen dänischen Theaters folgte. Er war der Meinung: „dass seit Plautus Zeiten bis auf Molière, also in einem Zeitraum von zweitausend Jahren, kein rechtes Schauspiel, welches bekannt geworden, ans Licht getreten sei.“

Indem nun Holberg der Art der beiden berühmten Dichter nachstrebte, schuf er seine trefflichen Komödien, die dem Geiste des Verfassers und dem Geschmacke seines Volkes entsprachen und lange Zeit auch im Auslande Beifall fanden. Bei der nüchternen und verständigen Richtung des dänischen Komikers musste ihm das romantische Schauspiel, dessen Blütezeit übrigens bereits zu Ende gegangen, ferne stehen. So finden wir, dass weder das englische Drama, noch das spanische ihn anzogen oder ihm zur Benutzung geeignet schienen; nur das letztere hatte auf einige seiner Stücke Einfluss geübt. Was Holberg an den Schauspielen der beiden genannten Nationen zu tadeln fand, war die Unwahrscheinlichkeit oder Kühnheit der Motive, der Mangel an Einheit von Ort und Zeit, die poetische oder überschwängliche Sprechweise und insbesondere auch die Einmischung der Liebe und Liebeshändel in den Gang der Handlung. Was Letzteres betrifft, so rühmte er sich eine Anzahl Stücke ohne Liebeshändel geschrieben zu haben; und in den Komödien, wo die Liebe eine Rolle spielte sind die Liebenden meistens ziemlich kalt und verständig und ohne Hang zur Schwärmerei dargestellt.

Holberg schreibt in einem seiner Briefe an Freunde*) über diese seine Neuerung: „Man besorgte, dass das gewöhnliche Publikum, das nur an Torheiten und Possen Vergnügen findet, ein Schauspiel ohne Liebeshändel verachten werde und dass ein solches insbesonders denen missfallen würde, welche meinen dass kein Schauspiel ohne Liebe und ohne listige Betrügereien der Diener bestehen könne. Ungeachtet dieses Alles mir vor Augen schwebte, so blieb ich doch bei meinem Vorhaben zu versuchen, was für ein Schicksal ein solches ungewöhnliches Schauspiel bei den Zuhörern haben würde und weil der Erfolg mit meinem Wunsch zusammentraf, so glaube ich dadurch anderen Komödien-Dichtern den Weg gebahnt zu haben, Schauspiele von gleichem Inhalte zu schreiben und das Joch abzuwerfen, welches die ungegründete Gewohnheit unserer Zeiten den Dichtern aufgelegt hat. Ich bediene mich mit gutem Vorbedacht der Worte: die ungegründete Gewohnheit unserer Zeiten, da die alten Griechen und Römer ganz anders gedacht haben.

Einige Schauspiele des Plautus und die meisten Komödien des Aristophanes enthalten nicht das Allergeringste von Liebesgeschichten und nach meiner Meinung hätte man schon längst solcher Schauspiele worin ein verdrießlicher Vater, ein verliebter Sohn und ein verschmitzter Diener vorkommen, überdrüssig sein sollen."

Holberg hatte also verschiedene Gründe, das romantische Schauspiel nicht zum Vorbild zu nehmen. Seine Komödie: „Ulysses von Ithaka" kann als dessen Parodie betrachtet werden. Er wollte darin die Schauspiele, in denen eine Zeit von etwa fünfzig Jahren in einem Abend vorgestellt und nach seiner Meinung gar keine Regeln der Schaubühne beobachtet werden, lächerlich machen und zugleich die höhere Sprechweise derselben in bombastischer Uebertreibung durchziehen. Holberg war selbst in England gewesen und kannte das britische Theater Shakespeares wohl aus eigener Anschauung; doch dies machte keinen Eindruck auf ihn, der seinen festgestellten Ansichten über ein vernünftiges Theater treu blieb, und hatte keinen Einfluss auf seine eigenen Werke. Später las er englische Schauspiele, um passende Stücke für das dänische Theater zu bearbeiten. Er fand aber nichts, was ihm tauglich schien, und schrieb darüber:*)

„Ich habe bei der Gelegenheit, da das dänische Theater wieder eröffnet wurde, verschiedene englische Komödien durchgelesen, um zu sehen, ob nicht einige von ihnen bei uns aufgeführt werden könnten; ich bin aber bisher noch nicht so glücklich gewesen, eine einzige anzutreffen, die mit gutem Erfolg auf unserer Bühne aufgeführt werden könnte, und zwar aus verschiedenen Gründen. Vor allen Dingen trifft man in den meisten englischen Schauspielen verschiedene Liebesgeschichten an, wodurch man bei der Vorstellung irre gemacht wird und seine Gedanken nicht zusammenfassen kann. Dann sind sie mit vielen sonderbaren und hochtrabenden Redensarten, die man nicht gleich versteht, angefüllt. Endlich sind anderen Nationen auch ihre Gleichnisse fremd. Anstatt zu sagen: Er hasst ihn aufs Aeußerste, heißt es im Englischen: Er hasst ihn mehr, als ein Quäker einen Papagei oder: als ein Fischer einen harten Frost. Anstatt dass Andere sagen: Sie schalten sich und spieen sich einander an, sagt ein Engländer: Sie spieen gegeneinander wie zwei Aepfel, die auf dem Ofen gebraten werden. Mit solchen Gleichnissen sind die englischen Schauspiele allenthalben angefüllt. Ich mache der englischen Nation ihren Geschmack nicht streitig; aber anderen Nationen ist derselbe zuwider. Ich übergehe die Unflätereien, die man in den englischen Schauspielen antrifft. Viele von solchen Stellen würden den Männern schon unerträglich sein, geschweige denn, dass anständige Frauen dergleichen anhören könnten."

Man sollte nach diesen Aeußerungen über das englische Theater vermuten, dass Holberg noch ungünstiger über die spanischen Stücke und deren Bearbeitung für die nordische Bühne urteilen würde, indessen ist dies nicht der Fall. Sein Tadel und seine Abneigung bezieht sich nicht minder auf das südliche Theater; doch weiß er ihm auch Gutes nachzusagen, erhebt es besonders im Vergleich mit den Werken französischer Nachfolger Molières; ja, er hat sogar einige spanische Stücke für seinen „dänischen Schauplatz" benutzt. Holberg kannte keine spanischen Originale und war der spanischen Sprache unkundig; aber er kannte die französischen und holländischen Bearbeitungen spanischer Komödien und diese Nachbildungen hat er jedenfalls benutzt. „Die Reise zum Brunnen" ist die dänische Nachbildung einer komischen Erfindung des Lope de Vega, der in dem Lustspiele „Der Eisenbrunnen von Madrid" (El acero de Madrid) und in einem kleineren Stücke: „Die Besessene" das Thema einer verstellten Kranken, die durch Liebe geheilt wird, behandelt hatte. Im ersteren Stücke

*) Frhr. v. Holberg. Vermischte Briefe. Leipzig 1752. Bd. V. pag. 26.

*) Vermischte Briefe. III. pag. 315.

spielt der Bediente des Liebhabers die Rolle des Arztes; im zweiten ist der Liebhaber Arzt und Heilmittel in einer Person.

Schon vor Holberg hatten Molière (L'Amour Médecin) und Goldoni (La finta Ammalata) die komischen Stücke des Lope benutzt und den dankbaren Stoff in ihrer Weise und für ihr Publikum umgearbeitet. Eine Vergleichung des Originals und der Nachahmungen würde den verschiedenen Geschmack der Nationen und den der genannten Dichter deutlich erkennen lassen. Holberg schuf jedenfalls ein Stück, das seinem Publikum gefiel, indem er die Handlung nach Dänemark verlegte an einen Brunnen bei Kopenhagen, dem man große Heilkraft zuschrieb.

„Die Unsichtbare", ein späteres Stück Holbergs, ist eine Bearbeitung der sinnreichen Komödie „La zelosa de si misma" (Eifersüchtig auf sich selbst). Ihr Verfasser ist Tirso de Molina, der im Norden besonders durch seine Bearbeitung der Sage von Don Juan bekannt geworden ist. Die Intrigue und der Gang des spanischen Stückes wurde von Holberg beibehalten; nur die elegantere und idealere Haltung des Originals musste der Versetzung in andere Verhältnisse weichen. Die Hauptperson des Lustspiels ist ein junger Mann, der durch einen Ueberschuss von Phantasie, wie andere berühmte komische Charaktere der Spanier, wie z. B. Don Quijote, der „Lügner" von Alarcon etc. komisch wirkt. Eine verschleierte junge Dame nämlich wird von diesem phantasiereichen Kavalier als ein Urbild der Schönheit und Anmut verehrt und geliebt, während er sich von der ihm bestimmten schönen Braut abwendet, obwohl diese mit dem angebeteten, verschleierten Ideal identisch ist. Die Dame hat also ein Recht, auf sich selbst eifersüchtig zu sein, indem sie verschleiert geliebt, unverschleiert aber verschmäht wird.

In „Heinrich und Pernille" bearbeitete Holberg eine bekannte Novelle des Cervantes: „Die betrügliche Heirat" für das Theater.

Die Hauptperson in „Don Ranudo de Colibrados" ist ein verarmter, adelsstolzer Spanier, der lieber sich zu Tode hungert, als seiner vermeintlichen Adelsehre etwas vergiebt. Aehnliche Charaktere finden sich auch in spanischen Dramen; wenigstens als Nebenpersonen. In dem berühmten und vorzüglichen Lustspiele „Jeppe vom Berge" hat Holberg einen alten Stoff, der auch dem Drama Calderons „Das Leben ein Traum" zu Grunde liegt, bearbeitet; doch hat Holberg den Stoff aus einer anderen Quelle geschöpft. Calderons Stück lernte er erst später kennen und zwar durch die Aufführung einer französischen oder holländischen Bearbeitung des Dramas. Wie nun Holberg über das Meisterwerk Calderons urteilt, ist für seine Denkweise charakteristisch. Er schreibt nämlich an einen Freund:*) „Die heutigen Komödienschreiber können zwar nicht leugnen, dass die alten Stücke reich an Scherz und Geist sind; sie behaupten aber zugleich, dass man die neuern ordentlicher und anständiger nennen müsse. Wenn man aber zeigen kann, dass es den neueren Stücken sowohl an Form als an Stoff fehlt, und nichts darin enthalten ist, was diesen Mangel ersetzen könnte, so fällt die ganze Behauptung dahin. Ich habe, um dies zu beweisen, gewisse sogenannte Meisterwerke des neuern Theaters untersucht und glaube, dass man dadurch in den Stand gesetzt wird, auch andere Werke von geringerem Ansehen zu beurteilen. Ich habe zugleich bei dieser Gelegenheit erinnert, dass man die Fehler, die in älteren Stücken gefunden werden, übersehen müsste, weil der Inhalt dasjenige, was der Ausführung fehlt, einigermaßen wieder ersetzt. Und daher glaube ich, dass man sich auf unserer Bühne des Dramas: „Das Leben ein Traum" bedienen könne, indem dieses Komödie, sowie einige andere eine angenehme Historie enthält und durch einige lustige Auftritte belebt wird. Denn was die Ausführung betrifft, so ist solche höchst unordentlich und das Stück verdient demnach das Lob nicht, welches man ihm insgemein erteilt.

Die Geschichte an und für sich ist folgende: Ein König, der durch eine Weissagung, nach welcher sein Sohn zum Verderben und zum Unglücke des Reiches regieren werde, in Furcht gesetzt worden, lässt diesen seinen Sohn gleich nach der Geburt einsperren. Nachdem derselbe zwanzig Jahre eingeschlossen gewesen, und inzwischen mit Niemandem als mit einem ihm zugegebenen Hofmeister gesprochen und sonst auch keinen Menschen gesehen hat, so fängt der Vater an seine Tat zu bereuen und fasst den Entschluss seinen Sohn in Freiheit zu setzen. Dieses wird bewerkstelligt, indem man dem Sohn einen Schlaftrunk eingiebt. Während er schläft, zieht man ihm königliche Kleider an und bringt ihn in das Schloss, wo er beim Erwachen eine große Menge Diener, die ihn als ihren Erbprinzen verehren, antrifft. Wie aber der Prinz die Ursache seiner langjährigen Gefangenschaft erfährt, so gerät er in den heftigsten Zorn und droht ein solches Verfahren zu rächen. Man sagt ihm zwar, dass der Vater dieses nur aus Liebe zu seinen Untertanen getan habe; allein der Sohn fährt fort zu drohen und weil der Vater daraus schließt, dass die Weissagung vielleicht doch nicht ganz ungegründet sein dürfte, so lässt er dem Sohne wieder einen Schlaftrunk eingeben und während er ohne Gefühl und Empfindung ist, ihm die früheren Kleider, die er als ein Gefangener getragen, von neuem anziehen und ihn in das alte Gefängniss einsperren. Als darauf der Sohn erwacht und sich wieder in seiner früheren, elenden Lage sieht, so glaubt er, dass seine eben genossene Herrlichkeit nichts Anderes als ein Traum gewesen. Nicht lange nachher aber kommen einige bewaffnete Männer in das Gefängniss und schleppen den Vater, den sie im Kriege gefangen, mit sich, wobei sie dem Sohne anzeigen, dass das ganze Reich sich empört habe,

*) Vermischte Briefe. V. pag. 233.

um ihn auf den Tron zu setzen. Hierauf wird eine Unterredung zwischen dem Vater und Sohne gehalten und endlich endet die Geschichte damit, dass der König die Regierung niederlegt und solche dem Sohne übergiebt, der sie auch nach einigen höflichen Redensarten annimmt. Es ist aber Alles so unordentlich vom Anfang bis zum Ende, dass man fast denken sollte, die Absicht dieser Komödie sei mit derjenigen einerlei, welche den Titel: Ulysses von Ithaka führt; denn in beiden Stücken ist weder Vernunft, noch Moral anzutreffen, denn was kann doch wohl ungereimter sein, als dass ein ganzes Reich, ehe man sich's versieht, und gleichsam in einem Augenblicke sich empört und große Kriegsheere ins Feld stellt und was ist doch wohl unnatürlicher, als dass der gefangene Prinz, der in zwanzig Jahren fast keinen einzigen Menschen gesehen, sich im ersten Augenblicke seiner Befreiung wie ein alter Hofmann aufführt. Es ist ferner ärgerlich, dass die Untertanen einen Aufstand gegen ihren König, der eine größere Liebe zu ihnen, als zu seinem eigenen Sohne blicken ließ, erregen und ihren rechtmäßigen Landesherrn wegen einer heldenmütigen und edlen Tat ins Gefängniss werfen. Endlich ist es höchst unanständig, dass ein Sohn die Regierung annimmt und seinen Vater in den Privatstand versetzt. So wenig werden die Regeln in diesem berühmten Schauspiele in Acht genommen; dennoch verwerfe ich es nicht gänzlich, weil einige artige Szenen darin enthalten sind.

Ich ziehe dasselbe auch den Meisterstücken des Detouches und anderer neuerer Komödienschreiber weit vor, da diese bloß in trockenen Unterredungen bestehen und nichts Vorzügliches haben, als die Schreibart. Aus dieser Ursache übersieht man auch die Unordungen, welche in dem alten italienischen Theater vorkommen; denn man trifft darin überall Auftritte, die voll Salz und Geist sind und die Fehler wieder bedecken. Gleichfalls verdient das Stück „Das Leben ein Traum" ein viel gelinderes Urteil, weil man darin eine zusammenhängende Handlung und artige komische Szenen, die überaus angenehm sind, antrifft."

Holberg war zu dieser Kritik des Calderonischen Dramas durch die spätere Herrschaft des französischen Geschmackes auf der dänischen Bühne veranlasst. Ohne sich auf die tiefere Idee des Stückes einzulassen, tadelt er die Verletzung der Regeln der Wahrscheinlichkeit und des politischen Taktes, welche er darin zu entdecken glaubte. Trotzdem empfand er den poetischen Wert der Dichtung. Lieber hätte er die Bearbeitung spanischer und italienischer Stücke, wie er sie selbst versucht hatte, auf der vaterländischen Bühne gesehen, als die neueren französischen Stücke, welche die seinigen verdrängt hatten; hierin war ihm ebenfalls Molière ein Vorbild, er bemerkt: „Wie Molière anfing Komödien zu schreiben, so hatte man bereits einen großen Vorrat von spanischen und italienischen Komödien, welche, obwohl sie nicht regelmäßig waren, dennoch Anlass gaben, gute Schauspiele zu verfertigen, so dass Molière solche nur in eine andere Form gießen durfte."

Dresden. Edmund Dorer.

W. H. Ireland und W. Hanka.

Beim Durchblättern eines in den zwanziger Jahren in deutscher Uebersetzung erschienenen englischen Memoirenwerkes stießen wir auf eine interessante Episode der englischen Litterarhistorie, die uns eine auffallende Aehnlichkeit mit der Geschichte der Auffindung der sog. „Königinhofer (und „Grünberger") Handschrift" zu haben scheint, und die daher vielleicht einer kurzen Mitteilung wert sein dürfte. Zunächst müssen wir, um jeder Missdeutung zu begegnen, vorausschicken, dass wir uns eine Meinung über Echtheit oder Unechtheit des fraglichen tschechischen Litteraturdenkmals keineswegs anmaßen, da wir mit dem einschlägigen Material des Für und Wider nicht hinlänglich vertraut sind. Soviel steht aber fest, dass die Stimmen jener deutschen Forscher*), welche jenes für ein Produkt der kunstfertigen Hand Hankas erklären, in qualitativer und quantitativer Hinsicht bedeutend überwiegen. Stellen wir uns nun auf diesen letzteren Standpunkt und nehmen wir eine Fälschung als erwiesen an, so ergiebt sich, um auf unsern Gegenstand zurückzukommen, eine bedeutende Aehnlichkeit mit jener originellen, nahezu beispiellosen litterarischen Prellerei, welche in den letzten Jahren des vorigen Jahrhunderts das gelehrte und nicht gelehrte England in Aufregung versetzte, wir meinen die Shakespeare-Ausgabe des englischen Schriftstellers Wilh. Heinr. Ireland. Dieser Mann, von der Natur mit einem nicht unbedeutenden Talente, aber mit einer noch größeren Dosis von Verschlagenheit und Ehrgeiz begabt, hatte sich schon als Knabe mit der Nachahmung von allerhand Handschriften, Schulzeugnissen u. dgl. befasst und es hierin zu einer ganz erstaunlichen Fertigkeit gebracht. Mehrere gelungene Eulenspiegelstreiche dieser Art brachten ihn mit der Zeit auf die Idee, sich auf die Anfertigung alter Schriften zu werfen, namentlich sich als Herausgeber posthumer Werke Shakespeares einen Namen zu machen. Er verschaffte sich Manuskripte aus jener Zeit, ferner die nötigen Fälscherrequisiten: geeignetes Papier, Dinte, als welche er, um der Schrift das erforderliche altertümliche Air zu geben, eine verdünnte Eisenoxidlösung**) benutzte, u. s. w. und ging nun an die Arbeit. Anfangs begnügte er sich mit der Fabrikation lyrischer Gedichte, Sonette u. dgl., die teils verschollenen Zeitgenossen Shakespeares entlehnt,

*) Ihnen haben sich auch namhafte slavische Gelehrte angeschlossen.

**) Auch der „Königinhofer Handschrift" sagt man Aehnliches nach, siehe Feifalik: „Die Königinhofer Handschrift."

teils, da er, wie gesagt, nicht unbegabt war, eigener Provenienz waren. Hierauf ersann er, ähnlich wie W. Hanka eine derart natürlich klingende Fabel von dem angeblichen kostbaren Funde, den er gemacht, dass das Publikum sich wirklich dupiren ließ und zahlreiche Subskriptionen auf das Werk erfolgten. Dieses erschien denn auch in mehreren, darunter auch in einer Prachtausgabe, ohne dass längere Zeit irgend Jemand den leisesten Verdacht schöpfte, im Gegenteil, die Aufnahme war die denkbar günstigste. Dies machte ihn immer kühner und diese Kühnheit wurde sein Verderben. Er rückte schließlich mit mehreren „Nachlassdramen" Shakespeares darunter „Heinrich II und Vortigern" heraus, und beging die noch größere Dummheit, diese letzteren sogar auf die Bühne zu bringen. Das vollständige Fiasko, welches dieser Aufführung folgte, öffnete endlich dem Publikum die Augen. Auch die Kritik legte nun endlich — spät genug — ihre Sonde an, und namentlich war es Malone, der berühmte Herausgeber Shakespeares, der auf die zahlreichen innern Widersprüche und Unmöglichkeiten in diesen Stücken hinwies. Derart in die Enge getrieben, und als vollends durch nähere Untersuchung des Papiers etc. seitens Sachverständiger der Betrug bis zur Evidenz dargelegt war, gab sich Ireland — und hier endet allerdings die Aehnlichkeit mit Hanka — endlich gefangen. Ja er hatte sogar noch die originelle Frechheit, in einer eigenen, anfangs dieses Jahrhunderts herausgegebenen, jetzt zu den Raritäten zählenden Schrift die der Welt gespielte Mystifikation bis in die kleinsten Details aufzudecken, wobei es an boshaften Seitenhieben auf Publikum und Kritik nicht fehlte. — Hanka allerdings hat Zeit seines Lebens die Echtheit der von ihm 1817 „gefundenen" Handschrift verfochten, allein als entscheidend darf wohl dieser Umstand für sich allein nicht angesehn werden. Es ist ja in der Natur des Menschen begründet, dass er Irrtum und Lüge, in die er sich einmal verbissen, mitunter so hartnäckig festhält, dass er endlich selbst daran glaubt, und sie unter Umständen selbst ins Grab nimmt, zumal wenn die liebe Eitelkeit, sei es die eigene sei es Nationaleitelkeit dabei ins Spiel kommt. Dass gerade letztere in vorliegendem Falle stark in Betracht kommt, ist bekannt, wie denn z. B. Grillparzer die Cechen nächst den Magyaren als die eitelste Nation Europas bezeichnet.

Sollte nun ein ideeller Zusammenhang zwischen jenen beiden causes célèbres nicht denkbar sein? Die Frage dürfte nicht so ohne weiteres von der Hand zu weisen sein, ob nicht Wenzeslav Hanka — exempla trahunt — nach berühmtem Muster, nur mit mehr Glück und Vorsicht das Verfahren Irelands, mutatis mutandis, kopirt habe; fand er doch in dessen oben erwähnter Schrift die trefflichsten Instruktionen und wusste er doch aus dessen drastischem Prozess, was sich Kritik und Publikum hatten bieten lassen.

Prag. Rochlitz-Seibt.

Kolonialstudien.

In unsrem gegenwärtigen Stadium kolonialer Bestrebungen kann nichts lehrreicher für uns sein als das Studium der Mittel und Wege, mit und auf welchen andre Nationen ihre Kolonien nutzbringend zu machen versucht haben, und die Betrachtung der Resultate selber, welche sie im Laufe der Zeit erreichten. Gerade das Letztere, die Resultate, sind ein vielumstrittener Punkt, je nachdem die Diskussion von den Verfechtern oder Gegnern einer tätigen Kolonialpolitik ausgeht, und jeder Beitrag zur Klärung dieser Frage darf hochwillkommen geheißen werden.

Unter allen britischen Kolonien sind unzweifelhaft die wichtigsten die beiden auf der Osthälfte unsres Planeten gelegenen Indien und Australien. In erster Linie sind sie unendlich wertvoll für die englische Industrie, weil beide jene enormen Massen von Rohstoffen liefern und ihr dafür ihre Fabrikate abnehmen. Der Gothaische Hofkalender giebt nach englischen offiziellen Blaubüchern den Wert des Gesammthandels Großbritanniens mit seinen Kolonien auf nahe an 177 Millionen Pfund Sterling an und davon entfallen auf diese beiden Gebiete allein über 117 Millionen, wovon wiederum die größere Hälfte Indien zukommt. Und doch mag man wohl die Frage aufwerfen, ob das große Kaiserreich, welches von 254 Millionen Menschen bevölkert wird, für England wichtiger sei als der Komplex von Kolonien, deren Außenränder erst wenig mehr als 3 Millionen Menschen bewohnen. Schon vom Standpunkte des Kaufmannes darf man behaupten, dass die Summe der Handelsumsätze Australiens mit dem Mutterland in kurzer Zeit jene Indiens erreichen und wohl auch bald überflügeln wird.

Von diesem wirtschaftlichen Standpunkt aus betrachtet ist ein Studium der australischen Kolonien von Interesse und das ist auch fast das einzige Moment, welches unsre Teilnahme für diese angelsächsischen Schöpfungen auf der südlichen Hemisphäre erwecken kann, denn die Natur hat den fünften Weltteil mit äusserst kargen Gaben bedacht und von einer Geschichte desselben kann nicht die Rede sein.

Die Produkte Australiens sind ihrer Zahl nach beschränkt und sie sind sehr einfacher Art. Ackerbau, Viehzucht, Bergbau bilden die einzigen Erwerbszweige, deren Erzeugnisse auf dem Weltmarkt erscheinen, und zwar als Resultate einer Wirtschaftsmethode extensivster Art. So gestaltet sich unter der rücksichtslos verwüstenden Hand des Kolonisten die Natur noch weniger schön als sie es ohnehin schon war und die Bevökerung entbehrt der verfeinernden Einflüsse, welche eine Beschäftigung mit einer mehr oder weniger kunstmässigen Verarbeitung der rohen Stoffe mit sich bringen mag. Dafür aber lässt sie uns eine Fülle gerade derjenigen zum Leben nötigen Güter erwarten, an denen die Bevökerung alter

Kulturstaaten leider nur zu oft und zu einem allzu großen Teile empfindlichen Mangel leidet.

Indessen schildert uns unser Gewährsmann der durch Queensland, Neusüdwales, Viktoria, Südaustralien zu zwei verschiedenen Malen hindurchwanderte, die dortigen Zustände nicht allzu rosig. Dass es ihm nicht an Gelegenheit gebrach, ein zuverlässiges Urteil sich zu bilden, das mag man aus seinen in dankenswerter Genauigkeit jedem Bande angefügten Itinerarien entnehmen, welche uns zeigen, wie er nicht allein irgendwie nennenswerte Orte der Küste sowohl als des Innern zweimal, zuweilen noch öfters berührte, dass er sich auch die Mühe genommen hat, überall die sozialen und wirtschaftlichen Verhältnisse genau zu studiren. Er ist kein Bewunderer der australischen Gesellschaft, doch verschweigt er bei Hervorhebung der Schattenseiten die Lichtpunkte keineswegs. Einer der am wohltuendsten berührenden ist ohne Zweifel die emsige Sorge Privater wie der Regierungen für die geistige Kultur.

In einem so jungen Lande wie Australien darf es nicht überraschen, wenn der Prozentsatz der Gebildeten in der Gesellschaft klein gefunden wird desto weniger wird man der gar nicht unbedeutenden Zahl derer, welche aus dem Nichts sich zu Reichtum und Einfluss emporarbeiteten und obschon selbst mit mangelhafter Erziehung ausgestattet, fürstliche Summen für die Bildung der jüngeren Generationen freigebig widmeten, seine hohe Bewunderung versagen können. In dieser Beziehung ahmen die Angloaustralier das lobenswerte Beispiel ihrer Stammesgenossen in der Heimat eifrig nach. So finden wir die Großstädte Sydney und Melbourne mit dem ganzen umfangreichen und vielseitigen Apparat englischer Universitäten ausgestattet, was überraschend erscheint, wenn wir erwägen, dass diese Schöpfungen erst vor einer kurzen Spanne Zeit ins Leben traten. Adelaide ist den ältern Schwestern vor wenigen Jahren auf diesem Pfade nachgefolgt.

Aber das tritt dem Beschauer doch erst dann entgegen, wenn er danach suchte. Die auri sacra fames ist und bleibt vorläufig noch die bewegende Triebfeder, welche den Impuls zu dem geschäftigen Leben und Treiben der australischen Hauptstädte, zu emsiger Suche nach Schätzen auf und in dem Boden treibt, aber auch die Mutter aller jener traurigen Auswüchse ist, welche notwendig da emporsprießen, wo Geldmachen um jeden Preis als die Losung Aller gilt. Das Bild, welches uns der Verfasser von den australischen Kolonien entwirft, ist fesselnd, aber schön ist es nicht. Der Schreiber dieses aber, dem Australien lange Jahre eine zweite Heimat war, darf ohne Zögern sagen, dass die Unschönheit der Wahrheit mehr entspricht, wenn es ihm auch scheinen mag, als wäre der Maßstab für die jungen Verhältnisse zu hoch gegriffen worden.

Die Schilderung Australiens ist nur ein Bruchstück aus einer Reise, welche den Verfasser rings um die Erde führte. Was er auf den Antillen und in Zentralamerika sah, ehe er von Panama aus das Inselreich Hawaii besuchte, das verspricht er uns später mitzuteilen; über Hawaii selber liegt bereits ein stattlicher Band vor. Auch hier sehen wir, was die angelsächsische Rasse in Verbindung mit der deutschen aus einem Lande zu schaffen wusste, dessen einheimische Bevölkerung, zwar unendlich höher begabt ist als die barbarischen Australneger, dennoch mit ebenso schnellen, unaufhaltsamen Schritten ihrem Untergang entgegeneilt. Von den 100,000 Menschen, die vor hundert Jahren hier noch im Ueberfluss lebten, sind heute wenig über 40,000 übrig; Chinesen, Portugiesen von den Azoren, Japaner und Südseeinsulaner Amerikaner, Engländer, Deutsche nehmen ihre Stelle ein und statt der ehemaligen Kulturen baut man auf weitläufigen Komplexen Zuckerrohr und züchtet große Herden von Rindern. Aber dieses Inselreich wird nicht England zufallen, dessen Sprache sich mehr und mehr in alle Verhältnisse einbürgert, vielmehr wird es in gewiss nicht ferner Zeit ein Teil der großen nordamerikanischen Republick werden, mit welcher es durch mancherlei wirtschaftliche Bedingungen bereits aufs engste verbunden ist. Ein Gegenseitigkeitsvertrag befreit schon jetzt die Importe des einen Landes in das andere von allen Zöllen.

Kein größerer Gegensatz ließe sich wohl denken als der zwischen dem nüchternen, im alltäglichsten Realismus sich bewegenden Australien und dem Wunderlande Indien, von dem unsre Kindheit schon träumte, nach dessen Anblick wir uns schon in unsrer Jugend sehnten. Tausend und eine Nacht, Golconda, die Nabobs, Elephanten, Bajaderen bilden einen Bestandteil unserer Volkspoesie im Theater und erscheinen uns im geheimnissvollen Weben der nächtlichen Träume. Mit diesen schwungvollen Worten leitet Paul Mantegazza, der berühmte Professor der Anthropologie an der Universität zu Florenz, seinen Reisebericht über Indien ein, das er unter Verhältnissen sah, wie sie nicht jedem geboten sind. Der berühmte Mann bedurfte kaum der einflussreichen Empfehlungen, die ihm zur Verfügung standen, um ihm den Zutritt in die ersten Kreise Indiens zu verschaffen und ihn als hochgeehrten Gast an den mit all dem märchenhaften Pomp indischer Herrlichkeit veranstalteten Krönungsfeierlichkeiten des Gaikwar von Baroda ebenso teilnehmen wie in die eigentümlichen Verhältnisse des bunten indischen Völkermosaiks eindringen zu lassen. Dieser letztere Gesichtspunkt, das Studium der Menschen der vorderindischen Halbinsel, war es vor allem, welcher Mantegazza hierher führte, gerade wie Häckel vor ihm und Lubbock nach ihm das „von Rätseln starrende Land“ aufsuchten. Sie alle sagten sich mit Recht, dass der Philolog zwar ein sehr genauer Kenner Indiens sein und der Geschichtsschreiber große Probleme lösen könne, ohne selber Indien gesehen zu haben, dass der Anthropolog aber, wolle er seinen Zweck erreichen, dorthin gehn müsse. Und in der Tat sind die acht Schlusskapitel des Werkes Mantegazzas, mögen sie immerhin uns auch vieles längst Bekannte nur von neuem bestätigen, die interessantesten des ganzen Buches, denn sie werfen höchst belehrende Schlaglichter auf die dortigen sozialen Zustände, namentlich die Umwandlungen, welche sich unter englischer Herrschaft unter der Hindubevölkerung vollzogen haben. Und auf dieser 189 Millionen Menschen zählenden Bevölkerung des angloindischen Reiches, in welche europäische Kultur bisher leider nur zersetzend und zerstörend eingedrungen ist, beruht doch im wesentlichen die Zukunft des Reiches.

Wer sich mit der vortrefflichen Darstellung von Reclus vertraut gemacht, wer Häckels anziehende indische Reisebriefe gelesen hat, dem wird Mantegazzas Schrift als eine höchst genussreiche Ergänzung erscheinen. Aber Indien ist auch für den Nationalökonomen, den Techniker, den Künstler eine Quelle nie versiegenden Interesses. Was das Kunsthandwerk dort schafft und zwar mit den denkbar einfachsten Mitteln und auf den Grundlagen einer von den ältesten Zeiten überkommenen Tradition fußend, das zeigt uns der bekannte Kritiker Reuleaux in seiner „Reise quer durch Indien". Zwar dauerte diese Reise nur vierzehn Tage, aber es ist erstaunlich, wieviel der Reisende in dieser Zeit zu sehen vermochte, und zwar nicht allein von den großen Bauten, der indischen Kunst und dem Handwerk, denen er begreiflicherweise seine größte Aufmerksamkeit widmete, auch von dem indischen Volksleben, der indischen Kultur und, was gegenwärtig von besonderem Interesse ist, von der sich unablässig vollziehenden Umwandlung im gesammten Leben der Indier, deren Tragweite sich noch nicht entfernt übersehen lässt.

Mit demselben Eindruck verlassen wir die Kapitel in Hans Meyers frisch und anschaulich geschriebener „Weltreise", in welchen er uns seinen zweimonatlichen Aufenthalt in den vornehmsten Städten des Kaiserreichs schildert. Schwindet bei der Lektüre dieses Buches auch so manche Illusion, erscheint uns das nahegeführte Bild auch keineswegs immer so anlockend, wie unsere irregeführte Phantasie es uns wohl gemalt hatte, treten uns auch so manche tiefe Schattenseiten des äußeren und inneren Lebens der Indier gar zu deutlich entgegen, so bleibt doch Indien immer ein Land, das unsern Verstand wie unsere Einbildungskraft mächtig anzieht. Es wirft sich uns da auch die Frage auf, deren Lösung die Zukunft immer näher zu bringen scheint, welche Gestalt das Verhältniss zwischen den Herrschern und Beherrschten, zwischen Briten und Indiern anzunehmen bestimmt ist, wenn eine in weitere Kreise getragene Bildung und ein größerer und allgemeinerer Wohlstand eine dann vielleicht 300 Millionen zählende Bevölkerung zum Bewusstsein ihrer Macht gebracht haben und sie bestimmen, nicht mehr einer Handvoll Fremder willenlos zu gehorchen.

Leipzig. Emil Jung.

Aus dem Kaukasus.

„Daredjan", Mingrelisches Sittenbild von A. G. von Suttner. (Otto Heinrichs, München.)

„Gelb rollt mir zu Füssen der brausende Kur".....

Freilich ist's schon lange, lange her, dass ich dies von mir und ihm, dem Edlen, sagen konnte; erloschen schienen die Bilder, die einst in so lebhaften Farben vor meinen trunkenen Augen geglänzt hatten, begraben auch die Erinnerungen an höchste Freuden und herbes Leid, die dereinst in dem sonnigen Lande mir doppelt schön und doppelt schwer erschienen .....

Und jetzt ist Alles wieder wach. Die Lippen summen ein georgisches Lied, und die Töne klingen im Herzen wieder. Mir ist, als ritte ich in heiliger Morgenfrühe durch unübersehbare Azaleenfelder, dem Elbrus entgegen, begleitet von dem Schluchzen und Jauchzen tausender von Nachtigallen; da steht auch der alte Manutschar wieder leibhaftig vor mir und sagt ....

Aber nein, was der alte Manutschar mir damals zu sagen hatte, mag unwiederholt bleiben, so interessant es auch war; denn sonst könnt' ich kein Ende mehr finden mit erzählen, und erzählen soll ich heute und hier überhaupt nicht. Nur feststellen wollte ich, dass all das längst Vergangene wie durch Zauber wieder lebendig geworden ist, und dass der Zauber ausging von „Daredjan", dem glitzernden Kleinod aus der Feder A. G. von Suttners.

Denn ein Kleinod ist's, um dies gleich vorweg zu sagen; und nicht nur für den, dem es durch Wiederbeleben alter sonniger Zeiten ans Herz fasst, sondern für Jeden, der gerne einen vollen Griff ins Menschenleben hinein tut. Nur muss der mit mingrelischem Leben Unbekannte das Buch wohl zweimal lesen, um es würdigen zu können: das erste Mal wird ihm Vieles oder gar Alles so fremdartig erscheinen, dass er darüber in Gefahr gerät, die feineren seelischen Züge unbeachtet zu lassen und damit die Brücke zu vernachlässigen, die von den Urkaukasiern dort hinten am Ingur zu uns modernen Kaukasiern in Europa führt. Und das wäre schade; denn das Bild sämmtlicher in „Daredjan" handelnder Personen ist mit einer solchen Treue gezeichnet, mit einer so intimen Kenntniss menschlichen Seelenlebens entworfen und ausgeführt, dass jeder Kenner seine helle Freude daran haben muss. Ich sage: Kenner; ein „Höherer-Töchter-Mann" wird nie und nimmer begreifen können, dass eine Daredjan bis zur Straßendirne herabsinken und trotzdem unser Interesse bis zum letzten Augenblicke rege erhalten, ja sogar einen versöhnenden Abschluss finden und im Gemüte des Lesers hinterlassen kann. Nur der Kenner wird ferner die Kunst würdigen können, mit welcher der Autor in wenigen Sätzen Land, Leute, Sitten, Architektur, ja sogar Toiletten, derart zu schildern versteht, dass ihr Bild lebendig in uns wird, — der gewöhnliche Leser hüpft über solche Meisterstücke der Kleinmalerei hinweg, wenn er nicht in der unausstehlichen Manier der Höheren-Tochter oder des Kulturgeschichte-Schinders mit der Nase darauf gestoßen wird; derartige, aufs Geratewohl herausgegriffene Perlen finden sich auf den Seiten 37, 43, 44, 77, 171, 177 u. v. a. Dann die Landschaftsmalerei, die bei geradezu unübertrefflicher Treue — ich habe den vom Autor nicht genannten Geburtsort Daredjan's sofort erkennen können — jederzeit das passendste Stimmungsbild zu der Handlung liefert, so dass Personen, Geschehnisse und Umgebung zu einem harmonischen Ganzen von berückender Poesie zusammenschmelzen; die Abstufung in Charakter, Art und Entwicklung der drei Hauptabenteuer Daredjans (mit dem ossetischen Fürsten, dem französischen Maler und dem russifizirten georgischen Gesandtschafsattaché z. D.), diese Mannigfaltigkeit bei gleichen Beweggründen und gleichem Abschlusse, diese sozusagen dramatische Steigerung nach unten; die vortreffliche Vorbereitung der Katastrophe in allen Punkten (vor allem durch die körperliche Anlage und die spätere Nervenerkrankung Daredjans), sowie die kurze und dennoch erschöpfende Schilderung des endlichen Zusammenbruchs, — all das will begriffen sein, um genossen werden zu können.

Natürlich fehlen auch einige Mängel nicht; aber sie sind so unbedeutend, dass es wirklich kaum der Mühe lohnt, sie zu erwähnen. Dass der Autor das Städtchen in der Nähe von Daredjans väterlichem Hofe und die Pensionsstadt nicht mit Namen nennt, während er doch sonst Realist im besten Sinne ist und dass er (S. 74) Daredjan schon als Verheiratete sprechen lässt, während sie in der Zeile vorher eben verlobt war, wir also von der inzwischen erfolgten Hochzeit absolut nichts erfahren haben, — das ist Alles, was ich auszusetzen hätte und was demnach mit zwei Sätzen abzustellen wäre.

In Summa: ein in jeder Hinsicht hervorragendes Buch.

Lausanne. Wilhelm Loewenthal.

Neue epische Dichtungen.

Flur und Woge, des Orients glühende Sonne, Volkstum und Sitte von einst und jetzt, christliche und heidnische Ueberlieferungen, die Geheimnisse der Klöster und Burgen — dies Alles, verklärt von der ewig jungen Liebe, befruchtet stets von Neuem den Boden der dichterischen Empfängniss. Freilich grünt noch nicht Jedem Apollos Reis, der sich mit seinen Versfüßen hinauswagt ans Licht des Tages, und Mancher wäre fein still im Schatten — ein Philosoph geblieben. Neben einzelnen vollen Aehren schießen allsommerlich bedenklich viele leichtwiegende aus den Halmen. Prüfen wir einige der Früchte, die das Jahr 1885 auf einem Teile des großen Erntefeldes gezeitigt hat.

Das Land der Brahmanen mit seinen Mangowäldern und Banianen, seinen farbenschillernden Blumen und Vögeln, seinen heißblütigen, phantasiereichen menschlichen Bewohnern stellt Fritz von Holzhausen in der epischen Dichtung „Sorathi", Leipzig, G. Brauns 1886, stimmungsvoll nach Geist und Charakter vor uns hin. Geht gleich die Entwicklung unter Dolch und Flammen vor sich, so ist doch dem Ernst mit Geschick eine Gabe von Schalkheit beigemischt, und die vierfüßigen Trochäen fließen im Ganzen leicht dahin. Des nämlichen, durch Scheffels „Trompeter" populär gewordenen, dem Dichter allerdings sehr bequemen Metrums ohne Reim und mit zwanglosem Enjambement bediente sich Oskar Linke zu seiner „Versuchung des heiligen Antonius", Minden, J. C. C. Bruns 1885. Unermüdlich in Gedankensprüngen, wetteifert er an Spott mit dem Schöpfer des Romanzero. „Il ne va qu'à sauts et gambades" — man denke sich die in übermütiger Laune geschlagenen oratorischen Purzelbäume eines Vielbelesenen taliter qualiter in Verse gebracht. Aus dieser Sphäre karrikirter Romantik flüchten wir gern in das märchenhafte Wunderreich, welches uns Adolf Volger in seiner „Wogenbraut", Altenburg, Oskar Bonde 1885, und R. Martin in der böhmischen Sage „Dewin und Hammersee", Prag, H. Dominicus 1886, erschließen. Märchen, Sage! Wie viel danken doch die Dichter dem naiven Aberglauben des Volks; er öffnet der Phantasie, deren Götterbilder die Prosa der Wissenschaft so unbarmherzig zertrümmert, ein unbegrenztes Feld. In Volgers Dichtung vermählt sich die Nixe Frida, eine zweite Gülnare vom Meere, einem jungen Fischer. Der Meergreis, darüber zornig, erregt die Wellen zu einer das Dörfchen zerstörenden Sturmflut. So klingt das reizvolle kleine Poem in einem wehmütigen Mollakkord aus. Wie die drei Vorgenannten wählte auch R. Martin den trochäischen Dimeter. Seine Blankverse machen zwar oft ganz und gar nicht den Eindruck gebundener Rede, zumal manche Begriffsbezeichnungen dem eigensten Gebiet der Prosa entlehnt sind; nur einzelne Dialoge erhielten die Zugabe des Reimes, dem übrigens größere Reinheit zu wünschen wäre. Vielen Stellen lässt sich indess poetischer Wert keineswegs absprechen, und die Mär von der holden Jägermaid, deren Tränen zu Wasserrosen werden und sie zuletzt aus großer Gefahr erretten, hat etwas ungemein Anziehendes.

Größer an Umfang ist der von M. Tyrol dargebotene Sang aus Preußens Vorzeit „Der Abt“, Leipzig, C. Reißner 1885. Mit seinen anfangs ziemlich glatten und gutgereimten, im Verlauf aber mehr und mehr erlahmenden Jamben, abwechselnd mit Trochäen, gleicht das elegant ausgestattete Werk jenen blank geputzten Hörnern, die — bis auf einzeine Töne — in keiner dem goldigen Glanz entsprechenden Weise geblasen werden. Die Erzählung fußt auf den Beziehungen Danzigs zu Polen im 14. und 15. Jahrhundert; ihr Held, der Abt, ein aus Widersprüchen zusammengesetztes Wesen, ist, wie alle Charaktere des Buches, keiner oder doch nur scheinbarer Erhebung fähig. Bei alledem offenbart sich hier ein Talent, das nur nach dieser Richtung hin bisher der Uebung ermangelte. Wir möchten Tyrol und allen Gleichstrebenden Ciceros „tam non copia, quam modus in dicendo“ ins Gedächtniss rufen. Schon der Psalmist sagt oft mit drei Silben mehr als manches Goldschnittgenie in drei Zeilen und bei Sophokles steht kein Wort zwecklos da. Das sind Vorbilder für die Dichter aller Zeiten. Auch in Robert Geißlers, des Malerpoeten neustem Opus „Der Mönch“, Berlin, Speyer & Peters 1886, geht die Wortflut bisweilen gewaltig hoch; er misshandelt gelegentlich die Sprache und erfindet wunderliche Reime, die fast wie Ironie oder Humor klingen. Oft aber hält die Gestaltungskraft mit der warm pulsirenden Empfindung gleichen Schritt.

Die Heldin des gleich dem vorigen durch ein stilvolles Aeußere vorteilhaft sich einführenden Phantasiegemäldes „Frau Sorge“ von August Silberstein, Leipzig, Wilhelm Friedrich 1886, tritt in der Funktion eines Dämons Asmodi auf, welcher den Dichter auf seinen Streifzügen durch Land und Lüfte begleitet und ihn allüberall „bees in dowers“ gewahren lässt. Gewandt beherrscht Marie Schmidt Vers und Reim in ihrer im Taunus zur Zeit der Kreuzzüge spielenden poetischen Erzählung „Die Perle vom Königstein“, Wiesbaden, Schellenberg. Wir haben es hier mit einer Dichterin von echtem Gepräge zu tun, in der sich gereifter Geschmack und natürliches Gefühl harmonisch vereinigen. Die Fabel ist gut erfunden und — die beiden Anfangsverse ausgenommen — in eine wohllautende Sprache gekleidet. Eines nur vermissten wir bei der Lekture des aus zwei Gesängen bestehenden Gedichtes: einen dritten Gesang als Zwischenglied. Denn dem Orientzuge des jungen Ritters Cuno und der Befreiung des Vaters seiner teuern, gleich Penelope vielumworbenen Hildegard aus türkischer Gefangenschaft gebührte wohl ein größerer Raum. Gleiche Leichtigkeit in der Versbildung bekundet der Anonymus C. A. S. in seiner, besonders für Stephans Jünger berechneten lustigen Biographie „Einer von der Post“, Frankfurt a. M., Mahlau & Waldschmidt 1885. Steht doch dem Humoristen eine vermehrte Auswahl von Reimen und Wortbildungen zu Gebot. Unser Sänger in Orange besitzt eine intime Kenntniss des Postwesens und eine ansehnliche Dosis guter Laune. Nur am Schluss tritt statt der Steigerung eine Abnahme des Interesses ein. Aus dieser Welt eines Demokritischen Optimismus werden wir in Heraklits Ideenkreis versetzt, wenn wir uns in die Liebesrhapsodie „Seraphine“, Verlag von J. C. C. Bruns, Minden 1886, versenken. Eine gährende Dichternatur, die noch der Klärung bedurft hätte, tritt in dem ungenannten Verfasser vor uns hin. Eine mächtig quellende Gedankenerzeugung, welche die Welt überwinden möchte, heftige Seelenkämpfe und ein Ringen gegen das Unsichtbare über der Natur finden wir hier in eine Form gefasst, die nicht mühsam bis zur Erkaltung des Stoffs gesucht wurde. Der Barde besingt sein eigenes Liebesverhältniss zur Frau eines Andern. Der Gatte überrascht Beide und schlägt die schöne Sünderin, die dann stirbt. Dass dem Dichter selbst später die Kere auf Frankreichs Schlachtfeld nahte, erfahren wir aus Alfred Friedmanns Vorbericht. Arabeskenartig umgeben kleinere Gedichte voll Mussetschen Skeptizismus den Kern, die Erzählung, durch welche dieselben erst verständlich werden. Unser Autor meidet die große Heerstraße, er schlägt fremdartige, oft anmutige Pfade ein. Sowohl in dem epischen, stark von Lyrik übersponnenen Hauptteil, als auch in den kürzeren Dichtungen spricht sich ein unbefriedigtes Brüten über den Rätseln des Seins und Vergehens aus.

Auch hoffnungslos dilettirende Troubadoure verirren sich immer noch in den Tannenhain des Helikon; sie singen eben wie die Vöglein in den Zweigen, d. h. wie ihnen der Schnabel gewachsen ist. Solch eine Melodie ist es, welche Heinrich Schneideck, der Verfasser des „Strike“, Berlin, R. Eckstein 1886, anstimmt. Wie ein in die Toga gesteckter Bauer nimmt es sich aus, wenn vom Arom der Schankstätte durchtränkte Begriffe wie „Cichorienwasser“, „Hering“, „Schnaps“ und „Fusel“ nebst Kernwörtern wie „rumgefuchtelt“, „Schubjack“ im Rahmen des fünffüßigen Jambus figuriren. Mehr noch lässt die völlige Unbeholfenheit in der Behandlung dieser Kunstform eines Dante, Chaucer, dieses Rhythmus, in welchem der Geistesadel eines Schiller, eines Lessing ausgeprägt ist, bedauern, dass Herr Schneideck nicht die Prosa als Medium gewählt hat, um seine an sich ganz gute Idee als Hausmannskost für das Volk zu verwerten.

Elbing. Heinrich Nitschmann.

„Das kronprinzliche Werk.“

So nennt der Volksmund das groß angelegte ethnographische Werk „Die österreichisch-ungarische Monarchie in Wort und Bild“, welches — wie es auf dem Titelblatte heißt — „auf Anregung und unter Mitwirkung“ des Kronprinzen Erzherzog Rudolf vor Kurzem Budapest und Wien, hier in deutscher, dort in ungarischer Sprache zu erscheinen begann. Jene Bezeichnung, unter welcher das junge litterarische Unternehmen so rasch populär geworden, ist nicht als bloße Loyalitätsphrase zu betrachten; die Völker in Oesterreich-Ungarn lieben ihre Herrscherfamilie, aber sie blicken deren Verdienste durch kein Vergrößerungsglas an. Thatsächlich nimmt unser Tronerbe, welcher sich bereits in seinen Reisewerken als Schriftsteller von umfassender Bildung, scharfem Beobachtungstalent, gediegenem Geschmack und liebenswürdiger Formbehandlung bewährt hat, an der Gestaltung des durch ihn aufgeworfenen, bedeutungsvollen Projektes nicht nur als litterarischer Mitarbeiter teil, sondern er leitet die Redaktion des Werkes, er präsidirt den Redaktionssitzungen, lässt sich von den Redakteuren der beiden, verschiedensprachigen Ausgaben Regierungsrat Joseph Ritter von Weilen und Maurus Jókai alle Manuskripte vorlegen, prüft dieselben und korrigirt sogar selbst die Bürstenabzüge — ein Stück Arbeit, welches nur Redakteure von Beruf abzuschätzen vermögen.

Nach den bis nun vorliegenden Heften zu schließen, wird sich das Werk seines hohen Initiators und der Widmung an den Monarchen, welche es an der Stirne trägt, würdig gestalten und dem Zwecke gerecht werden, welchen der Prospekt so präzisirt: „Land und Leute sollen geschildert, die geschichtliche Entwicklung jedes Volksstammes innerhalb der Grenzen der Monarchie, seine Sprache, seine Lebensäußerungen in Kunst und Wissenschaft, in Arbeit, Handel und Gewerbe, seine Eigentümlichkeiten in Sitten und Bräuchen sollen mit aller Treue dargestellt und das populär in Worten Gezeichnete durch künstlerisch ausgeführte Illustrationen veranschaulicht werden.“ Bis allher fehlt es, wie Kronprinz Rudolf in seiner gehalt- und schwungvollen Vorrede zum Uebersichtsbande des Weiteren ausführt, an einem umfassenden ethnographischen Werke, welches, auf der Höhe der gegenwärtigen wissenschaftlichen Forschung stehend, mit Zuhülfenahme der so sehr vervollkommten künstlerischen Reproduktionsmittel, anregend und belehrend zugleich, ein umfassendes Gesammtbild der österreichisch-ungarischen Monarchie und ihrer Volksstämme bietet und trotz des hohen litterarischen und künstlerischen Wertes die Eignung nicht verliert, als ein wahres Volksbuch in alle Schichten der Gesellschaft zu dringen. „Die österreichisch-ungarische Monarchie in Wort und Bild“ soll diese Lücke füllen; die bedeutendsten Schriftsteller, Fachgelehrten und Künstler des Landes haben sich mit begeisterter Hingebung zur Lösung dieser großartigen Aufgabe vereinigt und die Frucht ihres gemeinsamen Schaffens, nach einem Dezennium etwa vollendet, wird sich ohne Zweifel als ein stolz in die Zukunft ragendes Denkmal des geistigen Leistungsvermögens der Gegenwart darstellen, allein es wird kein wirkliches Volksbuch sein, es wird nicht eindringen können in die Stube des schlichten Bürgers, in die Dorfhütte des Bauers, weil es — nicht wohlfeil genug ist. Das Werk ist auf beiläufig zweihundertfünfundzwanzig Hefte veranschlagt, deren je eines in der Stärke von zwei Druckbogen am ersten und fünfzehnten eines jeden Monats zur Ausgabe gelangt und um den Preis von 30 Kr. = 50 Pf. käuflich ist; eine Ausgabe dürfte daher in brochirten Lieferungen an 70 Fl. ö. W., d. i. an Mk. 120 kosten, ein Betrag, welcher dem Wohlhabenden und Reichen zur Betätigung seines Patriotismus nicht überhoch erscheinen kann, dem kleinen Bürger und Arbeiter jedoch, der für den Tag erwirbt und von der Hand in den Mund lebt, geradezu unerschwinglich ist. Wenn sich dennoch die Zahl der Abonnenten jetzt schon auf viele Tausende beläuft, so ist dies nur ein erfreuliches Symptom für das lebhafte Interesse welches die geistig und materiell höher stehende Gesellschaft der Edition entgegenbringt; es dürfte also der Monarch kaum in die Lage kommen, ein eventuelles Defizit zu decken, aber es wäre sicherlich eines solchen Unternehmens würdiger gewesen, wenn man es auf diese Eventualität würde haben ankommen lassen und bei der gleichen Sorgfalt auf Text und Bild den Preis so gestellt hätte, dass auch eine minder bemittelte Gesellschaftsklasse sich das Buch zugänglich machen könnte.

Das erste der bis nun erschienenen Hefte beginnt den Uebersichtsband; es erschien in beiden Sprachen — deutsch und ungarisch — und enthält neben der vortrefflichen Einleitung aus der Feder des Kronprinzen einen Teil der von General-Major von Sonklar verfassten orographischen und hydrographischen Uebersicht, welche im vierten Hefte, dem zweiten des Uebersichtsbandes, fortgesetzt erscheint; das zweite Heft der deutschen Ausgabe beginnt den Niederösterreich behandelnden Band wieder mit einem die Lage Wiens und die kulturhistorische Bedeutung der österreichischen Metropole beredsam schildernden Artikel des Kronprinzen, während der ungarischen Ausgabe zweite Lieferung an erster Stelle aus derselben Feder eine allgemeine Charakteristik Ungarns bringt, die geeignet ist, im ganzen Lande faszinirend zu wirken; weiter enthält das Heft, welches als drittes der deutschen Ausgabe erschien, Aufsätze des berühmten Geographen Johann Hunfalvy (die geographische Gestaltung der Länder der Stephanskrone) und das erste Kapitel der Geschichte Ungarns von Franz Pulszky, behandelnd die Vorzeit bis zum Beginn der Völkerwanderung. Die Illustrationen und deren Reproduktion sind in der deutschen Ausgabe von gefälligerer Wirkung, als in der ungarischen, welche uns überhaupt lässiger redigirt erscheint. Den Druck und Verlag der deutschen Ausgabe besorgt die k. k. Hof- und Staatsdruckerei in Wien, die der ungarischen die k. Staatsdruckerei in Budapest; für den deutschen Buchhandel vertritt das Werk die Wiener k. k. Hof- und Universitäts-Buchhandlung Alfred Hölder, für Ungarn die Budapester Verlagsfirma Brüder Révai.

Wien. Heinrich Glücksmann.

Sprechsaal.

Sehr geehrter Herr Redakteur,

ich bitte Sie um die Aufnahme der nachstehenden Erwiderung:

In der Nummer des „Magazins" vom 9. Januar heißt es in einem Artikel, der „Paradoxe der konventionellen Lügen" überschrieben und „Richard von Hartwig" unterzeichnet ist: „. . . der sich aber auch nicht frei machen konnte von der kleinen konventionellen Lüge, seinen Namen Max Schönfeld in den noch wohllautenderen Max Nordau zu verwandeln . . ." Die in diesem Satze enthaltene Behauptung ist keine „kleine konventionelle Lüge", sondern entweder eine große bewusste Unwahrheit oder eine auf Unwissenheit beruhende, dann aber leichtfertig wiederholte und mit bemerkenswerter Dreistigkeit vorgetragene Unrichtigkeit — ich lasse Herrn Richard von Hartwig die Wahl. Mein gesetzlicher, bürgerlicher Name ist Nordau und ich habe weder selbst noch hat meines Wissens irgend einer meiner Vorfahren jemals Schönfeld geheißen.

Im weiteren Verlauf des Artikels wird gesagt „. . . Wenn er . . . Sturm gegen die Ehe läuft", weiter: „. . . wenn er sich sogar dazu versteigt, zu fordern, dass der Paarungsakt öffentlich ausgeübt werden müsste, . . ." dann: „. . . die freie Liebe, die Nordau predigt . . ." Diesen drei Behauptungen gegenüber erkläre ich, dass der Verfasser des Artikels entweder die Bücher, über die er mit so triumphirender Ueberlegenheit urteilt, nicht gelesen, oder dass er sie nicht verstanden hat, oder, wenn keine dieser beiden Voraussetzungen zutreffen sollte, dass er mir Aeußerungen andichtet, von denen er weiß, dass sie von ihm in böswilliger Absicht erfunden, nicht aber von mir getan wurden. Die Wahrheit ist, dass ich gegen die Ehe nicht „Sturm laufe", sondern sie im Gegenteil so kräftig, wie ich es überhaupt kann, verteidige und fordere, dass sie mit Liebe identisch, ein wahrer Herzensbund, und nicht eine heuchlerische Interessengemeinschaft sei; dass ich „die freie Liebe" nicht „predige", sondern ausdrücklich perhorreszire, und dass ich nicht „fordere, der Paarungsakt möge öffentlich ausgeübt werden", sondern einfach eine Parallele zwischen verschiedenen organischen Verrichtungen ziehe und frage: „Weshalb sollen etwa Essen und Schlafen legitime Tätigkeiten sein, die man öffentlich üben, von denen man sprechen, zu denen man sich bekennen darf, und die Paarung eine Sünde und Schmach, die man nicht genug verbergen und ableugnen kann?"

Ich denke, diese Proben genügen, um die Gewissenhaftigkeit und bona fides des Herrn Richard von Hartwig zu kennzeichnen.

Genehmigen Sie, sehr geehrter Herr, die Versicherung der Hochachtung Ihres ergebensten

Paris, 11. Januar 1886. Dr. Max Nordau.

Litterarische Neuigkeiten.

Von Karl Biedermanns „Mein Leben und ein Stück Zeitgeschichte" erschien im Verlag von S. Schottlaender in Breslau der erste Band. Der Verfasser dieser Memoiren, der unlängst sein goldenes Doktorjubiläum feierte, hat nicht bloß ein langes, sondern auch ein vielbewegtes, an Begebenheiten, Erfahrungen und Beobachtungen der verschiedensten Art reiches Leben hinter sich. Als Mann der Wissenschaft und akademischer Lehrer, als Leiter und Begründer mehrerer Zeitungen und Zeitschriften, als Mitglied des Frankfurter Parlaments 1848, des Deutschen Reichstags 1871/73, der sächsischen Volkskammer erst 1849/50, dann wieder von 1869 an eine Reihe von Jahren hindurch, endlich werktätig beteiligt an einer Menge gemeinnütziger Unternehmungen, so hat Professor Biedermann seit einem halben Jahrhundert im öffentlichen Leben gewirkt, gestrebt und gelitten.

„Max von Schenkendorf, ein Sänger der Freiheitskriege" betitelt sich ein im Verlag des Rauhen Hauses in Hamburg erschienenes elegant ausgestattetes Buch von E. Heinrich. Dasselbe enthält ein vollständiges Lebensbild des Dichters zu dessen Zeichnung der Verfasser die vorhandenen älteren Werke, namentlich Hagens: Max von Schenkendorfs Leben, Denken und Dichten Berlin 1868 benutzt hat. W. Baur hat ein Vorwort zu Heinrichs Buch verfasst.

Im Verlag von Carl Konegen in Wien veröffentlichte Amalie Crescenzia einen Band „Liebeslegenden". Derselbe enthält deren drei „Von zwei Ehen" — „Aus der Schweiz" und „Vom Lande".

„Streiflichter" betitelt sich ein Bändchen Novelletten von Lion-Clausius. Dieselben erschienen kürzlich im Verlage von C. Hinstorff in Rostock.

Nach einer Mitteilung des Neffen und Erben des römischen Satirikers Belli sollte zu Ende vorigen Jahres der erste Band einer vollständigen sechsbändigen Gesammtausgabe der 2200 Sonette erscheinen, welche der Dichter eigenhändig niedergeschrieben und was besonders merkwürdig ist, auch kommentirt hat. Nicht weniger als 1400 Sonette werden zum ersten Mal gedruckt.

„Gesühnt" betitelt sich ein Original-Roman von Emma v. Brandis-Zelion, welcher kürzlich im Verlag der Junfermannschen Buchhandlung (Albert Pape) in Paderborn erschien.

Von den im Verlag von Bruno Schwabe in Basel erscheinenden „Oeffentlichen Vorträgen gehalten in der Schweiz" herausgegeben unter Mitwirkung von Stephan Born, Albert Heim, Ludw. Hirzel, Albr. Müller und L. Rütimeyer liegt nunmehr Band I—VIII komplett vor. Jeder Band enthält zwölf Hefte und jedes Heft einen Vortrag. Wir empfehlen diese Sammlung von durchweg interessanten Vorträgen aus allen Gebieten der Kunst und Wissenschaft unseren Lesern angelegentlichst.

Fräulein Mammie Dickens, die älteste Tochter von Charles Dickens, hat eine kurze Lebensbeschreibung ihres Vaters vollendet, welche in der neuen Serie „The Worlds workers" bei Cassel & Co. in London erscheinen wird. Die Verfasserin führt den berühmten Novellisten hauptsächlich in seinen häuslichen Beziehungen vor.

„Dr. Karl Kehr. Ein Meister der deutschen Volksschule und Lehrerbildung nach Erinnerungen und Briefen an Freunde den deutschen Lehrern gezeichnet" betitelt sich ein Buch von J. Chr. Gottlob Schumann, welches im Verlag von Heuser in Leipzig und Neuwied erschienen ist. Ein Porträt von Karl Kehr in Stahlstich ist dem Werke beigegeben.

Μιχαὴλ ὁ Παλαιολόγος, ἱστορικὸν διήγημα ὑπὸ Ι. Περβάνογλου (Michael Paläologos, historische Erzählung von Joh. Pervanoglos). Der Verfasser, als Dichter und Litteraturkenner weit über die Grenzen von Hellas bekannt, hat seinen Landsleuten zeigen wollen, welche Schätze für die Prosa-Darstellung in der neueren Geschichte des griechischen Volkes zu heben sind. Er wählte mit glücklicher Hand die Episode der Wiedereroberung Konstantinopels, das der schwache Balduin nicht länger zu halten vermochte, durch den weisen und tatkräftigen Kaiser Paläologos und hat seine Aufgabe in vorzüglicher Weise gelöst. Der flotte Stil, die Gewandtheit des Ausdrucks, besonders im Dialog, die geschickte Verflechtung der Ereignisse fesseln von vorn herein derart, dass man die Lektüre nur ungern unterbricht, um so mehr als die edle, stets angemessene Sprache, die feine psychologische Entwicklung der Charaktere und die Sicherheit in der Verarbeitung des geschichtlichen Materials auch das künstlerische Interesse des Lesers in Anspruch nehmen. Die äußere Ausstattung des Buches ist höchst elegant.

Von Josef Kürschners Deutscher National-Litteratur erschien Lieferungen 274—278. 274 und 278 enthalten: „Schillers Werke", 8. Band. Lfg. 2 und 3, herausgegeben von Rob. Boxberger. 275, 276 und 277 enthalten: „Jean Pauls Werke", 3. Band, 1. 2. und 3. Lfg. herausgegeben von Paul Nerrlich.

„Das weibliche Unterrichtswesen in Frankreich" betitelt sich ein interessantes Werk von J. Wychgram, welches vor Kurzem im Verlag von Georg Reichardt in Leipzig erschienen ist.

„An der schönen blauen Donau". Am 15. Januar erscheint in Wien die erste Nummer eines neuen illustrirten Familienblattes: „An der schönen blauen Donau", herausgegeben in halbmonatlichen Heften von Dr. F. Mamroth. Das Blatt beabsichtigt, der deutschen Familie eine erlesene Lektüre zu bieten und gedenkt der Pflege der Novelle seine besondere Aufmerksamkeit zu widmen.

Oliver Wendel Holmes, der im „Magazin" unlängst als der Biograph von R. W. Emerson in Erinnerung gebracht wurde, hat soeben in Boston eine Erzählung veröffentlicht, mit welcher er wieder in die Fußstapfen seiner früheren humoristisch, psychologisch, philosophischen Werke, — das bekannteste davon ist der „Autocrat at the breakfast table" — tritt. Die neue Erzählung des greisen Bostoner Arztes heißt: „A mortal anthipathy" und behandelt den psychologisch interessanten Fall, dass ein junger Mann eine krampfhafte Abneigung gegen junge hübsche Mädchen empfindet. Die Verwicklung der Erzählung ist nur leicht geschlungen, sie giebt Holmes Gelegenheit zu geistreichen Betrachtungen über weibliche Erziehung, über die Wechselwirkung zwischen Körper und Geist u. s. m.

Jonas Lies Erzählung von der See „Rutland" ist im Verlag von C. Bertelsmann in Gütersloh in deutscher Uebersetzung von Otto Gleiss erschienen.

Im Verlag von Ernst Rust in Leipzig erschien vor Kurzem ein nachgelassenes Werk des früh verstorbenen Hector Sylvester, Verfasser von „Quasimodo", Roman in Versen. Dasselbe trägt den Titel: „Ein Königswort" und verdankt dem geflügelten Ausspruch König Eduards III. von England: „Honi soi qui mal y pense!" seine Entstehung. Das Werk ist herausgegeben und eingeleitet von Max Stempel, welcher, wie wir hören, im gleichen Verlage noch andere nachgelassene Schriften Hector Sylvesters herauszugeben beabsichtigt.

Von François Coppées Drama „Les Jacobites" erschien im Verlag von Alphonse Lemerre in Paris die vierte Auflage. Dasselbe wurde am Theater National de L'Odéon am 21. November vorigen Jahres zum ersten Male aufgeführt. Dieselbe Verlagshandlung veranstaltete einen Neudruck von Alphonse Daudets: „L'arlésienne" pièce en trois actes et cinq tableaux avec symphonies et choeures de M. G. Bizet, welches zum ersten Male auf dem Vaudevilletheater im Oktober 1872 aufgeführt wurde und im Mai vorigen Jahres am Theater National de L'Odéon.

Ernst Rettwisch veröffentlichte im Verlag von Hinricus Fischer Nachfolger in Norden einen Roman unter dem Titel: „Der Stein der Weisen". Im gleichen Verlage erschienen neue Auflagen von „Ironie des Lebens" Roman von Adolf Ritter von Tschabuschnigg. 2 Bände. — „Abenteuer einer Steppenreise und andere Erzählungen" von Robert Heller. — „Drei neue Erzählungen" von J. Verfasser der „Geschichte eines jungen Mädchens". Aus dem Dänischen übersetzt von Elisabeth Longé zwei Bände und „Neue Märchen und Geschichten" von H. E. Andersen. Deutsch von Wilhelm Reinhardt.

Auch Paul Lindaus Gattin ist nunmehr unter die Schriftstellerinnen gegangen. Die G. Grotesche Verlagshandlung in Berlin veröffentlichte „Märchen" von Anna Lindau. Mit Illustrationen von Woldemar Friedrich, A. Langhammer, Fanny Römer, Carl Rotte, Friedrich Wittig und Alexander Zick.

In nur zweihundert numerirten Exemplaren sind zwei neue Bände des fleißigen Giuseppe Pitrè „Zur Kenntniss der Volkssitten und -Gebräuche" gedruckt worden. Der erste enthält einen Wiederabdruck des selten gewordenen Buches von Michel Placucci von Forli über die Gebräuche und Vorurteile der Bauern in der Romagna. Der zweite Band bringt aus einer der Nationalbibliothek in Palermo angehörigen Handschrift witzige Geschichten, welche ein sizilianischer Anonymus, nämlich ein Predigermönch, in der ersten Hälfte des 18. Jahrhunderts gesammelt hat (Curiosità popolari tradizionali pubblicate per cura di Giuseppe Pitrè. Palermo, L. Pedone-Lauriel 1885. in 8°. vol. I. XIX und 216 S. Lire 5; vol. II 123 S. Lire 3. —)

„Irrlichter" betitelt sich ein Band gesammelter Lieder von E. Grosse, welcher vor Kurzem im Verlag von W. E. Grosse Nachfolger in Jena erschienen ist.

Den Freunden der Jul. Wolffschen Poesie wird in diesem Jahr, wo der Dichter des „Tannhäuser" und „Rattenfänger" kein neues Werk auf den Weihnachtstisch legt, eine nicht minder erwünschte Gabe durch die soeben erschienene Biographie: „Julius Wolff und seine Dichtungen" von Alfred Ruhemann (Leipzig, E. Schloemp) geboten. Der Verfasser ist bemüht gewesen, die Persönlichkeit Wolffs in das hellste Licht zu rücken und aus desselben Individualität dem Entstehen seiner Dichtungen nachzuspüren.

Im Verlag von Trowitsch & Sohn in Franfurt a. M. erschien „Die Muse in Teheran". Persische Sprüche und Lieder. Gesammelt während seines Aufenthaltes am Hofe des Schah von Brugsch-Pascha. Elegant nach persischen Motiven gebd. Mark 6.—

Von Erig Besnarde „Le lendemain du mariage" erschien im Verlage von Auguste Chio in Paris die 5. Auflage. Im gleichen Verlage gelangte vor Kurzem ferner zur Ausgabe: „La marquise des Escombes" von Gaston Cabarrus und „Atipa", Roman Guyarais von Alfred Parépon.

Im Verlage der Budapester „Franklin-Gesellschaft" sind soeben folgende bemerkenswerte Werke erschienen: Drei Bände der historischen Bibliothek und zwar „Salamon, König von Ungarn", „Susanna Borántfy" und „Geschichte der Begründung der Vereinigten Staaten von Nordamerika", ferner mehrere neue Bände der wohlfeilen Bibliothek (Olcsó könyotár), darunter die ungarische Uebersetzung von Longfellows „Hiawatha" von Julius Tamási, von Augiers „Cigne" von Stefan Perényi und eines Montcrietfschen Lustspiels „Der Schüchterne" von Gregor Csiky. Von Originalwerken sind rühmend zu erwähnen: „Die Reformideen der Neunziger-Jahre" von Viktor Concha und „Siebenbürgische Zigeuner-Volkspoesie" von Dr. Heinrich Wlislocsky.

Die unlängst herausgegebenen hinterlassenen Tagebücher der Miss George Elliot haben die meisten Leser wegen ihrer verhältnissmäßigen Dürftigkeit enttäuscht. Jetzt steht eine weitere Veröffentlichung aus ihrem Nachlasse zu erwarten, nämlich ihre auf ihre schriftstellerische Arbeit bezüglichen Erinnerungen. Vielleicht, dass diese interessanter werden.

Im Anschluss an die deutsche Goethegesellschaft hat sich in London eine englische Gesellschaft, welche die Pflege der Goethelitteratur zu ihrer Aufgabe macht, gebildet. Der Buchhändler Nutt in London vermittelt die geschäftlichen Beziehungen.

Allgemeiner Deutscher Schriftsteller-Verband.

Der Vorstand des Allgemeinen Deutschen Schriftsteller-Verbandes hat an Friedrich Haase anlässlich seines Jubiläums folgendes Glückwunschschreiben gerichtet:

Leipzig, den 14. Januar 1886.

Hochgeehrter Herr!

Schon bei Künstlerjubiläen im Allgemeinen dürfen und sollen die Schriftsteller nicht fehlen, da Kunst und Litteratur vielfach durch äußere, mehr aber noch durch unauflösliche innere Bande mit einander verwachsen sind. Wenn es sich aber gar um den Gedenk- und Ehrentag eines großen Bühnenkünstlers handelt, da haben die Vertreter der Litteratur und der Presse die ganz besondere Verpflichtung, mit dem Ausdruck ihrer Anerkennung nicht zurückzubleiben.

Der unterzeichnete geschäftsführende Vorstand des Allgemeinen Deutschen Schriftstellerverbandes hat jedoch umsomehr Veranlassung, Ihnen, hochgeehrter Herr, an dem heutigen Tage, wo Sie auf eine vierzigjährige ruhmgekrönte künstlerische Laufbahn zurückblicken, seine besten Glückwünsche zu übermitteln, als Sie zu wiederholten Malen bewiesen haben, welch' warmes Interesse Sie für unsern Verband hegen.

Möge es Ihnen, hochverehrter Herr, noch lange vergönnt sein, in dem hohen und schweren Beruf der Menschendarstellung, im Tempel der deutschen Schauspielkunst, zu deren hervorragendsten Vertretern Sie gehören, zu wirken.

In vorzüglicher Hochachtung
der geschäftsführende Vorstand des Allgemeinen Deutschen Schriftstellerverbandes.
I. A.: Dr. Moritz Brasch,
Schriftführer und Stellvertreter des Vorsitzenden.

Alle für das „Magazin" bestimmten Sendungen sind zu richten an die Redaktion des „Magazins für die Litteratur des In- und Auslandes" Leipzig, Georgenstrasse 6.

Soeben erscheint:

Revolution der Litteratur.

von

Karl Bleibtreu.

— **Eleg. broch. Preis 1 Mark.** —

Längst hat sich Einsichtigen die Ueberzeugung aufgedrängt, dass wir an einem neuen Wendepunkt der Litteraturentwickelung angelangt sind, dass eine neue Sturm- und Drangperiode sich allgewaltig erhebt, aus welcher das Bleibende und Wahre nach unklarer Gährung sich gestalten wird. So hat denn einer der Hauptvertreter der neuen Litteraturrichtung den Versuch gewagt, schneidigen, präcisen Ausdruck für die Ziele und bisherigen Erfolge derselben zu bieten. Man kennt Bleibtreu's unerschrockene Kampflust und wird daher nicht staunen, mit wie genialer Sicherheit hier alle Talmi-Grössen der Reklame zerschmettert und so manche verkannten Verdienste zu Ehren gebracht werden. Die Brochüre, welche das grösste Aufsehen erregt, ist berufen wie ein reinigendes Gewitter am litterarischen Himmel zu wirken.

Verlag von Wilhelm Friedrich in Leipzig.

In allen Buchhandlungen zu haben.

Die originellste und schneidigste Zeitschrift des deutschen Reiches ist:

Die Gesellschaft.

Realistische Monatsschrift
für Litteratur, Kunst und öffentliches Leben.

Herausgegeben von

Dr. M. G. Conrad.

Inhalt des I. Heftes für 1886.

Aus zwei Ländern. Eine Geschichte aus dem Leben von A. G. v. Suttner. — Ein bunter Strauss. (Landsknecht-Lieder — Mischka — Miranda — Lokomotive „Bismarck" — Einem Heldenmaler ins Stammbuch — Wohin?) Gedichte. Von Heinrich von Reder. — Die Apotheose einer Schindmähre. Von Gerhard v. Amyntor. — Cäsar Borgias Flucht. Von Alberta von Puttkammer. — Vorwort zu einem ungeschriebenen Buche über die Moral in der Liebe. Von G. Cristaller. — Ein Kind des neunzehnten Jahrhunderts. Novelle von Leo Ebermann. — Ein lustig Stücklein. Von Detlev Freiherrn von Liliencron. — Berlin und München auf dem Gebiete der Kunst. Von Erich Stahl. — An einen jungen Dichter. Faschingsepistel von Kurt Moosz. — Soziale Zeit- und Streitfragen. 1. Wo die Ursachen der Geschäftsnot nicht liegen. Von Michael Flürschheim. 2. Eine neue Lehre der Volkswirtschaft. Von A. v. Eye. 3. Das Sparen. Von J. G. Stubenvoll. — Entdeckung der neuen Welt. Von Karl Bleibtreu. Die Frau Majorin. Novelle von M. G. Conrad. — Segen der Kritik. Den anonymen Wohlthätern der Menschheit gewidmet. Von J. Mähly. — Kritische Paradoxe. Von Wilhelm Walloth.

Zu beziehen durch alle Postanstalten und Buchhandlungen für Vierteljährig M. 2.50.
Direkt unter Streifband von der Verlagshandlung **J. Roth**, k. b Hofbuchhändler in **München** M. 2.80.

Jedes Heft bildet ein für sich abgeschlossenes Ganzes und kostet M. 1.—

Bei **Wilhelm Friedrich in Leipzig** sind erschienen:

Ueber unser Gymnasialwesen

nebst **Programm**
für eine moderne Erziehungsanstalt
von **Ernst Christaller.**
6 Bogen 8°. Preis 1 Mark.

Die akademische Carriere der Gegenwart.

Neue verbesserte Auflage 5 Bogen 8°.
Preis 1 Mark.

Beide Werkchen gehören zu den anerkannt besten der einschlägigen Litteratur.

Ueberall vorräthig.

Ganze Bibliotheken,

wie einzelne gute Bücher, sowie alte und neuere Autographen kauft stets gegen Barzahlung

H. Barsdorf, Leipzig.
Neumarkt 2.

Das Zeitungswesen

sonst und jetzt
von
Detlev Freiherr von Biedermann
in 8. br. M. 2.—.
Verlag von Wilhelm Friedrich, Leipzig.

Emmer-Pianinos,

von 440 Mk. an (kreuzsaitig). Abzahlung gestattet. Bei Baarzahl. Rab. Preisl. etc. gratis und Francosendung. Harmoniums v. M. 120.

Wilhelm Emmer, Magdeburg.
Ausstellungen, Ehrendiplome, Orden, Staatsmedaillen etc.

Im Verlage von **Wilhelm Friedrich** in **Leipzig** erschien soeben:

Die klassischen Schriftsteller des Altertums

in ihrem Einfluss auf die späteren Litteraturen.
Erster Band:

Plautus.

Spätere Bearbeitungen plautin. Lustspiele.
Ein Beitrag
zur vergleichenden Litteraturgeschichte
von
Carl von Reinhardstoettner.
Ein starker Band. eleg. broch. M. 18.00.

Dieses Werk ist als eine Förderung ersten Ranges des litterarhistorischen Quellenmaterials anzusehen, das nicht nur neben unsern Kompendien gebraucht werden wird, sondern, da es dieselben vielfach ergänzt und berichtigt, in allen Bibliotheken zu den unentbehrlichsten litterarischen Hilfsmitteln zählen wird; ein Werk, das für Litterarhistoriker aller Völker von gleichem Werte ist und die Philologen aller Zweige gleichmässig interessieren wird und muss.

Zu beziehen durch jede Buchhandlung.

Verlag von **Wilhelm Friedrich in Leipzig**

Australien.

Eine Reise durch den ganzen Welttheil
von **Reinhold Graf Anrep-Elmpt.**
3 starke Bände gr. 8. Preis M. 24.—

Die Sandwich-Inseln
oder
Das Inselreich Hawaii
von **Reinhold Graf Anrep-Elmpt.**
Preis eleg. broschirt Mark 8.—.

Das Aufsehen erregende Werk:

Die Kunst der Rede
von Dr. Ad. Calmberg,

das in wenigen Wochen ausverkauft war, ist nun in zweiter erweiterter Auflage wieder zu haben in allen Buchhandlungen.

Soeben erschienen:

von

Agnes Keyser-Langerhanns

(Verfasserin des „Odin", des „Friedlichen Thales" u. a. Werke).
Vierte, durchgesehene und vermehrte Auflage.
Gediegene Ausstattung. 8. eleg. gebunden.

Verlag von **Wilhelm Friedrich** in **Leipzig.**

Für die Redaktion verantwortlich: Hermann Friedrich in Leipzig. — Verlag von Wilhelm Friedrich in Leipzig. — Druck von Emil Herrmann senior in Leipzig.
Dieser Nummer liegt bei: Ein Prospekt der Verlagshandlung Hermann Hucke in Leipzig.

Das Magazin

für die Litteratur des In- und Auslandes.

Wochenschrift der Weltlitteratur.

1832 gegründet von Joseph Lehmann.

55. Jahrgang.

Preis Mark 4.– vierteljährlich.

Herausgegeben von Hermann Friedrichs.

Verlag von Wilhelm Friedrich in Leipzig.

No. 6. Leipzig, den 6. Februar. 1886.

Inhalt:

Die Dichtkunst und das Feuilleton politischer Blätter.

Es ist unbegründet und verrät einen Zustand geistiger Unreife, wenn man einem Autor die Publikation seines schöngeistigen Werkes in dem Pressorgane einer gegnerischen politischen Partei zum Vorwurf machen will. Die Kunst frägt nicht nach dem politischen Glaubensbekenntnisse; sie scheint, wie Gottes Sonne, auf die Gerechten und Ungerechten. Wer diese Tatsache verkennt, dürfte eigentlich auch keine Eisenbahn befahren, in der das Kapital eines Gegners steckt. Werden die Psalmen Davids schlechter, unwirksamer, wenn sie im Verlage eines Manchestermannes gedruckt werden oder im Feuilleton eines radikalen Blattes stehen? Wird ein anonymes Pamphlet anständiger, wenn es ein Konservativer drucken lässt? Bleibt die Lüge nicht Lüge, die Dummheit nicht Dummheit, der verleumderische Meuchelmord nicht Meuchelmord, gleichviel ob er vom Juden oder Christen, vom Tory oder Whig gepredigt wird? Frägt ein Maler darnach, ob sein ausgestelltes Gemälde in einem mit christlichem oder jüdischem Gelde gebauten Saale hängt? ein Bildhauer, ob sein Bildwerk von einem Reaktionär oder Liberalen bewundert wird? Giebt es ein einziges Zeitungsblatt oder Journal auf der Welt, das den Dichter, der in demselben eine Dichtung publizirt, davor sicher stellt, dass nicht irgend ein politischer Mitarbeiter Dinge „über dem Striche“ zum Besten giebt, vor denen sich der Dichter in seinem Gewissen bekreuzt? Verlässt ein Prediger die Kanzel, wenn Andersgläubige zu seinen Füßen sitzen? wird er dann nicht um so eindringlicher und überzeugender zu predigen bemüht sein? Ein politisches Blatt, das ein echtes Dichterwerk seinen Lesern bietet, ehrt sich selbst und die Kunst; und wenn es in seinem politischen Teile Sünden auf Sünden häuft, durch das Opfer, welches es der reinen Kunst bringt, wird es dem Reiche des Guten, Wahren und Schönen das zurückerobern, was es ihm durch törichte politische Doktrinen entfremdet hat.

Man könnte den Einwand machen und er ist tatsächlich gemacht worden, das ein Dichter durch seine Feuilleton-Publikationen in einem oppositionellen Blatte die Sache der Opposition stärke und dadurch dem Gegner unabsichtliche Heeresfolge leiste. Nichts ist verkehrter als diese Schlussfolgerung. Das echte Kunstwerk wirkt allemal befreiend und erlösend; es steht nie im Dienste des Willens und seiner Bestrebungen; es wird also da, wo der Wille bedenkliche oder gar verwerfliche Bahnen einschlägt, niemals fördernd wirken können, da es zum Willen gar keine Relationen hat, vielmehr wird es indirekt die Kraft des Willens in einer falschen Bahn lähmen, da seine kathartische Wirkung später auch denjenigen Momenten zu Gute kommen wird, die den Willen determiniren. Wer selbstvergessen, bewundernd und beseligt vor einem echten Werke der Kunst gestanden hat, wird unmittelbar darauf kaum im Stande sein, sich an irgend welcher politischen Bestialität zu beteiligen, denn der keusche Kuss der Göttin, den er noch auf seinen Lippen fühlt, feit ihn gegen alles Schlechte und Niedrige und heiligt ihn zu einem Apostel der Wahrheit. Wäre also z. B. ein sozialdemokratisches, Hass und Mord schnaubendes Blatt so unklug, das Werk eines echten Dichters seinen Lesern im Feuilleton zu bringen (wir wollen einmal diese fast unmögliche Hypothese gelten lassen), dann wäre der Dichter, der solchem Blatte die Ehre seiner Mitarbeiterschaft gegönnt hätte, nicht anzuklagen, sondern zu beloben und zu beglückwünschen, denn durch die Heiligkeit seiner Mitwirkung zerstörte er zum Teil das Kontagium des Blattes und für das wahre Wohl der Menschheit schüfe er mehr tatsächlichen Nutzen, als irgend ein Sittenprediger, der in seinem Leiborgan den Kreuzzug gegen den Nihilismus predigt und dessen Predigt die Nihilisten ja nie zu lesen bekommen.

Hieraus geht hervor, dass der Dichter mit der Politik, die „über dem Striche“ verhandelt wird, gar nichts zu schaffen hat. Schlimm genug, dass die schäbige Gewohnheit unseres lesenden Publikums den Dichter zwingt, seine Werke für das Feuilleton einer Zeitung zu zerschneiden und so stückweise erscheinen zu lassen; würde der deutsche Dichter durch ein **bücherkaufendes** Publikum unterstützt und getragen, er würde sich wahrlich bedenken, seine Dichtungen im Wege der undankbaren und den vollen Kunstgenuss zerstörenden Feuilleton-Publikation zu veröffentlichen! Dass er es tun muss, dafür trifft nicht ihn, sondern das Publikum der Vorwurf, denn der Dichter hat das unantastbare Recht, diejenige Art der Publikation zu wählen, die ihm den größten Leserkreis sichert. Wer sein Herzblut dem Dienste der Musen weiht, der will nicht staubig und vergessen in den Regalen einer Leihbibliothek begraben liegen, sondern er will laut und vernehmlich zum lebenden Geschlechte sprechen und den größten Kreis erschüttern. Wenn er dies tut, wird ihn nur der Unverstand oder die Heuchelei verdächtigen wollen.

Ist es nötig hinzuzufügen, dass ich hier nicht pro domo spreche? Ich denke, nein! Doch gewissen Leuten gegenüber will ich den ausdrücklichen Zusatz machen, dass ich hier nur zum Frommen meiner ehrenwerten Kollegen das Wort ergreife; befände ich mich in der Lage, meine eigene Sache zu verteidigen, so würde ich diese Verteidigung Andern überlassen. Es giebt so albernen Klatsch und so kleinlich-heimtückische Verdächtigungen, dass der Angegriffene nur ein stummes Achselzucken zur Erwiderung hat; der Unbeteiligte aber mag dann um so lauter und rückhaltloser die Stimme erheben.

Potsdam. Gerhard v. Amyntor.

Grössenwahn.

Der Esel vertraut es dem Schafe,
Das blökte fromm dazu.
Sie schrieen sogar aus dem Schlafe
Gar manche Ziege und Kuh.

Der Fuchs und der Wolf mit Trauern
Das Tier in der Wüste besahn:
Der **Löwe** ist zu bedauern,
Er leidet an Größenwahn!!

Der Denker.

Könige der Menschenherde,
Eure Trone sind nur Schein.
Schein ist alles Glück der Erde,
Mein ist nur das wahre Sein.

Giebt die Welt mir Nackenstöße,
Lache ich im Wetterstreit —
Einsam hier in meiner Größe,
Groß in meiner Einsamkeit.

Charlottenburg. Carl Bleibtreu.

Oktave Pirmez.

Wer ist Oktave Pirmez? Die kurze Antwort auf diese leider berechtigte Frage ist: ein junger belgischer Schriftsteller, dessen Name in dem Grade in Deutschland bekannt zu werden verdient, als er zur Zeit es nicht ist, nämlich: allgemein.

Ein glücklicher Zufall spielte uns die Werke dieses begabten Belgiers in die Hände. Die Lektüre offenbarte uns einen deutscher Denkungsweise kongenialen Geist, und es erschien uns als Pflicht, auf einen Schriftsteller in Kürze hinzuweisen, dessen sich sein Vaterland mit Recht rühmt.

Schon sein erstes größeres Werk „Feuillées“ oder „Pensées et Maximes“, war ein Erfolg, wenn auch nicht im buchhändlerischen Sinne des Wortes. Die gesammte belgische und der bessere Teil der französischen Presse beschäftigte sich mit dem Werke und war einig in der Anerkennung der Vorzüge desselben sowohl rücksichtlich des Inhaltes als auch des vollendeten Stiles. Selbst der Figaro, der sich doch so selten ernst mit ernsten Dingen beschäftigt, ging auf eine nähere Besprechung der „Feuillées“ ein und nannte das Buch eine für unsre von krassem Materialismus beherrschte Zeit erfreuliche Erscheinung.

Dieser erste und große Erfolg begeisterte den Autor zu weiterem, eifrigem Schaffen, dessen reife Frucht wir in seinen Werken: „Jours de solitude“, „Heures de Philosophie“ und „Rémo“ genießen. In diesen Werken hat er die Erwartungen, zu denen sein Erstlingswerk berechtigte, mehr als erfüllt, und auch ihnen wurde in den Tageblättern und Fachzeitschriften französischer Sprache die gebührende Würdigung und Anerkennung. Der berühmte Akademiker Saint-René-Taillandier beglückwünschte den Autor brieflich und machte ihm das scheinbar etwas übertriebene Kompliment: „Je ne croyais pas que la Belgique eût un écrivain de votre valeur;“ sein plötzlicher Tod allein verhinderte ihn, durch eine Reihe schon geplanter, für die „Revue de deux mondes“ bestimmter Artikel der berufene Interpret Oktave Pirmez' zu werden.

In der Anerkennung des so bedeutenden belgischen Schriftstellers sollte Deutschland nicht länger hinter Belgien, Frankreich und der Schweiz zurückstehen.

Der Name Pirmez hatte in der juristischen und parlamentarischen Welt Belgiens seit langer Zeit einen guten Klang; Oktave Pirmez brachte ihn in Kunst und Wissenschaft als Stilist und Denker zu unvergänglichem Glanze.

Oktave verlor früh den Vater. Unter dem Einfluss einer ausgezeichneten und hochgebildeten Mutter, die seinen Geist mit den großen klassischen Vorbildern nährte und sein Herz mit wahrhaft religiösen Empfindungen erfüllte, wuchs er zum Manne heran. Seine ganze Veranlagung und Bildung zog ihn zu der damals in Frankreich herrschenden romantischen Richtung und den glänzenden Vertretern derselben hin. Natursehnsucht und tiefe Religiosität bilden den Grundzug seines Wesens. Die höchsten philosophischen Probleme erfasst er mit Leidenschaft und sucht sie zu lösen in christlich-religiösem Sinne. Er wendet sich weniger an den Verstand als an das Herz und sucht demgemäß weniger mit Verstandesgründen als mit Gründen des Herzens zu überzeugen. Die Existenz eines Gottes ist für ihn eine unmittelbare, nicht erst zu beweisende Tatsache. Seine Philosophie ist eine christliche im besten Sinne des Wortes. In der Verwirklichung der göttlichen Liebe und im Streben der Menschen nach Gott sieht er Zweck und Ziel der Welt. Sein Stil ist immer dem Gegenstande seiner Betrachtung angemessen, bald ernst und getragen, bald poetisch und begeistert, immer aber formvollendet.

Es ist schwer Oktave Pirmez zu klassifizieren. In Frankreich vergleichen ihn die Einen mit Vauvenargues, andere mit Maine de Biron; Henri Taine stellt, was seine Naturbeschreibungen anlangt, ihn neben den Engländer William Wordsworth. Am meisten Aehnlichkeit jedoch dürfte er mit unserm Novalis haben, wenn anders es überhaupt nötig ist, nach Vergleichen zu suchen bei einem so ursprünglichen Talente wie Oktave Pirmez.

Obwohl wir keine Besprechung beabsichtigen, möge es doch erlaubt sein, hier eine kurze Analyse seiner Werke und einige wenige Beispiele seines Denkens und Stiles zu geben.

Die „Feuillées“ sind eine Sammlung von Gedanken und Maximen, mehr in der Art Mark-Aurels als La Rochefoucaulds. Sie offenbaren seine Menschenkenntniss und sein religiöses Gemüt und sind nicht bloß blendend geistreich, sondern gewichtigen Inhaltes. Folgende Citate mögen unsere Behauptung bestätigen:

Ce que nous trouvons naïf est souvent très profond. Nous n'apprécions jamais bien la profondeur d'une eau de source: sa limpidité nous trompe.

* * *

Vieillir, c'est s'isoler.

* * *

Nous serions meilleurs amis les uns les autres, si nous savions le peu de jours que nous avons à nous aimer.

* * *

L'indifference, voila le sommeil de ceux qui sont éveillés! Aimer, c'est toujours veiller.

* * *

Le silence du ciel étoilé au-dessus du silence des tombeaux, quelle expression plus inquiétante de l'énigme de l'universe et du mystère de la destinée!

* * *

Il n'est nuit si profonde qu'une bonne pensée ne puisse illuminer.

u. s. w.

„Jours de solitude“, das Werk Pirmez', das bei seinem Erscheinen das größte Aufsehen erregte, enthält die Eindrücke des Schriftstellers gelegentlich einer italienischen Reise. Der Leser wird hier nicht von Etappe zu Etappe geschleppt und mit topographischen Kenntnissen bereichert; was Pirmez beim Anblicke der Kunstschätze und Ruinen und der herrlichen Natur Italiens empfunden, lässt er in lyrischen Tönen erklingen. Eine Fülle treffender Bemerkungen zeigt seinen Geschmack und seine Kenntnissfülle.

In der Entwicklung des Autors bezeichnet das folgende Werk, die „Heures de philosophie“, einen bedeutenden Fortschritt. Es enthält sein philosophisches Glaubensbekenntniss. Gott, die Natur, die Kunst und der Mensch sind seine Themata, deren Behandlung der mystisch-religiösen Weltanschauung des Philosophen entspricht.

Oktave Pirmez starb im Jahre 1883, im Monat Mai. Kurz vor seinem Tode hatte er seinem ihm vorausgegangenen Bruder Rémo ein dauerndes Denkmal gesetzt. „Rémo“, ein Buch, welches das allgemeinste Interesse beanspruchen darf, ist die Biographie seines Bruders und gewissermaßen auch seiner selbst.

Ein tragisches Schicksal hatte Rémos hoffnungsvolles Leben jäh geendet; dementsprechend lagert über dem Werke des Bruders tiefe, elegische Schwermut. Ein Prolog leitet dasselbe ein:

Les années ont passé depuis le jour où un fatal accident me priva d'un frère qui me fut dévoué dès son enfance, et dont l'existence mérite de ne pas tomber dans l'oubli. A moi qui a pu apprécier son âme fière et cordiale était reservé le cher et douloureux devoir de veiller à sa mémoire en le faisant aimer et regretter. Son ainé, je devais, hélas! lui survivre, et voircette vie si florissante, toujours soulevés par des aspirationes héroiques. émigrer soudainement de ce monde et commencer sous mes yeux sa mystérieuse absenece“ u. s. w.

Rémo war für Oktave mehr als ein Bruder, er war sein Vertrauter, sein Freund. Er verstand ihn, auch wo er seine Ansicht nicht teilte; waren die Brüder doch in gewissen Fragen geradezu Antipoden! Wie sein Bruder, so war auch Rémo von hohen Ideen und Idealen erfüllt, aber Oktaves Philosophie war nicht die seinige. Rémo war in seiner politischen Anschauung liberal, ja Sozialist; seine philosophische Ueberzeugung ließ ihn an eine Selbstbestimmung des Menschen glauben, und der Vernunft vindizirte er die Herrschaft und Führerschaft in der Entwicklung des Menschengeschlechtes. Oktave dagegen suchte auch das soziale Heil auf dem Wege der Religion. Dieser Gegensatz der Ansichten hinderte aber die Brüder nicht, sich innig zu lieben und vorurteilsfrei anzuerkennen. Doch unsre Arbeit droht zu einer Besprechung zu werden, und wir beabsichtigten doch nur einen Hinweis auf Oktave Pirmez, in der Ueberzeugung, dass es nur eines solchen bedarf, damit dem belgischen Denker und Stilist im Lande der Denker die gebührende Beachtung zu Teil wird.

Heidelberg. H. Zick.

Unsere Zeitungen.

Versuch einer Charakteristik.

Von Theo Rassmuth.

(Schluss.)

Zu den Albernheiten und Irrtümern, die so unter dem Publikum als „Weisheit" kolportirt werden, kommt aber noch Anderes, was nicht weniger vom Uebel ist. Der Geschäftscharakter der Zeitung und die mangelhafte Bildung der Redakteure sind die Ursachen, dass die Zeitungen mit Dingen angefüllt werden, deren Lektüre einen Menschen systematisch verdummen muss und ihm überdies die Zeit stiehlt, denn in derselben Zeit könnte er seinen Geist, sein Gemüt, seinen Geschmack durch bessere Lektüre bilden. Das aber fällt umsomehr ins Gewicht, als in unseren Tagen der Kampf ums Dasein ein so wilder und aufreibender geworden ist, dass selbst den Angehörigen des Mittelstandes die Stunden, die sie nicht der Brotarbeit zu widmen brauchen, sehr karg zugezählt sind. Diese wenigen Stunden werden nun mit Zeitungslektüre ausgefüllt — Männer, die auch Bücher zur Hand nehmen, giebt es in den Kreisen derer, die arbeiten müssen, gegenwärtig nur wenige. Womit schlägt man also seine Musestunden todt, womit füllen die meisten Zeitungen ihre Spalten? Dem Geschäftscharakter der Journale ist alles zur Last zu schreiben, was nur deshalb ins Blatt kommt, damit man das Konkurrenzblatt überflügelt. Vor allem sind da die Telegramme zu nennen, die den Lesern am meisten imponiren, ein Heidengeld kosten und meist so gleichgültiges Zeug enthalten, dass es für einen vernünftigen Menschen eine Herkulesarbeit ist, sich da durchzulesen. Ferner sind auf dieses Konto die mit geradezu lächerlicher Genauigkeit abgefassten Referate über Verbrechen, Hinrichtungen, Skandalgeschichten u. s. w. zu setzen. In dieser Beziehung leisten namentlich österreichische Blätter Phänomenales. Wenn eine Dirne von einem Louis umgebracht wird, so bringen sie spaltenlange, in einzelne Kapitel zerfallende Berichte, wo man dann etwa der Reihe nach liest:

„Das Kabinet in der Lammgasse" — „Wer ist der Mörder?" — „Der Roman einer Prostituirten". — „Nachtleben der Weltstadt." — „Das blutige Taschentuch." — „Der fesche Blondin." — „Auf der Flucht" e. s. w. u. s. w.

Mit ähnlichen Titeln schmücken nämlich einige Blätter noch die einzelnen Episoden ihrer Erzählung.

Hauptsächlich auf das Konto der Redakteure ist meist das entsetzlich triviale Gewäsch zu setzen, das die ersten Seiten der Zeitungen, den „politischen Teil" füllt. Unsere Zeit ist wahrhaftig nicht arm an gesellschaftlichen und staatlichen Problemen, wer aber darüber zum Volke sprechen will, der muss ein tiefgründiger Denker oder ein praktischer Politiker sein. Natürlich wird eine Zeitung nur ausnahmsweise einen solchen anstellen können. Aber muss denn so viel „Politik" gebracht werden? Und ist es nicht besser hie und da eine gediegene Arbeit zum Nachdruck zu erwerben und sich im Uebrigen auf Tatsachen-Mitteilung zu beschränken, als das Phrasengedresche von Leuten zu veröffentlichen, die weder logisch denken noch richtig schreiben können, die oft nicht einmal die nötigen geographischen Kenntnisse besitzen und die nie — weder theoretisch noch praktisch — in das Getriebe des Staatslebens geblickt haben. Deshalb fehlt ihnen auch die Neigung, sich mit sozialen Problemen zu beschäftigen, sie ziehen es vielmehr vor, das Parteigezänke zu pflegen, an Dem und Jenem zu nörgeln, weil er nicht ihrer Partei angehört, über Franzosen, Ungarn u. s. w. zu schimpfen, trotzdem sie von diesen Nationen nicht mehr wissen, als sie in andern Zeitungen gelesen haben, endlose Berichte über die interesselosen Debatten einer auswärtigen Kammer abzudrucken und tiefsinnige Betrachtungen über die welterschütternde Tatsache anzustellen, dass sich die „Norddeutsche Allgemeine Zeitung" und die „Germania" wieder einmal in den Haaren liegen. — Die Redakteure sind ferner für all den Quark verantwortlich, der sich so häufig in den Rubriken „Lokales" und „Theater, Kunst und Wissenschaft" findet. Ich führe nur zwei Beispiele aus meiner Sammlung an. Zunächst eine charakteristische Lokalnotiz:

„Ein verunglückter Laternenpfahl. Gestern Abend wurde ein Laternenpfahl in der K. Straße durch einen Strohwagen umgerannt. Der Fuhrmann, welcher das Unheil angerichtet, hieb nach vollbrachter Missetat sofort kräftig auf sein Gespann ein und konnte so vorläufig den Händen der Polizei entwischen."

Ferner eine nicht minder charakteristische Theaternotiz:

„In einem gewissen Incognito befand sich von Sonntag Früh bis Sonntag Abend Frau Pauline Lucca in *,*. Obwohl die Künstlerin nur tiefverschleiert in dem Wagen fuhr, hat man sie dennoch gesehen (!) und in Erfahrung gebracht, dass ihre Anwesenheit wahrscheinlich (!!) auch Unterhandlungen wegen eines längeren Gastspiels betraf, das die Künstlerin im nächsten Jahre in * * zu absolviren hätte. Wir dürfen, obwohl wir über irgend welchen bestimmten Abschluss bisher nicht das Mindeste erfahren haben (!!!), die Hoffnung hegen, dass sich diese Absicht im nächsten Winter realisiren wird."

Was sodann das Feuilleton betrifft, so ist dies bei den meisten großen Zeitungen — das Roman-Feuilleton vielleicht ausgenommen — verhältnissmäßig der beste Teil. Umso schlimmer ist es mit der Mehrzahl der Blätter zweiten Ranges und der Provinzpresse bestellt. Man wird nun meinen: ganz natürlich — diese Blätter können eben nicht Honorare bezahlen wie die großen Zeitungen. Diese Frage kommt aber gar nicht ins Spiel. Erstlich erwirbt eine große Zahl dieser Blätter ihr Feuilleton-Material auf dem billigen Wege des Diebstahls und zweitens würden die zahlenden Blätter um dieselben Summen, die sie für das seichte von Spekulanten und litterarischen Bureaux bezogene Gewäsch bezahlen, Arbeiten tüchtiger Schriftsteller zum Nachdruck erwerben können. Es fehlt eben den betreffenden Zeitungsbesitzern und Redakteuren jene Bildung, welche sie befähigt, das Gediegene vom Seichten zu unterscheiden, und ebenso häufig der Wille, die Lust, mit der Zeitung auch Gutes zu wirken. Der Verleger will nur möglichst rasch viel Geld verdienen und der Redakteur ist ein armer Teufel, der gar nicht unrecht hat, wenn er zornentbrannt sagt: „Was — für die paar Groschen wollt Ihr auch noch Geschmack und Bildung?"

Nicht vergessen darf endlich bei dieser Betrachtung das sittliche Moment werden. Die meisten unserer Zeitungen wirken entsittlichend in jeder Beziehung. Sie wirken entsittlichend durch ihren oberflächlichen Ton, ihr Phrasengedresche, ihr Reklamenwesen und ihre frivol absprechenden Bemerkungen Erscheinungen gegenüber, an die sie kein Interesse knüpft. Sie wirken entsittlichend durch das Behagen, mit dem sie den Skandal breit treten, mit dem sie über Verbrechen berichten, mit dem sie die Gemeinheit kultiviren. Sie wirken endlich entsittlichend durch ihren Inseratenteil mit den mehr oder weniger verblümten Anträgen von alten und jungen Herren, von Kunstnovizinnen und Darlehen suchenden Wittwen, mit den Annoncen der Spezial-Aerzte und Pariser Gummiwaaren-Fabriken und anderem mehr. Unsere Litteratur, unser Theater, sie leiden schwer unter der herrschenden Prüderie. Der Dichter, der mit dem ganzen Ernst einer tiefsittlichen Weltanschauung sich den Problemen unseres Lebens nähert — er wird zurückgestoßen, wenn er sich's einfallen lässt, ein Kind ohne den Segen des Standesamtes in die Welt zu setzen. Aber zu den Aufführungen der Operetten mit ihren infamen Späßen, mit ihren Zoten, die dem ernsten Manne die Schamröte ins Gesicht jagen, schleppt ihr eure Frauen und Töchter, und Tag für Tag liegt die Zeitung auf eurem Familientisch, die es ohne Berichte über Notzucht und Lustmord, ohne Inserate über dies und das nicht tut! Und das Schlimmste bei der Geschichte ist, dass nicht bloß Dickhäutigkeit der Zeitungsleiter solche Dinge mitlaufen lässt, dass von vielen dieser Herren sogar auf die gemeinen Instinkte der Menschen spekulirt wird, dass sie durch Rohheit und Lüsternheit ihren Abonnentenkreis zu erweitern hoffen. Und es ist recht betrübend, das ihnen das nicht selten gelingt, dass die Spekulation auf Gemeinheit und Skandalsucht fast immer glückt. Um auch hier ein Beispiel anzuführen, entnehme ich meiner Sammlung das Folgende, das nicht etwa aus einem Winkel-Schmutzblatt, sondern aus einer „großen Zeitung" stammt, und das zeigt, bei welcher Erbärmlichkeit man selbst in der „besseren Gesellschaft" schon angelangt ist.

„Von dem berüchtigten Hochstapler Graf Zacharoff" — so lautet die Notiz — „dessen Liebesabenteuer mit Fräulein Billings, einer schönen New-Yorker Erbin, jüngst durch alle Blätter ging, wird jetzt in amerikanischen Blättern ein Stücklein erzählt, das eines gewissen komischen Beigeschmacks nicht entbehrt. Der Industrieritter, der neben einem hübschen Gesicht auch eine ganz fürchterliche Suade besitzt, brachte es nämlich seiner Zeit fertig, sich nicht nur das Herz, sondern — was jedenfalls vielmehr zu sagen hat — auch den Geldbeutel der Patti untertan zu machen, die in Geldsachen bekanntlich von einer sehr unangenehmen Genauigkeit ist. Der Pseudo-Graf machte auf die Dame einen solchen Eindruck, dass diese ihn auf ihrer Kunstreise durch den amerikanischen Kontinent Jahre lang mit sich herumschleppte und ihm für seine „Dienste", die sehr verschiedenartiger Natur gewesen sein sollen, 100 Doll. per Woche zahlte. Schließlich als sie sah, dass sie in die Hände eines Hochstaplers gefallen war, gab sie ihm, wenngleich mit blutendem Herzen, den Laufpass und ein sehr anständiges Schweigegeld."

Das sind — mit flüchtigen Strichen gezeichnet — die Wirkungen des rein „geschäftlichen" Charakters der meisten Zeitungen und ihrer Angestellten. Immer abgesehen von jenen Journalen, die für das Publikum mit vorwiegend guten Instinkten berechnet sind, haben wir Geschäfte vor uns, die keinen andern Zweck haben, als Neugierde, Klatschsucht, Freude am Skandal und Zanksucht zu wecken und zu befriedigen; Geschäfte, welche die Leselust auf Unwürdiges lenken und den Wissenstrieb mit einem Mischmasch aus Wahrheit, Irrtum und Phrase stillen; Geschäfte, die mit den Urteilen über Volkswohl, über Kunst und Litteratur Schacher treiben, oder solche doch in oberflächlichster, frivolster Weise fällen. Giebt es ein Mittel, um gegen diese Pest anzukämpfen? Ein Radikalmittel kaum. Wir dürfen nicht verkennen, dass die Zeitungen bis zu einem gewissen Grade ein Spiegel der Zeit sind. Erst jene große soziale Umwälzung, der die Kulturwelt entgegengeht, wird wahrscheinlich auch dieser Pest ein Ende machen — und dann vielleicht, das Spiel wiederholt sich ja immer, den Boden für eine neue vorbereiten. Es giebt indess Leute, welche meinen, das Radikalmittel wäre: Stellung der Zeitungen unter die Obhut des Staates. Sie haben, wenn sie dafür plaidiren, manches für sich. Der Einfluss der Zeitung auf die Entwicklung eines Volkes ist mindestens so groß wie jener der Schule und von diesem Gesichtspunkte aus betrachtet sollten auch Zeitung und Schule mindestens dieselbe staatliche Fürsorge finden. Es ist auch zweifellos, dass dann viele der geschilderten Mängel verschwinden würden, namentlich all die üblen Folgen, welche die wilde Konkurrenz-Jagd nach sich zieht. Aber unser gegenwärtiger Staats-Mechanismus steht nicht über den Parteien, er ist selbst Partei; er schließt die Willkürherrschaft nicht aus und arbeitet, auf demselben moralischen Standpunkt wie die ganze moderne Gesellschaft stehend, mit denselben Mitteln, denen man fast überall begegnet: mit Intrigue, Reklame, Clique und Claque u. s. w. u. s. w. Würde sich der Staat der Presse bemächtigen, so träten alle daraus entspringenden Vorteile gegen den ungeheuren Nachteil zurück: Die Freiheit der Meinungsäußerung wäre dahin. Und das ist der Lichtblick in dem dunklen Bilde, das ich von unserem Zeitungswesen entworfen habe, ein Lichtblick, der weithin seine herrliche Helle verbreitet: Die freie Presse ist der Regulator des öffentlichen Lebens, sie ist das Ventil, das bei jeder gefährlich werdenden Dampfspannung in Tätigkeit tritt, sie allein bietet Schutz gegen Willkür. Und so lange die Welt besteht, wird die Willkür der Machthaber die Individuen bedrohen, mag der Staat nun eine Tyrannis, eine konstitutionelle Monarchie, eine Republik oder ein sozialistisches Gemeinwesen sein. Es liegt einmal in der Natur der Menschen, dass sie fahren wollen, sowie sie die Zügel in die Hand bekommen, und Ausnahmen finden nur statt, wenn eben Ausnahmsnaturen ans Ruder gelangen. Und nicht bloß den großen Tyrannen sind die Zeitungen gefährlich, auch den kleinen und kleinsten; deshalb wird Niemand zugleich so gefürchtet, gehasst und umschmeichelt als die Zeitung — vom allmächtigen Staatsmann angefangen bis herab zu dem Trinkgeldern nicht abgeneigten Amtsdiener und dem von der Natur etwas gar zu grob geschaffenen Portier.

Eine unter der Zuchtrute des Staates stehende Presse würde also einen ungeheuren Rückschritt bedeuten. Und doch kann der Staat auch ohne eine Beschränkung der Pressfreiheit das seine tun, um die tiefen Schäden des Zeitungswesens wenigstens teilweise zu beseitigen. Er muss sich erinnern, dass die Leiter der Zeitungen nicht weniger verantwortliche Stellungen einnehmen, als die Lehrer, die Aerzte, die Seelsorger, und er muss endlich verlangen, dass an der Spitze der Zeitungen Männer stehen, die durch ihren Bildungsgang eine gewisse Garantie dafür bieten, dass sie zum Segen und nicht zum Unheil wirken werden. Auch dann wird das Reklamewesen nicht verschwinden, auch dann wird man ungerechte Urteile lesen, auch dann wird ab und zu ein Irrtum, eine Albernheit durch die Blätter laufen. Es sind ja auch nicht alle Aerzte gute Aerzte, alle Priester gute Priester, alle Lehrer gute Lehrer und es giebt Leute, die trotz absolvirter Hochschule, trotz des Doktortitels, ohne den sie nie spazieren gehen, armselige Tröpfe oder geriebene Halunken sind. Endlich wird auch ein ehrlicher, gebildeter Mann einmal irren, ein anderesmal weich werden und — liebenswürdiger sein als er sein sollte, und ein drittes Mal im Aerger ein schärferes Wort gebrauchen, als die Sache verdient. Aber solche Fälle werden dann die Ausnahme bilden und nicht die Regel und vor Allem wird ein ganz anderer Geist in die Presse kommen, der seichte, oberflächliche und dabei dünkelhafte Ton des Zeitungsgeschreibes wird zumeist schwinden, und wo auch das Gewissen nicht regiert, wird es doch weniger Gewissenlosigkeiten geben, weil diese meist auch Geschmacklosigkeiten sind und es wird an Geschmack nicht so sehr fehlen wie gegenwärtig. Zudem kann bei Aufstellung des Bildungsplanes für den Zukunftsjournalisten die Bildung des Charakters sehr wohl auch berücksichtigt werden — wie denn unsere Mittel- und Hochschulen überhaupt etwas weniger auf Weisheit und dafür auch auf Charakterbildung lossteuern dürften. Die Journalisten müssen Lehrer und Priester sein und als solche über reiche Herzens- und Geistesbildung verfügen. Dann werden sie auch stark genug sein, um gegen den Geschäftscharakter der Zeitung bis zu einem gewissen Grade reagiren zu können, stark durch ihr gefestigtes Wesen und stark durch die geachtete und materiell gesicherte Stellung, deren sich der Redakteur dann erfreuen wird, wenn die an ihn gestellten Anforderungen die Konkurrenz vermindern. Die Mehrzahl der Zeitungsredakteure unserer Tage sind arme Teufel, verunglückte Existenzen, die Gott danken, dass sie überhaupt noch ein Unterkommen gefunden haben. Ein Kaufmann, der Bankerot gemacht hat, ein Beamter, der wegen eines Sittlichkeitsvergehens seinen Dienst verlassen musste, ein Lehrer, der brustkrank wurde, ein Theaterdirektor, der kein Geld und keine Schauspieler mehr auftreiben konnte, ein Sänger, der seine Stimme verlor, ein Buchdrucker, der sein lahmes Geschäft durch eine Zeitung auf die Beine zu bringen hoffte, ein Offizier, der quittiren musste, ein verarmter Aristokrat, ein Schneider, den die Politik verrückt gemacht hat, ein Theologe, der in irgend welche Konflikte mit seiner Kirche oder mit der Justiz gekommen ist — das sind so ein paar Redakteur-Typen. Es sind meist kümmerliche, gedrückte Existenzen, Leute, die nicht den Mut besitzen für ideale Dinge zu kämpfen, moderne Sklaven, die man nur bemitleiden und nicht anklagen wird, die aber nicht für das verantwortliche Amt eines Zeitungsmannes taugen. Dass es dazwischen auch wirklich tüchtige, makellose, allseitig gebildete, mutvolle Männer giebt und neben ihnen energische Autodidakten, denen kein Vernünftiger ihre mangelnde Schulbildung vorwerfen wird, ist ja selbstverständlich. Aber diese Männer redigiren eben die bereits mehrfach erwähnten Ausnahmszeitungen. Einer oder der Andere, dem diese Zeilen zu Gesichte kommen, wird vielleicht meinen, ich übertreibe, weil er zufrieden ist mit dem, was ihm sein Blatt bietet. Der Mann weiß gar nicht, wie viel Zeitungen seine Stadt besitzt und er hat vor Allem keine Ahnung wie unglaublich viel Zeitungen es draußen in der Provinz giebt. Ganz kleine Städtchen haben da ihr konservatives, ihr nationalliberales, ihr „entschieden liberales“, ihr demokratisches, ihr parteiloses und vielleicht auch ihr ultramontanes Blatt. Ich habe die große Presse und die Provinzpresse kennen gelernt und die Typen, die ich oben skizzirte, sind nicht der Phantasie, sondern der Wirklichkeit entnommen. Zu ihnen kommen in den Großstädten und größeren Provinzalstädten jene Unterredaktenre und „Mitarbeiter“, die Nichts gelernt haben und kein ernstes Streben besitzen, dafür aber über eine enorme Frechheit verfügen, eine sogenannte „gewandte Feder“ führen und sich durch ein erstaunliches Gedächtniss für die Witze aus den Fliegenden Blättern auszeichnen. Sie haben namentlich das Gebiet der Theaterkritik so diskreditirt, dass man sich heutzutage schon schämen muss, Theaterkritiker zu sein. Einen dieser Gattung habe ich bereits oben charakterisirt. Er brach seinen Bildungsgang, wie gesagt, mit der untersten Klasse der Realschule ab und hält es, wie er selbst sagt, für die lächerlichste Zeitverschwendung Bücher zu lesen, oder über etwas nachzudenken. Trotz dieser Beschaffenheit und seines jugendlichen Alters hat er schon über Theater, bildende Kunst, Börse, Politik, Musik, Technisches und Naturwissenschaftliches, über Blumenkultur und Produktenmärkte, über Richard Wagner und Vivisektion geschrieben, und wenn er unter den kleinen Scherzen des Pariser Figaro einen pikanten Ehebruchs-Witz liest, dann fängt er sofort damit den Leitartikel an, den er heute schreiben muss. Natürlich ist ihm ein gewisses Talent nicht abzusprechen. Was er ist, konnte er nur werden, weil ihm die Natur neben einer bewunderungswürdigen Gewissenlosigkeit eine geradezu affenartige Nachahmungsgabe verlieh, so dass er den durch Fachausdrücke imponirenden Stil der Musikreferenten (piano und forte sind seine Lieblingsworte, die er immer Antiqua setzen lässt) ebenso gut trifft, wie den prophetischen Ton des Leitartiklers — „wie wir richtig vorausgesehen haben“ — und die orientalische Blumensprache des Börsenberichterstatters. Nur einen Stil trifft er nicht — den guten, und wenn er ein alter Herr und Chefredakteur ist, dann wird er noch immer schreiben: „Unsere Zeitung feiert heute ihr fünfjähriges Jubiläum und benützen wir die Gelegenheit, auch unsern Lesern für ihre Anhänglichkeit zu danken“, was freilich nur eine der aller harmlosesten seiner schriftstellerischen „Eigentümlichkeiten“ ist, dafür aber auch eine, die er mit neunzig Prozent seiner Standesgenossen teilt.

Diese Typen nun müssen aus dem Zeitungswesen verschwinden, soll es damit besser werden. Und das wird der Fall sein, wenn der Staat einen Bildungsplan für die Journalisten entwirft, wie ein solcher für die Lehrer, die Aerzte, die Priester besteht, **wenn er dafür sorgt, dass nicht jeder Redakteur wird, der zu nichts Anderem tauglich ist, wenn er den Stand schützt vor dem Proletariat der sogenannten gebildeten Gesellschaft.** Wie dieser Bildungsplan auszusehen hat, welche Vorkehrungen zu treffen sind, um den Uebergang von einem Berufsstudium zum andern zu erleichtern, wie auch dem Autodidakten, dem heute noch in den meisten Fällen durch die chinesische Mauer unserer Universitäten — Griechisch und Latein genannt — der Weg zur Hochschule verschlossen bleibt, sein Recht werden kann — die Erörterung all dieser Fragen fällt außerhalb des Rahmens dieser Betrachtung. Sie sollte nur ein Versuch sein, unser Zeitungswesen in **Umrissen** zu charakterisiren, und damit zum Nachdenken anregen über einen Gegenstand, über den zwar nicht soviel geschrieben wird, wie über den Krieg zwischen Serben und Bulgaren, die Gastspielreise der „schwedischen Nachtigall“ und die Berechtigung der Sinnlichkeit in der Kunst, der aber für das Wohl unseres Vaterlandes auch nicht ganz ohne Bedeutung ist.

A Naturalist's Wanderings in the Eastern Archipelago.

A Narrative of Travel and Exploration from 1878 to 1883. By Henry O. Forbes, F. R. G. S., Member of the Scottish Geographical Society etc. — London, Sampson Low and Co. 1885.

Dieses Werk ist eine Ergänzung zu „Wallace's Malay Archipelago“ und jenem trefflichen Buche ebenbürtig. Durch seine ethnologischen, zoologischen und botanischen Mitteilungen bereichert es unsre lückenhaften Kenntnisse von dem organischen Leben der indischen Inselflur. Wohl nur wenige Stellen unsrer Erde sind so geeignet wie dieser Archipel, uns ein Bild von der Mannigfaltigkeit menschlicher Existenzformen zu geben. Jedes der vielen Eilande, ob groß ob klein, bildet eine oder gar mehrere Welten für sich, Welten, deren Kenntniss uns bedeutsame Aufschlüsse über die Entwicklungsgeschichte der Civilisation gewährt. Mit klugem Vorbedacht verlegte der Reisende sein Wandergebiet nach möglichst unbekannten Gegenden. Er besuchte die Kokusinseln. Seit dem Bericht von Darwin in „The coral Reefs 1825“ ist kaum eine einzige Kunde von der auf diesen Atollen lebenden, schottischen Kolonie zu uns gelangt. Und doch giebt uns die Geschichte der Gründung dieser jetzt fünfhundert Seelen umfassenden Ansiedlung, sowie ihr mutvolles Ringen nach einem gedeihlichen Dasein, ihre zweimalige Zerstörung durch einen Cyklon und ihre jetzige Einrichtung ein erfreuliches Zeichen von europäischer Beharrlichkeit. Welch' ein Abstand zwischen dieser kleinen Kulturgenossenschaft und den Kubus auf Sumatra! Die wildesten

Stämme derselben, welche in den einsamen Dschungeln lebend, kaum minder scheu sind, als die Tiere des Waldes, lernte Forbes nicht kennen. Sie flüchten sich, sobald sie einen Fremden gewahren. Selbst beim Tauschhandel, welchen sie mit den Malayen treiben, wissen sie es so einzurichten, dass ihre Geschäftsfreunde sie niemals zu Gesicht bekommen. Zum Vorteil jedoch für die Ethnologie haben sich einige wenige Horden dieser auf der untersten Stufe stehenden Menschen durch die niederländischen Kulturbestrebungen beeinflussen lassen, ihr unstätes Wanderleben aufzugeben und kleine Dörfer zu bilden. Eines derselben besichtigte Forbes. — Auf Timorlaut, eine der Banda-Inselgruppen, fand der Forscher gleichfalls Gelegenheit die Sitten und Gebräuche eines uns noch völlig unbekannten Volkes zu studiren. Diese Insulaner, teils aus papuanesischem, teils aus polynesischem Geblüte stammend, erfreuen sich eines vollendet schönen Körpers und einer unvergleichlichen Anmut in allen Bewegungen. Ihre Hautfarbe ist braun. Die Männer färben sich das gut gekämmte, leicht gekräuselte Haupthaar mit einem Präparat aus Kokusnussasche goldgelb. — Auf Timor, der östlichsten und größten der kleineren Sundainseln, bereiste der Engländer unter portugiesischem Schutz die Länder mehrerer Leröis oder eingeborener Könige. Das Eiland soll deren 48 besitzen. Fast in jedem dieser kleinen Reiche wird ein besonderer Dialekt gesprochen. Die Timoresen sind ein streitsüchtiges, hinterlistiges, ungastliches Geschlecht, das in jedem Fremdling einen Feind argwöhnt. Sie hausen nicht in Dörfern, sondern in burgartigen Gehöften, die auf den steilsten Felsenvorsprüngen ihres wildromantischen Berglandes erbaut sind. Die Kriegs- und Friedensgesetze deuten auf das Vorhandensein einer in bestimmte Formen gebannten Familienblutrache, wie sie in ähnlicher Weise auch unter den Beduinen Syriens und Mesopotamiens besteht. Die Blutsverbrüderung, der eidlich bekräftigte Freundschaftsbund zwischen Mann und Mann, gilt ihnen für unverbrüchlich; die Ehe dagegen betrachten sie als einen leicht lösbaren Verein. Bei jeder Leichenbestattung fühlen sich die Hinterbliebenen zur Veranstaltung eines luxuriösen Gastmahls verpflichtet. Die trauernde Familie hat oft an die dreißig Jahre zu arbeiten, ehe es ihr gelingt, die bei der Festlichkeit zu schlachtende Menge an Vieh aufzutreiben. Der Todte hängt inzwischen, in Matten genäht, an einem Baum. — Auch auf Buro traf Forbes ein eingeborenes Volk, das wissenschaftliche Beobachtung verdient. Leider erschwerte die dortige niederländische Behörde dem Reisenden seine Forschungen in so hohem Grade, dass er dieselben schon nach kurzer Zeit aufgeben musste.

Jena. A. Passow.

Neue deutsche Lyrik.

Da wäre ja diesmal unter den mir übermittelten Novitäten jedes Genre der Lyrik und jede Richtung derselben vertreten: Hier die Gedichte des bekanten Verfassers der „Träumereien an französischen Kaminen", deren Grundton den Einfluss der schwäbischen Dichterschule und leise Anklänge an E. Geibel und Paul Heyse verrät, daneben die teils rein lyrischen, teils philosophisch-didaktisch angehanchten Poesien von Pauline Schanz, Agnes Kayser-Langerhanss und Rudolf Otto Consentius, dort die ersten „fliegenden Blättlein" eines „modernen Fahrenden" (Hermann Kiehne), der bei der Muse Karl Stielers, Rudolf Baumbachs und Julius Wolffs erzogen, nun seine erste „Lenzfahrt" in das heilige Wunderland der Romantik unternimmt. Ihm folgen schließlich zwei hervorragende Vertreter des jungen Deutschland: Wilhelm Walloth und Karl Bleibtreu.

In den Gedichten Richard Leanders (Richard Volkmann)*) waltet ein eigener Zauber. Oft und gern vertiefe ich mich in den Inhalt des stattlichen Bandes, und manche der reizenden Poesien hat sich meinem Gedächtniss unverlierbar eingeprägt. Mehrfach hat sich mir bei der Lektüre der Sammlung die Frage nach der musischen Verwandtschaft Richard Leanders mit diesem oder jenem bekannten Dichter der Neuzeit aufgedrängt. Geibel, ... Heyse, ... Storm? Nun wohl. Einzelne Akkordfolgen und Modulationen seiner lyrischen Sänge erinnern flüchtig an diesen oder jenen poetischen Charakterzug der genannten Poeten, und doch hat jede der vollendeten, in sich abgeschlossenen Schöpfungen ein so ausgesprochenes individuelles Gepräge, dass der Nachweis einer musischen Verwandtschaft schier unmöglich wird, — und hierin liegt doch unbedingt die Manifestation ihrer Originalität. Aber Richard Leander ist nicht nur ein eigenartiges, er ist auch ein vornehmes Talent, das uns so sympathischer berührt, da er mit einer vollendeten Eleganz der Form eine fesselnde Anmut, Sinnigkeit und Liebenswürdigkeit verbindet und seiner Muse zwar Capricen ergötzlicher und gewinnender Schalkerei und Schelmerei, nirgends aber verstimmende weltschmerzliche Launen gestattet. Man lese in der Abteilung: „Altes und Neues" das köstliche Schelmenstücklein (S. 41): „Gegenüber". Nicht minder originell ist Nr. XVIII der „Kleinen Lieder".

Besonders die beiden ersten Abschnitte der Sammlung enthalten des Volkstümlichen und Sinnigen gar viel, und des Lebens und der Liebe Leid und Freud erklingt hier in so herzerwärmenden Tönen; dass es uns bei diesen Weisen in Dur und Moll wie stille Weihe überkommt:

„Goldenes Studentenleben,
Holde Zeit des süßen Nichtstuns
Und des seligen Genusses,"

*) Gedichte von Richard Leander. Dritte vermehrte Auflage. Verlag von Breitkopf & Härtel, Leipzig 1885

der Liebe und des Weins besingt der Dichter in urwüchsigen und elektrisirenden Liedern in der folgenden Abteilung: „Aus der Burschenzeit“. Manchem „alten Herrn“ wird ob dieser „alten Burschenherrlichkeit“ das Herz aufgehen in erhebender und rührseliger Erinnerung zugleich. Die prächtigste Poesie dieses Abschnittes ist unstreitig: „Ein Idyll“. Antike Formen, verschmolzen mit einer reichen Fülle tiefer Gedanken und köstlicher Bilder bergen die unter dem Titel: „Auf klassischem Boden“ niedergelegten Reiseeindrücke des Dichters. Dass derselbe übrigens auch in recht kräftigen Tinten wirkungsvoll zu malen versteht und die Geißel der Satire, des Zornes und Spottes vortrefflich zu schwingen vermag, beweisen eine reiche Anzahl epigrammatischer Ausfälle der letzten Abteilung: „Vermischte Gedichte“.

„Damenlyrik“ gehört nicht zu den Objekten meiner Schwärmerei. Ich habe mit diesem Artikel oft so üble Erfahrungen gemacht, dass ich mich in einem hohen Stadium der Animosität gegen Frauenpoesie befinde. Zwar beruht die Stärke der weiblichen Psyche in einer hochentwickelten Intensität des Gemüts- und Gefühlslebens und in einer scharf ausgesprochenen Sensibilität für alles, was innerhalb dieser Sphäre liegt, und man sollte daher meinen, dass für Dichterinnen der Gipfel des Parnass von der lyrischen Seite aus am sichersten und schnellsten zu erklimmen sei. Mit nichten! Die meisten derselben kommen nicht einen Schritt auf diesem Pfade vorwärts, weil sie, — um profan zu reden, — mit ihrem Gefühlsapparat nicht zu wirtschaften verstehen, sondern jede Gefühlsäußerung in maßloser Weise zum Affekte steigern und, da sie in ihren Ergüssen die Grenzen des Natürlichen, Wahren und des wohltuend Befriedigenden überschreiten, nicht sympathisch, sondern abstoßend wirken. Am widerlichsten aber berührt es, wenn die soeben gekennzeichneten „Affektirten“ den erborgten Gedankenkram durch den Inhalt verschiedener Odeur-Violen zu einem Scheinleben zu erwecken suchen, hierbei jedoch nichts weiter erzielen, als dass das Konvolut ihrer sorgfältig präparirten Mumien jenen undefinirbaren Duft erhält, der uns aus dem stagnirenden Wasser und den halbvermoderten Blüten einer Blumenvase entgegenweht. Im krassen Gegensatz zu den „Affektirten“ huldigen die weiblichen „Strickstrumpfpoetaster“ dem Grundsatz: „Nur keine Aufregung, nur keine Leidenschaft!“ Sie suchen das „Ewig-Schöne“ ins „Ewig-Lange“ umzusetzen und die Identität beider Begriffe formell zu erklären; sie ruhen nicht eher, als bis jedes Fünkchen Geist ihres lyrischen Opfers in gewissenhafter Weise gründlich „verkohlt“ ist.

Dass jedoch, gottlob, immer noch glänzende Ausnahmen zu konstatiren sind, beweisen die vorliegenden Gedichte von Pauline Schanz und Agnes Kayser-Langerhanss.*) Wäre die erstgenannte Sammlung anonym erschienen, so würde ich unbedingt den Autor unter der Schaar des „jungen Deutschland“ vermutet haben, denn in der Kühnheit der Phantasie, der markigen Kraft der Darstellung, in der tiefen philosophischen Weltanschauung, welche sich in diesen Poesien geltend macht, kündet sich das Evangelium einer tiefangelegten, gereiften Dichternatur, die in ernsten Kämpfen des Lebens mutvoll gerungen und deren philosophische Erkenntniss in dem in dem erschütternden Gedichte Prometheus ausgestoßenen grollenden Klageruf gipfelt.

Daher versenkt sich ihr grübelnder Geist mit Vorliebe in die Probleme des menschlichen Seins daher ist ihr Blick für das soziale Elend geschärft, daher versteht sie es meisterhaft, dasselbe in ergreifenden Bildern zu schildern. Die Amme. Winternot. Verkommen. Abgedankt. Ein Armenkind. Stiefmutter. Die Not. Lerne lieben sind einige dieser Perlen echter Gemütspoesie.

Aus den Gedichten von Agnes Kayser-Langerhanss spricht ein liebenswürdiges Talent, das die Licht- und Schattenseiten des Lebens poetisch zu verklären weiß. Von einer bezaubernden Innigkeit ist ihre Muse, besonders da, wo sie die Stoffe zu ihren Poesien dem Kinderleben abgelauscht hat. Welch ein poetischer Duft und welche Sinnigkeit durchzieht nicht das Gedicht: Andersen lebt! Mit welch einer rührenden Naivetät weiß sie der lauschenden Kinderschaar zu plaudern: „Warum das Christfest in den Winter fällt“, und wie erquickend wirkt das Bild aus der Kinderstube: Kinderglück. An dieses Genre streift auch die allerliebste Dedikationspoesie: An Ingeborg von Bronsart. Zwischen dem Stimmungsvollen und Beschaulichen findet sich auch manches Launige und Humorvolle. Ich erinnere nur an den satirischen Erguss: Zur Abstammungslehre. Weniger glücklich sind die Reisebilder ausgefallen. In ihnen malt die Dichterin zu sehr en detail, beengt dadurch die Phantasie des Lesers und schwächt den Gesamteindruck der poetischen Federzeichnungen bedeutend ab; auch in den Festgedichten und didaktischen Poesien ist wenig Gutes, und ich gebe der Verfasserin hiermit den freundschaftlichen Rat, bei einer weiteren Auflage, die gewiss erfolgen wird, beide Abteilungen sans façon zu streichen.

Ueber die Gedichte von Rudolf Otto Consentius, die im gleichen Verlage erschienen sind, kann ich mich kurz fassen. Die denselben vorangeschickte interessante Biographie des Dichters hat mir mehr Interesse eingeflößt, als die Mehrzahl seiner Lieder. Sie ragen nicht über das Niveau der Mittelmäßigkeit hinaus und ich wünschte nur, der Dichter hätte einen ganzen Band voll so vortreff-

*) Gedichte von Pauline Schanz. — Gedichte von Agnes Kayser-Langerhans. Vierte durchgesehene und bedeutend vermehrte Auflage. Leipzig, Verlag von Wilhelm Friedrich.

licher Epigramme geschrieben, wie sie die vorliegende neue Sammlung enthält. Dem Verfasser steht nicht nur urgesunder Witz und Humor, sondern auch eine prickelnde Satire zu Gebote und wo es das Sujet gestattet, dieselben anzuwenden, sind seine Poesien von klassischem Wert. Nicht minder besitzt er auch ein ausgesprochenes Talent für volkstümliche Lyrik wie z. B. unter andern die Vollendung des von Gretchem im Faust gesungenen Fragments (Das Waldvöglein): „Meine Mutter, o Gott! die mich hat umgebracht u. s. w.“ zur Genüge beweist.

Hermann Kiehne wählt auf seiner „Lenzfahrt“*) die Pfade der „Neuromantiker“, namentlich ist der Einfluss Karl Stielers in diesem Erstlingswerke unverkennbar. Aber wir wandern gern mit dem „fahrenden Spielmann“, denn durch seine Lieder, welche uns den bunten Flittertand der Mären vom Klosterschüler Werinher von Tegrinsen, Schön Hildburg, Schöngottind u. s. w. lebendig vor Augen führen, geht ein frischer, flotter Ton. Daneben ist dem Dichter auch manches Lied im Volkstone prächtig gelungen und Lenzfahrt, Wilde Rose und Waldblume, du, Wirtstöchterlein tragen ein so starkes gesangliches Element in sich, dass sie ein Anrecht darauf haben, populär zu werden.

Volle Beachtung verdienen die Gedichte von Wilhelm Walloth**) und zwar weniger wegen ihrer Originalität der gezeichneten Situationen und Bilder, als wegen ihrer glücklichen Stimmung und Gemütstiefe. Ein zarter Hauch von Melancholie und eine eigenartige Phantasmagorie, die aber nirgends ans Bizarre streift, verleihen der Mehrzahl der Poesien einen besonderen Reiz. Burgruinen, Seegestade, Fluss, Bach und Weiher bilden vorzugsweise den lokalen Hintergrund dieser Miniaturbildchen und als lebendige Staffage wird ein ganzes Heer von Nixen und Nymphen mobil gemacht. Wahre Kabinetstückchen dieses Genres sind die beiden Balladen Rokoko, ferner der Cyklus kleiner Poesien unter dem Titel: Märchen. Die Oden und Elegien enthalten neben vielen geistsprühenden und formvollendeten Schöpfungen auch viel Schwaches und Unfertiges. Hier muss der Dichter bei einer zweiten Auflage einen Säuberungsprozess vornehmen.

Es spricht gewiss als bestes Zeichen für den Wert einer poetischen Schöpfung, wenn sich der Leser von Zeit zu Zeit gedrungen fühlt, seine Lektüre zu unterbrechen, um in rechter Vertiefung der Gedankenassociation des Dichters zu folgen und dieselbe weiterzuspinnen. Karl Bleibtreus poetisches Reisetagebuch, welches unter dem Titel: Lieder aus Tyrol bei Steinitz & Fischer in Berlin erschienen ist, gehört zu dieser Art dankbarer Lektüre, aus der man eben so viel hinein als heraus zu lesen vermag. Karl Bleibtreu, eines der genialsten, produktivsten und vielversprechendsten Talente des jungen Deutschland, bietet in seiner neusten Sammlung Landschafts- und Stimmungsbilder großen Stils. Aber die kräftige Strichführung gilt weniger der gigantischen Schönheit der Alpenwelt, als dem Ausfluss seiner markigen und philosophischen Gedankenfülle, deren Aufflug, Tiefe und wechselndes Farbenspiel gleichsam durch die Konturen der landschaftlichen Skizzen bestimmt wird.

Leipzig. Franz Woenig.

*) Lenzfahrt. Gedichte von Hermann Kiehne. Dresden 1885. Verlag von Wilhelm Hoffmann.
**) Gedichte von Wilhelm Walloth. Leipzig. Verlag von Wilhelm Friedrich.

Wiener Humoristen.

Woher mag es wohl kommen, dass Wien, die uralte und an wichtigen historischen Momenten so reiche Donaustadt, keine eigentliche Lokallitteratur aufweist, wie etwa London oder Paris? Selbst die verhältnissmäßig jüngste der Weltstädte, Berlin, beginnt nach und nach eine Litteratur zu gewinnen, der Berliner Erdgeschmack und Lokalkolorit innewohnt. Wien besitzt vorläufig noch keine Lokalmuse, wenn es uns auch niemals an geschickten und talentvollen Kulturhistorikern gefehlt hat. Ueber die Gründe solchen Mangels wollen wir nicht grübeln, wir müssten da unerquickliche politische und andere Dinge erwähnen, die nicht hieher gehören und die der Einzelne nicht besser machen kann. Und doch hätten gerade wir die reinste Freude an einem echten Wiener Roman, der Wiener Leben atmet und Wiener Typen enthält. Nun, derlei schöne Dinge haben wir einmal nicht, aber dafür etwas Anderes, das uns reichliche Entschädigung bieten muss — Wiener Humor. Diese köstliche Blume hat nicht etwa über Nacht ihre Blätter entfaltet, seit Jahren erquickt uns ihre Farbenpracht, ihr Duft. Leute, wie F. Schlögl, der in bisher kaum übertroffener Weise Wiens leid- und freudvolle Vergangenheit geschildert, waren ihre Gärtner gewesen. Uns liegen drei Werke vor, deren Blätter von jenem wundersamen Parfüm erfüllt sind, der an echten Wiener Humor gemahnt. Lassen wir dem Aeltesten der drei Autoren den Vortritt.

Dr. Märzroth giebt in einem Buche „Alt-wien“ (Leipzig, Friedrich) Bilder und Geschichten aus vergangenen Zeiten, freilich in allzu anekdotischer und hierdurch zerstückelter Form. Diese Histörchen sind alle amüsant und schließlich auch charakteristisch für jene Zeiten; verschiedene berühmte Personen treten uns menschlich näher in ihren Schwächen und Vorzügen. Bedeutenden litterarischen Wert besitzt das Büchlein weniger, als die liebenswürdige Eigenschaft, den Leser ein Stündchen angenehm und gut zu unterhalten.

Mehr müssen wir uns mit den beiden andern Autoren, Pötzl und Groß, befassen. Pötzl (Jung-

Wien, Leipzig, Friedrich) scheint durch seine journalistische Tätigkeit als Berichterstatter eines gelesenen Wiener Blattes auf das Eigentümliche seiner litterarischen Fähigkeit gekommen zu sein; er bildet ein Beispiel, dass strenge journalistische Pflichterfüllung nicht immer ein echtes Talent ersticken muss; in unserm Falle hat sie sich sogar fördernd gezeigt. Pötzl hat in seinem Berufe sich einen scharfen Blick für das Schilderuswerte des Alltagslebens erworben und die Fähigkeit erlangt, das Komische, das oft in einer scheinbar ernsten Sache schlummert, herauszufinden. Er ist ein Meister im Genre volkstümlicher Szenen, sogar eine gewisse Farbenpracht steht ihm zu Gebote. Er mischt sich nicht nur in die Gruppen und Massen des Volkes, er sucht dasselbe auch in seinen Häusern und Hütten auf, hört den Einzelnen jammern und klagen, jauchzen und jubeln, und all' das, was er erlauscht, bringt er zu Protokoll, prägnant, scharf zugespitzt, wie einen Zeitungsbericht, aber feiner ausgearbeitet. Eine besondere Vorliebe hat er für Kinder, in deren Seele er tief geschaut hat, wie nicht minder ins Herz der Mutter. Pötzl hat schöne Gemütsseiten, was man gar wenigen Wiener Feuilletonisten nachsagen könnte. Aber auch über Sarkasmus verfügt er, besonders da, wo er die Absonderlichkeiten und Auswüchse des Wiener Charakters schildert; so verspottet er in prächtiger Weise das Touristentum. Sehr schön sind die Skizzen aus dem Familienleben, ein originelles Ding ist die „Tramway-Hochzeit". Selbst phantastisch angehaucht, ohne je den Boden der Wirklichkeit zu verlieren, weich und träumerisch gestimmt ist er manchmal. Reich an Stimmungen und Begebenheiten ist das Buch Pötzls, dem es gelungen ist, sein Metier künstlerisch und geschmackvoll auszugestalten und so seine vollgültige Legitimation als echter Schriftsteller aufzuweisen. Wenn wir auch manche Kleinigkeit auszusetzen hätten, wie z. B. die ungenügende Erklärung des Wortes „Drahrer", in dem doch ein gut Stück Wienertums liegt, so ändert dies gar nichts an unserem günstigen Urteile über Pötzl, dessen Beobachtungsgabe gepaart mit vielseitigem Humor noch manch' schöne Leistung zeitigen wird.

Fashionabler tritt Ferdinand Groß in seinem Buche „Aus meinem Wiener Winkel" (Leipzig, Friedrich) auf. Liefert Pötzl weniger Feuilletons als prächtig ausgearbeitete Skizzen, so bietet uns Groß in seinen Feuilletons einen ästhetischen auserlesenen Genuss. Dass das Wiener Feuilleton, dessen litterarische Berechtigung an und für sich doch eine unbestrittene ist, infolge seiner Grazie, Geschmeidigkeit und Vielseitigkeit dermalen auf seltener Höhe steht und von einer Schaar glänzender Talente — Namen zu nennen, ist nicht nötig — gepflegt wird, weiß man allenthalben. Unter jenen, die die Wiener Feuilletonschule zu so großem Ansehen gebracht haben, ist Groß einer der allerersten. Man nenne den Vergleich, den wir übrigens näher ausführen wollen, nicht gesucht, wenn wir Groß als den Strauß des Feuilletons bezeichnen. Einen Straußischen Walzer hat wohl Jeder gehört, eines jener faszinierenden Tonstücke, in denen es jubelt und schluchzt, bald wehmütig aufseufzt und bald in toller Lebensfreude aufbraust, eines jener Tonstücke, die das Blut in feurige Wallung und das Herz in eine alles versöhnende und alles verzeihende Phantasie- und Gefühlsschwelgerei versetzen. Eine ähnliche bezaubernde Wirkung übt oft ein Feuilleton von Groß aus. Das ist ein rhythmisches Hin- und Herwogen der Gefühle in musikalischer Sprache; die lustig-wehmütige Selbstpersiflage, die Groß oft treibt, ist weiter nichts als eine liebenswürdig-auflachende Koketterie, vergleichbar jenen Stellen bei Strauß, die einem während des Tanzes frevelhafte Gelüste nach unrechtmäßig erworbenen Küssen erwecken; die träumerisch hinsterbende Stimmung, die Groß so hübsch zu schildern versteht, hat Strauß in Tönen ausgedrückt; die Philosophie, die Groß betreibt, ist ein fein ausgearbeitetes melodiöses Spiel der Gedanken, wie ein Straußischer Walzer ein zauberisches Spiel der Gefühle ist; Groß ist ein Musiker in Worten, seine Noten sind die Worte, seine Feuilletons Tonstücke. Wenn er aber konkrete Stoffe behandelt, kann er auch durch und durch poetisch werden. Die Skizze: „Meine Großmutter" ist das Produkt eines echten Dichters. Er vereinigt französische Grazie mit deutscher Gemütstiefe; man tut Groß sehr Unrecht, wenn man ihn mit dem Epitheton „liebenswürdiger Plauderer" abfertigt. Allerdings darf nicht verschwiegen werden, dass bei seiner immensen Produktivität manches weniger Gelungene mitunterläuft; wenn man ihm vielleicht vorwerfen wollte, er habe weder Zeit noch Fähigkeit, etwas „Gediegenes, Sachliches" zu schreiben, so wäre ein solcher Vorwurf ganz ungerecht, denn die Arbeiten von Groß in der „National-zeitung" über französische Litteratur beweisen vollends die Hingabe und das Talent Groß' für schwerere Leistungen.

Ueber Wiener Humoristen zu sprechen, ohne V. Chiavacci's zu erwähnen, ist unmöglich. Hoffentlich giebt uns Chiavacci bald Gelegenheit, uns an einer Novität von ihm zu erfreuen. Er ist ein bedeutendes Fabulirtalent und hat eine reiche Ader kräftigen, scharfen und sonnigen Humors.

Wien. Ernst Wechsler.

Hermann Daniel Paul.

Am 4. Dezember letzt verflossenen Jahres starb in Helsingfors ein Mann, der in diesen der Weltlitteratur gewidmeten Blättern eines ehrenvollen Nachrufs nicht entbehren darf: der vortreffliche Uebersetzer finnischer Dichtungen Hermann Daniel Paul. Geboren in Preußen den 17. Juli 1827, folgte er anfänglich seiner Neigung zur Musik und bildete sich in Berlin unter Leitung des bekannten Hubert Ries zum Violinvirtuosen aus. Eine Kunstreise führte ihn (1859) über Norwegen und Schweden nach Finnland. Dort vermählte er sich und schlug (1862) seinen ständigen Wohnsitz in der Hauptstadt auf. Die Geige ward niedergelegt und ein Musikalienhandel begonnen. Bald war er der beiden Landessprachen, des Schwedischen und Finnischen hinreichend mächtig, um die Stelle eines Lektors der deutschen Sprache an der Alexander-Universität und am Polytechnikum bekleiden zu können. Sein zum Schulgebrauch abgefasstes „Deutsches Lesebuch" sowie die „Deutsche Sprachlehre" sind im Norden allgemein beliebt und benützt.

Im Jahre 1866 gab er zum ersten Male ein Bändchen „Finnische Dichtungen" in deutschem Gewande heraus. 1869 folgte: „Die Könige von Salamis", das gehaltvolle leider nicht bühnenwirksame Trauerspiel des bedeutendsten finnischen Dichters Joh. Ludwig Runeberg, und 1877 wiederum eine Auslese finnischer Gedichte und Lieder, vereinigt unter der Ueberschrift: „Aus dem Norden". Im ersten Teile dieser Sammlung sind die besten Namen vertreten: Ahlquist und Cygnaeus, Nervander und Runeberg, Zacharias Topelius und der unglückliche, so früh dem Wahnsinn verfallene J. J. Wecksell. Der zweite Teil bietet eine Reihe von sogenannten Runen (Rune = Gesang im Finnischen), vorläufige Proben aus der großen Volksliedersammlung Kanteletar, welche der Verfasser später bearbeitete. Diese Runen und die Gedichte Ahlquists sind aus dem Finnischen, die übrigen aus dem Schwedischen übersetzt. Die Wiedergabe der meisten Stücke zeugt von sprachlicher Geschicklichkeit und dichterischen Anlagen; nur in den Oden und Elegien wären etliche Härten und metrische Versehen wegzuwünschen. Auch die Wahl der aufgenommenen Gedichte erscheint ausnahmslos begründet, wenn nicht immer durch unbestreitbaren Wert, so doch durch bezeichnenden Inhalt oder eigenartige Behandlung des Stoffes. Besonders die Beiträge von Runeberg und Topelius sind glücklich ausgesucht. So erhalten wir in guter Verdeutschung Runebergs berühmtes Vårt land, vårt land, vårt fosterland! (bei H. P.: „O Land, o Heimat, Vaterland!"), welches die Nationalhymne der Finnen geworden ist; die herrliche Erzählung in ungereimten Trochäen „Der Bruder der Wolke" (Molnets broder), beide dem unsterblichen „Fähnrich Stahl" entnommen; das herzgewinnende, echt finnische Gedicht „Bauer Paavo" u. a. m.

Das eigentliche Können H. Pauls tritt erst in seinen großen Uebersetzungswerken — Kanteletar und Kalewala*) — hervor. Die beiden Namen klingen zu fremd, als dass ein kurzes Wort über das Wiederaufleben der finnischen Litteratur überflüssig sein dürfte. Finnland war mehr als siebenhundert Jahre lang mit dem überlegenen Schweden vereinigt gewesen. Diese Verbindung hatte für die Finnen neben den größten Vorteilen unleugbare Nachteile zur Folge. Die freie und gedeihliche Entfaltung finnischer Eigenart war erst möglich, als die Russen 1808 trotz verzweifelter Gegenwehr das lang begehrte Grenzland von Schweden losrissen. Mit der äußeren Trennung trat auch eine innere, geistige ein. Die gewaltsam von überlanger Vormundschaft Befreiten lernten die Früchte ihres eigenen Bodens kennen und schätzen. Das wachsende Selbstgefühl erzeugte Liebe und Begeisterung für die eigene Sprache, welche mit der Zeit durch das Schwedische auf die unteren Volksschichten beschränkt worden war. Eine finnische Litteratur-Gesellschaft wurde gegründet (1831), die alten Volksdichtungen, die seit Jahrhunderten von Geschlecht zu Geschlecht unter den Bauern mündlich fortvererbten Runen, niederzuschreiben, eh sie verloren gingen. Im Dienste dieser Gesellschaft gab Elias Lönnrot die berühmten Runensammlungen Kalewala (1835, vollständig 1849) und Kanteletar (1840) heraus, von denen er selbst einen großen Teil auf beschwerlichen Streifzügen in die abgelegensten Gegenden des Landes aus dem Munde des Volkes aufgezeichnet oder doch vervollständigt hatte. So können nun die Finnen neben ihren meist schwedisch geschriebenen Kunstdichtungen ungleich wertvollere, an der Quelle geschöpfte, durch keinerlei Ueberarbeitung getrübte Volksdichtungen aufweisen, welche zu den kostbarsten der Weltlitteratur zählen.

Diese Schätze den Deutschen zu vermitteln war H. Paul im letzten Jahrzehnt seines Lebens so erfolgreich bemüht. 1882 ließ er „Kanteletar, die Volkslyrik der Finnen" erscheinen. Kántele ist die finnische Harfe, Kanteletar würde als Person die Gesangesgöttin Suomis (d. i. Finnlands) bezeichnen. Das Buch enthält dreihundertsechsundvierzig Gesänge, eingeteilt in Sängerlieder; Männer-, Frauen- und Mädchenlieder; Braut- und Hochzeit-, Kinder- und Wiegen-, Hirten- und Jägerlieder; Balladen, Gedichte vermischten Inhalts, Fabeln und Beschwörungs-Runen. Wie ein in völliger Abgeschiedenheit lebendes Volk ohne geistige Hülfsmittel, ohne äußere Anregung, ohne Schule und Vorbild Dichtungen von einer derartigen Größe der Anschauung, einer so treffenden Sicherheit der Darstellung, einer solchen Lieblichkeit und Vollendung der Form hervorbringen konnte, ist schwer zu erklären. Die Sänger und Sängerinnen sind sämmtlich dem Bauernstande angehörig, die teilweise sehr alten Lieder Gelegenheitsgedichte im besten Sinne des Wortes. Diesen armen, in unwirtbaren Wäldern und Einöden kärglich lebenden Naturkindern hat das Schicksal zum Ersatz gleichsam für so viele mangelnde Freuden des Lebens die wunderbarste Gabe des Gesanges verliehen. „Mich hat Niemand unterrichtet," heißt es in einer Rune:

„Ich fand selber meine Lieder,
Sammelte sie auf den Feldern.

*) Der Ton liegt in beiden Wörtern auf der ersten Silbe.

Streifte sie vom Laub der Bäume,
Pflückte sie im grünen Rasen,
Auf der honigreichen Wiese."

Und in einer andern:

„Frost und Winter lehrte mich Lieder
Und der Regenschauer Gesang,
Zaubersprüche lehrten die Winde,
Töne zogen über das Meer,
Selbst die Vögel brachten mir Worte,
Sagen rauschte der grüne Wald."

Die bezaubernde Ursprünglichkeit und Eigenart dieser Naturdichtungen könnten nur längere Beispiele anschaulich machen, wozu der Raum fehlt. Zum Lobe der Uebertragung kann das Höchste gesagt werden: man vergisst beim Lesen völlig, dass man eine Uebersetzung vor sich hat.

Schon im Anfang des vorigen Jahres folgte „Kalewala" zum fünfzigsten Jahrestage der ersten Herausgabe dieses finnischen Volksepos, und zwar einstweilen die ersten fünfundzwanzig Gesänge. Das Ganze besteht aus doppelt so vielen mit nahe zu dreiundzwanzigtausend Zeilen. Unter dem Namen Kalewala (= Land des Kalewa, eines göttlichen Riesen, = Finnland) hatte der erwähnte große Forscher E. Lönnrot die von ihm und andern aufgefundenen epischen Runen zu einem großartigen Heldengedichte vereinigt. Den Hauptinhalt bildet der Kampf zweier feindlicher Stämme, der Finnen und eines mehr nördlich zu denkenden, also wahrscheinlich der Lappen. Die Helden Finnlands unternehmen verschiedene teils glückliche, teils unglückliche Züge in „das finstere Nordland" Pohjola, um sich dort eine Braut und weiterhin ein schwer zu erklärendes Kleinod, Sampo genannt, zu holen, dessen Besitz dem Lande Fruchtbarkeit und Glück und Segen aller Art gewährt. In den zaubermächtigen Gestalten des alten Sängers Wäinämöinen und seiner Brüder lassen sich leicht ehemalige Gottheiten entdecken, wie denn auch der Gegensatz zwischen Finnland und Pohjola „in einen noch höheren zwischen Süden und Norden, Licht und Dunkel sich aufzulösen scheint". Es ist unmöglich, durch knappen Bericht ein Bild zu geben von der Fülle des reichgegliederten, mit zahlreichen Nebenhandlungen durchflochtenen Gedichtes, welches das ganze Leben des finnischen Volkes umspannt. „Hier sprudelt lauteres Epos," sagt J. Grimm, „in einfacher und desto mächtigerer Darstellung, ein Reichtum unerhörter Mythen, Bilder und Ausdrücke, besonders ein reges, sinniges Naturgefühl."

Kalewala wurde zuerst von A. Schiefner (1852) verdeutscht. Seine Bearbeitung verhält sich zu der H. Pauls, wie etwa die sorgfältige Aristophanesübersetzung irgend eines Philologen zu dem köstlichen Werke Droysens. Es ist eben eines, Wort für Wort herüber zu nehmen, ein andres, fremde Schöpfungen mit künstlerischer Begabung der heimischen Litteratur nachschaffend anzueignen. Dies ist für Kalewala, wie für Kantelatar, dem jüngst Verstorbenen vorbehalten geblieben.

Es steht nur zu wünschen, dass der zweite Teil, welcher vor dem Tode des Verfassers noch vollendet worden sein soll, bald erscheinen könne. Dann werden wir von Hermann Daniel Paul zwei Werke besitzen, welche ihn den Meistern deutscher Uebersetzungskunst würdig anreihen.

München. Roman Woerner.

Sprechsaal.

Sehr geehrter Herr Redakteur!

In Betreff der Erwiderung des Herrn Dr. Max Nordau möchte ich zuerst bemerken, dass mein Artikel „Paradoxe der konventionellen Lügen" eine Besprechung der von Karl Bleibtreu unter obigem Titel erschienenen Broschüre ist, nicht, wie Herr Dr. Max Nordau zu meinen scheint, eine Besprechung speziell seiner Arbeiten.

Auf Seite 44 jener Broschüre findet sich der Satz: „—unser Prophet, geborner Ungar wie er ist (Schönfeld ist bekanntlich sein wirklicher Name) —" die gleiche Behauptung fand ich, wenn ich nicht irre, in der „Täglichen Rundschau" von Oskar Welten ausgesprochen, so wie auch in anderen Blättern. Eine Widerlegung ist mir nirgends zu Gesicht gekommen, daher war der Glaube an die Wahrheit wohl gerechtfertigt.

Herr Dr. Max Nordau meint ferner, dass ich ihn entweder nicht gelesen, oder nicht verstanden habe. Gelesen habe ich nun Herrn Dr. Max Nordau zwar; aber gern will ich eingestehen, dass ich seine Widersprüche nicht verstehe, wenn er einerseits meint, für die Ehe einzutreten, anderseits zu Aufstellungen gelangt, die in ihrer logischen Folgerichtigkeit sich zu einem Sturmlauf gegen die Monogamie gestalten und zur freien Liebe führen müssen! Was die Forderung nach Oeffentlichkeit des Paarungsaktes betrifft, so wird wohl jedem Unbefangenen auch nach der von Herrn Dr. Max Nordau in der Erwiderung aufgeworfenen Frage klar geworden sein, dass darin nur die versteckte Forderung liegt: „Warum ist nicht auch, wie das Essen und Schlafen, der Paarungsakt der Oeffentlichkeit Preis gegeben?" —

Dies meine rein sachlichen Gründe!

Ihr ergebenster

Berlin. Richard von Hartwig.

Litterarische Neuigkeiten.

Skandinavische Zeitschriften.

Aus dem wie immer reichen Inhalte der verschiedenen dänischen, schwedischen und finnischen Zeitschriften, die uns wieder vorliegen, sei ganz besonders hervorgehoben, und zwar: aus „Nordisk Tidskrift" för Vetenskap, Konst och Industrie utgifven af Letterstedtska Föreningen (Stockholm, P. A. Norstedt & Söner) 5. und 6. Heft: eine geistvolle, ungemein lehrreiche Abhandlung des in den Kreisen der Nordgermanisten bestens bekannten Linguisten Adolf Norreen „Ueber Sprachrichtigkeit" und ein interessanter ästhetischer Artikel von Ludwig Feilberg über „Schönheit im Hässlichen und Alltäglichen"; aus „Tilskueren", Maanedsskrift for Literatur, Samfundsspörgsmaal og almenfattelige videnskabelige Skildringer udgivet af N. Neergaard (Kopenhagen, P. G. Philipsens Forlag) Juni — September: „Einige Mitteilungen über J. P. Jakobsen", den kürzlich verstorbenen dänischen Poeten, von E. Stram, ein Essay über „Correggio" von dem Dozenten Jul. Lange und ein Aufsatz von Dr. G. Brandes „Martin Luther über Cölibat und Ehe", hervorgerufen durch den in unserer letzten Revue der skandinavischen Zeitschriften erwähnten Artikel eines Anonymus „Ueber eine Reaktion gegen das moderne Streben nach größerer sexueller Sittlichkeit", welcher wieder durch Brandes' Artikel über Arne Garborgs Schriften veranlasst worden war, worin sich „einige recht scharf formulierte Sätze" finden, die „einer Auffassung entspringen, welche große Freiheit in sexueller Hinsicht als notwendig verlangt, um den Gefahren geschlechtlicher Enthaltsamkeit zu entgehen". Auf Brandes Artikel, dessen Tendenz schon aus dem Titel desselben ersichtlich ist, erfolgte sodann wieder eine „scharfe Antwort" des Anonymus, womit diese für uns etwas seltsam erscheinende öffentliche Diskussion, ob es besser sei Unkeuschheit zu treiben oder nicht, vorläufig abgeschlossen sein dürfte. Frau Ina Langes „Lebensbilder aus Finnland" sind um eine zweite, ganz vorzügliche Erzählung „Ein Märtyrer" bereichert worden, wie die erste („Kajsa") von Frau Erna Juel-Hansen, der hochbegabten Schwester Holger Drachmanns, vortrefflich übersetzt. G. Nordensvan begann im Septemberheft eine interessante Uebersicht über die neueste schwedische Litteratur unter dem Titel: „Die Jungen in der Litteratur Schwedens." Aus „Ny svensk Tidskrift" för Kultur- och Samhällsfrågor, populär Vetenskap, Kritik och Skönliteratur udgifven af Reinhold Geijer (Upsala, R. Almqvist & J. Wiksell) August-November: eine recht hübsche Uebersetzung des Heineschen Gedichtes „Bergidyll" von Hermann A. Ring, der eine nach dieser und anderen Proben vielversprechende Uebersetzung des ganzen „Buches der Lieder" von Heine vorbereitet; je ein „Litteraturbrief" aus Norwegen und aus Finnland und verschiedene andere Litteraturartikel (Schwedische Romane und Novellen und dergl.). Aus „Ur Dagens Krönika", Tidstaflor — utgifva af Arvid Ahnfeldt (Stockholm, Carl Suneson) Juli-Desember: „Ein amerikanischer Zeitungsmann (Wilbur F. Storey) Chicago-Bild" von Magnus Umblad, „Gesichtspunkte", recht unterhaltende Bemerkungen über Autoren und Forscher von einem „Observator"; „Der aufgehende Stern", einige anmutige Züge aus der Jugend Christine Nilssons von Frithiof Cronhamn; „Litterarische Streifzüge in Paris und London" vom Herausgeber; Proben der Uebersetzung von Heines „Buch der Lieder" von dem schon genannten Hermann A. Ring; u. v. A. Aus „Finsk Tidskrift" för Vitterhet, Vetenskap, Konst och Politik, utgifven af C. G. Estlander, Wilh. Bolin och Fredr. Elfving (Helsingfors) Tom. XIX. Heft 1—5: ein sehr anregender wenn auch hie und da lückenhafter Aufsatz von F. Gustafsson über „Litterarische Vorträge und litterarisches Leben zur Zeit der römischen Kaiser; ein vorzüglicher Essay von Karl Wetterhoff über den Sittenroman in Russland; sehr interessante „Don-Juan-Studien" von Wilh. Bolin, sowie auch wieder eine große Anzahl gediegener Litteratur-Artikel. Aus Valvoja (Helsingfors, Werner Söderström) Heft 7—11: zwei Gedichte von Petöfi in finnischer Uebersetzung; „Sumpfland" Federzeichnung von Aarne; „Populäre Sprachwissenschaft", von E. Stenij; Erinnerungen an das Eden; u. v. A.; außerdem zahreiche Berichte über die neuen Erscheinungen der einheimischen (finnischen) Litteratur.

„Die Gläubiger des Glücks" betitelt sich ein Roman von Hugo Lubliner (Hugo Bürger). Breslau, S. Schottlaender. Lubliner tritt mit diesem Werke zum ersten Male als erzählender Schriftsteller auf. Er stellt sich die Aufgabe, in einem großen Romancyclus (Berlin im Kaiserreich I.) das Werden der Reichshauptstadt zu schildern. In diesem ersten Romane werden wir in die verschiedenen Schichten der Berliner Gesellschaft eingeführt und lernen die verschiedensten Gegenden der Riesenstadt kennen mit ihren vielen Institutionen für allgemeine Zwecke. Bei Arm und Reich herrscht ja der Kampf um das Glück.

Im Verlag von Julius Klönne Nachfolger (Otto Berling) in Berlin erschienen „Lustig und Trurig". Plattdeutsche Gedichte von Georg Berling. Neue Ausgabe besorgt von Karl Theodor Gaederts. Als genauer Kenner der niedersächsischen Litteratur hat Karl Theodor Gaederts die Gedichte, welche bei ihrem ersten Erscheinen die Aufmerksamkeit Fritz Reuters in hohem Grade erregten, einer genauen Durchsicht unterzogen.

C. C. Leland, der in England lebende amerikanische Schriftsteller, welcher besonders als der Verfasser der „Hans Breitmanns Balladen" in Deutschland bekannt ist, beschäftigt sich mit einer humoristischen Arbeit, einer Abhandlung über die unangenehmen Leute, welche um Künstler herumstehen oder ihnen über die Achsel zusehen, während sie an der Arbeit sind. Herr Leland hat von befreundeten Künstlern bereits eine Anzahl hübscher Erlebnisse bezüglicher Art erhalten.

Als ein neues Prachtwerk, welches vor Kurzem im Verlag von Paul Neff in Stuttgart erschien, können wir unsern Lesern „Das Gudrunlied für das deutsche Haus" empfehlen. Dasselbe ist nach den besten Quellen bearbeitet von Emil Engelmann. Preis: einfach gebunden M. 6. —, eleg. gebd. M. 7. —

Im Verlag der Königlichen Hofbuchhandlung von Wilhelm Friedrich in Leipzig gelangte soeben eine höchst beachtenswerte interessante und originell ausgestattete Broschüre von Carl Bleibtreu zur Ausgabe. Dieselbe trägt den Titel: „Revolution der Litteratur". Carl Bleibtreu, der unerschrockene Kämpfer für alles wahrhaft Große und Gediegene in unserer Litteratur hat in derselben den Versuch gewagt, die Ziele und bisherigen Erfolge der neuen, mit unwiderstehlicher Kraft sich erhebenden Sturm- und Drangperiode kurz zu präcisiren. Die Broschüre enthält folgende Kapitel: Historische Entwicklung. — Die Poesie und der Zeitgeist. — Der historische Roman. — Die erotische Epik. — Der Realismus. — Das Drama. — Die Lyrik. — Das jüngste Deutschland. — Der deutsche Dichter und der Staat. — Der Dichter an sich. — Dichterloos. Das Werkchen ist für Jeden, der mit den Bestrebungen unserer jüngeren und jüngsten Litteratur-Epoche sich bekannt machen will, von der größten Wichtigkeit.

Der seit Langem erwartete dritte Band von H. v. Treitschkes Deutscher Geschichte ist nunmehr im Verlag von S. Hirzel in Leipzig erschienen. Derselbe bildet gleichzeitig den 26. Teil der in demselben Verlage erscheinenden „Staatengeschichten der neuesten Zeit" und führt den Titel „Deutsche Geschichte im Neunzehnten Jahrhundert" von Heinrich von Treitschke. Dritter Teil. (Bis zum Jahre 1830.) Inhalt. Drittes Buch: Oesterreichs Herrschaft und Preußens Erstarken 1819—1830. 1. Die Wiener Konferenzen. 2. Die letzten Reformen Hardenbergs. 3. Troppau und Laibach. 4. Der Ausgang des preußischen Verfassungskampfes. 5. Die Großmächte und die Trias. 6. Preußische Zustände nach Hardenbergs Tod. 7. Altständisches Stillleben in Norddeutschland. 8. Der Zollkrieg und die ersten Zollvereine. 9. Litterarische Vorboten einer neuen Zeit. 10. Ueber Preußens Verhalten in der orientalischen Frage.

Im Verlag von Gustav Behrend (Hermann Forstner) in Berlin erschien „Gräfin Loreley", Roman von Rudolf Menger.

Koloman von Mikszáth gehört heute nicht allein zu den populärsten Schriftstellern Ungarns, sondern auf Grund mehr oder minder gelungener Uebersetzungen einzelner seiner Geschichten in alle europäischen Sprachen zu den gelesensten und beliebtesten Autoren überhaupt. Seine edel realistische Art der Vorführung ungarischer Menschentypen und des spezifisch-schönen Naturlebens des Pusstenlandes, seine von keinem chauvinistisch-warmen Tone geschmeichelte Darstellung und die Liebenswürdigkeit seiner durchaus urwüchsigen Eigenart lassen die fast beispiellose Raschheit begreiflich erscheinen, mit welcher sich der „Journalist" Mikszáth zum Ruhme eines geachteten Schriftstellers aufschwang. Eine neue Sammlung von Skizzen und Geschichten dieses Autors in deutscher Uebertragung muss als willkommene und wertvolle Bereicherung unserer Uebersetzungs-Litteratur begrüßt werden und wir schlagen daher das bei Singer & Wolfner, Leipzig-Budapest vor Kurzem erschienene Büchlein „Zwischen einst und jetzt" mit freundlicher Voreingenommenheit auf, welche schon das in Form eines Briefes an den Uebersetzer Robert Tábori abgefasste Vorwort festigt. „Soll ich stolz darauf sein, dass ich nach Deutschland reise?" heißt es dort. „Wahrlich, ich hätte auch Grund dazu, allein da fällt mir noch rechtzeitig ein, dass ich nur Reisender dritter Klasse bin." So bescheiden spricht ein Schriftsteller, der zu den originellsten und anmutendsten Geistern unserer Zeit gehört; die mit gutem Geschmack ausgewählten und recht charakteristisch übersetzten „Erzählungen aus der jüngsten Vergangenheit", die politische Causerie über den Minister-Präsidenten Tisza — ein Genre, welches Mikszáth in Ungarn geschaffen hat — und die als Anhang beigefügte, etwas salopp abgefasste Darlegung des Lebensganges dieses Schriftstellers erweisen aber klar genug, dass sich Mikszáth keck in die erste Klasse setzen darf, ohne befürchten zu müssen, dort in ein Winkelchen gepresst zu werden. Das Bändchen ist elegant ausgestattet und wenn erst in einer nächsten Auflage — eine zweite ist bereits notwendig geworden — eine gewissenhafte Textrevision vorgenommen wird, so dürfte das Buch bald einem grossen Teile des deutschen Publikums lieb werden.

Rudolph Lindau veröffentlichte im Verlag von F. & P. Lehmann in Berlin einen neuen Band Erzählungen und Novellen unter dem Titel „Auf der Fahrt", welcher die Vorzüge dieses begabten Novellisten wieder im hellsten Lichte zeigt.

„Ein zerschelltes Wappenschild“ betitelt sich ein Zeitroman aus unseren Adelskreisen von Graf Adalmar Dabei. Dresden, Verlag von Heinrich Minden. Mit seinem ersten vor Kurzem erst im gleichen Verlage erschienenen Roman „Aus stürmischer Zeit“ hat der Verfasser namentlich in Adelskreisen berechtigtes Aufsehen erregt. Im vorliegenden Werke erschliesst Graf Dabei mit realistischer Offenheit das Leben und Treiben unseres heutiges Adels.

Zur Unterhaltungslitteratur für gebildete Leser gehört ein Band vermischter Schriften des Abgeordneten Giuseppe Civininis, dessen Uebertritt von der Linken zur damals regierenden Rechten außerordentliches Aufsehen erregte und ihm die kränkendsten Verdächtigungen zuzog. Einige der Aufsätze des 1871 im Alter von 38 Jahren verstorbenen Verfassers, z. B. die über das deutsche Kaiserreich, wurden gleich bei ihrem Erscheinen in der Florentiner „Nazione“ vielfach beachtet. Die Vorrede Bonghis ist etwas gar zu kurz ausgefallen (Le Conversazioni del Giovedè e altri scritti politici e letterari di Giuseppe Civinini con proemio di R. Bonghi. Pistoia tipografia Niccolai 1885. XI und 412 S. in 16°, 4 Lire.)

Im Verlag von Franz Duncker in Leipzig erschien die erste und zweite Auflage eines neuen Buches, betitelt „Aus der Londoner Gesellschaft von einem Heimischgewordenen“ in autorisirter deutscher Ausgabe.

Max Ring veröffentlichte im Verlag von Adolf Reinecke in Berlin eine Weihnachtsgeschichte unter dem Titel: „Unterm Tannenbaum“.

Von Anzengrubers Dorfromanen erschien in Verlag von Breitkopf und Härtel in Leipzig der III. und IV. Band. Derselbe enthält die Dorfgeschichte „Der Sternsteinhof“ I. und II. Teil. Im gleichen Verlage erschien die 4. Auflage von Felix Dahns: „Die schlimmen Nonnen von Poitiers“. Historischer Roman aus der Völkerwanderung (a. 589 n. Chr.). Dieser Roman bildet Band IV. der bekannten kleinen Romane aus der Völkerwanderung.

Wie England jetzt wieder durch Gründung einer Goethegesellschaft, so zollt auch das litterarisch gebildete Amerika dem Genius Goethes seinen Tribut. Während des letzten Jahres wurden an der „Concord School of Philosophy“, ein populär-wissenschaftliches Institut, an welchem die Ueberlieferungen der von Emerson gegründeten idealen Schule fortgesetzt werden, fünfzehn Vorlesungen von Gelehrten und Schriftstellern aus allen Teilen Amerikas über Goethe gehalten. Dieselben werden nun demnächst bei Ticknor in Boston unter dem Titel: „The life and genius of Goethe“ in einem Bande gesammelt erscheinen.

Hermann Neumanns bereits früher schon im „Magazin“ angekündigte Nachbildungen von Henrik Ibsens kleineren Poesien unter dem Titel: Gedichte“ sind nunmehr hübsch ausgestattet im Verlag von Julius Zwissler in Wolfenbüttel erschienen. Der Verfasser ist auch in diesen Nachbildungen denjenigen Grundsätzen gefolgt, welche schon in seinen „Ausgewählten Gedichten Welhavens“ zu Tage getreten sind. Er hat sich auch hier wieder von jeder willkürlichen und bequemen Entstellung ebenso fern gehalten wie von ängstlicher Uebersetzung.

Elise Orzeszko, die in kurzer Zeit berühmt gewordene polnische Romanschriftstellerin begann mit Neujahr in dem Warschauer „Klosy“ die Veröffentlichung eines großen Romans „Mirtala“, welcher gleichzeitig in deutscher und französischer Uebersetzung erscheinen wird.

Bei S. Schottlaender in Breslau erschien ein neuer Band Lyrik von dem unermüdlichen Friedrich Bodenstedt betitelt „Neues Leben“ Gedichte und Sprüche. Wir werden auf dieses in jeder Beziehung vornehme Buch bald ausführlicher zurückkommen.

„Amerika in Wort und Bild“. Eine Schilderung der Vereinigten Staaten von Friedrich von Hellwald. Schluss-Lieferung 61—65. Leipzig. Schmidt & Günther. Friedrich von Hellwalds Amerika liegt nunmehr in zwei stattlichen Originalprachtbänden vor. Es giebt kein zweites Werk, auch nicht in englischer Sprache, welches sich an Reichhaltigkeit und Vollständigkeit mit Hellwalds Amerika messen kann. Gegen 600 Illustrationen von Künstlern ersten Ranges zieren dieses großartige Unternehmen. Der Text ist so anregend und belehrend geschrieben wie es von dem Autor vorausgesetzt werden konnte. Die letzten Lieferungen enthalten Schilderungen über das Goldland Kalifornien, und das herrliche Yosemitethal. Nicht weniger als 42 Textillustrationen und Tafeln zieren diese letzten Lieferungen.

Die beiden neusten Bände der Tauchnitz-Edition „Collection of british authors“ Vol. 2381 und 82 enthalten: „Rainbow gold by David Christie Murray.

Bei Karl Gerolds Sohn in Wien erschien vor Kurzem ein Band „Lappländischer Märchen, Volkssagen, Rätsel und Sprüchwörter“ aus der Feder des begabten J. C. Poestion mit Beiträgen von Felix Liebrecht. Wir empfehlen dieses interessante Buch unsern Lesern angelegentlichst.

Hieronymus Lorms „Gedichte“ erlebten im Verlag von Heinrich Minden in Dresden und Leipzig die vierte stark vermehrte Auflage, die sie längst verdient hatten.

1883 hat sich die Verlagsbuchhandlung C. Verdaguer in Barcelona das Verdienst erworben, der Nibelungen Not in einer spanischen Prosaübertragung herauszugeben. Es klingt märchenhaft, dass die erste Auflage von 4000 Exemplaren bereits vergriffen sei. Der seit einiger Zeit in Rom lebende Uebersetzer, Dr. Fernandez Merino, korrespondirendes Mitglied der spanischen Akademie, bereitet eine zweite Auflage vor, welcher er einen Essay über Parallelen des spanischen Nationalepos und der deutschen Sage vorausschicken will. Schon die erste Auflage enthielt Photographien berühmter Illustrationen von Schnorr von Carolsfeld, Bendemann, Hübner und Rethel.

Im Verlage der Brüder Révai, Budapest begann kürzlich Jókais jüngster Roman „Kleine Könige“ in illustrirten Heften zu erscheinen. In den „Kleinen Königen“ zeichnet der Dichter jene reichen ungarischen Grundbesitzer der dreißiger Jahre, welche ihre riesigen Güter gar nicht in ihrer ganzen Ausdehnung kannten. Die Handlung steht mit den berühmten Romanen desselben Autors „Der ungarische Nabob“ und „Zoltan Kárpáthy“ im Zusammenhange. Des Dichters talentvolle Tochter Rosa, eine Schülerin des Münchener Meisters Liezenmayer, liefert die Illustrationen.

Bei A. Schenk in Jena Friedr. Maukes Verlag erschien eine kleine Sammlung Südslavischer Volkslieder des Fr. S. Kuhač übertragen von Ernst Harmening, dem Verfasser des Romans „Matthias Overstolz“, dessen Stoff der Vergangenheit Kölns entnommen ist.

Franz Trautmann veröffentlichte im Verlag des litterarischen Institute von Max Huttler in Augsburg ein stattliches Bändchen Lyrik unter dem Titel: „Hell und Dunkel“. Poesien aus allen Stimmungen. Das Bildniss des Verfassers ist demselben beigegeben.

Die Gesammtausgabe der Werke Vas Gerebens, des Vaters der ungarischen Volksnovelle, hat die Budapester Verlagshandlung Wilhelm Mehner unternommen. Die in acht Bänden zu je 6—7 Heften geplante Ausgabe wird von dem Schriftstellern Dr. Béla Váli, der im verflossenen Jahre über den verdienstvollen Dichter eine größere Studie geschrieben, und Dr. Johann Sziklay redigirt und von dem Maler Ladislaw Gyulai reich illustrirt.

Die große polnische, in Petersburg erscheinende Wochenschrift „Kraj“ erweiterte mit Neujahr ihren litterarischen Teil und verspricht eine sehr bedeutende, das gesammte polnische Kulturleben umfassende Zeitschrift zu werden.

Frau Klara Schumann veröffentlichte bei Breitkopf & Härtel in Leipzig einen stattlichen Band Jugendbriefe von Robert Schumann nach den Originalen mitgeteilt. Ebenda erschien ein Trauerspiel in 5 Aufzügen von Martin Wohlrab unter dem Titel „Melusine“.

Im Verlag von Julius Fricke in Halle erschien eine Erzählung aus Erzbischof Ottos Zeiten von Caritas. Dieselbe trägt den Titel „Ruth“.

Alle für das „Magazin“ bestimmten Sendungen sind zu richten an die Redaktion des „Magazins für die Litteratur des In- und Auslandes“ Leipzig, Georgenstrasse 6.

Für die Redaktion verantwortlich: Hermann Friedrichs in Leipzig. — Verlag von Wilhelm Friedrich in Leipzig. — Druck von Emil Herrmann senior in Leipzig.

Dieser Nummer liegt bei: Ein Prospekt der Verlagsanstalt für Kunst und Wissenschaft vormals Friedrich Bruckmann in München.

Das Magazin

für die Litteratur des In- und Auslandes.

Wochenschrift der Weltlitteratur.

1832 gegründet von Joseph Lehmann. — 55. Jahrgang. — Herausgegeben von Hermann Friedrichs.

Preis Mark 4.– vierteljährlich.

Verlag von Wilhelm Friedrich in Leipzig.

No. 7. — Leipzig, den 13. Februar. — 1886.

Inhalt:

Wir Barbaren.

In seiner Nr. 40 vom 3. Oktober 1885 brachte das „Magazin“ aus der Feder des Unterzeichneten eine litterar-ästhetische Studie: „Französische Ueberlegenheit“, in welcher der Nachweis versucht wurde, dass die unleugbare Superiorität Frankreichs im Punkte der theatralischen Mache nicht sowohl auf einer reicher entwickelten dichterischen Begabung, als vielmehr auf einer größeren Laxheit des künstlerischen Gewissens beruhe.

Es ward auseinandergesetzt, wie dem Franzosen das Aeußerliche, Stoffliche, Sachliche ungleich wichtiger sei, als die Einheit der Charakteristik; daher es denn vielfach den Anschein habe, als seien die Charaktere nur die mechanischen Träger der einzelnen Situationen, ja, als würden sie von diesen bedingt und entwickelt.

Es ward schließlich hinzugefügt, dass diese Methode selbst das Unmögliche keineswegs von der Hand weise, wenn es den gewünschten äußerlichen Effekt verspreche.

Zur Erläuterung dieser These führten wir einige Beispiele an; so den Brissot des neuen Dumas'schen Drama's „Denise“; den Präsidenten in Sardou's „Ferréol“ etc. etc.

Besagter Artikel hat nun einen der berühmtesten französischen Kritiker, Herrn Francisque Sarcey, nicht schlafen lassen. Die Dreistigkeit des ungestümen Barbaren trieb dem vaterländisch gesinnten Pariser das helle Blut in die Schläfe. In der Tat, vom Standpunkt des französischen Unfehlbarkeitsdünkels war es geradezu unerhört, die festliche drapirte Muse der „*comédie*“ so *coram publico* zu entkleiden, und dem Volke zu zeigen, dass ein gutes Korset und eine schön gebaute Tournüre nicht völlig identisch seien mit der natürlichen Kernhaftigkeit Thalia's.

Diese echt preußische Missetat verdiente eine Bestrafung, und da die Ruchlosigkeit exorbitant war, so konnte auch die Züchtigung nur im gewaltigsten Maßstabe auftreten. Das heißt, die ästhetisch-kritische Majestätsbeleidigung musste mit einer Verunglimpfung der gesammten deutschen Nation beantwortet werden.

Das hat Herr Sarcey denn in der Tat auch bestens besorgt.

Unter dem Titel: „*La Différence des Crânes*“ veröffentlicht er (im „*Gagne-Petit*“, *Nummer vom 20. Januar*) einen Schrei der Entrüstung, der sich zunächst zwar an die Adresse des Ehrfurchtsvoll-Unterzeichneten, dann aber an die Bürger des deutschen Reiches *in corpore* richtet, denen er — der Leser wird angenehm überrascht sein — jedes Verständniss für das wahre Wesen der . . . dramatischen Kunst? . . . nein, der bürgerlichen Moral und der Ehre abspricht.

Was? Nicht zu glauben? Aber es ist so! Buchstäblich: der bürgerlichen Moral und der Ehre . . .!

Es liegt sonst nicht in den Gepflogenheiten des „Magazins“, — und ich gestatte mir beizufügen: auch nicht in den meinigen — jede feindselige Attake als eine Haupt- und Staatsaktion zu betrachten. Wer da Vorurteile bekämpft, Irrtümer analysirt und litterarische Missstände unter die Lupe nimmt, der darf nicht staunen, wenn ihm gelegentlich ein Fluch der Erbitterung zu Ohren dringt, oder ein bedrohliches Schmähwort. Das versteht sich von selbst; das hat sogar seine innere Berechtigung. Man soll — wenn die Variante erlaubt ist — dem Ochsen, den man zu dreschen hat, nicht das Maul verbinden.

Auch diesmal hätten wir an dem obenerwähnten Prinzip festgehalten, wenn nicht der Aufsatz des französischen Kritikers aus höheren Gesichtspunkten ein gewisses Interesse beanspruchte.

Sarcey liefert uns nämlich einen geradezu eklatanten Beleg für die traurige Tatsache, dass man in Frankreich — trotz aller Bemühungen der versöhnlichen Elemente — noch immer jede Objektivität des Urteils, ja, ich möchte fast sagen: jede Fähigkeit des logischen Denkens verliert, sobald es sich um *„ces gens-là“*, — das heißt in der liebenswürdigen Sprache Sarcey's: um das deutsche Volk — handelt. Das Wort *„Allemand“* genügt, um in der Seele des Vollfranzosen Zustände zu erzeugen, die an den Koller des Truthahns beim Anblick eines roten Tuches erinnern. Auch Herr Sarcey, der doch zu den bevorzugten Geistern seiner Nation gehört, zeigt in seinem Artikel *„La Différence des Crimes“* außerordentlich schwellfähige Halsklunkern.

Zur Erläuterung des eben Gesagten, wie zur Begründung dessen, was kommen soll, muss ich einige Stellen des Sarcey'schen Aufsatzes wörtlich hier einfügen.

Nach einem flüchtigen Resüme unsrer Haupt-Thesen schreibt Herr Sarcey wie folgt:

„Von der Theorie geht nun Herr Eckstein zu ihrer Anwendung über, vom Allgemeinen zum Einzelnen, und um den Beweis zu liefern, dass wir Franzosen, *die wir so gar keine poetische Begabung besitzen*, durchaus nicht im Stande sind, lebensfähige Charaktere von ausgesprochner Individualität zu schaffen, nimmt er das neue Drama des Herrn Alexander Dumas — Denise — und analysirt die Person Brissot's.“

Schon hier verführt die nationale Gereiztheit Herrn Francisque Sarcey zu einer Entstellung der Tatsachen. *„Nous autres Français, qui n'avons point la tête poétique . . .“* heißt es im Original. Nie und nirgends aber ist es mir beigefallen, eine solche Ungeheuerlichkeit zu behaupten. Nur die poetischen Vorzüge des französischen Drama's habe ich angezweifelt; dieses Drama jedoch ist durchaus nicht der wahrhafte Repräsentant der französischen Litteratur. Im Gegenteil: das Bedeutendste, was die Franzosen während der letzten fünfzehn Jahre hervorgebracht haben, kontrastirt nach Kern und Gestaltung durchweg mit den Schöpfungen ihrer dramaturgischen Technik. Mein Aufsatz hatte dies ausdrücklich betont. Ich citirte z. B. Daudet, „diesen genialen Schöpfer so vieler herzbewegender Menschenbilder“ — (*mea ipsissima verba*) — und schloss mit der Frage: „Wird man deshalb etwa behaupten mögen: Daudet, wenn er gewollt hätte, wenn er Verzicht hätte leisten wollen auf das *echt Dichterische in seiner ruhmreichen Produktion*, hätte nicht ebenso gut wie die Mode-Autoren vom *Théâtre français* und der *Porte St. Martin* eine *comédie* mit allen Chicanen, Finessen und Mach-Kniffen in die Welt setzen können?“ Herr Sarcey verfolgt also offenbar nur den Zweck, mir den Leser seines polemischen Referats von vornherein abhold zu stimmen. Sollte der geistreiche Kritiker wider Erwarten mit Schopenhauer bekannt sein, so möge er an entsprechender Stelle nachschlagen, wie man ein derartiges Verfahren mit einem kraftvoll-derben Studentenausdruck klangreich charakterisirt.

Doch dies beiläufig!

Francisque Sarcey fährt fort:

„In der Rolle des Brissot giebt es nun einen Punkt, den sich der deutsche Schriftsteller nicht erklären kann. Man erinnert sich, dass die Tochter Brissot's, Denise, in ihrer frühesten Jugend durch Fernand de Thauzette verführt worden ist. Nachdem sie Mutter geworden, hat er sie schnöde verlassen. Späterhin lernt Denise Herrn von Bardane kennen, der sich in sie verliebt und sie heiraten will. Sie hat ihm ehrlich ihren Fehltritt gebeichtet. Er hat ihr verziehen und ist vielleicht nahe daran, über die letzte Erinnerung an das Vergangne hinauszukommen. Nur Brissot, ihr Vater, zeigt sich unbeugsam.

„Auch Brissot hat das schreckliche Geheimniss, das seine Frau und seine Tochter ihm bis dahin verheimlicht haben, gleichzeitig mit Herrn von Bardane in Erfahrung gebracht. Brissot ist ein wackrer, ein ganzer Mann, der, was die Ehrenhaftigkeit angeht, keinerlei Transaktionen kennt. Er weiß nur Eins: dass ein Mädchen, *falls es nicht seine Ehre verlieren will*, unter allen Umständen Denjenigen heiraten muss, dem sie sich hingegeben hat. Denise war die Geliebte Fernand de Thauzette's: sie muss also seine Frau werden.

„Denise liebt Fernand nicht mehr; Fernand liebt Denise nicht mehr; — gleichviel. Die Ehre erfordert, dass die beiden Leute sich heiraten. Brissot strengt daher Alles an, sie zu dieser Heirat zu zwingen; er leugnet, dass eine andere Lösung überhaupt diskutirbar sei.

„Das revoltirt nun die deutsche Kritik. Das veranlasst sie zu behaupten, die Franzosen hätten absolut kein dichterisches Talent, und entbehrten der Fähigkeit, Charaktere zu schaffen.

„Brissot hätte, so behauptet Herr Eckstein, zu seiner Tochter sagen müssen: In Gottes Namen! Werde glücklich mein Kind! Wenn's Deinen künftigen Gemahl nicht genirt, mir soll's recht sein.

„Herr Eckstein hat offenbar ein anders konstruirtes Gehirn als wir, vorausgesetzt, dass wir nicht annehmen wollen, wir hätten ein anders konstruirtes Gehirn, als er. Aber das kommt ja auf Eins heraus. (Sehr wahr!)

„Er begreift nicht, dass Brissot allerdings kein vernünftiger Mensch nach deutschen Begriffen ist — (*que Brissot n'est point un homme sensé à l'allemande*).

Vielmehr ist dieser Brissot ein Mann, der die Forderungen der Ehre höher stellt, als die Ratschläge der banalen Verständigkeit. Es kann ja sein, dass in den Augen gewisser Leute die Ehre ein Vorurteil ist, aber dieses Vorurteil hat seine Anhänger, seine Gläubiger, seine Fanatiker, und diese opfern ihrem großartigen Idol alles Uebrige.

„*Die Ehre eines anständigen Mädchens besteht darin: sich niemals einem andern Manne hingegeben zu haben, als ihrem Gatten.* Hat sie das Unglück oder die Torheit gehabt, eine schlechte Wahl zu treffen, so muss sie dabei verharren, dem alten französischen Sprichworte gemäß: ‚Wo die Geiß angebunden ist, muss sie auch grasen.‘ Aus den Armen eines Geliebten aber, der noch am Leben ist, in die eines Gatten überzugehen, selbst wenn der Gatte diese Vergangenheit kennt und sie großmütig verzeiht: das ist *für das Weib* eine Erniedrigung und für *ihre Familie* ein unauslöschbarer Makel."

Wenn man diese volltönigen Phrasen so liest, man könnte wirklich zu der Vermutung kommen, Herr Sarcey habe allein unter sämmtlichen Denkern Europa's den Begriff der weiblichen Sexual-Ehre in seiner Tiefe erfasst und ihn zum ersten Male hier ausgiebig definirt.

Leider hält dieser Eindruck nicht vor.

Auch die oberflächlichste Prüfung ergiebt, dass Herr Sarcey weder logisch analysirt, noch wahrheitsgemäß darstellt.

Die Ehre eines anständigen Mädchens besteht also, — der Auffassung des Herrn Sarcey zufolge — darin: sich niemals einem andern Manne hingegeben zu haben, als ihrem Gatten.

Betrachten wir diesen Satz näher.

Unserer Meinung nach besteht die Ehre eines anständigen Mädchens darin, sich *überhaupt* keinem Manne hingegeben zu haben, *auch nicht ihrem künftigen Gatten;* denn Herr Sarcey kann doch hier nur den *künftigen* Gatten meinen, da *verheiratete* Mädchen, d. h. Mädchen mit einem *gegenwärtigen* Gatten, keine Mädchen mehr sind, sondern Ehefrauen.

Herr Sarcey scheint also der eigentümlichen Ansicht zu sein, als sei die Ehre eines Mädchens absolut nicht befleckt, wenn es auch *vor* der Hochzeit mit einem Manne vertraulichen Umgang pflege, eventuell auch Kinder bekomme, vorausgesetzt nur, dass dieser vor-eheliche Gemahl späterhin die illegitime Vertraulichkeit durch die Weihe des Priesters, *resp.* des Standesamtes legalisire.

In der Tat, diese Auffassung ergiebt sich nicht etwa lediglich aus dem eben citirten Passus, sondern aus dem gesammten Duktus aller Erörterungen.

Weiter oben versichert Herr Sarcey ausdrücklich, Brissot wisse nur Eins: dass ein Mädchen, *falls es nicht seine Ehre verlieren will,* unter allen Umständen denjenigen heiraten muss, dem sie sich hingegeben hat.

Wir haben gar nichts dawider, dass Brissot und Herr Francisque Sarcey dies wissen; — anderwärts aber glaubt man zu wissen, dass ein Mädchen *schon mit dem Augenblicke, da sie sich hingiebt, ihre Ehre verloren hat.* Der Konditionalsatz: „Falls sie nicht ihre Ehre verlieren will", stellt diese Tatsache klärlich in Abrede.

Herrn Sarcey zufolge wäre die weibliche Sexual-Ehre durch den Akt der vor-ehelichen Hingebung gleichsam nur auf die Kante geschoben, ungefähr wie der Einsatz auf *Pair* oder *Impair*, wenn *zéro* herauskommt.

Es hängt bei dieser Konstellation, wie jedem Kenner des Roulette-Spiels bekannt ist, von der demnächst herauskommenden Nummer ab, ob der Einsatz verloren oder wieder zurückgewonnen ist. Kommt *Impair* heraus, und mein Gold, das vorläufig auf den Rand exilirt ist, hat ursprünglich auf *Impair* gesessen, so gehört dieses halb schon bedrohte Gold wieder mir.

Nach der gleichen Methode wäre ein junges Mädchen — immer Herrn Sarcey zufolge — durch das intimste Verhältniss zu einem Manne absolut nicht bedeckt. Man müsste vielmehr erst abwarten, wie die demnächstige Kugel rollt, d. h. ob er sie heiratet oder ob nicht.

Im ersten Falle ist das Gold ihrer Ehre unkompromittirt, wie das jeder andern.

Im zweiten Falle ist sie ein Schandfleck auf dem Ehrenschild der Familie.

Jedem unbefangenen Menschen muss diese Widersinnigkeit auf die Nerven fallen.

Es ist einfach ein Unding, den sittlichen Wert oder Unwert einer menschlichen Handlung von künftigen Ereignissen abhängig machen zu wollen, die der Handelnde gar nicht beeinflussen kann.

Ganz mit der nämlichen Logik dürfte Herr Francisque Sarcey behaupten, das Stehlen sei moralisch erlaubt; nur das Ertapptwerden sei ein Verbrechen.

In der Praxis stellt sich die Sache ja allerdings so, dass ein verführtes Mädchen, wenn der Geliebte es späterhin heiratet, gesellschaftlich einigermaßen rehabilitirt wird; — aber doch nur *einigermaßen*, durch die Vermutung nämlich, ihr Verhalten bei der Verführung müsse derart gewesen sein, dass sie trotz Allem nicht jeglichen Anspruchs auf Achtung verlustig gegangen sei, sintemalen sich ja den Verführer bewogen gefunden habe, ihr seinen Namen zu geben, und so gleichsam für ihren Fehltritt mit einzustehen, ja, die Hauptschuld daran sich selbst aufzubürden. Diese Vermutung zu Gunsten des gefallenen Mädchens liegt übrigens augenscheinlich nur dann vor, wenn die Vermäldung mit ihr aus der unbeeinflussten Initiative ihres Verführers hervorging, nicht aber, wenn der Verführer auf alle erdenkliche Weise zur Heirat mit ihr gezwungen wird.

Was einmal unsittlich war, das kann wohl verziehen, aber niemals durch spätere Geschehnisse in Sittlichkeit umgesetzt werden.

Wer eine Uhr stiehlt, wird nicht dadurch wieder

zum Ehrenmann, dass er sich etwa später erbietet, die gestohlene Uhr zu bezahlen.

Dies Alles ist im höchsten Grade evident: nur Herr Sarcey hat keine Augen zu sehen und keine Ohren zu hören, — denn das scharlachfarbne Tuch des Deutschtums, das ihm entgegenweht, raubt ihm die sonst so klare Besonnenheit.

Herr Sarcey behauptet ferner: „Wenn ein verführtes Mädchen von einem anständigen Manne, der um ihre Vergangenheit weiß, geheiratet wird, so bedeutet das *für sie* eine Erniedrigung und *für ihre* Familie einen unauslöschlichen Makel."

Nach unsern Begriffen von Ehre würde hier die Erniedrigung *reguläriter* auf Seiten des *Mannes* und der unauslöschliche Makel *reguläriter* auf Seiten *seiner* Familie zu suchen sein. Für das gefallne Mädchen dagegen bedeutet es nicht eine Erniedrigung, sondern eine Erhöhung, wenn ein anständiger Mann ihr verzeiht, und sie trotz dieser Vergangenheit, die von Rechtswegen ihr die ganze Zukunft vernichten sollte, zum Altare führt.

Hat Herr Sarcey niemals der öffentlichen Stimme gelauscht? Sie spricht sich allenthalben — ich glaube sogar unter dem Himmel Frankreich's — in unsrem Sinne aus.

Wann und wo hätte sie bei einem derartigen Ehebündniss dem *Mädchen* vorgeworfen, sie erniedrige sich? Der Vorwurf richtet sich, wie gesagt, höchstens gegen den *Mann*; *ihm* wird Schuld gegeben, er versündige sich gegen eines der vornehmsten Gebote des Ehren-Kodex: ihm gilt der Groll oder die Geringschätzung der bürgerlichen Gesellschaft.

Wenn also die Verwandten des Herrn von Bardane sich mit aller Macht gegen die Verbindung mit Fräulein Denise gestemmt, wenn etwa der Vater des jungen Mannes die Unbeugsamkeit des Herrn Brissot an den Tag gelegt hätte, dann wäre Vernunft in der Sache; denn dieser Vater durfte sich sagen: ‚Wie kann mein Sohn auf die blamable Idee kommen, mir ein Mädchen ins Haus zu bringen, das die Geliebte eines Andern gewesen ist?' Herr Brissot hingegen, wenn er denn seine Tochter nicht kurzer Hand vor die Tür setzen wollte, hatte Grund zu bekennen, dass ihm und der armen Denise in dem Antrag des großmütigen, beinahe allzu großmütigen Herrn von Bardane ein eben so unverdientes, als ungewöhnliches Glück blühe, ein Glück, das, beiläufig gesagt, in Bezug auf die Rehabilitirung Denisens wertvoller war, als eine Zwangsheirat mit dem armseligen Herrn de Thauzette. Dieser Bardane ist der Absicht des Dichters zufolge ein Ehrenmann; die Gesellschaft war also autorisirt, aus seiner Bereitwilligkeit, Denisen zu heiraten, auf mildernde Umstände zu Gunsten der Braut zu schließen, was, wie schon oben erwähnt, bei einer Zwangsheirat mit Herrn von Thauzette ganz und gar nicht der Fall war.

Herr Sarcey schließt seinen Artikel mit dem pathetischen Ausruf:

„Man muss ein Deutscher sein, um die Gefühle Brissot's nicht teilen zu können, Gefühle, die einem Ehrenmann, einem Vater, so durchaus adäquat sind. Ja, ja, diese Leute — *ces gens-là* — haben ein anders konstruirtes Gehirn als wir . . .!"

In der Tat: wenn alle Franzosen die widerspruchsvollen Erörterungen Francisque Sarcey's für ebenso überzeugend hielten, als er, so könnten wir uns zu dieser Verschiedenheit der Gehirnstruktion nachdrücklich gratuliren.

Dresden. Ernst Eckstein.

König und Sänger.

Von Baron Joseph Eötvös.

Aus dem Ungarischen übertragen von Heinrich Glückmann.

Auf sturmempörten Wogen
Ein Kahn wiegt auf und ab,
Drin sitzt beim greisen König
Ein holder Sängerknab.

Des Königs schneeige Haare
Bedeckt die güldne Kron,
Doch auf des Jünglings Locken
Sprießt grüner Lorbeerlohn.

Es ruft der Fürst in Trauer:
„Was nützt mein Szepterstab?
So vieler Schlachten Sieger
Sinkt in ein feuchtes Grab.

Und wie so schnell vergessen
Die todten Herrscher sind!
Kaum eine Sage ihnen
Zum Ruhm das Volk ersinnt."

Wie anders klingt und froher
Des Sängers Abschiedsgruß:
„Leb wohl, mein süßes Liebchen,
Da ich doch sterben muss!

Und wenn mein Lied dir tönet
Einst rauschend aus der Flut,
Dann denke sein in Liebe,
Der stumm da unten ruht.

Ich hab das Glück genossen,
Senk weinend nicht das Haupt,
Es haben Lied und Liebe
Mit Lorbeer mich umlaubt!"

Und wilder wallen die Wogen,
Vom Sturm gepeitscht, in die Höh,
Der Nachen zerschellt an den Felsen
Und sinkt in die brausende See. . . .

Der Sturm hält ein und stille
Liegt da das Meer erschlafft,
Nur leise Wellenkreise
Verraten seine Kraft.

Des Sängers grünes Kränzlein
Treibt auf den Wassern blank,
Des Königs güldne Krone
Im Meeresgrund versank.

Das wissenschaftliche England.

Als Hauptmerkmal des neunzehnten Jahrhunderts darf man vielleicht die wissenschaftliche Weltanschauung bezeichnen. In England, ja, man könnte sagen, fast überall ist die Ueberzeugung entstanden, dass der erste Kunsttag der Welt vorbei ist. Die Begeisterungen der griechischen Muse, die bildliche Einbildungskraft des Mittelalters, die großen Tonkünstler sind hinter uns. Ihre „Kleider“ müssen uns auf lange Zeit genügen, wie die der Helena selbst dem Faust genügen mussten, nachdem die Schönheit seinen Armen entschlüpft war. In der Litteratur und der Kunst ist das höchste Ideal wahrscheinlich schon erreicht worden. Auf diesen Gebieten geistiger Tätigkeit waltet vorzugsweise ein rein menschliches Element ob: der Geist geht nach allen Seiten des Endlichen, erkennt das italienische Sprüchwort an: „il meglio e l' inimico del bene“, schafft das Mögliche und ruht auf seinen Errungenschaften. Weil es aber menschlich ist, so ist es auch endlich, und wir können demnach nicht umhin zu behaupten, dass die besten Statuen schon alle verfertigt, die schönsten Gebäude errichtet, die besten Gemälde, wenigstens in der historischen Schule, gemalt; dass die besten Bücher, sei es in Poesie oder Prosa, schon geschrieben worden sind, dass die Welt nicht mehr die Pheidias, Michael Angelo, Raffaelle oder Da Vinci, die Homer, Aischylos, Sophokles, Dante oder Shakespeare sehen wird.

„Vollkommenheit ist das höchste, unerreichbare Ziel des Menschen, Vervollkommnung ins Unendliche seine Bestimmung“

sagt Fichte, und, auf die Wissenschaft angewandt, mag es wahr sein; bezüglich der Kunst aber lässt sich wohl fragen, ob das dem Griechen angeborene und durch die Umgebung genährte rege und feine Schönheits- und Erhabenheitsgefühl und die äußere Gestaltung desselben jemals zu übertreffen ist. Es scheint, als ob die Menschheit in Hellas einen Höhepunkt der Vollendung erlangte, einen idealen Boden des gesammten Lebens bildete, wie vorher und nachher die Weltgeschichte nie wieder etwas Aehnliches aufweisen kann.

Wer heutzutage wäre im Stande solche Kunstwerke wie die Bildwerke von Aegina und die chryselephantinen Produkte hervorzubringen? Welcher moderne Pheidias könnte eine Statue des Zeus verfertigen, bei deren Anblick wir etwa mit den Alten sagen möchten, er mache uns die Quelle unseres Erdenleids vergessen, und Derjenige sei unglücklich, der nicht vor seinem Tode diesen Anblick genossen?

Und, was die Tonkunst anbetrifft, glaube ich behaupten zu dürfen, dass das Beste in Deutschland bereits geschaffen wurde. Wird es wieder solche Meister musikalischer Kameen und Intaglien geben wie Schubert, Schumann und Brahms? Was kann schöner sein als jene köstlichen Kleinigkeiten „Rosamunde“, „Wiegenlied“, „Lotosblume“, welche, wie die Skizzen Raffaelle's, oft mehr wahre Kunst enthalten als manches durchgeführte Werk. Und Beethoven — wohin soll man nach seines Gleichen blicken? In beiden Phasen des heutigen tonkünstlichen Denkens, der romantischen und der sinnreichen, erreicht er dasselbe hohe Ideal. Wenn man der Sinfonia Pastorale zuhört, kann man nicht die wunderschöne Landschaft sehen, am Bache sitzen, mit den Bauern tanzen, durch das Gewitter eingeweicht werden, und Gott lobpreisen, sobald der Regenbogen am Himmel erscheint? Wenn dagegen der A-Symphonie Gehör gegeben wird, vermögen keine menschlichen Worte den Sinn des wunderbaren Allegretto auszudrücken.

Mit der Wissenschaft dagegen verhält sich die Sache anders. Hier heißt es immer „Vorwärts“. Die Wahrheit ist nicht nur vielseitig sondern auch unendlich in ihrer Bestimmung, wie man leicht aus der Geschichte jeder Wissenschaft und aller Erkenntnisslehren sehen kann. Wenn man z. B. die Entwickelung der Erdkunde oder der Sprachwissenschaft verfolgt, so zeigt sich, wie nach und nach dieses bloßes Irrlicht, jenes nur Halbwahrheit gewesen. Vor einem Jahrhundert gab es keine Geologie. Die Wissenschaft suchte darnach herum, und kehrte mit einer Geologie zurück, welche, wenn die Natur Einklang war, Falschheit auf dem Gesicht trug. Es war die Geologie des Katastrophismus, eine Geologie, welche mit der durch die andern Wissenschaften offenbarten Natur Schritt zu halten so unfähig war, dass man wohl a priori Recht hatte, ihr die vollendete Form irgend einer Wissenschaft abzusprechen. Und die Falschheit wurde bald und zwar zunächst von Goethe dargelegt. Die Heranziehung der modifizirten gleichformbildlichen (uniformitarianischen) Prinzipe war es, welche das Wort Katastrophe aus dem Tempel der Wissenschaft verbannte und die Geburt der Geologie der Gegenwart verkündigte. Das heißt, die Bildung der Erdoberfläche ist nicht von gewaltsamen Umwälzungen, die nur einzelne Spätlingsbildungen erzeugten, sondern von ruhigem Fortschritt und stiller, allmählicher Entwickelung herzuleiten.

Was scheint den Sprachforschern bestimmter, genauer unter den Tatsachen der Sprachvergleichung als die Klassifikation der Sprachen in einsilbige, agglutinirende und flectirende? An der Ureinsilbigkeit menschlicher Sprache zu zweifeln heißt Ketzerei hegen. Doch ist es mir außer Zweifel sowohl aus eigener Beobachtung der Seele des Kindes als auch durch Untersuchungen der Kindheit des Geistes, dass der erste Sprachlaut **Wiederholung** einer Silbe ist. Und hier möchte ich die Aufmerksamkeit deutscher Sprachforscher und Ethnographen auf die Untersuchungen meines Freundes M. Prof. Terrien de La Couperie auf dem Gebiete indo-chinesischer Philologie verweisen. Dieser Gelehrte ist durch eine Reihe von Schriften über chinesische Kultur bekannt geworden: „The Yih-King", „The Cradle of the Shan race", „The old Numerals, the counting-rods and the swan-pan in China", „Paper-Money of the 9th. century and supposed Leather Coinage of China" etc.

Nach ihm sind die Wurzeln einer Sprache, wie sie durch sprachwissenschaftliche Untersuchung gefunden werden, nicht Anfänge, sondern Ergebnisse. Durch die unbewusste Wirkung des Geistes, welcher nach Zeichen allgemeiner Vorstellungen sucht, werden die Wurzeln hervorgebracht. Die wurzelbildende Periode besteht noch und wird nie endigen. Es gehört zu der Natur der Sprache im Zustande rastloser Entwicklung und Umwandlung zu sein, und deswegen darf man nicht behaupten, dass in früheren Zeiten andere Einflüsse und Tätigkeiten als die, welche heutzutage wirken, herrschten. Die Sprachen von Tibet, Birmah, Pegu, Siam, Annam und China werden gewöhnlich einsilbig genannt, und noch von Manchem irrtümlich als lebendige Exemplare der Ursprache einsilbiger Wurzeln bezeichnet. In Wahrheit aber hat es nie solchen Monosyllabismus gegeben. Der Einsilbigkeit giebt es nur drei Arten, eine der Verwitterung, eine des Aussprechens und eine der Schrift. Nun gehören die Sprachen Süd-Ost Asiens der zweiten an, während die Einsilbigkeit des Englischen aus der Verwitterung entsteht.

Wegen Scheidung der Stoffwörter von den Formwörtern werden diese Sprachen auch **isolirend** genannt; es sind aber die ersteren, welche zusammenfließen und dann nach und nach verwittern. Die Verwitterung wird oft durch Unterscheidung der Tonhöhe beim Aussprechen hervorgebracht. Man hat diese Töne als Ueberbleibsel der Sprache der Urmenschheit „when speech was but the song of the soul" betrachtet, Tatsache ist jedoch, dass sie bloß eine gemeine Erscheinung sprachlichen Equilibriums ist. Durch Verwitterung wurden die Sprachen Süd-Ost-Asiens vielfach zertrümmert, doch kann man ihren früheren und volleren Phonetismus gewissermaßen durch Paläographie und dialektische Vergleichung wiederherstellen. Prof. de La Couperie teilt sie in sechs Klassen:

1. Einkapsulirend, 2. Einverleibend, 3. Alliterirend, 4. Isolirend, 5. Agglutinirend und 6. Amalgamirend.

Man muss sich aber wohl vergegenwärtigen, dass sie nicht aufeinander folgende Stufen, sondern Zustände sind und zwar das Ergebniss zweier großer Kräfte, welche die Sprache hervorbringen, nämlich die geistige Fähigkeit allgemeine Ideen zu begreifen und auszudrücken und die Faulheit der Sprachorgane. Manchmal wirken diese zwei Kräfte harmonisch zusammen und manchmal gegen einander. Zu beobachten sind hier die merkwürdigen Erscheinungen der gemischten und hybridischen Sprachen. Gemischt ist eine Sprache, wenn bloß das Lexikon mit ausländischen Elementen versehen ist, hybrid, wenn die Grammatik zerstückelt wird. Die Grammatik zeigt innere und äußere Entwicklung: innere, wenn sie, die Möglichkeiten der Entfaltung benutzend, doch ihrer eigenen Natur treu bleibt; äußere, wenn sie mit einer andern Grammatik sich mischt.

Die Sprachen des weiten Ostens gehören zwei großen Familien an: der turanischen und der himalajischen, außer einem Residuum von Negrito und Papua-Dialekten. Turanisch ist der große Kwenlunische Zweig, d. h. α) die chinesischen Sprachen, β) tibeto-birmanische Gruppe, γ) Jao-Karenische Gruppe, δ) dravidische Sprachen. Himalajisch schließt zwei große Zweige ein: 1. den indischen, für die kolarianischen Sprachen etc., 2. den indo-pacifischen, mit vier Abteilungen: α) Môn-taisch (Môn annam und Tai'San), β) Malajisch, γ) Polynesisch, δ) Mikronesisch.

Wenn man einen Chinesen über die Geschichte seines eigenen Volkes befragt, so meint er, dass es seit undenklicher Zeit dieselbe ethnische Stellung eingenommen, dass es seit fünftausend Jahren eine isolirende Sprache und eine monotheistische Religion gehabt hat. Und wichtige Schlussfolgen für die Philosophie der Geschichte und für die Politik sind aus dem Vorhandensein dieser vorausgesetzten Selbstentstehung und Entwicklung eines wichtigen Kulturfokus gezogen worden. Doch zeigen die Ergebnisse altchinesischer Philologie, dass China seine Sprache und die Elemente der Künste, Wissenschaften und Satzungen von den Ansiedelungen der ugro-altaischen **Bak** Familien empfangen hat. Diese Völker kamen von Westasien um 2300 v. Chr. her, unter der Führung von Männern hoher Kultur, welche durch ihre Nachbarn die Susianer mit der Zivilisation, die aus Babylonien herstammte und im zweiten Fokus abgeändert wurde, bekannt waren.

Die nichtchinesischen Rassen des „blumigen Landes" sammt ihren jüngeren Verwandten Indo-Chinas zeigen, in dem ungleichen Betrag der Verwandtschaften und Parallelismen, welche sie mit den

Chinesen gemeinschaftlich besitzen, das einige dieselben durch zufällige Nachbarschaft, andere dagegen aus Vermischung bekamen.

Die Ursache des Missverständnisses bezüglich des politischen und ethnologischen Zustandes des alten China ist merkwürdig; sie liegt in den besonderen Abteilungen der chinesischen Annalen und in den Eigentümlichkeiten der geographischen Abteilung des Reiches für die verwaltliche Anordnung.

Während also früher die Geschichte Chinas als die einer allmählichen Selbstentwicklung eines gleichartigen Stammes, welcher fast das ganze Land besetzte, von wildem Leben bis auf eine Kultur, die kein westliches Volk vor fünfhundert Jahren erreicht hatte, zu verstehen war, erhellt jetzt, dass die Zivilisation der „Himmelssöhne" aus mannigfachen Quellen entstanden ist.

Mit Bezug auf die Sternwissenschaft verdient es wohl Beachtung, wie von Dr. Huggins vor Kurzem erfunden worden, dass durch die Spektroskope es dem Astronomen möglich geworden ist, wahrzunehmen, ob ein Stern gerade herankommt oder zurückgeht.

London. Herbert Baynes.

Eine griechische Tragödie.*)

A. R. Rangabé, in den diplomatischen Kreisen Deutschlands wohlbekannt als langjähriger Vertreter seines Hofes in Berlin, in gelehrten als Herausgeber der ältesten Sammlung griechischer Inschriften und in litterarischen als vielseitiger Dichter, hatte sich die Aufgabe gestellt, in einer Reihe von Dramen lebenswahre Bilder aus den Haupt-Epochen der griechischen Geschichte zu geben. Dabei war das klassische Altertum durch die dreißig Tyrannen (deutsch 1882), das Mittelalter durch den Dukas (deutsch 1880), der zur Zeit des vierten Kreuzzuges 1204 spielt, vertreten. Hier war also eine Lücke von mehr als tausend Jahren. Es ist erfreulich, dass der Sohn Alexander Risos, Kleon Rangabé gleich dem Vater Diplomat, Gelehrter und Dichter, begonnen hat, sie auszufüllen. In dieser Familie ist das poetische Talent erblich; denn schon der Großvater, Jaques Riso, hat als Uebersetzer französischer Dramen und als Förderer des neugriechischen Stils einen ehrenvollen Platz in der Litteraturgeschichte. Widmet ihm doch sein gleichfals dichtender Vetter Nerulos das Epigramm:"

Ὁ Ῥῖζος ὁ Ἰάκωβος μετέφρασε Ῥακῖνον.
Αὐτὸν ἐκεῖνος, ἢ αὐτὸς μετέφρασε ἐκεῖνον;

So schön hat Riso Rangawis den Racine übertragen,
Dass, wessen Werk das Original, man wüsst' es kaum zu sagen.

*) Κλέων Ῥαγκαβῆς. Ἡράκλειος, δρᾶμα εἰς μέρη πέντε. Μετὰ σημειώσεων. Τὸ πῦρ ὑπὸ τὴν αἰθάλην. Leipzig, Drugulin, 1885.

So ist die Familie immer auf dem Plan, denn die neusten griechischen Dramen sind, wie angedeutet, vom Enkel Jenes, der gleichsam noch auf der Schwelle der neuhellenischen Litteratur steht. Kleon Rangabé ist zuerst als lyrischer Dichter hervorgetreten. Wir erinnern uns besonders eines stimmungsvollen Gedichtes, worin geschildert wird, wie eine abgeschiedene Seele die zurückgelassene Familie in kurzen Zeitabschnitten unsichtbar besucht und trauernd wahrnimmt, wie schnell man der Todten vergisst. — Ist schon Alexander Riso, was die Sprache anbetrifft, Purist, der möglichst ähnlich dem Altgriechischen schreibt, sodass man Worte wie das schöne aus griechischen Volksliedern bekannte Pallikar bei ihm nicht finden wird, so geht der Sohn in dem gleichen Bestreben noch weiter. Begeistert für die alte Sprache und überzeugt, dass das neue Idiom sich jener mehr und mehr wieder nähern werde, hat er, da ihm dieser Prozess nicht schnell genug geht, geglaubt, ihm in seinen poetischen Werken gleichsam vorauseilen zu können; und so erlaubt er sich Formen und Wendungen, die nach der Grammatik korrekt sind, aber da sie durch den Gebrauch noch nicht geheiligt, in den Augen einiger Kritiker der Flüssigkeit seines Stiles schaden.

Ganz in dieser antikisirenden Sprache ist die Tragödie Theodora gedichtet, welche der neugriechische Dichter, merkwürdig genug, fast gleichzeitig mit derjenigen Sardous veröffentlicht hat. Anders in der hier vorliegenden Tragödie „Heraklius". Hier macht es der Dichter wie Shakespeare oder, um einen neugriechischen Vorgänger zu nennen, wie Bernardakis. Die Hauptpersonen sprechen in Versen (jamb. Trimetern natürlich) und man kann wohl sagen altgriechisch; die Nebenpersonen reden in Prosa und im Dialekt oder vielmehr in verschiedenen Dialekten.

Der Gegenstand der Tragödie ist an sich schon ein sehr anziehender. In der meist so öden und unerquicklichen byzantinischen Geschichte bildet die Zeit des tüchtigen Kaisers Heraklius gleichsam eine Oase voll erfrischenden Lebens. Wie sorgfältig und tief der Dichter sich mit jener Zeit vertraut gemacht hat, beweisen schon äußerlich die Anmerkungen, worin die Quellen und die gesammte neuere Litteratur besprochen werden. Auch war es ihm offenbar nicht in letzter Linie um die Schöpfung eines großartigen historischen Gemäldes zu tun. Aber zugleich soll sein Werk ein echtes Drama sein, und auch in dieser Beziehung ist die Wahl seines Gegenstandes als eine glückliche zu bezeichnen. Die Handlungsweise des Heraklius bietet eins der eigentümlichsten psychologischen Probleme, freilich ein solches, für welches unserer Zeit vielfach das volle Verständniss abgehen dürfte. Der große Kaiser war nämlich mit seiner Nichte, also im verbotenen Grade, vermählt; und diese Ehe ist in mehr als einer Hinsicht das Verhängniss seines Lebens geworden. Sie hat den starken Mann weich und schwach gemacht, und so lernen wir ihn auch zunächst als Flüchtling vor den seine Hauptstadt bedrängenden Avaren kennen. In einem Gespräche mit einem ihm nahestehenden Großen, Nikitas, das an das bekannte Gespräch des Don Carlos mit Posa erinnert, erscheint er wie Jener als ein von den eigenen großen Jugendplänen Abgefallener. Ja, er hat ernstlich die Absicht, Konstantinopel zu verlassen, um mit der geliebten Gattin in Karthago ein idyllisches Leben zu führen. Ihr Wahlspruch ist: Après nous le déluge, natürlich griechisch: *βιώσωμεν, ἡμεῖς λαμπρῶς καὶ εἶτα εἰς τοὺς κόρακας.*

Aber eine Saite in Heraklius Brust giebt noch einen starken Ton: die religiöse. Und diese grade wird furchtbar bewegt durch die Nachricht, dass das Kreuz Christi in die Hände der Ungläubigen gefallen. Nun rafft sich der Kaiser auf, und durch gewaltige Kriegstaten, die wir zum Teil auf der Bühne, die nach Asien verlegt ist, selbst sehen, von denen wir zum Teil durch Meldungen an die Kaiserin in Konstantinopel vernehmen, werden die Perser geschlagen, und das heilige Kreuz wird wiedergewonnen. Aber an der heiligen Stätte selbst hat Heraklius eine furchtbare Vision. Muhamed erscheint ihm und spricht die drohenden rätselhaften Worte: Allah il Allah! Der Eindruck der gigantischen feindlichen Erscheinung auf den Kaiser ist ein niederschmetternder: Gott kann ihm nicht verzeihen, seine Sünde ist größer gewesen, als seine Reue. Er verfällt wieder in die frühere, ja, in eine schlimmere Lethargie, aus der ihn nur das furchtbare, den Seinen vom aufständischen Pöbel bereitete Geschick noch einmal vor seinem Ende erweckt. — Dies ist natürlich eine höchst dürftige Inhaltsangabe. Das Drama ist überreich an Handlung; die tragischen Szenen wechseln auch mit komischen, in denen ein dem Falstaff mit Glück nachgebildeter Held, Namens Seismos, die Hauptrolle spielt.

Das kleine der Tragödie beigegebene Lustspiel, „Das Feuer unter der Asche“, könnte man am besten mit dem französischen Ausdruck proverbe bezeichnen. Es ist eine dramatische Ausführung des ewig jungen Themas: Donec gratus eram tibi. Doch hat hier keine neue Liebe die Liebenden getrennt, sondern die materialistisch berechnenden Ideen der bösen Gegenwart drohen sie auseinander zu bringen. Aber das Erwachen der alten Liebe und ein wohlwollender Onkel retten das Mädchen noch glücklich aus den Armen des unausstehlichen Millionärs, dem die Mutter sie zugedacht, und vereinigen sie wieder mit dem wohlsituirten und liebenswürdigen, aus der Fremde heimkehrenden alten Spielkameraden, dem sie nur treue Schwesterliebe zu widmen gedachte. Missfallen hat uns bei dem harmlosen Stückchen die niedere Komik, welche durch die stocktaube und stotternde (excusez du peu!) Mutter des Millionärs vertreten ist.

Göttingen. O. A. Ellissen.

Die neusten geistigen Kundgebungen in Polen.

In unsern früheren Magazin-Berichten über die litterarische Bewegung in Polen gedachten wir mehrerer Jubiläen und Säkularfeiern, welche in den Jahren 1883 und 1884 begangen wurden und den Beweis lieferten, dass man sich in vielen polnischen Kreisen allgemach daran gewöhne, den Schwerpunkt der politischen Bedeutung des Landes rückwärts, den Ruhm der Gegenwart aber in der Beleuchtung der Vergangenheit und in Werken des Geistes, des Friedens zu suchen. Eine schöne Frucht dieser Erkenntniss ist neben dem Fortschreiten auf volkswirtschaftlichem Gebiet eine nimmer rastende Tätigkeit in dem Zurückgehn auf historische Quellen und deren ernster Prüfung auf ihren Wert. Ganz besondere Aufmerksamkeit wurde in den jüngst verflossenen Jahren der letzten Periode des staatlichen Bestehens zugewandt. Nächst dem von uns bereits gewürdigten hochbedeutenden Kalinka erweist sich Thaddäus Korzon in seiner „Inneren Geschichte Polens von 1764 bis 1794“ als zuverlässiger Führer durch dieses schon viel durchforschte aber auch viel durchirrte Labyrinth. Er beschäftigt sich vornehmlich mit den damaligen ökonomischen und administrativen Verhältnissen. Das nun in drei Bänden vorliegende Werk beginnt mit dem Reichstage von 1764, zu welchem sich außer den polnischen Abgeordneten auch die Russen als ungebetene Gäste eingefunden hatten, um die Beratenden durch Militärmacht einzuschüchtern. Man weiß, welche Zerfahrenheit und Unentschlossenheit den Gang der Verhandlungen dieser zur Königswahl zusammengetretenen Versammlung lähmte. Korzon bringt nun zunächst statistische Nachrichten über den Umfang des polnischen Reiches vor der ersten Teilung und berechnet denselben auf 13 000 Quadratmeilen mit einer Einwohnerzahl von elf und einer halben Millionen. Dann charakterisirt er die verschiedenen Klassen der Bevölkerung. Adel und Geistlichkeit, bäuerliche und merkantile Interessen — Alles wird ohne Vorurteil untersucht, und immer spricht die Zahl das entscheidende Wort. Während Korzons Arbeit weit und tief in den Gegenstand eindringt, giebt Adolph Pawiński in seinem „Polen im sechszehnten Jahrhundert“ mehr allgemeine Konturen vom geographisch-statistischen Standpunkt. Von Kasimir Jarochowskis „Historischen Darstellungen und Studien“ wurde 1884 in Posen eine neue Serie ausgegeben. Zwei Aufsätze über die Befreiung Wiens durch Sobieski eröffnen die Reihe dieser Geschichtsbilder. In umfassender Ausführung wird sodann Stanislaw Leszczyński, der König-Philosoph beurteilt, dem der Verfasser ungeachtet seiner Geistes- und Herzensvorzüge doch alle Fähigkeit abspricht, eine so hohe Stellung auszufüllen. Aus dem übrigen Inhalt des Werkes heben wir die Studie über das Verhältniss Brandenburgs zur katholischen Kirche in den polnischen Ländern, von 1640 bis 1740, hervor. Dem um die Reform des Schulwesens hochverdienten Konarski widmete Florian Łagowski eine 1884 in Warschau veröffentlichte Schrift. Von der „Geschichte des Novemberaufstandes (1830)" von Stanislaw Barzykowski, Mitgliede der damaligen National-Regierung, erschien der fünfte Band, Posen 1884, mit Erläuterungen des Herausgebers Aër. Den neueren Forschungen trägt der „Abriss der Geschichte Polens und der mit ihm vereinigten ruthenischen Landesteile" von Anatolius Lewicki, Krakau 1884, Rechnung. Es ist ein für Unterrichtszwecke wertvolles Buch. Seitdem August Bielowski den ersten Band der „Monumenta Poloniae historica" vollendete, sind etwa zwanzig Jahre verflossen. Was in anderen Ländern von den Regierungen oder von gelehrten Körperschaften bewirkt wird, das ermöglichte in Polen ein Einziger: der nun nicht mehr unter den Lebenden weilende Bielowski, indem er mit dem Scharfsinn und Dauermut eines Pioniers in manchen noch unbetretenen Urwald eindrang und viele bis dahin noch verborgene Schätze hervorzog. Die Lemberger Abteilung der historischen Kommission der Krakauer Akademie der Wissenschaften unternahm es, den vierten Band des Riesenwerkes herzustellen, der nun, an 1000 Druckseiten stark, zur Versendung gelangt ist. Er wurde von sechs berufenen Historiographen bearbeitet und enthält hauptsächlich — Legenden und Wunder polnischer Heiligen. Das könnte Manchen verleiten, auf das Werk mit Geringschätzung herabzusehn. Aber diese Aufzeichnungen besitzen anerkennenswerte Vorzüge. Sie ergänzen die trockenen gleichzeitigen Chroniken, Jahrbücher und Dokumente, indem sie in das Leben, die Gewohnheiten und gegenseitigen Beziehungen aller Gesellschaftsschichten der Piasten- und Jagiellonen-Zeit neue und tiefe Einblicke gewähren. Das gilt namentlich von dem durch Adalbert Kętrzyński mit großer Gründlichkeit bearbeiteten Lebenslauf der heiligen Kunigunde. Dem Forscher standen drei alte Handschriften aus dem fünfzehnten, sechszehnten und siebzehnten Jahrhundert zu Gebot. Die letztere darf als authentische Kopie eines Manuskripts von 1401 die meiste Zuverlässigkeit beanspruchen. Noch verdienen Anton Prochaskas „Historische Skizzen aus dem 15. Jahrhundert", Krakau und Warschau 1884, Erwähnung. Die Berührungspunkte zwischen Polen und den deutschen Ordensrittern und Böhmen sind das Gebiet, auf welchem dieser Autor seine Kräfte erprobt.

Die Geschichte der Litteratur und die verwandte Biographie sehen wir wieder durch viele, der Mehrzahl nach treffliche Arbeiten bereichert. Etwa fünfzehn verschiedene Werke, die Essays in Zeitschriften ungerechnet, darunter mehrere tief gehaltvolle, die entweder ausschließlich oder doch zum Teil von Mickiewicz und seinen Schöpfungen handeln, sind in den letzten zwei Jahren entstanden. Eine ebenfalls beträchtliche Zahl von Biographen und Auslegern beschäftigte sich mit Kochanowski, Krasiński, Słowacki und Andern. Ne quid nimis! Auch die Litteratur hat ihre Tagesmoden und Manieen. Auf den eine zeitlang durch alle Lande gehenden Furor apologeticus, die Sucht, in der öffentlichen Meinung gebrandmarkte historische Persönlichkeiten in Lämmlein umzuwandeln, scheint jetzt der Furor exegeticus gefolgt zu sein. Wir wollen indess keineswegs den auf neue gediegene Forschung gegründeten kritischen Würdigungen die Berechtigung absprechen.

Bronislaw Chlebowski entkleidet in seiner Schrift über Kochanowski, Warschau 1884, den Altmeister der Poesie so ziemlich des Nimbus, der ihn bisher umgab. Kochanowskis „Elegien auf den Tod der Tochter" analysirt Peter Parylak, Gymnasialprofessor in Stanislawow in dem 1885 erschienenen dritten Bändchen seiner Erläuterungen polnischer Dichterwerke; dankenswert sind die beigegebenen Erklärungen schwer verständlicher Archaismen. Die ersten beiden Hefte der Sammlung waren Malczewskis „Maria" und Słowackis „Vater der Pesterkrankten" gewidmet. — Es gab eine Epoche, in welcher Słowacki, der in Paris längere Zeit unbefriedigt gleichsam als Einsiedler gelebt hatte, sich wieder glücklicher zu fühlen begann. Er kleidete sich mit höchster Eleganz und weilte mehr außer als in dem Hause. Als dann Towiański mit seiner Propaganda auftrat, verhielt sich Słowacki anfangs kalt ablehnend, trat aber dann in des „Meisters" Gemeinde ein, und nun vollzog sich in seinem ganzen Wesen eine durchgreifende Reaktion. Er wurde ein in sich gekehrter Mensch, der allein für sich grübelte. Nur ein Jahr lang gehörte er Towiańskis Sekte an, aber der Einfluss dieses Mannes war bleibend. Der Dichter lebte nur noch „im Geiste", er fühlte seine Seele „voll göttlieber Schätze" und schuf auf der Basis der heiligen Schrift seine mystisch-spiritualistischen Doktorinen. Heinrich Biegeleisen veröffentlichte nun mit erörternden Anmerkungen, Warschau 1885, mehrere in diesem Sinn abgefasste, bisher noch gar nicht oder nur fragmentarisch gedruckte Schriftstücke Słowackis, aus denen trotz der vielen wie Bibelsprüche lautenden Gedanken doch nur die krankhafte Geistesrichtung des Dichters erhellt, den sein Mystizismus oder vielmehr sein Aberglaube so anmaßend machte, sich selbst zu überreden, die Bibel sei nur ein Anfang, ein Versuch, die ewigen Wahrheiten aufzuzeichnen, er aber der zur Vollendung des Werkes Berufene. Es erweckt ein schmerzliches Gefühl, ein Talent wie Słowacki so enden zu sehn. Den polnischen Schriftstellerinnen des 19. Jahrhunderts setzte Peter Chmielowski, Warschau 1885, ein litterar- und kulturhistorisches Denkmal. Des Werkes erste Serie umfasst neun sehr erschöpfende Biographien, durchwebt mit eingehenden psychologischen Untersuchungen und Beleuchtungen der gleichzeitigen Aufklärungsmomente. Adam Kuliczkowskis Geschichte der polnischen Litteratur hat in ihrer dritten Auflage, Lemberg 1884, durch Verbesserungen und Inbetrachtziehung der Gegenwart sehr an Bedeutung gewonnen. Auch der wissenschaftlichen Gesellschaften wird darin gedacht. Manche der neusten litterarischen Capacitäten hätten freilich einen weniger beschränkten Raum in dieser Walhalla verdient — viele werden, als noch unbestimmte Werte, einfach in Dutzendbündeln aufgespeichert. Der reichbegabte Aër (Adam Rzażewski), dessen Werke auf der Grenzscheide zwischen Geschichte und Dichtung stehen, hat uns noch kurz vor seinem im Laufe des letzten Sommers erfolgten Dahinscheiden in lebendigen und fesselnden „Darstellungen und Studien", Posen 1885, verschiedene Celebritäten in ihrem künstlerischen und gesellschaftlichen Sein und Wirken vorgeführt. Eine ehrwürdige Greisin die neunzigjährige Frau Lacroix, welcher Aër manche Angaben über Mickiewicz' Leben in Odessa verdankte, ging ihm wenige Wochen im Tode voran. Diese, eine geborene Gräfin Rzewuska, war in erster Ehe mit Hieronymus Sobański in Odessa vermählt gewesen, und hatte nach dessen Tode den russischen General Witt, nach der Trennung von diesem den General Czyrkowicz geheiratet. Nach dessen Tode ward sie die Gattin des Schriftstellers Jules Lacroix in Paris, mit welchem sie in fünfzigjährigem glücklichen Bunde lebte und dem sie, als er das Augenlicht verlor, als Sekretär diente, die innersten Gedanken auf dem Antlitz des Blinden lesend. Ueber den Geist und die Herzenseigenschaften der nun Heimgegangenen ertönte nur ein Lob. Noch eines andern, in Polen schmerzlich empfundenen Todesfalles sei an dieser Stelle gedacht. Am 15. Januar 1884 verschied, einundachtzig Jahre alt, Anton Eduard Odyniec in Warschau, einer der letzten jener einst von so hochfliegenden Strebungen erfüllten Wilnaer Zöglinge, als Dichter und Uebersetzer, als Verfasser der klassischen Briefe über Mickiewicz gleichwie als lauterer und liebenswürdiger Charakter des ehrenvollsten Gedächtnisses wert.

Die deutsche Litteratur aller Jahrhunderte findet in Polen immer noch aufmerksame Beachtung. Nicht nur unsere Dichterwerke werden noch heute mit immer größerer Vollendung in das Polnische übertragen, sondern auch die Dichter selbst werden in ihren Werkstätten aufgesucht und mit ihren Geisteskindern im nämlichen Focus geprüft. Außer vielen neueren Uebersetzungen liegen uns u. A. drei von intimer Stoffdurchdringung zeugende Schriften Jeske-Choińskis vor, deren eine, Warschau 1883, das deutsche Drama des neunzehnten Jahrhunderts zum Gegenstande hat. Der Autor giebt genau die Quellen an, aus denen er schöpfte, beruft sich auf diejenigen, deren Urteil er adoptirt, und bekämpft andere, denen er nicht zustimmen kann. Sein Stil ist farbenreich und voll Kraft. Das Gesagte gilt auch von seiner Abhandlung über die deutsche Ritter-Epopöe, Warschau 1884, sowie von der litterarischen Porträtirung Heinrich Heines, Krakau 1885. In der Einleitung zu diesem Buche wirft der Verfasser einen Rückblick auf die Zeit der Reaktion gegen den Klassizismus in Deutschland und spricht dann rückhaltslos seine Meinung dahin aus, dass, wenngleich die drei ersten Heineschen Schöpfungen: die Reisebilder, die florentinischen Nächte und das Buch der Lieder die Unsterblichkeit verdienen, der Rest keinen bleibenden Wert beanspruchen darf, indem seine politischen Korrespondenzen und flüchtigen Artikel ebensowenig des Nachruhmes würdig sind, als der größte Teil seiner nach 1830 geschriebenen Poesien, weil er darin oft den Schmutz der Gasse aufsucht, sein Witz aber, der schon in den Reisebildern fade war und mehr durch den bis dahin noch nie in Buchform gebrachten Kneipen-Esprit frappirte, immer matter und läppischer wird. „Süß," sagt Choiński, „ist das Heinesche Gift, seine Reime schmeicheln dem Ohr, sein Witz unterhält, seine Cynismen blenden wie die Feuergarben vergehender Raketen..... Und welch ein Ende auf der „Matratzengruft" an einem weder durch Tapferkeit, noch durch angestrengte Arbeit, sondern durch niedere Ausschweifung von der ersten Jugend an selbstverschuldeten Leiden! Sein früher Hingang ist nicht tragisch. Man kann ihn nur ein abschreckendes Beispiel nennen. Im ganzen Leben Heines giebt es keine einzige erhabene, edle, ritterliche Tat. Er war Egoist, liebte nur sich selbst und dachte nur an sich." — Bronislaw Zawadzki übersetzte neuerdings Scherrs allgemeine Geschichte der Litteratur ins Polnische. Von den ursprünglich nicht in den Plan aufgenommenen, vom Uebersetzer hinzugefügten Musterbeispielen dehnen sich einzelne — als „Anmerkungen" — bis auf den Raum von ein und einhalb großen Druckbogen aus; sie sind so ungleich verteilt, dass manche Litteraturen, wie z. B. die griechische, zu viel, andere, wie die deutsche, die nur mangelhaft neubearbeitete polnische, die aus Zensurrücksichten um einige Kernstellen gekürzte russische wenig oder gar nichts erhielten. Unvollständig, weil nur à tout hasard herausgegriffen, sind auch die beigegebenen bibliographischen Notizen. Scherrs original-kräftiger Stil, der stets ohne Euphemismen aufs Ziel losgeht, bietet dem Uebersetzer große Schwierigkeiten, die aber Zawadzki meist mit Glück überwunden hat. — Von dem im Herbst 1884 begonnenen zehnten Band der Karl Estreicherschen „Bibliographie des neunzehnten Jahrhunderts" sind bereits mehrere Lieferungen zur Ausgabe gelangt. Um die Bibliographie der Gegenwart macht sich Wladyslaw Wislocki in Krakau fortdauernd in einer Weise verdient, die ihm noch den Dank der Nachwelt sichert.

Im Uebrigen fließt in wissenschaftlicher Richtung der Strom des polnischen Originalgeistes weniger reichlich. Gleichwohl haben Fachorgane manche bedeutsame Neuigkeit zu verzeichnen. Unter den einzelnen Disziplinen werden Mathematik, Naturwissenschaften, Nationalökonomie und Linguistik am regsten kultivirt. Früher in Polen nur wenig populär und deshalb in der Litteratur nur sporadisch vertreten, bildet heute die **Volkswirtschaft**, die Erörterung sozialer und ökonomischer Fragen eine stehende Rubrik der wissenschaftlichen und kritischen Presse. Die dadurch angebahnte Verbesserung muss in Verbindung mit dem Wirken der landwirtschaftlichen Vereine dem Lande zum Segen gereichen. Die **Mathematik** hat in Polen stets liebevolle Pflege gefunden. Władysław Zajączkowski leitet seine „Analytische Geometrie“, Warschau 1884, mit einer gedrängten Geschichte dieser Wissenschaft in Polen ein. Das Werk bildet den vierten Band der vierten Serie der bereits durch andere gleichtreffliche Arbeiten gut eingeführten M. A. Baranieckischen mathematisch-physikalischen Bibliothek. Ein hochinteressantes **naturwissenschaftliches** Thema behandelt Erasmus Majewski in seinem Buche über „Die Sündflut“. Er zieht Alles zu Rate, was Licht in das Dunkel der biblischen Sage bringen kann, sowohl die neu entdeckten Ueberreste der königlichen Bibliothek von Ninive, als auch die heutige Kenntniss der Naturkräfte, und erklärt die Flut der Genesis für eine lediglich lokale. Derselbe Forscher plädirt in einer Broschüre, Warschau 1885, für eine Regelung der botanischen und zoologischen Nomenklatur.

Das Finale, das einzige Resultat der zersetzenden Naturphilosophie bleibt im gestirnten Himmel, im Schacht des Berges, in der Zelle stecken, die Ursachen des Lebenshauches ergründet sie nicht, aber auf der Spürjagd danach wird Alles, was dem Menschen heilig ist, über Bord geworfen. Und doch ahnte der Menschengeist aller Jahrhunderte vermöge seiner Urteilskraft etwas Größeres, Erhabeneres, als ihm hier anzuschaun vergönnt ist. Dem kraft dieses Kalkuls Erfassten leihen zwei neuere Werke über die Unsterblichkeit der Seele Ausdruck. Wer weihte bei dieser Worte Klang nicht jenem Weisen Athens ein pietätvolles Gedenken, dem Tugendhelden, der für seine Ueberzeugung freudig in den Tod ging! Er bahnte den Denkern aller Zeiten die Pfade. Władysław Michael Dębicki stellt die Fortdauer nach dem Tode nicht nur als philosophisch-religiöses, sondern auch als physiologisches Postulat, die Grundsätze der Materialisten aber als irrige Auffassungen der Fakta hin. Die andere, von Heinrich Struve verfasste Schrift beweist die Unsterblichkeit zum Teil apagogisch: ohne den Glauben daran hätte sich die Menschheit niemals zu den Idealen erheben können, welche ihre edelsten Taten hervorrufen und die Haupttriebfedern ihrer moralischen Entwicklung sind. Moritz Straszewski geht in einem, der Universität Edinburgh gewidmeten Traktat, Krakau 1884, auf die Entstehung und Entwicklung des Pessimismus in Indien zurück.

(Schluss folgt.)

Elbing. Heinrich Nitschmann.

Die Berliner Universität von 1810 bis Oktober 1885.*)

Während die 1886 erschienenen „Heidelberger Erinnerungen“ Georg Webers**) die wechselvolle Geschichte der altehrwürdigen Ruperto-Carola von ihrer Gründung bis auf die Jetztzeit an dem geistigen Auge des Lesers vorüberführen, bezweckt die fast gleichzeitig damit auf Veranlassung des Rektors Professor Dernburg vom Büreau der Berliner Universität aufgestellte Uebersicht über den Personalbestand der **Berliner Hochschule**, einen statistisch-tabellarischen Rückblick zu geben auf die früheren Rektoren, Dekane und Lehrer der einzelnen Fakultäten, auf die Zahl der Studirenden in jedem Semester, sowie derjenigen, welche innerhalb des fünfundsiebzigjährigen Bestehens der Berliner Hochschule vom Winterhalbjahr 1810/11 an bis zum 1. Oktober 1885 sich hier den Doktorhut erworben haben.

Das Webersche Buch stellt sich als ein farbenreiches Gemälde dar, die von Professor Dernburg bewirkte Veröffentlichung als eine freilich sehr detaillirte Skizze zu einem solchen, als wichtiges aktenmäßiges Quellenmaterial für den künftigen Geschichtsschreiber der Friedrich-Wilhelms-Universität. Nur Namen und Zahlen, heißt es im Vorwort, werden in diesen tabellarischen Uebersichten geboten, aber sie führen eine beredte Sprache.

Am 15. Oktober 1810 fand der Beginn der Vorlesungen statt, welche von fünfundzwanzig ordentlichen Professoren abgehalten wurden. (Die juristische und theologische Fakultät zählte je drei Ordinarien, die medizinische sechs, die philosophische dreizehn.) Immatrikulirt waren im Winterhalbjahr 1810/11 256 Studenten. Die Frequenzliste des Wintersemesters 1884/85 weist allein in der philosophischen Fakultät 38 ordentliche, 43 außerordentliche Professoren, 44 Privatdozenten und im Ganzen 5006 immatrikulirte Studirende auf, denen noch 1398 zum Hören von Vorlesungen berechtigte Personen beizuzählen sind.

Als Friedrich Wilhelm III. zum großen Teile auf die Befürwortung Wilhelm von Humboldts hin den Entschluss fasste, in der Hauptstadt seines Staates gerade in einer Zeit schwerer politischer Bedrängniss eine Stätte höherer Bildung zu errichten, von welcher aus die geistige Wiedergeburt des tief gedemütigten Preußens geschehen sollte, da wurden vielfach Zweifel aufgeworfen, ob die Gründung einer Universität in Berlin selbst der Wissenschaft zum Nutzen gereichen möchte. Jos. von Sonnenfels, unstreitig einer der aufgeklärtesten und weitsichtigsten Geister des vorigen Jahrhunderts, der hervorragendste österreichische Staatsgelehrte bis in die ersten Dezennien dieses Jahrhunderts befürwortet in seinen „Grundsätzen der Polizei“***) eifrig die Verlegung der

*) Die Königliche Friedrich-Wilhelms-Universität Berlin in ihrem Personalbestande seit ihrer Errichtung Michaelis 1810 bis Michaelis 1885. Berlin, Weidmannsche Buchhandlung.

**) In Nr. 1, Jahrgang 1886 dieser Blätter von uns besprochen.

***) I. § 82. 5. Auflage. Wien 1786.

Universitäten in Mittel- und Landstädte, da hier einmal die Gelegenheiten zu Zerstreuungen seltener, sodann die Unterhaltungskosten geringer als in den Hauptstädten seien.

An der Hand sowohl der Erfahrung wie der statistischen Daten, welche der Ueberblick über die Geschichte der Berliner Universität während der 75 Jahre ihres Bestehens gewährt, können die Sonnenfels'schen Einwürfe als grundlos betrachtet werden. Denn es ergiebt sich aus der uns vorliegenden amtlichen Veröffentlichung, dass die Berliner Hochschule sich aus kleinen Anfängen zu großer Blüte entwickelt hat, dass sie nicht nur die hervorragendsten Lehrer auf allen Gebieten menschlichen Wissens an sich zu ziehen und sich zu erhalten gewusst, dass sie auch augenblicklich gegenüber den übrigen deutschen Universitäten die größte Anzahl der Studirenden aufzuweisen hat.

„Die junge Universität", schreibt Treitschke im dritten Bande seiner ‚Deutschen Geschichte im neunzehnten Jahrhundert', „war wirklich, wie W. Humboldt einst gehofft (Mitte der zwanziger, Anfang der dreißiger Jahre dieses Säculums) die erste Deutschlands; sie hatte Fichte, Niebuhr, K. F. Eichhorn verloren, aber Bopp, Ritter, Ranke und viele andere glänzende junge Talente gewonnen; die schöpferischen Gedanken, welche in der Theologie, der Rechtswissenschaft und auf dem weiten Gebiete der historisch-philosophischen Forschung neue Bahnen brachen, gingen großenteils von Berlin aus. Und nun schlug auch die Hegelsche Philosophie an der Spree ihr Lager auf, das letzte der großen philosophischen Systeme, welche wirklich gelebt und die Nation beherrscht haben."

Nicht bloß in der Zeit nach Hardenbergs Tode, auf welche die eben citirten Worte sich beziehen, auch in der langen Reihe der darauf folgenden Jahre und im Jahrzehnt nach Gründung des deutschen Reiches hat die Friedrich-Wilhelms-Universität die bedeutendsten Gelehrten zu den ihrigen gezählt — einen Savigny, Schleiermacher, Marheinecke, Hengstenberg, Hufeland, Gräfe, Schoenlein, Dieffenbach, Puchta, Keller, Bruns, Langenbeck, Frerichs, Dove, Lepsius und viele andere — noch heute gehören ihrem Lehrkörper an: der ehrwürdige neunzigjährige Ranke, sowie dessen Fachgenossen Mommsen und Treitschke, die Professoren Kummer, Zeller, Helmholtz, A. Kirchhoff und E. Kurtius, die Mediziner Virchow und du Bois-Reymond, die Juristen Beseler, Dernburg, Gneist, Berner und Goldschmidt, durchgängig Männer von europäischem Rufe.

Möge der Berliner Universität die achtunggebietende Stellung, welche sie sich in dem drei Vierteljahrhundert ihrer Wirksamkeit unter den Hochburgen geistigen Strebens und ernsten Forschens erworben hat, bis in die fernste Zeit gewahrt bleiben!

Steglitz. F. Simonson.

Flatternde Schmetterlinge nebst ernsten Gedanken von Pol de Mont.

Fladderende vlinders: Gedichten van Pol de Mont. Met 3 koperetsen van Léon Abry, Edgard Farasijn en Piet Verhaert. — Rotterdam, Uitgevers-Maatschappij „Elsevier". 1885. — De wedergeboorte in Occitanië . . . . . . door Pol de Mont.

Der Antwerpener Lyriker Pol de Mont, welcher unter dem jüngerem Nachwuchs der vlamischen Muse einen der ersten Plätze einnimmt, lässt seine schwunghafte Feder nie rosten, schon wieder hat er Niederlands Leserwelt mit einer frischen Spende seiner glücklichen Dichtkraft beschenkt, sein unbefangener, oft etwas kühner Blick in das Reich des Schönen hat ihn vor allzulangem Verweilen in den Hallen der philosophischen Dichtung gewarnt, es sind „flatternde Schmetterlinge", die er aus warmem Gemüt hat emporsteigen lassen, Blüten des „naiven Genre" der Kunst, an welchen auch wieder Gott Eros großen Anteil genommen, denen aber der gelehrte Professor am Athenäum der verkehrsreichen Scheldestadt, der glühende Bewundrer des Malers Alma Tadema, zugleich einen Hauch antiker Formvollendung und rhythmischer Schönheit, den Zeugenbeleg seiner klassischen Studien beizusteuern nicht unterlassen mochte. Pol de Monts „Flatternde Schmetterlinge" erinnern in ihren einfacheren Sangesweisen an die Jugendlieder seines älteren Berufsgenossen Emanuel Hiel, dem er zumal in der Erotik sich wahlverwandt kundgiebt, auf andern Seiten freilich ist eine starke Abweichung in den Richtungen dieser herrlichen Talente erkennbar, indem Hiel rücksichtsloser dem germanischen Genius huldigt, Pol de Mont hingegen eine mächtige Vorliebe für die Kunst der Romanen keineswegs verheimlicht. Provençalen und Italiäner, Franzosen und Spanier sind seinem künstlerischen Gefühl nicht entfernt so antipathisch, als dies sonst bei der Mehrheit der vlamischen Dichter der Fall ist. Er schwärmt für die Gedankentiefe eines Dante und, was das Recht der Form in der Dichtung anlangt, steht er ganz auf dem Boden des italienischen Geschmacks. So schwelgt er gern in den Kunstformen der Südländer; nicht nur das Sonett, auch das Ritornell, die Terzinen, Rondelen und Villanellen, sowie die orientalischen Ghaselen haben bei ihm eifrige Pflege gefunden und ein freundlicher Stern hat über diesen Bestrebungen geleuchtet. Dass aber seine Huldigung der Antike sich auch der antiken Oden- und Strophenform befleißigt hat, ist bei einem so stilgewandten Dichter schon selbstverständlich. Niederdeutsche Terzinen und niederdeutsche Oden in Sapphischer Strophe haben zwar im hochdeutschen Ohr einen eigentümlichen Klang. Wir können den Eindruck der nahen Verwandtschaft mit der plattdeutschen Muse nie los werden und in der Tat, gerade der naive Sinn der vlamischen Dichtung hält uns immer den Vergleich mit plattdeutschen Eindrücken vor Augen. Das Schicksal, welches die holländische

Poesie des achtzehnten Jahrhunderts mit ihren antikisirenden Anläufen erfahren hat, ist für Flanderns moderne Dichter keine sonderliche Ermutigung, es gehört eben der melodische Schwung der Sprache eines Pol de Mont dazu, um diese niederdeutschen Sprösslinge antiker Denkart und wälscher Klangfarbe genießbar zu finden. Hier opfert auch Pol de Mont seiner Bewunderung der provençalischen Dichtkunst des Mittelalters aus aufrichtigem Herzen mit bestem Erfolge, es ist eine Art Kultus, welchen er dem Geiste der Langue d'oc widmet und nicht bloß der Vergangenheit des Landes der Troubadours gilt seine Vorliebe, auch das moderne Occitanien hat an ihm eine bedeutsame Eroberung gemacht. Neben den „Flatternden Schmetterlingen" seiner Muse, welche die Verlegergesellschaft „Elsevier" in Rotterdam auf das Glänzendste ausgestattet, hat Pol de Mont fast gleichzeitig einen gedankenreichen Aufsatz herausgegeben, der die kulturhistorische Auferstehung „Occitaniens", das Wiederaufleben des selbsteigenen Geistes der Lande südlich vom Loirestrom feiert. Die hohe Begabung des zeitgenössischen Sängers Mistral ist es gewesen, die den Vlamingen Pol de Mont für die Gauen der Langue d'or in die Schranken gerufen. Und man muss anerkennen, der flandrische Dichter hat als niederdeutscher Prosaist seinen Gegenstand nach allen Richtungen zu würdigen verstanden, ebensowohl die politisch-soziale, als die ästhetisch-linguistische Bedeutung der Wiedergeburt Occitaniens steht ihm klar im Bewusstsein. Nur von einer föderativen Neugestaltung Frankreichs, einer Idee, für welche in der großen Revolution die Girondisten Südfrankreichs ihr Blut vergossen, erwartet Pol de Mont das Heil der Romanen des Westens. In der übertriebenen Centralisation sieht er den Tod alles geistigen, sittlichen wie politisch-sozialen Lebens. Er, der Lyriker vom Scheldestrande, hat den vollen Begriff der gewaltigen dramatischen Tragik, welcher von den Tagen der Albingenser und Waldenser her die Eigentümlichkeit und Selbständigkeit der romanischen Artung erlag. Man weiß in Antwerpen erotische Lieder zu singen, man hat dort nicht minder auch Verständniss für die Bahnen der Zeitbewegung und die neuen Ziele der europäischen Kultur.

Berlin. Trauttwein von Belle.

Sprechsaal.

Ich habe die angebliche Tatsache, dass Herr Dr. Nordau eigentlich einen ganz anderen Namen — Schönfeld oder Südfeld — führe, in der Presse klar und bündig ausgedrückt gefunden — und zwar ist es bei mir nicht Dr. Welten, sondern, wie ich mich erinnere, Dr. Hans Herrig im „Deutschen Tageblatt", der in einem größeren Artikel über Nordaus Schriften diese Hypothese (wie ich es nennen will) meiner Kenntnissnahme vermittelte. Außerdem aber bin ich dieser als Faktum aufgestellten Unwahrheit fast überall im Gespräch begegnet, habe mich auch, bevor ich damals ganz en passant derselben in der Broschüre Erwähnung tat, wiederholt danach erkundigt. Solche Gerüchte entstehen, man weiß selber nicht wie. Ich habe aber diese Herrn Dr. Nordau keineswegs als „konventionelle Lüge" bezeichnet; auch habe ich nur einen Akzent darauf gelegt, dass er „geborener Ungar" sei. Und das wird er doch wohl nicht abstreiten.

Charlottenburg. Carl Bleibtreu.

Litterarische Neuigkeiten.

Ollendorff (Paris, 1886) hat da ein wunderliches Buch losgelassen: Une Famille Princière d'Allemagne. Mémoires intimes par la Veuve du Prince Louis de Sayn-Wittgenstein-Sayn, née Amélie Lilienthal. Dasselbe fängt an wie eine Elegie, fährt fort wie ein Zivilprozess über Familienrecht und geht aus wie ein Nachtlicht. Die Prinzessin Sayn-Wittgenstein-Sayn, geborene Lilienthal, hat offenbar an Schillers Tell gedacht:

Wenn der Gedrückte nirgends Recht kann finden,
Wenn unerträglich wird die Last — greift er
Hinauf getrosten Mutes in den Himmel,
Und holt herunter seine ewigen Rechte, u. s. w.

Was nun die Urschweizer mit dem Morgenstern und sonstigen Streitkolben ausrichteten, das versucht die Prinzessin, dem Geiste der Zeit gemäß, mit dem Pressbengel. Ob ihr dieser etwas helfen wird? ob ihr Appell an die öffentliche Meinung die Prozesse gewinnen wird, welche sie vor den Gerichten verlor? Wer kann das wissen? Ein succès de scandale ist aber dem Buche jedenfalls sicher.

Der Wiener Zweigverein der deutschen Schiller-Stiftung hat in Vereinbarung mit dem Verwaltungsrate der deutschen Schiller-Stiftung in München die demselben zugewiesenen Tantièmen der dramatischen Werke Franz Grillparzers für das Jahr 1885 im Betrage von 1800 fl. ö. W. nachfolgenden Schriftstellern als Ehrengaben zugewendet: Herrn Friedrich Hermann Frey (Martin Greif) in München, Fräulein Emilie Mataja (Emil Mariot) in Wien, Herrn Josef Bank in Wien, Herrn Dr. Hermann Rolett in Baden bei Wien und Herrn J. J. David in Wien.

Im Verlag von G. Freytag in Leipzig und F. Tempsky in Prag gelangten zur Ausgabe: Vitus Graber: „Die äußeren mechanischen Werkzeuge der Tiere. (Das Wissen der Gegenwart 44. und 45. Band.) Mit 144 und 171 in den Text gedruckten Abbildungen Die Betrachtung künstlicher erzeugter Werkzeuge in ihren Abarten und Modifikationen, in ihrer Zusammensetzung und ihren Bestandteilen, die sorgfältige Beobachtung, wie Stück für Stück eines derartigen Apparates seinen besonderen Zweck hat, den es je nach dem Grade der in der Herstellung erzielten Vollkommenheit genau oder minder genau erfüllt, ist gewiss sehr lehrreich und interessant. Ferner: Ernst Otto Hopp: Geschichte der Vereinigten Staaten von Nordamerika. III. Abteilung. Mit 40 in den Text gedruckten Abbildungen und Karten. (Das Wissen der Gegenwart 46. Bd.) Mit diesem Bande beendet der Verfasser seine Geschichte der Vereinigten Staaten von Nordamerika. Das Buch beginnt mit dem Ausbruche des zwischen dem Norden und Süden dieser Staaten geführten Bürgerkriegs, also mit dem Jahre 1861, und erzählt die großen politischen Ereignisse und kulturgeschichtlichen Veränderungen, die sich bis auf die jüngste Gegenwart auf nordamerikanischem Boden vollzogen haben.

Ἀντωνίου τοῦ Βυζαντίου, συγγραφέως τῆς ιά ἑκατονταετηρίδος „Χρηστοήθεια", ἤτοι τρόποι τοῦ ἑλληνοπρεπῶς φέρεσθαι, μετὰ καὶ τῆς εἰς τὴν καθωμιλημένην παραφράσεως, ὑπὸ Ν. Δ. Ἐν Ἀθήναις, ἐκ τῶν καταστημάτων Ἀνδρέου Κορομηλᾶ. Eine Art von Kigges „Umgang mit Menschen", aber dadurch unterschieden, dass der Herausgeber, Lehrer der königlichen Kinder zu Athen — im Begriff die Sittigkeitslehren der hellenischen Vorfahren als Lesestoff aus den Alten zusammenzutragen — sie in dem vorliegenden Texte aus dem XI. Jahrhundert fix und fertig vorfand. Derselbe ist einer neuaufgefundenen sehr verdorbenen Handschrift entnommen, deren Verfasser, der durch seine Gelehrsamkeit berühmte Antonius von Byzanz, zwischen 1000 bis 1100 lebte. Der Originaltext (S. 73—101), weit vollständiger als der bereits 1815 zu Venedig veröffentlichte, ist nunmehr aufs sorgfältigste festgestellt, mit erläuternden Anmerkungen aus kirchlichen Schriften versehen und von einer vortrefflichen neuhellenischen Uebersetzung (S. 1—71) begleitet worden, so dass der Zweck „die praktische Ethik des früheren hellenischen Lebens in leichter Weise zu überschauen“ durch die Lektüre erreicht werden kann.

Das Wiener „Fremden-Blatt“ hat am 6. Januar die Feier seines vierzigjährigen Bestandes begangen. Mehrere Korporationen, darunter der Schriftsteller und Journalisten-Verein „Concordia“, haben dem Freiherrn Gustav von Heine-Geldern — einem Bruder Heinrich Heines — als dem Begründer und Chef-Redakteur des Journales ihre Glückwünsche dargebracht. Baron Heine selbst feierte den Tag durch Wohltätigkeitsakte; unter Anderm bedachte er auch den Pensionsfond der „Concordia“ mit 4000 fl. ö. W.

Die Strambotti und Sonette des der zweiten Hälfte des 15. Jahrhunderts angehörigen Altissimo (Cristoforo Fiorentino), der in Florenz seine Uebersetzung in Versen der Reali di Francia vortrug, hat Professor R. Renier in einem sehr elegant ausgestatteten Bande herausgegeben. Es ist der zweite Band einer Sammlung von bibliographischen Seltenheiten und ungedruckten Schriften, welche die Società Bibliofila in Turin zu veröffentlichen beabsichtigt. Die Reali di Francia, das noch heutigen Tages in Italien sehr verbreitete Volksbuch (in Prosa) soll Rajna, der dem Gegenstand bereits einen Band Prolegomena gewidmet hat, demnächst in einer kritischen Ausgabe herausgeben. (Strambotti e Sonetti dell' Altissimo. Per cura di Rodolfo Renier, Società Bibliofila Torino 1886. 76 S. Lire 4.50.)

„Cajus Rungholt“ ist der Titels eines Romanes aus dem 17. Jahrhundert von Lucian Bürger. Breslau. Verlag von S. Schottlaender. Es sind in der neueren Zeit wenig historische Romane von litterarischer Bedeutung producirt worden. Der Vorliegende gehört zu den besten dieser Gattung. Der Verfasser hat darin die große Kunst verstanden, zwischen seinem edlen, getragenen Stil, der sich immer in den Schranken des ästhetisch Schönen hält, und den Tatsachen seines Stoffes einen effektvollen Gegensatz zu schaffen: je ruhiger, objektiver die Darstellung, desto wirksamer tritt die wilde Natur der Handlung hervor.

Der polnische Schriftsteller Heinrich Sienkiewicz veröffentlicht gegenwärtig in der Warschauer Zeitung „Slowo“ die Fortsetzung seiner großen historischen Trilogie. Der erste Teil derselben war der ausgezeichnete Roman „Ogniem i mieczem“ („Mit Feuer und Schwert“) und umfasste vier Bände. Der gegenwärtig fast beendete zweite Teil „Potop“ („Die Ueberschwemmung“) umfasst die Schwedenkriege unter Johannes Kasimir. Hierauf wird der dritte Teil „Pan Wolodyjowski“ (Herr Wolodyjowski) folgen. Mit Sienkiewicz hat der historische Roman in Polen einen solchen Aufschwung erhalten, dass er nunmehr die historische Belletristik aller anderen Länder überragt. Walter Scott lässt sich mit Sienkiewicz gar nicht messen, denn Walter Scott ist langweilig, während in des polnischen Dichters Werken Leben und eine hinreißende Kraft sprüht. Mancher Historienmacher in unserem lieben deutschen Reiche könnte getrost bei Sienkiewicz in die Lehre gehen!

Von Ottokar Lorenz und Wilhelm Scherers „Geschichte des Elsass“ gelangte vor Kurzem die dritte verbesserte Auflage im Verlag von Weidmann in Berlin zur Ausgabe.

Ein neues Lieferungswerk, im Verlag von Wörlein & Cie. in Nürnberg erscheinend und zwar in zehn Lieferungen à fünf Bogen trägt den Titel: „Schlaglichter zur Volksbildung“. Dieselben fallen aus einer Reihe von Abhandlungen, welche durch Ereignisse und Streitfragen im Laufe der Zeit veranlasst worden sind. Der Verfasser ist Eduard Sack, Redakteur der „Frankfurter Zeitung“.

Am 25. Dezember beging die Doyenne der Wiener weiblichen Poetengilde, Betty Paoli, ihren siebzigsten Geburtstag, zu welchem sie aus allen Kreisen der Gesellschaft beglückwünscht wurde. Für den Schriftsteller- und Journalisten Verein „Concordia“ gratulirte eine Deputation des Präsidiums, bestehend aus den Regierungsräten Weilen und Winternitz, in Vertretung der Allgemeinen deutschen Schiller-Stiftung in München wie des Wiener Zweig-Vereins Dr. L. Kompert und eine Deputation des Vereines der Wiener Schriftstellerinnen und Künstlerinnen überreichte eine Adresse. Die Glückwünsche der Stadt Wien überbrachte Bürgermeister Uhl; für die städtischen Sammlungen wird ein hervorragender Künstler das Bild der Dichterin malen.

Von H. Jordans „Topographie der Stadt Rom im Altertum“ liegt die zweite Abteilung des ersten Bandes vor. Dieselbe enthält Tafeln mit Abbildungen und einen Plan. Berlin. Verlag der Weidmannschen Buchhandlung.

Eine neue Schrift des Reichstagsabgeordneten Dr. Ludwig Bamberger wird stets von Freunden wie Gegnern der von ihm vertretenen Anschauungen mit lebhaftestem Interesse aufgenommen werden. In ganz hervorragendem Maße gebührt aber dieses Interesse dem soeben erschienenen Werke, welches den Titel trägt „Die Schicksale des Lateinischen Münzbundes. Ein Beitrag zur Währungspolitik“ (Berlin, L. Simion).

Von der reich illustrirten „Geschichte Griechenlands von den ältesten Zeiten bis zur Regierung des Königs Otto“ (Ἱστορία τῆς Ἑλλάδος μετ' εἰκόνων, ἀπὸ τῶν ἀρχαιοτάτων χρόνων μέχρι τῆς βασιλείας τοῦ Ὄθωνος“), von Dr. Spyridon Lambros, Athen bei K. Beck, liegt bereits die vierte Lieferung vor.

Heft 11 der bei Theodor Huth in Leipzig erscheinenden Populär-wissenschaftlichen Bibliothek enthält einen Vortrag von H. Rauhton „Ueber das Gemüt.“

„Das Pflegekind der Junggesellen“ betitelt sich der neuste Roman aus der Gegenwart von Friedrich Friedrich. Friedrich Friedrich hat sich zu diesem Roman einen Stoff gewählt, der mit kecker Hand aus dem vollen Leben gegriffen ist. Derselbe hat, vom köstlichsten Humor durchweht, bereits die Leser der „Kölnischen Zeitung“, in der er zuerst erschien, entzückt und auch in Buchform wird sich ihm das größte Interesse zuwenden. Leipzig. Verlag von Wilhelm Friedrich.

„Reise-Momente im Osten“ betitelt sich ein im Wiener Verlage Halm & Goldmann erschienenes Büchlein, welches nach der Versicherung des Autors Jacques Jäger nichts anderes sein will „als flüchtig vorgebrachte Daten und Wahrnehmungen gesammelter Reiseeindrücke“. Allein diese Versicherung ist bescheiden und das Buch ist besser als der Ruf, welchen ihm sein Papa macht. Diese „Daten“, welche uns über die reizvollsten und historisch denkwürdigsten Gegenden und Orte des ungarischen Tieflands und der durch den jüngsten politischen Putsch in den Mittelpunkt des allgemeinen Interesses gerückten, kleinen Balkanstaaten erzählt werden, sind überaus interessant und die „Wahrnehmungen“ spiegeln eine liebenswürdige Individualität, welche sich bei gewonnener Lebenspraxis ein zartes Naturgefühl zu bewahren wusste. Unseres Wissens ist über die in dem elegant ausgestatteten Buche behandelten Gegenden noch nicht so kurz und gut geschrieben worden, freilich mehr gut, als gediegen, denn der Autor verrät auf jeder Seite durch seine wohltuende Art, sich gehen zu lassen, dass er kein Schriftsteller vom Metier ist. Aber wem ist der Private, der schreiben kann, nicht lieber, als der Schriftsteller, der nicht schreiben kann?!

Achille Monti gehörte zur römischen Schule, deren unterscheidende Eigentümlichkeiten zu schildern auch einem Eingeborenen schwer fallen dürfte. Ein Ehrenmann wie Wenige, italienisch gesinnt zur Zeit der Papstherrschaft, etwas naiv-römisch unter der neuen Regierung, deren Machthaber ihn sträflicherweise vernachlässigten, war der Großneffe Vincenz Montis ein in den Kreisen der Litteraten gerne gesehene Persönlichkeit. Nach seinem im Jahre 1879 erfolgten Tode haben ihm die Söhne ein litterarisches Denkmal gestiftet, indem sie in zwei Bänden viel edirte und unedirte Prosa zusammenstellten und einen dritten Band Dichtungen hinzufügten. Seinem Grosonkel, dessen Andenken auch sein im Jahr 1873 erschienenes umfangreichstes Werk (Vincenzo Monti, Ricerche storiche e letterarie, Roma, Barbèra) gewidmet war, gelten sechs kleinere Arbeiten im zweiten Bande. Dem künftigen Kulturhistoriker, der das Bedürfniss empfinden wird, neben den originelleren Schriftstellern Italiens von den Durchschnittslitteraten des dritten Viertels unseres Jahrhunderts Kenntniss zu nehmen, wüssten wir keinen trefflicheren und edleren Vertreter zu empfehlen als Achille Monti. (Scritti in Prosa e in Versi di Achille Monti. Imola, Ignazio Galeati e figlio 1882/84/85 3 Bde. XXVI und 342, 352, 360 Seiten in 8°, je 4 Lire.)

Soeben erschien im Verlag der Königlichen Hofbuchhandlung von Wilhelm Friedrich in Leipzig ein neues Buch von Max Kretzer, betitelt: „Im Riesenneat." Der Verfasser schildert hier gleichwie in seinen „Betrogenen" und „Verkommenen" das Leben der Residenz in tiefergreifenden Bildern, deren Eindruck sich Niemand wird entziehen können.

Singer & Wolfner in Leipzig und Budapest veröffentlichte eine Uebersetzung von Kolomann von Mikszáths Erzählung aus der jüngsten Vergangenheit „Zwischen einst und jetzt." Die Uebersetzung stammt aus der Feder Robert Táboris. Ein humoristisches Vorwort des Verfassers an den Uebersetzer und gleiches des Uebersetzers an das Publikum führen den Leser vorteilhaft in die geistvollen Plaudereien, welche das zierlich ausgestattete Bändchen enthält, ein.

„Dornenkronen" betitelt sich ein neuer Roman von Ida Boy-Ed, welcher soeben im Verlag von Rudolf Waldern in Berlin erschienen ist. Die Verfasserin hat es für notwendig erachtet, dem Buch ihr Bild vordrucken lassen.

Das zweite Heft von Wilhelm Lange „Von und aus Schwaben", Verlag von W. Kohlhammer in Stuttgart enthält: „Geschichte, Biographie und Litteratur".

Im Verlag von Gebr. Henninger in Heilbronn erschien Band 23 und 24 der „Deutschen Litteraturdenkmale des 18. und 19. Jahrhunderts in Neudrucken" herausgegeben von Bernhard Seuffert. Band 23 enthält: „Anton Reiser, ein psychologischer Roman von K. Ph. Moritz". Band 24: „Ueber meine theatralische Laufbahn von A. W. Iffland."

Ein neuer Roman Bertha von Suttners betitelt sich „Daniela Dormes. München und Leipzig. Verlag von Otto Heinrichs.

' Von dem in Nr. 16, 1883 im Magazin besprochenen zweibändigen pädagogischen Werke des Athener Professors Aristidis K. Spathákis ὁ Παιδαγωγός ist Band I „Ψυχολογία καὶ Λογική" in zweiter, fast um das doppelte vermehrter Auflage erschienen. Die Erweiterungen kommen wesentlich der Psychologie zu gute, in welcher „das Leben der Seele" mit besonderer Vorliebe unter Berücksichtigung der neusten Litteratur des Auslandes, bis auf Lotze, behandelt wird.

Der berufenste deutsche Uebersetzer ungarischer Dichtungen, Ladislaus Neugebauer, beschäftigt sich soeben mit der Uebertragung ausgewählter Gedichte von Josef Kiss, welche demnächst im Verlage von Wigand, Leipzig erscheinen werden. Kiss ist der bedeutendste der jetzt lebenden ungarischen Poeten.

Drydens Trauerspiel „Antonius und Kleopatra" erschien in deutscher Uebersetzung nebst Vorwort von Fr. Ohlsen im Verlag der Schlüterschen Buchandlung (Wilh. Halle) in Altona.

Von Fr. Müllers „Siebenbürgische Sagen", welche als Band I der Siebenbürgisch-Deutschen Volksbücher im Verlag von Carl Graeser in Wien erschienen sind liegt nunmehr die zweite Auflage vor. Der zweite bereits in vierter Auflage vorliegende Band enthält bekanntlich „Deutsche Volksmärchen" von Josef Holtrich mit Illustrationen und Originalzeichnungen von Ernst Pessler. Der dritte in dritter Auflage erschienen: „Bilder aus dem sächsischen Bauernleben" von Fr. Fr. Fronius.

Von Karl Frenzel erschienen im Verlag von Rudolf Waldern in Berlin zwei Bände Erzählungen unter dem Titel „Neue Novellen". Der erste Band enthält: „Die Mutter" — und „Die Verlobung" — der zweite: „Der Spielmann" — und „Das Kind."

Von dem mecklenburg-strelitzischen Archivar und Bibliothekar Dr. Gustav von Buchwald in Neustrelitz ist ein kleines Buch erschienen, dass den Titel führt: „Arnoldi Lubecensis Gregorius Peccator de Teutonico Hartmani de Aue in Latinum translatus", Kiel, Ernst Homan, 1886, XXV und 127 S. Nach der Vorrede verzichtet der Herausgeber darauf, schon jetzt eine abschliessende Behandlung der Gregoriussage zu geben und beschränkt sich vorläufig auf einige abgerissene Bemerkungen aus dem Gesichtspunkte der Völkerseelenkunde, auf deren nähere Ausführung und Begründung man gespannt sein darf. Ferner hebt der Herausgeber mit Recht den für die Geschichte der deutschen Sprache bedeutsamen Satz hervor, mit welchem der Uebersetzer Arnold sein Schreiben an den Herzog von Lübeck eröffnet und welchen wir auch hier mitzuteilen nicht verfehlen wollen. Er lautet: „Opus quod nobis injunxistis de teutonico transferre in latinum nobis satis est onerosum, quia usum legendi talia non habemus et modum locutionis incognitum formidamus."

Im Verlage der Franklin-Gesellschaft, Budapest, ist ein Werk erschienen, welches berufen ist, in der neueren Memoiren-Litteratur ein hervorragende Stelle einzunehmen: „Aus meinen Erinnerungen". (Emlékeimböl.) Von General Georg v. Klapka. Der Autor, welcher selbst ein wichtiger Faktor des 1848—49er Befreiungskrieges und der folgenden nationalen Bewegung der verbannten Ungarn im Auslande gewesen, stellt diese wichtige Epoche mit dem kräftigen Effekte der Unmittelbarkeit dar; er selbst steht, erst als Feldherr im Freiheitskampfe, dann als Leiter der ungarischen Emigration, im Mittelpunkt der Ereignisse, was der Darstellung ein besonders fesselndes Relief verleiht.

Im Verlag von J. C. C. Bruns in Minden sind folgende neue Bücher erschienen: Die 2. revidirte Auflage von Wilh. Oechelhäusers „Einführungen in Shakespeares Bühnen-Dramen und Charakteristik sämmtlicher Rollen" 2 Bände. Ferner „Des Lebens Ueberdruss". Eine Berliner Geschichte von Karl Frenzel und „In Duft und Schnee". Gedichte von Emrich von Stadion.

Bei Adolf Marcus in Bonn erschien ein höchst interessanter Beitrag zur deutschen Kulturgeschichte des 16. Jahrhunderts von Carl Binz. Derselbe trägt den Titel: „Dr. Johann Weyer ein rheinischer Arzt der erste Bekämpfer des Hexenwahns". Mit dem Bildniss Weyers und seines Lehrers Agrippa.

Unter dem dankbaren Titel: „Der Schönheitstypus der Frau im Mittelalter" ist eine Skizze von R. Renier erschienen, welche in den Fachkreisen Aufsehen erregt hat. Nach Mitteilung einer Zeitschrift arbeitet ein anderer italienischer Litterarhistoriker an einer grösseren Monographie über denselben Gegenstand, so dass wir ein Pendant zu dem klassischen Werk Weinholds: „Die deutschen Frauen in dem Mittelalter" erwarten dürfen. Wir glauben indessen nicht, dass der neuernannte Professor der romanischen Sprachen an der Universität Turin sich vom Kampfplatze zurückziehen wird, obschon das Gesammtergebniss seiner diesbezüglichen Studien von kompetenter Seite als unbegründet angefochten worden ist. Renier leugnet nämlich die Realität so ziemlich aller Schilderungen der geliebten Frau in der mittelalterlichen Liebesdichtung der Provenzalen, der Nordfranzosen, der Spanier, Portugiesen, Deutschen und Italiener und findet den gleichen Konventionalismus in den Beschreibungen realer und geschichtlicher Frauen sowie in den allegorischen Frauengestalten, welche letztere nach seiner Ansicht ganz freie Phantasieschöpfungen sind. (Il tipo estetico della donna nel medioevo. Appunti ed osservazioni di Rodolfo Renier, Ancona, Morelli 1885. 196 S. in 8°. Lire 6.—.)

J. J. Honegger veröffentlichte soeben im Verlag von J. J. Weber in Leipzig den zweiten starken Band seiner „Allgemeinen Kulturgeschichte". Derselbe enthält die Geschichte des Altertums.

Mit einer Travestie der „Ilias", betitelt „Johann Háris Ilias" hat sich ein junger, ungarischer Poet, Emerich Szeress unter den günstigsten Auspizien in die Litteratur eingeführt. Seine Dichtung sprüht von geistreichem Witz und erquicklichem Humor und ist auf Grund ihrer moderneren Anschauungen über Blumauers noch nicht verwelkte Travestie der „Aeneis" zu stellen. Der Autor hat sich mit einem Schlage in die Reihe der besten Humoristen seiner Nationallitteratur gestellt und man sieht mit lebhaftem Interesse dem Erscheinen von „Johann Haris' Odyssee" entgegen, welche für den Beginn dieses Jahres in Aussicht gestellt wurde. Budapest, Ludwig Aigner.

Alle für das „Magazin" bestimmten Sendungen sind zu richten an die Redaktion des „Magazins für die Litteratur des In- und Auslandes" Leipzig, Georgenstrasse 6.

Soeben erscheint:

Revolution der Litteratur.

von

Karl Bleibtreu.

— Eleg. broch. Preis 1 Mark. —

Längst hat sich Einsichtigen die Ueberzeugung aufgedrängt, dass wir an einem neuen Wendepunkt der Litteraturentwickelung angelangt sind, dass eine neue Sturm- und Drangperiode sich allgewaltig erhebt, aus welcher das Bleibende und Wahre nach unklarer Gährung sich gestalten wird. So hat denn einer der Hauptvertreter der neuen Litteraturrichtung den Versuch gewagt, schneidigen, präcisen Ausdruck für die Ziele und bisherigen Erfolge derselben zu bieten. Man kennt Bleibtreu's unerschrockene Kampflust und wird daher nicht staunen, mit wie genialer Sicherheit hier alle Talmi-Grössen der Reklame zerschmettert und so manche verkannten Verdienste zu Ehren gebracht werden. Die Broschüre, welche das grösste Aufsehen erregt, ist berufen wie ein reinigendes Gewitter am litterarischen Himmel zu wirken.

Verlag von Wilhelm Friedrich in Leipzig.

In allen Buchhandlungen zu haben.

Verlag der K. R. Hofbuchhandlung
Wilhelm Friedrich in Leipzig.

Christópulos, Athanasios, Lieder aus dem Neuhellenischen nebst einer Auswahl von Liedern und Gedichten hellenischer Zeitgenossen. Im Versmaasse der Originale übertragen von Aug. Boltz. broch. M. 2.—, geb. M. 3.—

Drosinis, Georgios, Land und Leute in Nord-Euboea. Deutsche autorisierte Uebersetzung von Aug. Boltz. broch. M. 3.—

Pervanoglu, J., Culturbilder aus Griechenland. Mit einem Vorwort von A. R. Rangabé. br. M. 4.—

Rangabé, A. R., Die Aussprache des Griechischen. broch. M. 2.—

Rangabé, A. R. und Sanders, Daniel, Geschichte der neugriechischen Litteratur von ihren Anfängen bis auf die neueste Zeit. broch. M. 3.—, geb. M 4.20.

Zu beziehen durch jede Buchhandlung.

Ganze Bibliotheken,

wie einzelne gute Bücher, sowie alte und neuere Autographen kauft stets gegen Barzahlung

M. Barsdorf, Leipzig,
Neumarkt 2.

Emmer-Pianinos,

von 440 Mk. an (kreuzsaitig). Abzahlung gestattet. Bei Baarzahl. Rab. Preisl. etc. gratis und Francosendung. Harmoniums v. M. 120.

Wilhelm Emmer, Magdeburg.

Auszeichn., Ehrdiplome, Orden, Staatsmedaillen etc.

Das Aufsehen erregende Werk:

Die Kunst der Rede

von Dr. Ad. Calmberg,

das in wenigen Wochen ausverkauft war, ist nun in zweiter erweiterter Auflage wieder zu haben in allen Buchhandlungen.

Verlag von F. A. Brockhaus in Leipzig.

Soeben erschien:

OBRAS ESCOGIDAS
de

D. RAMON DE CAMPOAMOR.

3 Bände. Jeder Band geh. 3 M. 50 Pf., geb. 4 M. 50 Pf.

(Coleccion de autores españoles, 44.—46. Bd.)

1. Band: Ternezas y Flores. Sonetos. Fábulas. Cantares. Doloras.
2. Band: Pequeños Poemas. — 3. Band: Colon. El Drama universal.

Campoamor ist einer der eigenartigsten und gedankenreichsten Dichter; er steht an der Spitze der neueren spanischen Dichterschule und übt auf sie den mächtigsten Einfluss aus. Vorliegende schön gedruckte und wohlfeile autorisierte Ausgabe seiner Dichtungen kommt daher dem Wunsche aller Literaturfreunde entgegen.

Im Verlage der K. R. Hofbuchhandlung, Wilhelm Friedrich in Leipzig erschien soeben:

Im Riesennest.

Berliner Geschichten von Max Kretzer.

Eleg. broch. M. 2.—

Max Kretzer, bekannt als der Schöpfer des specifisch Berliner Romanes, einer der Hauptvertreter der realistischen Strömung in der neueren deutschen Litteratur, schildert hier gleichwie in seinen „Betrogenen“ und „Verkommenen“ das Leben der Residenz in tiefgreifenden Bildern, deren Eindruck sich Niemand wird entziehen können.

Von **Dr. M. G. Conrad,** dem Herausgeber der realistischen Monatsschrift **„Die Gesellschaft“** ist erschienen und durch alle Buchhandlungen des In- und Auslandes zu beziehen:

Totentanz der Liebe.

eleg. broch. M. 6.—

Lutetias Töchter.

Pariser deutsche Liebesgeschichten.

eleg. broch. M. 5.—

Madame Lutetia.

Neue Pariser Studien.

eleg. broch. M. 6.—

Flammen.

Für freie Geister.

eleg. broch. M. 5.—

Verlag von Wilhelm Friedrich,
K. R. Hofbuchhandlung in Leipzig.

Für die Redaktion verantwortlich: Hermann Friedrichs in Leipzig. — Verlag von Wilhelm Friedrich in Leipzig. — Druck von Emil Herrmann senior in Leipzig.

Das Magazin

für die Litteratur des In- und Auslandes.

Wochenschrift der Weltlitteratur.

1832 gegründet von Joseph Lehmann.

55. Jahrgang.

Preis Mark 4.– vierteljährlich.

Herausgegeben von Hermann Friedrichs.

Verlag von Wilhelm Friedrich in Leipzig.

No. 8. Leipzig, den 20. Februar. 1886.

Inhalt:

Schriftsteller oder Journalist?

Seit einiger Zeit liest man in verschiedenen Blättern Abhandlungen darüber, was ein „Schriftsteller“ und was ein „Journalist“ sei und worin der Unterschied zwischen beiden liege. Wie aufmerksam ich auch die Mehrzahl dieser Artikel gelesen habe, gestehe ich doch, dass ich so klug bin wie zuvor, und — das persönliche Moment erscheint mir da maßgebend für die ganze Auffassung — dass ich heute noch nicht weiß, ob ich ein Schriftsteller bin oder ein Journalist, ja, ich meine, die Lektüre von noch fünfzig Artikeln über die berührte Frage wird mir noch immer keine genügende Aufklärung bringen. Und wie mir ergeht es gewiss vielen Andern. Wozu also die langatmigen Auseinandersetzungen? Wozu Worte verlieren, wenn durch diese die Sache nicht ergründet wird? Man sollte für die Oeffentlichkeit nur dann schreiben, wenn man ihr etwas zu sagen hat. In den Aufsätzen über Gleichheit und Ungleichheit des Schriftsteller- und des Journalistenstandes war nur sehr wenig zu finden, was sich der Mühe verlohnt hätte, ausgesprochen und beachtet zu werden. Eine praktische Anregung lag allerdings vor, jene Frage aufzuwerfen. Es handelte sich darum, zu entscheiden, ob ein Schriftstellerverein Journalisten aufnehmen solle oder nicht. Um darüber zu urteilen, musste man vor Allem sowohl vom „Schriftsteller“ wie vom „Journalisten“ wissen, wo dieser Begriff beginne, wo er aufhöre. Aus der Frage der Begriffsbestimmung wurde im Handumdrehen eine Frage des Ehrgeizes, des Standesbewusstseins, des Cliquengeistes. Der Schriftsteller sei mehr als der Journalist, sagten die Einen. Beide seien gleichberechtigt, sagten die Anderen. Ich gestehe, dass ich diese Diskussion für überflüssig halte. Heute aber hat man nun einmal begonnen, sie zu pflegen, und da ist es begreiflich, wenn zu ihr Jemand das Wort ergreift, der nichts Anderes will, als nach Kräften zu ihrer Abkürzung beitragen. Die Untersuchung, wer mehr gelten solle: ob der Schriftsteller oder der Journalist, erscheint mir geradezu als ein Abderitenstreich. Der Schriftsteller ist mehr? Also auch, wenn er die unbedeutendsten Bücher veröffentlicht hat? Der Journalist ist weniger? Also auch, wenn er glänzende Leistungen vollbracht hat? Wodurch unterscheidet sich der Schriftsteller vom Journalisten? Jener produzirt angeblich selbständig. Aber er imitirt oft vorhandene Werke, verrät mithin keine Spur von Eigenart, und dennoch der höhere Anspruch? Der Journalist schafft angeblich nichts aus sich heraus. Aber die Briefe des Junius, die Pariser Schilderungen von Heine und Boerne gehören unzweifelhaft zu den journalistischen Erzeugnissen, und dennoch der geringere Anspruch? Junius wird man noch lesen, wenn eine Menge Mode-Romane längst in den Orkus der Vergessenheit werden hinabgesunken sein. Und ein Schriftstellerverein hätte ihn nicht aufnehmen sollen? Den Leuten, die durchaus herausbekommen wollen, wer höher im Kurse stehe: ob der Schriftsteller oder der Journalist, mag man am besten mit einer Variation von Goethes Wort erwidern, mit welchem er die Frage abschnitt, ob er oder Schiller bedeutender sei: Die Deutschen sollten froh sein, zwei solche Kerle zu besitzen. Das Publikum sollte froh sein, tüchtige Schriftsteller und tüchtige

Journalisten zu besitzen und sich im Uebrigen nicht bekümmern, wer von diesen im litterarischen Ceremoniell den Vortritt für sich in Anspruch nehmen kann. Merkwürdigerweise haben selbst solche Leute, die einen Vortritt und Vorrang nicht anerkennen, sich bemüht, eine Demarkationslinie zwischen den Gebieten des Schriftstellertums und der Journalistik ausfindig zu machen. Seit jeher haben Litteratur und Presse in einander hinübergespielt, sich miteinander verbunden, ihre Abgrenzungen gegen einander verwischt. Alle, die wir mit Hülfe der bleiernen Soldaten im Dienste des Guten, des Wahren und des Schönen kämpfen, sind Brüder, und will man uns trennen und auf die eine Seite die Majoratserben, auf die andere die jüngern Söhne postiren, so sollen wir unser Veto einlegen, sollen wir Alle uns Eins erklären, als Mitglieder eines Weltbundes. Kleinlicher Krämergeist nur will eine Schranke errichten zwischen Schriftstellern und Journalisten; eine zeitgemäße, frei entwickelte Anschauung wird ein solches Bemühen, als unter ihrer Würde, ironisch belächeln. Wollt ihr durchaus rechts den Schriftsteller, links den Journalisten, so lasst denjenigen Faktor, der allein als maßgebend dazu berufen ist, eine Entscheidung treffen: das Publikum. Greift diesem nicht vor im Urteile. Das Publikum in seiner Gesammtheit trifft das Richtige; es kann momentan irren, aber eines Tages gelangt es von selbst auf den richtigen Weg, und dann stößt es die künstlichen, die unberechtigten Klassifikationen mit Entschiedenheit von sich und fällt Urteile, die inappellabel sind. Oder noch besser: es bezieht in seine definitiven Richtersprüche keine Aeußerlichkeiten ein, es besieht Leistungen auf ihren inneren Wert und lässt die Erörterung beiseite, ob Jemand ein Schriftsteller oder ein Journalist genannt werden muss — nicht die Flagge entscheidet zuletzt sondern die Waare, die unter ihr segelt. Wir Deutschen stecken leider nach mancher Richtung noch gar arg im Philistertume. Gestehen wir das selber zu, anstatt zu warten, bis Andere es aussprechen. Wenn irgendwo, so herrscht bei uns die Unsitte des Klassifizirens um jeden Preis. Paul Heyse z. B. ist einmal in der Rubrik: „Novellist“ eingeschachtelt, und, wehe ihm, dass er versucht, über sie hinauszugreifen! Seine lyrischen Gedichte lässt man noch angehen, aber Dramen, Dramen! Nein, das darf nicht sein. Wie unterfängt ein deutscher Novellist sich, deutsche Theaterstücke zu schreiben! Der Lyriker darf keine Novelle, der Dramatiker kein Epos schreiben. In Kunst und Litteratur gilt der Zunftzwang, die Dramatiker-Innung tut daher sehr verwundert, wenn ein Mitglied der Novellisten-Innung ihr ins Gehege geht. Also setzen wir fein auf die eine Bank die Buchmacher, auf die andere die Zeitungsschreiber, nicht wahr? Nun, wir können auf diesem Gebiete von den Franzosen etwas lernen. Dort fungiren die ersten Dramatiker und Romanciers als Theaterkritiker täglicher Zeitungen, ja einer der Führer der „Parnassiens“, der Lyriker Théodore de Banville, schreibt sein regelmäßiges Theaterreferat. Dort haben Schriftsteller und Journalist sich eng vereinigt. Vielgerühmte Erzähler besorgen die Wochenchronik eines Journals, populäre Journalisten lassen Stücke aufführen und veröffentlichen Romane. Schriftsteller von Weltruf finden sich veranlasst, sich über Dieses und Jenes in Zeitungen auszusprechen. Der Chef der Realisten, Emile Zola, lieferte ein Jahr lang die Montagsartikel des Pariser „Figaro“. In Frankreich würde man die Frage, was der Unterschied zwischen Schriftstellern und Journalisten sei, einfach komisch finden. Das Buch und die Zeitung genießen dort die gleiche Achtung — das gute Buch und die gute Zeitung, notabene — und man schreibt beiden auch die gleichen Schicksale zu. Erinnern wir uns doch daran, was Theodor Barrière von ersterem, Villemain von letzterer sagt. Die Presse, meint Villemain, führt zu Allem, vorausgesetzt, dass man sie verlässt. („Le journalisme mène à tout, à la condition d'en sortir.“) Die Litteratur ist, nach dem anderen Autor, ein schöner Zweig, um sich — daran zu erhenken. („La littérature est une belle branche pour se pendre.“) In Glück und Unglück gelten dort Buch und Zeitung als verwandt. Wendet man gegen eine solche Anschauung ein, dass in der letzten Konsequenz ein Polizei-Reporter und ein erhabener Poet dann Kollegen seien, so ist eine solche Karrikatur leicht zu widerlegen. Dem Polizeireportertume in der Journalistik stehen Leistungen in der Poesie gegenüber, die nicht mehr, sondern eher weniger wert sind als ein Bericht über einen Raubmord. Bedeutende Dichterwerke aber finden ihre Ebenbürtigen in den wahrhaft tonangebenden, leitenden Kundgebungen der Publizistik. Der Ruhm des Poeten wird jenen des Publizisten voraussichtlich überdauern; sein Stoff bleibt eben ewig jung, während selbst die bewundertsten Leistungen der Presse im Laufe der Zeit an Boden verlieren und, je ferner der Leser den Ereignissen steht, ein desto schwächeres Echo in seiner Brust finden.

Eine gegenseitige Abschätzung des Wertes von Schriftstellern und Journalisten ist ein Unding und ein Unsinn. Ein höherer und ein niedrigerer Rang existirt nur mit Bezug auf den Gehalt einer Produktion, gleichviel ob sie vom Buchbinder geheftet oder vom Zeitungsfalzer zusammengelegt wurde . . . Die Versuche, die gewisse Demarkationslinie zu ziehen, sind ebenfalls sinnlos. Gilt Jemand als Schriftsteller, weil er ein Buch veröffentlicht hat, im Uebrigen jedoch davon lebt, für Journale zu schreiben? Ist Jemand ein Journalist, weil er Zeitungsartikel zu publiziren pflegt, aber eine Reihe wirkungsvoller Lustspiele hat aufführen lassen? Max Nordau — um ein Exempel zu nennen — hat mit seinen „Konventionellen Lügen“ einen der bemerkenswertesten buchhändlerischen Erfolge der neusten Zeit errungen. Er ist also Schriftsteller? Aber er lebt in Paris als ständiger Korrespondent der „Vossischen Zeitung". Er ist also Journalist? Man könnte toll werden, wenn man in diesen circulus vitiosus gerät, über welchen man sich eben nirgends als in Deutschland den Kopf zerbricht, denn jede aufgeworfene Frage gebärt zehn andere. Ist nur eine tägliche Zeitung eine Zeitung? Und was ist eine Wochenschrift? Wird jene von Journalisten und diese von Schriftstellern redigirt? Schreiben in die „National-Zeitung" nur Journalisten und in die „Deutsche Rundschau" nur Schriftsteller? Karl Hillebrand hat seine großartigen Essays, welche ein kostbares Besitztum unseres Volkes bilden, in Revuen veröffentlicht, bevor er sie in Buchform brachte. War er ein Journalist? Nein und tausendmal nein, es ist ein lächerliches Beginnen, aus zwei Gattungen einer Art um jeden Preis zwei Arten machen zu wollen. Die Erkenntniss solcher Lächerlichkeit wird in kommenden Tagen allgemein werden, und die sich immer mehr entwickelnde Presse wird zu dieser Verallgemeinerung beitragen. Die Presse hat Schwächen und Fehler wie jede menschliche Institution. Sie erweckt Feindschaften, wenn auch nicht immer so heftige wie bei König Gustav IV. Adolf von Schweden, der den Zeitungen den Gebrauch des pluralis majestatis — „Wir erfahren, wir hören" u. s. w. — strenge verbot. Aber ihre heilsamen Wirkungen sind nicht zu leugnen, und eine von ihnen besteht darin, dass, je mehr die Zeitung die Mission des Buches übernimmt, je mehr sie nach Reichhaltigkeit und Vielseitigkeit strebt, desto absurder die Trennung des Schriftstellers vom Journalisten erscheinen wird. In immer reicherem Maße gewöhnen Erzähler, Naturforscher, Historiker, Philologen, Denker und Dichter sich, die Zeitungen als Sprachrohre zu benutzen. Immer mehr macht der Brauch sich heimisch, aus Zeitungen das Beste, was über den Tag hinaus wertvoll, interessant und verständlich ist, in Buchform festzuhalten. Nirgends als in Deutschland finden sich Stimmen, welche dagegen protestiren, dass Zeitungsbeiträge, die an kein Datum gebunden waren oder mit dem Datum ein Stück bleibender Zeitgeschichte bildeten, als Bücher wiederkehren. Man wird — insofern man gesunden Menschenverstand besitzt — dieses Experiment nur mit solchen Arbeiten machen, welche auch außerhalb des Zeitungsrahmens ein in sich abgeschlossenes Ganze bilden. Nur bei uns ist es möglich, dass man einem Buch-Kapitel seine Herkunft aus dem Feuilleton einer Zeitung nachrechnet und ihm den Geburtsadel abspricht — so etwa wie gewisse Ritterorden nur solche Mitglieder aufnehmen, die mindestens sechszehn Ahnen nachweisen können. Novellette, Stimmungsbild, Humoreske, Betrachtung, du bist in eine Schublade mit der Aufschrift: „Feuilleton" eingereiht — hüte dich also, etliche Druckseiten eines Buches bilden zu wollen, du stammst von einem Journalisten, von keinem Schriftsteller . . . Nach und nach wird in Sachen der litterarischen Betrachtung an Stelle des Vorurteils das Urteil treten. Dann wird man die Schriftsteller von den Journalisten nicht mehr zu sondern suchen — diejenigen, welche mit Fug und Recht eine Feder führen, werden einander die Hände reichen — und taucht einmal die Frage des Vortrittes auf, so wird man am besten tun, sich an die Wiener „Concordia" zu halten, welche das Alphabet entscheiden ließ und sich „Journalisten- und Schriftstellerverein" taufte, weil das „J" vor dem „S" zu stehen kommt.

Wien. Ferdinand Gross.

Die zwei Laternen.

Aus dem Spanischen des Ramon de Campoamor.

I.

Des Diogenes Laterne
Kauft' ich einem Krämer ab;
Meine gleicht ihr nicht von ferne,
Gleicht doch Leben nicht dem Grab.

Während hell die meine funkelt,
Ist die seine schwarze Nacht;
Alles wird von ihr verdunkelt,
Was die meine heiter macht.

In der Welt, wer mag ihr trauen?
Ist ja Wahrheit nichts, noch Wahn;
Auf das Glas, durch das wir schauen,
Kommt am Ende Alles an.

II.

Stets umsonst mit seiner Leuchte
Suchte Männer er im Land,
Da ich solche, wie mir däuchte,
Selber unter Weibern fand.

Tugend, Glauben, nie empfand er
ihren Wert; ihm schien ein Tor
Sokrates und Alexander
Kam ihm ganz erbärmlich vor.

Gläubig will ich suchen gehen,
Fehlt mir meine Leuchte nicht;
Heilige, wie Helden sehen
Lässt mich da und dort ihr Licht.

Ja, so lang dahin zu gehen
Wagt das Volk mit hohem Mut
Für den Glauben Blut und Leben,
Für die Tugend Glück und Gut.

Tugend war ihm falsche Milde;
Reine Liebe nicht'ger Schaum;
Edelsinn ein Truggebilde
Und der Ruhm ein eitler Traum.

Ach, Diogenes, als Blinder
Wardst du nie des Lebens froh,
Da in Sparta du nur Kinder
Fandst, doch Männer nirgendwo.

Durch Geburt zum Leid erkoren,
Ist fürwahr! nach meinem Sinn
Jeder Mann als Held geboren,
Jede Frau als Dulderin.

III.

Wie verschieden doch betrachten
Gottes Werke ich und er!
Was ist denn als wahr zu achten?
Einer trügt sich; aber wer?

Wem von Beiden mag erscheinen
Gottes Werk im rechten Licht?
Ihm — wie Cyniker wohl meinen;
Mir — wie laut die Tugend spricht.

In der Welt, wer mag ihr trauen?
Ist ja Wahrheit nichts, noch Wahn;
Auf das Glas, durch das wir schauen,
Kommt am Ende Alles an.

Dresden. Edmund Dorer.

Pariser Neuigkeiten.

„Wie lange," so fragte mich vor Kurzem eine Pariser Dame, „wird uns das Theater diese — Frauenzimmer noch vorführen?" „Welche Frauenzimmer?" entgegnete ich. „Deren man sich schämen muss, weil man — weil man — zu demselben Geschlecht gehört!" „Zum Beispiel?" „Nun," erwiderte man ungeduldig, „Sie sagen doch selbst, sie seien in der Porte Saint Martin, im Gymnase, im Vaudeville, im Odéon gewesen: Marion Delorme, Sapho, Georgette, Lady Dora, das macht deren schon vier! Wie viele wollen Sie denn eigentlich?" Ich war geschlagen und flüchte mich in Ihre Spalten um meinem Nachdenken über meine theatralischen Beobachtungen Raum zu geben.

Die Rolle, welche sich die gefallenen Engel auf der Bühne und im Roman (vom gewöhnlichen Leben zu schweigen) anmaßen, wird in der Tat immer beträchtlicher. Doch das mögen die Sittenrichter unter sich ausmachen. Auf dem Theater fragt man vor Allem, ob eine dramatische Handlung da ist oder nicht, und ohne sittliche Fehler, besonders von weiblicher Seite, ist eine solche nicht denkbar. Von Klytämnestra bis zur Prinzessin Eboli sind die Beispiele eben nicht selten, und wenn nur eine tragische Buße eintritt, dann giebt man sich gern zufrieden. Leider legen sich die zeitgenössischen, französischen Dramatiker diese Frage selten oder nie vor und geben statt dessen eine Mischung tragischer und komischer Elemente, welche im Laufe der Handlung zwar verschiedene Knalleffekte bewirkt, aber eine befriedigende Lösung verhindert. Seit V. Hugo nennt man das die Poesie des Kontrastes, wo eine „Lilie auf den Mist" gepflanzt wird und zwar eher zum Vorteil des Mistes als der Lilie. Z. B. Marion Delorme, welche der Anciennität nach hier den Vortritt hat und, als 1831 erschienen, schon der Litteraturgeschichte angehört, ist eine vielverbreitete Courtisane, welche sich plötzlich in einen Gelbschnabel vom Lande verliebt, der sie für ebenso unschuldig hält wie sich selber. So naiv aber Didier auch ist, so erfährt er doch bald, dass er es mit einem Démon d'une aile d'ange aux yeux enveloppé zu tun hat, und darüber muss nun der gute Junge sterben. Das war denn doch den heutigen Parisern ein wenig zu unwahrscheinlich, und das Stück, dessen Wiederaufnahme im Grunde nur als ein Nachhall der berühmten Leichenfeierlichkeit erscheint, erfuhr bei der ersten Vorstellung am 30. Dezember, sowie in der Presse, eine sehr kühle Aufnahme. Beiläufig bemerkt hat auch Sarah Bernhardt zwar nicht ihr Talent aber ihre physischen Mittel und namentlich ihre „goldene Stimme", durch die anhaltende Darstellung der aufreibenden Theodora erschöpft und es könnte vorkommen, dass sie ihrem unbarmherzigen Direktor mitten im Stück „unter den Händen bliebe." Aber wäre es nicht groß in der Ausübung eines solchen Berufs zu sterben?

Marion Delorme kann man also schon „zu den Todten werfen". Um so lebendiger sind die Anderen, namentlich Sapho, der man alle Tage und namentlich gegen Abend auf der Straße zu begegnen das Vergnügen haben kann. Da hat nun wieder der Roman dem Theater einen Possen gespielt. A. Daudet ist ohne Zweifel Einer der ersten, wenn nicht der Erste unter den lebenden Romanciers der Franzosen. Sein Roman: Sapho ist eine treffliche, psychologische und Sittenstudie, die man mit großem Interesse las, obwohl der Gegenstand gerade nicht neu war. Als ihrer Zeit des jüngeren Dumas Kameliendame erschien, erklärten sie Manche für einen Abklatsch der Manon Lescaut, und wiederum hat Fanny Legrand, genannt Sapho, eine bedenkliche Aehnlichkeit mit Marguerite Gautier. Nur ist sie nicht schwindsüchtig wie die Letztere, welche auf diesem nicht mehr ungewöhnlichen Weg, gerade im Augenblick, wo Niemand weiß, was man ferner mit ihr anfangen soll, aus dem Weg kommt und einen wohltätigen nassen Jammer hinterlässt. Sonst ist es aber die alte, ewig neue Geschichte von der rückwärts blickenden Eifersucht. Die Vergangenheit will sich ja immer an der Gegenwart rächen. Saphos Liebhaber — Gaussin heißt er — weiß sehr wohl was er vor sich hat und täuscht sich nur in quantitativer Hinsicht. Er glaubt sich mit einem unbedeutenden Grisettchen einzulassen und erfährt alsbald mit Entsetzen, dass sein Fannychen schon seit Jahren in den Sphären der höheren demi monde geglänzt, einen Dichter zu vielgelesenen Versen, einen Bildhauer zu einer berühmten Statue der Sappho (woher der Name) begeistert hat, u. s. w. Darüber wird er ärgerlich, man geht auseinander, kommt wieder zusammen, läuft wieder auseinander, kommt wieder zusammen und trennt sich endlich ganz, weil Gaussin nach Brasilien muss. Solche Dinge lassen sich im Roman in einer annehmbaren Weise zurecht machen, aber auf der Bühne, wo die zwischenliegenden Charakterentwicklungen nicht zur Darstellung gebracht werden können, wirkt dieses beständige Hin- und Herlaufen ermüdend, und man denkt, dass die Leutchen, die sich im fünften Akt scheiden, in einem sechsten Akt sich doch wieder vereinigen würden. Dies beweist, was wir hier früher schon mehrfach betonten, dass der Realismus im Roman ganz gut wirken kann, aber auf dem Theater nichts taugt. Wenn man uns den stets wachsenden Erfolg des Stückes entgegenhält, so erwidern wir, dass derselbe vor dem Zufallspublikum einer großen, stets von Fremden überfüllten Stadt wie Paris gar nichts bedeutet. Solche Erfolge werden im Gegenteil von den Coterien und in der Presse schon zum voraus gemacht. Liegt nun gar ein populärer Roman von einem berümten Verfasser zu Grunde, so wird das Ding alsbald eine Modesache. Jeder will sehen, was der Nachbar schon gesehen hat, und bei einem so kleinen, im Herzen der Stadt gelegenen Theater wie das Gymnase sind hundert und mehr Vorstellungen nacheinander gewiss. Dabei muss man auch mit der Trefflichkeit der Inscenirung und Darstellung rechnen. Letztere ist auf jener Bühne fast immer tadellos und insbesondere Jane Hading (Sapho) kann schon jetzt als die Nachfolgerin Sarahs bezeichnet werden. Sie hat dasselbe ausdrucksvolle Spiel mit leidenschaftlich heftigen oder anmutig lässigen, aber immer selbstbewussten Bewegungen. Der Reichtum der Stimmorgane ist dort freilich einzig, dagegen ist Jane Hading jung und hübsch und hat, unseres Erachtens, eine schöne Zukunft vor sich.

Sapho und Marion machten also schon Zwei von denjenigen welche. Als Dritte kommt Sardous Georgette vom Vaudevilletheater. In dramatischer Hinsicht ist das nun ein Stück wie es sein soll. Sardou geht schon lange mit. Er ist 1831 geboren, und sein erster durchschlagender Erfolg, nach vielen vergeblichen Versuchen, waren: les Pattes de mouches (der letzte Brief) 1860, am Gymnase. Dennoch ist er immer noch ein „ganzer Kerl", welcher weiß, was er will und nicht will. Geld will er unter anderem sehr viel, obgleich er schon sehr viel hat; doch das wollen ja auch die Anderen. Aber wenn Sardou einmal ein Stück macht, so bleibt er bei der Stange, und das Ding hat Hand und Fuß. Man hat ihm vorgeworfen, er wolle den Dumas mit seiner didaktischen Vornahme zeitgenössischer Gesellschaftsfragen nachmachen; in Denise habe Jener das Problem aufgestellt, ob ein anständiger Mensch ein mit möglichstem Anstand gefallenes Mädchen heiraten könne, und seinen Segen dazu gegeben; in Georgette frage sich Sardou, ob ein anständiger Mensch die anständige Tochter einer unanständigen Mutter heiraten könne, und er sage dazu Ja und Nein in einem Atem. Warum denn aber auch nicht? Mit was Anderem soll sich denn die höhere Komödie befassen? Sie kann doch nicht ewig Geizhälse und Heuchler, Spieler und Hochmutsnarren darstellen. Der Unterschied ist nur, dass Dumas seinen Gegenstand in einer langweiligen, larmoyanten Weise, grau, grau, grau mit grauen Flecken, behandelt, während Sardous Werk lebendig und farbenfrisch dasteht. Nur ist derselbe in seinen Lieblingsfehler verfallen, komisch anzufangen, tragisch fortzufahren und doch nicht blutig zu enden. Bis zum Schluss des dritten Akts ist das Stück vorzüglich als Charakterzeichnung wie als Handlung, und die Szene, wo die biedere unschuldige Paula erkennt, was mit Muttern früher eigentlich los war und sich ihr doch zärtlich in die Arme wirft, wirkt wahrhaft ergreifend. Aber in diesem Augenblick des Konflikts aller Herzensneigungen mit den Regeln einer steifgestärkten, guten Gesellschaft müsste entweder die Mutter oder die Tochter in irgend einer Katastrophe verschwinden. Statt dessen kommt ein höchst doktrinärer vierter Akt, in welchem sich die Interessenten über alles Vorgekommene sehr gebildet unterhalten und es zuletzt passend finden, den Vorhang fallen zu lassen, damit Jedermann seiner Wege gehen kann. Sardou konnte da ein sehr schönes dreiaktiges Stück liefern, aber ein vierter Akt war ihm doch lieber. Schade! Und die Moral ist, dass Georgette, weil sie sich früher sehr leichtfertig betragen hat, als reiche und korrekte Matrone sich doch in der guten Gesellschaft nicht halten kann, obwohl sich die letztere (in Sardous Stück) auch recht schlecht aufführt. Das Wasser fließt eben immer in — die Gosse. Das ist keine Lösung, so sagt uns der Dichter selbst, aber wer fragt heute noch nach Lösung in diesen naturalistischen Tagen?

Jetzt kommt jedoch, als Vierte, Coppées Lady Dora in den Jakobiten (Odéon), und da giebt's Lösung mehr als genug. Freilich ist Dora, wie etwa Senf zum Rindfleisch, nur eine pikante Beigabe zu dem historischen Stoff, welcher darin besteht, dass der letzte Stuart, der sogenannte Prätendent, einen Einfall in Schottland macht, aber wieder hinausgeworfen wird. Von dem Aufruhr und der Niederlage, welche hinter der Szene vor sich gehen, hört man nur Einiges in den leidenschaftlichen Deklamationen eines blinden Sehers, welcher mit dem Blaumantel Ochiltree in W. Scotts Antiquar eine bedenkliche Aehnlichkeit hat, sowie seiner Enkelin, die in V. Hugo'schen Gemüts- und Herzensverrenkungen, zum Zweck großmütigster Aufopferung für Andere das Unglaubliche leistet. Tut man noch Etwas aus den

Opern: Lucia von Lammermoor und Die weiße Dame hinzu, so hätte man das Ganze, nur ohne Lady Dora. Dora aber ist die Gattin des Edelmanns Fingal, des Hauptanhängers des Prätendenten, ohne welchen Letzterer mit den hochschottischen Ohnehosen nichts anfangen kann. Dennoch sind er und Dora leichtsinnig genug sich zu lieben, und wenn das herauskommt, dann ist das ganze Unternehmen hin. Einige als Bergschotten verkleidete Edinburger Puritaner (wir reden hier ironisch, denn der Verfasser hält sie für echte Nachkommen von Artus und Ginevra) schnüffeln auch alsbald etwas von der Sache aus und führen Fingal zu einem nächtlichen Rendezvous des schuldigen Paares. Da stellt sich aber als Retterin die schon genannte Enkelin vor, welche Dora'n erst furchtbar herabkanzelt, dann aber ihre verdächtige Stelle bei dem Rendezvous einnimmt, weshalb sie von allen Anwesenden für ein leichtsinniges Ding gehalten und von Großvater sogar verflucht wird. Aber was tut man nicht um des Vaterlandes willen? und außerdem trägt die Kleine auch eine stille Neigung zu dem Prätendenten im Herzen, denn so schlechte Subjekte wie dieser machen immer am meisten Glück bei dem sogenannten schwachen Geschlecht. Endlich kommt alle Welt zum Sterben, auch Dora, welche als Ordonnanzoffizier des Prätendenten auf dem Felde der Ehre bleibt. Dieser selbst aber entkommt historisch nach Frankreich, nachdem er seine Kriegszüge weniger gegen die Engländer als in den Herzen seiner Untertaninnen geführt hat. Eine solche Handlung ist halb Blut, halb Zuckerwasser? Was will man mehr?

Dass die Jakobiten großen Erfolg finden konnten, das erklärt sich in der schon oben ausgeführten Weise, und insbesondere durch das Auftreten eines noch ganz jungen mimischen Sterns, der Mamsell Weber, in der verzweifelten Rolle der Enkelin. Man verspricht sich große Dinge von dieser Schauspielerin, obgleich sie von der Hand der Natur ebenso dürftig ausgestattet ist wie Sarah. In der Tat stehen ihr kräftige Stimm- und Geberdenmittel, sowie eine sehr klare Aussprache zu Gebot, und das lässt viel erwarten, besonders auf einer Bühne, wo jetzt oft mehr gebrüllt und geheult als geredet wird.

Um nun auf Herrn Copée selbst zu kommen, so erklärt man sich nicht, warum dieser geistreiche und liebenswürdige Akademiker, groß als Verskünstler und Lyriker, nach dem dramatischen Lorbeer ringt. Mit kleinen leichten Sachen war es ihm schon früher auf der Bühne geglückt, aber das größere Drama, Severo Torelli, welches im November 1883 zum Vorschein kam, erzwang auf die Dauer nur einen Achtungserfolg. Dabei wird es auch wohl mit den Jakobiten bleiben. Coppée scheint von der dramatischen Mache gar keinen Begriff zu haben und der Handlung nach wären seine Stoffe etwa nur für die Freskozeichnung einer italienischen Oper alten Stils geeignet, wo der Tenor und die Primadonna, nicht aber der Held und die Heldin, die Hauptrollen spielen. Es geht Alles bei ihm sehr traurig zu, aber nicht tragisch. Auf dem Theater ist er Einer der schwächsten Nachzügler von V. Hugo, dem er eher seine Schwächen als seine starken Seiten abgeguckt hat. Dagegen hat er einen wesentlichen Vorzug für sich, das ist die korrekte und reiche Versifikation. Die Achtung der Franzosen vor dieser Eigenschaft ist nämlich so groß, dass sie alles Andere damit entschuldigen. In Ländern, wie z. B. in Australien, wo der Kodex der Versifikation nur aus dem einzigen Artikel: Reim dich oder ich fress dich! besteht, begreift man das schwer. Aber die französische Versbildung ist ein so überaus heikliches und zusammengesetztes Ding, dass das Publikum dem glücklichen Ueberwinder so vieler formeller Schwierigkeiten nicht Dank genug zu spenden weiß. So oft man Einem die Ungereimtheiten eines gereimten Stücks dartut, ebenso oft erwidert er oder sie: Mais il y a de si beaux vers! Und dann mag man nur getrost von etwas Anderem reden.

Lassen wir also Herrn Coppée seinen Ruhm als Verskünstler, weil dieser nun einmal ausreicht, und danken wir ihm ferner, dass seine Dora bei ihrer verhältnissmäßig nicht absolut schlechten Aufführung doch weit schlechter wegkommt als Marion, Georgette und Sapho. An ihr wenigstens übt sich die poetische Gerechtigkeit, indem sie erst moralisch und dann physisch vernichtet wird, während die Anderen — doch wir wollen das lieber gar nicht ausdenken, um der geistreichen und moralischen Pariser Freundin keinen weiteren Anstoß zu geben.

Caen. Alex. Büchner.

Die neusten geistigen Kundgebungen in Polen.

(Schluss)

In der Sprachkunde zeigt sich Johann Hanusz fortgesetzt thätig. Bald ist es das ruthenische, bald das altpolnische Idiom, bald das Sanskrit, das er wissenschaftlich zergliedert, dann wieder zieht er die vergleichende Grammatik in den Kreis seiner Betrachtung, wie in dem Opusculum „Vistula, Wisla, Weichsel“. Warschau 1885. Die Geographie erfreute sich bislang nur geringer Selbständigkeit; wir weisen indess gern auf die „Klassische Geographie Polens“ von Adalbert Dzieduszycki hin, demnächst auf das neue Reisewerk „Echo aus Südafrika“ von Anton Rehmann, welcher als Botaniker zweimal, 1879 und 1880, Natal und Transvaalien besuchte. Das „Geographische Lexikon des Königreichs Polen und der anderen slavischen Länder“, begonnen Warschau 1880 und jetzt bis zum fünften Bande fortgeführt, gestaltet sich zu einer Schatzkammer kostbaren Materials für zukünftige Geographen. Ueberhaupt wird das Zusammenfassen einzelner Wissenszweige sowohl als auch des totalen Bildungsstoffes in alphabetischer Form mit besonderer Vorliebe betrieben. Unter den derartigen jüngst beendeten oder noch in Lieferungen erscheinenden Erzeugnissen nennen wir noch: eine kirchliche, eine landwirtschaftliche, eine technische, eine Erziehungs-Encyklopädie, Supplemente zur Orgelbrandschen allgemeinen Encyklopädie, eine Encyklopädie der Kinderspiele, ein Wörterbuch der polnischen Synonymen, ein solches der pseudonymen Schriftsteller, Lexica der polnischen Aerzte, Juristen, Baumeister, dramatischen Künstler, endlich ein deutsch-polnisches Eisenbahnlexikon und ein Fremdwörterbuch.

Dass der Drang nach Zielen, die sowohl hier als auch jenseits des Lebens liegen, das Streben, auf ideellem Wege, durch das Gefühl die Wahrheit zu finden und der Unendlichkeit näher zu kommen, auch heute noch in Polen manche Blüte treibt, will ich im Nachstehenden zu entwickeln versuchen. Poetische Empfindung und eine gewisse Leichtigkeit und Ungezwungenheit in der Versbildung verraten die Gaben der Dichterin Hajota (Pseudonym für Helene Boguska), Warschau 1884.

Gleich das erste längere Poem „Geigers Loos", eine Art Idylle, bestätigt dies. Zwei Dorfkinder, Stach und Maria, lieben einander; das Mädchen hütet Kühe; der Jüngling sitzt am Wiesenhang und entlockt seiner Geige selbsterfundene Weisen. Ein reicher Städter erbietet sich, für Stachs künstlerische Ausbildung Sorge zu tragen, dieser aber bleibt in der Wahl zwischen Ruhm und Liebe, zwischen Geige und Mägdlein seiner Maria treu und weist das Anerbieten zurück. Als jedoch ein wohlhabender Bauer um die Geliebte wirbt, vermählt sie sich diesem. Der Verschmähte zerschmettert in Verzweiflung seine Violine,

Und irren Sinns saß Stach am Wiesenrand,
Die neu gefügte Geige in der Hand.
Er lauschte wiederum des Feldes Lüften,
Berauschte wieder sich an Blütendüften
Und sah den Wölkchen zu am Himmelszelt,
Bald lachend, spielend auch von Zeit zu Zeit;
Doch hat er nie die Frage mehr gestellt:
„Wer ist mir treuer — Geige oder Maid?"

Hajota besingt die Träne als die Perle der Kleopatra, geschmolzen im Becher der Gefühle; dann heißt es:

Gesegnet bist du, wenn das Auge dich
Im Schmerz vergießt,
Der, ob so hart wie Fels, doch wonniglich
In dir zerfließt . . . .
Doch Schande! Wenn du in Verborgenheit
Als Schlange blinkst
Dich schämend vor dir selbst, wenn du vor Neid
Zum Auge dringst.

Die letzte Schöpfung der nun dahingegangenen Dichterin Maria Bartus, „Des Hirten Zauberflöte", ist ein allegorisches Phantasiegemälde, das unter dem Gewande eines idyllisch-romantischen Wundermärchens die Tendenz birgt, getrennte slavische Stämme des polnischen Landes zu einen. Ein junger, von seiner Stiefmutter übel behandelter Hirtenknabe durchwandert mit einer selbstgefertigten magischen Weidenflöte das Vaterland und mahnt überall zu Liebe und Eintracht. Alles ist von einem milden Strahl natürlichsten Gefühls übergossen, der indess nicht immer die eigentlichen Ziele der Dichtung hervortreten lässt.

Zu schrillen Dissonanzen dagegen stimmt Maria Konopnicka, die Dichterin der Verzweiflung, ihre Leier. Der Genius dieser Hochbegabten ist nicht derjenige, welcher in das zerrissene Herz hinabsteigt, um seine brennenden Schmerzen zu lindern und ihm eine letzte Hoffnung darzureichen. Sie spricht zu Gott:

. . . . . . Die Wetterwolke
Ist deine Krone, dein Gewand der Blitz,
Und auf die Sonne stützest du den Fuß;
Was sind dir Menschentränen! Tropfen Taues,
Und dennoch hast du alle sie gezählt,
Gezählt? Wie! Und du hast sie nicht getrocknet?

Milder, wenn auch von dem allen Polinnen eigenen elegischen Flor umhüllt, schreitet die Muse der im vergangenen Jahre in noch jugendlichem Alter verblichenen Florentine Niewiarowska einher. Kurz vor ihrem Tode ließ sie im Vorgefühl ihres nahen Endes noch folgenden Schwanengesang erklingen:

Nicht täusche dich, o Herz, mit eitlem Hoffen,
Dass die verscheuchten Träume wiederkehren
Wie Blätter, neu vom Frühlingshauch getroffen,
Betaut von heißen Sehnsuchtszähren.

Nicht täusche dich! die schon erblassten Farben
Der Traumesblüten schimmern nie mehr wieder,
Und nimmer glänzt in goldnen Strahlengarben
Ein Stern, fiel er vom Himmel nieder.

Nicht täusche dich! im Grabe welkt die Rose,
Die wir am Lebensmorgen frisch gesehen;
Und doch erblüht sie neu zu schönerm Loose
Einst bei des Geistes Auferstehen.

Dir, Vaterland, zu dienen war mein Streben,
Wenn auch nur mit des Vogels Liedergabe,
Ich wähnte als Cypresse fortzuleben,
Zu trauern einst auf deinem Grabe.

Erloschen ist des Lebens Lampe heute,
Der Schwarm der hehren Träume ist zerstoben,
Wie sich der Schwalben dunkler Kranz zerstreute,
Der überm Goplo sich erhoben.

Durch Czeslaws (Pseudonym für C. Jankowski) im Wert sehr ungleiche Dichtungen zieht sich eine ironische Lebensanschauung. In der symbolischen „Ballade", in welcher ein junger König einer Lorelei ewige Treue gelobt und plötzlich ein greises Scheusal in den Armen hält, wird vor dem zu weit getriebenen Idealismus gewarnt, welcher Sterne vom Himmel herabholen möchte. Das Gedicht „Die Nachtigall" sei hier als Probe der Czeslawschen Manier übersetzt:

Die Luft war rings von Blütenduft durchweht,
Die Nachtigall sang Abends in dem Haine,
Und vom Spaziergang kehrten im Vereine
Ein Meister der Musik und ein Poet.

„Ich fühle wohl," sprach dieser, „oft den Drang,
Im Lied der Sängerin des Hains zu gleichen —
Um ihres Ruhmes Stufe zu erreichen,
Doch welches Wort entspräche solchem Sang!"

„Ganz gut," rief Jener, „singt sie in den Wald,
Doch sicher ist, dass sie viel weiter käme,
Wenn sich die Diva bessre Muster nähme,
Denn die Methode ist doch gar zu alt."

In ähnliche Antitheta laufen „Am Fensterlein", „Vom Helikon" aus. Dichtungen wie die barocke „Fabel", in welcher Amor einem Mädchen zuerst mit Bogen und Pfeil, dann mit einer Wiege erscheint, hätten füglich fortbleiben können. Der Cyklus „Aus den Zeiten der Cäsaren" enthält nur wenig anregend Zugespitztes; wir erblicken eben nur Stimmungsbilder in klassisch gefärbtem Beleuchtungsreflex. Den besseren Teil von Mirons (Alexander Michauds) Poesien, Warschau 1884, bilden seine Uebersetzungen aus verschiedenen Sprachen. Die eigenen Produkte verraten die bei vielen Zeitgenossen — Dichtern wie musikalischen Harmonikern — wahrnehmbare Anstrengung, dasjenige was ihnen an Neuheit lyrischer Gedanken abgeht, durch auffallende Heuschreckensprünge, durch genial forcirte Ausweichungen und Herbheiten zu ersetzen. Hier sehen wir Reim und Rhythmus zwar geschickt gehandhabt, doch im Ganzen hat dieser durch seine Erstlingslieder (1867) gut introduzirte Dichter die in ihn gesetzten Erwartungen nicht erfüllt. — Ein eigentümlich schwermütiger Reiz liegt über der in der Tatra sich abspielenden poetischen Erzählung „Halina" von Thaddäus Otawa Janosz Warschau 1885, ausgebreitet. Der junge Gorale hat dem Mörder seines Vaters Rache geschworen. Ohne denselben zu kennen, verliebt er sich in seine Tochter Halina, die, schön und sanft wie ein Engel, die Königin der Tatra genannt wird. Herz findet sich zum Herzen, aber der Vater, als er sie eines Abends in den Bergen beisammen trifft, versagt ihrem Bunde seine Zustimmung. Janosz, der aus einem jähen Ausruf bei Nennung seines Vaternamens die Ueberzeugung gewinnt, dass er der gesuchte Mörder sei, flieht in die Berge und wird Räuber. An der Spitze einer Bande dringt er dann in Halinas Vaterhaus, erschlägt den Alten, der einst aus Notwehr seinen Vater getödtet hat, wird aber mit Halina, die er aus der flammenden Hütte hinwegtragen will, von dem einstürzenden Dach begraben. In das Gewebe der Dichtung sind prächtige Naturschilderungen eingefügt.

Der gewiegte Kenner der schwedischen Litteratur, Graf Benzelstjerna Engestroem, veröffentlichte 1884 in Posen unter dem Titel „Aus schwedischer Flur" gelungene Uebersetzungen einiger Poesien des als gekrönter Dichter und Kanzelredner berühmten Wallin, des Finnländers und schwedischen Geistlichen Franzén und des ausgezeichneten Lyrikers Stagnélius. Als originell sei hier noch die aus sechsundzwanzig Sonetten bestehende lyrisch-epische Dichtung „Der Wald" von Wladimir Wysocki, Kiew 1885, erwähnt. Die Sonettform ist indess nur in der Abgrenzung der Strophen innegehalten, mit dem Reim hat es sich der Dichter leicht gemacht, indem er — vielleicht auf das Beispiel des großen Shakespeare sich stützend — stets in den ersten zwei Strophen vier Reimpaare anstatt deren zwei anwandte. Die Idee der Dichtung, zum Teil auch die Ausführung verdienen Anerkennung.

Das **dramatische Fach** hat in der letzten Zeit kaum ein neues Talent von Bedeutung gewonnen. Unter den Bewerbern um den Preis von 1884 für das beste Bühnenwerk wurde keiner durch die erste Nummer ausgezeichnet. Felician Faleński errang für sein fünfaktiges Drama „Florinda" den zweiten Preis und zwar nur als die beste Arbeit „in litterarischer Hinsicht". Am üppigsten blüht das Spiel der heiteren Muse, es ist eben als „dulce lenimen laborum" des Erfolges am sichersten. Der beliebte Schöpfer mancher populär gewordenen Typen, Michael Balucki, warf indess in seinen beiden letzten Stücken: „Das offene Haus" und „Gans und Gänschen" mehr nur leichte Silhouetten und Episoden hin, obschon sein Humor und seine Satire auch darin wieder die Lachenden auf seine Seite brachten. Ein ehrliches „Fabula docet" schwebte Julian Swięcicki bei Abfassung seines Lustspiels „Durch eigene Kraft" vor, in welchem gegen die sozial-ökonomischen Missstände die selbsttätige Energie als Panacée hingestellt wird. Launige Einakter und Monologe sind Marian Gawalewicz' Spezial-Domäne; unter Mitwirkung von Sophie Meller schuf er außerdem nach einem Kraszewskischen Sujet das durch Noskowskis Musik illustrirte malerische und effektvolle Volksstück „Die Kathe hinterm Dorfe". In Eduard Lubowski's „Klein Hyacinth" ist die Hauptperson mit wunderbar festem Griffel gezeichnet. Eine ungewöhnliche Beobachtungsgabe in Bezug auf lokale und gesellschaftliche Verhältnisse bekundet Kasimir Zalewski in seinem Lustspiel „Der Sieg ist unser", Krakau 1885. Unter den 1884 in Warschau erschienenen gesammelten Werken des gedankenreichen und formgewandten Wacław Szymanowski befinden sich außer tiefernsten und dann wiederum witzig pointirten kleineren Dichtungen auch einige von edlem Geiste getragene Dramen, die bereits im Vollstrahle der Lampen als echt befunden wurden. Dies gilt vor allem von dem Drama „Salomo", in welchem die junge Jüdin Sarah ihr Herz einem Christen und zugleich seiner Religion zuwendet, was ihren strenggläubigen Vater zu der drohenden Mahnung veranlasst:

Wir sollten der Vergangenheit entsagen,
Die unser Blut, die Bein von unserm Bein?
Wir können nicht den alten Bund zerreißen,
Der Väter heil'gen Glauben nicht zerstören.
Wer solchen Abfalls selbst sich schuldig macht,
Ist der Verachtung wert von Freund und Feind.

Anders denkt Sarah:

Durch Liebe glauben und durch Glauben lieben!
Der Gott, der unter Euch durch Furcht nur waltet

Und dem Ihr bangen Sinns Altäre baut,
Der Euch ein Strafer, ein Vernichter ist,
Er ist ein Gott der Liebe für die Christen.

Der Roman nimmt gegenwärtig eine in Bezug auf Quantität und Qualität hervorragende Stelle in allen Litteraturen ein. Die Erörterung psychologischer und sozialer Fragen, die heute so oft auch in das Gewand der Erzählung gekleidet wird, vermag wohl selbst einen höher als das gewöhnliche Leihbibliotheken-Publikum gebildeten Leser zu fesseln. Aus der jüngst sehr ergiebigen Ernte auf diesem Felde geben wir folgende Aehrenlese. Von dem oben als Dramatiker gewürdigten Michael Balucki erschienen 1885 in Warschau vier Bände gesammelter Novellen und Bilder, die zum Teile schon früher in Zeitschriften aus der Taufe gehoben waren. Manches dem modernen Leben abgelauschte Seelengemälde voll Wahrheit wird da vor uns aufgerollt. Balucki bietet uns neben ausgeführten Novellen auch manche leicht hingeworfene Skizze, und bald ergötzt uns das Gebahren abderitischer Existenzen, die ohne karrikirt zu sein, durch sich selbst „Karrikaturen" sind, bald, wie in „Scherzo" die wohltätige Zurückführung aus himmelan strebender Schwärmerei in die Wirklichkeit, bald wecken konventionelle Malicen unsere Teilnahme, wie in „Zu spät", oder wir lächeln unter Tränen über die Schicksale eines menschenfreundlichen Greises, welcher, bis dahin harmlos und bescheiden, plötzlich durch die in ihm erregte Hoffnung, als Jubilar gefeiert zu werden, das „honores mutant mores" verwirklichend, von nie gekanntem Ehrgeiz erfüllt wird, dann aber, als man sein Jubiläum zu begehen vergisst, aus Gram dahinsiecht. Balucki ist einer der bedeutendsten polnischen Humoristen. Ihre Reihe begann einst, nachdem Krasickis Epoche vorüber, mit August Wilkoński und dem Grafen Skarbek; heute excelliren in diesem Genre noch: der mit schlagendem Witz ausgestattete Johann Lam in Galizien, der geistreich polemische Alexander Świętochowski, der dem Natürlichen zugewandte Heinrich Sienkiewicz, der oft mit nicht allzufeinem attischen Salz würzende Alexander Głowacki, der beliebte Journalhumorist Albert Wilczyński, endlich der gutmütig joviale Joseph Bliziński. Den Frauen scheint, wie überall, so auch in Polen die humoristische Ader versagt zu sein.

Den Mikrokosmus des polnischen Volkslebens malt mit epischer Behaglichkeit Adolph Dygasiński in seinen „Novellen" (zweite Serie, Warschau 1885). Der Titel „Unmoralische Erzählungen", welchen Eduard Lubowski einem 1884 in Warschau erschienenen Werk voranstellt, verheißt etwas Pikantes, unter schimmernden Gewändern verhüllte Sünde. Und in der Tat scheint der Verfasser französischen Vorbildern nachgeeifert zu haben. Am meisten künstlerisch motivirt und abgerundet ist die Novelle „So sind sie Alle", in welcher Lubowski eine engere Bekanntschaft mit der Welt der Kulissen an den Tag legt. Als gutes Erzählertalent präsentirt sich Klemens Junosza (J. Szaniawski) in seinen „Skizzen und Bildern aus dem Masurenlande", 1885. In der Novelle „Der Oberst" stellt er zwei Damen, denen der Salon und der Spiegel die höchsten Lehrmeister der Erziehung sind, einem ebenfalls hochgebildeten, aber einfach und wahrhaftig erzogenen Mädchen, der Enkelin des braven Obersten gegenüber und teilt dieser die Palme zu. Wehmütig stimmt uns „Der erfüllte Traum", ingleichen das Lebensbild eines über seine Kräfte arbeitenden jüdischen Flickschneiders mit seiner rührenden Genügsamkeit. Junosza schreibt gewandt, aber er baut gern Luftschlösser. Der launige Albert Wilczyński geleitet uns in ländliche Kreise. In seinem Buch „Aus unserem Leben", 1885, giebt er manches unverfälschte Bild aus der polnischen Gesellschaft, so in der hier neu aufgelegten „Geschichte einer Doppelflinte" und in der hübsch erfundenen Humoreske „Aus Furcht", in welcher die durch Naschen einiger Hausoffizianten an einem für Pferde bereiteten Aloë-Branntwein bewirkten scheinbaren Cholerafälle den soeben eingezogenen neuen Gutsherrn in komische Bestürzung versetzen. Vom Tendenzroman ausgehend erstarkte das Talent Valerius Przyborowskis allmählig zu männlicher Kraft. Er wandte sich mit Glück der historischen Erzählung zu, und wenn er in dem, in das 14. Jahrhundert verlegten Roman „Plowce", Warschau 1884, auch oft nur auf Hypothesen fußt, so ist seine Darstellung doch anziehend, der Abschluss befriedigend. In einer andern, in demselben Jahr erschienenen Erzählung weckt die Titelheldin „Magdalena", eine Art von Cameliendame, dadurch unsere Sympathie, dass sie mit seltener Willensstärke sich erhebt und eine treue Gattin wird, dann aber einem tragischen Geschick verfällt. J. I. Kraszewski hat die Zahl seiner historischen Romane durch neue vermehrt. Von zwei im achtzehnten Jahrhundert sich abspielenden entwickelt „Das Kloster" die moralische und physische Verderbniss eines Voltairianers, während „In der Stirne Schweiß" als ein fingirtes Tagebuch in der Ausdrucksweise jener Zeit zu uns spricht; sein dreibändiger Roman „Banita" aus der Zeit Stephan Batorys erschien 1885 in Krakau. Der Unermüdliche schrieb außerdem von Mageburg aus für polnische Journale harmlos unpolitische Briefe über Litteratur und Kunst.

Die Frage „Warum?" nötigen uns die „Aquarellen" von Gabriele Zapolska, Warschau 1885, ab. Greifen wir z. B. die am Meisten ausgeführte dieser kleinen Novellen und Miniaturen „Ein Tag aus dem Leben der Rose" heraus. Drei Frauen treten auf den Schauplatz: eine bedenklich überspannte, eine Ehebrecherin, eine Hetäre; dazu gesellen sich zwei Masculina: ein herzloser Roué, jugendlich schön, ein dito mit Glatze. Sollen wir aus dieser Zusammenleimung überschwänglicher und pikanter Fratzen das Facit ziehen, dass alle Menschen gleich wertlos sind?

Eine andere Moral enthält diese und die anderen Malereien in aqua nicht, ja, sie können nicht einmal als bloße Unterhaltungskost ihre Existenzberechtigung begründen — Wasser ist eben keine Kost. Auch wo wir in die untersten Gesellschaftssphären eingeführt werden, herrscht krankhaftes Treibhaus-Sentiment und schwarzumschleierter Pessimismus. J. L. Orlowski zieht in seinen kleinen „Bildern aus dem Volksleben“, Lemberg 1885, nicht das Register der künstlichen Tibia pastoralis, er schreibt nicht bloß von den Bauern, sondern auch für dieselben mit verständig belehrender Tendenz. Von Stepanie Chlędowska, der zu früh Dahingeschiedenen, liegen uns zwei Bände Novellen, Lemberg 1885, vor, in denen sich eine genaue Beobachtung des Positiven abspiegelt und die Personen realistisch zwar, aber in plastischer Gestaltung durch die Verwickelungen geführt werden. Weniger konsequent spinnt sich der Faden in einer der neusten Erzählungen von Valerie Marrené, betitelt „Der Kampf“, Warschau 1884, ab. Der ungleiche Streit zwischen warmen und kalten Herzen, der durch nichts motivirte oder gemilderte Sieg des bösen Prinzips über das gute macht einen abstoßenden Eindruck. Die in Warschau erscheinende Gesammtausgabe der Romane von Elise Orzeszko ist bis zum vierundzwanzigsten Bande gediehen, welcher mit der „Familie Brochwicz“ abschließt, einem Romane, der die Frage erörtert, ob adelige Familien zu produktiver Tätigkeit fähig sind. Die Schriftstellerin hatte das Unglück, bei der im Juni v. J. in ihrem Wohnorte Grodno wütenden Feuersbrunst ihre bereits aus den Flammen gerettete Bibliothek im wilden Gewühl der Straße, auf welche die Bücher und druckfertigen Manuskripte geworfen waren, zertreten zu sehen.

Elbing. Heinrich Nitschmann.

The Sagacity and Morality of Plants.

A Sketch of the Life and Conduct of the Vegetable Kingdom by I. E. Taylor, Ph. D., F. L. S., F. G. S. etc. With Coloured Frontispiece and 100 Illustrations. London. Chatto and Windus. 1884.

Dies kleine Buch mit seinem befremdenden Titel „der Scharfsinn und die Moralität der Pflanzen“ ist allen Naturfreunden als belehrende und unterhaltende Lektüre warm zu empfehlen. Es handelt von dem „scheinbaren“ Geistesleben der Pflanzen und schildert uns die mannigfachen Ergebnisse des „unbewussten Wahlvermögens“, welches Bäumen, Sträuchern, Blumen und Kräutern eignet und ihnen hilft, sich den äußeren Lebensbedingungen anzupassen, sowie vielen Gefahren zu entgehen. Die Pflanzen haben kein Nervengewebe und so weit menschliche Erfahrung reicht, ist dieses die absolut erforderliche physische Grundlage, die stoffliche Vorbedingung des geistigen Lebens aller Organismen. Der Name des Werkes ist also nur eine Art von Parabel, aber eine sehr glücklich gewählte. Indem der Verfasser die Mitglieder der Pflanzenwelt in arbeitsame und träge, ehrliche und diebische, sparsame und verschwenderische, unabhängige und hülfsbedürftige teilt, bringt er uns die charakteristischen Eigentümlichkeiten derselben ungemein klar zur Anschauung. Er giebt uns einen Blick in die gigantische Arbeitsstätte der Natur und zeigt uns das rastlose Leben, welches dort pulsirt. Alles geht geräuschlos von Statten und doch welch Hasten und Ringen, welch eine unausgesetzte Jagd nach Nahrung im Dienste der Erhaltung der Art und des eigenen Körpers! Die zur Holzbildung trefflich befähigten Pflanzen, die Bäume finden ihren Lebenserwerb am leichtesten. Auf hohen Säulenschaften heben die Krösusse des Waldes ihre Blätterkronen empor und breiten sie weit aus, damit jedes Blatt den nährenden Kohlenstoff einsaugen und seinem Träger zuführen kann. Ungleich mühsamer suchen sich Farrenkräuter und kleines Schattengestrüpp ihren Erwerb. Der innige Freundschaftsbund zwischen Blumen und Insekten, bei welchem Dienst und Gegendienst in liebenswürdiger Weise geleistet wird, giebt dem Verfasser Gelegenheit zu zwei höchst anziehenden Kapiteln über „Blumendiplomatie“. In „Verstecken und Suchen“ wird die wichtige Frage über den Zweck der Färbung der Früchte erörtert. Dann folgen unterhaltende Abschnitte über die offenkundigen und geheimen Waffen der Pflanzen, über gesellige Triebe und wirtschaftliche Bestrebungen, arme und erwerbsunfähige Species, räuberische und mordlustige Arten, das Tun und Treiben der Insektenfresser und endlich über die Wanderlust. Wir sehen, der Verfasser hat uns eine reiche Auswahl an lesenswerten Stoffen zu bieten. Die englischen Bücher sind in der Regel teuer; dieses kostet nur 7 s. 6 d. Die Ausstattung ist gut; die Illustrationen halten sich nicht ganz auf der Höhe der Zeit.

Jena. A. Passow.

Das Tragikum in doppelter Beleuchtung.

Beöthy Zsolt: „A tragikum.“ — Franklin-Gesellschaft, Budapest. (Ausgabe der Kisfaludy-Gesellschaft.)
Rákosi Jenö: „A tragikum.“ — Brüder Révai, Budapest.

Die ungarische Nationallitteratur ist nicht allzureich an wirklich tiefen ästhetischen Werken, welche geeignet erscheinen, Dichter und Künstler in die geheimen Erfordernisse ihres hehren Berufes einzuführen und ihnen bei deren Erfüllung dienlich zu sein — und so sind denn auch die ungarischen Poeten von Bedeutung entweder feinfühlige Naturtalente, welche im eigenen Wesen die geschmackvolle Zensur und Leitung finden oder aber, sie haben sich an den dichterischen Schöpfungen und ästhetischen Ausführungen fremder Kulturvölker herangebildet und zu einem Schaffen befähigt, welches gegen die starren, aber naturentsprossenen Normen einer schon durch die ältesten Schriftsteller unbewusst anerkannten Oberhoheit der Aesthetik nicht verstößt. Ist schon die magyarische Litteratur an sich noch ein junges Bäumchen, so bildet die Aesthetik einen ihrer jüngsten Zweigansätze und Männer, welche ihr ganzes Leben und Können der Schönheitswissenschaft gewidmet (so bezeichnet die ungarische Sprache mit einem Worte die Aesthetik), tauchen im Lande erst in den letzten Dezennien auf mit Werken, welche selbst in Uebertragungen noch Neues und Wirkungssicheres bieten würden.

In die Reihe dieser Bücher fällt auch die neuste litterarische Gabe Zoltan Beöthys, welcher seit mehreren Jahren in ersprießlichster Weise an der Budapester Universität Aesthetik lehrt. Es ist ein großes Buch, diese Zergliederung des Tragikums, ein Band von fast siebenhundert Seiten, aber es wäre ungerechte Bosheit, ihm als Motto das Dickenssche Wort vorzusetzen: „Der Schriftsteller tut gut, die akademischen Theorien kennen zu lernen, um ihre Anwendung zu vermeiden.“ Dieses Buch kann nur wohltätig und befruchtend wirken; denn es ist keine zopfige Interpretation akademischer Paragraphe, sondern eine wirklich vertiefte, ästhetische Emanation, welche im Bette der Weltlitteratur hinfließt und deren Erscheinungen nicht unter ein pedantisch zugestutztes Maß bringt, sondern sich jenen schöpferischen Geistern unterwirft, indem sie sich an ihrer Hand mit den Eigenschaften der bezwingenden Kraft befasst, die wir als Tragikum qualifiziren. Selbständig in Urteil und Auffassung, eigentümlich, aber nicht bizarr in seinen Standpunkten und Anschauungen, zieht Beöthy um sein Thema einen großen Kreis, in welchen er, das Tragikum beleuchtend, selbst die der tragischen Dichtung ferner liegenden Erscheinungen einbezieht; so verfolgt er das Tragikum durch Litteratur, Geschichte, Kunst und Natur, reiht, auf dem Gebiete des ganzen gebildeten Schrifttums Umschau haltend, die verschiedensten Ansichten und Definitionen aneinander und gestaltet damit sein Werk zu einer wahrhaften Monographie, welche Alles, was mit dieser ästhetischen Frage im Zusammenhange ist, in sich aufgenommen hat. Das Tragikum haben viele Aesthetiker schon behandelt, Niemand eingehender und sorgsamer als Beöthy. Man würde dem Buche anmerken, dass es die Frucht vieler Studien, tiefen Sinnens und langer Arbeit ist, auch wenn man nicht wüsste, dass einige Partien desselben schon vor Jahren in Sitzungen der Akademie der Wissenschaften und der Kisfaludy-Gesellschaft vorgelesen, in Journalen publizirt wurden und dass Beöthys Hörer aus dem Lehrsaale mit dem Werke vertraut sind, welches eine nicht genug zu schätzende Bereicherung der nationalen Litteratur bedeutet. Wohltuend wirkt es, dass der Autor seine Theorien nicht aus sich selbst willkürlich aufstellt, sondern dieselben aus den klassischen Dichtungen der Weltlitteratur ableitet, wobei er der Litteraturgeschichte seines Volkes den Dienst erweist, sich auf ganz vergessene Arbeiten von hohem Werte zu berufen und damit verschollene Namen der unverdienten Vergessenheit zu entreißen. Was er von den alten Balladen schreibt, von ihrem dramatischen Aufbau, ihrem tragischen Konflikt etc., das ist eine wertvolle Arbeit für sich, hier aber bloß ein bescheidener Abschnitt. Die klare Entwicklung der für die Poesie gültigen Theorien des Tragikums vom Standpunkte der kläräugigen Wissenschaft vermag auch Jene zu fesseln, die sich nicht in eine so breit angelegte ästhetische Abhandlung zu vertiefen lieben. Die Darstellung ist gedankenschwer, aber nicht ermüdend, ernst, wie es des Gegenstandes würdig ist, aber nicht trocken und langweilig nach Gelehrtenart. In manchen Kapiteln — der Stoff erscheint in deren fünfunddreißig eingeteilt — herrscht sogar eine in solchen Büchern ungewöhnliche, temperamentvolle Wärme und ein edler Schwung des Stils; für den deutschen Leser bietet der Vergleich zwischen Faust und Adam, welchen Beöthy mit Zugrundelegung der Werke Goethes und Madáchs (die Tragödie des Menschen) durchgeführt, besonderes Interesse.

Wenn verschiedene Geister Theorien ableiten, so sind auch diese verschieden. Das erweist auch Eugen Rákosis Buch, welches seine Existenz einer früher erschienenen Partie des Beöthyschen Werkes dankt, die den Autor anregte, über dasselbe Thema zu denken und zu schreiben und so entstand diese zweite interessante Arbeit, welche, ein Pendant zu dem Werke des Aesthetikers und Gelehrten, der die Mängel und Gebrechen, aber auch die Schönheiten und Vorzüge der poetischen Schöpfungen kennt, sich als das Werk des Dichters giebt, der überdies vertraut ist mit der Schaffensinspiration, und daraus das Recht ableitet, die Urteile und Erkenntnisse der Nichtdichter zu verpönen. Hier eifert er gegen Paul Gyulai, dort wendet er sich an Beöthy und in Bausch und Bogen kanzelt er jene ästhetischen Gesetzgeber ab, welche ihre tiefsinnigen Definitionen mit dem Schleier der Schwerverständlichkeit umgeben, um der großen Masse zu imponiren und den Lehrkanzeln der Universitäten das Monopol der Theoreme zu wahren. In seinen Ausführungen spricht sich der Wunsch nach einer Modernisirung des ästhetischen Lehrsystems aus, nach einer kecken Auflehnung gegen die grausame Naivetät der griechischen Klassiker. In den Elementen der tragischen Dichtung blieb Vieles von jener unbarmherzigen Auffassung, welche in den griechischen Tragödien unumschränkt als Fatum herrschte, als tyrannisches Verhängniss, das alle Taten lenkte und dessen Anordnung nicht zu brechen, zu vernichten war, so dass der Mensch den Entschluss nicht kannte und sich willenlos der göttlichen Macht unterordnete; jeder Entschluss war eine Auflehnung und führte zum tragischen Konflikte. Die christliche Dichtung stellt die moralische Weltordnung vor das Tragikum, als ob es sie angreifen und zermalmen müsste und kleine und große Sünder wurden unter die Guillotine des dichterischen Gerechtigkeitsdranges gebracht. Die ideelle, übermenschliche Macht der Griechen, welche sich auch in der Theorie gleichblieb, wich jener Vollkommenheit eines visionären Lenkers der moralischen Ordnung, welche den Menschen ohne eine begangene Schuld nicht verletzen konnte. Worin besteht die moralische Welt, deren Beleidigung die dichterische Gerechtigkeit aufruft, worin die Vollkommenheit, deren Verletzung unser moralisches Empfinden empört? Und was ist die tragische Schuld, welche unsere moralischen Begriffe verleugnet, was der tragische Fall, die in der Gerechtigkeit Namen erpresste Buße? Mit diesen Fragen beschäftigt sich Rákosi und er knüpft an sie interessante Definitionen; kein Freund der großtönigen, nicht klar einleuchtenden Erklärungen, der moralübertünchten Gemeinplätze, des neuen Formgusses oft wiedergekäuter Axiome, wünscht er im Gegenteile die pedantische Haarspalterei der ästhetisch-philosophischen Begriffe zu vereinfachen und die Illusionen der eigenmächtig eingerichteten, überweltlich idealen Institution der vollkommenen Einheit mit den Lebensgesetzen zu tauschen und aus diesen das Tragikum hervorwachsen zu lassen. „Vor Gott und vor den Menschen“ — sagt er — „sind wir alle gleich; nur vor jenem vollkommenen Forum der Tragödie sind wir nicht gleich. Dort werden meine Sünden vom moralischen Standpunkte gerichtet, die des Banus Bánk oder der Antigone nicht; das ist ein Privilegium, mehr, das ist Willkür, auf keinen Fall aber Gerechtigkeit. Und das System, welches auf solchen Grundlagen ruht, ist auch nicht gerecht, sondern willkürlich, ertüftelt, unnatürlich.“ Rákosi sucht die tragische Schuld nicht darin, dass Jemand gegen die allgemein bestehende, moralische Ordnung sündigt, sondern sieht schon im Individuum die Bestimmung. „Es unterscheidet sich von uns weder in seinen Tugenden, noch in seinen Lastern, nur in deren Maßen. Es besitzt unsere Tugenden, unsere Laster, nur in außergewöhnlicher Manifestirung, so dass für seine Tugenden der Lohn nicht hinreicht, welcher unsere Tugenden würdig und befriedigend lohnt und für seine Laster nicht Strafe ist, was die unseren genügend ahndet, d. h. dass nichts auf der Welt zu ihrer Belohnung, Bestrafung, ja Bemessung hinreicht. Das ist der tragische Mensch, für den es keine Lösung giebt, als den Tod.“ Anderswo sagt er: „Unter der moralischen Weltordnung können wir weder eine abstrakte Vorstellung, noch eine imaginäre Institution, noch auch ein ideales höheres Forum verstehen. Was weder als Person, noch als Körperschaft, weder als Institution, noch als klare Empfindung besteht, was kein Forum hat, keinen Vertreter, keine Macht, noch auch eine klare Spiegelung im Menschen, das besteht schlechterdings für die Menschen nicht . . . . . Der Held einer Tragödie lebt sein Dasein unter anderen Menschenleben ähnlichen Bedingungen und Viele begehen der seinen ähnliche, oft schwerere Sünden, ohne dass sich ihr Schicksal tragisch gestaltet. Haben wir ein Recht, hier ein größeres Maß anzulegen und ihn niederzuschmettern — oder mildern wir, indem wir von tragischer Schuld sprechen? Hat König Claudius nicht schwerer gegen die moralische Weltordnung gefehlt als Hamlet? . . .“ Ein Beispiel dafür, dass das Tragikum nicht in der Tat (Schuld) und auch nicht in der Situation liegt, sondern im Individuum, liefert Rákosi mit dem Banus Bánk, der Meistertragödie Katonas, in welcher der Stoff, den Grillparzer in seinem „Treuen Diener seines Herrn“ in ein bureaukratisches Mieder geschnürt, mit shakespearischer Gestaltungskraft verwertet erscheint. Die Gattinen vieler Männer — so führt Rákosi aus — werden Opfer der Verführung, ohne dass sich aus ihrem Falle eine Tragödie entwickelte. Bánk, der Gatte, muss verliebt sein, damit die Situation tragischen Charakter erhalte. Hundert Ehemänner tragen ihre Schmach oder suchen und finden Ersatz oder wählen eine Rache ohne Risiko. Bánk hingegen und mit ihm die tragischen Charaktere ertragen diese Situation nicht, das Leben wird ihnen zur Last, gleich Samson umfassen sie die Säulen ihrer Existenz, schütteln sie wie Binsenhalme und stürzen sie über die eigenen Häupter.

Rákosi disputirt mit lebhaftem Geiste, scharfem Witze und bestechender Originalität der Darstellung, so dass oft minder interessant ist, was er sagt, als wie er es sagt. Er steht dabei auf dem Standpunkte des schaffenden Dichters und verteidigt ihn gegen jene graue Theorie, welche sich nicht über verworrene Lehrbücher aufschwingt und den Katechismus der einzigen Wahrheit auf Bibliotheksnummern aufbaut; mit innerem Glauben und starker Ueberzeugungskraft giebt er seine Entwicklungen, Protestationen, oft Schmähungen und Spötteleien, von denen sich aber der Autor eines so wahrhaft verdienstlichen Werkes, wie das Beöthys, nicht begeifert fühlen kann. Neidlos darf er auf Rákosis Büchlein niederlächeln, welches kein ästhetisches Handbuch ist im gewöhnlichen Sinne, sondern ein witziges Kapitel zur Dramaturgie. Diese gleichzeitige doppelte Beleuchtung des Tragikums kann aber nur das Verständniss dieses wichtigen Elementes der Menschheitsgeschichte fördern bei jenem Teile des ungarischen Publikums, welcher an ernster Lektüre Geschmack findet.

Wien. Heinrich Glücksmann.

Internationale Zeitschrift für Allgemeine Sprachwissenschaft.

Herausgegeben von Dr. F. Techmer, Dozenten an der Universität Leipzig. I. Band in zwei Hälften. 1884. II. Band, erste Hälfte. 1885.

Je mehr die Sprachwissenschaft sich erfreulicherweise mit der sorgfältigen Untersuchung des verschiedenartigsten Details befasst, desto nötiger ist andererseits die Erörterung der allgemeinen Gesichtspunkte geworden, welche, aus dem mannigfachen Detail zusammen- und zurückfließend, die Gesammtarbeit sowohl in jeder einzelnen Sprache und Sprachfamilie, wie in dem ganzen Gebiet der Linguistik zu beeinflussen und in gewisser Beziehung zu leiten bestimmt sind. Die Prinzipien der Sprachentwicklung, Sprachgeschichte und Spracherkenntniss aus der Fülle des Einzelmaterials zu gewinnen und für die weitere Bearbeitung desselben zu bereiten, ist die Aufgabe, welche die neue Internationale Zeitschrift sich stellt, und mit einer seltenen Vollendung löst.

Eine kurze Inhaltsangabe wird das Ziel und die für seine Erreichung herangezogenen Kräfte am besten charakterisiren, wo der Inhalt zu reich ist, um auch nur den Versuch einer eingehenderen Erörterung zuzulassen. Eine Einleitung des Altmeisters Pott über den Ursprung der Sprache und die Allgemeine Grammatik eröffnet in der bekannten Fülle und Schärfe des Verfassers das erste Heft. Ihren vorwiegend logischen Untersuchungen schließt sich ergänzend an die naturwissenschaftliche Analyse des gesprochenen Lauts vom Herausgeber, eine Abhandlung umfassend genug für ein Buch, und tief genug, um dieses neue und schon so vielfach umstrittene Gebiet auf feste und für den arbeitenden Philologen praktisch brauchbare Grundlagen zu stellen. Daran fügen sich in weiterer Folge Arbeiten von Oberst Mallery über Geberdensprache, von Fr. Müller über die Tragweite der Lautgesetze, von Brugmann über die Verwandtschaftsverhältnisse des Indogermanischen, von Radloff über Lesen und Lesenlernen, von Lundell über Dialekte, von Abel über die Kennzeichen weiterer Sprachverwandtschaften über den Indogermanischen Kreis hinaus, von Ebers über Lepsius als Linguist, und vieles andere Einzelne, das hier im Lichte allgemeiner Prinzipien behandelt wird. Eine ungedruckte Abhandlung Wilhelm von Humboldts über den Wortvorrat der verschiedenen Sprachen und seine Bedeutung ziert die Zeitschrift, welche durch die reichsten litterarischen Nachweise und Besprechungen den Rahmen ihres Themas auch bibliographisch und kritisch erfüllt. Die Ausstattung entspricht der Würde des Inhalts.

Um einen besonders wichtigen Gegenstand und die Methode seiner Behandlung für die Zwecke der Allgemeinen Sprachwissenschaft zu nennen, so hat die Tragweite der Lautgesetze bekanntlich seit einiger Zeit sehr verschiedenen Auffassungen unterlegen. Da das Grimmsche Lautverschiebungsgesetz lateinisch k für deutsch h fordert (corn-u — Horn), so kann, die Allgemeingiltigkeit dieses Gesetzes zugegeben, lateinisch habere mit deutsch „haben" nicht verwandt sein. Es scheint eine starke Anforderung an den gesunden Menschenverstand, zwei solche Wörter in zwei eng verwandten Sprachen für unverwandt zu halten. Dennoch muss sie entweder erhoben, oder die Tragweite der Lautgesetze muss eingeschränkt, und das Recht ihrer Anwendung vielfach zweifelhaft gemacht werden. Um diesem, durch häufige Fälle dringend gewordenen Dilemma zu entgehen, sucht die neuerdings gebildete junggrammatische Schule die Ausnahmlosigkeit der Lautgesetze zu behaupten, und die scheinbaren Ausnahmen als das Ergebniss bisher unbeobachteter, neu zu erkennender Gesetze nachzuweisen. Jene Thesis wird durch Bezugnahme auf moderne, und besonders auf modern-dialektische Lautveränderungen begründet, welche allerdings ungleich ausnahmsloser vor sich gegangen sein dürften, als die entsprechenden Erscheinungen der alten Sprachen. Die daraus gezogene Schlussfolgerung ist danach, dass gleichförmige Wandelung ein Grundgesetz aller Sprachen sei, dass sie mithin auch für die alten Sprachen in Anspruch genommen werden müsse, und in ihrer weiteren Konsequenz die gesetzmäßige Begründung etwaiger vermeintlicher Ausnahmen nötig mache. An dieser Stelle setzt die Allgemeine Sprachwissenschaft ein und prüft die gezogene Folgerung im Lichte der bisherigen Detailkenntniss und auf Grundlage der bislang gewonnenen Einsicht in Werden und Wandel des linguistischen Materials. Vielfach abhängig in ihrem Stoff von den Spezialforschern, bringt sie demnach eigene Mittel zu ihren Entscheidungen hinzu und versieht eine verbindende und begründende Funktion, deren Wichtigkeit sich gerade jetzt in der besprochenen Frage bewährt. Durch das vom Schreiber dieses herangezogene ägyptische Material stellt es sich nachgerade heraus, dass die Variabilität der alten Sprache allerdings größer gewesen ist, als die Junggrammatiker annehmen, dass indess ihre Forderung gesetzmäßiger Vorgänge und Nachweise berechtigt und mit den Mitteln des ältesterhaltenen Idioms auch erfüllbar ist. Das Aegyptische tritt damit für die Prinzipien der Sprachgeschichte in einem Teil der centralen Stellung ein, welche das Sanskrit so lange allein behauptete; giebt man seine Verwandtschaft mit Arisch und Semitisch zu, so gelangt man zu Anwendungen seiner Laut- und Stammbildungsverhältnisse, welche auch für das Detail der oben besprochenen Frage die fruchtbarsten Folgen nach sich ziehen müssten.

In der Internationalen Zeitschrift, die so wichtiger Dinge waltet, haben die Gelehrsamkeit und Einsicht des Herausgebers ein Organ geschaffen, welches sich rasch die allgemeine Anerkennung erworben, und zumal in England, Russland und Amerika ebenso sehr zum Centralpunkt der betreffenden Erörterungen geworden ist, wie in Deutschland und Oesterreich selbst. Die ersten und letzten Fragen der Wissenschaft im Auge haltend, bietet Dr. Techmers Internationale Zeitschrift ebenso sehr das Werkzeug zur Bearbeitung des Details, als einen großen Teil der besten Früchte, die derselben entsprießen. Sie wird alten und jungen Jüngern der Wissenschaft das Ziel zu zeigen, und häufig auch die Richtung zu weisen vermögen, in welcher sie demselben im Gestrüpp ihres speziellen Faches zuzusteuern haben. Möchten besonders die Jüngeren sich dieses Kompasses, der ihnen von so manchen trefflichen Aelteren geboten wird, in der Fülle der Einzelarbeit bedienen lernen, und seiner Notwendigkeit bewusst bleiben.

Berlin. Carl Abel.

Litterarische Neuigkeiten.

Die Rengersche Buchhandlung in Leipzig veröffentlichte soeben eine „Auswahl französischer Gedichte" für den Schulgebrauch zusammengestellt von Ernst Gropp und Emil Hausknecht. Im gleichem Verlage erschien der erste Band einer Bibliothek spanischer Schriftsteller herausgegeben von Adolf Kressner. Derselbe enthält: Novelas ejemplares de Cervantes. Mit erklärenden Anmerkungen vom Herausgeber. 1. Teil; Las dos Doncellas und La señora Cornelia.

Im Verlag von J. H. Robolsky in Leipzig erschien ein Abriss der vereinfachten Volksorthographie von Friedr. Wilh. Fricke.

Bei Th. Grieben in Leipzig erschien das erste Heft einer neuen Zeitschrift: „Sphinx" Monatschrift für die geschichtliche und experimentale Begründung der übersinnlichen Weltanschauung auf monistischer Grundlage. Neben dem Herausgeber Dr. Hübbe-Schleiden erscheinen bekannte Namen (du Prel, Wallace u. s. w.), sowie verschiedene unbekannte, indische, als Mitarbeiter. Als ihre Aufgabe bezeichnet die Zeitschrift: 1. Mitteilung von Tatsachen, welche selbst oder deren Ursachen dem Gebiete des Uebersinnlichen angehören, d. h. nicht unmittelbar für die normalen Sinne wahrnehmbar sind und deshalb von der wissenschaftlichen Forschung bisher vernachlässigt wurden; 2. Aeusserung aller Erklärungsversuche und Ansichten von solchen Tatsachen und ihren Ursachen, sowie auch der weiteren Schlussfolgerungen, welche sich aus denselben ergeben; 3. Verwertung dieser Erlebnisse und alles dessen, was auf sie Bezug hat, für das Kulturleben der Gegenwart.

Engelhorns allgemeine Romanbibliothek veröffentlichte Band 9, 10 und 11. Band 9—10 enthalten: „Zu fein gesponnen". Von B. L. Farjeon. Aus dem Englischen übersetzt von A. C. Wanderer. Band 11 enthält: „Gift" Roman von Alexander L. Kielland. Uebersetzt von Kapitän C. von Sarauw.

Levy & Müllers Verlag in Stuttgart veröffentlichte einen „Geographischen Handweiser". Systematische Zusammenstellung der wichtigsten Zahlen und Daten aus der Geographie. Von A. E. Lux, Artillerie-Hauptmann. Dieses Werkchen zählt zu jenen merkwürdigen Erscheinungen des Büchermarktes, bei deren Auftauchen man sich unwillkürlich fragt, wie es möglich war, dass nicht irgend ein gescheiter Kopf und tüchtiger Fachmann schon längst auf den Gedanken kam, sie ins Leben zu rufen. Allerdings hat sich erst in neuester Zeit die Erkenntniss Bahn gebrochen, dass eine Belastung des Gedächtnisses mit Zahlen Jedermann nur in mäßigen Grenzen zugemutet werden darf, und so hat sich wohl nur allmählich das Bedürfniss herausgebildet, eine Zusammenstellung zu besitzen, welche in knapper, übersichtlicher Form alle wichtigeren geographischen Daten enthält und als Nachschlagebuch dienen kann.

Uns liegt ein zweiter Band der „Vermischten Schriften" A. d'Anconas vor. Von fünfzehn, alle mehr oder minder interessante und gelehrte Artikel, sind die meisten litterarischen Inhalts. Einer beschäftigt sich mit einer abgekürzten italienischen Bearbeitung des Romans von der Rose; in einem zweiten erklärt sich der Verfasser mit Del Lungo einverstanden, wonach Dante mit dem Veltro, dem noch ungeborenen Erneuerer Italiens einen Papst und nicht einen Kaiser gemeint habe; ganz kurz ist der Nachweis, dass in einer Novelle Giraldi Cintios Alexander der Sechste und Caesar Borgia porträtirt sind; inhaltsreich die Darstellung Giangiorgio Trissinos. Wir verweisen noch auf einige äußerst charakteristische Briefe in dem Kapitel: „Die italienischen Schauspieler in Frankreich" und auf das etwas so kurz ausgefallene „Volkslieder unseres Jahrhunderts", dem vierzehn Melodien beigegeben sind. (Alessandro D'Ancona Varietà Storiche e Letterarie Serie Seconda, Milano, fratelli Treves. 1885. 395 S. Lire 4. —.)

Der talentvolle Hermann Conradi veröffentlichte im Züricher Verlags-Magazin von J. Schabelitz eine originell ausgestattete Broschüre betitelt: „Brutalitäten".

Die Reclamsche Universal-Bibliothek veröffentlichte Bändchen 2081—2090. 2081—2085 enthalten in einem Bande „Waverly oder Es ist 60 Jahre her" von Sir Walter Scott. Deutsch von M. von Borch. 2086 enthählt: „Der Wollmarkt" Lustspiel in vier Aufzügen von H. Clauren. Durchgesehen und herausgegeben von Carl Friedrich Wittmann. 2087: „Die Madonna mit den Lilien" und andere Erzählungen von A. Godin. 2088: „Wider Hans Wurst" von Dr. Martin Luther. Bearbeitet, mit Einleitung und Anmerkung versehen von Karl Pannier. 2089: „Bajazzo und Familie". Schauspiel in fünf Aufzügen nach d'Ennery und Marc-Fournier frei bearbeitet von Karl Friedrich Wittmann. 2090: „Jede Pott findet sien'n Deckel", „De Schoolinspektschon" zwei plattdeutsche Lustspiele von Aug. Zinck.

Otto Weddigen lässt demnächst ein neues Drama: „Ferdinand Stein, Trauerspiel in fünf Akten" erscheinen. Dasselbe hat die Ereignisse des Jahres 1870 zum Hintergrunde und bringt in seinen Hauptpersonen erschütternde Konflikte zum Austrag.

In der Libreria editrice Brero in Turin erschien ein neues Buch von Maria Savj Lopez unter dem Titel „Serena".

Die Verlagshandlung von G. Freitag in Leipzig veröffentlichte Lieferung 2 und 3 des Werkes: „Länderkunde der fünf Erdteile" herausgegeben unter fachmännischer Mitwirkung von Alfred Kirchhof. Die ersten beiden Teile des Gesammtwerkes enthalten die „Länderkunde von Europa".

Hachems Roman-Sammlung zwei M.-Bände, Band sieben enthält: „Die Seelen der Hallas" Roman von E. von Dincklage und „Ein Sohn Polens", Roman von Gerd von Oosten.

In Washington in der Government printing office gelangte unter der Jahreszahl 1884 das großartig angelegte Werk „Fourth annual report of the United states geological survey to the secretary of the interior 1882—83 by J. W. Powell" zur Ausgabe.

Die Wiener Gesellschaft hat sich um einen Verein bereichert, welcher bestimmt zu sein scheint, derselben viele geistigen Genüsse zuzuführen: es ist dies der „Verein der Schriftstellerinnen und Künstlerinnen". Die junge Genossenschaft, welche mit anerkennenswerten Prinzipien ins Leben trat, hat bis nun zwei trefflichst gelungene, musikalisch-deklamatorische Abende veranstaltet, deren ersten Frau Anna Forstenheim mit einem gedanken- und schwungvollen Prolog einleitete, während am zweiten Abend Frau Lili Lauser einige Gedichte, Julie Thenen eine launige Humoreske und Baronesse José Schneider-Arno eine Novelle der Baronin Ebner-Eschenbach zum Vortrage brachten. Nur so vorwärts!

Vittorio Peri veröffentlichte im Verlag von Nicola Zanichelli in Bologna eine Broschüre, betitelt: „Della critica letteraria moderna in Italia" mit einem Vorwort von Camillo Antona-Traversi.

Von Albert Kellner, dem zwar noch wenig genannten aber sehr talentvollen Verfasser eines Trauerspieles „Dido“, welches 1884 im Verlag der Berliner Verlagsanstalt erschienen ist, liegt ein neues nicht minder beachtenswertes vaterländisches Trauerspiel in fünf Aufzügen vor betitelt: „Ferdinand von Schill“. Von weiteren Bühnennovitäten sind zu nennen „Jugurtha“ Tragödie in fünf Aufzügen von Hans Reidemeister Braunschweig, Verlag der Friedrich Wagnerschen Hof-Buchhandlung und „Die Dornacher Schlacht“ Schauspiel in fünf Aufzügen von Adrian von Arx jgr. Arau. Verlag von H. R. Sauerländer.

Der historische Roman wird in Ungarn nicht sehr liebevoll und eifrig kultivirt. Ein verdienstvolles Werk dieses Genres ist eine seltene Erscheinung auf dem Büchermarkte. Karl P. Szathmáry erschien mit einem stattlichen Bande, betitelt „Der bösen Frau verlorene Feste“ in dem Weihnachtsbücherladen; der Roman, welcher im 17. Jahrhundert spielt und historische Episoden aus der Zeit der Herrschaft Johann Keménys in Siebenbürgen in einer fesselnden Handlung verwebt, zählt unter die besten Werke des beliebten Romanziers. Die Illustrationen von Ladislaus Gyulai erscheinen uns wohl unnötig, sind aber hübsch. Brüder Révai, Budapest.

„Bilder aus der Geschichte der märkischen Heimat“ von R. Schillmann. Zweites Bändchen. Berlin, L. Oehmigke's Verlag (R. Appelius). Dem vor mehr als Jahresfrist erschienenen ersten Bändchen ist nunmehr das zweite Bändchen gefolgt. Die Schillmannschen Bilder zeichnen sich vor ähnlichen Büchern dadurch aus, dass sie in klarer, fesselnder Sprache geschrieben, niemals von der historischen Wahrheit abweichen. Was der Verfasser giebt, beruht auf den neuesten eingehendsten Forschungen.

Bei Sansoni in Rom wird Pasqualigo in Bälde seine dem Originaltext beigedruckte Uebersetzung des Othello erscheinen lassen. Beigegeben werden außer der Novelle Giraldi Cinthios über den Mohr und Desdemona (der siebenten in der dritten Dekade der Hecatomithi) einige Stellen aus einer venetianischen Chronik, welche sich auf den Inhalt der Novelle beziehen.

„George Eliot“ betitelt sich eine biographische Skizze von Lord Acton. Die autorisirte Uebersetzung hat J. Imelmann verfasst. Berlin. Verlag von R. Gaertner (Hermann Heyfelder).

John Henry Mackay, der Verfasser einer im vorigen Jahre bei Wilhelm Friedrich in Leipzig erschienenen Dichtung aus Schottlands Bergen „Kinder des Hochlands“ verfasste ein Trauerspiel in drei Aufzügen, betitelt „Anna Hermsdorff“, dessen Stoff der Gegenwart entnommen und geschickt behandelt ist. Minden in W. Verlag von J. C. C. Bruns.

Bei Berger-Levrault & Cie. in Paris erschien „La Fontaine et Descartes ou Les deux rats le renard et l'oeuf par le docteur A. Netter, Verfasser verschiedener naturwissenschaftlicher Werke.

Im Verlag von A. H. Payne, Reudnitz-Leipzig gelangte Heft 1 der dritten Auflage von Hogarths Werken zur Ausgabe. Das Ganze in 32 Lieferungen vollständig enthält eine Sammlung von Stahlstichen nach Hogarths Originalen mit Text von G. Ch. Lichtenberg. Revidirt und vervollständigt von Paul Schumann.

Gaston Tissandiers berühmtes Werk „Die Märtyrer der Wissenschaft“ ist in der trefflichen Uebertragung Koloman Tóths im Budapester Verlage der Gebrüder Révai erschienen. Die illustrative Ausstattung des Buches entspricht dem französischen Original.

Lord Beaconsfields Briefwechsel mit seiner Schwester, welcher in die Jahre 1832—52 fällt, wird von Murray in London demnächst veröffentlicht werden. Disraeli erscheint in den Briefen in der Frische der Jugend, als junger Mann, der in die große Welt tritt und die ersten Schritte auf parlamentarischem Boden macht.

Im Verlag von Karl Krabbe in Stuttgart erschien kürzlich: „Kaiser Wilhelm und die Gründung des neuen Deutschen Reichs 1797—1855.“ Von Prof. Dr. Gottlob Egelhaaf.

„Rätsel und Gesellschaftsspiele der alten Griechen“ betitelt sich ein vor Kurzem im Verlag von Mayer und Müller in Berlin erschienenes Buch von Konrad Ohlert.

In Athen erscheint in Lieferungen zu Dr. 1.50 die hellenische Bearbeitung von Jakob von Falkes „Hellas“ aus der Feder des großen Kenners des griechischen Altertumes, Herrn Dr. N. G. Politis, zugleich einer der gewandtesten Stilisten der Neuzeit.

„Im Banne der Schmach“ von E. von Hoerschelmann ist die belletristische Erstlingsarbeit einer Dame, die sich bisher vorwiegend mit historischen und kulturhistorischen Studien beschäftigt hat. Packende Schilderungen, spannende Situationen, treffendes Lokalkolorit zeichnen das Buch aus, dessen Fülle, ja Ueberfülle an Stoff aber die notwendige künstlerische Durch- und Ineinanderarbeitung noch vermissen lässt. Doch, wie gesagt, es ist eine Erstlingsarbeit und zeigt als solche entschiedenes Talent. Leipzig. Verlag von Franz Duncker.

Der Wiener Schriftsteller- und Journalisten-Verein „Concordia“ hat in seinem Statut die Bestimmung, dass der jeweilige Präsident des Bundes nur in dreimaliger Aufeinanderfolge gewählt werden könne. Nun hat aber der gegenwärtige Vorstandspräses Regierungsrat Joseph Ritter von Weilen in den letzten drei Jahren, in welche das Jubiläum des Vereins, mehrere korporative Exkursionen und Sterbefälle angesehener Mitglieder fielen, den Verein so ehrenvoll in Tat und Wort repräsentirt, dass die Wiederwahl dieses Mannes erwünscht wäre und hat sich zu diesem Behufe im Schoße des Vereins eine starke Partei gebildet, welche die Aufhebung jener Statut-Bestimmung anstrebt.

In kürzester Zeit wird in E. F. Thienemanns Hofbuchhandlung in Gotha folgendes Werk erscheinen, über das wir uns einen eingehenderen Bericht vorbehalten: Geschichte des deutschen Kultureinflusses auf Frankreich von Prof. Dr. Th. Süpfle. Der Verfasser ist Gymnasialprofessor in Metz. Wir erlauben uns im Voraus die Aufmerksamkeit der Leser auf dies bedeutsame Werk hinzulenken.

Von der „Geschichte der Russischen Litteratur von ihren Anfängen bis auf die neuste Zeit“, bearbeitet durch Alexander von Reinholdt, erschien im Verlage der königlichen Hofbuchhandlung von Wilhelm Friedrich in Leipzig die achte Lieferung. Diese Geschichte der russischen Litteratur wird in zwölf Lieferungen vollständig sein und den siebenten Band der Geschichte der Weltlitteratur in Einzeldarstellungen bilden.

Als man im vorigen Jahr Luigi Groto, dem Blinden von Adria in seiner Vaterstadt ein Denkmal setzte, verfasste Vittorio Turri eine Gelegenheitsschrift über den Mann, der vor Shakespeare, nämlich im Jahre 1578, die Novelle von Romeo und Julia dramatisirt hat. Turri nimmt an, dass der englische Dichter den Italiener benutzt habe, Delius fand schon vor einem Menschenalter die Uebereinstimmung beider Dramen sehr gering. (Vittorio Turri. Luigi Groto (Il cieco d' Adria) Lanciano 1885. 31. S.)

„Volksmedizin und medizinischer Aberglauben in Steiermark“ betitelt sich ein Beitrag zur Landeskunde von Victor Fossel, welcher vor Kurzem im Verlag von Leuschner & Lubensky in Graz in zweiter unveränderter Auflage zur Ausgabe gelangt ist.

Im Verlag von G. Barbèra in Florenz erschien der erste Band einer „Storia della letteratura italiana“ von Emilio Penco. Derselbe enthält „Le origini“.

„Schlesiens Reformirung und Katholisirung und seine Rettung durch Friedrich den Großen“ betitelt sich ein neues Buch von dem unermüdlichen Hermann Semmig, welches soeben im Verlag von Eugen Peterson in Leipzig erschienen ist. Dasselbe enthält außerdem einen interessanten Anhang „Die Zukunft der katholischen Völker“.

Alle für das „Magazin“ bestimmten Sendungen sind zu richten an die Redaktion des „Magazins für die Litteratur des In- und Auslandes“ Leipzig, Georgenstrasse 6.

Im Verlage der K. R. Hofbuchhandlung. Wilhelm Friedrich in Leipzig erschien soeben:

Vom Buchstaben zum Geiste.

Roman aus der Gegenwart

von

Gerhard von Amyntor.

2 Bände. broch. M. 10.—, eleg. geb. M. 12.—

Der bekannte Autor vermeidet in diesem Roman das nahezu abgegraste Gebiet der Liebesprobleme und zeigt uns den Kampf zwischen einem starren buchstabengläubigen Vater und seinem den Kern der christlichen Lehre mit dem Geiste der freien Wissenschaft vermittelnden Sohne. Der edle Freisinn, aus dem das vornehme Werk hervorgegangen ist, verirrt sich nirgends in tendenziöse Unnatur; mit der Charakteristik des kampfeifrigen buchstabengläubigen Pfarrers werden selbst die Anhänger seiner eigenen Richtung zufrieden sein dürfen, und vollzieht sich die Lösung des Conflictes auf eine überraschende, menschlich wahre Weise, die den höchsten Forderungen christlicher Ethik Genüge thut.

Von demselben Verfasser sind erschienen:

Caritas.

Erzählungen für die christliche Familie.
broch. M. 5.—, eleg. geb. M. 6.—

Frauenlob.

Roman in 2 Bänden.
broch. M. 10.—, eleg. geb. M. 12.—

Zu beziehen durch jede Buchhandlung.

Verlag von S. Schottlaender in Breslau.

Die reichhaltigste und verbreitetste Monatsschrift

NORD UND SÜD.

Eine deutsche Monatsschrift

für Kunst u. Wissenschaft, Novellen-Beiträge der ersten Schriftsteller.

Herausgegeben von **Paul Lindau.**

Erscheint in monatlichen Heften (Lex.-8) in elegantester Ausstattung mit je einer Kunstbeilage in Radirung.

Preis pro Quartal (= 3 Hefte = 1 Band) M. 6, Einzelne Hefte M. 2.

Abonnements nehmen alle Buchhandlungen des In- und Auslandes entgegen.

Cajus Rungholt.

Roman aus dem siebzehnten Jahrhundert.

Von

Lucian Bürger.

Eleg. brosch. M. 4.—, fein geb. M. 5.—

Dieser Roman spielt in den wild bewegten Zeiten der zweiten Hälfte des dreissigjährigen Krieges, theils am dänischen Hofe, theils in Holstein, auf hamburgischen Boden und auf der See. Die Handlung, ein buntes Gewebe politischer Intriguen und ergreifender Familienschicksale, ist von um so grösserer Wirkung, als ihre gesammte Darstellung edel und massvoll ist.

Verlag von F. A. Brockhaus in Leipzig.

Soeben erschien:

Nordenskiölds
Vegafahrt um Asien und Europa.

Nach Nordenskiölds Berichten für weitere Kreise bearbeitet

von

E. Erman.

Mit 200 Abbildungen, einem Portrait und einer Karte.

8. Geh. 5 M. Geb. 6 M. 50 Pf.

Auf Grundlage des berühmten Werks „Die Umsegelung Asiens und Europas auf der Vega", in welchem Nordenskiöld über seine Expedition zur Auffindung der nordöstlichen Durchfahrt mehr tagebuchartigen Bericht erstattet, bietet die vorliegende Bearbeitung eine zusammenfassende, abgerundete Schilderung jener denkwürdigen, vom glücklichsten Erfolge gekrönten Entdeckungsreise. Das ausserordentlich reich illustrirte Buch ist zumal bei seinem wohlfeilen Preise den weitesten Kreisen des Publikums, ebenso Volks-, Schul- und Jugendbibliotheken zur Anschaffung zu empfehlen. Es reiht sich den folgenden in demselben Verlage erschienenen und bereits vielverbreiteten Werken an:

Die zweite deutsche Nordpolfahrt, in den Jahren 1869 und 1870 unter Führung des Kapitän Koldewey. Volksausgabe. Im Auftrage des Vereins für die Deutsche Nordpolfahrt in Bremen bearbeitet von M. Lindemann und O. Finsch. Mit 54 Abbildungen und 4 Karten. 8. Geh. 5 M. Geb. 6 M. 50 Pf.

Henry M. Stanleys Reise durch den dunklen Weltteil. Nach Stanleys Berichten für weitere Kreise bearbeitet von Berthold Volz. Dritte Auflage. Mit 54 Abbildungen und 1 Karte. 8. Geh. 5 M. Geb. 6 M. 50 Pf.

Emmer-Pianinos,

von 440 Mk. an (kreuzsaitig), Abzahlung gestattet. Bei Baarzahl, Rab. Preisl. etc. gratis und Francosendung. Harmoniums v. M. 120.

Wilhelm Emmer, Magdeburg.

Auszeichn., Ehrendiplome, Orden, Staatsmedaillen etc.

Das Aufsehen erregende Werk:

Die Kunst der Rede

von Dr. Ad. Calmberg,

das in wenigen Wochen ausverkauft war, ist nun in zweiter erweiterter Auflage wieder zu haben in allen Buchhandlungen.

Ganze Bibliotheken,

wie einzelne gute Bücher, sowie alte und neuere Autographen kauft stets gegen Barzahlung

M. Barsdorf, Leipzig.
Neumarkt 2.

Gesucht v. e. Schriftsteller verzinsliches Darlehn von 500 M zur Ermöglichung der Doctorpromotion u. dazu nötiger ruhiger Arbeit, auf Ehrenwort in Monatsraten à 20 M. zurückzubezahlen. — Adressen zu senden an die Exped. ds. Bl.

Im Verlage der K. R. Hofbuchhandlung, Wilhelm Friedrich in Leipzig ist erschienen:

Auf der Wahlstatt des Lebens.

Roman

von

Fritz Friedmann.

eleg. broch. M. 3.—

Durchdrungen vom Geiste echter Poesie fesselt der in der gewähltesten Sprache geschriebene Roman vom Anfang bis zum Ende.

Zu beziehen durch jede Buchhandlung.

Verlag der K. R. Hofbuchhandlung, Wilhelm Friedrich in Leipzig:

Nordenskiöld

und seine Entdeckungsreisen 1858 bis 1879

von

Prof. T. M. Fries.

Mit Illustrationen und einer Karte.
Preis 1 Mark.

Für die Redaktion verantwortlich: Hermann Friedrichs in Leipzig. — Verlag von Wilhelm Friedrich in Leipzig. — Druck von Emil Herrmann senior in Leipzig.

Dieser Nummer liegt eine Entgegnung des Verlagsbuchhändlers Hermann Costenoble in Jena gegen Joseph Kürschner in Stuttgart bei.

Das Magazin

für die Litteratur des In- und Auslandes.

Wochenschrift der Weltlitteratur.

1832 gegründet von Joseph Lehmann.

55. Jahrgang.

Herausgegeben von Hermann Friedrichs.

Preis Mark 4.— vierteljährlich.

Verlag von Wilhelm Friedrich in Leipzig.

No. 9. — Leipzig, den 27. Februar. — 1886.

Inhalt:

Historisch oder Modern?

Ein paar Bemerkungen von Wilhelm Walloth.

Ich schätze jene Kritiker durchaus, die uns armen Poeten beständig zurufen: nur modern, nur um jeden Preis modern! aber ich möchte ihnen in aller Bescheidenheit die Frage vorlegen: Wenn nun das Moderne einmal antik geworden ist, wie sieht es alsdann damit aus? Wer versteht alsdann noch — ohne erklärende Anmerkungen — einen unsrer modernsten Romane, der seinen Triumph im Zerlegen des Kleinlebens sucht, anstatt (wie die Griechen taten) das Schwergewicht in das rein Menschliche, Ewige zu legen? Wer wird sich die Mühe nehmen das meist auf Kleinigkeiten, ja mitunter auf „Klatsch“! hinauslaufende Gemütsleben loszulösen von dem unverständlichen Flitterkram des Alltaglebens, in welchen es übrigens so tief eingewoben ist, dass selbst ein geschickter Weber es schwerlich ohne Schaden wird heraushaspeln können! Und dann: Denken wir uns, ein moderner Poet schildert die Poesie, die sich des Abends, wenn der Vater mit der Familie am Tisch seine Zeitung liest, um eine Petroleumlampe gruppirt — er vermag diese Schilderung vielleicht für die Anschauung seiner Zeit vortrefflich zu entwerfen! Was aber werden nach zweihundert Jahren unsre der elektrischen Beleuchtung huldigenden Nachkommen von dieser Schilderung haben, wenn sie sich erstaunt fragen: „Petroleumlampe? was ist das?“ Schon diese Frage ist hinreichend den ganzen Zauber der geschilderten Szene vor der Phantasie zu vernichten. Was bleibt? Die trockne Erklärung des Herausgebers, ein Bild, das nur vermittelst Kopfzerbrechens zusammengestückelt werden kann. Einem Roman, der eine vergangne Zeit vom Standpunkt der Gegenwart aus zu schildern versucht, bleiben solche Zerstörungen des Phantasiebildes erspart, erstlich, weil nur das Vergangne allein fest steht, also niemals der Mode unterworfen ist, dann aber weil der Dichter die Gegenstände seinen Lesern als unbekannt vorführt und sich deshalb die Mühe geben muss, sie mit einem gewissen Befremden, zu beschreiben. So wage ich zu behaupten, dass ein moderner Dichter ein weit getroueres Bild des Altertums zu geben vermag, als es uns ein Alter, trotz seiner Vortrefflichkeit, vorzuführen im Stande ist, eben weil der Moderne das Ganze der Zeit souverän überschaut, demnach freier gestaltet und weil er in seinem freien, ungestörten Innern genau abwägt, was jene Vergangenheit charakterisirt, wo er Licht und wo er Schatten in sein Gemälde zu bringen hat. Auch in Bezug auf die Charakterzeichnung ist der antikisirende Roman im Vorteil, indem er sich nämlich — auf die erfindende Darstellungskraft angewiesen — von jener sogenannten Beobachtung des Alltaglebens frei halten muss, die in unsern modernen Romanen soviel Unheil anrichtet. Er muss sich davon frei halten, weil er ein anderartiges, ein ideales Leben zu geben sucht, nicht dasjenige, in welchem wir leider bis über die Ohren stecken und das uns von allen Seiten so peinlich umschließt, dass es schildern, so viel hieße, als die Schönheit des Meeres in dem Augenblicke schildern, in welchem wir ertrinken. Der moderne Roman muss immer unwahrer sein, als der antikisirende, weil wir an ihn viel zu sehr den Maßstab der

Wirklichkeit zu halten berechtigt sind, nicht etwa den Maßstab der schönen Wirklichkeit des Märchens, sondern den der platten Alltagswirklichkeit, der Wirklichkeit des Philisters, jener Wirklichkeit, die bei Weitem unwahrer ist als die Erfindung. Der moderne Roman muss den Eindruck des Zerfahrnen, Zusammengehaschten machen, weil er, in der rohen Alltagswirklichkeit wurzelnd, seine Entstehung der Beobachtung verdankt. (Die sogenannte Beobachtung ist in der Kunst aber deshalb unbrauchbar, weil sie nur Einzelheiten liefert, die sich als solche niemals völlig einem bereits ausgedachten, geplanten Ganzen, ohne Gewalt anschweißen lassen.) Am augenfälligsten wird dies im Drama, wo der Dichter, ohne ein genau ausgearbeites Ganzes, unmöglich eine Wirkung erzielen kann. Wie sollten nun aber in dieses planmäßige Ganze, die aus der Wirklichkeit aufgehaschten Einzelheiten hineinpassen, aus einer Wirklichkeit, die mit diesem technisch-zusammenhängenden, kunstvoll gesteigerten Ganzen nicht den mindesten Zusammenhang hat, ja, die ihm sogar als ein Kunstlos-willkürliches, Fremdes feindlich gegenübersteht!

Hier heißt es: von innen heraus erfinden, nicht von außen herzutragen, wenn ein Vollendetes zu Stande kommen soll. Für den Roman gilt dieselbe Regel. Der Einsichtige erkennt in unsern modernen Romanen sogleich Charakterzüge, die im Sinne des Kunstwerks richtig erfunden sind, im Gegensatz zu solchen, die von außen durch Beobachtung hineingetragen wurden. Diese Beobachtungen (mögen sie für sich betrachtet noch so interessant sein) stören stets die Einheit des Charakters, so dass alsdann der gezeichneten Figur der pulsirende Mittelpunkt, so zu sagen das Herz fehlt; denn sie wird nicht geboren, sondern auf chemischem Wege erzeugt, sie krystallisirte. Der antikisirende Romandichter wird kaum in den Fehler des Zusammenstückelns verfallen können, weil er Idealist sein muss, weil er nicht Natur-Charaktere, sondern Kunst-Charaktere schaffen muss. Die Naturalisten scheinen mir nämlich in ihren Produktionen diese beiden Arten der Charakterdarstellung zu verwechseln. Die Kunst kann jedoch die sich meist widersprechende Mannigfaltigkeit eines Charakters, wie ihn die Natur schafft, nicht gebrauchen, sie muss ausscheiden, abschwächen, je nach Bedürfniss verstärken, um dem Genießenden den Eindruck einer bestimmten, wenn auch vielseitigen Persönlichkeit zu liefern. Ich bin fast geneigt zu behaupten: es habe in der Wirklichkeit kein Mensch einen eigentlichen Charakter. Wenigstens nicht für uns Menschen, da wir die im Weltganzen verborgne Wurzel eines Wesens niemals erfassen können, sondern uns, um dies Wesen als ein Ganzes künstlerisch zu fassen, eine Wurzel erfinden müssen. Dieses Konstruiren einer Wurzel unterlassen die Naturalisten oder geben uns dafür gewisse Aeußerlichkeiten, als: Familienkrankheiten, Gewohnheiten, den Schnupfen u. s. w. Wollte Einer einen Charakter aus der Natur getreu kopiren, so käme er mir vor, wie der Landschafter, der nicht nur die sich beständig verändernden Wolken, sondern auch die unsichtbaren Dünste malen wollte, die jene Wolken bilden, nebst dem Wind, der die Wolken verändert. Dies Kopiren der Natur wird nun leider als die höchste Aufgabe des modernen Romans betrachtet, wodurch denn Gestalten geschaffen werden, die vor dem Verstand noch notdürftig existiren, vor der Phantasie jedoch in knöcherne Einzelheiten zerfallen. Nur der bessere historische Roman versucht es Gestalten zu geben, deren einzelne Züge einem einfachen Grundzug entsprossen, aber freilich nur ein wahrer Dichter vermag, aus einer starken, inneren Anschauung heraus, Gestalten zu schaffen, die einfach und reich zugleich sind, Gestalten, die die Phantasie sofort erfüllen und die dem Verstande unergründlich bleiben, weil sie nun einmal nicht ausgerechnet, sondern geboren wurden. Unser modernes Leben ist allerdings dieser Art der Charakterdarstellung nicht günstig; die Meisten haben es sogar gänzlich verlernt ein Kunstwerk mittelst der Phantasie zu genießen; was sich nicht zerpflücken lässt ist unsern Rechenmeistern unverständlich und was diese im Roman suchen, sind die netten, kleinen Alltagsbeobachtungen, wie man sie zuweilen aus dem Munde der Wäscherinnen vernimmt, woselbst man sie jedoch nicht poetische Feinheiten, sondern: Klatsch! benennt.

Zuflucht an die See.

I.

Halt ein, Apoll, halt ein mit deinen Pfeilen,
Und senke hoheitsvoll den Silberbogen,
Von dem sie gleich entkappten Falken flogen,
Mit ihren Schnäbeln mir die Brust zu teilen.

An diesem Strande hofft' ich zu verweilen,
Da stehst du wieder, wolkengoldumzogen,
Zu deinen Füßen missgelaunte Wogen,
Und nimmer, merk' ich, werd' ich dir enteilen.

Du trafst und triffst mit alter Trefferkunde,
Doch reißen mir die spitzen Köcherspenden,
Statt mich ins Grab zu legen, Wund' auf Wunde.

Soll ewig deine Sonne nur verschwenden,
Um grausam mich zu foltern Stund' auf Stunde,
Barmherzigkeit! und nie den Tod entsenden?

II.

Barmherzigkeit? Nein, trotzig will ich sein,
Und nicht in Aengsten meine Hände falten,
Den Schild will hoch ich überm Haupte halten
Und in der andern Faust den Schleuderstein.

Stell' dich mir gegenüber, Bein an Bein,
Und rufst du des Olympiers Weltgewalten,
Ich werde dennoch dir den Schädel spalten,
Komm nur herab — und sicher bist du mein!

Da stürzt die Welle wütend mir entgegen,
Und jauchzend werf' ich mich in ihren Gischt,
Und schwimm' und schwimm', ein Gott in ihrem Regen.

Und wie sie Seele mir und Brust erfrischt,
Fühl' ich mich wieder stahlhart und verwegen,
Und lach' dich aus — und deine Spur erlischt.

Kellinghusen.

Detlev Freiherr von Liliencron.

Ramon de Campoamor: Humoradas.

Madrid. Libreria de Fernando Fé 1886.

Die erste spanische Novität dieses neuen Jahres ist ein Bändchen Gedichte von Campoamor, dessen Name allein schon dafür bürgt, dass das betreffende Werk die allgemeinste Berücksichtigung und Anerkennung finden wird. Campoamor ist nun einmal unbestritten der erste lyrische Dichter des modernen Spanien und ein origineller eigenartiger Geist, der durch ein langes Leben geschult, geläutert und gereift, es nicht nötig hat, sich in Trivialitäten zu ergeben; und wenn nicht alle seine Erzeugnisse vollendet sein können, so ist der Prozentsatz des Guten unter ihnen doch im Vergleich mit dem der Leistungen des Gros der zahllosen spanischen Versemacher ein außerordentlich hoher.

Um das Wesen der „Humoradas" zu verstehen und zu begreifen, muss man das des Dichters derselben kennen. Campoamor ist ein philosophisch tief und gründlich gebildeter Mann, und durch mehrere tüchtige philosophische Werke selbst über Spanien hinaus bekannt geworden. Er besitzt ein überaus liebenswürdiges Naturell und eine auf reiche Welterfahrung gegründete Milde — und diese Charakterzüge spiegeln sich deutlich in allen Aeußerungen seines hochbedeutenden dichterischen Talents. Campoamor weist aber in seinem Wesen und Charakter auch höchst merkwürdige Gegensätze auf — das Merkmal jedes echten Spaniers. Er hält sich für politisch konservativ, gehört dieser Partei durchaus an, ist in vielen Hinsichten in der Tat auch konservativ und ist dabei doch in zahllosen Beziehungen und Fragen liberaler als mancher Liberale vom reinsten Wasser. Campoamor hält sich für einen strengen orthodoxen Katholiken und ist als Arzt und Naturforscher doch mit der modernen Forschung mitgegangen, hat sich alle ihre Ergebnisse zu eigen gemacht und versucht nun diese Gegensätze zu beseitigen; der Skeptiker will dem orthodoxen Gläubigen jedoch nicht immer weichen und so soll der Humor oft genug den Ausgleich herbeiführen. Der natürliche humoristische Zug in Campoamor wird aber nicht nur durch die angenehmen sorglosen Lebensverhältnisse des Dichters, sondern auch noch durch die Gegensätze in seinem philosophischen Denken auf das Kräftigste unterstützt. Theoretisch ist Campoamor als Philosoph, Idealist, Spiritualist, Metaphysiker wie es nur Jemand sein kann; zugleich Optimist. Die Naturforschung aber nährte stets die Skepsis in ihm, führte ihn immer zum Realismus, zum Materialismus — den er auf das Schärfste verurteilt — und die Beobachtung der Menschen, des Lebens, der Welt zeugte immer von neuem in ihm den Pessimismus.

Der Dichter hilft sich über die Konflikte, die durch diese Gegensätze in ihm entstehen, immer durch den Humor hinweg; er bemüht sich nach Kräften, seinen Pessimismus zu verbergen und zu verleugnen, den Realismus zu unterdrücken — aber es gelingt ihm nicht, sie treten immer zu Tage und sind so mächtig, dass sie häufig eine weltschmerzliche Stimmung erzeugen und den Leser oft genug zwingen, Campoamor im Grunde für einen sentimentalen pessimistischen Dichter zu halten.

Alle diese Charakterzüge, diese natürlichen und erworbenen Anschauungen spiegeln sich nun auch getreu in den Humoradas, die der Dichter selbst in der großen Vorrede zu denselben als fruslerias (Kleinigkeiten, Lappalien) bezeichnet und die zum Teil auch nicht mehr als solche sind. Die Humoradas sind nämlich eine Sammlung von Albumversen, Widmungssprüchen, die auf Fächer und andre Andenken geschrieben wurden, von kleinen poetischen Aperçus, Wahrsprüchen und Sentenzen, die in knappem poetischem „Lapidarstil" große, allgemein menschliche Wahrheiten ausdrücken. Campoamor war sich sehr wohl bewusst, dass diese Sammlung von Eingebungen des Augenblicks, von subjektiven momentanen Empfindungen, von personalistischen Charakteristiken auch manches Unbedeutende enthält; dieses aber wird durch zahlreiche geistvolle Gedankenblitze vollständig aufgewogen. Die von dem Dichter erfundene Kollektivbezeichnung „Humoradas" ist nicht gerade mit „Humoristische Gedichtchen" zu übersetzen, wie der Verfasser dieses Wort definirt, sondern richtiger wohl mit: „Dichterische Schöpfungen des augenblicklichen Empfindens", Gelegenheitsgedichte im goetheschen Sinne dieses Worts, die allerdings zum großen Teil humoristischen, vielfach aber doch auch — der Ansicht des Dichters entgegen und wider seinen Willen — ausgeprägt pessimistischen Charakter haben. Diese zweihundertneunundvierzig Humoradas sind meist zweizeilig, höchstens sechszeilig.

Sehr bemerkenswert ist das verhältnissmäßig große Vorwort des Dichters. Campoamor spottet in demselben über seine Kritiker, denen er durch die von ihm erfundenen originellen Titel seiner Gedichte: Doloras, und pequeños poemas so viel Verlegenheiten und Aergerniss bereitet hat, die nun noch durch das neue Problem der „Humoradas" erhöht werden dürften. Er geht dann auf ästhetisch poetische Erörterungen ein und definirt die Begriffe der von ihm angewandten Bezeichnungen seiner Gedichte und der epigrammatischen Gedankenblitze wie seine Humoradas sind. „Wie das Wasser die Steine abnutzt, so oxydirt der Gang der Zeit, indem er sie zersetzt, die Gedanken der großen litterarischen Denkmäler, . . . und es bleiben schließlich als unvergängliche Ruinen dieser künstlichen Babylone, nur flüchtige Inschriften, nur Gedankenblitze übrig, die wie ein Widerhall der Schläge des menschlichen Herzens erscheinen," sagt er, und erinnert daran, wie Shakespeare und Calderon in spruchartigen kurzen Sätzen meist die großartigsten rein menschlichen, weltbewegenden Grundgedanken zum Ausdruck bringen. Campoamor erläutert dann den Begriff des Humors, der die Basis seiner kleinen Gelegenheitsgedichte bildet, und beendet sein Vorwort mit weiteren ästhetischen Bemerkungen über die Poesie und die Spruchdichtungen im Besonderen.

„Es giebt nichts Erhabenes," sagt er am Ende, „das nicht kurz ist. Wenn die Welt aufhört zu existiren, was wird dann von unsern Aufregungen, Wünschen, Hoffnungen, Befürchtungen und von unserm Ehrgeiz übrig bleiben? Nichts, oder so gut wie nichts. Von all unserm Geschwätz werden nur vier berühmte Aussprüche übrigbleiben, bis einst irgend ein Homer der Sternenwelt, mit dem Finger auf die Leere weisend, welche die Welt (Erde) im Raume hinterlassen hat, die vier Aussprüche, die über dem Ort des erloschenen Planeten schweben, in einen einzigen etwa folgenden zusammenfassen wird: „Dort war Troja!""

Charlottenburg. G. Diercks.

Ueber den Geist und Charakter der niederländischen Poesie.

Von Ferdinand von Hellwald.*)

Goethe hat die Litteratur überhaupt mit einer Fuge verglichen, in welcher die Hauptmelodie der Reihe nach von diesem und dann von jenem Akkorde getragen wird. Im Völkerleben sind die Träger der Melodie die verschiedenen Nationen mit ihren Litteraturen. So folgten aufeinander, die griechische, die römische, die italienische, die französische, die deutsche u. s. f. und zunächst mag es vielleicht die slavische sein, welche in einer neuen Tonart die alte Melodie emporgreifen wird. Jede dieser Nationen hat seiner Zeit ihre Zeit beherrscht, und mithin ihre Litteratur zur Trägerin der litterarischen Kultur, zur tonangebenden Litteratur des Zeitalters gemacht. Unter dieser geistigen Stufenleiter auch für die niederländische Litteratur eine Stufe in Anspruch nehmen zu wollen, däuchte mir nicht bloß anmaßend, sondern nahezu lächerlich. Weit sei jedoch von mir der Gedanke die holländische Litteratur verdiene keine Beachtung, keine Würdigung. Muss man denn stets nur die Sonne bewundern? Fesselt nicht zuweilen auch ein Stern dritter Größe unsere Aufmerksamkeit?

Bei Beurteilung der Litteratur eines Volkes scheint mir eine ganz besondere Unparteilichkeit vonnöten; wir dürfen unser Herz ebenso wenig mit einer Eiskruste gegen ihre Reize panzern, als ihr dasselbe, weich und empfänglich für alle, selbst für die zweideutigsten Schönheiten, entgegen tragen; wir dürfen uns nicht von der zuweilen maßlosen Ruhmrednerei ins Schlepptau nehmen lassen, mit welcher einheimische Schriftsteller und Gelehrte nicht selten die geistigen Produkte ihrer Vorfahren und Zeitgenossen bis in den Himmel zu erheben pflegen, schließlich müssen wir jenen kleinlichen Nationalitätsdünkel zu bannen wissen, der nur zu oft bei Beurteilung der geistigen Fähigkeiten einer fremden Nation sich Geltung verschafft, und die Feder des Kritikers mit Galle benetzt. — Von einem solchen unparteiischen Standpunkte wollen wir die niederländische Litteratur betrachten.

Bevor ich in eine nähere Untersuchung eingehe, scheint mir ein Blick auf die geographische Lage des Landes und Volkes nicht überflüssig, dessen Litteratur wir sodann ins Auge fassen wollen. Manche anscheinbar abnorme Erscheinung findet in den geographischen Verhältnissen ihre Erklärung. Ohne im ganzen mit der fünften Strophe des belgischen Volksliedes übereinzustimmen, wo es heißt:

„Nauw zigtbaer op de wereldkaert,
Maer heel de Wereld door vermaerd:
Omringd van menig reuzenryk
Schynt het ons ook een reus gelyk"

genügt dennoch ein Blick auf die Landkarte, um uns über die Bedeutung der geographischen Lage des Landes klar zu werden. Eingeengt von beiden Seiten zwischen mächtigen Reichen verschiedener Nationalität, auf der dritten begrenzt von den tückischen Fluten der Nordsee, bilden die Niederlande gleichsam einen Keil, eingerammt zwischen dem reingermanischen und romanischen, spezieller gallischen Elemente, von welch beiden jedes seinen Einfluss auf das dazwischen liegende Land geltend zu machen bestrebt ist. Während an dem ganzen niederländischen Küstenstriche, von der Mündung der Schelde, bis hinauf zu jener der Ems, die holländische Nationalität eine unübersteigliche Schranke an dem nicht minder selbständigen Nationalgefühl der Friesen findet, wo man sich noch heutzutage mit dem hergebrachten „Heil, freier Friese" begrüßt, dringt das rein deutsche Element durch die holländische Provinz

*) Aus dem litterarischen Nachlasse dieses gründlichen Kenners der niederländischen Litteratur.

Geldern beinahe bis an die Zuydersee. — Unter diesen Umständen begreift es sich von selbst, dass ein verhältnissmäßig so geringer Volksstamm wie jener zwischen den Stromgebieten des Rheins, der Schelde, Maas, Yssel und Ems und den Dünen der Nordsee zwei hingegen so mächtigen Elementen gegenüber, wie dem germanischen und romanischen, nicht jene Selbständigkeit in Sprache und Litteratur zu behaupten im Stande war, welche er merkwürdiger Weise in seiner politischen Verfassung durch Jahrhunderte mit dem Aufwande aller seiner Kräfte zu wahren wusste. So finden wir denn in der holländischen Litteratur jenes schillernde Zwielicht, welchem wir bei allen jenen Nationen begegnen, die den Nachbarstaaten allzugroßen Einfluss auf ihre innern Verhältnisse gestatteten. Kurz, wir sehen die poetische Litteratur der Niederländer einesteils von der germanischen, anderenteils von der französischen Dichtung beeinflusst. Wohl dürfte bei keinem Volke so viel gegen die „bastaerdwoorden" — wie sie die Fremdwörter nennen — geeifert werden als eben bei den Holländern, welche nicht selten ihren Dichtern mit echt holländisch-pedantischer Genauigkeit nachzählen, wie viele Fremdwörter sie in diesem oder jenem Gedicht, Epos, Schauspiel, oder sonst wie angewendet haben; allein dies erstreckt sich bloß auf die Sprache, und selbst in dieser haben sich, wenn nicht zahllose, so doch zahlreiche ausländische Wörter derart eingebürgert, dass es jetzt gar Niemanden mehr beifällt, dieselben überhaupt nur noch als solche zu beanständigen. Wie dies überhaupt sehr häufig der Fall ist, wenn man allzusehr bei den kleinen Dingen verweilt, übersieht man die großen, und auf diese Weise schlich sich jener französische Geist allmählich in die holländische Litteratur ein, der namentlich im Laufe des XVIII. Jahrhunderts seine völlige Durchbildung erhielt, bis endlich der antigermanische Bilderdyk in folgenden erbitterten Versen*) gegen Deutschland ausfiel:

„'Tuig tegen't nakroost, dat uw' eedlen naam verzaakt,
„Zich zelv' ten vuigen slaaf van't slaafsche Duitschland maakt."

Wollte man den Zeitpunkt näher bestimmen, wo in der niederländischen Kunstpoesie, seit jeher geneigt der französischen Regel ihr Ohr zu leihen, jeder eigene und nationale Ton vor der Nachäffung der französischen „Klassik" verstummte, so müsste man beiläufig die Mitte des XVII. Jahrhunderts als solchen annehmen, — denn schon 1672 klagt der Dichter Antonides van der Goes, dass die holländische Litteratur eine Aeffin der französischen sei. — Merkwürdig ist die Erscheinung, dass gerade während des mit geringen Unterbrechungen vierzig Jahre andauernden Krieges der Holländer mit Frankreich (1672 — 1713) die Bildung und Litteratur des letztern Landes in Holland sich einbürgerte; zunächst erklärte sich dieselbe wohl aus dem Einflusse, welchen die französischen Protestanten, die in Holland vor Ludwig XIV. bigottem Despotismuss eine Zuflucht gefunden, auf das Geistesleben ihrer Beschützer übten, allein auch dem mit der zweiten Hälfte des XVII. Jahrhunderts beginnenden Verfalle des geistigen Lebens in Holland gebührt ein nicht geringer Anteil an derselben. „Alle Spuren eines eigentümlichen Volklebens, — sagt der Historiker van Kampen — „welches die spanischen Niederländer unter Albert und Isabella gezeigt hatten, die Zeiten ihres Rubens und van Dyk waren dahin;" ja wohl, sogar die holländische Malerei, welche noch in der ersten Hälfte des XVII. Jahrhunderts in Rembrandt, Helst, Steen, Vouwermann, Potter, Berchem, und Anderen so glänzende Repräsentanten gefunden hatte, war von der erreichten Höhe herabgefallen, und das geistige Leben in klägliche Nichtigkeit versunken. Solche Verhältnisse mussten allerdings die Einführung neuer, obgleich fremder Ideen und Anschauungen, wenn nicht erfordern, so doch begünstigen.

*) Dichtwerken. Bd. VII. S. 18.

Wenn ich soeben der holländischen Litteratur den Vorwurf machte, der französischen Pseudoklassik Eingang gewährt zu haben, so verwahre ich mich hingegen auf das Entschiedenste, diesen Vorwurf auf alle Schichten derselben auszudehnen. Bei wenigen Nationen dürfte ein so scharf abgegrenzter Unterschied zwischen Kunst- und Volksdichtung bemerkbar sein, wie eben bei den Holländern. Letztere, d. i. die Volksdichtung, war hier stets die Vertreterin des verwandten germanischen Elementes, und blieb unter allen Umständen und in allen Zeiten unempfindlich für die Einflüsse französischer Frivolität. Ihr Haupterzeugnis, das Tierepos von Reinhart dem Fuchs ist zugleich die poetische Haupttat der niederländischen Litteratur überhaupt. Die germanische Tierfabel weist in ihren Anfängen mit Bestimmtheit auf die Urzustände des Germanentums zurück, und nicht ohne Grund hat Grimm gesagt, „es wehe ihn aus derselben uralter Waldgeruch an". — Sie weist auch zurück auf die Ursitze der germanischen Stämme in Asien, wo wir ja in der altindischen Litteratur die Tiersage gleichfalls als ein wichtiges Element vorfinden. Sie konnte nur in Zeiten entstehen, wo der Mensch mit der ihn umgebenden Tierwelt noch in naher und nächster Beziehung stand und das Walten freundlicher und feindlicher Naturkräfte in naivster Weise personifizirt wurde, so zwar, dass das Volk das Leben der Tierwelt in seinen verschiedenen Verhältnissen und Wechseln als dem menschlichen völlig analog auffasste und demzufolge auch seine Sprache auf die Tiere übertrug. Echt deutscher Mutterwitz, gepaart mit gutmütiger Derbheit, ist der Hauptfaktor, aus dem die niederländische Volksdichtung besteht. — Während die Kunstpoesie sich der trockenen Nachahmung französischer Muster ergab, blieb diese für die frischeren Einflüsse von Deutschland her immer empfänglich, und zeigt zuweilen noch lautes Auflachen und dreisten Spaß.

Dagewesenes ermüdet, langweilt — Nachahmung des Dagewesenen vermag nur auf Augenblicke zu fesseln; Virgil wäre größer gewesen, wenn Homer nie gelebt hätte; Miltons „Verlorenes Paradies" hätte einen weit größeren Namen in der Litteraturgeschichte, wenn nicht Cädmon, tausend Jahre früher, seine Paraphrase gedichtet hätte, — und gewiss verdankt es einen guten

Teil seines Ruhmes der verhältnissmäßig geringen Verbreitung dieser angelsächsischen Dichtung; das Neue, das Originale allein gefällt und entzückt. Originalität ist die erste Bedingung bei jeder Litteratur, welche Anspruch auf Autonomie machen zu können glaubt. Wie verhält es sich in dieser Beziehung mit der holländischen? — Allzu viele Uebersetzungen aus fremden Sprachen, namentlich wenn dieselben von den hervorragendsten Dichtergrößen einer Nation ausgehen, scheinen mir eben nicht auf besondere Originalität zu deuten. Vielmehr könnten sie zum Schlusse auf Gedanken- und Bilderarmut berechtigen. Hätten doch Lennep, Schillers „Glocke," — Bilderdijk, Bürgers „Tochter des Pfarrer von Taubenheim" nicht so meisterhaft übersetzt; wir könnten ihnen gram werden, ob der vielen Uebersetzungen. Es scheint mir hier der geeignete Augenblick, zu bemerken, dass sonderbarer Weise die holländischen Dichter sich weniger an unsere deutsche Litteratur wandten, um sie zum Gegenstande ihrer Uebertragungen zu machen — als an die französische und englische; Robert Burns und Ossian werden mit Vorliebe ins Holländische übertragen; namentlich letzterer Dichter wurde beinahe ganz von Bilderdijk übersetzt. — Auch aus dem Slavischen finden wir einzelne Gedichte — namentlich bei Lennep. — Bürgers Leonore, diese in England so beliebt gewordene Ballade, konnte ich in keiner holländischen Uebertragung finden.

Wenn uns die überaus häufigen Uebersetzungen aus fremden Sprachen, auf einen nur mühsam verhüllten Mangel der holländischen Poesie — nämlich auf jenen originaler Selbständigkeit — aufmerksam gemacht haben, so bieten sich uns noch manche andere, wenn auch anscheinbar minder wichtige Anhaltspunkte dar, um uns in der gemachten Beobachtung zu bestärken.

Wenn sich die Bearbeitung desselben Stoffes durch zwei oder mehrere Dichter, wie dies beispielsweise bei Tollens und Loots der Fall ist, welche beide in gleich umfangreichen Dichtstücken ihren großen Landsmann „Hugo Grotius", und den Tod von Egmond und Hoorne besangen, — durch eine Preisausschreibung von Seiten der Maatschappy van Taal en Dichtkunde entschuldigen lässt, so kann aber für eine so, möchte ich sagen, tautologische Behandlung wie sie uns bei holländischen Dichtern mehrfach entgegentritt, kein triftiger Grund geltend gemacht werden, wo geringfügige Aenderungen in den Personen, dem Orte, oder sonstigen unwesentlichen Umständen, den Dichter veranlassen konnten, denselben Stoff in einem neuen zuweilen vierzig, sechzig und noch mehr Strophen langen Gedichte zu bearbeiten. Ich erinnere hier nur an Bilderdijks „Monnik" und „Kluizenaar", welch beide Gedichte genau die selbe Tendenz, mit zu geringen Abweichungen enthalten, um das Entstehen des letztern derselben zu rechtfertigen. Auch der „Pilgrim" des übrigens vortrefflichen Volksliederdichters Ryswyck mahnt gewaltig an die beiden ebengenannten Gedichte, welchen jedoch unstreitig das Recht der Erstgeburt zusteht.

Verfolgt man mit aufmerksamem Auge das in der holländischen Poesie auffällig weit verbreitete Gedankenentlehnungssystem, sei es aus fremden, sei es wieder aus einheimischen Dichtern, so bietet sich uns eine Fülle von Aehnlichkeitspunkten in allerdings nicht großen, aber darum desto erbärmlicher erscheinenden Gedanken. So erinnern die Endverse des oben erwähnten Gedichts „De pelgrim" lebhaft an eine bei Bilderdijk selbst öfters vorkommende Wendung. Ryswycks „Scheldelied" verrät sich als eine bloße Nachbildung von Bekkers Rheinlied und bis auf den Namen stimmen die Anfangsverse beinahe wörtlich überein:

„Zy zullen hem niet hebben
Den vryen Scheldestroom".

Wer wird nicht sogleich bei folgenden Versen Tollens an Uhland gemahnt?

„All wat jong en braaf is zingt
Zingen is de lust van't leven
t'Zij de blijde veldjeugd springt
Of de grijsheid zit te beven;
Alles stemt en kweelt sijn lied
Slechts de boozen zingen niet."

Gewiss voll der innigsten Wärme und des zartesten Gefühls ist das Leiermannslied von Ryswyk, aber doch klingt mir sein schönster Vers

„En myn leven is myn lied"

nicht unbekannt ans Ohr. Wollte man sich in Details einlassen, so könnte man die merkwürdigsten Zusammentreffungen erörtern, und selbst dem gefeierten Bilderdijk nachweisen, einzelne Verse in seinen erotischen Liedern, ohne Veränderung auch nur eines Wortes, mehr als einmal verwertet zu haben. Alle die Stellen, welche ich hier nur beispielshalber anführte, mögen vielleicht unwichtig und geringfügig erscheinen; allein ich hielt sie eben für charakteristisch — weil ein derartiges Emporranken an fremden Stämmen schon in so unbedeutenden Dingen zu den weitgehendsten Vermutungen in Bezug auf höheren Aufschwung berechtigt.

(Schluss folgt.)

Gedanken über den Stil.

Von Hermann Conradi.

Es ist klar, dass der Stil auf der Sprache basirt. Um das Wesen des Stils zu kennen, ist es daher notwendig, zuvor einige erläuternde Bemerkungen über das Wesen der Sprache zu geben.

Die Sprache als solche ist eine Kombination von einzelnen Wörtern. Jedem Worte wohnt nun wieder sein eigenes Wesen bei. Jedem ist die Fähigkeit immanent, sich zu isoliren und zu verknüpfen. Freilich kann auch das isolirte Wort nicht als solches, nicht absolut wirken. Selbst das Einzelwort wird erst durch bewusste oder unbewusste Berücksichtigung seiner Relationen zu verwandten oder gegensätzlichen Begriffsausdrücken verständlich. Der menschliche Geist verknüpft die einzelnen Wörter zu größeren oder kleineren Gefügen.

Diese kommen durch die Schrift oder durch die unmittelbare Sprache, die Rede, zum Ausdruck. Wie nun ein menschliches Individuum eine Reihe von Zügen seines besonderen Charakters aufgeben muss, sobald es mit anderen zu sozialer Gemeinschaft und Genossenschaft zusammentritt, so opfert auch das einzelne Wort verschiedene seiner Wesenseigenschaften, sobald es mit anderen zu einem größeren Ganzen verbunden wird. Der Charakter des Wortes bestimmt die Physiognomie des Satzes mit. Aber sobald der Satz einmal vorhanden ist, wirkt er als Ganzes zurück auf die Wesenseinheiten der einzelnen Satzbestandteile — oft nur korrigirend, oft ganz umbildend.

Im Stil wird nun der Charakter der Physiognomie eines Satzes resp. eines Satzgefüges konstatirt. Oder besser: Wir empfinden das Wesen, die Seele einer Satzreihe als Stil.

Welche Faktoren sind es nun hauptsächlich, die jenes kaum näher zu definirende Fluidum, das wir „Stil" nennen, erzeugen?

Sie lassen sich kaum feststellen.

Denn der Stil ist im Grunde ein Individuum — ein Etwas, das nicht auf seine einzelnen, ihn bildenden Wesenseinheiten hin zu zerteilen ist. Weder Quantität noch Qualität des Gedankenstoffs oder Gefühlsinhalts bestimmen ihn allein. Auch nicht die Momente, welche die freischaffende Phantasie hinzutut, sind allein entscheidend. Es mag sein, dass einer oder der andere Faktor die Farbe des Stils zuweilen nach einer gewissen Seite besonders stark beeinflusst, aber das Wesen des Stils ist ein unteilbares Gesammtprodukt verschiedener, nach einem bestimmten Brennpunkt hin unbewusst zusammenwirkender Kräfte.

Wenn es nun auch keine völlig stillose Sprache, besser: keine völlig stillose Rede giebt, so hat doch die Sprache an sich wiederum keinen eigentlichen Stil. Den Stil giebt ihr erst der Mensch. Der Stil ist der natürliche Ausfluss einer Individualität und darum eine Art von Spiegel, der die Bildlinien des Urhebers zwar nicht klar und scharf abgegrenzt wiedergiebt, aber doch im Ganzen die Natur, das Temperament, die hervorstechendsten Geistes- und Herzenskräfte des betreffenden Einzelwesens ahnen, bei besonders stark ausgeprägten Individuen annähernd erkennen lässt.

Es ist wahr: Es lässt sich von der Sprache, fasst man sie selbst ganz absolut, eine gewisse Philosophie abstrahiren. Nachdem die Sprache durch den Menschen erst einmal gleichsam entbunden, aktiv geworden war, entwickelte sie sich selbständig weiter, bildete sie bestimmte Formen und Regeln, konstruirte sie eine Syntax, welche zugleich die Momente der Freiheit und Notwendigkeit umfasst und damit auch das Moment, erziehend, den Geist ausbildend zu wirken.

Ich möchte nun sagen: Das Wesen, hauptsächlich der Intensitätsgrad des Widerstreites, in dem ein Individuum zu den Punkten der Freiheit und Notwendigkeit innerhalb einer Sprache steht, bedingt den Charakter des Stils, den es gebraucht.

Hier mag sogleich erwähnt werden: Im Grunde ist die Sprache doch ein sehr rohes und sprödes Instrument. Sie kann weder die Tiefe noch die Reinheit unserer ursprünglichen Gefühle und Gedanken auch nur annähernd wiedergeben. Jedermann kennt das Moment des „Unsagbaren", des „Unaussprechlichen", aus eigenster Erfahrung. Es ist bezeichnend, dass uns der tiefste Schmerz und die höchste Wonne den Mund entweder ganz verschließen oder ihm doch nur eine Interjektion, ein unqualifizirbares Stammeln und Stöhnen abringen. Es folgt daraus durchaus nicht, dass eine besonders dunkle, wirre, mystische Sprache, wie sie besonders bei Philosophen und sonstigen Zunftgelehrten Mode ist, für eine ausnehmend reiche, üppige Gedanken- und Gefühlswelt zeugen müsste. Oft genug hüllt sich gerade die Unfähigkeit, die baarste Ohnmacht absichtlich in das Gewand einer schweren und schwerfälligen Sprache, eben um ihr eigentliches Wesen zu vedecken. Andrerseits haben auch Männer wie Heraklit, Kant, Hegel durchaus gerechten Grund gehabt, „dunkel" zu schreiben. „Dunkel wie Heraklit" — es ist zuweilen sehr erklärlich! Oscar Blumenthal hat ganz Recht:

„Schwer geht das Wort einher,
Wenn die Gedanken drängen."

Immerhin werden Schärfe und Deutlichkeit Sprach- und Stilideale bleiben. Lessing, Fichte, Goethe, Schopenhauer sind diesen Idealen sehr nahe gekommen.

Das Individuelle also tritt mit seinen mehr oder minder scharf ausgeprägten Wesenseinheiten an die Sprache, deren Hauptcharakteristikum das Moment der Bewegung, der immanenten Beweglichkeit ist, heran. Gleichsam die Resultate der beiden zusammenwirkenden und ursprünglich gegen einander fließenden Kräfte ist der Stil. Doch ist noch ein Punkt hierbei zu berücksichtigen: Man könnte die Sprache mit einem Körper vergleichen, um dessen festen massiven, unerschütterlichen Kern sich eine leichte, flüchtige, bewegliche, atmosphärische Schicht lagert. Diese Schicht bildet das eigentliche Objekt der individuellen Angriffe, wenn ich so sagen darf. Die als Resultate dieser An- und Eingriffe sich ergebenden Formen und Bildungen charakterisiren den Stil. Sie erzeugen seine Wesenselemente.

Weiter ist aber auch ein Unterschied zwischen dem Moment des Individuellen an sich und dem des Charaktervollen zu konstatiren.

Das Individuelle bezeichnet nur den Ausdruck zwanglos und ungebunden auftretender Persönlichkeitsausflüsse. Es ist das eigentlich Subjektive in ursprünglichster Reinheit.

Der Charakter ist eine Frucht der durch äußerliche Einflüsse auf individuelle Natureigenheiten bewirkten, inneren Erziehung. Der abgeschlossene Charakter bedeutet Ordnung, Regelmäßigkeit, Harmonie. Von dem Stadium nun, in dem der Einzelne bei der Bildung seines Charakters steht, hängt der Charakter seines jeweiligen Stils ab.

Denn je unruhiger, maßloser, launischer ein Mensch noch ist; je greller und schärfer sich Angebildetes und Angeborenes noch entgegenstehen, um so mehr wird er sich noch von dem massiven Kern, von dem festgefügten Centrum der Sprache entfernt befinden — um so mehr wird er sich noch in den äußersten Schichten der Atmosphäre, da wo sie am reizbarsten und beweglichsten ist, herumtummeln. Wenn sich erst der individuelle Charakter mehr herausgebildet hat, lässt auch das Schwärmen in den äußersten Peripheriegegenden nach und es macht sich der natürliche Drang mehr und mehr geltend, in die geheimnissvolle Ordnung, in die innere ökonomische Gesetzmäßigkeit und Regelmäßigkeit eines Sprachgefüges einzudringen. Der Charakter des Individuums begreift schließlich den Charakter der Sprache — und hieraus ergiebt sich ein edler, vornehmer Stil, dem Nichts an Kraft und Intensität abzugehen braucht, weil Klarheit, Schärfe, Maß seine feinsten und ästhetisch schönsten Eigenschaften sind. — Ich muss noch kurz auf den Stil in der sog. gebundenen Sprache, im engeren Sinne also der eigentlichen Poesie, kommen.

Hier sind der individuellen Subjektivität schon von vornherein gewisse, sehr deutliche Schranken gezogen. Die Gattung der Poesie, die ihre eigene immanente Gesetzmäßigkeit besitzt, drängt die wuchernde Fülle des Individuellen bedeutend zurück. Sie kann ihm zwar manche Eigenheiten nicht geradezu nehmen, und wenn sich diese selbst in allerlei unschönen Auswüchsen, „kraftgenialischen", barocken Sprüngen und Posen manifestiren, aber sie mindert doch durch Entgegenstellung von Gesetzen, deren Beachtung sie ihrer Existenz halber fordern muss, — z. B. die Beachtung des Rhythmus und jeweilig des Reims! — ganz ungemein die Willkür des Individuellen, da die Prosa nicht entfernt diese verhältnissmäßig engen Grenzen zieht. Natürlich gelten auch für die ungezügeltste Prosa gewisse Gesetze, in allererster Linie die, von deren Respektirung ihr Sinn, ihre Verständlichkeit abhängt.

Eine feine, künstlerisch vollendete Prosa möchte ich einer glücklichen Ehe vergleichen, die in diesem Falle zwischen der selbstschöpferischen, aus sich heraus sich gesetzmäßig fortbildenden Sprache und einem harmonischen Charakter geschlossen wird, der, in sich fest, gleichsam natürlich geworden, mit feinstem, instinktiven Verständniss der Sprache entgegentritt. Aus dieser Verbindung resultirt dann als wertvolle Frucht jene schöne, reizvolle Sprache, die zugleich von einem Hauche dichterischen Geistes, von einem poetischen Fluidum beseelt und dabei doch auch wieder knapp, schlagend, klar, prägnant, stahlblank ist. Die rhythmisch-musikalischen Elemente, die jeder Sprache immanent sind, treten in Beziehung zu dem Gedankenstoff, den sie prägen sollten. Aber sie bewältigen ihn nicht ganz. Sie geben einen Teil ihres Wesens auf, um eine harmonische Einheit zu ermöglichen.

Frauentaten auf dem Parnass.

Von Wilhelm Loewenthal.

Gerhard von Amyntor hat vor einiger Zeit in diesen Blättern den „Frauensünden auf dem Parnass" die ihnen gebührende Behandlung angedeihen lassen. Mit gewohnter Meisterschaft hat er die Tatsachen nicht nur anschaulich zergliedert, sondern auch mit der philosophisch geschulten Fertigkeit des Seelenkundigen die Gründe dieser Tatsachen klar gelegt: die einzig mögliche Art, um wirklich Gutes zu stiften, den Weg zur Besserung zu zeigen. Wie unparteiisch er in seinem Richteramte verfuhr, wie wenig er von dem „Herrendünkel" der schriftstellernden Frau gegenüber angekränkelt ist, das hat er in seiner bald darauf erfolgten Rezension von Helene Pichlers prächtigen „Seebildern" sattsam bewiesen; so von ganzem Herzen anerkennen kann der Tadler nur dann, wenn er den Tadel nicht als Sport betreibt und nicht als pharisäisches Piedestal zur Erhöhung seiner eigenen Herrlichkeit benutzt, sondern wenn er ihn lediglich als gute Waffe zur Abwehr des Schlechten, zur Läuterung des Verbesserungsbedürftigen, anwendet.

Den Amyntorschen „Frauensünden auf dem Parnass" möchte ich nun eine kurze Besprechung der Frauentaten an demselben gesegneten Orte gegenüberstellen, der Kehrseite der Medaille einige Lichtpunkte von der Schauseite derselben hinzufügen.

Selbstverständlich denke ich hierbei nicht an die Dutzendwaare, die jahraus jahrein für die Bedürfnisse litteraturfreundlicher ABC-Schützen zurechtgeschneidert wird, — von Männern so gut wie von Frauen. Denn da giebt's überhaupt keine Lichtseite in ästhetischer Beziehung, da kommt nur in Frage, ob Inhalt und Form wenigstens geeignet sind, als unschädliches Material zum litterarischen Buchstabiren verwendet zu werden, — eine Elementarforderung, deren Wichtigkeit leider allzu oft verkannt wird. Das Wort: „Für Kinder ist erst das Beste gerade gut genug" gilt auch für die litterarische Kinderstube, — aber mit dieser will ich mich ja heute nicht beschäftigen.

Was ich also hier einzig ins Auge fasse, das ist die litterarische Produktion der höheren Regionen, eben „auf dem Parnass". Und da treten gerade jetzt, bei der von Frauen ausgehenden Produktion, einige Umstände zu Tage, die Beachtung verdienen.

Die hervorstechendste Eigenart unserer modernen Litteratur — übrigens die hervorstechendste Eigenart unserer Zeit überhaupt und aller ihrer Kulturfaktoren — ist das Bestreben, sich zu einer harmonisch befriedigenden, ideell-realistischen Weltauffassung durchzuringen. Noch ist die Vereinigung nicht durchgeführt; noch befehden sich auf allen Gebieten des geistigen Lebens die beiden Richtungen, und noch immer wird, wie in Folge dessen nur natürlich, auf beiden Seiten in der Hitze des Kampfes über die Schnur gehauen und über das Ziel hinausgeschossen. Noch glauben manche „Idealisten" das rechte Wort gefunden zu haben, wenn sie in irgend einem Schmutzfinken den „Repräsentanten der naturalistischen Schule" verkörpert zu sehen sich einbilden; und so mancher der heißspornigsten „Realisten" tut, als ob er jedes nicht vernunftgemäß oder experimentell nachweisbare Gefühlchen mit Stumpf und Stiel ausrotten müsste, während ihm selbst das Herz im Leibe zuckt und ein Eifer die Feder führt, der geschäftsmäßig nicht zu rechtfertigen ist. Dies gilt von den Berufenen in beiden Lagern, in der Litteratur sowohl wie in der Ethik, in den Wissenschaften sowohl wie in der Sozialpolitik, von Denen, die ein reich begabtes Leben dem für gut Erkannten ehrlich weihen; von dem Trossmenschen brauchen wir hier keine Notiz zu nehmen, weder von dem, der als geistloser Klotz alles für unberechtigt erklärt, was außerhalb seines engbegrenzten Gesichtsfeldes liegt, noch von dem, der in den bleichsüchtigen Ausgeburten seiner stubendumpfen Gefühlsduselei die höchste Errungenschaft des Menschengeistes anbetet.

Immer weitere Kreise, und in Deutschland zumal, öffnen sich der überall angestrebten Vereinigung, immer klarer tritt das Ziel in das Bewusstsein der Besseren: die Herrschaft des Ideo-Realismus auf allen Gebieten. Ohne das geistige Band, das die Steine zum Baue zusammenfügt, bleibt das Baumaterial allzumal ein unnützer Steinhaufen; und ohne das Steinwerk verflüchtigen sich die schönsten geistigen Bänder zu eitel Dunst, der das Hirn umnebelt und die Glieder schlaff macht.

Es ist nun bemerkenswert, dass überall da, wo bessere Frauen an dieser synthetischen Aufgabe unserer Zeit bewusst teilnehmen, bestimmte Vorzüge ihrer Tätigkeit in die Erscheinung treten. Auch in der Litteratur. Und diese Vorzüge sind, um es mit einem Worte zu sagen, „die Tugenden ihrer Fehler", — die Frauentaten auf dem Parnass entspringen in letzter Linie denselben Ursachen wie die Frauensünden.

Als Hauptquelle dieser Sünden ist schon längst, und mit Recht, die größere Versatilität der Frau bezeichnet worden. (So ungern ich mich auch der noch nicht deutsch gewordenen Fremdworte bediene, hier muss ich doch in den sauern Apfel beißen: „Schmiegsamkeit" deckt mir nicht voll den Begriff, den ich ausdrücken will, die Fähigkeit, wie eine Flüssigkeit sich zu ergießen, ins scheinbar Grenzenlose sich auszubreiten, jede vorgefundene äußere Form widerstandslos zur eigenen anzunehmen.) Aus dieser Versatilität entspringt bei der gewöhnlichen, litterarisch tätigen Frau: die Seichtigkeit der Behandlung, der Mangel an Vertiefung, das Abschweifen vom Hundertsten ins Tausendste, da jeder Lockung widerstandslos Folge geleistet wird; das Haftenbleiben an unwesentlichen Aeußerlichkeiten (siehe Toilettenbeschreibungen) bei grausamer Vernachlässigung des seelisch Wichtigen, — da zur Vermeidung dieser Fehler eben Vertiefung, Beschränkung im Goetheschen Sinne, notwendig ist; die naive Verkennung gegebener Verhältnisse, das Schiefsehen, als Folge des eben nur flüchtigen Hinsehens, das von wirklicher Beobachtung so himmelweit entfernt ist; die ehrliche aber steifleinene Prüderie oder auch die maskirte Lüsternheit, die beide ihren Grund darin haben, dass die Versatilität das Zusammenraffen des Charakters, und damit den Widerstand gegen äußere und das Ausmerzen innerer Vorurteile, unmöglich macht. Kurz: wenn die „Frauenromane" so gleichmässig seicht und zerfahren, psychologisch unwahr und wässerig, lächerlich prüde oder von verstecktem, oft unbewusstem Sinnenkitzel erfüllt sind, dann ist die Versatilität des Frauencharakters der Urmissetäter.

Selbst an den wunderbaren Sprachblüten der „Frauenromane" ist in letzter Linie dieselbe Eigenschaft schuld. Es verlohnte gewiss der Mühe, — und oft genug schon hatte ich die löbliche Absicht, es zu tun, — gerade hier im „Magazin" einmal den Einfluss der Sprachpflege auf die Pflege des logischen Denkens, die Wechselwirkung zwischen Sprechen und Denken, eingehender zu beleuchten. Es würde sich, glaube ich, aus einer solchen Untersuchung u. A. ergeben, dass z. B. Arthur Leist (in „Verdeutschung der deutschen Sprache", Magazin Nr. 31) nicht den letzten zureichenden Grund trifft, wenn er meint, dass das Vornehmtun zu der Verstümmelung des Deutschen durch Fremdworte geführt hat. Nicht, oder doch jedesfalls nicht nur, weil das Fremdwort vornehmer klingt, wird es so häufig und namentlich in der Zeitungsschreiberei angewendet, sondern weil es unbestimmter ist, den Begriff weniger scharf umgrenzt (besonders für sprachlich wenig Gebildete), also keine scharf logische Gedankenarbeit erfordert, also bequemer ist. Folglich wird dem zu raschester Arbeit gezwungenen Tagesschreiber (wenn er nicht ein Sprach- und Denkgenie ersten Ranges ist, das unbewusst auf den ersten Griff das einzig zutreffende Wort für den streng logisch gebildeten Begriff findet) einem organischen Gesetze zufolge das weniger bestimmte und bequemere Fremdwort stets früher einfallen, als das unerbittlich strenge, von allen seinen Lesern gleichartig aufgefasste, knapp zutreffende deutsche Wort. Der Mann hat keine Zeit dazu, gutsitzende Stiefel anzulegen und deshalb schlürft er in ausgetretenen Pantoffeln umher, —

diese Pantoffeln sind die abgedroschenen Citate, die Gemeinplätze und die Fremdworte. Die Citate und die Gemeinplätze kosten gar kein Hirnschmalz, und die Fremdworte kosten weniger als das wirklich zutreffende deutsche Wort, — hierin ist wohl eher als im Vornehmtun die Erklärung der Tatsache zu suchen, dass beim Schriftsteller der Gebrauch der Fremdworte im geraden Verhältniss zu der Abnahme seiner Denkgenauigkeit zunimmt. (Ich betone: Schriftsteller, da die wissenschaftliche Fachsprache eine ganze Reihe von Fremdworten gar nicht entbehren kann, und gerade zu Gunsten des knappen und scharfen Ausdrucks sogar deutsche Bezeichnungen zu schaffen gezwungen ist, deren Bedeutung dem Laien fremd bleibt; auf die Fachsprache können also die vorstehenden Ausführungen nicht angewendet werden, umsoweniger als Jeder mit dem entsprechenden Fache auch gleichzeitig dessen eigentümliche Sprache sich aneignet.)

Ungenauigkeit im Denken und Ungenauigkeit im Sprechen bezw. Schreiben gehen also Hand in Hand; richtiger: sie bedingen einander. Und da bei der gewöhnlichen, mittelmäßig begabten Frau das folgerichtige Denken noch weniger ausgebildet zu sein pflegt als bei dem gleichbegabten Manne, — ebenfalls in Folge der Versatilität, die eine geschworene Feindin konzentrirter Denkarbeit ist, — so wuchern in den „Frauenromanen“ (die übrigens auch von Männern verbrochen werden, denen die Lorbeeren der „Höheren-Tochter“ keine Ruhe lassen) die wunderbarsten Sprachblüten in Form von himmelwärts verrenkten Sätzen, so häufig wie falsch angewendeten Fremdwörtern, und sinnlosen Verdrehungen unverdauter Wissensbrocken.

Aber die Versatilität ist nur die Uebertreibung einer Eigenschaft, die uns Allen zum Leben und zur Entwicklung unentbehrlich ist: der Anpassungsfähigkeit. Ohne diese wäre keine Veränderung möglich, also auch keine Verbesserung. Auf den Grad nun kommt es an, in welchem diese Eigenschaft in uns wirksam ist, ob sie die Ausgestaltung eines eigenartigen, in sich gefesteten Charakters — dieser wichtigsten Grundbedingung wirklich wertvollen Schaffens auf gleichviel welchem Gebiete — gestattet oder nicht: ob sie das Menschenmaterial zum bildsamen Tone macht, der die ihm vom Künstler verliehene Form bewahrt, oder ob sie den Charakter zu einem sehr wässerigen Brei anrührt, der jede Form annimmt aber keine behält.

Die Tugend also, welche zwischen den beiden Extremen, der Versatilität und der Unnachgiebigkeit, in der Mitte liegt, ist die Anpassungsfähigkeit, Bildsamkeit; und diese Tugend ist bei den Frauen häufiger anzutreffen, als bei den eher unnachgiebigen Männern: sie lernen leichter und haben mehr Takt, auch beim Schriftstellern.

Seit 15 Jahren etwa beobachte ich die zeitgenössische litterarische Produktion; und wenn diese Zeit auch verhältnissmäßig kurz ist, so bin ich doch nachgerade zu der Ueberzeugung gekommen, dass die litterarische Kritik dem Schriftsteller gegenüber fast stets nutzlos ist. Ich meine damit, dass die Kritik, auch die eingehendste, gerechte und vom Kritisirten selbst als maßgebend anerkannte Kritik kaum jemals den Schriftsteller zum Ablegen offenkundiger Schwächen oder Fehler veranlasst hat. Ich brauche keine Namen zu nennen; denn wer den Entwicklungsgang unserer jüngeren besseren Schriftsteller aufmerksam verfolgt hat, der wird Dutzende von Beispielen dafür wissen, dass die auf einander folgenden Arbeiten immer wieder dieselben Schwächen und wegzuwünschenden Eigenheiten zeigten, die man den ersten Veröffentlichungen bereits mit Recht zum Vorwurf machte. Ich erkläre dies dadurch, dass beim Manne ein irgendwie origineller Charakter — und ich spreche jetzt eben nur von unseren begabten Litteraten — fast stets mit einer ziemlich stark ausgeprägten Unnachgiebigkeit vergesellschaftet ist.

Ganz anders bei der Frau. Hier ist die Bildsamkeit eine stete Begleiterin gerade der begabten Individualität; die bessere Frau ist nicht eigensinnig, anerkennt also leichter die Berechtigung gemachter Ausstellungen, und sie ist bildsamer, legt also die erkannten Fehler leichter ab.

Auch hier erbringt ein Blick auf die Produktion einiger der besseren Schriftstellerinnen, die in unserer Zeit zu schreiben begonnen haben, den Beweis für das soeben Gesagte. Man braucht nur die ersten Arbeiten der so begabten Sara Hutzler z. B., die in kleineren Blättern veröffentlicht wurden, mit denen einer sehr wenig späteren Zeit zu vergleichen, um des großen Fortschritts inne zu werden, den die Autorin in wenigen Wochen oder Monaten gemacht hat. Noch staunenswerter erscheint diese Leichtigkeit im Ablegen von Fehlern (denn hierauf beruht fast allein der Fortschritt bei wirklich begabten Schriftstellern), wenn man die ersten Hutzlerschen Arbeiten im Manuskript gesehen hat und derart feststellen konnte, wie sehr weit sie in Form, Glätte, Anordnung und Verwendung des Stoffes von der Erfüllung auch nur mäßiger Anforderungen entfernt waren, — und wie zauberhaft rasch alle diese Mängel unter dem Einflusse einer wohlmeinenden Kritik verschwanden.

Einen zweiten, ebenso schlagenden Beweis ergiebt die Vergleichung der drei größeren Arbeiten Bertha von Suttners: „Inventarium einer Seele“, „Ein Manuskript“, und „Ein schlechter Mensch“*). Mir wurde seiner Zeit, vor Veröffentlichung des erstgenannten Werkes, ein Teil desselben im Manuskript vorgelegt;

*) Zwischen Niederschrift und Druck dieses Artikels erschien im „Magazin“ Nr. 46 eine Besprechung des letzten Romans der Frau von Suttner aus der Feder Carlos von Gagerns. Trotzdem muss ich die obigen Bemerkungen über dasselbe Buch stehen lassen, da ich, wie leicht ersichtlich, eine ganz andere Meinung von dem Buche habe wie mein verehrter Freund Gagern, und dasselbe nach wie vor als Beweis für die leichte Vervollkommnungsfähigkeit der genannten Schriftstellerin anspreche. W. L.

ich war entzückt von dem inneren Werte desselben, sagte aber auch gleichzeitig dem mir unbekannten Autor auf den Kopf zu, dass er Frauenkleider trage, so ausgeprägt waren die spezifisch „weiblichen“ Schwächen der Arbeit. Man vergleiche nun das „Inventarium“ mit dem „Ein schlechter Mensch“, — und man muss Respekt bekommen vor der bösen weiblichen Versatilität, die hier als gute Fee der Bildsamkeit eine derartige Vervollkommnung ermöglicht hat! Die Zerfahrenheit der Stoffanordnung ist verschwunden und hat einer knappen Form Platz gemacht; die von Fremdworten, Provinzialismen und sonstigem Beiwerk verunstaltete Sprache hat sich zu einem Deutsch verwandelt, das Einem wie kernig fröhliche Musik ins Herz klingt. Die eigenartigen Vorzüge der Verfasserin dagegen sind dieselben geblieben und scheinbar gewachsen durch den Wegfall der entstellenden Mängel: der warme, seelentiefe Gedanke, die feine und scharfe Beobachtung, der köstliche Humor, die lebensprühende Wiedergabe des Gesehenen oder Erlebten, die frische „Schneidigkeit“ des Ganzen bei voller Entfaltung des weiblichen Taktes. Ich mag suchen, so lang ich will: ich wüsste kein ähnliches Beispiel von Bildsamkeit im Ablegen von Fehlern bei den gleichartigen männlichen Kollegen Bertha von Suttners anzuführen.

Ja, ich bin von dem Dasein des gekennzeichneten natürlichen Vorzuges der begabten Schriftstellerin so fest überzeugt, dass ich sogar das Glatteis der Vorhersagung nicht scheue. Zu Anfang dieses Artikels habe ich Helene Pichlers vortreffliche „Seebilder“ erwähnt. Dieselben zeigen wenig genug Mängel für ein Erstlingswerk, aber doch immerhin deutlich ausgeprägte Mängel, — u. A. namentlich in der Anordnung des Stoffes, in der Gesammtformung desselben, und in der Sprache. Nun denn, wenn Helene Pichler — wie doch zu erwarten — ihre litterarische Tätigkeit fortsetzt, so bin ich fest davon überzeugt, dass diese gerügten Fehler alsbald verschwinden werden, und zwar ganz direkt unter dem Einfluss der ehrlichen unbeirrten Kritik*).

Ich glaube also, dass die begabte Schriftstellerin Kraft ihrer größeren Bildsamkeit den ihr gebührenden Platz auf dem Parnass unter gleichen Umständen rascher zu erreichen und mindestens ebenso gut auszufüllen berufen ist, als ihr gleichartiger Kollege. Das mag Manchem heute noch sonderbar, vielleicht gar ketzerisch klingen, da die litterarische und intellektuelle Gleichberechtigung der Frau mit dem Manne noch gar sehr jungen Datums ist, — aber gerade die Anfänge und Uebergänge irgend einer Entwicklung gestatten dem Beobachter am ehesten einen Einblick in das Wesen derselben. Und von diesem Einblicke möchte ich das eine Ergebniss am meisten betonen: dass die naturgemäß weibliche Untugend der Versatilität bei der begabten Frau zu der bisher noch wenig gewürdigten Tugend der Bildsamkeit wird, und dass die Frauentaten wie die Frauensünden auf dem Parnass derselben Quelle entstammen, je nachdem diese mit Begabung oder Talentlosigkeit sich vereinigt.

Das Thema wäre damit erschöpft, — wenn ich nicht als ehrlicher Mensch eines Buches gedenken müsste, das den ersten Anstoß zu diesen Erwägungen gegeben hat: der „Maximes“ von der „Gräfin Diana“*). Und ich tue dies um so eher und um so lieber, da ich das Buch aufs Allerwärmste empfehlen kann und da es ein glänzender Beweis dafür ist, welch vortreffliche Früchte gerade die weibliche Eigenart auf diesem ihr anscheinend so entlegenen Felde der philosophischen Weltbetrachtung zeitigen kann. Die Aufstellung derartiger „Lebensregeln“ erfordert in der Tat — wohlgemerkt, wenn es sich wie hier um die Verwertung eigener Lebenserfahrung und nicht um bloßes Zusammenfügen von Sentenzen aus Büchern Anderer handelt — das schärfst zugespitzte Denken in der knappsten zutreffenden Form; dabei muss der Gedanke menschlich wohltuend und herzlich warm sein, und sein Kleid schön und gefällig; denn nur dann vermag das Ganze zu fesseln, den gewöhnlichen Leser sowohl wie den verwöhnten, den denkenden so gut wie den formfreudigen. Es ist nun eine schwere Aufgabe, gefällig zu sein ohne seicht zu werden, philosophisch tief zu sein ohne langweilig zu werden; hier die richtige Mitte einzuhalten, und dies auf dem dürrsten, phantasielosesten Gebiete: dem des Extraktes in kurzen Prosasätzen, — das ist wirklich nur möglich, wenn weibliche Bildsamkeit sich voll und ganz in männliche Denkreife hineingelebt hat, ohne bei dieser Anpassung den spezifisch weiblichen Takt eingebüßt zu haben. Die 450 „Maximes“, aus denen das Buch besteht, lesen sich wie ein spannender Roman; jede ist formvollendet, glitzert in den schönsten Farben wie ein Brillant, den man bei Lichte hin- und herwendet, und fast jede enthält einen guten Gedanken in originell anregender Form, — ein Dutzend vielleicht ist unbewusste Wiedergabe einer für eigen gehaltenen „Lesefrucht“; einige fordern zum Widerspruch, oder zu einem Fragezeichen oder zur Ergänzung heraus, — aber alle regen zu eigenem Denken an, klingen nach, machen dem Leser etwas zu schaffen. Die Sprache ist rein wie Krystall und so formgeregelt wie dieser; zuweilen giebt sich

*) Vielleicht spräche auch der litterarische Entwicklungsgang von Frau Boy-Ed für die Richtigkeit meiner Ansicht. Ich vermute dies aus einzelnen Besprechungen ihrer Arbeiten, kann aber leider aus eigener Anschauung nichts hierüber sagen, da ich die Schriften der genannten Dame nicht kenne. Uebrigens möchte ich mich bei dieser Gelegenheit sorgsamst dagegen verwahren, als beabsichtigte ich, allen hier nicht genannten Schwestern in Apoll den erwähnten Vorzug weiblicher Schriftstellerei abzusprechen oder gar abzuerkennen, sie etwa in die Reihe der Versatilen zu verweisen. Davor bewahre mich in Gnaden der gütige Sonnengott! Die oben angeführten Beispiele sind eben nur als Beispiele, aber nicht als die einzig vorkommenden ihrer Art, aufzufassen.

*) Comtesse Diane: Maximes de la vie. Préface par Sully Prudhomme (de l'Académie française). Troisième édition revue et augmentée. Paris, 1884, Paul Ollendorff. 4 Frs.

der ganze Gedanke überhaupt nur in Form einer Gegenüberstellung zweier Wörter, die man im gewöhnlichen unbedachten Sprechen als gleichbedeutend ansieht. Ich wollte gern einige Proben hier anführen, aber die Wahl wird mir zu schwer: ich habe fast das ganze Buch „angestrichen"; und schließlich ist's gerade die Anhäufung und die stets anregend bleibende Anhäufung der fast gleichwertigen Proben, welche das Buch als Ganzes so eigenartig macht. Besser ist's also, dass Jeder, der sich hierfür interessirt, selbst aus dem Vollen schöpfe und die „Maximes de la vie" ganz lese; er wird's sicher nicht bereuen!

Ein Buch über Julius Wolff.

Die Verlagshandlung von E. Schlömp (Leipzig) hat die dankenswerte Aufgabe unternommen, „Deutsche Dichter der Gegenwart" in „Biographisch-litterarischen Charakterbildern" vorzuführen. Die Serie eröffnete G. Freytag. Verfasser dieser Studie war der talentvolle C. Alberti, der sich bereits als Feuilletonist und Kritikus Geltung zu verschaffen wusste. Seine Gewandtheit und schneidige Unverfrorenheit sind jedoch mit einer gewissen Nüchternheit verbunden und er scheint daher wenig berufen, Interpret der dichterischen Seiten eines Autors zu sein. Um so erfreulicher wirkt es bei dem nun vorliegenden zweiten Band der Serie, wenn man sowohl die Bescheidenheit als die liebevolle Versenkung in dichterisches Wesen an dem Autor Alfred Ruhemann zu rühmen hat, der sich nicht besser in die Litteratur einführen konnte, als durch vorliegende Studie. Es ist Julius Wolff, der Minnesänger, welchen er zum Thema seiner Betrachtung wählte. — „Anspruchslos in der Form, anspruchslos im Inhalt" nennt der junge Verfasser sein Buch. Aber es wäre nur zu wünschen, dass so manche Werke gleichen Genres ähnlich anspruchslos auftreten und ebenso Gediegenes bieten würden. Denn wenn sich auch nicht verkennen lässt, dass der Stil häufig an Inkorrektheit leidet, ja die Ungelenkigkeit der Vortragsweise manchmal etwas ins Schülerhafte umschlägt — so entschädigt dafür der Inhalt vollauf und die Sprache hat trotz alledem etwas ungemein Anheimelndes durch die schlichte Wärme der Darstellung.

Das Material ist übersichtlich gegliedert. Nicht chronologisch wird des Dichters Wirken entrollt, sondern ganz richtig im Einzelnen nach den Gattungen, in denen er sich versuchte, zusammengefasst. „Der Dramatiker" wird scharf und treffend beleuchtet als Einer, der dargetan, „dass er nicht zu denen gehört, welche die Typen der heutigen Gesellschaft zu erfassen im Stande sind. Die Oberflächlichkeit, mit der er die Personen in den genannten zwei Stücken sprechen und handeln lässt, rührt nicht von Flüchtigkeit her, wohl aber von der Unkenntniss der die Jetztzeit bewegenden gesellschaftlichen Probleme" u. s. w. Betreffs des traurigen „Kambyses" geht Ruhemann sogar so weit, das Verdikt zu fällen: „Ein Eingehen auf die weiteren Schwächen des Stückes erscheint mir auch überflüssig, da seine Wurzel faul ist."

Günstiger, und zwar mit Recht, urteilt der Verfasser über „Wolffs vaterländische Romane". Freilich enthält er sich auch hier herber Aussprüche nicht. Er vergleicht den Romandichter Wolff mit — Hackländer (!), das heißt, er nennt ihn einen „guten Plaudrer, nichts weiter".

Vortrefflich wird der Inhalt der beiden Romane erzählt und eine schlichte, aber kräftige Analyse der Vorzüge und Schattenseiten geboten. Sehr gut schließt das Urteil über den „Raubgrafen": „Wolff ist in seiner letzten Arbeit auf dem besten Wege, das Wesen des Romans zu erfassen, hat es aber übersehen, den Stoff so zu gestalten, dass neben der Idylle auch die geschichtliche Seite der Handlung einen dieser ebenbürtigen Platz einnimmt."

Nunmehr wendet sich Ruhemann mit Behagen den epischen Versuchen Wolffs zu, denen die zweite Hälfte des Buches gewidmet ist. Unbedingt stimme ich hier Ruhemann bei, wenn er „Tannhäuser" für Wolffs bedeutendste Arbeit erklärt. Allerdings hat es für mich immer etwas Blasphemisches und noch mehr Lächerliches gehabt, den liebesatten minnesiechen Weltbummler Tannhäuser zum Schöpfer der gewaltigsten Dichtung aller Zeiten erhoben zu sehn. Ja, wenn das so einfach ginge! Wenn man nicht mehr „minnen" kann, setzt man sich zur Abwechslung mal hin und verbricht das Nibelungenlied!! Ich selbst habe bekanntlich in meinem Roman „Der Nibelunge Not" das Problem der Dichtung ohne Dichter in anderer Weise zu lösen oder vielmehr zu erklären gesucht. Auch ist mir ja seither das hohe Glück zu Teil geworden, an der Hand der Wöberschen Untersuchungen („Die Reichensberger Fehde und das Nibelungenlied") die neue, ebenso gewagte als wahrscheinliche Hypothese über die Identität des großen Unbekannten mit dem wilden Streithahn Heinrich v. Traun dem größeren Publikum zu vermitteln. Für mich persönlich ist also der mir stets widerwärtige Einfall Wolffs, einen lüsternen Minnesänger mit dem gewaltigen schmerzgenährten Heldendichter deutscher Nation zu vermengen, nunmehr erst recht störend und peinlich geworden.

Im Uebrigen aber muss zugestanden werden, dass trotz der Langeweile des zweiten Teils, trotz der verhüllten Unsittlichkeit und Lüsternheit mancher Passagen, die Komposition des Wolffschen Epos doch in großem Wurf gehalten und der Gesammtinhalt und -eindruck ein ganz bedeutender ist. Auch muss ich wiederholen, was ich vordem an dieser Stelle über Wolff geäußert, um so mehr Ruhemann mein Urteil als eines „Wortführers der künftigen Litteraturperiode" ausdrücklich citirt hat. Ich hebe nochmals hervor, „dass Wolff ein Sprachtalent besitzt, das seines Gleichen sucht. Wem Dinge wie der erste und letzte Gesang des „Wilden Jäger“, der erste Gesang des „Tannhäuser“ gelangen, hat sich durch gefällige Sprachkunst des Tonfalls bis zur Höhe des echt poetischen Ausdrucks erhoben. Die Verse Wolffs sind ganz vorzüglich, die Wahl seiner Stoffe originell. Vor Allem vergesse man nicht, welche Arbeitslust und -kraft dazu gehört, epische Erzählungen von beträchtlichem Umfang in so vollendeter Form durchzufeilen.“ Nicht „den Rattenfänger“, sondern den „Wilden Jäger“ erachte ich für Wolffs zweitbeste Arbeit. Was die „entzückende Lyrik“ anbelangt, die angeblich ersteres Werk durchranken soll, so gehört diese Bewunderung für mich zu den Unbegreiflichkeiten, die freilich sofort begreiflich werden, wenn man das völlige Unverständniss für echte Lyrik erwägt, das in Deutschland grassirt und dem Dilettantismus Tür und Tor öffnet.

Nein, so wenig ich Wolff als epischem Erzähler meine volle Anerkennung versage, so kühl bis ans Herz hinan stehe ich seiner Singuf-Pfeiferei entgegen, die nur dadurch bei dem seichten Lesemob reussirt, weil sie weder Gedanken noch blutvolle Leidenschaft besitzt, und in durchaus trivialer, aber gefälliger Form musikalischen Stoff „für Komposition“ bietet — dies schätzbarste Kritikum für „sangbare Lyrik“, das dem sogenannten Volk der Dichter und Denker und — Pianinos geblieben ist.

Sehr richtig, aber mit unbewusster Verurteilung seines Dichters bemerkt sein kritischer Verehrer, dass es Wolffs Absicht sei, „in seinen Werken die Sinnlichkeit im Menschen zum Ausdruck bringen zu wollen“. Es giebt eine Sinnlichkeit, welche von der Poesie unzertrennbar ist und grade in den gewaltigsten Dichtern lodert. Diese befähigt, die tödtlichen Kämpfe der erotischen Leidenschaft mit unbarmherziger Wahrheit mitfühlend zu beleuchten. Aus den Flammen der ungezügeltsten Sinnengier erhebt dort der Schmerz sein Gorgohaupt und schüttelt die Schlangenhaare der Reue. Sünde, wenn sie vollendet ist, gebieret sie den Tod, und alle Schuld rächt sich auf Erden — das ist das Motto eines Realismus, der mit wahrer Poesie identisch, einer Poesie, welche in jeden Abgrund, auch den der Sinnlichkeit, bis auf den Grund hinabzutauchen wagt. Dies sind nicht nur die großen, dies sind die sittlichen Dichter.

Anders aber steht es mit jener Sinnlichkeit, welche halb frivol, halb sentimental mit der Erotik spielt und wohl „Passionen“, aber keine Leidenschaften kennt. Dies ist jene Sinnlichkeit, welche alle Salonpoesie — à la Heyse — durchtränkt und dem großen Haufen so angenehm duftet. „Wie poetisch“ — ja wohl! Aber durch den ohnehin für gesunde Nasen übelriechenden Parfüm dringt ein intensiver Modergeruch innerer Fäulniss. Die Begriffe der Schuld und Sünde verwaschen sich und wahre schmerzvolle Leidenschaft keimt ohnehin nicht in einer Atmosphäre fader oberflächlicher Aeußerlichkeit.

Es giebt eine bloße Leidenschaft des Blutes, welche zu Lastern führen, doch nie den Blick völlig vom Ideellen ablenken kann. Aber es giebt eine Sinnlichkeit, welche als allgemeine Weltanschauung auftritt und das Aeußerlich-Sinnliche, das Hohlste und Eitelste, als wahren Kern der Dinge misst. Diese Sinnlichkeit, ganz verschieden von der des Künstlers, beherrscht den Durchschnitt der Alltagsmenschen und Eintagsfliegen, welchen selbständiges Denken unmöglich, tiefes selbständiges Fühlen unverständlich ist. Ein Dichter solcher Schichten, der genusssüchtigen wohlgenährten „besseren“ Stände, denen nichts störender ist als eine Beeinträchtigung ihres philiströsen Komforts durch originelle oder geniale Geisteseinflüsse, wird J. Wolff ewig bleiben.

Und diese angeblich „gesunde“ Lebenslust, welche auf den Schmerz und den Ernst als auf sentimentale Ungesundheit herabblickt, ist in Wahrheit eine lebendige Lüge. Nur wem der Schmerz die Brust zerrissen, wen der heilige Ernst des Daseins in jeder Fiber gepackt, nur dem wird ein weihevoller Sang entquellen.

Wolff ist ein liebenswürdiger anziehender Salonpoet. Ein Dichter im eigentlichen Sinn war er nie. Aber wer unter den Alten war denn das? Neben manchem geadelten und besternten Verfertiger von „berühmter“ Stammbuch- und Bonbonpoesie scheint mir Wolff immer noch achtungswert. Wenn er drauflosjuchzt, wirkt er unerträglich; aber in seinen letzten Werken ist eine Ahnung von dem in ihm aufgedämmert, was den Dichter macht:

„Dieses Lebens höchster Schmerz,
Der Schmerz um dieses Leben.“

Charlottenburg. Karl Bleibtreu.

Litterarische Neuigkeiten.

Karl Böttcher ersucht uns mitzuteilen, dass der Manuskriptschluss seines Anfang Mai im Verlage der Kaiserl. Königl. Hofbuchhandlung von Hans Feller zu Karlsbad zum Besten der Bibliothek im dortigen Fremdenhospital erscheinenden „Karlsbader Album“ gegen Ende dieses Monats erfolgt. Er bittet alle Autoren, welche bis jetzt seiner Einladung noch nicht entsprochen, um Einsendung von kurzen auf Karlsbad bezüglichen Aussprüchen (Gedichten, Sentenzen, Reflexionen etc. etc.). Doch sind in Ausnahmefällen auch Beiträge anderen Inhaltes zulässig. — Karl Böttcher leitet gegenwärtig die Redaktion des „Magdeburger General-Anzeiger“. Adresse: Magdeburg, Werftstraße 86.

A. Gabelli hat seit ungefähr fünfzehn Jahren außer einem dünnleibigen aber gehaltvollen Buche (L'uomo e le scienze morali, Firenze 1871) viele interessante Artikel geschrieben, in denen der gesunde Menschenverstand des Italieners zu einem prägnanten und triumphirenden Ausdruck gelangt. Das kleine, unerwartet gekommene Büchlein „Gedanken“ des feinsinnigen Experimental-Philosophen verdient auch in Deutschland Bewunderer zu finden; namentlich wird man die unbefangenen Aeußerungen über italienische Verhältnisse mit Nutzen studiren. (Aristide Gabelli Pensieri, Milano Tipografia Bernardoni di C. Rebeschini e C. 1886. XIV und 206 S. Lire 2. —).

„Europas Kolonien.“ Nach den neuesten Quellen geschildert von Dr. Hermann Roskoschny. Leipzig, Gressner & Schramm. — Von dem 4. Bande dieses zeitgemäßen Prachtwerkes, welcher uns Süd-Afrika vorführt, liegt bereits eine stattliche Anzahl Lieferungen in gleich schöner Ausstattung wie ihre Vorgänger vor uns. Der Band beginnt mit der Schilderung von Lüderitzland, Nama- und Damaraland, macht uns also mit dem ganzen deutschen Schutzgebiet in Südwest Afrika bekannt, und schildert nicht nur eingehend Land und Leute, sondern unterzieht auch die natürlichen Hilfsquellen des Landes und die Aussichten, welche sich demselben in der Zukunft eröffnen, einer sorgfältigen Untersuchung. Hieran reiht sich eine Beschreibung der Kapkolonie.

Im Verlage von Rudolf Bechtold in Wiesbaden erscheint demnächst unter dem Titel: „Lose Blüten“ ein Band gesammelter Feuilletons von Max von Weißenthurm, von denen die Mehrzahl in namhaften österreichischen Tages- und Wochenschriften erschienen sind. Einzelne derselben sind pädagogischen Inhaltes.

Im Verlag der Schulbuchhandlung in Gera (Reuß) erschien kürzlich ein ansehnliches Bändchen „Reiseskizzen aus Corsica, zugleich ein Führer durch die Insel, mit einer Karte derselben“ von Amanda M. Blankenstein.

Συμβολικὴ τῆς Ὀρθοδόξου Ἀνατολικῆς Ἐκκλησίας, ὑπὸ Ι. Ε. Μεσολωρᾶ. Band I. Τὰ συμβολικὰ βιβλία; 8⁰. 4 und 294; ἐν Ἀθήναις, 1883.

Der Verfasser dieses kompilatorischen Werkes, Privatdozent der Theologie an der Universität Athen, wollte in einem handlichen Bande alle symbolischen Bücher, d. i. alle kirchlichen Bekenntnisschriften der orthodoxen orientalischen Kirche, vereinigt darbieten, um in einem weiteren Bande die Geschichte und den Text der Bekenntnisse von Dositheos, Patriarch von Jerusalem, und des Dionysios. P. von Konstantinopel, sowie die Protokolle der Synoden von Konstantinopel, Jassy und Jerusalem (XVIII J.), die mit zu den symbolischen Büchern der orientalischen Kirche gerechnet werden, folgen zu lassen. Seine mühevolle und saubere Arbeit ist von der h. Synode als eine „höchst verdienstvolle und ersprießliche“ allen Kirchenvorständen und der ganzen Christenheit empfohlen worden, und zwar um so mehr, als viele der einschlägigen Texte nur noch mit Mühe zu haben sind. Nach einem Prologe und einer Einleitung (pag. 1–25), über Bedeutung, Zweck und Wert der Symbole, der Symbolik, sowie der symbolischen Bücher und deren Geschichte, folgen I. Die drei ökumenischen Symbole (das apostolisch), das nikäno-konstantinopolitanische und das athanasianische, nach Entstehung, Abfassung, Inhalt (vollem Texte) und Verhältnise zu einander; II. Text des Glaubensbekenntnisses von Gennádios, Patriarchen v. Konstantinopel, nach der Einnahme der Stadt durch die Türken; die drei Entgegnungen Jeremias II an die protestantischen Theologen von Tübingen, in Bezug auf die Augsburgische Konfession und das Apostolicum (bis pag. 264.); III. Konfession des Metrofánes Kritópulos (pag. 265–361); IV. Orthodoxes Glaubensbekenntnis der allgemeinen apostolischen orientalischen Kirche des Petros Mogilas, sammt seiner Auslegung der zehn Gebote in Frage und Antwort (pag. 362 bis 487). Alles nach fester Methode in streng logischer Folge erschöpfend dargestellt nach Ort, Zeit, Veranlassung, Benennung und Bedeutung der Symbole und der Konfessionen in korrekten, gut lesbaren Texten, mit einer erstaunlichen Fülle von Einzelheiten, die für den Theologen von großem Interesse sein mögen, da ja noch immer bei allen theologischen Streitfragen der neueren Zeit die Frage des Symbolzwanges auch bei uns im Vordergrunde steht.

Hermann Heibergs „Apotheker Heinrich“ wurde von den Niederländern, mit der ihnen eigenen litterarischen Langfingerfertigkeit schleunigst, ohne auch nur irgendwie dazu autorisirt zu sein, übersetzt und erschien vor Kurzem im Verlag von H. A. M. Roelants in Schiedam unter dem Titel: „Dora's Huwelijk“.

Mathilde Blind hat die Abfassung der Biographie der Madame Roland für die Sammlung von Biographieen der „Famous Women“ übernommen. Sie wird von den in späteren Jahren an die Oeffentlichkeit gelangten Briefen der berühmten Frau Gebrauch machen. — Bei Routledge in London wird ein Werk über die „Primeministers of Queen Victoria“ erscheinen. Die Sammlung enthält die Skizzen von neun Männern; die letzten drei sind Beaconsfield, Gladstone und Salisbury.

Die königliche Hofbuchhandlung von Wilhelm Friedrich in Leipzig veröffentlichte einen neuen Roman von Gerhard von Amyntor unter dem Titel: „Vom Buchstaben zum Geiste.“ Dieser eigenartige Roman aus der Gegenwart vermeidet das nahezu abgegraste Gebiet der Liebesprobleme und zeigt uns den Kampf zwischen einem starren buchstabengläubigen Vater und seinem den Kern der christlichen Lehre mit dem Geiste der freien Wissenschaft vermittelnden Sohne. Den Hintergrund dieses durchaus aktuellen Gemäldes bilden die hochgehenden Wogen der sozialdemokratischen und anarchistischen Bewegung. Der hochinteressante Vorwurf ist in einer spannenden, sich dramatisch steigernden Erzählung zur Anschauung gebracht. Der edle Freisinn, aus dem das vornehme Werk hervorgegangen ist, verirrt sich nirgends in tendenziöse Unnatur; mit der Charakteristik des kampfeifrigen buchstabengläubigen Pfarrers werden selbst die Anhänger seiner eigenen Richtung zufrieden sein dürfen. Die Lösung des Konfliktes vollzieht sich auf eine überraschende, menschlich-wahre Weise, die den höchsten Forderungen christlicher Ethik Genüge tut.

Im Verlag von Karl Reißner in Leipzig erschien eine höchst beachtenswerte Broschüre von Asmodi Redivivus. Dieselbe trägt den Titel: „Der Krebsschaden unserer Gymnasien“.

Von den Beiträgen zur Lokalgeschichte des Niederrheins erschien im Verlag von J. Seul in Viersen das sechste Bändchen. Dasselbe enthält: „Aus dem Viersener Hannbuch“ von P. Norrenberg.

„Die Philosophie der Erlösung“. Von Philipp Mainländer. Zweiter Band. Zwölf philosophische Essays. In fünf Lieferungen à M. 2.40. — Fünfte Lieferung à M. 3.— Frankfurt a. M., C. Koenitzer's Verlag. Der zweite Band der „Philosophie der Erlösung“ ist mit der vorliegenden (fünften) Lieferung, welche eine Kritik der Hartmannschen „Philosophie des Unbewussten“ enthält, abgeschlossen.

Bei H. Oudin (librairie H. Lecène) in Paris erschien eine beachtenswerte Broschüre betitelt: „La question du Latin“ de M. Frary et les professions libérales par A. Vessiot.

Mit der 56. Lieferung ist Dr. Moritz Brasch's umfassendes Werk „Die Klassiker der Philosophie. Von den frühsten griechischen Denkern bis auf die Gegenwart“ (Leipzig 1883–86. Verlag von Gressner & Schramm) abgeschlossen. Dasselbe liegt nunmehr in drei starken Bänden vor und dürfte nach der durchweg günstigen Aufnahme, die es seitens der maßgebenden Kritik wie des Publikums gefunden, bald eine zweite Auflage nötig sein. Auch wir haben im „Magazin“ bereits auf diese ebenso interessante als bedeutsame Publikation hingewiesen. Welche historische Objektivität und wissenschaftliche Gründlichkeit mit edler und fesselnder Form verbindet und die berufene zu sein scheint, für das Studium der großen geschichtlichen Systeme und Weltanschauungen das bisher nur bei eigentlichen Fachgelehrten der Philosophie heimisch war, auch außerhalb der Zunft Interesse und Geschmack zu erwecken und die Ideen der grossen Denker zum Gemeingut der Gebildeten zu machen. Die Klassiker der Philosophie sind bereits ins Russische übersetzt; wie wir vernehmen, ist auch eine holländische Uebersetzung derselben in Vorbereitung.

Von dem großen illustrirten Prachtwerk „Palästina in Bild und Wort, herausgegeben von Georg Ebers und Hermann Guthe“, das bei seinem Erscheinen vor mehreren Jahren durch seine Schönheit und Großartigkeit verdientes Aufsehen erregte und auch von uns in anerkennendster Weise besprochen wurde, veranstaltet soeben die deutsche Verlags-Anstalt (vormals Eduard Hallberger) in Stuttgart eine neue wohlfeile Ausgabe. Dieselbe unterscheidet sich nach Ausstattung, Form und Inhalt von der ersten Ausgabe einzig und allein dadurch, dass von den Stahlstichen nur zwei beigegeben werden, und kostet — in Lieferungen zum Preis von nur 50 Pfennig erscheinend — doch nur die Hälfte des Preises von jener. Die Verlagshandlung kommt damit einem allgemeinen Wunsche entgegen und verdient den Dank Aller, welche sich für das heilige Land interessiren.

Sir Theodore Martin hat den zweiten Teil von Goethes Faust in englische Verse übertragen. Das Werk wird bei Blackwood in London erscheinen.

Von dem kürzlich bei J. D. Sauerländer in Frankfurt a/M. in zweiter Auflage erschienenen „Allerlei Herzensgeschichten", Novellen und Studien von Eugen Salinger wird gegenwärtig eine französische Uebersetzung vorbereitet.

Vol. 2383 der Tauchnitz edition Collection of british authors enthält: „Jackanpes; The story of a short life; Daddy Darwins Dovecot" by Juliana Horatia Ewing. Vol. 2384 und 2385 enthalten: „Green Pleasure and Grey Grief" by the author of „Molly Bawn". Vol. 2386 enthält: „King Solomon's mines" by H. Rider Haggard.

Bei Otto Heinrichs in München und Leipzig erschien „Fremde Schuld" von P. Letnew nach dem Russischen von Wilhelm Goldschmidt.

Die Reclamsche Universal-Bibliothek veröffentlichte Bändchen 2091—2100. Davon umfassen 2091—2095 einen starken Band. Derselbe enthält: „Rätselschatz." Sammlung von Rätseln und Aufgaben, herausgegeben von E. S. Freund. Bändchen 2096 enthält: „Tantchen Rosmarin" und „Das blaue Wunder", zwei Humoresken von Heinrich Zschokke. 2097: „Joh. Chr. Gottscheds Sterbender Cato". Nach der ältesten Ausgabe von 1782 herausgegeben und eingeleitet von Otto F. Lachmann. 2098 und 2099 enthalten: „Unter dem Wasser. Erzählung von G. Rovetta". Autorisirte Uebersetzung aus dem Italienischen von B. und N. Arnous. 2100 enthält: „Treu dem Herrn", Schauspiel in vier Aufzügen von Richard Voss.

Einen unterhaltenden Beitrag zur Sittengeschichte Venedigs in den letzten Zeiten der Republik verdanken wir Vittorio Malamani. Derselbe hat viele handschriftliche, in venetianischem Dialekt verfasste Aufzeichnungen benutzt. Namentlich diejenigen eines patriotisch gesinnten in den besten Kreisen verkehrenden Satirikers Abate Angelo Maria Barbaro (1726—78), der viel und gut beobachtet hat. (Vittorio Malamani La satira del costume a Venezia nel secolo XVIII Editori Roux e Favale Torino-Napoli. 1886. 175 S. Klein 8°. Lire 3. —.

Soeben erscheint im Verlag der königlichen Hofbuchhandlung von Wilhelm Friedrich in Leipzig „Kopal Kundala". Ein bengalischer Roman von Bankim Chandra Chattopâdhyâya. Deutsch von Curt Klemm. Dieser Roman wird mit gleichem Interesse von dem ernsten Mann, wie von dem sensationshungrigen Roman-Freunde gelesen werden, er kann auch unbedenklich als geist- und herzstärkende Lektüre der heranwachsenden Jugend in die Hand gegeben werden. Nirgends findet sich eine Spur von dem bekannten Schwulst, der so oft die schönsten Dichtungen der Orientalen entstellt.

Band 12 der Engelhornschen allgemeinen Roman-Bibliothek bringt „Fortuna" von Alexander Kielland, übersetzt von Kapitän C. von Sarauw. Band 13 und 14 „Lise Fleuron" von Georges Ohnet, übersetzt von J. Linden.

Im Verlag von Hermann Dabis in Jena erschien eine epische Dichtung von G. H. Schneideck „Der Auszug nach Kahla". Eine Studentengeschichte aus vergangenen Tagen. Bei dem großen Interesse, welches das deutsche studentische Leben von jeher in allen Kreisen der Gesellschaft gefunden hat und in neuster Zeit, wo man sich mit seinen Ausonderlichkeiten mehr denn je beschäftigt, dürfte vorliegende Erzählung auf den Beifall des Publikums rechnen können.

In der bei Calman Lévy in Paris zur Ausgabe gelangenden Bibliothèque contemporaine erschien vor Kurzem unter dem Sammeltitel: Les Chinois peints par eux-mêmes „Le théatre des Chinois." Études de moeurs comparées vom General Tcheng-Ki-Tong. Attaché militaire de Chine a Paris.

Afghanistan und seine Nachbarländer. Von Dr. Hermann Roskoschny. Leipzig, Gressner & Schramm. — In zwei stattlichen, reich illustrirten Bänden, die nun abgeschlossen vorliegen, bietet der Verfasser eine auf den neusten Schriften über Afghanistan beruhende Schilderung dieses hochinteressanten Gebirgslandes. Die afghanische Frage ist zwar augenblicklich in ein ruhiges Fahrwasser geleitet, aber eine endgültige Lösung derselben ist durch die neusten Vereinbarungen zwischen England und Russland nicht herbeigeführt worden. England sucht die Nordgrenze Indiens so rasch als möglich gegen einen Angriff von Norden her zu befestigen, und im kaspischen Gebiet wird mit fieberhafter Hast an der Vollendung einer Eisenbahn gearbeit, welche Russland ermöglichen wird, in wenigen Tagen große Truppenmassen in der Nähe von Herat zusammenzuziehen. Unter solchen Umständen bleibt Roskoschnys Buch das Interesse, welches es bei seinem Erscheinen erweckte, voraussichtlich noch lange gewahrt, und wir können es allen bestens empfehlen, welche Afghanistan nebst seinen englischen und russischen Grenzgebieten näher kennen lernen wollen. Von dem im gleichen Verlage erscheinenden Lieferungswerke: „Afrika-Hand-Lexikon von Paul Heichen mit vielen Abbildungen und Karten erschien gleichzeitig Lieferung 13—17 inklusive.

Bei C. L. van Langenhuysen in Amsterdam erschien vor Kurzem der IV. Deel der „Geschiedenis van het Nederlandsche Volk. Van 1815 tot op onze dagen". Door W. J. F. Nuyens.

Von Michael Gitlbauers „Philologischen Streifzügen" erschien im Verlag der Herderschen Buchhandlung in Freiburg im Breisgau die fünfte Lieferung (Bogen einundzwanzig bis Schluss). Mit einer Tafel in Lichtdruck.

Lieferung 284, 85 und 88 der Deutschen National-Litteratur von Joseph Kürschner enthalten „Goethes Werke", dritter Band, erste, zweite und dritte Lieferung, herausgegeben von Heinrich Düntzer. Lieferung 286 und 87 enthalten: „Tieck und Wackenroder", erste und zweite Lieferung, herausgegeben von Jak. Minor.

Nr. 18 des zwölften Jahrgangs der Illustrirten Berliner Wochenschrift „Der Bär". Preis vierteljährlich 2 Mk. 50 Pfge. (pro Nummer von ca. zwei Bogen also noch nicht 20 Pfge.), Verlag von Gebrüder Paetel in Berlin W., hat folgenden Inhalt: Gedenktage. — Faustrecht, von H. W. Zell. — Feuilleton: Ein neues Werk über Berliner Bauten des siebzehnten und achtzehnten Jahrhunderts, besprochen von P. Wallé (mit der Abbildung des Portals am Ribbeckschen Hause in der Breitenstraße). — Die Herzogin Philippine Charlotte von Braunschweig, Schwester Friedrichs des Großen. Erinnerungsblatt von C. Steinmann (mit Porträt); Der Einfluss der geographischen Lage auf die Entwicklung Berlins, von Archivar Dr. P. Clauswitz (Schluss); Die Konkurrenz für die Malereien im Treppenraum des Rathauses. — Mizellen: Das Ferienhaus des Johannisstiftes (mit Abb.); Chodowieckis Schlittenfahrt (mit Abb.); Friedrich Wilhelm I. und der Prediger von Rheinsberg; Der Knapphans; Erinnerungen an die Schlacht bei Collin; Die zweite Säkularfeier des Ediktes von Potsdam; Kurfürst Joachim I. als lateinischer Redner zu Augsburg; Eine alte Berliner Theatererinnerung.

Im Verlage von Julius Klinkhardt in Leipzig erschien eine: „Zur Judenfrage" betitelte Schrift des als österreichischen Reichsratsabgeordneten und Hof- und Gerichtsadvokaten in Wien in der politischen wie in der juristischen Welt gleich rühmlich bekannten Dr. Josef Kopp. Der Verfasser legt in dieser Schrift die äußerst bemerkenswerten Forschungen auf dem Gebiete der talmudisch-rabbinischen Litteratur dar, welche er als Rechtsbeistand des Rabbiners Dr. Bloch in Betreff der von dem katholischen Theologen Professor Rohling wider die Juden erhobenen Beschuldigungen zu unternehmen veranlasst war.

The russian stormcloud by Stepniak ist das neuste Werk des unter diesem Namen schreibenden russischen radikalen Schriftstellers, der von London aus seine agitatorischen Pamphlete in englischer Sprache hinausgesendet. Ein Teil des obigen Werkes war zuvor in der Times erschienen. Dasselbe handelt von dem „Terrorismus in Russland", dem „europäischen Sozialismus", den „Dynamithelden", der russischen Armee und Polen.

Aus E. Piersons Verlag in Dresden und Leipzig liegen zwei neue Gedichtsammlungen vor und zwar „Gedichte" von Ernst Roeder und „Minnelieder aus dem Tagebuche eines Glücklichen" von Heinrich Hersch.

Die Verlagshandlung von Guigoni in Milano veröffentlichte vor Kurzem die 31. Auflage von G. Giusti's „Poesie" con note et un cenno sulla vita dell' autore. Das Bändchen enthält außerdem ein Bildnis des Dichters.

Alle für das „Magazin" bestimmten Sendungen sind zu richten an die Redaktion des „Magazins für die Litteratur des In- und Auslandes" Leipzig, Georgenstrasse 6.

Verlag von Carl Konegen in Wien.

Wiener Neudrucke

herausgegeben von

Dr. August Sauer.

Soeben ist erschienen:

Heft 9. **Sterzinger Spiele,** nach Aufzeichnungen des Vigil Raber. Herausgegeben von Dr. Oswald Zingerle. Erstes Bändchen: Fünfzehn Fastnachtsspiele aus den Jahren 1510 und 1511. 19 Bogen. Preis M. 4.—

Heft 10. **Der Wiener Hanswurst.** Stranitzky's und seiner Nachfolger ausgewählte Schriften, herausgegeben von Dr. R. M. Werner. Zweites Bändchen: Ollapatrida des durchgetriebenen Fuchsmundi. Von J. A. Stranitzky. 1711. 32 Bogen. Preis M. 6.—

Heft 11. **Sterzinger Spiele,** nach Aufzeichnungen des Vigil Raber. Herausgegeben von Dr. Osw. Zingerle. Zweites Bändchen: Elf Fastnachtsspiele aus den Jahren 1512—1535. 17 Bogen. Preis M. 4.—

Die bisher ausgegebenen Hefte enthalten:

Heft 1. Abraham a Sancta Clara, Auf, auf, ihr Christen! 1683. Preis M. 1.20

Heft 2. Kurz (Bernardon), Die getreue Prinzessin Pumphia. 1756. Preis M. 0.80

Heft 3. Der Hausball. Eine Erzählung. 1791. Preis M. 0.60

Heft 4. Klemm, C. G., Der auf den Parnass versetzte grüne Hut. 1767. Preis M. 0.80

Heft 5. Schmeltzl, Wolfg., Samuel und Saul. 1551. Preis M. 0.80

Heft 6. Der Wiener Hanswurst. Stranitzky's und seiner Nachfolger ausgewählte Schriften, herausgegeben von Dr. R. M. Werner. Erstes Bändchen: Lustige Reyss-Beschreibung aus Salzburg in verschiedene Länder, von J. A. Stranitzky. Preis M. 1.20

Heft 7. Sonnenfels, J. v., Briefe über die Wienerische Schaubühne. 1768. Preis M. 4.—

Heft 8. Vier dramatische Spiele über die zweite Türkenbelagerung, aus den Jahren 1683—1685. Preis M. 0.80

Zu beziehen durch jede Buchhandlung.

Von

Wilhelm Walloth

erschien im Verlage von Wilhelm Friedrich in Leipzig

Oktavia.

Historischer Roman aus der Zeit des Kaisers Nero. in 8°. br. M. 6.—, geb. M. 7.—.

Schatzhaus des Königs.

Roman aus dem alten Aegypten. in 8°. 3 Bde. br. M. 10.—, geb. M. 11.50

Gedichte

in 8°. br. M. 2.—, geb. M. 3.—.

Durch alle Buchhandlungen zu beziehen.

Von

Detlev von Liliencron

erschien:

Adjutantenritte

in 8°. br. M. 2.—, geb. M. 3.—

Knut der Herr.

Drama in fünf Aufzügen. in 8° br. M. 2.—

Die Rantzow und die Pogwitsch.

Schauspiel in fünf Akten. in 8° br. M. 2.—.

Trifels und Palermo

(unter der Presse).

Verlag von Wilhelm Friedrich in Leipzig.

Verlag von F. A. Brockhaus in Leipzig

Ersch und Gruber's

Allgemeine Encyklopädie der Wissenschaften u. Künste.

Soeben erschien:

Zweite Section (H—N). 38. Theil. (Koe er — Köppen.) 4. Cart. 11 M. 50 Pf., auf Velinpapier 15 M.

Das Werk ist in der Ersten Section (A—G.), die 99 Theile umfasst, vollständig erschienen: die Zweite Section (H—N) gelangte jetzt zum 38. Theil; von der Dritten Section (O—Z) liegt Theil 1—25 vor. Ein Prospect über die Fortführung und Vollendung des Werks ist durch alle Buchhandlungen gratis zu erhalten.

Neu eintretenden Subscribenten werden die bis Ende 1882 erschienenen **156 Theile** (Preis 1794 M.) zum Preise von **600 M.** geliefert. Abnehmer des Werkes, welchen eine grössere Anzahl von Theilen fehlt, erhalten den Theil statt zu 11 M. 50 Pf. bei Bezug von mehr als 25 Theilen zu **6 M.**, von mehr als 50 Theilen zu **5 M.**, von mehr als 100 Theilen zu **4 M.**

Im unterzeichneten Verlage erschienen:

Körting, Hch., Geschichte des französischen Romanes im XVII. Jahrh. Band I. brosch 10 Mark.

Franke, Edm., Französische Stilistik. Teil I. brosch. 3 Mark.

Mahrenholtz, R., Voltaire's Leben und Werke. 2 Bde. br. 10 Mark; in 1 Bd. eleg. geb. 12 Mark.

Zupitza, Einführung in das Studium des Mittelhochdeutschen. 3. Aufl. 2 M.

Eugen Franck's Buchhandlung (Georg Maske). Oppeln.

Gesucht v. e. Schriftsteller verzinsliches Darlehn von 500 zur Ermöglichung der Doctorpromotion u. dazu nötiger ruhiger Arbeit, auf Ehrenwort in Monatsraten à 20 M. zurückzubezahlen. — Adressen zu senden an die Exped. ds. Bl.

Graf Reckenhorst.

Schauspiel in 5 Akten

von

Wilhelm Löwenthal.

Mit einem Vorwort vom Verleger.

in 8. br. M. 1.—

Verlag von Wilhelm Friedrich in Leipzig.

Emmer-Pianinos,

von 440 Mk. an (kreuzsaitig). Abzahlung gestattet. Bei Baarzahl. Rab. Preisl. etc. gratis und Francosendung. Harmoniums v. M. 120.

Wilhelm Emmer, Magdeburg.

Auszeichn., Ehrendiplome, Orden, Staatsmedaillen etc.

Das Aufsehen erregende Werk:

Die Kunst der Rede

von Dr. Ad. Calmberg,

das in wenigen Wochen ausverkauft war, ist nun in zweiter erweiterter Auflage wieder zu haben in allen Buchhandlungen

---

Ganze Bibliotheken,

wie einzelne gute Bücher, sowie alte und neuere Autographen kauft stets gegen Barzahlung

H. Barsdorf, Leipzig, Neumarkt 2.

Für die Redaktion verantwortlich: Hermann Friedrichs in Leipzig. — Verlag von Wilhelm Friedrich in Leipzig. — Druck von Emil Herrmann senior in Leipzig

Dieser Nummer liegt bei: Ein Verzeichniss Ausgewählter Werke aus dem Verlage von Wilhelm Friedrich, k. R. Hofbuchhandlung in Leipzig.

Das Magazin

für die Litteratur des In- und Auslandes.

Wochenschrift der Weltlitteratur.

1832 gegründet von Joseph Lehmann.

55. Jahrgang.

Preis Mark 4.— vierteljährlich.

Herausgegeben von Hermann Friedrichs.

Verlag von Wilhelm Friedrich in Leipzig.

No. 10. —— Leipzig, den 6. März. —— 1886.

Inhalt:

Die Verflachung der modernen Lyrik.

Ein Mahnruf.

Das Handwerk hast du verstanden,
Ob aber die Poesie?
Das gilt in deutschen Landen
Heut wohl noch mehr als die!

Immer und immer wieder muss ich an diese bissigen Worte des alten Griesgrams Grillparzer denken, wenn ich mit Staunen und Schrecken die täglich zunehmende Verbreitung des lyrischen Mitessertums betrachte. Karl Emil Franzos hat das Verdienst, obige Worte der Vergessenheit entrissen und in seinem „Dichterbuch“ der Nachwelt erhalten zu haben. Schade nur, dass er selbst ihnen so wenig Beachtung schenkte, dass er, der gewandte und geistreiche Erzähler, sie dem Lyriker Franzos nicht nachdrücklich zur Beherzigung empfahl! Wir wären dann sicherlich von seinen eigenen lyrischen Erzeugnissen verschont geblieben. Allein das ist schon heute so. Was Wunder, dass ein Schriftsteller, wie er, der Prosa müde, in den gefahrvollen Strudel der Lyrik gerät (incidit in Scyllam etc.), da doch gegenwärtig Leute, die für die Kunst weder Ernst noch Beruf haben, gewissenlos genug sind, den deutschen Parnass mit ihrem Gesinge zu beunruhigen! Gesungen wird ja heutzutage in Deutschland überall: oben im dunklen Dachstübchen, wie unten im lichterhellten, glänzenden Salon, in dem bescheidenen Zimmerchen des schwärmenden Studenten, wie im Boudoir des zarten Backfischchens. Freilich dringen aus dem ersteren nur herbe Durtöne zu uns hernieder, während aus dem letzteren weichere Mollakkorde erschallen, — schließlich giebt es aber zusammen doch „einen guten Klang“! Ich bin sogar überzeugt, dass wenn es einmal — und wird sind nicht mehr weit davon — der hohen Polizei in den größeren Städten, wie Wien, Berlin u. s. w. einfiele, Hausdurchsuchungen nach lyrischen Verbrechern zu veranstalten, dieselbe zu dem Resultate gelangen würde, es sei dort jedes zweite Haus mit einem Lyriker gesegnet. — Was würde wohl der biedere Uhland dazu sagen? Er rief es ja: „Singe, wem Gesang gegeben“, — möge ihm Gott das verzeihen! Er würde sich ohne Zweifel die Ohren zuhalten, wenn er zufällig auf den Einfall käme, in dem deutschen Dichterwald spazieren zu gehen. Oder würde er gar prüfen, ob auch jedem der Sänger Gesang gegeben sei? Lächerlich! Gesang ist ja Jedem gegeben, und ob auch der Eine zwitschert, der Andre trillert und der Dritte mitpiepend sekundirt, singen können sie alle! Die Frage ist nur die, ob auch bei Jedem die pieridischen Jungfraun Einkehr halten. Ich glaube nicht. Denn sie sind ja kaum neun an der Zahl, worunter nur eine als Spezialistin in der Lyrik gilt, während die Zahl derer, die um ihre Gunst sich bewerben, Legion ist. Es ist daher ganz natürlich, dass die Schaar Derjenigen, die sie zuweilen mit einem Lächeln beglücken, nur sehr gering sein kann, — wie winzig ist aber die Schaar der Auserwählten, denen sie dauernd ihre Aufmerksamkeit schenken! Die übrigen Freier richten aber, wie die Penelopes, bloß heillosen Unfug an, indem sie sich bemühen, von den wohlverdienten Lorbeeren Anderer auch nur ein Blättchen für sich zu gewinnen. Sie besitzen dafür jedoch die Gabe, jeden Misserfolg tapfer niederzusingen und trösten sich wohlweislich damit, dass sie „wie die Vögel im Walde“ für Niemanden sonst als für sich selbst singen, dass ja „ein Blick ins Reich des Schönen“ für sie genug sei, u. s. w.

Nun muss ich zwar gestehen, dass man das ganze Treiben jener Herren mit Nachsicht und Mitleid, oder wie man's gern sagt, durch die Finger betrachten könnte, wenn dabei die von ihnen gepflegte Dichtgattung nicht am schlechtesten führe. Wer aber die Entwickelung der Lyrik in den letzten Jahrzehnten beobachtet, der wird mir wohl ohne Weiteres zustimmen, dass wir bereits so weit gekommen sind, wie sich von unseren braven Klassikern kaum Einer hatte träumen lassen. Die moderne Lyrik ist einfach ungenießbar worden; ungenießbar bis zu dem Grade, dass sie mit Ausnahme Derjenigen, die in die engsten Zunftkreise gehören, kaum noch von Jemandem beachtet wird. Ja, in unserem Zeitalter der Elektrizität und des Cholerabacillus hat man sich sogar gewöhnt, das poetische Talent nicht als Himmelsgabe, sondern als eine Art Gehirnkrankheit, als Geistesschwäche zu betrachten. Als Beweis hierfür, wie weit die Lyrik bei unserem Publikum im Werte gesunken, sei nur der Umstand angeführt, dass von den neueren Gedichtsammlungen nur sehr wenige es über die erste Auflage hinaus zu bringen vermochten, so dass bereits auch die Verleger dadurch verwöhnter und anspruchsvoller wurden. Man sagt sogar, dass sie für die Uebernahme einer Gedichtsammlung in ihren Verlag selber Honorar beanspruchen. Ich weiß nicht, ob und inwieferne das wahr ist, — allein, um mit dem Italiener zu sagen: se non è vero, è ben trovato. Denn es ist leicht zu begreifen, dass bei der eisigen Kälte und Gleichgültigkeit, welche das deutsche Publikum der Lyrik gegenwärtig entgegenbringt, die Verleger Romane und Novellen als gesuchter und zeitgemäßer vorziehen. Das ist nun allerdings traurig genug; — allein so hat es endlich kommen müssen. Es ist ja selbstverständlich, dass bei der Unmenge der lyrischen Poeten selbst das Originellste und Neuste bald breitgetreten wird und zu alltäglicher, schablonenmäßiger Mache herabsinkt. Originalität! — Das ist jetzt das Losungswort; in dieser Originalität geht man jedoch heutzutage so weit, dass man entweder lächerliche Curiosa zu Tage fördert oder längst Vergangenes und Vergessenes von Neuem auffrischt. Das eine wie das andere kann schwerlich Jemandem zusagen. Dass jedoch einer unserer Lyriker zuweilen Zeitgemäßes besinge, das wurde in unserer so aufgeregten, aller Kunst abholden Zeit, einfach zur Unmöglichkeit; es ist auch — nebenher bemerkt — in der Lyrik überhaupt recht schwer, denn da müsste der Dichter seinen eigenen Gefühlen das Allgemeine zum Hintergrund geben, wenn nicht das Eine dem Andern unterordnen, — dazu fehlt ihm jedoch meistens die nötige Selbstentäußerung und der nötige Fernblick. So haben denn nur äußerst wenige unsrer wirklich talentvollen modernen Lyriker in der Gunst des Publikums sich dauernd einzubürgern vermocht. Und die Uebrigen? Die Uebrigen können leider oft genug nicht umhin, sich dem unermesslichen Nachahmerschwarm anzuschließen und das, was einmal genial erfasst worden, bis an die äußerte Grenze des Möglichen, ja bis zur Karrikatur fortzuführen.

Da haben wir z. B. gleich jenes lächerliche Anschmachten der Natur, das bei uns nachgerade zur Mode geworden. Es ist aber unnatürlich, und daher widerwärtig und läppisch. Wie oft sind schon die „verführerische“ Nachtigall und die „jauchzende“ Lerche apostrophirt worden, wie oft wurden der Zauber der Mondnacht, das Rauschen des Hochwalds und alle die Blumen und Blümchen angesungen, — und doch wird diese Art von Poeten nicht müde, stets dasselbe Lied anzustimmen! Ja, würde man wenigstens die Natur als Grundlage für die eigene Seelenstimmung nehmen, dann ließe sich das ganze Geleier noch leidlich ertragen, weil dann die besungenen Eindrücke immer noch einer gewissen Potenzierung fähig wären. Doch bewahre! Meistens begnügen sich unsere Dutzendpoeten damit, uns bloße „landschaftliche Stimmungsbilder“ zu geben, ohne darauf Rücksicht zu nehmen, dass der Leser sich nicht immer in jener poetischen Stimmung befindet, um ihnen aufs Wort glauben zu können. In der Wirklichkeit nehmen sich diese Naturbilder viel prosaischer aus — und deshalb gestehe ich offen, dass ich, sobald mir derlei Poesien in die Hände fallen, mich infolge einer sonderbaren Ideenassoziation unwillkürlich an Heines prächtiges „Gespräch auf der Paderborner Haide“ erinnere:

Hörst du nicht die fernen Töne,
Wie von Brummbass und von Geigen?
Dorten tanzt wohl manche Schöne
Den geflügelt leichten Reigen.

„Ei, mein Freund, das nenn' ich irren,
Von den Geigen hör' ich keine,
Nur die Ferklein hör' ich quirren,
Grunzen nur hör' ich die Schweine.“

Hörst du nicht das Waldhorn blasen?
Jäger sich des Waidwerks freuen,
Fromme Lämmer seh' ich grasen,
Schäfer spielen auf Schalmeien.

„Ei, mein Freund, was du vernommen,
Ist kein Waldhorn noch Schalmeie;
Nur den Sauhirt seh' ich kommen,
Heimwärts treibt er seine Säue!“

Es ist auch, wenn irgendwo, so hier gewiss das geistreiche Wort Juvenals „Difficile est satyram non scribere“ vollends am Platze. Man könnte mir zwar einwenden, dass das alles in der Lyrik als der subjektivsten Dichtungsart, gar nicht anders sein könne. Allein ich behaupte, dass eine Subjektivität, welche in bloße Gefühlsduselei ausartet, immer nur eine krankhafte Ueberreizung bedeutet und für die Poesie niemals von Nutzen sein kann. Eine reale Grundlage muss die Lyrik immer besitzen, weil wir sonst in eine unseren Gefühlen fremde Sphäre hineingezerrt würden und das Gedicht selbst, statt auf das Gemüt zu wirken, bloß die Phantasie anregen könnte. Wenn demnach der Dichter die Natur zum Gegenstande seiner Poesie nimmt, so darf er sie weder lustig noch traurig machen, noch ihr überhaupt Eigenschaften zuschreiben, welche ihr fremd sind, sondern sie, so wie sie ist, nur zum Hintergrund seiner eigenen Seelenstimmung nehmen. Das erstere Verfahren führt zu leerer Sentimentalität und Gefühlständelei, das letztere giebt der Poesie immer einen gesunden und kräftigen Zug, der sie von der ganzen Mondschein-, Sternenschimmer- und Vogelsang-Lyrik erheblich unterscheidet. Welche komische Rührseligkeit atmet — um für die letztgenannte Kategorie von Gedichten nur ein Beispiel anzuführen — folgendes, „Spaziergang“ überschriebene, Gedichtchen von S. Heller:

Ich möchte gern den ganzen Tag
Im Lenzeswehn
Bei Finkenpfiff und Lerchenschlag
Spazieren gehn.

Vor jedem Blümchen auf der Au
Still niederknien,
Der Erde Grün, des Himmels Blau
Still in mich ziehn.

O Seligkeit, du füllst mir ganz
Die freie Brust!
Wenn längst vorüber all der Glanz
Bleibt deine Lust! —

Ich habe hier das Gedicht bloß angeführt, um die ganze Gattung zu charakterisiren, wenn es auch die volle Höhe sentimentaler Schwärmerei bei weitem noch nicht erreicht. Das Lied sieht wahrhaftig darnach aus, als wenn es noch aus der Zeit eines Hölty, Matthison, oder der Romantiker herrühren würde, — wie denn überhaupt diese ganze Lyrik uns wie ein Ueberbleibsel aus vergangenen Jahrhunderten anmutet. Ihren besten Ausdruck findet übrigens diese Naturlyrik in jener Gruppe von Gedichten, die ich die Jahreszeitenpoesie taufen möchte. „Frühlingssehnen“, „Sommerschwüle“, „Herbststimmung“, „Winterahnung“ — das sind beiläufig die Titel jener Gedichte, welche in unsern belletristischen Zeitschriften jahraus, jahrein mit ergötzlicher Pünktlichkeit erscheinen. Sie werden von unserem Publikum gar nicht mehr gelesen, weil sie in verschiedenen Worten fast ausnahmslos dasselbe aussprechen. Natürlich dasselbe! Denn die Natur bleibt in ihren Gesetzen unwandelbar, in ihren Erscheinungen unabänderlich, — und daher sind auch die Eindrücke, die sie auf das menschliche Gemüt macht, ewig dieselben, wenn sie auch in einzelnen Nuancen verschieden scheinen. Das Alles ist aber schon so unzählige Male gesungen worden, dass man die Zähigkeit und Ausdauer unserer Poeten nur bewundern muss. Ich erinnere z. B. nur an jene Unzahl von Gedichten, welche dem „wunderschönen Monat Mai“, in dem ja jeder Ladenschwengel poetisch wird, ihr Dasein zu verdanken haben! Man müsste eben eine gewaltige Kraft des Gefühls und der Phantasie besitzen, um diesem ganz durchgesungenen Stoffe noch neue Seiten abzugewinnen, — und diese Eigenschaften gehen ja unseren Eintagspoeten völlig ab. Dafür gewähren aber derartige Stoffe für das freie Umberschweifen der Gefühle den weitesten Spielraum — und das ist das ganze Geheimniss ihrer Beliebtheit.

Neben dieser Naturpoesie hat indess noch eine andere Kategorie von Gedichten das Verdienst, uns das Vergnügen an lyrischen Dichtungen gründlich verleidet zu haben. Ich meine die Liebespoesie. Allerdings kann man hier in Lob und Tadel nicht vorsichtig genug sein. Denn die Liebe ist das schönste und edelste, weil selbstloseste Gefühl, dessen das menschliche Herz fähig ist, und als solches schon an und für sich für die Kunst und speziell die Poesie von höchstem Werte. Sie ist aber zugleich auch eine der wichtigsten Triebfedern des menschlichen Lebens und Strebens. sie ist in ihren mannigfachen Gestalten selbst in unserer „verdorbenen“ Zeit noch ein wichtiger spiritus rector unserer Handlungen, — darf also von der Kunst, welche sich doch nur an das wirkliche Leben anlehnt, keineswegs unterschätzt, noch weniger aber übergangen werden. So spielt denn auch die Liebe in allen Dichtungsarten seit undenklichen Zeiten eine bedeutende Rolle. Es ist mir kein Drama erinnerlich, in welchem, wenn die Liebe nicht zur Haupthandlung gehört, nicht wenigstens eine kleine Liebelei als Nebenhandlung herginge. Auch in epischen Dichtungen geht es fast nie ohne Liebe und Verliebtsein ab. Geschweige denn in der Lyrik, welche ja der Ausdruck unseres inneren Lebens ist! Seit Anakreon und Horaz tönt uns denn auch das Lied der Liebe in den mannigfachsten Variationen aus dem Strome der Jahrhunderte entgegen. Auch unsere deutsche Lyrik hat dem Gefühle der Liebe manche kostbare Perle zu verdanken; ich brauche, um dies zu erhärten, bloß Goethes und Heines Namen zu nennen. Freilich sind auch manche falsche Perlen darunter. Denn das Gefühl der Liebe ist in seiner Elastizität und Modulationsfähigkeit fast unbegrenzt, und ich kann es daher, ohne der Uebertreibung geziehen zu werden, behaupten, dass es kaum einen Lyriker giebt, der nicht bereits Liebeslieder und Liebesklagen in die Welt geschickt hätte. Ob aber auch Alle die Wonnen und Schmerzen der Liebe selbst empfunden haben? Sicherlich nicht. Viele, sehr viele besingen die Liebe in rührendsten Tönen, obwohl ihnen diese nur vom Hörensagen bekannt ist. Sie sind bloße Theoretiker und scheuen sich dennoch nicht, ihre Liebeslieder dem Publikum aufzudringen, lediglich, um es den Anderen auch einmal gleichzumachen! Ein solches Verfahren ist jedoch ebensowenig für den Dichter selbst, als für die Lyrik ersprießlich, weil es zu lebloser Nachahmung führt und diese wieder zu leerer Phrasendrescherei, welche, wenn sie auch nicht immer die Dürftigkeit des Inhalts verdecken soll, auf den Leser stets einen peinlichen und abschreckenden Eindruck macht. Anempfundene Liebe! — kann es was Lächerlicheres geben? Kann es möglich sein, dass ein solches Gedicht jene volle Glut der Empfindung atme, die das Kennzeichen und Erforderniss wahrer Lyrik ist? Kann es möglich sein, dass ein solches Gedicht der Aufgabe der lyrischen Poesie entspreche, wenn der Dichter nicht seine eigenen, sondern von Anderen besungene Gefühle singt? Daher auch diese Mattheit und Hohlheit des Inhalts trotz dem bauschigen äußeren Gewande. Daher dieses ewige Einerlei von Lust und Brust, von Herzen und Schmerzen, von Liebe und Triebe, und wie diese abgedroschenen Reime noch sonst lauten mögen. Daher diese affektirte Empfindelei, welche, wenn sie wirklich bestünde, die Dichter unzweifelhaft an die Schwelle des Irrenhauses führen müsste? Man sieht es deshalb all diesen Gedichten leicht an, dass sie nicht aus dem Herzen strömen, sondern im Angstschweiß ausgeheckt wurden. Ich kann bei dieser Gelegenheit füglich den sinnreichen Ausspruch Goethes citiren, der da einmal sagt, die neueren Dichter täten viel Wasser in ihre Tinte hinein. Denn in der Tat werden uns dort auch statt echter, frischer Gefühle nur wässerige Lösungen derselben geboten. Welchen Eindruck dies aber macht, das weiß nur der zu sagen, dem (man verzeihe mir dieses Gleichniss) einmal statt echten, unverfälschten Rebensaftes künstlich verdünnter Wein vorgesetzt wurde. — Ich glaube, der Leser wird mir die nähere Begründung des Gesagten durch Beispiele erlassen; es wäre mir ungemein schwer eine Auswahl zwischen Gedichten zu treffen, die an Absonderlichkeit einander überbieten. Der beste Beleg für die Wahrhaftigkeit des Obengesagten ist ja das einstimmige Tadelsvotum, das heute allenthalben gegen derlei Liebesergüsse sich vernehmen lässt. Sowohl Zeitschriften, als auch Publikum und Kritik lehnen derartige Gedichte rücksichtslos ab — und das will viel besagen. Das bedeutet, dass wir der endlosen Phantastereien schließlich doch überdrüssig wurden. Wir verlangen, dass man mit gereimten Liebesbriefen endlich aufräume, dass man statt überschwenglicher Alfanzereien, Urwüchsiges, der Wirklichkeit Entsprechendes uns biete. Originalität und Frische sind daher die Haupterfordernisse der modernen Lyrik.

Originalität und Frische! Wie schwer sind diese aber zu erreichen und wie leicht schlagen sie in blasse Kuriosität um! Ein Blick auf die Strömungen in der zeitgenössischen Lyrik wird wohl die Richtigkeit dieser Behauptung bestätigen. Man wollte sich von den Banden des Herkömmlichen befreien, man wollte die deutsche Lyrik auf neue, noch unbetretene Geleise führen, statt aber vorwärts zu schreiten, tat man eine gewaltige Schwenkung nach rückwärts — bis tief in das Mittelalter hinein. So enstand jene zierliche, zuckersüße Minnepoesie, welche ich, wenn sie auch manche köstlichen Früchte gezeitigt hat, im Ganzen und Großen dennoch nur als traurige Verirrung bezeichnen muss. Denn was soll jetzt, am Ausgange des neunzehnten Jahrhunderts diese Auffrischung des Mittelalters? Soll das eine Rückkehr zur romantischen Schule bedeuten, dann hat eine solche sicherlich keine Berechtigung, — weil die Romantiker, wenn sie auch sehnsüchtig ihr Auge nach dem Mittelalter wandten, dies doch nur in Befolgung eines Grundsatzes taten, von dessen Berechtigung sie vollkommen überzeugt waren. Allein unsere modernen Minnesänger taten das bloß in der ehrgeizigen Absicht, auch einmal etwas Eigenartiges zu schaffen. Es ist aber immer ein trauriges Zeichen des Verfalls, wenn man sich auf längst überwundene Standpunkte wieder zurückstellt! Jos. Victor von Scheffel war es, der mit seinem prächtig-kecken „Trompeter von Säkkingen“ den Reigen eröffnete. Die hundert und einigen Auflagen, die das Buch erlebte, sind ein Beweis dafür, dass er den Nagel auf den Kopf zu treffen gewusst habe, indem er die herkömmlichen Bahnen der Lyrik verließ.*) Bald folgte indessen der Fluch der guten Tat. Der Damm war einmal gebrochen und nun stürzte die Flut brausend herein. Allenthalben erscholl jetzt in Deutschland süßlicher Minnegesang. Vaganten, fahrende Scholare, Bakchanten etc., waren die Vermummungen, unter welchen die modernen Troubadours auftraten. Es war in der Tat wie ein verrückter Mummenschanz, welcher nur zu bald die Grenzen des poetischen Anstandes überschreiten sollte. Man peitschte — wie das Goethesche Kraftwort lautet — den Quark, um zu sehen, ob nicht etwa daraus Crême werden wolle. Anfänglich hatte diese Poesie bei dem Publikum vielen und lauten Beifall gefunden; denn wenn sie auch nichts Modernes enthielt, vielmehr im Gegenteil den Moderhauch der Jahrhunderte atmete, so war sie dennoch originell und von sprudelnder Heiterkeit und Frische. Bald artete sie indess in leeres Reimgeklingel aus, in der Form von gekünstelter Unbeholfenheit, im Inhalt voll lüsterner Sinnlichkeit. Wolffs „Rattenfänger von Hameln“, Grisebachs „Tanhäuser“, Baumbachs „Lieder eines fahrenden Gesellen“ und „Spielmannsweisen“, Hirschs „Vagantenlieder“ und Gensichens „Felicia“ — das sind meines Erachtens die Marksteine, welche die allmähliche Entwicklung und Entartung dieser Poesie bezeichnen. Wie rührend unbeholfen klingen beispielsweise folgende Anfangsstrophen eines Vagantenliedes von dem sonst nicht unbegabten Fr. Hirsch:

Lässest mir fürder keine Ruh'
Leonore von Poitou.

---

*) Wir glauben hierzu bemerken zu müssen, dass, wie die Erfahrung im Allgemeinen lehrt, alle mittelmäßigen Bücher in Deutschland eines gewissen buchhändlerischen Erfolges sich erfreuen. Wirklich hervorragende Novitäten erringen sich gewöhnlich nur einen kleinen Leserkreis, weil sie für das große Publikum, welches bekanntlich seinen Verstand nicht gern anstrengt, zu schwer verständlich sind. Das ist in der Regel der Fall, keine Regel aber ohne Ausnahme.
Anmerkung der Redaktion.

Angliae regina!
Schönste du in Nah und Fern,
Von Paris bis nach Faiern,
Von Mailand bis Messina.

Die du trägst die Königskron',
Ach, wie süßen Liebeslohn
Giebst du deinen Treuen!
Stand ich vor Westminsters Tür,
Als du, Stolze, tratst herfür,
Lust für Pfaffen und Laien.

Dieses schlotterige Versmaß, diese gesuchten Reime — nimmt sich das Alles nicht geradezu lächerlich aus? — Jedenfalls ist es im höchsten Grade abgeschmackt, derartige Machwerke dem Publikum ernsthaft bieten zu wollen und ich glaube bestimmt, dass diese ganze Richtung sich nun endglütig den Boden unter den Füßen selbst entzogen hat!

(Schluss folgt.)

Lemberg. S. Wollerner.

Rückblicke auf das französische Litteraturjahr Fünfundachtzig.

„Ehre dem Ehre gebühret." Fangen wir also mit der Académie Française an. Sie hat die Freude der Engel gehabt, einen reuigen Sünder in ihren Schoß aufnehmen zu dürfen, Ludovic Halévy, den langjährigen Mitarbeiter Meilhacs, den Halbparterzeuger der berühmtesten Offenbachiaden, der schönen Helena und der Großherzogin von Geroldstein. Der Wahn bei ihm war lang und damit die Herren Vierzig das „Dignus es intrare" haben anstimmen können, genügte es einer kurzen Reue. „Courte mais bonne" lautet der Wahlspruch französischer und auch nichtfranzösischer Lebemänner. Dasselbe gilt von Halévys Bußübung; sie heißt: „L'abbé Constantin". Das Ding an sich, dem die Revue des deux Mondes, die Präparandenanstalt der Akademie, Ende einundachtzig beide Flügeltüren öffnete, ist recht hübsch, noch hübscher das maliziöse Vergnügen, welches sich der Verfasser giebt, darin mit allerlei Leuten zu liebäugeln, den Frommen, den Freidenkern und der amerikanischen Kolonie zwischen Arc de Triomphe und Madeleine. Auf dem Bußgang schon treibt Reinecke seinen Schabernack. Was wird er erst tun, nun er die Absolution empfangen?

Die Akademie hat alljährlich, trotz der sogenannten Unsterblichkeit ihrer Herren Mitglieder, ein paar Sitze zu vergeben; es vergeht aber manchmal ein Jahrzehnt bis der Machthaberposten eines „Administrateur général" an dem Theâtre Français vakant wird. Perrin, der letzte Direktor, ist dem Institut beinahe ebensolange wie H. Laube dem Burgtheater d. h. fünfzehn Jahre vorgestanden. Die letzten Monate hindurch kränkelte er und musste vom Minister der schönen Künste einen Adlatus beigesellt bekommen. Alsobald erklärten die Pariser die Succession für offen und die berufenen und unberufenen Herrn von der Feder besprachen in Leitartikeln die Frage: a) welche Eigenschaften muss ein Direktor des Theâtre Français besitzen; b) welches ist die geeignetste Persönlichkeit?

Sehr delikat war nun dies freilich nicht, besonders einem Kranken gegenüber, der sich mit allen ihm noch zu Gebote stehenden Kräften gegen das Aufgeben seiner Tätigkeit wehrte; aber es beweißt wie sehr die Frage nicht bloß das spezielle Publikum, sondern so zu sagen ganz Paris in Anspruch nahm. Sie wurde gerade zur Zeit der allgemeinen Wahlen erörtert und konnte diesen, die doch eine Lebensfrage waren, eine erfolgreiche Konkurrenz machen. Der Minister ernannte Herrn Jules Claretie. Er hat viele Romane geschrieben, mehrere davon wurden dramatisirt: „Monsieur le Ministre" und „le Prince Zilah" mit Erfolg gegeben. Dabei schrieb er seit Jahren Theaterkritiken und wöchentlich einmal im Temps über alles Merkwürdige, was im Laufe der letzten acht Tage in Paris sich zugetragen hatte. Durch diese letztere Tätigkeit besonders bewies er, dass er im Stande sei, Allem und Allen gerecht zu werden, wie er denn auch in seinem Vorwort zur französischen Uebersetzung von P. Lindaus „Herr und Frau Bewor" dies der deutschen Litteratur gegenüber bewiesen hat. Ist sie bekannt in Deutschland diese Vorrede, wie sie es verdiente?

Doch sollte der oder jener, der sie zur Hand nimmt und mit Staunen zur Einsicht kommt, dass es Franzosen giebt, die den deutschen Litteraturprodukten gerecht zu werden wissen, aus dem Umstande, dass einer dieser wenigen Gerechten der jetzige Direktor des „Français" ist, den Schluss ziehen wollen, nun werde man endlich auf dieser exklusivsten aller Bühnen hie und da etwas Deutsches zu hören bekommen, den „Faust" zum Beispiel, und wäre es auch nur eine Adaptation wie die englische der Lyceums, „Irrtum", hieße es da, „Irrtum, lasst los der Augen Band!" Teufel sind just die Pariser keine, spaßen tun sie aber gern und Goethes Meisterwerk käme ihnen nicht spaßhaft genug vor. Sie sind nun einmal so und die Selbstgenügsamkeit erscheint ihnen, vorab auf dem dramatischen Gebiet, die Tugend aller Tugenden zu sein.

Selbstgenügsamkeit ist, wie männiglich bekannt, nicht gleichbedeutend mit Bescheidenheit, wozu der gute Zola mit seiner Censurgeschichte und seinem „Germinal" sich beflissen hat den eklatantesten Beweis zu liefern.

Unter dem zweiten Kaiserreich machte diese Behörde oftmals von sich reden und die guten Pariser hatten sie mit dem langweiligsten aller Frauennamen belegt: sie nannten sie „Anastasie". Seitdem war sie ungefähr verschollen. Die dritte Märtyrerin dieses Namens hat, vor Justinians Nachstellungen fliehend, fünfundzwanzig Jahre lang als Mönch verkleidet, in einem Kloster zu Alexandrien leben und unerkannt zuletzt daselbst sterben können. Ihre Pariser Namensschwester, weniger glücklich, ist ihrem Stillleben entrissen worden, um einem Stücke Zolas das in pace zu öffnen.

Der Löwe hat darauf ein fürchterliches Gebrüll erhoben und die verantwortlichen Urheber des Interdikta, den Minister der schönen Künste und seinen Unterstaatssekretär mit seinen mächtigen Tatzen angefallen und zerfleischt, dass nur so blutige Menschenteile in der Luft herumflogen. Diese Exekution wurde im „Figaro" vollzogen und zwar nicht im Namen der Freiheit, sondern in demjenigen der misskannten, mit Füßen getretenen Rechten der „Litteratur".

Herr Zola nämlich, indem er in seinem Roman „Germinal" das Leben der Grubenarbeiter in den Kohlenwerken Französisch-Flanderns schilderte, indem er die verschiedenen Phasen und Momente eines Grubenstrikes beschrieb, bildete sich ein, einzig und allein auf litterarischem Gebiet tätig gewesen zu sein, natürlich auf demjenigen des alleinseligmachenden Naturalismus.

So lange dies wirklich der Fall war, hat man seine zu Dramen umgestalteten Romane „L'Assomoir" und „Nana" ruhig ihre zwar sehr abgeschwächten Rohheiten auf der Bühne sich produziren lassen. Es konnte ja ein philanthropischer Minister sich sogar einreden, „L'Assomoir" werde den Vorstadtvätern einen heilsamen Schrecken vor der Trunksucht einflößen und Nana sei im Stande, die Faubourgmütter dahin zu vermögen, dass sie ihre Mädels ordentlich in die Schule schicken und nicht mit jungen Schlingeln herumlaufen lassen.

Trotz aller Philanthropie aber musste dasselbe Ministerherz (es ist aber nicht dasselbe, die Portefeuilles an der Seine sind etwas fallsüchtiger Komplexion) die Furcht hegen, besonders wenn es etwas zaghafter Natur war, Paris, das soeben einen seiner Abgeordneten mitten aus den flandrischen Strikern herausgewählt hatte, könne Ernst machen bei dem Spiel auf den Brettern und für die unterdrückten Kohlenbrüder gegen die heilige Hermandad, die im Hintergrunde ihre Flintenläufe blicken lässt, Partei ergreifen.

Und „Germinal" fiel! — und steht nicht wieder auf, selbst jetzt nicht, wo man einen Präfekten versetzt oder abgesetzt hat, weil in seinem Departement die Grubenarbeiter nur einen Mineningenieur und nicht die ganze Aktiengesellschaft defenestrirt haben.

Daudets Talent erkennt Zola an, obgleich dieser nicht für gut gefunden hat, für seine Romane eine Theorie aufzustellen und sich aus derselben heraus nachgehends selbst zu exegetiren. Von ihm lernen scheint er aber nicht zu wollen, und doch hätte er kurz nach dem Germinalskandal an der dramatisirten „Sapho" sehen können, wie für die Bühne Manches muss gestrichen werden, was in dem Roman zwar mehr oder minder anstößig, aber nichts desto weniger notwendig erscheint.

„Sapho" ist vielleicht der Daudetsche Roman, in welchem das weibliche Laster, und zwar sogar in seinen unnatürlichsten Erscheinungen, am meisten zur Sprache kommt, selbstverständlich ohne Aufwand von pornographischen Beschreibungen. Nun diese Studie bühnengerecht gemacht worden, ist dieses sittlich Anstößige — was dem politisch Unstatthaften in „Germinal" entspricht — verschwunden und die rein menschliche Leidenschaft des Helden zu einer, im Stück noch jugendlichen, Hetäre genügt vollkommen ein ganzes, tiefergreifendes, modernes Schau- und Trauerspiel auszumachen, wenn sich auch die Titelheldin nicht vergiftet, sondern bloß verduftet.

Daudet ist eben in der Rue Bellechasse derselbe große und bescheidene Menschenschilderer geblieben, der er im Marais und am Luxembourg war, ein liebevolles Herz, wie die Evangeliste beweist und wie er es ebenso durch die Fahrt bewies, die er mit Zola in den letzen Tagen des verflossenen Jahres unternommen. Sie besuchten einen Sterbenden, den armen jungen Deprez, der wegen allzu krasser Schilderungen in „Autour d'un clocher" zu einem Monat Gefängniss verurteilt, dasselbe inmitten der Verbrecher und Gauner absolvirte.

Er hatte nicht die leicht zu erhaltende Autorisation begehren wollen, seine Strafzeit in einer Heilanstalt abzusitzen; er bestand darauf, der Märtyrer seiner litterarischen Ueberzeugung zu sein und stellte sich, schon krank und wohl wissend, dass diese vier Wochen Spinnhaus sein Tod sein würden. Er hat also selbst erdulden wollen, was er erduldet hat. Sein Schicksal war ein bedauerliches und der Besuch der zwei Koryphäen gewiss ein Labsal für den Sterbenden. Wer aber die Beiden kannte, wusste, dass Daudet still die Sache in sich verarbeiten und sie langsam zu einem schmerzlichen Kunstwerk umgestalten, Zola sie aber an die große Glocke hängen würde. Die Philippika ließ nicht auf sich warten. Natürlich ist sie mit einem prächtigen Finale versehen zu Ehren derselben Litteratur, der man durch die Interdiktion Germinals die Lebensader unterbunden und wer dabei nicht an den Antonius denkt, der mit dem Leichnam Cäsars Geschäfte macht, der kennt eben seinen Shakespeare nicht, wie wir ihn in Frankreich kennen, wenn wir ihn auch nicht, oder nur im Odéon, aufführen.

Versailles. James Klein.

Grazia Pierantoni Mancini.

Un Giornalista. Il mio Matrimonio etc. Napoli. Antonio Morano 1885.

Die beliebte italienische Romanschriftstellerin, welche bei dem deutschen Publikum zuerst durch Fanny Lewald eingeführt wurde und deren Romane „Lydia" und „Vom Fenster aus" in deutscher Uebersetzung rasch Verbreitung und Anerkennung gefunden haben, bietet uns in dem vorliegenden Bande eine Sammlung von Skizzen und Novellen, im Ganzen sieben, von denen die Meisten zuvor in der Nuova Antologia (bekanntlich eine der besten italienischen Zeitschriften) erschienen waren.

Wie verschieden dieselben untereinander sein mögen, einen Vorzug haben sie Alle mit einander gemein: Naturwahrheit und Lebendigkeit der Darstellung. Die Verfasserin greift hinein ins volle Menschenleben, nimmt den Stoff meistens aus ihrer nächsten Umgebung und weiß ihn, als gottbegnadete Dichterin, so zu behandeln, dass die Gestalten allgemeines Interesse gewinnen, ohne etwas von ihrer ursprünglichen Individualität einzubüßen.

Um ihr Verdienst in dieser Richtung völlig würdigen zu können, muss man freilich mit den Originaltypen, welche ihr zum Vorwurf dienten, genauer bekannt sein, als die gewöhnlichen Touristen, welche noch dazu geflissentlich alles Italienische in rosenfarbenem Lichte anzuschauen belieben, oder gar als solche deutschen Leser, welche ihre Kenntniss italienischer Zustände fast ausschließlich aus jenen zarten duftigen Novellen geschöpft haben, welche die Nachblüte einer „goldenen Italiafahrt“ zu sein pflegen. Solchen Lesern werden manche von Frau Pierantonis Gestalten „fremdartig“ erscheinen, weil sie ihren vorgefassten Meinungen nicht entsprechen, — eben weil sie wahr und keine bloßen Phantasiegebilde sind.

Es giebt ein drastisches, wie mich dünkt allgemein bekanntes Doppelbildchen „Wie der Berliner sich die schöne Sennerin gedacht hat“ und „Wie die schöne Sennerin aussah“. Hieran möchte ich alle durch „Süßmacher“ verwöhnte Leser erinnern, ehe sie dieses Buch zur Hand nehmen. Nur wenn sie ihre Voreingenommenheit bei Seite lassen, werden sie die ergreifende Poesie in der rührenden Gestalt des armen Journalisten erkennen, so wie das tiefe Pathos, was in seiner armseligen elenden Umgebung liegt.

Nach unsrer Ansicht hat die Verfasserin recht getan, diese Erzählung voranzustellen; sie vereinigt alle Vorzüge, die zum größten Teil auch den übrigen eigen sind, in vollem Maße und ist in ihrer Art ein wahres Kabinetstück. Dieses knappe Bildchen aus dem neapolitanischen Kleinleben eröffnet uns einen tieferen Einblick in die Eigenart des armen, gutmütigen, verkommenen und gedrückten Volkes, das in den elenden Gassen und Winkeln der schönsten Stadt Süd-Italiens lebt und webt, als manche der langen Abhandlungen, die neuerdings über Neapel geschrieben sind.

Die ergreifende Geschichte beruht im Wesentlichen auf einer wahren Begebenheit, eben so, wie die letzte der Sammlung „Melilla“, in welcher Frau Grazia, deren Wohltätigkeit und echte Humanität minder bekannt, aber wahrlich nicht minder schätzenswert sind als ihre dichterische Begabung, mit einer Mischung von wehmütigem Bedauern und köstlichem Humor, ihren Versuch schildert, ein verwahrlostes Kind aus dem Volke in ihrem eignen Hause zu allem Guten heranzuziehen und zu einem ordentlichen und brauchbaren Menschen zu machen, ein Versuch, der trotz aller Liebe und Geduld, nicht allein an dem von frühester Kindheit auf durch und durch verderbten Wesen des kleinen Mädchens, sondern mehr noch an dem verhängnissvollen Einfluss seiner sittenlosen Mutter scheitert. Melilla und ihre Mutter sind bis ins Kleinste gezeichnete individuelle Gestalten, und doch Typen, wie sie Jedem, der Neapel genau kennt, nur allzu oft begegnet sein werden.

„Die schönsten des Dorfes“ und „Ostersonnabend in einem Dorfe in Campanien“ sind zwei kleine Dorfgeschichten, letzteres eigentlich nur eine Skizze, in ihrer Art eben so lebenswahr wie die Bilder aus Neapel. Sie sind entstanden in der schönen Villa zu Centurano bei Caserta, recht mitten im glücklichen Campanien, wo Frau Grazia in stiller Zurückgezogenheit einige Sommer- oder Herbstmonate zu verleben pflegt. Don Fuligno (allerdings anders geheißen) ist der Pfarrer des Ortes, der dicke, rote, mürrische Pfaffe, der die Dorfmädchen freilich dazu anhält, Abends regelmäßig als Figlie di Maria in der Kirche zusammenzukommen, um das Ave zu singen und den Rosenkranz zu beten, auch an Festtagen in einem Staate zu erscheinen, für den die armen abgearbeiteten Geschöpfe sich den Bissen vom Munde absparen müssen, der aber von der Milde und Sanftmut des christlichen Seelenhirten gar wenig hat, und der in der Tat die Schande einer Gefallenen dem ganzen Dorfe dadurch kund tat, dass er sie nicht stillschweigend aus dem Verein der „Töchter Marias“ ausschloss, sondern dazu das Seelenglöcklein läuten ließ, wie für eine Sterbende. Sein Rundgang durch den Sprengel, wo er am Sonnabend in der Charwoche die Häuser weiht und die Ostergaben in Empfang nimmt, ist unübertrefflich geschildert.

Die Teilnahme des Lesers wird sich besonders dem armen zwerghaften Ciccillo zuwenden, der es im Dienste des „gottlosen“ Deputato wohl besser hatte, als bei dem geistlichen Herrn. Das Urbild des frommen, milden Don Giacomo, des Geistlichen wie er sein soll, ist auch in Centurano zu finden, eben so das Haus des alten Barons mit dem aufopfernd treuen Diener. — Wer wie ich bei monatlangem Aufenthalte in Campanien und Neapel Gelegenheit hatte, Land und Leute gründlich kennen zu lernen, darf sich wohl das Urteil erlauben, dass in diesen Skizzen die Lokalfarbe eben so vorzüglich getroffen, wie die Gestalten meisterhaft gezeichnet sind.

„Meine Verheiratung“, die zweite Erzählung in diesem Bande, führt uns in eine ganz andere Sphäre. Eine kürzlich vermählte feingebildete Frau erzählt einer Freundin die Geschichte ihrer Verheiratung. Das psychologische Interesse konzentrirt sich dabei auf einen Punkt: beide Gatten hatten, scheinbar wenigstens, Grund aneinander zu zweifeln. Für die

Braut lag der Argwohn nahe, dass der Mann, dessen Verhältnisse sie, wenigstens für den Augenblick, für zerrüttet halten musste, sie um ihres grossen Vermögens willen begehre. Auf ihr, der makellos Beinen, lastete ein schlimmerer Verdacht, den sie mit der ahnungslosen Sicherheit der Unschuld bestärkte durch ihre liebevolle Sorgfalt für ein verlassenes Kind. Die Dichterin will die Liebe des Mannes und des Weibes in scharfen Kontrast stellen. Sie glaubt an ihn, das liebende Weib kann an der Ehrenhaftigkeit des Geliebten auch nicht einen Augenblick zweifeln. Er liebt sie mit Leidenschaft, trotz des in ihm aufsteigenden Zweifels, den, gleich nach der Trauung, die wohlgemeinte aber übel angebrachte schriftliche Warnung eines Freundes fast zur Gewissheit macht. In dem Moment höchster Erregung zeigt er ihr den Brief; sie sieht den Kampf der Leidenschaften in seiner Seele, und plötzlich zuckt in ihr der Gedanke auf, dass er trotz seiner Liebe an ihrer Ehre zweifeln könne! Wenn das möglich ist, beschliesst sie ihn sofort zu verlassen. Aber noch ehe es zum Aeußersten kommt, wird durch einen Brief von der Mutter des Knaben der Beweis ihrer eigenen Unschuld klar erbracht und dadurch eine glückliche Lösung herbeigeführt. Das Problem ist ein sehr gewagtes; wie geschickt es auch behandelt sei, es geht, nach unserer Ansicht, an der Grenze des Unschönen hart vorbei. Der Vortrag aber ist spannend und fesselnd im höchsten Grade.

Uxoricidio ist ein wundersames Nachtstück — das Bekenntniss eines Unglücklichen, der den Tod seiner geliebten Gattin verschuldet hat oder verschuldet zu haben glaubt, und dadurch in Geisteszerrüttung gefallen ist.

Wir empfehlen diese Sammlung nicht als bloße Unterhaltungslektüre, sondern als einen interessanten Beitrag zur Kenntniss italienischen Lebens und italienischer Sitten.

Rom. Th. Hoepfner.

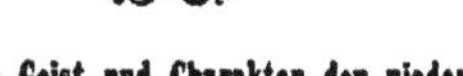

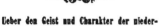

Ueber den Geist und Charakter der niederländischen Poesie.

Von Ferdinand von Hellwald.

(Schluss.)

Betrachten wir überhaupt jedes holländische Gedicht, so zeigt es uns als Hauptmerkmal der äußerlichen Form eine ungewöhnliche Länge. Gleichsam die breite Behäbigkeit des ganzen Volkes spiegelt sich in demselben ab. Der Holländer kann nicht leicht Viel in wenig Worten sagen, er muss seine Gedanken mit derselben Ausführlichkeit dem Leser auseinander setzen, mit der er eine Rechnung für den Schuldner zu Papier bringt. Die Poesie gewinnt aber nicht durch eine solche weitschweifige Behandlungsweise; soll sie zünden, so darf kein überflüssiger Wortschwall den Gedanken ersticken; die wahre Poesie liegt im Gedanken; ist sie nur mühsam auf ein künstliches Gerüste leerer Worte geschraubt, so wird sie zum eitlen Reimgeklingel, und verfehlt Wirkung und Zweck. Wohl finden sich einige rühmliche Ausnahmen von dieser, ich möchte sagen, zur Regel gewordenen Weitschweifigkeit; leider sind dieselben in sehr geringer Anzahl. Jakob Lennep hat deren unter seinen Dichtungen mehrere aufzuweisen; ich erwähne namentlich: „Don Ramiro" und „Donna Inez". Bilderdijks „Oorring" gehört auch zu diesen schätzenswerten Ausnahmen.

Gewiss ist es eines der schönsten Vorrechte des Dichters, diejenigen Personen, die ihm teuer, in seinen Liedern zu besingen, zu verewigen. Allein auch hierin besteht eine Schranke, welche die holländischen Dichter höchst selten inne zu halten verstehen. Mag dieselbe nun aus was immer für einem Grunde entspringen, ich weiß jener kindlichen Naivetät keinen Geschmack abzugewinnen, mit welcher niederländische Poeten ihr Familienleben vor die Oeffentlichkeit zu bringen pflegen. Der erste Zahn, der erste Schritt, die Augen seines Kindes sind hinlängliche Stoffe, um einen holländischen Dichter zu einem seitenlangen poetischen Ergusse zu veranlassen, welcher von seiner Seite sehr warm gefühlt sein mag, für das Lesepublikum aber unmöglich von Interesse sein kann.

Geht man nun auf die in holländischen Gedichten, welche nicht didaktischen oder sagenhaften Inhaltes sind, vorzüglich herrschenden Leidenschaften ein, so verrät sich in denselben ein echt krämerhafter Platonismus, der neben einem zuweilen recht poetischen Aufschwung einen niederen Materialismus aufkommen lässt. Des öfter genannten Lennep Gedicht „Aan mijn vaderland" erfreut sich bis zum Schlusse einer echt dichterischen begeisterten Haltung — die am Ende angebrachte plumpe Lobpreisung des Holländer Herings vernichtet mit einem Schlage den ganzen günstigen Eindruck des Verstückes. In Uebereinstimmung mit dieser holländischen Blasirtheit ist auch der höchsten und erhabensten aller Leidenschaften, der Liebe, nur ein sehr schmales Feld in der holländischen Dichtung eingeräumt. Wo dieselbe zu Tage tritt, bindet sie sich nicht immer an die Regeln des Geschmacks und Anstands, und artet mitunter in lüsterne Frivolität aus. Schon Bilderdijk in seinen „Kusjens" — „Ingetoogenheid" und anderen mehr spricht eine mehr als von Liebe leidenschaftliche Sprache, wo er singt:

„Scheppen de brandenste kusjes van blosende gloiende wangen,
Tergen het swoegend albast, van een aanbidlijke borst;
Blijven op't dons, door den wellust van poezele tedere leden
Samengeschakeld, geklemd, boezem op boezem gedrukt;
Daar de begeerlijkste weelde, bij't suizende lippen gemurmel,
t'Lichnaam naar't kittlen de smart' slingert en buigt en verwringt;
Zinken in koesterende armen, bij't plukken der maagdlijke rozen;
Ploegen den liefijken beemd, d'akker, aan Cypris gewijd;
Vellen den drillenden thyrs in den bloeienden hof van Kupido;
Drinken het vuur met het oog, boezem en lendenen in;
Zweeten een' vruchtbaren dauw op Venus wellustigen gaarden;
Zwijmen, van oogleên en ziel even vermoeid en vermaat;
Deze, en nog andre, nog meer, nog onuitspreekbrer genuchten
Zijn aan de zulken vergund, wie Cytherea bemint!"

An einer anderen Stelle beschreibt er uns wollüstig den Kuss, wie folgt:

„Hoor nu, hoe gij in den gloed
t'Kußend mondtjen setten moet,
Om het zoetste zoet te koopen.
Niet te dicht en ook niet open.
Laat één plaatsjen — zoo is't vel —
Voor ons beider tongenspel:
Dat mijn zachte tandenbeetjens
Door de balsemige reetjens
Booren mogen zonder pijn:
En uw tongetjen het mijn
Zacht ontmoeten, liefijk klemmen,
Bevend in uw mondtjen swemmen,
Tot het, spartlend van vermaak
Aan mijn tong geschakeld raak."

Kann auch hie und da Gesang oder eine bildende Kunst, namentlich Malerei, den niederländischen Dichter zu wahrer Begeisterung entflammen, so bleibt doch die Vaterlandsliebe weitaus der Hauptmotor aller größeren Handlungen in der Holländischen Dichtung. Dies steht wohl mit der Geschichte der Nation in nahem Zusammenhange; von den frühesten Zeiten an darauf angewiesen, die Scholle an der sie klebten, gegen die feindlichen Angriffe des Meeres, zu verteidigen, trotzten sie mit der Zeit ihren heimatlichen Boden den häufigen Eingriffen der Nordsee ab, und lernten so unwillkürlich das Land lieb gewinnen, das sie sich selbst erkämpft. Mit derselben zähen Ausdauer und Unerschrockenheit, womit sie die Nordwestküste ihres Landes dem Meere abzwangen, behaupteten sie in späteren Zeiten ihre Unabhängigkeit gegen die Gelüste mächtiger Nachbarstaaten, ja gegen Europas mächtigste Monarchie — ihre Freiheit gegen innere Unterdrücker. Früh schon bildete sich unter ihnen ein mannhafter republikanisch-bürgerlicher Sinn aus, welcher besonders von dem großen und erfolgreichen Aufschwung der Nation im sechzehnten und zu Anfang des siebzehnten Jahrhunderts an, nach Außen in Krieg, Handel und Kolonisation, nach Innen in Gewerbfleiß und bürgerlichen Institutionen, in Wissenschaften und Kunst Tüchtiges leistete. „Dieses Zeitalter" — sagt Professor Siegenbeek — „war in jeder Beziehung so ruhmvoll für die holländische Nation, dass man nicht leicht in der Geschichte irgend eines andern Volkes eine ähnliche Periode des Glanzes und der Größe finden dürfte." Wurde auch späterhin dem Nationalsinne der Niederländer nicht mehr durch die Rückwirkungen einer bedeutenden Rolle auf dem Schauplatze der Geschichte das Gleichgewicht gehalten, jenes gewisse erhebende Gefühl, welches aus dem Bewusstsein einer großen Vergangenheit entspringt, kurz, die Vaterlandsliebe war zu tief in die Brust jedes Holländers gepflanzt, um daraus verdrängt werden zu können, und diese ist es auch, welche die niederländische Poesie mit ihren schönsten Zierden beschenkt hat, wenn auch ein Gleiches mit Bezug auf die prosaische Litteratur nicht gesagt werden kann, wo z. B. Hendrik Consciences „Leeuw van Vlaenderen" ein jeder weiteren Intrigue bares, bloß auf Untertanen-Treue und Vaterlandsliebe gestütztes, geradezu langweiliges Machwerk ist. So spricht van Duyse so recht den todesmutigen Hass des Holländers gegen Fremdherrschaft in diesem ebenso kräftigen als wahren Verse aus:

„Die slaverny veracht, kann ook den dood verachten"

Und Tollens in seinem „Zucht by de ramp van Leyden" malt mit den lebhaftesten aber natürlichsten Farben zugleich die Verzweiflung und die äußerste Erbitterung eines beim Anblick der Trümmer jener Stadt tief bewegten holländischen Gemütes. Wenn überhaupt der Niederländer gegen jede Nation, die seine Unabhängigkeit zu gefährden droht, einen ungezügelten Hass an den Tag legt, so gilt dies ganz besonders den Spaniern gegenüber, deren Andenken heute noch, unzertrennbar von dem Tyrannennamen Alba, in ungeschwächtem Hassgefühle in seinem Herzen fortlebt. — O. Z. van Haren hat sich zum herrlichen Dollmetsch dieser Leidenschaft gemacht:

„Laat gansch Europa weten,
Dat Spanjes rijk alhier voor euwig is vergeten,
Dat geen gebied op aard — hoe diep gegrond het schijn —
Daar't recht is onderdrukt, kan ooit bestendig zijn."

Ryswyck hat gleichfalls begeisterte patriotische Lieder aufzuweisen, unter denen das bereits genannte „Scheldelied" — ferner „Vlaenderen" — „De Nederlanden" — „'Holland" und andere mehr besonders erwähnt zu werden verdienen.

Kann außer dem großen Gedanken eifrigen Patriotismus noch etwas Anderes des Niederländers Seele begeistern, so ist es nur wieder der Ruhm und der Stolz seines Vaterlandes, oder gar dessen heimatlicher Boden mit seinen einförmigen Haiden und sandigen Dünen. — Der Holländer weiß, dass er das Recht hat auf seinen Rubens und van Dijk stolz zu sein; die „Schilderkunst" mit ihren Heroen vermag ihn deshalb zum Liede zu entflammen; die Liebe zur väterlichen Scholle ist auch nur ein Ausfluss der Vaterlandsliebe, und umgekehrt, — und deshalb excellirt der Holländer in der Schilderung der Landschaft und des ländlichen Lebens. Hendrik Conscience mag in der Zeichnung des vlämischen Natur- und Menschenlebens, C. van Schaik in der Dorfnovelle — Lulofs in der ländlichen Schilderung als Meister betrachtet werden.

Der Holländer ist kein Hitzkopf; er vermeidet sorgfältig alle Extreme; alles feurigere Aufstreben geht bei ihm in einer gewissen spießbürgerlichen Behaglichkeit unter — aller laute Klang dämpft sich zu holländischer Stille. Eine gewisse Neigung für das Mittelmaß in allen Dingen, eine Vorliebe für lederne Ruhe, für das Glück des Stilllebens sind unverkenntlich in seinem ganzen Wesen ausgedrückt. Am deutlichsten für den krämerhaft-naiven Geschmack des Holländers spricht der Umstand, dass das von kleinbürgerlich-lächerlichem Sinne strotzende Buch des „Vater Cats" während des ganzen siebzehnten und selbst noch bis spät ins achtzehnte Jahrhundert die populärste Lektüre des Niederländers bildete. — Wenn er am Winterabend beim warmen Ofen, in einen großblumigen Schlafrock gehüllt, den Inhalt aus buntgemalten Theetassen schlürft, so zieht er eine ruhig sich fortspinnende Lektüre, wo ihn ein lebhaftes Landschaftsbild auf

Augenblicke in den Sommer zurückversetzt oder ihm ein natürlich geschilderter Sonnenaufgang das fröhliche Zwitschern der Vögel vor den Geist zaubert, weit einem tragisch endenden Trauerspiele, oder einem bunt durcheinander flimmernden hochtrabenden Epos vor. Dieses letztere hat überhaupt nie an den Ufern der Maas geblüht, und fand in Arnold Hoogvliet (geb. 1687) seinen — ich möchte sagen — einzigen Repräsentanten; die Satire, obgleich dem Volksgeist nicht widerstrebend, verkümmerte unter Cats Feder zu gehaltloser Absurdität; vom Drama sei später die Rede. Holland ist das Feld der Lyrik; diese sagt dem friedliebenden, sanftmütigen Niederländer am besten zu. Auf diesem Gebiete hat auch die holländische Dichtung Namen aufzuweisen, welche, obgleich weniger gekannt, mit den ersten Größen fremder Litteraturen in die Schranken treten können. Ich nenne vom Vater Vondel ab nur Lucas Schermer, den von Hollands alter Seeherrlichkeit begeisterten Helmers, Tollens. Lennep — speziell für die Elegie Simons, für die Idylle Loosjes und andere mehr. Allerdings wurde dieser Teil der niederländischen Dichtung im vorigen Jahrhundert nicht wenig von der deutschen Lyrik beeinflusst. Das Verdienst einer glücklichen Auffassung so wie einer kunstgemäßen Durchführung kann jedoch den holländischen Lyrikern nicht streitig gemacht werden. Kann man sich etwas Innigeres als Tollens „lenteroosje“ oder „het geplukte bloemje“ denken? — hat je ein Dichter sich einer schwierigeren Aufgabe auf zartere Weise entledigt, als eben derselbe Tollens in seinem Gedicht „aan een gevallen meisje“? — Kann man ein lieblicheres Bild finden als dasjenige, welches der gleich Hooft von Italiens Sonne gebräunte Wellekens in seinem Fischerliede „Amintas“ vor uns entrollt?

„Gelijk de wind de wateren
En't popelloof doet klateren
Zo ruischt uw zoet gerucht
O jonge bloem, die bloeiende,
Zoo aangenaam zijt groeiende
In't eerste lentelucht.
Terwijl de windjes dartelen
De dunne golfjes spartelen
Zo bloeitge, o Roselijn.
Ik zie der vonkjes blikkeren
De heldre straaltjes flikkeren
Die in uwe oogjes zijn.

Folgt nicht die Seele jeder Empfindung des Dichters bei jener erhabenen Beschreibung des schwindenden Nordlichts in Tollens' „Nova Zembla“?

Het is het Noorderlicht.
Nu zien zij't siddrend aan, en bloedrood opwaarts klimmen,
En spellen wee — dan danst en speelt het aan de kimmen. - -
God dank! daar gaat een vonk van't sluimrend daglicht aan.
Zij zien het twijfeln — rokken't vallulk heftig neder —
En staren — ja, God dank! — de morgen schemert weder —
De maan verbleekt — de starren deinzen — heller glans —
Verlicht de klippen — beurt de kimmen — tooit den trans.

Zahllos wären die Beispiele einer vom wärmsten Gefühl durchglühten Lyrik, welche wir der holländischen Litteratur entnehmen könnten. Wollten wir das Feld noch näher beschränken, die niederländischen Balladen- und Volksliederdichter müssten entschieden den Sieg über manche weit größere europäische Litteratur davon tragen.

Ohne fürchten zu müssen, mich einer Uebertreibung schuldig zu machen, stelle ich Jakob Bellamy an die Spitze der Balladendichtung. Professor J. P. van Capellen hat ihn sehr treffend mit unserem deutschen Hölty verglichen — und gewiss feierte in ihm die holländische Litteratur einen bedeutenden Triumph, da seine Werke aus dem Niederländischen ins Hochdeutsche übersetzt, im Jahre 1790 zu Wien erschienen. Hätte er auch nur das einzige „Roosje“ gedichtet, es hätte hingereicht, um dem Namen des leider schon im neunundzwanzigsten Lebensjahre dahingegangenen Dichters die Unsterblichkeit zu sichern. Die genannte Ballade ist vielleicht die schönste der holländischen Litteratur, und hat im ganzen Norden, namentlich in England großen Beifall gefunden. Sie handelt von einem Mädchen — einem reizenden Mädchen — bei ihrer Mutter Tod geboren, — aufgezogen unter den Tränen und Küssen ihres Vaters — Jedermanns Bewunderung ob ihrer Schönheit, Geschicklichkeit und Tugend, — anmutig wie der Mond, der die Dünen belächelt. Röschens Name war von Seelands männlicher Jugend allerorts in den Sand geschrieben, — und kaum erblühte eine schöne Blume, die nicht für sie gepflückt ward. In Seeland nun, wenn die warmen Südwinde zu weben beginnen, stellt sich zugleich ein Fisch an der Küste ein, der weit umher als Leckerbissen gilt, sich aber tückisch im Sande verbirgt. Dann ist es die Zeit der Jagd und der Lustbarkeit, — und man wagt sich weit, weit über die flache Küste hinaus in die See. Dann tragen die Bursche die Mädchen hinaus ins Meer, auch Röschen wird hartnäckig verfolgt. „Zoo gij mij nu geen kusje geeft, dan draag ik u in zee“ ruft ihr Verfolger — sie flieht — er folgt — beide lachend. „Trag Röschen nach der See“ ruft jauchzend die Schaar am Ufer; er hebt sie flugs vom Boden auf, und läuft stracks nach der See; immer wird's tiefer und tiefer — sie schreit — sie sinkt — sie sinken beide mitsammen, treulos war der Sand — keine Rettung — die Wellen schlagen zusammen — Stille — Tod. Lautlos vor Entsetzen stehen die Zuschauer:

„De jeugd ging, zwijgend, van het strand
En zag gedurig om;
Een ieders hart, was vol gevoel —
Maar ieders tong was stom!

De maan klom stil en statig op
En scheen op't aaklig graf
Waarin het lieve, jonge paar
Het laatste zuchtje gaf.

De wind stak hevig op uit zee
De golven beukten't strand;
En schielijk was de droeve maar
Verspreid door't gansche land.

Gebührt auch Bellamy die Palme in der Balladendichtung, so reihen sich ihm würdig die Namen Ledeganks und Ryswycks an, welch' letzterer mit Beets und Tollens zugleich zu den besten Volksliederdichtern unseres Jahrhunderts gezählt zu werden verdient. Was den bereits mehrfach genannten Tollens betrifft, so möchte ich ihn ungescheut Uhland und Körner an die Seite stellen. Er war unstreitig der angenehmste und beliebteste holländische Dichter seiner Zeit — und gewiss spricht am beredtsten für dessen Popularität der Umstand, dass eine zehntausend Exemplare starke Auflage seiner Gedichte in drei Bänden, bei einer Bevölkerung von kaum drei Millionen in kürzester Frist vergriffen ward.

Als ich weiter oben die Verdienste der holländischen Poesie auf das Gebiet der Lyrik beschränkte, berührte ich im Vorbeieilen auch die Saite der Theaterdichtung. Versuchte die niederländische Muse auch späterhin in dem launigen Komöden Langendijk nochmals einen höheren Flug, den höchsten Aufschwung, dessen sie überhaupt fähig war, nahm sie doch entschieden in Joost van den Vondel. Von anabaptistischen Eltern geboren, in seiner Kindheit im Wirkwaarenhandel seines Vaters verwendet, ohne der geringsten Sorgfalt in der Erziehung ausgestattet, sah sich Hollands größter Dichter im sechsundzwanzigsten Lebensjahre noch mit keiner der klassischen Sprachen vertraut; durch übermenschlichen Fleiß die Lücke einer ordentlichen Erziehung ersetzend, vermochte er nie, durch seine Muse, sich einen Mäcen oder Augustus zu gewinnen. Von früher Jugend an mit den materiellen Bedürfnissen des Lebens kämpfend, verließ ihn die Sorge um dieselben auch im spätesten Alter nicht; von den wenigsten gewürdig., von den meisten verkannt und verfolgt, angefeindet von einer fanatischen Geistlichkeit, mit Mühe den Verfolgungen von Barneveldts Feinden entrinnend, häufig beschlichen von den Anfällen einer hypochondrischen Kränklichkeit, niedergebeugt durch den Verlust einer zärtlichen Gattin, mehr noch durch den Schmerz über einen missratenen nichtswürdigen Sohn, mit 70 Jahren dem äußersten Elende nahe, im Greisenalter von etlichen 80 Jahren als Amtsdiener bei einer Leihanstalt verwendet, — dies ist in schwachen Umrissen das traurige Bild des Lebens von jenem Manne, den späterhin die niederländische Litteratur als ihren Größten zu verehren sich veranlasst sah. Dass so unglücklich bewegte Lebensverhältnisse nicht ohne versumpfende Rückwirkung auf die geistige Tätigkeit eines Dichters bleiben können, ist leicht begreiflich, und die Verleugnung ihrer Spuren nur durch einen außerordentlichen poetischen Trieb erklärlich. Daher muss selbst bei Vondel der Maßstab holländischer Befangenheit angelegt werden, wenn man den Enthusiasmus begreifen soll, mit welchem die Holländer an diesem Dichter hängen. Allerdings, wenn man Professor Siegenbeeks Aufsatz über Vondels dichterische Verdienste im zweiten Bande der „Werken der Bataafsche Maatschappij“ liest, könnte man versucht werden mit in Bewunderung auszubrechen vor jenen erhabenen Gestalten, deren Bild uns der gelehrte Holländer entwirft. Hören wir doch einmal den begeisterten Bewunderungsäußerungen zu:

„In der Tat“ — sagt Siegenbeek von Vondels Dramen redend — „wo wäre derjenige, der den Gysbrecht van Amstel lesend, nicht die angstvolle Beklommenheit Badalochs für ihren zärtlich geliebten Gatten teilte, und über ihren Zustand nicht mit dem innigsten Mitleid erfüllt wäre? — Den die kalte Besonnenheit des ehrwürdigen Gozewyn in der drohenden Todesgefahr, den der heldenhafte, übermenschliche Mut und die unverbrüchliche Treue der jugendlichen Clarisse nicht mit Bewunderung erfüllte! — In Palamedes weckt die unterdrückte und zertretene Unschuld unsere zärtlichste und innigste Teilnahme; ihre Ruhe und Hochherzigkeit, die schönsten Früchte eines reinen Gewissens, zwingen uns ein Gefühl der Ehrfurcht ab, während die Herrschsucht und Niedrigkeit ihrer blutdürstigen Unterdrücker unsere Seele mit Abscheu erfüllen. — Und wo ist der Gefühllose, dessen Herz nicht vom aufrichtigsten Mitleid bewegt würde, wenn er den unschuldigen und wehrlosen Joseph, von grausamen Habichten angegriffen, dem Neide und der Rachsucht seiner entmenschten Brüder preisgegeben sieht — und sich den trostlosen Schmerz des tiefniedergebeugten Vaters vorstellt, als diesem die erdichtete Nachricht von dem elenden Untergange seines meistgeliebten Sohnes hinterbracht wird.“

Dies und Aehnliches sind die zahlreichen Ausrufungen mit denen Professor Siegenbeek seinen Aufsatz unterbricht. Ich bin weit entfernt, dem holländischen Sophokles kühne Gedankenfülle und ergreifende Gefühlstiefe absprechen zu wollen; selbst reicher poetischer Gehalt mag in seinen dramatischen Werken zu finden sein; allein echt dramatisches Leben muss denselben ganz und gänzlich abgesprochen werden.

Wie überall, so tritt auch hier wieder die leidige Nachäffung zu Tage in den nach antiker Art angebrachten Chören. Komposition und Durchführung sind gleich mangelhaft, und der allzusehr gepflegte Monolog verfehlt seine einschläfernde Wirkung nicht. Verdienen überhaupt welche von Vondels Tragödien der Vergessenheit entrissen zu werden, so sind es von den geistlichen „Lucifer“, von den weltlichen das Nationalschauspiel „Gijsbrecht van Amstel“, dessen alljährlich wiederholte, noch immer die patriotische Begeisterung der Holländer erregende Aufführung genugsam für die spießbürgerliche Geschmacksverkommenheit der letztern spricht. Hatte auch Vondel das holländische Drama auf eine Stufe gehoben, wo ihm einige Lebensfähigkeit in Aussicht stand, so richtete es der pedantische Andreas Pels so recht gründlich zu Grunde, indem er, angesteckt von dem unseligen Geiste des siebzehnten Jahrhunderts Alles verwarf, was nicht streng der pseudoklassischen Regelrechtigkeit der französischen Bühne entsprach. Seit jener Zeit vermochte das holländische Theater sich zu keiner Selbstständigkeit mehr emporzuschwingen, und „fristet“ — wie ein neuerer Litterarhistoriker sehr treffend sagt — „sein Leben fast durchaus mit den dramatischen Abfällen der Fremde“. Das Holländische Drama war eine momentane Erscheinung — ein mühsam geborenes Kind, dessen Krankheit die lederne Holländerei, — dessen Tod die spröde Philisterei seines Zeitalters war.

Nur auf einzelne Gebiete der Dichtung beschränkt, auf welchen sich der holländische Krämergeist zu einigem Aufschwung ermannte, trägt die niederländische Poesie überhaupt den Charakter „hausbackener Mittelmäßigkeit“. Jeder selbstständigen Richtung entbehrend, schwankt sie zwischen der französischen Oberflächlichkeit und dem positiven Sinn des Deutschen, und bietet so das seltsame Gemisch germanischer Urwüchsigkeit und gallischer Frivolität, welch beide Elemente noch überdies von einem ausgesprochenen Mittelmaßsinn zu flacher Formlosigkeit abgedämpft werden. Sehr treffend äußert sich in diesem Punkte der Litterarhistoriker Scherr: „Die Poesie" — sagt er — „fährt hier nicht mit geschwellten Segeln über das endlose Meer der Phantasie hin, sondern wird am Zugseil lederner Regeln wie eine Treckschuite mühselig durch die engen Kanäle häuslicher Gewohnheit und bürgerlichen Verkehrs gezogen." — Denkt man sich zu dieser poetischen Blasirtheit noch die Nachteile eines allerdings nicht ganz mit Recht als Paria behandelten Idioms, so erklärt es sich von selbst, dass von sämmtlichen germanischen Litteraturen die niederländische die unterste Stufe einnimmt.

Historische Litteratur.

Von dem großen Werke Onno Klopps „Der Fall des Hauses Stuart und die Succession des Hauses Hannover in Großbritannien und Irland im Zusammenhange der europäischen Angelegenheiten von 1660—1714" sind nun wieder zwei Bände erschienen,*) welche die Geschichte der vier Jahre 1704 bis 1707 enthalten. Wir können demnach hoffen in weitern drei bis vier Bänden das ganze Werk vollendet zu sehen.

Der politische Standpunkt des Herrn Klopp ist so ziemlich bekannt. Er ist erstens ultramontan, zweitens welfisch, drittens antihohenzollerisch und viertens ein wenig österreichisch gesinnt. Von diesem Standpunkte ist auch seine Geschichte geschrieben und wir haben uns daher bei ihrer Tendenz nicht weiter aufzuhalten.

Wir wollen auch damit keinen Tadel aussprechen. Die Geschichte der neueren Zeit ist in Deutschland meistens vom protestantischen und preussischen Standpunkt geschrieben worden, und es kann daher gar nichts schaden, wenn auch einmal die Gegner zu Worte kommen.

Das große Publikum wird das vielbändige nicht eben flott geschriebene, ziemlich trockene Werk Klopps nicht lesen und der Fachmann wird ja jederzeit dessen Angaben und Urteile prüfen können, er wird es jederzeit als klassischen Zeugen anführen können, wenn er einmal einen Tadel des Papstes oder ein Lob eines preußischen Königs darin findet.

Was wird aber der Fachmann sonst darin finden, was er nicht in anderen bereits früher erschienenen Werken finden könnte, mit andern Worten, welche Bereicherung unserer Geschichtskenntniss bietet uns Klopps Werk?

*) Band XI 1885, Band XII 1886 bei Wilhelm Braumüller, Wien.

Diese Bereicherung besteht nur in dem, was Klopp aus dem Wiener Haus-, Hof- und Staatsarchiv und aus dem Gallasschen Archive geschöpft hat, und auch hier ist nicht alles neu was er bietet. So sagt er z. B. (Seite 442 Band XII) mit großem Aplomb: „Ich glaube dies Schreiben des Kaisers (vom September 1707) im Original beifügen zu müssen, weil sich über den Inhalt desselben eine Tradition gebildet hat die dem Wortlaute nicht entspricht, vielmehr widerspricht."

Ich habe aber bereits in meinem Buche: „Rom, Wien, Neapel während des spanischen Erbfolgekrieges" das italienische Original publizirt und was Klopp giebt scheint nur eine lateinische Uebersetzung zu sein.

Ebendaselbst sagt Klopp, er habe das Breve des Papstes vom 10. September, worauf obiger Brief des Kaisers die Antwort bildet, nicht finden können. Ich bin in dieser Beziehung glücklicher gewesen und Herr Klopp hätte auch aus meinem Buche erfahren können, wo sich das eigenhändige Schreiben des Papstes findet.

Mit auffallender Kürze behandelt Klopp die Verhandlungen des Papstes mit dem Kaiser vor dem Einmarsche der kaiserlichen Truppen in Neapel. Er berichtet weder von dem Ansinnen des Papstes, ihm das ganze Königreich zu übergeben um es mit seinen Truppen besetzt zu halten bis zur Entscheidung über dessen rechtmäßigen Eigentümer, noch von dem noch sonderbareren Ansinnen, ihm eine Provinz desselben abzutreten. Wie ausführlich würde unser Autor so etwas erzählt haben, wenn statt des Papstes der König von Preußen derartiges verlangt hätte.

Trotz dieser kleinen Mängel haben Klopps archivalischen Forschungen ihren Wert und Nutzen, namentlich dort wo er sie zur Korrektur der Staatsschriften und Korrespondenzen englischer Staatsmänner benutzt, und besonders Held Marlborough verliert unter seiner scharfen Zergliederung gar viel von seinem Heldenglanze.

Herr Klopp würde sich aber um die Wissenschaft mehr verdient machen, wenn er die römischen Archive zu seinem Werken benützen möchte. Die Thüren des vatikanischen Archivs werden sich einem so „gutgesinnten" Manne gewiss leichter und weiter öffnen als andern Forschern, und welche Bereicherung könnte nicht dadurch unsere Kenntniss der Geschichte erfahren!

Aber auch Manches was Klopp nach andern Quellenwerken darstellt hat seinen Wert. Es ist dies vorzüglich der Fall bei den Kapiteln, welche er der ungarischen Revolution widmet. Er hat dazu die umfangreichen Publikationen von Briefen und Aktenstücken durch Fiedler, Thaly und Simonyi benutzt, welche reiche Fundgruben für die Geschichte jener Zeit, nicht bloß Ungarns bieten. Die von patriotischen Ungarn verherrlichte Gestalt Rakoczys verliert dadurch viel von ihrem Glanze und der Mann erscheint in seinem ganzen Egoismus vor uns.

Dieses Resultat könnte freilich auch direkt aus den obenerwähnten Publikationen geschöpft werden; aber es ist nicht Jedermanns Sache aus so umfangreichen Quellenwerken seine Belehrung zu schöpfen, und bleibt Klopp jedenfalls das Verdienst der knappen Zusammenfassung des umfangreichen Materials, der kritischen Sichtung und Hervorhebung des Wichtigsten, unter Vergleichung mit den aus andern Quellen bekannten Tatsachen und Anschauungen. Leider ist aber diese Darstellung, dem Plane von Klopps Werk gemäß, eine chronikartige, indem die Vorgänge eines jeden Jahres für sich erzählt werden. Eine für das große Publikum bestimmte, nicht zu umfangreiche unparteiische Darstellung des ungarischen Aufstandes unter Benutzung des jetzt hierfür zu Gebote stehenden Materials bleibt daher noch immer eine lohnende Aufgabe für einen jüngern Historiker.

Was Klopp über die Real-Union zwischen England und Schottland, welche im Jahre 1707 zu Stande kam, erzählt enthält kaum etwas Neues; aber es hat besonderes Interesse durch die jetzt an Ernst gewinnenden Bestrebungen die Union zwischen England und Irland zu lösen.

Von Allem, was das Whig-Ministerium am Anfang des vorigen Jahrhunderts geschaffen, blieben nur die Union und der Besitz Gibraltars dauernder Gewinn für Großbritannien. Wird am Ende unseres Jahrhunderts ein anderes Ministerium durch Lösung der Union mit Irland sich eine herostratische Unsterblichkeit erwerben?

Wien. M. Landau.

Anton Moellers Danziger Frauentrachten.

Anton Moellers Danziger Frauentrachtenbuch aus dem Jahre 1601 in getreuen Faksimile-Reproduktionen herausgegeben nach den Original-Holzschnitten mit begleitendem Text von A. Bertling. (Danzig, Richard Bertling).

Anton Moellers Trachtenbuch*) hat neben dem Straßburger Trachtenbüchlein und Jost Ammans Frauentrachtenbuch eine hervorragende Bedeutung für die Kulturgeschichte. Es stammt aus der Blütezeit der alten Hansestadt, die inmitten eines von den Polen slavisirten Gebietes deutsches Wesen bewahrt hatte und durch seine Wohlhabenheit eine Pflanzstätte der Kunst und Wissenschaft war. Danzig hatte zu Beginn des siebzehnten Jahrhunderts die großartigsten Handelsbeziehungen. Es stand in Verbindung mit den Häfen der pyrenäischen Halbinsel und Italiens und im lebhaften Wechselverkehr mit den Niederlanden. Von Osten her bezog es Pelzwaaren und vermittelte den Handel Russlands und Litauens mit dem Westen. Die Söhne seiner wohlhabenden Bürger schickte Danzig auf die Hochschulen Italiens. So entwickelte sich in seiner Bürgerschaft Geschmack und Bildung unter den verschiedenartigsten Einflüssen.

Auch die Frauentrachten zeigen diesen Charakter eines durch die Mischung verschiedenster Elemente gebildeten Geschmackes. In dem düsteren Mantel und der Radkrause, die sogar bis in die dienende Klasse hinab dringt, zeigt sich der Einfluss Spaniens. Auf italienischen Geschmack weist die goldene Kette, die vom Gürtel herabhängt und die hie und da durch eine vergoldete Schnur ersetzt wird. Das Klima Danzigs und sein oben erwähnter Handel mit Pelzwerk ergab jedoch gewisse Modifikationen der in Europa allgemein üblichen Trachten. Alte Frauen tragen Mäntel, die ganz aus kleinen Fellen zusammengesetzt sind, jüngere Pelzhauben, und junge Mädchen schmücken ihr Mäntelchen mit Hermelin. Die Umwandlung des Geschmackes in einer verhältnissmäßig kurzen Frist zeigt sich an den in Moellers Frauentrachtenbuch dargestellten verschiedenen Brauttrachten: die ältere ist offenbar heiterer, frischer, jugendlicher. Die Braut trägt aufgelöste Haare, ein purpurnes Gewand mit goldener Agraffe und einem Mantel von offenbar hellerer Farbe. Die jüngere steht ganz unter dem Einfluss des spanischen Geschmackes. Der dunkle, die ganze Figur verhüllende Mantel und die Radkrause wird jetzt auch von der Braut getragen, und während früher eine Krone ihr Haupt schmückte, trägt sie jetzt nur einen kronenähnlichen Kopfputz.

Moeller hat zu dem seinen Namen führenden Trachtenbuch nur die Zeichnungen gemacht, die Holzschnitte, nicht besonders kunstvoll ausgeführt, sind nicht sein Werk. Sie tragen das Monogramm E. D., das einem dem Namen nach uns nicht bekannten Künstler angehört. Andere Werke Moellers befinden sich vornehmlich in Danzig, dem Hauptort seiner Tätigkeit.

Anton Moeller war in Königsberg um 1563 geboren, kam 1578 zu einem Maler in die Lehre und blieb daselbst bis 1585. Während dieser Zeit kopirte er vielfach Blätter der Dürerschen großen und kleinen Passion und des Marienlebens in so vorzüglicher Weise, dass die Kopien von Kunstkennern für die Originale angesehen wurden. Hagen nimmt an, dass Moeller nach beendeter Lehrzeit seine Vaterstadt verlassen habe und nach Antwerpen gegangen sei, um dort von Rubens' Lehrer ebenfalls Unterricht zu empfangen doch ist diese Angabe schwer zu erweisen. Eine gewisse geistige Verwandtschaft besteht wohl zwischen ihm und Rubens. „Das sinnlich Anziehende, das staunenerregend Prachtvolle" — sagt Hagen — „ist bei Beiden das Vorherrschende, die frische Unmittel-

*) Omnium statuum foeminei sexus ornatus, et nditati habitus Gedanenses, ob oculos positi et divulgati ab Antonio Mollero ibidem pictore. Anno Salutis 1601. die 4 Junii. Der Danziger Frawen vnd Jungfrawen gebreuchliche Zierheit und Tracht, so itziger Zeit zu sehen, durch Antonium Möllern, Malern daselbst in Abconterfeyung gestellt. Gedruckt zu Dantzigk, bey Jacobo Rhodo.

barkeit der Darstellung, die die allegorische Bedeutsamkeit von der gemeinen Wirklichkeit abheben, und wieder die Liebe zu dem üppig Nackten, durch die die philosophische Form Fleisch und Bein erhalten soll, dies Alles teilt der Eine mit dem Anderen und deutet auf eine mehr als zufällige Uebereinstimmung."

Es scheint dagegen festzustehen, dass er Italien besucht und 1587—1588 sich in Venedig aufgehalten habe. Von 1595 finden wir ihn in Danzig. Von diesem Jahre ist der Entwurf zu seinem für den Artushof bestimmten Gemälde des jüngsten Gerichts datirt. Der allgemeinen Ueberlieferung zufolge soll er 1620 gestorben sein.

Sein Trachtenbuch ist heute so selten, dass nur zwei Exemplare desselben aufzutreiben waren, beide unvollständig. Das eine befindet sich im Besitz des Danziger Buchhändlers Bertling, welcher den Neudruck veranstaltet hat. Nur durch die Ergänzung dieses seines Exemplars nach dem in der Münchener Bibliothek befindlichen wurde die Ausgabe ermöglicht.

Durch den Text, welchen A. Bertling (Archidiacon an der Oberpfarrkirche zu St. Marien und Archivar der Stadt Danzig) hinzugefügt hat und der sowohl Allgemeines über die Bedeutung Danzigs in jener Zeit wie Biographisches und Kritisches über Moellers Wirksamkeit enthält, hat dieser Neudruck des interessanten Buches bedeutend an Wert gewonnen. Sie ist eine schätzenswerte Bereicherung unseres Wissens auf dem Gebiete der Moden und Trachten. Die Holzschneidekunst — wir sprechen von der zu Anfang des siebzehnten Jahrhunderts — erscheint durch das Trachtenbuch nicht gerade glänzend repräsentirt. Die moderne Reproduktion ist in jeder Hinsicht vortrefflich.

Breslau. R. Löwenfeld.

Litterarische Neuigkeiten.

Zum hundertjährigen Geburtstage Justinus Kerners erschien im Verlag von Karl Krabbe in Stuttgart „Das Bilderbuch aus meiner Knabenzeit. Erinnerungen aus den Jahren 1786—1804 von Justinus Kerner" in zweiter unveränderter Auflage. Dieses Buch, welches zu den ausgezeichnetsten Erzeugnissen der deutschen Memoirenlitteratur gehört, ist nach zwei Richtungen hin von bleibendem Werte: einerseits durch die Darstellung der von dem Verfasser noch mit durchlebten Zustände in Staat und Familie zu Ende des vorigen Jahrhunderts, andrerseits aber und hauptsächlich durch die eingehende Art und Weise, in welcher der Dichter uns den Einblick in die allmähliche Entfaltung seines innern Wesens gewährt, wobei die ihm so eigene, aus Gemüt und Humor gemischte Erzählergabe das Durchlesen dieser einfachen Jugenderinnerungen zu einem wahrhaft geistigen Genusse erhebt.

Der Wiener Schriftsteller- und Journalisten-Verein „Concordia" hat dem Budapester Schriftsteller- und Künstler-Verein eine prachtvolle Gedenktafel gestiftet, welche in eine Wand des Vereinssaales eingefügt wurde. Die Wiener Deputation wurde von den ungarischen Schriftstellern, Maurus Jókai an der Spitze, sehr fetirt und der gelegentlich der Landesausstellung geknüpfte Bruderbund zwischen Cis und Trans mit vielen schönen Worten und mächtigen Zügen nochmals besiegelt.

Mit dem Beginn dieses Jahres hat sich die von Dr. Conr. Kuster zu Berlin herausgegebene „Deutsche Studenten-Zeitung" zur „Deutschen akademischen Zeitschrift" mit jener als Beilage erweitert, doch so, dass beide einzeln als selbstständig erscheinen, sich gegenseitig ergänzen und ein organisches Ganzes bilden. Beide werden gegenwärtig von Leo Berg redigirt. Während nun die „Deutsche Studenten-Zeitung" das spezifisch Studentische umfasst, soll die „Deutsche akademische Zeitung" der im Oktober vorigen Jahres auf der Wartburg gegründeten „Deutschen akademischen Vereinigung" als Organ dienen. Es ist dies eine Vereinigung gebildeter Männer, die es sich zum Ziel gesetzt haben, im Gegensatze zu der stumpfen Gleichgültigkeit, die überall auf allen intellektuellen und ethischen Gebieten herrscht, energisch alle sittlichen, nationalen und ästhetischen Bestrebungen, die sich vereinzelt zeigen, zusammenzufassen und zu begünstigen; dagegen allem entschieden und tatkräftig entgegenzutreten, was zersetzend, zersplitternd und niederdrückend auf die nationalen Güter und geistigen Errungenschaften unseres Volkes wirkt. Unselige Zustände wie sie augenblicklich die Jugend beherrschen, Duell und Schulverhältnisse bilden gegenwärtig den Gegenstand ihrer Tätigkeit. Die Vereinigung, die Männer wie Johannes Scherr, Graf Schack, Prof. Paul de Lagarde u. a. m. zu ihren Mitgliedern zählt, sucht möglichst in allen größeren Städten Deutschlands Zweigvereine zu bilden. Ihr Hauptring befindet sich für das erste Jahr ihres Bestehens in Berlin, weil ihr erster Vorsitzender Dr. Conr. Kuster seinen Wohnsitz daselbst hat.

Im Verlage von Wilhelm Friedrich in Leipzig erscheint soeben die zweite Auflage von Karl Bleibtreus Broschüre „Revolution der Litteratur". Die erste war innerhalb 14 Tagen vergriffen. Diese neue Auflage ist vollständig umgearbeitet und ergänzt. Außerdem hat der Verfasser ein fast zwei Bogen umfassendes Vorwort zu derselben geschrieben, welches hauptsächlich durch die bisher über das Buch erschienenen Kritiken veranlasst worden ist.

Das englische Athenäum giebt seit Jahren am Schluss oder Anfang jeden Jahres Rückblicke über die hervorragenden Leistungen in der Litteratur der hauptsächlichen Litteraturvölker während des abgelaufenen Jahres heraus. Dieselben sind nicht von Engländern, sondern Angehörigen der betr. fremden Nationen abgefasst. Dieses Beispiel hat seit einigen Jahren eine Nachahmung in dem in Boston erscheinenden Literary World gefunden. Dieselbe hat in der Dezembernummer des v. J. eine Uebersicht über „the Worlds Literature in 1885" gebracht, die im „Publisher" als ein Muster einer sorgfältigen und fleißigen Arbeit bezeichnet wird. — Der Verfasser der auch ins Deutsche übersetzten „Breadwinners" scheint nun nach langem Hin- und Herraten erkannt zu sein. Wenigstens schreibt die „Literary World" man brachte es in New-York als offenes Geheimnis, dass John Hay der Verfasser sei. — George W. Cable, der Novellist in New-Orleans, welcher das Leben der vergangenen französisch-kreolischen Bevölkerung in Louisiana so meisterhaft schildert, hat eine neue Erzählung geschrieben, welche unter dem Titel „Grande Point" erscheinen wird.

Lieferung 289 und 291 von Joseph Kürschners „Deutsche National-Litteratur" enthalten: „Tieck und Wackenroder", 3. und 4. Lieferung herausgegeben von Jak. Minor. Lieferung 290 und 292 enthalten „Goethes Werke", 8. Band 4. und 5. Lieferung herausgegeben von Prof. Schröer. Lieferung 293 enthält: „Goethes Werke", 3. Band, 2. Abt., 1. Lieferung, herausgegeben von H. Düntzer.

Als Fortsetzung der im Verlag von Wilh. Friedrich in Leipzig erscheinenden Geschichte der Weltlitteratur in Einzeldarstellungen erschien vor Kurzem Band VIII. „Geschichte der Skandinavischen Litteratur" von den ersten Anfängen bis zur Gegenwart. I. Teil: Geschichte der Altskandinavischen (Altnordischen) Litteratur von den ältesten Zeiten bis zur Reformation. Von Dr. Ph. Schweitzer. Teil II: Geschichte der skandinavischen Litteratur von der Reformation bis Anfang des XIV. Jahrhunderts und Teil III: Geschichte der dänischen, schwedischen, norwegischen und isländischen Litteratur im XIX. Jahrhundert bis zur Gegenwart erscheinen im Laufe dieses Jahres.

Im Verlage von Fratelli Treves in Milano erschienen zwei hervorragende Novitäten. Erstens: „Casa Polidori" Romanzo di Anton Giulio Barrili und zweitens: L'Egitto senza Egiziani di Perolari Malmignati.

Bei Félix Alcan in Paris erschien soeben ein neuer Band der Bibliothèque de Philosophie contemporaine. Derselbe enthält: „Philosophie du droit civil" par Ad. Frank. Wir nennen von den interessantesten Kapitel nur die folgenden: Sur les droits de la personne humaine — le mariage et la condition sociale de la femme — le divorce — la paternité — la puissance paternelle — la propriété et la liberté de conscience.

Die Langenscheidtsche Verlags-Buchhandlung in Berlin veröffentlichte soeben die zweite Auflage des „Lehrbuchs der englischen Sprache für Schulen" (nicht für den Selbst-Unterricht). Erster Teil: Elementarbuch. Mit besonderer Berücksichtigung der Aussprache und Angabe letzterer nach dem phonetischen System der Methode Toussaint-Langenscheidt von Professor Dr. A. Hoppe. Bei diesem Wiedererscheinen ist das Buch einer durchgängigen Revision, teilweise einer vollständigen Umarbeitung unterzogen worden. Die „Vorübungen" für Aussprache (S. 1—24) der ersten Auflage sind weggeblieben, dagegen sind an vielen Stellen Ergänzungen und Erweiterungen hinzugekommen z. B. über „Silbenteilung". Wir können dieses vortreffliche Lehrbuch bestens empfehlen.

Bei Bernhard Tauchnitz in Leipzig erschien vor Kurzem: „Don Gesualdo". A sketch by Ouida, Author of „Under two flags", „Othmar", etc.

In Budapester Schriftstellerkreisen wurde die Idee angeregt, im Interesse der darniederliegenden ungarischen Belletristik einen belletristischen Bucheditions-Verein zu gründen.

Das zweiundneunzigste Bändchen der Bibliothèque utile, welche im Verlag von Félix Alcan in Paris erscheint, enthält: „La navigation aérienne" von G. Dallet mit einer Anzahl interessanter Bilder aus dem Bereich der Luftschiffahrt.

Die Herdersche Verlagshandlung in Freiburg i. B. veröffentlichte vor Kurzem den sehr umfangreichen ersten Band einer auf Grund handschriftlicher und gedruckter Quellen von Wilhelm Bäumker bearbeiteten Geschichte des Kirchenliedes. Derselbe trägt den Titel: „Das katholische deutsche Kirchenlied in seinen Singweisen". Von den frühesten Zeiten bis gegen Ende des siebzehnten Jahrhunderts. Wir betonen, dass dieses Werk auf ganz neuer Grundlage selbstständig bearbeitet und nicht eine neue Auflage des 1862 im gleichen Verlage erschienenen ersten Bandes von Meisters Kirchenlied ist.

Im Verlage von Max Babenzien in Rathenow erschien: „Hutten in Rostock" von Max Hobrecht. Vier Bogen Min.-Format in elegantem mit dem Porträt Huttens versehenen Umschlag. Der Verfasser, dessen Novellencyklus „Zwischen Judica und Palmarum" wohlwollende Aufnahme gefunden, hat sich in dem vorliegenden Werkchen die Aufgabe gestellt, ein Stück von Huttens Lebens, welches die Geschichtsschreiber und Biographen unaufgeklärt lassen, poetisch zu ergänzen. Er giebt uns ein Reisetagebuch des irrenden Ritters und Freiheitskämpfers und macht zugleich damit bekannt, unter welchen Umständen die verlorenen Aufzeichnungen wiedergefunden wurden, doch erklärt er, dem Urteil der Gelehrten über die Echtheit des Fundes nicht vorgreifen zu wollen.

In französischem und englischem Text zugleich gelangte in Paris bei Calman Lévy und in New-York bei Thompson & Moreau Joseph Arons „Les deux républiques soeurs France et Etats-Unis. Grant Bancroft-Bismarck" zur Ausgabe.

Im Verlage von Wilh. Friedrich in Leipzig erschien ein besonders interessanter Roman aus den Urwäldern Brasiliens unter dem Titel: „Ubirajara". Nach dem portugiesischen Original des J. de Alencar, übersetzt von G. Th. Hoffmann. Derselbe schildert in fesselnder Erzählung Leben und Bräuche der Ureinwohner des im Innern noch so wenig gekannten Landes mit ungemein glühender Sprache. So anziehend auch Fried. Gerstäcker zu schreiben vermochte — dieser Roman wird ihm den Rang bei Jung und Alt streitig machen und in kurzer Zeit zu den gelesensten Büchern gehören.

Eduard von Bauernfeld beging am 13. Januar seinen vierundachtzigsten Geburtstag in erstaunlicher geistiger Frische und körperlicher Rüstigkeit. Die Intendanz und Direktion der Wiener Hoftheater, vertreten durch Freiherrn v. Bezecny und Adolph Wilbrandt, das Präsidium des Schriftsteller-Vereins „Concordia", durch den Präsidenten Joseph Ritter v. Weilen und noch mehrere ansehnliche Korporationen entboten dem Dichter ihre Glückwünsche. Aus Fern und Nah trafen Hunderte von Depeschen und Briefen an das „Geburtstagskind" ein. Wie wir vernehmen, soll Bauernfeld an einem neuen Lustspiele arbeiten.

Im Verlag von W. Spemann in Berlin und Stuttgart erschien „Mörike und Notter" von Julius Ernst von Günthert und „Legenden und Geschichten" von Maria Janitschek, die wirkliches Talent bekunden.

Bei L. Steinthal in Berlin gelangte die zweite Auflage von Immanuel Heinrich Ritters „Mendelssohn und Lessing" zur Ausgabe. Dieselbe enthält außerdem eine Gedächtnisrede auf Moses Mendelssohn zu dessen hundertjährigem Todestage gehalten im akademischen Verein für jüdische Geschichte und Litteratur.

Ein neues Buch des bekannten niederländischen Dichters Pol de Mont betitelt sich: „Op mijn dorpken". Dasselbe enthält „korte vertellingen". Das stattliche Bändchen ist mit einer Zeichnung von Leo Brunin geschmückt.

Eine interessante Novität des Züricher Verlags-Magazins (J. Schabelitz) trägt den Titel: „Das Menschen-Ideal und seine Erfüllung" von Otto Spielberg.

Der „Verein Stolzescher Stenographen in Berlin" eröffnet wiederum für außerhalb Berlins wohnende Personen einen unentgeltlichen brieflichen Unterrichtskursus in der vereinfachten (neu) Stolzeschen Stenographie (amtlich in Anwendung im deutschen Reichstage, in den beiden Häusern des Landtages etc.) gegen Ersatz der Unkosten für das Lehrbuch (1 Mark). — Der Stenographie Kundige werden als korrespondirende Mitglieder aufgenommen. Näheres durch den Vorsitzenden, Herrn Hermann Schottlaender, Berlin, N., Metzer Str. 43.

Der berüchtigte Comte Paul Vasili hat nun auch das arme Spanien heimgesucht. Sein neustes Werk trägt den Titel: „La Société de Madrid." Von ihm liegt schon die dritte Auflage vor. Edition augmentée de lettres inédites. Paris. Verlag der „Nouvelle revue".

„Der Materialismus im Verhältniss zu Religion und Moral" betitelt sich eine Broschüre von Dr. F. Wollny, welche soeben in Leipzig im Verlag von Theodor Thomas erschienen ist.

„Der Battono" betitelt sich ein neuer Roman von A. von Suttner, welcher wie der bekannte Roman „Daredjan" desselben Verfassers ebenfalls in Kaukasien spielt. Stuttgart und Leipzig, Deutsche Verlags-Anstalt.

In Palermo bei Giannone e Lamantia erschien die erste Serie von Pipitone-Federico's „Saggi di letteratura contemporanea. Dieselbe enthält: Il metodo critico di Luigi Capuana — Francesco de Sanctis e il rinnovamento della critica in Italia — Giovanni Prati e la nuova lirica — Mario Rapisardi (A proposito del „Giobbe") — Carlo Dopi — Saggi della Desinenza in A und Per un epistolario di Francesco de Sanctis.

Im Verlage von Otto Hendel in Halle erschien eine lesenswerte kleine Studie, betitelt: „Olympia". Ein Blick auf den allgemein kunst- und kulturhistorischen Wert der Grabungen am Alphaios von Bernhard Förster. Dieselbe enthält vier Abbildungen und trägt das Motto: „Zum Raum wird hier die Zeit."

Im Verlage der N. G. Elwertschen Buchhandlung in Marburg und Leipzig gelangte vor Kurzem die zweiundzwanzigste vermehrte Auflage der „Geschichte der Deutschen Nationallitteratur" zur Ausgabe. Dieselbe enthält einen Anhang „Die deutsche Nationallitteratur vom Tode Goethes bis zur Gegenwart" von Adolf Stern, welcher verrät, dass der Verfasser von der deutschen Litteratur der Gegenwart nur wenig Ahnung hat.

Alle für das „Magazin" bestimmten Sendungen sind zu richten an die Redaktion des „Magazins für die Litteratur des In- und Auslandes" Leipzig, Georgenstrasse 6.

Für die Redaktion verantwortlich: Hermann Friedrichs in Leipzig. — Verlag von Wilhelm Friedrich in Leipzig. — Druck von Emil Herrmann senior in Leipzig.

Das Magazin

für die Litteratur des In- und Auslandes.

Wochenschrift der Weltlitteratur.

1832 gegründet von Joseph Lehmann.

55. Jahrgang.

Herausgegeben von Hermann Friedrichs.

Preis Mark 4.— vierteljährlich.

Verlag von Wilhelm Friedrich in Leipzig.

No. 11. Leipzig, den 13. März. 1886.

Inhalt:

Das Gymnasium und Arth. Schopenhauer.

Das obige Thema einmal (in möglichster Kürze) öffentlich zu behandeln treibt mich das Sichgegenüberstehen der beiden Tatsachen, dass zahlreiche, namentlich ältere Lehrer höherer Unterrichtsanstalten in der Schopenhauerschen Philosophie eine Art geistigen Giftes sehen und zahlreiche, namentlich jüngere Lehrer derselben in mannigfachsten Farben der Schopenhauerfreundschaft bis zum Schopenhauerenthusiasmus schillern. Das ist bei der centralen Bedeutung philosophischer Gesinnungen für das ganze geistige Leben ein Zustand, dem gegenüber eine nach Kräften objektive, vermittelnde Stimme einmal sich vernehmlich zu machen berufen sein dürfte.

Das Gymnasium — ich denke dabei stets, wenn nicht ein spezifischer Unterschied besonders hervorzuheben ist, mit an die verwandten Lehranstalten — ist nach allen seinen Traditionen in seinen geistigen Lebenswurzeln theistisch, Schopenhauer ist ein Atheist. Das ist zunächst ein schwerstwiegender Gegensatz. Ein persönlicher, allgegenwärtiger Gott von unendlicher Vernunft und Liebe, auf dessen Wohlgefallen als das höchste Ziel alle intellektuelle und sittliche Bildung gerichtet sein muss, das ist die oberste Ueberzeugung aller größten Schulmänner gewesen, und das ist auch der Schülerwelt auf Grund unseres religiös imprägnirten Volkstums eine in sucum et sanguinem gegangene, völlig geläufige Anschauung. Nun versteht es sich von selbst, dass das wissenschaftliche Forschen nach der Wahrheit des Seienden vollkommen frei sein muss von allen Bedenken gegen die Qualität des Resultates, wenn sich dieses Resultat nur als eine unabweisliche Forschungsnotwendigkeit herausstellt, und so lässt sich im Gebiete der reinen Wissenschaft auch nicht anders als durch wissenschaftliche Gegenbeweise das etwaige Resultat verwehren, das die Weltursache anders denn als ein solcher persönlicher Gott gefasst würde. Indessen ist das Gymnasium, weil die Jugend das Material seiner Bearbeitung ist, ein Organismus nicht an der tête der Wahrheitsergründung, sondern in der Gefolgschaft der festgewonnenen Bildung und folglich von den im Widerspruch mit seinem Geiste stehenden Meinungen von Philosophen so lange fern zu halten, bis die letzteren etwa einmal das ganze Volkstum ergriffen und umgestaltet hätten. Somit hätte der Lehrer, welcher sich etwa von dem Schopenhauerschen Atheismus überzeugen ließe, die Pflicht, dieses als Privatsache zu behandeln und in sein Inneres zurückzustellen. Sollte das seiner subjektiven Wahrhaftigkeit Gewissensbedenken machen, so möge er sich erstens des treffenden Ciceronischen Begriffes des Inepten erinnern, dem zufolge es unter anderem ineptum, taktlos sein würde, alles, was man für wahr hält, ohne Rücksicht auf Ort, Zeit und Person der Hörer auch zu sagen, andrerseits aber der Fruchtbarkeit der Kantischen Unterscheidung zwischen einem konstitutiven und einem regulativem Prinzip. Möchte ihm auch in der Aufgabe der Welterkenntniss ein Schopenhauersches blind wollendes, unpersönliches Absolutes als objektives konstitutives Prinzip besser zu den Erscheinungen zu stimmen dünken als die Gottheit nach ihrem theistischen Begriffe, so kann ihm doch kein Zweifel sein, dass zur Regelung des menschlichen Verhaltens zu solchen Qualitäten, die nach dem innersten Empfinden unserer Natur für edler gelten müssen, der persönliche, sittliche Gott ein viel geeigneteres Prinzip ist. Und muss auch das objektive Soodersosein der Welteinrichtung guterletzt als übermächtiger Faktor die menschlichen Meinungen reguliren, so hätte nach unserem obigen Grundsatze ein in dem Dienste eines von menschlichen Meinungen schon abhängigen Organismus Stehender sich zu gedulden, bis etwa die freien wissenschaftlichen Beeinflussungen der praktischen Ansichten die letzteren im Sinne seiner theoretischen Ueberzeugung umgestaltet, d. h. einer neuen Theorie accomodirt und sich dahinein zu schicken, dass dieses eventuell erst nach Ende seiner persönlichen Lebensdauer eintreten würde.

Das Gymnasium ist optimistisch, nicht im Sinne der betreffenden Leibnitzischen Schulmeinung, aber in dem Sinne, dass es die Lage, geboren und in den großen menschlichen Wettkampf hineingestellt zu sein, bei Gesundheit des Leibes und Geistes, im Sinne der angeborenen und in der Atmosphäre der allgemeinen occidentalischen Weltanschauung befestigten Instinkte der Schüler selbst als ein wünschenswertes Gut und den mannigfachen, im Lauf des Lebens gespendeten inneren und äußeren Lohn der menschlichen Bemühungen trotz des Gegengewichtes von Unlust als wertvoll genug voraussetzt, um auf der begrenzten Bahn des Lebens mit überwiegender Befriedigung auszuharren und zu möglichst reicher Erringung solchen Lohnes die körperlichen und geistigen Kräfte mit Energie anzuspannen: Die Schopenhauersche Philosophie ist pessimistisch, erklärt Leben für Leiden und Dankbarkeit für dasselbe als ein geschenktes Gut für eine auf ihrem Boden, der ihr selbstverständlich als der der Wahrheit erscheint, unmögliche Empfindung. Wiederum ein großer Gegensatz! Nun sage ich: sofern ein Lehrer durch die Lektüre der Schopenhauerschen Schriften eine unwillkürliche Vertiefung und Verfeinerung seiner natürlichen menschlichen Anlage des Mitgefühls, insbesondere für menschliches, aber auch tierisches Leiden erlebt haben — denn diese Einwirkung übt der Schopenhauersche Geist — und nun unwillkürlich bei seiner Behandlung menschlicher Dinge eine solche Gefühlstiefe ausströmen wird, vor deren etwaiger Rhetorik oder gar Koketterie ihn die Schlichtheit der Schopenhauerschen Gefühlsweise bewahrt, insofern hat er aus Schopenhauer einen erfreulichen Gewinn sogar für seinen Beruf gezogen. Sofern aber intellektuelle und sittliche Tatkraft im Gymnasium als eine unentbehrliche und hohe Tugend vorausgesetzt wird und der Glaube an den Wert des Lebens, für welches es seine Schüler erzieht, sein Lebensodem ist, insofern darf die der Schopenhauerschen Gesinnung so nahe verwandte Stimmung gelassener Resignation dem Schüler nicht als eine berechtigte Verhaltungsart gegenüber den Aufgaben des Leben in der Tätigkeit sich adelnden Lebens nahe treten.

Das Gymnasium hegt geschichtlichen Sinn und pflegt ihn, es führt seine Schüler in die ethnologische Charakterverschiedenheit der begabtesten Völker und die politische und kulturelle Mannigfaltigkeit der Zeitalter ein, weckt das Verständniss und die Freude an den Beiträgen der Nationen zu der Entwicklungsgeschichte der Menschheit, schürt den Enthusiasmus für die großen, die Verurteilung verkehrter, die Verabscheuung verworfener geschichtlicher Persönlichkeiten: Schopenhauer ist der am wenigsten geschichtlich gesinnte unter den neuern Philosophen, er sieht in der Geschichte wesentlich das (beklagenswerte) Toben der Völker wider einander, dessen sich gleich bleibendes Wesen „in philosophischer Absicht sich genügend aus dem Einen Vater Herodot ersehen lasse. Wiederum in den prinzipiellen Standpunkten Unvereinbarkeiten! Die Grundlage der Schopenhauerschen Geschichtsauffassung ist die seinerseits von Kant adoptirte Lehre von der Idealität der Zeit, der zufolge das Ansich z. B. — des Goethischen Faust vor Goethes Geburt, vielmehr unabhängig von allem, bloß phänomenalem, zeitlichen Werden, in zeitloser Ewigkeit existirt haben müsste, eine in sich selbst so absurde und auf schwachen Gründen so kolossale Behauptungen aufstellende Lehre, dass sie sich im Ernst schwerlich irgend Jemand aneignen kann. Somit ist der Uebergang von ihr zur erkenntnisstheoretisch realistischen Auffassung der Geschichte ein leichter und man lässt den Philosophen auf dem Isolirschemel seines subjektiven Idealismus sitzen. Außerhalb seiner verkehrten prinzipiellen Stellungnahme aber lässt sich Schopenhauer ganz wohl zur Reinigung der historischen Gesinnung verwerten. Gegenüber der Verzweiflung der Gedächtnisskraft in ihrer Qual, angesichts des rastlos sich häufenden Berges des ewig Neuen, ist es einmal wohltuend, zu denken, dass das endlos Einzelne es freilich nicht tut, dass die geschichtliche Einsicht nicht aus der mechanischen Vollständigkeit des Einzelwissens alles Geschehens resultirt, sondern das vergänglich Einzelne auch als ein Gleichniss, ein Paradigma eines wesentlich Gleichmäßigen gefasst werden darf. Für die Verdienste einzelner Persönlichkeiten um die Fortführung der Erkenntniss hat Schopenhauer eine schön ausgeprägte Dankbarkeit, gegen die Verherrlichung der das Menschenwohl rücksichtslos ihrem Ehrgeiz opfernden geschichtlichen Charaktere einen durch äußerlich Imposantes unbestechlichen Sinn, so dass sein Studium wohl dahin wirken kann, die Ueberschätzung des massenhaften Datenwissens zu berichtigen, dem kulturgeschichtlichen Moment zu seiner wünschenswerten stärkern Berücksichtigung gegenüber dem politischen zu verhelfen.

Das Gymnasium ist patriotisch, es pflanzt und pflegt die Liebe zu Vaterland und Herrscherhaus in der Brust seiner Zöglinge, es weckt Bewunderung für die Großtaten unseres Volkes in ihnen und vermittelt in eigener Ueberzeugung den Anspruch von Kaiser und Vaterland an die Jugend, im herangewachsenen Alter unverbrüchliche Treue dem Vaterland zu halten und für die Ehre und Unabhängigkeit des Landes, wenn es sein muss, freudig Gut und Blut zu opfern: Schopenhauer hat im Jahre 1813 aus Furcht zum Kriegsdienst „gepresst zu werden" sich in ein stilles Thüringer Tal geflüchtet und dort rein theoretischen philosophischen Studien gelebt, er hegt vor dem deutschen Nationalcharakter keine große Achtung und bietet in allem seinem Geistesreichtum der patriotischen Gesinnung wenig Unterlage und Nahrung. Ein Lehrer, der in seinem Schopenhauerianismus zu einem Abklatsch dieser persönlichen Seite seines Meisters würde, hätte damit in der bei Kollegen und Schülern lebendigen Anschauungsweise Halt und Achtung verloren und sich damit selbst aus der geistigen Zugehörigkeit zu ihrer Gemeinschaft ausgeschlossen. Allein die betreffende Gesinnung kann kaum für ein Zubehör der Schopenhauerschen Philosophie anstatt für eine persönliche Zufälligkeit ihres Urhebers gelten, und die Abstraktion von solchen letzteren, wo große geistige Produkte vorliegen, dürfte sich empfehlen, um die Einwirkung dieser letzteren rein zu halten. Bei denjenigen, welche sich in das Uebergewicht eines ganz abnormen und nicht nur theoretischen, sondern so zu sagen herzlichen Erkenntnissdranges über die Eigenschaft, Genosse einer Nation und Staatsbürger zu sein, voll hineinversetzen können, würde ich Schopenhauer sogar verteidigen, wenn er den Umstand, dass die Jugend der wirklichen, den normalen menschlichen Impulsen folgenden Welt zur Zeit seiner eigenen philosophischen Sturm- und Drangperiode gerade ihr Leben daransetzte, einen Vernichter der europäischen Völkerunabhängigkeiten im blutigen Ringen mit dessen Hunderttausenden zu stürzen, für seine Person möglichst als nicht vorhanden und nicht verpflichtend zu betrachten suchte; er mochte sich sagen, dass er, der seine philosophische und schriftstellerische Zukunft schon im Vorgefühl in sich tragende Jüngling, der Menschheit unendlich mehr würde nützen können mit der Feder als mit der Muskete in der Hand, und dass es jammerschade sein würde, wenn das zufällige zeitliche Zusammentreffen seines friedlichen Genies mit dem maßlosen Egoismus des Völkerwürgers jenem Genie die Existenz kosten sollte u. s. w.; denn der Vorwurf persönlicher Feigheit ist doch gar zu billig einem Manne gegenüber, welcher wohl den Eindruck macht, als ob er den Mut eines Märtyrers gehabt haben würde. Allein ich will mich auf die kasuistische individualistische Beurteilung jener Schopenhauerschen Handlungsweise nicht einlassen, sondern nur betonen, dass dieselbe jedenfalls zu dem vergänglich Zufälligen an dem Namen Schopenhauer gehört. Wenn aber in der Tat aus den Schopenhauerschen Werken keine Belebung des patriotischen Sinnes quillt, so dürfte doch in ihnen ein Korrektiv zu der in Chauvinismus ausartenden Einseitigkeit desselben liegen. Eine positive Lust an Krieg und Kriegsgeschrei, ein Sichhineinreden in nationalen, unauslöschlichen Hass gegen andere Völker entspricht nicht der humanen Seite der deutschen Volksanlagen und ist keine gesunde und edle Nahrung für jugendliche Herzen, welche sonst die Luft eines „liebet eure Feinde" und eins „edel sei der Mensch, hülfreich und gut" umweht. Schopenhauer aber lebt, wie auch Goethe und Schiller, Herder und Lessing in dieser universalistischen Gesinnung des deutschen Volksgemütes, welches in die Eigenart der verschiedenen Glieder der Völkerfamilie sich so liebevoll zu versenken versteht. Und besonders lässt sich auf Grund so schöner Anerkennung, wie er sie großen Männern anderer Nationen zu zollen weiß, die ganze schreckenerregende Tiefe des Abfalls von humanen Prinzipien empfinden, in welchem seit dem großen Kriege die Franzosen vielfach das bittere Gefühl verletzter nationaler Eitelkeit auf das Gebiet der Kunst und sogar der Wissenschaft übertragen. Dass dergleichen Trübungen der die Menschen über die Grenzen der Nationalität hinaus bindenden, nicht trennenden idealen Mächte, des gemeinsamen Strebens nach dem Schönen und Wahren, der deutschen Empfindungsweise ewig fern bleiben mögen, dazu kann auch Schopenhauers echt deutsche Geistesweite und Gerechtigkeit ein Großes beitragen.

Das Gymnasium steht auf dem Boden der Voraussetzung der Willensfreiheit: Schopenhauer ist Determinist, der alles, was geschieht, die menschlichen Handlungen eingeschlossen, nicht anders denn als notwendig will denken können. Indessen stehen doch beide auf dem Boden, dem (von kindlicher Unreife und pathologischen Formen der Unfreiheit nicht behafteten) Menschen die sittliche Verantwortlichkeit für seine Taten zuzuschieben, und damit fällt die Erheblichkeit der bloß theoretischen Velleitäten Schopenhauers in Beziehung auf diese praktische Grundfrage dahin. Uebrigens glaube ich nicht, dass Jemand in dem Grade Schopenhauerianer sein wird, dass er den handgreiflichen Widerspruch, dass sich der Mensch sein esse selbst — also noch ohne dieses esse, also nicht selbst — gegeben habe in den Kauf nehmen sollte, zumal mit den mystischen Ungeheuerlichkeiten, welche hier wieder die in ihrer Durchführung ganz undenkbare Idealität der Zeit zu wege bringt. Die Verantwortlichkeit des Individuums in praxi ist der feste und für das Leben allein bedeutungsvolle Punkt, auf den man sich aus dem Schwall der Freiheitstheorien flüchten kann, die vielleicht den buntesten Wirrwarr darstellen, der irgendwo in dem Ocean menschlichen Erkenntnissbemühens vorkommt. Dem Determinismus wollen wir Recht geben darin, dass die Kausalität ausnahmslos wirkt, wo Veränderungen, seien es physische, seien es geistige, vorkommen, aber ihm gegenüber auf Grund der Erfahrung festhalten, dass das sittliche Ich der psychische Ort aller Punkte ist, wo die Kausalität nicht unerwogen in der Richtung ihres Impulses unmittelbar weiter wirkt, sondern anprallt an einem geistigen Kraftcentrum, welches aus sich heraus die Richtung des Rechten und Besten für jeden Fall fest vorausbestimmen kann. Auch wollen wir dem Determinismus gegenüber konstatiren, dass er aus seinem Dogma der Notwendigkeit der menschlichen Handlungen nicht die Folgerung zieht, dass der Erziehende nicht die besten Impulse immerfort in der Seele der zu Erziehenden wecken und zu allmählicher habitueller Festigkeit zu bringen suchen soll, womit dann speziell auch die gymnasiale Praxis unangefochten von den Störungen ihrer Kreise von deterministischer Seite her dasteht.

Das Gymnasium ist klassizistisch gesinnt und hält die Fahne dieser seiner Gesinnung inmitten aller utilitarischen, naturwissenschaftlich-technischen und neusprachlich-modernen Anfeindungen unentwegt hoch, die nicht vermögen, seinen Arm

ἀμφ' αὐτῷ πελεμίξαι, ἐρείδοντες βελέεσσιν:

und Schopenhauer ist aus der Tiefe einer mit seiner Individualität zusammenfallenden Ueberzeugung eben so gesinnt, er, der da ausruft: „Gebt ihr erst die antik-klassische Grundlage unserer Bildung auf, dann seid ihr verloren, dann lebe wohl Humanität und hoher Sinn trotz elektrischen Drahtes und Dampfmaschinen!" Das ist ein schöner Berührungspunkt. Das ist eine wertvolle Bundesgenossenschaft! Der Lehrer kann aus Schopenhauer trefflich lernen, die Wurzeln seiner Gesinnung in die klassische Humanität zu versenken. Es ist diese Gesinnung freilich kaum ein Ingrediens der systematischen Philosophie, aber Schopenhauers Mangel als strengphilosophischer Systematiker wird zum Vorzuge des einen ganzen Menschen gebenden Schriftstellers. Kein Philosoph hat so sehr wie er sein Leben hindurch das Studium der klassischen Litteratur gepflegt, und überall zerstreut in seinen Schriften wirken vorbildlich die Spuren solchen Studiums. Und was er als Philosoph und nach allen anderen Richtungen in der Kenntnissnahme des spezialwissenschaftlichen Materials engagirter Forscher vermochte, das sollten Fachmänner erst recht vermögen, obgleich er freilich vor diesen, durch die Amtspflichten reichlich in Anspruch genommenen, als im freien Besitz des edlen Zeitkapitals befindlicher Privatgelehrter einen großen Vorsprung hat. Einen weit geschärfteren Blick in der kritischen Aufnahme der alten Denkmäler gewährt freilich das philologische Spezialstudium als ihn der mit Bipontinischen Texten und einer gewissen naiven, unmittelbaren Rezeption sich begnügende Philosoph besaß: aber durch die sich übereinander aufbauenden und gegeneinander kehrenden Schichten der gelehrten Schriftstellerei über die alten Monumente und über die Meinungen über die alten Monumente hindurch dringen die Philologen oft nicht mehr dazu, sich jene Monumente selbst zu eigen, zu einem assimilirten Bestandteil ihres Wesens zu machen, sich an ihnen wahrhaft und wirklich zu erfreuen und zu erheben, zu belehren, zu stärken und zu rüsten. Sie sind, fürchte ich, auf Schritt und Tritt durch die Akribie ihrer Berücksichtigung des um die Simplizität der antiken Hinterlassenschaften allmählich aufgelagerten gelehrten Materials zu sehr behemmt, als dass sie nicht in dem Umfange ihrer klassischen Belesenheit und in der Wahrhaftigkeit lebendiger Reminiszenz in dem Ganzen und in dem Einzelnen der alten Schriftwerke hinter der vorigen Philologengeneration bedenklich zurückstehen sollten.

Nachdem wir an Schopenhauer eine Seite konstatirt haben, welche ihn dem Gymnasium geradezu nahe stellt, müssen wir zum Schluss dazu noch ergänzend hinzufügen, dass der Mann über einen solchen Reichtum von Gedankenschätzen gebietet, eine solche Mannigfaltigkeit ebenso treffender wie origineller Beleuchtung auf zahlreiche Personen, Sachen, Bücher, Dichtungen und Kunstwerke fallen lässt, dass er den Leser höchlich anregt und bereichert, dem Lehrer der oberen Klassen, der sein Leser ist, oft genug unwillkürlich mitten im Unterricht unsichtbar zur Seite tritt und ihm sein Füllhorn reicht, dessen Ausschüttung die empfänglichen und aufgeweckten unter den Schülern freudig empfinden. Vielgegliederte und ausführliche Untersuchungen sind Schopenhauers Kraft nicht und seine Hauptlehren, zu denen er weit ausholt, wollen mich zum geringsten Teil überzeugen, haben noch nicht einmal seine Hauptschüler, wie Frauenstädt und Bahnsen, für sich erobert, aber seine Größe ist das „Aperçu" und das schlagend formulirte Urteil unmittelbarer Gefühlsreaktionen auf den Eindruck mannigfacher Objekte, und mit den in seinen Werken aufgespeicherten Schätzen dieser Qualität wird der Schriftsteller „Jedem Etwas bringen".

Das Gymnasium hat ein klassizistisches Ideal unverdorbener Unmanierirtheit auch in Beziehung auf die freien, namentlich deutschen, Produktionen der oberen Klassen: Schopenhauer steht inmitten der vielfachen eingerissenen sprachlichen und stilistischen Unarten der Modernen mit seiner deutlichen, markigen, von Effekthascherei freien, auf die Erleuchtung der Sachen, nicht des eigenen Ich, bedachten Schreibweise merkwürdig rein und vorbildlich da.

Ich fasse meine Beantwortung der Frage dieser Abhandlung, die ich in etwas paradoxer Kürze einmal dahin formuliren möchte: „Darf der Gymnasiallehrer Schopenhauerianer sein?" dahin zusammen, dass mit den großen Einschränkungen, auf die im Obigen aufmerksam gemacht worden ist, und unter Voraussetzung festen pädagogischen Taktgefühls Alles in Allem auch für die Lehrer höherer Unterrichtsanstalten nicht vergeblich Schopenhauers großer Geist seine Werke der Welt geschenkt hat.

Hameln. Max Schneidewin.

Auf der Höhe.

Von Josef Kiss. Uebersetzt von Josef Steinbach.

Nicht ein Laut gehört der Freude,
Qual und Jammer — flüchtige Träume!
Licht und Schatten, sie verschwimmen
Auf dem wirbelnden Geschäume.

Welch' ein strahlend Flammenglitzern!
Lichte Straßen, finstre Mienen,
Die in atemlosem Hasten
Nur dem Kampf ums Dasein dienen.

Ein Atom — ein Nichts das Ganze,
Wenns in Vogelsicht begegnet:
Wen sie jagen — ist verloren,
Wen sie segnen — nicht gesegnet!

Die Alpenvölker im Altertum und ihre Nachkommen.

Von A. Fligier.

Die Entzifferung der nordetruskischen Inschriften durch den bekannten Etruskologen C. Pauli (Die Inschriften des nordetruskischen Alphabets von Dr. Carl Pauli. Leipzig 1885. J. B. Barth) hat in die dunklen ethnologischen Verhältnisse der Alpen unerwartetes Licht gebracht. Seit Mommsen seine Abhandlung über die „nordetruskischen Alphabete" veröffentlichte, sind dreiunddreißig Jahre vergangen. In diesem langen Zeitraum ist so viel neues Material, sowohl durch Ausgrabungen bei Este, wie neuerdings bei Gurina in Kärnten durch Hofrat A. B. Meyer in Dresden, zu Tage gefördert worden, dass auch die Sprache selbst von Pauli in die Untersuchung gezogen werden konnte, was vor ihm nicht geschehen war. Zwar haben Corssen, Deecke und Fr. Pichler die rätischen Inschriften untersucht, aber in der Voraussetzung, dass dieselben etruskisch seien, wenn auch in einem von dem Dialekte des eigentlichen Etruriens abweichenden Dialekt geschrieben, den sie als nordetruskisch oder rätisch-etruskisch bezeichnet haben. Dass die fraglichen Inschriften sämmtlich etruskisch seien, war aber keineswegs ausgemacht, und erst Pauli ist es gelungen, in diese Frage Licht zu bringen. Es giebt vier Arten von nordetruskischen Inschriften. Die Inschriften von Lugano finden sich in Wallis, Aargau und Graubünden, ferner in der Provence, Piemont und der Lombardei. Oestlich von diesen ist das Verbreitungsgebiet der Inschriften von Sondrio. An diese schließen sich die südtirolischen Inschriften von Bozen und Trient an. Das Alphabet von Este herrscht in den Inschriften von Este, Padua und Verona und reicht bis nach Würmlach und bis Gurina in Kärnten. Sämmtliche Alphabete gehen, aber auf das Etruskische zurück. Die Inschriften von Lugano sind im Gebiete der alten Lepontier und Salasser gefunden worden. Sie sind sämmtlich in keltischer Sprache abgefasst. In den nordwestlichen Alpen finden sich somit nur Kelten, welche die ligurischen Ureinwohner an das Ufer der Riviera, die Etrusker aber über den Po zurückgedrängt haben.

Kieperts Ansicht (Lehrbuch I, 398), dass dieses Gebiet von Rätiern bewohnt war, hat sich, wie so oft, als unrichtig erwiesen. Pauli übersieht ferner, dass die Sprache der heutigen Bewohner dieser Gebiete als eine kelto-romanische bezeichnet werden muss (vgl. Czoernig, Die Völker Oberitaliens im Altertum. Wien. 1885. Hölder). Die Inschriften des Sondrio-Alphabets sind etruskisch, desgleichen diejenigen Südtirols. Hier treffen wir eine ganze Gruppe von Inschriften etruskischen Charakters aus einem größeren geschlossenen Gebiete, und zwar in einem Etruskisch mit mundartlicher Färbung geschrieben. Diese Tatsachen lassen keinen anderen Schluss zu, als dass in diesem Teile Rätiens dereinst wirklich Etrusker gewohnt haben. Die Angaben des Livius, Plinius und Justin finden somit ihre Bestätigung, dass die alten Rätier einen Zweig der Etrusker gebildet haben. Durch die große Einwanderung der Gallier von Nordwesten wurden die Etrusker in eigentliche Etrusker und Rätier geteilt. Viele Ortsnamen Tirols tragen noch heute ein etruskisches Gepräge. Steub hat das vor vielen Jahren bereits behauptet.

Die Inschriften des Alphabets von Este zeigen, obwohl sie sich über ein verhältnissmäßig weites Gebiet ausdehnen, von Vicenca bis Gurina in Kärnten, alle ein so charakteristisches gleichartiges Gepräge in ihren Formen, dass man auf den ersten Blick erkennt, sie seien in ein und derselben Sprache abgefasst. Nach allen in Betracht kommenden Kriterien stellt sich die Sprache dieser Inschriften als eine Verwandte des Messapsischen in Unteritalien heraus, das einen Zweig des Illyrischen (Albanesischen) gebildet hat. Die alten Veneter waren nach Herodot und Anderen gleichfalls Illyrier und auf diese als das Volk, dem die erwähnten Inschriften angehören, weist in der Tat Alles hin. Wie wir aus den Inschriften ersehen, war die Sprache der illyrischen Veneter bis nach Kärnten verbreitet, von wo sie später durch die Gallier verdrängt wurde. Der Berg Venediger erinnert noch an die alten Bewohner dieser Gebiete.

Was die Abfassungszeit der Inschriften anbetrifft, so beweist Pauli, dass keine der Inschriften über das Jahr 260 v. Chr. hinaufdatirt werden kann, dass aber die Mehrzahl derselben jedenfalls noch erheblich jünger ist und erst dem zweiten Jahrhundert v. Chr. angehört.

Das ethnographische Bild für diese Zeit gestaltet sich nach Ausweis der Inschriften folgendermaßen:

Im westlichen Teile der Poebene, im Wallis, Tessin und zum Teil auch Graubünden wohnen keltische Stämme, die in Wallis und Graubünden bereits mit Rätiern sich vermischen. Sie alle benutzen das nordetruskische Westalphabet. Das Gebiet nordwestlich vom Gardasee ist mit Etruskern mit adriatischem Alphabet besetzt. Südlich von diesen wohnen die Euganeer, den Rätiern wahrscheinlich verwandt. Oestlich vom Gardasee bis gegen Innsbruck Raeto-Etrusker, welche sich des nordetruskischen Ostalphabets bedienen. Hierauf folgt im Osten das Gebiet der illyrischen Veneter mit adriatischem Alphabet. Das ist es, was die Betrachtung der Inschriften des nordetruskischen Alphabets bis jetzt an Resultaten zu bieten vermochte.

Es ist merkwürdig, dass soweit in Oberitalien keltische Stämme verbreitet waren, noch heute keltoromanische Dialekte gesprochen werden, in Piemont, in der Lombardei und in der Provinz Emilia. Die den keltischen Sprachen eigentümlichen Nasallaute, die häufigen dunklen Vokale, das Abwerfen der letzten Silbe haben die oberitalienischen kelto-romanischen Dialekte bewahrt (vergl. Biondelli, Saggio sui dialetti gallo-italici. Milano 1853). Frh. v. Czoernig hat daher vollkommen Recht, wenn er in seinem bereits angeführten neuen Werke die kelto-romanischen Sprachen in phonetischer Hinsicht zu den keltischen zählt. In lexikalischer Hinsicht sind diese kelto-romanischen Dialekte dem Keltischen vielleicht noch näher verwandt als das Französische. Mantegazza hat ferner gefunden, dass der lombardische Schädel dem keltischen im Sinne Broca's vollständig entspricht (vergl. Archivio per l'antropologia. Firenze 1880). Die Bewohner Piemonts, der Lombardei und Emilia sind nach Sprache und Abstammung wahre Kelten, Nachkommen der gallischen Taurisker, Cenomanen, Bojer, Senonen. Als Nachkommen der Etrusker, von denen die Inschriften von Sondrio herrühren, können die Romaunsch in Graubünden betrachtet werden, von denen ein Teil bereits germanisirt worden ist.

Als Nachkommen der Rätier und Euganeer sind die Furlaner und Ladins in Tirol zu betrachten. Die ladinische Sprache steht dem Furlanischen am nächsten; beide unterscheiden sich aber so sehr von den kelto-romanischen Dialekten Oberitaliens, dass ihr allophyler Ursprung nach Czoernig evident ist.

Auch der venetianische Volksdialekt ist vom kelto-romanischen verschieden; seine Weichheit führt Czoernig auf das alte Venetische zurück. Sein lexikalischer Vorrat ist indessen nicht so durchforscht wie der kelto-romanische durch die Arbeiten von Monti, Biondelli und Ascoli. Mit ihm sind genau zu vergleichen die unteritalischen Dialekte, die gleichfalls auf einer illyrischen Grundlage sich entwickelt haben. Das sind Arbeiten, die für Sprachkunde und Ethnologie von gleich hohem Werte wären. Wie sehr sich die italienischen Dialekte auf ethnischer Grundlage entwickelt haben, beweisen einige kleine Dialekte in den Alpentälern, die Eigentümlichkeiten des toskanischen Dialektes besitzen, obwohl dorthin im Mittelalter und in der Neuzeit keine toskanische Einwanderung stattgefunden hat. In diese Alpentäler haben sich aber einst Teile der Etrusker und der ihnen unterworfenen Umbrer vor den Galliern geflüchtet. Die Bevölkerung Oberitaliens besteht somit aus Nachkommen der Ligurer, Gallier, Rhaeto-Etrusker und Veneter und ist somit durch Sprache und Abstammung von den Bewohnern des übrigen Italiens zumeist verschieden. Das kelto-romanische Element Italiens ist das intelligenteste, von ihm ist die Befreiung Italiens ausgegangen, und von ihm hängt auch, wie es scheint, die Zukunft des jungen Italien ab. Der Abstammung nach ist die Majorität der Bevölkerung Oberitaliens den Franzosen zuzuzählen; Geschichte und geographische Lage haben sie zu Italienern gemacht, ein Glück für Italien!

Die Verflachung der modernen Lyrik.

Ein Mahnruf.

(Schluss.)

Noch ein andrer Zweig der modernen Lyrik hat demselben dunklen Drange nach Originalität sein Entstehen und Gedeihen zu verdanken. Ich habe hier die orientalische, oder richtiger gesagt orientalisirende Dichtung im Sinne. Diese hat allerdings ihre Wurzeln viel tiefer geschlagen, als die vorhin besprochene Minnepoesie, weil auch ihre Berechtigung eine weit größere ist. Goethe war der erste, der in seinem „Westöstlichen Divan“ diese fremdländischen, exotischen Gewächse auf deutschen Boden verpflanzte. Friedrich Rückert war darin sein würdiger Nachfolger, ein Orientale mit Leib und Seele; dann kam Leop. Schefer mit seinen reimlosen, ins Uferlose sich ergießenden Rodomontaden und fast gleichzeitig mit ihm Heinr. Stieglitz und Fr. Daumer, der Sänger hafisischer Lieder. Anfang der fünziger Jahre erschienen Schacks meisterhafte Uebersetzung des Firdusi und „Mirza-Schaffys Lieder und Sprüche“, mit denen Bodenstedt seinen Ruhm dauernd begründete. Der Letztere setzte auch mit einigen Anderen, die aber tief unter ihm stehen, seine Tätigkeit in dieser Richtung bis in die neuste Zeit fort. Wer indess das allmähliche Fortschreiten dieser Richtung beobachtet hat, der wird wohl unschwer zwei Phasen in der Entwicklung derselben bemerkt haben. In ihrer ersten Periode war diese Poesie eine orientalische durch und durch, in ihrer Form, wie in ihrem Inhalt. Mohammedanische Anschauungsweise, mohammedanischer Aberglaube, echt orientalische Allegorien, Gleichnisse und Hyperbeln — das war ihr Alpha und ihr Omega. Sie war bloß eine sklavische Nachahmung der bedeutendsten persischen Lyriker: Hafis, Firdusi, Nisami, Enweri, Saadi, Dschelaleddin-Rumi und Dschami. Eben deshalb konnte sie jedoch nie recht in die Herzen des deutschen Volkes dringen. Sie war zu fremdartig, zu originell. Man las diese Dichtungen mit demselben Eindrucke, als wenn man etwa in einem reichen Antiquitäten-Museum wäre, in dem die Produkte fremder Zonen und fremder Jahrhunderte aufgespeichert liegen. Es mangelte dieser Poesie eben zu sehr an Fühlung mit modernem Leben und moderner Denkweise. — Eine bedeutende Wendung zum Besseren sehen wir erst in Bodenstedt. Er wagte es zuerst moderne oder wenigstens uns näher liegende Anschauungen in orientalische Gewänder zu kleiden. Orientalischer Bilderschmuck und orientalische Symbolik waren ihm nur die Form, in welcher er das zum Ausdrucke brachte, was die Herzen Aller erfüllte und bewegte. Aber trotz der Vortrefflichkeit dieser Weisheitssprüche drängt sich uns doch unwillkürlich die Frage auf: Wozu denn diese Fremdtuerei? Hätte das Alles nicht ebensogut in modernem, uns näher liegendem Gewande gesagt werden können? Oder hat uns etwa unsre Zeit in so nahe Berührung mit dem Oriente gebracht, dass diese Poesie sozusagen an aktuellem Interesse gewann? Gewiss nicht. Woher jedoch der seltene Erfolg dieser Lieder? Er ist aus zwiefachen Gründen erklärlich: 1. war nämlich diese Poesie durchaus originell, und was originell ist, das weckt in unserer poesiemüden Zeit allgemeines Interesse und ungeteilten Beifall; — 2. war das aber eine inhaltreiche Reflexionslyrik, welche kernige und ernste Lebensweisheit enthielt — und eine solche steht unserer ernsten Zeit sicherlich viel näher, als minnige Gefühlständelei. — Gleichwohl hat diese Poesie auch manche Nachteile unserer Litteratur gebracht; ich rechne zu diesen vor allem jene spielende Formkünstelei, welche in dem Reimgeklapper der Makame und des Ghasels den weitesten Tummelplatz fand.

Ich habe hier auf diese beiden Richtungen — die Minnepoesie und die orientalisirende Dichtung — bloß deshalb hingewiesen, um zu beweisen, wie absonderlich und unhaltbar derartige Neuerungen sind, die nicht auf der Höhe der Zeit stehen. — Also überall entweder läppische, alle Selbständigkeit ertödtende Nachahmung, oder nutzlose Originalitätssucht! Wo aber den richtigen Weg finden, um die Lyrik wieder zum alten Ansehen zu bringen und ihr in die weitesten Kreise des deutschen Volkes Zutritt zu verschaffen? Ich werde versuchen, diese Frage den realistischen Bestrebungen und Prinzipien gemäß, welche in Deutschland nun immer mehr und mehr an Verbreitung gewinnen, zu lösen.

Wenn Realismus die treue Wiedergabe der Wirklichkeit bedeutet, so wird treue Beobachtung derselben bis in die kleinsten Einzelheiten seine erste Aufgabe, sein Haupterforderniss sein. In den sogenannten objektiven Dichtungsarten, wie der Epik und zum Teile dem Drama bedürfen diese Worte keines weiteren Kommentars. Anders jedoch in der Lyrik, welche nur die Form ist, in die der Dichter seine Empfindungen kleidet, also im Vergleich zu jenen die subjektive Dichtungsart genannt werden muss. Hier würde der Realismus **aufmerksame Beobachtung unsres Gefühlslebens** behufs treuer Wiedergabe desselben erfordern. Nun ist es aber bekannt und übrigens wiederholt durch Herbart hervorgehoben worden, wie schwer es ist, an sich selber Beobachtungen anzustellen, sich selber zum Objekt zu machen und Subjekt und Objekt in sich zu vereinigen. Es ist hier deshalb leichter als je eine unfreiwillige Selbsttäuschung möglich. Häufig kann der Dichter als sein Eigentum ansehen, was doch nur ein abgegriffener und bedenklicher Gemeinplatz ist; er glaubt oft Eigenes zu singen, während er doch nur fremde, ihm vom Hörensagen bekannte Gefühle besingt. Eine solche unablässige Selbstbeobachtung, solche ängstliche Selbstbefragung, ob ich das, was ich empfinde, auch wirklich so und nicht anders empfinde, würde jedoch der poetischen Produktion nur unnötigerweise Schranken setzen und in der Lyrik selbst eine gewisse kühle Nüchternheit und Wortklauberei herbeiführen. — Singe Jeder, **was er selbst fühlt!** — das ist das Einzige, was wir von dem modernen Lyriker zu fordern vermögen. So wird er realistisch sein, ohne es selbst zu wollen, und nicht nur das, er wird sich auch mit den Anschauungen und Strömungen unsrer Zeit gewiss nicht in Widerspruch setzen. Er wird den Gesichtskreis der in der Lyrik gangbaren Gefühle erweitern und so auch in den Herzen Anderer, die mit ihm leben und was die Zeit bringt mitfühlen, immer eine Saite in Bewegung setzen können. Er wird dadurch auch aller schmachtenden Empfindelei fern bleiben, denn der idyllisch-rührseligen Wertherzeit, in der man sich noch durch Mondschein und Amselschlag bis zu langatmigen Gedichten rühren ließ, sind wir zum Glück lange schon entrückt. — Freilich kommt es hier mehr noch auf das Wollen, als auf das Können an. Der Dichter muss **nur** das, was er fühlt, und nichts Anderes, singen **wollen**, er muss in dem Augenblicke, in welchem das Gedicht entsteht, alles Hergebrachte vergessen **wollen** — dann, wenn er dies will, wird er hier verwundert selber die Grenzen seines Könnens sich erweitern sehen! Allerdings sind sehr viele unserer von fremden Empfindungen zehrender Tagespoeten so willensschwach, dass bei ihnen, wenn die Kräfte fehlen, nicht einmal der bekannte Spruch vom lobenswerten Willen Anwendung finden kann. Nicht an **diese** wendet sich jedoch unser Mahnruf, sondern vielmehr an die Auserwählten, an die oberen Zehntausend, die das zu erreichen vermögen, — der herkömmliche Anhang wird dann sicher nicht ausbleiben!

„Doch was werden wir durch diese strenge Abgrenzung des lyrisch Erlaubten gewinnen?" möchte wohl Mancher fragen. — Wir gewinnen viel, gar viel. Denn nur auf diese Weise, indem sie von aller Flunkerei, allem hohlen Phrasengepränge, von aller überschwänglichen Phantasterei befreit und wieder auf den Boden des Wirklichen gestellt wird, kann sich unsre Lyrik die Gunst des Publikums zurückerobern, weil sie dann dem, was die Herzen des deutschen Volkes durchströmt und belebt, Ausdruck giebt. In der Epoche des unmännlichen Empfindungsrausches leben wir nicht mehr; in unseren Tagen, wo Alles drängt und hastet, haben wir keine Zeit mehr, der kindischen Vorliebe für das Unnatürliche zu fröhnen und selbstgefällig und sorglos in unsern Gefühlen zu schwelgen. Wir denken ernster und nüchterner — und wie unser Denken, so ist auch unser Empfinden geläuterter, maßvoller geworden, so dass es an Kraft und Schwung gewann, was es an Breite verloren. Und nicht nur das: es ist auch viel objektiver und selbstloser worden. Unser Tun und Lassen ist gegenwärtig zu ruhelos, zu unstät, als dass wir Sinn und Muße dafür hätten, beständig unser eigenes Ich zu studiren und unsere Gefühle über uns selbst zu belauschen. Wir denken jetzt nach außen hinaus, nicht aber nach innen hinein und unsre eigne Person ist nur in den allerseltensten Fällen der Mittelpunkt unsrer Empfindungen und Gedanken. — Wer sich demnach nur Selbsterlebtes und Selbstempfundenes zu singen vornimmt, der wird nie und nimmer jene lyrischen Missgeburten zu Tage fördern, wie sie in unsern Familienjournalen haufenweise zu finden sind, — denn romantische Träumerei und selbstquälerischer lyrischer Egoismus — das sind in unsern Tagen abnorme, krankhafte Zustände, welche ehestens auszurotten die Aufgabe ehrlicher, ihren Beruf ernst nehmender Kritik sein sollte!

Man wird mir zwar einwerfen, dass die Vermeidung alles süßlichen Empfindungsgetändels und der bis nun gang und gäbe gewesenen Unart des Selbstbesingens nur die Reflexionspoesie fördern werde, der eigentlichen Lyrik jedoch hindernd im Wege stehe. Ich bestreite dies nicht; doch will ich nochmals bemerken, dass unsrer ernsten Zeit, in der ja die Reflexion, kaum aber die Empfindung das entscheidende Wort zu sprechen hat, die kontemplative Poesie jedenfalls besser zu Gesichte steht, als die des Gefühls. Indessen liegt mir nichts ferner, als die Behauptung, dass derlei Gedankenpoesie in das Gebiet der echten Lyrik gehöre. Ich bin im Gegenteile der der Meinung, dass die Empfindung, welche im Epos ganz ausgeschlossen ist und im Drama nur teilweise Berechtigung hat, ein Gebiet haben müsse, in dem sie unbeschränkt walten könnte. Unbeschränkt, doch nicht ausschließlich! Denn bloße Gefühlspoesie, das sind nur lose aneinander gereihte Töne ohne innere Verbindung, ohne sicheren Halt, — das sind leere Seifenblasen, welche der leiseste Lufthauch verweht! Das Gefühl soll bloß der Motor der Gedanken sein, er soll wie ein galvanischer Strom die Gedanken durchzucken und beleben und dem Gedichte selbst kräftigen und mächtigeren Pulsschlag verleihen. Dann tritt auch der Gedanke viel markiger hervor, die Empfindung wird infolge der Wechselwirkung zwischen Gefühl und Gedanke an Glut und Schwung gewinnen und so die „Poesie der Leidenschaft"*) entstehen, welche sich zu jener der Empfindung so verhält, wie etwa eine mächtige Rhapsodie zu leichter, gehaltloser Salonmusik. Jedes Gedicht, das den oben aufgestellten Gründsätzen entspricht, wird ohne Zweifel in die ersterwähnte Kategorie, zur Poesie der Leidenschaft, gehören; denn es ist ja selbstverständlich, dass ein Gefühl, das von dem Dichter wahr und warm empfunden worden, das dabei nicht kokettirend mit sich selbst spielt, sondern höheren, allgemeineren Zielen sich zuwendet, — dass ein solches Gefühl durch Glut, Macht und Fülle von den bisher in der Lyrik gangbaren sich wohltuend unterscheiden wird.

Leidenschaftliche Kraft der Empfindung wäre also das erste Kennzeichen der realistischen Lyrik. Nur so wird dem trägen, schwächlichen Gefühlstaumel unserer zeitgenössischen Dichterlinge Einhalt getan und jener allgemein ersehnte kräftige und volle Ton angeschlagen werden, der in unseren, der Poesie bereits recht abholden Zeitläuften allein noch zu wirken vermag. — Damit jedoch unsere Lyrik zu einer realistischen in wahrster Bedeutung dieses Wortes werde, ist noch ein anderes, gleich unentbehrliches Element nicht außer Acht zu lassen: das Element der Gestalt. Wenn wir den Ursachen des Verfalls und der Unbeliebtheit der heutigen Lyrik nachgehen wollten, müssten wir dieselben, abgesehen von dem vorhin erwähnten Moment, in erster Reihe in ihrer Verschwommenheit, ihrer Gestalt- und Physiognomielosigkeit zu suchen haben. Die deutsche Lyrik von heute besitzt zu wenig Anschaulichkeit und Plastik, welche Eigenschaften ja nur bei echter, ursprünglicher Begeisterung, nicht aber bei kalter und lebloser Nachahmung möglich sind. So lange der Dichter über den Gegenstand seines Liedes mit sich selbst noch nicht im Klaren ist, werden auch die Gebilde seiner Phantasie unklar und gestaltlos sein. So lange er nicht ein Bestimmtes, oder sagen

*) Ich weiß wohl, dass diese Bezeichnung hier keineswegs passend ist, doch weiß ich keine andere, welche den Gegensatz zur „Poesie des Gefühls" besser ausdrückt. Hoffentlich fühlt der Leser, was ich sagen will.

wir lieber ein Konkretes zum Mittelpunkte seines Gedichtes macht, darf man von demselben bestimmte, fest und sicher ausgeprägte Züge unmöglich erwarten. Er wird nur das Ohr zu kitzeln vermögen, das Auge wird in dem Gewühl von Tönen vergebens nach einem Anhaltspunkte suchen. Und das ist eben eines der Grundübel der modernen Poesie: sie hat zu viel Worte, doch zu wenig Handlung, zu viel Gefühl, doch zu wenig Gestalt! Nur das Zerfließende, das Aetherische, das im Grunde doch nur ein Nichts ist, war von jeher ihr Element, sie will mit schillernden Redensarten über den Mangel alles Inhalts hinwegtäuschen! Ich stehe nicht an, zu behaupten, dass eben dieses Moment unsere Lyrik beim heutigen Publikum so arg diskreditirt hat. Wie peinlich es ist, ein Gedicht zu lesen, ohne sich über Sinn und Inhalt dessen, was man gelesen, Rechenschaft geben zu können, das weiß nur der zu sagen, der es selber erfahren — und wer von den Wenigen, welche die jährlich massenweise erscheinenden Goldschnitt-Liedersträuße noch einiger Beachtung würdigen, erfuhr es nicht? Man liest unsere heutigen Gedichte das eine und das andere Mal, man lässt sich vielleicht noch in die Stimmung des Dichters versetzen, — und diese ist meistens Halbdunkel à la Rembrandt — doch den Inhalt des Gelesenen wiederzugeben wäre man kaum im Stande. Natürlich! Wie kann man etwas erzählen, das doch gar nicht existirt! Wornach soll man greifen, da doch in dem ganzen Gedichte nichts Greifbares sich vorfindet!

Gestalt, Plastik wäre mithin das andere Erforderniss, das unsere Lyrik zu erfüllen hat, wenn anders sie nicht zur geschmacklosen Backfischlektüre herabsinken will. Die Lyrik der Zukunft darf nicht mehr so reich an Gemeinplätzen sein, wie es leider die der Gegenwart ist. Der Lyriker der Zukunft wird seine Empfindung an einen bestimmten Gegenstand binden müssen und seine Gestalten nicht in dem Gewühle der Empfindungen untersinken, sondern sie vielmehr voll und ganz hervortreten lassen. Er wird es verstehen müssen, durch einige treffende, drastische Ausdrücke auf Situationen, Begebenheiten und Personen Streiflichter fallen zu lassen, welche in dem Leser die Ueberzeugung wecken sollen, dass er nicht eine Variante der landläufigen Gesänge — sondern eine individuell gedachte, bestimmt und greifbar gezeichnete Dichtung vor sich habe. Dadurch wird erst das Interesse des Lesers geweckt und die Antipathie des Publikums endgültig beseitigt! Ich möchte zum besseren Verständniss und zur Erläuterung des Gesagten gern das eine oder das andere der wenigen Gedichte, die den oben dargelegten Prinzipien entsprechen, hier anführen, wenn ich nicht die Grenzen dieses Aufsatzes bereits zu sehr ausgedehnt zu haben fürchtete; so muss ich mich denn mit dem bloßen Hinweis darauf begnügen, dass in allerletzter Zeit einige Gedichtsammlungen erschienen sind, welche in dieser Hinsicht manches Ansprechende und Gelungene enthalten.

Ich eile zum Schluss. Wer die Entwicklung der zeitgenössischen Litteratur aufmerksamen Blickes betrachtet, dem wird die tiefgreifende Umwälzung, welche sich in dem Schoße derselben gegenwärtig vollzieht, sicherlich nicht entgangen sein. Durch äußere Einflüsse angeregt, trat in Deutschland eine bereits recht stattliche Anzahl Schriftsteller mit der Absicht hervor, für die Poesie, die sich bisher nur im Reiche der Träume bewegte, die Wahrheit und die Wirklichkeit wieder zu gewinnen. Gleichviel, ob die neue Strömung — deren Ursprung unseres Erachtens auf die Talentvollsten der jüngeren Dichtergeneration aus den fünfziger Jahren zurückzuführen ist — Berechtigung hat oder nicht, — einen tiefen und nachhaltenden Einfluss hat sie jetzt schon, da sie doch noch in den Windeln liegt, ohne Zweifel geübt. Der Roman und die Novelle sind diejenigen Gebiete, in denen die modernen Prinzipien am ehesten Fuß gefasst haben; doch ist auch das Drama von denselben nicht unbeeinflusst geblieben. Nur das arme Aschenbrödel, die Lyrik, um die es ja am traurigsten und bedenklichsten steht, blieb größtenteils noch immer die alte! Und doch ist die Abneigung, die sich gegenwärtig in allen Schichten des deutschen Publikums gegen dieselbe kundgiebt, für ihre Reformbedürftigkeit der beste Beweis. Möchten nun — und das ist mein und aller, denen es um unsere Litteratur Ernst ist, aufrichtiger Wunsch — möchten nun auch alle unsere Lyriker, bevor es zu spät wird, zu der Einsicht gelangen, dass nicht das Fremdtuerische und Erträumte, sondern nur das, was in der Wirklichkeit wurzelt und der modernen Denk- und Anschauungsweise entspricht, seine Berechtigung hat!

Lemberg. S. Wollerner.

Sage vom Ursprung der Bienenzucht in Digorien (dem nordwestlichen Ossetien).

Mitgeteilt von H. Obst.

Die Heimat der Honigbiene ist der Kaukasus. Zu uns — nach Digorien — gelangten die Bienen von den Kabardinern, ungefähr im dreizehnten Jahrhundert. Seit jener Zeit besteht die Ueberlieferung, dass es in der Kabarda einen Achmaty-choch genannten Berg gäbe, in dessen Nähe ein von Gott geliebter Prophet gelebt, über den sich Gott einstmals aus irgend welchem Grunde erzürnt hätte. Gott gab es nun zu, dass sich im Körper des Heiligen eine ungeheure Menge weißer Würmer entwickelte, die den Leib des Heiligen dermaßen nagten, dass er fürchterlich litt. Doch vermochten diese Leiden ihm kein Murren über den Ratschluss des Allmächtigen zu entlocken: mannhaft ertrug er die Qualen und las selbst, auf der Seite liegend, die herausfallenden Würmer auf und setzte sie wieder auf seinen Leib, um ihnen dadurch die Möglichkeit zu bieten, ihn zu peinigen. Gott sah aber die Qualen des Gerechten und seine Langmut und fragte ihn: „Warum liest du die Würmer wieder auf, die deinen Leib bis auf die Knochen zernagen?“ — Antwortete der Prophet: — Herr Gott. Du erschufest mich, Du herrschest über mich und entscheidest mein Geschick, darum muss ich doch tun, was Dir beliebt. — Da erbarmte sich der Herr des Dulders und befahl: „Die Würmer mögen flügge werden, fortfliegen und dem Menschen, statt Schaden, Nutzen bringen!“ — Es hörten die Würmer den Befehl Gottes, bekamen Flügel und flogen auf den Berg Achmaty-choch davon.

Nachdem einige Zeit vergangen, geschah es, dass ein Jäger an diesem Berge vorbeikam. Da sah er denn plötzlich eine zahllose Menge von Fliegen, die beständig schaarenweise aus Rissen des Berges hervorflogen und sich wieder in anderen Vertiefungen desselben unter großem Geräusche versteckten. Diese Erscheinung erregte lebhaft die Aufmerksamkeit des Jägers, doch konnte er sie für dieses Mal wegen der unerreichbaren Höhen, auf denen die Fliegen sich befanden, nicht ergründen. Einen angesehenen Mann dazu einladend, verfolgten sie darauf dieselben ganze zwei Monate lang und kletterten zuletzt auf einer ungeheuren, von ihnen hergerichteten Leiter zu dem Orte, wo sich die Fliegen befanden, empor. Nachdem die Forscher die Felsspalten erreicht, sahen sie in ihnen die Honigwaben und glaubten unangefochten dieselben benutzen zu können; doch plötzlich überfielen die Bienen (denn solche waren es) die Leute, begannen sie zu stechen, so dass sie, mit Hinterlassung der gefundenen Waben, sich durch die Flucht retten mussten. Auf der Ebene angekommen, entschlossen sie sich das klebrige Zeug, mit dem ihre Hände bedeckt waren, zu belecken und dessen Süßigkeit setzte sie in Erstaunen; doch dahin zum zweiten Male hinaufzuklimmen, entschlossen sie sich nicht und ließen den Berg unangetastet, ohne von ihm Jemandem Mitteilung zu machen. Es verging der Winter und kam der Sommer heran. Wieder kamen die Forscher zum Berge, doch dieses Mal etwas später im Jahre: jetzt waren die Bergrisse schon völlig mit Honig in der Weise erfüllt, dass die Waben, von den Sonnenstrahlen erwärmt, zerflossen waren und ihr flüssiger Inhalt herabträufelte, wodurch eine Pfütze von Honig entstanden war. Nachdem sie aus derselben Honig gegessen, beschlossen der Jäger und sein Gefährte wieder den Berg zu erklimmen, doch schon mit dem festen Vorsatze — wenn möglich — auch einige dieser merkwürdigen Fliegen zu fangen. Sie schälten von einem Kirschbaume die Rinde ab, drehten daraus eine kegelförmige Tute und krochen mit diesem Geräte den Berg hinauf, dabei die Köpfe mit ihren Baschlyks verhüllend. Es gelang ihnen ins Geräte eine kleine Partie Bienen hineinzutreiben, unter der, glücklicherweise, auch die Königin sich befand. Die Königin flog nicht davon, die Arbeiterinnen verließen sie nicht; solcherweise brachten die Leute sie ins Dorf, wo sie sie in einen mit Lehm bestrichenen Korb taten. In den Wänden dieses Korbes machten die Bienen sich Ausgänge, aus welchen sie hinausflogen, um ihre neue Behausung, zur Freude ihrer Eigentümer zu umfliegen. Da diese Zeit wahrscheinlich noch die Zeit des Einheimsens der Bienen war, so brachten dieselben neuen Honig in den Korb. Dieses war, wie die einheimischen Bienenzüchter behaupten, die erste Ssapetka, der erste landesbräuchliche Bienenkorb. Im nächsten Jahre schwärmten die Bienen und mit den jungen verfuhr man ebenso wie mit den eingefangenen.

Seit dieser Zeit benutzt der Mensch die Bienen, ehrt sie und betet zu deren Schutzpatron, den man Anigol heißt. Wer in Wirklichkeit jener fragliche Anigol war — weiß Niemand mit Bestimmtheit zu sagen. Die Einen sagen, dass das ein Engel vom Himmel gewesen sei, der die Bienen beschütze; die Anderen — Anigol sei jener Jäger, dem es zuerst gelungen, die Bienen einzufangen; endlich die Dritten, Anigol sei jener selbe Prophet, aus dessen Körper die Bienen herausgekrochen seien. Wer immerhin er sein möge, die Bienenzüchter beten zu ihm, verehren ihn, bringen ihm Opfer dar und fürchten seinen Grimm. Opfer werden ihm dann dargebracht, wenn man die Bienen in die Steppe hinausbringt; dann tut man sich zusammen, kauft den besten Hammel, den man dem Anigol zu Ehren mit dem Gebete schlachtet, dass die Bienen gut schwärmen möchten und es eine gute Honigernte gäbe.

Alte Leute, Bienenväter behaupten, dass die Erzählung keine Erfindung sei, sondern eine wahre Begebenheit, die jedem Bienenzüchter bewusst sein müsse.

Das ist es, was die Digorier über das Auftreten der Bienen in Digorien und den Beginn der Bienenzucht, die bei ihnen einen wichtigen Zweig der Landwirtschaft bildet, zu erzählen wissen.

Neue Schriften Waldemar Sonntags.

Es sind nüchterne Zeiten im deutschen Reiche. Der Rausch der mit schweren Opfern erkauften Einheit ist verflogen; heiß tobt der Kampf der Parteien, und im Vordergrunde des öffentlichen Lebens stehen die Fragen der Zölle und Steuern, des Kapitals, der Landwirtschaft und anderer Ständeinteressen, der gesellschaftlichen Ordnungen und Verwirrungen. So ungefähr leitet Waldemar Sonntag, Pastor am Dome in Bremen, sein neustes Werk ein, das unter dem Titel: „Kurz und erbaulich“ (Bremen, bei Rousell) erschienen ist. Der Verfasser bezeichnet als einziges Moment des unverwüstlichen Idealismus des deutschen Geistes die gegenwärtig sich betätigende Sehnsucht, an fremden Küsten neue Arbeitsfelder und Handelsgebiete zu erschließen.

„Dagegen die Angelegenheiten der Religion," — fährt er in seiner Vorrede fort — „haben nur so weit Raum auf der Tagesordnung der Gesetzgebung und der öffentlichen Erörterung, wie sie die Machtfrage der Grenzregulirung zwischen Staat und Kirche berühren, allenfalls noch, so weit Lehrstreitigkeiten und Disziplinarsachen durch mehr oder weniger erleuchtete Kirchenjuristen entschieden werden." Gottlob! — ruft er aus — es giebt aber noch ein Reich, dessen Bestand gegen alle Wechselfälle gesichert ist, dessen Herr der Könige der Erde spottet, dessen Grundsätze den Frieden verbürgen, der nicht von dieser Welt stammt, dessen Ziele die uneinigen Bürger vereinigen, dessen erhabene Ruhe über dem Lärm des Tages tront, dessen Verheißungen die Sehnsucht nach einem unbekannten Jenseits stillen — das ist das Reich Gottes. Wenn für dieses Reich zu arbeiten, Vielen als ein recht undankbares Geschäft erscheinen sollte, da solche Arbeit keinen unmittelbaren, handgreiflichen Gewinn aufzuweisen vermag, so werden, nach des Verfassers Ansicht, wieder Zeiten kommen, „wo der Geist des deutschen Volkes, ungesättigt durch Siege und Gold, nach dem Lebensbrote der Gotteserkenntniss hungert und nach dem Labetrunke der Heiligkeit dürstet. Heute noch die Stimme eines Predigers in der Wüste, wird das Evangelium früher oder später wieder gewaltig an die Herzen dringen, die Massen ergreifen, die Schicksale des Volkes bestimmen."

Das sind Sätze, die selbst ein Theologe von der strengsten Observanz unbedenklich unterschreiben dürfte. Sie bereiten uns aber nur darauf vor, dass der Autor denn doch seinen besonderen Weg auf der Suche nach Gotteserkenntnis und bei der Annahme der evangelischen Wahrheiten eingeschlagen hat, und er verlässt tatsächlich die breite Heerstraße eines kritiklosen Festhaltens an den alten Ueberlieferungen, wenn er die Forderung stellt: „Nicht als Ruine der Vergangenheit soll das Christentum in die veränderte Welt hineinragen, sondern als ein Neubau auf dem alten Fundamente soll es sich den Ordnungen der Gegenwart eingliedern." „Warum," — frägt er — „sollte die Religion, deren erste Forderung die Wiedergeburt des menschlichen Herzens aus dem Geiste Gottes ist, sich ihrer eigenen Wiedergeburt aus demselben Geiste schämen? Es muss immer aufs Neue der Versuch gewagt werden, ob es möglich sei, ohne die Sprache Kanaans die Wahrheit zu sagen und ohne Wunderglauben Gott zu suchen."

Wir haben es also mit einem Werke zu tun, das eine wissenschaftliche Vermittelung der christlichen Religion mit dem neuen kritischen Geiste der Zeit anstrebt, welches die ewigen Goldkörner der evangelischen Wahrheit aus dem Schutt und Wust der Tradition und Mythenbildung herauswaschen, der Menge rein und blank, als nimmer trügenden und nie im Stich lassenden Schatz überliefern, den Schutt und Wust aber der Zersetzung durch das Scheidewasser der Kritik getrost überlassen will. In späteren Abschnitten seines Werkes wendet sich der Verfasser noch besonders gegen die philosophischen Todtengräber, die von Zeit zu Zeit in ihren Elaboraten zu dekretiren pflegen, dass es nun ein- für allemal mit dem Christentum aus sei; er behauptet im Gegenteil, das Christentum werde, wenn man es nur erst von dem Zwange dogmatischer Fesseln befreien und, ohne das Opfer des Intellektes, in seinem innersten und wahren Gehalte erfassen will, erst recht die Herrschaft über alle Köpfe und Herzen der großen Menschenfamilie antreten.

Es würde den Rahmen und den Zweck dieser kurzen Anzeige weit überschreiten, wollten wir unsere eigene Stellung zu dem klar und in edlem Freimut geschriebenen Werke, Satz für Satz, näher dartun und begründen; dem Lesepublikum, dem diese Anzeige gilt, kommt es doch nur darauf an zu erfahren, was es von dem angezeigten Werke zu erwarten hat, und das Credo des Referenten dürfte ihm an dieser Stelle ziemlich gleichgültig sein. So begnügen wir uns, auf die vierundvierzig kurzen, lichtvollen, alle Kirchenfeste und die bedeutendsten Parabeln und Sentenzen des Evangeliums analysirenden Aufsätze des eigenartigen Werkes die Anhänger der verschiedensten religiösen Richtungen hierdurch hinzuweisen. Der Autor wendet sich zwar ausdrücklich nur an solche Leser, „deren religiöses Interesse ebenso lebendig ist wie ihre Abneigung gegen Buchstabenglauben und Frömmelei"; wir meinen aber, dass jeder Christ, der sich nicht mit einem gedankenlosen Nachplappern von Anderen ihm vorgedachter und vorgesagter Sätze begnügt, sondern selbsttätig in ehrlichem, heiß verlangendem Ringen seinen Gott sucht, dieses Buch nicht ohne Nutzen und Gewinn lesen wird. Der Gegner wird vielleicht nur um so eifriger auf seinem widerstreitenden Standpunkte beharren und sich der unerschütterlichen Festigkeit desselben um so freudiger bewusst werden; der Schwankende und Haltlose aber, der sich vergeblich in seinem Gewissen zerquält und in seiner Unsicherheit zermartert, wird vielleicht hier oder da einen rettenden Faden finden, der ihn aus dem Labyrinth seiner Zweifel hinaus an das helle Tageslicht führt. Und so sei das kleine, auch äußerlich gefällige und geschmackvolle Büchlein allen mit Ernst nach innerem Frieden Strebenden, besonders aber denjenigen Christen empfohlen, die sich an der Schale der Mysterien und Legenden nicht genügen lassen, sondern den ernährungskräftigen, süßen Kern derselben schmecken wollen.

Waldemar Sonntag wird sich aber durch ein anderes Werk einen noch größeren Leserkreis erobern. Im vorigen Jahre ließ er bei Hendel in Halle einen Band „Laienpredigten" erscheinen, denen er den Nebentitel „Lose Blätter der Lebensweisheit" gegeben hat, und diesem Bande ist jetzt im selben Verlage und unter gleichem Titel ein zweiter Teil gefolgt. In diesen „Laienpredigten", die nicht etwa Predigten für Laien, sondern vielmehr packend geschriebene Ansprachen eines Laien sind, verlässt der feinsinnige und außerordentlich formgewandte Autor völlig das Gebiet der Theologie und begiebt sich als ein nach Weisheit strebender und Weisheit lehrender Laie auf das der praktischen Lebensklugheit und Erfahrung. Ich muss gestehen, ich habe selten geistreichere, treffendere, bei aller Kürze gründlichere und anmutigere Essays gelesen. Den ganzen Kreis des menschlichen Lebens von der Geburt bis zum Grabe erschöpfen diese Laienpredigten; wie ein Jungbrunnen sprudelt aus ihnen ein klarer, erfrischender Quell der reinsten Menschenliebe, der edelsten Duldung, des mildesten Trostes, der versöhnendsten Weltanschauung. Dem Autor stehen alle Höhen und Tiefen und alle Klangfarben der Stimme zur Verfügung vom ergreifendsten Pathos bis zum derbsten Realismus und schalkhaftesten Humor. Das sind Aufsätze, die nicht Caviar fürs Volk bleiben wollen, sondern die Jedem, sowohl dem Gelehrten wie dem Handwerker, dem Vornehmen wie dem Geringen, etwas zu sagen haben. Hier spricht Sonntag als Mensch zum Menschen und alles rein Menschliche zieht er in den Kreis der Betrachtung. Es ist schwer, nur annähernd ein Bild von der Fülle der gebotenen Lebensweisheit zu geben, da die Artikel nicht gelehrt-pedantisch nach Kategorien geordnet sind, sondern wie die Seiten eines echten Volksbuches in bunter Mannigfaltigkeit und scheinbar willkürlich vom Erhabenen zum Komischen, von der Träne zum Lächeln, überspringen. Da wird von der „Poesie des Winters", von der „Ehe" und „Hausordnung", von „Kindern", „Schulen" und „Krankenstuben" gehandelt; da wird uns von der „Symbolik der Natur", von „Sorge und Sorglosigkeit", von der „Kunst allein zu sein" und von dem „Was uns der Herbst erzählt" berichtet; wir lernen „Die sogenannten guten Freunde", „Den deutschen Gott", „Die Frauentränen", „Die Laterne des Diogenes" unter ganz neuen Gesichtspunkten kennen; und dazwischen überraschen und fesseln uns Kapitel mit den eigenartigen, spannenden Ueberschriften: „Bescheert Gott ein Stück Fleisch, so will es gemeiniglich der Teufel sieden und anrichten", „Wenn die Laus einen Kreuzer gilt, dann haben wir keine", „Mancher findet keinen Baum schön genug, um sich daran aufzuhängen", „Man schickt keinem eine Wurst, man verhoffe denn, er werde auch eine Sau schlachten", u. v. A. Ein großer Teil der Aufsätze erschließt scheinbar abgebaute und abgeerntete Felder, so z. B. die verschiedenen Kirchenfeste, Weihnachts-, Sylvester- und Neujahrsbetrachtungen, oder das Thema von den „Alten Jungfern", von der „Vereinspest", vom Aberglauben" u. s. w., aber überall weiß uns der Autor etwas Neues zu sagen oder das schon anderweit Gesagte in eine neue und eigenartige Beleuchtung zu rücken.

Man kann ja in Vielem, was der Theologe Sonntag aufstellt, anderer Meinung sein — und wo wären zwei Deutsche, die in den Fragen nach den letzten Dingen völlig übereinstimmten? — diesen Laienpredigten aber wird Jeder beipflichten, der einen hellen Geist und das Herz auf dem rechten Flecke hat. Darum möchten wir Alle, die nach einer gediegenen, ernsteren, bildenden und fesselnden Lektüre Umschau halten, mit Nachdruck auf die verschiedenen Schriften Waldemar Sonntags hinweisen; wer nicht zu einseitig in einer bestimmten Richtung verrannt ist und sich noch so viel Objektivität und Selbständigkeit bewahrt hat, dass er auch an den geistreichen Sätzen eines edlen und hochbedeutenden Andersgläubigen, meinetwegen eines Gegners, Geschmack finden kann, der wird uns für diesen Hinweis Dank wissen.

Potsdam. Gerhard von Amyntor.

Ueber Adam Mickiewicz.

Mit dem 28. November 1885 waren dreißig Jahre seit dem Tode des großen polnischen Dichters verflossen und da bei dieser Gelegenheit das in Petersburg erscheinende polnische Wochenblatt „Kraj" dem Andenken des genialen Barden eine ganze Nummer widmete, die reich ist an trefflichen Studien und Betrachtungen über die Werke und das Leben Mickiewiczs, so will ich hier in Kürze den Inhalt derselben wiedergeben.

Der erste Aufsatz ist von Spassowicz und handelt über „Mickiewicz Byronismus". Der Verfasser, der übrigens einer der hervorragendsten polnischen Kritiker ist, behauptet Mickiewicz sei nie ein eigentlicher Byronist gewesen, das heißt, er habe den englischen Dichter nie unbedingt nachgeahmt, wohl aber habe er in seinen Jugendjahren „byronisirt", nämlich seine Leier nach dem Tone der Byronschen gestimmt.

Dann folgen „Erinnerungen an Mickiewicz" vom Dichter T. Lenartowicz.

Karl Brzozowski erzählt Einiges über die letzten Lebenstage Mickiewiczs in Konstantinopel.

Hierauf giebt der Professor der Oxforder Hochschule Morfiel eine Uebersicht über die Verbreitung der Werke Mickiewiczs in England. Aus dieser erfahren wir, dass Mickiewicz in England bis zu Anfang der achtziger Jahre fast ganz unbekannt war und erst da in Miss Maude Ashurst Bigg eine Uebersetzerin gefunden hat.

Der Romanschriftsteller Jesh erzählt einige Einzelheiten über die Ueberführung der Leiche Mickiewiczs in Konstantinopel. Am zahlreichsten beteiligten sich an derselben die in Stambul wohnenden Bulgaren, unter denen sich auch der damals noch jugendliche Zankow befand.

Mickiewiczs gegenwärtig in Paris ansässiger Sohn Wladislaus spricht über des Vaters Prophezeihungen.

Joseph Tretiaks Aufsatz „Die polnische Poesie nach Mickiewicz“ ist vielleicht der beste der ganzen Sammlung. Charakteristisch sind die in demselben erwähnten Worte Krasinskis, die dieser ausrief, als er Mickiewiczs Tod in Baden-Baden erfuhr: „Er war für meine Generation Honig und Milch, Galle und Geistesblut; wir Alle sind aus ihm entstanden. Er hat uns auf den Wogen der Begeisterung erfasst und in die Welt gestürzt.“ Der Hauch Mickiewiczs durchweht die ganze polnische Poesie bis zum Jahre 1863. Das Merkmal dieser Poesie ist die „Erhebung des Gefühls über den Verstand“, was ja die Romantik im Allgemeinen an sich hat. Mickiewicz war jedoch nicht Gefühlsmensch aus Ergebenheit für die Romantik, sondern weil er überzeugt war, dass der unbedingte Wert des Menschen nicht in der Schärfe seines Verstandes, nicht im Wissen, nicht in der Fülle der Einbildungskraft liege, sondern nur in seinem sittlichen Gehalte, in der Kraft und Wildheit des Gefühls, das seinen Willen lenkt. Seine Poesie sollte die Bundeslade für die Vergangenheit und Neuzeit werden; Wort und Tat sollte Eins sein. Daraus entstanden Verirrungen und die Gefühlsschwärmerei führte zum religiös-politischen Mysticismus — zum Towianismus, der jedoch nur bei den Emigranten Anhänger fand. Fast alle Dichter der Nach-Mickiewiczschen Zeit sind frei davon, obgleich sie alle religiöse Konservatisten sind. Bei Ujejski war die Religiösität flammend, bei Vinzens Pol jedoch rein mechanisch; bei Lenartowicz und Syrokomla naivvolkstümlich. Ganz dagegen waren Garczynski, Slowacki und Krasinki Zweifler und Kämpfer.

Die letzten Nachläufer der Romantik waren nur noch Nachahmer Heines und Mussets.

Nach 1863 begann ein Umschwung in der polnischen Poesie. Durch seine kritische Behandlung der Vergangenheit Polens versetzte der Historiker Szujski der Gefühlspolitik, der unbedingten Verherrlichung der Vergangenheit sowie dem Messianismus den Todesstoß. Jetzt überflutete die abendländische Wissenschaft die polnische Litteratur und die demokratische Strömung, die immer stärker ward, stellte den Idealen der Romantik ganz andere entgegen. Nachdem der Durchbruch in der Gedankenwelt vollzogen war, machte er sich in der Poesie geltend. Die alten Ideale schwanden, aber die neuen fehlen noch, daher ist die heutige Poesie weihelos und entbehrt des Schwunges. Asnyk kämpfte noch einige Jahre für die verabschiedeten Ideale, aber schließlich gab er seinen Kampf auf. Ihm gegenüber steht im Nebel der noch ziemlich unklaren neuen Ideenwelt eine geharnischte Frau, Marie Konopnicka, die ihre Verse wie Erzstandbilder baut, die Kraft in der Sprache zeigt, die den Schmerz kennt, aber noch keine Ideale zu schaffen vermag, da sie eben noch im Keime liegen.

Louis Léger, der Professor der slavischen Litteraturen am Collège de France spricht über Mickiewiczs Werke in Frankreich, wobei er eben eingestehen muss, dass seine Landsleute für fremden Geist und Dichtkunst sehr wenig Verständniss besitzen.

A. Mahrburg behandelt Mickiewiczs Weltanschauungen.

Dr. A. Zipper spricht über die Verbreitung der Mickiewicz'schen Werke in Deutschland und hier sehen wir, dass kein europäisches Volk soviel über Mickiewicz geschrieben hat und soviel Uebersetzungen seiner Dichtungen besitzt, wie wir. Ja, wir dürfen uns immerhin schmeicheln als dasjenige Volk dazustehen, das für den Geist und das Leben fremder Völker am meisten Verständniss besitzt.

Ueber Mickiewiczs Wirksamkeit als Professor am Collège de France spricht Tokarzewicz.

Dann folgt ein gediegener Aufsatz von Georg Brandes über das Epos im Allgemeinen und Mickiewiczs „Herr Thaddäus“. Brandes sieht in dieser Dichtung mehr epische Eigenschaften als im „Don Juan“ und in „Hermann und Dorothea“. Mickiewicz schaut auf das Leben seiner litauischen Heimat mit den Augen des von der Heimat getrennten Jünglings. Alles spiegelt sich ihm wieder wie es die Kindesphantasie einst aufgenommen. Daher ist er nicht der moderne Mensch, der in eine ihm fremde Welt schaut, sondern der, sozusagen, naive Epiker, der mit Herz, Auge und Ohr in der Welt seiner Schilderungen lebt.

Von den übrigen in der Sammlung enthaltenen Aufsätzen ist noch der von Połoński „Mickiewicz in der russischen Litteratur“ der Erwähnung wert. Der Verfasser erzählt hier viel Interessantes über Mickiewiczs Beziehungen zu Puschkin und anderen russischen Schriftstellern seiner Zeit, von denen mehrere dem polnischen Dichter aufrichtige Hochachtung und Freundschaft bezeigten. Uebrigens ist, wie Połoński's Aufsatz zeigt, die Zahl der russischen Uebersetzungen Mickiewiczscher Werke ziemlich bedeutend.

Tiflis. Arthur Leist.

Litterarische Neuigkeiten.

Im Verlag von Hermann Hucke in Leipzig beginnt nun auch eine Serie europäischer Litteraturgeschichten zu erscheinen. Die ersten beiden Bände Grundrisse der italienischen und niederländischen von Albert Schmidt gelangten bereits zur Ausgabe. Die folgenden sollen Grundrisse der spanischen, portugiesischen, russischen, dänischen, schwedischen und ungarischen Litteraturgeschichten enthalten. Preis jeden Bandes 2 M. 50 Pf. Jeder Band soll auf etwa 10 bis 15 Bogen einen gedrängten Ueberblick der zu behandelnden Litteratur geben und in klarer fließender Sprache ein Bild des geistigen Lebens des Volkes, stets mit dem Seitenblick auf die politische und Kulturgeschichte, entrollen. Das Werk ist für gebildete Laien bestimmt, welche in angenehmer Form sich über die positiven Resultate der litterarhistorischen Studien unterrichten wollen. Für jene, welche ihre Belehrung weiter ausdehnen wollen, soll jedem Bande eine kurze Angabe über die Hauptquellen und zur raschen Orientierung ein alphabetisches Register beigegeben werden.

„Was für schlechte Menschen!“ lautet der Titel einer zeitgemäßen politischen Satire in drei Akten von Lothar Auge, welche gerade jetzt der Aufmerksamkeit unserer deutschen Bühnenleiter würdig sein dürfte. Dieselbe erschien soeben im Verlage von Oswald Mutze in Leipzig.

Luigi Capuana hat ein neue durchgesehene Ausgabe seiner Erzählung „Giacinta“, die mit seinem Bildnis erscheint, Zola gewidmet. (Luigi Capuana Giacinta. Nuova edizione riveduta dall' autore. Catania, Niccolò Giannotte editore 1886. 828 S. in 16⁰. Lire 4.)

Der 26. Band der im Verlag von S. Hirzel in Leipzig erscheinenden Publikationen aus den K. Preußischen Staatsarchiven veranlasst und unterstützt durch die K. Archiv-Verwaltung enthält: E. Bodemann, Briefwechsel der Herzogin Sophie von Hannover mit ihrem Bruder, dem Kurfürsten Karl Ludwig von der Pfalz und des Letzteren mit seiner Schwägerin, der Pfalzgräfin Anna.

Im Verlag von J. Rothschild in Paris erschien vor Kurzem die dritte umgearbeitete Auflage des in jeder Beziehung vornehm ausgestatteten reich illustrirten Prachtwerks über die Kunstgärtnerei. Dasselbe trägt den Titel: „L'art des jardins — parcs — jardins — promenades — étude historique — principes de la composition des jardins — plantations décorations pittoresque et artistique des parcs et jardins publics.“ Traité pratique et didactique par le baron Ernouf unter Mitwirkung von A. Alphand, directeur des Travaux de la ville de Paris, inspecteur journal des Ponts et Chaussées. Das Werk dürfte nicht nur in Frankreich, sondern in der ganzen zivilisirten Welt von Freunden der Gartenbaukunst willkommen geheißen werden.

Gelegentlich des vierten Heftes des II. Jahrgangs der bekannten im Verlag von Fr. Mauke (A. Schenk) in Jena erscheinenden „Naturwissenschaftlich-Technischen Umschau“. Illustrirte populäre Halbmonatschrift über die Fortschritte auf den Gebieten der angewandten Naturwissenschaft und technischen Praxis für Gebildete aller Stände herausgegeben von Th. Schwartze machen wir unsere Leser noch einmal ganz besonders auf dieses interessante Unternehmen aufmerksam.

In den Kreisen der römischen Archäologen findet großen Anklang das in Edinburgh gedruckte, mit 57 Illustrationen und Plänen geschmückte Buch Middletons über das alte Rom, wie es sich nach den Ausgrabungen der letzten Jahre gestaltet hat (Ancient Rome in 1885 by J. Henry Middleton Edinburgh Adam and Charles Black 1885 XXVI & 512 S. 21 s.)

Im Verlag von Leuschner & Lubensky in Graz erschien eine sehr beachtenswerte umfangreiche „Geschichte der altdeutschen Dichtung“ von Ferdinand Khull. Dieselbe lehnt sich an Wilhelm Scherers „Geschichte der deutschen Litteratur“ und an desselben Gelehrten „Geschichte der deutschen Dichtung im 11. und 12. Jahrhundert“ an und der Verfasser hat nach eigenem eingehendem Studium der in Betracht kommenden Dichtungen und die über sie handelnden Monographien und Abhandlungen die Ansichten aller bedeutenden Litterarhistoriker insbesondre Gervinus in Betracht gezogen.

Der Geschichtsschreiber der französischen Revolution Taine muss sich auf Rat der Aerzte fast gänzlich während der nächsten Zeit der geistigen Arbeit enthalten. Der Schlussband seines großen Werkes ist indessen schon weit vorgerückt. Ein großer Teil desselben wird von Bonoparte und dem Einfluss seines Regierungssystems auf Frankreich handeln.

Von dem in Marburg bei N. G. Elwert erscheinenden Prachtwerk: „Bilderatlas zur Geschichte der deutschen Nationallitteratur“. Eine Ergänzung zu jeder deutschen Litteraturgeschichte. Nach den Quellen bearbeitet von Gustav Könnecke gelangte vor Kurzem die dritte Lieferung zur Ausgabe, deren reicher und interessanter Inhalt dem der beiden ersten Lieferungen nicht nachsteht.

„Aus alter Zeit“ betitelt sich eine in Versen geschriebene Geschichte für das neue Deutschland nebst einigen Beigaben von Ludwig Hall. Der stattliche Band behandelt die Deutsche Geschichte von König Erich bis zu Hermanns des Cheruskerfürsten Tode und erschien kürzlich im Verlag der C. Trömerschen Universitäts-Buchhandlung in Freiburg i. B.

„Aus der Apostelzeit“ betitelt sich eine umfangreiche Studie von Friedrich Zündel, welche vor Kurzem im Verlag von S. Höhr in Zürich erschienen ist.

Paul Nerrlich veröffentlichte im Verlag der Weidmannschen Buchhandlung in Berlin den zweiten Band seines schätzenswerten Werkes „Arnold Ruges Briefwechsel und Tagebuchblätter aus den Jahren 1825—1880. Dieser zweite umfangreiche Band umfasst die Jahre 1848—1880 und dürfte noch in höherem Grade interessant sein als der erste zu Weihnachten vorigen Jahres erschienene.

Im Verlag von Félix Alcan in Paris erschien kürzlich: „Étude sur le scépticisme de Pascal considéré dans le livre des pensées“ par Edouard Droz. Im gleichen Verlage gelangte ein neuer Band der Bibliothèque de Philosophie contemporaine zur Ausgabe. Derselbe enthält: „La psychologie du raisonnement recherches expérimentales par L'hypnotisme von Alfred Binet.

Unter den litterarischen Festgaben, welche das abgelaufene Jahr auf den skandinavischen Büchermarkt brachte, ragt neben den von geradezu beispiellosem Erfolge gekrönten „Juleroser“ (Weihnachtsrosen), auf die in diesem Blatte bereits von kompetenter Seite aufmerksam gemacht wurde, das überaus prächtige und inhaltsreiche Heft „Vor Arne“ (Unser Herd) hervor, welches von A. J. Bävad im Verlage von H. Hagerup in Kopenhagen als „Beitrag in Feder, Bleistift und Pinsel“ zum Journal „Fædrelandets Forsvar“ herausgegeben wurde. Dasselbe enthält Beiträge von den Schriftstellern Holger Drachmann, Rudolf Schmidt, C. Rosenberg, Chr. Michelsen, Vilh. Östergaard, Jens Karstensen u. A., dann von den Künstlern Otto Bache, Ludv. Malmström, C. Neumann u. A. Ganz besonderes Interesse, namentlich für militärische Kreise, haben die vier Aufsätze, welche unter dem gemeinschaftlichen Titel „Vort Forsvars basis“ (die Basis unserer Verteidigung) vereinigt und von einer großen vorzüglichen Karte in Farbendruck (die vorgeschlagene Befestigung Kopenhagens) begleitet sind. Den Freunden und Verehrern des kürzlich verstorbenen Gelehrten und Schriftstellers C. Rosenberg wird durch die Beigabe eines vorzüglichen, nach einer Photographie in Photolithographie ausgeführten Porträts eine gewiss sehr willkommene Ueberraschung bereitet.

Die Frage des Urheberrechts wird in diesem Jahre die gesetzgebenden Körper von England und Amerika beschäftigen. Wie das „Athenäum“ meldet, beabsichtigt die englische Regierung in der gegenwärtigen Session eine Bill für die Konsolidirung und Aenderung der Urheberrechte einzubringen. Und in Amerika beschäftigt sich der Senat in Washington noch immer mit der Hawleybill, durch welche die amerikanisch-europäischen Schriftsteller gegenseitig geschützt werden sollen.

Unter den letzten Publikationen der berühmten Librairie des Bibliophiles (Jouaust) befindet sich ein: Faust, übersetzt von Albert Stapfer mit Illustrationen von dem berühmten Maler Jean Paul Laurend, in 8⁰. — die Contes fantastique d'Hoffmann, mit eaux-fortes von Lelange in 16⁰ Die collogues des Erasmus auch mit eaux-fortes und sein Lob der Narrheit mit dreiundachtzig Zeichnungen von Holbein. Es ist dies der dritte oder vierte illustrirte Faust in fünf Jahren!

Die Verlagshandlung von Simáček in Prag hat eine Gesammtausgabe der bisherigen dramatischen Werke J. Vrchlicky's mit dem einaktigen Lustspiele „Kšivota“ — „Zum Leben“ eröffnet, welches in anziehender Form eine Bekämpfung des missverstandenen Pessimismus enthält.

Maurus Jókai, der unerschöpfliche ungarische Romanzier, wird sich im Monat April, begleitet von dem Maler Arpád Fassty, nach Dalmatien und Bosnien begeben, um daselbst für litterarische Zwecke Studien zu machen; er gedenkt die gesammelten Erfahrungen in einem neuen Romane und auch für das große ethnographische Werk „Die österreichisch-ungarische Monarchie in Wort und Bild“ zu verwerten, dessen ungarische Ausgabe durch ihn redigirt wird.

Als Edition der Ungarischen Akademie der Wissenschaften ist in Budapest A. Thierrys Werk über „Alarich“, von Dr. Johann Öreg ins Ungarische übertragen, erschienen.

F. Zehender veröffentlichte im Verlag von F. Schulthess in Zürich einen starken Band betitelt: „Litterarische Abende für den Familienkreis". Derselbe enthält biographische Vorträge über Dichter und Schriftsteller des neunzehnten Jahrhunderts begleitet von Proben aus ihren Werken gehalten in der Großmünsterschule in Zürich während der Jahre 1884 und 85.

Bei Duncker und Humblot in Leipzig erschien eine kleine lesenswerte Broschüre unter dem Titel: „Die Karl Ferdinands-Universität in Prag und die Čechen". Ein Beitrag zur Geschichte dieser Universität in den letzen hundert Jahren 1784—1885.

Giovanni Antonio Mangini, der in der Bewerbung um einen Lehrstuhl der Mathematik an der Universität Bologna Galileo aus dem Felde schlug, unterhielt mit Tycho di Brahe, Kepler und andern astronomischen und mathematischen Berühmtheiten seiner Zeit einen gelehrten Briefwechsel. Anton Favaro hat die in einem Privatarchiv befindlichen Briefe herausgegeben und denselben eine Einleitung über das Leben und die Werke des Empfängers derselben vorausgeschickt. (Carteggio inedito di Ticone Brahe, Giovanni Keplero e di altri celebri astronomi e matematici dei secoli XVI e XVII con Giovanni Antonio Mongini Tratto dall' archivio Malvezzi dei Medici di Bologna pubblicato ed illustrato da Antonio Favaro, Bologna Nicola Zanichelli 1886. X und 552 S. in 8°. Lire 12. —.)

Ein im Verlag von Oskar Leiner in Leipzig erscheinendes Lieferungswerk betitelt sich „Auf treuer deutscher Wacht". Eine Erzählung aus Deutsch-Böhmen von Wolfgang Schild. Dasselbe soll in 12 Lieferungen à 40 Pfennige = 25 Kr. ö. W. vollständig sein.

Soeben erschien: In Quarantäne auf dem Oesterreichisch-Ungarischen Lloyd." Ein Sittenbild aus dem XIX. Jahrhundert. Verlag von E. S. Mittler & Sohn Königliche Hofbuchhandlung, Berlin. Diese kleine Schrift ist eine Streitschrift ein Protest gegen die Quarantäne, wie sie jetzt gegen die Reisenden ausgeübt wird. Sie erzählt wahrheitsgetreu die Schicksale eines Lloydschiffes, welches die Oesterreichisch-Ungarische Lloyd-Gesellschaft ohne jeden Versuch einer Abhülfe oder Einrede 12 Tage in einer widerrechtlich verhängten Quarantäne zubringen liess, und die Unbilden, denen die Passagiere während dieser Gefangenschaft ausgesetzt waren.

„Zur Judenfrage nach den Akten des Prozesses Rohling-Bloch" lautet der Titel eines Buches von Dr. Josef Kopp, Hof- und Gerichtsadvokat, Abgeordneter des n. ö. Landtags und des österreichischen Reichsrats. Dasselbe erschien vor Kurzem im Verlag von Julius Klinkhardt in Leipzig und dürfte von allgemeinem Interesse sein.

Im Verlag von Joh. Lüdemann in Hannover erschien: „Die schöne Magelone". Eine alte Geschichte in Versen neu erzählt von Helene Bruns.

„Sagen und Bilder aus Lothringens Vorzeit" betitelt sich ein stattlicher Band von Oskar Schwebel, welcher soeben im Verlage von Robert Hupfer in Forbach zur Ausgabe gelangte.

Nachdem erst unlängst der Geist der Frauen in einer Sammlung von Citaten aus weiblichen Autoren (von Sanborn, wit of women) ins Licht gestellt worden, kündigt jetzt die englische Mrs. Sharp eine Sammlung der besten Gedichte ihrer Landsmänninnen in England und Schottland aus der Zeit von 1685—85 an. Die Sammlung erscheint unter dem Titel „Womens Voices".

Ernst Gettke veröffentlichte vor Kurzem den vierzehnten Jahrgang seines bekannten „Almanach der Genossenschaft Deutscher Bühnen-Angehöriger". Kassel und Leipzig in Kommission von Paul Voigts Musikalien-Verlag.

Wie wir im Deutschen unsere Gartenlauben-, Daheim- und ähnliche Kalender besitzen, so hat die amerikanische Litteratur ihre auf den Namen berühmter Schriftsteller lautenden Kalender. So giebt es einen alljährlich erscheinenden Emerson-, einen Longfellow-Kalender und andere mehr. In diesem Jahr ist nun ein Schillerkalender in deutscher und englischer Sprache hinzugekommen. Das Charakteristische dieser Kalender ist, dass sie eine große Anzahl schöner Stellen aus den Schriften der betreffenden Männer enthalten.

Von Georg Friedrich's „Die Krankheiten des Willens vom Standpunkte der Psychologie aus betrachtet, im Anschluss an die Untersuchung des normalen (gesunden) Willens in Bezug auf Entwicklungsstufen, Ziele und Merkmale", erschien die zweite Auflage München, Verlag der Gg. Friedrich'schen Buchhandlung.

Aus der Preis-Konkurrenz der ungarischen belletristischen Monatsschrift „Der Salon" auf das beste Original-Gedicht ging der Schriftsteller Heinrich Lenkei mit einem durch Eigenart der Auffassung und Tiefe der Empfindung ausgezeichneten Poëm „Die Uhr der Großmutter" als Sieger hervor. Das Gedicht, die durch den Anblick ihrer alten Uhr angeregten Lebensbetrachtungen einer Greisin, ist im Februarhefte des ungarischen „Salon" erschienen.

Das im Verlage vom R. Schultz & Co. zu Straßburg herausgekommene Lieferungswerk des Professors Dr. Adolf Brennecke: „Europa", eine malerische Wanderung etc., 46 Bogen 4° mit 182 großen Holzschnitten, liegt jetzt in einem prächtigen Originalbande vor. Es führt die Leser durch die Länder und Städte unseres Erdteils und nimmt besondere Rücksicht auf ihre geschichtliche Entwickelung, ihre kulturhistorische Bedeutung und die hauptsächlichsten Merkwürdigkeiten von Land und Leuten. Obschon der Verfasser die Ergebnisse der neuesten wissenschaftlichen Forschungen durchgehends berücksichtigt hat, hält sich das Buch frei von jedem Lehrton und liest sich zufolge des gefeilten Stiles und der anschaulichen Schilderungen wie eine spannende Erzählung; stellenweise nimmt die Schreibart ein warmes, poetisches Kolorit an, und nur an der Fülle der eingestreuten kulturgeographischen Tatsachen merkt der Leser den wissenschaftlichen Gehalt des Werkes. „Europa" wird den zahlreichen „Prachtwerken" nicht nur durch seinen mäßigen Preis (eleg. geb. 18 M.), sondern mehr noch durch die Gediegenheit von Text und Bilderschmuck vielfach Konkurrenz machen: in solchen Werken ist die Illustration am Platze!

„Pierres précieuses et pierres fines" betitelt sich eine prachtvoll ausgestattete Anthologie de quelques prosateurs français contemporains, welche in Sneek bei H. Pijthersen erschienen ist. Schon früher erschien im gleichen Verlage ebenfalls höchst elegant ausgestattet „Perles de la poésie française contemporaine". Diese Anthologie erlebte binnen Kurzem die dritte Auflage.

Springer's Kunsthandbuch für Deutschland, Oesterreich und die Schweiz. Vierte Auflage. (Verlag von W. Spemann in Berlin und Stuttgart.) Diese vierte wiederum vermehrte Auflage wird Vielen willkommen sein, nicht nur dem reisenden Publikum, welches genaue Nachweise über Zugänglichkeit, Besichtigungszeit etc. aller vorhandenen öffentlichen, kirchlichen und der Privat-Sammlungen von Kunst- und kunstgewerblichen Gegenständen sucht, sondern auch dem Fachmann und Gelehrten, der sich näher über Ursprung und Zusammensetzung der Sammlungen, die Kunstinstitute, ihre Publikationen, Stipendien, Stiftungen, Leiter und Vorstände, über alle Künstler-, Architekten, Kunst- und kunstgewerblichen Vereine unterrichten will. Die sachliche Einteilung des Buches, die genauen Orts- und Namensregister sind geschickt angelegt und erschließen das reichhaltige Material in anerkennenswerter Weise.

Unter den neapolitanischen Emigranten, welche vor 1860 in Piemont den italienischen Einheitsgedanken hoch hielten, zeichnete sich M. D'Ayala durch Arbeitsamkeit und Charaktertüchtigkeit aus. Unter dem Triumvirat in Toskana Kriegsminister, hat er seit der Gründung des Königreichs Italien politisch nur eine sehr untergeordnete Rolle gespielt. Wir machen auf die von seinem Sohne verfassten Denkwürdigkeiten des als Mitglied des Senats in sehr schlechten Verhältnissen Verstorbenen aufmerksam. (Memorie di Mariano D'Ayala e del suo tempo 1808—1877 scritte dal figlio Michelangelo. Volume unico. Torino, Roma, Firenze, Fratelli Bocca 1876. VIII und 586 S. Lire 5.)

Alle für das „Magazin" bestimmten Sendungen sind zu richten an die Redaktion des „Magazins für die Litteratur des In- und Auslandes" Leipzig, Georgenstrasse 6.

Für die Redaktion verantwortlich: Hermann Friedrichs in Leipzig. — Verlag von Wilhelm Friedrich in Leipzig. — Druck von Emil Herrmann senior in Leipzig.

Das Magazin

für die Litteratur des In- und Auslandes.

Wochenschrift der Weltlitteratur.

1832 gegründet von Joseph Lehmann.

55. Jahrgang.

Preis Mark 4.— vierteljährlich.

Herausgegeben von Hermann Friedrichs.

Verlag von Wilhelm Friedrich in Leipzig.

No. 12. — Leipzig, den 20. März. — 1886.

Unsern verehrlichen Lesern wird die Notwendigkeit der baldigen Erneuerung des Abonnements in freundliche Erinnerung gebracht.

Leipzig. Die Verlagshandlung des „Magazins“.

Inhalt:

Nationaler Realismus in der neuern Litteratur.

Von F. von Kapff-Essenther.

Es ist nicht so leicht, als man glauben möchte den Charakter einer litterarischen Epoche zu bestimmen. — Vorerst schwanken alle ästhetischen Normen, alle kritischen Maßstäbe im Laufe der Zeiten und zersplittern in der Regel machtlos an gewaltigen, wahrhaft originellen Erscheinungen. Ferner ist es schwierig, sehr schwierig, aus der Fülle verschiedener Erzeugnisse die Grundtypen mit ihren charakteristischen Merkmalen herauszufinden, denn in der litterarischen Produktion einer Periode herrschen wieder verschiedene, häufig einander entgegengesetzte Strömungen, welche die Aufgabe des ehrlichen Geschichtsschreibers kompliziren. Solche widerstreitende Strömungen waren z. B. seit jeher der Geschmack des großen Publikums und die Stimme der Kritik, der litterarischen Kreise. — Und doch müssen Beide ihrer Natur und Wesenheit nach in gewissem Grade Recht haben und Recht behalten, obgleich Beide in Bezug auf Zeitgenossen und deren Werke schon die gröbsten Irrtümer begangen haben; die Kritik aber und das Publikum handeln, wie jede Potenz des Lebens, aus einer bestimmten Notwendigkeit und wollen deshalb respektirt sein. — Derjenige, welcher die Geschichte einer vergangenen Epoche schreibt, daher die Entwicklung der Dinge vollständig übersieht, wird, sofern er im Uebrigen seiner Aufgabe gewachsen ist, wohl das Zufällige von dem Wesentlichen zu unterscheiden wissen. — Die Lage des Zeitgenossen aber mitten im Lärm des Tages, im Widerstreit der hundertstimmigen Kritik, inmitten der Hochflut neuer Erscheinungen ist eine sehr verwickelte. — Meistens zieht man sich dadurch aus der Verlegenheit, dass man eben seine persönliche Meinung sagt und es erklärt sich auf diese Weise, dass wir kaum eine andere Kritik haben, als eine subjektive, und der Ton einer solchen die ganze neuere Litteraturgeschichte durchklingt. — Gerade die neuere und neuste Litteratur stellt dem Beurteilenden eine der schwierigsten Aufgaben. Sie ist einmal die quantitativ produktivste, welche es jemals gegeben hat; zugleich aber fehlt ihr die tonangebende, die konzentrirende Schule, die geklärte künstlerische Anschauung, das ausgeprägte Ideal, die heilig gehaltene Kunstform; es fehlen ihr auch im Ganzen die genialen Individualitäten, welche durch ihre Eigenart bahnbrechend wirken. Die gesammte Produktion ist also eben so vielgestaltig, als willkürlich, ein Mittelding von Proteus und Hydra; sie erschöpfend zu charakterisiren wäre eben so schwer, als mühevoll.

Ein charakteristisches Moment aber, in erster Reihe stofflicher Natur und daher Jedermann ins Auge springend — bietet sich uns zur Beurteilung

unserer Litteratur dar und wirft einen willkommenen Lichtstrahl in das Chaos der Erscheinungen: Diese Litteratur ist, wie keine der früheren Epochen, zugleich eine Geschichte ihrer Zeit. — Die wissenschaftliche Litteratur vermittelt die Erlebnisse exakter Forschung und die Theorien praktischer Erfindungen; die referirende und beschreibende entspricht in ihrem Charakter und in ihren Dimensionen unserem vielgestaltigen, vielbewegten, räumlich und ideell extensiven Leben; die schöne Litteratur aber hat im Roman, dessen einzige Aufgabe es ist, Zeitbilder zu geben, ihre charakteristische Form gefunden. — Jene Werke, welche der Zeit fernliegende Stoffe behandeln, werden auf irgend eine Weise den Rapport mit derselben herstellen oder im Vorhinein auf ein größeres Publikum verzichten müssen. Anderseits giebt es kein Ereigniss, keinen Vorgang von Belang innerhalb der mitteleuropäischen Gesellschaft, welcher nicht seinen litterarischen Niederschlag hinterließe.

Haben wir diesen einen Punkt einmal festgestellt, so finden wir von demselben ausgehend eine Fülle erklärender Momente.

So wie die spekulative Philosophie von ihrem absoluten Trone herabsteigen musste, um von der Naturforschung ins Schlepptau genommen zu werden, so ist die Litteratur in einem allerdings nicht so leicht bestimmbaren Grade der Zeitgeschichte dienstbar geworden. Die Litteratur musste, um dieser ihrer Aufgabe entsprechen zu können, jene freien Formen annehmen, welche sich der Mannigfaltigkeit und Vielgestaltigkeit ihrer Stoffe anpassen, welche geeignet sind, die Art unseres Lebens vollkommen abzuspiegeln. Sie bedient sich nach dieser Voraussetzung der Prosa, welche die Umgangssprache der gebildeten Welt ist.

Die älteste Form der Poesie ist der Vers, welcher früher als allein geeignet und berechtigt galt, Stoffen höherer Natur Ausdruck zu geben. Die Prosa erscheint erst später, als die größere Mannigfaltigkeit des Wissens, die Erweiterung des geistigen Erfahrungskreises der Menschen eine freiere Form erfordert. Wie dem immer sei, ob das poetische Schaffen stockt oder sich fortschreitend entfaltet, die Entwicklung der Prosa ist eine stetige. Speziell in Deutschland erreicht sie ihre künstlerische Vollendung durch Goethe — heute hat sie die ganze Litteratur erobert, weil nur sie der Vielgestaltigkeit modernen Geisteslebens entsprechen kann. Das Verhältniss von Poesie und Prosa ist jetzt ein teilweise umgekehrtes: Während früher jeder beachtenswerte Stoff in Verse geschmiedet wurde, muss jetzt der Dichter, welcher Gehör finden will, den Vers vermeiden, denn er entspricht nicht mehr dem Rapport mit der Wirklichkeit und mit dem aktuellen Leben, welchen wir von litterarischen Produkten fordern. Der Roman und die Novelle sind die Prosaformen der schönen Litteratur. Die beiden ursprünglich getrennten Kunstgattungen unterscheiden sich heute fast nur durch den äußern Umfang und dürfen daher als eine Gattung betrachtet werden.

Der Roman, ursprünglich ein Kind der Romantik, hat in dem Laufe der Zeiten die mannigfachsten Wandlungen durchgemacht, dem buntesten Inhalt als williges Gefäß gedient. Seine Rolle in der Litteratur ist im Allgemeinen eine zweifelhafte. Ein gefügiges Werkzeug des Zeitgeschmackes, zur künstlerischen Entartung geneigt, im Einzelnen gepriesen und gering geschätzt zugleich, hat er doch den größten Dichtergenien zur Offenbarung gedient. So rasch und vollständig manche Romane trotz großer Beliebtheit vergessen werden, bleibt der Roman im großen Publikum doch stets gleich beliebt und seine Fortentwicklung ist stetig, wie jene der Prosa, welche sein künstlerisches Gedeihen bedingt. — Seit die Romantik die Strammheit der Formen durchbrochen und der regellosen Fülle der Stoffe und Bilder Bahn gebrochen hat, erobert sich der Roman langsam, aber sicher das Gebiet der schönen Litteratur. — Seine Blüte fällt zusammen mit der Mündigwerdung der europäischen Gesellschaft, welche eines Spiegelbildes bedürfend, dasselbe in der Sittenschilderung, im Zeitgemälde des Romanes findet. Diese Tendenz des Romanes lässt sich allerdings wie jener rote Faden der englischen Marine, in dessen Geschichte nachweisen, ja bis auf das späte Altertum zurückführen, — aber erst heute hat die bezeichnete Tendenz den litterarischen Charakter des Romanes endgültig bestimmt.

Immerhin ist die Zeit noch nicht ferne, — unsere Mütter, welche sich an Clauren ergötzten, werden sich ihrer wohl erinnern — da Publikum und Autoren die Aufgabe des Romanes darin erblickten, die Wirklichkeit durch die Schilderung rein imaginärer Verhältnisse und Personen vergessen zu machen. — Heute ist auch dieses im Wesentlichen umgekehrt. — Wir suchen im Romane die Darstellung unserer Zeit, unserer Gesellschaft, unserer Interessen. Der Roman ist realistisch geworden, d. h. er schildert die Wirklichkeit.

Die Entwicklung des Romanes überhaupt und die des Realismus in der Darstellung bedingen sich gegenseitig. Der Roman konnte seiner Mission, ein Spiegelbild der Gesellschaft zu sein, nicht anders gerecht werden, als durch die treue Wiedergabe des Wirklichen, und der Realismus seinerseits fand nur in dem weiten, dehnbaren Gefüge dieser litterarischen Gattung den nötigen Spielraum für die unermessliche Fülle seiner Einzelbilder.

Der Entwicklungsgang des realistischen Zeitromanes ist noch bei Weitem nicht abgeschlossen; im Gegenteil ist er gleichsam noch ein Prozess im Stadium der Gährung, die auch recht wunderliche Blasen aufwirft.

Eine allgemein gültige Charakteristik der modernen realistischen Manier ist nicht leicht denkbar, indem die Letztere nicht nur individuell verschieden, sondern mehr noch durch die Nationalität des Dichters bedingt ist. — Während rein idealistische Dichtungen einen gewissen abstrakt-einförmigen Charakter zu zeigen pflegen, hat die realistische Darstellungsweise in der Regel eine lebhafte nationale Färbung. — Im letzteren Falle schildert der Dichter eben seine Welt, sein Volk und je fester geprägt das nationale Bewusstsein dieses Volkes und je größer der Patriotismus des Poeten ist, desto stärker wird sich derselbe zu einer realistischen Darstellung gedrängt fühlen — er wird in seinem stolzen Selbstbewusstsein und in seiner Vaterlandsliebe Land und Volk schildern, wie sie sind. Der Nationalismus bedingt in einem bestimmten Grade den Realismus.

Dies gilt zum großen Teil von den Franzosen und es gilt ausnahmslos von den englischen Romanschriftstellern.

Die englische Litteratur ist dem britischen Nationalcharakter entsprechend eine vorherrschend realistische. — Selbst ihre romantischen Produkte bleiben immer in einem bestimmten Grade der Wirklichkeit treu, mindestens im Roman. So charakterisirt Walter Scott vielfach in realistischer Manier und Bulwer, meistens von romantischen Voraussetzungen ausgehend, führt seine Aktionen doch innerhalb real denkbarer Verhältnisse aus. — Auch ist seine Charakteristik auf die Beobachtung des Wirklichen zurückzuführen. — Dagegen sind die ältern englischen Humoristen Muster drastisch-realistischer Darstellung und können allenfalls als Begründer derselben gelten. Der Humor geht seiner Natur nach von der Beobachtung des Wirklichen aus, aber die Schilderung desselben ist ihm nicht Zweck, sondern nur Mittel sich zu äußern. Besonders bei Sterne ist die Reflexion über das Erzählte die Hauptsache, während Smollet und Fielding um der Sache selbst willen erzählen — Ihre scharfsinnige Beobachtung des Alltagslebens und der Alltagsmenschen, zugleich ein charakteristisches Bild des altenglischen Lebens, ergötzen uns noch heute, wenn auch die Weitschweifigkeit und Planlosigkeit ihrer Werke unserem schärferen kritischen Bewusstsein sehr merklich wird. Die Derbheiten, die wir bei ihnen in den Kauf nehmen müssen sind ausschließlich auf den Geschmack ihrer Zeit zurückzuführen. Es wäre sehr voreilig zu behaupten dass dieselben eine notwendige Konsequenz realistischer Darstellung sind.

Wenn bei den ältern Autoren der Realismus als notwendige Bedingung humoristischer Darstellung erscheint, so hat sich dies Verhältniss seither gänzlich verändert. — Der Humor als selbständiges litterarisches Genre ist aus unserer Litteratur verschwunden. Unsere nivellirende Zeit liebt keine Trennung der Gattungen — sie hat eine einzige herrschende, die realistische Tendenz, welche sich Selbstzweck ist.

Die unübertroffenen Repräsentanten realistischer Charakter- und Sittenschilderung sind zugleich die beiden Heroen des englischen Romanes, Dickens und Thackeray. Sie sind die berufenen und auserkorenen Poeten der Wirklichkeit; denn aus der wirklichen Welt, in der sie lebten, haben sie die Fülle ihrer Bilder und Gestalten geschöpft. — Dass Dickens in seinen früheren Werken den sogenannten Sensationsroman kultivirte, bestimmt in keiner Weise sein litterarisches Charakterbild. Die Nachwelt kennt in ihm nur den treuesten und lebensvollsten Schilderer des englischen Volkes und der englischen Familie. Wer hat sich nicht an seinen köstlichen Figuren ergötzt, an diesen wunderlichen alten Käuzen, diesen närrischen und doch herzensguten alten Jungfern, den ein wenig albernen, aber innerlich tüchtigen kleinen Mädchen und Frauen, den ehrlichen Jünglingen mit ungelenken Gliedern und treu liebenden Herzen! Durch eine Fülle kleiner Charakterzüge und merkwürdiger Eigenheiten werden diese Gestalten individuell lebendig; all ihre Lebensäußerungen wurzeln in den Besonderheiten des englischen Volkes; dennoch sind ihre Fehler und Schwächen, ihre Tugend und Liebenswürdigkeit ganz aus der Fülle der menschlichen Natur geschöpft — aber aus der menschlichen Natur, wie wir in unserem Alltagsdasein Gelegenheit haben sie zu beobachten.

In noch weit höherem Maße als Dickens verdient Thackeray das Epithet eines Realisten. Während Dickens seinen Romanen häufig ein außergewöhnliches Ereigniss oder einen ideal gedachten Charakter zu Grunde legt, schildert Thackeray mitleidlos, ungeschminkt, ohne Rückhalt und Schonung die englische Gesellschaft, wie sie ist. Die Heuchelei, das Scheinwesen, das hochmütige Gepränge der vornehmen Welt in England ist niemals treffender charakterisirt, schärfer gegeißelt worden. Die Beobachtung dieses Schriftstellers ist unbestechlich scharf und seine zersetzende Analyse verschont keines der konventionellen Ideale seines Volkes. Aehnlich wie Dickens lässt er gern das Licht auf seinen Gemälden kindlich-harmlose Charaktere verklären, aber weit realistischer als jener, zeigt er zugleich mit der mitleidlosen Wahrhaftigkeit seines Wesens, wie die sanfte, gütige Einfalt von dem berechnenden Egoismus getäuscht und ausgebeutet wird. Das „gute Ende“, welches Dickens gern seinen weichmütigen Lesern gönnt, fehlt meistens bei dem streng realistischen Thackeray.

Beide Autoren haben durch ihre Schilderungen nach der Wirklichkeit eine Art Naturgeschichte des englischen Volkes geschaffen. Ihre Schriften würden an sich genügen, um ein nahezu erschöpfendes Bild der britischen Gesellschaft zu geben. Die Hauptmomente derselben sind zugleich diejenigen des englischen Lebens, ihre Mängel und Einseitigkeiten zugleich die des englischen Nationalcharakters. Das Familienleben, diese schönste und lichteste Seite des englischen Volkes, bietet dem englischen Schriftsteller weitaus den ergiebigsten Stoff zu realistischen Detailschilderungen. Das Interesse, welches seine Personen im öffentlichen Leben leitet, ist Rang und Stand, beide bedingt durch Reichtum oder Wohlhabenheit und einen ganz bestimmten Grad von äußerer Wohlanständigkeit, wie ihn die englische Sitte unnachsichtlich vorschreibt. Das höchste Ziel und Ideal eines englischen Romanhelden aber ist und bleibt ein Sitz im Parlament. Die mannigfachen Wege, welche eingeschlagen werden, um dieses erhabene Ziel zu erreichen, wurden uns von Dickens und Thackeray erschöpfend geschildert. Was wir vermissen, ist die Tiefe der Leidenschaft, die Freiheit der Weltanschauung, der weitere Horizont des Menschentums überhaupt.

Gewisse Seiten des menschlichen Lebens dürfen bei englischen Autoren eben gar nicht zur Sprache kommen, wie z. B. das Verhältniss der beiden Geschlechter. Obgleich ein solches doch wohl auch in dem strengen Albion existiren muss, erfahren wir davon aus den englischen Romanen eben so viel, als uns die mittelalterlichen Gewandstatuen von der menschlichen Gestalt verraten. Es ist eben nicht schicklich, davon zu sprechen. Ueberhaupt wird es sich weniger um rein menschliche Empfindungen als um soziale Einzelmomente handeln. Der Mensch tritt uns selten rein individuell entgegen, sondern stets in einer bestimmten Beziehung zu der allmächtigen allgegenwärtigen Gesellschaft. Wir dürfen dem Autor keinen Vorwurf daraus machen; er hat eben **seine** Welt geschildert und diese englische Gesellschaft absorbirt das Individuum, den reinen Menschen. Darum aber, weil die englischen Romanschriftsteller keine andere Tendenz verfolgen als die, ihre Gesellschaft zu schildern, ist ihr Realismus ein so gesunder, ungezwungener, natürlicher, man könnte sagen — klassischer.

Weit komplizirter ist der Entwicklungsgang der realistischen Richtung im französischen Roman. Dieselbe beginnt sich erst in dem Maße geltend zu machen, als der Einfluss der neuern Romantik zu schwinden anfängt. Die scharfe, absichtliche Beobachtung und humoristische Verwertung des Alltagslebens im Sinne der Engländer finden wir bei einem einzigen der älteren französischen Autoren, der übrigens sehr wenig vom Charakter seiner Nation an sich hat: Es ist dies der viel zu wenig bekannte **Claude Tillier**, im Grunde der einzige Humorist in der französischen Litteratur. Der Humor ist nun einmal Sache des Gemütes und daher ein volkspsychologisches Merkmal der germanischen Nationen. Die humoristische Weltbetrachtung, wie wir sie bei den Deutschen und Engländern des vorigen Jahrhunderts finden, war es zuerst, die das wirkliche, das Alltagsleben bedingungslos in den Bereich litterarischer Schilderung erhob. Da dieses Moment bei den Franzosen fehlt, erscheint die realistische Darstellungsweise erst mit der Tendenz, welche die Schule des jüngern Dumas charakterisirt.

Der französische Roman trug günstige Vorbedingungen in sich, seiner eigentlichen Mission als Zeitroman, als Gesellschaftsbild gerecht zu werden. Auch die Romantiker pflegten in ihren Schriften bestimmte lokale, konkrete Verhältnisse zu schildern und nahezu ausnahmlos nationale Stoffe zu wählen. Alle französischen Romane spielen in Frankreich und unter Franzosen, was für eine rein litterarische Schätzung ohne Belang sein mag, aber das Gedeihen des Genres auf das Beste förderte. Zudem ist der französische Romancier zugleich Pariser, kennt die Gesellschaft und weiß deren Leben wiederzugeben. Diese Umstände geben dem französischen Roman im Vorhinein einen realistischen Anstrich und erklären auch seine Beliebtheit in der ganzen lesenden Welt.

Dumas der Jüngere und seine Geistesverwandten haben speziell das Drama zum Organ ihrer sozial-reformatorischen Ideen gewählt. Aber die charakteristische Seite des modernen Tendenzdramas findet sich großenteils auch im Roman wieder und bedingt dessen eigenartige Realistik. Dieselbe ist allerdings nicht so stetig, nicht so gleichartig, wie die der Engländer. Das französische Volk wechselt häufig seinen Geschmack und seine Ideale und ist mehr, denn jedes Andere, dem individuellen Einfluss unterworfen. Sicher aber ist, dass alle bedeutenden Romane der neueren Zeit, selbst ein Teil derjenigen aus der neuromantischen Schule, das soziale Leben schildern, diesbezügliche Fragen behandeln. Das französische Volk ist eben ein eminent soziales. Sein Familienleben tritt in den Hintergrund, sein politisches Interesse schwankt und wechselt, sein Geschäftstreiben knechtet nicht, wie bei den Engländern, die Phantasie; — alle Lebensäußerungen dieses geistvollen, raffinirt kultivirten Volkes konzentriren sich in seinem sozialen Gemeinwesen. Dasselbe hat in seiner Entwicklung den allgemeinen politischen Zustand überholt, so dass die wirklichen Institutionen den ideellen Anschauungen über dieselben nicht entsprechen. Dieser Ueberschuss an sozialen Ideen fand seine notwendige Aeußerung in der schönen Litteratur und veranlasste jene sozialen Tendenzdichtungen, welche ganz besonders das Verhältniss der Geschlechter, diese Grundform aller sozialen Lebensformen, behandeln.

Von dem rein realistischen Prinzip ausgehend, dass Erscheinungen der Wirklichkeit, eben weil sie wirklich sind, auch berechtigt seien, poetisch dargestellt zu werden, haben die Franzosen das Verhältniss der Geschlechter mit einer Unverhülltheit geschildert, welche ihnen ganz eigentümlich geblieben ist. Die Einzelfälle und Gestalten, welche sie vorführen, sind dem Pariser Leben mit kundiger Treue entnommen; die Art und Weise, wie die Personen sich im Einzelnen bewegen, entspricht der Wirklichkeit, d. h. dem jeweiligen und speziellen Gesellschaftskreise, dem sie angehören. Jene realistische Manier, welche das Einzelne um seiner selbst willen giebt, ist bei den Autoren, von denen wir sprachen, noch wenig ausgesprochen, denn ihre Werke sind vorherrschend Tendenzwerke, und das Detail tritt um des Ganzen willen zurück. Indess hat das französische Prinzip des Realismus mit seiner letzten Berufung auf die Wirklichkeit eine Reihe vielgelesener Werke ins Leben gerufen, welche jenes Prinzip dadurch auf die Spitze treiben, dass sie abnorme Fälle aus dem Geschlechtsleben schildern, wobei eine allgemein gültige soziale Tendenz natürlich entfällt. Belot, Feydeau, Gautier u. A. haben derlei Stoffe behandelt. Wir werden später sehen, wie es noch in anderer Richtung dem französischen Roman vorbehalten ist, den Realismus zu seinem Extrem zu führen. Chronologisch älter, aber von entschiedener Geistesverwandtschaft mit den Sittenbildern Daudets sind Balzacs feinsinnige Federzeichnungen aus der Pariser Gesellschaft und dem französischen Provinzleben. Zwar sind seine Schriften stellenweise romantisch versetzt; dennoch aber hatte dieser unvergleichliche Kenner der menschlichen Natur einen aufgeschlossenen Sinn, eine echt poetische Empfindung für die unerbittlichen tausendfachen Gewalten der Wirklichkeit. Er gehört zu jenen wenigen Realisten, welche unter Andern den Mut haben, zu zeigen, wie ursprünglich gute Naturen allmählich im Kampf mit dem Leben verloren gehen. Es ist dies eine der traurigsten Seiten der Wirklichkeit, wer mag es gern sagen, dass es so ist? In seinem „Père Goriot" hat Balzac eine solche Alltagsgeschichte mit ergreifender Wahrhaftigkeit erzählt.

Flaubert, diesem ganz eigenartigen Schriftsteller, wird häufig vindizirt, mit seiner „Madame Bovary" den französischen Ehebruchsroman begründet zu haben. Dennoch moralisirt Flaubert in gar keiner Weise über den Ehebruch; er zeigt nur in seinem Buche, wieso es geschieht, dass eine Frau fällt, welche Zufälle, welche kleinlichen Umstände dazu beitragen können. Als echter Realist giebt er nichts als ein treues Bild aus dem Leben, welches kalt, tendenzlos, vielfach abschreckend ist, wie das Leben selbst, und welches der Dichter bis zu den letzten hässlichen Konsequenzen ausführt, welche Andere gern verschweigen, damit ihr Gemälde auch für die empfindlichen Leser schön bleibe.

(Schluss folgt.)

Trennung.

Von Wilhelm Arent.

Aus dem Paradiese
Triebst du mich fort;
Und doch sprachen deine Augen
Beredter wie Worte
Das holde Geständniss
Unendlicher Liebe!
O Rätsel der Menschenbrust!
Das Geschenk der Götter
Weist sie blutend von sich,
Nicht vertrauend
Der Gunst des Himmels
Und verblühet einsam
Ohne mitfühlend Herz
In der ungeheuren
Wüste des Lebens!
O unseliger Zwiespalt!
Tag und Nacht
Sind mir Qual ohne Namen,
Seit wir geschieden! . . .
In heißer Tränen
Schmerzflut zerfließen
Die süßen Bilder
Entschwundenen Glücks!
In Zweifeln verzweifl' ich! . . . . . .
Wann träum' ich ihn aus
Den Traum des Lebens?!
Mit Schauern des Todes
Ringt die Seele
Und schmachtet doch lüstern
Nach des Himmels Goldfrüchten,
Die auf Erden nicht reifen.
Launisch nur spendet
Den Auserwählten
Die glückliche Stunde
Der Wonnen höchste.

Ein Lieblingsautor der Norweger.

Zu den Erweckern der nationalen norwegischen Litteratur, die in den weltbekannten Leistungen eines Björnson und Ibsen so rasch zu herrlicher Blüte gelangte, gehörten außer Wergeland, Welhaven, Munch, Aasen, Asbjörnsen und Moe auch eine Anzahl anderer tüchtiger Schriftsteller geringeren Ranges, die aber doch für ihre Zeit Vortreffliches schufen. Sie lieferten treffliche Naturschilderungen und Skizzen aus dem Volksleben, von denen sich gar manche durch große Anschaulichkeit und durch ebenso einfache wie ergreifende Darstellung auszeichnen, gerieten aber oft auf den einen oder den anderen der beiden Abwege, welche einem Dichter, der es sich zur Aufgabe macht, das Volksleben ganz getreu, d. h. mit allen seinen Trivialitäten, mit all' seiner Prosa zu schildern, so nahe liegen, nämlich die Dichtung mit einer Romantik zu umgeben, die im Leben des Volkes nicht vorhanden ist, oder die Wirklichkeit bis auf die kleinsten Dinge zu kopiren; — im ersteren Falle wird die Dichtung wirklich unwahr, in dem anderen Falle poetisch unwahr. An dem letzteren Fehler krankte z. B. das sonst so treffliche, wiederholt aufgelegte Buch N. R. Östgard's „En Fjeldbygd" (Eine Gebirgsgegend), das bereits zu den Erzählungen Björnsons hinüberleitet. Es werden darin die geringfügigsten, unbedeutendsten und unpoetischsten Kleinigkeiten mit so außerordentlicher Genauigkeit und Ausführlichkeit geschildert, dass selbst die Wärme, mit welcher der Autor erzählt und der echt dichterische Zug, der durch das Buch geht, nicht im Stande sind, den matten Eindruck zu beseitigen, welchen die große Umständlichkeit und Breite in der Darstellung hervorbringt. Unter den Schriftstellern dieser Klasse, von denen noch Bernhard Here und Harald Meltzer besondere Erwähnung verdienen, ist von den geschilderten Fehlern am meisten Hans Henrik Schulze freigeblieben, was seinen Grund wohl hauptsächlich darin hat, dass dieser Autor die Skizze liebte. Seine Erzählungen und Schilderungen machen noch heute einen durchaus frischen Eindruck und sind denn auch in Norwegen so beliebt und geschätzt, dass man noch im Jahre 1883, zehn Jahre nach dem Tode des Autors, eine Auswahl seiner Schriften neu auflegen konnte („Udvalgte Skrifter af H. Schulze. Udgivne efter Forfatterens Död. Kristiania 1883. Alb. Cammermeyer). Außerhalb seiner engeren Heimat jedoch ist Schulze merkwürdiger Weise ziemlich unbeachtet geblieben und in Deutschland noch heute gänzlich unbekannt. Ich will deshalb in den nachfolgenden Zeilen die Aufmerksamkeit auf diesen trefflichen Autor lenken und zugleich einige biographische Daten über denselben mitteilen.

Hans Henrik Schreiber Schulze wurde den 10. Juli 1823 in Solör, dem waldreichen Distrikte Norwegens, der sich südlich von Elverum bis Kongsvinger erstreckt, als Sohn eines Bezirksarztes geboren und hat sich auch die meiste Zeit seines Lebens hier aufgehalten. Er wählte die juridische Laufbahn, konnte es aber nicht so bald zu einer festen Stellung bringen. Von 1849—1850 hielt er sich in Christiania auf, wo er für einen Rechtsanwalt arbeitete und nebenbei Journalartikel, sowie auch mehrere Novellen und ein Drama schrieb. Er schloss sich hier auch einem Kreise jüngerer Studenten an und gründete „Den litterære Forening", einen Verein, dem viele später bekannt gewordene Dichter und Schriftsteller beitraten. Schulze wurde zum Vorstand gewählt und gab sich mit Leib und Seele den Arbeiten für den Verein hin. Jede Woche fand den Statuten zufolge eine Zusammenkunft statt, bei der die Mitglieder der Reihe nach Vorträge halten mussten. Wenn nun, was sich nicht selten ereignete, der eine oder andere verhindert war oder einen Vortrag gehalten hatte, der nicht hinreichte, den ganzen Abend auszufüllen, so hatte Schulze stets Arbeiten bereit, die er teils auf Lager, teils eben erst verfasst hatte. Seine Wirksamkeit im „litterarischen Vereine" war jedoch vorläufig nur von kurzer Dauer, denn schon im Frühjahr 1850 erhielt er eine Anstellung als beeideter Stellvertreter des Richters für die Lofoten. Während seines Aufenthaltes hier schrieb er seine „Skizzen von Lofoten", welche im Feuilleton von „Christianiaposten" erschienen und Glück machten.

Im Herbste 1852 kehrte Schulze nach Christiania zurück und nahm wieder seinen Platz als Vorstand des „litterarischen Vereins" ein. Er bekam jetzt auch eine Anstellung als Extraschreiber im Revisionsdepartement mit einem monatlichen Gehalt von vierundsechzig Kronen, das Schulze hoch genug erschien, um sich darauf hin zu verheiraten. Er war aber doch gezwungen auch noch außerhalb des Departements zu arbeiten, teils für Rechtsanwälte teils für Zeitungen, ohne freilich sein Einkommen dadurch bedeutend zu steigern. Im Herbste 1854 zog er, der aufreibenden und dabei so wenig lohnenden Tätigkeit überdrüssig, in seine Heimat Solör, um sich hier zunächst auf eine regelmäßige Wirksamkeit als Rechtsanwalt vorzubereiten, die in Norwegen erst im Jahre 1856 allgemein frei gegeben wurde. Schulze erwarb sich bald eine ausgedehnte Praxis und entfaltete auch eine rege kommunale und politische Tätigkeit. Im Jahre 1868 wurde er zum Storthingsrepräsentanten für Hedemarken erwählt.

Trotz dieser Ueberbürdung mit den verschiedenartigsten Geschäften fand Schulze dennoch Muße zu litterarischen Arbeiten und seine meisten und besten Produkte stammen aus dieser Zeit. Er schrieb noch immer am liebsten Skizzen aus dem Volksleben seiner Heimat und gab eine Sammlung derselben unter dem Titel „Fra Lofoten og Solör" im Verlage von J. W. Cappelen heraus, von der rasch zwei Auflagen vergriffen waren und die den Autor alsbald in ganz Norwegen populär machte. Aber auch als dramatischer Schriftsteller versuchte er sich und mehrere seiner Dramen, so die in der oben citirten Auswahl seiner Schriften enthaltenen Stücke: „Bruden paa Stabwiet" (die Braut in der Kleiderbude), ein „Vaudevillemonolog", und „Petter og Inger", Lustspiel mit Gesang in einem Akt, dann „Haakon Borkenskjäg", ein dreiaktiges Drama in Versen, kamen wiederholt in Christiania zur Aufführung. Nebstbei lieferte Schulze zu dieser Zeit auch verschiedene Artikel für die Journale und gab später sogar ein Wochenblatt, „Glomdalens Tidende" in eigenem Verlage heraus. In diesem Blatte behandelte er hauptsächlich die Angelegenheiten seines Distriktes. Dem in jeder Beziehung verdienstvollen Wirken des modernen Mannes sollte nur allzu bald ein Ende bereitet werden; Schulze begann zu kränkeln und starb am 28. Juni des Jahres 1873 zu Christiania, wohin er sich als erster Repräsentant für Hedemarken zur Storthingssession begeben hatte. Er wurde auf dem Friedhofe „Vor Frelsers Gravlund" begraben, wo seine Freunde von Solör ihm ein hübsches Denkmal mit seinem Porträtmedaillon in Marmor (ausgeführt von dem Bildhauer Brynjulf Bergslien) errichteten.

Schulzes Bedeutung als Schriftsteller liegt, wie schon erwähnt, in seinen Schilderungen der norwegischen Natur und des Volkslebens jener Gegenden, in denen er gelebt oder die er genau kennen gelernt hatte. Er hatte dabei eine besondere Vorliebe für die Skizze; seine Darstellung ist leicht und natürlich und seine Bilder sind lebendig und wahr, denn er besaß ein offenes und beobachtendes Auge, einen glücklichen Blick, überall das Charakteristische herauszufinden, ein Geschenk der Natur, das im Verein mit einem warmen Herzen und einem kräftigen, etwas breiten Stil seinen Schilderungen das unmittelbare Gepräge der Wirklichkeit giebt. Wir folgen daher dem Autor mit der gleichen Spannung und demselben Interesse, ob er uns nun die große Kabljau-Fischerei bei den Lofoten schildert oder von seinen engeren Landsleuten, den Solungen erzählt, oder uns an einem Jagdausfluge teilnehmen lässt oder lustige Schnurren zum Besten giebt, u. s. w. Eine heitere Auffassung und lebensfrischer Humor verleihen diesen Skizzen, unter denen sich wahre Perlen, Muster der beschreibenden Dichtung befinden, einen weiteren Reiz. Dieselben werden den Platz, den sie in der Litteratur einnehmen, sicherlich noch lange behaupten; wie populär sie in Norwegen bereits geworden sind, beweißt wohl der Umstand, dass viele davon Aufnahme in die Lehrbücher für die norwegischen Schulen gefunden haben. Der von der Alb. Cammermeyerschen Verlagsbuchhandlung herausgegebene, mit einem vorzüglichen, in Stahl gestochenen Porträt Schulzes geschmückte Band „Udvalgte Skrifter" enthält das Beste von den Arbeiten dieses außerhalb Norwegens viel zu wenig gewürdigten Autors. Ich möchte darum den Freunden der nordischen und speziell der norwegischen Litteratur mit allem Nachdrucke die Lektüre dieses Buches empfehlen, die ihnen gewiss viel Vergnügen bereiten wird. Einige Skizzen sind freilich im sogenannten „Landsmaal" geschrieben, dessen Verständniss einige, aber doch nicht zu große Schwierigkeiten bereiten dürfte.

Wien. J. C. Poestion.

Die fünfzigjährige Wiedergeburt der kroatischen Litteratur.

Am 19. Oktober des vorigen Jahres wurde in Agram die fünfzigjährige Feier der Wiedergeburt der kroatischen Litteratur gefeiert, und wir wollen diesen Anlass benützen, das litterarische Streben des kroatischen Volkes während dieses Zeitraumes kurz zu beleuchten.

Die Anfänge der kroatischen Litteratur fallen in die zweite Hälfte des fünfzehnten Jahrhunderts. Ihre Pflegestätte war das kroatisch-dalmatinische Küstenland, ihr Brennpunkt die Handelsrepublik Dubrovnik (Ragusa). Die Küstenländer, durch ihre innige Berührung mit Italien sprachgewandt und allseitig gebildet, durch ihren im überseeischen Handel erworbenen Reichtum zur Pflege der Poesie wie der Wissenschaften geneigt, schufen eine poetische Litteratur, welche, wenngleich in allen Stücken der italienischen nachgebildet, den zeitgenössischen Litteraturen anderer Völker nicht viel nachsteht. Und wenn wir auch geneigt sind, die Anfänge dieser Litteratur als harmlose poetische Spielerei gelten zu lassen, so müssen wir doch zugeben, dass die Sache immer ernster aufgefasst wurde und demgemäß der Eifer der Schriftsteller und ebenso der Wert ihrer poetischen Schöpfungen sich allmählich steigerte. Um nur wenige Namen hervorzuheben, wollen wir den Dramatiker Marin Držić (1520—1580) als einen prächtigen Charakterzeichner erwähnen, der sein Volk und dessen Schwächen mit beißendem Humor zu schildern versteht; Ivan Gundulić (1588—1638) ist als lyrischer Dichter vollendet in Form und Gedanken, sein Epos „Osman", obwohl unvollendet und der letzten Feile entbehrend, ist poetisch bedeutend und seinem Grundgedanken nach ein Nationalwerk ersten Ranges; neben ihm steht Junio Palmotić (1606—1657) als Dramatiker unerschöpflich und auch im religiösen Epos lobenswert, während sein Zeitgenosse Ivan Bunić, wenn auch nur in wenigen erhaltenen Stücken, sich im zarten lyrischen Gedicht als der besten Einer erweist. Der spätere Ignjat Gjorgjić (1675—1736) schuf in seinen jüngeren Jahren eine bedeutende Sammlung erotischer Gedichte, welchen der Vorwurf der Lascivität wohl nicht erspart bleiben kann, die aber den begnadeten Dichter in jeder Zeile bekunden; später zeichnete er sich durch Gedichte ernsten, religiösen Inhaltes aus. Um mit Namen nun abzuschließen, wollen wir nur noch erwähnen, dass diese Litteratur mit der Besetzung der Stadt Dubrovnik durch die Franzosen 1806 ein jähes Ende fand, und dass sich Dalmatien später an die litterarische Bewegung der Kroaten, wenn auch mit manchem hindernden Vorbehalte, anschloss.

Neben dieser Litteratur, welche für den Kreis der gebildeteren Städtebevölkerung des Küstenlandes berechnet, im Volke keine nachhaltige Wirkung erlangte, wurde wohl auch in Kroatien und Slavonien manches Buch geschrieben.

Von Einfluss auf das Volk sind nur Andrija Kačić, auch ein Dalmatiner, welcher nach dem Vorbilde der epischen Volksgesänge eine Liedersammlung herausgab, deren Inhalt nichts anderes ist als eine Geschichte seines Volkes und der bedeutendsten Volkshelden, und von den Slavoniern besonders Antun Relković (1732—1798) durch das belehrende Gedicht „Satir". Im Ganzen jedoch übten alle die Erzeugnisse der früheren Litteraturepoche keinen Einfluss auf die im Jahre 1835 entstandene litterarische Bewegung der Kroaten.

Diese Bewegung findet ihre Ursache im Prinzip der Nationalitäten, wie dieses, durch die französische Revolution geweckt, in den Kämpfen der Deutschen mit Napoleon zur hellen Leuchte angefacht worden war. Es war den Magyaren in den zwanziger Jahren unseres Jahrhunderts gelungen, ihre Sprache in Schule und Amt einzubürgern; nun forderten sie dasselbe von den Kroaten*), welche nach heftiger Gegenwehr zugeben mussten, dass die magyarische Sprache als obligater Unterrichtsgegenstand anerkannt wurde, die sich nun aber selbst ihrer nationalen Sprache mit viel größerem Nachdruck annahmen als bisher. Nach manchen vergeblichen Versuchen, dem Volke eine Zeitung in heimischer Sprache zu geben, gelang es endlich Ljudevit Gaj im Jahre 1835, eine politische Zeitung: Novine horvatske mit der belletristischen Beilage: Danica zu gründen. Gaj war ein gebildeter junger Mann (geb. 1809), der in Wien, Graz und Pest studirt und bereits einige Jahre vorher durch Abhandlungen über heimische Themen die Aufmerksamkeit seiner jüngeren Kompatrioten erweckt hatte.

Nun geschah etwas, wodurch das ganze Gaj'sche Unternehmen einen gewaltigen Umschwung erhalten sollte: nicht zufrieden mit dem engeren Kreise des sogenannten Königreichs Kroatien und wohl wissend, dass die sprachliche Zusammengehörigkeit der Slovenen, Kroaten und Serben trotz den Unterschieden der drei herrschenden Dialekte (ča, kaj, što) seit Jahrhunderten anerkannt worden war, wollte Gaj sammt seinen Gesinnungsgenossen diese drei Stämme unter einem Namen vereinigen und so eine litterarisch bedeutende Nation schaffen — an die Politik wurde im ersten Augenblicke nicht gedacht —, welche das Volk der Illyrier heißen sollte. Diese Supposition fand bei den Gebildeten allenthalben Anklang und die Kroaten und Slovenen, weniger die Serben, fühlten sich nun als Nachkommen der alten Illyrier, wobei gar wenig verschlug, dass diese Kelten waren und keine Slaven. War dieser Namen doch auch andern slavischen Kapazitäten genehm, wie Dobrovsky, Safařik, Kollár und Kopitar!

Diese Bewegung hatte ihre Wiege in Zagreb (Agram) und dort blieb auch ihr Brennpunkt bis zum heutigen Tage. Nun wird aber im nördlichen Teile Kroatiens und auch noch in Agram der Kaj-Dialekt gesprochen und die ersten Nummern der Gaj'schen Zeitungen waren in diesem Dialekte geschrieben. Gaj wusste aber sehr gut, dass eine heimische Litteratur nur im Što-Dialekte, welcher von der Save (in Slavonien von der Drave) bis über Crnagora (Montenegro) hinaus reicht, eine Zukunft haben könne. Er brachte noch im Jahre 1835 einige Artikel in diesem Dialekt — besonders bemerkenswert das zur nationalen Hymne gewordene Lied von Mihanović: „Liepa naša domovino" (Du unseres schönes Vaterland)! — im nächsten Jahre aber wurde dieser Dialekt gerade zur Schriftsprache erhoben, und mit ihr eine entsprechendere, von Gaj vorgeschlagene Rechtschreibung eingeführt, welche (freilich modifizirt) auch heute noch besteht. Ebenso schuf Vjekoslav Babukić für die des erwähnten Dialektes Unkundigen eine Sprachlehre desselben. Der Anfang war nun gemacht, und die Führer der litterarischen Bewegung wurden sich ihrer Ziele und ebenso der Mittel, die hierzu leiten sollten, immer lebhafter bewusst. Schon 1837 gründet Gaj seine „Nationale Buchdruckerei", im Jahre 1838 entstand die „Čitaonica" (Lesehalle) als Brennpunkt der heimischen Gesellschaft, deren Vorsitzender Graf Janko Drašković in Wort und Schrift für die patriotische Sache wirkte. 1839 wurde der Beschluss gefasst, die „Matica" zu gründen, einen Verein zur Herausgabe älterer Schriftwerke und zur Verbreitung nützlicher Bücher unter das Volk. Derselbe bildete sich im Jahre 1842. Ein Jahr früher war der landwirtschaftliche Verein entstanden, dessen Tätigkeit sich auch auf die neue litterarische Bewegung erstreckte: war derselbe doch Verwalter des Museums und der Nationalbibliothek. Das Museum, noch heute der Stolz des Landes, wurde im „Narodni Dom" (Nationalgebäude), ausgebaut im Jahre 1846, untergebracht. In diesem Jahre durfte auch der Lehrstuhl für die „illyrische" Sprache an der Agramer Rechtsakademie eröffnet werden.

Der politische Funke, welcher sich unter der litterarischen Wiedergeburt barg, wurde zur hellen Flamme im Jahre 1843. In einem Zusammenstoß zwischen der nationalen und der ungarnfreundlichen Partei floss Blut. Ebenso zwei Jahre später, da auch der Banus, ein Gegner der nationalen Bestrebungen, aus Agram flüchten musste. Das Jahr 1848 aber, der Kampf, welchen Jellačić mit dem kroatischen Volksheere gegen die Ungarn und die aufständischen Wiener kämpfte, war die hervorragendste Aeußerung des nationalen Bewusstseins.

Doch hatte man trübe Erfahrungen mit der illyrischen Idee, diesem Panslavismus im Kleinen, gemacht. Die Serben, deren neues Leben seit dem Auftreten Vuk Stephanowitsch Karadschitschs datirt, wollten nicht mittun; auch Dalmatien hielt zum großen Teile zurück. Die Reaktion nach 1848 wirkte schrecklich ernüchternd. Und dennoch wollten die Kroaten ihre Träume nicht ganz aufgeben; man glaubte den Illyrismus zum „Südslaventum" modifiziren zu sollen,

*) Zur Belehrung des der historischen Tatsachen unkundigen Lesers sei Folgendes hinzugefügt: Nachdem 1091 der letzte heimische König des kroatischen Reiches gestorben, drang König Ladislaus von Ungarn bewaffnet ins Land, eroberte einen Teil und setzte seinen Bruder Alma zum König ein. Doch erhält dieser nach wenigen Jahren eine Würde in Ungarn selbst, und dürfte demnach von den Kroaten gezwungen worden sein, das Land zu verlassen, was um so wahrscheinlicher ist, als 1102 der Ungarkönig Koloman wieder mit einem Heere an der Drau erscheint, aber angesichts der kroatischen Streitmacht nicht ins Land dringt, sondern sich ihnen zum König anbietet. Nach kurzer Beratung nehmen ihn die Kroaten zum König, in Križevac (Kreuz) wird er gekrönt und bestätigt dem heimischen Adel seine Gerechtsamen. Diese Personalunion, nach der Schlacht bei Muhač (Mohács) 1526 in der Habsburger Dynastie fortgesetzt, besteht bis heute, wenngleich die Magyaren die kroatischen Lande gerne als „partes adnexae" betrachten und sie ihrem Machtgebote unmittelbar unterordnen wollen. Dieses Bestreben der Magyaren und die Gegenwehr der Kroaten bilden den Gegenstand des politischen Kampfes zwischen diesen beiden Völkern, welcher heute ebenso lebhaft geführt wird wie vor Jahrhunderten.

und unter dieser Aegide glomm das litterarische Leben fort bis zum Jahre 1860, das von so großer Bedeutung ist für die Völker Oesterreichs. Als mit den anderen Teilen der Monarchie auch Kroatien der neuen Verfassung teilhaftig wurde, stellte sich auch hier der Patriotismus auf die der Wirklichkeit entsprechende Basis, man gab die Träume auf, und seit der Zeit besteht und gedeiht eine kroatische Litteratur unter diesem Namen. Die beiden größten kulturellen Errungenschaften des Volkes in der neusten Periode sind die südslavische Akademie der Wissenschaften und die kroatische Universität, beide auf Anregung des Bischof Strossmayer, und zwar die erste 1866, die zweite 1873 eröffnet.

Was wir bisher geschildert, ist die kulturgeschichtliche und zum Teil auch politische Folge des Jahres 1835. Von den Vorkämpfern auf dem litterarischen Gebiete haben wir außer Gaj noch keinen genannt. Doch ist dieser als Schriftsteller kaum bedeutend. Und noch mancher Andere stand ihm zur Seite, der willkommen war als schaffensfreudiger Verfechter der nationalen Sache, ohne auf bleibenden Ruhm Anspruch machen zu können. Als die hervorragendsten der älteren wollen wir nennen: Dimitrija Demeter, den besten Dramatiker und ersten Dramaturgen seines Vaterlandes; seine Tragödie „Teuta“ ist das hohe Lied des Illyrismus — Ivan Mažuranić, dessen Epos „Čengić Aga“ eine Krystallisation aller Vorzüge der Volksepik, verbunden mit der geläuterten Phantasie des gebildeten Dichters, bildet — Ivan Kukuljević, welcher, zuerst Dramatiker und Lyriker, später das Feld der historischen Forschung betrat, auf welchem er heute noch erfolgreich wirkt — Stanko Vraz, den Slovenen, der in kroatischer Sprache dichtete und einen Kranz der zartesten lyrischen Gedichte („Djulabije“) wand, welche, untereinander im innigsten Zusammenhang stehend, ein großartiges Werk poetischer Begabung repräsentiren — die politischen Dichter Tomo Blažek und Antun Nemčić — den größten Gedankenlyriker seines Volkes, Petar Preradović, welcher als österreichischer General 1872 starb — endlich die jetzt noch lebenden Dichter Mirko Bogović und Ivan Trnski, von denen der erste als Dramatiker, der zweite als Lyriker Tüchtiges geleistet.

Neben dieser alten Garde steht bereits der jüngere Nachwuchs, welcher an ausländischen, zum guten Teile an deutschen Vorbildern herangebildet, zugleich das Leben und die Geschichte seines Volkes mit liebevoller Hingebung studirt und sie in seinen Werken wiederspiegelt. Wir nennen hier Janko Jurković und Vilim Korajac, beide geistvolle Humoristen; August Šenoa, welcher, gleich ausgezeichnet als Romanschriftsteller und Balladendichter, seinem Schaffen leider viel zu früh entrissen worden; die Novellisten Ferdo Becić und Josip Eugen Tomić, Letzterer auch als Lyriker nicht ohne Verdienst; als Lyriker auch Napoleon Špun Strižić hervorragend, ohne dass dies von der Kritik je besonders anerkannt worden wäre; Franjo Marković, dessen Epos „Kohan i Vlasta“ vollendet ist nach Form und Inhalt.

Und nun zu den Jüngsten, welche noch im Anfang ihres Schaffens zu größeren Erwartungen berechtigen: echte Lyriker voll warmer Empfindung und sorgfältig in Form und Sprache sind Hugo Badalić, Ivan Despot, Gjuro Arnold; neben ihnen August Harambašić, von welchem einmal in dieser Zeitschrift — es war dies in einem Artikel von Dr. Krauss — sehr absprechend geurteilt wurde, ohne dass seiner Vorzüge, die seine Mängel weit überholen, gedacht worden wäre; als Romanschriftsteller ist Eugen Kumičić (Jenio Sisolski) beachtenswert, welcher in Zola'scher Weise wohl nicht immer das rechte Maß hält, der aber besonders in seinen „Začudjeni svatovi“ (Die verwunderten Hochzeitsgäste) das Meer und seine Küste wie dessen Bewohner überraschend schön und lebhaft schildert. Mit Ivan Vončina, der als Jüngling starb, ist ein Talent zu Grabe getragen worden, wie sie in einem kleineren Volke nur selten geboren werden.

Ein großer Uebelstand für das kroatische Volk und seine Schriftsteller ist es, dass die Letzteren selten im Stande sind, sich durch ihr geistiges Schaffen so viel Geld und Gut zu erwerben, dass sie sich der litterarischen Arbeit ganz widmen können. Erst in jüngster Zeit wagen jüngere Kräfte diesen Versuch; ob mit Erfolg, wird erst die Zukunft lehren.

Ihr redliches Streben aber, trotz dem geringen materiellen Nutzen ihr geistiges Vermögen dem Volke zu weihen, dessen Söhne sie sind, ist alles Dankes ihrer Nation, ebenso aber auch der Anerkennung jener fremden Elemente wert, welche sich für Bildung und Fortschritt überhaupt interessiren. Dass diese Anerkennung bis heute nur wenig gezollt wird, daran sind freilich die Kroaten selbst am meisten schuld: empfänglich für alle Schöpfungen der gebildeten Welt, sind sie in ihrem eigenen Schaffen zu sehr abgeschlossen und trachten selber nicht, mit dem, was sie Gutes bringen, auch die fremde Welt bekannt zu machen. Und derlei ist, besonders für kleinere Völker, häufig von großem Nutzen.

Essek. Ferdinand Müller.

Neue historische Romane.

Am Weitesten rückwärts führt uns unter den vorliegenden, geschichtlichen und kulturgeschichtlichen Erzählungen der „Schönheitsroman (?) aus der Zeit des Perikles: Liebeszauber“ von Oskar Linke.*) Der Verfasser gehört zu den begabtesten und hoffnungsvollsten unter unsern jüngeren Romanziers, hat die Bahn der Erzählungen aus Alt-Hellas schon mehrfach mit Glück betreten und sich durch seine

*) Minden i. W., J. C. C. Bruns.

„Milesischen Märchen“ rasch in weitern Kreisen bekannt gemacht. Sein neuester Roman steht nicht ganz auf der Höhe der früheren, bedeutet keinesfalls einen Fortschritt, was einem so fruchtbaren und talentvollen Autor gegenüber auszusprechen doppelte Pflicht der Kritik ist. Er erfreut zwar durch ansprechende Einzelheiten, einen gefälligen Stil und ein wohlgelungenes Lokalkolorit, wie immer, erregt aber stofflich kein allzugroßes Interesse. Der Autor hat sich die Sache ein bischen leicht gemacht und die Fabel etwas nonchalant behandelt, während wir heute gerade nach dieser Richtung, hin im kulturgeschichtlichen Roman die größten Anforderungen stellen, um auf dem vielbebauten Gebiete das konventionell Anmutende auszuscheiden. Die erotischen Szenen sollen ihm nicht zum Vorwurf gemacht werden, wohl aber hätten wir in den humoristisch angehauchten gern mehr Objektivität walten sehen. Das Vorwort hätte wegbleiben sollen. Mit mehr Erfindungsgabe würde der Autor in der Zukunft größere Erfolge erzielen; denn er erzählt sehr lebendig, schildert anschaulich und poetisch und ist in seinem Bereich gut zu Hause.

Von seinen „kleinen Romanen aus der Völkerwanderung“ hat Felix Dahn den dritten Band unter dem Titel „Gelimer“*) erscheinen lassen, und uns damit endlich einmal wieder ein Werk in die Hand gegeben, das nicht nur die beiden früheren Bände dieser Serie, besonders die herzlich schwache „Bissula“, bei Weitem übertrifft, sondern sich dem Besten anreiht, was Dahn bisher überhaupt geschrieben. Mit glücklichem Griff hat er sich wieder einmal einen überaus dankbaren Stoff der Geschichte ausgewählt, der, ähnlich wie der tragische Untergang der Ostgothen, den Dahn seinem „Kampf um Rom“ zu Grunde legte, die dichterische Behandlung geradezu herausforderte. Wir alle haben ja in unserer Gymnasialzeit die rührende Ballade vom erblindenden König Gelimer gekannt, der von seinen Feinden, als er auf der letzten Bergveste belagert ward, eine Leyer, einen Schwamm und ein Brod erbat. Dahn hat den packenden Stoff in packender, ächt dichterischer Weise erfasst und ausgestaltet. Nur über die Berechtigung der Briefe des Prokop, die in die eigentliche Erzählung eingeflochten sind, um die Vorgänge derselben zu erläutern und zu verbinden, ließe sich streiten. Auch hätte der Schluss unter Umgehung der historischen Wahrheit, die ja auch sonst nicht zu strenge eingehalten ist, vielleicht wirksamer her ausgearbeitet werden können. Aber das Ganze ist ein äußerst glücklicher Wurf voll bewegten, dramatischen Lebens, (die Hochzeitsfestlichkeit des Vandalenhelden Thrasarich ist ein Meisterstück der Schilderung) voll trefflicher Charakterzeichnungen, ganz aus einem Guss, kraftvoll und markig in der Darstellung, reich an ergreifenden, wirklich dichterisch-schönen Einzelheiten. Ohne etliche Uebertreibungen geht es ja bei dem stürmisch-lebhaften Temperament des Dichters nie ab, aber sie sind hier seltener, wie irgendwo, der Wortprunk seiner Sprache überschreitet fast nie das rechte Maß, und die kleinen, schon zur Manier ausgearteten Eigenheiten in Stil und Schilderung treten nirgends störend hervor. Die Figur des Verus, die ganz der Erfindung des Dichters zu Gute kommt, ist im Geiste der Zeit gedacht, gewährt dem Autor die Möglichkeit, den tragischen Untergang des Vandalenreichs und seiner wackren Helden als eine Art Sühne für vergangene Schuld darzustellen und macht denselben dadurch in wirksamster Weise dichterisch zugleich versöhnlicher. Vortrefflich ist auch die Art, in der Dahn uns die Entartung des machtvollen Volksstammes unter der Sonne Afrikas begreiflich macht, und seine Kampfszenen atmen, wie immer, Kraft und Leben.

*) Leipzig, Breitkopf & Härtel.

Ein eigentümliches, in seiner Art fesselndes Kulturbild bringt E. Biller (Frau Professor Wutke) in „Markgräfin Barbara von Brandenburg“,*) „Das Leben einer Fürstin im fünfzehnten Jahrhundert“. Die feinsinnige, poetisch hoch beanlagte und mit ungewöhnlicher, historischer Detailkenntniss ausgestattete Verfasserin hat vor zwei Jahren sich mit ihrer „Barbara Ittenhausen“, einem Stück Nationalpoesie aus der Epoche der Blütezeit deutschen Städtetums, einen klangvollen Namen erworben. An dieses treffliche Merkbüchlein der wackren Augsburgerin reicht die vorliegende, in fingirten Brieffragmenten und Tagebuchskizzen aufgerollte Lebensbeschreibung der Tochter des Markgrafen Achilles von Brandenburg aus dessen zweiter Ehe, der schönen, unglücklichen Barbara, (die in ihrem achten Jahre mit Herzog Heinrich von Groß-Glogau, im zwölften nach dessen Tode mit Wladislaw Jagiello, König von Böhmen, vermählt ward) nicht heran. Trotzdem wohnt dieser detaillirten Schilderung des Hoflebens, der feinen Charakterzeichnung, der poesievoll eingeflochtenen Liebesepisode zwischen Barbara und dem Junker von Heideck großer Reiz bei. Wenn manchen Briefstellen auch eine gewisse Manier anhaftet und diese Art der Schilderung kaum eine glückliche Wahl bildete, zeugen sie doch davon, wie überraschend genau sich die Verfasserin in die Zeit hineingelebt hat, die sie schildern wollte, und geben in hundert feinen Einzelzügen das Lokalkolorit mit einer anheimelnden Treue wieder. Da die Autorin einen Roman im strengen Sinne des Worts nicht geben wollte, wird man diese Art Kulturbild, die ihr ermöglicht, zahllose, kleine Mosaiksteine zu einem anmutenden Ganzen zusammenzutragen, gern gelten lassen und ihr Dank wissen.

Eine zugleich glänzende und unparteiisch-scharfe Charakteristik eines andern Brandenburgers, des großen Kurfürsten, enthält der umfangreiche, breit angelegte Roman aus der Zeit der Vereinigung Preußens mit der Mark und der erbitterten Fehde

*) Leipzig, Carl Reißner.

r preußischen Stände „Fritz Kannacher“ von rthur Hobrecht,*) und gerade hierin beruht er seiner Hauptvorzüge. Der eigentliche Held s auf eingehenden Studien fußenden und mit der rmen Begeisterung des Autochthonen für die verwiegenen, landschaftlichen Reize seiner engeren imat geschriebenen Werks ist Ludwig von lkstein, der erbittertste, zugleich edelste und ebürtigste Gegner des Kurfürsten, in dem sich r ganze Trotz, der ganze Stolz und die Zähigkeit s preußischen Adels verkörperte. Aus Hobrechts che, das sich vortrefflich liest, wenn es auch an waltigen Längen darin nicht mangelt, die besonrs im zweiten Bande ermüdend wirken, gewinnt n von diesem dämonisch fesselnden Charakter ilich ein ganz andres Bild, als die meisten Histoer es uns zu geben pflegen, (man lese z. B. die hilderung Kalksteins in dem bekannten Buche von gler und Stillfried „Die Hohenzollern und das utsche Vaterland!“) und die ungesetzliche Folteng seines wider alles Völkerrecht in Warschau rch List gefangen genommenen Gegners wird ebenso, ie dessen Hinrichtung, die — auch die Geschichte giebt es zu — nur erfolgte, um die vorherigen, ungeheuerlichen Maßregeln gerechtfertigt erscheinen zu lassen, in Gemeinschaft mit Misstrauen und Argwohn immer einen der hässlichsten Flecken an diesem glänzenden Fürstencharakter bilden. Hobrechts Buch ist ein bis ins Kleinste ausführlich entworfenes Kulturbild jener Epoche voll interessanter Charaktere, — der Titelheld ist der allerdürftigste darunter, — reich an lebendig und anschaulich geschilderten Begebnissen, an bewegten Szenen und anmutigen Stimmungsbildern. Es spiegelt Land und Leute aufs Getreulichste. Eine gewisse Trockenheit ist ihm dabei freilich nicht abzusprechen, und die Schilderung der älteren Männer, — man denke nur an Dr. Crusius! — ist dem Autor ungleich besser gelungen, als die der jungen. Auch fehlt es manchmal etwas an Spannung, und man möchte wohl wünschen, dass der Verfasser sich zur Belebung seines spröden Stoffes einiger romanhafter Zutaten bedient hätte. Immerhin ist das Buch, noch abgesehen von den unkünstlerischen Wendungen „unser Held“, „wie wir gesehen haben“ und ähnlicher, als eine bedeutende und gediegene Leistung zu bezeichnen, der wir wohl ähnliche Nachfolger wünschten.

Kurfürst Friedrich Wilhelm von Brandenburg erscheint auch, wenngleich nur episodisch und als junger Mann, in Adolf Glaser's neuem Roman „Das Fräulein von Villecour.“**) Diese eigenartig spannende Geschichte, die teils in Cleve, teils in Frankreich spielt, behandelt die romantischen Schicksale der Enkelin des Herzogs von Rohan, der seine Tochter von ihrem ketzerischen Glauben und von ihrem Gatten zu trennen sucht, den Letzteren endlich in ein französisches Staatsgefängniss zu bringen weiß und die Tochter in den Tod treibt. Aber das Kind aus dieser Ehe, die Heldin des Buches, bleibt trotz aller mannigfachen Gefahren ihrem Glauben dennoch treu und rettet in Gemeinschaft mit ihrem deutschen Jugendgeliebten den eingekerkerten Vater nach mancherlei Listen, worauf die Liebenden sich endlich in Deutschland vereinigen können. Das Alles ist mit der geschmackvollen Schlichtheit, die wir an Adolf Glaser kennen, in gedrungener Komposition, lichtvoll, anschaulich und mit bewundernswerter Präzision ohne alles und jedes Beiwerk, einfach um seiner selbst willen erzählt, greift trefflich in einander und verrät überall die Routine des gewiegten Romanziers und die feine Pinselführung des Künstlers. Wir stehen nicht an, Glaser für einen unserer besten Stilisten zu bezeichnen, von dem nicht nur alle unsere Tagesberühmtheiten sehr viel, sondern auch wirklich hervorragende Dichter, die den Autor in andern Punkten überragen Manches lernen könnten.

Ein umfassendes Kulturgemälde vom Ende des vorigen Jahrhunderts entwirft Wilhelm Jensen, wohl als Poet der Größte unter den heute Genannten, in seinem Roman „Am Ausgang des Reiches“*) Im Mittelpunkt einer reich bewegten, vielfach gegliederten Handlung steht der kunstsinnige, widerspruchsvolle Herzog Karl Theodor von Pfalz-Bayern, der prachtliebende Schöpfer des berühmten Schwetzinger Schlossparks, der Beschützer der französischen Emigranten, die vor den Gräueln der Revolution über den Rhein flohen, der Nachahmer des französischen Roi-Soleil, der feinsinnige Förderer von Kunst und Wissenschaften, der, selbst ein Philosoph, sich von einem ehemaligen Jesuitenpater zum Verderben seines Landes gängeln ließ und als Meister der Galanterie bis in sein hohes Alter und zu seinem glücklichen Tode alle Genüsse des Lebens auskostete: ein echter Sohn seiner Zeit, ja, die glänzendste und eigentümlichste Verkörperung derselben und wahrlich ein dankbarer Vorwurf für einen Dichter, der den Geist des achtzehnten Jahrhunderts so bis ins Kleinste durchforscht hat, wie Jensen. Jensens Schilderungen des Schwetzinger Parks zu den verschiedensten Jahreszeiten, in seinen landschaftlichen Reizen und mit seinen zahllosen Marmorgebilden, sowie des bunten, glanz- und lärmvollen Lebens, das sich darin abspielt, der Intriguen und Liebesabenteuer, die sich hier angeknüpft, der rauschenden Feste, die man gefeiert, der geistreichen Unterhaltungen, die hier geführt worden, rechnen zu den hervorragendsten Leistungen des Dichters. Eine Fülle von fesselnden Gestalten gruppirt sich um Karl Theodor: so vor Allem der elegante Schwarm französischer Kavaliere, von denen Jensen uns prächtige Typen zu zeichnen weiß;

*) 2 Bände. Berlin, Wilhelm Hertz (Besser'sche Buchhandlung.)

**) Zwei Bände. Dresden, Eduard Pierson.

*) Zwei Bände. Leipzig. H. Elischer.

dann der Fürstbischof von Speyer, der Besitzer der „unseligen" Veste Philippsburg, von welcher der Dichter uns die wechselnden Schicksale aufrollt und die zugleich die Heimat der eigentlichen Helden seines Romans ist; der Reichsfreiherr von Sinzburg, eine Kern- und Pracht-Gestalt ersten Ranges; Karl Theodor von Dalberg, der edle, hochherzige Statthalter von Erfurt, der die ganze Jämmerlichkeit des untergehenden Reiches so klar vor Augen sieht, ohne ihr Einhalt gebieten zu können, und viele Andre. Frei erfunden ist das Liebespaar Verena und Arnulf. Die beiden lieben sich nach ächt Jensen'scher Art schon als halbe Kinder, glauben sich zu hassen und finden sich nach Jahren wechselvoller Schicksale endlich wieder. Verena ist des Kurfürsten natürliche Tochter, Arnulf ein Sohn des Speyrer Fürstbischofs. Zu ihnen als dritte „Heldin" gesellt sich die anmutige Pamela, eine natürliche Tochter Philipps von Orleans und Gemahlin Lord Fitzgeralds, der sich zum Rebellenkönig von Irland machen will. Die verwickelten, spannenden, und teilweise auch etwas stark abenteuerlichen Erlebnisse dieser drei Personen machen einen großen und reizvollen Teil des Buches aus. Und immer weiß Jensen uns durch seine schwungvolle, poesiereiche, sich bis zum höchsten Pathos steigernde Sprache hinzureißen und gefangenzunehmen. Seine Schilderung der französischen Revolution verdient in dieser Beziehung vor Allem hervorgehoben zu werden; die Dialoge zwischen den einzelnen Paaren, die im Schwetzinger Park lustwandeln, sind voll feiner Grazie und echt französischem Esprit. Schade ist es dagegen, dass es an Längen oder eigentlich an Wiederholungen in dem Buche nicht ganz fehlt und dass im Anfange des zweiten Bandes der Inhalt etwas auseinanderfließt und die eigentliche Handlung ganz in's Stocken gerät. Aber die Vorzüge des Buches sind so glänzend, dass man es nicht nur für eines der besten des Dichters, sondern auch für eines der besten unter den neuesten Erzeugnissen der Romanlitteratur überhaupt erklären muss.

Mentone. Konrad Telmann.

Schriften des Vereins für Sozialpolitik.

Der Verein für Sozialpolitik hat seit Beginn dieses Jahres die Zahl seiner bisher erschienenen Publikationen durch zwei neue Schriften bereichert, welche den früheren an Wert nicht nachstehen. Die Schrift No. XXIX enthält eine Studie des Professors Eheberg in Erlangen über die agrarischen Zustände Italiens, während die als No. XXX ausgegebene Berichte und Gutachten über die Wohnverhältnisse der ärmeren Klassen veröffentlicht. Eheberg giebt in seiner Studie eine ebenso eingehende wie sorgfältige Schilderung der Agrarverhältnisse Italiens auf Grund einer großen statistischen Enquête, welche in den letzten Jahren vorgenommen wurde. Es bedarf bei einem auf dem sozialökonomischen Gebiete so wohl renommirten Autor kaum der ausdrücklichen Hervorhebung, dass das umfangreiche Material in erschöpfender Weise beherrscht wird und dass sich die Darstellung durch eine vollkommene Objektivität auszeichnet. Der Verfasser lässt vielfach die benützten offiziellen Quellen sprechen, er argumentirt mehr mit den festgestellten Tatsachen als mit eigenen Sätzen und darum dürfen seine Ergebnisse wohl den Anspruch darauf machen, dem wahren Sachverhalt allseits gerecht zu werden. Das Endurteil Ehebergs über die agrarischen Zustände Italiens ist ein ungünstiges und die Schilderung, die er von dem Leben der italienischen Bauern entwirft, kontrastirt freilich grell mit den Beschreibungen, welche in den Romanen und Novellen zumeist von demselben gemacht werden. Die Romantik, welche gewöhnlich das Land, wo die Zitronen blühen, umhüllt, verschwindet vor der strengen aber wahren Schilderung, die Eheberg von den überaus traurigen Zuständen entwirft, welche in den italienischen Dörfern herrschen. — Die zweite Schrift hat einen unmittelbar praktischen Charakter und Zweck; sie will zunächst die öffentliche Aufmerksamkeit wieder der Wohnungsfrage zuwenden und durch Schilderungen der jetzigen Wohnungsverhältnisse Anlass zu der Erörterung der Frage geben, durch welche Mittel gegen die bestehenden Missstände vorgegangen werden kann. Die vorliegende Schrift enthält Schilderungen der Verhältnisse in Hamburg, Straßburg und Frankfurt a. M., ferner eine sehr eingehende Darstellung der englischen Wohnungsgesetzgebung, eine Erörterung der Punkte, welche für eine Abänderung des jetzigen Rechts zur Verbesserung der Wohnungsverhältnisse in Betracht kommen können und endlich eine statistische Zusammenstellung von Wohnungszahl, Miete und ähnlichen Punkten aus einer Reihe größerer deutscher Städte. Wie aus der Inhaltsangabe ersichtlich, ist das dem Leser hier gebotene Material ein sehr reiches und enthält eine Fülle hochinteressanter Tatsachen, welche für Jeden, der seine Aufmerksamkeit der Wohnungsfrage zuwendet, von hohem Werte sind. Sympathisch berührt die Art und Weise, in welcher der Gegenstand behandelt wird. Unbeschadet strengster Objektivität und Sachlichkeit zeichnet sich die Darstellung durch eine Wärme aus, welcher man es deutlich anmerkt, dass die Verfasser sich nicht lediglich mit ihrem Kopfe bei der Arbeit beteiligt haben, sondern dass auch ihr Herz dabei mittätig war, dass sie ein Gefühl für das Elend und die Leiden ihrer Mitmenschen haben, deren wahrheitsgemäße Beschreibung ihnen oblag. Wenn man sich der frostigen, eisigstarren Diktion erinnert, in welcher vormals die erschütterndsten Übelstände des sozialen Lebens erörtert wurden, wird man sich des wohltuenden Eindruckes

...cht erwehren können, welchen diese mitfühlende ...rache hervorruft. Der Verein wird im Laufe dieses ...hres nach einen weiteren Band über denselben ...egenstand veröffentlichen.

Mainz. Ludwig Fuld.

Sprechsaal.*)

...ine Fälschung der Wiener Allgemeinen Zeitung.

Die Kritik hat das Recht und die Pflicht, Jedem, ohne ...sehen der Person, die Wahrheit ins Angesicht zu sagen, ...d der Kritiker wird, je nach dem Grade seiner Erziehung ...d gesellschaftlichen Bildung, seinen Wahrspruch in feiner ...er derber, in höflicher oder plumper Weise fällen. Ein ...hriftsteller, der sich nun über die Ungunst einer Kritik seines ...erkes öffentlich beklagen wollte, würde die traurigste Rolle ...n der Welt spielen, denn er würde seine Unbekanntschaft ...it dem Satze beweisen, dass, wer am Wege baut, sich die ...urteilung der Vorübergehenden gefallen lassen muss. Unter ...esen Vorübergehenden werden Weise und Toren, Freunde ...d Feinde. Berufene und Unberufene, ihre Stimme erheben; ... kannst du das Durcheinander dieser Stimmen nicht er...gen, dann baue nicht öffentlich, sondern im abgehegten ...ume!

Eine Forderung darf der Autor aber an den Kritiker ...llen: die der Wahrheit; der Kritiker muss wahr sein, ...nn er nicht anders seinen Beruf zur Prüfkunst in Frage ...ellen will. Wer ein Nahrungsmittel fälscht, verfällt dem ...rafrichter; wer eine Waare unter falscher Marke an den ...ann zu bringen sucht, ruft die Rache des Markenschutz...esetzes hervor; wer aber als Kritiker dem Objekte seiner ...unst bewusst oder unbewusst eine falsche Etikette auf...klebt und das Publikum irreführt, bleibt straffrei; der Erzeuger des so benachteiligten Werkes kann nur auf das fälschende Verfahren aufmerksam machen und das betreffende irreführende Dekret tiefer hängen.

In Nummer 2151 der „Wiener Allgemeinen Zeitung" vom 23. Februar 1886 ist mein Roman: „Vom Buchstaben zum Geiste" von einem Herrn O. M. in abfälliger Weise besprochen worden. Mit dieser Tatsache habe ich mich einfach abzufinden, denn warum soll der Herr M. nicht eine meiner Schriften bemängeln? es mögen noch viele M.'s ihr Wesen treiben, ohne dass ich mir dadurch meine Ruhe werde stören lassen. Der namenlose Kritiker bezeichnet nun aber den Helden meines Romanes als „typischen Vertreter jener augenverdreherischen Sorte, die täglich mit dem Stoßseufzer schlafen geht: „Herr, ich danke dir, dass ich nicht bin, wie Jene!" und verurteilt daher meinen Roman als einen „pietistischen", indem er zugleich seinem kritischen Elaborat die fettgedruckte Ueberschrift giebt: „Der pietistische Roman." Hierin nun liegt — wie ich hoffen will, die unbewusste — Fälschung, und gegen diese Fälschung will ich an dieser Stelle Einspruch erheben.

Hätte Herr M. sich nicht der Mühe unterzogen, einen grob-sachlichen Auszug aus den nackten Geschehnissen des Romans zu bringen, so würde ich zu seiner Entschuldigung annehmen, dass er das Werk gar nicht gelesen habe; so aber drängt sich mir die Vermutung auf, dass Herr M., wenn er kein Mohamedaner oder Chinese ist, vielleicht einer jener Israeliten sein mag, die mit dem hüpfenden Punkte der in der christlichen Gemeinschaft gerade jetzt besonders erbittert geführten Kämpfe völlig unbekannt sind. So gut nun aber ein christlicher Kritiker sich bei der Würdigung einer jener Novellen, die mit Vorliebe jüdisches Leben schildern (wie die Karl Emil Franzos'schen Dichtungen), in den Geist dieses jüdischen Lebens zu versenken und mit den rituellen Gebräuchen des Judentums bekannt zu machen hat, bevor er an die Beurteilung des Werkes geht, ebenso hätte Herr M. sich erst klar zu machen suchen sollen, um welches Problem es sich denn eigentlich in meinem Roman handelt. Herr M. hat das nicht getan; er hat überhaupt keine Ahnung von den das traditionelle christliche Lehrgebäude erschütternden Momenten und findet das Problem des Romans in der Frage, ob man „das Abendmahl von der Hand eines altlutherischen Pastors oder eines evangelischen Superintendenten empfangen soll". Demnach nennt er den Konflikt eine „inhaltlose Spielerei", ein „Zerrbild", da es sich nur um „graduelle Verschiedenheiten" eines, von ihm gewiss belächelten, Glaubens handelt. Wären Herrn M.'s Voraussetzungen richtig, dann würden wir die Logik seiner Schlussfolgerung bereitwillig zugestehen. Nun handelt es sich aber im vorliegenden Falle um ganz andere Dinge, die ein christlicher Leser sofort herauserkennt und die auch ein nichtchristlicher Kritiker herauserkennen müsste, wenn er anders zum Urteilen befähigt sein will; die Annahme oder die Verwerfung der Lehre von der Göttlichkeit Christi ist die Achse, um welche sich die dramatischen Vorgänge im Pfarrhause drehen, und dieser Widerstreit mit seinen verhängnisvollen Folgen ist keine „inhaltslose Spielerei", sondern er trägt noch heute wie vor langen Jahren, nicht nur in die Pfarrhäuser, sondern auch in die friedlichen Familien der Laien, den Keim zu herben Anklagen und verheerenden Katastrophen. Da nun der Held des Romans in dem Stifter der christlichen Religion nur den verehrungswürdigen Menschen zu erkennen vermag und in Uebereinstimmung mit Kritik und Wissenschaft sich **gegen** den starren Buchstabenglauben des eigenen Vaters wendet, so ist er eben kein Vertreter „jener augenverdreherischen Sorte", vor der sich Herr M. bekreuzt, sondern ein Repräsentant der neuern, dem Pietismus gerade abgewandten, eine Versöhnung des Christentums mit der Wissenschaft erstrebenden Richtung.

Wir meinen, jeder christliche Leser, er mag einer Richtung angehören, welcher er wolle, wird, sofern er nur zu lesen vermag, diesen Kardinalpunkt des Werkes sofort erkennen, und keinem wird es einfallen, den Helden des Romans als „Pietisten" und das ganze Werk als ein „pietistisches" zu kennzeichnen. Gerade das Gegenteil dieser Bezeichnung entspricht der Wahrheit.

In wie weit böser Wille oder Unkenntnis an der durch die Wiener Allgemeine Zeitung verbreiteten Fälschung des Prädikats Teil hat, das wissen wir nicht, und es gelüstet uns auch nicht, darüber nachzusinnen; wir legen dem Publikum einfach die Akten vor (nämlich unser Werk und Herrn M.'s Bezeichnung desselben) und überlassen jedem Einsichtigen, selbst das Urteil zu fällen.

Einst haben wir in diesen Blättern das Wort von der „anonymen Winkelkritik" geflügelt und es hat, allerdings unter dem Widerspruche einiger weniger Zeitungsredaktionen, einen weiten Wiederhall in deutschen Schriftsteller- und Rezensentenkreisen gefunden; als eine lustige Illustration zu diesem Worte heben wir noch einen Passus aus dem unter falsche Flagge gestellten Artikel des Herrn M. heraus. Herr M. sagt: „Der traurige Wahn kann, so sehr er uns eigentlich atavistisch anmutet..., auch heute noch aufflammen..., allein zum Zerrbild des ergreifenden Seelengemäldes wird er, **wenn der Dichter eines solchen Vorwurfs nicht den Mut seiner Meinung hat.**" Herr M. wirft uns also den Mangel und Mut einer eigenen Meinung vor. Wir wissen nicht, womit er diesen Vorwurf begründen könnte; den Versuch solcher Begründung bleibt er uns schuldig. Sollte der Autor das epische Kunstgesetz vielleicht durchbrechen und in dem von ihm geschilderten Kampfe selbst Partei ergreifen? Nach dem Geschmacke des Herrn M., scheint es, wäre dies gewesen, es hätte aber unser ästhetisches Gewissen schwer geschädigt. Nicht ein Lehrgedicht, auch keine Tendenzschrift, sollte unser Roman sein, sondern ein Kunstwerk, das im Spiegel der Dichtung ein Bild des wirklichen Lebens wiederspiegelt; der Dichter, der diesen handhabt, durfte sich nicht **vor** denselben drängen, sondern musste **hinter** ihm, wie der Gott hinter der Schöpfung, verborgen bleiben. Wir denken, dieser Vorwurf des Herrn M. wird sich im Munde kompetenter Richter für uns gerade in ein Lob verwandeln. Ob es uns sonst an Mut der eigenen Meinung gebricht, nun — unsere zahlreichen anderen Schriften dürften darüber stattsam Aufklärung geben. Bisher sind wir von Freund und Feind als ein **Charakter** geschätzt worden, der als bestimmter, scharfkantiger Individualmensch sich durch die Herde der Gattungsmenschen kühnlich Bahn zu brechen sucht und der das Herz immer unverzagt auf der Zunge trägt. Der anonyme Herr M., der — wir wiederholen es ausdrücklich — gewiss nur unabsichtlich die Etikette unseres Werkes fälschte und unbewusst unter die Kipper und Wipper, unter die Beschneider der Goldmünze der kritischen Wahrheit, geraten ist, sollte die Anklage auf mangelnden Meinungsmut nicht einem Manne gegenüber erheben, der noch nie in seinem Leben eine Zeile drucken ließ, unter die er nicht seinen vollen Namen gesetzt hätte. Ein anonymer Rezensent wohnt in einem Glashause; das Werfen mit Steinen ist für ihn ein bedenkliches Unternehmen.

Die Wiener Allgemeine Zeitung machen wir übrigens für die Sünde ihres namenlosen Mitarbeiters nicht mit verant-

*) Für diese Rubrik sind nur die Einsender verantwortlich. Anmerkung der Redaktion.

wortlich; wir schätzen das Blatt als ein gerade die litterarischen Interessen mit Vorliebe pflegendes Organ, und wissen sehr wohl, dass die Leitung einer politischen Zeitung nicht Muße hat, die Beiträge ihrer Mitarbeiter auf die Quellen zu prüfen; vielleicht entschließt sich das geehrte Blatt, auch eine der vielen gegenteiligen Würdigungen unseres Romans, wie sie andere Zeitungen gebracht haben, abzudrucken, um so dem alten Satze Rechnung zu tragen: audiatur et altera pars! —

Potsdam. Gerhard v. Amyntor.

Litterarische Neuigkeiten.

Im Verlag von Hermann Grüning in Hamburg erchien eine sehr beachtenswerte und zeitgemäße Broschüre. Dieselbe trägt den Titel: „Der Naturalismus und die Gesellschaft von heute. Briefe eines Modernen an Jungdeutschland“ von Klaus Hermann. Der Verfasser behandelt in derselben den Meister des Naturalismus Emile Zola mit nicht geringem Verständnis.

Die im vorigen Jahr verstorbene amerikanische Schriftstellerin Helen Jackson, deren letzte bei ihren Lebzeiten veröffentlichte Erzählung „Romona“ auch ins Deutsche übersetzt wurde, hat eine Geschichte hinterlassen, welche acht Tage vor ihrem Tode in die Hände ihres Verleger gelangte. Dieselbe ist nun in Boston unter dem Titel „Zeph“ erschienen. Sie ist weniger idyllisch als „Romona“ und ihr Schauplatz ist das Grenzerleben in Colorado.

„Hinter Klostermauern“ lautet der Titel einer ziemlich umfangreichen Erzählung aus Grafenheim von Ernst Salzmann. Dieselbe erschien vor Kurzem im Verlag der Osianderschen Buchhandlung in Tübingen.

Bismarck in Versailles. Mit diesem soeben im Verlage der Rengerschen Buchhandlung in Leipzig erschienenen Bande schließt sich die Reihe der seit 1883 aus dem gleichen Verlage hervorgegangenen Bismarckbücher zu einem vollständigen Ganzen ab. Die bisher erschienenen Bücher: „Bismarck nach dem Kriege“ — „Bismarck, zwölf Jahre deutscher Politik“ — „Bismarck in Frankfurt“ — Bismarck in Petersburg — Paris — Berlin“ — lassen für die Zeit während des französischen Krieges, der die diplomatische Tätigkeit des deutschen Staatsmannes in hervorragendster Weise herausforderte, eine Lücke, die hierdurch ausgefüllt ist. Das Buch „Bismarck in Versailles“ hat sich als erste Aufgabe die Darstellung der schweren Kämpfe gestellt, welche Fürst Bismarck während des französischen Krieges mit den sogenannten Neutralen zu bestehen hatte, und die den Ausbruch wie das Fortschreiten des Krieges neben den Friedensverhandlungen fast unausgesetzt begleiteten.

Vol 2387 der Tauchnitz edition Collection of british authors enthält: „Dr. Jenkyll and Mr. Hyde and an inland voyage“ by Robert Louis Stevenson. Vol 2388 enthält: Nr. XIII; or, The story of the lost Vestal by Emma Marshall.

August v. Trefort, der ungarische Minister für Kultus und Unterricht, hat an die Rektoren der ungarländischen Universitäten die Aufforderung gerichtet, ihm über die litterarische Tätigkeit der Professoren in den letzten zehn Jahren Bericht zu erstatten. Der Minister wird auch von den Mittelschul-Professoren und Volksschullehrern solche Ausweise verlangen, um dieselben in einem umfangreichen, statistischen Werke, dessen Herausgabe er beabsichtigt, zu verwerten.

In Emil Hänselmanns Verlag in Stuttgart ist soeben die erste Lieferung der „Illustrirten Geschichte von Württemberg“ erschienen, welche mit gediegener Darstellung doch zugleich einen volkstümlichen und für alle Stände passenden Charakter verbinden wird. Das Werk, welches in 40 Lieferungen à 40 Pf. erscheinen wird, ist von den ersten württembergischen Geschichtskennern geschrieben; es bedarf hier nur eines Hinweises auf die Namen der Mitarbeiter: Prof. Dr. Dürr (Heilbronn), Bibliotheksekretär Theodor Ebner (Stuttgart), Prof. Dr. Egelhaaf (Stuttgart), Universitätsbibliothekar Dr. Geiger (Tübingen), Diakonus A. Klemm (Geislingen), Diakonus Paul Lang (Ludwigsburg), Diakonus A. Landenberger (Urach) Diakonus Karl Weitbrecht (Schwaigern) und Pfarrer Dr. Weitbrecht (Mähringen). Die gediegene künstlerische Ausstattung steht unter der Leitung des Kunstmalers Max Bach und besteht größtenteils in der Reproduktion anerkannt gediegener authentischer Illustrationen.

„Vier Erzählungen“ betitelt sich ein neues Werk von Otto Franz Gensichen, welches soeben im Verlag von Eugen Großer in Berlin erschienen ist. Dasselbe enthält: Frühlingsstürme — Lucretia — Finale und Weihnachtsglocken.

Ernst Rethwisch veröffentlichte im Verlag von Hinrichs Fischer Nachfolger in Norden zwei neue Werke. Das erste betitelt: „Schattenbilder“ enthält vier Satiren auf Zustände der Gegenwart und zwar „Der Kreuzzug. Eine Tierfabel“ — „Die Ritter von Wolkenkuckucksheim. Szenen aus der Gegenwart“ — „Das Wunder von Kurlebach. Idylle aus der Gegenwart“ — „Die Aufgeklärten. Szenen aus der Gegenwart. Von diesen erscheinen die zweite und dritte Satire im vorliegenden Bande bereits zum zweiten Male. Das andere Werk desselben Verfassers ist eine kleine wissenschaftliche Abhandlung und trägt den Titel: „Die Inschrift von Killeen Cormac und der Ursprung der Sprache“.

Einer Mitteilung im „Publisher Circular“ zufolge steht Madame Adam, (ihr wahrer Name ist J. Lambert — einstige Freundin Gambettas) im Begriff, eine Reise nach Amerika zu machen, um die dortigen Einrichtungen und Verhältnisse zu studiren und diese Studien später in der von ihr herausgegebenen „Nouvelle Revue“ zu veröffentlichen.

Der vierte Band von „Europas Kolonien“. Nach den neusten Quellen geschildert von Hermann Roskoschny. Leipzig. Gressner & Schramm. — liegt nunmehr abgeschlossen vor. Wir können in Bezug auf denselben nur das wiederholen, was wir bereits über die früheren Bände gesagt haben. Auch hier ist unter sorgfältiger Ausnutzung der vorhandenen reichen Litteratur ein umfassendes Bild der Kolonien im Süden des dunkeln Erdteils entworfen, und namentlich einige eingehendere Schilderungen, wie jene des Lebens der holländischen Farmer, des Treibens in den Diamantenminen, der Erlebnisse eines Traders auf Reisen ins Innere in u. s. w. zeichnen sich durch Frische und Lebhaftigkeit der Erzählung aus. Den textlichen Ausführungen entsprechen die zahlreichen trefflichen Abbildungen, welche das Werk schmücken, sowie auch die sonstige äußere Ausstattung.

Von dem ausgezeichneten, großangelegten Werke „Nordboernes Aandeliv fra Oldtiden til vore Dage“ von C. Rosenberg, dessen wir in diesem Blatte wiederholt rühmend Erwähnung gethan, ist vor Kurzem das zweite Heft des dritten Bandes erschienen, welches „Das altlutherische Zeitalter“ und zwar 1520—1720 behandelt. Es ist leider zugleich das letzte Heft des ganzen Werkes, denn der verdienstvolle Autor ist nach langem Siechtum am 8. Dezember 1885 gestorben. Das zweite Heft des dritten Bandes, der damit noch nicht abgeschlossen erscheint, jedoch mit einem Inhaltsverzeichnisse über die beiden ersten Hefte versehen ist, umfasst über zwanzig Druckbogen und ist wieder ungemein reichhaltig und gründlich gearbeitet; es behandelt „Die Alleinherrschaft des Luthertums. 1520—1720“, deren Darstellung durch eine kirchengeschichtliche Uebersicht eingeleitet wird und in die Abschnitte 1. Gelehrte Theologie, „Religiöse Kämpfe“, 2. Predigt, Erbauungsschriften und 3. Religiöse Dichtung zerfällt. Der interessanteste Abschnitt für den Litteraturfreund ist der letzte, in dem uns die hervorragendsten religiösen Dichter Skandinaviens zu jener Zeit, so unter andern der berühmte isländische Psalmendichter Hallgrimr Pétursson, die Dänen resp. Norweger: Anders Arrebo, Thomas Kingo, die vielbesungene Dorothe Engelbrechtsdatter und Peder Dahss, die Schweden: Haqvin Spegel und Jesper Svedberg in lebhaften, ausführlichen Schilderungen und mit zahlreichen Proben ihrer Dichtungen vorgeführt werden. Man kann es, gerade wieder bei der Durchsicht dieses neuen Heftes, nicht schmerzlich genug beklagen, dass Rosenbergs herrliches Werk ein Torso bleiben soll.

Das berühmte Geschichtswerk des Senators Michele Amari über die Sizilianische Vesper hat eine neunte Auflage erfahren. Der trotz seines hohen Alters geistesfrische Verfasser berichtet in einer muntern Vorrede, welche in den letzten zehn Jahren veröffentlichte Schriftstücke ihn dazu bestimmt haben, das Ganze dem Inhalte und der Form nach umzuarbeiten. Das erste und das letzte Kapitel, die Grundlagen gleichsam des Baues, sind im Wesentlichen unverändert geblieben. Der dritte, einzeln nicht verkäufliche Band, enthält den wissenschaftlichen Apparat. (La Guerra del Vespro Siciliano scritta da Michele Amari. Ulrico Hoepli Milano 1886. L und 377, 493, 530 S. in 16°, für 15 Lire.)

Der verstorbene Dichter S. H. Mosenthal, gewesener Präsident des Wiener Zweigvereins der deutschen Schillerstiftung, hat testamentarisch verfügt, dass die Erträgnisse der Tantièmen seiner dramatischen Werke jährlich und zwar durch den genannten Verein an österreichische Schriftsteller zur Verteilung gelangen sollen. Im verflossenen Jahre beliefen sich diese Erträgnisse nach Abzug der Einkommensteuer auf die Summe von 500 Gulden, welche als Ehrengabe den nachstehenden Schriftstellern gewidmet wurde: Karl Elmar, J. Märzroth, Adele Wesemal (J. Wild) und Adolph Schirmer. Da der letztgenannte Schriftsteller mittlerweile verstorben ist, gelangt die Ehrengabe an seine Witwe.

Unter dem eigentümlichen Titel „Psohlavci", die Hundeköpfe, erschien soeben ein Roman von Jirásek (Prag, Simáček). Den Hundskopf führten die Choden im Wappen, die ehemaligen Wächter der Böhmerwaldthore. Unser Roman schildert in prächtiger herzbewegender Weise den letzten Kampf den dieses Volk um die Erneuerung seiner Privilegien führte und der mit der Hinrichtung des Bauern Kozina im Jahre 1695 endete. Mit Meisterschaft ist das Lokalkolorit und der Dialekt verwendet; manche Einwendungen gegen die Form entfallen, wenn man als Zweck des Verfassers voraussetzt, ein Volksbuch zu liefern; dann kann man sich auch mit manchem derben aufgetragenen Zuge befreunden und lässt sich durch einige allzudeutliche Anmerkungen nicht stören. Dieser Roman des beliebten Autors wird gewiss viele und dankbare Leser finden.

Anlässlich des hundertjährigen Geburtstages Ludwig Börnes am 6. Mai d. J. erscheint gegen Ende dieses Monats im Verlage von Otto Wigand in Leipzig eine eingehende, etwa 13 Druckbogen starke biographisch-kritische Studie über den großen Schriftsteller und Publizisten aus der Feder Conrad Albertis, des Biographen Gustav Freytags und der Bettina v. Arnim. Diese Schrift wird der erste Versuch sein, ohne Rücksicht auf der Parteien Gunst und Hass ein streng objektives Charakterbild Börnes und seiner Zeit zu entwerfen.

Das „Nordisk Conversations-Lexikon" ist nunmehr bis zum 32. Hefte vorgeschritten, welches bis zum Stichworte „Fugtighed" (Feuchtigkeit) reicht. Man kann schon aus dem äußeren Umfang ersehen, wie reichhaltig diese neue Auflage des trefflichen Werkes ist, das Niemand, der sich für nordische Verhältnisse interessirt und sich über solche belehren will, entbehren kann. Denn obschon das „Nordische Conversations-Lexikon" eine allgemeine Encyklopädie darstellt, so sind darin doch, wie es ja natürlich ist, die nordischen Artikel mit besonderer Ausführlichkeit behandelt und auch überhaupt viel zahlreicher als in den ähnlichen deutschen Werken. Der Artikel „Dänemark" z. B. umfasst 73 Spalten (Island, die Faröer und die dänisch-westindischen Inseln nicht mitgerechnet, die in separaten Artikeln behandelt werden). Kann man mit solcher Kopiosität in nordischen Dingen nur zufrieden sein, so ist es hingegen befremdend, gewisse allgemein wichtige Dinge bisweilen mit auffallend unverhältnissmäßiger Kürze behandelt zu finden; so umfasst der Artikel „Europa" nur 18 Spalten, während z. B. England wieder 62 Spalten gewidmet sind. Als ein Mangel des Werkes muss es ferner bezeichnet werden, dass zu den einzelnen wichtigeren Artikeln fast nie die bezügliche Litteratur in ihren Haupterscheinungen angeführt ist, wie dies doch selbst in den kleinen Handausgaben der deutschen Konversationslexika der Fall ist. Von interessanten ausführlichen Artikeln der letzten Hefte seien besonders genannt: Drachmann (Holger), „Dysse" (Gräber aus der Steinzeit), Edda (dieser Name kommt nur der sogenannten Snorra-Edda zu und bedeutet hier — was dem Verfasser des Artikels nicht bekannt zu sein schien — so viel wie „Kleine Poetik"), Elster, Kristian (norwegischer Schriftsteller, in Deutschland durch Poestion eingeführt, aber noch viel zu wenig gewürdigt), Ewald, Johannes, Fasting, Claus (verdiente ausführlicher behandelt zu sein), Finn Jonsson und Finn Magnusson (die bekannten isländischen Gelehrten), Frankreich (88 Spalten!) Frederik (I—VII die dänischen Könige).

Das „Magazin" beginnt sein neues Quartal mit folgenden Beiträgen:

Das Dogma der Classizität. Ernst Eckstein.
Litterarische Erfahrungen. Hermann Heiberg.
Zur Geschichte der Philosophie. Ed. v. Hartmann.
Gedichte. Hermann Lingg.
Briefe Turgenjews an Tolstoj. August Scholz.
Litterarischer Erfolg. Emil Peschkau.
Rezans Lobpreisung Victor Hugos. Ludwig Geiger.
Gedichte. Hieronymus Lorm.
Eine Sünde der Männer. Gerhard von Amyntor.
Die vorgeschichtliche Burg im Peloponnes. Karl Blind.
Armenische Schriftsteller. II. Arthur Leist.
Die Traumsprache. Rudolf Kleinpaul.
Englisches. Eugen Oswald.
Goethe und Zola. Richard Gosche.
Italienisches. Robert Hamerling.
Zur neusten hellenischen Litteratur. August Boltz.
Ein finnischer Volksdichter. J. C. Poestion.
Nordische Litteraturbriefe. Rudolf Schmidt.
Französische Kritik. Alexander Büchner.

Allgemeiner Deutscher Schriftsteller-Verband.

In der Generalversammlung des siebenten zu Berlin stattgefundenen Schriftstellertages vom 25. Oktober 1885 ist auf Antrag unseres Vorstandsmitgliedes, des Herrn Professor Lazarus, der Beschluss gefasst worden, aus der Mitte der Verbandsmitglieder eine Zwölfer-Kommission niederzusetzen, deren Zweck sein sollte, zunächst die en bloc angenommenen neuen Statuten noch einmal auf gewisse wichtige Punkte hin einer Revision zu unterziehen, dann aber auch über diejenigen Wege zu beratschlagen, welche zur gedeiblichen Fortentwicklung des Verbandes in der Zukunft führen könnten. Die Beschlüsse dieser Kommission sollen dem Vorstande unterbreitet werden, der sie dann der diesjährigen Generalversammlung zur Beratung, resp. zur Annahme vorzulegen hat. Die Mitglieder der Kommission sind folgende Herrn: 1. Dr. Otto Buchwald, Gymnasialdirektor in Fürstenwalde; 2. Dr. Eduard Duboc (Rob. Waldmüller) in Dresden; 3. Geh. Regierungsrat Wilhelm Genast in Weimar; 4. Major a. D. von Gerhardt (Gerhardt von Amyntor) in Potsdam; 5. Dr. Wilhelm Goldbaum in Wien; 6. Hermann Heiberg in Berlin; 7. Major a. D. Gustav Hilder in Berlin; 8. Dr. Alfred Klaar in Prag; 9. Dr. Schmidt-Cabanis in Berlin; 10. Hofrat Maximilian Schmidt in München; 11. Dr. Hugo Schramm-Macdonald in Dresden; 12. Dr. Heinrich Steinitz in Berlin. Die Kommission wird sich voraussichtlich in den ersten Tagen des Mai d. J. in Weimar versammeln. Den Vorsitz wird Herr Geh. Rat Genast daselbst führen.

Leipzig, 26. Februar 1886.

Der engere geschäftsführende Vorstand.
Dr. Carl Braun, Vorsitzender. Dr. Moritz Brasch, Schriftführer. L. Soyaux, Schatzmeister.

Wir bringen hierdurch zur Kenntniss unserer Verbandsmitglieder, dass die Beschlüsse der letzten Generalversammlung vom 25. Oktober 1885, betreffend die Verwendung des Gutzkow-Denkmals-Fonds, sowie die Errichtung einer Hilfskasse für die Mitglieder unseres Verbandes ihrer Realisirung nahe sind. In ersterer Beziehung sind behufs Errichtung eines Gutzkow-Denkmals Unterhandlungen mit dem Magistrat von Dresden angeknüpft; in letzterer Hinsicht ist der Entwurf zur Hilfskasse vom Gesammtvorstand bereits genehmigt, und wird derselbe in Kürze zur Ausführung gebracht werden.

Leipzig, 3. März 1886.

Der engere geschäftsführende Vorstand.
Dr. Carl Braun, Vorsitzender. Dr. Moritz Brasch, Schriftführer. L. Soyaux, Schatzmeister.

Alle für das „Magazin" bestimmten Sendungen sind zu richten an die Redaktion des „Magazins für die Litteratur des In- und Auslandes" Leipzig, Georgenstrasse 6.

Für die Redaktion verantwortlich: Hermann Friedrichs in Leipzig. — Verlag von Wilhelm Friedrich in Leipzig. — Druck von Emil Herrmann senior in Leipzig.

Das Magazin

für die Litteratur des In- und Auslandes.

Wochenschrift der Weltlitteratur.

1832 gegründet von Joseph Lehmann.

55. Jahrgang.

Herausgegeben von Hermann Friedrichs.

Preis Mark 4.— vierteljährlich.

Verlag von Wilhelm Friedrich in Leipzig.

No. 13. — Leipzig, den 27. März. — 1886.

Inhalt:

Zeitung und Buch.

Zeitung und Buch stehen einander heute beinahe wie zwei feindliche Mächte gegenüber. Nicht selten spricht das Letztere von Jener ähnlich wie der ärgerliche Mephisto von

„Dem stolzen Licht
. . . . . Das nun der Mutter Nacht
Den alten Rang, den Raum ihr streitig macht.“

und von Monat zu Monat mehrt sich die Zahl der Tages- und Wochenblätter; für jedes eingehende Blatt erwachsen, den Köpfen der Hydra ähnlich zwei neue, und die Zahl ihrer Leser steigert sich unaufhörlich, während die Buchverleger unablässig klagen, dass sie von Messe zu Messe weniger Bücher absetzen, besonders belletristische. „Nur Gebetbücher, Kinderschriften und rein technische oder wissenschaftliche Werke werden noch gekauft,“ sagte mir kürzlich ein bedeutender Leipzigen Verleger, „alles Andere auf den Markt zu bringen, ist Torheit.“ Und bei aller darin liegenden Uebertreibung ist etwas Wahres an dem Ausspruch. Die Zeitung gewinnt dem Buche immer weitere Provinzen ab, alle Gebiete des menschlichen Strebens sucht sie in ihren Bereich zu schließen, die größtmöglichste Fülle von Stoff in leicht genießbarer Form zu bieten, ist ihr Prinzip; die Resultate des Denkens, Schaffens und Forschens auf allen Gebieten darzustellen, ist die Absicht der großen, für die Allgemeinheit bestimmten Tagesblätter, die Wege und Mittel des Forschens selbst finden in den besondern Fachzeitungen möglichst anregende Behandlung. Früher war wohl einmal das Wort, Journalisten seien Leute, die ihren Beruf verfehlt hätten, nicht ganz unberechtigt, heute haben alle Berufe Vertreter in der Journalistik, ja seit einiger Zeit ist sogar die exklusivste und aristokratischste aller Wissenschaften, die Astronomie, in der Person eines bekannten Astronomen in die Arena der Tagesschriftstellerei „hinabgestiegen“. Politik, öffentliches Leben, Unterhaltung, Poesie, Technik, Wissenschaft, Alles bietet die Zeitung, und der Buchhandel lebt bereits zu einem nicht unbedeutenden Teil von dem, was jene ihm gnädig zukommen lässt, weil sie es zu ihren Zwecken bereits verwendet hat, von der Sammlung vielfach vorher in den Blättern abgedruckter, politischer, unterhaltender oder belehrender Aufsätze oder mehrfach gehaltener Vorträge, einer Art mündlicher Journalistik.

Soll nun dieser Zustand als der natürliche, sachgemäße betrachtet werden, soll das Buch sich einfach mit dem Platze in der zweiten und dritten Reihe der Vorkämpfer und Fortbildner unserer Zeit begnügen, den die übermächtige jüngere Schwester ihm anweist? Keineswegs! Zurückerobern wird es jene verlorenen Gebiete freilich schwerlich, allein es wäre ein Zeichen großer Schwäche, wenn es sich nicht wieder in den Mitgenuss derselben zu setzen verstände. Um dies aber zu erreichen, ist nötig, dass es sich genau über die Grenzen seiner Rechte und Pflichten klar wird, dass es sich nicht Eigenschaften, nicht Stoffe anmaßt, welche ihm nicht gebühren, dass es aber auch keine Uebergriffe des Gegners duldet und ihn von sich abzuhalten weiß, sobald er in sein Nest Eier zu legen, auf seinen Bauplätzen Schutt abzuladen kommt. Auf dem Gebiete der Politik und der Wissenschaften zeichnen diese Grenzen sich von selbst vor. Die Fälle einzelner neuer Erscheinungen und Beobachtungen, besonders auf dem letztgenannten Felde, welche noch nicht gehörig gewürdigt sind, werden am besten in den bestehenden Fachblättern gesammelt und niedergelegt werden, eben dieser Ort erscheint auch für die Erledigung zweifelhafter Fragen eines jeden Spezialfaches als der geeignetste. Große, neue, leitende Ideen in die Welt einführen und begründen kann nur das Buch, die engen Spalten der Journale wären dafür zu klein und würden den Stoff nicht fassen, die allgemeine Verbreitung dieser Gedanken, ihre Vervolkstümlichung, ihre Ausdehnung und Anwendung auf alle Gebiete, die Bekämpfung entgegenstehender, veralteter Anschauungen und Vorurteile, die Agitation und Propaganda, ist Sache der Tagesblätter. Nicht so einfach liegt der Fall auf dem Gebiet der schönen Litteratur. Der unterhaltende Teil unserer Zeitungen ist wohl der mannigfaltigste und bunteste von allen, und kein Ragoût kann aus so verschiedenen Bestandteilen von verschiedenstem Wert zusammengesetzt sein, als das moderne „Feuilleton“. Und je zusammengesetzter desto besser, desto mehr nach dem Geschmack des Publikums. An diese Erscheinung, an den Willen des Herrn unser aller, der Gesammtheit oder wenigstens Mehrzahl der Lesenden, muss man anknüpfen, wenn man festsetzen will, was der Zeitung, was dem Buch zukommt, und diesem Geschmack feste Haltung und einen kritischen Gradmesser geben. Das Bunte, Mannigfaltige, Mosaikhafte wird als Sache der Zeitung, das geschmackvoll und logisch um einen Mittelpunkt Geordnete, Zusammenhängende Sache des Buches sein. Jener wird zufallen, was im Augenblicke, wie geschrieben, so auch genossen werden kann, diesem, was eine längere Beschäftigung, ein tieferes, von mehreren Seiten erfolgendes Eindringen verlangt. Die Erkenntniss des Lebens, beruhend auf einer möglichst vollkommenen Kenntniss desselben, ist der Drang unserer Zeit, und sie zu befördern eine der schönsten und dankbarsten Aufgaben für den modernen Schriftsteller. Und gerade hier scheiden sich streng die Ziele und Aufgaben des Zeitungs- und des Buchschriftstellers, hier erscheint jeder Teil deutlich als das, was er ist, die Zeitung als das Fliegende, Leichtere, auf die Wirkung des Augenblicks berechnete, das Buch als das Liegende, Gewichtigere, dauernd Geltende. Das Feuilleton knüpft sich an die Tageserscheinung, die Mode, an das Vorübergehende im Charakter, an die Stimmung des Menschen und an die Zufallsschöpfungen, welche vor unsern Augen vorübergehen, ohne besondre Spuren zu hinterlassen, das Buch bemüht sich das Ewig-Menschliche, das Bleibende im Charakter der Menschen und den Erscheinungen des Lebens darzustellen und immer mehr bleibende, beständige Typen zu geben. (Natürlich ist hier unter Buch nicht eben gerade ein solches verstanden, das nichts ist als Buch, also etwa ein Roman, eine Novelle u. A., sondern ebenso gut ein Drama, während die Sammlungen lyrischer Gedichte, einer größeren Anzahl kleiner, in sich abgeschlossener Gedichte, nicht hierher gehören.)

Aber auch in der Art und Weise der Ausführung unterscheiden sich Buch- und Zeitungsschriftstellerei gewaltig von einander, ja, man darf sagen, dass eine jede ihren eignen Stil besitze. Der Feuilletonist ist ein Zeichner, der Autor — denn nur bei Büchern, bei ganzen, selbständig geschaffenen Werken, nicht bei einzelnen Artikeln kann man von einer Autorschaft ernstlich sprechen — ist ein Maler, jener giebt Skizzen, dieser Bilder, jener strebt nach Wirkungen durch ein paar scharfe, ausdrucksvolle Linien, dieser sucht sie durch feinsinnige Gruppirung, durch den Glanz und die gewählteste Abtönung der Farben zu erreichen. Jener hält sich mit Vorliebe (im Geschmack Gavarnis) an einzelne charakteristische Gestalten der Zeit, oder an vielbedeutende Szenen zwischen möglichst wenigen Personen. Er rückt dieselben in scharfe Beleuchtung und sorgt dafür, dass sie uns an und für sich, so wie sie sind, interessiren, ohne dass wir nötig haben, lange mit ihnen zu verkehren oder sie bei zahlreichen Handlungen und Gesprächen zu belauschen, und wenn wir ihre Bekanntschaft in nicht allzulanger Zeit vergessen, so wird es uns auch nicht als Verbrechen und dem Feuilletonisten nicht als Fehler angerechnet. Von einem Buche aber verlangen wir mehr als eine Reihe einzelner, neben oder hinter einander zusammenhangslos marschirender Gestalten, wie man sie etwa auf altdeutschen oder byzantinischen Bildern sieht, wir fordern von ihm Gruppirung und Perspektive. Wir verlangen eine das Ganze durchdringende Grundidee, einen Mittelpunkt, um den Alles geordnet ist, und einen Ausblick in die Ferne, in weite Räume und Zeiten. La Bruyères Charakterbilder, so meisterhaft sie auch in Détail ausgeführt sind, erscheinen doch eigentlich als nichts mehr denn eine Reihe guter Feuilletons, weil ihr Verfasser in ihnen todte, zusammenhangslose Charakteranalysen, keine lebendigen Menschen bietet. Molières Charakterbilder aber sind wirkliche Dauerwerke, nicht weil sie von feinerer Menschenbeobachtung zeugten, als jene, sondern weil es wahrhafte, lebende, redende und gruppenweise auf einen bestimmten Zweck hin strebende und handelnde Personen sind. Das Feuilleton schildert Menschen, vom Buch verlangen wir, dass es sie uns zeigt, sie uns selbst giebt, sie uns vorführt, wie sie einander lieben und hassen, unterstützen und befehden. Nur dann kann einem Buche litterarischer Wert, ja sogar nur dann Anspruch auf eine ernsthafte Kritik zugemessen werden, wenn es die erste Bedingung eines jeden Kunstwerks erfüllt, Harmonie und organischen Zusammenhang aller Teile und Abgeschlossenheit im Ganzen, und wenn es der Forderung nachkommt, die man im Besondern an ein litterarisches Kunstwerk stellt, dass es nicht kalt und todt, sondern bewegt und lebendig, nicht bloß harmonisch schön, sondern reizvoll — im Sinne der Schillerschen Terminologie — sei. Damit ist nicht gesagt, dass ein Buch immer nur ein Kunstprodukt enthalten dürfe, aber wenn es mehrere enthält, so muss eben jedes ein in sich vollständig abgeschlossenes Ganze und keine bloße todte und fragmentarische Schilderung oder Skizze sein. Und freilich wird es den Wert des Buches doppelt erhöhen, wenn alle in demselben enthaltenen Novellen, oder was sonst immer, durch eine bestimmte Grundidee, einen roten Faden künstlerisch mit einander verbunden sind, nicht aber die heterogensten neben einander stehen. Als Muster sei — neben Heyses „Buch der Freundschaft" — auf Sacher-Masochs „Vermächtniss Kains" hingewiesen, wo die ursprünglich in einzelnen Blättern erschienenen Novellen durch den „Prolog" in der Buchausgabe meisterhaft mit einander verbunden werden.

Weil diese Bedingung so selten erfüllt wird, sind auch die in jüngster Zeit so üblich gewordenen Buchsammlungen von in öffentlichen Blättern erschienenen Feuilletons in der Regel so unerfreulich und unwillkommen. Die heterogensten Dinge werden ohne jedweden vernünftigen Grund zusammengepfropft. Neben einer Plauderei über die Wiener Kaffeehäuser steht die Schilderung einer Reise in Nordamerika, dann folgt ein Aufsatz über die Jugendgeliebte irgend eines großen Mannes, und schließlich Betrachtungen über den Einfluss des Geldes oder irgend ein Skizze aus dem Leben, das Porträt eines Sonderlings u. s. w. Namentlich Ferdinand Groß in Wien leistet darin Bedeutendes. Jeder einzelne Artikel liest sich an sich ganz nett, aber hat man das Buch durchgelesen, so wird Einem ganz dumm und wirr im Kopfe, als bimmelten darin hundert Glocken durcheinander, und der Verfasser erscheint uns wie ein Mann, der eine Anzahl Gäste in feierlicher und förmlicher Weise zu einem großen Diner einladet, und ihnen dann eine Anzahl kleiner Schüsseln und Platten voll Delikatessen vorsetzt, deren jede zwar pikant und angenehm schmeckt, die aber zusammen nicht sättigen, so dass man sie sich wohl zum Picknick oder Morgenimbiss gefallen lassen würde, nicht aber an Stelle einer nach den gesellschaftlichen und gastronomischen Regeln geordneten Mittagstafel.

Auch bei einer Sammlung von Zeitungsaufsätzen anderer als unterhaltender Art werden wir uns immer fragen müssen, ob dieselbe durch einen großen leitenden Grundgedanken zusammengehalten wird oder ob sie nur ein Bouquet ohne Draht und Manschette ist, das auseinderfällt, sowie der Druck der Hand nachlässt. Lessing hatte ein Recht, seine dramaturgischen Stücke als Buch herauszugeben, denn sie haben sämmtlich ein Leitmotiv, den Kampf gegen das Franzosentum auf der Bühne und für die richtige Auslegung der aristotelischen Sätze, aber bei den Sammlungen der Kritiken Lindaus und Blumenthals vermissen wir diese einheitliche Grundlage, welche man bei jeder Sammlung wissenschaftlicher Aufsätze zu beanspruchen berechtigt ist. Besteht zwischen den einzelnen kleineren Arbeiten eines Schriftstellers ein solch geistiger Zusammenhang nicht, so dürfte eine Buchsammlung derselben vom Standpunkte der litterarischen Kritik aus nicht tunlich erscheinen. Anders liegen natürlich die Verhältnisse bei umfangreicheren, ein gewisses Thema kurz aber völlig erschöpfenden Essays, deren jeder vielleicht allein ein kleines Büchelchen füllen könnte und die nur der Bequemlichkeit wegen zusammengebunden werden, z. B. bei den Essays von Hermann Grimm, Karl Frenzel, R. v. Gottschall u. A. Immer aber muss der Standpunkt festgehalten werden, dass ein Buch kein zusammengewürfeltes, skizzenhaftes Mischmasch sondern ein einheitliches, ausgeführtes Ganze sein soll, sonsten es keine Existenzberechtigung hat.

Diese These ist nun freilich keineswegs mehr neu, im Gegenteil, sie ist weltbekannt oder könnte es wenigstens sein. Aber leider werden die bekanntesten und wichtigsten Gesetze am häufigsten übertreten, und darum ist es nötig, dieselben so lange beständig zu wiederholen, bis sie allen Denen allezeit gegenwärtig sind, welche sie angehen, nicht bloß den Schriftstellern, nicht bloß den Kritikern, sondern vor Allem jedem gebildeten Leser, um ihm als deutliche Richtschnur bei der Fixierung eines selbständigen Urteils über ein neues Buch zu dienen. Denn es ist unglaublich, wie wenig kritisches Verständniss im Allgemeinen die große Masse der Leser besitzt, wie sie jeder neuern litterarischen Erscheinung zögernd gegenübersteht und sich in Acht nimmt, ein Urteil zu fällen, bis die sogenannte maßgebende Kritik gesprochen, deren oft weit auseinandergehende Aussprüche dann einfach nachgebetet werden, nur aus dem Grunde, weil dem großen Publikum die simpelsten Gesetze der Erzählungs- und Darstellungskunst noch unbekannt sind. Das Publikum zur Kritik, zu einem eignen, gesunden Urteil zu erziehen, ist Sache Derer, die beruflich das kritische Messer führen, und die öffentliche Kritik hat keine höhere Mission, als durch beständige Aufklärung und Fixierung weniger, leicht verständlicher, litterarischer Gesetze sich dem Gebildeten schließlich entbehrlich zu machen. Wenn solche Kenntniss der Mehrzahl der deutschen Leser in Fleisch und Blut übergangen sein wird, dann werden die Hälfte aller der verwunderlichen Erscheinungen, welche heute den deutschen Büchermarkt überschwemmen und die wahrhaft guten Hervorbringungen unterdrücken, nicht mehr möglich sein, weil sie Niemand mehr kaufen wird. Denn es geht ins Unabsehbare, was in Deutschland buchlich gesündigt wird, namentlich im Gebiete der Skizzen- und Feuilletonsammlungen. Jeder Posttag bringt den Redaktionen, den Kritikern ganze Stöße neuer Erscheinungen dieser Art Schriften, die alle besprochen sein wollen. Es sei erlaubt, hier zur Unterstützung und näheren Beleuchtung der eben ausgesprochenen Ansichten drei besonders charakteristische Beispiele aus den neueren Erscheinungen des Büchermarktes herauszuziehen. Emil Peschkau der begabte Feuilletonist und vormaliger Redakteur des „Frankfurter Journals" hat seine neuen kleineren Arbeiten unter dem Titel „Aus Herz und Welt, Allerlei neue Humore" bei Liebeskind in Leipzig erscheinen lassen. In einer Hinsicht kommt dieses Buch der Forderung beinahe nach, die wir oben für solche Sammelwerke aufgestellt haben, fast jede der Skizzen und Lebensbilder ist ein kleines in sich abgeschlossenes Ganzes voll lieblicher, deutscher Schalkhaftigkeit, am meisten gilt dies von dem „Basilisken", den der Verfasser mit Recht als Novelle bezeichnen darf, allein ein innerer Zusammenhang eine leitende größere Idee vermissen wir bei dieser Sammlung, und wir bedauern das um so mehr, als der Verfasser ja schon einmal durch seinen Roman „Die Reichsgrafen von Walbeck" gezeigt hat, dass er auch ins Große zu gehen, die Zeit zu erfassen, und eine in sich abgeschlossene Handlung und ganze, künstlerisch ausgeführte, nicht bloß angedeutete Charaktere zu schaffen versteht. Es wäre sehr bedauerlich, wenn dieses Talent, das ernste und humoristische Seiten mit gleichem Erfolg anzuschlagen versteht, fortfahren sollte, sich zu zersplittern und umsonst sich zu bemühen, sich aus seinen eigenen Splittern zu rekonstruiren. Aber der Journalist, der zum Schriftsteller wird, muss die meisten jener Eigenschaften, welche ihn als ersteren auszeichnen, verleugnen und zum Teil gegen ihr Gegenteil eintauschen. Im Widerspruch zu dem Buche Peschkaus steht: „Die Bilanz der Ehe erster Teil. Passiva. Von Gustav Schwartzkopf." Dresden, Minden. Durch Hieronymus Lorms öffentliche warme Empfehlung ist seit kurzem die Aufmerksamkeit auf diesen jungen Schriftsteller gelenkt worden. Mir war das Buch nicht mehr neu, ich hatte es schon im Frühjahr 1885 an einem unwirtlichen Regentage in Wien gelesen, und meine schon durch das Wetter beeinflusste Stimmung wurde durch diese Lektüre noch trüber. Ich begriff Hironymus Lorms, des genialen Pessimisten, begeistertes Lob dieses Buches vollständig, die Anschauungen der beiden Schriftsteller mögen sich in vielen Punkten decken, aber Lorm ist ein alter kranker Mann, und Schwartzkopf ein in die Welt erst eintretender Jüngling! Sein Buch stellt sich uns als ein aus kleinen Teilen zusammengesetztes Ganzes dar, es will der Ehe Leid von den verschiedensten Standpunkten schildern und nachweisen, dass die moderne Art der Ehe ein Betrug oder ein Unglück sei — allein von keinem dieser Teile kann man sagen, dass er in sich künstlerisch ausgeführt und abgerundet sei „Novellistische Studien" nennt der Verfasser bescheidentlich seine Arbeiten und merkt nicht, dass er mit dieser Bezeichnung eine unmögliche und nicht existenzberechtigte Gattung geschaffen. Entweder Novelle oder Studie, entweder Bild oder Umrisszeichnung, aber kein Mittelglied! Seine Arbeiten sind ziemlich weit ausgeführte Kartons, treffliche Vorstudien voll feiner, scharfer Beobachtungen, aber grau und todt: das Leben, der Dialog, die Schilderung fehlen fast vollständig. Sie machen den Eindruck, als habe dem Verfasser seine jugendliche Ungeduld nicht Zeit gelassen, die Entwürfe zu vollenden, als habe er sie nur so eilig als möglich auf den Markt bringen wollen. In noch höherem Grade gilt ersteres von E. O. Hopp: „Aus der großen Stadt". (Berlin, Nonnemann.) Eine lange, beinahe endlose Reihe einzelner scharfer und in glücklichen Mommenten und charakteristischen Stellungen aufgenomener Typen aus der gewaltigen Zahl der sonderbaren Erscheinungen des modernen Großstadtlebens zieht an uns vorüber, wir freuen uns der köstlichen Schärfe der Beobachtung, wir grüßen viele gute und alte Bekannte, die mit haarscharfer Aehnlichkeit getroffen sind, aber umsonst fragen wir nach einem inneren geistigen Zusammenhang zwischen ihnen, fragen wir, wie und warum gerade sie alle auf einmal an diesen Ort gekommen. Diese interessante Schaar fleht förmlich um Vereinigung in einem großen Werk im Stil eines Dickens. Welch bunter Reiz läge darin, wenn alle diese lebenswahren Gestalten sich lustig durcheinandertummelten! Wie würde jede von ihnen dadurch nur gewinnen! Wir sind überzeugt, dass Hopp nur für fremde Federn gearbeitet hat, dass Andere mit viel weniger Beobachtungs- aber mehr Kompositionstalent sein Buch weidlich benutzen und plündern werden, ohne seines Verdienstes in gebührender Weise zu gedenken und das sollte uns von Herzen leid tun. Warum begnügt er sich, Andern ihre Kunstwerke „anzulegen", da er selbst ein guter Bildhauer sein könnte? Er hat damit kein dankbares Geschäft auf sich genommen.

Berlin. Conrad Alberti

Tag und Nacht.

Von Stamatios D. Balbis (Ποιήματα, 34).

(Μέτρον Σαπφικόν, οἷον παρ' Ὁρατίου, I, 2.)

— „O, wie bin in Wahrheit ich doch so glücklich!"
Sprach die helle Nacht zu dem prächt'gen Tage; —
„Habe Myriaden Gestirn' als Leuchten,
Habe den Mond auch!

Du jedoch, wie bist du so arm, o Schwester!
Ein Gestirn allein badet licht dein Antlitz,
Das, zeigt nur den Flügel einmal ein Wölkchen,
Hurtig sich trübet.

Nicht das holde Licht Aphroditens hast du,
Nicht die Schaar, die blühende, der Plejaden;
Nicht kränzt dir des Jupiters strahlend Leuchten,
Liebste, die Schläfe!"

— „Wahrlich, gut und richtig ist, was du sprachest",
Sagt, ganz Licht, das keusche Gestirn des Tages —
„Doch, bei all dem Schmucke, den du besitzest,
Leuchtest wie ich du?

O geliebte Nacht, nicht gewährt uns Gutes
Eitler Schimmer, entlehnt von fremden Stoffen,
Der, sobald ein ureigener Glanz sich zeiget,
Fliehet, vergehet.

Willst des Ruhmes Licht du? Gieb auf das Dunkel,
Nimm als keusche Krone der Eos Rosen,
Werde, blöde Eule, der Sonne Freundin,
Führe dich edel!"

Freiburg i. B. August Boltz.

Nationaler Realismus in der neuern Litteratur.

Von F. von Kapff-Essenther.

(Schluss.)

Die Häupter der neuesten französischen Romanlitteratur, Daudet und Zola, sind zugleich die der realistischen Schule. Es ist hier nicht der Ort, näher auf ihre übrigens schon genügend zergliederte Eigenart einzugehen, noch die Verschiedenheit dieser beiden Dichtercharaktere festzustellen. Es genügt hervorzuheben, dass Beide in ihrer Wahrhaftigkeit, in ihrer Beobachtungsgabe zu Kultur- und Sittenschilderern ihres Volkes geworden sind.

Daudets Romane sind die echtesten Pariser Sittenbilder, welche je geschrieben wurden, treu und unerbittlich wahr in der Analyse der Charaktere, tief und gründlich im Erfassen der geschilderten Verhältnisse, unübertrefflich in der Lokalfarbe, dabei von rein menschlicher, echt poetischer Empfindung getränkt, welche unmittelbar unser Herz ergreift. Wiederholt hat Daudet stadtbekannte Pariser Persönlichkeiten konterfeit, so in „Nabob", in „Nouma Roumestan", in „Les rois en exile", was wieder ein recht nationaler Zug ist, der dem potenzirt geselligen Leben von Paris mit seinem Personalkultus entspringt. Zola ist der Schilderer des Pariser Volkes, des französischen Arbeiters geworden. Er darf mit Recht von sich behaupten, dass er den ersten wirklichen Volksroman geschaffen hat. Die Rücksichtslosigkeit seiner Schilderungen steigerte den Realismus zum Naturalismus. Aber Zola kannte seine Landsleute, denen das verwegen Neue imponirt, und unter der Flagge der französischen Litteratur eroberte sich der Naturalismus ein Weltpublikum. Denselben charakterisirt ein Bild Courbets, dieses Naturalisten mit dem Pinsel. Wir sind im Atelier des Künstlers, welcher im Begriffe ist, eine mit schönen Gewändern malerisch drapirte Gliederpuppe in den Kamin zu werfen, während ein nacktes, üppiges Weib von mäßigen, aber robusten Reizen das Piedestal des Modells besteigt. Die nackte Wirklichkeit mit ihrer üppigen Lebensfülle, aber mit ihrer höchst zweifelhaften Schönheit — sie ist das Modell des Naturalisten. Dass er alle Gemeinheit, allen Schmutz, allen moralisch und physisch ekelhaften Stoff, wie ihn die Natur des menschlichen Lebens mit sich bringt und wie er durch tausend Zufälle bedingt, die Bilder der wirklichen Welt verunstaltet, mit in seine Lebensbilder aufnimmt, während der Realist seine Sujets zwar der Wirklichkeit entlehnt, aber doch nach seiner künstlerischen Absicht auswählt — das bildet den prinzipiellen Unterschied zwischen dem Realismus und dem Naturalismus. Der Erstere ist rücksichtslos in der Offenbarung des sittlichen Lebens, wie es die Wahrheit sein muss; der Zweite ist rücksichtslos dem ästhetischen, dem Schamgefühl gegenüber, wie es eben die blinde, unbewusste Natur ist.

Gewiss ist es, dass die Ausbildung des Naturalismus bis zu jenem Stadium, welches Zola in seinen letzten Romanen erreicht hat, wieder nur durch die nationale Eigenart des französischen Publikums bedingt war. Durch zweihundertjährige Freiheit der Sitten und hergebrachte Ungebundenheit der belletristischen Produktion ist die keusche Empfindlichkeit dieses Publikums völlig abgestumpft worden, und außerdem ist dasselbe von Natur so geartet, dass eine durch Kühnheit imponirende Publikation seine Wirkung bei demselben nie verfehlt.

Wir haben also gesehen, dass die Entwicklung des Realismus im englischen und französischen Roman durch nationale Eigenheiten vielfach bedingt war. Von der russischen Litteratur aber lässt sich behaupten, dass ihr kräftiger, zudem ausnahmsloser Realismus geradezu eine Frucht des Nationalismus ist.

Die russischen Novellisten sind Patrioten und „ein Gott gab ihnen zu sagen, was sie leiden". Sie haben nur ein Thema, welches sie mittel- oder unmittelbar behandeln — den Zustand ihres Volkes. Je wahrhaftiger sie sind, desto größer wird zugleich ihr patriotisches Verdienst sein. Sie kennen keine raffinirte Tendenz, keine Künstelei, keine absichtlichen Effekte, sie schildern einfach, was sie sehen und wie es ihr Herz empfindet. Sie verleihen ihrem stumm und halb unbewusst leidenden Volk eine Stimme. Dass gerade bei dieser Mission ihre dichterischen

Charaktere um so klarer und bestimmter hervortreten, sei nur nebenbei bemerkt.

Wenn Gogols, Gontscharows und Pisemskis Schriften dabei mehr wahr als schön ausgefallen sind — wer dürfte darob einen Vorwurf gegen sie erheben? Sie hatten keine ästhetischen Traditionen ererbt, sie kannten kein höheres Gesetz als die Wahrheit.

Lermontoffs „Held unserer Zeit“, diese kleine fragmentarische Novelle, enthält ein Stück Lebenswahrheit für alle Zeiten. Dieser „Held“ ist ein Produkt der ideallosen russischen Gesellschaft, aber in der Art wie der geniale Autor ihn schildert, liegt jener melancholisch-erhabene, Alles nivellirende Pessimismus, welcher dem tiefern Erfassen der Wirklichkeit entspringt, welcher in der Philosophie Schopenhauers seinen logischen Ausdruck gefunden hat, aber der Weltanschauung der Slaven ebenfalls ein so charakteristisches Gepräge, einen so melancholischen Zauber giebt. Wir finden diese Weltanschauung wieder in den Dichtungen des genialsten aller Realisten — bei Turgenjeff.

Dieser Dichter, unvergleichlich in der Charakteristik und Individualisirung seiner Gestalten, aus der Fülle des Lebens schöpfend und im kleinsten Rahmen eine Fülle desselben offenbarend, mit aller philosophischen Tiefe der Anschauung die größte plastische Bestimmtheit verbindend, ist eben so eminent national, als seine Wirkung und Bedeutung allgemein menschlich sind.

Niemals noch hat ein Dichter in seinem Gemälde eine erschöpfendere, ergreifendere Schilderung von dem Zustand einer Nation gegeben, als Turgenjeff in seinen Romanen „Väter und Söhne“ und „Neuland“, und zugleich liegt in diesen Werken eine allgemeine Lebenswahrheit, deren Wirkung von der Nationalität des Lesers ganz unabhängig ist. Wir können uns den Dichter daher ganz wohl ohne das heutige Russland auf dem Gebiete rein psychologischer Probleme denken, denn er hat uns in seinen kleineren Novellen herrliche Beispiele dieser Art gegeben, aber sein Nationalismus giebt seiner Darstellung jenes realistisch bestimmte Gepränge, welches unser Interesse vom ersten Augenblick an gefangen nimmt.

Ganz Aehnliches gilt von dem Polen J. J. Kraszewski, so wie von den amerikanischen und norwegischen Novellisten. Sie schildern ihr Land und ihre Leute. Ohne Tendenz, ohne blutlose Idealität, ohne herkömmlich litterarische Tradition greifen sie in die Fülle der Einzelerscheinungen und zeichnen ein Stück Leben nach dem Leben mit jener sichern Unbefangenheit, welche nur Kindern und unverkünstelten Poeten eigen ist. Mit Ausnahme Bret Hartes ist ihre Eigenart eine mehr nationale, als persönliche; ihr Realismus ist gesund, natürlich ohne Ahnung von dem koketten Raffinement der mitteleuropäischen Litteratur. Jene neu erblühenden Litteraturen, zum Teil ein Produkt der modernen belletristischen Schule, bilden eine bisher unbekannte Spezialität, den ethnographischen Realismus, welcher bei uns in Deutschland seine besondere Schätzung findet. Sizilianische und slavische Dorfgeschichten haben in letzter Zeit das Genre bereichert. Das Nationalitätenprinzip, ursprünglich durch Napoleon III. aus politisch-egoistischen Gründen aufgestellt und in den südlichen und östlichen Völkerschaften Europas unausgesetzt gährend, hat, vereint mit der beliebten realistischen Manier, diese Gattung hervorgebracht.

Wir gelangen nun zu der Frage: Wie verhält sich die deutsche Litteratur zu der realistischen Schule?

Vorerst: Wir Deutschen besitzen seit hundert Jahren einen realistisch-nationalen Roman, zugleich ein Juwel der Weltlitteratur — Goethes Werther, eine Dichtung, welche wirkliche Menschen in wirklichen Verhältnissen schildert. Trotz der beispiellosen Wirkung auf das Publikum blieb dieses Werk isolirt und Goethe selbst verließ wieder die eingeschlagene Richtung. Und diese Erscheinung wiederholt sich später.

So schöpft der deutsch-ideal veranlagte Spielhagen Anfangs seine Probleme aus dem Leben seiner Nation, um sich später farblos-imaginären Stoffen zuzuwenden, ja sogar mit Vorliebe fremde Nationaltypen zu schildern — was um so bedauerlicher ist, als er in „Problematische Naturen“, „Reih und Glied“, „Hammer und Ambos“, herrliche deutsche Romane schuf.

Gustav Freytag bekundete in seinen Romanen „Soll und Haben“ und „Verlorene Handschrift“ das schöne Streben, deutsches Leben zu schildern. In den „Ahnen“ jedoch wandte er sich der Vorzeit, einer für uns nicht mehr realen Epoche zu, welche das abstrakt Typische fordert, also den Abfall von der ursprünglich realistischen Richtung des Autors.

Gutzkow, mit starker Begabung für realistische Beobachtung, blieb bis ans Ende seiner Tage bei unwirklichen, ja real unmöglichen Romanproblemen.

Auch Hackländer bekundete am Anfang seiner Laufbahn nationalen Sinn in der Schilderung deutschen Kleinlebens; späterhin wurde die Hofgeschichte seine Spezialität und zuletzt verflachte er in gewöhnlicher Unterhaltungslitteratur.

Hans Hopfen zeigte ebenfalls ein rühmliches Streben nach Lebenswahrheit, gerät aber jetzt auch in vergangene Jahrhunderte und in imaginäre Gegenden.

Ebenso wenig erfüllte Gottfried Keller die Hoffnungen, die er durch seine „Leute von Seldwyla“ erweckt, sofern man von ihm deutsche Sittenschilderungen erwartete. Dagegen blieb Heinrich Laube, dem leider spezielle Begabung für den Roman fehlte, bis an sein Lebensende der ursprünglichen Richtung des jungen Deutschland treu, welches seinerzeit realistische Lebensanschauungen proklamirte, in denen der Naturalismus von heute anklang. Aber dem jungen Deutschland fehlte ein bahnbrechendes Talent und so verlief die Strömung rasch im Sande.

Im Gegensatz zu den Vorgenannten hat der

hellenisch begabte **Heyse** sich der Strömung seiner Zeit nicht verschlossen und seine späteren Novellen bekunden einen starken Sinn für Lebenswahrheit, die mit künstlerischer Form und idealer Beleuchtung glücklich verschmolzen ist.

Wo aber ist der eigentliche **deutsche** Sittenschilderer, der Turgenjeff, Daudet, Dickens unserer Nation?

Wir müssen zugestehen, dass er uns noch immer fehlt. Der deutsche Roman, so vielfältig er kultivirt wird, bietet in der Regel noch immer mehr Erdachtes als Erschautes, mehr Abstraktion als warm pulsirendes Leben, mehr deutsche „Ideale" als wirkliche Typen aus dem deutschen Volke, mehr Bilder aus Wolkenkukuksheim, denn solche aus dem deutschen Leben der Gegenwart. Indessen hat in den letzten Jahren die realistische Strömung auch die deutsche Litteratur ergriffen — wir nennen hier nur die Namen **Hermann Heiberg, Max Kretzer, Karl Bleibtreu, M. G. Conrad, H. Friedrichs, R. Voss**, eine junge Schule, welche ein offenes Herz und Auge hat für Leben und Sitten ihrer Nation, so dass wir zu den besten Hoffnungen berechtigt sind.

Vorläufig haben wir — so zu sagen — erst einen einzigen deutschen Sittenroman — „Die Ideale unserer Zeit" von **Sacher-Masoch**. Wenn wir dieses Spiegelbild des neuen Deutschland nicht ganz und gar anzuerkennen vermögen, so finden wir dafür den erklärender Umstand, dass der Autor ein Deutscher nach Sprache und Erziehung, jedoch ein Slave von Geburt ist. Ein höchst schätzenswerter Fingerzeig bleibt dieser Roman unter allen Umständen.

Sacher-Masoch repräsentirte mit **Karl Emil Franzos** die realistische Richtung in der deutschen Litteratur lange Zeit allein. Beide Autoren entlehnen jedoch ihre Stoffe mit Vorliebe der slavischen Welt, **Sacher-Masoch** ist, wie erwähnt, ein halber Slave durch Geburt und Erziehung und ein ganzer durch seine Weltanschauung; **Franzos** aber erachtet es als seine Mission bestimmte Kultursphären des Ostens zu schildern. Der Einfluss der Beiden auf die deutsche Litteratur wird daher nur ein indirekter sein. **Sacher-Masoch** kommt das unermessliche Verdienst zu, die einfache wirkliche Menschen**natur** zur poetischen Geltung gebracht zu haben. Seine Schilderungen beruhen auf einem **kongenialen Mitempfinden** der Natur, welches ebenso weit entfernt ist von der cynischen Absichtlichkeit Zolas, als von der gemachten Idealität des deutschen Romanes. Sacher-Masochs Novelle „Don Juan von Kolomea", mit welcher er sich zuerst beim deutschen Lesepublikum einführte, ist unbedingt charakteristisch für seine Art. Das Verhältniss natürlicher und konventionell sanktionirter Liebe ist hier in der einfachsten, denkbar ungezwungensten, der lebendigen Wirklichkeit abgelauschten Weise geschildert. Kein Wort kein Zug in dieser genialen Dichtung, welcher nicht der einfachen, alltäglichen Natur abgelauscht wäre und nicht zugleich jene große Lebenswahrheit offenbarte, welche uns der Dichter unmittelbar ins Bewusstsein bringen wollte. Die Idee der genannten Novelle entspricht dem Grundgedanken des ganzen Cyklus „Das Vermächtniss Kains". Der Dichter spürt den natürlichen Neigungen und Instinkten des Menschen nach, die übertüncht durch die Kultur, durch überlieferte Institutionen, aus unserem Bewusstsein geschwunden sind, und selbst da, wo seine Schilderungen und Voraussetzungen übertrieben scheinen, lässt er uns einen Blick in das Innerste der Menschen**natur** tun. Sacher-Masoch, ebenso wie Franzos mit seinen ergreifenden Schilderungen des jüdischen Lebens im Osten, haben ihre poetische Kraft aus nationalem Boden gesogen.

Der Dichter von heute, wenn er Gehör und Verständniss finden will, muss nicht nur Sinn und Beobachtungsgabe haben für das Leben und die Ideen seiner Zeit — man verlangt von ihm konkrete Schilderungen, bestimmte Kultur- und Sittenbilder. Die Periode der versteckten Allegorien, der verkappten Anspielungen ist vorüber. Swift, Montesquieu und Voltaire würden heute keine Märchen und keine poetischen Briefe mehr schreiben. Es mag dem Dichter unbenommen sein, Idealgestalten zu schaffen — aber er habe dann den Mut, sie in eine realmögliche Welt zu stellen.

Idealistische und realistische Schule verhalten sich zu einander wie Erdichtetes und Erschautes. Auch in Frankreich und England hat die Erstere noch zahlreiche Vertreter. Das Publikum aber hat sich für die Letztere entschieden. Wohl behauptet man, dass es sich dabei einfach um eine Mode von zweifelhafter Dauer handle, aber dies ist ein Irrtum. Der Realismus in der modernen Litteratur bedeutet das notwendige Endresultat eines Entwicklungprozesses, welcher die Gesammtphysiognomie des geistigen Lebens unserer Zeit verändert und unerlässlicher Weise auch den Charakter der Litteratur bedingt hat. Der totale, beispiellos in der Geschichte dastehende Umschwung, den unser Kulturleben in den letzten Dezennien erlitten, musste die Litteratur mit sich reißen, denn die Entwicklung derselben war jederzeit mit dem jeweiligen Kulturzustand untrennbar verwebt. Da der unsere vorwiegend materialistisch, dem rein Imaginären abgeneigt ist, musste die Litteratur eine Tendenz zum Aktuellen, zum Wirklichen annehmen.

Es wäre kurzsichtig, ihr daraus einen Vorwurf zu machen, denn die Litteratur konnte nie eine höhere Aufgabe haben, als ihrer Zeit genug zu tun, ihr Geistesleben wiederzugeben. Der Roman aber, die charakteristische Form unserer Litteratur, hat insbesondere die Aufgabe, ein Bild seiner Zeit zu geben, und er wird es nur dann vermögen, wenn er die Zeit und die Zeitgenossen schildert wie sie sind. Der Geschmack für Abstraktionen, Allegorien und versteckte Satiren in der Art Swifts und Voltaires ist dahin.

Es ist ein Irrtum zu glauben, dass die ideale

Mission des Dichters durch den Realismus seiner Darstellung geschmälert werde. Der realistische Dichter wählt und verknüpft seine Bilder frei schaffend, um eine Idee, eine Lebensanschauung zu offenbaren, aber er entlehnt dem wirklichen Leben, dem Bereich des Möglichen. Man weise nicht auf die französischen Naturalisten hin — sie haben nichts gemein mit dem Realismus, wie wir ihn verstehen. Emile Zola giebt u. A. konzentrirte Gemälde der Verworfenheit, wie sie nirgends in der Wirklichkeit besteht, er hat also aufgehört, Realist zu sein. Auch den Begriff des Naturalismus weisen wir zurück. Derselbe kopirt einfach die Natur mit all ihren wirren Zufälligkeiten, und man bedarf keiner Kopie, wo man das Original unablässig vor Augen hat. Wir proklamiren den Realismus, welcher in seinen Schilderungen uns jene ewige, in den Dingen verborgene Lebenswahrheit zeigt, die uns in der Wirrniss des alltäglichen Lebens, in der sich kreuzenden und gegenseitig aufhebenden Folge der Ereignisse nicht ins Bewusstsein kommt. Jene einzige große Lebenswahrheit zu verkünden, das ist die echte und einzige Mission des Dichters. Der Lyriker tue es in der herkömmlichen, fest geschlossenen Form, der Dramatiker desgleichen. Der Romanschriftsteller schöpfe aus der bunten Fülle der Einzelerscheinungen, welche das wirkliche Leben bietet. Es ist der Stoff, durch welchen der anonyme Weltschöpfer selbst seine Ideen offenbart. Je treuer der realistische Dichter der Wirklichkeit bleibt, desto größer wird sein Verdienst sein. Denn er wird uns das reale Leben, das uns umgiebt, beseelen, von Innen heraus verständlich machen, während der idealistische Dichter dasselbe schaal und nichtig erscheinen lässt. Jener vermag es, uns die Menschen schätzen zu lehren, unter denen wir leben, indem er uns ihr inneres Leben enthüllt, während dieser uns von ihnen abwendet. Der realistische Dichter erschließt den verborgenen Quell ewigen Lebens, der alle Erscheinungen durchpulst, und darum ist sein Reich unerschöpflich, wie die Poesie selbst. Man sage nicht: Der Gegenstand der Poesie ist das Schöne und das wirkliche Leben ist hässlich. Die Schönheit ist nichts als Wahrheit in vollendeter Form, ist die Idee, die vollkommen in der Gestalt aufgegangen ist. Alle Schönheit, alle Poesie ist nur Verkörperung eines an sich nicht Sichtbaren.

Wie sollte der Dichter nicht „schön“ sein, der die ewigen Ideen des Lebens in der Form dieses Lebens selbst darstellt? Schön ist das gesteigerte innere Leben der Erscheinung, und der realistische Dichter ist es, welcher uns dessen Fülle in dem Bilde der Möglichkeit offenbart.

Die Forderung, unsere Dichter mögen ihre Stoffe dem Leben der Gegenwart entlehnen und sich in ihrer Darstellung den Lebensformen der Wirklichkeit bedienen, ist eine durchaus begründete. Unser ganzes Dasein ist auf das Aktuelle gerichtet und kann es nicht anders sein nach der Art unserer Kultur. Die praktischen Interessen des Tages sind drängend und unabweisbar; unser ganzes Dasein hat einen unruhigen beschleunigten Puls — es ist im Vergleich zu jüngst verflossenen Epochen ein komplizirtes, geistig und räumlich extensives — wie sollte es Muße haben für ein ruhiges Vertiefen in rein Imaginäres? Die großartig entwickelte periodische Presse vergrößert zudem ins Unberechenbare den Bereich unserer persönlichen Anteilnahme, vermannigfacht unser Interesse an aktuellen Vorgängen, so dass unser Sein und Denken unablässig von der uns umgebenden wirklichen Welt in Anspruch genommen ist.

Dem entsprechend ist das Selbstbewusstsein unserer Gesellschaft ein konzentrirtes, den gesammten Kulturstoff der Zeit eifrig absorbirendes. Die Bedeutung der schönen Litteratur ist in dem modernen Getriebe auf das Bedenklichste gesunken. Sie wird ihren Einfluss auf die Gemüter nur dadurch behaupten können, dass sie sich mit den Ideen der Zeit assimilirt. Sie wird dabei nicht das Mindeste von ihrer idealen Mission einbüßen, sofern sie sich derselben selbst bewusst bleibt und begreift, dass auch in der berufenen Prosa des Zeitalters das einzige, ewige, allgemein menschliche Leben verborgen ist.

Wir glauben daher zu dem Schlusse gelangen zu dürfen: Der Realismus in der modernen belletristischen Litteratur ist eine berechtigte und begründete Kunstrichtung, weil nur durch ihn der Roman befähigt wird, seine Aufgabe als nationales Zeit- und Sittenbild zu lösen; weil die Litteratur durch die Fülle der Ideen und Anschauungen, welche das wirkliche Leben bietet, unausgesetzt eine natürliche Regeneration findet, weil endlich der Realismus durch den Charakter unseres Kulturvolkes bedingt und auch in den Grundgesetzen aller Poesie vollkommen begründet ist.

Es giebt daher auch für die Fortentwicklung des deutschen Romanes nur eine Vorbedingung: unsere Dichter mögen sich mit offenem Auge und mit fühlender Seele der Beobachtung des wirklichen Lebens ihrer Nation zuwenden.

Moritz Steinschneider.

Am 30. März d. J. feiert Dr. Moritz Steinschneider, einer der ausgezeichnetsten Orientalisten und Bibliographen der Neuzeit, in Berlin seinen siebzigsten Geburtstag. Ein gründlicher Kenner mittelalterlicher Spezialgeschichte, hat er alle modernen Bildungsmomente harmonisch in sich zu vereinen gewusst, so dass er die geeignetste Persönlichkeit wurde, um diejenigen Materien zu bearbeiten, welche speziell dem Gebiete der Mathematik, Naturwissenschaften und Medizin der Araber und Juden angehören. Besonders in Bezug auf die Letzteren eröffnete Steinschneider neue Bahnen der Forschung. Seine gründliche philologische Durchbildung gewährte ihm die Kenntniss der Schriften, deren inneres Verständniss seine naturwissenschaftliche Bildung vermittelte. Wir erwähnen hier seiner Arbeiten mit dem Fürsten Boncompagni in Rom und der Aufsätze in Rud. Virchows „Archiv" (Band XXXVI und XXXVII, ferner der Schrift „Aven Nathan" (Rom 1868), „Donnolo, pharmakologische Fragmente aus dem 10. Jahrhundert" (Berlin 1868), eine Arbeit, die für das Studium arabischer, jüdisch-mittelalterlicher und salernitanischer Medizin von hoher Bedeutung ist etc. Nicht minder wie auf dem Gebiete dieser Wissenschaften war Steinschneider für die Geschichte der Philosophie der Araber und Juden tätig. Seine Schriften über Maimonides, den arabischen Philosophen „Alfarabi" etc. sind Muster gründlicher Wissenschaftlichkeit und einfach anziehender Darstellung. Im Auftrage verschiedener Staatsbehörden verfasste Steinschneider Handschriften-Kataloge für die Bibliotheken zu Oxford, Leyden, München, Berlin, Hamburg etc., welche hohe wissenschaftliche Bedeutung erlangt, da Steinschneider auf dem Gebiete der Handschriftenkunde als Autorität gilt. Ohne auf die Fülle seiner litterarischen Arbeiten einzugehen, wollen wir hervorheben, dass auch das „Magazin" dem Gelehrten zwei treffliche Nekrologe über J. Zedner und Abr. Geiger vom Jahre 1875 verdankt. Die populärste Arbeit Steinschneiders ist sein Artikel „Jüdische Litteratur" in der bekannten „Real-Encyklopädie" von Ersch und Gruber. Derselbe hat in der englischen Uebersetzung (London 1857) nahe an 400 Druckseiten und ist dem Fachgelehrten unentbehrlich. Vor Kurzem noch wurde eine von der Pariser Akademie ausgeschriebene Preisarbeit von ihm glänzend gelöst.

Zu Prossnitz in Mähren geboren, studirte Steinschneider in Wien, Prag, Leipzig und Berlin und erkämpfte sich nach Ueberwindung mannigfacher Schwierigkeiten materieller, religiöser und politischer Natur eine befriedigende Lebensstellung. Seit 1869 arbeitet er für die Berliner Königl. Bibliothek, auch ist er seit 1859 als Dozent an der Ephraim-Veitel-Heineschen Lehranstalt für orientalische Philologie und als Dirigent der Töchterschule der jüdischen Gemeinde zu Berlin tätig. Dem in seiner Frische und Arbeitskraft wirkenden Greise rufen wir zu seinem Jubelfeste ein herzliches „Glück auf" zu.

Berlin. Josef Lewinsky.

Die Königinhofer und Grünberger Handschrift.

Ueber eine vielfach verwirrte Suche ein ganz unerwartetes neues Licht verbreitet zu haben, ist das Verdienst, das die neuste Publikation Prof. Gebauers im Prager „Athenaeum" III, 5 über diese Frage mit vollem Rechte für sich in Anspruch nehmen kann.

Wir wollen mit wenigen Worten die in Rede stehenden Handschriften und den Stand der Frage kennzeichnen.

Seit man am Beginne dieses Jahrhunderts unter dem Einflusse der deutschen Romantik daran ging, die Denkmäler der alten Litteratur zu sammeln, wofür insbesondere W. Hanka tätig war, zeigten sich unter den gefundenen Gedichten zwei Klassen. Die einen, in Reimpaaren oder in der romanischen dreiteiligen Strophe verfasst, stimmten nach Form und Inhalt zu den gleichzeitigen Denkmälern der deutschen Sprache, von denen sie auch zuweilen direkte Abhängigkeit bekundeten, die andern in reimlosen, silbenzählenden Versen zeigten zugleich einen nationalheidnischen Inhalt, keinen Zusammenhang mit der deutschen Litteratur und bereiteten auch dem Verständniss größere Schwierigkeiten.

Wie es die nationale Entwicklung mit sich brachte, wurden besonders die Werke dieser letzten Klasse zu Lieblingen aller Gebildeten, und ihre Einwirkung auf die neuere Produktion selbst, namentlich durch die Hinweisung auf nationale Stoffe war nicht gering.

Indes schon früh tauchten Bedenken gegen die Echtheit dieser Gedichte auf, die in ihrem Heidentum und ihrer Naturbetrachtung mehr dem neunzehnten als dem neunten oder dreizehnten Jahrhundert anzugehören schienen; Dobrovský sprach sich aufs Schärfste gegen einige derselben aus, Kopitar tat dies zuerst öffentlich, und seither ruhte der Streit nicht wieder. Im Jahre 1857 bewiesen Haupt und Feifalik endlich die Unechtheit des sogenannten Minneliedes König Wenzels, und bei der nun erfolgenden chemischen Prüfung ward auch das „Lied unter dem Vyšehrad" zu Grabe getragen.

Heißer ward der Kampf um die zwei wichtigsten dieser Denkmäler, die oben genannten beiden Handschriften. Nach den Angriffen eines Ungenannten (eines böhmischen Philologen) im „Tagesboten aus Böhmen", welcher durch Palackýs und Šafaříks Beweise, durch gerichtliche Klage und durch beglaubigte Zeugenaussagen bekämpft wurde, erschien im Jahre 1860 Feifaliks Schrift „Die Königinhofer Handschrift", welche das deutsche Publikum vollkommen überzeugte, aber auf das böhmische nicht dieselbe Wirkung übte. Feifaliks Bedenken waren namentlich litterarische und kulturhistorische, auf die sprachliche Seite ging er weniger ein; diese wurde erst in neuster Zeit zum wichtigsten Angriffspunkte.

Der Streit wurde neu belebt, als Patera eine neue Fälschung Hankas entdeckte: in der „Mater verborum", der wichtigsten altböhmischen Glossensammlung, erwiesen sich zwei Dritteile aller Glossen als falsch, darunter viele, welche zur Erklärung dunkler Stellen der beiden Handschriften gedient hatten. Daraufhin griff Šembera zunächst die Grünberger, bald darauf Vašek auch die Königinhofer Handschrift an; der Streit entbrannte aufs Neue.

Einen eigenen und, wie es sich zeigte, den richtigsten Weg zur Erkenntniss der Wahrheit ging Gebauer. Von dem Bestreben geleitet, diese Gedichte dem Volke zu erhalten, ihre Echtheit philologisch zu beweisen, durchforschte er die Sprache der unzweifelhaft echten Denkmäler jener Jahrhunderte: eine Reihe der dankenswertesten Forschungen, die Rettung des verdächtigten „Quacksalbers", die Entdeckung eines der wichtigsten Lautgesetze des Altböhmischen war die Folge davon; aber das Resultat war ein überraschendes: Paulus kehrte als Saulus zurück, denn alle jene Denkmäler zeigten eine wesentlich einheitliche feststehende Sprache. — zu welcher nur die Denkmäler der zweiten Art nicht stimmen wollten.

Dazu trat der wichtige Umstand, dass die sprachlichen Eigentümlichkeiten der beiden Handschriften sich in erwiesenen Fälschungen wiederfinden; in dem „Liede unter dem Vyšehrad", in einer eingestandenermaßen von Hanka verfassten Interpolation der Prokopslegende und endlich in Hankas „Einleitung in das Verständniss des Altböhmischen", die sämmtlich der Zeit vor Auffindung der beiden Denkmäler angehören.

Dies wird durch so viele Stellen belegt und giebt mit den bisherigen litterarischen und kulturhistorischen Gründen ein so festes Beweisgefüge, dass man den Schluss des Verfassers, der die Sache vor die höhere Instanz der Chemie und Paläographie bringt, nicht zu billigen vermag.

Die Paläographie kann zeigen, dass einige Buchstabenformen ganz unerhört, einige in dieser Verbindung unmöglich sind; die Chemie kann unter der Handschrift des vierzehnten eine solche des fünfzehnten nachweisen, dann sind Gebauers Resultate ebenso glänzend bestätigt, wie die Feifaliks im Jahre 1857.

Gesetzt aber, es tritt das Gegenteil ein, das Pergament ist alt, die Tinte eisenhaltig (was ohnehin sicher steht), die Schrift unverdächtig — wen wird man dann überzeugt haben? Wer zieht die Grenze zwischen Echtem und genauer Nachahmung? Mit welchem Nonius will man messen, um wie viel sich Tinte in fünfhundert Jahren tiefer in Pergament einfrisst als in siebzig?

Nein, die Frage ist durch den Ausspruch der Philologie endgültig entschieden; hier muss Jeder einsetzen, der noch etwas „retten" will.

Auffallend bleibt es gewiss, dass inmitten einer Litteratur, deren Ideale die Anakreontiker des achtzehnten Jahrhunderts waren, ein kräftigerer Geist sich an der Heidelberger Romantik erbaute, und mit ebenso großer Selbstverleugnung als geringem Rechtsgefühl den kühnen Versuch machte, dem Volke „verlorene Güter zurück zu geben"; im Hinblick auf diese Absicht und auf die wohltätige Wirkung mag ihm vollständige Absolution zu Teil werden, aber der böhmischen Philologie ist nur Glück zu wünschen, dass sie diesen Hemmschuh jeder freien Forschung endlich los geworden ist.

Berlin. Adolf Velc.

Aus der schwäbischen Residenz.

(Kulturbilder aus Württemberg. — Wehls Fünfzehn Jahre Stuttgarter Hoftheaterleitung. — Geistiges Leben in Stuttgart. — Schwäbische Charaktere u. A. m.)

Es ist ein eigentümlicher Zufall, dass gerade zu einer, Zeit wo die „Kulturbilder aus Württemberg von einem Norddeutschen" einige Tage lang das Interesse auf sich gelenkt haben, ebenfalls von einem Norddeutschen ein Buch erschienen ist, das von einem ganz andern Standpunkte ausgehend, am Ende doch in seinem Grundton manche Aehnlichkeit mit dem obengenannten Buche aufzuweisen hat. Wir meinen damit das vor einigen Tagen erschienene Buch von Feodor v. Wehl: „Fünfzehn Jahre Stuttgarter Hoftheaterleitung." Freilich ist es auch nur diesem Zufall zuzuschreiben, wenn wir eine Broschüre wie die obige hier erwähnten. Ihre Grundstimmung ist ja allein eine gehässige, und es wäre dem Verfasser derselben besser angestanden, angesichts vermeintlicher Schäden in unserem Lande einen gerechten Vergleich anzustellen und sich daraus das Resultat zu entnehmen, dass die Verteilung von Licht und Schatten überall im politischen wie im sozialen Leben die gleiche sei, und dass der einzig richtige Standpunkt nicht der des geflissentlichen Hervorhebens solcher Schäden aus kleinlich persönlichen Motiven, sondern der des Vergleichs und der gegenseitigen Ergänzung sein soll.

Dagegen tritt uns nun in dem Wehlschen Buche eine durch offenkundige Tatsachen tief gekränkte und, darum auch in ihrer Stimmung Württemberg und namentlich Stuttgart gegenüber mit Recht verbitterte Persönlichkeit entgegen. Die Gründe und Rechte, die höhern Orts für eine solch sang- und klanglose Absetzung Wehls geltend gemacht wurden, entziehen sich natürlich dem Wissen des größeren Publikums, das denn auch seiner Zeit höchlich überrascht war, als ihm diese Tatsache bekannt wurde. Soweit es der Anteil, zu dem sich das Stuttgarter Publikum dem Theater gegenüber verpflichtet fühlt, zuließ! Wie groß, oder vielmehr, wie klein dieser sei, und in welcher Weise darin die Presse dem Publikum fördernd zur Seite steht, das sagt uns das Wehlsche Buch deutlich, und darum darf dasselbe auch als eine beherzigenswerte Mahnung aufgefasst werden. Um so mehr, als wir nirgends trotz aller Bitterkeit des Verfassers ein ungerechtes Urteil, kleinliche persönliche Motive vorfinden. Es ist gewissermaßen

Wehls dramaturgisches Testament, das er seinen Hinterbliebenen in Stuttgart zurücklässt, und in dem er ihnen als beste Hinterlassenschaft ein treues Bild des geistigen Lebens in unserer Residenz bietet. Will es uns dabei auch manchmal bedünken, als überlasse sich der alte Herr einer etwas breiten Redseligkeit, oder als stelle er seine eigene Persönlichkeit etwas gar zu sehr in den Vordergrund, so lässt sich das Letztere namentlich aus dem eigentlichen Zwecke des Buches, dem einer Rechtfertigungsschrift leicht erklären. Wehl war es ja keineswegs um ein marktschreierisches Rühmen seiner Verdienste, sondern nur um eine gerechte Würdigung aller Verhältnisse zu tun. Wenn man auch an dem Buche, um einmal an äußerlichen Dingen stehen zu bleiben, etwas tadeln dürfte, den vollständigen Mangel einer systematischen oder chronologischen Einteilung, und mit Hinsicht auf den Theaterhistoriker der Zukunft das Fehlen eines Autoren- und Sachregisters, so verhält es sich dagegen mit dem Inhalt des Buches wesentlich anders. Man kann auch nach der Lektüre desselben noch Manches an seiner Theaterleitung, an der Wahl seiner Stücke und seiner Rollenbesetzung zu tadeln haben; doch darf man hierfür als Begründung einmal den idealen Standpunkt, den Wehl in einer vollkommen nüchternen, auch die Kunst nur praktischen Anforderungen dienstbar machenden Zeit dem Theater gegenüber einnahm, und dann die Laufbahn des Mannes anführen. Wehl war, wie er am Ende seines Buches auch selbst bekennt, seinem ganzen Bildungsgange nach kein Mann des Theaters, es fehlte ihm die in solchen Verhältnissen eben nun einmal unumgänglich notwendige rücksichtslose Energie, die auch in dem größten Künstler nur den einseitigen, nie vollkommenen Menschen sieht, und auch ihn, wie die eigene Persönlichkeit nur als Glied einer ganzen Kette betrachtet. Wehl stand eben auch seinem Personal gegenüber auf dem Standpunkt des Idealisten, und meinte die reine Begeisterung für die Kunst, die nichts Kleinliches, nichts Niedriges neben sich duldet, müsse auch die beseelen, die mit ihm verkehrten. So konnte ihm, dem Arglosen, manch bittere Enttäuschung nicht erspart bleiben, und dass Neid und Missgunst auch hier bemüht waren, jede kleine Schwäche zu einem unabsehbaren Schaden aufzubauschen, kann nicht Wunder nehmen. Diese Arglosigkeit und Friedfertigkeit Wehls gab ihm auch nicht den Mut, seinem unmittelbaren Vorgesetzten, dem Herrn von Gunzert gegenüber, die allein richtige Stellung einzunehmen. Wir verkennen die Schwierigkeit von Wehls Lage keineswegs. Ein Hof, der das Theater auf keinerlei Weise förderte, eine feindliche Presse, und ein Vorgesetzter, der nur für die Sparsamkeit Sinn hatte, und dem Idealismus Wehls den nacktesten praktischen Realismus gegenüberstellte. Eine Verbindung zwischen diesen Beiden so entgegengesetzten Richtungen konnte es bei dem knorrigen und starren Charakter Gunzerts nicht geben, und so sah sich Wehl vor eine Alternative gestellt, die ihn am Ende auch zu Fall bringen sollte. Trotzdem können wir uns der Ansicht nicht verschließen, dass es für Wehl noch Mittel und Wege gegeben hätte, eine selbständige Stellung sowohl dem Herrn von Gunzert wie der Presse gegenüber einzunehmen. Herr von Gunzert war, wir unterschreiben diese Urteil sehr gerne, eine durchaus rechtliche und charaktervolle Persönlichkeit, der aber leider jedes Verständniss für die Kunst und die zu ihrer Pflege erforderlichen Opfer abging; es will uns bedünken, als habe es Wehl nicht verstanden, ihm gegenüber seine Rechte nach allen Seiten hin energisch genug geltend zu machen. Es wäre ihm dabei sicherlich die Tatsache zu Statten gekommen, dass der allgemeinen Erfahrung nach Leute vom Schlage des Herrn von Gunzert nur durch homöopathische Mittel, d. h. gleichfalls durch Starrheit und Eigensinn dem richtigen Wege zugeführt werden können.

Sehen wir Wehl doch auch da, wo es sich um die Wahl neuer Stücke handelte, und im Verkehr mit den dramatischen Autoren manchmal zu Resultaten gelangen, die wir allein nur aus seinem Idealismus begreifen können. Bei Wehl überwog eben der Litterarhistoriker weit, und diese Anlage legte es ihm auch nahe, Stücke zu wählen, die wohl als charakteristisch für eine bestimmte Litteraturperiode auch heute noch genannt, wenn auch nicht gelesen werden, die aber auch für eine Bühne wie die Stuttgarter Hofbühne mit solch zerrütteten finanziellen Verhältnissen, stets nur eine problematische Errungenschaft bilden mussten. Derartige, um einen seit Lessing in der deutschen Litteratur gebräuchlichen technischen Ausdruck zu gebrauchen — „Rettungen“ sind wohl für den Betreffenden stets ein ehrenvolles Unternehmen, finden aber auf der Bühne namentlich bei einem Publikum, wie dem unsrigen, nicht den Beifall und die Anerkennung, die am Ende eines Etatsjahres sich auch durch einen reichlichen Gewinnsatz zu dokumentiren pflegt. Nicht zu verkennen ist dabei, dass Wehl selbst bemüht war, den sehr zerrütteten Verhältnissen unsrer Hofbühne wieder aufzuhelfen, und dass er hierfür ein Mittel in Inszenirung namentlich unserer deutschen klassischen Stücke und Shakespeares gefunden zu haben glaubte. Das macht ihm persönlich wohl alle Ehre, zeigt aber auch zugleich wiederum, wie sehr er sich in dem Publikum, mit dem er es tatsächlich zu tun hatte, verrechnete. In seinem brieflichen Verkehr mit allen möglichen litterarischen und dramatischen Größen und Kleinheiten steht Wehl als Leiter einer Hofbühne jedenfalls nicht allein da. Wenn man bei Lektüre seines Buches meint, den Eindruck zu bekommen, als haben sich all die zukünftigen Shakespeares, Grillparzers, oder wen sie sich nun zum Schutzheiligen erwählt haben mochten, mit Vorliebe und allerhand wohlfeilen Schmeicheleien an Wehl gewandt, so ist das dem Umstand zuzuschreiben, dass sein Name gerade in der litterarischen Welt ein angesehener war, und dass darum Manche meinten, die Stuttgarter Hofbühne unter seiner Leitung als Anfang ihrer dramatischen Siegeslaufbahn betrachten zu dürfen. Wehl selbst erwähnt ein und das andere Mal den Zwiespalt, in den er dadurch mit sich selbst gekommen, dass irgend ein dramatischer Autor, dessen Opus er seiner Zeit in seinem Organe „Die deutsche Schaubühne" gerühmt und zur Aufführung empfohlen, sich nun dem Leiter der Stuttgarter Hofbühne gegenüber auf diesen Ausspruch des einstigen Kritikers stützte, und Wehls geringe Neigung seinen Wünschen entgegen zu kommen, als persönliche Beleidigung auffasste. Dass Wehl daneben in seinem ehrlich gemeinten Streben, die Hofbühne materiell und künstlerisch zu heben, bei Wahl neuer Stücke auch manchen Fehlgriff getan, dass er in dem einen und dem andern sich ihm nahenden Autoren selbst auch eine neue Größe entdeckt und seinem Hoftheater eine „Acquisition ersten Ranges" erworben zu haben glaubte, darf ihm nicht als Schuld angerechnet werden. Seiner Verdienste um unsere Bühne sind noch genug, um alle derartigen Missgriffe aufwiegen zu können. Sein immer hervorgehobener Grundsatz, dass die deutsche dramatische Litteratur reich genug sei, um einem Theater dauernd Stoff und Nahrung zu bieten, seine demgemäße Abneigung gegen das moderne französische Drama in all seinen Auswüchsen und Verirrungen, und sein ehrliches Streben, das Theater als eine „moralische" Anstalt in Schillerschem Sinne zu betrachten, heben ihn unter manchen seiner Genossen empor.

Zudem fällt bei unparteiischer Betrachtung die größere Hälfte der Schuld an dem unerfreulichen Stand unserer Hofbühne nicht Wehl, sondern dem Publikum zu, und hier ist es, wo er sich in manchen Ansichten mit dem Verfasser der oben genannten Kulturbilder eins weiß und eins wissen muss. Die viel gerühmte schwäbische Gemütlichkeit, die freilich immer mehr bloß von den Schwaben selbst empfunden werden wird, deren Endzweck immer nur der Ausschluss jeden nichtschwäbischen Elementes aus ihren Kreisen ist, muss dem Nicht-Schwaben in einem ganz sonderbaren Lichte erscheinen, und musste einem Manne, wie Wehl, dem sie zusammen mit der Gleichgültigkeit all seinen Bemühungen gegenüber in den Weg trat, erst zum Lachen, dann zur Entrüstung, und als sie ihn glücklich nach jahrelangem Ringen und Kämpfen mit ihr zu Fall gebracht hatte, zur Bitterkeit treiben. Nicht als ob uns Schwaben der ideale Sinn mangelte; ich will hierfür nicht auf unsere „schwäbischen Dichter und Denker", die bei dieser Gelegenheit ja immer herbeigezerrt werden, hinweisen und auch nicht in unserer schwäbischen Residenz die Pflegestätte eines solchen idealen Sinnes suchen und finden wollen; ich käme da mit meinem Gewissen und den täglichen Erfahrungen in einen bösen Konflikt; aber wir haben nicht den Mut und die Fähigkeit, diesen unsern Idealismus, den wir viel lieber in der Stille in unserem Kämmerlein hegen und pflegen, auch in Wort und Tat zu äußern, wir besitzen nicht die Elastizität, um uns aus der Prosa des Alltagslebens mit seinen Mühen und Sorgen auf einem kurzen Weg in das Reich des Idealen führen zu lassen, und wir sind viel zu gründlich, um uns so recht von Herzen der einige Stunden währenden Täuschung im Theater hinzugeben. So erscheinen wir dem Nicht-Schwaben, von seinen Standpunkt aus mit Recht, als teilnahmlos und gleichgültig, und wenn sich eine solche Stimmung namentlich auch dem Theater gegenüber geltend macht, so kommt hierzu ein unseres Wissens von Wehl gar nicht in Betracht gezogener Umstand, das ist der bei einem großen Teil unserer residenzlichen Bevölkerung herrschende Pietismus. Schwaben hat von jeher als das Land der Frommen gegolten, und wenn es auch ferne von uns sein muss, den hohen Nutzen, den die Religion und eine echt religiöse Stimmung in allen Lebensverhältnissen bietet, zu unterschätzen, so können wir andrerseits uns doch nicht der Einsicht verschließen, welch einen lähmenden und jeder freieren geistigen Richtung hinderlichen Einfluss dieselbe in ihrem Uebermaße hat. Wehl selbst lernen wir aus seinem Buche als einen durch und durch religiösen Mann kennen, was manchem Weltkind mit seiner Stellung unvereinbar erscheinen mag; vielleicht hat er deswegen auch in dem von uns genannten Umstand kein Hinderniss für seine Bestrebungen erkennen wollen.

Dass der Schwabe, wie von dem Verfasser der Kulturbilder behauptet wird, keinen Humor habe, ist einfach falsch, und lässt sich leicht durch den statistischen Nachweis bei Wehl widerlegen, dass er gerade mit Possen und Lustspielen stets den größten Kassenerfolg erzielt habe. Unser Humor ist eben ein anderer, als derjenige des Norddeutschen, und wer sich einmal recht Mühe giebt, denselben zu verstehen, wozu ich ihm ein neuerdings erschienenes, gleichfalls schwäbische Verhältnisse behandelndes Büchlein von H. Bauer: „Der verzauberte Apfel, eine Seminaristengeschichte"*) empfehlen möchte, der wird wohl auch finden, dass der schwäbische Humor ein guter und treffender ist. Freilich reimt es sich schlecht zusammen, erscheint gar als ein Widerspruch, wie man Idealist sein und doch dem Theater so fern stehen kann, wie dies bei dem größten Teil unseres Publikums der Fall ist. Man kann auch Wehl nicht den Vorwurf machen, dass er in der Wahl seiner Stücke nicht auch den unteren Teil der Bevölkerung berücksichtigt habe; der Grund ist ein tieferer, eine geistige Bequemlichkeit, ein Phlegma, das sich wohl gern von all diesen Dingen einmal erzählen lässt, aber sich selbst davor scheut, seinem Geiste eine solche Anspannung und teilweise Aufregung zuzumuten, wie sie im Theater seiner wartet. Es muss

*) Stuttgart, Robert Lutz.

dem für seinen Beruf begeisterten Künstler und dem Leiter einer Bühne Tag für Tag Entmutigung und Enttäuschung aller Art bereiten, wenn sie wahrnehmen, wie wenig Teilnahme, wie wenig Verständniss ihnen entgegengebracht wird! Wehl und mit ihm mancher unter seiner Leitung stehende Künstler haben ihr Bestes, ihre ganze Kraft drangegeben. Wehls Buch weiß uns selten von einem zündenden und durchschlagenden Erfolg, geschweige denn von einer begeisterten Teilnahme des Publikums an einem solchen zu berichten, und die Klagen der Künstler über Gleichgültigkeit desselben, zumalen wenn sie von Männern von anerkannter schauspielerischer Tüchtigkeit wie Herzfeld u. A. geführt werden, waren für Wehl noch ein weiterer Grund allmählich an dem Stuttgarter Publikum zu verzweifeln. Wir können es nur als eine schlechte Entschuldigung gelten lassen, dass Stuttgart eben keine Theaterstadt sei; wir müssen den Hauptgrund in uns selbst, in unsrer ganzen von Kindheit und schon vom Elternhause aus bestimmten Lebensrichtung, die allen solchen idealen Arbeitsstätten, wie dem Theater, wenn nicht gar feindlich, so doch gleichgültig gegenübersteht, erkennen, wir müssen uns aus dem Widerspruch, zwischen dem sich unser Leben bewegt, lösen, aus der einseitigen Abwendung von allem nüchtern-praktischen Schaffen und Arbeiten, wie es nun einmal die Gegenwart fordert, und daneben aus der Gleichgültigkeit allen idealen Bestrebungen gegenüber, wie sie uns unter anderem auch auf den weltbedeutenden Brettern entgegentreten; wir müssen erkennen lernen, dass nur eine vernünftige und zeitgemäße Verbindung von Realismus und Idealismus auch unsere geistige Bildung fördern, und, wenn hiervon überhaupt die Rede sein darf, vollenden wird.

Hierzu freilich bedürften wir einer Hülfe, wie wir sie in andern Städten finden, welche aber in Stuttgart vergebens gesucht wird, die Presse. Wehl begeht in seinem Buche den großen Fehler, dass er von der Existenz einer solchen spricht. Denn das, was wir an Tagesblättern besitzen, hat durchaus keinen Anspruch auf eine solch ehrende Bezeichnung, wie sie gemeiniglich das Wort „Presse“ in sich schließt. Hierin dürfen wir uns dem Urteil des Verfassers der Kulturbilder vollkommen anschließen. Das amtliche Organ, der Staatsanzeiger, kommt in zu wenig Hände, um sich zur öffentlichen Presse zählen zu dürfen, der Schwäbische Merkur, ein schwäbisches Blatt in des Wortes verwegenster Bedeutung, bietet in den öffentlichen Fragen ein so wenig selbstständiges Urteil, dass auch er hier nicht in Betracht kommen kann. Bleibt also nur neben der in den letzten Zügen liegenden „Württembergischen Landeszeitung“ das „Neue Tageblatt“. Wehl musste während seines nahezu fünfzehnjährigen Kampfes mit der Stuttgarter sogenannten „Presse“ die teilweise Wahrheit des Urteils von seinem Vorgänger Gall über dieselbe schmerzlich genug empfinden, dass es uns an einem, im besten Sinn des Wortes gesagt, oppositionellen Organ fehlt, das unter Leitung eines gründlich wissenschaftlich gebildeten Redakteurs und im Verein mit tüchtigen Kräften es verstände, an der künstlerischen Ausbildung unseres Publikums zu arbeiten, all das ist sehr zu beklagen und wirft ein zweifelhaftes Licht auf die Höhe unserer geistigen Selbstständigkeit. Denn wenn irgendwo, so ist im Berufe eines Kritikers der Idealismus am Platze, dem Wehl Zeit seines Lebens gehuldigt hat. Er allein, der frei von allen kleinlichen und persönlich gehässigen Motiven, darf für sich das Recht beanspruchen, in den idealen Fragen unseres öffentlichen Lebens ein kritisches Wort zu sprechen, weil er auch nur das Zeug dazu hat, das Für und Wider objektiv auszunutzen und festzustellen. Wäre Wehl in der Tat eine „Presse“ mit solcher Richtung zur Seite gestanden, es wäre nicht allein ihm zum Vorteil gewesen, aus der Wechselwirkung zwischen Beiden hätte auch das Publikum seinen reichlichen Gewinn gezogen.

Stuttgart. G. Friedrich.

Woher stammt der Vorwurf zu Schillers „Gang nach dem Eisenhammer“?

In der Märchensammlung des georgischen Schriftstellers Sulchan Saba Orbeliani, welcher nach nicht ganz genauen Angaben von 1655—1725 gelebt hat, befindet sich ein Märchen, welches ungemein viel Aehnlichkeit mit Schillers „Gang nach dem Eisenhammer“ hat. Die genannte Märchensammlung trägt die Aufschrift „Buch der Weisheit und Lüge“ und wurde wahrscheinlich zu Anfang des achtzehnten Jahrhunderts geschrieben. Eine russische Uebersetzung derselben hat zwar Zagareli, Professor der orientalischen Sprache an der Petersburger Universität herausgegeben, aber trotzdem scheint diese Märchensammlung in Europa noch völlig unbekannt zu sein. Ohne den sehr interessanten Inhalt derselben heute weiter hier zu besprechen, will ich nur das betreffende Märchen wiedergeben, denn seine Aehnlichkeit mit der genannten Schillerschen Ballade ist so bedeutend, dass sie jedenfalls einer Erwähnung wert ist.

Im Lande Betscha lebte ein Edelmann. Er hatte einen sehr schönen und mit allen Tugenden geschmückten Sohn. Dieser sagte zu seinen Vater: „Ich will dem Herzog (Duc) dienen, führe mich hin zu ihm und bitte ihn mich anzunehmen.“ Der Vater sagte zu ihm: „Ich gebe dir zwei Gebote, schwöre mir sie zu befolgen und ich werde deinen Wunsch erfüllen!“ Der Sohn schwur: „Alle deine Gebote will ich erfüllen“ Der Vater gab ihm die Gebote: „Begehe im Hause deines Herrn keinen Ehebruch und wenn du die Glocke hörst, gehe in die Kirche und bleibe dort bis zur Beendigung des Gottesdienstes, so sehr du es auch eilig haben mögest!“ Nach dieser Unterweisung führte er ihn zum Herzog, dem Herrscher von Betscha. Er war ein so guter Diener und erwarb sich solche Liebe, dass ihn der Herr seinen Kindern vorzog und ihm alle seine Geschäfte zur Führung anvertraute. Eines Tages schickte er ihn in Dienstsachen in die inneren Gemächer. Die Gemahlin des Herzogs bemerkte den Jüngling und bat ihn mit ihr das Bett zu teilen, doch dieser wollte seinem Herrn nicht untreu werden. Er hatte einen Kameraden, einen Edelmannssohn, welcher mit ihm zusammen diente. Diesen verführte die Herzogin während sie dem andern Rache schwor. Als der letztere ein zweites Mal in ihre Gemächer kam, fand er sie zusammen mit seinem Kameraden, aber er ging hinaus ohne etwas zu sagen. Bald darauf kam der Herzog zu seiner Gemahlin und fand sie in sehr aufgeregtem Zustande. Sie sagte ihm: „Wenn du ein Mann wärest, würdest du es nicht zulassen, dass dein Sklave meinen Körper berührt.“ Sie verleumdete nun den unschuldigen Jüngling, welcher ihren Wunsch nicht hatte erfüllen wollen. Der Herzog ging erzürnt fort. Am folgenden Morgen sagte er zum Scharfrichter: „Dem ersten Boten, welchen ich zu dir schicke und der dir sagen wird: „Wo hast du das hingetan, was man dir zu bringen befohlen hat?“, schlage den Kopf ab und gieb ihn dem zweiten Boten!“ Darauf sagte der Herzog zum unschuldigen Jüngling: „Gehe hin und frage, wo man das hingetan hat, was ich zu bringen befohlen habe!“ Der Jüngling ging, aber unterwegs hörte er die Kirchenglocken und sich der Ermahnung seines Vaters erinnernd, ging er in die Kirche und blieb dort bis zum Ende des Gottesdienstes. Darauf schickte der Herzog den Schuldigen zum Scharfrichter und er kam vor dem Andern hin und fragte: „Wo hast du das hingetan, was man dir zu bringen befohlen hat?“ Der Scharfrichter ergriff ihn, schlug ihm den Kopf ab und legte denselben neben sich hin. Nach dem Gottesdienst kam auch der erste Jüngling zum Scharfrichter. Dieser gab ihm den Kopf, welchen er dem Herzog brachte. Als ihn der Herzog erblickte, war er sehr verwundert und fragte: „Wo warst du so lange?“ Der Jüngling erzählte ihm Alles, auch welche Ermahnungen er vom Vater erhalten und dass er diesem geschworen habe, immer bis zum Ende des Gottesdienstes in der Kirche zu bleiben. Hierauf befahl ihm der Herzog Alles, was er gesehen, wahrheitsgetreu zu erzählen und nachdem er sich von seiner Unschuld überzeugt hatte, machte er ihn zu seines Gleichen.

Tiflis. Arthur Leist.

Litterarische Neuigkeiten.

„Gedicht von H. L.“ betitelt sich ein starker Band Poesien, welcher soeben im Verlag von F. & P. Lehmann in Berlin erschienen ist. Derselbe umfasst 6 Abschnitte I. Natur und Leben. — II. Sagen und Erzählungen — III. Liebe und Leid. — IV. Reisebilder. — V. Zeit und Streit. — VI. Ernst und Scherz.

Beachtung in Deutschland zu finden verdient das 1882 auf Antrag der römischen Akademie vom italienischen Unterrichtsministerium mit einem Preis von 3000 Lire ausgezeichnete, seitdem wieder umgearbeitete Buch Arthur Galantis über die Germanen auf der Südseite der Alpen (die sieben Gemeinden, die dreizehn Gemeinden u. s. w.) (I. Tedeschi sul versante meridionale delle Alpi Ricerche storiche del Prof. Arturo Galanti, Roma Tipog. della R. Accademia dei Lincei 1885 252 S. in Quart Lire 6.)

Bändchen 2101 der Reclamschen Universal-Bibliothek enthält: „Wien“, herausgegeben von Eduard Pötzl. Zweites Bändchen Alt-Wiener Studien von Eduard Hoffmann. 2102: „Der Jesuit und sein Zögling“, Lustspiel in vier Aufzügen von Alois Schreiber. Herausgegeben und durchgesehen von Carl Friedrich Wittmann. 2103—2105 enthalten: „Andrer Leute Kinder oder Bob und Teddi in der Fremde“ von John Habberton. Deutsch von M. Greif. 2106 enthält: „Eine Nacht der Täuschungen.“ (She stoops to conquer.) Lustspiel in fünf Aufzügen von Oliver Goldsmith. Aus dem Englischen übersetzt von E. Dornheim. 2107 und 2108 enthalten: „Honorine“ und „Oberst Chabert“, Erzählungen von Honoré de Balzac. Deutsch von H. Denhardt. 2109 enthält: „Die drei Lebemänner“ (Les trois amants). Sittenbild in zwei Aufzügen von Madame Girardin. Deutsch von Otto Neumann-Hofer. 2110: „Das Gastmahl des Kallias von Xenophon“. Aus dem Griechischen übertragen von P. E. Meyer.

Im Verlag von Otto Meißner in Hamburg erschien ein vorzüglich ausgestattetes, namentlich für Archäologen wichtiges Werk unter dem Titel: „Vorgeschichtliche Altertümer aus Schleswig-Holstein.“ Dasselbe wurde zum Gedächtnis des fünfzigjährigen Bestehens des Museums vaterländischer Altertümer in Kiel herausgegeben von J. Mestorf und enthält auf 62 Tafeln 705 Abbildungen von Funden aus der Stein-, Bronze- und Eisenzeit in Photolithographien nach Handzeichnungen von Walter Prell.

Die Libreria Colombo Coen e figlio in Venedig veröffentlichte eine in sotern originelle lyrische Antologie als dieselbe Uebersetzungen aus allen Sprachen enthält. Sie trägt den Titel: „Il libro dell' amore poesie italiane raccolte e straniere raccolte e tradotte da Marco Antonio Canini“ und umfasst zwei starke Bände. Der vorliegende erste enthält acht Kapitel. I. Che cosa è amare? — II. La bellezza e la donna — III. Necessità di amare — IV. Il primo amore — V. Primavera ed amore — VI. I due amori, platonico e sensuale — VII. Espressione dell' amore, in sonetti — VIII. Espressione dell' amore, in metri varii.

Heft III. des II. Jahrgangs der interessanten Monatsschrift „Das Tribunal“, Zeitschrift für praktische Strafrechtspflege unter Mitwirkung zahlreicher in- und ausländischer Kriminalisten, herausgegeben von S. A. Belmonte im Verlag von J. F. Richter in Hamburg enthält: „Ein Doppelmord in dem bayrischen Alpenvorlande. Dargestellt von Staatsanwalt H. Crämer in München. Mit Situationsplan und der Abbildung des Verbrechers und „Ein hochnotpeinliches Halsgericht im Jahre 1623“, nach aktenmäßigen Aufzeichnungen mitgeteilt vom Amtsrichter Dr. Schwarze in Zwickau in S.

Im Verlag von S. Schottländer in Breslau erschien soeben ein neues Werk von R. von Fels und zwar ein Roman. Derselbe trägt den Titel: „Neidoscha.“

Unter dem Titel „Realister och Idealister“ erschien kürzlich im Verlage von G. Almqvist & J. Wiksell in Upsala eine drei Hefte umfassende Sammlung von Aufsätzen über meist nordische Schriftsteller sowie litterarische und soziale Tagesfragen, welche in hohem Grade fesselnd, interessant und lehrreich sind und jedem Freunde der skandinavischen Litteratur nicht warm genug empfohlen werden können. Der geistvolle und formgewandte Autor, der sich hinter dem aus verschiedenen nordischen Zeitschriften bekannten Pseudonym Robinson verbirgt, behandelt in diesen „Zeitzeichnungen", wie er seine Essays nennt, die Autoren Ibsen, Björnson, Strindberg, Eduard Bäckström, Viktor Rydberg, Frau A. Ch. Edgren-Leffler, Frau J. L. Heiberg, Frau A. Agrell, Gustaf von Geijerstam, Frau Helene Nyblom, L. H. Aberg, A. U. Bääth, Carl Snoilsky u. A. sowie die in Skandinavien so viel erörterten Fragen über die Stellung des Weibes, über die moderne Schule u. dgl. Besonders interessant ist auch der Aufsatz über die „Gleichstellung des Mannes mit dem Weibe" gegen Eduard Brandes Schauspiel „Ein Besuch" gerichtet. Das Werk bildet eine willkommene Ergänzung zu H. S. Vodskovs an dieser Stelle vor nicht langer Zeit besprochenen „Spredte Studier", wenngleich dasselbe mit diesem in Bezug auf Gründlichkeit und fruchtbringende Anregung nicht gleichen hohen Rang einnimmt. Wir zweifeln nicht, dass die elegant ausgestatteten Hefte, von denen jedes einzelne ein abgeschlossenes Ganze bildet, auch nach Deutschland wandern werden.

Im Verlag von Theodor Fischer in Cassel und Bonn gelangte der dritte Band von Friedrich Oetkers „Lebenserinnerungen" zur Ausgabe. Derselbe ist aus dem Nachlass des Verstorbenen herausgegeben von seinem gleichnamigen Neffen, welcher gegenwärtig als außerordentlicher Professor der Rechte an der Bonner Universität dozirt. Dieser dritte Band behandelt die Jahre 1856—1867 und trägt den Untertitel: „Neue Studien und neue Kämpfe." Einer besonderen Empfehlung bedarf das Werk nicht.

Aus dem Verlag von F. Casanova in Turin liegen zwei neue Bücher vor. „Novelle e poesie valdostani" von Giuseppe Giacosa und „Pampa e Foreste da Sud a nord nella republica Argentina" von Vico D'Arisbo.

Im Verlag von Franz Duncker in Leipzig beginnt soeben ein hochinteressantes Lieferungswerk zu erscheinen. Dasselbe trägt den Titel: „Russische Geschichte in Biographien von N. Kostomarow. Nach der zweiten Auflage des russischen Originals übersetzt von W. Henckel." Der Verfasser wird in Russland für den begabtesten Historiker der Gegenwart gehalten. Sein Uebersetzer hat sich in Deutschland durch verschiedene meisterhafte Uebertragungen aus dem Russischen bereits einen Namen gemacht, so durch die Uebersetzung der kleinen Turgenjewschen Dichtung in Prosa „Senilia" und des im Verlag von Wilhelm Friedrich erschienenen Dostojewskyschen Romanes „Raskolnikow".

Ein interessantes, als Unikum in der deutschen Litteratur dastehendes Werk erschien soeben im Verlag von Albert Müller in Zürich und Leipzig. Dasselbe trägt den Titel „Y Gomeryd" das ist: Grammatik des Kymraeg oder der Kelto-Wälischen Sprache von Ernst Sattler. Für Fachmänner dürfte dieses Buch von größter Wichtigkeit sein.

Alfred von Reumont veröffentlichte im Verlag von Duncker & Humblot in Leipzig einen stattlichen Band „Charakterbilder aus der neuern Geschichte Italiens." Derselbe enthält: Carl Ludwig von Bourbon, Herzog von Lucca und Parma — Azeglio und Cavour — Bettino Ricasoli — Ein Philosoph als Staatsmann. Terenzio Mamiani della Rovere — Don Michelangelo Caetani, Herzog von Lermoneta — Rawdon Brown — Der Bildhauer Giovanni Dupré — Pietro Ercole Bisconti. Der letzte Kommissar der römischen Altertümer — Drei Gelehrte. Betti. Bannucci. Ricotti — Karl Hillebrand.

Das im vorigen Jahre nach der ursprünglichen Ausgabe neu gedruckte, einzig in seiner Art dastehende. Werk des Engländers Thomas de Quincey: „Confessions of an Opiumeater" (London. Kegan, Paul & Co.) erscheint demnächst in einer deutschen Uebersetzung in einem Stuttgarter Verlag. Die „Bekenntnisse eines Opiumessers" sind das Bruchstück einer anziehenden Selbstbiographie, in welcher der Verfasser erzählt, durch welche Leidensverhältnisse er dazu gekommen ist, Opium regelmäßig zu verzehren. Ueber die Empfindungen nach dem Genuss des Opiums hat wohl Keiner so genau und geistreich geschrieben, wie er. Für Viele liegt indessen der Hauptreiz des Buches weniger in dem, was über das Opium gesagt wird, als in den feinen Beobachtungen des Verfassers über Menschliches und Geistiges. Kein Geringerer als Alfred de Musset hat das englische Original seinerzeit ins Französische übersetzt.

Der Gräfin M. von Reichenbach humoristische Erzählung „Böse Geister" erschien vor Kurzem im Verlag von E. Pierson in Dresden und Leipzig in zweiter Auflage.

Im Kommissions-Verlag von S. Tagwerkers Wittwe in Linz und im Selbstverlag des Verfassers erschienen folgende dramatische Werke von Josef Schwarzbach: „Der Waffenschmied von Salzburg." Tragödie aus Salzburgs Vergangenheit in fünf Akten. — „Um Englands Krone oder Kampf und Liebe." Drama in fünf Akten und „Das Faktum des Todes." Drama in drei Akten.

Josef Feller veröffentlichte im Verlag von J. G. Findel in Leipzig eine kleine, den Manen seines Freundes Karl Stieler gewidmete Gedichtsammlung, betitelt: „Viel G'fühl." Gedichtln und G'schichtln in altbayrischer Mundart. Wie wir hören, hat Karl Stieler noch kurz vor seinem Tode selbst den Verfasser zur Herausgabe dieser Sammlung ermutigt. Den Gedichten ist vor Allem nachzurühmen, dass sie frische und derbe Töne anschlagen, nichts Blasirtes oder Angekränkeltes enthalten. Wer in ihnen Sentimentalität und moderne Gefühlsduselei sucht, der wird arg enttäuscht werden.

Der bekannte Publizist und Schüler Comtés Alexander Swietochowski (pseudonym Okoński) hat soeben ein Drama „Aspazya" erscheinen lassen, das mit Hamerlings Dichtung den Stoff gemein hat. Ueber Swietochowski als Dramatiker vergleiche man Otto Hausner in der deutschen Rundschau XXXII p. 238. Swietochowski ist Herausgeber der litterarischen Wochenschrift „Prawda" in Warschau, die durch ihre Teilnahme für die Ideen Comtés, Renans, Darwins und Haeckels unter den katholischen Polen viel Aufsehen und in konservativen Kreisen fanatischen Hass sich erworben hat. Swietochowski ist ein unvergleichlicher Stilist; seine beißende Satire erinnert vielfach an Heine.

Kaum ist das großartige Unternehmen der Buchhandlung Cassel & Co in London ins Leben getreten, welche eine von Professor Morley geleitete „National Library", eine Nationalbibliothek berühmter Werke aller Litteraturen herausgiebt zu dem unerhört billigen Preis von 3 Pence pro Band von ca. 200 Seiten und zwar in guter Ausstattung, — so wird bereits ein ganz ähnliches Unternehmen der Firma Routledge in London angekündigt. Dasselbe führt den Titel „Routledges World Library". Zweck, Programm und Preis dieser Bibliothek sind fast die nämlichen, wie bei der obigen Nationalbibliothek. Die „Weltbibliothek" ist vor einigen Wochen mit der Veröffentlichung der größten modernen Dichtung — mit Goethes Faust, übersetzt von Anster, ins Leben getreten. Dem „Circular" zufolge sind von diesem Band am ersten Tage der Veröffentlichung 20 000 Exemplare verkauft worden. Die Routledge „Library" steht unter der Leitung von H. R. Haweis und wird sich alle vierzehn Tage um einen Band vermehren.

Bei Houghton, Mifflin & Co. in Boston und New-York erschien ein neues umfangreiches Werk von Edmund Clarence Stedmann unter dem Titel: „Poets of America." Dasselbe behandelt William Cullen Bryant, John Greenleaf Weittier, Ralph Waldo Emerson, Henry Wadsworth Longfellow, Edgar Allan Poe, Oliver Wendell Holmes, James Russell Lowell, Walt Whitman und Bayard Taylor.

Inhaltsverzeichniss unserer Nummer 14:

Alle für das „Magazin" bestimmten Sendungen sind zu richten an die Redaktion des „Magazins für die Litteratur des In- und Auslandes" Leipzig, Georgenstrasse 6.

Für die Redaktion verantwortlich: Hermann Friedrichs in Leipzig. — Verlag von Wilhelm Friedrich in Leipzig. — Druck von Emil Herrmann senior in Leipzig.

Das Magazin

für die Litteratur des In- und Auslandes.

Wochenschrift der Weltlitteratur.

1832 gegründet von Joseph Lehmann.

55. Jahrgang.

Preis Mark 4.– vierteljährlich.

Herausgegeben von Hermann Friedrichs.

Verlag von Wilhelm Friedrich in Leipzig.

No. 14. — Leipzig, den 3. April. — 1886.

Inhalt:

Das Dogma der Klassizität.

Eine Betrachtung.

Die Litteratur-Gelehrten von Alexandria, denen das Rubriziren und Schematisiren im Blute lag, wie heutzutage dem deutschen Bildungsphilister, haben das Wort *„classici"* als Bezeichnung der Schriftsteller ersten Ranges — (nach ihrer, der Alexandriner, höchst eigenmächtigen Schätzung natürlich) — zuerst in Umlauf gesetzt. Der Ausdruck hatte ursprünglich einen sozial-politischen Sinn; er entstammte der Verfassungs-Reform des Servius Tullius, und bezog sich auf die Bürger der ersten Klasse, die, als Klasse *par excellence*, keines weiteren Epithetons für bedürftig erachtet wurde.

Eines schönen Tags imponirte nun dieser Einfall alexandrinischer Litteraturwissenschaft dem deutschen Verlagsbuchhändler Cotta in Stuttgart. Er griff sich stolz in den Busen, und erklärte dem andächtig lauschenden Publikum: „Hiermit gebe ich mir das Vergnügen, sämmtliche wohlsituirte Poeten meines Verlags zu Klassikern zu ernennen."

Der Mann hatte gut reden; denn er verlegte nicht etwa die Werke alternder Frauenzimmer und durchgefallner Primaner, sondern die Trauerspiele Friedrich Schillers und die herzbewegenden Lieder des Welterobrers Johann Wolfgang von Goethe.

Dennoch wäre es klug gewesen, jener freimütigen Erklärung die Worte hinzuzufügen: „Ich hafte nicht für die Ratifizirung Seitens der unbefangenen Kritik."

Schiller, Goethe, — *à la bonne heure*! Hier durfte Cotta erwarten, dass die Mit- wie die Nachwelt ehrfurchtschauernd den Hut zog. Der Schöpfer des Tell und der Sänger des Faust, — das waren Männer von unbezweifeltem Vollgewicht, jeder in seiner Art mustergültig, epochemachend, — kurz, Bürger der ersten Klasse, wenn es je deren gegeben hatte.

Weniger überzeugend lag schon die Sache bei Klopstock. Der ruhmgekrönte Dichter von Quedlinburg hatte ja große Verdienste, — namentlich um die Entwicklung der Sprache; aber die *standard works*, die unsterblichen Blätter, die von Geschlecht zu Geschlecht fort wirken, die *monumenta aere perennius*, die nicht nur pflichtgemäß registrirt, sondern auch wahrhaftig bewundert werden — wo hat der achtunggebietende Klopstock sie aufzuweisen?

Das Großartigste aber an Willkürlichkeit, was die Cottasche Rangliste dem deutschen Publikum zumutete, war die litterarische Kanonisirung des ungarischen Bischofs Johann Ladislaus Pyrker von Felsö-Eör. Es giebt zwar rechtgläubige Militärs, die bei der Lektüre Platenscher Verse den Gedanken nicht unterdrücken können: Wenn schon ein Lieutnant a. D. so hübsche Gedichte macht, da möchte ich erst einmal etwas Längeres von einem aktiven General lesen! — Aber man darf doch von einem so trefflich begabten Manne, wie Cotta, nicht annehmen, dass er sich in einem ähnlichen Irrtum bezüglich der Bischofswürde und ihres Einflusses auf das Verhältniss zur Muse befunden habe. Der Geist, der sich auf die Diener der katholischen Kirche herniedersenkt, weiht sie zu allem Guten und Edlen; er giebt ihnen möglicherweise die Kraft, Wunder zu wirken; nur zum Poeten kann selbst der heilige Vater zu Rom einen Priester nicht stempeln, wenn sich die Mutter Natur in ihrer heidnischen Blindheit widerspenstig erweist. Ladislaus Pyrker war ein feingebildeter Herr, aber ein Autor von exquisiter Talentlosigkeit. Seine „Tunisias“ glänzt durch die geradezu virtuose Verwendung alles Dessen, was Langeweile erzeugt; seine „Rudolfias“ war in jeder Beziehung die Odyssee zu dieser Iliade. Und einen so mangelhaften Poeten etikettirte uns der Stuttgarter Buchhändlerfürst als deutschen Klassiker!

Man hätte nun denken sollen, dieser bedenkliche Fehlgriff wäre nicht nur für die privilegirten Geister, sondern für das ganze gebildete Publikum Anlass geworden, der Cottaschen Rubrizirung mit einigem Misstrauen zu begegnen, und den Poeten von Cottas Gnaden vorurteilslos auf den Zahn zu fühlen, ehe man ihnen den Rang der Unsterblichkeit zuerkannte. Es vollzog sich jedoch ganz der entgegengesetzte Prozess. Die Namen Goethe und Schiller hatten auf die Stuttgarter Firma einen so unvergänglichen Glanz ausgegossen, dass man nicht sowohl gegen Cotta, als gegen sich selber misstrauisch ward. Man legte sich voll Demut die Frage vor, ob der geringe Genuss, den man aus der Lektüre der Stuttgarter Klassiker schöpfe, nicht etwa dem eignen mangelhaften Verständniss zur Last falle, — und scheute sich, angekränkelt von diesen Zweifeln, jene Genusslosigkeit auszusprechen.

Hieran schloss sich ein weiterer Vorgang.

Nachdem der deutsche Leser zu wiederholten Malen die Erfahrung gemacht hatte, dass „klassische“ Werke, die er nach dem Grundsatze der in Deutschland üblichen ästhetischen Heuchelei *coram publico* als bewundernswert glorifizirte, in Wahrheit langweilig waren bis zum Exzess, regte sich ihm nachgerade überall da, wo er bei der Lektüre tatsächlich Genuss empfand, die freundliche Unterstellung, dies packende, fesselnde Schrift-Erzeugniss könne *nicht* klassisch sein. . .

Es wäre die Aufgabe einer sehr schwierigen, aber lohnenden litterar-psychologischen Untersuchung, alle die Phasen, die das Klassizitätsdogma seit jenen ersten Anfängen durchgemacht hat, aufzuspüren und übersichtlich zu ordnen . . .

Heutzutage liegen die Dinge so, dass nicht mehr die Cottasche Verlagsbuchhandlung, sondern eine Reihe andrer Momente entscheidet, deren Berechtigung nur noch fraglicher scheint.

Um in Deutschland als Klassiker, das heißt also — nach dem alexandrinischen Sinne des Wortes — als Schriftsteller ersten Ranges zu gelten, muss man vor allen Dingen *begraben* sein. Ist diese erste Bedingung — wenn tunlich, schon vor einigen Dezennien — erfüllt, dann brauchen die hinterlassnen Opera weder künstlerisch ausgereift, noch von Bedeutung für die Weltlitteratur zu sein: man avancirt dennoch in die Kategorie der Muster-Autoren, falls es nämlich einem spekulativen Buchhändler oder einem kritiklosen Litteraturgeschichtler just in den Kram passt.

Umgekehrt bleibt man *bei Lebzeiten* — im schroffsten Gegensatz zu dem lorbeerumwundenen Klassiker — ein ganz gemeiner „Moderner“, und hätte man nicht nur den „Faust“ und die „Iphigenie“ sondern noch obendrein den „Tell“ und die Wallenstein-Trilogie zu Stande gebracht.

Was hat der zeitgenössische deutsche Buchhandel nicht Alles in die sogenannten „Bibliotheken“ eingeschachtelt! Welche Poeten dritter und vierter Güte sind uns nicht als klassisch aufgehalst worden, nur weil sie todt waren! Oder bedünkt's euch logisch, — um noch die Besten herauszugreifen. — Theodor Körner und Wilhelm Hauff, die beide just in den Anfangsstadien ihrer Entwicklung dahin gerafft wurden, auf den Gipfel des Helikons neben Schiller und Goethe zu setzen? Als „klassisch“ verkauft man uns die Herren Ramler und Uz; als „klassisch“ den wackeren Gleim und den redlichen Gellert; als „klassisch“ die sämmtlichen ordentlichen und außerordentlichen Mitglieder des Göttinger Hainbundes; vielleicht demnächst auch einmal den Kellner, der bei *ihren* Symposien die Gläser füllte.

Das wäre nun immer noch nicht so schlimm, denn das Publikum, das doch auf andern Gebieten nicht völlig blind ist gegen den Geist der Reklame, würde diesen geschäftlichen Kunstgriff allmählich durchschaut und so die Wirkung desselben paralysirt haben.

Nun aber kömmt der Hauptförderer des Klassizitätsdogmas, — der deutsche Litteraturgeschichtler, der sich teils schriftstellerisch, teils von der Höhe des Schulkatheders um die Vererbung jenes unheilvollen Aberglaubens verdient macht.

Sehr häufig ist er selbst ein Poet vom Zorne Apollos, ein verunglückter Versifex, ein hundertfältig zurückgewiesner Verfertiger trostloser Novelletten, unmöglicher Trauerspiele und furchtbarer Heldengedichte.

Dafür, dass nun Baumbach mit seinem „Zlatorog“, Scheffel mit seinem „Ekkehard“, Eduard Grisebach mit seinem köstlichen „Tannhäuser“ bessere Erfolge erzielt haben, als er, der Zurückgesetzte, mit seiner unaufgeführten „Lausitzer Volkstragödie“, oder seinen „Liebesgrüßen aus Hinterpommern“, dafür rächt er sich an den genannten Poeten dadurch, dass er ihre weit minder talentvollen, aber glücklich verstorbenen Vorgänger in den Himmel erhebt; dass er, wie Heine sagt, aus den Lorbeerkränzen der todten Dichter Ruten verfertigt für den Rücken der Lebenden.

Die Gegenwart soll und darf keine großen Poeten aufweisen: sonst würde er, der Verfasser so zahlreicher ungewürdigter Opera, gar zu sehr unter dem Druck seiner Verkanntheit leiden.

Im gewöhnlichen Leben betitelt man diese Gesinnung Neid, Missgunst, Tücke, Verbissenheit: *in litteris* gilt sie für Exklusivität und Vornehmheit des Geschmacks.

Noch verhängnissvoller, als im Gewande der Litterarhistorie wirkt das Klassizitätsdogma in der Schule. Da postirt sich so ein Herr, der „keinen Widerspruch duldet“, und sich einbildet, er könne auch im Reiche Apolls nach Gutdünken Carcerstrafen verhängen und Prämien verteilen, kecklich auf seinem schwamm- und kreide-verbrämten Rednerstuhl, und verkündet der heranwachsenden Generation mit süffisantem Kravatten-Geschmunzel, die gesammte deutsche Litteratur seit Goethes Hingang tauge nicht einen Pfifferling. Im Stillen denkt er vielleicht hinzu, dass ein einziger Götterliebling vorhanden sei, der ihm würdig erscheine, unmittelbar hinter dem Sänger Gretchens einherzuwandeln: die Bescheidenheit aber verbietet ihm, den Namen dieses Begnadeten auszusprechen. — Noch Andere geben sich *a priori* die Miene, als wüssten sie überhaupt Nichts von einer zeitgenössischen Litteratur. „Ich lese nur Klassisches oder nur Wissenschaftliches,“ sagte einst mit behäbigem Lächeln ein solcher staatlich konzessionirter Todfeind unseres modernen Geisteslebens. — Wer da nun weiß, wie leicht sich das erste Jugendalter von Lehrsätzen, die mit einem gewissen Aplomb vorgetragen werden, beeinflussen lässt, wie tief und wie lange Dergleichen haftet, ehe die selbsttätige Ueberlegung ans Werk geht, die Spreu von dem Weizen zu sondern, der wird es begreiflich finden, dass noch immer der schöne Trochäus „klassisch“ für die Majorität des Publikums ein Zauberwort ist, vor welchem jede Kritik verstummt, während andrerseits kein lebender Meister vor der infamsten Pietätslosigkeit sicher ist.

Für die Schaffensfreude der zeitgenössischen Dichter sind diese Zustände nicht gerade ermutigend. Es ist ja richtig: der Ehrgeiz und die Begierde nach Ruhm sind nicht die vornehmsten Triebfedern jenes künstlerischen Sich-Aufraffens, das bedeutende Leistungen zeitigt, und Heinrich Leuthold giebt einer wohlbegründeten Stimmung Ausdruck in seinen männlich-trotzigen Versen:

„Wen einmal nur, allmächtigen Flügelschlages,
Die Weihe des Gesangs nach oben trug,
Der kann verschmäh'n die Kränze eines Tages, —
Verlangend Herz, sei du dir selbst genug . . .“

Aber solche Stimmungen halten nicht immer vor, und die dauernde Versagung Dessen, was ein maßvolles Selbstbewusstsein an Wertschätzung bei den Zeitgenossen beanspruchen darf, erweckt schließlich das Misstrauen in die eignen Kräfte, jenen Zweifel am künstlerisch befähigten Ich, den Spielhagen mit dem Schwindelgefühl am Rand eines bergtiefen Abgrundes vergleicht.

Wenn der Autor sich sagen muss: Gestalte das Höchste, gieb dein Bestes in vollkommenster Form, — und du wirst dennoch als „Epigone“ betrachtet werden, selbst von denen, die deine Schöpfungen mit unverhohlenem Entzücken genossen haben — wenn sich der Autor das sagen muss, dann erwacht auch vielleicht anstatt der Schlange der Skepsis jene Verbitterung, die den Leser missachtet, und eine ähnliche Wirkung auf die künftige Produktion ausübt, wie die Leerheit des Hauses auf die darstellende Verve des Bühnenkünstlers.

Starke, frische, leichtlebige Charaktere werden sich schließlich über derartige Anwandlungen hinwegsetzen, zumal wenn sie tatsächlich große Erfolge verzeichnen, und sich bekennen müssen, dass sie es immer noch gut haben im Vergleich mit der Majorität ihrer Kunstgenossen. Auf einen Charakter vom Schlage des oben erwähnten Leuthold aber, dem trotz seiner wundersamen Begabung niemals ein Kranz zu Teil ward, muss der Einfluss all' dieser Missstände verhängnissvoll werden, — und so starb denn Heinrich Leuthold zur größeren Ehre des Klassizitätsdogmas kläglich im Irrenhause.

Gutem Vernehmen zufolge geht ein deutscher Verleger bereits mit dem Plane um, die Werke Leutholds käuflich an sich zu bringen, und seiner für 1890 projektirten neuen deutschen Klassiker-Bibliothek einzureihen.

Dresden. Ernst Eckstein.

Gedichte von Hieronymus Lorm.

Liebeslied.

Mit dem holden Frühlingszauber
Steh' ich auf vertrautem Fuße,
Denn er streute frische Blüten
Vor dich hin bei meinem Gruße.

Eins doch will er nicht verzeihen,
Ward's mir auch zum schönsten Loose,
Dass ich nur auf deinen Lippen
Suchte seine erste Rose.

Der Wanderstab.

Was man als Schicksal kennt
Und Glück und Unglück nennt,
Ist auf dem Weg zum Grab
Nichts als der Wanderstab.

Ob er von Golde blitzt,
Ob er aus Holz geschnitzt,
Er dient zum Todesstreich —
Ist's dann nicht völlig gleich?

Still und finster.

Die Nacht, von keinem Stern erhellt,
Die Nacht, von keinem Laut gestört,
Die jedem Sinn verschloss'ne Welt —
Der Geist ist's, der sie sieht und hört.

Er sieht die Spuren eines Lichts,
Das keins auf Erden dulden mag;
Er hört den Atemzug des Nichts,
Wie's lauert auf den letzten Tag.

Briefe Turgenjews an den Grafen L. N. Tolstoj.*)

Der Name des Grafen Leo Tolstoj ist in den letzten Jahren auch in Deutschland vielfach genannt worden. Seine großen Romane — „Krieg und Frieden", „Anna Karenina", „Die Kosaken" — sind in deutscher Uebertragung erschienen und haben viel Beifall gefunden. Zuletzt machte Tolstoj durch sein mystisch-naturphilosophisches Werk über das Wesen des Christentums viel von sich reden, das in Russland nicht gedruckt werden durfte, in Deutschland und Frankreich dagegen ihm den Ruf eines Schwärmers und Sonderlings eingebracht hat. Der geniale Graf ist nur dem Fatum verfallen, das fast ausnahmslos über den russischen Schriftstellern waltet: fast jeder bedeutendere Dichter ist in Russland im Duell (wie Puschkin und Lermontow) oder in der Verbannung (wie Bestuschew, Poleschajew) oder in Trübsinn und Irrwahn (wie Gogol und Schukowski) oder auf sonst eine unglückliche Art gestorben. Ist es nun auch mit Leo Tolstoj nicht so schlimm, wie in neuerer Zeit geschrieben wurde, so hat er doch die Bahn harmonischen Schaffens verlassen, auf der er so Großartiges geleistet hat — so Großartiges, dass sogar Iwan Turgenjew bereit war, ihn als Ersten in der russischen Litteratur seit Gogol anzuerkennen. Es ist interessant, diese beiden Männer, die hoch über den übrigen russischen Schriftstellern der letzten drei Jahrzehnte stehen, freundschaftlich wie zwei verwandte Geister, ohne jede Spur kleinlicher Scheelsucht, neben einander hergehen zu sehen — ein erfreulicher Anblick, wie ihn russische Verhältnisse nur selten bieten. Einige Briefe Turgenjews an den Grafen, die wir im Nachfolgenden mitteilen, geben uns einen charakteristischen Einblick in den geistigen Verkehr der sarmatischen Dioskuren.

I.

Paris, 8. Dezember 1856.

Lieber Tolstoj!

Gestern führte mich mein guter Genius an der Post vorüber, und ich fragte nach, ob keine postlagernden Briefe für mich da wären — obwohl nach meiner Berechnung alle meine Freunde meine Pariser Adresse längst kennen müssten — und fand Ihren Brief vor, in dem Sie von meinem „Faust"**) sprechen. Sie können sich vorstellen, mit welchem Vergnügen ich Ihre Zeilen las. Ihr sympathisches Urteil hat mich aufrichtig und tief erfreut. Aber auch sonst wehte mirs wie Milde und Klarheit, wie stiller Friede aus Ihrem Briefe entgegen. Es bleibt mir nichts übrig, als Ihnen die Hand über die „Kluft" hinweg zu reichen, die sich längst in eine kaum bemerkbare Spalte verwandelt hat, deren Erwähnung nicht der Mühe lohnt.

*) Aus den demnächst erscheinenden „Briefen Iwan Turgenjews, ausgewählt, übersetzt und mit Erläuterungen versehen von August Scholz."

**) Novelle Turgenjews.

Ueber den einen Punkt, den Sie erwähnen, fürchte ich mich zu sprechen: das sind so delikate Dinge — ein Wort kann sie vernichten, wenn sie noch nicht reif sind; gelangen sie aber zur Reife, dann wird selbst ein Hammer sie nicht zerschlagen. Wollte Gott, dass Alles sich günstig gestaltet — Sie können dadurch jene Grundlage des seelischen Lebens gewinnen, die Ihnen noch fehlt — oder wenigstens fehlte, als ich Sie kennen lernte.*) Ich sehe, dass Sie sich jetzt Druschinin**) sehr genähert haben und sich unter seinem Einfluss befinden. Das ist vortrefflich, nur sehen Sie zu, dass Sie nicht auch seiner überdrüssig werden. Als ich in Ihren Jahren war, wirkten auf mich nur enthusiastische Naturen; aber Sie sind anders geartet, als ich, vielleicht haben auch die Zeiten sich geändert. Mit Ungeduld erwarte ich die Zusendung der „Lesebibliothek"***). Ich möchte den Aufsatz über Bjelinski†) lesen, obschon, wie ich vermute, wenig Erfreuliches für mich darin sein wird. — Dass der „Zeitgenosse"††) sich in schlechten Händen befindet, ist nicht zu bezweifeln. Panajew hatte angefangen, mir sehr häufig zu schreiben, versicherte mich, dass er nicht leichtsinnig handeln würde und unterstrich das Wort „leichtsinnig" sogar; jetzt ist er still geworden und schweigt, wie ein Kind, das im Bewusstsein einer begangenen Unschicklichkeit am Tische sitzt. Ich habe aber Alles an Nekrassow nach Rom ausführlich geschrieben, und es ist leicht möglich, dass ihn das dazu bestimmt, eher zurückzukehren, als er ursprünglich beabsichtigte. — Schreiben Sie mir, in welcher Nummer des „Zeitgenossen" Ihre „Jünglingsjahre" erscheinen werden, und teilen Sie mir auch mit, welchen endgültigen Eindruck „König Lear"†††) auf Sie gemacht, den Sie vermutlich, wenn auch nur um Druschinins willen, gelesen haben.

Ihre Absicht, die „Zähne zusammenzubeißen", wie Sie es nennen, und zu arbeiten, macht mir viel Freude. Arbeit ist eine ehrenwerte Sache — und ich armer Sünder sitze hier, ohne, unter uns gesagt, nur das Geringste zu tun. Doch will ich nächstens

*) Turgenjew spricht von einer Herzensneigung Tolstojs, die zu einer Verbindung nicht geführt hat. Tolstoj heiratete im Jahre 1862 die Tochter eines Moskauer Arztes, Sophie Andrejewna Behrs.

**) Schriftsteller der gemäßigten Richtung; als Shakespeareübersetzer bedeutend.

***) Druschinins Journal.

†) Genialer Kritiker der Vierziger Jahre.

††) Radikales Hauptorgan der fünfziger und sechziger Jahre, das unter der Leitung Nekrassows, Panajews und Dobroljubows stand. Turgenjew war bis zum Jahre 1861 Mitarbeiter desselben, trat dann jedoch zurück, da er mit der Richtung des „Zeitgenossen" nicht mehr einverstanden war.

†††) Shakespeares Drama in Druschinins Uebersetzung.

eine Erzählung für Druschinin beendigen — für die „Coalition“*) aber, an der wirklich durchaus nichts „Erhabenes“ ist, giebt es Nichts. — Meine Krankheit (es ist übrigens nicht Gastritis, was noch zu ertragen wäre, sondern schlechtweg ein prosaisches Blasenleiden) stört mich ganz gehörig. Ueberhaupt geht's mit meiner Zersetzung hier in dieser fremden Luft schnell vorwärts, wie bei einem gefrorenen Fisch, wenn Thauwetter eintritt. Ich bin schon zu alt, um kein Nest zu haben, um nicht zu Hause zu sitzen. Im Frühjahr werde ich ganz bestimmt nach Russland zurückkehren, obwohl ich mit meiner Abreise von hier dem letzten Gedanken an sogenanntes Glück entsagen muss — oder, um deutlicher zu sprechen: dem Gedanken an jene Fröhlichkeit, die aus dem Gefühl der Befriedigung über die ganze Lebenseinrichtung hervorgeht. Dieses „Deutlicher“ ist ein bischen lang geraten, und vielleicht auch nicht ganz deutlich — doch was soll ich schon machen?**)

Sie schreiben mir nichts von Ihrer Schwester — man sagte mir, dass sie in Moskau weile und sehr krank sei. Schreiben Sie mir doch gefälligst ausführlich über ihr Befinden, das mich sehr beunruhigt. Wenn es in der Welt ein Wesen giebt, das glücklich zu sein verdient, so ist sie es; und nun hat es das Schicksal gerade auf solche Naturen abgesehen! Schicken Sie mir ihre Moskauer Adresse, ich will an sie schreiben.

Ich habe hier viele Russen und Franzosen kennen gelernt, aber nur wenige sympathische Naturen darunter gefunden. Da ist eine Fürstin Meschtscherskaja — ein echtes Göthesches Gretchen, ein Wunder von Schönheit, aber leider versteht sie kein Wort Russisch. Sie ist hier geboren und erzogen. Sie ist zwar nicht schuld an dieser Absonderlichkeit, aber es ist doch immer unangenehm. Unbedingt muss zwischen Blut und Abstammung einerseits und Sprache und Gedankenkreis andrerseits bei ihr mit der Zeit ein Widerstreit entstehen, der entweder zur Gesinnungslosigkeit oder zu seelischem Leiden führen wird. Dabei ist sie so liebenswürdig und angenehm — es ist nicht zu beschreiben.

Sehen Sie jetzt Annenkow***) bisweilen? Erinnern Sie sich noch, wie wenig er Ihnen anfangs gefiel? Jetzt haben Sie sich hoffentlich davon überzeugt, dass er ein verständiger, gutartiger Mensch ist. Und glauben Sie mir's, je näher Sie ihn kennen lernen, desto teurer wird er Ihnen werden.

Nun leben Sie wohl, lieber L. N. — schreiben Sie mir öfter; ich aber verbleibe Ihr Sie von Herzen liebender J. S. Turgenjew.

*) Unter der „Coalition“ ist die Redaktion des „Zeitgenossen“ gemeint.

**) Turgenjew wohnte 1856 in Paris mit seiner natürlichen Tochter Palagia Iwanowa, geboren 1842 in Moskau, die er in Paris erziehen ließ. Auch stand er in engen Freundschaftsbeziehungen zu der Familie des Kunstschriftstellers und Cervantes-Uebersetzers Louis Viardot.

***) Bekannter Petersburger Litterat, Freund Turgenjews.

Oxforder Universitätsklüngel.

In der von Insassen der Oxforder Colleges gegründeten Londoner Zeitschrift Academy veröffentlichte Mr. Henry Sweet, einer der gelehrtesten und bekanntesten Fellows der alten Universität, eine Anklage gegen die „Universitätsdiplomatie“, als deren Führer er Professor Max Müller namentlich bezeichnet.

Die Anklage bezieht sich auf die Besetzung vakanter Professuren. Seit längerer Zeit hätten die aus wenigen Professoren und „Dons“ bestehenden Körperschaften, welche die Professuren besetzen — jede Professur ist gewöhnlich einer speziellen derartigen Körperschaft untergeordnet — die unbedeutendsten und unbekanntesten jungen Männer gewählt, die nur irgendwie präsentabel gewesen wären. Völlige Abhängigkeit und Gefügigkeit in Universitätsangelegenheiten sei der Preis der Wahl für die jungen Professoren gewesen; die größte Schädigung und Verschlechterung der Universität das Resultat. Max Müller, der, in vielen solchen Körperschaften sitzend, sich durch seine „diplomatische“ Begabung zum Chef des ganzen Systems aufgeschwungen, sei der Hauptschuldige. Wenn dasjenige wahr wäre, was über die jüngste Vergebung einer Professur der englischen Litteratur an einen jungen Mann verlaute, der die englische Litteratur nicht kenne und nur ein kleines angelsächsisches Dissertatiönchen geschrieben habe, so bliebe nichts anderes übrig, als den Hauptschuldigen aus der Universität auszustoßen. Einen Angelsachsen für eine englische Litteraturprofessur zu ernennen, sähe wie ein schlechter Scherz aus; einen bloßen Anfänger im Angelsächsichen zu wählen, wenn man bewährte Gelehrte zu seiner Verfügung gehabt hätte, ginge indess über den Spaß und wäre eine einfache Jobberei. Folgen die Details.

Auf diesen, am 6. Februar veröffentlichten Angriff wurde seitens Prof. Müller's, soweit bekannt geworden, nichts erwidert; ein paar lahme, das Wesen der Sache unberührt lassende Worte, welche von dem Vorsitzenden der betreffenden Körperschaft an die Academy gerichtet wurden, bestätigten indirekt die Anklage. Auch ein ebenso deutlich sprechender Artikel, den die Fourtnightly Review schon im Juli brachte, ist von den Beteiligten, soweit sie konnten, todtgeschwiegen worden.

Unter englischen Verhältnissen hat es Jahre bedurft, ehe es zu diesem Ausbruch gegen die Oxforder „Universitätsdiplomatie“ gekommen ist. Die dortigen Professuren werden fast ganz von Professoren und Kollegienhäuptern vergeben; eine Aufsichtsbehörde ist tatsächlich nicht vorhanden; lässt sich die öffentliche Meinung die Sache gefallen, so haben die wählenden Boards mithin alle Freiheit, ihrer Laune und ihrem Interesse zu dienen. Dass die öffentliche Meinung sich derartige Dinge lange gefallen lässt, hängt aber mit der Selbstverwaltung zusammen, welche unzählige individuelle Interessen den einmal herrschenden und mitherrschenden Personen unterordnet.

Was in Oxford geschehen musste, ehe Mr. Sweet seinen Brief an die Academy schrieb und die Academy ihn druckte, werden die folgenden beiden Pröbchen zeigen. Vor einiger Zeit starb der Oberbibliothekar der Bodlejana. Alle Welt setzte voraus, der Unterbibliothekar, ein bedeutender Gelehrter, der die Bibliothek lange vortrefflich allein verwaltet hatte, werde die Stelle erhalten. Da er ein unabhängiger Mann war, der sich einem „Diplomaten" unliebsam gemacht, wählte man an seiner Statt zum Chef einer der gelehrtesten Bibliotheken der Welt einen Londoner Leihbibliothekar, der bisher nur die modernste Litteratur gekannt! Und das, obschon noch andere bedeutende Gelehrte, u. a. ein namhafter Oxforder Aristoteliker, candidirten. Unglaublich, aber wahr. Bald darauf wurde ein anderer Gelehrter der Universität zu Vorlesungen von einem „Diplomaten" empfohlen. Als die Vorlesungen begannen, griff der „Diplomat", der mit seiner Empfehlung amtlich für den Lehrenden eingetreten war, in einer anonymen Kritik die Schriften desselben heftig an und citirte sie so entstellt, dass das betreffende Blatt einige Punkte geradezu zu revociren hatte. So hatte er den Lehrenden öffentlich verpflichtet und gleichzeitig hinten herum zu untergraben gesucht. Die Sache gelangte zur Kenntniss des Board, welches die lectures auf Grund jener Empfehlung angeordnet und durch die nachfolgende heimliche Kritik seitens des Empfehlenden selbst die schlimmste Beleidigung in der ganzen Angelegenheit erlitten hatte. Als allzu arg wurde sie todtgeschwiegen, und auch der Lehrende, gegen den eine ernste Verpflichtung vorlag, ohne Genugtuung gelassen. Man sieht, was möglich geworden war.

Nachdem das Eis nun endlich einmal gebrochen, wird vermutlich eine Aufsichtsbehörde eingesetzt werden. * * *

Zola.

Unsere Dichtung befindet sich in einer Krise. Im Grunde ist es dasselbe Feldgeschrei wie in den andern, den sogenannten bildenden Künsten, welche man kurzweg mit diesem eigentlich allgemeinen Namen bezeichnet, als ob das Dichten nicht auch ein Bilden in Worten wäre: aber in der Dichtung tritt am erkennbarsten, weil am lesbarsten hervor, was die Zeit bewegt.

Zola ist mit seinem außerordentlichen Talent ein Interpret der Zeit. Was er will, den wir statt Aller hier nennen — ohne auf deutschem Boden die besonderen Verdienste des fortgeschrittenen Darstellers Berliner Zustände, Max Kretzer, ausdrücklich hervorzuheben — das ist nach seiner Meinung die durch kein Schönheitsmittel der Kunst gehobene Natur, in der Alles, was er bieten möchte, gegeben sei. Es wird daher auch vom Naturalismus als dem Prinzip seiner Romandichtung gesprochen. Dann hat man einen naturwissenschaftlichen Ausdruck herübergenommen und gemeint, dass es sich hier um eine Physiologie der Leidenschaft handele, und so konnte schließlich sogar kurzweg von einem „roman expérimental" die Rede sein. Also Naturalismus, Physiologie der Leidenschaften, Experimentalroman; ich denke so wie wir von Experimentalphysik oder Experimentalchemie reden.

Zola ist nicht zufällig auf einen solchen Standpunkt geraten: die Zeitströmung hat ihn dahin gedrängt, wofür er die nötige Begabung besaß. Er fand sich tatsächlich zu dem Werkzeug der Dinge gemacht, welche er darstellen sollte. Aber nichts als diese Dinge, Menschen, die hier auch nichts als Dinge sind, und ihre Schicksale, wenn man den Ausdruck noch so brauchen darf. Unter diesen Dingen kann der Dichter nicht mit voller Freiheit wählen, denn seine Wahl ist bestimmt durch sein Naturell und das „Mittel" der Verhältnisse, das ihn umgiebt oder umgeben hat.

Zola ist kein Franzose; er ist, wie Katharina von Medici, Napoleon I., Gambetta italienischen Blutes, und es ist ein Merkmal französischer Geschicke, dann und wann im Dienst des Italienischen zu stehen. Sein Vater war durch Kanalbauten von dem oberitalienischen Treviso nach dem provençalischen Aix geführt worden, aber bereits 1847 sieben Jahre nach der in Paris erfolgten Geburt des später so berühmt gewordenen Sohnes gestorben. Der Mutter blieb nichts übrig, als nach dem durch einen Prozess herbeigeführten Verlust des Vermögens sofort wieder von Aix nach Paris zu ziehen, wo Emile Zola das Lycée St.-Louis besuchte, aber noch vor Abschluss der Studien in ein Zollamt und von da bald darauf in die Buchhandlung von Hachette eintrat.

Der Verkehr mit Büchern machte ihn rasch zum Litteraten. Er begann die gewöhnliche Vorschule durchzumachen und an verschiedenen Blättern mitzuarbeiten. Nicht sofort war er entschieden, wie er das Leben auffassen solle, sondern blieb zunächst in den hergebrachten Richtungen befangen. In seinem ersten Werke, welches selbständig erschien, in seinen „Erzählungen an Ninon" (1864), sieht man sogar noch leise idyllische Züge, er gönnt sogar dem Märchenhaften Raum; aber bereits im folgenden Jahre nimmt er mit „Claudes Beichte," welches er aus einem gewissen Schamgefühl nicht als seine Fiktion, sondern als eine gegebene Realität angesehen wissen will, den Standpunkt des ungenirten Realismus ein. Er zögert nicht mehr lange, sondern tritt 1866 aus dem Buchhandlungsgeschäft, um ganz der Schriftstellerei zu leben.

Dieser „Realismus," den er herauszuarbeiten begann, war gar nicht neu. Erinnerte doch die „Confession de Claude" jeden, der ein gutes Gedächtniss für litterarische Dinge hatte, an Benjamin Constants „Adolphe“. Aber der Realismus hat seine Phasen und jedes Zeitalter, welches beobachtet, seinen eigenen Gesichtswinkel. Um Zola zu begreifen, braucht man nicht an Balzac, den er wie einen Märtyrer pries, nicht an Flaubert, der sehr ernsthaft nachdachte, und an die andern Großen der Richtung zu denken: sondern an ein litterarisches Brüderpaar, das ihm gleichzeitig war, an ein Malerpaar, das er wenigstens dem einen Teil nach laut gepriesen, dem er aber durchaus verpflichtet war, und an einen Großen, den er nicht hätte schmähen dürfen, sondern dem er hätte danken müssen.

Das litterarische Brüderpaar sind Jules und Edmond de Goncourt. Obgleich im Alter durch acht Jahre getrennt, haben sie doch einig mit einander gearbeitet, wie Erckmann-Chatrian. Es ist nicht zu übersehen, dass sie mit sehr ernsthaften kulturgeschichtlichen Studien beginnen; nicht die Masse der Beobachtungen, welche sie zusammen bringen und verarbeiten, macht den Wert der hierher gehörigen Werke, sondern dass sie den Blick für das Charakteristische dabei geschärft haben. Dann erst treten sie mit Romanen auf, von denen „Germinie Lacerteux“ von 1865 den Höhepunkt bezeichnet, sowohl in Vollendung der Form, wie in der Mischung des Unsittlichen und Schrecklichen. Es war im Ganzen unbedenklicher, das Bedenklichste dem Leserkreise in der stillen Form des Romanes darzubieten, als einen verwandten Versuch mit der „Henriette Maréchal“ im Dezember desselben Jahres 1865 auf dem Théatre français zu machen. Aber man hat das Zusammentreffen der beiden litterargeschichtlichen Tatsachen gerade im Jahre 1865 zu beachten; am wichtigsten ist, da Zola sich in Zusammenhang mit jenem Roman gedacht hat.

Ebenso nahe stellt er sich zu der Richtung, welche das hier zu nennende Malerpaar vertritt: Gustave Courbet und Edouard Manet. Seltsam, so oft man dem Ersteren als Darsteller der Natur im engern Sinne begegnet, muss man ihn bewundernd anerkennen. Courbets Rehe im Gehölz sind bei aller, man möchte fast sagen, ultrarealistischen Treue eines der herrlichsten, von Schönheit gesättigten Bilder; aber den Menschen verschont er nicht, vor allen sucht er diejenigen, welche er hasst, mit liebevollster Umständlichkeit hässlich zu malen, welchem Schicksale die armen Curés nicht entgehen. Aber noch näher fand sich Zola einem andern Maler Courbetscher Richtung, Edouard Manet, dessen Leben er auch mit besonderm Interesse erzählt hat. Für ihn wie für Courbet ist er als Feuilletonist eingetreten; was Wunder, wenn deren auf die defekte Sittlichkeit gerichtete malerische Darstellungsweise die seinige beeinflusst hätte!

Der an dritter Stelle genannte, von Zola geschmähte, mit dem er aber tief innerlich zusammenhängt, ist Victor Hugo. Man missversteht durchaus diesen Romantiker, wenn man die Vorliebe für das physisch wie sittlich Hässliche, wie es von „Notre Dame“ (1831) bis zum „L'homme qui rit“ (1869) von ihm dargestellt worden ist, lediglich für Willkür der spielenden Phantasie halten wollte. Das sind sehr realistische Charakterisirungsversuche, die sich nur aus der verzweifelten Stimmung über zerstörte Ideale erklären lassen.

Diese Momente ließ Zola auf sich wirken, und schon 1867 traten seine dichterischen Absichten in dem Romane „Therèse Raquin“ mit der wünschenswertesten Bestimmtheit hervor. Es ist ein sehr derber Realismus, wenn man seine Helden vom Ehebruch zum Gattenmord und schließlich doch zum Elend gelangen lässt. Hier zeigt sich bei Zola der positivste Anschluss an die Goncourts, und er ging denselben Weg mit der „Madeleine Ferat“ (1868) weiter, deren Feuilleton-Erscheinen die kaiserliche Presspolizei, die in Dingen der Unsittlichkeit sonst sehr liberal war, verbieten zu müssen glaubte. Es war nicht Rückkehr etwa zu einer alten Mode, wenn Zola mit seinen unmittelbar darauf erscheinenden „Mystères de Marseille“ den Eugène Sue wieder erweckte: Zola brauchte ja nur den Vorsehungs-Rudolph der „Geheimnisse von Paris“ wegzulassen, und dann hatte man das Prinzip des Realismus oder wie man jetzt immer anspruchsvoller sagte, des Naturalismus in seiner ganzen Nacktheit.

Zola sann auf einen großen Plan, dessen Ausführung eine realistisch künstlerische Darlegung seiner Weltanschauung sein müsste. Seine Stellung zu dem zweiten Kaiserreich war von Tag zu Tage schärfer geworden. Zola war ein zu guter Beobachter, als dass er nicht die bald fieberhaften, bald matten Pulsschläge seines kaiserlichen Frankreich hätte erkennen sollen. Er entwarf einen Romancyklus von zwanzig Bänden unter dem Titel „Die Rougon-Macquart, physiologisch-sociale Geschichte einer Familie unter dem zweiten Kaiserreiche“. Der Kontrakt mit der Lacroixschen Buchhandlung ward abgeschlossen und der erste Band 1869 geschrieben; aber der Krieg unterbrach dessen Veröffentlichung. Der Friede kam und 1871 konnte der erste Band erscheinen: aber wer war damals gestimmt, ihn zu lesen? Und man kann nicht sagen, dass die in diesem ersten Bande dargebotene „Fortune des Rougons“ es verdient hätte, übersehen zu werden. Der zweite Band erschien 1872, um an der Teilnahmlosigkeit des immer noch vom Kriege gelähmten Frankreichs fast unbemerkt vorüber zu gehen. Dazu kam in Folge der vielen Unfälle der Bankrott des Lacroixschen Geschäfts; die Verlagshandlung von Charpentier war so kühn, dasselbe zu übernehmen, und mit ihm Zolas großes Gesammtwerk, dem auch günstigere Bedingungen bewilligt wurden.

Alle Welt kennt von da ab den Fortschritt des Riesenwerkes und wie besonders der siebente Band („L'assommoir“) und vor allen der neunte („Nana“)

die Leserwelt jenseits und diesseits der Vogesen gefangen genommen haben. Wer keine sittsame Lüge ausspricht, wenn er diese Sachen nicht gelesen haben will, sondern sie in der Tat nicht gelesen hat, dem kann man empfehlen, die geistreich-präzise Analyse zu studiren, welche Theophil Zolling im zweiten Bande seiner entdeckungsreichen „Reise um die Pariser Welt“ oder mit eingehenderer Sorgfalt Ludwig Pfau im Aprilhefte des „Nord und Süd“ von 1880 gegeben hat.

Zola lebt, stolz auf den außerordentlichen Beifall, den er mit diesen Romanen gefunden hat und als Ausdruck einer vielseitigen Zustimmung ansieht, der festen Ueberzeugung, dass das, was er darstelle, durchaus Natur sei, und er parallelisirt seine Darstellungen höchst unbefangen mit den wissenschaftlichen Untersuchungen des großen Physiologen Claude Bernard's: wie dieser von einer „médècine expérimentale“ gehandelt hat, so glaubt er von einem „roman expérimental“ reden zu können, und er hebt häufig genug Ausdrücke wie „Naturalismus“, „Physiologie“ hervor.

Zola ist vollkommen im Irrtum. Wenn er Sittenlosigkeiten aller Art, Trunksucht, Delirium tremens, Ehebruch u. s. w. mit der glänzendsten Beobachtungsgabe schildert, so verfährt er als Patholog und nicht als Physiolog, und Niemand wird ihm das glänzende Talent für Darstellungen solcher Phasen der menschlichen Gesellschaft absprechen: aber das sind Krankheitsberichte. Er ist wie ein Mediziner, der uns mit faszinirender Beredsamkeit die Leiden des Gesellschaftskörpers darlegt, vielleicht mit dem gelegentlichen Scharfblick eines Pathologen erklärt, aber nichts von der Heilkunst selbst versteht, die uns zum Dank für Rettung verpflichten könnte. Oder, was zum Verzweifeln wäre, in einem heimlichen Pessimismus nichts davon verstehen will.

Wenn dasselbe Prinzip, von welchem wir hier krankhaft die Dichtung ergriffen sehen, die übrigen Künste ergreifen sollte, so würden wir eine entstellende Umgestaltung vorgehen sehen; wir würden in der Musik nur die schrillsten Dissonanzen vernehmen, wir würden statt griechischer Götter-Gestalten Thersitesfiguren lieben lernen müssen und die Parfümerien müssten sich in Kotgerüche verwandeln. Das wären die richtigen Parallelen.

Wenn ich über den Theaterplatz in Weimar schlendere, frage ich jedesmal, was der Goethe, der dort neben seinem Schiller steht, dazu sagen würde. Man entgegne mir nicht, dass Weimar keine Weltwarte war wie Paris. Auf das Auge kommt es an, das den Gang der Welt beobachtet, und das Goethe-Auge hat umzuschauen verstanden. Ihn hat seine Zeit in der Wahl der Stoffe beschränkend bestimmt, aber wer wird leugnen wollen, dass er in seinem „Wilhelm Meister“ wie in seinen „Wahlverwandtschaften“ eminent realistisch verfahre? Es genügt, seinen Namen in diesem Zusammenhange nur kurz zu nennen, in einem Zeitalter, *das sich im* Drängen nach einer funkelnagelneuen Poesie-Aera überschreit. Merkwürdig wäre, wenn das Ideal unsrer Zeit Ideallosigkeit sein sollte. Ein Standpunkt wäre das, ziemlich genau der Zolasche; aber wir werden doch wohl lernen müssen, dem Leben etwas mehr Inhalt zu verleihen, als die armen Helden und Heldinnen Zolas aufzuweisen haben.

Halle. Richard Gosche.

Litterarischer Erfolg.

Von Emil Peschkau.

Wie erzielt man ihn — wovon hängt er ab? „Freunde in der Presse muss man haben,“ brummt Einer mürrisch in seinen Bart. „Warum nicht gar,“ sagt der Andere. „Ueber eine Clique, einen Anhang musst du verfügen — eine Schaar Frauenzimmer, politische Parteigänger oder dergleichen. Das wühlt und wühlt und trägt deinen Namen weiter.“ Da lächelt ein Dritter, zart, graziös, wie er es gewohnt ist, und die Hände über den dicken Bauch faltend, säuselt er: „Dauernden Erfolg hat doch nur das Echte, Große, Ideale.“ Ein Vierter aber klopft ihm auf die Schulter und meint höhnisch: „Im Dreck muss man waten, das bringt Erfolg. Gemeinheit ist der Gemeinheit immer sympathisch“ .....

Wer hat recht von ihnen? Jeder könnte Beispiele anführen, welche die Wahrheit seiner Behauptung zu beweisen scheinen, und ebenso könnte man durch Beispiele alle diese Meinungen entkräften. Namentlich aber auch jene des säuselnden Herrn, der den Zeitungs-Gemeinplatz von dem endlichen und dauernden Erfolge des Echten zum Besten gab. Vielleicht, dass dieses Echte nach fünfzig oder hundert Jahren von einem Litterarhistoriker überschwänglich gerühmt wird — dann rümpft ein Anderer, nur um seine Originalität zu beweisen, die Nase darüber, das Publikum aber bleibt dabei herzlich gleichgültig. Wenn man alle die Echten durchmustert, deren Namen den Gebildeten bekannt sind, wie unendlich wenig wird von ihnen gelesen — und nur das Gelesenwerden ist Erfolg. Und doch giebt es einzelne solcher Autoren, deren Theaterstücke heute noch große Wirkung ausüben, deren Werke heute noch in breiten Kreisen mit Vergnügen gelesen werden. Es sind aber durchaus nicht immer die besten, tiefsten Geister, die so wirklich in der Nachwelt leben, und wenn wir unseren Blick auf die Reihe der Ersten beschränken, so sind es eigentlich nur zwei, die populär geworden sind, die eine große Wirkung auf die Masse ausüben: Shakespeare und Schiller. Wodurch unterscheiden sie sich von Goethe und Molière? Wodurch unterscheidet sich, wenn wir auf die zweite Reihe übergehen, Lessing, der kein Dichter war und dessen

Stücke noch immer gern gegeben werden, von Grabbe, Hebbel, Kleist? Kleist, für den die Bücher- und Zeitungsschreiber seit Jahren so lärmend die Reklametrommel rühren, ist doch kein ständiger Name in den Repertoires unserer Theater geworden und das einzige seiner Stücke, das eine gewisse Popularität errungen hat, verdankt diese nur der Stoffwahl, der anmutenden Hauptgestalt. Warum, fragen wir weiter, liest — von eigentlichen Litteraturfreunden abgesehen — niemand mehr Sterne und Jean Paul, während der Don Quixote noch heute ein Lieblingsbuch der gebildeten Kreise ist? Warum sind die Lieder Heines so unendlich viel populärer als jene Lenaus, warum erfreuen sich die einem gereifteren feineren Geiste kaum zusagenden Balladen Schillers einer so großen Beliebtheit, einer wirklichen Beliebtheit, die nicht etwa nur Anbetung des großen Namens, nur Verehrung des populären Theaterdichters ist?

Die Antwort auf diese Fragen giebt uns die Antwort auf die Frage nach dem Geheimnisse des litterarischen Erfolgs. Den wirklichen, breiten und großen Erfolg erzielt nicht das Genie und nicht die Reklame und nicht die Spekulation auf die Gemeinheit oder sonst etwas — ihn erzielt allein die Technik, das schriftstellerische Handwerk. Sterne und Jean Paul, was für Stümper sind sie in dieser Beziehung gegen den Meister Cervantes! Schiller und Shakespeare, wie stürmen sie einher mit verblüffenden Effekten, während Goethes Handlungen selbst in der feurigen Jugendzeit sich weniger aus Ereignissen als aus Genrebildern zusammensetzen. Und wie schmeichelnd, wie gewinnend klingen die Lieder Heines — deren Form, wie wir wissen, trotz der scheinbaren Einfachheit und Nachlässigkeit sehr wohl überlegt war — gegenüber der herben Lyrik Lenaus!

Und was hier zu verfolgen ist, das tritt uns noch deutlicher und schärfer entgegen, wenn wir die Erscheinungen der Gegenwart von diesem Gesichtspunkte ausprüfen. Auch da sehen wir von dem Echten nur weniges mit Erfolg gekrönt und daneben zahlreiche zweifelhafte Produkte, die lebhaften Anklang gefunden haben zur großen Verwunderung aller feiner Entwickelten. Man hat den Ursachen einzelner dieser Erfolge nachzuspüren versucht und was man da herausfand, mag in dem einen und dem andern Falle wohl auch mit zum Durchdringen des betreffenden Werkes beigetragen haben. Die Hauptursache aber war in den meisten Fällen die Virtuosität des Autors in allem Technischen. Die Menge steht aber dem Kunstwerk gegenüber immer und immer auf dem Standpunkt des Unterhaltungsbedürfnisses und der Künstler wird ihr in alle Ewigkeit nicht mehr sein als eine Art Jahrmarktsgaukler, der ihr seine Allotria vormacht und dafür mit ein paar Kupferstücken überreich entlohnt wird. Der Schriftsteller hat also vor Allem die Neugierde zu erwecken, diese durch allerlei Hokuspokus eine Zeitlang womöglich immer lebhafter zu reizen und dann die aufgegebenen Rätsel in einer Weise zu lösen, die dem verehrlichen Publikum keinen Kopfschmerz und kein Herzklopfen verursacht — höchstens ein paar Tränen mag man opfern, denn nach dieser Art Tränen fühlt man sich ebenso behaglich wie nach einem herzlichen Gelächter. Das ist das Rezept, das diejenigen befolgen müssen, die „Erfolg" erzielen wollen. Allem Anschein nach ein sehr einfaches Rezept und jeder Stümper wird es als das leichteste Ding von der Welt betrachten, nach diesem Rezept eine recht einträgliche Salbe zusammen zu reiben. Nur schade, dass es eben dem Stümper leichter gelingt, als dem Genie, das immer den Berggipfel im Auge hat und darüber vergisst, die Gänseblümchen am Wege zu pflücken, auch wenn es einmal darauf ausgegangen ist, den Gipfel bei Seite zu lassen und ein Sträußlein zu binden. Für das Gänseblümchen-Suchen haben nun namentlich die Damen eine hübsche Begabung, weshalb es nicht verwunderlich ist, dass sie unsere belletristischen Zeitschriften beherrschen und damit — in Deutschland wenigstens — zur Zeit an der Spitze der „Litteratur" marschiren. Mitunter bringt nun freilich auch ein Genie dieses Talent mit auf die Welt — Beispiele sind oben angeführt worden — und mitunter gelingt es ihm auch, durch emsige Arbeit zu erringen, was die Menge verlangt, und in beiden Fällen giebt es dann Erfolge — trotz des Genies. Den letzteren Fall ins Auge gefasst, so giebt er uns auch die Erklärung dafür, warum die echten Begabungen, wenn sie überhaupt Erfolg erzielen, meist spät zu demselben gelangen. In ihren ersten Werken geben sie eben nichts als das Weben ihrer Seele wieder und erst langsam unter dem Drucke der Not oder anderer beengender Verhältnisse erschließt sich ihnen der Blick für die Gänseblümchen. Man vergleiche z. B. was Alfons Daudet schrieb, als er noch fast unbekannt war, mit dem Roman, der ihm plötzlich zu Ehre und Geld in Fülle verhalf, mit „Fromont jeune et Risler ainé". Bisweilen passirt es auch, dass der gewählte Stoff schon für reichliche Spannung sorgt, dass er jenen bunten Wechsel der Situationen bringt, den man vom Romanschriftsteller wie vom Theaterdichter verlangt, und damit erklären sich jene merkwürdigen Erfolge — bei bedeutenden Geistern wie bei Stümpern — die nur einem einzigen Werke des Autors zu Teil wurden. Einmal tat der Mann einen glücklichen Griff, er packte einen Stoff, der all das bot, was die Leute wollen, oder ihn zwang, die Situationen zu häufen, das rein Stoffliche herauszuarbeiten, und so hatte er auch einmal das Vergnügen, es der Menge recht zu tun. Ueberhaupt ist das rein Stoffliche für die Technik wesentlich und wie innig der Zusammenhang zwischen diesen Dingen ist, das beweist auch der Umstand, dass die Echten viel seltener Glück bei der Stoffwahl haben als die Virtuosen. Dem Virtuosen ist eben der Stoff, die Wirkung alles und er muss deshalb instinktmäßig Stoffe vermeiden, die dem Geschmack der Menge nicht entgegenkommen, während der Dichter immer auf den Kern der Sache losgeht und dann oft erst nach langen Jahren von diesem so weit befreit ist, dass er sich sagt: das konnte ihnen freilich nicht gefallen oder musste sie verletzen. Umgekehrt giebt es dann auch Autoren, die dieses Talent der Mache besitzen, ursprünglich nur darauf ausgehen, damit Geld zu verdienen, dann aber von der echten Kraft, die daneben in ihnen wohnt, fortgerissen werden und sich zu bedeutenden Leistungen aufschwingen — namentlich die neuere französische Litteratur weist solche Schriftsteller auf. Das ist vielleicht auch für die Nation charakteristisch und ganz besonders scheint mir der Unterschied zwischen dem derzeitigen französischen und dem derzeitigen deutschen Litteratur-Publikum durch den Umstand beleuchtet zu werden, dass bei uns bedeutende, tiefe Talente sich bequemen müssen, recht harmlos zu sein, wenn sie nicht verhungern wollen, während in Frankreich selbst reine Techniker wie Sardou bisweilen tiefgehende Probleme ergreifen, erastere Wirkungen anzustreben suchen und anstreben — dürfen.

Selbstverständlich ist das Alles cum grano salis zu nehmen und es fällt mir nicht ein, zu behaupten, dass nicht auch andere Mittel in einzelnen Fällen zu einem Erfolge verholfen haben. Im Großen und Ganzen aber sind halbwegs dauernde und wirkliche Erfolge nur durch die Technik des Autors resp. das Stoffliche des betreffenden Werkes errungen worden. Man glaube ja nicht, dass z. B. Ebers seine Erfolge der gediegenen Kenntniss des alten Aegyptens und der dem Altertümlichen entgegenkommenden Mode verdankt. Ich empfahl einmal einer Dame, die für Ebers schwärmt und nur bedauerte, dass Ebers nicht französisch schrieb, weil sie deutsche Bücher nicht gerne liest, Flauberts „Salambo“. Ein Buch, in dem die Welt des alten Karthago mit nicht geringerer Sachkenntniss gemalt wird und das daneben von einem ganz anderen Atem als die Eberschen Romane, von einem echten, glühenden Dichteratem belebt wird — und die Dame kam ganz empört und sagte: Wie können Sie mir zu einem solch entsetzlichen Buche raten — wen in der Welt kann das amusiren! Die Dame sprach im Namen von Hunderttausenden. Was Ebers populär gemacht hat, das war eben sein Talent, den armen Aegyptern genau dieselben verwickelten, süßlichen Liebesgeschichten anzudichten, wie sie der Marlitt und ihrem Nachtrab besonders gut gelingen und wie sie die Birch-Pfeifferleins der Gegenwart bald ernster und bald heiterer für die Bühne zubereiten.

Ist aber der Erfolg, wie wir gesehen haben, eine Sache, die von der wirklich dichterischen Begabung so gänzlich unabhängig ist, dann drängt sich uns die furchtbare Frage auf: Wohin muss bei den gegenwärtig in Deutschland herrschenden Verhältnissen unsere Litteratur steuern? Immer gewaltiger wird die Schaar der rein technischen Begabungen, Bühne und Zeitungen stehen unter ihrer Herrschaft und die wirklichen Talente müssen sich entweder bequemen, von ihnen zu lernen, oder sie reiben sich, wenn sie das nicht können, auf in einem Kampfe, der zu den entsetzlichsten aller Kämpfe gehört. Das Ende ist Verbitterung, Schrullenhaftigkeit, Abwendung vom warmen Leben und wenn, wie meistens, dazu äußere Bedrängnisse kommen, Verstummen, Untergang in kümmerlicher Tagelöhnerarbeit, Hunger, Wahnsinn, eine erlösende Kugel. Da sitzen sie die Herren und falten wieder die Hände über den dicken Bäuchen und säuseln: „Wie herrlich haben sich die Zeiten geändert! Rollende Goldstücke, prächtige Landhäuser, Tantièmen und fürstliche Honorare, das ist heute das Loos der Dichter.“ — Aber sie täuschen sich. Das ist das Loos des neuen Gewerbes, das uns die Zeit der Theatertantièmen und der goldstreuenden Journale gebracht hat, und diese Handwerker nehmen den wirklichen Talenten noch das bischen Sonne, das ihnen bisher vergönnt war. Wie das anders werden soll — ich weiß es nicht. Dagegen weiß ich ein Mittel, wie man jene armen Teufel, denen die Natur die am meisten beneidete und doch unseligste Gabe, das Genie, in die Wiege legte, vor dem Schlimmsten bewahren kann. Wenn das deutsche Reich für seine Talente kein Geld hat, so giebt es doch innerhalb seiner Grenzen genug Millionäre, die vielleicht nur der Anregung bedürfen, um zu tun, was der Staat nicht tut. Die paar Stiftungen, die wir haben, sind selbst als Almosen-Stiftungen unzureichend. Es handelt sich aber nicht um Almosen, sondern um Pensionen, ähnlich wie sie Björnson und Ibsen von ihrem kleinen Vaterlande beziehen, um Pensionen, welche es den unbemittelten Talenten ermöglichen, ungehemmt ihre geistigen Ziele verfolgen zu können, und die den jungen Kräften das furchtlose Emporklimmen gestatten. Vielleicht giebt es doch auch noch für ernste Geistes-Interessen Mäcene in Deutschland und nicht bloß für die glücklichen Besitzer hoher C's. Solcher Mäcene aber bedarf heute das Schrifttum dringender als je, soll es nicht ganz überwuchert werden von der Unterhaltungslitteratur. Alle Federkämpfe gegen diese sind nutzlos und alle Träume von dem „Erfolg“ des Guten sind — Träume. Die sozialen Verhältnisse werden von Jahr zu Jahr schwieriger und in demselben Maße nimmt bei den Durchschnittsmenschen das Bedürfniss nach Zerstreuung zu und die Lust nach Weiterbildung und Veredlung, die Anteilnahme an den höchsten Interessen ab. Deshalb wird der litterarische Erfolg von Jahr zu Jahr mehr eine Sache äußerlicher Dinge und es muss rapid abwärts geben mit unserer Litteratur, wenn ihr nicht endlich Retter erstehen. Aber keine Retter mit der Feder, sondern solche mit dem Geldbeutel. Das Geld wird zwar von denen, die es haben, als „unpoetisch“ verdammt; es ist aber nicht bloß zeitgemäß, sondern sogar notwendig, dass es die Patenschaft der neuen Litteratur übernimmt. Eine große

Litteratur muss Kerker öffnen und Fesseln brechen, muss ungehemmt sich ausleben können nach allen Weiten — heute aber ist nur der frei, der Geld hat, und die Sklaven müssen Steine klopfen und kuschen wie zu jeder Zeit. Und deshalb ist das Geld ein herrliches Ding, dem man selbst einen begeisterten Hymnus weihen dürfte: Es macht unabhängig in jeder Beziehung und vor Allem unabhängig — vom „litterarischen Erfolg“!

Die vorgeschichtliche Burg im Peloponnes.

Tiryns. Der prähistorische Palast der Könige von Tiryns. Ergebnisse der neuesten Ausgrabungen von Dr. Heinrich Schliemann. Mit Vorrede vom Geh. Oberbaurat Professor F. Adler und Beiträgen von Dr. W. Dörpfeld. Mit 188 Abbildungen, 24 Tafeln in Chromolithographie, einer Karte und vier Plänen. — Leipzig, F. A. Brockhaus.

I.

Wenn das Dunkel der Vorgeschichte in Kleinasien und Griechenland mehr und mehr sich lichtet; wenn hinter dem glänzenden, sternbesäeten Schleiergewande der Dichtung die lebendige Wirklichkeit des grauesten Altertums uns stets sichtbarer vor die Augen tritt: so haben wir dies den rastlosen, erfolgreichen Forschungen Schliemanns zu danken. Hier liegt nun wieder in prächtiger Ausstattung ein Werk, in der Sache selbst eine Tat von ihm vor, deren Bedeutung für unsere Kenntniss der griechischen — doch nein! der vor-griechischen Urzeit im Peloponnes von unvergleichlicher Wichtigkeit ist. Was da an altertümlichster Baukunst, an einfachen Anfängen der Malerei zu Tage gefördert wurde, ist wirklich unschätzbar.

In einem furchtbaren Brande — ohne Zweifel, wie Troja, nach einer Belagerung — wurde Burg und Palast von Tiryns zerstört. Im Anschluss an eine Ausführung von Professor Mahaffy setzt Dr. Schliemann diese erste Zerstörung in eine ferne vorgeschichtliche Zeit — viel weiter zurück, als man gemeiniglich annimmt. Eine menschliche Wohnung trug die Baustelle des Palastes nie wieder. Nur einmal wurde dort, in späten Tagen, eine kleine, am Südende gelegene byzantinische Kirche errichtet, welche von vielen Gräbern umgeben war. Sie ist ebenfalls von Schliemann ans Licht gebracht worden.

Eine Stadt Tiryns hat es allerdings in klassischer Zeit gegeben. Sie zog sich, auf der Baustelle der Unterburg des uralten Tiryns, rings um die in der Vorzeit zerstörte Veste. In den vielen, um die Burg herum abgeteuften Schachten fand der Entdecker denn auch nahe an der Oberfläche hellenische Topfscherben; in den unteren Schuttschichten dagegen bemalte und einfarbige vorgeschichtliche Topfwaare aus Brandthon, sowie Messer und Pfeilspitzen aus Obsidian. Noch tiefer aber grub Schliemann. Wie Eustathios und Stephanos von Byzanz angeben, war der Ort, wo später Tiryns gegründet wurde, ursprünglich ein Fischerdörfchen. „Und in der Tat,“ schreibt Schliemann, „haben meine Ausgrabungen an mehreren Stellen des Burghügels, und namentlich auf der mittleren Terrasse, deutliche Spuren einer urältesten ärmlichen Niederlassung aufgedeckt, welche dem Bau der großen cyklopischen Mauern und des königlichen Palastes lange vorhergegangen sein muss.“

So wunderbar bestätigen sich oft die klassischen, wenngleich manchmal in Märengewand gehüllten Ueberlieferungen des Altertums.

Die nächste Frage ist nun: Wie stimmen die von Schliemann gefundenen Bau- und Bildwerke zu der von den griechischen Schriftstellern einstimmig gemachten Angabe, dass kleinasiatische Lyker — ein Teil des großen Thraker-Volkes, unter welchem die Phryger und die Geten an Bedeutung hervorragten — die Bauten in Tiryns errichtet haben?

Lassen wir hier vor Allem den Oberbaurat Dr. Adler sprechen. In einer umfassenden, trefflichen Vorrede giebt er einen äußerst belehrenden Ueberblick in Bezug auf uralte Bauweise in Süd-Griechenland einer-, im thrakischen Teile von Kleinasien andererseits. Er schreibt:

„Die höchste Stufe unter den hier besprochenen Bauwerken stellen die Kuppelgräber dar, und unter diesen wieder die Façaden-Gräber. Nach meiner Ansicht erscheint in denselben der merkwürdige, wenn auch verfrühte Versuch, zwei gegensätzliche Bau-Systeme zu einer Einheit zu verschmelzen: nämlich das System des Holzdecken-Baues mit dem des Kuppelbaues. Die in Relief dargestellte Façade ist nach ihrem Grundgedanken nichts als der schematisch reduzirte Typus der gesäulten schattigen Vorhalle des Männersaales: ein Typus, der am Atreus-Grabe am deutlichsten erkennbar ist, und den das Löwentor-Relief in noch knapperer Fassung — nur andeutend — überliefert. Dieses Prothyron, welches gewiss allgemein als der Hauptteil des Herrscherpalastes galt — zahlreiche Anspielungen der Tragiker deuten darauf hin — sollte mit dem Kuppelgemache verbunden werden, um dasselbe im Aeußeren als Königsgrab zu bezeichnen. Das war der kurze Inhalt des Bau-Programms in Mykenä wie in Orchomenos.“

Weiter:

„Aber noch wichtiger ist die Belehrung, welche wir einer Analyse des zweiten Systems verdanken. Ich glaube nämlich in dem Kuppelbau und seiner Dromos- (Einfahrts-) Anlage die letzte monumentale Gestaltung einer uralten nationalen Bauweise, der phrygischen, sehen zu sollen. Vitruv berichtet aus griechischen Quellen, dass die in den Tälern wohnenden Phryger ihre Wohnungen in künstlicher Weise unterirdisch zu gestalten pflegten, indem sie die über der ausgehobenen Grube eines Erdhügels kegelförmig aufgestellten Pfosten oben zusammenbanden und mit Rohr und Reisig bedeckten, um einen möglichst großen Erdhaufen darüber zu schütten. Der Eingang wurde durch eingegrabene Gänge von außen hergestellt, und solche Wohnungen seien im Winter sehr warm und im Sommer sehr kühl. Die Hauptzüge dieser nationalen Bauweise wiederholen Xenophon und Diodor für die Bauernhäuser der den Phrygern stammverwandten Armenier; und noch heute finden sich ähnliche Anlagen in jenen Gegenden."

Hier ist also die griechische Ueberlieferung, nach der Ansicht eines kundigen deutschen Meisters, gerade durch die Bau-Ueberbleibsel in Tiryns erhärtet.

Und wenn wir uns der germanischen Verwandtschaft der Phryger, der Lyker und anderer Thraker erinnern: müssen wir da, bei der klassischen Meldung über die unterirdischen Wohnungen der Phryger, nicht an des Tacitus („Germania", 16) Nachricht von den unterirdischen, mit Kot überdeckten Gruben-Häusern unserer Vorfahren denken, welche sie zur Winterszeit der Wärme halber, bei Feindesüberfall, wie auch für Aufbewahrung von Früchten benutzten? Bei solchem Zusammentreffen tritt uns auf einmal wieder die einst so gewaltige räumliche Verbreitung des Germanen-Stammes und seiner Gebräuche vors Auge.

Doch lassen wir Dr. Adler weiter sprechen.

Der Peloponnes hat bekanntlich seinen Namen von einem lydischen Thraker-Fürsten Pelops aus Kleinasien, dessen Geschlecht — das der Atreiden — zu Mykene herrschte. Noch bei spätern griechischen Dichtern wird diesem Geschlechte die phrygische Fremdlingsabkunft vorgehalten. Wie stellen sich nun die Baureste in Süd-Griechenland zu dieser Helden- und Stammes-Sage? Hier bemerkt Dr. Adler:

„Aus einer tiefeingeschnittenen Zugangsstraße und einem centralen Binnenraume, der nachträglich durch Erdüberschüttung unterirdisch gemacht wurde, setzte sich das Kuppelgrab zusammen. Eine so merkwürdige Uebereinstimmung ist nicht Zufall, sondern sicher Tradition. Aus jener urtümlich schlichten, mit Erde beschütteten Kegelhütte sind bei höher gesteigerten Ansprüchen zuerst die Pfosten verschwunden, denn sie waren immer sehr wandelbar und feuergefährlich; man hat sie durch dicke Wände von Luftziegeln mit hölzernen Ringankern ersetzt. Noch später traten an die Stelle der Luftziegel Steinwände.... Wo und wann jene wichtige Durchgangsstufe vom Holz- zum Ziegelbau erfolgte, ist unbekannt. Weil es aber ein Backsteinland gewesen sein muss, darf in erster Linie an das breite Hermos-Tal gedacht werden, welches unerschöpfliche Thonlager besaß... Aus dem Hermos-Tale, von Sipylos, ist aber nach der Sage der reiche Fürst Pelops nach Griechenland gekommen; sein Geschlecht hat die größte Machtfülle und hohen Ruhm bei Mit- und Nachwelt erworben; der sprichwörtliche Reichtum der Atriden tritt uns noch heute in der Burg und in den Königsgräbern von Mykenä entgegen. Alles dies spricht nach meiner Ansicht dafür, dass wir in den Kuppelgräbern Raumschöpfungen haben, deren Grundgedanke aus der nationalen Bauweise Phrygiens hervorgegangen ist, und deren Uebertragung auf griechischem Boden mit der Einwanderung vornehmer phrygischer Geschlechter zusammenhängt. Den gleichen Hinweis auf dieselbe Urheimat liefert das vielbesprochene Relief des Löwentores, und zwar heute noch besser als früher, seitdem es Ramsay geglückt ist, zu den schon lang bekannten jüngeren Ableitungen dieser Komposition die älteren und strengeren Vorbilder an großen Fels-Façaden Phrygiens wieder aufzufinden."

Ebenso beweiskräftige Ausführungen enthält Dr. Adlers Vorrede über die Halbsäulen und die Rundhölzer-Decken. Die schlanken Verhältnisse der Halbsäulen — einschließlich derjenigen am Löwentor von Mykene — und ihre Einzapfung in Unterschwellen beweisen ihre Herkunft aus dem auf Kleinasien hinleitenden, ursprünglichen Holzbau. Die Rundhölzer-Decke selbst ist am Löwentor im Querschnitt angedeutet. Hier tritt der baukundige Verfasser der Vorrede abermals für die Richtigkeit der klassischen Ueberlieferung ein, welche für die Gründung von Tiryns auf das thrakische Lykien und seine kyklopischen Werkleute weist.

„Lykien," bemerkt Dr. Adler, „ist nun diejenige Landschaft Kleinasiens, welche den Deckenbau von nebeneinander gestreckten und in der Front weit vortretenden Rundhölzern in unzähligen Felsgräbern verewigt hat, ja, an dieser uralten Struktur bei dem Baue ihrer Hütten noch heute festhält. Aus Lykien stammt aber, neben der Rundhölzerdecke, kraft der nicht wegzuleugnenden Landes-Sage, auch der Mauerbau mit riesigen Bruchsteinen, der den alten Luftziegelbau allmählich aus der Festungsbaukunst verdrängt und neue Entwicklungen angebahnt hat."

Hier sind wir also wieder bei einem thrakischen Volke angelangt, das — gleich den ebenfalls thrakischen Troern — aus Kreta nach Kleinasien gekommen war und von dort wieder nach Griechenland herübergriff. Den Zusammenhang von Tiryns mit Lykien betont Dr. Adler wiederholt. Er erinnert dabei an die Tatsache, dass „allen Ueberlieferungen zufolge die älteste Kulturentwicklung von Kreta ausgegangen ist, d. h. von einer Insel, die, vor den Toren Aegyptens und Libyens liegend, vor allen anderen Eilanden berufen war, die auf kriegerischem oder friedlichem Wege erworbenen Kultur-Elemente des hochentwickelten Pharaonen-Staates im Archipelagus zu verbreiten."

Hier will ich nur in Kürze die Bemerkung einflechten, dass wir auf vereinzelte Ausläufer des weitverzweigten Thraker-Stammes selbst in Nord-Afrika stoßen. Von dem einst thrakisch besiedelten Kreta war es ja für ein so wanderlustiges, abenteuerndes Volk nach der gegenüberliegenden afrikanischen Küste nur ein Katzensprung. Doch davon später mehr.

Mit gutem Grunde möchte Dr. Adler die ältesten

Baudenkmäler Lykiens und Kretas aufgenommen und vergleichend zusammengestellt sehen. Das Befestigungswesen, wie es an der Burg zu Tiryns erscheint, findet er überhaupt sehr verbreitet, auch in Aegypten, sowohl im Delta-Lande, als in Ober-Aegypten. Ohne phönikischen Einfluss zu leugnen, gibt er ihn für die älteste Zeit nur in einem sehr beschränkten Maße zu. In Phrygien, Lykien und Lydien sieht er die Urheimat und das Vorbild für die ältesten Bauten in Süd-Griechenland.

Diese Ansicht stimmt, wie ich weiß, mit derjenigen des bedeutendsten englischen Kenners, des Dr. James Fergusson,*) zusammen, dem das vorliegende Werk gewidmet ist. Er hat mir seine Ueberzeugung persönlich in umfassender Weise ausgesprochen. Erinnern wird man sich, dass Fergusson, gleich nach der ersten Uebersendung des von Dr. Dörpfeld aufgenommenen Planes von Tiryns, die merkwürdige Aehnlichkeit, ja, Gleichheit dieses Planes mit dem Grundrisse von Troja betonte. Sein für Dr. Schliemann hoch ehrender Brief kam bei der Anthropologen-Versammlung zu Breslau zur Verlesung. Dr. Fergusson ist heute vollkommen überzeugt, dass wir es in Tiryns mit der Bauschöpfung eines thrakischen Volkes zu tun haben, zwischen dem und den später in den Peloponnes eingedrungenen dorischen Griechen geschichtlich eine klare Trennungslinie zu ziehen ist, wenn auch die beiden Völker allmählich mit einander verschmolzen.

Troja heißt bei den Alten oft genug die „Phryger-Burg". In Mykene, das von Tiryns aus gegründet wurde, hauste ein phrygisches Herrschergeschlecht. So trifft wiederum Alles zusammen, um zu beweisen, dass die klassische Ueberlieferung von der lykisch-thrakischen Gründung von Tiryns richtig ist, und dass wir es bei den drei Burgen mit Thraker-Vesten zu tun haben.

Wenn in der Vorrede die Phryger im Peloponnes als die „urgriechischen" Einwohner des Landes bezeichnet werden, so ist diese Benennung natürlich nur so zu verstehen, dass dies Thraker-Volk dort vor den Hellenen eingedrungen war. Die Hellenen selbst bezeugen das. Mit den Griechen verglichen, war der Phryger-Stamm, obwohl ihnen arisch sehr nahe verwandt, nicht sowohl ein ur-, als ein ungriechischer, der eine fremde Zunge redete. Ein „Barbar" wird daher der Phryger Atreus noch bei Sophokles gescholten.

Es ist das große Verdienst Schliemanns, durch seine Entdeckungen die Ueberlieferungen des Altertums aufs wunderbarste bestätigt zu haben. Dies gilt, wie schon aus Obigem erhellt, auch für Tiryns. Zur Ueberraschung derer, welche aus der Sage, aus der Geschichte, aus den Bau-Ueberbleibseln selbst, die Wahrheit der klassischen Angaben erkennen, hat er diesmal die Gründung von Tiryns den Phönikern zuzuschreiben gesucht. Der Gegenbeweis dünkt mir klar erbracht. Dr. Schliemanns Entdeckung aber bleibt für die Geschichts- und Altertumskunde eine Errungenschaft von unschätzbarem Wert, — und zwar nicht am Wenigsten gerade deshalb, weil sie wiederum das klassische Zeugniss stützt.

(Schluss folgt.)

London. Karl Blind.

*) Der berühmte Gelehrte und Baumeister ist seit Abfassung der Besprechung in seinem achtundsiebzigsten Jahre plötzlich verstorben.

„La Morte."

Octave Feuillet hat im Dezember und Januar der Revue des deux mondes einen neuen Roman gegeben: la Morte. Derselbe erregte beträchtliches Aufsehen, obwohl er keineswegs der neuen Schule angehört. Im Gegenteil! Noch nie hat Jemand Herrn Feuillet des Realismus oder Naturalismus geziehen. Dieser Schriftsteller hat vielmehr ein schönes, obwohl etwas mattes Formtalent nebst den ehrenwerthesten Gesinnungen, und um seiner moralisierenden Tendenzen willen nannte man ihn seiner Zeit mit einem verzweifelten Wortspiel: le Musée (Musset) des familles. In der That reicht sein erstes Auftreten noch in die letzte Epoche der französischen Neuromantik hinauf. Im Jahre 1822 zu Saint-Lô in der unteren Normandie (Dép. de la Manche) geboren, machte sich Feuillet schon vor Ende der vierziger Jahre einen Namen mit Novellen, Romanen und kleineren dramatischen Sachen. Seine Hauptwirksamkeit aber griff unter dem zweiten Kaiserreich Platz. Erst erschien der berühmte, später dramatisierte Roman d'un jeune homme pauvre, welcher am 26. Februar wieder auf die Bühne des Gymnase kam; dann gab er seine erfolgreichsten Stücke: la Rédemption, Dalilah und la Tentation. Feuillet gehörte damals zu den sogenannten Arkadiern oder politischen Optimisten, welche Napoleon III. für den größten Mann des Jahrhunderts hielten. Doch wusste er seine persönliche Unabhängigkeit und Würde stets zu wahren. Als er im März 1863, als Nachfolger von Scribe, in die Akademie aufgenommen wurde, schmückte die Kaiserin Eugenie die Feierlichkeit mit ihrer Gegenwart. Natürlich hatte sein Discours de réception das Lob seines Vorgängers zum Gegenstand; doch glaubte der Redner zugleich die „untergeordnete Gattung des Romans" (!!!), die er vertrete, wegen ihres Einbruchs in eine so gewählte Gesellschaft entschuldigen zu müssen. Nun, andere Zeiten, andere Sitten! Feuillet jedoch ist seiner Zeit und ihrem weitschichtigen, etwas katholisch gefärbten Liberalismus treu geblieben. Der materielle Fortschritt und das Aufblühen der Naturwissenschaften haben ihn kalt gelassen. Er kann sich nicht entschließen mit der Eisenbahn zu reisen und macht die hundert Stunden Wegs in seine normännische Heimat immer mit Ross und Wagen. Um so auffallender bleibt es, dass diese kühle, vornehm zurückhaltende Natur in der **Todten** auf einmal polemisch geworden ist. Wir werden sogleich sehen, wie, nachdem wir zwei Worte über die Handlung des Romans gesagt haben.

Ein reicher und etwas blasierter Voltairianer aus der großen Welt hat ein in strengster Frömmigkeit erzogenes Fräulein geheiratet, und einige Jahre verträgt man sich so, trotz vergeblicher gegenseitiger Bekehrungsversuche. Da führt die gefährliche Erkrankung des einzigen Kindes während eines Landaufenthalts einen in der Nähe wohnenden Naturforscher herbei, welcher in absonderlichen Fällen auch Arzt ist. Dieser tiefgelehrte Sonderling hat eine wunderschöne Nichte Namens Sabine bei sich, welche seine Studien teilt und nach vollendeter materialistischer Erziehung von ihm geheiratet werden soll. Dieselbe nimmt jedoch den Materialismus praktisch ernsthaft, und während der Doktor der rechtlichste Mensch von der Welt ist, denkt das Mädchen nur an unbeschränkten, egoistischen Lebens- und Sinnengenuss. Der Nachbar hat die Gabe ihr zu gefallen und sie ihm, und wie nun des Ersteren Frau einen Anflug von Herzkrankheit bekommt, spielt Sabine die Aerztin, wirft sich zur Pflegerin auf, hilft der zaudernden Natur durch Dosen von Akonit nach, und schließlich heiratet diese neue Lukrezia Borgia den nichts ahnenden Witwer. Der gute Doktor aber kommt der Sache auf wissenschaftlichem Weg auf die Spur, und im Schrecken vor seinen Erziehungsresultaten rührt ihn der Schlag. Mit der Zeit erfährt auch der Gatte, wen er geheiratet hat. Er schafft die Schuldige durch Drohungen mit den Gerichten und einen Vergleich in Geldsachen aus dem Lande und tröstet sich mit der Erinnerung an die **Todte**, welche ihn mit der Zeit wohl noch zum wahren Glauben zurückführen wird. Was aus Sabinen wird, das erfährt man nicht; doch dürfte sie der verdienten Strafe nicht entgehen, denn das „**Vergeben**“ wird ja bekanntlich eine Monomanie und kommt dadurch immer heraus.

Moral: Männer können, unbeschadet ihrer sittlichen Reinheit, Naturforscher sein; das schöne Geschlecht dagegen gerät durch solche Studien auf die Abwege des Pessimismus und Nihilismus. Giebt man ihm Skalpel und Mikroskop, Retorten und Destillierkolben in die Hand, so können diese Werkzeuge gefährlich werden, und vegetabilische Gifte erscheinen im Haushalte neben **Suppe, Gemüse** und **Fleisch**. Die Absicht des Verfassers ist klar. Offenbar will Feuillet in seinem Roman vor der radikalen Reform warnen, welche das französische Unterrichtsministerium seit einigen Jahren in Betreff der höheren weiblichen Erziehung unternommen hat. Diese Erziehung geschah vordem und geschieht zum größten Teil noch in Klosterschulen oder denselben nachgebildeten Privatpensionen von streng religiöser Färbung. Dieser geistlichen setzt jetzt der Staat eine rein weltliche Bildung in den neubegründeten höheren Töchterschulen (**Lycées de jeunes filles**) entgegen. **Hinc illae lacrymae!** Daher der doktrinäre, polemische Anstrich des Feuilletschen Roman mit seinem Warnungsruf gegen die wissenschaftliche und irreligiöse Erziehung unserer künftigen Frauen, Mütter und Großmütter. Beiläufig gesagt kommt auch in dem neuesten Stück von Gondinet, **Un Parisien.** (**Théâtre français**), aber nur als komische Figur ein Mädchen vor, welches eine derartige Bildung genossen hat und dieselbe mit der naivsten Pedanterie geltend macht wie **Armande** in Molières **Femmes Savantes**.

Der in der **Todten** ausgestoßene Not- und Angstschrei erinnerte uns lebhaft an eine ähnliche Mahnung, welche sich vor vielen Jahren vernehmen ließ in einem einst hochberühmten und heute tiefvergessenen Dichtwerk, nämlich in der 1849 erschienenen **Amaranth** von Oskar von Redwitz. Auch Redwitz wollte die Mitwelt vor den sie bedrohenden Gefahren warnen. Die in seinem Gedicht auftretende kecke und kokette Italienerin Ghismonda, schön aber bös, mit „Haupt und Stirn von Alabaster“ und voll von dem frivolsten Unglauben, bedeutet die wühlerische Demagogie, welche in den politischen Krisen des Jahres 1848 zu Tage trat mit der Absicht Tron und Altar umzustürzen und alle heiligen Gefühle aus dem Herzen des Volkes zu reißen. Das lässt aber der biedere Ritter Walter, der jenes im Grunde noch unverdorbene Volk personifiziert, nicht gelten. Statt nach dem Willen seines verstorbenen Vaters die glänzende aber schlimme Ghismonda zu heiraten, kanzelt er sie wegen ihres Unglaubens und ihrer Weltlust in einer Reihe von gereimten politischen und religiösen Gesprächen tüchtig ab, lässt sie dann sitzen und geht zu Amaranth, einer gottesfürchtigen, häuslichen Tugend mit „himmelblauer Nase“, welche Lesen und Schreiben für eine nicht nur unnötige sondern selbst verwerfliche Beschäftigung hält, sich dagegen um so besser aufs Beten, Kochen und — Küssen versteht.

Man sieht, Ghismonda entspricht der Aerztin, nur dass sie keine Giftmischerin ist, und Amaranth kommt auf die **Todte** heraus, mit dem Unterschied, dass die Erstere noch im Diesseits, Letztere aber erst im Jenseits triumphirt. Auch die Warnung vor bedenklichen Neuerungen bleibt dieselbe. Diejenige des Herrn von Redwitz trug ihrer Zeit, in Verbindung mit manchen anderen Maßregeln, die gewünschten Früchte; dagegen wird sich heutzutage der französische Staat, um der **Todten** willen, schwerlich bewogen finden die unternommene Reform des höheren weiblichen Unterrichts fallen zu lassen.

Caen. **Alexander Büchner.**

Litterarische Neuigkeiten.

Die Verlagshandlung von G. Barbèra in Florenz hat sich mit den drei gefeierten Schriftstellern Paolo Mantegazza, Ruggero Bonghi und Antonio Giulio Barrili verbunden, um dem italienischen Volke für geringen Preis eine gesunde, spezifisch nationale Lektüre anzubieten. Jedes Bändchen von etwa 100 Seiten Sedez dieser „Piccola Biblioteca del Popolo Italiano" kostet 50 centesimi. Außer den zwei bereits erschienenen Beiträgen der Herausgeber Mantegazza und Barrili sollen im Laufe des Jahres noch 26 andere kommen, so dass im Ganzen 25 Schriftsteller, die sich in den Natur- oder Geisteswissenschaften, als Dichter oder als Litteraten einen Namen gemacht haben, zum Wort gelangen werden.

Unter der Presse der königlichen Hofbuchhandlung von Wilh. Friedrich in Leipzig befindet sich ein neues Buch von Ernst Eckstein. Dasselbe trägt den Titel: „Ringkämpfe" und enthält auf fünfzehn Bogen groß Oktav eine Auswahl jener geistreichen in jeder Beziehung hervorragenden Essays, welche der Verfasser von Zeit zu Zeit auch unseren Lesern bietet. Ecksteins Talent für solche ästhetisch kritische Aufsätze ist allgemein anerkannt. Die meisten Stücke dieser Sammlung sind wahre Kabinetstücke in ihrer Art. Einer besonderen Empfehlung bedarf diese Novität also für unseren Leserkreis nicht.

Den ersten Preis (1000 Mark) der seiner Zeit auch von uns angekündigten Feuilleton-Konkurrenz der „Wiener Allgemeinen Zeitung" hat, wie wir hören, die bekannte Schriftstellerin Frau Franzisca von Kapff-Essenther in Wien mit dem Werk: „Der Abgrund" davongetragen. Den zweiten Preis (300 Mark) errang Heinrich Baum mit: „Warum mein Onkel Victor nicht geheiratet hat" und den dritten (200 Mark) Joseph Willomitzer mit: „In der Sturmnacht". Einen Extra-Ehrenpreis von 200 Mark erhielt noch L. Westkirch mit einer Novellette: „Der rote Shawl".

Bei Fischbacher (Paris) ist erschienen: Lied und Legende. Recueil de Poésies allemandes avec des notices littéraires et biographiques par Philippe Kuhff, professeur au Collége Chaptal. Es ist ein Schulbuch, das bestimmt ist, unter dem litterarischen auch das volkstümliche Deutschland zu zeigen. Volkslieder und Kriegslieder, „Was ist des Deutschen Vaterland" und „Die Wacht am Rhein", befinden sich in dieser Blumenlese, welche natürlich Mühe haben wird, sich in den öffentlichen Lehranstalten einzubürgern.

Im Verlag von Robert Lutz in Stuttgart erschien soeben eine humoristische Novität. Dieselbe trägt den Titel: „Kadettenlust, Kadettenleid". Humoristisches Tagebuch in Reimen aus Bensberg, Berlin und Lichterfelde von E. von Kosberg. Der Verleger hat dem Buche ein poetisches Vorwort mit auf den Weg gegeben.

Die Verlagshandlung von Hermann Costenoble in Jena veröffentlichte vor Kurzem den zweiten Band der „Wanderungen eines Naturforschers im Malayischen Archipel von 1878—1883" von Henry O. Forbes, mit zahlreichen Abbildungen nach den Skizzen des Verfassers, einer Farbendrucktafel und vier Karten. Diese autorisirte deutsche Ausgabe besorgt bekanntlich Reinhold Teuscher.

Der Herausgeber der „North Amerikan Review", Herr Rice, bereitet eine Schrift: „Erinnerungen an Abraham Lincoln" vor, zu welcher die Beiträge der vornehmsten Zeitgenossen Lincolns und Zeugen seines Lebens gesammelt werden.

„Die Steuer der Presse" betitelt sich ein soeben im Verlage von Rainer Hosch, in Wien und Neutitschin erschienener Beitrag zur Geschichte des Zeitungswesens von Fr. S. Leiter. Das Buch tritt in entschiedener Weise für die Aufhebung des Zeitungsstempels ein, verficht somit in erster Linie das Interesse der Zeitungsverleger. Es enthält folgende Hauptabschnitte: Geschichte des Zeitungsstempels außerhalb Oesterreichs — Die Inseratensteuer — Die Steuer der Presse in Oesterreich — Das Verbot der Zeitungskolportage — Die Entwicklung der Presse in Oesterreich.

Der Tauchnitz-Edition Collection of british authors Vol. 2389 und 90 enthalten: „Nuttie's father" by Charlotte M. Yonge. Vol. 2391 enthält: „A Languing Philosopher" by Elsa D'Esterre-Keeling.

Band 15 der Engelhornschen allgemeinen Roman-Bibliothek enthält zwei Werke von Salvatore Farina in autorisirter Uebersetzung aus dem Italienischen und zwar die Novellen: „Aus des Meeres Schaum" und „Aus den Saiten einer Bassgeige".

Eine kleine, im Verlag der Stahelschen Universitäts-Buch- und Kunsthandlung in Würzburg erschienene Streitschrift trägt den Titel: „Der waldensische Ursprung des Codex Teplensis und der vorlutherischen deutschen Bibeldrucke gegen die Angriffe von Franz Jostes verteidigt von Hermann Haupt."

Im Juni werden 25 Jahre seit dem Tode Cavours verflossen sein. Man berichtet uns, dass zur Feier des Tages der fünfte Band der von Chiala herausgegebenen Korrespondenz des großen Staatsmannes erscheinen wird, der durch die Mitteilung fast seines ganzen mit dem Prinzen Napoleon gepflogenen Briefwechsels ein besonderes Interesse zu erregen nicht verfehlen kann. Chiala wird gleichzeitig die unedirten Denkwürdigkeiten des als Kanzler der italienischen Orden verschiedenen Michelangelo Castelli veröffentlichen und denselben eine ausführliche Korrespondenz des letztern mit Cavour beigeben. Der Exminister Domenico Berti soll unter Zuhilfenahme inedirter Schriftstücke die Jugend Cavours behandeln und der Abgeordnete Mariotti, der Uebersetzer der Reden des Demosthenes, eine Arbeit über die politische Tätigkeit Cavours und des Fürsten Bismarck drucken lassen, an der er schon mehrere Jahre arbeitet.

Der neuste Band von Bachems Roman-Sammlung enthält „Durch Kampf zum Ziel", Roman von Jos. Flach und „Ikarusflügel", eine Geschichte in vier Bildern von Elise Polko.

Dr. Peter Chmielowski hat über Adam Mickiewicz ein großes Werk erscheinen lassen (Warschau 1886). Mit Chmielowskis und Biegeleisens im vorigen Jahre erschienenen Werke scheint die Mickiewicz-Forschung vorläufig zum Abschluss gebracht zu sein. Von Herrn Chmielowski ist im vorigen Jahre ein grosses Werk über die Frauen in der polnischen Litteratur erschienen. Hoffentlich wird die vakante Professur für polnische Litteratur an der Lemberger Universität dem trefflichen Forscher übertragen werden. Eine gleiche Professur ist ihm von der russischen Regierung in Warschau angeboten worden, die er indessen ausgeschlagen hat, um nicht in russischer Sprache vorzutragen. Herr Chmielowski ist Redakteur der neuen wissenschaftlichen Monatsschrift „Ateneum" in Warschau, die, in liberalem Sinne redigirt, der Evolutionstheorie freundlich gesinnt, in rückschrittlichen Kreisen sich erbitterte Feinde erworben hat. Es wäre zu wünschen, dass dieser Umstand bei einer Berufung nach Lemberg ihm nicht hinderlich in den Weg trete.

Von Georg Webers Allgemeiner Weltgeschichte erschien im Verlag von Wilhelm Engelmann in Leipzig die 69. Lieferung der zweiten Auflage unter Mitwirkung von Fachgelehrten revidirt und überarbeitet. Dieselbe umfasst Bogen 27—33 des X. Bandes, welches das Zeitalter der Reformation enthält.

Die nächsten Nummern werden enthalten:

„Zur Geschichte der Philosophie." Ed. v. Hartmann.
„Renans Lobpreisung Victor Hugos." Ludwig Geiger.
„Gedichte." Hermann Lingg.
„Litterarische Erfahrungen." Hermann Heiberg.
„Geschichte der geistigen Entwicklung Europa's" Willer.
„Die Traumsprache." Rudolf Kleinpaul.
„Armenische Schriftsteller." II. Arthur Leist.
„Zur neusten hellenischen Litteratur." August Boltz.
„Eine Sünde der Männer." Gerhard von Amyntor.
„Die Geschichte der französischen Presse." G. Glass.
„Gedichte." A. Fitger.
„Unsere Kritik." Conrad Alberti.
„Ueber die Dichtungen der Gegenwart und ihre Vorliebe für Krankheitserscheinungen." Emil Jonas.
„Scandinavische Litteraturbriefe." Rudolf Schmidt.

Alle für das „Magazin" bestimmten Sendungen sind zu richten an die Redaktion des „Magazins für die Litteratur des In- und Auslandes" Leipzig, Georgenstrasse 6.

Verlag von Wilhelm Friedrich, K. R. Hofbuchhandlung, Leipzig.

Einleitung in ein Aegyptisch-semitisch-indoeuropäisches Wurzelwörterbuch
von Dr. Karl Abel.
2 Theile M. 90.—

Sprachwissenschaftliche Abhandlungen
von Dr. Karl Abel.
broch. M. 10.—

Grundzüge der tragischen Kunst.
Aus dem Drama der Griechen entwickelt von
Dr. Georg Günther.
broch. M. 10.—

Plautus.
Spätere Bearbeitung plautinischer Lustspiele
von Dr. Carl von Reinhardstoettner.
broch. M. 15.—

Die Aristokratie des Geistes als Lösung der socialen Frage
broch. M. 3.—

Mythologie der alten Hebräer
von Dr. Jos. Bergel.
broch. M. 3.—

Das Leben nach dem Tode
von N. F. Cartensen.
broch. M. 3.—

Die Chronologie der Bibel
von Dr. Victor Fleigl.
broch. M. 3.—

Grundzüge der Moral
von Dr. G. von Gizycki.
broch. M. 1,50.

Philosophische Fragen der Gegenwart
von Dr. Ed. von Hartmann.
broch. M. 6.—

Das Judenthum in Gegenwart und Zukunft
von Dr. Ed. von Hartmann.
broch. M. 5.—

Der Spiritismus
von Dr. Ed. von Hartmann.
broch. M. 3.—

Moderne Probleme
von Dr. Ed. von Hartmann.
broch. M. 5.—

Die jüdische Stammverschiedenheit, ihr Einfluss auf die innere und äussere Entwickelung des Judenthums
von Heinrich Mosler.
broch. M. 3.—

Die Religion Altisraels
von J. Sack.
broch. M. 3.—

Die Religion der Moral
von Wilh. Mack Salter.
Herausgegeben von Dr. G. von Gizycki.
broch. M. 5.—

Das System der Künste
aus einem neuen im Wesen der Kunst begründeten Gliederungsprinzip entwickelt von Dr. Max Schasler.
broch. M. 6.—

Geschichte der altgriechischen Litteratur
von Ferdinand Bender.
eleg. broch. M. 10.—

Aus Litteratur und Symbolik
von Dr. Paulus Cassel.
broch. M. 8.—

Aus Litteratur und Geschichte
von Dr. Paulus Cassel.
broch. M. 10.—

Geschichte der englischen Litteratur
von ihren Anfängen bis auf die neueste Zeit von
Dr. Ed. Engel.
broch. M. 10.—

Geschichte der französischen Litteratur
von ihren Anfängen bis auf die neueste Zeit von
Dr. Ed. Engel.
broch. M. 7,50.

Geschichte der Litteratur Nordamerikas
von Dr. Ed. Engel.
broch. M. 1,40.

Geschichte der deutschen Litteratur
von ihren Anfängen bis auf die neueste Zeit (1885)
von Dr. Franz Hirsch.
3 Bde. broch. M. 24,50.

Wieland und Reinhold
Beiträge zur Geschichte deutschen Geisteslebens
von Dr. Robert Keil.
broch. M. 6.—

Geschichte der polnischen Litteratur
von ihren Anfängen bis auf die neueste Zeit
von Heinrich Nitschmann.
broch. M. 7,50.

Thomas Carlyle
Ein Lebensbild von Dr. Eugen Oswald.
broch. M. 4.—

Geschichte der neugriechischen Litteratur
von ihren Anfängen bis auf die neueste Zeit
von F. R. Rangabé und Daniel Sanders.
broch. M. 5.—

Geschichte der russischen Litteratur
von ihren Anfängen bis auf die neueste Zeit von
Alexander von Reinholdt.
broch. M. 12.—

Geschichte der italienischen Litteratur
von ihren Anfängen bis auf die neueste Zeit von K. M. Sauer.
broch. M. 9.—

Geschichte der skandinavischen Litteratur
I. Theil: Geschichte der altskandinavischen Litteratur
von Dr. Ph. Schweitzer.
broch. M. 4.—

Zu beziehen durch jede Buchhandlung des In- und Auslandes.

Für die Redaktion verantwortlich: Hermann Friedrichs in Leipzig. — Verlag von Wilhelm Friedrich in Leipzig. — Druck von Emil Herrmann senior in Leipzig.

Das Magazin

für die Litteratur des In- und Auslandes.

Wochenschrift der Weltlitteratur.

1832 gegründet von Joseph Lehmann.

55. Jahrgang.

Preis Mark 4.– vierteljährlich.

Herausgegeben von Hermann Friedrichs.

Verlag von Wilhelm Friedrich in Leipzig.

No. 15. —— **Leipzig, den 10. April.** —— **1886.**

Inhalt:

Litterarische Erfahrungen.

Von Hermann Heiberg.

So viele Beschäftigungen, so viele Handwerksstuben mit besonderem Handwerkszeug. Manche brauchen von Letzterem sehr wenig.

Als ich vorigen Sommer durch den Harz fuhr, saß auf einer schattigen, links und rechts von herrlichen Bäumen eingefassten Chaussee auf einem der weißen Steine ein Mensch mit einer weißen Serviette, und vor ihm stand ein Barbier — und barbierte ihn mitten im Freien unter Vogelgezwitscher.

Die Beiden lachten, als wir hinschauten und wir lachten mit. Asmus omnia sua secum portat. Es sah possirlich aus und mir kam unwillkürlich der Gedanke, dass ebenso gering auch das Handwerksmaterial des Schriftstellers sei. Papier und Bleifeder tut's schon!

Ueberhaupt hat kein Geschäft so wenig Selbstkosten, es müsste dann der Gehirnsubstanz-Verbrauch von einem Pedanten täglich auf der Ausgabeseite notirt werden.

Aber Zeit ist Geld, und zum Schriftstellern gehört Zeit. Zum Schriftsellern aber gehört noch etwas Anderes, und von dem sei erlaubt hier zu sprechen: Man muss auch ein guter Geschäftsmann sein. Nur ein törichter Idealist kann über diese Behauptung die Nase rümpfen, nur ein Mensch, der die Welt nicht begreift, in der er lebt.

Von jeher war es für den deutschen Gelehrten eine Spezialdomäne, unpraktisch zu sein. Das Wort hat man ihm als Epitheton ornans angehängt. „Ein unpraktischer Gelehrter!“ Das hört man noch jeden Tag. Es giebt sogar Leute, denen bei diesem Laut der Weihrauch in die Nase steigt. Sie halten die Bezeichnung, auf sich selbst angewandt, für ein Kompliment. Sie erkennen eine besondere Genialität darin, so titulirt zu werden.

Aber wie allezeit der Eitle für den Dunstkreis seiner eingebildeten Größe schwer zahlen muss, so auch der unpraktisch die Dinge angreifende Mensch, möge er Holzpantoffeln fabriziren, Gedichte machen, oder eine griechische Geschichte schreiben.

„Wie soll ich's beginnen?“ hört man allerorten. Nun, man kann erwidern: Wer einmal schlechtes Brod bacht, der wird keine Kundschaft haben, und wenn sein Laden noch so zierlich hergerichtet, sein Firmenschild noch so groß ist. Wer aber etwas zu bieten hat, und wäre es „ungegypster Rotwein“, wird durch geeignete Maßregeln sein Produkt an den Mann bringen.

Bücher schreiben ist so gut ein Geschäft, wie jedes andere; für Bilder malen und Statuen meißeln gilt dasselbe. Wird's dann irgend ein Mensch übel deuten, dass man ihm womöglich die Rebe am Stock schon abnimmt und gute Preise zahlt? Keiner! Und weil das nicht zu bestreiten ist, kann nur der Unverstand denjenigen tadeln, schmähen oder über die Achseln ansehen, der die geeigneten, natürlich anständigen Mittel ergreift, seines Fleißes Produkt bestmöglichst zu verwerten.

Ohnehin wachsen die Bäume nicht in den Himmel. Die Welt hat eine feine Nase und einen außerordentlich richtigen Instinkt für das Gute, trotzdem, dass sie sich gemeiniglich gerne betrügen lässt. Ueberall stehen Hellebardiere, die auch ihren Verstand zu gebrauchen wissen, und — so viel man reden mag — die Dinge in dieser Welt reguliren sich doch alle am Ende nach ihrem wirklichen Wert.

Wenn Jemand heute ein besseres Wasser erfinden kann, als das Eau de Cologne, oder ein besseres Nationalgetränk fabriziren, als das Bier, — es giebt Nasen, die's herausfinden!

Wirkliche Sterndeuter lassen sich einen lichtleeren Mond nicht für eine Sonne aufbinden. — Für gute Waare zahlungsfähige Kundschaft finden und diese zu erhalten wissen durch solide Bedienung, das ist das A und O in jedem kaufmännischen Betriebe, und das gilt auch für den Schriftsteller.

Natürlich kommt die Kundschaft nicht ins Haus gelaufen; man muss sie suchen; und ausgezeichnete Waare zu einem Mittelpreis wird auch eher begehrt werden, als dieselbe zum höchsten. Wenn einer unserer ersten deutschen Schriftsteller die Gewohnheit hat, auf seinen Manuskripten zu bemerken: Preis pro Druckzeile 1 Mark, so giebt's wohl Leute, die's auch zahlen, aber wenn eben solche Filigran-Arbeit für 50 Pfennige pro Zeile zu haben ist — wird man — wie Andersen in seinen Märchen irgendwo mal sagt — „in sein Königreich gehen und die Tür hinter sich zumachen."

Wer keine Kenntniss in diesen Dingen hat, der muss sie sich eben schaffen. Es ist durchaus nicht genug, dass Jemand heutzutage einen Gil-Blas zu schreiben vermag, er muss die Leute finden, die zu beurteilen verstehen, dass es ein Gil-Blas ist! — Wie wenig Kenner es giebt, — sofern nicht die Berühmtheit schon den Erkennungsstempel darauf gedrückt hat, — beweist beispielsweise der immer sich wiederholende Streit über die Echtheit eines Gemäldes.

Nicht anders ist es mit Erstlings-Produktionen. Sicher ist, dass Laien schon das Genie eines Grabbe besaßen und ihre Werke den Flammen überlieferten, weil sie nicht an denjenigen kamen, der echte Diamanten von Simili-Steinen zu unterscheiden vermochte. So sehr ist bei der Vielschreiberei die Voreingenommenheit zu Hause, dass ein Mensch, der zum ersten Male produzirt, sicher darauf rechnen kann, dass ihn Neunundneunzig von Hundert für einen Ignoranten erklären.

Also man schaffe sich einen wohlwollenden Fachmann an, dessen Urteil in der Welt etwas gilt und lasse sich, von ihm ein Akkreditiv geben. Es geht ohne eine solches absolut nicht. Und Schulter an Schulter! Das ist doch das wahre Christentum im Leben und auch in litterarischen Dingen. Es giebt wirklich noch Christen, keine Scheinheilige, oder solche, welche die Form über den Inhalt stellen. — Ueber Absatzwege muss man sich zu orientiren suchen, so lange suchen, bis man die rechten Pfade findet.

So häufig hört man die Klage, dass dem Anfänger jedes Mittel fehlt, um sich zur Geltung, zur Anerkennung zu bringen. Ja! Geht's nicht in der ganzen Welt auf allen Gebieten so zu!? Das Sprichwort: Aller Anfang ist schwer, — und das Goethesche Wort: Jeder sehe, wie er's treibe, Jeder sehe, wo er bleibe, Eines schickt sich nicht für Alle — gilt auch für den schreibenden Menschen.

Zu Shakespeares Zeiten ward auf die Bühne ein Schild herabgelassen, worauf: „Eine Waldgegend", oder: „Das Innere des Towers" geschrieben stand. Das wirkliche szenische Bild musste der Zuschauer sich selbst hinzudenken. — Das geht heute nicht mehr. Man kann sich nicht hinstellen und sagen: „Ich bin ein Dichter, nun kauft!" Das Schreiben muss man so gut lernen, wie das Verwerten. Der größte Poet hat seine Nächte gehabt, in denen er auf seinem Bette weinend saß.

Wir müssen den Kern säen. Zuletzt wird ein großer, mit Blüten bedeckter Baum daraus.

Die litterarischen Fachblätter beschäftigen sich heut zu Tage wohl noch zu sehr mit theoretischen Dingen. Man gebe Anleitung, wie's zu machen ist, nenne die Zeitungen und Zeitschriften, welche Bedarf haben, spezifizire genau, was erforderlich ist, mache Verleger namhaft, die ihre Autoren solid behandeln und eine gesunde Tätigkeit entwickeln, weise auf Vermittlungs-Institute hin, die erfahrungsmäßig Vertrauen verdienen, gebe die Wege an, um verletzten Interessen zu ihrem Recht zu verhelfen, animire die Schriftsteller-Vereine, dass sie hilfreiche Hand bieten, strebe etwa die Gründung eines Instituts an, das, wie im kaufmännischen Verkehr, auf gute Waare Vorschuss leistet, und belehre namentlich, welche Art geistiger Produktion sich für hier und für dort eignet.

Jeder Schriftsteller wird die Erfahrung gemacht haben, dass das Gute an sich nicht beim Angebot hinreicht. Es muss in den Geist des Blattes passen. So hat beispielsweise das „Berliner Montagsblatt" sein ganz besonderes Genre. Das muss man studiren, oder sich darüber aufklären lassen. Was dort sich eignet, vielleicht mit allerbestem Dank entgegengenommen wird, weist mit höflicher Ausrede eine Gartenlaube-Redaktion ab. Nicht genug wird grade diese Tatsache berücksichtigt.

Ein tüchtiger Anfänger schreibt eine Novelle, liest sie im Kreise von Freunden vor, die urteilsfähig und ehrlich in ihrer Kritik sind, und empfängt ein uneingeschränktes Lob. Ohne sich klar zu machen, für welches Blatt die Arbeit sich eignet, versucht er sein Heil auf gut Glück und erhält eine Ablehnung. Wie der Erfolg die Kräfte, die Energie, ja das Können stärkt, so drückt andererseits ein „Nein" die Schaffensfähigkeit häufig auf Null. „Es ist ja doch nichts!" heißt es dann, und vielleicht war's gut und entsprach durchaus seinem Zweck, wenn's in die richtige Bahn gelenkt ward.

Aber selbst den lautesten Ruf hört man nur auf einen gewissen Umkreis. Um bekannt zu werden, müssen sich viele Stimmen erheben. Und damit sie sich erheben, braucht's der Zeit. Das hat das größte Genie erfahren müssen.

Deutschland hat circa 45 Millionen Menschen. Bis ein Name unter den Gebildeten dieser vielen Millionen guten Klang hat, muss er oft genannt werden von denen, die ein Recht haben, zu sprechen. Die öffentliche Zeitungskritik nützt, wie Eckstein einmal in diesen Blättern sehr richtig ausführte, blutwenig. Die einzig wirksame Empfehlung ist diejenige, welche das Publikum ohne unser Zutun übt, und diese vermag nur allmählich in der Gesellschaft zu entstehen. Vor der Zeit hört die Welt das Schellengeläute, aber greift nicht zum Lesen, entschließt sich nicht zum Kaufen. Und das wollen doch Autor und Verleger.

Wenn man sich in der Gesellschaft fragt: „Haben Sie schon Vischers „Auch Einer" gelesen? so ist das mehr als ein Dutzend lobender Kritiker jeden Tag. In solcher Frage liegt nicht allein die Anerkennung für die bereits feststehende Bedeutung des Autors, sondern zugleich die Aufforderung, das Buch in die Hand zu nehmen.

Freilich, das erreicht nur derjenige, welcher etwas kann. Wir brauchen aber auch nicht Alle Moltkes zu sein. In des Königs Heere giebt's viele ausgezeichnete Generäle, die auch ihren Ruhm und ihr berechtigtes Ansehen haben. Der Durchschnitt wird sich damit genügen lassen müssen, einen empfänglichen Kreis zu finden und sich zu erhalten. — Wenn das Publikum wüsste, welche Bedeutung in dem fortwährenden Zweifel über den Werth unseres Könnens die freiwillige Anerkennung von Seiten eines Berufenen für uns hat!

Wie ein Posaunenton klingt uns wohl Allen die aus echter Begeisterung für unser Schaffen aufklingende Stimme aus der Tiefe des Publikums, die Stimme, — das Wort, das ein uns bis dahin fremder Mund plötzlich unaufgefordert spricht und das uns zeigt, dass wir nicht umsonst unser Bestes zu geben bestrebt sind.

Gedichte von Hermann Lingg.

Saisonbild.

Vom Prachthotel her klingen Gläser,
Auf grünem Tische rollt das Gold,
Beim Saitenklang, beim Tusch der Bläser
Lacht Dirne, Geck und Trunkenbold.

Im Talgrund ragt auf magrer Wiese
Ein Kreuzbild vor des Armen Haus; —
Des Teufels sind die Paradiese,
Der Himmel las die Not sich aus.

Der Himmel ja, denn auf die Schwelle
Der Hütte tritt ein Kind, so schön,
So rosig wie die Morgenhelle
Im Schneeglanz dort der Gletscherhöh'n.

Proserpina.

Nur eine Blüte, Welt!
Sonst hab' ich nichts zu geben,
Wenn die verwelkt, dann fällt
Auch alle Lust am Leben.

Das soll in meiner Hand
Die offne Knospe sagen,
Denn laut darf ich im Land
Der Schatten ja nicht klagen.

Ephemeren.

Wie sind die Ephemeren
Vergnügt bei ihrem Tanz!
Heut kommen sie zu Ehren,
Heut kommen sie zu Glanz.
Tanzt! Schimmert zwei Sekunden;
Mit eurem kurzen Glück,
Seid ihr auch selbst entschwunden,
Und sinkt ins Nichts zurück.

Renans Lobpreisung Victor Hugos.

Ernest Renan behandelt seit einiger Zeit mit Geist und Geschick in dramatischer Form politische, religiöse, soziale Fragen unserer Zeit. Am 26. Februar hat er bei Gelegenheit der Gedenkfeier für Victor Hugo, die im Théâtre français stattfand (am ersten Jahrestage seines Todes) — eine ähnliche, aber weniger bedeutende wurde vom Odéon veranstaltet — auch ein litterarisches Thema zur Bearbeitung gewählt.

Das kleine Drama, wenn es diesen Namen wirklich in Anspruch nehmen darf, ist betitelt: 1802. Es spielt in den elysäischen Feldern, nicht etwa der Stadt Paris, sondern denen des Olymp und besteht in einer Unterredung zwischen großen Dichtern des 17. und 18. Jahrhunderts, die nicht genug an ihrer Unsterblichkeit haben, sondern auch von der Bedeutung ihrer Nachfolger unterrichtet sein wollen. Diesen Unterricht ertheilt ihnen Camillus, eine Art Page oder Genius der Unsterblichen, der ihnen durch Vermittlung einer himmlisch-irdischen Post, über deren Einrichtung wir nichts erfahren, Bücher und Zeitungen in ihren himmlischen Wohnsitz bringt. Er belehrt sie, unter obligater Begleitung von Kanonendonner, über die Schlacht bei Marengo und über das Erscheinen des „Atala“, er verkündet ihnen zum Schlusse die Geburt des Dichters, der die Eigenschaften der hier versammelten Unsterblichen in sich vereinigen soll.

Diese Unsterblichen — es handelt sich meist um die Unsterblichen des Théâtre français — sind Corneille, Racine, Voltaire, Diderot und — Boileau, der Letztgenannte wohl wegen seiner Freundschaft mit den beiden Ersteren und seiner auch dem Theater zugewendeten kritischen Tätigkeit. Racine und Corneille plaudern zuerst. Beider Wesen ist mit einigen charakteristischen Zügen gezeichnet. Racine ist traurig über die Unfruchtbarkeit des Jahrhunderts: schon zwei Jahre sind vergangen und noch kein Dichter, welcher der Zeit die Signatur giebt. Corneille aber hat Vertrauen, er lebt der Hoffnung, dass eine Heroenzeit beginnen und ein Dichter erstehen werde, „der die ungeheure Klage der Erde, die sich ins Unendliche erhebt“, wiederzugeben im Stande sei. Racine jedoch wünscht als wesentliche Eigenschaften des Dichters Zartheit und Güte, er müsse die Frauenherzen schildern, das junge Mädchen, die Gattin, die Mutter, „ich grüße den Tag, an dem die Quelle der Tränen sich wieder öffnen wird“. Boileau erscheint, nicht als Herrscher der Gegenwart, wie Racine meint, vielmehr als Unzufriedener, unzufrieden sowohl mit seinen eigenen Werken, die er nicht so vollkommen hinterlassen, wie er wünschte, als mit seinen Nachfolgern, die ihn missverstehen und fast in die Arme seiner Gegner treiben könnten. Er ersehnt einen Dichter, „groß wie die Alpen, breit wie das Meer, dessen Seele das weit wiedertönende Instrument des Weltalls sein soll“. Voltaire, der eifrig zugehört und seine Zustimmung zu erkennen gegeben hat, ergreift das neue Werk „Atala“, spottet darüber, aber beruhigt sich bald, denn man müsse sich der Zeitrichtung anbequemen, nicht aber der Zeit seine Neigungen aufdrängen wollen. Er, Voltaire, der Verächter der Masse, will, dass der Dichter sich nach den Bedürfnissen der Menge erkundige und richte, dann werde seine Beerdigung ein Zeichen der Zeit und seine Apotheose ein Werk des großen Haufens sein. Die Wünsche seiner vier Unsterblichkeits-Kollegen fasst Diderot, der ebenso wie jene nicht umhin kann, sich ein klein wenig zu beweihräuchern, zusammen und erhofft vier Dichter, welche dem von Jenen gezeichneten Ideale entsprechen. Aber Camillus, der eben eintritt, belehrt ihn und die Anderen: „Das höchste Wesen hat eure Wünsche erhört. Dieser Tag wird ein Freudentag für Frankreich sein, ein Tag, an welchem das Land ein hohes Bild begrüßen und Kränze niederlegen wird auf eine breite Stirn. Ein glänzender Name ist mir erschienen, ein einziger Name. Eure vier Dichter sind in ein einziges Wesen verschmolzen, das groß, rührend, weitumfassend und gut sein wird.“ Und nachdem Alle von ihrem Erstaunen sich erholt haben, schließt Corneille, der immer Hoffnungsfreudige, die Unterredung mit einem Hymnus auf Frankreichs unvergängliche Kraft; die Glocken von Notre-dame ertönen, man hört Kanonendonner und Trompeten schmettern die stolzen Klänge: „Der Sieg ist unser.“

Der Temps, der Renan zu seinen gefeiertsten Mitarbeitern zählt, bringt in seinem Feuilleton vom 27. Februar — das ganze Stückchen füllt nur die üblichen 6 Feuilletonspalten — das eben analysirte Drama, und befreit sich dadurch von der Verpflichtung, eine Kritik zu geben, die übrigen Blätter sind weniger zurückhaltend. Manches Lob erschallt, aber auch heftiger Tadel wird laut und es scheint, dass letzterer das erstere überwiegt.

Versucht man den Eindruck zusammenzufassen, den Zuschauer und Leser von dem Drama empfingen, so wird man sagen können: das Festspiel sündigt, wie so viele seiner Art, durch Uebertreibung, Ungerechtigkeit, Anwendung falscher, d. h. in diesem Falle schlechter Mittel.

Die Uebertreibung, die wenigstens wir Deutsche tadeln müssen, bei denen der Victor Hugo-Kultus noch nicht zum Dogma geworden ist, besteht darin, dass der Dichter des 19. Jahrhunderts zum Erben nicht etwa eines der großen Geister früherer Zeiten eingesetzt wird, sondern aller insgesammt. Als Ungerechtigkeit muss man hervorheben, dass unter den Genien vergangener Tage Molière fehlt, er, der Größten Einer, der von Victor Hugo gewiss als geistiger Vater verehrt wurde, wenn er ihn auch vielleicht nicht als würdigen Sohn anerkannt hätte. Sollte Renan, der Akademiker, Jenem, dem die Akademie hartnäckig ihre Tore verschloss, noch zwei Jahrhunderte nach seinem Tode keinen Platz unter den Unsterblichen gönnen? Oder sollte Renan, was wahrscheinlicher ist, nur diejenigen Bewohner des Parnasses versammelt haben, mit denen er selbst irgend eine innere Verwandtschaft fühlt, den genialen Komiker aber übergangen haben, der, wenn einer, seinem Geiste völlig fernsteht? — Die Anwendung falscher Mittel endlich besteht darin, dass Operette und Militärstück ihren Tribut haben liefern müssen, jene, indem Musik an recht unpassenden Stellen zur Anwendung gebracht ist, dieses, indem Kanonendonner erschallte, der zur Verherrlichung eines Dichters seitens eines friedlichen Denkers durchaus ungehörig ist.

Ich glaube nicht, dass unser kleines Festspiel dazu beitragen wird, den Ruhm des Verfassers des „Lebens Jesu“ zu erhöhen. In einer Beziehung aber giebt es zu denken. Werden in Deutschland die Gedenktage hervorragender Dichter in ähnlich würdiger Weise gefeiert? Und wenn sie überhaupt gefeiert werden, fordert man dann zur Verherrlichung des Tages wirklich einen Schriftsteller auf, der nicht bloß bezahlter Dramaturg ist, sondern von der ganzen

Nation als einer ihrer Ersten und Vornehmsten mit Recht verehrt wird? In der Anerkennung unserer großen Männer, verstorbener und lebender, können wir von unseren Nachbarn Manches lernen.

Paris. Ludwig Geiger.

Zur Geschichte der Philosophie.

Von Eduard von Hartmann.

Wer Geschichte treiben will, wird einen Geschichtsleitfaden schwer entbehren können; er wird sich aber gewiss nicht einbilden, aus einem solchen Geschichte studieren zu können. Ebenso wird, wer Philosophie treiben will, einen Leitfaden der Geschichte der Philosophie nicht missen mögen; aber wenn er einigermaßen verständig ist, so wird er nicht wähnen, dass er durch dessen Lektüre ein Studium der Philosophie treibe. Wie der Geschichtsleitfaden nur einen allgemeinen Ueberblick über die Perioden und Epochen, einen vorläufigen Rahmen zur nachherigen Ausfüllung durch Spezialstudien geben kann, so auch der Leitfaden der Geschichte der Philosophie, nur mit dem Unterschiede, dass der orientirende Rahmen in der Weltgeschichte ein Stück der zu bewältigenden Sache selbst, nämlich das Gerippe der hervorstechendsten Tatsachen darstellt, während er in der Geschichte der Philosophie nur einem großen Schrank mit vielen Abteilungen und Fächern zu vergleichen ist, dessen Schubladen wie in der Apotheke bestimmte Aufschriften tragen. Die biographischen und bibliographischen Notizen entsprechen den Schubfächern, die Angaben über die charakteristischen Unterscheidungsmerkmale der verschiedenen Systeme und Standpunkte den aufgeklebten Etiketts. Sinn und Verstand kommt in diese Daten erst in dem Maße hinein, als man in die Entwickelungsgeschichte der Gedanken, in die psychologischen Entstehungsbedingungen der Systeme in den Köpfen ihrer Urheber und in die feinere Gliederung und Wechselbeziehung der Bestandteile eines jeden Systems Einblick gewinnt.

Diesen Einblick in die Entwickelung der Ansichten auseinander können historische Monographieen über bestimmte Spezialprobleme, oder umfassende geschichtliche Darstellungen einer bestimmten philosophischen Disziplin (z. B. Aesthetik, Ethik, Religionsphilosophie etc.) gewähren; der Einblick in den Zusammenhang der Glieder eines Systems kann nur in einer monographischen Bearbeitung eines einzelnen Systems gewährt werden, und die Geschichte der Philosophie eines größeren Zeitraums muss, um tiefer in die Sache hineinzuführen, eine Reihenfolge solcher Monographien sein (wie z. B. die großen Werke von Zeller über die Philosophie der Griechen und von Kuno Fischer über die neuere Philosophie). Wer also erst den Eingang in die Philosophie sucht, wird besser tun, vorläufig auf den Ueberblick über die Gesammtentwickelung zu verzichten, und an irgend einem Punkte mitten in die Sache hineinzuspringen, wie Werke der angeführten Gattungen es tun. Wer aber auf diese Weise entschiedene Lust und zweifellosen Geschmack an der Philosophie gefunden hat und keine Abschreckung mehr fürchtet, der wird ohne Gefahr seiner Neigung folgen können, wenn er aus einem Leitfaden einen weiteren Ueberblick zu schöpfen wünscht, weil er nun durch die bereits auf einem Gebiet oder Punkte gewonnenen Anschauungen zu ermessen vermag, wie auch überall sonst das dürre Gerippe sich durch genauere Kenntniss mit Fleisch und Blut bekleiden würde. Nicht jeder hat Zeit, alle Perioden und Disziplinen der Philosophie aus umfangreichen Spezialwerken oder gar aus den Quellen zu studiren; man wird zufrieden sein dürfen, wenn der philosophisch veranlagte Gebildete einen einzelnen Abschnitt genauer kennen gelernt hat, und demselben gestatten müssen, dass er sich im Uebrigen mit dem Grundriss der Entwickelung begnügt. Für diesen Zweck kommt nun eben alles auf das Vorhandensein guter Grundrisse an, welche andrerseits zugleich zur Wiederholung des in Vorlesungen Gehörten oder in ausführlicheren Werken Gelesenen brauchbar sein sollen.

Unter den vorhandenen Grundrissen der Geschichte der Philosophie steht an Beliebtheit voran derjenige von Schwegler, welcher seine elfte Auflage lediglich seiner Brauchbarkeit als Paukbuch für Prüfungen verdankt. Dagegen ist derselbe viel zu mager, um einigermaßen als Lektüre zur Orientirung Dienste leisten zu können. In zweiter Reihe folgt der dreibändige Grundriss von Ueberweg-Heinze mit sechs Auflagen; derselbe ist unentbehrlich als Nachschlagebuch für Litteratur-Nachweise, aber in seiner Trockenheit als Lektüre ebenso wenig zu empfehlen, wenn er auch als Repetitorium schon ungleich mehr bietet als Schwegler. In dritter Linie kommt der zweibändige Grundriss von J. E. Erdmann, welcher unzweifelhaft das beste von allen bisher veröffentlichten Werken dieser Art ist, sofern sie die gesammte Geschichte der Philosophie umspannen. Der erste Band behandelt wesentlich das Mittelalter, da die griechische Philosophie nur ganz kurz am Anfang abgemacht wird; der zweite Band die neuere Zeit, wobei besonders zu bemerken ist, dass Erdmann in der zweiten und dritten Auflage zum ersten Mal nicht nur die Zersetzung der Hegelschen Schule, sondern auch die Versuche neuerer Systembildungen eingehend behandelt hat. Der Hegelsche Standpunkt des Verfassers erleichtert ihm die allseitig gerechte objektive Würdigung, ohne sich irgendwo störend hervorzudrängen. Zur Repitition dagegen ist dieses Werk in der Sache schon zu ausführlich und in den bibliographischen Notizen nicht ausreichend.

Ebenfalls drei Auflagen hat die „Kritische Geschichte der Philosophie" von Dühring erlebt, nicht wegen ihrer Vorzüge, sondern wegen ihrer Fehler, nämlich wegen ihres hyperkritischen Absprechens, worin sie das von Schopenhauer gegebene Beispiel nachahmte und überbot. Das Buch ist unvollständig und nicht sowohl eine Einführung in den Gedankenkreis der behandelten Autoren als eine fortlaufende raisonnirende Reflexion über dieselben, wobei Lob und Tadel oft in sonderbarer Willkür verteilt sind. In der Hauptsache folgt Dühring dem von Lewes eingeschlagenen Wege, ohne seine Quelle zu nennen. Seitdem Lewes Geschichte der Philosophie in deutscher Uebersetzung vorliegt und Dühring durch seine Händelsucht das Katheder eingebüßt hat, von dem aus er unreife Jünglinge durch seine dreisten Paradoxien blendete, ist derselbe sammt seinen Schriften rasch in Vergessenheit geraten. Ueber das dreibändige Werk von Windelband wird sich erst nach Veröffentlichung des letzten Bandes ein abschließendes Urteil fällen lassen. Andere Werke dieser Art sind teils veraltet, teils von einem einseitig tendenziösen Standpunkt aus verfasst (so z. B. dasjenige von dem neuthomistischen Ultramontanen Stöckl), teils haben sie nicht vermocht, die Aufmerksamkeit weiterer Kreise auf sich zu ziehen und dienen vorzugsweise als Leitfaden für die Vorlesungen ihrer Verfasser.

Außer den Werken über die ganze Geschichte der Philosophie besitzen wir noch verschiedene gute Leitfäden über einzelne Abschnitte, so z. B. für die Philosophie der Griechen denjenigen von Zeller (zweite Auflage), für die Geschichte der deutschen Philosophie seit Kant den von Harms (zweite Auflage), für dieselbe seit Leibniz den von Zeller (zweite Auflage). Das erste dieser drei Bücher ist unbedingt zu empfehlen; das letzte ist in vieler Hinsicht auch sehr brauchbar (es giebt z. B. die beste kurze Darstellung der Wolffschen Philosophie), steht aber mit ersterem nicht auf gleicher Höhe. Das Buch von Harms ist besonders in Bezug auf die Hereinziehung von Herder und Lessing und in Bezug auf die Darstellung von Kant und Fichte zu loben, steht aber ebenso wie das Zellersche in Bezug auf die Behandlung der jüngsten Vergangenheit und Gegenwart hinter Erdmanns Leistung zurück. Außerdem besitzen beide Bücher nicht den rechten Ausgangspunkt, wie er für Belehrung Suchende zur Einführung in den Gegenstand wünschenswert ist; ohne Bekanntschaft mit Descartes und seinen Nachfolgern und mit den englischen Philosophen ist eben weder Leibniz noch Kant recht zu verstehen. Für das Mittelalter sind mir keine speziellen Leitfäden bekannt, übrigens dürfte hier auch Erdmann in Verbindung mit Ueberweg allen Ansprüchen genügen, ebenso wie für das Altertum Zeller ausreicht.

Es bleibt mithin noch immer die Aufgabe bestehen, für die Geschichte der neueren Philosophie, die doch ungleich wichtiger als diejenige der alten oder mittelalterlichen ist, einen Grundriss zu liefern, welcher in dem Umfang eines Bandes dem mit irgend einem Philosophen oder mit der Geschichte einer philosophischen Hauptdisziplin schon Vertrauten eine orientirende Lektüre gewährt, und gleichzeitig zu Repetitionszwecken brauchbar ist, also auch die hierzu erforderlichen biographischen und bibliographischen Nachweisungen enthält. Ein solches Werk muss einerseits lesbar sein, andrerseits über die Grundlehren der verschiedenen Standpunkte ein objektives klares Bild geben, und doch kritische Fingerzeige nicht ganz ausschließen, wenn es dieselben auch auf ein bescheidenes Maß beschränkt und bloß positive immanente Kritik zu Worte kommen lässt. Leider hat sich derjenige, welcher recht eigentlich für diese Aufgabe vorbereitet wäre (in demselben Sinne wie Zeller für die alte Philosophie), Kuno Fischer, bisher nicht zu ihrer Lösung bequemt. Dagegen tritt soeben ein neuer Versuch dazu von Dr. Richard Falckenberg, Privatdozent an der Universität Jena, ans Licht, dessen Ausführung mit anerkennenswerter Unbefangenheit, großer Sachkenntniss und eingehender Sorgfalt unternommen ist.*)

Das Buch zerfällt naturgemäß in zwei Hauptteile, deren erster von Descartes bis zu Kant, der zweite von Kant bis zur Gegenwart reicht; als Einleitung aber ist die Uebergangsperiode von Nikolaus von Kues bis zu Descartes vorangeschickt. Diese Anordnung ist nur zu loben; ich hätte nur den Vorbehalt zu machen, dass Bacon und Hobbes doch wohl besser mit Locke, Berkeley und Hume in einem und demselben Zusammenhang behandelt worden wären, anstatt von ihren unmittelbaren Nachfolgern getrennt in die Uebergangsperiode zwischen Mittelalter und Neuzeit verwiesen zu werden. Dass die Darstellung mit Nikolaus von Kues beginnt, dagegen hätte ich nichts einzuwenden; immerhin scheint der Verfasser diesem Denker eine zu hohe Stellung anzuweisen, was sich wohl aus seinen Spezialstudien über denselben und einer daraus entsprungenen Vorliebe erklären mag, was aber besonders auffällig wird, wenn man im Gegensatz dazu bemerkt, wie kurz und beiläufig der doch wohl viel einflussreichere Giordano Bruno abgehandelt wird. Bei Lessing und Herder hätte vielleicht nachdrücklicher darauf hingewiesen werden können, dass sich in ihnen, wenn auch nicht in systematischer Form, so doch in einer für den weiteren Entwickelungsgang anregenden und kräftig bis in die Gegenwart fortwirkenden Art und Weise die Synthese der Spinozistischen und Leibnizischen Weltanschauung vollzieht und damit der Gipfel der vorkantischen Spekulation in einem das Niveau der gleichzeitigen Aufklärung weit überragenden Aufschwung erreicht wird.

Der Darstellung Kants ist besondere Sorgsamkeit gewidmet. Falckenberg sucht die Tatsache

*) Geschichte der neueren Philosophie von Nikolaus von Kues bis zur Gegenwart. — Leipzig bei Veit & Komp., 1886, 31 Bogen gr. 8.

keineswegs zu vertuschen, dass Kant sehr inkonsequent im Gebrauch der philosophischen Ausdrücke, häufig schillernd in den damit bezeichneten Begriffen und nicht selten unklar und schwankend in den wichtigsten Grenzbestimmungen ist. Gewiss werden diese Mängel ebenso wie die aus ihnen folgende Verzwicktheit und Verwirrung seiner Erkenntnisstheorie reichlich dadurch aufgewogen, dass Kant der erste war, in welchem die subjektiv-idealistische und skeptizistische Strömung der englischen Philosophie mit der realistischen und rationalistischen der deutschen zusammentrat, und dass aus der Begegnung dieser Strömungen in einem Kopfe sich neue Problemstellungen entwickelten, welche mehr als einem Jahrhundert Arbeit verschafften. Aber dies sollte doch nicht hindern, offen einzugestehen, dass Kant selber die Synthese für diese bei ihm wunderlich durcheinander kräuselnden Ober- und Unterströmungen eben noch nicht gefunden hat, dass vielmehr seine „Kritik der reinen Vernunft“ das konfuseste Buch ist, welches je von einem großen Denker geschrieben worden, und dass es deshalb aus pädagogischen Rücksichten weniger als irgend ein anderes geeignet ist, der lernenden Jugend als Einführung in die Philosophie zu dienen. Worüber aller gelehrte Scharfsinn der Neukantianer noch zu keiner Einigung hat gelangen können, nämlich was Kant eigentlich in der Kritik der reinen Vernunft gelehrt hat, das wird der Schüler am wenigsten aus der ersten Lektüre begreifen, und wenn er auch den ganzen Vaihingeschen Kommentar nebenher läse, der nach Fertigstellung etwa den Umfang eines großen Konversationslexikons gewinnen dürfte.

So kann ich mich denn auch nicht mit der Falckenbergschen Auslegung befreunden, nach welcher Kant eine Dreiheit von „Ding an sich,“ „Erscheinung“ und „subjektive Vorstellung der Erscheinung“ gelehrt hätte (S. 268—272); ich meine vielmehr, dass für ein solches Zwischending einer bloß möglichen und doch objektiven, d. h. für alle Anschauungsubjekte gültigen Erscheinung nach Kantschen Grundsätzen kein Platz ist. Was nach diesen fortbesteht, wenn ich die Augen schließe, ist nicht die Erscheinung der Rose, sondern das unerkennbare Ding an sich derselben, welches, wenn ich die Augen wieder öffne, mich in gesetzmäßig gleichbleibender, oder den Umständen nach veränderter Weise von Neuem so affiziren muss, dass ich die Erscheinung der Rose wiederum produzire. Stellen, die für das Mittelding einer fortbestehenden Erscheinung zu sprechen scheinen, lassen sich natürlich anführen, aber für welche erkenntnisstheoretische Behauptung ließen sich nicht Stellen für und wider aus Kant anführen!

Der Schopenhauerschen Philosophie wird Falckenberg entschieden nicht gerecht, wenn er sie als Naturalismus behandelt, da sie vielmehr entschiedener Ethelismus oder Willensphilosophie, und zwar mit durchaus mystisch-religiöser Färbung ist. Alle Wirkungen, die Schopenhauer erzielt hat, verdankt er nicht der rationellen Ueberzeugungskraft seiner Gründe und Beweisführungen, sondern neben der blendenden Anschaulichkeit und Paradoxie seines Stils der ansteckenden Gewalt seiner religiösen Ueberzeugung. Wer sich für Schopenhauers Lehre begeistert, der pflegt sich nicht für die Philosophie, sondern für die mystische Religion in derselben zu erwärmen, und nur wer sich von dieser hingerissen oder doch verwandt angesprochen fühlt, wird bereit sein, über die offenliegenden Schwächen seiner Philosophie als solchen hinwegzusehen. Wenn Falckenberg es am Schlusse seines Werkes mit Recht für die Aufgabe der mit Kant anhebenden Epoche der Philosophie erklärt, im Gegensatz zu dem Naturalismus der Alten und des Reformationszeitalters die Natur aus dem Geiste und den Geist aus dem Willen (statt aus dem Mechanismus des Intellekts) zu erklären, (S. 470), so hätte er auch anerkennen sollen, dass dieser Ethelismus, der sich mit dem Historismus Hegels verbinden soll, nicht bloß in Fichte, sondern ganz ebenso gut, wenngleich in anderer Weise, auch in Schopenhauer seine Verkörperung gefunden hat. Wenn er es ferner für die Aufgabe der Gegenwart und Zukunft erklärt, diesen Gehalt der idealistischen Spekulation abgelöst und gereinigt von ihrer falschen konstruktiven Methode zur Darstellung zu bringen, den naturwissenschaftlichen Geist mit den Tendenzen des Idealismus zu versöhnen und zu zeigen, wie das Niedere sich aus dem Höheren erklären lasse (S. 471), so hat in alle dem doch nur der Schopenhauersche, nicht der Fichtesche Ethelismus den Weg gewiesen.

Wenn aber endlich Falckenberg das Lotzesche System darum für das bedeutendste unter den nachhegelschen Systemen erklärt, weil es diese Versöhnung zwischen dem naturwissenschaftlichen Geist und den metaphysisch-idealistischen Tendenzen in sich vollzogen habe, so verkennt er die bedauerliche Thatsache, dass Lotze seit dem Anfang der fünfziger Jahre kein Zeichen mehr von einer Beachtung der zeitgenössischen naturwissenschaftlichen Bestrebungen und Errungenschaften geliefert, vielmehr die gerade für ihn doppelt dringliche Verpflichtung, zu denselben philosophisch Stellung zu nehmen, mit hartnäckigem Schweigen ignorirt hat. Lotze ist in naturwissenschaftlicher Hinsicht auf dem längst überwundenen Standpunkt der vierziger und fünfziger Jahre stehen geblieben. Leider hat er auch die letzte Hälfte seines reichlich bemessenen Lebens nicht dazu benutzt, die Philosophie, der er sich nunmehr ausschließlich zugewandt hatte, allseitig systematisch durchzuarbeiten, sondern hat neben seinem Programmwerk, dem „Mikrokosmos“, und Lehrbüchern der Logik und Metaphysik nur dürftige Diktathefte von meist trivialem Inhalt hinterlassen; selbst für das Gebiet der Aesthetik, deren Geschichte er auf Bestellung der Münchener Akademie der Wissenschaften geschrieben, hat er es unterlassen, diese Vorarbeiten zu einer systematischen Darstellung des Gegenstandes zu verwerten.

An dem Falckenbergschen Buche sind außer dem Namenregister noch besonders hervorzuheben die Einleitung, in welcher er über seine Art, die Geschichte der Philosophie aufzufassen, Rechenschaft ablegt, und das alphabetische Sachregister, das sich zugleich als eine „Erläuterung der wichtigsten philosophischen Kunstausdrücke" darbietet. Einzelne Unebenheiten und Schwerfälligkeiten im Stil, welche fast immer nur durch das Streben nach allzukurzer Stoffzusammendrängung entstehen, wird der Verfasser bei künftigen neuen Auflagen leicht ausfeilen können, und solche werden dem in vieler Hinsicht empfehlenswerten Buche ohne Zweifel beschieden sein.

Briefe Turgenjews an den Grafen L. N. Tolstoj.

Von August Scholz.

II.

Paris, 8. Mai 1878.*)

Lieber Leo Nikolajewitsch! Soeben habe ich Ihren Brief erhalten, den Sie mir poste restante geschickt haben. Ich war sehr erfreut und ergriffen durch denselben. Mit größter Bereitwilligkeit will ich unsere einstige Freundschaft erneuern und drücke fest die Hand, die Sie mir reichen. Sie haben durchaus Recht, bei mir keine feindseligen Gefühle gegen Sie zu vermuten; wenn sie einmal vorhanden waren, so sind sie längst verschwunden, und geblieben ist nur die Erinnerung an Sie als an einen Menschen, dem ich einst aufrichtig zugetan war, und an einen Schriftsteller, dessen erste Schritte ich eher als Andere begrüßen durfte, und dessen Werke bei ihrem Erscheinen jedesmal mein lebhaftestes Interesse erweckten. — Von Herzen freue ich mich über das Aufhören der zwischen uns entstandenen Missrerständnisse.

Ich hoffe in diesem Sommer ins Gouvernement Orlow zu kommen, dann müssen wir uns auf alle Fälle sehen. Bis dahin aber wünsche ich Ihnen alles Gute und schüttle Ihnen nochmals freundschaftlich die Hand.

III.

Moskau, 4. August 1878.

Lieber L. N.! Ich bin gestern hier angekommen, reise am Sonntag Abend ab und werde den Montag in Tula zubringen, wo ich geschäftlich zu thun habe. Ich möchte Sie selbst sehr gern sehen und habe auch Aufträge an Sie auszurichten — *wie* passt es Ihnen also? wollen Sie nach Tula kommen? oder soll ich in Jasnaja-Poljana*) vorsprechen und von dort weiterreisen? Ich kenne keinen Gasthof in Tula (ich komme in der Nacht vom Sonntag zum Montag dort an und werde in einem Hôtel absteigen), doch Sie können mir ja ein paar Zeilen oder ein Telegramm schicken, und zwar entweder auf den Bahnhof oder in die Wohnung unseres gemeinschaftlichen Bekannten, des Adelsmarschalls Samarin — ich will danach meine Anordnungen treffen. In der Hoffnung, dass Ihnen das keine Umstände macht, drücke ich Ihnen die Hand und bleibe Ihr ergebener etc.

IV.

Spaßkoje**), 14. August 1878.

Lieber L. N.! Ich bin am vergangenen Donnerstag glücklich hier angelangt und kann nicht umhin, es Ihnen noch einmal zu wiederholen, was für einen angenehmen und schönen Eindruck der Besuch in Jasnaja-Poljana in mir zurückgelassen hat, und wie froh ich darüber bin, dass die Missverständnisse, die einst zwischen uns bestanden, so spurlos verschwunden sind, als ob sie niemals dagewesen wären. Ich habe es deutlich gefühlt, dass das Leben, das uns dem Alter zugeführt hat, an uns nicht vergeblich vorübergegangen ist, und dass wir beide, Sie sowohl als ich, besser geworden sind, als wir vor sechszehn Jahren waren; und es war mir angenehm, das zu fühlen.

Es ist selbstverständlich, dass ich auf der Rückreise wieder bei Ihnen vorspreche.

Ich habe an A. N. Pypin***) geschrieben, dass Sie bereit sind, unter die Mitarbeiter der „Russischen Bibliothek" zu treten. Er wird sich deshalb mit Ihnen in Verbindung setzen, und die Sache wird ohne Zweifel glatt und schnell erledigt werden.

Spaßkoje hat diesmal auf mich einen eigentümlichen, unbestimmten — weder traurigen, noch heitren — Eindruck gemacht. Es überkam mich wie eine Art Zweifel und Bedenklichkeit — ein Zeichen, dass ich alt geworden bin.

Ich grüße all die Ihrigen herzlich und drücke Ihnen freundschaftlich die Hand.

V.

Spaßkoje, 25. August 1878.

Lieber L. N.! Ihr Brief ist vom 21. datirt — und ich habe ihn erst soeben erhalten. Wenn die Post so langsam geht, dann habe ich keine Zeit zu verlieren, um Ihnen anzuzeigen, dass mein hiesiger Aufenthalt kürzer ausfallen wird, als ich glaubte, dass ich am nächsten Donnerstag, den 31. August,

*) Durch fast zwei Jahrzehnte waren die Beziehungen der beiden Schriftsteller ohne besonderen Grund unterbrochen. Im Jahre 1878 nahm Tolstoj zuerst die Korrespondenz wieder auf.

*) Tolstoj's Stammgut im Gouvernement Tula.

**) Turgenjews Stammgut im Kreise Mzensk, Gouvernement Orel.

***) Bekannter russischer Litterarhistoriker.

von hier abfahren und am Freitag um 12 Uhr 22 Minuten in Tula sein werde, wohin ich einen Wagen zu schicken bitte. Ich fahre deshalb nach Tula, weil ich auf dem dortigen Bahnhofe zwei Reisekoffer gelassen habe — ein paar Werst mehr haben ja für Ihre Pferde nicht viel zu bedeuten. Von Ihnen fahre ich wieder nach Tula zurück, um mich auf der Rjaschsko-Wjasemsker Straße zu Mademoiselle Stetschkina*) zu begeben. Von ihr geht es wieder nach Tula und von da sammt den Reisekoffern nach Moskau. Da haben Sie meinen ganzen pfiffigen Reiseplan.

Am 1. September also bin ich bei Ihnen zu Tisch — wenn Sie nur an diesem Tage nicht irgendwo zur Jagd abgerufen sind! (Ich habe heut mit eigenen Augen ein Fohlen gesehen, das in voriger Nacht von einem Wolfe angefallen wurde. Sie sind in den hiesigen Wäldern sehr zahlreich, und Niemand schießt sie.)

Es ist mir sehr angenehm zu hören, dass in Jasnaja-Poljana Alle mit freundlichen Blicken auf mich sehen. Dass zwischen uns beiden jenes geistige Band besteht, von dem Sie sprechen — das unterliegt keinem Zweifel, und ich freue mich von Herzen darüber, wenn ich auch nicht all die Fäden zerfasern mag, aus denen dieses Band gewebt ist. Es existirt nicht blos in künstlerischer Beziehung. Die Hauptsache ist aber jedenfalls, dass es existirt. Fet-Schenschin**) hat mir einen sehr liebenswürdigen, wenn auch nicht sehr klaren Brief geschrieben, mit Citaten aus Kant; ich habe ihm sogleich geantwortet. Es scheint doch, ich bin diesmal nicht umsonst nach Russland gekommen, wenn auch mein Hauptzweck***), wie nicht anders zu erwarten stand, mit einem Fiasko geendet hat.

Auf baldiges Wiedersehen also — empfehlen Sie mich den Ihrigen.

Die vorgeschichtliche Burg im Peloponnes.

(Fortsetzung.)

II.

Nächst den Bau-Ueberbleibseln sind die Wand- und Gefäßmalereien und die urältesten Götterbilder, welche Dr. Schliemann in Tiryns aufgegraben, ins Auge zu fassen. Ueber eine der Malereien, welche, wie er zu Breslau ausführte, sicherlich dem vorgeschichtlichen Helden-Zeitalter angehören, bemerkte er:

„Hier sieht man einen Wagenführer, leider nur Bruchstück; den Wagenkorb erkennt man noch; die Verzierung auf seinem Gewand ist merkwürdig ähnlich einer auf einer bithynischen Vase, auf der fünf Krieger auf eine militärische Expedition ausgehen, gefolgt von einer Priesterin, die nach alter Sitte die Hände aufhebt, um den Schutz der Götter für die Expedition zu erflehen; auf gleiche Weise sind die Gewänder jener Krieger mit einer vogelkopfähnlichen Verzierung versehen."

Dieser Hinweis scheint mir von Bedeutung. Denn auch die Bi-Thyner waren, wie die Maido-Bithyner, die Thyner und die Marian-Dyner*) thrakische Kleinasiaten (Strabon, VII, 3. 2.). Gleich den Phrygern, den Mysern, den Dardanern und anderen Thrakern, hatten die Thyner ehemals die heutige europäische Türkei bewohnt, und waren dann über die Meerenge gegangen. Ab und zu fluteten solche Thraker-Völker wieder nach Europa zurück: so nach Tiryns und Mykene. Die von Dr. Schliemann hervorgehobene Gleichartigkeit der Gewandverzierung auf bithynischer Vase und tirynthischer Wandmalerei erklärt sich daraus leicht.

Ich füge hier gleich bei, dass auch die außerordentlich kleinen runden Schilde der tirynthischen Krieger, wie sie in dem vorliegenden Werke nachgebildet sind, Beachtung verdienen. Sie erinnern an die von Herodot beschriebene Bewaffnung der thrakischen Paphlagonier, deren Tracht, wie er sagt, fast dieselbe war, wie die der Phryger, und an die Bewaffnung der ehemals strymonischen Thraker, welche später, als sie nach Kleinasien ausgewandert waren, Bithyner genannt wurden. (ἀσπίδας δὲ σμικρὰς .... πέλτας. VII, 72, 73, 75). Auch Xenophon (Memorabilia, III, 9, 2) gedenkt der kleinen Schilde der Thraker. Auf den tirynthischen Wandmalereien scheint mir ferner der von Herodot erwähnte, bis an die Mitte des Beines reichende paphlagonisch-thrakische Schienenstiefel angedeutet zu sein. Siehe den Stier-Reiter auf Tafel XIII, und die Krieger auf Tafel XIV, wo am Knie eine andere Farbengebung beginnt.

Der Stier-Reiter selbst hat augenscheinlich die phrygische Mütze auf, wie sie an Paris und anderen kleinasiatischen Thrakern bekannt ist. Auch Athene trägt sie, in Helmform, auf einem griechischen Bildwerke, wo Bellerophon auf dem Pegasos, in Gegenwart eines lykischen Königs, mit der Chimaira kämpft.**) Die Chimaira gehört ja, gleich dem Kerberos, dem thrakischen Gedankenkreise an — wie denn überhaupt eine Unmasse Götter- und Sagen-Gestalten von daher unter die Hellenen gekommen ist.

Die Zeichnung des Stier-Reiters ist etwas verwischt; allein bei näherem Zusehen erkennt man

---

*) Russische Romanschriftstellerin.

**) Russischer Lyriker.

***) Turgenjew wollte damals sein Gut verkaufen — er war durch geschäftliche Kalamitäten seines Schwiegersohnes in eine schwierige Lage gekommen und hatte Anfang 1878 seine Gemäldesammlung, bis auf einen Rousseau, mit einem Verlust von 12000 Franken veräußern müssen.

*) Die in dem weitverbreiteten thrakischen Stamme schon damals häufig vorkommende Lautverschiebung zeigt sich auch an dem Namen der Thyner oder Dyner.

**) Siehe die Zeichnung auf S. 99 von Dr. Hermann Göll's höchst empfehlenswerten „Göttersagen und Kulturformen" (1884).

recht gut den Hauptteil dieser bemerkenswerten Kopfbedeckung, die von Hinten leicht nach Vorn überbeugt und in eine rundliche, kegelartige Spitze ausläuft. An der Mütze des Stier-Reiters ist nur dies Ende abgebrochen oder verwischt. Ein griechischer Altertumskundiger und Kunstkenner, dem ich die Frage vorlegte, und der Tiryns, in Uebereinstimmung mit den Alten, als eine thrakische Siedelung auffasst, erkennt deutlich die Phryger-Mütze an dem Stier-Reiter. Ein englischer Fachgelehrter, von ganz derselben Meinung, sprach mir die Ueberzeugung aus: es sei auf dem Deckel des Buches die verkleinerte Darstellung des Reiters, was Kopfbedeckung betrifft, nicht genau wiedergegeben.

Die Phryger-Mütze mit der Kegelspitze erscheint in Helmform bei einer in Tiryns gefundenen kleinen Kriegergestalt aus Bronze. (S. 187.) Sie ist auch auf einigen der urältesten Götterbilder in Tiryns vorhanden. Vergleiche S. 173 (Nr. 87); ebenso S. 180 (Nr. 93), wo Dr. Schliemann die Kopfbedeckung als eine phrygische bezeichnet.

Da ich im „Magazin" früher der nordischen Stammsage gedachte, zufolge der das asische Volk der skandinavischen Germanen vom schwarzen Meere her nach Dänemark, Schweden und Norwegen einwanderte: so glaube ich hier auf die Bilder in Worsaae's „Bracteates"*) hinweisen zu sollen. Dort tragen die nordischen Helden dreieckig geformte, an der Spitze teilweise ganz leicht nach Vorn überbeugende Helme. Man kann dieselben Dreieckshelme auch in Worsaae's: „Die Dänen und Nordmänner in England, Schottland und Irland" sehen.

Es stimmen also die Bauten, es stimmen merkwürdige Einzelheiten der Malereien und Bildwerke von Tiryns zu der griechischen Ueberlieferung von der thrakischen Gründung dieser Fremdlingsburg. Man halte ferner die urältesten rohen Götterbilder von den Phryger-Burgen Troja und Tiryns einer- und von Mykene andrerseits zusammen, und man wird die auffälligsten Uebereinstimmungen erkennen. Vergleiche in Dr. Schliemanns „Ilios" die Bildnisse Nr. 73, Nr. 197 und 207 mit Nr. 12 in „Tiryns"; ferner Nr. 71 mit Nr. 96 und 177; Nr. 193 und 194 mit den eigentümlich geformten Bildnissen auf Tafel XXV in denselben Werken; letztere wiederum mit Tafel A (Fig. d) in „Mycenae".

Wie steht es nun mit der Bedeutung des Namens der von Schliemann entdeckten Veste?

Ihr von Strabon erhaltener, in Statius „Thebais" nachklingender ältester Name war Likymnia. Im Zusammenhang mit einer Stelle bei Pindar bringt man ihn mit Likymnos, dem Bastardbruder Alkmenens, der Mutter des Herakles, in Verbindung. Die Sage ergeht sich gern in einer solchen Verpersönlichung. Unwillkürlich aber wendet sich bei dem Worte Likymnia der Gedanke zu den thrakischen Lykern, die ja doch Tiryns erbaut haben. Dieser Gedanke schließt jene Verpersönlichung nicht aus.

Der i-Laut, statt des y, in Likymnia, darf wahrlich nicht stören. Solche Verschiebungen finden oft genug statt. Hießen nicht die Phryger, unter Verschiebung sowohl des Mit- als des Selbstlautes, auch Bryger, Briger und Breger; ferner die Myser auch Moyser; die Thraker überhaupt auch Threker und Threïker; die Gothen auch Gythonen, Guttonen, Gauden, Geten, und in späterer Zeit Guthans, Geaten, Gozzen (Gossen) u. s. w.?

Solch schwankende Vokalisirung ist in germanischer Zunge außerordentlich häufig. Den Lykern aber begegnen wir auf deutschem Boden, bei Tacitus, als Lygern. Warum sollte Likymna nicht von dem Lyker-Volke den Namen tragen? Lyker haben ja Tiryns erbaut.

Hinüber und herüber gingen unablässig die thrakischen Wanderzüge — von Europa nach Asien, von Asien wieder nach Europa; teilweise selbst von Asien nach Afrika; sicherlich auch von dem thrakisch besiedelten Kreta nach Libyen, wie damals Afrika hieß. So saßen einst thrakische Droier am Strymon — d. i. Strom (englisch: stream, sprich strim), dem heutigen Struma-Flusse oder Kara-su, der an der Bucht von Contessa ins Aegäische Meer mündet. Dichterisch hieß bei Griechen und Römern „strymonisch" so viel wie: thrakisch, nordisch. Eine Strymonierin war ein Thraker-Weib.

Nun, ist es wohl allzu kühn, sich diese Droier als Troer, Trojaner, zu erklären? Da schlage man doch Herodot (V, 13) auf! Dort bezeichnen die am Strymon wohnenden päonischen Thraker sich selbst als eine Ansiedelung von Teukrern aus Troja.

Ebenso erwähnt Herodot (IV, 191) einen Stamm genannt Maxyer, in Afrika, der seinen Ursprung von Männern ableitete, die aus Troja gekommen. Ihre eigentümliche Art, das Haar zu scheeren, erinnert lebhaft an lombardische, warägisch-germanische und normannische Gebräuche. Die von ihnen gemeldete Körperbemalung war ebenfalls einer Anzahl germanicher Völkerschaften eigen; u. A. den Hariern des Tacitus. Diesen aus troisch-thrakischem Blute entstammten Maxyern in Nord-Afrika wohnten die Gyzanten nahe. Sollten in ihnen nicht versprengte Gython, Gothen, erkennbar sein? Wissen wir nichts von späteren germanischen Zügen nach Nord- und West-Afrika?

Doch zurück zu dem von den Lykern erbauten Likymnia oder Tiryns!

Nach allen Richtungen hin hat man geraten, um sich den Namen „Tiryns" zu erklären. Die bereits von Lepsius aufgestellte Vermutung, welche zu τύρσις (lateinisch: turris, Turm) griff, ist gewiss schon darum verfehlt, weil sie die hellenische Zunge anruft. Ohne Zweifel ist der Name vor-hellenisch, wie Professor Sayce bemerkt. Aber sicherlich darum nicht vor-arisch; denn die Lyker und die Phryger

*) Siehe Dr. Wilhelm Wägners vortreffliches Werk: „Nordisch-Germanische Götter und Helden"; I, S. 123.

— auf deren überall in der Halbinsel befindliche große Grabdenkmäler die später in den Peloponnes gekommenen Griechen (Athenaios, 14, 21) wiesen — waren Arier.

Zur Stützung der Meinung, dass Phöniker Tiryns gebaut haben, ist in dem vorliegenden Werke auf die Bucht von Tyros im Peloponnes hingedeutet, deren Namen an das Tyrus der syrischen Küste erinnern könnte. Woher hatte aber dies letztere seinen Namen? Das bleibt wohl noch eine offene Frage.

Deutsche, englische, französische Orientalisten, an die ich mich in der Sache gewendet, erklären den Namen „Tyrus" aus semitischer Sprache als „Felsstadt". Doch wie? wenn etwa sogar Tyrus seinen Namen aus der Sprache eines einst dort vorhandenen, viel älteren Volkes erhalten hätte? Erwähnt nicht Herodot der Angabe ägyptischer Priester: es seien die Phryger, also Thraker, das älteste Volk in jenen Gegenden — älter selbst als die Aegypter?

Aus semitischer Sprache ist Tyrus doch nur mit einiger Gewalt, aus germanischer ohne die geringste Lautveränderung zu erklären. Und Tyr-Namen sind auf thrakischem Boden, von der Nordküste des Schwarzen Meeres an, am Aegäischen Meere hin, bis nach Phrygien und Lydien hinein, in Menge vorhanden.

So auch sind in dem nach einem Thraker-Häuptling benannten, einst von Phrygern aus Kleinasien, wohl auch aus Makedonien erfüllten Peloponnes die Tir-, Tyr-, Thyr- und Thur-, As-, Teut-, Sig-, Gort-, Gyth- und andere Namen von echt germanischem Klang gerade so verbreitet, wie einst im vorderen Kleinasien selbst, das ja seinen Namen (Asien) auch nicht aus griechischer, sondern aus thrakischer Sprache trug. Letzteres behaupteten die thrakischen Lyder entschieden. (Herodot, IV, 45). Denn nur auf das vordere, von Thrakern bewohnte Kleinasien bezog sich ehedem der Name Asien. Aus Kieperts vorzüglichen Atlassen der alten Welt ist das für Jeden ersichtlich. Und dieser thrakisch-asische Namen klingt wieder bei den Aspurgern (Asen-Burger) des Strabon, bei den Asmanen (As-Mannen), den As-Joten, die auch einfach Joten (Gothen) heißen, den Asern am Jaxartes*), und bei unseren Asen-Göttern durch.

Die Phöniker sind das allerkleinste, die Thraker das größte Volk des Altertums. Man kann den Finger nicht in einen griechischen Schriftsteller stecken, ohne auf diese letzteren zu kommen. Gerade die Tyr-Namen sind nun bei den Thrakern äußerst zahlreich. Bei dem lydischen Stamme derselben finden wir den Königssohn Tyrren — ein Name, dessen Zusammensetzung mit dem eddischen Tyrfing verglichen werden könnte. Er ist der Sprössling des Atys, der ein Sohn des Manes war. Lauter arische, nicht semitische Namen. Ein abenteuernder Zug ging unter diesem Tyrren nach Italien, wo die lydischen Tyrrener später mit den von Norden her eingewanderten, wahrscheinlich nicht-arischen Rasena zum Etrusker-Volke verschmolzen.

*) Paulys „Real-Encyklopädie der klassischen Altertumswissenschaft." (S. Aspurgiani.)

Zu den getisch- oder gothisch-thrakischen Völkern gehörten die zwischen dem Dniester und den Donau-Mündungen wohnenden Tyri-Geten, denen sich jenseits und diesseits der Donau der große Geten-Stamm anschloss. Tyri-Geten waren augenscheinlich ein den Schwertgott Tyr oder Tir (Tiu, Ziu) besonders anbetendes germanisches Volk. Sie glichen darin den Sueben oder Schwaben, die Ziu-waren (Ziu- oder Tyr-Männer) hießen und bei Strabon (VII, 3, 1) richtig als Nachbarn der Geten erscheinen. Der Dniester hieß bei den Tyri-Geten Tyras. Eine gleichnamige getische Stadt Tyras lag an der Mündung desselben. Die weiter östlich wohnenden Thyrsa-Geten und die westlich wohnenden Aga-Thyrsen sind wohl auch in diesem Zusammenhange zu nennen. Vielleicht ebenso der in die Donau mündende Tiarantus.

(Schluss folgt.)

London. Karl Blind.

Geschichte der geistigen Entwickelung Europas. Von J. W. Draper.

Aus dem Englischen von A. Bartels. Dritte durchgesehene und verbesserte Auflage. Leipzig. O. Wigand. 1886.

Als in Nr. 19 dieser Blätter vom Jahre 1866 die vorgenannte (damals aber in zwei Bänden ausgegebene) deutsche Uebersetzung des Draperschen Werkes von mir angezeigt wurde, musste ich nach der Charakteristik des Originalwerkes noch von den Sünden des Uebersetzers reden und gab (S. 259 f.) eine reiche Sammlung von groben Fehlern jeder Art, die doch verhältnissmäßig nur wenige Beispiele aus dem kolossalen Vorrat der beim Lesen angemerkten waren.

Die dritte Auflage, die jetzt vorliegt, wird wieder als durchgesehen und verbessert bezeichnet und der Vergleich derselben mit jener ersten zeigt, dass das keine leere Redensart ist; aber ich muss sagen, es ist noch längst nicht genug darin geschehen und will das durch einige Beispiele nachweisen. Und zwar finden sich ebensowohl unverbesserte Fehler von damals, wie auch neue Fehler von schwer erklärbarer Art. Ich will beide Arten nicht von einander trennen.

Seite 9 führt die atlantische Stömung jetzt wie damals vom Golf von Mexiko und vom stillen Ozean! — tropical Ocean hat das Original — Wärme nach Europa. Seite 19 haben sich dagegen die Küsten von Nora Sembla von damals in die Küsten von Semlin verwandelt! Auf Seite 24 ist die nach Europa eindringende indogermanische Säule — Colonne im Original! — von Einwanderen noch aufgerichtet und

Seite 65 wird die Fabel von der Erfindung des Glases noch ebenso erzählt; auch ist Seite 67 noch immer von Ober-Aegypten gesagt, „in agrikulturlicher Beziehung ist das Land regenlos" —, und Seite 80 stehen unverändert ohne die Beifügung „englische" die Hundert Millionen Meilen Distanz der Sonne von der Erde.

Seite 145 ist in der Darstellung der stoischen Philosophie der lächerliche Vergleichssatz stehen geblieben, dass es nur zwei Klassen von Menschen giebt, „Weise und Toren, wie Stöcker nur gerade oder krumm sein können, und nur sehr wenige Stöcker in dieser Welt völlig gerade sind." Aber auf Seite 164 ist die Neuplatonische Schule von Alexandrien nicht mehr „der Todes Kampf" sondern „die sterbende Anstrengung der griechischen Philosophie". Ebenso zweifelhaft und unvollständig ist die Verbesserung einer Stelle auf Seite 232 „Gregor von Nazianzum (!), einer der frömmsten und tüchtigsten Männer seiner Zeit, der auf dem Konzil von Konstantinopel 381 n. Chr., während eines Teils der Sitzungen den Vorsitz auf demselben führte (damals „teilweise den Vorsitz auf demselben führte"), weigerte sich später, ferner welchen beizuwohnen (damals „je wieder welchen beizuwohnen"). Seite 239, 240, 245 etc. etc. kommt jetzt wie damals in zwei Inhaltsangaben das undeutsche Substantiv „Verheidnischung" vor und Seite 245 ist jetzt wie damals das „stationary ideas" des Originals durch „stillstehende Vorstellungen" erbärmlich verdeutscht; Seite 253 ist die „ultimo ratio" der arabischen Unterjocher, der Krummsäbel, als „der wahre Grund" derselben wiedergegeben; Seite 274, 277 steht auch noch der Krater des Vulkans von Lipari, wo der Stromboli gemeint ist; Seite 251 tritt das Papsttum in Beziehungen zu den Königen von Frankreich — vor Karl Martell! Seite 288 steht noch von Karl dem Großen: „Jemehr der Kreis seiner Macht sich ausdehnte, gründete er überall Kirchen" etc. Seite 298 auch die „echt medizinsche Philosophie" von früher in dem sonst etwas „berichtigten" Satze. Und Seite 309 heißt es, „er verfiel in den Irrtum, dass" wo es heißen muss, „anzunehmen dass" etc. ebenso wird noch immer Seite 336 „die Pflege des Aberglaubens (statt des blinden Gehorsams) durch unerbittliche Regeln erzwungen"; Seite 356 erscheint auch noch „eine säumige (statt späte) Sühne für die Verbrechen". Die „geringeren heutigen poetischen Formen" stehen noch immer für die „minor forms" des Originals und Seite 375 figuriert „die horizontale Sonne und der horizontale Mond" und das „Zwielicht" statt der Dämmerung wie vor 20 Jahren (so auch Seite 323). Auf Seite 376 ist das Alkoholometer noch immer ein Hydrometer; auf Seite 417 wird Huss erst 5. Juni 1416 vor das Konzil gebracht, da er doch schon am 6. Juli 1415 verbrannt worden ist. Wo es im Original von der mittelalterlichen Kirche heißt, dass sie für die Völker aufhörte, „to be in them a principle of public action", da sagt die Uebersetzung trotz Verbesserung Seite 450, dass *sie aufhörte*, ein Prinzip der bekanntlichen Wirksamkeit in denselben zu sein!! Seite 445 steht von der Verfolgung der Albigenser, dass sie würdig eines Herrschers gewesen, während die erste Auflage mit dem würdig eines Fürsten der Meinung des Verfassers noch näher steht, der den Fürsten des Machiavell meint, dessen Bild er einige Seiten früher möglichst schwarz gemalt hat. Auf Seite 470 zieht das kommerzielle Gedeihen noch immer wie früher „einen energischen geistigen Zustand nach sich". Dann folgt die begeisterte Schilderung der Erdumsegelung des Magellan, die schon 1866 relativ gut übersetzt war, und die neue Auflage überrascht uns am Schlusse derselben mit einer „Verbesserung", die eine erstaunliche Unkenntniss und Gedankenlosigkeit vor uns enthüllt. Nachdem auf Seite 472 die damalige Stellung der Kirche zu der Frage von der Erdgestalt richtig angegeben ist, traut man seinen Augen nicht, auf Seite 473 die 1866 richtig gegebene Wiederholung derselben jetzt in die Fassung verändert zu finden, „dass die Kirche in der Frage von der Gestalt der Erde sich durch die Erklärung, dass dieselbe kugelförmig, gebunden"!!! Und so geht es fort. Seite 539 ist Bacon noch immer der Erfinder des „Orrery," statt des Planetariums, wie es heißen muss. Seite 546 wird der „Kosmos" auch jetzt noch nicht nach dem Original Al. v. Humboldts citirt, sondern schwach aus dem Englischen zurück übersetzt; Seite 547 steht noch immer die geneigte Fläche statt der schiefen Ebene; Seite 550 bietet die Theorie der allgemeinen Gravitation zwischen den Körpern „Kräfte gerade wie ihre Massen und umgekehrt wie die Quadrate ihrer Entfernungen", wo das wie durch proportional zu ersetzen ist. Seite 564 ist Willis, der Untersucher des Gehirns, ein Physiker. Und wenn auch in der Darstellung der Nervenphysiologie Seite 606 f. einiges verbessert ist — früher figurirte eine Inhaltsüberschrift „die Funktion des Fasernervs besteht in Verführung" jetzt heißt es „in Leitung" — so steht doch Seite 608 der schöne Satz: „Mit einander verbunden bilden sie Ganglien oder Nervencentren, die, wenn Eindrücke auf dieselben gemacht werden, nicht notwendig sofort aussterben, sondern lange Zeit, allmählich schwindend, bleiben können." Was der Autor gesagt hat, muss erraten werden. Nach Seite 625 bestehen die Tornados „in Luftscheiben" und Seite 624 ist noch immer nicht erkannt, dass Naturphilosophie durch Physik zu ersetzen ist, so klar er auch der Inhalt angiebt. Seite 628 ist das Quellwasser noch immer „befleckt mit allem, was der Boden enthält" und „das Zwicken einer Froschlende" in Galvanis Versuch ist Seite 631 in „das Zwicken eines Froschschenkels" verwandelt; auf Seite 632 steht noch „die Aurora" statt der „Aurora borealis" des Originals oder des Nordlichts als eine Ursache erdmagnetischer Störungen; Seite 633 „das erste Beispiel äußerst kleiner schön ausgeführter Messungen". Aber

Seite 634 ist das farblose Mikroskop in ein farbenloses verwandelt, während freilich auch im Deutschen das achromatische noch allgemeiner Sprachgebrauch ist. Ebenso sind die kreuzweisen Aetherschwingungen statt der transversalen oder Querschwingungen stehen geblieben. Amplitude von Schwingungen ist nach wie vor Seite 635 durch Umfang vollkommen falsch übersetzt; und ebenda heißt es, „das Licht — es soll die Lichtempfindung gemeint sein — ist durchaus eine Schöpfung des Geistes.“ „Seitenereignisse“ und „Wasserspinnmaschine“ figuriren noch immer — auch von den a. a. O. 1866 hier aufgezählten haarsträubenden Schnitzern ist nur ein kleiner Teil beseitigt worden.

Ich schloss damals die Besprechung des Buches mit der Frage: Ist es nicht unmoralisch, dass solche ignoranz nach den Erfahrungen des ersten Bogens die Feder noch weiter zu führen wagt und sollte eine geachtete Verlagsbuchhandlung nicht lieber die ersten Bogen wieder einstampfen, anstatt solche Bände vollenden zu lassen? Angesichts der vorliegenden dritten Auflage fühlt sich der Frager selbstverständlich beschämt ob seiner offenbarten mangelhaften Geschäftskenntniss, und — hält trotzdem die Frage für wiederholungswürdig! Die Tatsache ist hart und lässt tiefblicken; die Kritik darf sich aber von ihr nicht blenden lassen; sie muss die handwerksmäßigen Uebersetzer unter ihrer Aufsicht behalten, wie wenig interessant und lohnend das auch sein mag.

Zürich. W. Willer.

Shylock und die Juristen.

Der merkwürdige Prozess, welcher die historische Grundlage des „Kaufmann von Venedig“ bildet, hat das Interesse der juristischen Schriftsteller von jeher in ganz besonders starkem Umfange auf sich gezogen und auch Professor Kohler hat in seinen Shakespearestudien („Shakespeare vor dem Forum der Jurisprudenz“) dem Drama und seinem rechtlichen Inhalte eine sehr ausführliche Erörterung gewidmet. Siegt im Hamlet das alte Recht über das neue, so siegt im Kaufmann das neue über das alte, der Dichter verkörpert die allmächtige Gewalt der Gnade, der Milde, der Verzeihung und Liebe in dem Urteilspruche der Porzia, dem gegenüber das harte und unerbittlich grausame Talionsrecht, welches die Lehre der blinden Vergeltung verficht, unterliegen muss. Die holde Porzia repräsentirt hiernach nicht nur die Weiblichkeit, welche so gerne verzeiht und Milde walten lässt, sondern sie repräsentirt auch das neue Recht, welches sich von den Fesseln des rohen Vergeltungsrechts befreit hat, während Shylock die Inkarnation des „Aug um Aug, Zahn um Zahn, Blut um Blut, Beule um Beule“ ist. Auch diese Auffassung Shakespeares scheint dem Inhalte der Tragödie nicht gerecht zu werden. Kohler übersieht zunächst, dass das Urteil der Porzia keine Gnade enthält, oder besser gesagt, enthalten soll, sondern strenges Recht. „Denn weil du dringst auf Recht, so sei gewiss, Recht soll dir werden mehr als du begehrst.“ „Sein Recht nur soll er haben und den Schein.“ Aus diesen beiden Aussprüchen der Porzia, welche zu dem Hymnus auf die Gnade („Die Art der Gnade weiß von keinem Zwang u. s. w.“) in bewusstem Gegensatz stehen, zeigt sich deutlich, dass das Urteil nur nach strengem Recht, nicht aber nach den Anforderungen der Gnade ergeben soll. Und hierin liegt gerade der Punkt, welcher uns den Schlüssel zu dem Drama giebt, welcher uns auf die Idee hinweist, die der Dichter dabei verherrlichen wollte. Es ist dies dieselbe Idee, welche Karl Emil Franzos in seinem Roman „Ein Kampf ums Recht“ in lebendigen Formen dargestellt, dieselbe Idee, welche der berühmte Jurist, R. von Ihering, Professor in Göttingen, zum Gegenstande seines gleichnamigen, in die meisten Sprachen übersetzten Vortrags gemacht hat. Ihering hat auch in ihm den Kaufmann zum Objekte einer juristischen Erörterung gemacht und trotz der zahlreichen Angriffe, welche gerade dieser Teil seiner glänzenden Darstellung erfahren hat, ist die Behauptung nicht übertrieben, dass seine Auffassung allein der poetischen Idee gerecht wird. Ließ der Richter den Vertrag zwischen Shylock und Antonio überhaupt als rechtsgültig bestehen, trotzdem derselbe wegen seines unsittlichen, die öffentliche Ordnung verletzenden Inhalts, null und nichtig war und ging er soweit, dem Gläubiger durch einen förmlichen Urteilsspruch das Recht zur Vornahme einer Handlung zu erteilen, welche ebenfalls, weil absolut unsittlicher Art, niemals von dem Gesetze verstattet werden konnte („nach den Rechten kann der Jud hierauf verlangen, ein Pfund Fleisch zunächst am Herzen des Kaufmanns auszuschneiden“), so musste er es auch zulassen, dass derselbe bei Vornahme der Handlung Blut vergieße. Man kann kein Fleisch aus dem Körper schneiden, ohne Blut zu vergießen, das Eine ist die Konsequenz des Andern, und wenn der Richter das Eine gestattet, das Andere aber bei Todesstrafe verbietet, so handelt er nicht, wie er meint, nach dem strengen Rechte oder, wie Kohler glaubt, nach dem höheren Rechte, sondern er handelt, wie Ihering so treffend bemerkt hat, als elender Rabulist, welcher unter einer nichtswürdigen juristischen Taschenspielerei das Recht entwürdigt und entehrt und den Lauf der Gerechtigkeit hemmt. Wir dürfen uns in der richtigen Beurteilung der Sachlage nicht durch das Gefühl des Schanders vor der Konsequenz des Vertrages irre machen lassen. Sollte, wie Porzia mehrfach versichert, dem Shylock sein Recht und sogar mehr als sein Recht werden und war nach Venetianischem Rechte der Vertrag nicht ungültig, so gab es kein Mittel, den Konsequenzen desselben zu entgehen, außer demjenigen, welches von Porzia angewendet wurde, der Versagung des Rechts. In der Tat, dem Shylock ist sein Recht versagt worden, das Gesetz Venedigs hat ihm gegenüber keine Kraft, unter einer rabulistischen Form ist ihm erklärt worden, dass er rechtlos ist. Nicht mit dürren Worten hat ihm der Richter das gesagt, sondern er hat die Form des Rechts gewahrt, er hat dem Schaden auch noch den Hohn und den Spott hinzugefügt, er hat dafür gesorgt, dass äußerlich der Schein gewahrt bleibt, als ob in Venedig ohne Ansehung der Person und des Glaubens Gerechtigkeit gehandhabt würde, während es in der Tat doch nicht so ist. Und nunmehr kommen wir auch dem Grundgedanken des Dichters nahe; er wollte uns den Kampf um das Recht vorführen, welchen ein Mitglied des von allen Seiten gestoßenen, gepeinigten und gehetzten Volkes im Mittelalter vergeblich führt, er wollte uns die furchtbare Rechtlosigkeit verkörpern, unter welcher dieses Volk zu schmachten hatte. Wenn Ihering sagt, nicht nur der einzelne Shylock schleiche sich am Schlusse des Stückes von der Bühne gebrochen und gedemütigt, denn sein Glaube an sein Recht ist zerstört und vernichtet, sondern die Rechtlosigkeit des mittelalterlichen Juden wird durch seine Niederlage illustrirt, so hat er damit die rechtliche und ästethische Grundidee des Kaufmanns treffend charakterisirt. Nicht das alte Recht kämpft hier mit dem neuen, sondern das Recht mit der Rechtlosigkeit, der Rechtsschutz mit der Versagung des Rechts, und hierdurch tritt auch das tragische Moment in dem Charakter des Shylock deutlich hervor. Der verbitterte, verfolgte und gehetzte Mann ist in jeder Hinsicht einem Schiffbruch unterlegen. Sein Kind, das er innig liebte, ist ihm entlaufen, sie hat den Vater bestohlen, entehrt, sie ist die Geliebte eines Ritters geworden, Nichts bleibt ihm übrig, kein Trost als der Glaube an das Recht. Und hierin erleidet er den tödtlichen Schlag, sein Glaube wird vernichtet und er wäre vollkommen berechtigt, das Pfui über das Gesetz Venedigs auszusprechen, welches sich gegenüber dem Juden, diesem Paria der mittelalterlichen Gesellschaft machtlos erweist. Mit Recht hat Ihering gesagt, dass von diesem Gesichtspunkte aus der im Uebrigen nicht sympathische Shylock einen idealen Zug erhält, welcher ihm eine gewisse Sympathie bei jedem Menschen, dessen Rechtsgefühl noch warm ist, sichern muss. Er ist dann nicht mehr der grausame, hartherzige Wucherer, sondern er ist der Typus eines Volkes, welches den Glauben an die Gerechtigkeit bis zu dem Augenblicke beibehält, wo ihm durch seinen Untergang dieser Glaube genommen wird.

Mainz. Ludwig Fuld.

Litterarische Neuigkeiten.

Aus dem Verlag von Levy & Müller in Stuttgart liegt die zweite unveränderte Auflage der „Quintessenz und Lebensweisheit und Weltkunst" vor. Dieselbe ist nach Lord Chesterfields Briefen an seinen Sohn frei bearbeitet von Karl Munding. Gründlicheren Litteraturkennern galten diese Briefe schon lange als ein klassisches Werk, dem großen Publikum aber blieben sie bisher fremd, obwohl sie schon bei ihrem ersten Erscheinen großes Aufsehen erregt hatten. Freilich kann auch nur ein realistisches Zeitalter ihren Wert und ihre Bedeutung vol auf würdigen und einem solchen rücken wir ja glücklicherweise fühlbar näher.

„Die armirten Stände und die Reichskriegsverfassung (1681 bis 1697)" betitelt sich eine kürzlich im Verlag von Carl Jügel in Frankfurt a. M. erschienene Arbeit von Richard Fester, welche aus Studien zur deutschen Geschichte im letzten Viertel des 17. Jahrhunderts hervorgegangen ist. Die Archive zu Berlin, Dresden und Frankfurt am Main haben dem Verfasser die Arbeit in entgegenkommendster Weise erleichtert.

Die Uebersetzung der drei Bände „Militärische Briefe" vom Prinzen von Hohenlohe ins Französische ist nun erschienen. Besorgt wurde dieselbe von Prof. Ernst Jaeglé, dem Uebersetzer des Goltz'schen „Volks in Waffen". Verleger L. Westhausser (W. Hinrichsen & Cie.) Paris.

Als zwölftes Heft der Sammlung kunstgewerblicher und kunsthistorischer Aufsätze ist eine Broschüre von Robert Stiassny: „Hans Makart und seine bleibende Bedeutung" bei Schloemp in Leipzig erschienen. Dem sauber ausgestatteten Hefte ist eine treffliche Radirung von Hecht beigegeben. Wohl über wenige Maler der Gegenwart ist so viel gesprochen und geschrieben worden, als über Makart. Dass Stiassny, ein stark begabter junger Kunsthistoriker, der bisher mit vielem Erfolg in Fachblättern aufgetreten ist, dennoch viel Neues vorbringt und manch Originelles über Makart sagt, beweist zur Genüge seine Berechtigung, als selbständiger Kunstkritiker sich dem Publikum zu präsentiren. Eingehend und liebevoll, und doch dabei in gerechter Weise, entwirft der Autor eine Charakteristik Markarts; mit schier nervöser Genauigkeit geht er in die Eigentümlichkeiten des Malers ein, entwickelt dessen Vorzüge und Schwächen, und ist vor Allem bestrebt, die kunsthistorische Wichtigkeit Makarts auseinander zu setzen und abzugrenzen. Reich an allgemeinen, interessanten Bemerkungen ist das Büchlein und man sieht, dass Stiassny auf allen nachbarlichen Gebieten seines Hauptfaches wohl zu Hause ist. Diese Schrift nimmt in der riesigen Makart-Litteratur einen hervorragenden Platz ein und ist dem Publikum aufs Wärmste zu empfehlen. Preis 1 Mark.

Im Kommissionsverlag von Heinrich Minden in Dresden-Leipzig erschien ein Bändchen Gedichte betitelt „Home, sweet home" von Franz Lange. Dasselbe enthält: I. Lieder aus schwerer Zeit — II. Zerstreute Jugendblüten — III. Studentenlieder — IV. Vermischte Gedichte — V. Romanzen, Balladen und poetische Erzählungen und VI. Zahme Xenien.

Bei Moritz Stern in Wien gelangten vor Kurzem Heft 1—4 inclusive der dritten Auflage des bekannten Werkes: „Wiener Humor". Sammlung von meist neuen humoristischen Vorträgen für Damen und Herren, herausgegeben von C. A. Friese zur Ausgabe.

Im Verlag von Carl Reißner erscheint ein neuer dreibändiger Roman von Conrad Telmann, betitelt: „Moderne Ideale". Derselbe wurde vor Kurzem in der „Frankfurter Zeitung" veröffentlicht und erfreute sich, wie wir hören, eines ziemlich allgemeinen Beifalls in deren bekanntlich zahlreichem Leserkreis.

Es hat bisher an einer wirklich guten und wirklich billigen Klassiker-Ausgabe gefehlt, um so erfreulicher ist es, dass die Verlagsbuchhandlung von Otto Hendel in Halle begonnen hat unter dem Titel: „Bibliothek der Gesammtlitteratur des In- und Auslandes" nicht nur eine Reihe der beliebtesten Werke deutscher und ausländischer Klassiker in Einzeln-Ausgaben, sondern Hervorragendes auf allen Litteraturgebieten überhaupt in guter Ausstattung und gut lesbarem Druck zum Preise von 25 Pfennige pro Nummer, welche geheftet oder in elegantem Leinenbande zu haben ist, erscheinen zu lassen. Es liegen bereits vor: Nr. 1, 2 Schillers Gedichte in handlichem Oktavformat mit gutem Papier und vorzüglichem Druck, 280 Seiten stark, Preis 50 Pfennige Nr 3. Goethes Faust I. Teil, in ebenderselben Ausstattung, 118 Seiten stark, Preis 25 Pfennige.

Im Verlag von Wilh. Friedrich in Leipzig gelangte soeben eine hervorragende belletristische Novität zur Versendung. Dieselbe trägt den Titel „Fidele Geschichten", deren Verfasser unser geschätzter Mitarbeiter Prof. Alexander Büchner in Caen ist.

Im Verlag von Ferdinand Enke in Stuttgart erschien soeben die erste Lieferung eines neuen Werkes, welches in zwanzig Lieferungen vollständig sein soll und den Titel trägt: „Kulturgeschichte der Menschheit in ihrem organischen Aufbau" von Julius Lippert. Das Buch stellt sich die Aufgabe, ein nach dem gegenwärtigen Stande der Wissenschaft ebenso getreues wie zugleich anschauliches Bild der gesammten Kulturentwicklung der Menschheit als eines organischen Ganzen zu geben, alle wesentlichen Kulturerscheinungen der Gegenwart in ihrem historischen, genetischen Zusammenhange mit denen der Vergangenheit zu erklären und aller Entstehung bis in die einfachen Bedingungen, welche überall und zu allen Zeiten das Menschenleben im Einzelnen sowohl wie in allen seinen sozialen Schöpfungen und Institutionen beherrschen, nachzuweisen.

Von dem im Verlage der Meyerschen Hofbuchhandlung H. Denecke in Detmold erschienenen geographischen Hausbuche: „Wanderungen auf dem Gebiete der Länder- und Völkerkunde" von Fr. Hobirk, ist vor Kurzem der dreißigste (Schluss-) Band ausgegeben mit dem Separat-Titel: Das Weltmeer, seine physikalischen Eigenschaften, seine Organismen, Küsten und Inseln, sowie eine gedrängte Geschichte der Entdeckungen zur See. Derselbe rechtfertigt vollkommen das günstige Urteil, welches diesem volkstümlichen Unternehmen von Anfang an in der Presse zuerkannt wurde.

In Kürze werden in Wien zwei grössere Vorträge erscheinen, welche von zwei namhaften Wiener Autoren gehalten worden sind. Carl von Thaler behandelte die „moderne italienische Poesie". In fesselnder und anregender Weise führt uns der Autor die hauptsächlichsten Vertreter der modernen italienischen Litteratur vor und schildert die dort herrschende Strömung, il verismo (von Thaler trefflich mit „Wahrsucht" übersetzt), welcher in naher Beziehung zu der naturalistischen Tendenz der heutigen Franzosen steht. Thaler bezeichnet den Verismus als einen bedauerlichen Auswuchs der italienischen Poesie und nennt mit warmer Genugtuung alle diejenigen Poeten, die dem Idealen noch nicht abtrünnig geworden sind. Auch als feinfühliger und formgewandter Uebersetzer zeigt sich Thaler, der uns einige charakteristischen Poesien verdeutschte. — Der zweite, eben erscheinende Vortrag hat Dr. Emil Granichstädten zum Verfasser. Das Heft trägt den Titel: „Die moderne Wiener Bühne". Nach einer ebenso sachlich gehaltenen wie trefflich geschriebenen historischen Einleitung führt uns Dr. Granichstädten in aufsteigender Linie den gegenwärtigen Stand der Wiener Theater vor; am eingehendsten behandelt er selbstverständlich das Burgtheater und dessen hervorragendste Kräfte. Sehr energisch tritt der Autor auch für den Wiederaufbau oder mindestens für einen Ersatz des abgebrannten Stadttheaters ein; er widmet bei dieser Gelegenheit Laube einen warmen Nachruf. Besonders wohltuend berührt in all diesen Erörterungen der ideale, kräftige und sittliche Standpunkt, von dem aus Dr. Granichstädten seine Forderungen an die dramatischen Dichter stellt. Die mit humoristischen Pointen gewürzte, hie und da polemisch gefärbte Schrift wird in den betreffenden Kreisen sicherlich beherzigt werden.

Der amerikanische Schriftsteller Ch. Lanman veröffentlicht demnächst seine Erinnerungen an amerikanische Dichter und Schriftsteller unter dem Titel „Haph azard Personalities". Diese Erinnerungen beziehen sich auf Longfellow, W. Irving, Bryant, Greely, Payne u. A.

Ein neues Lieferungswerk beginnt soeben im Verlag von K. J. Wyß in Bern zu erscheinen und wird Berner Beiträge zur Geschichte der Nationalökonomie enthalten. Die vorliegende Nummer 1 bringt „Der ältere Mirabeau und die ökonomische Gesellschaft in Bern". Rektoratsrede, gehalten am Stiftungsfeste der Universität Bern den 14. November 1885 von August Oncken.

Im Verlag der C. H. Beckschen Buchhandlung in Nördlingen erschien soeben ein vornehm ausgestattetes Werk unter dem Titel: „Friedrich August, Prinz von Schleswig-Holstein-Augustenburg, Graf von Noer. Briefe und Aufzeichnungen aus seinem Nachlass." Herausgegeben von Carmen, Gräfin von Noer.

„Ungarn vor der Schlacht bei Mohács. 1524—1526" lautet der Titel einer bei Wilhelm Lauffer in Budapest erschienenen Uebersetzung aus dem Ungarischen von J. H. Schwicker. Das Original wurde auf Grund der päpstlichen Nuntiaturberichte von Wilhelm Fraknói verfasst.

In Amerika erscheinen mehrere vorzügliche Zeitschriften für Kinder und die reifere Jugend. Das „Babyland", das „St. Nicholasmagazine", der „Youthcompanion" mögen die besten sein. Das letztere hat schon mehremals sehr hohe Preise für die beste Erzählung für die Jugend ausgesetzt und damit offenbar einen so guten Erfolg erzielt, dass sie jetzt neue Preise in dem enormen Betrag von 5000 Dollars, also ungefähr 22 000 Mk. ausschreibt. Diese Summe verteilt sich auf neun Arbeiten: drei Preise für längere Erzählungen und sechs Preise für die Gattung der „short stories".

Lichtenberger: Götz von Berlichingen, Paris, Hachette. In den gelehrten Kreisen Frankreichs ist das Deutsche bekanntlich seit geraumer Zeit vollständig Mode, und mitunter pflügt man dort bis zum Missbrauch „mit deutschen Ochsen". Kein Fachmann wird jetzt eine wichtige Arbeit unternehmen ohne auf die entsprechenden deutschen Geistesprodukte zu achten. An den Universitäten verstehn fast alle jüngeren Professoren die deutsche Sprache — mehr oder weniger, und in meinem engeren Wirkungskreise vergeht selten eine Woche, ohne dass ich von einem Kollegen aus den verschiedenen Fakultäten um Auskunft oder Aushülfe angegangen würde. Im Gymnasialunterricht hatte das Bedürfniss Deutsch zu lernen schon vor und besonders gleich nach dem Kriege eine umfangreiche Litteratur an Schulbüchern hervorgebracht. Jetzt fangen auch die kritisch gelehrten Ausgaben deutscher Schriftsteller und Dichter an sich geltend zu machen, und da fällt vor Allem der obengenannte stattliche Band in die Augen. Der Herausgeber des Götz, Herr Lichtenberger, ist Professor der fremdländischen Litteraturen an der Sorbonne und somit Einer der vornehmsten Vertreter dieses Faches in Frankreich. Auch hat derselbe bereits ein vortreffliches, von der Akademie gekröntes Werk über Goethe als Lyriker verfasst, und eine kritische Ausgabe des Faust steht in Aussicht. In der Einleitung zu seinem Götz giebt Herr Lichtenberger zuerst eine Besprechung der verschiedenen Formen des Dramas in seinen Gestaltungen aus den Jahren 1771, 1787 und 1804. Dann folgen eine gedrängte Darstellung der Autobiographie des Helden, sowie litterarische, stilistische und bibliographische Erörterungen. Den Text selbst begleitet ein sprachlicher und geschichtlicher Kommentar; auch ist eine Karte beigegeben, auf welcher man die Taten und Fahrten des Ritters mit der eisernen Hand verfolgen kann. Den Schluss bildet ein Anhang mit Belegstücken, Parallelstellen, Briefen und einer sehr nützlichen Uebersicht der Varianten. Es ist erfreulich zu sehen, wie trotz der schwierigen politischen Zeitläufe das Interesse der Franzosen an einem Geist wie Goethe immer mehr erstarkt. Das sind moralische Eroberungen, welche auch ihren Wert haben und in unseren von Kanonen starrenden Tagen eine sehr tröstliche Tatsache ausmachen.

Wilhelm Walloth ließ im Verlag von Wilh. Friedrich in Leipzig einen neuen Roman erscheinen: „Paris der Mime!" Er nennt denselben Realistisch-Historisch — und will durch diese Bezeichnung ausdrücken, dass er dem Roman ganz neue Wege eröffnet, dass er das Ideale und das Reale in einer Weise verbindet, durch die das Symbolisch-Wahre erreicht wird. Paris selbst ist ein Charakter über den man auch denken kann, mit dem man nicht beim erstmaligen Lesen fertig wird. Das Buch ist dem bekannten Gerhard von Amyntor zugeeignet.

Alle für das „Magazin" bestimmten Sendungen sind zu richten an die Redaktion des „Magazins für die Litteratur des In- und Auslandes" Leipzig, Georgenstrasse 6.

Für die Redaktion verantwortlich: Hermann Friedrichs in Leipzig. — Verlag von Wilhelm Friedrich in Leipzig. — Druck von Emil Herrmann senior in Leipzig.

Dieser Nummer liegen bei 2 Prospecte von Levy & Müller, Verlagsbuchhandlung, Stuttgart und von Wilhelm Friedrich, K. R. Hofbuchhandlung, Leipzig.

Das Magazin

für die Litteratur des In- und Auslandes.

Wochenschrift der Weltlitteratur.

1832 gegründet von Joseph Lehmann.

55. Jahrgang.

Herausgegeben von Hermann Friedrichs.

Preis Mark 4.– vierteljährlich.

Verlag von Wilhelm Friedrich in Leipzig.

No. 16. —— Leipzig, den 17. April. —— 1886.

Inhalt:

Die Traumsprache.

Von Rudolf Kleinpaul.

> Ce que nous connaissons, est peu de chose;
> mais ce que nous ignorons, est immense.
>
> Laplace.

I.

Als der alte Ovid seine Metamorphosen schrieb, hat er sichs gewiss nicht träumen lassen, dass er mit einer seiner Fabeln die Chemie und die Pharmacopoea Germanica um einen Begriff bereichern würde, der gegenwärtig im Guten wie im Bösen die wichtigtse Rolle spielt; nämlich um das Morphium, welches nächst dem Chinin die vorzüglichste aller Pflanzenbasen ist. Eine der schönsten Stellen in den Metamorphosen ist bekanntlich die phantasiereiche Beschreibung der Höhle des Schlafs im elften Buche. Bei dieser Gelegenheit gibt der Dichter dem Schlaf drei Söhne: den Morpheus, den Icelus oder Phobetor und den Phantasus, alle drei Traumgötter und Bildner oder Former von Traumgestalten, das bedeuten die drei Namen, die griechisch, aber von Ovid erfunden worden sind. Excitat artificem simulatoremque figurae Morphea. Morpheus ist der berühmteste unter den drei Brüdern und nachgerade soviel wie der Vater selbst: wir betrachten ihn nicht bloß als Traumgott, sondern überhaupt als Schlafgott; von einem Schlafenden sagen wir: er ruhe in Morpheus' Armen. Als daher der britische Naturforscher Robert Boyle im siebzehnten Jahrhundert das Alkaloïd des Opiums, wie es auch hieß, das Magisterium Opii entdeckte, nannte er es als ein schlafmachendes Mittel nach dem Morpheus des lateinischen Dichters Morphium oder wie die Engländer, Franzosen und Italiener sagen, Morphin: die Endung —ium haben wir jedenfalls nur dem Opium zuliebe gewählt, welches eigentlich ein Diminutivum und soviel wie Säftchen ist (ὄπιον).

Was aber die drei Traumgötter anbetrifft, so erscheinen sie mir als eine frostige Erfindung des Ovid, in der Sprache, aber durchaus nicht im Geiste der alten Griechen, als welche, gleich den meisten Naturvölkern, glaubten, dass die Träume eine Art Geister seien und nicht von eigenen Traumgöttern erzeugt, sondern von den höchsten Göttern selbst wie Boten gesendet würden. Beim Homer wohnt das Volk der Träume da wo die Schatten der Verstorbenen wohnen, nämlich an den westlichen Ufern des die Erde umfließenden Weltstroms, des Okeanos; hier harren sie der Befehle der Götter, welche sie bald zu diesem, bald zu jenem Schläfer schicken. So schickt Zeus am Anfang des zweiten Buches der Iliade dem Agamemnon einen Traum, der ihn zur Lieferung einer Schlacht auffordert und sich ausdrücklich als einen göttlichen Boten zu erkennen gibt: Διός δέ τοι ἄγγελός εἰμι. Das schließt freilich nicht aus, dass die Träume nicht auch gelegentlich von selber, ohne göttliches Geheiß erscheinen, wo sie dann nichts zu bedeuten haben; dass sogar die gottgesendeten gelegentlich trügen, wie denn eben der Traum, den Zeus dem Agamemnon schickt, trügerische Hoffnungen in ihm erweckt. Penelope, die den schönen, bedeutungsvollen Traum gehabt hat, dass ein Adler ihre zwanzig Gänse erwürgte, und den Odysseus darum befragt, sagt, es sei eine schwierige Sache um Träume, nicht alle gehen in Erfüllung: sie kommen aus zwei Pforten, aus einer elfenbeinernen und aus einer hörnernen, jene seien nichtig, diese prophetisch — womit die geistreiche Frau nur ein Wortspiel zu machen scheint. Im allgemeinen jedoch werden die wahrhaftigen Träume auch für solche gehalten, die von den Göttern ausgehen, und dieselben als göttliche Träume unterschieden: *θεῖός μοι ἐνύπνιον ἦλθεν ὄνειρος.* Solche Träume wurden von den alten Griechen in gewissen Tempeln oft geradezu gesucht, namentlich von Kranken, die in Aeskulaptempeln schliefen, um von dem Gotte das Heilmittel genannt zu bekommen. Dieselbe Auffassung zieht sich auch durch die Bibel, wo es göttliche und natürliche Träume gibt.

Die Unterweisung durch göttliche Träume erschien demnach den alten Völkern als eine der vielen Sprachen, in denen Gott zu den Menschen redet. Im ersten Buch der Iliade meint Achill, man solle einen Seher oder einen Priester oder einen Traumdeuter fragen, weshalb Apollo zürne: *καὶ γάρ τ' ὄναρ ἐκ Διός ἐστιν.* Ein Seher hätte die Natur, ein Priester die Eingeweide befragt; aber auch ein Traum konnte Auskunft geben, denn auch er kommt von Zeus. In dreifacher Weise können wir im Sinne der Alten sagen, dass Gott zu den Menschen redet. Erstens durch die Welt, in der er sich selber offenbart. Zweitens durch Symbole, die uns auf eine höhere Welt hinweisen. Drittens durch Vorbilder, in denen sich kommende Schicksale auf geheimnissvolle Weise abbilden. Sie sind Schatten, von der Zukunft vorausgeworfen. Zu diesen drei Offenbarungen kommt hier also eine vierte: die Sprache des Traums.

Offenbar hat diese neue Sprache mit der vorhergehenden die größte Aehnlichkeit: wenn die Deutung des Vogelflugs und der Eingeweide von Cicero als **Divinatio artis**, so wird die Traumdeutung als **Divinatio naturae** bezeichnet. Träume sind Vorbilder, symbolische und prophetische Vorbilder, wie die realen Augurien. Die Götter senden sie uns um uns dadurch im Bilde das Zukünftige zu zeigen, und der Unterschied ist nur der, dass die Vorzeichen außer uns in Wirklichkeit geschehen, während uns die Traumbilder im Schlafe unfassbar und ungreifbar, wie die Seelen der Verstorbenen, umschweben. So lange es Tag ist, fangen wir begierig, mit aufgeschlossenen Sinnen alle Eindrücke der Umgebung auf und verarbeiten sie mit der Schärfe des Verstandes; aber des Nachts, wenn unsere Sinne ruhen und der ermüdete Verstand seine Funktionen aussetzt, besucht uns ein Höheres und lässt uns im tiefen Spiegel der Zeit, in Nebelbildern das nahende Schicksal sehen. Ein Gott spricht zu uns und belehrt uns auf seine stille, wunderbare Weise — wie hier eine höhere Intelligenz obwalte, kann man schon daraus abnehmen, dass wir unsere Traumbilder nicht während des Traums deuten und analysiren können, sondern erst wenn wir erwacht sind, ja, dass wir sie uns das zehnte Mal erst deuten lassen müssen. Dies die naive, aber treffende Auffassung der Traumsprache im Altertum, die man nur *ihres* poetischen Gewandes zu entkleiden braucht, um sie noch heute teilen zu können.

II.

Konstatiren wir zunächst, dass es prophetische Träume gibt. *Träume sind Schäume*, sagt der Deutsche, und der Franzose: *Songes Mensonges;* die elfenbeinerne Pforte wollen wir nicht leugnen. Der Traum ist ein großer Dichter, er macht seine Gedichte auch aus der Vergangenheit und aus der Gegenwart. Aber es gibt so viele wahrhaft bedeutungsvolle Träume, die von glaubwürdigen Männern mitgeteilt worden sind oder die wir gelegentlich selbst haben, dass wir eben mit Frau Penelope bekennen müssen:

> οἳ δὲ διὰ ξεστῶν κεράων ἔλθωσι θύραζε,
> οἵ ῥ' ἔτυμα κραίνουσι, βροτῶν ὅτε κέν τις ἴδηται.

Nun ist es für das Wesen der Traumsprache wahrlich ganz gleichgültig, ob wir uns die vorbedeutenden Traumbilder von Gott wie Geister senden lassen, oder ob wir sie einer eignen Seelenkraft verdanken und ob wir selber Morpheus und Jupiter sind. Die Bildlichkeit bleibt dieselbe, nur dass das eine Mal Gott das Bild braucht und gleich einem Stern vom Himmel fallen lässt, das andere Mal ein Gott, der in unserer Brust wohnt, erschaute Gesichte in Sinnbilder übersetzt. Diese Uebersetzung dünkt mich das Wesentliche an der sonderbaren Sprache. Die prophetische Kraft, mit welcher das scheinbar Zufällige, ganz Unberechenbare wie in einem Spiegel angeschaut wird, gehört gar nicht der Sprache an, das ist Ahnung, Weissagung, Divination; es ist ein Stück Allwissenheit, das uns der Schöpfer gelassen zu haben scheint. Aber die symbolische Kraft, mit welcher wir die trockene Wahrheit poetisch umgestalten, mit welcher wir die Dinge, zukünftige wie vergangene und gegenwärtige, nicht unmittelbar, sondern in tiefsinnigen Bildern anschaun: das ist Sprache, das ist Ausdruck des Gedankens, das ist eine Redeweise nach Art der großen Mutter, die unbewusst und unwillkürlich in uns träumt und dichtet und psychologische Metaphern ohne Zahl ersinnt, ja, der wir selber im stillen einen seltnen Tiefsinn und die Phantasie eines Propheten anzudichten lieben, indem wir von den Göttern religiöse Symbole und Vorzeichen verlangen. Bei Bautzen liegt der sogenannte Traumberg, vulgo Droomberg. Hier hatte dem Erbauer der ersten Bautzener Wasserkunst, als bei ihrer Eröffnung kein Wasser gekommen war, geträumt, dass eine große Ratte im Hauptrohr sitze, was sich bestätigte. A la bonne heure; aber das konnte unserem Ingenieur allenfalls auch in der Stadt einfallen. Und Dio Chrysostomus erzählt von einem ägyptischen Lautenschläger, der träumte, er werde vor einem Esel spielen: der Esel war Antiochus, König der Syrer, der zu seinem Neffen Ptolemäus nach Memphis gekommen war und nichts von Musik verstand. Abermals à la bonne heure; aber wenn die Bilder des Traums alle so vulgär wären, so verlohnte es sich kaum davon zu reden. Nein, die Sprache, deren sich der Träumende bedient, ist eine ganz andere, von überraschender Originalität, sie erinnert an die Sprache der Inspirirten, an die Ausdrücke der Dichter und Propheten. Wenn zur Zeit des Tiberius ein gewisser Philippus von einem Adler träumte, der ihn mit seinen Flügeln decke — das hieß sprechen wie der Traum spricht, Tiberius hatte Grund, den Kronprätendenten zu verbannen.

Nach Fredegar hatte der fränkische König Childerich, der Vater des Chlodwig, als er sich mit Basina vermählte, in der Hochzeitsnacht (A. D. 465) einen Traum, welcher die Größe seines Sohnes und die Leiden seiner Nachkommen vorausverkündigte. Er träumte, er gehe hinaus in den Hof und der sei voll von Löwen, Leoparden und Einhörnern. Er ging abermals hinaus, und siehe, da liefen Bären und Wölfe durch den Hof. Er ging zum dritten Mal hinaus, da balgten und bissen sich Tausende von Hunden und Katzen untereinander herum. Die Deutung gab ihm Basina, die thüringische Fürstin, die ihm zu liebe ihren Gemahl verlassen hatte und Childerich zu den Franken nachgefolgt war. Sie sagte ihm, er habe die Zukunft der Merowinger, des ersten fränkischen Königshauses erschaut. Zuerst, sagte sie, werden die Könige allein mit einigen Großen sein. Dann wird der Mittelstand regieren; endlich das kleine Volk die Macht an sich reißen. Der Traum passt auf alle Staaten, die sich gemeiniglich von der Monarchie zur Aristokratie und von dieser zur Demokratie entwickeln. Aber wer möchte sich bei dem Traume Childerichs nicht an den des Propheten Daniel erinnern, der vier große Tiere, einen Löwen, einen Bären, einen Parden und ein viertes Tier nacheinander aus dem Meere heraufsteigen sah, welche vier Tiere die vier Reiche bedeuteten, so auf Erden kommen werden? —

Vor der Geburt des Königs Ottokar (1230) hatte seine Mutter einen Traum, dass sie einen Wolf statt eines Knaben empfangen habe. Dieser Wolf unterwarf sich das Böhmerland und verschlang die benachbarten Länder mit Gewalt, aber über diesen Wolf kam ein Löwe, zerriss ihn mit seinen Klauen und nahm sein Gut. Und als (1170) Juana de Guzman mit dem heiligen Dominicus gesegneten Leibes ging, träumte ihr, sie bringe einen Hund zur Welt, der eine brennende Fackel im Maule trage und damit die Welt erleuchte. Es ist als ob wir in Florenz in S. Maria Novella stünden und die Gläubigen als Lämmer, die Ketzer als Wölfe, die Mönche als schwarzweiße Hunde abgemalt erblickten.

Lassen wir uns von Fredegar noch einen dritten Traum erzählen. Der Frankenkönig Guntram, ein Merowinger, war im Jahre 567 auf der Jagd. Am Rande eines Baches ward gerastet: Guntram legte sein Haupt auf das Knie eines Begleiters und schlief ein. Da kam aus dem Munde des Königs eine Maus und wollte über das Wasser hinüber. Der Begleiter hielt sein Schwert über den Bach, das Tierchen lief darüber und schlüpfte in den nahen Berg zu einem Loch hinein. Nach einiger Zeit kam es wieder heraus, lief wieder über das Schwert und in den Mund des Königs zurück. Die Maus war die Seele Guntrams gewesen. Der König hatte geträumt, er gehe auf eiserner Brücke über einen Fluss und in einen Berg, in dem ein Schatz verborgen sei. Er ließ nachgraben, und es ward in der Tat ein großer Hort gefunden, von dem Guntram ein Ciborium in die Kirche des heiligen Marcellus zu Chalons an der Saône, seiner Residenz, stiftete. Dieses Ciborium war noch zur Zeit Karls des Großen zu sehn. So lautet die merkwürdige Erzählung. Aber in der Mythologie aller Völker wurde die vom Körper gelöste Seele gelegentlich als eine Maus angesehen, wie man die Seele andere Male als einen Schmetterling, als einen Vogel, als eine Biene ansah; die unterirdischen Gänge der Mäuse mochten sie zunächst als kleine Erdgeister erscheinen lassen, inspirirt von der Witterung der Erde und begabt mit prophetischen Kräften wie die Pythia. In dem Apollotempel zu Chryse war eine Statue des Gottes mit einer Maus unter seinem Fuße und auf Münzen trägt Apollo eine Maus in seiner Hand. Unsere eigene Sprache vergleicht nicht nur die Muskeln mit Mäusen, sondern auch die im Kopfe gleich Mäusen hin- und herschießenden Gedanken, daher wir sagen: Mäuse im Kopfe haben, für: Skrupel haben. In der Walpurgisnacht lässt Goethe der Schönen, mit welcher Faust tanzt, *mitten im Gesange ein rotes Mäuschen aus dem Munde springen.* So nahe berührt sich der Traum des fränkischen Königs Guntram mit der Symbolik der alten Griechen und mit allgemein gebrauchten Bildern!

(Schluss folgt.)

Gedichte von A. Fitger.

Probatum.

Mensch, gehorche stets dem Staat,
Weil er alle Lebensweisheit
Löffelweis gefressen hat.

Mensch, gehorch' der Religion;
Mehr als Weisheit ja ist Wahrheit,
Die da landesüblich schon.

Mensch, gehorche der Natur;
Urallmächtigen Gesetzen,
Ewiger Not gehorchst du nur.

Mensch sei klug und unterm Schein,
Ihren Schwestern fromm zu dienen,
Schlag' ein Schnippchen allen drein.

Skylla und Charybdis.

Eitelkeit, vermaledeite!
Sag mir, wie ich sie vermeide,
Erndt' ich Lob von aller Welt,
Hei, wie das den Kamm mir schwellt!
Aber werd' ich hart getadelt
Als verkanntes Urgenie;
Man entgeht der Hexe nie.

Kinderspiel.

Der kleine Hans und die große Gret,
Spielen selband 'ne Partie Piquet,
Und Grete mogelt, weil sie ihn liebt,
Dem Hans die Trümpfe zu, wenn sie giebt;
Dann strampelt der Kleine vor Vergnügen,
So glänzend sein Schwesterlein zu besiegen.

Wenn bei der Première der Teufel los
Mit wütenden Bravo-bravissimos
Und der Handschuh knallt und der Lorbeer fliegt,
Und der lächelnde Dichter sein Kreuz verbiegt, —
Verzeih es mir Gott, — es mahnt mich ganz
An die große Gret und den kleinen Hans.

Nach Voltaire.

Manch wackres Werk hab' ich erdacht,
Mit Mut und Zierlichkeit vollbracht;
Doch keins hat einen Blick des Königs mir errungen;
Ich war an Feinden reich und arm an Gut und Geld;
Nun fällt mir in den Schoß die Herrlichkeit der Welt,
Weil einen Gassenhauer ich gesungen.

Wie doch die Wahrheit oft mit ros'gem Licht
Noch durch die Dämmerung des Traumes bricht!
Ich sah im Traume mich mit Kron' und Purpur geh'n,
Ich liebte dich, ich wagt' es zu gesteh'n.
Und nun, erwacht, was büßt' ich Großes ein?
Mein bischen Königreich allein.

Die vorgeschichtliche Burg im Peloponnes.

(Schluss.)

Wieder finden wir auf mösisch-thrakischem Boden, unterhalb der Donau-Mündungen, das Vorgebirge Tiristria. Ebenso auf thrakischem Boden die Städte Tyrodiza und Tyria.

Im Peloponnes — der, wie gesagt, einst von phrygischen Thrakern erfüllt war — erscheint eine Reihe Ortsnamen aus Tir, Tyr oder Thyr gebildet. In Phrygien und Lydien treffen wir auf Tyriaion und Tyrrha u. s. w., u. s. w. Alles, wohlgemerkt, auf germanischem, thrakischem, oder einst von Thrakern besiedelten Boden!

Tir oder Tyr ist der skandinavische Herakles und Schlachtengott; Tir die Schwert-Rune. Von ihm hat der dänische Tirsdag, der schwedische Tisdag, der altnordische Tyrsdagr, der englische Tuesday, der deutsche Dinstag, der alemannische Zischtig (Zio's Tag) den Namen. Merkwürdig genug, hat nun der tirynthische Herakles (denn es gab der Heraklesse, der Aphroditen, der Zeusse u. s. w. gar vielerlei) in seinen Taten die engste Verwandtschaft mit den ursprünglich eine Einheit bildenden germanischen Göttergestalten Tir und Thor. Die Aehnlichkeit ist geradezu erstaunlich. Darum konnte auch Tacitus mit Fug von einem als Schlachtenführer besungenen deutschen Herkules sprechen.

Braucht man, bei solcher Lage der Dinge, zu einer phönikischen Namens-Erklärung für das als thrakische Gründung bezeugte Tiryns zu greifen? Liegen da, wenn einmal eine Vermutung aufgestellt werden soll, unsere eigenen Tir-Namen nicht näher — zumal wenn man erwägt, dass die As-, Teut-Sig-, Gort-, Gyth-Namen im Peloponnes sich ebenfalls dicht dabei finden?

Der Meinung, dass Scherie, der alte Name Korfu's, auf die Phöniker deute und wohl aus einem arabischen Worte als „Kaufplatz" zu erklären sei, vermag ich mich nicht anzuschließen. Wohin die Phöniker auch gingen — und als Schiffer und Handelsleute fuhren sie gewiss weit — überall traten sie als Kaufleute auf. Die Annahme, dass sie diese eine Insel als Kaufplatz bezeichneten, ist daher ohne näheren Beweis kaum anzunehmen.

Ich bringe den Scherie-Namen vielmehr mit den zahlreichen ähnlichen zusammen, die wir überall für felsige, zerklüftete Eilande und für felsiges Land überhaupt angewandt sehen. Und wir stoßen auf diesen Namen sowohl in jenen Gegenden Südost-Europas, wo die den getischen Stamm in sich fassenden Thraker wohnten, als auch hoch im Norden, von der Ostsee bis zum Atlantischen Meere, wo immer das seekühne Geaten-Volk der Nordmänner hindrang, welches seiner Voreltern erste Heimat gerade eben nach Südost-Europa, in thrakisches Gebiet, versetzte.

Skären, Skerries, heißen die felsigen Inseln in allen germanischen Zungen. Schwedisch: Skär; Dänisch: Skjär; Isländisch: Sker; Holländisch: scheeren; Deutsch: Scheeren. Ein Skär-Karl ist im Schwedischen ein Bewohner eines solchen Eilandes. Die Shetlands-Inselgruppe hat ihre Skerries. An der schottischen, irischen, walisischen, englischen Küste, überall wo die den Thrakern besonders nahe verwandten Skandinaven hinkamen, kommt das Wort vor. Es giebt die Skerries von Anglesea (im Alt-Dänischen und Norwegischen: Oenguls-ny, oder Angels-öen), das Eiland der Angeln. Vor Tenby liegt der Scar-Rock — d. h. Scar-Felsen. Die doppelte Benennung (Felsen-Felsen) entstand, als die Bedeutung des skandinavischen Wortes „skär" im Volksbewusstsein schwand. Scar-Borough (die Stadt), an der Ostküste von England, ist ein anderes Beispiel. Wo diese Scar- oder Skerry-Namen in England erscheinen, findet sich immer gleichzeitig viel skandinavische und englische Benennung. So an der walisischen Küste: Stockholm, Gatholm, Grasholm, Thorn Island (Thor's Insel) u. s. w.

Nun schaue man sich einmal in diesem Lichte die Felsen-Eilande, die Fels-Ufer, die auf Felsbett fließenden Ströme, die Fels-Landschaften in griechischem, ehemals von Thraker-Volk bewohntem Gebiet an, welche die Scher(ie)-, Skyr(os)-, Skir(onischen), skir(itischen) Namen tragen — im Aegäischen Meere (bei Homer das „Thraker-Meer" genannt), auf der Landenge bei Megara, im ehemals phrygisch besiedelten Peloponnes, und bis an die Nordostküste Griechenlands hinauf. Ist da ein Zweifel noch möglich, wie das Wort im Sinne von „felsig", „hart", in die hellenische Sprache kam? Haben wir ja doch auch einen in der Nähe der Geten, in gebirgiger Gegend wohnenden Thraker-Stamm, welcher Skyrmiaden hieß! (Herodot, IV, 93).

Spricht das Zeugniss der Alten klar über den lykisch-thrakischen Ursprung von Tiryns; ist der baukundige Verfasser der Vorrede zu Schliemanns Werk der festen Ueberzeugung, dass die entdeckten Burgtrümmer diese Angabe erhärten; ist Englands bedeutendster Fachkenner, wie ich weiß, aufs Entschiedenste der gleichen Ansicht: so lässt sich die Erklärung des älteren Namens von Tiryns (Likymnia) von den Lykern, und des von Tiryns selbst aus der mit Herakles zusammenstimmenden Gestalt des Tir-Thor gewiss als Vermutung aufstellen. Ich gehe in diesem Punkte nicht weiter als bis zur Vermutung; allein sie hat noch andere Stützen.

Es giebt nämlich sozusagen Tirynse auch in Skandinavien, Deutschland und England. In Dänemark: Tirsted, Tirstrup, Tirsbok, Tisvelde. In Deutschland: Tiesdorf, Duisburg, Dinslak (das alte Martis Lacus), Ziesburg (der alte deutsche Name Augsburgs), Ziesberg, Zissen, Zissenheim, Zingsheim. In England: Tisbury u. s. w. Ein lykisch-thrakisches Tiryns oder Tirys (Tirüs) ergäbe sich da wohl leicht.

Und nun noch Eines.

Tir oder Tyr heißt nicht bloß der nordische Herakles und Schwertgott. Tyr heißt im Dänischen, Tjur (ganz ähnlich wie „Tyr" gesprochen) im Schwedischen, auch der Stier. Das Wort ist von derselben arischen Wurzel wie taurus und ταῦρος.*) Dass Tir, gleich Dyaus, Zeus u. s. w. — der Wurzel nach auf den Himmel weist und insofern mit dem Worte für „Stier" nichts zu thun hat, ist selbstverständlich. Die Mythe aber mischt oft die entlegensten Dinge in Folge eines Gleichklanges zusammen.

Als unsere kimbrischen Vorfahren mit den Teutonen auf den Kriegszug ausgingen, führten sie ein ehernes Stierbild als Heiligtum mit sich. Auf diesen Stier ließen sie die gefangenen Römer bei der Entlassung einen Schwur leisten. War nicht dieser Stier das Sinnbild des Kriegsgottes? Helme mit ehernen Stier-Ohren und Stier-Hörnern begegnen uns bei den Thrakern des Herodot. Gewiss lag hier ebenso ein Bezug auf die Götterlehre vor, wie bei den Eber-Sinnbildern und Eber-Helmen baltisch-suevischer und angel-sächsischer Völker, welche den auf dem goldborstigen Sonnen-Eber reitenden Fro oder Freyr insbesondere verehrten und daher unter seinem Zeichen fochten.

Der Wassermann in Stiergestalt als Stammvater eines fränkischen Königs-, d. h. im ältesten Sinne eines führenden Kriegergeschlechtes; das in Childerichs Grab gefundene goldene Stierhaupt: das Alles deutet auf germanische Stier-Verehrung. Auch der phrygische Gott des Natursegens wurde als befruchtender Stier, desgleichen der von Thraker-Priestern erzogene Weingott mit einem Stierhaupte dargestellt.

Wer kann sagen, wie viel von solchen Anschauungen aus thrakischer Götterlehre in die hellenische eingedrungen ist? Ist doch Zeus selbst auf Kreta bei den Thrakern geboren und erzogen — auf jenem Ida-Berge, der im hohen Ida-Felde, dem Gipfelpunkte des skandinavischen Asgard, wiederklingt; und zwar ist Zeus geboren von der phrygischen Göttermutter Rhea. Denen aber, die ob solcher Zusammenhänge stutzen, ließe sicht leicht eine stattliche Reihe von Hauptpersönlichkeiten aus griechischer Göttersage vorführen, die aus thrakischem Ideenkreise nachweisbar entlehnt sind. Die Alten scheuten sich nicht, dies zu gestehen. Nur die Neueren zimmern sich oft ein falsch einheitliches, ureingeborenes, unnahbares Hellenentum zusammen.

Nun blicke man auf die bedeutsamste, in ihrem Sinne bisher nicht ergründete Wandmalerei, welche Dr. Schliemann in Tiryns gefunden hat.

Sollen wir bei dem Stier-Reiter an Herakles denken, der den vom Meergotte nach Kreta gesandten furchtbaren Bullen zurückholt und nach Mykene bringt? . . . . Jedenfalls hält sich da ein mit der Phryger-Mütze bedeckter Mann, gewissermaßen sieghaft jubelnd, an dem Horne des dahinrennenden Stiers — auf blauem Grunde, wie durch Meeresflut, reitend.

Sollte etwa die Bedeutung des Namens Tiryns — der doppelte Bezug auf einen mit dem nordischen Tir gleichnamigen Schwertgott, und auf ein thrakisches Wort für „Stier", das man sich mit dem nordischen gleichlautend zu denken hätte — darin angedeutet sein?

Wenn wir von den Alten hören, dass die Thraker, deren erhaltene Sprachreste mehrfach mit skandinavischer Zunge zusammenstimmen, das kurze Breitschwert „skálm" (σκάλμη) nannten, und dass alt-nordisch und isländisch das kurze Breitschwert „skálm" heißt, so ist die Vermutung gewiss erlaubt. Denen aber, die noch immer an der Verwandtschaft

*) Siehe Pott's „Wurzelwörterbuch der Indo-Germanischen Sprachen."

der Thraker mit den Germanen zweifeln, wollen wir zum Schluss einen kleinen Umstand in's Gedächtniss bringen, der, wie oft kleine Umstände, plötzlich unerwartet Licht auf den Gegenstand wirft. Thukydes stammte, von mütterlicher Seite, von thrakischen Königen ab, und trug desshalb einen bei diesen häufigen Beinamen: Olor(os). Ist das nicht das nordische Olaus, Olaf, Oleg?

Manches ließe sich noch sagen, um zu zeigen, dass die klassische Ueberlieferung hinsichtlich Tiryns keineswegs bei Seite gesetzt werden darf, um für nicht-bezeugte Phöniker Platz zu machen. Darum bleibt aber Dr. Schliemanns Entdeckung doch, auf dem Gebiete der Altertumskunde, die merkwürdigste, anregendste, wunderbarste Errungenschaft der neusten Zeit. Und keine größere Genugtuung könnte uns werden, als wenn auch er sich schießlich überzeugen sollte, dass er diesmal wiederum die Beweise für die Richtigkeit der Angaben der alten Schriftsteller und Dichter gefunden hat.

London. Karl Blind.

Skandinavische Litteraturbriefe.

Von Rudolf Schmidt.

II.

Da ich diese Reihe von Artikeln mit den Norwegern begonnen habe, will ich mit ihnen fortfahren.

„Otte Fortællinger" („Acht Erzählungen", Gyldendalske Boghandel) von Jonas Lie stehen in der Reihe der Arbeiten des beliebten Dichters nicht besonders hoch und laden zu keiner eindringlichen Besprechung ein. Wenn ich mich nicht irre, ist Lie, dessen Bücher in Dänemark und Norwegen ebenso verbreitet sind wie Björnsons und Ibsens, in Deutschland weit weniger bekannt als die genannten zwei Häupter der modernen norwegischen Litteratur, mit welchen er auch an ursprünglicher Kraft und schöpferischem Vermögen durchaus nicht verglichen werden kann. Dennoch ist Jonas Lie eine eigentümliche Dichtergestalt, die allerdings der Beachtung wert ist.

Lie ist der vornehmste skandinavische Repräsentant der sogenannten graphischen Poesie. Gegen die Poesie, welche der Verfasser dieser Briefe in seiner eigenen Sprache die persönliche genannt, d. h. die dem innern Kern des eigenen Ich's entspringende Poesie, deren Licht sich nur gegen die Welt der Notwendigkeit bricht, um in allen Darstellungen des milieu (Zola), möge es von der äußeren Natur oder den gegebenen sozialen Zuständen herrühren, nur den farbigen Wiederschein der freien menschlichen Persönlichkeit zu genießen, steht die graphische, deren Wesen es ist, alles Menschliche in seinem Bedingtsein von der Notwendigkeit als bloßes Produkt des milieu, in unwandelbarer Abhängigkeit von der umgebenden Natur und der gesellschaftlichen Ordnung als hervorgebracht darzustellen. In meinem Buche „Buster og Masker" S. 300 u. folg. habe ich diesen Gegensatz sorfältig ausgeführt. Hier muss es genug sein, nur „Colomba", die Schilderungen aus Halb-Asien des Karl Emil Franzos, die kalifornischen Geschichten Bret Hartes als illustrirende Beispiele zu nennen. Die Hauptforderung der graphischen Poesie, aus der in Gegenwart und Vorzeit keine einzige wahrhaft große dichterische Tat, sondern sehr viel Unterhaltendes, geschickt Erzähltes, in artistischer Hinsicht Vorzügliches entsprungen, ist selbstverständlich eine neue, früher wenig bekannte Stoffquelle. Jonas Lie ist im norwegischen Nordlande geboren und verlebte daselbst die Jahre seiner Kindheit und ersten Jugend. Die gewaltigen Naturumgebungen, aus denen die Norweger so gern das ungeheuere Weltbild des in Norwegen notorisch nicht gedichteten Völaspá entspringen lassen wollten, erregten in Lie keinen gigantischen, mit geistigen Riesenkräften ausgerüsteten Dichter-Genius. Dagegen bereicherten die mannigfachen, von der großartigen, aber unfruchtbaren und heimtückischen Natur hervorgerufenen Erwerbsquellen, die aus dunkelwaltenden physischen Ursachen herrührenden seelischen Abnormitäten, der bunte Verkehr der verschiedensten Nationalitäten, Norweger, Russen, Finnländer etc., die Erinnerung des Knaben mit einer Fülle stark kolorirter sonderbarer Bilder, welchen erst nach langen Jahren im reifen Mannesalter seine Dichtungen entsprossen.

Lies Erstlingswerk „Den Fremsynte" („Der Hellseher") wurzelt eben in der physiologischen Abnormität, welche man auf Deutsch „das zweite Gesicht" nennt, und diese Abnormität, die in den öden Gegenden des wilden Nordlandes sehr allgemein, wird vom Dichter schlechterdings als vorgefundene Tatsache ohne irgend welche psychische Begründung in das Leben des Helden eingeführt. Das Buch enthält aber nebenbei eine Mannigfaltigkeit von bunten, seltsamen, meisterhaft hingeworfenen Bildern aus einem der übrigen Welt bisher unbekannten gesellschaftlichen Leben, und wenn man auch, namentlich im zweiten Kapitel, dem Verfasser die lange betriebene journalistische Tätigkeit ein bischen zu stark anmerkte, so war die eigentümliche artistische Form Lies: eine künstlich schwerfällige, aber nie ermüdende Prosa, deren ganz schlichter Wortvorrat von mattschimmernden, lyrischen Farbenabschattirungen fast unmerkbar durchwoben, bereits hier so ausgeprägt, dass das Buch einen noch größern äußern Erfolg errang als Björnsons epochemachendes Erstlingswerk „Synnöve Solbakken", dem es freilich durchaus nicht an die Seite gestellt werden kann. „Der Hellseher" enthält jedoch eine wunderbar hübsche Episode, die Liebschaft der Kinder, die von bedeutendem dichterischem Wert ist und vielleicht Alles überragt, was Lie sonst geschrieben. Als Jonas Lie aber in

„Adam Schrader" einen innerhalb des gewöhnlichen bürgerlichen Lebens abgegrenzten, nur durch die packende Wahrheit der seelischen Vorgänge wirkenden Roman liefern wollte, erlitt er eine vollständige Niederlage.

Dagegen hat er sich durch seine Seemannsgeschichten „Rutland" und „Gaa paa" („Dran") glänzend revanchirt, wenn auch diese trefflich geschriebenen, durch ihren bunten, fremdartigen Inhalt fesselnden Schilderungen durchaus keine einzige wirkliche Spur in dem skandinavischen Geistesleben hinterlassen haben. Auch die drei späteren Erzählungen Lies: „Livsslaven", „Familjen paa Gilje" und „En Malström", welche teils das Kleinstadtleben, teils das Leben auf einem großen norwegischen Landgut schildern, haben wesentlich nur dem grapischen Interesse, dem stilistischen Aroma, den zahlreichen anmutigen Stilllebensbildern und keineswegs einer tiefgehenden Darlegung echt menschlicher Vorgänge ihren großartigen Erfolg zu verdanken. In „Livsslaven" („Lebenslänglich verurteilt") ist das plötzliche Erscheinen der Makrele in den Gewässern einer kleinen norwegischen Hafenstadt, die Aufgeregtheit sämmtlicher Einwohner vom Höchsten bis zum Niedrigsten, der durch alle Straßen verbreitete Geruch des gerösteten Fisches mit echt niederländischer, in sonnenhellen Humor getauchter Kunst dargestellt. Der Hauptinhalt der Erzählung ist aber keineswegs zu seinem Recht gelangt: nur sehr dürftig und unzulänglich ist der Nexus von tragisch verwobenen Umständen dargelegt, der am Ende einen ursprünglich gutgesinnten Burschen für den Rest seiner Lebenstage ins Zuchthaus bringt und einen solchen Eindruck unbiegsamer Notwendigkeit in seiner eigenen Seele hinterlässt, dass er auf dem letzten Blatte mit schmerzlicher Ueberzeugung erklären kann: so sei es doch eigentlich am besten; wenn er das Leben noch einmal zu leben habe, würde sich nur die ganze traurige Geschichte von vorn wiederholen! Der Leser ist nach beendigter Lektüre weder erschüttert noch überzeugt und legt das Buch weg, steif und fest auf der Meinung beharrend, dass Jonas Lie ganz entschieden nicht zu jenen Dichtern gehört, die von der Muse dazu auserkoren sind, in der Werkstatt des Schicksals am eisernen Ambos mitzuarbeiten. Die zwei anderen der genannten Erzählungen enthalten sehr wenig, dass dieser Auffassung widerspricht, und eine ganze Mannigfaltigkeit von Zügen, welche sie glänzend bestätigt; eine Analyse würde aber hier zu weit führen. Gehen wir auf „Otte Fortællinger" zurück, so zeigt sich das Büchlein als eine charakteristische Probekarte sowohl der Mängel wie der Vorzüge der ganzen Lieschen Autorschaft; nur sind die Vorzüge bei weitem nicht so hervortretend, wie in den größeren Erzählungen Jonas Lies. „Alligatoren" beansprucht ohne Glück eine kleine, anmutige, aus lauter psychologischen Fäden mit sorgfältig versteckter Kunst gesponnene Geschichte zu sein. Ein junger Mann aus einem andern Teil des Landes lässt sich in einem nordländischen „Bygd" (Kreis, Bezirk) nieder und lebt auf seinem Hofe sein eigenes Leben, ohne auch den geringsten Eifer zu bezeugen, mit den Nachbarn in gesellschaftlichen Verkehr zu treten. Die jungen Mädchen des Bygds nehmen ihm selbstverständlich dies sehr übel; eins von ihnen war in Amsterdam und hat da im zoologischen Garten einen Alligator gesehen, der mit schlauen, verstellt gleichgültigen Augen in der Tiefe des Wassers auf seine Nichts ahnende Beute lauerte; die Freundinnen stimmen ihr alle bei, dass der reservirte junge Mann eigentlich ein Alligator in Menschengestalt sei. Die Aufgabe einer echt psychologischen Darstellung wäre es nun gewesen, zu zeigen, wie der junge Mann, ohne im Entferntesten daran zu denken, eine der jungen Damen so völlig bestrickt, dass sie in der Stunde, in welcher ihm endlich die Augen aufgehen, von selbst dem unfreiwilligen Alligator in die Arme fällt. So hat es aber der Dichter durchaus nicht gefügt. Lie bricht selbst seiner sinnvollen Erzählung die Spitze ab, indem er den jungen Mann nach reiflicher Erwägung ganz positiv um das Nichts ahnende Fräulein werben lässt; — wo ist denn da der Alligator geblieben? „Tobias Slagter" ist dagegen eine echt Liesche, mit buntfarbigen graphischen Zügen ausstaffirte Erzählung, die sehr ergötzlich wirkt. Die zahlreichen Kniffe des blutarmen Finländers, der mit seinem Weibe und drei Kindern, nebst dem nur mit Fischen aufgefütterten Ferkel Matthias auf einer kleinen Felseninsel ganz für sich allein wohnt, sind mit lachendem Humor erzählt, und auf wenigen Blättern werden hier dem Leser eine ganze Menge Bilder von sozialen Zuständen der einsamen nordländischen Welt vorgeführt, ein jedes dazu geeignet, einen kosmopolitischen Weltbürger vollständig verdutzt zu machen.

Mit Frau Magdalene Thoresen verglichen nimmt Jonas Lie sich aus wie ein elegantes dünnbeiniges Windspiel einem weiblichen feuerangigen Panther mit wogenden, muskulösen Gliedern unter dem glatten, fleckigen Felle gegenüber. Frau M. Thoresen gehört zu den interessantesten Erscheinungen der gegenwärtigen skandinavischen Litteratur. Geborne Dänin, fing sie als Kellnerin an Bord eines kleinen binnenländischen Dampfers ihre Laufbahn an, kam, durch günstige Umstände zur Gouvernante ausgebildet, nach Norwegen als Erzieherin der Kinder des verwittweten Pastors Thoresen. Sie heirateten sich, und ihr Mann ward allmählich von ihren dichterischen Anlagen so fest überzeugt, dass er sie, außer Stande sie selbst zu begleiten, für mühsam erspartes Geld zum Behuf ihrer weiteren Entwickelung ganz allein eine Reise durch Deutschland und Frankreich machen ließ. Erst nach dem Tode ihres Mannes fingen diese Anlagen und zwar durch starke Einwirkung des jugendlichen Genius Björnsons an im vierzigsten Lebensjahre der Dichterin sich zu entfalten. Frau Thoresen hat einzelne Erzählungen geschrieben, deren Schauplatz ihr dänisches Vaterland ist; unter diesen ist namentlich „Der Schuhflicker“ durch tiefste und echteste Charakterzeichnung hervorragend. In steter Gegenwart einer finstern, grandiosen, ihren heimatlichen Erinnerungen fremden Natur ging aber ihre eigentliche Entwickelung vor sich; die strenge norwegische Natur erzog sie zur norwegischen Dichterin. Frau Thoresen ist weniger blendend als Björnson, man vermisst bei ihr gänzlich die taufrische Unmittelbarkeit, die das Merkmal der früheren Dichtungen Björnsons war; sie ist aber inhaltschwerer, markiger, ich möchte sagen: männlicher; aus ihren dichterischen Erzeugnissen leuchtet der bei Weitem bedeutendere persönliche Kern, der, durch eine vielfach bewegte Lebensführung errungene, weit tiefere menschliche Gehalt. Durch diese Vorzüge wird Frau Thoresen eben das diametrale Gegenstück zu Jonas Lie. Wenn sie auch die äußeren Erscheinungen mit wirklicher Kunst zu malen versteht, ist bei ihr niemals die graphische Außenseite, sondern immer sind die inneren seelischen Vorgänge ganz überwiegend die Hauptsache. Sie ist es, die durch eine ganz eigenartige geistige Entwickelung dazu gereift wurde, beim Ambos des Geschickes den dichterischen Hammer mit wahrhaft erstaunlichen Kräften zu führen! Selbstverständlich ist Frau Magdalene Thoresen bei Weitem nicht so populär wie Lie, und leider werden sehr viele ihrer dichterischen Leistungen durch seltsame stilistische Flecken bisweilen zum Fratzenhaften entstellt. Nicht nur schreibt sie meistens eine Prosa, die „von Metaphern überquillt“ — Metaphern freilich, die manchmal durchaus originell und wohlerfunden sind — sondern es muss als eine traurige Wahrheit eingeräumt werden, dass die krankhafte Neigung, so oft wie nur möglich einen rhetorischen Umweg zu gehen, bei der hochbegabten Frau durch unablässliches Anhäufen von Bildern und Gleichnissen hie und da in das unerquicklichste Spiel wüster Ideeassoziatonen ausartet, dessen eigentlichen Sinn zu finden geradezu eine schwierige Aufgabe ist. Nur ein einziges, absolut makelloses Meisterwerk, würdig, von Goethe im Elysium gelesen zu werden, hat Frau Thoresen geliefert: „Luknegaarden“ („Der Luknehof“). Was Björnson an Frische und lyrischem Glanz voraus hat, ist hier durch überlegene, im edelsten Gleichmaß durchgeführte Komposition, echt seelische Knotenschürzung und tiefe menschliche Wahrheit reichlich ersetzt. Den breitschultrigen, von Manneskraft und Selbstgefühl strotzenden Hofbauer Lars Björn und die zwei Zwillingsbrüder, seine Söhne, von welchen der eine ein paar Stunden früher als der andere geboren, was dem Vater eine immerdauernde Veranlassung zum Aufwiegeln des Einen gegen den Andern giebt, wird kein fühlender Mensch vergessen, der sie einmal kennen gelernt.

In Bezug auf das norwegische Nordland hat sich der Unterschied des dichterischen Naturells aller drei Schriftsteller auf die schlagendste Weise dargelegt. Wenn auch in der Region der halbjährigen Nacht geboren, hat Lie wesentlich nur das auswärtige Leben der norwegischen Nordländer geschildert. In „Einer neuen Ferienfahrt“ gab Björnson eine köstliche, echt Björnsonsche Schilderung seines kurzen Sommeraufenthaltes daselbst, vom Wiederscheine eines reichen lyrischen Gemütes illuminirt, farbenschimmernd, prachtvoll, aber wenig tief. In ihrem letzten Buche „Billeder fra Midnatssolens Land“ (1884, Gyldendalske Boghandel) hat dagegen Frau Thoresen die Ergebnisse eines beinahe zweijährigen Verweilens bei ihrer, mit dem Kommandanten auf Vardöhus verheirateten Tochter niederlegt. Die dänisch-geborne Dichterin hat den nordländischen Winter aus freier Wahl durchgemacht, sie hat das nördliche Eismeer zu allen Jahreszeiten studirt, den zahlreichen, halbverwischten, geschichtlichen Spuren an Ort und Stelle nachgeforscht, die seltsame Gestaltung eines absonderlichen gesellschaftlichen Lebens in nächster Nähe mit genialer Fassungskraft wahrgenommen. Ihre persönlichen Eindrücke und tiefgehenden Studien hat sie dann in einem wahrhaft überraschenden, im eigentlichen Sinne des Wortes schwerwiegenden Buche mit eingehender Arbeitskraft und großer sprachlicher Gewandtheit zusammengeschmolzen. Allerdings ist das letzte Drittel des Werkes ein bischen unbedeutend, was bei Frau Thoresen nur selten der Fall ist. Hie und da ist auch die Darstellung durch die ungebührliche Menge der Gleichnisse bis zum Ungenießbaren verzerrt. Die meisten Abschnitte sind aber von tadelloser Klarheit und Deutlichkeit, in einem ernsten, sorgfältig durchgearbeiteten Stile geschrieben, der sich dem wuchtigen, mannigfaltigen Inhalt mit echt künstlerischer Besonnenheit anschmiegt. Eine abgekürzte, sorgfältig gesäuberte Uebersetzung dieses Buches würde ganz unzweifelhaft in Deutschland ihren Weg machen.

Vermutlich ist der Name Arne Garborg der deutschen Leserwelt vollkommen unbekannt. Jedoch ist gar kein Zweifel daran, dass Garborg ein weit bedeutenderer Schriftsteller ist als z. B. Jonas Lie und Alexander Kjelland, welch letzterer nur als der Glückspilz der modernen norwegischen Litteratur zu betrachten ist. „Bondestudenter“ („Bauernstudenten“ 1885) ist ein Roman von echt epischer Breite, im guten alten Sinne des Wortes. Der unbedeutende Verlauf von Begebenheiten rollt vollständig ohne „Spannung“ und komödienhafte Verknüpfungen ab, ganz mit der katastrophenlosen Langsamkeit des wirklichen Lebens. Dagegen weiß er allerdings auch mit der Gabe der faktischen, selbsterlebten Wirklichkeit, durch den ihr innewohnenden Gehalt, aber auch nur durch ihn allein, das Interesse zu fesseln. Freilich ist das ziemlich indiskrete Porträtiren noch lebender Personen nicht selten bei Garborg ein bischen umständlich; namentlich ist's eine starke Zumutung an die Leser, ihnen eine akademische Anrede von Seiten eines alten wohlbekannten Hegelianischen Professors in ihrer ganzen schauderhaften Länge zu serviren. Im Großen und Ganzen hat aber die langsam dahin gleitende Darstellung ganz das Merkmal der wahren epischen Dichtung: den Leser mit ihrer Breite dermaßen einverstanden zu machen, dass von Ermüdung und Langeweile gar keine Rede ist. Was einem bewährten Prosakünstler wie Edmond de Goncourt in seinem „Chérie“ nur halb gelungen, hat der norwegische Dichter in seinem Erstlingswerke auf die glänzendste Weise vollbracht. Auch durch den glücklich gegriffenen Stoff*) ist der Roman Garborgs hochinteressant und bedeutungsvoll; er schildert die akademische Laufbahn eines armen Bauernjungen, der, nachdem er durch die Hände einer ganzen Menge freiwilliger Lehrer von den verschiedensten Geistesrichtungen gegangen, endlich auf einer, allen Norwegern wohlbekannten, „Studenten-Fabrik“ in Christiania zum Examen artium fertig gemacht wird. Aller Mittel entblößt um auf regelmäßige Weise seine Studien fortzusetzen, steht er da, ohne inneren Beruf, mit dem Nachhall der verschiedenen, ihm gepredigten Lebensanschauungen, die ihm in den Ohren klingen, ungefähr so klug wie der Schüler im „Faust“, nachdem ihm Mephistopheles seine so außerordentlich deutliche und bündige Rede gehalten. Ein bitterer Hass gegen die begüterte Bourgeoisie entbrennt in ihm. Mit überlegener Ironie fügt es der Dichter aber so, dass er am Ende seinen Irrtum vollständig erkennt und, sobald sich ihm die Möglichkeit darbietet, durch eine reiche Partie eine gute bürgerliche Stellung zu erlangen, dieselbe mit Begierde ergreift und sich selbst das reuige Geständniss macht: die wohlhabende Bourgeoisie mit den hübschen Wohnungen und den aus vielen Gängen zusammengesetzten Diners sei doch im Alleinbesitz der einzigen heilsamen Lebenswahrheit, auf die sich mit sittlicher Ueberzeugung leben und sterben lässt. Ihm zur Seite ist eine Menge anderer typischer Repräsentanten des studirten Bauernsohnes gestellt: der nationale Aufschneider, der faselnde Pietist, der Schwindler mit dem ehrlichen Antlitz, der Poet mit der nie beendigten Tragödie u. s. w. In der ganzen Gesellschaft findet sich kein einziger anständiger Mensch, kein Einziger, der Mark genug besitzt, um etliche kummervolle Jugendjahre mannhaft durchzugehen, kein Einziger, der in seinem Innern auch nur den leisesten Hauch wahrhaft geistiger Instinkte verspürt. Es ist ein Wort der herbsten und heilsamsten Wahrheit, das der Dichter hier seiner norwegischen und dänischen Gegenwart in die Augen geschleudert; — ob er die volle Tragweite desselben verstanden oder sich nur absichtslos der hervorquellenden „Lust zum Fabuliren“ hingegeben, darf freilich in Frage gestellt werden.

*) Auch hier hat Frau Magdalene Thoresen das Verdienst, in ihrer tief empfundenen, aber nicht besonders kunstvoll ausgearbeiteten Erzählung „Studenten“ schon vor 25 Jahren den ersten kühnen Griff gemacht zu haben.

Es gab eine Zeit, in welcher in Dänemark die drei berühmten Häuslersöhne: Rasmus Rask, Niels Mathias Petersen und Rasmus Nielsen, von einer dem Bauernstande innewohnenden Summe ungebrauchter Geisteskräfte einer sanguinischen Hoffnung glänzende Zeugnisse ablegten. Diese Hoffnung ist gegenwärtig für lange Zeiten zur Erde bestattet. Sowohl in Dänemark wie in Norwegen hat im letzten Menschenalter der Bauernstand, mit wenigen und wenig bedeutenden Ausnahmen, das öffentliche Leben nur mit politischen Gliedermännern versehen. Er hat sich gerade an geistigen Instinkten und persönlichem Manneswert ebenso verlassen gezeigt wie in Garborgs Roman! Aber warum hat denn der hochbegabte Verfasser eben dieses Buch, nicht in der dänisch-norwegischen Buchsprache geschrieben, sondern in dem aus keinem einzelnen Dialekte bestehenden, nur durch läppische Künste zusammengerafften „Landsmaal“ („Landessprache“) das nur dazu bestimmt war, den geistigen Bedürfnissen des norwegischen Bauernstandes entgegen zu kommen? Der ganze Roman mit seiner wunderbaren Gallerie armseliger Kerls liefert ja den Beweis, dass diese Bedürfnisse noch immer nicht so überwältigend groß sind! — Noch sei bemerkt, dass für solche Leser, denen das „Landsmaal“ zuwider, und deren giebt es auch in Norwegen nicht wenige, eine dänisch-norwegische „Uebersetzung“ bei P. G. Philipsen in Kopenhagen erschienen ist.

Cruelle Enigme von Paul Bourget.

Paris, Lemerre. Zweite Auflage.

Bourget ist der Schriftsteller à la mode. Drei Bände Gedichte oder vielmehr Dichtung „La Vie inquiète, Edel, les Aveux“; ein Band Kritik „Essais de Psychologie contemporaine“ (Baudelaire, Renan, Flaubert, Taine, Stendhal) und ein Band Novellen „L'Irréparable (deuxième amour, profils perdus)“. Alle diese Titel geben ziemlich genau die Richtung oder vielmehr die Pose an, welcher der junge Autor huldigt. Er ist einer der immer zahlreicher werdenden Schüler der Ecole Normale Supérieure, die niemals oder nur auf kurze Zeit an einem Lyceum oder einer Fakultät dozirt haben und des kaum getragenen Joches überdrüssig die Dozententoga in den Winkel werfen und zum Journalismus übergehen. Die Débats öffnen den Talentvollsten bereitwillig Tür und Tor und so ist auch Bourget einer der Mitarbeiter dieses litterarischsten aller politischen Blätter geworden.

Auch er hat mit der Poesie begonnen und ist dann zum Roman übergetreten mit der Tendenz seinen Salonpessimismus in schön dahinrollenden, mit Melancholie getränkten Phrasen zum Ausdruck zu bringen. Er ist einer jener Pessimisten von der laxen Observanz, einer jener Herrn, die wie gewöhnliche Menschenkinder auch lieber Havannas rauchen als Regiezigarren, aber einzig und allein, um durch den aufsteigenden Rauch nur desto schmerzlicher an die Vergänglichkeit alles Irdischen und an das öde Nichts gemahnt zu werden.

Es ist ja dies das Kennzeichen der jetzigen Generation: mit fünfzehn Jahren glauben die jungen Herrn nicht mehr an die Liebe und interessiren sich nur noch für Pferderennen und Wetten; mit fünfundzwanzig sind sie fertig mit dem Leben und verachten es mit dem stillen Hintergedanken, seine Mühen, Freuden und Genüsse trotz alledem so lang als möglich zu ertragen.

In „Cruelle Enigme" schildert Bourget einen jungen Mann, der, anders als seine Zeitgenossen erzogen, durch ein sogenanntes Verhältniss zu einer verheirateten Frau mit zweiundzwanzig Jahren zu dem wird, was seine Kompromotionalen mit fünfzehn waren oder zu sein wähnten. Das bricht seiner Mutter und seiner Großmutter das Herz, „sie sehen im Voraus die unvermeidliche Metamorphose, die sich nun in ihrem Kinde vollziehen sollte . . ." Ach! es liegt eine tiefe Wahrheit in dem Satze, dass der Mensch ist wie seine Liebe; aber diese Liebe, warum überkommt sie uns, woher kommt sie? Eine Frage, die nicht zu beantworten, die, wie der Verrat des Weibes, wie die Schwachheit des Mannes, wie das Leben selbst ein grausames Rätsel bildet!"

Mit diesem Stoßseufzer schließt das Buch. Auf allen Seiten schlägt der Verfasser diesen elegischen Ton an. Mitten in der — übrigens vornehm keusch gehaltenen — erotischen Liebesidylle heißt es: Das menschliche Geschöpf ist in seiner Natur so sehr für das Unglück organisirt, dass in der völligen Verwirklichung des Begehrens ein Etwas liegt, was den Menschen wie außer sich bringt; es ist, als ob er ein Wunder schaue, ein Gesicht sehe und wenn die Lust den höchsten Grad erreicht, scheint die Freude eine Lüge zu sein.

Es herrscht dabei überall in der etwas prätentiösen Analyse bei Bourget ein beständiges Haschen nach neuen Ausdrücken vor; er erfindet Wörter, wie „aperception, vacuité"; er liebt das abstrakte Wort statt des konkreten; selbst da wo das Deutsche kein abstractum mehr liefert, wie zum Beispiel „les causes profondes de la vie, l'animalité foncière, la tragique doublure." Auch neue Zeitwörter ersinnt er: z. B. um den Rauchschweif des Dampfers zu schildern, sagt er „la fumée s'incurvait en arrière."

Es sind dies Versuche, die Sprache zu bereichern, die kaum genehmigt werden können — Hugo hat sich Vieles herausgenommen, ob man aber alle seine Neubildungen beibehalten wird, ist eine andere Frage.

Jedoch ist Bourget nicht der erste beste. Wenn er sich entschließen kann, die psychologische Pose fahren zu lassen, keine allzu zart besaiteten Menschen, keine Muttersöhnchen zum Gegenstand seiner Studien zu wählen, sondern etwas handfestere Jungen, die schon einen Puff vertragen, so braucht er seine Romane nicht mehr so äolsharfenartig zu betiteln und zu beschließen und mag dann einen vielleicht weniger modischen, aber desto gesünderen menschlicheren Nieren- und Herzenprüfer abgeben, was kein Schaden wäre, denn dutzendweise laufen sie just nicht herum.

Versailles. James Klein.

Gerhard von Amyntor und Hermann Heiberg.

„Vom Buchstaben zum Geiste". 2 Bände.
„Eine vornehme Frau".
Leipzig, Wilhelm Friedrich.

Schon der Titel des zweibändigen Amyntor'schen Werkes sagt, dass der Autor sich die Aufgabe gestellt hat, eine These zu entwickeln. Noch deutlicher, als auf dem Titelblatte, wird auf diese Absicht durch das Citat eines Heine'schen Wortes hingewiesen, das der Held der Erzählung seiner Gedichtsammlung als Motto beifügt: „Nur Narren wollen gefallen — die Starken wollen ihren Gedanken Geltung verschaffen". — Ein kräftiges Wort, das fortan allen jenen Kritikern entgegen gehalten werden soll, die von vornherein jeder Tendenzdichtung abhold sind. Diese Klasse von Rezensenten — und sie ist sehr zahlreich — wird dem neuesten Romane Amyntors kaum gerecht werden; sie wird denselben benützen, um oft wiederholte Gemeinplätze von der „Kunst, die nur sich selbst Zweck sein soll" und dgl. anzubringen und dem Autor zu raten, er möge alle Tendenz bei Seite lassen, um die unmittelbare Wirkung seines schönen Erzählertalentes nicht zu beeinträchtigen. Die guten Leute vergessen dabei, dass es der Autor überhaupt verschmäht hat, sie durch seine Erzählung unterhalten zu wollen; dass das Werk, ohne den Gedanken, der dessen Rückgrat ist, gar nicht verfasst worden wäre, dass er es nur schrieb, um diesem Gedanken Geltung zu verschaffen — und wenn er nebenbei mit seiner Erzählung zu gefallen sucht, er dies nur tat, weil das Gefallen eines der wirksamsten Mittel zur Erreichung des Geltendmachens abgiebt.

Schon im ersten Kapitel wird der Conflikt klargelegt. Johannes Firmus, Sohn eines starrgläubigen, am Buchstaben der Schrift festhaltenden Landpfarrers, hat der theologischen Laufbahn, für welche er bestimmt war, entsagt und sich dem Handelsberufe zugewendet, denn — wie er selbst sagt: „Je mehr ich mich mit den Glaubenswissenschaften beschäftigte, desto schwerer und unabweisbarer wurden für mich die Zweifel, ob Glauben und Wissenschaft nicht einander ausschließen ..." Daraufhin hat der schmerzlich empörte Vater dem Sohne seine Liebe entzogen; und wenn Johannes, ihm zu Füßen, um Rückgabe dieser Liebe fleht, so lautet die Antwort: „Erst schwöre ab deinen verblendeten Wahn, die Tiefen der Gottheit mit der Vernunft ausmessen zu wollen — ergieb dich blind und ohne Vorbehalt den Satzungen, die unsere lutherische Kirche aufgestellt hat... So lang du dies nicht tun kannst, muss ich dich als zeitlich und ewiglich verloren beklagen."

Johannes ist aber kein Freidenker. In diesem selben ersten Kapitel, wo er dem geliebten Mädchen den Bruch mit seinem Vater erzählt, legt er sein Bekenntniss ab: „Ein Rationalist bin ich nicht. Mit demütigem Stolze nenne ich mich einen Christen — ich glaube an die Erlösung durch die Liebe, die uns der Gesalbte gepredigt hat, die Liebe zu Gott und zum Nächsten". — Wir sehen also gleich, dass es sich hier nicht um den großen Streit zwischen dem Geist des Glaubens im Allgemeinen, der allen Religionen zu Grunde liegt, und dem Geist des Freigedankens, der jede Ueberlieferung abgeschüttelt hat, handelt, sondern um eine in viel engeren Grenzen sich bewegende Anschauungsverschiedenheit. Einerseits der, an sich eigentlich folgerichtigere Standpunkt des auf jeden Buchstaben der Bibel schwörenden Altlutheraners, und andererseits der Standpunkt des halben Skeptikers, der alles Widersinnige der Glaubenslehre ablehnt, sich jedoch die Ehrfurcht vor dem blinden Glauben der Andern, und für sich selbst den Glauben an den Geist, an die symbolische Wahrheit und an die sittliche Notwendigkeit des Christentums bewahrt hat. Obwohl in engeren Grenzen, so wird dieser Streit in viel weiteren Kreisen geführt, als der entscheidendere, aber heutzutage noch nicht so allgemeine Kampf zwischen den beiden ganz extremen Richtungen. Was nun immer der Standpunkt des Lesers sei, dieser findet im Amyntor'schen Buche reiche Anregung, und da die Zahl der Gesinnungsgenossen des Helden eine überwiegend große ist, so wird die durchgeführte These auch dem größten Teil des Publikums zu Danke durchgeführt sein. Denn, selbstverständlich, der Sieg bleibt auf der Seite Johannes'. Auf dem Todtenbette bekehrt sich der alte Firmus noch zu der Anschauung des Sohnes: „Gieb mir die Hand, mein Kind — Du warst immer auf richtigen Pfaden — ich — ich war der irre Gehende — was frommen uns Worte? Der Geist ist es, der lebendig macht ..."

Ich sehe kommen, dass um Amyntors Roman herum lebhafte Controversen sich erheben werden. Jeder, der das Buch besprechen soll, wird — über die Handlung, über den eigentlichen Roman hinausgehend — dessen Tendenz zum Gegenstand seines Berichtes machen und als Anknüpfung seiner eigenen diesbezüglichen Ueberzeugungsäußerung benutzen. Auch er wird die Gelegenheit wahrnehmen, „seinen Gedanken Geltung zu verschaffen". Der Ultramontane wird dartun, dass beide Firmus, Vater und Sohn, gleich verblendete Ketzer sind, und die Anhänger des Agnosticismus werden an den von Amyntor erbrachten Beweis, „dass auch im Herzen des freier Denkenden die Liebe mächtig sein kann" anknüpfen, um die Ansprüche des ganz frei, des am freiesten Denkenden zu vertreten; um zu zeigen, dass, wenn es einen Fortschritt bedeutet, den Geist von dem Buchstaben losgelöst zu haben, der nächste Fortschritt der Vernunft darin liegt, den Geist der Liebe — der ja wirklich Erlösung in sich birgt — ganz unabhängig von jeglicher Ueberlieferung, aus dem Kult der wissenschaftlich erforschten Wahrheit zu gewinnen.

Bei jedem Leser — nicht nur beim Kritiker — wird der gedankliche Inhalt des Buches eine tiefere und nachhaltigere Wirkung zurücklassen, als die Erzählung, so fesselnd diese auch sei, die den geistigen Kern umhüllt. Und fesselnd, mitunter bis zur Atemstockung spannend ist sie, diese Erzählung. Sie enthält Szenen von ergreifender Wirkung — so die Todesgefahr und Errettung des über dem Abgrund schwebenden Berthold; — den Tod des alten Schwarz; die Auftritte zwischen Vater und Sohn und viele andere.

Ein Realist ist der Verfasser nicht. Zwar hat er seinem Buche als Motto eine Stelle aus Bleibtreus „Revolution der Litteratur" vorangesetzt („Es ist daher die erste und wichtigste Aufgabe der Poesie, sich der großen Zeitfragen zu bemächtigen"), — ein Motto, welchem der vorliegende Roman auch nachfolgt, indem zwei große Zeitfragen — Kulturkampf und Arbeiteraufstände — in die Handlung verflochten sind; aber dem revolutionären Element in der Litteratur, nämlich dem Naturalismus, wird keine Rechnung getragen. Der Held Johannes Firmus ist mit allen Tugenden ausgeschmückt und hat nicht eine menschlich schwache Regung aufzuweisen — eine schöne Licht in Licht gemalte Idealgestalt, aber wahrlich keine realistische Figur. Die „magdliche" Iduna, die man fast immer vor einem Kruzifixe knieend sieht, giebt auch ein poesieumhauchtes Bild, aber kein lebendiges Mädchen. Ueberhaupt sind die Frauen des Romanes vom Verfasser des „Frauenlob" diesmal etwas stiefväterlich bedacht: nicht ein geistvolles Wort wird ihnen in den Mund gelegt; die fromme Gläubigkeit der Heldin, die in allen Ereignissen ihres Lebens die Einmischung des Heilandes sieht, die auf Zureden des Pfarrers den Bräutigam verlässt, um ihr Seelenheil zu wahren; die, ohne schwimmen zu können, sich in die Wellen wagt, auf ein Rettungswunder bauend — diese Gläubigkeit mag rührend sein, vernünftig ist sie nicht. Frau Eichner ist beschränkt und flach; Aspasia ist eine lächerliche alte Dichterin, die so wenig von der Welt weiss, dass sie fragt „Wer ist Zola?" — auch die Gattin des Pfarrers versteht von den geistigen Kämpfen Johannes nichts ... „Sie begriff nicht recht, was denn eigentlich das

Trennende in den Ansichten des Gatten und des Sohnes war. Wie konnten diese Männer überhaupt den Glauben zum Gegenstand hitziger Erörterungen machen? Sie als Frau wäre gar nicht im Stande gewesen u. s. w." Ich fürchte sehr, dass Amyntor den Verstand für ein. Ding hält, auf welches man „als Frau" überhaupt keinen Anspruch erheben darf....

Was nun die Sprache anbelangt, so muss sich das deutsche Schrifttum dem Autor zu warmem Danke verpflichtet erkennen. Nicht nur, dass diese Prosa edel, rhythmisch und wohlklingend dahinfließt wie Musik, sondern es wird der Sprachschatz durch Worte neuer Prägung bereichert. Die gemiedenen Fremdworte werden nicht durch alte, weniger bezeichnende Ausdrücke übersetzt — was eine Sprachverarmung bedeutet — sondern durch neugeschaffene, gleichwertige ersetzt. Alle deutsch Schreibenden und schreiben Wollenden sollten dieses Buch lesen, um ihr Sprachgefühl zu verfeinern.

In den Roman sind auch einige Gedichte eingeflochten — der Held pflegt seine Ideen und Stimmungen rhythmisch auszugestalten — die von geradezu überwältigender Schönheit und erhabendstem Gedankenschwunge sind. Da ist eine Betrachtung über das Fragezeichen, welches die Mondensichel am Himmel zeichnet:

„Gähnen auch aus Sonnensphären
Einst noch Rätsel, Controversen?"

fragt der sinnende Beschauer. Nun ja ... auf jene Fragen, die das All durchrätseln, giebt es wohl eine Antwort — die kann aber nicht in dem Geiste des vor mehreren tausend Jahren auf unserem Erdpünktchen geschriebenen Buchstaben zu finden sein. Nicht aus den Ueberlieferungen der lallenden Kindheit unseres Geschlechts lässt sich Lösung und Erlösung hervorholen: für die wahrheitsforschende Vernunft liegt dieses Ziel in der Zukunft. In einer wohl sehr fernen Zukunft -- aber, mit Amyntors eigenen Worten: „Lern Ergebung und Geduld —

„Langsam durch die Jahrmillionen
Wächst empor der Menschengeist"

Eine andere vornehme Erscheinung des neuesten schönen Schrifttums ist H. Heibergs letzte Erzählung „Eine vornehme Frau". Wie gesagt, ein vornehmes Buch, welches diesmal nicht so sehr — wie seine früheren Werke — aus des Verfassers elegantem Geiste als aus dessen adeligem Herzen hervorgegangen ist. — In diesem Roman wird keine These entwickelt; die Berichterstatter desselben werden sich daher auch nicht zu so langen, streitbaren Auseinandersetzungen veranlasst finden, wie solche das oben besprochene Buch von allen Seiten hervorrufen wird. Wenn man die „vornehme Frau" durchgelesen, so tönen im Geiste nicht noch allerhand Argumente und Gegenargumente nach, sondern eine Rührung, eine Erhebung bemächtigt sich sanft und erwärmend der Seele ...

Wie diese Heldin gezeichnet ist — was für ein Bild der Anmut, des holdesten Liebreizes, dabei voll Naturwahrheit in ihren Schwächen, diese Ange Gräfin Clairefort, — die schöne, unpraktische, kindliche Mutter von sechs kleinen Engeln — darstellt, das muss man lesen, das lässt sich nicht erzählen. Heiberg muss solch ein bestrickendes Geschöpf gekannt haben — es ist nicht möglich, dass diese Gestalt, so bis in die kleinsten, zartesten Züge hinein, in einer Dichterphantasie — und wäre diese noch so glühend — entstanden sei.

Die Handlung des Romans ist die denkbar einfachste. Die verwöhnte große Dame steht plötzlich allein und mittellos mit ihren Kindern in der Welt da und in dieser Schule entfaltet sich erst ihr „vornehmer" Charakter ... Dass sie zum Schlusse durch den ihr an Edelsinn ebenbürtigen Rittmeister Axel von Teut glücklich wird, ist zwar kein überraschender Romanschluss, aber es musste sein. Nimmermehr hätte es der Leser dem Autor verziehen, wenn es anders gekommen wäre.

Die Schreibart ist, wie immer bei Heiberg: vornehm. Diesmal vielleicht fließender, einfacher, ruhiger als in seinen vorigen Schriften. Manche werden dies wohl als einen Fortschritt begrüßen — ich bekenne, dass ich in dieser neuen Art ein wenig meinen Heiberg vermisse. Jenes sprunghafte, kühne Sagen von Allem, was ihm durch den regen Geist schießt, und was bei dem Leser eben so regen Geist voraussetzt, war es eben, was einen ganz eigenen Reiz ausübte. Aber diesmal hat der Verfasser wahrscheinlich zeigen wollen, dass er gemessen und „klassisch" schreiben kann, wenn er will, dass die absichtlich nachlässige und kecke Allüre seiner früheren Schreibweise auch nur vornehme Laune war ... Möge er dazu zurückkehren! Es giebt ja feinfühlige Leser genug — „les délicats et les gourmets" wie sich eine Klasse von Litteraturfreunden in Frankreich nennt — die sich an den prickelnden Leckerbissen von „Ausgetobt" und Aehnlichem so gern ergötzen.

Aber damit will ich der „Vornehmen Frau" keinen Vorwurf gemacht haben: zu diesem Bilde passte vielleicht kein anderes, als das vom Autor gewählte gedämpftere Kolorit. Es wäre Undankbarkeit. etwas an einem Buche aussetzen zu wollen, dass man in einem Atem gelesen — weil ein Weglegen gar nicht möglich war — das Einem süße Tränen der Rührung entlockte und welches, nachdem man es aus der Hand gelegt, den Eindruck hinterlässt, als wäre man um einen Grad veredelt, um einen Grad im Herzen — vornehmer geworden.

B. v. Suttner.

Eine unbekannte Litteratur.

„Ist die Totalität der geistigen Betriebsamkeit ein Meer, so ist einer von den Strömen, welche jenem das Wasser zuführen, eben die jüdische Litteratur," sagt Leopold Zunz, der kürzlich verstorbene Gelehrte, welcher als der Pionier der jüdischen Litteratur gelten kann; „auch in ihr wird das Edelste sichtbar werden, das die Seelen erfüllt hat und wonach sie gerungen: auch sie zeigt die mannigfachen Taten des erkennenden Geistes. Und wenn wir heute die Zeugen und die Kinder einer ewig wirkenden Tätigkeit sind, so ist auch unsere Gegenwart nur der Anfang einer Zukunft, also ein Uebergang aus der Erkenntniss zum Leben. Die Ideale des Geistes erkannt und empfunden, werden dem Gedanken Freiheit, dem Gefühle Schönheit verleihen; die Schiffahrt auf dem einen Strome kann zu der Urquelle führen, der aller Geist entströmt und um welchen, wie um einen ruhenden Pol, alle Richtungen sich bewegen!" Und unter der Flagge mutiger Begeisterung und unermüdlichen Sammlerfleißes steuert Gustav Karpeles diesen Strom entlang, durchschifft ihn in allen seinen Windungen und Krümmungen, erforscht ihn bis zu seinen ersten, geheimnissvollen Quellen, und bringt in frischer, lebendiger, klarer Darstellung die Resultate dieser Forschungen in seiner neuesten „Geschichte der jüdischen Litteratur" (Berlin 1886, Verlag von Robert Oppenheim, 2 Bände) dar. Mit Freiheit und Unbefangenheit steht er dem vielumfassenden Stoffe gegenüber und sucht ihn aus den Gesichtspunkten objektivster Betrachtung zu erörtern; eine sachverständige Durchdringung des Materials erhöht die wissenschaftliche Bedeutung dieses Werkes, das den besten der Litteratur-Geschichtsschreibung großen Stils sich würdig anreiht. Es war uns vergönnt, hie und da einen Blick in die Werkstatt zu tun, in welcher diese Schöpfung ihrer Vollendung entgegenreifte. Wer sieht die jahrelange, nimmer ermüdende Arbeit, den rastlosen Eifer, die zärtliche Sorgfalt, die Stein um Stein herbeiträgt, die erstaunliche Beharrlichkeit, welche bis an die nur Wenigen zugänglichen Quellen vordringt, das Sorgen und Hoffen dem fertig vorliegenden Werke an, welches dem Leser in anregender, interessanter Weise Gebiete erschließt, die ihm bisher fremd waren? Niemals genug anerkannt ist die Ausdauer, das unermüdliche Streben unserer Gelehrten, weil die rechte Vorstellung über die Entstehung wissenschaftlicher Werke der großen Menge fehlt, und wir es schon als einen Vorzug betrachten, wenn die Bedeutung derselben in litterarischen Kreisen die richtige Würdigung findet. In die stille Klause des Gelehrten hinein müsste das Licht eines lebhaften Interesses, einer verständnissinnigen Teilnahme der Gebildeten fallen; viel zu ablehnend und indifferent verhält sich das deutsche Publikum noch immer den großen Arbeiten und Errungenschaften seiner bedeutenden Forscher gegenüber. Wie ganz anders ist es in England und Frankreich, wo die gesammte gebildete Welt in freudigster und teilnahmsvollster Zusammengehörigkeit sich fühlt mit den Männern der Wissenschaft und in nationalem Stolze die Arbeiten derselben fördert durch lebendige, warmherzige Anteilnahme an Schöpfer und Schöpfungen! Fünf Jahre sind es her, seit Karpeles im Kreise einiger Gelehrten und Schriftsteller in großen Umrissen den Plan seines Werkes entwickelte. Fünf Jahre angestrengtester, geistiger Tätigkeit, um ein Buch zu schreiben! Mit Befriedigung und freudiger Genugtuung erfüllt es uns daher, zu konstatiren, dass der große Aufwand an Zeit und Fleiß einem Werke von hohem Werte zu Gute kam. Durch Karpeles „Geschichte der jüdischen Litteratur" ist ein Gebiet erschlossen worden, welches merkwürdigerweise allzulange auf einen geeigneten Interpreten warten musste. Absolute Beherrschung des Stoffes qualifizirte Karpeles, wie keinen Zweiten, zu dieser Aufgabe, und er hat es verstanden, die Entwickelung der Wissenschaft und Dichtung der Juden, im Zusammenhang mit den Schicksalen dieses Volkes und den Beziehungen desselben zu den andern Nationen und Litteraturen darzustellen. Es ist unmöglich, gelegentlich einer kurzen kritischen Besprechung auf die Details eines so großen, umfassenden Werkes einzugehen; hervorheben wollen wir nur, dass dieses Buch die erste systematische Darstellung der jüdischen Litteraturgeschichte ist. Vom sagenumwobenen Altertum bis in die neueste Zeit verfolgt der Historiker den Gang dieser Litteratur und ergründet die Wechselwirkung, in der sie zu den litterarischen Erscheinungen der andern Völker steht. So finden wir die jüdische Litteratur, nachdem sie die nationale Selbstständigkeit verloren, was nach dem Untergang des jüdischen Reiches natürlich erscheint, zunächst in Verbindung mit dem Hellenismus wieder. Während sie in ihren ersten Anfängen noch streng gesondert, als althebräische oder biblische Litteratur auftritt, hat sie in der zweiten Periode sich bereits dem griechischen Geiste assimilirt und in griechischer Sprache geschrieben finden sich die meisten Werke der damaligen Epoche. Die Periode, welche einen Zeitraum von tausend Jahren umfasst, ist schon erfüllt von den glänzenden Resultaten, welche der jüdische Geist im Gedankenaustausch mit andern Nationen errungen. Die hervorragendsten Schöpfungen der jüdischen Litteratur fallen in diese Zeit. Die beiden Talmude und Werke von analoger Bedeutung entstehen, Wissenschaft und Poesie blühen. Die Schriftsprache ist in dieser und der nächsten Periode bald arabisch, bald aramäisch. In diesem hohen geistigen Sinne entwickelt sich die Litteratur fort, immer lebendiger wird der Anteil der Juden an der Geistesarbeit der Völker in der Glanzepoche ihrer Litteratur. Sie pflegen Wissenschaft und Dichtkunst, sie betreiben Medizin, Astronomie, Philosophie, Exegese und Theologie, immer weitere Gebiete eröffnen sich ihrem Wissens- und Erkenntnissdrang und ihre Entwickelung ist eine stetig fortschreitende. Die fünfte Periode umfasst fünf Jahrhunderte und unterliegt hauptsächlich den Eindrücken, welche das spanische Exil, Renaissance und Buchdruckerkunst auf sie ausüben. Trüb und schwerfällig ist in dieser Zeit die geistige Richtung; das Wesen der Kabbalah und Geheimlehre verdrängt die freie, ideale Auffassung, welche die Grundbedingung der Poesie und Philosophie ist. Erst mit Moses Mendelssohn, von dem die sechste Periode zu datiren ist, bricht lichtvoll strahlend wieder ein neues Geistesleben sich Bahn. Von diesem Zeitpunkt ab tritt immer klarer und deutlicher die Assimilirungsfähigkeit der Juden in die Erscheinung. Juden schreiben hervorragende deutsche Werke, sie wirken und schaffen im besten deutschen, humanistischen Sinne an der Kulturarbeit des Volkes, sie nehmen zeitweise eine führende Rolle ein und zeigen sich auch dieser Mission gewachsen, sie betätigen künstlerische Kräfte auf dem Felde der schönen Litteratur — man findet sie stets auf dem Plan, stets in den vordersten Reihen der Kämpfer für Wissenschaft und Kunst. Diese letzte Periode beginnt mit dem Ende des achtzehnten Jahrhunderts und ist auch noch nicht als abgeschlossen zu betrachten. Mit gewaltigem, sich vertiefendem Forschersinn durchdringt Karpeles diese verschiedenen Zeitläufte; er lässt ein helles Licht auf noch undurchforschte Erscheinungen und Perioden der Litteratur fallen und mit tiefer und genialer Urteilskraft legt er den Maßstab litterar-historischer Kritik an die Erzeugnisse des Alten, Neuen und Neuesten. So liebevoll er auch den Gegenstand umfasst, so gerecht und streng geht er zu Werke; niemals siegt die Empfindung über die Klarheit seines prüfenden und wägenden Blickes und ohne Voreingenommenheit bestimmt er den litterarischen Wert und Unwert der Erscheinungen. Besonders bemerkenswert ist es, wie fesselnd der Autor seinen Gegenstand zu meistern versteht, wie er ein universelles Gepräge einem Stoffe verleiht, der eigentlich als eine gar nicht courswertige Münze galt. Unter jüdischer Litteratur begriff man bislang nur ein umfriedetes, dem allgemeinen Interesse unzugängliches Terrain, das in seiner Abgeschlossenheit und Absonderlichkeit, in seiner Sterilität und Dürre für wissenschaftliche Exkursionen keinen Reiz bot. Wer einmal verstohlen über den Zaun geblickt, ließ schnell die Hand davon oder begnügte sich im kleinen Kreis der Nächststehenden, d. h. der Juden, Teilnahme dafür zu erwecken. Daher kommt es wohl auch, dass bisher nur wenig ausreichende Versuche auf diesem Gebiete vorgenommen wurden. Erst Karpeles war es vorbehalten, weitere Kreise dafür zu interessiren und er hat das bedeutende Verdienst, der Litteraturgeschichte der Juden einen Platz in der Weltlitteratur gewonnen zu haben. In präziser, planvoller Anleitung führt er den Leser durch die verschlungenen Pfade dieser ältesten Litteratur. Ohne etwas von dem Adel vornehmsten geistigen Gehaltes einzubüßen, macht seine populäre Darstellung das Werk allen Gebildeten zugänglich. Die Sprache des Buches ist edel, geschmackvoll und klar und erhebt sich oft zu jenem Schwung und erhabnen Pathos, das die Geschichtsschreibung der neuen Zeit zum litterarischen Kunstwerk adelt!

Berlin. Ulrich Frank.

Litterarische Neuigkeiten.

Auch in diesem Jahre gelangte im Verlag des Züricher Verlags-Magazins (J. Schabelitz) ein „Faschings-Brevier für 1886“ von Johannes Bohne und Hermann Conradi, bekanntlich zwei Vertretern des jüngsten Deutschland, zur Ausgabe. Dasselbe trägt folgendes Motto von Reinhold Lenz:

Bei den gehäuften Widersprüchen
Den Stellungen und Reibungen
Gab's immer Uebertreibungen
Und tausend Stoff zum Lächerlichen.

Ein neuer Roman von K. von Perfall trägt den Titel: „Die Langsteiner.“ Süddeutscher Roman in zwei in einem stattlichen Bande vereinigten Teilen. Derselbe erschien vor Kurzem im Verlage von Felix Bagel in Düsseldorf.

Von dem bei Georg Reimer in Berlin erscheinenden Lieferungswerke: „Dänische Schaubühne. Die vorzüglichsten Komödien des Freiherrn Ludwig von Holberg. In der ältesten deutschen Uebersetzung mit Einleitungen und Anmerkung neu herausgegeben von Dr. Julius Hoffory und Dr. Paul Schlenther“ erschien soeben die sechste Lieferung. Dieselbe enthält: „Ulysses von Ithacia“ und „Die Hexerey.“

Anfangs März starb zu Paris Frau Lee Childe geborne von Triquetti. Sie hat Verfasst: „Leben des Generals Lee“, „Ein Winter in Cairo“ und „Erinnerungen an Tunis.“

Joseph Kürschners „Deutsche National-Litteratur“ Lieferung 294 enthält: „Goethes Werke“, 3. Band, 2. Abt., 2. Lfg., herausgegeben von H. Düntzer. Lieferungen 295—298 enthalten: „Erzählende Prosa der klassischen Periode“, 2. Band, 1. 2. 3. u. 4. Lfg., herausgegeben von Bobertag.

Von dem im Verlag von G. Freytag in Leipzig erscheinenden Lieferungswerk: „Länderkunde der fünf Erdteile“, herausgegeben unter fachmännischer Mitwirkung von Alfred Kirchhoff liegen Lieferungen Vier und fünf vor. Dieselben enthalten wieder eine Anzahl trefflicher Abbildungen und Karten.

Adolf Reineckes Verlag in Berlin veröffentlichte zwei Werke von Moritz Jokai in einzig ermächtigter Uebersetzung von Ludwig Wechsler und zwar „Der Mann mit den zwei Hörnern“. Romantische Erzählung. — „Blumen des Ostens“. Neue Erzählungen und Schilderungen. Im gleichen Verlage erschien ein neues Buch von Max Ring, enthaltend zwei Stadtgeschichten „Das Kind“ und „Ein falscher Name“.

Eine soeben im Verlag von W. Rubenow in Berlin erschienene interessante Schrift trägt den Titel: „Gedanken des 19. Jahrhunderts zur unausbleiblichen Lösung der sozialen politischen und religiösen Frage“ von einem Juden, seiner Geburt und orthodoxen Erziehung nach, mit einem Vorwort von G. S. Schäfer, Lehrer der freien Gemeinde. Die Broschüre trägt das Motto: „Unser Gott — das ewige, heilige All. Unser Kultus — die körperliche, geistige sittliche Arbeit für das Heil Aller.“

Calman Lévy giebt heraus den 4. Band der „Historie diplomatique de l'Europe pendant la Revolution française“, nachgelassenes Werk vom Botschafter Franz von Bourgoing. Mit einem Vorwort vom Akademiker Herzog von Broglie. Das Werk schließt mit dem Baseler Frieden 1795.

Im Verlag von Longmans, Green & Cie. in London erschien ein neues Werk in Versen von George Francis Armstrong. Dasselbe trägt den Titel: Stories of Wicklow.

Im Verlag der Kesselringschen Hofbuchhandlung in Hildburghausen erschien in zwei elegant ausgestatteten Bändchen ein interessantes Werk von R. A. Humann, betitelt: „Der Dunkelgraf von Eishausen". Erinnerungsblätter aus dem Leben eines Diplomaten. Zwei Teile. Der erste Teil enthält ein Porträt des Dunkelgrafen und eine Abbildung des Schlosses Eishausen. Der zweite Teil enthält Abbildungen des Siegels und Wappens des Dunkelgrafen, ein Damenporträt und die Grabstätte der Gräfin.

Im Verlag von Max Niemeyer in Halle erschien vor Kurzem eine Broschüre, betitelt: „Jorge de Montemayor, sein Leben und sein Schäferroman die „Siete Libros de la Diana" nebst einer Uebersicht der Ausgaben dieser Dichtung und bibliographischen Anmerkungen. Die Herausgabe dieser Broschüre hat Georg Schönherr besorgt.

Von Woldemar Freiherr von Biedermanns „Goethe-Forschungen" erschien vor Kurzem im Verlag von F. W. von Biedermann in Leipzig eine „Neue Folge", welche zwei Bildnisse und zwei Facsimiles enthält. Der erste Band dieser Goethe-Forschungen erschien 1879 in Frankfurt a. M. in der litterarischen Anstalt von Rütten & Loening. Der vorliegende zweite enthält vorzugsweise die „Aufsätze zur Goethekunde", welche der Verfasser inzwischen namentlich in der „Wissenschaftlichen Beilage der Leipziger Zeitung" und im „Archiv für Litteraturgeschichte", herausgegeben von F. Schnorr von Carolsfeld, veröffentlicht hat.

„Pensées recueillies par Dranmor" betitelt sich ein kleines, in hübscher Ausstattung bei Leuzinger in Rio de Janeiro erschienenes und C. v. Koseritz in Porte Alegre gewidmetes Bändchen von Aphorismen, Fragmenten und Maximen der verschiedensten Autoren, namentlich Schopenhauers und des Verfassers selbst, der die Sammlung mit dem für seine Geistesrichtung bezeichnenden Epigramm schließt:

Tout penser sans crainte
Tout quitter sans plainte
Tout comprendre sans voir
Tout aimer sans éspoir.

Die Tatsache, dass ein so formgewandter deutscher Dichter wie Dranmor (Ferdinand Schmid, K. K. Oest. Generalkonsul in Petropolis), sich in diesem neuesten Opus der französchen Sprache bedient, erklärt sich dadurch sehr einfach, dass er als geborener Schweizer die letztere gerade so gut wie die deutsche Sprache beherrscht und in Brasilien bei Gebrauch des Französischen jedenfalls auf ein größeres Lesepublikum als bei Gebrauch des Deutschen rechnen kann. Derselbe Grund neben seiner ausgesprochenen Vorliebe für das „schöne, reine und reiche Idiom der Franzosen" veranlasst ihn auch, sich desselben bei Herausgabe einer unter dem Titel „Cosmos Litteraire, Recueil international de fragments poetiques, extraits, traductions et imitations" von ihm begründeten und in Rio de Janeiro erscheinenden Monatsschrift (32—48 Seiten großes Format) zu bedienen. Mag es uns Deutschen auch erfreulicher erscheinen, wenn sich die Fremden die Schätze unserer klassischen Litteratur auf Grund eines eingehenden Studiums unserer Sprache aneignen, so lässt sich doch gegen die kosmopolitischen Anschauungen und Absichten Dranmors im Interesse der heimischen Litteratur kaum etwas einwenden, um so weniger, als wir aus dem Inhaltsverzeichnisse der ersten Serie des Cosmos ersehen, dass unsern deutschen Dichtern, alten und neuen, eine ganz besondere Berücksichtigung zu Teil geworden. Es würde zu weit führen, dasselbe hier zu reproduzieren; doch wird sich bei dem Erscheinen der einzelnen Nummern ja hinlänglich Gelegenheit darbieten, auf den Dranmorschen Cosmos Litteraire zurückzukommen.

Die Verlagshandlung von S. Schottlaender in Breslau kündigt ein neues Buch von A. Schneegans, dem deutschen Konsul in Messina, an. Dasselbe enthält 4 Novellen, von welchen 3 in Italien spielen. Sie tragen den Titel „San Pancrasio in Evolo" — „Sirenengold" — „Auge um Auge". Die vierte „Eurikleia" betitelt, spielt in Bulgarien.

Die Weidmann'sche Buchhandlung in Berlin veröffentlichte soeben einen neuen, den zweiten Band der Suphans Herder-Ausgabe. Derselbe enthält „Herders Volklieder" herausgegeben von Carl Redlich. Der erste Band dieser Herder-Ausgabe enthielt bekanntlich „Herders Cid", herausgegeben von demselben Autor und fand bei der Kritik allgemeine Anerkennung.

Joseph Pape veröffentlichte im Verlag von Christian Hagen in Büren i. W. eine dramatische Dichtung unter dem Titel: „Das Kaiser-Schauspiel".

Vol. 2392 und 2393 der Tauchnitz Edition Collection of british authors enthalten: „Mrs. Dymond" by Miss Thackeray.

Von dem Lieferungswerk: „Kulturgeschichte der Menschheit in ihrem organischen Aufbau" von Julius Lippert liegen jetzt Lieferungen 2 und 3 vor. Stuttgart. Verlag von Ferdinand Enke.

Donnerstag, den 4. März starb in der Maison Dubois, dem Krankenhause, wo schon so vielen armen Litteraten das Lebenslicht ausgeblasen wurde, einer der berühmten 1847—48er Normaliens Alfred Assolaut. Er hatte den humoristischen Roman als Spezialität gewählt und gehörte zu der Redaktion des Courrier du Dimanche, einer Wochenschrift, die Anfangs der sechziger Jahre den Kampf auf Leben und Tod mit dem Empire führte. Die Zeitung wurde unterdrückt. Assolaut war ein Pechvogel trotz oder vielleicht wegen seines Witzes: die Akademie, deren beständiger Kandidat er war, hat ihn ebensowenig gewollt als die Pariser, bei denen er um einen Deputirtensitz kandidirte.

Von Hermann Heibergs „Schriften" gelangte soeben im Verlag der Königlichen Hofbuchhandlung von Wilhelm Friedrich in Leipzig der vierte Band zur Ausgabe. Derselbe enthält „Novellen".

J. Ebners Verlag in Ulm veröffentlichte eine Anthologie betitelt: „Schwobaland in Lied und Wort" von R. Weitbrecht & G. Seuffer. Es ist dies die erste und einzige „vollständige Sammlung schwäbischer Dialektdichtung von den Anfängen bis zur Gegenwart" und dürfte bei ihrer höchst brillanten Ausstattung — mit Schwabacher Schrift auf starkes Chamois-Papier gedruckt in farbenreichem Golddruck-Einband neben billigstem Preise: 700 Seiten 6 Mk. — ein schwäbisches Geschenk ersten Ranges sein. In dem Buche sind unter Andern folgende Autoren vertreten: Weckherlin, Jann, Sailer, Weitzmann, Wagner, Kuen, Bames, Dreizler, Grimminger, Mörike, Neffien, Schönhut, Aichele, Jäger, Scheifele, Lingg, Knapp, Buck, Wäckerle, Wild, Kähn, Egler, G. Seuffer, Weitbrecht u. s. w. Die hervorragendsten Schöpfungen dieser bekannten Schwäbischen Dichter sind in ganz vortrefflicher Auswahl hier zusammengestellt. Diese Anthologie unterscheidet sich überdies durch Gründlichkeit und Gediegenheit auch der litterarischen Nachweise vorteilhaft von ähnlichen fabrikmäßig und flüchtig zusammengestellten Sammelwerken, und bringt nicht wenig Ungedruktes aus alter und neuer Zeit. Außerdem enthält das Buch eine vollständige Sammlung aller schwäbischen Volkslieder.

Bei Otto Heinrichs in München und Leipzig gelangte vor Kurzem eine interessante Broschüre unter dem Titel: „Lessings Name und der öffentliche Missbrauch desselben im neuen deutschen Reich" zur Ausgabe. Es ist dies ein urkundlicher Nachweis in Verbindung mit der Beseitigung zahlreicher, seit einem Menschenalter wiederkehrender Fehler und Irrtümer über Sprüche der Reformationszeit. Eine Festgabe an das deutsche Volk zum 22. Januar 1886 von Friedrich Latendorf.

Zwei unserer hervorragenden Belletristen, Hieronymus Lorm und Ernst Eckstein, haben die Litteratur wieder um neue Werke bereichert. Der Lormsche Roman trägt den Titel: „Die schöne Wienerin" und ist in einem stattlichen Bande bei Hermann Costenoble in Jena erschienen. Die Ecksteinsche Novität betitelt sich: „Violanta" und gelangte soeben im Verlag von Karl Reißner in Leipzig zur Ausgabe. Wir werden demnächst auf beide Werke ausführlicher zurückkommen.

Alle für das „Magazin" bestimmten Sendungen sind zu richten an die Redaktion des „Magazins für die Litteratur des In- und Auslandes" Leipzig, Georgenstrasse 6.

Für die Redaktion verantwortlich: Hermann Friedrichs in Leipzig. — Verlag von Wilhelm Friedrich in Leipzig. — Druck von Emil Herrmann senior in Leipzig.

Das Magazin

für die Litteratur des In- und Auslandes.

Wochenschrift der Weltlitteratur.

1832 gegründet von Joseph Lehmann. 55. Jahrgang. Herausgegeben von Hermann Friedrichs.

Preis Mark 4.— vierteljährlich.

Verlag von Wilhelm Friedrich in Leipzig.

No. 17. Leipzig, den 24. April. 1886.

Inhalt:

Josef Victor von Scheffel.

Ein Nachruf von Gustav Kastropp.

Josef Victor von Scheffel ist gestorben!

Es giebt wohl kaum einen halbwegs Gebildeten in Deutschland, der nicht diesen Dichter und seine Werke kennte, der nicht in heiteren Stunden die Lieder des Gaudeamus, in trüben die des Trompeters von Säkkingen gesungen hätte und nicht nun dem Dahingeschiedenen ein wehmütiges und dankbares Lebewohl zuriefe.

Scheffel machte nicht den Eindruck, als ob er gesonnen sei, die vollkommenste der uns bekannten Welten so bald zu verlassen; als ich ihn vor sechs Jahren auf seinem reizenden Landgut Radolfszell heimsuchte, war er bei vollster Gesundheit und Frische, umgeben von Glück und Reichtum, frei von jeder pessimistischen oder weltschmerzlichen Neigung, heiter und froh, wie er in seinen Werken dasteht, geehrt und geliebt, bewundert und allgemein anerkannt.

Außer Goethe hat wohl kein deutscher Dichter bei Lebzeiten einen so hohen Grad von Lebensglück erreicht.

Gewiss hätte er gern noch länger die Früchte genossen, die ihm gereift waren, aber

„Behüt dich Gott, es wär so schön gewesen,
Behüt dich Gott, es hat nicht sollen sein."

Vom Baume der Poesie fallen die reifen Blüten ab, eine nach der andern: Gottfried Kinkel, Emanuel Geibel, Alfred Meißner, Karl Stieler, nun auch Scheffel.

Es ist ein inhaltreiches Leben beschlossen, reich an Erlebnissen, reich an Wirkungen, aber es kann nicht Absicht dieses Nachrufes sein, auf die Biographie oder die litterarische Bedeutung des Mannes näher einzugehen, sie sollen nur dem Geschiedenen einen Lorbeerkranz auf den Sarg legen und einen flüchtigen Rückblick auf Beides werfen.

Josef Victor von Scheffel wurde am 26. Febr. 1826 zu Karlsruhe als Sohn eines Majors und Oberbaurats geboren. Er studirte von 1843—47 auf verschiedenen deutschen Universitäten die Rechte, germanische Philologie und Litteratur, nahm 1848 einen längeren Aufenthalt in Frankfurt a. M. und begleitete im Sommer desselben Jahres den Reichskommissär Welker als Sekretär nach Skandinavien. Diese diplomatische Stellung sagte ihm jedoch nur wenig zu und er hielt sich von den Vorkommnissen der Tagesgeschichte fern. Nachdem dann die badischen Staatsverhältnisse wieder aufs Neue geordnet waren, arbeitete Scheffel bei mehreren großherzoglichen Aemtern. So von 1850—51 als besoldeter Rechtspraktikant in Säkkingen. 1852 machte er eine Reise durch Italien, entsagte der juristischen Laufbahn, nahm wieder einen längeren Aufenthalt in Heidelberg und ließ sich später, nur seinen Studien und litterarischen Arbeiten obliegend, am Bodensee nieder. Er starb am Abend des 9. April in Karlsruhe.

Im Beginn seiner litterarischen Laufbahn hatte Scheffel nicht das Glück, das ihm später so reich entgegenkam. Der Trompeter von Säkkingen brauchte eine Reihe von Jahren, bis die erste Auflage vergriffen war und nur langsam brach er sich Bahn in die Oeffentlichkeit.

Ebenso hatte auch Ekkehard Anfangs einen schweren Kampf ums Dasein. Er erschien in einer belletristischen Zeitung in Frankfurt a. M. zuerst und fand eine so laue Aufnahme beim Publikum, dass die Redaktion mehrfach brieflich aufgefordert wurde, den Roman abzubrechen. Dennoch erschien er nicht nur zu Ende, sondern wurde auch in der Jankeschen Romanzeitung abgedruckt. Hier kam er besser zur Geltung, auch erschien er in Buchform im gleichen Verlage.

Inzwischen hatte sich der Trompeter Geltung verschafft und Herr Adolf Bonz, der Studienfreund Scheffels, der das Werk in den J. B. Metzler'schen Verlag aufgenommen hatte, dessen Teilhaber er war, entschloss sich, Ekkehard von Janke zu erwerben, was nach einem hartnäckigen, Aufsehen erregenden Prozesse endlich gelang. Früher hatte Scheffel den Ekkehard der Metzler'schen Firma für einige hundert Gulden zum Kaufe angeboten, wurde jedoch abgewiesen; nun schloss er einen Kontrakt auf Anteil und hat es nicht zu bereuen brauchen, denn seine Buchhändlerhonorare brachten ihm das reizende Landgut Radolfszell ein, am Bodensee gelegen, mit vielen Weinbergen und Land.

Scheffel hatte das Glück an Adolf Bonz einen Verleger zu finden, der ihm ein treuer Freund blieb und namentlich durch die von A. v. Werner illustrirten Prachtausgaben, die damals Epoche im Buchhandel machten, sein Ansehen wesentlich förderte; später trennte sich Bonz vom Metzler'schen Verlage und nahm die Scheffel'schen Werke in das neue Geschäft hinüber, starb aber leider wenige Jahre nachher.

Das dritte Scheffel'sche Werk „Gaudeamus" legte den eigentlichen Grund zu seiner Popularität. Der darin angeschlagene derbe Studentenhumor erwarb ihm die Liebe und Verehrung der studierenden Jugend, die nun auch überall für seine übrigen Werke Propaganda machte.

Alle Kommersbücher, ja fast alle größeren Liederbücher haben den Inhalt des Gaudeamus redlich geplündert, und so sind die meisten seiner Lieder echte Volkslieder geworden, die überall gesungen werden, wo frohe Gesellen beim Bier oder Wein zusammensitzen. Selten vergeht ein fideler Kneipabend, ohne dass der schwarze Walfisch zu Askalon herhalten muss! — Die barocken archäologischen und paläontologischen Karrikaturen waren in ihrer Art völlig neu und wirken noch heute so erheiternd, wie zur Zeit ihres Erscheinens, obgleich sie zahlreiche Nachahmungen hervorriefen.

In Frau Aventiure verwertete Scheffel sein gründliches Studium der Minnesänger und brachte deren kunstvollen Strophenbau zu voller Geltung; in der Geschichte der modernen Lyrik ist deshalb das Buch bahnbrechend, weil es dem Heine'schen Versmaße, das die ganze Lyrik beherrschte, ein kunstvolleres, reicher gegliedertes Vorbild zur Seite stellte und dadurch von großem Einflusse ward.

Juniperus ist leider nur Fragment; wenn der Roman zu Ende geführt wäre, er würde Ekkehard an Popularität nicht nachstehen, jedoch in seiner jetzigen Gestalt ärgert das Abbrechen an der Stelle, von welcher man am gespanntesten der Weiterentwicklung entgegensieht.

Sehr gute Aufnahme fanden auch die von A. v. Werner prächtig illustrirten Bergpsalmen, sowie das letzte Werk Waldeinsamkeit, Idyllen zu den Marakschen prächtigen Landschaftsbildern.

Die Bedeutung Scheffels zeigt sich am besten an den zahlreichen Epigonen, die auf dem von ihm betretenen Wege rüstig fortschritten und ihm in Nachahmung mittelalterlicher Formen in der Lyrik, in der Nachbildung der Formen des kerndeutschen Gedichts „Der Trompeter von Säkkingen" und in dem humoristischen, von Walter Scott überkommenen Ton des Ekkehard nacheiferten. Scheffels Einfluss auf die neue Litteratur ist ein außerordentlich großer, auch Julius Wolff steht mit beiden Füßen auf dem Standpunkte des Trompeters, der die mit lyrischen und märchenhaften Elementen versetzte Novelle in Versen mit höchstem Glück einführte.

Ueberhaupt hat Scheffel seinen Nachfolgern gern die Fortsetzung seiner eigenartigen Formen überlassen und in der letzten Hälfte seines Lebens wenig gearbeitet. Der schwere und langsame Fortgang seiner Werke im Anfang, die damals mannigfach eintretenden Angriffe nahmen ihm die Lust, rüstig weiter zu arbeiten und nachher, als ziemlich spät ein voller und reicher Erfolg eintrat, war ihm die Lust vergällt.

Er war sehr empfindlich gegen jede Anfeindung; so erzählte er in seiner drastisch sarkastischen Weise mit recht bitteren Bemerkungen den Besuch Mauthners aus Berlin, der sich erst an seinem Seeweine gelabt, ihm in unerhörter Weise geschmeichelt hatte und ihn dann in seiner Travestie „Nach berühmten Mustern" so schlimm mitspielte.

Sein größter Vorzug ist der naturwüchsige Humor, der im Ekkehard am schönsten zur Geltung kommt, dabei ein kräftig frischer Zug, frei von Sentimentalität und Pessimismus.

Er verstand es so recht, natürlich und ungezwungen seine Individualität zur Geltung zu bringen, und das vor Allem hat seine außerordentliche Beliebtheit bewirkt.

Die Lehren Stoas bildeten nicht die Grundlage seiner Lebensanschauung, er huldigte frohem Lebensgenuss und hat Wein und Bier nicht platonisch geliebt und besungen, er stand auch in der Praxis beim Kneipen seinen Mann, und wer sich mit ihm darin messen wollte, musste recht sattelfest sein.

Seine Erhebung in den Adelsstand wurde von ihm höher angeschlagen, als seinen Verehrern lieb war, aber der Grund lag nicht nur in seinem Verkehr am Karlsruher Hofe, er hatte von den aristokratischen Verwandten seiner später von ihm getrennten Frau so manche spitze Bemerkung, selbst

Demütigung ertragen müssen, dass ihm die Genugtuung wohl zu gönnen war, in den Stand jener privilegirten Kaste eintreten zu können, die ihn zuvor so scheel angesehen hatte.

Mit außerordentlicher Liebe hing er an seinem Sohne, den er seiner Frau nach erfolgter Trennung per Wagen entführte und seitdem sehr sorgfältig erzog.

Seine Frau, eine ätherische, empfindsame Natur, war nicht im Stande, sich seiner derben, natürlichen Art und Weise zu fügen. Nach einer ideal verschwärmten Flitterzeit zeigte sich die Differenz beider Charaktere so stark, dass Mann und Weib sich wieder trennen mussten.

Scheffel konnte eine tüchtige Dosis Weihrauch vertragen und es mangelte ihm nicht daran; schwärmende Touristinnen sorgten dafür, dass ihm nicht unbekannt blieb, wie namentlich das junge studierende Deutschland über ihn dachte.

Dazu kam die Verehrung, die ihm von dem großherzoglichen Hause zu Karlsruhe gezollt wurde: Sein Sohn wurde mit dem Kronprinzen gemeinsam unterrichtet, und auch in anderer Beziehung wurden dem Dichter so mannigfache Auszeichnungen, dass man wohl sagen darf, er habe zu den seltenen Naturen gehört, denen durch lange Zeit hindurch des Lebens ungemischte Freude zu Teil ward.

Die in der Litteraturgeschichte so häufig wiederkehrenden Klagen über Verkennung großer Seelen schweigen bei ihm, nur die Klage ist am Ort, dass er seine reichen Gaben nicht eifriger anwandte, dass er auf halbem Wege stehen blieb und sich nicht durch geistiges Weiterringen auf den Punkt erhob, den seine Befähigung in Aussicht stellte. Vielleicht ist der spätere reiche Erfolg nicht weniger daran Schuld, als die anfänglichen Hindernisse, vielleicht vermied er es auch absichtlich, tiefer in die Geheimnisse des Daseins sowie der schaffenden Kunst einzudringen. Er ging nicht weiter, als seine natürliche Anlage ihn trug, er ist, bildlich genommen, keiner jener imposanten Kolosse, welche als Markzeichen der Weiterentwicklung des Menschengeistes, den Alpengipfeln gleich, dastehen, seine Poesie gleicht einem heitern, blumigen Tale, das zu frohem Genusse und heiterm Verweilen einladet.

Seine juristischen Studien waren auf ihn nicht ohne Einfluss geblieben, sie verleiteten ihn bei seinem starken Rechtsbewusstsein leicht zu Prozessen; so hat er unter Andern einen harten Prozess gegen die Fischer des Bodensees geführt, die, früherem Herkommen gemäß, gern auf seinen sogenannten Wiesen dem Fischfang oblagen, aber endlich verdammt wurden, dieses Gebiet unangetastet zu lassen.

Nun hat ihn der Oberanwalt Tod vor sein Tribunal gefordert, er hat den Prozess seines Lebens gewonnen, sein Geist darf heiter und froh über das Facit dahin sehen, denn selten hat ein Dichter so viel Ruhm und Reichtum durch sein Schaffen erworben, selten einer so viele Menschen erheitert und erfreut.

„Nun hast Du mir den ersten Schmerz getan!“

werden viele seiner Verehrer mit Chamissos Worten ihm nachrufen.

Bewahren wir ihm ein ungetrübtes und frohes Andenken!

Gedichte von Pol de Mont.

Uebersetzt von Heinrich Flemmich.

Nach dem Tanze.

Als nach dem Tanz wir Beide heimwärts zogen,
Da lächelten, wie immer, hold die Sterne,
Ein Perlgewebe schien der Himmelsbogen.

Dein süßer Leib litt meines Arms Umwinden.
Der Zufall wollt's, dass einmal still wir standen,
Da suchten unsre Lippen sich zu finden.

Noch heute weiß ich, wie von Grün umnachtet,
Gar mancher Glühwurm strahlte — du erschrakest,
Weil so viel Augen unser Glück betrachtet.

Postscriptum.

Das liebe Köpfchen kaum geschirmet,
Das Schnee mit Flimmer übergoss,
Kamst in mein Zimmer du gestürmet,
Da also ich mein Brieflein schloss:

„P. S. Ich wart' mit off'nen Armen,
Und pfeift der Nord auch ohne Gnad',
Tau'st auf im Stübchen, in dem warmen,
Für Wang' und Lippen weiß ich Rat!“

Wie du da standst in Pelz gehüllet,
Auf sprang vom Stuhle ich galant.
Sieh, Herz! mein Sehnen ist gestillet!
Fürwahr, die Sache ist pikant!

Soeben schrieb — „O bitte, legen
Sie gütigst ab doch, mein trésor“ —
Die Zeilen schrieb ich Ihretwegen, —
— Darf ich? Ich les' sie Ihnen vor.

O frohe Stund! Du schmolltest heftig,
Mich nanntest „Zaubrer“, „Räuber“ gar.
Und ich für jedes Wort geschäftig
Bot einen Kuss als Kommentar.

Unveröffentlichte Briefe Thomas Carlyle's.

Fräulein Meta Wellmer in Ebersdorf, welche vielfach mit Erziehungswesen und auch mit schriftstellerischen Arbeiten sich beschäftigt, befand sich im Jahre 1865 in dem irischen Seestädtchen Donaghadee an der Nordostküste. Von dort aus trat sie in Verbindung mit Thomas Carlyle, welchem sie, zur Ansicht, ein Buch und zwei Selbstschriften*) Jean Pauls sandte, zu dem ihr Vater in Beziehungen gestanden. Hatte sich doch Carlyle selbst so eingehend und liebevoll mit Jean Paul beschäftigt, worüber seine beiden Aufsätze über denselben nachzusehen**) wie auch seine Uebersetzungen von **Quintus Fixlein** und **Schmelzle's Reise** Zeugniss geben.***)

Hierauf erwiderte Carlyle in bisher ungedrucktem, mir nun in der Urschrift vorliegendem, Briefe: — ich verwende Cursiv für die Wörter, die er deutsch schreibt:

„Chelsea, 24. Oct. 1865.

Liebes Fräulein,

Ich habe Ihren liebenswürdigen und anmuthigen Brief erhalten, sowie das kleine Buch, welches denselben Charakter trägt, auch die Selbstschriften Jean-Paul's, welch letztere ich hiermit zurücksende, mit vielem Danke für Ihre Güte gegen mich, und für das Vergnügen, welches mir alle dies gewährt hat. Die Jean-Paule musst' ich mir in lateinische Schrift abschreiben lassen (da seine *Cursiv-Schrift* mir zu verworren) und habe sie recht *Jean-Paulisch* gefunden, sehr niedlich, besonders das Blatt an Karl (?)†) und in jeder Weise mir merkwürdig und interessant, — mit den alten Postmarken von Bayreuth, nunmehr, nach so langen Jahren, auf dem sonderbaren Umwege von Donaghadee. Das Briefchen an Ihren verewigten Vater sollte mit einem Exemplar seines Buches zusammengebunden werden. Beide Briefe werden Sie ohne Zweifel sorgfältig bewahren.

Ich kann nur hoffen und wünschen, dass es Ihnen in Ihrer neuen Stellung, in Ihrer neuen Heimath, wohl ergehe; und ich hege den Glauben, dass, in Irland wie anderswo, Menschengüte nur Gutes für sich selbst und Andere herbeiführen kann.

Mit vielem Danke bleibe ich

Ihr aufrichtiger

T. Carlyle."

So war denn eine Verbindung eröffnet, welche viele Jahre lang dauern sollte, auch einmal zu einem mehrtägigen Besuch in Carlyle's Haus führte. Da Fräulein Wellmer von dem Bestehen der Carlyle-Gesellschaft erfuhr, und dass die Ehre des Vorsitzes darin mir übertragen sei, so hatte sie die Güte, mir den ganzen Briefwechsel mitzuteilen, und mir die Veröffentlichung desselben zu überlassen. Nachdem von mir die geeignete Mitteilung an die Gesellschaft gemacht, wähle ich aus dem ziemlich umfangreichen Bündel auch zu dieser weiteren Veröffentlichung noch die folgenden, charakteristischen.

Zunächst verehrt Fräulein Wellmer dem alten Herrn eine der Selbstschriften Jean Paul's, und er erwidert:

„5 Great Cheyne Row
Chelsea, 4. Dec. 1865.

Liebes Fräulein

Ich habe die Selbstschrift Jean-Paul's, welche Sie so liebenswürdig waren, mir zum Geschenk zu machen, richtig erhalten. Ich schätze diese kleine Gabe sehr hoch und werde sie sorgfältig bewahren. Ich hätte Ihnen wahrlich schon vor Wochen dafür danken sollen, und in stiller, wortloser Weise, hab' ich es auch gethan, aber in Worten es zu thun, war vorher nicht möglich, so scheint es! Die Wahrheit ist, dass ich neuerdings beträchtlich mit Geschäften überbürdet bin, großen und kleinen, und meine Gesundheit ist immer ziemlich schwach. Ich zweiße nicht, dass Sie mich entschuldigen.

Möge jegliches Gute bei Ihnen weilen, liebe junge Dame: bewahren Sie mir Ihre freundliche Gesinnung, so lang es eben gehen mag, und wenn Sie jemals an einen Ort kommen, an dem ich gerade bin, so zögern Sie nicht zu verlangen mich ‚von Angesicht zu Angesicht' zu sehen, wenn der Wunsch bis dahin anhält.

Mit wahrer Wertschätzung der Ihre

T. Carlyle."

Seither gingen Zeichen der Hochachtung hin und her, auch pflegte sich Fräulein Wellmer durch Uebersendung von kleinen Geschenken zum Geburtstage einzustellen. Der folgende Brief ist eine Perle, bezeichnend für den Ernst, wie die Zartheit Carlyle's:

5 Cheyne Row, Chelsea
7. Dec. 1871.

Liebes Fräulein Wellmer,

Pünktlich vor drei Tagen*) erreichte mich Ihr Brief, ein trauriger aber sehr gütiger und willkommener Gast. Oft genug waren Sie in meinen Gedanken seit jenes ernste Unglück plötzlich über Sie kam, — wie der Wirbelwind aus der Wüste, der auf die vier Ecken des Hauses Hiobs stieß und sie umwarf**) und sein Dasein, das einen Augenblick vorher so glücklich und in Liebe eingefriedigt war, hinfort trostlos ließ, entblößt und ohne Liebeslaut! Ob, auch ich kann nur zu wohl die Lage erfassen, und nur zu wohl vermag ich einzusehen, wie ernst-unheilbar sie Ihnen erscheint, und wie armselig das kleine Etwas ist, das irgendwer zur Heilung beitragen mag. — Da wir Ihre Adresse nicht kannten, nur sicher waren, dass Sie irgendwohin Ihren Wohnort gewechselt, so konnten wir nicht schreiben; und dieser neue Brief, wie traurig auch, kam, vergleichungsweise, als gute Nachricht. Noch gerade am Tag vorher, ohne die geringste Erinnerung an „den 4ten December", oder in Erwartung irgend eines Glückfalls für den Tag, war ich in Gedanken sorglich bei Ihnen, und suchte ein Mittel ausfindig zu machen, das den Verkehr herstelle. Dank für das was Sie gethan; dieser Brief ist eine wirkliche Erleichterung und Gunst.

Vielen Dank auch für das Lichtbildniss, das Sie uns so viel näher bringt als Worte vermöchten. Das ist eine treffliche deutsche Gesichtsbildung, dem Auge und Sinne gefällig, stark und doch milde, zart, voll von Entschlossenheit, Freundlichkeit, Wahrhaftigkeit in Seele und Wort; mir hinreichend von den Eigenschaften und Gaben sprechend, die ich, auch ohne dies, bereits in Ihnen erkannt.

Liebe Fräulein Wellmer, Sie dürfen nicht in müßiger Verzweiflung über dies Elend dasitzen, das Sie, begreiflicherweise, so erschüttert hat. Sie sind noch in der Blüthe der Jahre, und in Ihnen muss noch viel gute Arbeit liegen, welche zu vollbringen Ihre Pflicht und Schuldigkeit. Was ich Ihnen da sage, ist eine Wahrheit, nicht eine müßige Redensart. Und in der That es ist die Summe alles Rathes und aller Ermutigung, die ich Ihnen zu geben vermag. Kein anderes Heilmittel in Kummer und Trübsal konnt' ich jemals finden als ernststäte Tätigkeit. Darin aber liegt wirklich ein mählig wirkendes Heilmittel, und, selbst vom ersten Anfang an, eine Erleichterung. Nehmen Sie sich das zu Herzen, und bringen Sie es zu thatsächlicher Erwägung, ich bitte Sie darum. Ich weiß nicht, ob Sie von Neuem daran denken können, sich dem Unterricht zu widmen, selbst dem einer begabten jungen Seele und unter den günstigsten Umständen; aber dies, wenn Sie es mögen, steht Ihnen noch immer zweifelsohne offen. Auch in der Litteratur, Sie mögen mir das glauben, gibt es, weit über das hinaus was die Recensenten nützlich nennen, nützliche Dinge, die für Sie möglich sind. Nicht Viele, Sie dürfen sich darauf verlassen, haben ein so klares Erkennen, und ein so lebensvoll-ansprechendes und pietätsvollweises Urtheil in Bezug auf die mancherlei Dinge, die sie in dieser Welt erfahren und betrachtet. Mich haben, zum Beispiel, jene Nürnberger Skizzen, die Sie mir vor Jahren gesandt, sehr angesprochen; vielleicht noch mehr jene Aufzeich-

*) Auf Undeutsch: Autographe.

**) Essays; popular edition, 1872; vol. I. pp. 1/22 und 238 43.

***) German Romance, 1827; pop. ed. Tales etc. vol. II, pp. 39/220.

†) Nicht leserlicher Name.

*) Also zu seinem Geburtstage. Er war am 4. December 1795 geboren. E. O.

**) Buch Hiob, 1, 19.

nungen Ihrer Erlebnisse in Frankreich. Kurz, ein kleines Bild Ihrer selbst und was Sie gesehen, und in dieser Welt durchlebt haben, würde nicht das — Wenn es auch nichts weiter wäre — ein Ding sein, das wir schätzen müssten? Arbeiten Sie, ich bitte und ermahne Sie, arbeiten Sie, so lange unser Tageslicht dauert.

Ich hatte wenig mehr zu sagen, wenn überhaupt irgend etwas. Und hier ist das Papier gefüllt. Mary selbst schreibt Ihnen, und wird Ihnen ohne Zweifel reichlich Einzelheiten mittheilen.

Gott segne Sie, liebe Fräulein Wellmer!

Ihr treuer

T. Carlyle.

Die beiden ersten Briefe sind ganz von Carlyle geschrieben, dieser ist diktirt, und nur von ihm unterzeichnet.

Und so ging der Briefwechsel denn in die Hände der hochbegabten lebensvollen Nichte und treuen Pflegerin über. Nur einmal find' ich noch aus dem Jahre 1872, eigenhändig, mit Bleistift geschrieben, schwer leserliche Danksagung für ein Geschenk weiblicher Handarbeiten. Das Folgende vom Bruder, dem Uebersetzer Dantes gibt ein hübsches Bild von dem Leben der zusammen alternden, treu verbundenen Brüder.

5 Cheyne Row, Chelsea,
London, 12. Febr. 1877.

Mein liebes Fräulein Wellmer.

Vorigen Sonnabend empfing ich Ihren Brief, auf den ich Ihnen unverzüglich einige Worte erwidern will, sei es auch nur, um Ihnen zu sagen, dass wir uns Alle so wohl als gewöhnlich befinden. Mein Bruder Thomas ist etwas schwächer als er letztes Jahr war, doch fährt er immer noch fort, viel zu lesen, und ziemlich lange Spaziergänge zu machen. Die größte Entbehrung ist für ihn, dass seine Hand ihm nicht mehr willige Dienste zum Schreiben leistet, denn in seinem Lebensalter*) ist es nicht möglich sich an wirksames Dictiren zu gewöhnen, obwohl Mary eine sehr geschickte Schriftführerin und immer bereit ist. Diese Beiden gingen nach Schottland und brachten dort vorigen Sommer und Herbst zwei oder drei Monate zu. Ich war während einer oder zwei Wochen in Dumfries bei ihnen, aber den größten Theil ihrer Zeit brachten sie in den Hochlanden bei dem Lomondsee zu. Während beinahe ihres ganzen Aufenthaltes in Schottland war ihnen das Wetter zu heiß, und so haben sie weniger Vortheil daraus gezogen als gewöhnlich. Ich bin seit Anfang November bei ihnen hier, und werde vielleicht bis Ende nächsten Monats bleiben, um dann nach meinem eigentlichen Wohnorte in Dumfries zurückzukehren, der mir wohlthuender ist als London.

Meine Nichte Mary .... Sie hat immer für ihren Oheim eine große Menge Briefe zu schreiben, zeigt aber viel Geschick darin, dass sie dieselben immer so kurz als möglich macht. An manchen Tagen kommen acht oder zehn Briefe von Leuten, die ihm gänzlich unbekannt sind. Ebenso kommen eine große Menge neuer Bücher, welches nur Mühe und Verdruss verursacht. Er hat mehr als zwanzig Briefe über die Stelle im „Ardrossan Herald" in Bezug auf *Darwin* erhalten,**) wovon Sie nun auch eine deutsche Uebersetzung senden, die ich als ein Curiosum aufbewahren werde. Mein Bruder hatte niemals vorher von dem Dasein dieses „Ardrossan Herald" gehört, und die ganze Geschichte, welche das Blatt über Darwin da bringt, ist nur eine schamlose Fälschung, durch welche der Herausgeber wahrscheinlich seinen Absatz zu vergrößern hoffte. In allen Hauptblättern Londons ward es als Fälschung erklärt, und Mary hat auf keinen der Briefe geantwortet, welche darüber an ihren Oheim gerichtet wurden. Wie Sie bemerken, das Aufsehen, welches die Sache machte, zeigt, wie viel Gewicht man Allem beilegt, das mein Bruder schreibt, oder das ihm zugeschrieben wird. Ich bin soeben unten gewesen ihn zu sehen; er trägt mir auf: Sie aufs Wärmste zu grüßen. Mary ist mit ihrer Arbeit im Speisezimmer; er sitzt im Besuchzimmer, gerade darüber; und ich im großen Schlafzimmer, wenn ich etwas zu schreiben habe.

Es ist mir lieb zu hören, dass Sie aus meinem *Dante* einigen Vortheil gezogen, ob Sie auch die beiden letzten Gesänge kaum ausstehen konnten. Er thut mir jetzt leid, dass ich nicht das ganze Gedicht übersetzte da ich einmal daran war, und so lange ich noch die Kraft dazu besaß.

Ihr treu ergebener

T. A. Carlyle.

Ich brauche kaum zu versichern, dass ich mich bemüht, dem Wortlaute und Tone nach die mir vorliegenden Urschriften genau zu übertragen. Die ganze Sammlung habe ich auch sorgfältig mit der Nichte durchgangen, welche ihre Zustimmung, auf mein Ansuchen, gern der von Fräulein Wellmer gütigst erteilten Ermächtigung beigefügt hat. Nur erschien es uns nicht geeignet jene zahlreichen Briefe zu veröffentlichen, welche nur zwischen den beiden Damen gewechselt worden, und die nicht von allgemeinem Interesse sind.

Fräulein Wellmer selbst hat sich über Thomas Carlyle in mehren Zeitschriften ausgesprochen: in der *Europa, Illustrirten Zeitung, Allgemeinen conservativen Monatsschrift,* Halle a. S. und in der *Heimath* in Wien. Der letztgenannte Aufsatz liegt mir vor; die Verfasserin berichtet darin ausführlich und in interessanter Weise über ihren Besuch in Carlyle's Hause, 1876.

Das wären nun diese Briefe, wieder ein willkommener Beitrag zur Kenntniss dieses seltenen Mannes, dessen Einfluss noch keineswegs geschwunden, ja im Gegenteil, nach vorübergehender Abnahme, ganz wie Walter Savage Landor's, jetzt eben wieder einen neuen Aufschwung nimmt.

Aber die Veröffentlichung noch eines Briefwechsels, der für uns Deutsche noch bedeutender, steht bevor.

Was zwischen dem alternden Goethe und dessen jungem Freunde Carlyle brieflich verhandelt worden, ist teilweise von dem Ersteren selbst längst veröffentlicht, und hat seither durch G. H. Lewes und Froude einige Zusätze erhalten. Der Leser mag Alles auf jenes schöne Verhältniss bezügliche zusammengestellt finden, in meinem Büchlein über Carlyle, S. 15—28, und in einem längeren Aufsatze von mir über Goethe und Carlyle, in den Nummern 27 und 28 dieses Magazins für 1882, — der auch im Goethe-Jahrbuch zur Verwendung gekommen.

Allein es steht uns nun eine beträchtliche Nach-Ernte bevor. Und zwar heimsen wir von zwei Feldern ein. In dem Hause der Nichte in London haben sich eine Anzahl weiterer Originalbriefe Goethe's an Carlyle vorgefunden: es war vermuthet, dass sie vorhanden, nun tauchten sie aus dem Grunde einer alten Kiste hervor. Sie sind an Herrn Norton zu Boston in Massachussets gesandt, der sie herausgeben wird. Und wie sehr zu hoffen, ja zu erwarten, werden sie zugleich in Verbindung mit Originalbriefen Carlyle's an Goethe erschienen. Diese, im Goethe'schen Hause aufbewahrt, sind nun, durch den Tod des letzten Nach-

*) Thomas Carlyle war 1795 geboren, der Bruder beinahe sechs Jahre jünger.

**) Angeblich, scharfe Meinungsäußerung Carlyle's wider Darwin.

kommens unseres Dichterfürsten frei geworden, in den Schutz der Frau Großherzogin von Sachsen-Weimar gestellt. Diese hat bereits, so wird mir aus glaubhaftester Quelle versichert, ihre Zustimmung gegeben, dass hiervon Uebersetzungen gefertigt, Abschriften an Herrn Norton gesandt werden.

Eine kleinere Entdeckung ist mir vor wenig Tagen beschert worden. In der vormaligen Bücherei Carlyle's in einem Bändchen Goethescher Gedichte blätternd, das ihm von Goethe selbst verehrt worden, fand ich eine metrische Uebersetzung, die bisher Jedermann unbekannt, mit Bleistift unleserlich genug auf eine Briefdecke geschrieben, die den Poststempel vom Juni 1870 trägt, während was wir sonst von Carlyle in Versen haben, seinem jungen Mannesalter angehört. Noch ist diese Uebersetzung aus Goethe nicht entziffert.

Hier mag es nicht ungeeignet sein, kurz zu erwähnen, dass der Carlyle-Verein am 4. Februar die von ihm gestiftete große und schöne Gedenktafel mit künstlerisch hochgelungenem Marmorbildniss Carlyle's an der Ecke der Straße angebracht hat, in welcher Carlyle so lange wohnte, bei welcher Gelegenheit ein festliches Einweihungs-Mahl stattfand, an dem, in schönstem harmonischem Sinne, auch einige Deutsche freudigen Anteil nahmen.

London. Eugen Oswald.

Populär-wissenschaftliche Litteratur.

Eine flüchtige Skizze.

Von Rochlitz-Seibt.

Die populär-wissenschaftliche Litteratur der Deutschen steht unseres Erachtens trotz des allseitigen, großartigen Aufschwunges der Nation noch immer hinter der einschlägigen Litteratur Frankreichs und Englands zurück, allerdings nicht was das Quantum, wohl aber was die Qualität betrifft. Zwar haben wir durchaus keinen Mangel an sogenannten populär-wissenschaftlichen Schriften, wie man ja tatsächlich kaum ein Blatt, sei es selbst der Anzeiger für Potschappel und Umgegend oder der Eipeldaner Familienfreund zur Hand nehmen kann, ohne auf irgend eine gelehrte oder pseudogelehrte Stilübung aus berufener oder (öfter!) unberufener Feder zu stoßen. Aber gerade diese Ueberfülle scheint uns, gleich der alle Ritzen unserer Litteratur und Journalistik wie Ungeziefer infizirenden Afterbelletristik der Schundromane und Schundnovellen eine Schattenseite des geistigen Lebens unserer Tage zu bilden. In den meisten Fällen tritt nämlich nur das eine Moment, entweder das gemeinverständliche oder das wissenschaftliche zu Tage, eine innige Verschmelzung beider gehört zu den Seltenheiten. Das Bestreben nach möglichster Verdeutlichung führt entweder zur Flachheit, diese aber ist der Tod der Wissenschaft; oder es fehlt wohl nicht an deutscher Gründlichkeit, aber über dem Inhalt wird die Form vernachlässigt, oder ihr doch viel nachgesehen. So gähnt also noch immer zwischen der sogenannten schönen und der wissenschaftlichen Litteratur eine gewisse Kluft, die für die Gesammtbildung der Sprache und Nation nachteilig ist. Allerdings ist nicht zu verkennen, dass der Ueberbrückung dieser Kluft Hindernisse entgegenstehen, die kein einzelner Schriftsteller, ja nicht einmal eine ganze Generation besiegen kann. Hierher gehört, um nur das nächstliegende und wichtigste anzuführen, vor allem die wissenschaftlich-technische Terminologie, welche zwar die französische und englische Litteratur ebenfalls trifft, wo sie aber, als aus einer verwandten Sprache hervorgegangen und demzufolge sich leichter an die Konversationssprache anschmiegend, das Volk lange nicht so fremdartig berührt, wie den nicht humanistisch gebildeten Deutschen. Demungeachtet bezweifeln wir nicht, dass jene Kluft nach und nach ausgefüllt werden wird durch lesbare, in einem eleganten, oder wenigstens nicht barbarischen Deutsch geschriebene, ausführliche Werke, denen einerseits das abschreckende, pedantische Kompendiumkleid und alles, was an die lateinische Schule erinnert, nach Möglichkeit abgestreift ist, und die dabei doch der Gründlichkeit nicht entbehren. Solche mit Kunst der Darstellung und Verdeutlichung gearbeitete Geistesprodukte werden auch einzig und allein in unserer wissenschaftlichen Litteratur eine von Jahr zu Jahr wachsende, natürliche Reinigung von den fremden Kunstausdrücken befördern und verbreiten. Durch bloße Uebersetzung oder Neubildung, die übrigens in vielen Fällen gar nicht möglich ist, gelangt man nicht dahin. Recht viele derartige Werke würden dazu beitragen, unsere ganze Bildung deutscher zu machen, welche auch jetzt noch viel zu latinisirend und gräzisirend ist. An solchen, wirklich populär-wissenschaftlichen Büchern leiden wir aber zur Zeit noch immer Mangel. Lassen wir die einzelnen Disziplinen eine flüchtige Revue passiren, so wird die Ausbeute, wenn wir uns auf die Heraushebung der wahrhaft bedeutenden beschränken, keine allzu große sein.

Auf dem Gebiete der Astronomie kommen nur die Bücher von Littrow und Klein in Betracht. Was deren Antipoden, die Wissenschaft des unendlich Kleinen oder Chemie anlangt, welche man vielleicht mit mehr Recht die Krone der Wissenschaften nennen könnte, und die jedenfalls eine der wichtigsten und entbehrlichsten ist, so haben wir allerdings hier zwei klassische Werke zu verzeichnen, die aber leider beide auf dem Standpunkte der alten Berzeliusschen Schule fußen. Die heutige Chemie dagegen stellt vielmehr schon eine Philosophie der Chemie dar und verhält sich zu jener der vierziger und fünfziger

Jahre, wie etwa eine moderne Panzerfregatte zu einem alten Dreidecker. So unübertrefflich also sowohl Liebigs „Chemische Briefe“ wie Stöckhardts „Schule der Chemie“ in ihrer Art sind, modernen Ansprüchen vermögen sie heute nicht mehr recht zu entsprechen. Stöckhardts, des ausgezeichneten Tharander Professors Buch ist allerdings heuer in zwanzigster Auflage erschienen und trägt teilweise auch den neuern Theorien Rechnung, doch ist diese Berücksichtigung gewissermaßen nur Aufputz, der Kern ist unverändert geblieben, denn Stöckhardt selbst ist, gleich dem verstorbenen Kolbe, ein Gegner der sich freilich mitunter ins Nebelgrau verlierenden, modernen chemischen Hypothesen. Diese letzteren berücksichtigt und begründet in gemeinverständlicher, trefflicher Weise unseres Wissens nur der eine Hofmann. — Von populär-physikalischen Werken wäre der heute allerdings ziemlich veraltete Baumgartner hervorzuheben. Die beschreibenden Naturwissenschaften haben die meisten, darunter sehr bedeutende, Namen in die Wagschale zu werfen: Humboldt, Brehm (vielleicht nur zu ausführlich), Ruß, Carus, Rossmäßler, Schleiden, Zimmermann und Willkomm. — Die gesammten Naturwissenschaften fanden in Schödlers sehr verbreitetem „Buch der Natur“ eine kompendiöse, nur etwas gar zu oberflächlich gearbeitete Erledigung. — Sofern von einer populären Philosophie die Rede sein kann, so muss, abgesehen von dem um die Interpretation und Popularisirung Kants verdienten Krug der Schopenhauerschen Philosophie (in gewisser Hinsicht allerdings „Caviar fürs Volk!“) wegen der Klarheit der Darstellung noch immer der erste und vielleicht einzige Platz zugewiesen werden. Leider werden dieser und andere Vorzüge durch die Gebrechen dieses Systems: mangelhafte, naturwissenschaftliche Kenntnisse, Mangel an Konsequenz*) und Originalität**) beeinträchtigt. — Moleschotts, Büchners und Vogts naturwissenschaftlich-philosophische Schriften materialistischer Richtung haben zwar einen großen weitverbreiteten Einfluss gewonnen, von dem es indess fraglich ist, ob er als ein segensreicher bezeichnet werden kann. — Auf populär-medizinischem Gebiete endlich — auf rechtswissenschaftlichem haben wir kein Urteil — dürften aus der Flut einer zum Teil schwindelhaften Litteratur nur Feuchterslebens, Bocks und Klenckes allgemein bekannte Bücher als klassische Muster hervorragen.

Erwähnung verdienen ferner noch Webers sonst recht ersprießliche Katechismen, welche aber doch wohl nur sehr bescheidenen Anforderungen Genüge leisten, dagegen müssen wir den von Holtzendorff und Virchow herausgegebenen Flugschriften volles Lob spenden, mit gewissen Einschränkungen auch der noch im Erscheinen begriffenen großen Universalbibliothek: „Das Wissen der Gegenwart.“

*) Denn mag sich Schödler sträuben und winden wie er will, in letzter Linie führt sein System doch nur zum Selbstmord.

**) Dass dieser letztere Vorwurf nicht ins Blaue hineingeschieht, möge u. A. namentlich nachstehendes, wenig bekanntes Citat beweisen: „Du Erde und du Himmel, vermischt euch in wildem Tumult, und ihr Elemente alle — schäumt und tobt und zerreibt in wildem Kampfe das letzte Sonnenstäubchen des Körpers, den ich mein nenne, — mein Wille allein soll kühn und kalt über den Trümmern des Weltalls schweben, denn ich habe meine Bestimmung ergriffen, und die ist dauernder als ihr; sie ist ewig und ich bin ewig wie sie.“ (Fichte. Vorlesungen über die Bestimmung des Gelehrten, Jena 1794.) Ist in diesen Worten des von Schopenhauer geschmähten Fichte des ersteren „Willens“-Philosophie nicht schon im Keim erhalten?

Die Mondinhos der Portugiesen.

Kulturhistorisch-poetische Notizen.

Am 28. Juli 1862 schmetterten vom Camoens-Platze in Lissabon die Trompeten Jubelfanfaren durch die Lüfte und von den Höhen donnerten die Kanonen die schöne Kunde in das Land, dass ein wackerer Epigone nun eine große Schuld seiner Vorfahren zu sühnen versuche.

Der junge König Portugals, Dom Louis I., legte in feierlichster Weise den Grundstein zu der dem großen portugiesischen Nationaldichter Camoens zu errichtenden Statue. Der einzige Epiker, der Homer der Portugiesen, welcher ihre Taten in Indien nicht bloß besang, sondern selbst mit vollzog, und dabei ein Auge verlor, dessen Geburtsjahr nicht einmal bekannt ist, starb 1579 in tiefstem Elende in einem Hospitale der St. Annastraße zu Lissabon und auf ihm, den Hof und Nation, welche er so hoch gefeiert hatte, zum Danke dafür verhungern ließen, beruht fast ganz allein heutzutage der gute Name Portugals in Europa.

Außer ihm, diesem strahlenden Kometen am tiefschwarzen Himmel, finden wir bis gegen Ende des achtzehnten Jahrhunderts, in welchem Manuel de Barbosa du Bocage (gest. 1805) mit seinen reizenden Sonetten leuchtete und in Folge eines solchen („Gespensterischer Wahn der Ewigkeit“ betitelt) sein Vaterland verlassen und wie Camoens Schiffbruch litt, auch nicht ein Lichtchen mehr, dem wir besondere Beachtung schenken könnten.

Wie hätte auch die wahre Blume der Poesie welche zu ihrer Entfaltung des Hauches der geistigen Freiheit bedarf, in einem Lande blühen und gedeihen können, in welchem es noch 1750 möglich war, dass ein Franziskaner, Gaspard, am Staatsruder saß und schon ein einziges, natürlich aus Staatsmitteln gebautes Kloster Mafra allein 300 Mönche und 150 Laienbrüder fütterte; — in einem Lande, in welchem Jesuiten-Regiment, Weiberlaune und Polizei in edlem Wettkampfe sich bemühten, des Volkes Geist zu Grunde zu richten, und wo der Herrscher nichts versäumte, seines päpstlichen Titels rex fidelissimus recht würdig zu werden? Entrang sich der kahlen Höhe je ein kleines geistiges Pflänzchen, so war sogleich das eifrigste Streben bemerkbar, es auszureißen und als „giftig" zu vernichten.

Portugal war bis in dieses Jahrhundert ein großes Kloster, durch dessen düstere Mauern die Sonne der Wissenschaften und die lieblichen Sterne der Poesie nicht zu dringen vermochten und seine ganze Litteratur oder richtiger gesagt, sein ganzer Makulatur-Büchermarkt beschränkt sich beinahe nur auf scholastischen Quark und pfäffischen Unsinn.

Nur in Portugal konnte es vorkommen, dass von einem mönchischen Werke mit der Ueberschrift: „Das Leben Christi im Bauche Mariä" über 40 000 Exemplare abgesetzt wurden und nur in Portugal konnten Verleger so reich werden durch die Ausgabe von mehr als dreihundert verschiedenen Büchern über das Leben der heiligen Jungfrau.

Erst als jene Portugiesen, welche mit den Franzosen kämpften, in ihr Vaterland zurückkehrten und hellere Ideen mitbrachten, weckten sie damit auch ihre Brüder aus der Trägheit und Unwissenheit, in welche sie bisher willenlos gewiegt worden waren.

Ist nun dadurch die Poesie noch immer auf keine besonders nennenswerte Stufe gestiegen, so ist doch nicht zu verkennen, dass die Liebe, welche in der Lyrik die ersten Triebe giebt und dadurch stets einen Barometer für die Kultur des Gemütes bildet, hier höchst Reizendes und wie es im Anfange immer geschieht, auf Reflexion Begründetes geliefert hat.

Höchst eigentümlich erscheint hier die Volks-Poesie der Portugiesen, so dass hierzu nur die Anregung, aber kein Muster überkommen zu sein scheint, und welche immer noch nach Form und Inhalt darlegte, dass sie zwar aus dem Gemüts- und Empfindungsleben des Volkes, aber nicht aus dem Volke unmittelbar geschöpft sind, sondern von diesem nur nachgesungen werden.

In den Moudinhos (Liebesliedern), wie sie bei den Bewohnern des südlichen, dem Meere nahe gelegenen Landes in Aller Munde leben, tritt in uns so manchem ein recht hübscher Gedanke entgegen, welcher in der sanften und harmonischen Sprache gar lieblich erscheint.

Die Moudinhos binden sich natürlich an kein strenges Versmaaß und umschließen in bedrängter Kürze meistens nur zwei Strophen, eine Vor- und eine Gegenstrophe.

Unter den Hunderten, die bestehen, sind allerdings nicht viele wert, veröffentlicht zu werden, allein um die Charakteristik des portugiesischen Volkes nach dieser Seite hin zu vervollständigen, können wir es uns nicht versagen, einige Proben, welche mit möglichster Treue am Originale haften, hier vorzuführen:

Verlieren.

Ich dachte eine Perle mein,
Die Perle die warst du,
Du schlossest meinen Reichtum ein
Und auch mein Herz dazu.
Dies labte mich, als wie der Tau
Die junge Rose auf der Au.

Die Perle, die mir ewig schien,
War nur ein Tropfen Tau,
Es welkte meine Rose hin
Wie Rose auf der Au,
Denn ach! ein Morgensonnenschein
Sog meinen Tau — die Perle — ein.

Fern und Nahe.

Wo die Tränenweide stehet,
Trennte uns der Abschiedskuss,
Täglich, wenn der Abend wehet,
Send ich dir von da den Gruß.

O wie denk ich dein so gerne,
Meine stille Sehnsucht spricht:
„Bist du auch dem Auge ferne,
Meinem Herzen bist du's nicht!"

Nimmerkehren.

Wären Trümmer nur mein Land,
Umgehauen meine Wälder
Und zerstampfet Wies' und Felder,
Und mein Haus selbst abgebrannt:

Land und Haus wird neu erricht,
Wies', Wald, Felder grünen wieder,
Aber ach! die ersten Lieder
Erster Liebe kehren nicht.

Nur Eine.

Ich schaue wohl blühen
Der Blümlein viel,
Sie prangen, sie glühen
Im Farbenglanzspiel.
Doch nur Eines von allen
Kann mir bestens gefallen.

Ich schaue wohl blühen
Der Mädchen gar viel,
Sie prangen, sie glühen
Im Farbenglanzspiel.
Doch nur Eine von allen
Kann mir bestens gefallen.

Der Vogel und das Mädchen.

Ein Vogel hüpft von Ast zu Ast,
Belebt von Lieb' und Mai.
„Dass du vor Schlingen Obacht hast,
— So sprach ein Mädchen unterm Ast —
Sonst ist es schnell vorbei
Mit Liebe und mit Mai!"

Da sprach der Vogel auf dem Ast:
„Mein Kind in Lieb und Mai,
Schau, dass du selbst fein Obacht hast,
Dass dich nie eine Schlinge fasst,
Sonst ist es schnell vorbei
Mit deiner Liebe Mai!"

Prag. A. Feigel.

Die Traumsprache.

Von Rudolf Kleinpaul.

(Schluss.)

Wie in der Religionspoesie aller Völker für gewisse Gegenstände gewisse Symbole stehend geworden sind; wie z. B. im Alten Testamente das Tor die Gerichtsstätte, der Stuhl die königliche Gewalt, das Haus den Leib, der Adlersflügel den göttlichen Schutz bedeutet: so kann man sagen, dass im Traume eine Art natürlicher, nicht erst zu erlernender Symbolik zum Vorschein komme und mit Notwendigkeit wiederkehre, sobald es sich um allgemein bekannte und jedermann gegenwärtige Dinge handelt. In einer der ältesten Erzählungen und Deutungen eines Traumes, die wir kennen, bedeuteten sieben Kühe und sieben Aehren sieben Jahre, und drei Weinreben und drei Körbe je drei Tage; das Gebäck aber, welches die Vögel aus dem obersten Korbe fraßen, war der eigene Leib des Bäckers. Nun, Tage, Monate und Jahre unter dem Bilde einer Herde weidender Rinder oder unter dem eines Büschels Kornähren vorzustellen, ist ganz im Geiste einer Mythologie, die dem Helios auf der Insel Thrinacia eine Herde von 350 Rindern zuerteilt; die den Hercules, wahrscheinlich ebenfalls einen Repräsentanten der Sonne, die roten Ochsen des Geryon rauben lässt; die gewohnt ist, die Tage des Jahres als Brüder und als rote, jeden Morgen auf die Himmelsweide getriebene, Nachts in den dunkeln Augiasstall eingesperrte Rinder zu betrachten. Analog erscheint die Zahl der Lebensjahre eines Menschen bald unter dem Bilde einer Perlenschnur bald unter dem einer Flotte. Den zwei Gefangenen werden die Tage durch Gegenstände bezeichnet, welche sich auf ihr gewöhnliches Tagewerk bezogen. Aber als Gegenstände des täglichen Lebens überhaupt sind auch sie allgemein gebräuchliche Symbole. Man erinnere sich, dass dereinst das Orakel dem nach seiner Heimkehr fragenden Feldherrn den nahen Tod durch eine zerrissene Weinrebe verkündete, und dass alle Sonntage im Abendmahl Brod und Leib identificirt wird.

Natürlich laufen neben diesen allgemein menschlichen Symbolen persönliche, auf die individuellen Erfahrungen und Anschauungen gegründete Bilder nebenher. Wohlbekannt und öfters gedruckt ist der Traum, welchen Friedrich Myconius, der deutsche Kirchenreformator, im Jahre 1510, sieben Jahre bevor Luther die Reformation begann, in der ersten Nacht nach seinem Eintritt in das Kloster zu Annaberg hatte. Der Apostel Paulus, welcher darin als sein Führer auftrat, hatte, wie Myconius nach Jahren zu erkennen glaubte, Person, Gesicht und Stimme Luthers. Ebenso bekannt ist der schöne, von Vincenzo Viviani mitgeteilte Traum, den Galilei im Kerker träumte; und der minder angenehme Traum, den der heilige Hieronymus zu Antiochia hatte und der seiner Vorliebe für heidnische Schriftsteller einen Zaum anlegte. Hieronymus sah sich im Geiste vor dem Richterstuhle Gottes. Auf die Frage, wer er sei, antwortete er: ein Christ. Aber da hieß es: *Du lügst, ein Ciceronianer bist du, denn wo dein Schatz ist, da ist auch dein Herz;* und er bekam Prügel mit so unbarmherziger Deutlichkeit, dass beim Erwachen der ganze Leib voller Schwielen war. Von da an las er nie mehr einen Klassiker zum Vergnügen. Um solche Träume zu haben, muss man eben ein Myconius, ein Galilei und ein Hieronymus sein und ihre ganz eigentümliche Geistesdisposition besitzen. Zumal Krankheiten bringen eine solche individuelle Disposition hervor, die Kranken schauen oft ihre eigenen Zustände unter seltsamen Bildern an. Schubert erzählt von einer kranken Jungfrau, die vor jedem neuen Anfall ihrer furchtbaren Krämpfe von einem tiefen Wasser träumte, ja, die aus der Beschaffenheit des letzteren die Stärke und die Dauer des Anfalls mit Sicherheit vorausbestimmen konnte: je größer das Leiden sein sollte, um so dunkler und tiefer war das Wasser. Fieberkranken kommt es nicht darauf an, einen Kamm in ein Reitpferd, den Arzt in ein Einmaleins, die Ewigkeit in einen Bücherschrank zu verwandeln; Störungen des Herzschlags und des Blutumlaufs spiegeln sich in einer unterbrochenen, kreuz- und quergehenden Wagenfahrt, ein Bild des hohlen Herzmuskels und seiner gestörten Bewegung; dazu treten oft Bilder von Flammen, die auf das Blut hinweisen. Die Lunge wird, wenn die Respiration gestört ist, unter dem Bilde eines Ofens angeschaut, der raucht und knisternde Funken sprüht; bei Verdauungsstörungen sehen bisweilen die Menschen ihre Eingeweide als Labyrinthe von Gängen und Gässchen, die Därme als einen Schlangenknäuel und die Harnblase als gefüllte Kanne. Bereits Artemidor erwähnt, dass ein Kranker im Traume nach *beissenden Mohren* und nach *Sternenblut* verlangte und dass er schwarze Pfefferkörner und Thau damit meinte. Alles das sind kapriziöse Wendungen und Idiosynkrasien; man kann sie mit den Lieblingsphrasen und den Idiotismen vergleichen, die jedem von uns Charakter und Lebensstellung anwirft und die wie ein unverständliches Argot auf den gemeinsamen Hintergrund der Sprache aufgetragen werden.

Es verlohnte sich nun wohl der Mühe, zunächst jene allgemeinen Symbole des Traums zu untersuchen, die den Visionen des Ezechiel und den Orakelsprüchen Apollos analog sind; und es wäre nicht absurd, ein Lexikon der Traumsprache aufzustellen, wie man ein Lexikon der Kawisprache hat. Wie bei einem Wörterbuche könnte man die Symbole, respektive die Worte, welche sie bezeichnen, alphabetisch ordnen, erklären und ins Deutsche übersetzen. Dieses Wörterbuch würde von allen Menschen zu brauchen sein, denn da alle Menschen im Traume dieselbe Sprache reden und ein Unterschied von Zeiten zu Zeiten und von Ländern zu Ländern nicht besteht, sondern der Deutsche noch heute träumt wie der alte Grieche und der Zeitgenosse Artemidors, weil diese Symbole an der Natur hängen wie Lachen und Weinen: so gliche es einem Wörterbuche der Pasilingua und des Volapük. Und damit man sehe, wie ich mir ein solches Wörterbuch denke, will ich gleich einmal ein paar Artikel zur Probe ausarbeiten; auf das Alphabet kann es uns dabei nicht ankommen. Wer einen Sachs-Villatte daraus machen will, der wird schon auch die Form finden.

III.

Von den Redensarten des Traums, die durch die ganze Welt gehen, wollen mir eben folgende einfallen.

Perlen. *Ich könnte ihm gram sein, diesem Geschmeide*, sagt Emilia Galotti, *wenn es nicht von Ihnen wäre. Denn dreimal hat mir von ihm geträumt, als ob ich es trüge, und als ob sich plötzlich jeder Stein desselben in eine Perle verwandelte. Perlen aber, meine Mutter, Perlen bedeuten Thränen.* Ich weiß nicht, ob das Emilia von der Gemahlin des Königs Heinrich IV., der 13. Mai 1610 von Ravaillac ermordet ward, gelernt hat. Den König verfolgte *das Gespenst des Messers*, wie Wallenstein sagt, unmittelbar; Maria von Medici sah ihre Thränen (deren sie in Wahrheit wenig vergossen haben soll) symbolisch voraus. Die Königin sollte bekanntlich während des Jülichschen Krieges die Regentschaft führen und deshalb am 12. Mai 1610 gekrönt werden. Am 10. Mai hatte sie dem Juwelier noch zwei große Diamanten in die Krone zu setzen gegeben. In der Nacht vom 10. zum 11. Mai träumte sie nun, diese beiden Diamanten verwandelten sich in Perlen. Charakteristisch ist die Verwandlung, denn an sich bedeuten Perlen und Edelsteine eher Kinder, die wie Schmuck am Halse der Mutter hängen, man denke an Cornelia, die Mutter der Gracchen.

Zähne. Schon Artemidor hat aufgestellt, was noch jetzt vom Volke allgemein geglaubt wird: dass das Ausfallen eines Zahnes im Traume den Tod eines nahen Verwandten anzeige. Der Mund ist das Haus, die Zähne sind die Hausbewohner, die auf der rechten Seite die männlichen, die auf der linken Seite die weiblichen. Man kann damit vergleichen, dass Leute, die Zahnschmerzen haben, im Traume häufig halbkreisförmige gewölbte Säle als Bilder der Mundhöhle und hellblonde Knaben und Mädchen als Bilder der Zähne sehen. Der Verlust eines Zahnes bedeutet also den Verlust eines Gliedes der Familie, daher auch das Ausfallen des Zahnes im Traume oft von lebhaftem Schmerz begleitet ist. Vielleicht dass sich darauf das italienische Sprichwort bezieht: *Doglia di dente doglia di parente.*

Dornen bedeuten Hindernisse, Kummer und Sorgen, wie Ketten eine unangenehme Verwickelung. Den bevorstehenden Verlust einer geliebten Person stellt der Traum wohl auch in der Weise dar, dass man ihr ängstlich und doch vergeblich durch lange Korridore nachläuft. Der Traum der Gräfin Terzky im *Wallenstein* ist von Schiller aus einem sehr richtigen Gefühl dieser Symbolik heraus erfunden worden.

Eier. Nach Artemidor bedeuten sie in geringer Zahl Gewinn. Cicero erzählt, einer habe geträumt, dass er ein rohes Ei ausschlürfe. Er befragte den Traumdeuter, der sagte: das Eiweiß bedeute Silber, das Eidotter Gold. In der Tat machte er kurz darauf eine Erbschaft, die ihm das eine und das andere einbrachte. Er bedankte sich beim Traumdeuter und gab ihm ein Silberstück. Der Wahrsager meinte: *Und für das Dotter gibt's nichts? Nihilne de vitello?* — Dieselbe Geschichte wird mit einer geringen Modifikation noch von Johannes Pauli erzählt (*Schimpf und Ernst*, 394).

Kinder. Kleine Kinder bedeuten etwas Unangenehmes, Aerger, Kummer und Sorgen. Vielleicht weil wirkliche Kinder dergleichen bedeuten. Ἢ δίος ἡ λύπη παίς πατρὶ πάντα χρόνον.

Leichen. In ihnen verkörpert sich ein Vorgefühl des Eintritts von Regen. Unerklärt.

Pferd. Ein Bild der Geliebten; je gehorsamer das Pferd ist, um so mehr darf der Mann hoffen.

Feuer. Reines, glänzendes Herdfeuer *ist von guter Vorbedeutung*. Manche Menschen träumen von Feuer, wenn in der Familie eine Verlobung vor sich geht. Vielleicht eine Reminiszenz der antiken Hochzeitfackeln?

Das Fliegen im Traum wird aus Lungenreizen erklärt, das Auf- und Niederschweben in der Luft soll ein Symbol des Ein- und Ausatmens sein. Die höchst angenehme Vorstellung ist aber vielmehr, wie ich selbst erfahren habe, eine Vorbotin von Erfolg.

Kot bedeutet Gold. Gold und Kot sind Gegensätze, daher sich auch Teufelsgold der Sage nach in Kot verwandeln muss. Eine Eigentümlickeit des Traumes ist es aber gerade, das Gegenteil für Gegenteil zu setzen. So bedeutet es Krankheit, wenn man jemand geputzt sieht, und so ist lebhafte sinnliche Freude im Traume nicht selten eine Vorbotin von Schmerzen: *Vae tibi ridenti, quia mox post gaudia flebis.*

Das wird ja ein Traumbuch! — höre ich ausrufen. Ein Traumbuch, wie man es auf Jahrmärkten und in Leipzig unter den Bühnen liegen sieht! — Ja, warum denn nicht? Weil es schlechte Ware gibt, darum braucht man an der guten nicht zu zweifeln, und wie das Sprichwort sagt: *Abusus non tollit usum.* Ich bleibe dabei: der Traum verdient wie der größte Dichter interpretirt zu werden, es kommt nur darauf an, die Handschrift festzustellen. Die Ausschreitungen und die Betrügereien der Traumdeuter sollen natürlich nicht geleugnet werden, eine der sonderbarsten ist wohl die, in den Traumbildern Lottonummern, natürlich glückliche, zu sehn, was noch heutzutage die Italiener thun, daher ein *Libro de' Sogni* hier zugleich ein *Eco della Fortuna* oder ein *Albergo della Fortuna, aperto ai giocatori del Lotto* ist. Eben als der tiefsinnige Artemidor von Aldus Manutius (1518) in Venedig herausgegeben und (1548) von Gabriel Jolitus ebendaselbst in's Italienische übersetzt worden war, kam in dieser Stadt die Lotterie auf, und nun wurde die Traumdeutung in eine ganz falsche Bahn geleitet. Die Venetianer fingen an, ihre Träume in Lottonummern zu übersetzen, und bald fand sich auch ein Pseudo-Artemidor, der die Traumerscheinungen hübsch alphabetisch aufzählte und zu jeder einzelnen die richtige Nummer schrieb. *Wenn einer im Traume die Nummern 45 und 87 sieht*, eiferte ein Prediger des vorigen Jahrhunderts, *gleich läuft er hin, die beiden Nummern zu setzen und seine paar Pfennige zu verthun.* Er war kaum von der Kanzel herunter, so trat ein altes Mütterchen zu dem Geistlichen und fragte: *Ew. Hochehrwürden, wie waren die beiden Nummern?* —

Signora Adalgisa sieht im Traume einen Bekannten, der sich vor einem Jahre in Monaco erschossen hat. Sie sieht ihn bleich, im Hemde, als ob er zu ihr sprechen wollte. Dies ergibt zwei Nummern: erstens die Nummer 74, welche dem Begriffe Geist oder *Anima* entspricht; zweitens die Nummer 2, welche dem Begriffe eines Hemdenmatzes entspricht. Und hab ich was gesagt? Am nächsten Sonnabend kam eine Ambe von 74 und 2.

Signora Adalgisa war jedoch selbst in Zweifel, sintemal er auch ein Toter, der spricht, und ein trauriges Gesicht angezeigt sein konnte, was 47 und 39 ergeben hätte.

Die Symbolik der Zahlen steckt den Italienern überhaupt tief im Blute. Auf die Träume bemächtigte sie sich auch des Lebens. Jedes Tagesereigniss, jedes durchgehende Pferd, jeder herabfallende Blumentopf, jede entsetzliche Blutlache, kurz alles, alles wird in Ziffern übersetzt und die Ziffer beim *Botteghino* gesetzt. Eine Römerin kommt dazu, wie einer überfahren wird und ihm Blut aus dem Munde strömt. Mund ist 80, Blut 18, sie setzt also die Ambe 80 und 18. Als Pius IX. gestorben war, spielte das ganze kleine Volk in Rom die sogenannten Papstnummern: 7, 32, 58 und 86, nämlich den Todestag, die Regierungsjahre, die allgemeine Papstnummer und die Lebensjahre. Die Regierung machte eine ungeheure Einnahme, denn keine einzige dieser vier Nummern kam heraus.

Vor einem Jahre wütete in Neapel die Cholera. Die Cholerakommission besuchte die Kinderasyle und ordnete Desinfektionen an. Wie rasend stürzten die unwissenden Mütter herzu, denn sie glaubten, es ginge ihren Kindern ans Leben. Daraus ergaben sich nun folgende Gleichungen:

Kinder = 8.
Mutter = 52.
Furcht = 90.

Man setzte also in Neapel die drei Nummern, sie kamen wirklich heraus, und es wurden an einem Tage (19. September 1884) hierselbst vier Millionen gewonnen, welcher Gewinnst, nebenbei gesagt, unmäßiges Essen und Trinken und in den nächsten vierundzwanzig Stunden ein abermaliges Steigen der Krankenziffer zur Folge hatte.

In Wien schrieb sich ein Habitué der Gefängnisse regelmäßig die Nummern seiner Zellen auf, um dann in der Lotterie darauf zu setzen.

Das sind nun allerdings krankhafte Auswüchse nicht blos der Symbolik des Traums, sondern der Symbolik überhaupt und der antiken Divination. Die Zahl ist freilich nach Pythagoras das Wesen der Dinge, über den geheimnissvollen Zusammenhang der Zahlen und Begriffe haben die Pythagoräer und die jüdischen Kabbalisten viel geklügelt, es ist bekannt, dass in der Offenbarung Johannis durch die mysteriöse Zahl 666 der Kaiser Nero angedeutet wird. Etwas von der Weisheit des jüdischen Mittelalters mag in der Tat in die italienischen Traumbücher übergegangen sein. Die ganze Methode ließe sich auch allenfalls rechtfertigen, wenn überhaupt blos den Zahlen nachgespürt würde, welche den Traumbildern entsprechen. Dass aber die Zahlen Glücksnummern sein und in der nächsten Ziehung gewinnen sollen, das ist das Lächerliche und der Glaube daran ein Beweis für die grenzenlose Dummheit des Menschengeschlechts.

Die Italiener bewahrheiten in ihrer Weise das Wort des sterbenden Laplace, das dieser sagte, als die Umstehenden seiner großen Entdeckungen gedachten, und das wir diesem Aufsatz als Motto vorgesetzt haben: *Ce que nous connaissons, est peu de chose; mais ce que nous ignorons, est immense.*

Dantes „Hölle" in ungarischer Uebertragung.

In einer flüchtigen Notiz habe ich des wichtigen Ereignisses bereits Erwähnung getan, welches für die ungarische Litteratur die Herausgabe einer musterhaften Translation der „Divina Commedia" bedeutet, und versprochen, auf diese verdienstliche Tat der eifervollen Büchereditions-Kommision der ungarischen Akademie der Wissenschaften noch des Weiteren zurückzukommen. Nun, da mir die Vortrefflichkeit des jüngsten Werkes Karl Száß', des Nestors und Meisters unter den ungarischen Kunstübersetzern, klar geworden, widme ich demselben gerne noch einige Zeilen der Würdigung.

Dantes unsterbliches Meisterwerk, dieser kostbarste Schatz der italienischen Litteratur, ist immer noch für den Dichter, wie für den bildenden Künstler, für Historiker und philosophische Grübler, für Naturforscher und Theologen und für jeden denkenden Geist überhaupt der nie erschöpfbare Born, welcher, wie das gewaltigste und herrlichste aller Gedichte, die Natur selbst, Anregung und Begeisterung bietet zu selbständiger Betätigung der menschlichen Schaffenskraft. Welcher Litteratur immer eine so monumentale Dichtung einverleibt wird, es ist dies eine bedeutungsvolle Tat, und die Ungarn dürfen stolz sein, den ersten Teil des göttlichen Werkes in so gediegener Nachdichtung zu besitzen.

Bischof Karl Száß arbeitet schon seit vielen Jahren an der hohen Aufgabe, seiner Nation diese erhabene Allegorie zu vermitteln, welche die Menschenseele auf ihrer Wanderung zur Ewigkeit durch Hölle, Purgatorium und Paradies darstellt, und er ist dieser Aufgabe mit den strengsten Forderungen an sich selbst nahe getreten. Nicht eine Uebersetzung allein wollte er bieten; er vertiefte sich mit der Sache würdigem Eifer in das Studium der ganzen Dante-Litteratur, und deren Haupt-Resultate, deren Entwicklungen und Aufklärungen sind es, welche er, nicht als schmückende, sondern als ergänzende Zutaten, mit dem ungarischen Gewande verbunden hat, das er dem hehren Epos gegeben. Und damit hat er nur dem Zwange der Notwendigkeit nachgegeben, denn Dante bleibt ohne Orientirung ein mystisches Buch, zu dessen Verständniss die Kenntniss seiner poetischen Richtung, seiner philosophisch-theologischen Anschauungen, seines Lebens und Liebens, seiner Zeit und der damaligen italienischen Litteratur unerlässlich sind. Dante schrieb im Geiste seiner Zeit für und an dieselbe und brachte ihre Menschen und ihre Verhältnisse unter sein dichterisches Prisma. Seitdem sind sechs Jahrhunderte verflossen, und hat sich schon kurz nach des Dichters Tode die Errichtung von Lehrkanzeln für Dante-Kommentirung an den italienischen Universitäten als notwendig erwiesen, so ist bis zum heutigen Tage eine ganze große Bibliothek von Dante-Kommentaren entstanden. Der Translator Dantes erfüllt nun mit der Uebersetzung der Dichtung bloß einen Teil seiner Aufgabe und zwar den leichteren; weitaus mühevoller wird es ihm, das Gedicht seinem Laienpublikum zu erklären und fasslich zu machen. Die Anerkennung, seiner Aufgabe nach beiden Richtungen hin vollkommen genügt zu haben, muss dem ungarischen Uebersetzer ohne Rückhalt gezollt werden.

Schon vor vielen Jahren hat Karl Száß in seinem vortrefflichen Werke „Die großen Epen der Weltlitteratur" eine umfangreichere Studie über Dante und sein grandioses Lebenswerk publizirt. Hieraus wiederholte er in seiner Dante-Ausgabe just so viel, als man zur mühelosen Orientirung gerade nötig hat. Die Noten sind nicht zu groß geraten, aber eben groß genug, um nicht das Interesse von der Divina Commedia abzulenken, sondern im Gegenteile dasselbe anzufeuern und auf die herrlichen Details der Dichtung zu dirigiren. Száß' Vorgehen ist eine neue Art der Dante-Verdolmetschung: er führt jedes Kapitel mit einer kleinen, kunstvoll konzipirten Studie ein. Und diese Einteilung der Kommentirung ist als eine sehr glückliche zu bezeichnen, denn so wie der Leser von Kapitel zu Kapitel mit dem Gedichte bekannt wird, reißt ihn der Stoff unter der unmittelbaren Wirkung seiner Tiefe und der Schönheiten seiner Behandlung mit. Ueberdies dienen zur Aufklärung Noten unter dem Texte jedes Blattes, welche den Fluss der Verse begleiten und sofort den wirklichen Sinn der Anspielungen, der angeführten Namen und die gelegenheitliche und weitere Bedeutung der Gleichnisse und Beziehungen deuten. Zu jedem Satze — sagt der Uebersetzer — sollten wir einen ganzen Strauß von Aufschlüssen besitzen, weil man nicht drei Verse des Gedichtes ohne historischen oder anderen Kommentar lesen kann. Unleugbar erschwert dies die Lektüre, doch ist dies weder als ein Fehler des Translators oder der Kommentatoren, noch auch als ein Mangel Dantes zu betrachten. Das bringt der Lauf der Jahrhunderte mit sich, welche in die Grüfte des Gewesenen stoßen, was vor Dante und mit ihm gegenwärtig war und einen kaum überbrückbaren Raum zwischen Ideen und Auffassungen von damals und jetzt einkeilen. Doch die Mühe lohnt sich ja für den Leser, der in dem poetischen Wunderjenseits das Schauspiel der ganzen Weltgeschichte in markigen Bildern entrollt sieht.

Karl Száß hat seine Verdienste um die Litteratur seiner Nation nicht würdiger vermehren können, als durch die Uebersetzung Dantes. Noch sind zwei Teile der Comedia, „Fegefeuer" und „Paradies" zurück; es wäre im Interesse der poetischen Litteratur der Ungarn zu wünschen, dass derselbe Uebersetzer sie ihr schenkte.

Wien. Heinrich Glücksmann.

Alphonse Daudet: „Tartarin sur les Alpes".

Paris. Calmann-Lévy.

Daudet hat seinen Landsleuten und der von Tag zu Tage wachsenden Zahl seiner Verehrer in Deutschland ein neues Buch geschenkt, das unter obigem Titel eine Fortsetzung des „Tartarin de Tarascon" bildet und diesen an urkräftigem Humor wohl übertrifft.

Ein bedeutender Humorist hat aber seinen Erfolg um so sicherer, wenn er sein Werk nicht in jeder Hinsicht frei schafft, sondern es an einen bestehenden komischen Typus anlehnt, der als solcher in seiner ganzen Eigenart erkannt ist. Desto mehr Verständniss wird er dann bei seinen Lesern für die von ihm frei dazu erfundenen Situationen finden. Solche Typen hatten wir in den Gestalten von Eulenspiegel und Münchhausen, solche Typen waren die berühmten Städte von Abdera bis Schilda, Krähwinkel und Pontoise, solche Typen waren und sind gewisse Stände und ganze Volksstämme. So ist der Gascogner und der Südfranzose überhaupt eine in allen Zügen wohlbekannte und anerkannte komische Figur.

Zu dieser Gestalt erfand nun Daudet auch noch eine neue Heimat der Schildbürgerei, und schon berichtet mehr als eine Anekdote von dem gerechten Zorn der Taraconesen über den Dichter, der ihre Stadt zu einer so unerwünschten Berühmtheit gebracht hat. Im „Tartarin de Tarascon" hatten wir den Helden in Mitten des heiteren Lebens seiner Vaterstadt und auf den dort üblichen Mützenjagden gesehen. Aber die heiße Sonne des Südens entflammt in den Häuptern der Bewohner eine ungezügelte Einbildungskraft, die an ihre kühnsten eigenen Lügen glaubt und zu den tollkühnsten Unternehmungen anregt, die sich bei der Ausführung in die lächerlichsten Episoden auflösen. Tartarin hatte sich nach Afrika auf die Löwenjagd begeben und trotz der gänzlichen Erfolglosigkeit derselben nach seiner Heimkehr den Ruhm eines unübertroffenen Löwenjägers gefallen lassen.

In dem neuen Buche finden wir ihn als P. C. A. als Präsidenten des Tarasconesischen Club Alpin, dessen Mitglieder in voller Bergsteigerrüstung allwöchentlich mit Musik und Fahnen ausziehen, um die Hügel der Umgebung zu erklettern.

Allein sein Nebenbuhler, der V. P. C. A. Costecalde will sich mit der Würde eines Vizepräsidenten nicht begnügen und setzt Alles in Bewegung Tartarin zu verdrängen. Da rafft sich der Präsident zu einer großen Tat auf, die alle Ränke vereiteln soll. Er geht in die Alpen. Die Erlebnisse des einstigen Löwenjägers, aus dem nun ein ebenso kühner Bergsteiger wird, bilden den Inhalt des vorliegenden Werkes.

Daudet hat sich von der Art der englischen Humoristen fern gehalten, die ihre komischen Charaktere in eine ermüdend endlose Reihe von Beispielen auflösen. Auch deren Formlosigkeit, die sie mit ihren deutschen Genossen gemein haben, hat er vermieden und ein knappes abgeschlossenes Bild gezeichnet. — Angenommen aber hat er von den letzteren, die er eifrig studirt, die Tiefe des Gemütes, ohne welche der Humor kalt und abstoßend wirkt.

In wirkungsvollen Widerspruch bringt er seinen Helden, den Kleinstädter Tartarin mit der Erhabenheit des Hochgebirges, das die Ehre seines Besuches wieder nur den Streitigkeiten in seinem Krähwinkel verdankt und auf dessen höchsten Gipfeln er die Fahnen des heimatlichen Clubs aufpflanzt. Von den Nebenfiguren, die nur den Rahmen abgeben, zeigen der deutsche Professor, der Engländer und der österreichische Diplomat, dass es auch außerhalb Taracons Taraconesen giebt. Die durch das übliche Liebesabenteuer unfehlbar zu erzielende heitere Wirkung ist durch die Einführung der schönen Nihilistin Sonia erreicht.

Mit den ernsten Romanen des Meisters kann dieses Erzeugniss seiner Laune wohl nicht den gleichen Rang beanspruchen. Aber seine Leser werden gerne hören, wie er mit dem Mitleid eines reichen Herzens über menschliche Schwächen scherzt, nachdem er mit demselben Mitleid als unerbittlicher Richter über menschliche Fehler gegrollt und gezürnt hat.

Daudet hat in seinen „Rois en Exil" die aufopferungsfreudige Begeisterung, im „Nabab" die Weichherzigkeit des Südfranzosen gekennzeichnet, die demselben in der Pariser Welt zum Verderben wird. Nun schließt er mit der Vollendung seiner Doppelgeschichte von Tartarin de Tarascon, wie mit einem Satirspiele diese Roman-Trilologie ab.

Ueber Darstellung und Sprache ist es wohl unnötig, Worte zu verlieren. In dieser Beziehung finden wir Daudet wie sonst, wenn er auch sein neustes Buch während einer schweren Krankheit zu Ende gebracht hat. Hierin bleibt er der bedeutendste Nachfolger seines sprachvirtuosen Vorgängers Flaubert. Der klare Fluss der Rede erhebt sich im „Tartarin sur les Alpes" zu Glanz und Schwung, wenn er die Schönheit des Hochgebirges schildert und durch prächtige Bilder im Leser denselben überwältigenden Eindruck weckt, den er selbst empfangen.

Das Buch ist originell ausgestattet und mit Aquarellen bekannter Künstler illustrirt. Zu seiner Empfehlung wäre somit Alles erschöpft.

Lautschin. Eduard Ergert.

Sprechsaal.*)

Pro domo.

Meine Brochüre „Revolution der Litteratur" hat, wie zu erwarten stand, eine Reihe reizender Geistesblüten in der deutschen Kritikasterie gezeitigt, deren Logik und Wahrheitsliebe einer Festnagelung wohl würdig erscheinen.

In einer Verreißung des neuen geistvollen Romans von Gerhard v. Amyntor seitens der „Wiener Allgemeinen" wird dem verehrten Dichter vorgeworfen, dass er angeblich ohne Berechtigung dazu ein Motto aus obengenannter Brochüre gewählt habe. Dabei werde ich mit der wegwerfenden Bezeichnung abgefertigt: „ein Nachbeter der französischen Naturalisten."

Die Geschmacklosigkeit dieser Bezeichnung ist an sich jedem Einsichtigen klar. Uebrigens habe ich in der Vorrede der zweiten Auflage gründlichst meine Stellung zu Zola u. s. w. klargelegt. Verwunderlich aber ist diese Phrase im Munde eines Mannes, der in derselben Zeitung seit lange mit wärmster Anerkennung meine Werke besprach und sich einer meiner „entschiedensten Verehrer" nannte.

In der „Leipziger Gerichtszeitung" erklärt ein Quidam, ich hätte gar kein Recht zu meinem Auftreten, da ich selbst „bisher noch nichts geschaffen was sich über die Mittelmäßigkeit erhebt".

Dies äußert ein Herr, der ausdrücklich vor Zeugen erklärt hat, dass er keine Zeile von mir kenne! O weiser Daniel!

Neben dem vormaligen „Verehrer", der jetzt ganz plötzlich einen obscuren „Nachbeter" in mir kennen lernt, und dem Seher, der sich aufs Gradewohl ein Urteil über mein gesamtes Schaffen anmaßt, tritt eine dritte Spezies mir entgegen, welche in der Wiener „Deutschen Wochenschrift" ihr Unwesen treibt.

Es ist mir bemerkt worden, dass es meiner unwürdig sei, auf all das Brummen von Schmeißfliegen zu reagiren, da es den Anschein erwecke, als interessire mich das Urteil solcher Wesen. Dies ist ein Irrtum. Aber so widerwärtig es mir ist, meine Ruhe im Schaffen selber stören zu müssen, indem ich den litterarischen Industriellen Eins versetze, so halte ich dies doch für unumgänglich nötig, um die Verlogenheit der landläufigen würdelosen Kritik an den Pranger zu stellen. Denn täuschen wir uns doch darüber nicht: die Tagespresse allein regiert und füllt das Ohr des großen Haufens mit ihrem vorlauten Geschwätz. Wenn irgend ein Skribler hundertsten Ranges als Feuilletonredakteur eines großen Tageblattes fungirt, so hat dieser Stotterer der Litteratur effektiv hundertmal mehr wahre Macht, als ein mit Donnerzungen redendes Genie. Denn der öde Straßenklatsch des großen Tageblattes interessirt hunderttausende andächtiger Leser — die Worte eines Dichters sind in dem litterarisch interesse- und verständnislosesten Volke Europas von gar keiner Bedeutung. Aber es scheint mir dennoch ersprießlich, über die Art und Weise, wie in Deutschland Kritik gemacht wird, wenigstens in litterarischen Kreisen genügendes Licht zu verbreiten. So here goes!

Der anonyme Fernbintreffer der Wiener „Deutschen Wochenschrift" erzählt von mir:

„Seine übrigen Helden heißen M. G. Conrad, W. Kirchbach, F. Lange, Max Kretzer, Hans Herrig, D. v. Liliencron, A. Friedmann, F. Avenarius, H. Conradi, K. Henkell, W. Arent und Andere."

Und Andere! Merkwürdig! Hermann Heiberg und Ernst v. Wildenbruch gehören zu diesen „Andern", von einer ganzen Reihe von Autoren zu schweigen, welche noch wärmer hervorgehoben sind als z. B. „A. Friedmann, K. Henkell, H. Conradi und F. Avenarius."

Warum hat nun „Argus" (so nennt sich der p. p. Anonymus) wohl jene Namen fortgeschwiegen? Ganz einfach: Weil jene Autoren einen großen äußeren Erfolg zu verzeichnen haben, welcher ihren Verdiensten entspricht — also bei den Lesern durch Nennung dieser Namen der beabsichtigte Eindruck geschwächt wäre. Denn jene Autoren „kennt" man ja — das einzige Kriterium für Leute vom Schlage dieses Argus! Also wäre der Vorwurf hinfällig erschienen, dass ich nur Leute lobe, die Niemand „kennt"! Zu diesen Letzteren rechnet Herr Argus auch mich. Er fragt: „Bleibtreus Werke — wer kennt sie?!" Dies ist nun freilich eine starke Uebertreibung. Denn wenn Bücher wie „Dies irae" die Runde um die halbe Welt machen, so „kennt" man sie doch und trotz meiner berechtigten Klagen habe ich von keinem einzigen meiner 17 Werke behauptet, dass es total unbekannt geblieben sei — denn das wäre eine grobe tendenziöse Erfindung meinerseits und eine Beleidigung der loyalen Kritik. Wäre dem aber so —, nun wahrhaftig, kein besserer Beweis für die Notwendigkeit meiner Brochüre! „Er nennt W. Walloth (wer hat den Namen je gehört?) ein episches Schilderungstalent allerersten Ranges." Also so steht es! Bedeutende Werke und bedeutende Dichter, die nicht durch Koteriereklame großgeschrieen sind — „wer kennt sie?" „wer hat den Namen je gehört?!" Ja, da müssen wir wohl noch schärfere Saiten aufziehn und den billigen Vorwurf des „Größenwahns" erst recht nicht scheuen, um eine so monstruöse Verschiebung der Wertverhältnisse zu korrigiren.

Argus erzählt ferner: „— Paul Heyse übergeht er, heißt ihn aber im Vorübergehen einen Clauren." Das ist charakteristisch für die absichtliche Blindheit, mit welcher solche anonyme Argusse ihre Scharfäugigkeit bewähren. Von Paul Heyse ist nämlich sozusagen in der ganzen Brochüre die Rede, da dieser Autor den Centralpunkt alles dessen für mich vorstellt, wogegen ich mit allem Aufgebot meines sittlichen Ernstes ankämpfe. Speziell über Heyse handeln aber drei volle Seiten! Das nennt Argus „übergehen"!

*) Anmerkung der Redaktion. Für diese Rubrik sind nur die Einsender verantwortlich.

Herr Dr. Paul Heyse hat im Schriftstelleralbum von Hinrichsen mit anerkennenswerter Offenheit epigrammatisch den Wunsch geäußert: Man möge statt des ewigen Lobens, dessen er völlig überdrüssig sei, ihn doch endlich mal tadeln!! — Nun, dieser Herzenswunsch ist ihm durch mich gründlich erfüllt worden und ich rechne daher auf seinen fürstlichen Dank.

Wenn ich direkt ausrief, wie Argus mir vorwirft: Dass materielle Wohlhabenheit und Cliquentalent durchaus, besonders heutzutage, nötig seien, um das Aufkommen eines „Goethe" zu ermöglichen — so bleibe ich fest bei dieser pessimistischen Behauptung. Das Beispiel Paul Heyses, eines von Kindesbeinen an glückverwöhnten Lieblings der Thee-Grazien, schwebte mir nicht zum wenigsten bei dieser Betrachtung vor. Ich habe ausdrücklich bemerkt, dass die glänzenden Verhältnisse eines Mannes, wie Graf Schack — poetische Begabung vorausgesetzt — es diesem allein ermöglichten, es dichterisch so weit zu bringen. Jeder, der über die Geheimnisse der dichterischen Produktion im Klaren ist, wird mir beipflichten.

Die Berufung aber auf das Beispiel Alfred Friedmann's an dieser Stelle ist eine Bosheit, die ich umsomehr bedaure, als dieser Dichter meiner Ansicht nach trotz „Beutel und Strebertalent", auf die Argus hässlicher Weise anspielt, weit unter seinem ehrlichen Streben und unläugbaren Talent geschätzt wird.

Argus schreibt schon vorher: „Von rührender Naivetät ist eine andre Stelle: ‚Auch Alfred Friedmann will hier genannt sein'. Wo will der nicht genannt sein?"

Da die Worte in dieser Fassung eine Verdächtigung zwischen den Zeilen enthalten und die ewig wiederkehrende Erwähnung dieses Herrn allzu absichtlich wirkt, so muss ich mich hier mit meinem Verhältnis zu Friedmann beschäftigen. Friedmann ist S. 52 durch eine kurze Besprechung ausgezeichnet, deren gerecht abgewogenes Lob von demselben Geiste der Loyalität diktirt ist wie die ganze Broschüre. Ein Hauptmotiv derselben war der Umstand, dass der sonst von mir nach Verdienst gewürdigte F. Hirsch in seiner Darstellung der neuesten Litteratur auch Herrn Friedmann todtgeschwiegen hat, während alle möglichen Blaustrümpfe und Stümper mit reichem Wohlwollen bedacht sind, welche durch Koteriereklame Einfluss und Kameraderie-Ansehen erlangt haben. Herr Friedmann selber aber ist weit davon entfernt, mein persönlicher Kampf- und Parteigenosse zu sein. Er hat im Gegenteil in den „Blättern f. litterar. Unterhaltung" einen langen Artikel gegen den Realismus meines Werkes „Schlechte Gesellschaft" losgelassen, worin sein unklarer „Idealismus" und seine einseitige Salon-Kunstanschauung eine anmutige Orgie feiern. Er sagt mir da zwar sonst viel Schmeichelhaftes, bedauert aber, dass Einer das Höchste könne und das Niedrigste wolle. Dagegen wäre nun nichts einzuwenden, wenn nicht die Begründung seiner Ansicht so schwach und zerfahren wäre, dass sie sich hauptsächlich auf Herausreißen einzelner Sätze aus dem Zusammenhang, die bekannte beliebte Kritikastermanier, stützen muss, wodurch der ganze Artikel das Gepräge einer gewissen Voreingenommenheit erhält.

Herr Friedmann ist einfach unfähig, das Buch zu verstehen, oder er macht sich absichtlich unfähig, da er Feinheiten der Charakteristik und Ironie für ernsthafte Schnitzer des Autors hält und die augenfälligsten Moralpredigten von bitterernster Schmerzenstiefe als cynische Verherrlichung der Unsittlichkeit denunzirt. Für das Unheimlich-Analytische dieses Naturalismus, der sich mit höchstem Idealismus verschmilzt, für den Reiz der nervösen Stimmungsmalerei, für das Hinabtauchen in das geheimste Zellengewebe des psychischen Organismus hat dieser „Idealist" natürlich kein Medium des Verständnisses. Unter dem allem steckt auch ein gut Stück Tugendboldigkeit, und vor allem eine gewisse Konzession an die herrschenden einflussreichen Mächte der Litteratur. Die widerlichen Komplimente an Heyse und Bodenstedt hätte er sich sparen können — vor allem aber die komödiantische Danksagung, die er später in demselben Blatte erließ an alle jene Braven, die wie er sagt über diese glorreiche Verteidigung des „Idealismus" gegen mich grausen Satanssohn ihm brieflich ihr Entzücken ausdrückten.

Ich hielt diese Darlegung für nötig, um zu zeigen, dass selbst von einer moralischen Beeinflussung meines wohlwollenden Urteils über Herrn Friedmann gar keine Rede sein kann. Im Gegenteil — meine Waffenbrüder sind erbost auf diesen Mann, weil er ihren und meinen Bestrebungen direkt entgegenarbeitet, und beklagen meine freundliche Anerkennung dieses Heyse-Verehrers. Ich bin jedoch überzeugt, dass Herr Friedmann sich sicher eines Tages zu uns bekehren wird. Wer weiß, ob realistischen Verbrechern nicht noch mal das Glück blüht, durch eine der zahlreichen Buch-Widmungen dieses fruchtbaren Musenjüngers unsterblich zu werden! Bodenstedt, Ebers, Kinkel, Johannes Scherr u. s. w. — alle Wetter, dass ist eine so regenbogenbunte Auswahl, dass am Ende sich auch mal ein armer Realist unter so illustre Würdegreise verirrt!

Da aber Friedmann so hyperstrenge dem Form-Kultus fröhnt, so will ich ihm zum Abschied zwei beliebige Citate aus seinen Werken als Muster prosaischer Sprache und schluderiger Sprachverrenkung vorhalten, auf dass ihm seine Begeisterung für Formkleisterei künftig straffere Formbeherrschung durchweg sichern möge.

In seinen „Gedichten" reimt er S. 230 kühl lächelnd auf „Rose": „Schoße" und „bloße", begeht aber das echt Friedmannsche Kunststück, dafür gemütlich „Schose" und „blose" zu schreiben, damit es wie ein echter Reim aussehen soll!! Und in demselben Sonnet, um auf „Wänden" und „Händen" einen Reim zu haben, erkühnt er sich allen Ernstes drucken zu lassen:

„Wie Elstern, die auf einem Dach sich fänden!" . .
„Wenn voller Neugier Fremde sie umständen!"

für „finden" und „umstehen". Arme Grammatik!

Und derselbe Anbeter der akademischen Form schreibt Verse à la Busch wie die folgenden in seiner „Vestalin" S. 27:

„Doch Hellenor hatte öfters nach Myrrhina stumm geblickt.
Noch nicht hat das dritte Lustrum sorglos sie zurückgelegt.
Als sie schon dem Knabenbusen holde Sympathie erregt.
Wollte doch kein Tag vergehen, ohne dass er vor sie trat
Mit der flüchtigen Rosenknospe, die er zu bewahren bat."

Diese Bitte um Bewahrung ist wahrhaft köstlich.

Das Alles kann aber mein günstiges Urteil über Friedmann nicht trüben, dessen lauteres Wollen und tüchtiges Können an mir einen aufrichtigen Verteidiger stets finden werden.

Die unwürdigen Ausfälle auf Friedmann seitens des anonymen Winkelrhadamantys zeugen von derselben Wahrheitsverdrehung wie alles Andere. Ist es da zu verwundern, wenn ganz keck die Insinuation in die Welt geschleudert wird:

„Merkwürdiger Weise gehören fast sämmtliche Werke, die er so hochtrabend bespricht, demselben Verlage an wie die Broschüre. Ist das nicht heiter?"

Ja, heiter ist diese Unverfrorenheit. Unter den von Argus aufgezählten Autoren und Produktionen gehören fünf zum Verlag von W. Friedrich, acht nicht. — Schade, nur dass ich Argus (hinter dem man einen Wiener Theaterschreiber vermutet) dabei vergessen habe! Hinc illae irae! *)

Dass Argus mein Epilog-Gedicht „Dichterloos" unter aller Würde findet, könnte mich fast stolzer machen, als das Lob, mit dem bedeutende Dichter dasselbe beehrten. Denn was der Unweisen Lob erhält, ist bekanntlich ohnehin wertlos. Wie freudig muss uns also der Unweisen Tadel bewegen!

Das Gedicht „Ça ira der Muse" von Hermann Friedrichs, welches als Prolog diente, spricht für sich selbst und die Angriffe der Kritikaster (auch hierbei taucht wieder der allerorts das Banner des Ideals hochhaltende A. Friedmann auf) können dem Verfasser ganz gleichgültig sein.

Ja ja, die „Idealisten" — obenan die Professorenwächter der sittlichen Weltordnung und ihr Hofstaat — sind gar eifrige Herrgötter und lassen ihrer nicht spotten. Man sollte eigentlich denken, dass die sittliche Erhabenheit dieses vornehmen Idealismus mit wohlwollender Ruhe auf die Verbrechen und — Leistungen der Jüngeren herniederschauen werde, ohne Groll, Aerger und — Neid, wie es „vornehmen" Idealisten geziemt. I, da kennen Sie Buchholzen schlecht!

Der Humor dieses Humors, um mit Bardolph zu reden, ist aber, dass die Begriffe „Idealismus" und „Realismus" völlig verschoben sind. Stellt sich mir Jemand als „Realist" vor, so weiß ich genug: Also auch wieder ein idealistischer Stürmer! Schimpft aber Jemand eifrig auf Zola und führet das Wort „ideal" recht oft unnützlich im Munde, so bekomme ich einen höllischen Respekt. Der Mann wird's noch mal weit bringen, der kennt die Welt als wahrer — Realist! Wie sollte man also den „Idealisten" ihre pharisäische Unduldsamkeit verargen! Sind sie doch durchaus zu dem Bewusstsein berechtigt, dass nur auf ihrem Pfade die realen Lorbeeren blühen und der kindische Idealismus der Realisten nimmer reale Erfolge erzielen wird.

Ich aber möchte mir zum Schluss die kleine Bemerkung gestatten, dass es mir völlig gleichgültig ist, unter welcher

*) Es trifft sich unglücklich, dass Herr A. Müller-Gutenbrunn, Verfasser einiger harmlosen Laube-Stücke, zugleicher Zeit im „B. Börsen-Courir" eine wahrhaft großartige Reklame für sich in Szene setzte, die beinahe die berühmte historische Darstellung der Gebrüder Schönthan betreffs Entstehung der bedeutsamen Schöpfung „Raub der Sabinerinnen" erreicht.

Schablonenetiquette man arbeitet. Leiste ein „Idealist" nur etwas Gediegenes — da werde ich der Erste sein, der ihn empfiehlt. Und die vielen „Realisten", die jetzt auf einmal wie Pilze aus der Erde schießen und mich speziell mit ihren Sendungen beehren, brauchen ja nicht glauben, dass es eine Anwartschaft auf mein Lob giebt, sich eine solche Erkennungsmarke aufzukleben. Mir sind „Idealismus" und „Realismus" nur leere Worte und ich erkenne nur ein Erkennungszeichen: das Talent.

Zu guterletzt möchte ich aber noch einige Aufmerksamkeit einem Thema zuwenden, das mich nur indirekt angeht: Dem sogenannten Jungen Deutschland, dessen Anthologieen „Moderne Dichtercharaktere" und „Bunte Mappe" ein so lebhaftes Missfallen erregt haben. Im Märzheft der „Deutschen Revue" werden z. B. die selbstgerechten Invektiven eines gewissen süddeutschen Autors, welcher die Denunziationen Wolfgang Menzels gegen das frühere Junge Deutschland oder die salbungsvollen Klatschereien Southeys gegen die „satanische Schule" Lord Byrons sich zum Muster zu nehmen scheint, mit dem widerlichem Behagen einer wohlsituirten und wohlgenährten Sittlichkeit nachgelallt. Dabei verirrt sich der natürlich anonyme Verfasser zu der geschmacklosen Bemerkung, die Herrn Jungdeutschen hätten in ihren Werken den Patriotismus gepachtet, seien aber selbst durch die Beschaffenheit ihrer zarten Körperlichkeit gehindert, Schlachten zu schlagen — außer mit dem einzig bei ihnen ausgiebig entwickelten Gliede: Der Zunge.

Ich beklage zuvörderst doch sehr die wenig erfreuliche Verwilderung des Tons, die immer weiter um sich greift und sich wieder so recht drastisch in der brutalen Inhumanität einer solchen persönlichen Bemerkung ausprägt. Außerdem frage ich mich erstaunt, woher wohl der anonyme Recke seine angeblichen Personalkenntnisse geschöpft haben mag. Was hat denn aber überhaupt die körperliche Beschaffenheit der Dichter mit ihrer patriotischen oder nicht patriotischen Poesie zu thun?! Ist die patriotische Poesie schlecht, so würde sie nicht besser, und wäre Moltke selbst der Verfasser. Ist sie aber gut, so könnte der Verfasser recht wohl ein Krüppel sein, wie der selige Tyrtäos — das schadet nichts. Auch hat die größten Kriegshelden, wie Napoleon, Friedrich, Suwaroff, Nelson, Bülow u. s. w. ihre kleine oder schwächliche Leibesgestalt durchaus nicht gehindert, veritable Schlachten zu schlagen. Kämpfern des Gedankens mit solchen geschmackvollen Personalattaken sich zu nähern, beweist doch also eine beträchtliche Unreife, die etwas stark Jugendliches an sich hat, obschon der illustre Anonymus ebenfalls mit besonderem Nachdruck die Jugend jener armen jungen Poeten in gebührende Schranken zurückweist. Ja ja, die Jugend! Schiller schrieb mit 22 Jahren die „Räuber", Byron den „Childe Harold", Shakespeare und Goethe mit 25 Jahren Werke wie „Romeo und Julia" und „Werther". Hingegen werden der gefeierte Lyriker Frauenlieb und der geschätzte Romanfabrikant Pantisalbaderphiltichides im hohen Greisenalter eines Goethe noch dasselbe unreife und seichte Gewäsch zu Tage fördern, wie jetzt in ihrem „reifen" Mannesalter. Und ein Weiser, wie unser Anonymus, wird auch im Alter Methusalems noch bleiben, was er im Alter des geschmähten Jungen Deutschlands einst sicher war, nämlich ein — Anonymus.

Ich würde mich hier mit so Kleinlichem gar nicht beschäftigen, wenn die Art der oben gekennzeichneten Ausfälle nicht eine typische wäre und der salbungsvolle Pathos gewisser, selbst noch wenig betagter Sittenrichter vielleicht eine ganze Horde solcher Anonymusse anfeuert, auf ein paar erotische Verse hin die tiefe moralische Verdorbenheit des Jungen Deutschland mit heiligem Eifer zu denunziren. In dem vorliegenden Artikel wird auffälliger Weise Arno Holz allein aus den Uebrigen mit Wohlwollen herausgehoben. Wie ich über diesen begabten Formrevolutionär denke, habe ich gründlich in meiner Brochüre angegeben und ebendort mein keineswegs parteiliches oder gar begeistertes Urtheil über das gesammte lyrische Jungdeutschland festgestellt. Da ich aber für die wirklichen Verdienste dieser jüngsten Poeten nach Kräften gewirkt habe, so hat man von mir den gerechten Tadel in würdiger Haltung entgegengenommen, während man das würdelose Hetzen parteilicher Gegner mit verächtlichem Gelächter begrüßte, nach dem Satze: Non licet bovi, quod licet u. s. w.

In einem anderen Schmähartikel, im „Deutschen Montagsblatt", von einem gewissen Malkowsky wird bedauert, dass „ein Wildenbruch und talentvolle Leute wie die Brüder Hart" sich unter „diese Knaben" verirrt hätten. Zu diesen Knaben in der Anthologie gehören u. A. Wolfgang Kirchbach (dessen Bedeutendheit ich gewiss gern anerkenne) und rühmlich bekannte Dichter wie O. Linke, Kralik, Adler, Winter, Lemmermeyer. Nun, da eine solche seltsame Hinauseskamotirung der genannten drei Herren aus den Reihen der Uebrigen dazu zwingt, so will ich hier ein offenes Wort nicht scheuen.

Wie hoch ich über Wildenbruch als Dramatiker u. s. w. denke, habe ich warm genug verschiedentlich und noch jüngsthin betont. Man kann ein echter, ein bedeutender Dichter wie W. sein, ohne darum gerade als Lyriker etwas zu leisten. Selbst Shakespeare gehört wahrlich nicht zu den genialsten Lyrikern. Und so muss ich es denn aussprechen: dass man die hier gebotenen Gedichte W.'s (worunter „Das Hexenlied", sein bekanntes bestes Gedicht, wirklich als recht gelungen erscheint) verschiedentlich als Produkte eines wahren Dichters denen der andern in dieser Anthologie entgegengehalten hat, ist ein Beweis der dummdreisten Frechheit, mit welcher journalistische Handlungsreisende einfach auf die Fabrikmarke der „Berühmtheit" hin ihr maßgebendes Urteil präpariren. Ich rufe jede, aber auch jede lyrische Autorität auf, mein Urteil zu bestätigen. — Die Gedichte der hochbegabten Harts sind sehr viel bedeutender. Aber auch hier sei erklärt, dass z. B. der geschmähte Karl Henkell sich in dieser Sammlung durchaus auf gleicher Höhe zeigt. Und was den Geschmähtesten von Allen, Wilhelm Arent, selber anbelangt, so steht dieser im Gebiete der reinen Lyrik hoch über Allen, so dass nur grobes Unverständniss (sagen wir in ehrlichem Deutsch: Dummheit) oder gemeine Gehässigkeit dies bestreiten können. Ich aber will hier ausdrücklich dies constatirt haben.

Die Auswahl in den beiden Anthologien aus A.'s Gedichten ist die denkbar unglücklichste; in der „Bunten Mappe" findet sich überhaupt viel druckunfertiger Schund. Aber Gedichte wie „Weihestunde", „Zum Ort des Todes", Frühlingsandacht" u. s. w. sind doch noch so unwidersprechliche Zeugnisse elementarer Dichterkraft, dass nur Menschen, die überhaupt keine Poesie verstehn, (doch ja: die „anerkannte" „Des Kaisers neue Kleider") daran zweifeln können. Ueber Arent kann aber überhaupt nur urteilen, wer sein „Aus tiefster Seele" oder „Kunterbunt" gelesen hat. Und nun bitte ich wohl zu beachten, dass ich durchaus nicht der „Erfinder" dieses Lyrikers bin, sondern dass ich höchstens mit mehr Energie betonte, was schon Manche vor mir drucken ließen. Das macht ja ganz den Eindruck, als ob nur meine Stimme hörbar wäre und andere Autoritäten überhört würden! Sind Ernst Ziel, Franz Wönig, J. Minkwitz, M. G. Conrad, Heinrich Hart u. s. w., sind diese ernsten und gewissenhaften Richter etwa für nichts zu achten und haben nicht alle diese bereitwillig Arent's Talent anerkannt? Aber natürlich, ein Herr Malkowsky und das „Deutsche Montagsblatt" verstehen ja mehr von Poesie als wir!

Nein, ihr Herren Journalisten, „Schuster, bleib bei deinem Leisten!"

Recht belustigt hat mich auch das „Deutsche Litteraturblatt", welches „seine Wurzel in den Tiefen der christlichen Religion sucht", durch einen von Entstellungen, Verdrehungen und Unrichtigkeiten wimmelnden Sermon eines Herrn Professor Schädel über meine Brochüre. Die deutsche Grammatik beherrscht dieser Zionswächter freilich nur unvollkommen, dafür aber tobt er sich nicht übel in markigen Kraftworten aus. Z. B.: „Er sollte sein Buch nicht mit so bodenlosem Nonsens (!) beginnen, wie der Satz". .!! Pardon, „wie mit dem Satze", Herr Professor, gestatten Sie einem pauvren Dichter diese kleine Korrektur — empfiehlt ja doch dieses geschätzte Organ des Gymnasialdirektors Keck ganz keck die „Reinheit" seiner schulmeisterlichen Sprachübungen!! Jaja, wenn Herr Schädel mit seinem Namensvetter in Shakespeare's „Love's labour's lost" denkt: „Man hat sichs ausgedacht, ich wäre der rechte Held für Pumpelmus den Großen", so möchte sich am Ende doch der bekannte Dialog entwickeln:

Schädel. Pompejus ich —

Biron. Tritt bei Seite, würdiger Pompejus!

Um aber mit etwas Heiterem zu schließen, citire ich ein Epigramm, das in demselben „D. Montagsblatt" einem „Litterarischen Revolutionär" gewidmet wird:

Wer sich der Muse nicht ganz ergiebt,
Dem hat sie ein Herz von Stein.
Die Muse will nicht nur geliebt,
Sie will geheiratet sein.

Das sagt Herr Fulda, der jugendliche Verfasser eines revolutionären Versbüchleins, sonst, wie ich höre, Millionär mosaischer Konfession — wem wohl?!

Charlottenburg. Karl Bleibtreu.

Im Verlage der K. Hofbuchhandlung von WILHELM FRIEDRICH in LEIPZIG erschien:

Schlechte Gesellschaft. Realistische Novellen von Karl Bleibtreu.

8. br. M. 6.—, eleg. geb. M. 7.—

... Bleibtreu hat bei jungen Jahren schon eine erstaunlich zahlreiche und wunderbar vielseitige Produktion hinter sich. In seinen Schlachtenbildern, die seinen Namen zuerst weiteren Kreisen bekannt machten, hat er militärische und historische Phantasie von grossartiger Anschauungskraft bewiesen. Seine vollquellende Lyrik athmet aus einem überreich bewegten inneren Leben; seine Erzählungen spiegeln Charaktere, Empfindungen, Ideeen unseres Zeitalters mit unerbittlicher Wahrheit wieder — in allen seinen Büchern ist Kraft, Eigenart und Fülle .... Bleibtreu stellt an die Spitze seiner Vorrede (einer geradezu monumental geschriebenen Vorrede) den Satz: „Gerade durch den Gegensatz höchster Sentimentalität zu der völlig ungeschminkt dargestellten Rohheit des realen Lebens kann jener unheimliche Eindruck erzeugt werden, der das Wesen des Menschen bei jedem denkenden Beobachter wachruft.“ Wer so klar die künstlerische Möglichkeit des naturalistischen Stoffes erfassen und aussprechen kann, der vermag auch ihn zu meistern... Tägl. Rundschau.

.... Der Grundgedanke ist in der den Abschluss bildenden Pfingstcantate in wirklich erhebender Weise zum Ausdruck gebracht und die Schlussworte: „Das ewig Männliche zieht uns hinan“ bilden die Quintessenz des ganzen Buches ... Da ist nicht eine Gestalt, die nicht Leben athmete, warmes pulsirendes Leben, und man weiss nicht, was man mehr bewundern soll: Die Kunst der Darstellung oder die scharfe Beobachtung. Schalk.

... Bleibtreu ist entschieden ein kraftvoller Autor; er hat einen Zug von Genialität Die volle Ausreifung dieses grossen Talentes scheint aber der Mangel des richtigen Gefühls für Mass und Ziel zu hemmen. Das macht sich hier stark fühlbar... Ueber Land und Meer.

... Wenn man sich in die Norwegischen Novellen desselben Dichters wegen ihres gesunden, von poetischen Blitzen beleuchteten Realismus, ihrer Kernigkeit und Gesundheit des Empfindungslebens, der Pracht und Macht ihrer Naturschilderungen, des wunderbar getroffenen Lokaltones verlieben konnte und sich sogar geneigt fühlte, den deutschen Dichter den ein~~geborenen norwegischen voranzustellen~~; wenn man ferner seinen Jubelruf über seine endliche Entdeckung des wahren Nibelungendichters mit hohem Entzücken gelesen hat, so will der Karl Bleibtreu der „Schlechten Gesellschaft“ nicht recht behagen. Er scheint sich verloren zu haben, von der lichten Höhe reinen Dichterthums in den Schlamm des krassesten Realismus versunken zu sein. ... Der Verfasser erklärt seinen Standpunkt in der Vorrede ... Er führt dies noch weiter aus, geistreich und scharfsinnig, wie es ja sein grosses geistiges Vermögen ihm gestattet, aber wir mögen ihm in seiner Philosophie der Dichtkunst nicht beistimmen. ... Hamburger Nachr.

... Da ist endlich einmal ein Novellenbuch, das jeder Blaustrümpfelei und Pseudo-Romantik den Rücken kehrt, dafür aber mit Zola'scher Realistik anzieht und mit kräftigem Sarkasmus packt. Liest man sonst in Novellen nur sporadisch und überschlägt die seelischen Schilderungen, um schneller die Momente der Handlung zu finden, so ist man hier gereizt, ja gezwungen, Alles zu lesen und bei den gedanken- und stimmungsreichen Einflechtungen besonders zu verweilen. Der noch junge Autor neigt zum Realismus Zola's, ist aber durch und durch deutscher Ideolog voll heiligen Zornes über den modernen Sodomismus und Byzantinismus. Die Entartung der Geister durch geschlechtliche Leidenschaft, durch das Irdisch-Weibliche, das hinabzieht, ist sein Thema, das er in virtuosen Variationen ausführt. Sein herber Cynismus ist nur durch die Stoffe und Charaktere, die er gleichsam photographirt, bedingt. Nicht etwa unterhalten und anreizen will er, sondern aufrütteln, erschrecken und abwenden.... Dresdner Nachrichten.

„... Gerade weil ich nicht zu den Naturalisten gehöre, ist es mir ein besonderes Anliegen auf dies Werk aufmerksam zu machen, das sehr glücklich den Romantizismus mit dem Naturalismus zu verbinden versteht, um aus dieser Vereinigung, die ganz neu ist, die wahre eigentliche Poesie hervorgehen zu lassen.... Wenn Hamlet vom Tode erstände, um Novellen zu schreiben, so würden sie ungefähr so ausfallen, wie diese — bitter, ironisch, aber desto anziehender. Dieser Naturalismus mahnt nicht im Geringsten an Zola's ermüdende Ausführlichkeit, er ist völlig originell.... „Gesellschaft“.

... Der Verfasser hat sich auf das heikelste Gebiet gewagt, aber durchaus seinen Gegenstand ethisch vertieft und in dem Motive . Kleopatra's Prostitution die Geschichte einer Gefallenen . zu einer dichterischen Höhe gesteigert, die unsere ganz ausserordentliche Hochachtung herausfordert.
W. Kirchbach im „Lebensbuch“.

... Er hat eine wunderbare Auffassungsgabe, einen Scharfblick und ein Talent, das Beobachtete wiederzugeben, dass er unzweifelhaft noch sehr Bedeutendes in diesem Fache leisten wird. In seiner „Schlechten Gesellschaft“ denken, sprechen, handeln die Personen so, dass man sie leibhaft vor sich gezaubert sieht. „Pester Lloyd“.

Kraftkuren. Realistische Novellen von Karl Bleibtreu.

8. eleg. br. M. 6.—, eleg. geb. M. 7.—

„Der Inhalt rechtfertigt die nähere Bezeichnung realistisch vollkommen. Nur muss man nicht direkt an den Zola'schen Realismus denken; über den ist Bleibtreu himmelhoch hinaus und erhaben. Es ist ein gesunder, das Wort und die zu schildernde Sache beim rechten Namen nennender Realismus, aber verklärt durch eine kontemplative poetische Anschauung. Alles, was der begabte Autor sieht und beschreibt, sieht und beschreibt er als Poet, und wenn er Landschaften schildert, so glaubt man sich in die National-Galerie versetzt und vor einem Landschaftsbilde à la Kalkreuth oder Metzener zu stehen, oder man sieht die Werke der Allmutter Natur selber vor sich. Namentlich norwegische Gegenden gelingen ihm sehr gut. Mancher lernt das nie. Was sagt der Leser zu dieser Poesie in Prosa (S. 52 ff.): „Ralph öffnete das Fenster und sah hinaus. In dem güldenen Labyrinth da oben trat der Venusstern deutlich hervor. Wo die Frühlingssonne sich im Morgenthau des Wiesengrüns gespiegelt, wo Bergelfen die lichtumflossenen Joche mit Abendpurpur umsäumt, da rollte jetzt übers erratische moosumflochtene Gestein die Strahlenwelle der Nachtgestirne dahin und silberner Dunst spann sich um die struppigen Kiefern.“ Wir heben als besonders interessant aus dieser prosaisch-poetischen Sammlung hervor die norwegischen Landschaftsbilder eines lyrischen Touristen, in denen man den Autor der Inselmär „Gunnlang Schlangenzunge“ wiedererkennt, die „Walküre“, die „Spaziergänge durch London“, „Metaphysik der Liebe“ u. s. w. Wir empfehlen das Werk auf das Angelegentlichste.“ „Berl. Fremdenblatt.“

Revolution der Litteratur. Von Karl Bleibtreu.

Zweite vermehrte Auflage. in 8. eleg. brosch. M. 1,50.

Längst hat sich Einsichtigen die Ueberzeugung aufgedrängt, dass wir an einem neuen Wendepunkt der Litteraturentwickelung angelangt sind, dass eine neue Sturm- und Drangperiode sich allgewaltig erhebt, aus welcher das Bleibende und Wahre nach unklarer Gährung sich gestalten wird. So hat denn einer der Hauptvertreter der neuen Litteraturentwickelung den Versuch gewagt, schneidigen, präcisen Ausdruck für die Ziele und bisherigen Erfolge derselben zu bieten. Man kennt Bleibtreu's unerschrockene Kampflust und wird daher nicht staunen mit wie genialer Sicherheit hier alle Talmi-Grössen der Reclame zerschmettert und so manche verkannten Verdienste zu Ehren gebracht werden. Die Broschüre, welche das grösste Aufsehen erregt, ist berufen wie ein reinigendes Gewitter am litterarischen Himmel zu wirken.

Durch alle Buchhandlungen des In- und Auslandes wie direkt von der Verlagshandlung zu beziehen.

Für die Redaktion verantwortlich: Hermann Friedrichs in Leipzig. — Verlag von Wilhelm Friedrich in Leipzig. — Druck von Emil Herrmann senior in Leipzig

Das Magazin

für die Litteratur des In- und Auslandes.

Wochenschrift der Weltlitteratur.

1832 gegründet von Joseph Lehmann

55. Jahrgang.

Preis Mark 4.– vierteljährlich.

Herausgegeben von Hermann Friedrichs.

Verlag von Wilhelm Friedrich in Leipzig.

No. 18. Leipzig, den 4. Mai. 1886.

Inhalt:

Die weibliche Feder in der Litteratur und ihre Kennzeichen.

> Motto: Es ist durchaus falsch, die Toleranz, welche man gegen unfähige Menschen in der Praxis des alltäglichen Lebens übt, auch auf die Litteratur übertragen zu wollen. Hier erscheint viel mehr die Pflicht gegen das Gute eine unverblümte Bekämpfung des Schlechten.
>
> Schopenhauer.

Romane, Novellen, Noveletten, Märchen, Gedichte, einer Sintflut gleich überschwemmen sie jährlich die Blätter und Blättchen Deutschlands. Und trotz dieser massenhaften Produktion ist Jeder überzeugt, dass selten so wenig Interesse für die schöngeistige Litteratur in Deutschland herrschte, als gerade jetzt. Wie kommt es?

Viele meinen, dass unsere Zeit zu realistisch wäre, dass das Zeitalter der Maschinen und Fabriken den holden Genius der Poesie, der den Dampf und Rauch durchaus nicht vertragen könne, aus unsern Hütten vertrieben hätte. Der bekannte Novellist Karl Bleibtreu sagte neulich in einem Aufsatze über die moderne Litteratur, dass das neue deutsche Reich in litterarischer Hinsicht die volle Barbarei repräsentire; denn eine Broschüre über Kornzölle mache jetzt mehr Aufsehen, als die genialste Dichterschöpfung.

Wir wollen zugeben, dass wir praktischer geworden sind als unsere Väter und nüchterner, realer denken als die Zeitgenossen eines E. Th. A. Hoffmann, des Extremsten aller Romantiker, dessen phantastische Erzählungen von den Meisten, wenn sie in den heutigen Tagen erschienen, als absurde Phantasmen eines Tollhäuslers angesehen würden, während dieselben zu Anfang dieses Jahrhunderts als holde Träume, reizende Phantasiegebilde das Entzücken der in Romantik schwelgenden gebildeten Welt erregten. Ist aber der Sinn für Poesie darum unserem Volke geschwunden?

Wir sind nicht mehr das Volk der holden Märchen und Mondscheinträumereien; le pays de Gretchen, wie uns früher die Franzosen nannten, hat die Schwärmereien des Jünglingsalters überstanden und ist zum Manne gereift, der mit ernstem Blicke das Leben anschaut, der nicht mehr mit Phantasien und Theorien, sondern mit der Logik der Tatsachen rechnet. Es ist auch natürlich, dass die Litteratur, welche in früherer Zeit in Deutschland das einzige Gebiet war, auf welchem das öffentliche Leben frei pulsiren konnte, in unserer Zeit der Parlamente, Volksversammlungen und Vereine, die das Interesse des Publikums für sich fast ganz in Anspruch nehmen, durchaus nicht mehr dieselbe Rolle spielen kann, wie früher. Die Litteratur hat aufgehört, allein die Stimme des Volkes zu repräsentiren; die öffentliche Meinung hat andere Mittel und Wege, um gehört zu werden. Aber gerade deshalb, weil man von der Litteratur jetzt nichts Anderes verlangt als die Befriedigung des ästhetischen Sinnes, der aus der Wüste des prosaischen Lebens, des drangvollen Daseinskampfes gerne hinüber schaut nach den grünen Gefilden der aufs Ideale gerichteten Kunst, gerade darum stellt man jetzt höhere Anforderungen an dieselbe. Die Poesie soll jetzt erst in Wahrheit ihren Beruf erfüllen und als Trösterin der Menschheit dieselbe versöhnen mit ihrem Geschick. Versöhnend, erhebend und tröstend kann aber nur das wirken, was tiefempfunden, echt und wahr ist. Nicht an erheuchelten Gefühlen und unwahren Empfindungen ergötzt, und erbaut sich der ästhetische Sinn, nur an dem Wahren und Wahrhaftigen findet er Befriedigung; denn „rien n'est beau, que le vrai; le vrai seul est aimable“ sagt Boileau mit Recht. Keine kleinlichen Empfindungen, keine unwahre Sentimentalität, nur das wahrhaft Große und wahrhaft Schöne im menschlichen Leben soll Gegenstand der Kunst sein. Das hatte auch Lessing erkannt, wenn er sagt: „Nichts ist groß, was nicht wahr ist.“ Wahrhaftigkeit fordert man jetzt vor allen Dingen von der Poesie und dieser Forderung muss sie nachkommen, um ihrer hohen und göttlichen Mission nicht ungetreu zu werden. Tiefempfundene, wahre, echte Poesie, darnach verlangt die zum Mannesalter herangereifte Menschheit, nach dieser Erquickung und Tröstung lechzt sie in dem heißen Kampfe des Lebens. Tiefempfundener, wahrer, echter Poesie stehen alle Herzen offen, aber die erheuchelte Gefühlsschwelgerei, die unmännliche, unwahre Tränenpoesie, sie findet nur ein mitleidsvolles, verächtliches Lächeln.

„Was wir in der Gegenwart zumeist als Kunstwerk bewundern, ist sehr oft nur Virtuosentum, große, technische Fertigkeit, die mit allerlei Mitteln schlagende Effekte hervorbringen soll. Ein wahrhaft künstlerisches Gebilde muss dagegen, mit dem geringsten Aufwande äußerer Mittel, durch die aus der Tiefe arbeitende Idee, in kindlicher Einfalt groß, seinen Zweck erreichen,“ sagt Adalbert Stifter. In dem Virtuosentum liegt die Ursache des Niedergangs unserer Litteratur; die deshalb nicht mehr ist, was sie sein sollte, eine Kulturmacht. Das große Contingent der Virtuosen rekrutirt sich aber hauptsächlich aus den Frauen, die mit ihren Produktionen alle Journale, Zeitungen und Zeitschriften überschwemmen. Der Einfluss der weiblichen Feder auf die Litteratur ist und bleibt ein unheilvoller und trägt nicht wenig zum Rückgang derselben bei. Die deutsche Muse hat blaue Strümpfe angezogen und ist aus einer kraftvollen, hehren und stolzen deutschen Jungfrau ein superkluges, überfeinertes, nach der Pariser Mode gekleidetes Pensionsfräulein geworden.

Die große Menge beherrscht den Markt und den Geschmack und die vereinzelten, kraftvollen, männlichen Töne durchdringen nicht den allgemeinen Singsang. Schon der Umstand, dass in Deutschland über sechshundert Schriftstellerinnen leben, welche die Schriftstellerei als Lebensberuf erwählt haben, müsste Bedenken erregen. Wie groß mag nun erst die Zahl derjenigen sein, die gelegentlich „in Litteratur machen“ und die Schriftstellerei als Nebenbeschäftigung, als angenehmen Zeitvertreib ansehen, indem sie in ihren Mußestunden ihrer Phantasie in Romanen und Novellen Ausdruck geben.

Noch nie war eine Zeit weniger geeignet für die Schriftstellerei der Frauen als die Jetztzeit. Die Litteratur soll den Zeitgeist wiederspiegeln, die Schriften eines Autors sollen das Arom des Zeitalters, in welchem der Autor lebt, enthalten, sagt Washington Irving. Man nennt unsre Zeit in materieller Beziehung die Zeit des Eisens; auch in geistiger Beziehung kann man sie die eiserne nennen. Wir leben in der ernsten Zeit der Arbeit, des Kampfes, der immer heißer und heißer entbrennt. Die Logik der Tatsachen regiert die Welt von heute, die Zeit der Phantasien, der Romantik und Empfindsamkeit ist vorüber. Diesem aufs Reale gerichteten Zeitgeist vermag aber die weibliche Feder am wenigsten gerecht zu werden; denn stets leiteten dieselbe nur Phantasie und Empfindung ohne Rücksicht auf Wahrhaftigkeit und Lebenswahrheit. In der Zeit der Empfindsamkeit des vorigen Jahrhunderts, der Romantik der zwanziger Jahre dieses Jahrhunderts war die Frau vielleicht im Stande dem Geiste der Zeit zu genügen, aber unsere nach Wahrheit, Natur und wirklicher, tiefernster Poesie verlangende Zeit der Arbeit, des Forschens, des Strebens und Kämpfens, die sich energisch auflehnt gegen alle erheuchelte Gefühlsschwelgerei, vermag der Geist einer Frau kaum zu verstehen und noch viel weniger geistig zu durchdringen und dichterisch zu gestalten. Das höchste Lob, welches man heute der Schöpfung einer Schriftstellerin zollt, heißt: sie schreibt wie ein Mann. Die Schriftstellerinnen fühlen selbst diese Schwäche und nehmen daher mit Vorliebe als Pseudonymen Männernamen an, um sich so in die Gunst des oberflächlich urteilenden Publikums hineinzulügen. Und doch ist es so leicht für den aufmerksameren und kritischeren Leser, die Schöpfung einer Frau, die sich unter männlichem Autornamen verbirgt, zu erkennen.

Im Allgemeinen muss man zugeben, dass in der Form die Schöpfungen der Frauen sehr gewandt, glatt und teilweise vollendet sind. Die Schriftsteller können darin recht viel von ihren Kolleginnen lernen; denn die psychologische Vertiefung, durch die sich die Mannesarbeit vor der der Frauen in der Regel auszeichnet, verleitet den Autor oft, aller Technik Hohn zu sprechen, durch endlose Reflektionen und psychologische Begründungen dem Kunstwerk zu schaden und statt eines abgerundeten, in seinen Teilen technisch vollendeten Ganzen, ein verworrenes, ermüdendes, wenn auch oft recht tief angelegtes Werk zu schaffen. Doch der Kern ist ja die Hauptsache und nicht die Schale, die, wenn sie auch noch so schön ist, den schlechten Kern nicht bessert. An dem Kern erkennt man die Frucht und so an den Charakterschilderungen ein Dichterwerk. „Die Kunst soll eine ideale Darstellung der Natur und unserer selbst sein,“ sagt Proudhom. Gegen diesen Satz aber, wenigstens in seinem ersten Teile, fehlen alle Schriftstellerinnen; denn welche von ihnen, die größten Dichterinnen und Schriftstellerinnen mit eingerechnet, hat es vermocht, den Charakter eines Mannes wahrheitsgetreu und natürlich zu zeichnen, dichterisch zu gestalten und durchzuführen? Stereotype Figuren von grausamen, lasterhaften, unnatürlichen Tyrannen, launischen, weichherzigen, sentimentalen Tränenhelden, tapferen, tugendhaften, über alles Lob erhabenen, götterähnlichen Idealmännern wiederholen sich in allen Werken weiblicher Autoren, aber vergebens sucht man nach der Gestalt eines wirklichen, in seinen Schwächen und Vorzügen der Natur entsprechenden, künstlerisch durchgeführten, männlichen Charakters. Als größte Dichterin des Jahrhunderts kann man wohl Frau von Staël bezeichnen und als größtes ihrer Werke den Roman Corinne ou l'Italie. Wie hoch erhaben nun auch dieses Werk dasteht, wie vollendet es auch ist in seinen hinreißenden Schilderungen des klassischen Italiens, wie ergreifend, wie wahr und doch künstlerisch idealisirt der Charakter der Heldin des Romans uns entgegentritt, so unwahr, unmännlich und verzerrt erscheint uns der weibisch-sentimentale und desshalb zu keinem Entschlusse kommende Lord Nelvil. Es ist eben ein Weib in Manneskleidung, wie fast durchgängig die Romanhelden der Frauen. Frische, freie, männliche Naturen, deren biederem, gesunden, oft rücksichtslosen Wesen und Handeln nichts ferner liegt als krankhafte Sentimentalität, kennen die Schriftstellerinnen nicht. Unwahrheit der männlichen Charaktere in ihren Gefühlen und Empfindungen kennzeichnen auch die Schöpfungen der übrigen, bekanntesten Schriftstellerinnen, wie der Friederike Bremer, Flygare Carlén, Louise Mühlbach, welche letztere noch die unglaublichsten Entstellungen berühmter Persönlichkeiten in ihren sogenannten historischen Romanen mit naiver Unverfrorenheit sich hat zu Schulden kommen lassen. Aus energischen mannhaften, weltbewegenden Charakteren machte sie leidenschaftliche, bleichwangige, mysteriöse Romanhelden. Der Signor Bleichwangioso, der mit seinen märchenhaften Augen und dunkelwallendem Haar alle Mädchenherzen bezaubert, spielt ja die Hauptrolle in den Romanen der Frauen. Bei den neueren Heldinnen der Feder ist er gewöhnlich in die Uniform eines Husaren- oder Dragonerregiments gehüllt, wo er sich aber unter seinen wilden und rohen Kameraden recht einsam fühlt, bis ihm, der der Brüder wilden Reihn geflohen, das Ideal seiner Träume, der Engel mit blauen Augen und goldigem Lockenhaar naht, ihn heilt und seinen Weltschmerzaugen den frohen Glanz zurückgiebt. Das Romanhafte d. h. das Mysteriöse, Ueberschwängliche und Ueberraschende kennzeichnet überhaupt die Schöpfungen der weiblichen Feder, abgesehen von den unzähligen Unwahrscheinlichkeiten, von denen in der Regel die Romane der Frauen strotzen.

Die Julia verstehen die Damen der Feder schon besser durchzuführen als den Romeo; denn ein Liebesroman ist es natürlich immer. Wann hätte eine Frau auch einen andern Stoff behandelt als den, aus welchem sie das ganze Leben zusammengesetzt glaubt und von dem sie gläubig sagen kann: „Denn in ihm leben, weben und sind wir." Die höchsten Probleme der Menschheit, die eines jeden Brust durchglühen, waren nie oder höchst selten ein Stoff, den eine Frau dichterisch zu gestalten versucht und auch vermocht hätte. Oder soll man die Emanzipation der Frauen, ein Refrain, den viele Schriftstellerinnen am Schlusse jedes ihrer Werke, die von der Tyrannei der selbstsüchtigen Männer handeln, gerne wiederholen, als eines der höchsten Probleme der Menschheit ansehen? Ich meine natürlich hier nicht diejenigen Emanzipationsgelüste, welche darauf hinauslaufen, der Frau gleiche bürgerliche Rechte zu erwirken wie dem Mann, sie dem Herrn der Schöpfung in jeder Beziehung gleich zu stellen. Solche Gelüste finden, Gott sei Dank, in dem Herzen der deutschen Frau wenigstens, keinen Boden. Es ist eine andere Art der Emanzipation, für welche viele deutsche Schriftstellerinnen gerne eine Lanze brechen und welche sie als Schlussmoral oft an das Ende ihrer Romane setzen. Mit Vorliebe nämlich schildern sie eine Convenienzehe mit ihrem oft trüben Verlauf, der damit endigt, dass die von dem rohen, geldgierigen und gefühllosen Mann aufs Aeußerste gebrachte Frau in die weite Welt geht und dort ihre Befriedigung und ihr Glück in einer bescheidenen Tätigkeit als Lehrerin, Erzieherin, Künstlerin, am Liebsten als Schriftstellerin findet. Der später zu Kreuze kriechende, reuige Mann erhält, nachdem er zu spät eingesehen, dass er eigentlich einen Engel von sich gestoßen hat, wohl Verzeihung aber nicht Erhörung seiner Bitte, zu ihm zurückzukehren. Die dem Elend der Ehe Entronnene, mag ihr Glück, ihren Seelenfrieden, den ihr die Tätigkeit als Schriftstellerin oder Erzieherin gegeben hat, nicht wieder opfern.

Die Tendenz dieser Romane geht darauf hinaus, zu beweisen, dass die Frau außerhalb der Ehe, nicht unterworfen der Tyrannei des Mannes, in einer ihr zusagenden Tätigkeit mit größerer Sicherheit ihr Glück, ihre Befriedigung findet. Die zahlreichen Romane deutscher Schriftstellerinnen, welche diese Tendenz vertreten, möchten darauf schließen lassen, dass die deutschen Frauen dieser Ansicht nicht so abhold wären, doch mit Unrecht. Die deutsche Frau sieht noch, Gott sei Dank, als ihren eigentlichen, hohen und edlen Beruf den der Hausfrau und der Mutter an. Nur ein verschwindend kleiner Bruchteil der deutschen Frauenwelt huldigt der erwähnten Tendenz, nämlich die Trägerinnen dieser Tendenz selbst, die Schriftstellerinnen, welche für dieselbe in ihren Romanen eintreten. Bekanntlich rekrutiren sich ja die Schriftstellerinnen teils aus Frauen, welche in ihrer Ehelaufbahn Schiffbruch erlitten haben, teils aus Erzieherinnen, Lehrerinnen und anderen, die zu ihrem Aerger nie in den erwähnten Hafen der Ehe eingelaufen sind und sich nun in ihren Romanen, wie der Fuchs über die sauren Weintrauben, durch Verbreitung dieser Ansicht trösten.

Mehr oder weniger schildert ja die Frau in ihren Romanen stets ihr eigenes Leben, ihre eigenen Erfahrungen und Schicksale. In den mannigfachsten Variationen kehren immer dieselben Charaktere, dieselben Situationen wieder, so dass dem aufmerksamen und kritischen Leser die Lektüre eines Werkes genügt, um die übrigen derselben Schriftstellerin zu kennen. Und hiermit kommen wir auf den Kern der Sache, nämlich die Unfähigkeit der Frau, dem Geist eine rein objektive Richtung zu geben, die ihn befähigt, sich durchaus anschauend zu verhalten, d. h. nach Schopenhauer, „sein Interesse, sein Wollen, seine Zwecke ganz aus den Augen zu lassen, sonach seiner Persönlichkeit sich auf eine Zeit völlig zu entäußern, um als rein erkennendes Subjekt übrig zu bleiben." Genialität ist nach Schopenhauer nicht Anderes als die vollkommenste Objektivität. Diese rein subjektive Richtung des weiblichen Geistes macht die Frauen unfähig, sich auf den hohen Standpunkt eines Schriftstellers zu stellen, der nur die Dinge an sich sieht, der die Welt als etwas außerhalb seines Ichs Befindliches auffasst, um das Aufgefasste durch „überlegte Kunst" zu wiederholen und dichterisch, d. h. schöpferisch zu gestalten. Der männliche Autor ist ein Schöpfer, der Alles, selbst seine eigenen Empfindungen und Gefühle als Materie ansieht, der weibliche Autor ist ein Teil seiner Schöpfung; denn seine eigenen Gefühle und Empfindungen sind Schöpfer und Materie zugleich. Hierdurch erklären sich denn auch alle jene angeführten Kennzeichen der weiblichen Schöpfungen, die sämmtlich in eine gewisse Einseitigkeit auslaufen: Vorherrschen des Gefühls vor dem Verstande. Und doch gilt auch hier wie bei der Malerei der Grundsatz des Rafael Mengs: „Der Künstler ist vollkommen, wenn die Hand dem Verstande gehorcht." Nur aus der innigen Gemeinschaft des männlichen Verstandes mit weiblicher Gemütstiefe und zarter Empfindung, bei dem aber der erstere, wie in der Ehe der Mann, vorherrscht und leitet, wird das wahre Dichterwerk geboren. Man spricht deshalb nicht mit Unrecht von männlichen und weiblichen Gedanken, wie Börne: „Manche Menschen haben bloß männliche, andere bloß weibliche Gedanken. Daher giebt es so viele Köpfe, die unfähig sind, Ideen hervorzubringen, weil man die Gedanken beider Geschlechter vereint besitzen muss, wenn eine idealische Geburt zu Stande kommen soll."

Die einseitige Geistesrichtung hindert die Frau, sich in die Gedankenwelt des Mannes hineinzuleben; ihre subjektive Anschauungsweise hält sie in dem Kreise ihrer Ideen fest. Die Welt, in der sie lebt, ist auch die ihrer Romane, welche gewöhnlich im Salon spielen und sich am liebsten mit den Intriguen der höheren Gesellschaftskreise beschäftigen. Es giebt nur wenige von den bekannten Schriftstellerinnen, die es versucht haben, sich diesem Banne zu entziehen, aber auch diese wenigen haben kein Glück gehabt. Louise Mühlbach betrat den Boden des historischen Romans, George Sand versuchte sich einmal in Bauernnovellen, Frau Marlitt begann mit Tendenzromanen. Der unparteiische und vorurteilslose Litterarhistoriker wird alle drei Versuche als missglückt bezeichnen müssen. Die Romane der Louise Mühlbach sind naive Entstellungen historischer Persönlichkeiten, die zu salonmäßigen Romanfiguren umgebacken wurden; die Bauern der George Sand sind verkleidete Herren und Damen der Pariser Gesellschaft, die in überfeinerten Gefühlen und Empfindungen schwelgen; die Marlittschen Tendenzromane, von denen jeder einen beuchlerischen Priester und einen anmaßenden Adligen aufweist, sind eine plumpe Polemik gegen Adel und Kirche und erinnern an die Kindermärchen vom guten und bösen Mann. Es gehört eben ein höherer Standpunkt dazu, von dem aus man objektiv den Stoff, den man bearbeiten will, anschauen kann, sei es, um eine längst vergangene Periode der Weltgeschichte dichterisch zu gestalten, sei es, um uns ferner stehende Kreise der menschlichen Gesellschaft in einem Roman zu schildern, oder, um die Tendenzen einer Zeit poetisch darzustellen. Gerade die Tendenzpoesie, die an sich ja nicht verwerflich ist, wenn sie nur nicht aus Eigennutz geboren wird, verlangt die größte Objektivität in der Behandlung des Stoffes; denn man merkt sonst die Absicht und wird verstimmt. Die Tendenzpoesie ist hierin sehr ähnlich der dramatischen Poesie, welche die meiste künstlerische Berechnung verlangt und dessen ungeachtet die größte Wirkung hervorbringt, trotzdem dieselbe auch von den berühmtesten Dramatikern ganz genau berechnet ist. Die Kunst des Dramatikers besteht darin, dass er den Stoff, ohne irgend welche Absicht durchscheinen zu lassen, nach der genausten Berechnung gestaltet aber mit dem geringsten Aufwande äußerer Mittel. Da dies die vollkommenste Beherrschung des Stoffes erheischt, die man nur durch die größte Objektivität erlangt, so haben auch die Frauen auf keinem Gebiete der Litteratur weniger geleistet als auf dem des Dramas. Keins der bekanntesten und besten Stücke der deutschen Bühne stammt von einer Frau, oder soll man die Rührstücke der Birch-Pfeiffer, welche allerdings immer noch auf den Bühnen herumspuken und bei den Mitgliedern des Strickstrumpfordens sehr beliebt sind, zu den besten deutschen Dramen zählen?

Geniale Kraft, eine aus der Tiefe arbeitende Idee, Urwüchsigkeit und Wahrhaftigkeit der Gedanken, souveräne Beherrschung des Stoffes sind nötig, um das Höchste in der Poesie zu leisten. Die Einseitigkeit ihrer Geistesrichtung verhindert die Frau dieses Höchste zu leisten und ein wirklicher Schöpfer, das ist ein Dichter, zu werden. Der Sinn für Poesie soll darum der Frau nicht abgesprochen werden, nein, sie besitzt ihn in hohem Maße, durchschnittlich mehr als der Mann. Es fehlt ihr aber, und das wollten diese Zeilen beweisen, die schöpferische Gestaltungskraft, um das, was der Geist erschaut, „zu befestigen in dauernden Gedanken".

Berlin. Arthu Pusch.

Die Braut des Ertrunkenen.

Am Ozean steht sie, das bleiche Gesicht
Hinaus auf die Fluten gewendet,
Die leise sich regen im silbernen Licht,
Das kühlend die Sommernacht spendet.

Da steigts aus den Wassern wie Nebel herauf,
Leicht kräuseln und schäumen die Wogen,
Und mit der bewegten unendlichem Lauf
Kommt Opfer um Opfer gezogen.

Ein Schauer durchrieselt des Weibes Gebein.
„Hinweg!" ruft sie, zitternd vor Schrecken.
„Ich suche nur Einen — und dieser ist mein!
Bald werden die Wogen ihn wecken."

Die Leichen versinken — der Einsamen Blick
Fleht heiß um den himmlischen Segen —
Fest steht sie und fordert zum Kampf das Geschick....
Im Osten die Winde sich regen.

Sie peitschen die Fluten, wild bäumt sich das Meer
Und wirft an den Strand einen Todten.
Von Möven umstößt ihn ein schreiendes Heer,
Des Sturmgottes hungrige Boten.

Und flammende Blitze mit rasender Wut
Zerreißen die Wolken und malen
Mit blauem Gefunkel die schäumende Flut,
Mit jählings verzuckenden Strahlen.

Die Winde sie greifen mit stürmischer Hand
Ins schimmernde Goldhaar des Weibes
Und zerren am flatternden Trauergewand
Des blühenden bräutlichen Leibes.

Sie aber sinkt jauchzend dem Todten ans Herz.
„So hab ich, Geliebter, dich wieder!
Von hinnen entflieht nun die Sehnsucht, der Schmerz,
Vernimmst du die himmlischen Lieder?"

Sie küsst ihn, von tödtlichen Blitzen umloht,
Starr Lippen an Lippen sich schmiegen....
So fand sie des Morgens hell flammendes Rot
Am zuckenden Ozean liegen.

Leipzig. Hermann Friedrichs.

Ein moderner Philosoph und Essayist.

Im letzten Dezennium hat die Philosophie einen bedeutenden Umschwung erfahren. Man hat den Versuch endgültig aufgegeben, nach einer im Kopfe fertigen Schablone die Welt zu konstruiren und alles Gegebene in diese Schablone zu zwängen. Die Philosophie ist zu den Einzelwissenschaften herabgestiegen, hat sich ihrer Resultate bemächtigt und ist nun bemüht, dieselben unter allgemeine Gesichtspunkte zu vereinigen. An die Stelle dürrer Spekulation ist auch in den Geisteswissenschaften scharfe und nachhaltige Beobachtung, hie und da auch das Experiment getreten, und so fühlt die Philosophie, die sich früher in den luftigen Höhen der Transcendenz am besten gefiel, wieder festen Boden unter ihren Füßen. Die Verachtung, die von Seiten der exakten Forscher nach dem Sturze Hegels der Philosophie entgegengebracht wurde, schwindet immer mehr. Die Einzelforscher fühlen immer dringender das Bedürfniss, bei ihren Untersuchungen den Blick auf das Ganze zu richten und gewöhnen sich endlich daran, die Resultate ihrer Forschungen als Bausteine zu betrachten zu dem großen und erhabenen Gebäude der Welt- und Menschenerkenntniss. Die hervorragendsten Naturforscher, wie Du Bois-Raymond, Helmholz und in neuester Zeit Stricker behandeln mit Vorliebe und mit großem Erfolg philosophische Fragen. Andrerseits lässt der englische Philosoph Herbert Spencer, der eine Gesellschaftslehre schreiben will, in der ganzen Welt Tatsachen sammeln, während Hegel seine Staatslehre spekulativ deduzirte. So stehen Philosophie und Einzelwissenschaften in innigem Wechselverkehr, indem sie einander gegenseitig fördern und bereichern.

Der bedeutendste unter den deutschen Philosophen, die auf dem eben skizzirten Standpunkte stehen, ist unstreitig der Leipziger Professor Wilhelm Wundt. Auch er ist aus den Kreisen der Naturforscher hervorgegangen; sein spezielles Arbeitsgebiet war die Physiologie. Diese Wissenschaft machte es ihm zur Aufgabe, jene Funktionen zu erforschen und zu beschreiben, deren Summe das menschliche Leben ausmacht. Allein der scharfe Denker sah bald ein, dass die Betrachtung der physiologischen Vorgänge nur ein einseitiges und somit höchst mangelhaftes Bild des menschlichen Lebens biete, indem ja die Bewusstseinserscheinungen d. h. unser ganzes Seelenleben einen wesentlichen Faktor unseres Daseins bilden. Wundt machte daher auch das psychische Geschehen, besonders jene Gebiete, wo Physiologie und Psychologie sich berühren, zum Gegenstande seiner Untersuchung, deren Resultate er in den bereits in zweiter Auflage erschienenen „Grundzügen der physiologischen Psychologie" niederlegte. Das Buch enthält eine solche Fülle neuer Beobachtungen, und ist namentlich durch die darin angewandte Methode so ausgezeichnet, dass es für alle weitern psychologischen Untersuchungen die Grundlage bildet, oder wenigstens bilden sollte. Der Verfasser wurde übrigens von der Beschäftigung mit dem Seelenleben so gefesselt, dass er auf die Psychologie in nicht gar langer Zeit eine Logik folgen ließ, ein Werk, das schon durch das kolossale Wissen imponirt, das darin niedergelegt ist. Versucht es der Verfasser doch im zweiten Bande dieses Werkes eine Methodenlehre aller Wissenschaften zu geben, und geht dabei überall so weit auf den positiven Inhalt ein und zeigt sich so sehr vertraut mit den Tatsachen dieser Wissenschaften und mit ihrer Geschichte, dass man es kaum glauben kann, wie heutzutage, wo das Prinzip der Arbeitsteilung so streng durchgeführt ist, ein Mensch es zuwege gebracht hat, eine solche Menge positiven Wissens sich zu erwerben und zu beherrschen. Begreiflicherweise erfordern beide genannten Werke ein gründliches Studium und sind daher nur für den Fachmann bestimmt. Der Verfasser wollte jedoch auch einem weiteren Leserkreise die Aufgaben und Ziele der modernen Philosophie klar machen, er wollte alle Gebildeten vertraut machen mit den bisher erreichten Resultaten und namentlich mit der Methode, mittelst welcher allein weitere Fortschritte zu erzielen sind. In dieser Absicht hat Wundt einige Aufsätze, die bereits früher in verschiedenen Zeitschriften erschienen waren, nebst mehreren neuen Arbeiten zu dem uns vorliegenden Bande „Essays" (Leipzig, Engelmann) vereinigt und damit ein Buch geschaffen, welches jedem Gebildeten nicht nur eine Fülle von Anregung und Belehrung bieten, sondern gewiss auch eine fesselnde Lektüre sein wird. Namentlich wüssten wir nichts, was geeigneter wäre in das Studium der modernen Philosophie einzuführen oder dazu Lust zu machen.

Aber auch in litterarischer Hinsicht müssen wir das Buch mit Freude begrüßen; denn es bildet eine ungemein wertvolle Bereicherung unserer Essaylitteratur, die gegen die englische noch immer weit zurücksteht.

Die Essays behandeln teils allgemein philosophische, teils psychologische, teils kulturhistorische Fragen, und so verschiedenartig auch der Inhalt derselben ist, so wird man doch einen innern Zusammenhang zwischen ihnen nicht vermissen. „Bieten sie doch," wie es in der Vorrede heißt, „ein Bild zwar verschiedenartiger aber durch die Einheit der bisherigen Lebensarbeit des Verfassers verbundener Bestrebungen."

Der erste Aufsatz „Philosophie und Wissenschaft" sucht ein kurzes Programm der heutigen Aufgaben philosophischer Forschung zu entwerfen. Wundt verlangt, und wie uns scheint mit vollem Recht, von jedem Philosophen, dass er mindestens eine Spezialwissenschaft beherrsche und die Fähigkeit besitze, sich die Resultate der verwandten Disziplinen anzueignen. Mit großer Befriedigung haben wir gelesen, dass Wundt für die in den letzten Dezennien so viel geschmähte Metaphysik eine Lanze bricht. Unter Metaphysik versteht man nämlich jenen Zweig der Philosophie, welcher es sich zur Aufgabe macht, die höchsten Probleme zu lösen.. Auf die Fragen: Wie ist das Weltall entstanden? Woraus besteht es? Ist die Seele des Menschen ein selbständiges Wesen? Ist sie an den Körper gebunden? Wird sie mit ihm zu Grunde gehen oder fortleben nach dem Tode? hatten die Metaphysiker aller Systeme die Antwort bereit. Natürlich stützte sich eine solche Antwort nicht auf Erfahrung, sondern auf eine mehr oder weniger phantastische Spekulation. Da nun die Naturforscher auf alle diese Fragen nichts Anderes zu antworten wussten, als ein bescheidenes ignoramus, oder ein noch bescheideneres ignorabimus, so erklärten sie rundweg, jede Metaphysik sei überflüssig und wertlos; diese Dinge gehörten in den Katechismus, aber nicht in die Wissenschaft. Dem gegenüber betont Wundt, dass gegenwärtig die Metaphysik hohe und würdige Aufgaben zu lösen habe, nur müsse sie sich nicht auf Phantasmen, sondern auf wirkliche Forschungsresultate stützen.

Die moderne Metaphysik soll die Ergebnisse der einzelnen Zweige der Natur- und Geisteswissenschaften mit einander vergleichen, Uebereinstimmung hervorheben und durch Hinweisung auf Widersprüche zu erneuter Prüfung auffordern. Wenn z. B. der Physiker nachweist, dass Licht und Wärme nicht besondere Stoffe, sondern nur Bewegungsformen der Materie und des Aethers sind, so will es damit nicht übereinstimmen, die Erscheinungen des Magnetismus und der Elektrizität einem unbekannten Fluidum zuzuschreiben, sondern man muss nachdenken, ob nicht auch diese Kräfte Bewegungsformen sind. Mechaniker und Chemiker sprechen beide von Atomen, aber nicht ganz in demselben Sinne. Der Metaphysiker soll nun auf diesen Widerspruch hinweisen und zu neuen Untersuchungen anregen, die eine übereinstimmende Fassung dieses so wichtigen Begriffes ermöglichen. So soll die Metaphysik eine Wissenschaft der Prinzipien werden, welche nach und nach eine einheitliche Naturerklärung zu erzielen und dann bezüglich der höchsten Fragen auf Erfahrung gegründete plausible Hypothesen aufzustellen die Aufgabe hat. Auf Grund der vorgetragenen Ansicht erörtert der Verfasser in den zwei folgenden Aufsätzen zwei wichtige metaphysische Probleme, den Begriff der Materie und die Vorstellung von der Unendlichkeit der Welt.

Die vierte Abhandlung „Gehirn und Seele" ist besonders dadurch interessant, dass die übertriebenen Hoffnungen derer, welche aus der Vervollkommung der Gehirnphysiologie einen bedeutenden Gewinn für die Erklärung der psychischen Vorgänge zu ziehen erwartete, auf das richtige Maß zurückgeführt werden. Man glaubt nämlich vielfach, wenn es einmal gelungen sein wird, für jede geistige Tätigkeit die Partie des Gehirns zu bezeichnen und die Vorgänge daselbst anzugeben, dann werde die Psychologie nur einen Teil der Physiologie bilden und als selbständige Wissenschaft aufhören. Dem gegenüber betont nun Wundt sehr richtig, dass selbst dann, wenn dieses gelänge, wovon wir übrigens noch sehr weit entfernt sind, nichts Anderes festgestellt wäre, als dass gewisse physiologische Vorgänge die regelmäßigen Begleiter seien von gewissen Tatsachen unserer inneren Erfahrung. Diese Tatsachen der inneren Erfahrung aber sind uns unmittelbar in unserem Bewusstsein gegeben und haben daher für uns viel größere Gewissheit, als die Wahrnehmungen der Sinne, welche uns bekanntlich oft täuschen. Die innere Wahrnehmung ist aber nicht nur die gewissere, sie ist auch die ethisch wertvollere. „Eine Reihe von Schlüssen," also Vorgängen der inneren Wahrnehmung, „hat uns nämlich zu der Ueberzeugung geführt, dass wir von gleichartigen geistigen Wesen umgeben sind, mit denen uns ein gemeinsames Streben nach den nämlichen sittlichen Gütern verbindet. Diese Ueberzeugung ist es, welche allein das Leben lebenswert macht." So wird also die Psychologie, welche die Gesetze der innern Erfahrung zu erforschen bemüht ist, und mit ihr werden alle Geisteswissenschaften immer selbständige Disziplinen bleiben. Die Physiologie kann dieselben fördern aber niemals ersetzen.

Mit der fünften Abhandlung „Ueber die Aufgaben der experimentellen Psychologie" und der zunächst folgenden betritt der Verfasser sein spezielles und liebstes Arbeitsgebiet, und dem entsprechend wird hier der Ton besonders frisch und zuversichtlich. Da hier mitunter heftige Gegner zu bekämpfen sind, teilt der Verfasser manche nicht ganz sanfte Hiebe aus. „Die scholastische Theologie," heißt es einmal, „steckt manchem modernen Philosophen noch in den Knochen. Wenn ihm die Argumente ausgehn, so erklärt er, dass die Religion in Gefahr sei." Die Aufgabe der experimentellen Psychologie präzisirt Wundt dahin, dass man die Gesetze des psychischen Geschehens auf experimentellem Wege zu finden sich bemühen solle. Seine eigenen Forschungen zeigen, dass auf diesem Wege Manches zu erreichen ist. So hat Wundt durch eine ungemein sinnreiche Vorrichtung die Zeit ermittelt, welche zwischen dem Eintritt eines Reizes und dem Bewusstwerden desselben verfließt. Auch über den Umfang unseres Bewusstseins, d. h. über die Zahl der Vorstellungen, die uns zu gleicher Zeit gegenwärtig sein können, hat der Verfasser Versuche angestellt, deren Ergebniss uns jedoch nicht genug gesichert erscheint.

Die höheren psychischen Prozesse entziehen sich natürlich einer experimentellen Behandlung, doch haben wir von der Entwicklung des Denkens deutliche Spuren in der Sprache, denen Wundt mit großem Erfolge nachgegangen ist. Diesem Gegenstande ist auch in unserem Buche ein besonderer Aufsatz gewidmet, welchen wir als den bedeutendsten der ganzen Sammlung bezeichnen möchten. Wundt analysirt nämlich eingehend die Geberdensprache der Taubstummen und gewinnt daraus wahrhaft überraschende Gesichtspunkte für die Entwicklung der Lautsprache.

Voll feiner psychologischer Beobachtung ist der Essay über die Entwicklung des Willens; die Aufmerksamkeit, die der Verfasser diesem so vielbesprochenen Probleme widmet, und der glückliche Griff, mit dem er es anfasst, lassen uns hoffen, dass er nächstens auch in Fragen der praktischen Philosophie das Wort ergreifen und uns seine Ansichten über Entstehung des Sittengesetzes und der gesellschaftlichen Vereinigungen unter den Menschen nicht vorenthalten wird.

Von großem kulturhistorischem Interesse ist der Aufsatz „Der Aberglaube in der Wissenschaft" und höchst ergötzlich der offene Brief über den Spiritismus, den der Verfaser gelegentlich der Manifestationen des bekannten Mediums Henry Slade seinerzeit an Professor Ulrici richtete. Dieser Gelehrte war nämlich durch Slade so vollständig von der Existenz der Geister überzeugt worden, dass er in seiner philosophischen Zeitschrift daraus die weitgehendsten metaphysischen und religiösen Konsequenzen gezogen hatte. Er hatte es allen Ernstes ausgesprochen, dass es der göttlichen Vorsehung vielleicht gefallen möchte, auf diesem Wege in den Naturlauf einzugreifen, um der Menschheit ihre sittliche Bestimmung ins Gedächtniss zu rufen. Wundt bemüht sich dem gegenüber ernst zu bleiben, allein es ist in diesem Falle gar zu schwer keine Satire zu schreiben, und so schlägt ihm fast wider Willen der Ernst in Scherz und Ironie um. Ulrici hatte sich auf Autoritäten berufen. Ganz ernsthaft erwidert Wundt, eine Autorität sei nur in ihrem Fache ganz kompetent, man hätte deshalb zu Slades Produktionen einen kompetenten Fachmann einladen sollen, nämlich einen Taschenspieler

Besonderes Aufsehen hatte ein Kunststück Slade's hervorgerufen, welches darin bestand, dass er eine Magnetnadel bloß dadurch ablenkte, dass er die Hand darüber hielt. Darauf setzt nun Wundt ganz ruhig auseinander, dass Naturforscher in die Gegenstände ihrer Untersuchung keine Zweifel zu setzen pflegen, die Natur könne sie ja nicht täuschen. Ein praktischer Jurist aber, der minder gewohnt sei an die Vertrauenswürdigkeit seiner Untersuchungsobjekte zu glauben, wäre über das Kunststück weniger verwundert gewesen, oder hätte es doch schwerlich unterlassen, früher den Rockärmel des Individuums auf seine magnetischen Eigenschaften zu prüfen.

Der Aufsatz über Lessing und die kritische Methode zeigt, dass der Verfasser auch über litterarische und ästhetische Dinge geschmackvoll zu schreiben versteht.

Doch genug. Wir haben aus dem reichen Inhalt des Buches Einiges hervorgehoben, damit unsere Leser eine Vorstellung davon bekommen, was und wieviel in dem Buch zu finden ist. Von der wahrhaft klassischen Form, die ein Hauptvorzug der „Essays" ist, können wir allerdings keine Probe geben, da müssen wir auf das Buch selbst verweisen. Wir haben in dem Verfasser, den wir als großen Gelehrten und bahnbrechenden Forscher kannten und schätzten, durch das Buch auch einen liebenswürdigen Menschen entdeckt, in dessen Gesellschaft man sich außerordentlich wohl fühlt. Wir können unseren Lesern in ihrem eigenen Interesse nur raten, recht bald und recht oft diese Gesellschaft aufzusuchen.

Wien. Wilhelm Jerusalem.

Emile Zola: L'œuvre.

Paris, Charpentier.

„Non, il n'a pas été l'homme de la formule qu'il apportait.“ Das ist die Grabrede, die der beste Freund dem Helden des neuen Buches hält. Dieselben Worte möchte möchte man auch als Epigraph auf die erste Seite des ganzen Zolaschen Werkes setzen und vorab auf diejenige des neuen Buches. Es soll uns das Schaffen und Ringen eines Malers schildern, dem nur eines fehlt, um ein großer Künstler zu sein, die Kunst Maß zu halten, zu sehen, dass Dies oder Jenes zu viel ist, z. B. in dem großen Gemälde, an dem er zu Grunde geht: ein nacktes Weib mitten auf der Seine in Paris.

Zola hat auch nicht zu sehen vermocht, dass sein Buch an einer solchen Unvollkommenheit leidet, dass er nicht der Mann ist, einen Roman auf eine philosophische Idee aufzubauen, dass er nicht den scharfen Blick des Details besitzt, sondern Alles vergrößert, übertreibt, dass sein Realismus eigentlich nur eine verkehrte Idealisation ist.

Dass jeder wahre Künstler sein Ideal in sich trägt und zugleich den Schmerz sein ganzes Leben hindurch mit sich herumschleppt, dieses Ideal nur unvollkommen zu verwirklichen, dass viele von diesen wahren Künstlern an diesem Schmerze zu Grund gehen und dass auch Zola das Recht hatte, seinen Claude, den großen Ringer, endlich in voller Verzweiflung sich vor seinem Gemälde aufhängen zu lassen, wer wollte es leugnen? Aber uns den Künstler darzustellen, wie er von Liebe zum geträumten Schönheitsideal entbrennt und darüber das eigne schöne Weib vergisst und verschmäht, dieses Weib zu schildern wie es in dumpfer Ahnung jenes gemalte, immer wieder von vorn angefangene unrealisirbare Wesen sei ihre Rivalin, ihren eignen Leib enthüllt und Tage lang als Modell dient, wie es wahrnimmt, dass je mehr es seine eigene Schönheit den Augen des Künstlers darbietet, dieser sich immer mehr von ihm abwendet, um nur seinem Ideal sich zu ergeben, das heißt die menschliche Natur misskennen und einen Menschen schildern, der nie dagewesen ist und im Grunde, wenn die arge „Formule“ nicht wäre, nie da sein könnte.

Das ist es eben, das Buch trägt wie alle andern den Gesammttitel „Les Rougon-Macquart“. Claude ist ein Abkömmling des Bastardzweiges dieser entsetzlichen Familie und somit musste diese Abstammung sein Verdammungsurteil sein, dieses verdorbene Blut in seinen Adern das Zersetzungselement abgeben, das den hochbegabten Künstler zu Grunde richten, zum Narren und Selbstmörder machen musste. Das Gegenteil wäre vielleicht richtiger gewesen: die Kunst hätte über dieses Teilchen vergifteten Blutes den Sieg davon tragen, das angeborne Verderben ersticken sollen.

Ohne „Formule“, ohne System, ohne diese Manie, eine Abstraktion verkörpern zu wollen, wie großartig, selbst wie genial wäre das Buch nicht?

Die jüngste Malerschule Frankreichs, diejenige der Impressionisten, mit ihren wenigen wahren großen Künstlern, mit ihren vielen talentlosen Phrasenmachern, ihren Abtrünnigen, ihren Spekulanten, wie treu ist sie nicht geschildert; wie wohltuend ist nicht die Freundschaft zwischen Claude und dem Schriftsteller Sandoz, in dem sich Zola selbst verkörpert hat, um durch ihn Alles das zu sagen, was auch er leidet unter der Unmöglichkeit, sein Ideal zu erreichen, unter dem Despotismus besonders, den die Idee, das Kunstwerk auf den Künstler ausübt, wie das angefangene Buch, der begonnene Satz tyrannisch drängen und herrisch begehren vollendet zu werden, wie dem Moloch Familienglück, häusliches Leben, Alles was nicht das Buch ist, aufgeopfert wird. Selten wird Einem etwas Erschütternderes vorkommen als diese Selbstkonfession und sie allein genügt, dem Buche einen Namen zu machen.

Die Rolle der weiblichen Heldin in demselben haben wir schon oben angedeutet. Es ist eine interessante Figur diese Christine, keusch trotz des sinnlichen Liebesdrangs, der sie erfüllt. Dass natürlich das verdorbene, mit unnennbaren Lastern ausgestattete Weib nicht fehlen darf, das versteht sich von selbst und wie Zola nun einmal ist, so muss man ihm Dank wissen, dasselbe nur episodisch und zwar in keinem Zusammenhang mit seinem Helden vorgeführt zu haben.

Eine der ergreifendsten Episoden zum Schlusse des Buches ist diejenige, wo der Künstler sein todtes Kind malt und zur Ausstellung im Salon bringt, es dort betrachtet, den Spott über das Gemälde hört und trotz des unendlichen doppelten Schmerzes immer wieder zu dem Bilde zurückkehren muss. Es will uns scheinen, als sei diese Episode gewissermaßen prophetisch für Zola. Man wendet sich nach und nach von ihm ab; das gegenwärtige Buch wird zwar gelesen und gekauft, aber es geht nicht mehr so reißend ab wie die früheren und Zola, der im massenhaften Verkauf den besten Beweis für die Güte eines Werkes sehen wollte, mag nun auch schmerzhaft auf sein „Oeuvre“ zurückblicken, wie dort der arme Claude auf sein todtes Kind.

Versailles. James Klein.

1885er Lyrik.

Von Gerhardt von Amyntor.

Der Brauch, edle Weine nach ihren Jahrgängen zu bezeichnen, dürfte auch für die lyrischen Erzeugnisse statthaft sein; denn auch die Lyrik ist Wein, ein herzerquickender „Ausbruch“ aus der Seele der Besten eines Volkes, oder — sie soll es wenigstens sein.

Der im Jahre 1885 gezeitigte lyrische „Herbst“ ist nach Quantität ein so überreicher, dass es an den erforderlichen Fässern gefehlt haben dürfte; um ohne Bild zu sprechen: nicht alle Lyriker des deutschen Dichterwaldes dürften bei dem ungemein großen Angebote einen Verleger gefunden haben, denn die Fülle des uns zur Besprechung vorliegenden Stoffes, die eine so gewaltige ist, dass wir sie nur in Bausch und Bogen abschätzen und nur gelegentlich eine edlere Probe zum Verkosten darbringen können, lässt mit Sicherheit auf noch vielen anderweitigen Stoff schließen, der vorerst noch unbegehrt in den Manuskript-Kellern lagert.

Ein elegantes Büchlein schenkt uns Graf Emmerich von Stadion unter dem Titel: „In Duft und Schnee“ (Bruns in Minden 1886). Der Dichter hat eine Physiognomie, die uns fesselt; nur ist der Inhalt seines Büchleins nach Quantität ein gar zu magerer; wer so wenig bietet, sollte eigentlich nur Gold bieten, und doch ist auch Silber oder minderwertige Bronze unter seinen Gaben; keine aber ist wertlos. Stadion ist ein Dichter; in seiner Lyrik pulst ein vornehmes Herz, dessen Rhythmen uns achtungsvollen Anteil abnötigen. In dem Gedichte „Entsühnt“ deutet er in tiefsinniger Weise die Entstehung des bekannten Gnadenbildes der „schwarzen Gottesmutter aus“.

Mit einem „Traumbilde“ als Prolog eröffnet Friedrich von Bodenstedt seine Sammlung: „Neues Leben; Gedichte und Sprüche“ (Schottländer in Breslau 1886). Schon der Prolog ist ein Musterstück echter Poesie, voll tiefer Gedanken, voll süßen Wohllautes. Was uns bei dem gefeierten Sänger des Mirza Schaffy immer wieder so überaus angenehm berührt und woran sich ein ganzes Heer neuerer Sänger ein Beispiel nehmen könnte, das ist die Tatsache, dass sich Bodenstedt nirgends einen unreinen Reim gestattet, dass er unser durch den schönen Fluss seine Verse doppelt empfindlich gemachtes Ohr niemals durch eine gewaltsame Wortkürzung oder eine schleppende Wortdehnung beleidigt. Dazu ist er stets gedankenreich; die beiden trefflich gelungenen Dichtungen „Leben“ und „Tod“ sind für seine Art und Weise besonders bezeichnend. Auch wo er uns nicht gerade hinreißen, nicht entzücken und emporwirbeln will auf den brandenden Wogen der Begeisterung, bestrickt er uns durch den klaren Vortrag seiner durchdachten und weise erwogenen Worte, die oft eine Fülle reichster Lebenserfahrung in knappen, meisterhaft gefeilten Sentenzen bieten. Selbst wo ein kühlerer, das Lehrhafte streifender Ton aus seinen Versen klingt, wie z. B. in „Draht und Dampf“, weiß er uns doch durch echt poetische Bilder zu fesseln und zu ergötzen. Zu dem Abschnitt „Vorklänge“, der uns zu diesen Bemerkungen Veranlassung giebt, steht der nächstfolgende „Aus der Thüringer Sommerfrische“ in scharfem Gegensatze. Hier hören wir innige, zarte, wehmütige und traumselige Weisen des schon längst ausgereiften Mannes, der doch in seinem Herzen von den Jahren unberührt und ein ganzer Dichter geblieben ist. Für Manchen dürfte „Der Kirchhof“ noch von besonderem Interesse sein, weil hier der Feuerbestattung vor der Erdbestattung der Vorzug gegeben wird. Wohltuend berührt Bodenstedts Parteilosigkeit und Objektivität, die bei jeder sich darbietenden Gelegenheit den verschiedensten Richtungen des Menschengeistes gerecht wird und niemals einseitig für irgend eine Doktrin oder ein Dogma ins Zeug geht; nur höchste Reife der Erkenntniss und wahre, echte Menschlichkeit bringt es zu so freundlicher, heut immer seltener werdenden Milde. Aus seinem „Buch der Sprüche“, einem reizenden und kostbaren Schmuckkästlein, möchte ich ein paar feingeschliffene Juwelen als Probe herausnehmen; ich greife nach den ersten besten:

„Freundlich vertrag' ich menschliche Schwächen;
Oft, wo sie fehlen, wohnt das Verbrechen.“

Bekundet sich in diesen beiden knappen Zeilen schon das reiche Gemüt, die wohltuende Milde, des Dichters, so giebt uns von der Strenge seiner Ethik, von seiner unwandelbaren Rechtschaffenheit, der folgende Vers Zeugniss:

„Der Mensch fängt erst an beim Gewissen.“

Wie wahr und treffend sind die Strophen:

„Ein Dichter sei der Spiegel seiner Zeit!“
So tönt ringsum die alte Mahnung wieder,
Doch nur den Abglanz der Vergangenheit
Und höh'rer Ahnung spiegeln echte Lieder.

Die Gegenwart zeigt stets ein wirres Bild!
Rein wirkt nur ein verklärendes Erinnern.
Ob ruhig schlägt sein Herz, ob stürmisch wild:
Der Dichter sei der Spiegel seines Innern!“

Noch einen Strauß formschöner „Sonette“, noch ein Buch „Balladen und erzählende Dichtungen“, noch einige Poesieen „Aus Italien“, nebst Gedächtnissblättern“ und „Verschiedenem“ enthält die reiche, übersichtlich geordnete Sammlung, deren dreizehn gefüllte Druckbogen wohl wert sind, dass sich die Lesewelt mit ihnen liebevoll beschäftigt.

Eine prächtige Gabe hat uns Paul Heyse mit seinem „Spruchbüchlein“ (Berlin, W. Hertz, 1885) dargebracht. Es ist eine Sammlung von Epigrammen, ein Köcher voller spitzer, aber nicht vergifteter Pfeile. Auch hier ist der „Klassiker unserer Novelle“, wie überall, geistreich, anmutig, fesselnd, voll Witz und Laune, und von einer entzückenden Treffsicherheit des Ausdrucks; was er über „Litteratur und Kunst“,

„Theater", „Kritik", „Wissenschaft", „Politik" und „Philosophie" zu sagen weiß, das reißt uns oft durch überraschende, immer geschmackvolle Wendungen zum lebhaftesten Beifall hin. Der Abschnitt von den „Frauen" dürfte der wenigst reiche sein, obgleich auch er Perlen enthält; Heyse giebt ihm das Motto:

Die feinen Sprüche — sie lassen dich
In mancher plumpen Not im Stich;
Und über die ungereimten Sachen
Hast du dir selbst einen Vers zu machen."

Wenn Heyse sagt:

„Goldschmiede kennen den rechten Brauch,
Wie man Demanten soll leuchten lassen;
Die rechten Männer verstehen's auch,
Ihre Gedanken à jour zu fassen.",

so ist er selber der rechte Mann, der uns in seinem Spruchbüchlein das Meisterstück dieser Kunst ablegt. Für den großen Lesepöbel ist das Büchlein nicht geschrieben; es lässt sich nicht bogenweise verschlingen, sondern will, wie echter Kaviar, theelöffelweise genossen sein; wo aber wäre der Feinschmecker, der sich nicht an Appetitbissen, wie den folgenden, Herz und Sinn erfrischte?:

„Verfälschte Nahrungsmittel
Verfallen jetzt dem Büttel,
Den Kunstwein, den sie Lyrik taufen,
Lässt Niemand in die Gosse laufen."

* *

„Doch wahrlich, kein Gesang ist schlimmer,
Kein Ton, der so an Windeln mahnt,
Als jenes zärtliche Gewimmer
Des Lyrikers, der ewig zahnt."

Nicht mit gleich rückhaltloser Dankempfindung haben wir Ernst Scherenbergs „Germania, dramatische Dichtung" (Bädeker, Elberfeld, 1885) aus der Hand gelegt. Wäre diese Germania wirklich eine dramatische Dichtung, so müssten wir sie aus dieser der Lyrik gewidmeten Besprechung ausscheiden; sie ist aber in der Tat — wie wir gleich sehen werden, — kein Drama und fällt nach Form und Inhalt gänzlich unter den Begriff der Lyrik. In diesem Pseudo-Drama treten neben der Person der Germania die Genien der Geschichte, Freiheit, Macht, Kunst, Wissenschaft, des Reichtums und des Glaubens auf, und schon aus diesen Rollen erkennen wir, dass wir es nur mit einer dramatisirten Allegorie zu tun haben. Alle Poesie setzt nun aber ein Uebergewicht der sinnlich-anschaulichen Gedanken über das Abstrakte und Unanschauliche voraus. Wie soll sich ein Genius der Geschichte, der Freiheit, auf den weltbedeutenden Brettern als solcher erkennbar machen? Doch nur, indem er uns nach Art der Könige in der „schönen Helena" selbst erklärt, dass er der und der Genius sei; damit aber fällt man allemal aus der Treibhaustemperatur der Illusion in das Kaltwasserbad des Begrifflichen. Hätte uns Scherenberg seine Germania etwa in einem deutschen Bauernmädchen, seinen Genius der Macht etwa in einem schwertgegürteten Recken personifizirt, dann hätte er dichterischer gehandelt und mit solchen Gestalten auch ein echtes Drama schaffen können.

Wenn dies von dem „Vor"- und „Nachspiel" der Dichtung gilt, so sind die drei Bilder, welche der Genius der Geschichte der schlummerden Germania vorzaubert, von diesem Einwande auszunehmen. Sie sind dramatisch empfunden, und namentlich das erste und zweite, „Olympia" und „Rom", dürften auf den Brettern einer erfreulichen Wirkung sicher sein. Von dem dritten Bilde „Alhambra" wagen wir nicht ein Gleiches zu versprechen; es schildert die Entsagung Muhameds Abdallahs auf Granadas Königstron und erscheint uns deshalb als der schwächste Teil des Ganzen, weil der handlungsbare, rein innerlich durchzukämpfende Vorgang einer Abdankung kein dramatischer Vorwurf, sondern ein Stoff für den Epiker ist.

Die Sprache ist überall edel, wie wir dies von dem Dichter Scherenberg nicht anders erwarten. Von großer Schönheit und Gedankentiefe sind im Nachspiel die Worte der verschiedenen Genien. Das Schlusstableau könnte szenisch sehr wirksam werden. Es ist Adel in der Dichtung; da ihr aber der eigentliche dramatische Herzschlag fehlt, so vermögen wir sie nur als dialogisirte Lyrik zu schätzen.

Der siebzigjährige, gefeierte geistliche Lyriker und Seelsorger, Julius Sturm, hat „Bunte Blätter" (Wittenberg bei Herrosé, 1885) herausgegeben. Das Buch enthält „Balladen", „Vermischtes", „Humor und Satire" und „Fabeln". Nicht Alles ist gleichwertig. Ergreifend ist „Des Trinkers Weib"; hier ist Plastik, und wir erleben Etwas; auch der „Sultan und die neue Sklavin" und „Neros Tod" sind gelungen, weil sie uns Angeschautes und deshalb auch Anschauliches bieten; die Dichtung „Am Damme vom Kremmen" müssen wir aber verwerfen; hier fehlt jede Anschaulichkeit, jede Handlung; die Hälfte des Gedichtes ist dem aufsteigenden Stern der Macht gewidmet, — eine Abstraktion, eine Metapher, die gar keine sicht- und greifbaren Gestalten vermittelt. Auch Humorist und Satiriker ist Julius Sturm nimmermehr; seinem Humor fehlt die lachende Träne, der jähe, erschütternde Stimmungsumschlag, seinem Witz die Schärfe und Kürze. Hingegen findet er mit großem Glücke den rechten Ton in seinen „Fabeln", die alle ihr haec fabula docet in sich selbst enthalten und nicht als didaktisches Schwänzchen hinterherschleppen. In den „Vermischten Gedichten" begegnen wir zu unserer Herzensfreude gelegentlich dem alten geistlichen Lyriker; „Es war zur hohen Sommerszeit" wird Niemand ohne innere Bewegung lesen. Sturm reimt noch: Höh' und See, Diamanten und banden, Reigen und reichen, Freude und heute, Eisen und heißen — das sind Nachlässigkeiten, die wir heute nur noch ungern ertragen; sie schneiden gar zu scharf ins Ohr.

Zu denselben formalen Ausstellungen zwingt uns Johannes Proelss in seinem „Trotz alledem. Gedichte" (Frankfurt a. M., Sauerländer, 1886.) Gleich im ersten Gedichte „Beim Baue" reimt er:

Warte und Mansarde, eigen und Reichen, wohl und Groll, Mühe und Marie, Pfühl und Spiel, steigen und Gleichen. Noch unleidlicher sind in den folgenden: Cohorten und Horden, Beute und Freude, Zwergen und Mährchen, Auge und tauche. Sonst haben wir es hier mit einer Dichter-Individualität zu tun, die zweifelsohne ihren Weg machen wird. Da ist nichts anempfunden, nichts gequält; überall loht uns ureigenste Glut entgegen, und ohne die Glut der Begeisterung ist ein lyrischer Dichter ein klingenloses Messer, dem der Griff fehlt. Besonders ansprechend sind „Ein Scheiden“, „Lösche das Lichtlein, Träumerin“, „Der Fächer“, „Daheim“, „Nur ein Mädchen!“ Echt deutsch empfunden ist: „So wie bis heute — nun für immer!“ Eine kleine Novelle in Versen ist die fesselnde Ballade „Gitana“. Johannes Proelss ist ein berufener Sänger, der sich einen Ehrenplatz auf dem Parnass erkämpfen wird.

Hieronymus Lorm hat seine gesammelten „Gedichte“ in einem Bande (Minden, Leipzig, 1885) herausgegeben und durch einen neusten (dritten) Abschnitt vermehrt. Dieser Abschnitt, „Frau Muse“ betitelt, besteht aus „Vermischten Gedichten“, „Bildern“ und „Meditationen und Sprüchen“. Philosophie und Lyrik stehen scheinbar in einem polaren Gegensatze, und dennoch schätzen wir Lorm als verdienten Dichterphilosophen. An Stelle der Begeisterung treibt ihn eine in heißen Kämpfen errungene Ueberzeugung, die von der Begeisterung eine gewisse Glut entlehnt. Alle seine Verse haben einen tiefen Untergrund; nirgends ist dem Klingklang die Schärfe und Bedeutung des Gedankens geopfert; den verständnissfähigen Leser wird Lorm mehr oder minder anziehen, während die optimistisch draufloslebende flache Menge sich seinen Mollakkorden gegenüber wohl meistens rat- und hülflos verhalten dürfte. Sehr gewandt zwingt er die Sprache in den Dienst seiner ergreifenden Weltanklage und ist sich stets der Pflicht bewusst, sie durch keine unreinen Reime zu verunstalten. Die schon früher veröffentlichten Teile dieser Sammlung haben von verschiedenen Seiten Angriffe erfahren, nur weil Lorm ein pessimistischer Dichter ist; ich denke, dies ist kein zureichender Grund, denn sonst müsste man auch von Leopardis Stirn den Lorbeer reißen. Lorms Lyrik ist eine bewusste, subjektive, reflektirende; sie hat zum Objekte das Elend der Welt und die erlösende Aussicht auf das Nichtsein; sie ist meist der Ausdruck einer erhabenen Trauer, gelegentlich einer erhabenen Verzweiflung. Man mag nun dieser Richtung zustimmen oder nicht — wir selbst gehören nicht zu ihren Vertretern — so wird man ihr doch nimmer die lyrische Berechtigung ernstlich bestreiten dürfen. Lorm regt uns entschieden mächtig an; die Saiten, die er in unserer Brust berührt, klingen lange nach; es ist ja die Art ewiger Fragen, uns sobald nicht wieder loszulassen. Es bricht wohl auch einmal ein hellerer Ton durch die Lormschen Trauerweisen; so geht z. B. im „Frühlingsglück“ die Mollstimmung überraschend in Dur über. Und wenn Mancher den Orgelpunkt, den Lorm durch die Passagen seiner düstern Nänien hindurch festzuhalten weiß, vielleicht zu ermüdend oder zu schrill und schneidend finden sollte, so wird er sich durch solche aus den trüben Modulationen auftauchenden helleren Noten doch auch wieder erhoben und versöhnt fühlen; rückhaltlos aber wird er dem Dichter beistimmen, wenn er reife Früchte seines Erkenntnissstrebens darbringt und uns beispielsweise in dem Gedichte „Weisheit“ lehrt, wie wir uns dem Zwange der Natur entziehen können.

(Schluss folgt.)

Zur neusten hellenischen Litteratur.

I.

Trotz den in Hellas den Staat und jegliches Individuum tief berührenden politischen Verwicklungen im europäischen Orient ist die litterarische Tätigkeit der Hellenen doch nur in wenig bemerkbarer Weise unterbrochen worden. Alle großen litterarischen Unternehmungen und schönwissenschaftlichen Veröffentlichungen nahmen bisher ungestört ihren Fortgang, wenn auch vielleicht unter etwas eingeschränkterer Beteiligung des lernbegierigen Publikums. Zu den in Nr. 5 des Magazin, S. 78 angezeigten illustrirten großen Werken von Dr. N. G. Politis: *Ἑλλάς, κατὰ τὸ γερμανικὸν τοῦ Ἰακώβου Φάλκε* in Lieferungen und zur neuen Auflage seiner *Μελέται περὶ τοῦ βίου καὶ τῆς γλώσσης τοῦ Ἑλληνικοῦ Λαοῦ* in zwanzig stattlichen Bändchen, sowie zu Dr. Spyridion Lambros' *Ἱστορία τῆς Ἑλλάδος μετ' εἰκόνων, ἀπὸ τῶν ἀρχαιοτάτων χρόνων μέχρι τῆς βασιλείας τοῦ Ὄθωνος* ist nun noch eine neue vermehrte Ausgabe von der seit lange vergriffenen hochwichtigen *Ἱστορία τοῦ Ἑλληνικοῦ Ἔθνους, ἀπὸ τῶν ἀρχαιοτάτων χρόνων μέχρι τῶν καθ' ἡμᾶς* in 45—50 Heften von dem Altmeister Prof. K. Paparrigópulos hinzugekommen, die sich trotz ihres Umfanges der allseitigsten, freudigsten Anteilnahme erfreut.

Eine eingehende Besprechung dieser belangreichen Publikationen kann selbstredend erst eintreten, nachdem sie dem Berichterstatter werden zugegangen sein. Inzwischen liegt reiches, interessantes Material vor in Bezug auf Volkssagen, -anschauungen, -lieder, -sprüche, Aberglauben u. dgl., welches der unermüdliche Mythenforscher und -vergleicher, Herr Politis, in dem von ihm redigirten *Δελτίον τῆς Ἱστορικῆς καὶ Ἐθνολογικῆς Ἑταιρίας τῆς Ἑλλάδος*, Heft 1—4 als Band I, 1884, Heft 5—6 1885 unter Mitwirkung zahlreicher hervorragender Mitarbeiter gesammelt und wohl geordnet zusammengestellt hat, alles in den Mundarten der betreffenden Oertlichkeiten, zum größten Teile zum erstenmal aus dem Munde des Volkes wortgetreu wieder gegeben, für Mythen- und Sprachvergleicher gleich wertvoll.

Wenn nun auch hier, wegen Mangel an Raum, die hellenischen Texte zur Vergleichung des Mitzuteilenden leider nicht beigefügt werden können, das Wesentlichste zur Beurteilung der **Form** der Ueberlieferungen also unberücksichtigt bleiben muss, so ist der **Inhalt** doch durchgehends so getreu wieder gegeben, dass es ein Leichtes sein müsste, sie wörtlich in die Ursprache zurück zu übertragen.

Es wolle gestattet sein bei dieser Veranlassung über die Stellung der neuen hellenischen **Hochsprache** (*κοινή*) zu der in zahlreiche, oft außerordentlich schöne und reiche Mundarten gespaltenen Volkssprache (*ἡ καθωμιλημένη*) der nachfolgenden Sagen, Lieder u. s. w. einige Worte voranzuschicken.

Es ist bekannt, dass vornehmlich zwei Dinge es waren, welche die Hellenen aller Stämme, durch alle Stürme und Drangsale des düsteren Mittelalters hindurch bis in unsere Tage, als Griechen, d. i. als die naturgemäßen Nachkommen ihrer berühmten und unberühmten Vorfahren zusammengehalten haben: die Kirche und die Sprache; die **Kirche** mit ihrer strengen Orthodoxie und die **Sprache** mit ihrem unvergänglichen hellenischen Gepräge, das allen auf sie eindringenden Ueberflutungen fremder, oft gewalttätiger Elemente in langen wechselvollen Bedrückungen unbeugsamen Widerstand geleistet hat.

Die Kirche hat, vom Beginn der Christianisirung der Hellenen, mit den liturgischen Formen auch die sprachlichen streng festgehalten, trotz den gewaltigen Weltereignissen, welche sie umschütterten, so zwar, dass — wie ein Hellene schrieb — ein griechischer Christ aus der ersten christlichen Zeit beim Eintritt in die heutige Kirche genau das wiederfinden würde, was er damals zu schauen und zu vernehmen gewohnt war. Selbst die aufsteigende römische Kirche hat daran nichts zu ändern vermocht. So hielt sie die Hellenenwelt zusammen auch in sprachlicher Einheit, wess Stammes sie sonst sein und in welche Wandlungen ihre Mundarten in der Folgezeit gedrängt werden mochten. Sie beeinflusste und hielt zunächst die Sprache des byzantinischen Kaiserreiches aufrecht als Sprache des Gesetzes und des gesammten geistigen Lebens in solcher Weise, dass die Schriften einer Anna Komnena, heute wie damals, jedem gebildeten Griechen noch immer leicht verständlich sind. Namhafte Gelehrte und Dichter der byzantinischen Zeit*) haben durch zahlreiche Sammelwerke, Chroniken, Legenden und Mären aller Art dazu beigetragen, das Verständniss der durch die Kirche lebend erhaltenen und in den Schulen gelehrten Hochsprache in **allen** Klassen der griechischen Bevölkerung wach zu halten und aufzufrischen. Das war leicht genug, da die landschaftlichen Mundarten — seit unvordenklichen Zeiten die Muttersprache der eingeborenen Massen — ja griechisch waren, die neben der Hochsprache oft genug für schriftliche Aufzeichnungen, häufig mit großem Erfolge, benutzt wurden. Beweis dafür ist die stattliche Zahl von mittelalterlichen Ritterromanen, die zum großen Teil in Volkssprache für das Volk gedichtet, bei diesem auch angemessene Verbreitung fanden. Viele derselben lesen sich so als wären sie, bis auf Einzelnes, in der Sprache dieses Jahrhunderts geschrieben, und gewähren dem Sprach- und Sagenforscher reichliches und kostbares Material.*)

Durch die türkische Gewaltherrschaft und während derselben wurde die politische Existenz der Griechen bis auf die Wurzel vernichtet; aber zu Türken sind sie darum nicht geworden, noch werden sie in den noch unterjochten Distrikten es jemals werden. Aller Freiheiten beraubt, jeglicher Willkür preisgegeben, standen sie am Ufer der Zeit und harrten des günstigen Windes bange lange vierhundert Jahre! Der christliche Glaube und die Sprache ihrer Väter blieb ihr unveräußerlisher Schatz, ihr Trost in Drangsal und Not, ihre Stütze und Hoffnung selbst in Tagen der Vernichtung und unermessbaren Elends. An beiden hingen und hängen sie mit unverbrüchlicher Zähigkeit seit den Tagen des Untergangs des Rhomäerreiches im Jahre 1453 bis heute. — Als dann endlich im Jahre 1832 eine hellenische Monarchie errichtet wurde, zu klein, um zu leben, d. i. zu gedeihen, und zu groß, um ohne weiteres wieder einzugehen, trat die hellenische Schriftsprache, wie sie bis dahin sich erhalten und weiter gestaltet hatte, einfach in ihre frühere Stellung wieder ein, d. h. sie diente unverzüglich als der **überall** verstandene Ausdruck des öffentlichen Lebens in allen Kundgebungen desselben. Diese Staats- oder **Hochsprache** übernahm die volle nationale Führung, ohne erst von irgend Jemand erfunden zu werden oder erfunden worden zu sein. Sie war eben da, und zwar vom Anbeginn an in bei weitem nicht so unbeholfener Form wie etwa das Russische unter Peter d. Gr., oder das Deutsche bis zu Friedrich dem Großen. Einfach und edel, sicher und gewandt trat dies Dornröschen der Sprachen, vom Kuss der Freiheit zur Tatkraft geweckt, lebensfrisch aus dem Dunkel, in dem die Moeren sie so lange gebannt gehalten, in den Kreis der überraschten Völker, die nun an der Echtheit ihrer hohen Geburt natürlich zweifeln wollten, und fand in allen Gauen, wo hellenisch Redende lebten — von Kappadokien bis zum ionischen

*) Prof. G. F. Herzberg hat in seiner „Geschichte der Byzantiner etc. bis gegen Ende des XVI. Jahrhunderts“ in Onckens Allgemeiner Geschichte in Einzeldarstellungen, Abteilung II. Teil VII. Berlin, Grote, 1883, für die sechs Kulturepochen unter S. 70. 194. 256. 308. 444. 575. ausreichende Nachweise gegeben, auf welche hier verwiesen sei.

*) Die zahlreichen Veröffentlichungen von K. Sathas, dem unermüdlichen Franzosen Emile Legrand, von Dr. Spyridion Lambros, Dr. Ant. Miliarákis, dem zu früh verstorbenen Prof. W. Wagner u. A. stehen hier oben an. Vergl. Griechische Ritterdichtung im Mittelalter, Allg. Augsb. Ztg., Nr. 125, 1881 und Athen im Mittelalter, ib. Nr. 14, 1882.

Meere, von den Ufern der Donau bis zum Nil, das vollste und freudigste Verständniss.

So war es, so ist's noch. Die hellenische Sprache der Gegenwart kann Jedem, der ihn lesen mag, ihren Adelsbrief vorzeigen, der von den wenigen slavischen Klecksen, die vor fast einem Jahrtausend einmal drauf gespritzt worden waren, längst gereinigt ist. Und heute, wo mit eingeborener Sprachliebe und sorglicher Emsigkeit an ihrer vollen Ergründung und Ausgestaltung, unter Anpassung an die Erfordernisse der Neuzeit, gearbeitet wird, steigt sie — Aphroditen gleich — in immer lichterer Schönheit aus den Lethefluten der Vergangenheit.

Dass die hierbei mitwirkenden Kräfte nicht immer nach derselben Richtschnur tätig sind, ist wohl erklärlich und hat sogar sein Gutes, da es Einseitigkeit und Willkür abwehrt. Ehrlich aber meinen sie es gewiss alle und alle tun ihr Bestes — und dazu gehört heut schon etwas Tüchtiges — um das hohe Ziel: „die so lange Zeit brach gelegene Sprache allen Anforderungen der Gegenwart gerecht zu machen“ in echt nationaler Weise voll zu erreichen. Solches ist nicht eben leicht.

Die zahlreichen hellenischen **Mundarten**, die in allen früher griechischen Landen noch jetzt allgemein gesprochen werden, haben ihr eigenes, voll entwickeltes Leben und somit jegliches Anrecht zur Weiterexistenz, auch als Schriftsprachen. Sie waren in langen dunkeln Zeiten die einzigen Träger aller Volksanschauungen, Wünsche und Hoffnungen, Leiden und Freuden, aller Kundgebungen des großen Dulders Volk, durch grause und lichte Geschicke hindurch, und werden es auch ferner bleiben. Die meisten derselben sind uralt, viele von großer Schönheit der Formen und der Laute, vielfach wahre Schatzkammern von alten Sagen und seltenen Wörtern, die eben nur im Volksmunde erhalten blieben (wie z. B. *νερό*; s. Nr. 4 1886); alle aber sind sie durch den Dichtertrieb des Volkes dem dichterischen Ausdruck so angefähigt worden, dass sie, bei der leichten Verständlichkeit derselben über alle Lande hellenischer Zunge, das poetische Gebiet geradezu beherrschen.

Das wird und will ihnen auch Keiner streitig machen. Im Gegenteil dichten fast alle hellenischen Dichter der Gegenwart ebenso leicht und gern in ihrer Mundart für das Volk, wie in der Hochsprache, die nun einmal unwiderruflich zur einheitlichen Landessprache geworden ist, für die Nation und darüber hinaus. Von diesen Schätzen ist bereits manches zur Veröffentlichung gekommen durch Einheimische und Fremde, auch von Deutschen. Zahlreiche eingeborene Forscher durchziehen die Landschaften und bringen unausgesetzt neue Beiträge zu den Volkssagen,- liedern,- sprüchen, Aberglauben, Märchen etc., sowie zur wissenschaftlichen Erforschung und Begründung der Dialekte. Dieselben kommen dann häufig in den philologischen und historischen Vereinen zum Vortrag, resp. zur Durchsprechung und dann wohl zur Veröffentlichung in deren Organen, voran seit lange in dem verdienstlichen Jahrbuche des litterarischen Vereines **Parnassós**, sowie in dem der historischen und ethnologischen Gesellschaft für Hellas, unter der Leitung des Herrn Dr. Politis zu Athen. Auch die beiden Wochenschriften **Hebdomás** und **Hestia** gewähren diesen Veröffentlichungen reichlichen Raum. Auf den Inhalt dieser beiden Zeitschriften wird noch zurück zu kommen sein.

Die reichste Ausbeute gewährt zunächst das *Δελτίον τῆς Ἱστορικῆς καὶ Ἐθνολογικῆς Ἑταιρίας τῆς Ἑλλάδος.* Von den Märchen in **athenischer** Volksmundart (hellenisch, nicht albanesisch, wie vielfach geglaubt wird), welche Frau Marianne Kampúroglu so reizend zu erzählen weiß, ist das von dem „Vielberüchtigten Drachen (*ὁ Πολυφουμισμένος Δράκος*)“, das lebhaft an die antike Polyphemsage erinnert, in dem Buche „Land und Leute in Nord-Euböa“ von Geo. Drosinis (Leipzig, W. Friedrich, 1884, S. 170) deutsch mitgeteilt worden. Auch die übrigen sind der Aufmerksamkeit der Sprach- und Märchenforscher wohl wert. Bevor nun im nächsten Artikel aus dem reichen Inhalte dieses Jahrbuches charakteristische Proben aus zahlreichen Mundarten vorgeführt werden, sei hier, im Anschluss an die kretische Neraïdensage von Nr. 4 des Magazin noch eine solche aus Aetolien mitgeteilt, auf welche Herr Geo. Drosinis noch in letzter Stunde aufmerksam machte. Ihm ward sie als halbverklungener Sang in Erinnerung gebracht, wie er den sagenreichen schönen See von Angelókastro (Hydra, später Lysimachia der Alten) im Nachen durchkreuzte, als

Das Lied der Neraïda.

Lichtblau ist mein Augenpaar, rosig der Mund,
Weit schimmert wie Goldschein mein leuchtendes Haar,
Mein Leib ist hell blinkend wie Silber und rund,
Wie Rosen so hold tut mein Lächeln sich kund,
Und wein' ich, entquellen nur Perlen mir klar:
Das Wasserkindchen bin ich ja,
Die wunderholde Neraïda!

Im Schilfsee steht prächtig ein Schloss mir gebaut,
Drin wirken und weben bei heiterem Tand
Die Töchter der Wasserhyäne mir traut
Für den wonnigen Leib aus dem Schaum ein Gewand:
Das Wassermädchen bin ich ja,
Die wunderholde Neraïda!

Wann hoch steht die Sonne, dann tauch' ich entzückt
Empor aus des Grundes tiefpurpurnem Tal:
Wie dann sie die Kön'gin der Schönheit erblickt
Entbrennet noch heißer ihr üppiger Strahl, —
Und wer mich erschauet, um den ist's gescheh'n,
Denn nicht mehr kann je er dem Zauber entgeh'n:
Die Wassernixe bin ich ja,
Die wunderholde Neraïda!

Und spät in der dunkeln und sternigen Nacht
Führ' froh ich den Reigen bei schwelgendem Lied;
Drauf bad' ich den Leib in entschleierter Pracht,
Und die Sterne sie glitzern voll Inbrunst mit Macht
Und küssen an mir durch die Wellen sich müd:
Die Wassernymphe bin ich ja,
Die wunderholde Neraïda!

Hei, wonnige Lust dir, du herrlicher Held,
Der von der Zauberin-Mutter den Zauber erhält,

Den wirf nur auf's Wasser — so bannest du mich.
Und du wirst mein König, deine Dienerin ich!
Das Wasserbräutchen bin ich ja,
Die wunderholde Neraïda!

Doch wehe dem Mann, der den Zauber nicht kennt,
Der nur Kind sich der irdischen Leidenschaft nennt:
Den zieh' in die Flut ich hohnlachend hinein —
Ich bin seine Königin, als Sklav' bleibt er mein:
Die Wasserkönigin bin ich ja,
Die wunderholde Neraïda!

Freiburg i. Br. Aug. Boltz.

Litterarische Neuigkeiten.

Nachdem endlich ein Band (und zwar der zweite) der Gesammtausgabe der Sonette Bellis erschienen ist, hat Augusto Marini, einer der Nachfolger des römischen Satirikers, eine stark vermehrte Sammlung seiner Sonette in römischer Mundart nebst einigen Gedichten in der Landessprache veröffentlicht. Wir haben hier eine satirische Beleuchtung der politischen Vorgänge von 1859 an, eine prächtige Schilderung der Charakterlosigkeit und der Indifferenz derjenigen, die um des Gewinnes und um der Auszeichnungen willen der neuen Regierung sich zugewendet haben, eine gutmütige Verspottung so vieler Anderen, die aus Eigennutz der alten Ordnung der Dinge treu geblieben sind. Einige Sonette haben keinen spezifisch römischen Inhalt, womit wir keinen Vorwurf auszusprechen meinen, andere sind nicht nur in der Sprache zu derb, sondern ihrer ganzen Anlage nach zu radical für unsern Geschmack. Ein 1883 gedrucktes Schriftchen: Prof. Francesco Sabatini Polemica romanesca in occasione di alcuni articoli di Raffaello Giovagnoli weist nach, dass Marini in seiner Behandlung des römischen Dialekts sich öfters Uebergriffe in die italienische Schriftsprache erlaube. Giovagnoli, der gewandte Romanschriftsteller und Abgeordnete, verteidigt in einer Vorrede zur neuen Auflage seinen Freund gegen diese Anklage, ohne auf das sachkundige Schriftchen Rücksicht zu nehmen. (Sonetti Romaneschi ed altre Poesie Satiriche Terza edizione riveduta et accresciuta di novante nuovi sonetti con prefazione del Prof. Raffaello Giovagnoli, Roma, Tipografia Frankliniana 1886, XVI und 193 S. Lire 1,50.)

Im Verlag der International News Company in New-York erschien ein interessantes Werkchen von Hermann Rosenthal betitelt: „Worte des Sammlers (Koheleth). Aus dem hebräischen Urtext zum ersten Mal in deutsche Reime gebracht. Der Verfasser sagt im Vorwort: „Das Buch „Koheleth" wird bloß irrthümlich „Der Prediger Salomo" benannt; es ist zwar von einem Könige verfasst worden, aber von einem Könige des Gedankens. Ob er zu Jerusalem gelebt, wissen wir weniger genau; doch zweifeln wir nicht daran, dass der Name Ben-David (Sohn Davids) nur ein Pseudonym ist. Ebenso sicher darf man annehmen, dass das Buch nicht früher als um 300 v. Chr., eher wohl noch später verfasst wurde.

Alphonse Daudet arbeitet ausschließlich an einem Drama, welches im Laufe des nächsten Winters im Odeon gespielt werden soll und vorläufig den Titel „Nord und Süd" trägt. Er hat dabei keinen Mitarbeiter. Zugleich spricht man von einer Dramatisirung des „Tartarin sur les Alpes".

Im Verlag von Leopold Voss in Hamburg und Leipzig erschien vor Kurzem ein biographisches Werk betitelt: „Georg Kerner, ein deutsches Lebensbild aus dem Zeitalter der französischen Revolution" von Adolf Wohlwill. Dasselbe enthält Georg Kerners Bildniss in Stahlstich und behandelt die Geschichte dieses Mannes, der in weiteren Kreisen zuerst durch die Mitteilungen seines Bruders Justinus Kerner in dem „Bilderbuch aus meiner Knabenzeit" bekannt geworden ist.

Von Victor Wodiczka, dem mit dem ersten Preise gekrönten Verfasser von „Der schwarze Junker", erscheint demnächst im Verlage von H. Hässel in Leipzig ein Roman, „Aus Herrn Walthers jungen Tagen" betitelt, dessen Held Walther von der Vogelweide ist.

Seit dem 24. Dezember d. v. J. existirt mit den Rechten einer juristischen Person die vom italienischen Pressverein gegründete Hilfskasse, welche dazu bestimmt ist, die mittellosen Mitglieder desselben im Falle des Unvermögens zur Arbeit zu unterstützen. Der König von Italien hat der Hilfskasse, die im Augenblick nur über eine Rente von etwas mehr als 700 Lire verfügen konnte, 20,000 Lire aus seiner Privatkasse geschenkt.

Zwei Novitäten des Wiener Verlages von Karl Konegen betiteln sich „Holda". Ein Elfentraum in neun Gesängen von Gustav Adolf Erdmann und „Falad", Kleine Bilder aus der Zeit der Völkerwanderung von Ludwig von Mertens.

Louis Nötel, der Verfasser verschiedener Dramen, veröffentlichte im Kommissions-Verlag von A. Amonesta in Wien ein dramatisches Gedicht in 5 Akten. Dasselbe trägt den Titel: „Es war einmal!"

Aus der Reclam'schen Universal-Bibliothek liegen Bändchen 2111—2120 vor. 2111—2115 enthalten in einem Bande „Titus Livius römische Geschichte". Uebersetzt von Konrad Heusinger. Neu herausgegeben von Otto Güthling. Dritter Band: Buch XVII—XXXVI. Bändchen 2116 enthält: „Nala und Damayanti." Ein altindisches Märchen aus dem Mahâbhârata. Sinngetreue Prosaübersetzung von Hermann Camillo Kellner. 2117: „Wenn Frauen lachen." Lustspiel in 1 Aufzug von Ch. Narrey. Für die deutsche Bühne bearbeitet von Julian Olden. 2118—2120 enthalten in einem Bande: „Die Herren Golowljew." Roman aus dem Russischen von Saltykow-Schtschedrin von Hans Moser.

„Genrebilder" betitelt sich eine Sammlung von 11 Skizzen, deren Verfasserin Julie Hallervorden ist. Das Büchlein erschien soeben in Berlin im Verlage der Haude- & Spenerschen Buchhandlung (F. Weidling).

Nachdem Leo XIII. mehrfach für die Philosophie des heiligen Thomas von Aquino eingetreten ist, hat ein Philosophie-Professor der vom Staate nicht anerkannten katholischen Universität Rom, der Jesuit Michele de Maria die kleineren philosophischen und theologischen Schriften des berühmten Verfassers der Summa in einer für die Studenten der Theologie berechneten Ausgabe in drei Bänden veröffentlicht. Die Anmerkungen nehmen einen geringen Teil des bei Lapi in Città de Castello erschienenen und vortrefflich gedruckten Werkes ein, das um des Agitationszweckes willen zu dem für ungefähr 1800 Seiten sehr billigen Preis von 15 Lire verkauft wird.

Bei Duncker & Humblot in Leipzig erschien ein umfangreiches geschichtliches Werk, welches der Gesellschaft der Geschichte und Altertumskunde der Ostseeprovinzen zu Riga zur Feier ihrer 50jährigen verdienstvollen Wirksamkeit gewidmet ist. Dasselbe trägt den Titel: „Die Statthalterschaftszeit in Liv- und Estland (1783—1796). Ein Kapitel aus der Regentenpraxis Katharinas II. Der Verfasser ist Friedrich Bienemann.

In England macht die Erzählung von Stevenson: „Strange Case of Dr. Jelkyl and Mr. Hyde" Aufsehen. Der Verfasser zeigt sich hier in der Behandlung des Unmöglichen und Unheimlichen als ein Schüler von Edgar Poe, hinter welchem er trotz seines bedeutenden Formtalentes doch weit zurückbleibt. Dr. Jelkyl, ein Arzt, fühlt, dass in des Menschen Brust zwei Seelen wohnen: dass sein Wesen aus guten und schlimmen Eigenschaften zusammengesetzt ist. Es gelingt seinem wissenschaftlichen Scharfsinn endlich die Entdeckung einer chemischen Substanz, durch welche er sich in zweierlei Gestalt zu verwandeln vermag; er kann entweder als der liebenswürdige Dr. Jelkyl erscheinen oder als der abscheuliche und hassenswerte Mr. Hyde. Als letzterer begeht er kaltblütig einen Mord, welcher die Kriminalpolizei ebenso lebhaft beschäftigt als die Freunde Jelkyls, welche dessen rätselhafte Beziehungen zu Mr. Hyde kennen. Die Geschichte hat alle Eigenschaften eines Kriminalromans und endigt damit, dass Jelkyl, der sich einmal wieder in Hyde umgewandelt hat, vom Apotheker nicht mehr die alte chemische Substanz bekommen kann, die zu seiner Zurückverwandlung nötig ist. Er erlöst sich aus seiner Seelenqual durch Vergiftung. Bestand Poes Kunst darin, das Unmögliche glaubhaft erscheinen zu lassen, so werden wir bei Stevenson durch die Dreistigkeit überrascht, mit der er Einen das Absurde glauben machen will.

Hulda Meister, die bekannte Uebersetzerin, veröffentlichte im Verlag von Hermann Costenoble in Jena ein neues Uebersetzungswerk. Es ist dies der Roman „Die Märtyrer der Phantasie“ von Mathilde Serano.

Die H. Lauppsche Buchhandlung in Tübingen brachte vor Kurzem eine philosophische Novität von Richard Wollaschek betitelt: „Ideen zur praktischen Philosophie.“

Die Verlagshandlung von Richard Eckstein Nachfolger (Carl Hammer) in Berlin kündigt einen Beitrag zu der nationalen Gedenkfeier an, welche das Jahr 1886 bringen wird, zum 100jährigen Todestage Friedrichs des Großen. Das Werk trägt den Titel: „Fridericus redivivus. Der auferweckte alte Fritz. Oden und Epistel Friedrichs des Großen.“ Deutsch von Theodor Vulpinus. Das Werk will keine Uebersetzung der sämmtlichen Dichtungen des in der Tat unbekannt gewordenen Dichters von Sanssouci bieten, sondern nur eine charakteristische Auswahl derselben, die es uns ermöglicht, einen leichten Einblick in das geistige Leben Friedrichs von den Tagen seiner Jugend bis ins Greisenalter zu gewinnen. Der Name Vulpinus bürgt für die Güte der Uebersetzungen vollkommen.

Die rühmlichst bekannte Verlagsfirma Löscher & Cie. in Turin, Florenz und Rom hat eine preisgekrönte Schrift von R. Sabbadini über den Ciceronianismus in der Zeit der Renaissance veröffentlicht. (Storia del Ciceronianismo e di altre quistioni letterarie nell' età della rinascenza del prof. Remigio Sabbadini, Löscher & Cie. Torino 1886. 132 S. Lire 3—.)

Den 17. März starb zu Cannes der Pariser Verleger Jules Hetzel, die vielleicht sympathischste Figur des Pariser Buchhandels. Er gründete die Kinderlitteratur in Frankreich, gab das „Magasin de Recréation et d'Education“ heraus, in welchem die Vulgarisationsgeschichten von Jules Verne und die populären Abhandlungen Jean Macé's erschienen und war nebenbei noch der Verleger V. Hugos. Er veranstaltete die erste elzevirsche Auflage von dessen Gedichten. Als Schriftsteller (unter dem Pseudonym Stahl' schrieb er humorvolle Novellen, wovon einige in der Sächsischen Schweiz spielen. Trotz seines deutschen Namens war er Stockfranzose und sprach kein Wort deutsch.

Soeben erschien „Rhein, Rön und Loire. Kultur- und Landschaftsbilder diesseits und jenseits der Vogesen. Von Herman Semmig, Prof. Dr. in Leipzig. Verlag von Eugen Peterson. 1886.“ Der Rhein, der nationalste Strom Deutschlands, die Loire der nationalste Strom Frankreichs und im Herzen Deutschlands die Rön: diese Gruppirung deutet den Grundcharakter des Werkes an, eine culturhistorische Parallele der Entwicklung beider Länder. Unter Karl dem Großen, dessen Bild uns hier in der Rön entgegentritt, waren sie staatlich vereint; später, besonders seit den Bourbonen, wurden sie zu feindlichen Brüdern. Dies schildern besonders die Essays „Die Poesie des Rheins“ und „Schloss Chambord“; letztrer ist außerdem von großem kunsthistorischem Interesse, erstrer giebt ein vollständiges Bild der poetischen Rheinlitteratur. Den Kampf Deutschlands mit Rom schildert der Essay „Die Rön“, hier treten Bonifacius, Ulrich von Hutten und die Familie von der Tann in den Vordergrund, daneben malt sich hier das jammervolle Bild der deutschen Zerrissenheit ab, über welche die „Germania“ zu Kissingen trauert. Eine Parallele dazu bildet „Die Saint-Barthélemy in Orléans“, die an Grässlichkeit die Pariser noch übertraf; dieser Essay dürfte auch manchem Historiker Neues bringen. Der mannigfache Inhalt, reich durchwoben mit interessanten Anekdoten, Episoden und Gedichten, macht dies Werk für Deutsche wie Franzosen zu einer anziehenden und äußerst lehrreichen Lektüre; es ergänzt hier und da auch Semmigs Werk „die Jungfrau von Orleans und ihre Zeitgenossen. Leipzig, Albert Unflad, auf das wir als ein Werk gründlicher Forschung nochmals ernstlich aufmerksam machen.

Der sechzehnte Band von Engelhorns „Allgemeiner Roman-Bibliothek enthält: „Auf der Woge des Glückes“ von Bernhard Frey (M. Bernhard). Band 17 und 18 enthalten: „Die hübsche Miss Neville“ von B. M. Croker, übersetzt von Emmy Becher.

„English Journal“, eine Wochenschrift in englischer Sprache, erscheint von Ende März ab im Allgemeinen Verlag in Berlin. Das English Journal hat den Zweck, den zahlreichen Kennern und Freunden der englischen Sprache in Deutschland die reiche englische Zeitschriftenlitteratur, die der Entwicklung der periodischen Litteratur in England entsprechend, Vorzügliches enthält, zugänglich zu machen. Das English Journal wird das Beste aus dem Inhalte der englischen Zeitschriften in autorisirten Reproduktionen bringen und zwar in jeder Nummer vollständige Novelletten, Skizzen, Essays, Interessantes aus der Gesellschaft und dem öffentlichen Leben, Vermischtes, Humoristisches etc. Der Preis des English Journal (M. 4.50 pro Quartal) ist trotzdem nur ungefähr halb so hoch, als der einer großen englischen Wochenschrift. Probenummern sind in jeder Buchhandlung und durch die Expedition, Berlin W, Schillstraße 4, erhältlich.

„Die Geburt des Landes ob der Ens“ betitelt sich eine rechtshistorische Untersuchung über die Devolution des Landes ob der Ens an Oesterreich von Julius Strnadt, welche vor Kurzem in Linz im Verlag der F. J. Ebenhöchschen Buchhandlung (Heinrich Korb) erschienen ist.

Bei G. Freytag in Leipzig beginnt soeben ein neues Lieferungswerk zu erscheinen. Dasselbe trägt den Titel: „Vögel der Heimat.“ Unsere Vogelwelt in Lebensbildern geschildert von Karl Ruß mit 120 Abbildungen in Farbendruck. Die vorliegende erste Lieferung ist vielversprechend. Das Ganze soll in 16 Lieferungen à 1 M. vollständig sein.

Die deutsche Verlags-Anstalt (vormals Eduard Hallberger) Stuttgart und Leipzig veröffentlichte einen elegant ausgestatteten Band Gedichte von Auguste Meyer. Derselbe trägt den Titel: „Dichten und Denken“.

„Goethes Pädagogik historisch-kritisch dargestellt“ lautet der Titel eines ziemlich umfangreichen Werkes von Adolf Langguth, welches vor Kurzem im Verlag von Max Niemeyer in Halle erschienen ist. Dasselbe zerfällt in folgende 4 Hauptkapitel: „I. Goethes Verhältniss zur Pädagogik und unsere Stellung zum Dichter. II. Der Mensch und seine Stellung im Universum. Erziehung im weiteren Sinne. III. Der Mensch als Gegenstand der Erziehung im engeren Sinne und IV. Der ideale Kern der Goethe'schen Pädagogik und ihr sozialer Hintergrund.“

Die Herdersche Verlagshandlung in Freiburg im Breisgau veröffentlichte eine Entgegnung von Stephan Ehses, betitelt: „Landgraf Philipp von Hessen und Otto von Pack.“ Dieselbe ist gegen eine Arbeit von Hilar Schwarz gerichtet, welche im Jahre 1884 in den „Historischen Studien“ der Professoren Arndt, Noorden, Voigt, Maurenbrecher u. s. w. erschienen ist. Sie trug den Titel: „Landgraf Philipp von Hessen und die Packschen Händel, eingeleitet von Maurenbrecher.“ Diese verfolgte den Zweck, Stephan Ehses' im Jahre 1881 im gleichen Verlage erschienene „Geschichte der Packschen Händel, ein Beitrag zur Geschichte der deutschen Reformation“ zu widerlegen und den Landgrafen Philipp von Hessen von der Anklage der Mitschuld an dem Packschen Betruge zu reinigen.

Die Government printing office in Washington versendet soeben unter der Jahreszahl 84 „Third annual report of the bureau of ethnology to the secretary of the Smithsonian institution 1881—82 by J. W. Powell.“ Der starke Folio-Band enthält zahlreiche Farbendruck-Abbildungen und andere Illustrationen.

Eine Anzahl von Freunden und Verehrern des Dichters Edmund Märklin, welcher 1816 zu Calw in Würtemberg geboren sich in Milwaukee, Wisconsin, niederließ und gegenwärtig in Chicago lebt, haben eine 2. Auflage von dessen Dichtungen bei C. N. Caspar in Milwaukee erscheinen lassen, welche eine Lebensskizze des Poeten aus der Feder C. Annekes enthält. Edmund Märklins Jugenddichtungen „Schneeflocken“ und „Reiselieder“ erfreuten sich bereits der Anerkennung der hervorragendsten Dichter Schwabens. Uhland, Gust. Schwab, Justinus Kerner, Eduard Möricke und Andere würdigten den Poeten ihres persönlichen Umgangs. Der vorliegende Band enthält die Abschnitte „Aus stürmischen Tagen“ — „Zwischen beiden Ufern“ — „Ebbe und Flut“ — „Fröhliche Talfahrt“ — „Im Kahn mit den Kleinen“ und „Glücklich im Hafen“.

Alle für das „Magazin“ bestimmten Sendungen sind zu richten an die Redaktion des „Magazins für die Litteratur des In- und Auslandes“ Leipzig, Georgenstrasse 6.

Für die Redaktion verantwortlich: Hermann Friedrichs in Leipzig. — Verlag von Wilhelm Friedrich in Leipzig. — Druck von Emil Herrmann senior in Leipzig.

Das Magazin

für die Litteratur des In- und Auslandes.

Wochenschrift der Weltlitteratur.

1832 gegründet von Joseph Lehmann.

55. Jahrgang.

Herausgegeben von Karl Bleibtreu.

Preis Mark 4.— vierteljährlich.

Verlag von Wilhelm Friedrich in Leipzig.

No. 19. — Leipzig, den 8. Mai. — 1886.

Inhalt:

Ueber die Dichtungen der Gegenwart und ihre Vorliebe für Krankheitsschilderungen.

Unter obigem Titel hat der Professor der Medizin S. Ribbing in Lund (Schweden) eine Abhandlung veröffentlicht, die meiner Ansicht nach auch des Interesses in Deutschland nicht ermangeln dürfte. Im ganzen Norden hat sie übrigens großes Aufsehen erregt.

Man braucht nicht besonders lange gelebt zu haben, um zu wissen, welch' große Rolle die Krankheit in der menschlichen Gesellschaft spielt — um herausgefunden zu haben, dass es keine Geschichte irgend eines Menschen giebt, dessen Lebensnetz so dicht ist, dass die Krankheit nicht hin und wieder, während kürzerer oder längerer Zeit, es mit ihrem finsteren Schatten bedeckt hätte — bis der Tod alle Fäden desselben gleichzeitig überschneidet. Man kann sich also nicht darüber wundern, dass die Dichtung, der Spiegel des menschlichen Lebens, auch dahin geführt wird, sich mit der Krankheit des Menschen zu beschäftigen. Diese kann indess wie andere Details der Wirklichkeit auf höchst verschiedene Weise geschildert werden; alles, je nachdem der Dichter sich von der Phantasie oder von der Erfahrung leiten lässt. Die meisten von uns, die nun bereits etwas bei Jahren sind, wuchsen mit einer Litteratur auf, die in gar vielem der neuromantischen Litteratur glich, und wir erinnern uns vielleicht sehr wohl, wie ungenirt sie mit natürlichen und unnatürlichen Dingen umging und wie ganze Serien von Arbeiten alle Knoten auf fast dieselbe Weise lösten. Der arge Schurke des Stückes hatte eine schlaue Falle gelegt und den Held desselben mit seinem Garn umstrickt, er hatte ihn z. B. vor das Geschworenen-Gericht geführt und falsche Zeugen beschafft; aber im rechten Augenblick wird er von einem Schlaganfall gerührt oder von einem Blutsturz betroffen und fällt todt zur Erde, während die falschen Zeugen, ergriffen von Entsetzen, die reine Wahrheit gestehen, so dass die Tugend des Helden triumphirt. Oder die schöne Heldin, jenes Ideal eines vollkommenen Weibes, wie ergeht es ihr, wenn sie den Brief von dem treulosen Bräutigam liest und den ihm geschenkten Ring wieder sieht, der das ewige Symbol ihres Lebensglückes sein sollte? Ja, der rote Strom des Blutes rieselt über ihre Lippen und sie wird urplötzlich von dieser falschen Welt erlöst, oder sie geht schnell als Folge eines gebrochenen Herzens von hinnen. Aber in Wirklichkeit stirbt der Mensch nur sehr selten an gebrochenem Herzen und geschieht dies, so ist der Betreffende sicherlich ein ebenso unpoetisches und unromantisches Opfer des Altertums und keine junge und schöne trauernde Braut. Unter den großen Geistern der Litteratur gab es einige, die mehr Rücksicht auf die Erfahrungen nahmen, welche der Mensch machen kann, und man hat daher in einem wohl bekannten medizinischen Lehrbuche Goethe preisen können, weil er im „Clavigo“ Maria Baumarché nicht an einem plötzlich gebrochenen Herzen sterben lässt; sondern sie wird bleich und schwach, magert ab, spuckt Blut und stirbt schließlich an der Lungenschwindsucht.

Nach und nach, wie unser Jahrhundert vorwärts schreitet, merkt man an der Litteratur, dass die

Naturwissenschaft und ein Teil der Arzeneilehre im Allgemeinen den Menschen zugänglich geworden sind. Der praktische Ausüber der Medizin bewegt sich nunmehr auch nicht länger in einem Olymp kurioser Apparate, zwischen Wolken dunkeler Termini: er steigt unter die gewöhnlichen Sterblichen hinab und erklärt diesen, was sie zu wissen nötig haben; er benutzt ihre eigene Auffassungsgabe und Tüchtigkeit der Handhabung zum Beistande bei der Hilfe gegen die Krankheiten. Er hat, aufrichtig gesprochen, kein unbedingtes Recht, sich über die Resultate zu freuen. Gewöhnlich strandet man an den Gefahren des Halbwissens, und mancher Arzt wird erlebt haben, dass man den Unterricht weniger Stunden und sparsamer Erklärungen für hinlänglich hält, so dass der Schüler zum Lehrmeister werde. Man wird dann dem einen oder andern Problem begegnen, z. B. der ihrer Zeit lebhaft behandelten Hypothese über die Selbstverbrennung des Trinkers, eine Hypothese, die sowohl von Marryat wie von Dickens benutzt worden ist. Das, worauf man dagegen hinzielte, ist selbst ein Prozess, durch welchen der vom Alkohol vernichtete und durchfeuchtete menschliche Körper angezündet werden und verbrennen könnte, ohne dass man die Flamme anzündet, oder dass die Hitze die umgebenden Gegenstände trockene. Wenn die beiden hochangesehenen Verfasser nur die Sache im Scherz oder als eine Art Phantasiebild dargestellt hätten, worin Nemesis die Trunksucht treffe, so würde so etwas sich haben sagen lassen; aber vornehmlich bei Dickens wird die Sache ganz anders und höchst ernsthaft genommen. In der Vorrede zu einer der letzten Ausgaben von „Bleak House" will er geradezu das Phänomen verfechten, indem er sich auf einen ehrwürdigen französischen Chirurgen des vorigen Jahrhunderts stützt, der also allen Chemikern und Gerichtsärzten gegenüber gelten soll. Man kann ruhig sagen, dass wenn ein Arzt unter dem einen oder andern Umstande einen Todtenschein mit Selbstverbrennung als Todesursache ausstellen würde, er unfehlbar sowohl jedes wissenschaftliche Ansehen wie seine öffentliche Stellung selbst verlieren würde.

Jemehr wir uns unserer eigenen Zeit nähern, desto stärker streben die Dichter nach Wahrheit und Naturtreue ohne Zuflucht zur Licentia poetica, die von der Rücksicht auf Zeit und Ort, auf historische und ethnographische Kenntnisse, nach welchen gewöhnliche Sterbliche sich zu richten haben, sich befreien sollte. In letzter Zeit sind die Schriftsteller sogar zu der Behauptung gekommen, dass ihre Werke der Wirklichkeit durchaus folgen sollen, so dass in dieser Richtung kein Vorwurf dieser Art gegen sie zu erheben sei. Sie haben unleugbar den Gesichtskreis gewechselt. Die Götter der Walhalla und die Helden der Antike sind verlassen; auf neuen Bahnen sind neue Stoffe mit der frischen Ursprünglichkeit gefunden worden. Wir müssen der Leute gedenken, wie die amerikanischen Humoristen und namentlich Bret Harte als einer ihrer ersten Männer. Wenn Letzterer das Leben in den kalifornischen Grubendistrikten, deren Augenzeuge er selbst gewesen ist, darstellt, so ist es nicht sonderbar, dass er zwischen jenen Menschen unter dem Abschaum der Gesetzmäßigkeit und der Civilisation Opfer der Trunksucht in neuen Formen begegnet und uns eigentümliche Typen der vernichtenden Wirkung des Alkoholismus zu zeigen vermag. Er hat in dieser Richtung Außerordentliches geleistet, aber Citate in dieser Beziehung anzuführen, fällt weniger leicht, weil Bret Harte dem guten Gebrauch folgt, seine Beobachtungen nicht auf einzelne Zeiten in Masse anzuführen. Dagegen giebt er hier und dort bei jeder passenden Gelegenheit in der Erzählung dem Leser einen kleinen Zug, eingeschoben in einen Nebensatz oder als eine flüchtige Bemerkung — ein Zug, der nach und nach sich zu einem lebhaften Bilde des Zustandes der betreffenden Person gestaltet. Indess sei es gestattet, wortgetreu ein einziges Beispiel wieder zu geben und zwar aus der Geschichte „Mrs. Skaggs Leute". Es handelt sich hier um einen unglücklichen, verfallenen und trunksüchtigen Müßiggänger, der den Rausch dadurch zu verjagen sucht, dass er sich mit kaltem Wasser überpumpen lässt. Der Satz lautet wie folgt:

„Wie es sich nun auch übrigens damit verhalten möge, so war der Kopf, welcher unter die Tülle der Pumpe gebracht worden war, groß und mit Haar wie Borsten von unbestimmter Farbe bedeckt; das Gesicht war rot aufgedunsen und ausdruckslos, die Augen starrten steif; aber der Kopf, der von derselben Tülle zurückgeführt wurde, schien kleiner zu sein: er hatte eine andere Form, das Haar war dunkel und glatt geworden, das Gesicht war blass mit eingefallenen Wangen, die Augen klar und ruhig. Bei dem nervös zitternden Asket, der sich nunmehr emporrichtete, fand man nur wenige Spuren des Bacchus, der einige Minuten sich unter die Pumpe gebeugt hatte." Und weiter heißt es dann: „Der wackelnde Gang des Säufers, seine zitternden und tastenden Armbewegungen, sein Stumpfsinn im Verein mit Halucinationen." — Dieses wird zusammen mit der größten Naturtreue und in der sympathischesten Sprache, über die der Meister des echten Humors gebietet, geschildert.

Geht man nun von dem unkultivirten Kalifornien zu dem Pariser Kulturcentrum, dann trifft man dieselbe Krankheit auf eine Weise, die sich von keiner Rücksicht leiten lässt, von Emile Zola, in wesentlichster Richtung der vorgeschobene Vorposten der neue Schule, geschildert. In „L'Assommoir" hat er nicht nur den Einfluss der Krankheit auf eine Pariser Arbeiterfamilie geschildert, sondern gibt auch eine genaue Beschreibung des Delirium tremens, in welches der Held des Buches — wenn man diesen Ausdruck überhaupt gebrauchen darf — jämmerlich verfällt und sein Leben beendet. Wie ist nun diese Schilderung? Ist sie treu oder nicht? Man muss zum

Teil einräumen, dass das Bild richtig, nur viel zu lang gezogen ist, indem dieselben Beobachtungen mit wenigen Variationen in ermüdender Einförmigkeit wiederholt werden. Aber wenn man sich dem Schluss nähert, wo der Uebergang vom Stadium der Raserei bis zu dem der Ohnmächtigkeit, welche dem Tode vorangeht, vor sich gehen soll, dann wird die Darstellung außerordentlich knapp und man merkt, dass der Verfasser und seine Gesinnungsgenossen — die Volontairs der Neugierde — nicht auszuharren vermochten, sondern sich beeilt haben, den Staub des Hospitals von den Füßen zu schütteln.

Freilich hat derselbe Verfasser bei anderen Gelegenheiten besser ausgehalten. In „Nana" z. B. begnügt er sich nicht mit halben Andeutungen über die Trunkenheit, sondern er verfolgt den Gegenstand mit größter Weitläufigkeit und malt sogar das Aussehen der Leiche in den detailirtesten Zügen. Ich meinerseits muss nun behaupten, dass kein Obduktionsprotokoll irgend eines Arztes eine solche Ausmalung in so widerlichen Zügen enthält. In „Pot-Bouille" hat Zola ein nicht ungewöhnliches Ereigniss ergriffen, nämlich dass ein verführtes und verlassenes Weib ihre Niederkunft in einer ärmlichen Dachkammer erwartet. Hier war zweifelsohne Gelegenheit mit der psychologischen Analyse der Gedanken und Stimmungen, worin die neue Schule ihre Stärke besitzen will, hervorzukommen; aber Zola beschäftigt sich nur mit den physischen Details, die er erstens unwahr und verunstaltet darstellt, und zweitens in solchen Ausdrücken schildert, dass man dem französischen Kritiker Recht geben muss, welcher sagte: „Die Darstellung laute gerade so, als ob der einfachste Eckensteher mit einem gleichgesinnten Kameraden darüber spräche, nachdem er von einer Hebamme niedrigsten Ranges Bescheid erhalten hätte." Zola schreibt meistenteils über abnorme Verhältnisse, da seine Lebenserfahrung darin besteht, dass die ganze Gesellschaft krank sei. Wie soll man es sich indess erklären, dass er, wo er es selbst erzählt — die Dialoge übergehe ich hier — stets die rohesten Ausdrücke gebraucht und bei den ekelhaftesten Auftritten verweilt? Mitten in diesen Schilderungen vermeint man einen Schrei der Angst zu vernehmen, halb erstickt unter den gemeinen Worten und Handlungen des Pöbels. Freilich besitzt er Blick für die Krankheitserscheinungen der Gesellschaft; aber vergebens sucht man bei ihm nach der Erklärung der Ursache dieser Erscheinung, geschweige nach Arzeneien gegen diese Krankheit.

Die nächste Verfasserschaft, womit wir uns befassen wollen, schreibt sich von einer Frau her, einer schwedischen Dame, Frau Anna Charlotte Edgren geb. Leffler. Ungeachtet sie sich nicht zwischen dem Pöbel der schwedischen Hauptstadt bewegt, begegnet man bei ihr dennoch dem Alkoholismus und sogar in einer seiner allerwiderlichsten Formen, nämlich bei einer jungen Frau in guten gesellschaftlichen Verhältnissen. Fragt man nun, wie so etwas möglich sein könne, dann antwortet die Verfasserin mit der Erklärung, dass der Vater jener Frau ein Trinker war und dass ihr eigener Mann, der Arzt ist, sie dazu ermuntert habe, spirituose Getränke zu genießen — um sich zu stärken — in solchem Maße, dass der Genuss ihr ein Bedürfniss, eine Notwendigkeit geworden ist. Die Schilderungen der Frau des Arztes selbst und die ihrer Trunksuchtsymptome sind durchaus nicht übel gelungen, aber man entbehrt leider auch nicht die Gelegenheit zur Beobachtung solcher Art Erscheinungen. Dagegen muss ich notwendigerweise etwas näher auf den erwähnten Arzt eingehen. Er ist gerade nicht liebenswürdig, eher das Gegenteil, er ist übermütig und ein Schwadroneur; er sucht eine Ehre darin, Gesellschaftsgebräuche und Ton bei Seite zu setzen, er ist nicht frei von Humbug, er trinkt ganz ordentlich und kommt in der Nacht heim, stolpert in der Schlafkammer, wirft die Wasserflasche auf den Boden, sucht nach Streichhölzern und wirft sich schließlich unentkleidet auf das Bett. Am nächsten Morgen befindet er sich unwohl und ist mürrisch, aber er macht am Abend in einer Gesellschaft die Sache zum Gegenstand des Scherzes. In seinem Verhältniss zur Gattin tritt er brutal auf — jedenfalls insoweit, als er ihre Gefühle mit Füßen tritt, sie ihres Glaubens aus der Kindheit beraubt und ihn durch den krassesten Materialismus ersetzt. Es lässt sich zwar nicht bestreiten, dass man im Stande der Aerzte Leute findet, die als Modell dieses Bildes gedient haben mögen, aber ich verneine aufs Bestimmteste, dass ein solcher Mann in einer südschwedischen Provinzialstadt, die ihm sogar ihre Berühmtheit zu verdanken haben soll, indem Leidende aus allen schwedischen Gegenden, sogar aus der Hauptstadt dahin reisten, um Rat und Hilfe bei ihm zu suchen, wie er in seinem eigenen Heimatsorte zum Trost zahlreicher Familien in der Stunde der Not geworden war, hat Ansehen erlangen können. Ist die eine Seite des Bildes wahr, so ist die andere es nicht; denn der Ruf des Arztes gewinnt wirklich nicht durch Rohheit im Verein mit Simpelheit. Es mag sein, dass die Verfasserin von einem oder dem andern Arzt gehört hat, der gar sehr den Freuden des Tisches und anderen Genüssen ergeben, oder dessen Wesen im Umgange gerade nicht sehr gewinnend war; aber wird ein Mensch, wie dieser Arzt, dennoch berühmt, so muss er andere Eigenschaften besitzen, um ein wissenschaftliches und soziales Ansehen zu gewinnen und zu bewahren. Aber mit solchen Vorzügen hat Frau Edgren ihren erdichteten Doktor nicht zu versehen beliebt.

In „Ein großer Mann" erzählt Frau Edgren von Morphinismus, der modernsten Krankheit, die sie vielleicht vor jedem Andern zuerst novellistisch behandelt hat. Sie schildert eine Excellenz, einen großen Staatsmann, Direktor der schwedischen Akademie, er hält die elegantesten, durchgearbeiteten Reden in akademischer Manier; aber er ist ökonomisch ruinirt und um seine Bekümmernisse zu unterdrücken, hat er zur Morphiumspritze gegriffen. So geschieht es eines Tages, als er eine Festrede in erwähnter Akademie hält, dass er einen Anfall von Morphiumhunger bekommt und mit der Rede aufhören muss; nachdem er nach Hause geführt worden und sich eine neue Einspritzung beigebracht, erholt er sich jedoch und wird sofort wieder ein anderer Mensch. Sichtbar sind die Studien der Verfasserin hier sehr mangelhaft gewesen; indem sie die intellektuelle Vernichtung, welche den Morphinisten trifft, übergangen hat. Obgleich ich garnicht behaupten will, dass akademische Festreden Ausdrücke einer großartigen Geisteswirksamkeit sind, so erfordern sie doch eine größere Arbeitskraft als der Morphinist in einem einigermaßen vorgerückten Stadium zur Verfügung hat. Befindet sich derselbe Unglückliche dagegen im Anfange seiner Krankheit, ohne allzu tief gesunken zu sein, so wird er sich in der Regel mit einem hinlänglichen Maß des Giftes versehen können, um unter solch' besonderem Umstand auszuhalten.

Jener Morphinist wird indess vom Schlage gerührt — was, so viel mir bekannt, noch nicht in der Medizin beobachtet worden ist — und man findet ihn eines Morgens, die Morphiumflasche krampfhaft mit den Händen umspannend. Die Verfasserin hat in diesem Punkt einen dramatischen Effekt gesucht, der sie zu einem groben Missgriff verleitete. Leute, die Schlaganfälle bekommen, halten nämlich gar nichts in den Händen; sie lassen im Gegenteil alles los und während langer Zeit sind sie nicht im Stande, irgend etwas zu ergreifen, wie lieb es ihnen auch sein möchte. Und schließlich die Schilderung der letzten Tage dieser Excellenz! Trotz des Schlaganfalles und der Morphinvergiftung besitzt der Kranke alle Geisteskraft — was ganz unmöglich ist —, er diktirt der Tochter seine Autobiographie mit der meist diplomatischen Berechnung der Ausdrücke und spricht in der Stunde des Todes selbst ergreifende Sentenzen aus.

Frau Edgren bespricht in einer anderen Erzählung „Zweifel“ eine junge Frau, die von einem leichten und angenehmen Heim in ein ganz anderes, tristes Dasein geführt wird, indem sie mit einem glaubenseifrigen, aber auch exaltirten Prediger verheiratet wird. Sie wird dann im hohen Grade leidend, bekommt starke Bleichsucht und unter Blutmangel entwickelt sich ihr Leiden so, dass sie unheilbar und lebensgefährlich erkrankt. Hierzu ist nun zu bemerken, dass, obschon die sie ergreifenden Kälteschauer und Fieberanfälle, Erbrechen u. s. w. gewissenhaft beschrieben werden, der Sachverständige in der Schilderung keinen der Fälle wieder zu finden vermag, die er in seiner Wirksamkeit angetroffen hat.

Der dänische Dichter Herman Bang hat dagegen in seinem neuesten Roman „Phaedra“ sowohl den Morphinismus wie den Alkoholismus mit weit größerer Naturtreue und sicherlich nach genauen Studien dargestellt.

An dieser Stelle muss ich mir gestatten, einen kleinen Abweg von der geraden Linie der Untersuchung zu machen. Der berühmte Darwin hat wie bekannt in seinen naturwissenschaftlichen Werken den großen Einfluss der Erblichkeit auf die Bildung und Eigentümlichkeit der lebenden Organismen hervorgehoben. Mit fieberhaftem Eifer haben die Litteraten unserer Zeit sich über diesen Gegenstand geworfen und sie überbieten einander darin, die Stammbäume ihrer Helden und Heldinnen zu konstatiren und so viele Abnormitäten jeder Art in der Umgebung und die Einflüsse während der Kindheit herauszufinden, so dass schließlich es eine volle Notwendigkeit für den armen Helden oder die arme Heldin wird, in die Arme des Lasters zu fallen. Zum Teil ist dies zu begreifen: es liegt eine gewisse Schonung gegenüber der menschlichen Schwäche in dem Nachweis aller solcher mildernden Umstände, welche man Mangels der Liebe so vielleicht im täglichen Leben übersehen würde. Aber gleichzeitig liegt eine Gefahr in jener Art und Weise, denn sie hebt das Prinzip der Freiheit und der Selbstbestimmung auf, worin alles moralische und soziale Leben seine Basis hat und sie wirkt dabei irreleitend, weil sie gerade die Beantwortung der wichtigen Frage vergisst: wie ist es möglich, dass Menschen, die sich nicht unter dem Druck solcher verderblichen Einflüsse befinden, auf gleiche Weise verfallen können? — Und das haben wir doch Alle zu beobachten Gelegenheit gehabt! Frau Edgren und der dänische Dichter J. P. Jacobsen und noch mehr Emile Zola und Herman Bang häufen in dem Grade die Ursachsmomente in ihren Schilderungen zusammen, dass die Ursachen ausgereicht haben würden, um die betreffenden Personen zu reinen Wundern zu machen. Ich möchte wissen, was Darwin selbst dazu gesagt haben würde: er, der so bestimmt die Regel für die Aenderung, die Milderung und das Verschwinden der erblichen Anlage betont hat, wenn er Zolas „Die Familie Bougon-Macquart“ gelesen haben würde, worin fast jedes neue Individuum in die Spur der Laster und der Sünden der Väter geht, wie auch die gesellschaftliche Stellung und die Erziehung des Betreffenden immer gewesen sein möge.

Als wir obenstehende Beispiele besprachen, was man in der modernen Litteratur beschrieben finden kann, befanden wir uns vielleicht nach der Meinung Vieler an der Grenze dessen, was in der Dichtung möglich ist. Aber man kann in Wirklichkeit noch weiter gehen. Die Krankheit, welche seit uralten Zeiten als die natürliche Folge und Strafe der Unsittlichkeit betrachtet worden ist, ist von Alexander Kielland zum Gegenstande der Behandlung in der Novelle „Arbeiter“ gemacht worden. Ohne auf eine nähere Kritik seiner Schilderungen eingehen zu wollen, will ich nur bemerken, dass sie sowohl kleine wie größere Irrtümer enthält.

Die alte Wahrheit, dass die Missetaten der Väter an den Kindern heimgesucht werden, hat im Verein mit den Vorstellungen über die erbliche Natur der soeben angedeuteten Krankheit den norwegischen Dichter Henrik Ibsen verleitet, erstlich in seinem „Puppenheim“ (Nora) Andeutungen über den Einfluss einer solchen Väter-Erbschaft in Dr. Ranks Person zu machen, und dann in den „Gespenstern“, wo der unglückliche Sohn Oswald Alving als Opfer des zügellosen Lebens des Vaters dargestellt wird, das Problem derselben unter Debatte zu stellen. Aber der geistreiche Verfasser hat leider das sichere Gebiet der Erfahrung verlassen und ein Verhältniss konstruirt, wozu das Leben kein Gegenstück aufzuweisen hat. Eine Krankheitsform, wie die Oswald Alvings schreibt sich niemals aus erblichen Ursachen her, und wenn man sie findet, so müssen wir mit dem im Stück angeführten ausländischen Arzt annehmen, dass Oswald sein sogenanntes herrliches Freiheitsleben nicht habe vertragen können. Die spezifische Krankheit, auf die hier hingedeutet wird, trifft ihr unschuldiges Opfer in der ersten Kindheit und entweder tödtet das Gift schnell, oder es kann auch durch gute glückliche Gesundheitspflege so geschwächt werden, dass es in den späteren Tagen nur geringe oder gar keine Spur seines Daseins zeigt. Hat der Dichter dagegen an eine andere Art der Krankheit gedacht, so begegnen wir der Unrichtigkeit, dass Kammerherr Alving, der stets seine wilden Ausschweifungen fortsetzt, nach Oswalds Geburt Vater eines in physischer Hinsicht kerngesunden Wesens wie Regina geworden ist, weshalb uns eine solche Deutung, wie die, dass der Vater trotz alledem gesund gewesen ist, dass aber der Unterschied zwischen den Kindern von den Müttern bedingt ist, aufgenötigt wird. Hiernach müsste Oswalds Krankheit eine Erbschaft nach Frau Alving, seiner Mutter, sein. Wie man auch dieses Drama betrachten mag, so tritt seine natürliche Unmöglichkeit klar hervor, und welche ausgezeichneten Wahrheiten es auch auf andere Weise einschärft, gehört es weit mehr der Welt der Phantasie als der der Wirklichkeit an, ein Umstand, der seine Lehrsätze an Kraft verlieren lässt, die sie besessen haben würden, wenn die Handlung auf dem Boden der Erfahrung erbaut wäre. In „Ein Volksfeind“ hat Ibsen dagegen befriedigt und mustergiltig die Entdeckungen der Gegenwart über Bakterien als Krankheitsursachen verwendet.

(Schluss folgt.)

Berlin. Emil Jonas.

Georgische Volkslieder.

Uebersetzt von Arthur Leist.

I.

Er war weit in der Fern'
Nicht mein Freund, noch Gemahl,
Wie im Dunkel ein Stern
War's mein Liebster zumal.

In der Ferne so weit
Wie ein lieblicher Schein
Paradiesischer Zeit
War der Teuerste mein.

Er war schön und voll Mut,
Er war schlank von Gestalt,
Und von Liebe und Glut
War das Herz ihm durchwallt.

Wenn der Abendwind bang
Wie ermüdet entschlief
Und die Nachtigall sang
Schon im Rosenhain tief,

Wenn der Mond seinen Schein
Auf die Erde ergoss,
Und herab vom Gestein
Still der Wasserfall floss,

Ach, da kam er zu mir
Stets zu Ross schön und hehr.
Wie ein Himmlischer schier
Hold und lieblich war er.

Er beschenkte mich reich
Nicht mit blinkendem Gut,
Nein er gab mir sogleich
Einen Kuss voller Glut.

Ja, er brachte mir mit
Weder Perlen noch Erz,
Nein, er brachte mir mit
Nur sein liebendes Herz.

Und er zog mich zu sich
An die glühende Brust,
Und dann küsste er mich,
Ach, mit Lust, ach, mit Lust!

Vom Pariser Theater.

Shakespeare kommt hierzulande immer mehr in die Mode. Nachdem Macbeth kürzlich im Odéon gespielt wurde, erschien vor wenigen Tagen der Sommernachtstraum auf derselben Bühne, und ferner soll im Laufe des Jahres Hamlet im Théâtre français, in der Bearbeitung von A. Dumas und P. Meurice, über die Bretter steigen. Kaum aber hatte die unternehmende, gerade eine neue Reise nach Amerika vorbereitende Sarah Bernhardt letzteres vernommen, als sie sich erst noch in der Rolle der Ophelia zeigen wollte. Da musste denn schnell die Bearbeitung des Hamlet durch Cressonnois und Samson, an der Porte St. Martin in Szene gesetzt werden. Die Vorstellungen begannen am 27. Februar, wurden aber nach weniger als vier Wochen wieder eingestellt, gute vierzehn Tage vor Sarahs Abreise. Um die Lücke zu büßen, wurde nun ihr Leibstück, Fédora, eingesetzt, aber vor einigen Tagen vertrat sich die Künstlerin bei der letzten Hauptprobe den Fuß, so dass das genannte Stück erst heute (29. März) an jener großen Bühne zum Vorschein kommt. Das mit dem Hamlet erzielte Resultat war kläglich gewesen. Erstens hatte der Direktor ohne jeden Grund die Schauspieler in mittelalterliches Kostüm gekleidet. Ferner bildet die erwähnte Bearbeitung nur eine Art von Auszug aus dem Shakespeareschen Stück, und Hamlet der Grübler und Zweifler kommt darin keineswegs zur Geltung. Endlich ist Sarah für die jugendliche Naivetät einer Ophelia doch zu alt, zu bässlich und zu mager. Weder ihre wundervolle Diktion noch die ausdrucksvollen Geberden können da helfen. Wenn man das lange hagere Gesicht unter der flachsblonden Perücke und den spindeldürren Arm erblickte, dann verging die Illusion. Außerdem machte sie den Verstoß, das an sich schon sehr wunderliche Phantasiekostüm, welches sie zu Hause trug, auch bei den Feierlichkeiten am Hofe anzubehalten. Dass Claudius wie der König in Sängers Fluch und nicht wie ein „lächelnder Schurke" aussieht, dass Polonius zum bloßen Hanswursten, obwohl Minister, gemacht wird, dass der Geist in der Szene mit der Königin in voller Rüstung statt im Hauskleid erscheint — daran ist man leider schon von Deutschland her gewöhnt. Alles in allem genommen, ist hier ein Misserfolg zu verzeichnen.

Um so besser geht es im Théâtre français mit: Un Parisien von Gondinet. An diesem Lustspiel haben sich nun die gelehrten Herrn Kritiker einmal „garstig verhauen". Sie meinten, dasselbe tauge nicht viel und werde sich nicht lange auf der Bühne halten. Warum? Erstens ist Gondinet ein allzuscharfer Satiriker und hat namentlich den Lieblingsfehler der Franzosen, die Eitelkeit und die Eigenliebe, allzusehr aufs Korn genommen. Dies bemerkte man schon bei seinem besten Stück, le Panache, wo Jedermann, vom Ersten bis zum Letzten, seinen Federbusch haben will, um sich vor dem Nachbarn auszuzeichnen. Dafür sollte der Dichter nun auf die Finger kriegen, und man machte bemerklich, Gondinets sogenannter Pariser, der niemals von seinem Boulevard des Italiens wegkommt, sei eigentlich gar kein rechter Pariser Typus. Aber der Verfasser giebt denselben ja auch nicht für einen Gattungsbegriff aus, sondern stellt nur eine Individualität vor, welche als solche die beträchtlichste Lebensfähigkeit besitzt. Freilich gleicht sein Held nicht jenen Parisern, welche überall her sind, nur nicht aus Paris sondern z. B. aus Köln, wie ein gewisser A. Wolf, und sich doch gern mit dem Sammelnamen: tout Paris bezeichnen. Aber das hat mit der komischen Wirkung des Stückes nichts zu schaffen, und letztere ist umso größer, als sie nirgends in tragische Motive umschlägt, wie es gegenwärtig Mode ist. Was braucht uns „der Menschheit ganzer Jammer" anzufassen, wenn wir nur lachen wollen? und gelacht wird herzlich von einem Ende bis zum andern. Zweitens ist da noch ein besonderes Häkchen. In dem Stück kommt nämlich ein sehr nettes Mädchen vor, welches seine Erziehung in einem der neuerrichteten Lycées de jeunes filles erhalten hat und den Mund nicht aufthut, ohne ihre historischen, geographischen, astronomischen, physikalischen, chemischen und sonstigen Kenntnisse zu zeigen. Statt sich zu sagen, dass dieses Wunderkind mit der Zeit schon auf andere Gedanken kommen wird, hat Herr Sarcey, der ehemalige Oberlehrer, die Sache tragisch genommen und Un Parisien für misslungen erklärt. Leider giebt der Erfolg dem gelehrten Pedanten unrecht, der Pariser ist in Molières Haus schon einheimisch geworden und scheint es bleiben zu wollen.

Mit der schönen Jahreszeit steigt die Romanflut, besonders bei dem äußerst tätigen Ollendorf. Zunächst bringt derselbe, nach der Revue des deux Mondes: les Dames de Croix-Mort, von Ohnet und nach dem Figaro: Mademoiselle de Bressier, von Delpit. Das sind nun zwei Geschichten im guten alten Stil, in denen eine spannende Begebenheit ohne überflüssige Zutaten von Anfang bis zu Ende geführt wird. In der ersten sieht sich eine Unschuld vom Lande gezwungen den Nachstellungen ihres Stiefvaters dadurch zu entgehn, dass sie ihn todtschießt. Von den Gerichten wird sie freigesprochen, wie dies in letzter Zeit bei viel schlimmeren, von schöner Hand verübten Untaten öfters vorgekommen ist. In Mademoiselle De Bressier erhalten wir recht anschauliche Bilder aus dem Kampf der Commune de Paris gegen die Regierung in Versailles, im Frühjahr 1870, wobei die beiderseitige Berechtigung unparteiisch gewahrt wird. Die sonstige Handlung ist zum Teil schleppend, zum Teil unwahrscheinlich. Delpit hat, als geborner Kreole, einen störenden Ueberfluss von Phantasie; doch ist das keine unheilbare Krankheit. Le Diable à quatre, von M. M. Vast-Ricouard zeichnet sich durch ungemein viel weißes Papier mit wenig oder nichts dazwischen aus. Zwei junge Ehepaare machen als solche gemeinschaftliche Sache, weil sie eben sonst nichts zu thun haben. Donner, Blitz und Seesturm helfen dabei etwas nach, um die Moral zu retten, aber

Man merkt die Absicht und man ist verstimmt.

Bébé Million von Maizeroy ist eigentlich nur die erste und längste Nummer einer Novellen- und Skizzensammlung, welche schon in den großen täglichen Unterhaltungsblättern erschienen waren. Maizeroy ist der pessimistische Naturalist wie er im Buch steht. Abklatsch der Wirklichkeit! das ist sein Grundsatz, und zwar vorzugsweise einer hässlichen, verzweiflungsvollen Wirklichkeit, deren Anblick dem Leser Lust macht, zwischen Licht und Dunkel auf den Speicher zu wanken und sich an einem Waschkloben aufzuknüpfen. Warum der Verfasser dies nicht selbst thut, statt seinen Mitmenschen so unangenehme Dinge vorzutragen, das bleibt unerklärt. Dabei ist Herr Maizeroy ein Neologist wie Bayard ein Ritter war. Nur einige Beispiele: les roseurs fraîches de son teint; une enseigne prometteuse; infrangible; traînailler; tintinnabuler; dormasser; embué de sommeil; strider; passionnettes; un amour trop passionnel; gâtisme; s'affaler; gouailleusement; l'opinion raillarde; s'accoter; désenlacer; assoiffé; ivoirine; éberlué; clownesse u. s. w. Wenn Herr Maizeroy statt Bébé Million gesagt hätte: Un Million de Néologismes, so wäre er damit der Wahrheit seines Gegenstandes näher gekommen.

Caen. Alex. Büchner.

Leopold von Ranke.

Jahraus jahrein erfreut uns der Nestor der deutschen Geschichtschreibung seit nun fünf Jahren zu seinem Geburtstage mit einem neuen Bande seiner Weltgeschichte. Rüstig im Schaffen, wie ein Jüngling, hat der Greis in einem Alter, in welchem andere Sterbliche längst ihr otium cum dignitate genießen, erst eine neue Periode der Arbeit begonnen, eine Periode, in der er alle die prächtigen Bausteine und Ornamente, welche er in einer langen Reihe klassischer Werke unserer Geschichtschreibung geliefert, zu einem monumentalen Gebäude zu vereinigen strebte. Und noch Eins tritt hinzu. Man hatte den Meister bewundert als den feinen Kenner der politischen Entwicklung neuerer Zeiten. Mit einer „Kritik neuerer Geschichtschreiber“ hatte er sich als Gymnasiallehrer zu Frankfurt an der Oder seine ersten Sporen verdient. Dann hatte er dem deutschen Volke die Reformationsgeschichte in glänzender Darstellung vor Augen geführt, England und Frankreich durchwandert, Spanier und Osmanen lässt er vorüberschreiten. Das Papsttum erfährt durch ihn eine ganz neue Würdigung. Zuletzt lernen wir durch ihn das Werden und Wachsen des preußischen Staats von ganz eigenartigen Gesichtspunkten kennen. Nur flüchtig hatte Ranke in der ganzen Zeit seines Schaffens einen Blick in die mittelalterliche Entwicklung geworfen, nur einleitend die Darstellungen seiner größeren Werke hatte er geistvolle Aperçus über frühere Jahrhunderte mehr hingeworfen. Seine Auffassung des Altertums war jedoch noch gar nicht enthüllt worden. Wie konnte man ahnen, dass der Mann, der Jahrzehnte lang nur in der neueren Geschichte rastlos tätig ist, Zeit und Muße gewonnen, mit derselben unvergleichlichen Originalität und Objektivität die Antike zu betrachten. Selten ist ein Werk mit größerer Spannung erwartet worden, als die ersten Bände von Rankes Weltgeschichte. Dieselbe Frische der Darstellung, dieselbe Unabhängigkeit der Auffassung! Ueberall geht er den Quellen nach, überall bildet er sich seine eigene Anschauung von den Dingen. Er bleibt dem Programm getreu, das er in der Einleitung vor uns entwickelt. Nur quellenmäßig erforschte Geschichte kann als Geschichte gelten; aus falschen Prämissen ergeben sich falsche Konklusionen. Nachdem Ranke im ersten Bande „die älteste historische Völkergruppe und die Griechen“ behandelt hat, wendet er sich im zweiten Bande „zur römischen Republik und ihrer Weltherrschaft“, während die Darstellung des „altrömischen Kaisertums“ den Inhalt des dritten Bandes bildet. Jeder dieser drei Bände zerfällt eigentlich wiederum in zwei stattliche Halbbände. Den letzten derselben füllt ausschließlich das reiche kritische Material, das uns den Altmeister auch auf dem ihm bisher fernen Felde der alten Geschichte in voller Unabhängigkeit sehen lässt. Wir erhalten dabei interessante Blicke in die Werkstätte des Alten, wir treffen ihn bei der handwerksmäßigen Arbeit, die Spreu vom Weizen zu sondern, sein Material kritisch zu sichten. Wie leicht vollzieht sich diese Ausrodung unter seinen Händen. Er sagt einmal, er möchte den Unterschied der kritischen Forschung in der neuern und der ältern Geschichte darin sehen, dass es bei jener darauf ankommt, „das Unechte zu beseitigen, bei dieser aber darauf, das Echte herauszuheben und es aus dem zuweilen verschütteten Schacht an das Licht zu bringen.“ Kein Zweifel, wo die größere Schwierigkeit liegt. Wagt sich der Historiker doch sogar an das durch Pietät geheiligte und von den Theologen als ihre Domäne betrachtete Gebiet der alttestamentlichen Litteratur. Wir glauben mit ihm die Bücher der Könige aus der alexandrinischen Uebersetzung ergänzen zu können. Wie vorsichtig hält er die Hand fern von Allem, was dem Glauben und Mythus, nicht der Kritik und Geschichte angehört. So gestalten sich seine Untersuchungen über Josephus, Diodor und Dionys, Polybius und Appian, Vellejus und Tacitus zu einer festen Grundlage für seine Darstellung.

Die drei folgenden Bände sind dem Mittelalter gewidmet, und da der letzte erst mit Otto dem Großen abbricht, so werden wohl noch ebensoviel notwendig sein, um diese Periode abzuschließen. Der vierte und fünfte Band führen uns drei große weltgeschichtliche Bewegungen vor Augen, der eine „den Ursprung romanisch-germanischer Königreiche“, der andere „die arabische Weltherrschaft und das Reich Karls des Großen“. Den Zerfall seines Reichs, „die Zersetzung des karolingischen, die Begründung des deutschen

Reichs" zeigt uns der jetzt vorliegende sechste Band der Weltgeschichte. Er zerfällt, wie jeder seiner Vorgänger, in zwei Halbbände, deren einer die Zeit der ersten Nachfolger Karls des Großen, beider Ludwig, Lothars I., der beiden Karl und Arnulfs behandelt, während in dem zweiten die letzten Karolinger und die Erhebung des sächsischen Hauses besprochen werden. Mit Otto dem Großen endet dieser Band der Weltgeschichte. Ranke liebt es beim Beginn großer Epochen wie von einer historischen Warte aus einen Blick auf die vor ihm liegende Welt zu werfen und die Summe der politischen Entwicklung uns gewissermaßen in nuce vorzuführen. Nicht sowohl die verschiedenen Nationalitäten, sagt er, beherrschen den Gang der Geschichte des neunten Jahrhunderts, als die einander entgegengesetzten religiös-politischen Bildungen des Islams und des Christentums. Beide haben zwar gemeinsam Ursprung, Charakter der Gottesverehrung, beide einen gemeinsamen Feind, aber das Christentum knüpft an den Ueberlieferungen der alten Welt an, es bewahrt seine historische Natur, der Islam stellt seine Lehre als unmittelbare Offenbarung hin. Er breitet sich mit reißender Schnelle aus über die Küsten des Mittelmeeres, aber er identifizirt sich nicht mit den Völkern, die er unterwirft. Hierin liegt der große Unterschied beider Religionen. Der Islam kennt eine bedingte Toleranz des Bekenntnisses, er zwingt die Unterworfenen nicht zum Uebertritt, er zeitigt dadurch einen Dualismus des öffentlichen Lebens, der wiederum ein zwiefaches bürgerliches Leben zur Folge hat.

Ganz anders das Christentum. Die christliche Kirche duldet keine wesentlichen Abweichungen in ihrem Gebiete. Freilich tritt auch hier nach Bezwingung des Naturglaubens und der Verschmelzung seiner Reste mit den neuen Anschauungen eine Krisis für die höchste Gewalt ein. Noch heute nicht überwundene Verluste bringen die Kirche der Gefahr nahe, auch aus dem Abendlande zu weichen. Da tritt in der Zeit der höchsten Gefahr ein auf christlicher Grundlage errichtetes Staatswesen in die Bresche. Das karolingische Reich gründet sich auf die Idee der durch die Religion gebildeten Einheit der germanischen und romanischen Völker der abendländischen Christenheit.

Aber zwischen diese Vereinigung und den islamitischen Völkerbund schiebt sich das byzantinische Reich, das, unmittelbar aus dem alten römischen Kaiserreich hervorgegangen, dessen Ideen und Ansprüche behauptete, die Unabhängigkeit des Abendlandes niemals anerkannte, ja offen nach der Vernichtung der hier vorgenommenen Aenderungen innerhalb der Kirche strebte. Der Uneinigkeit innerhalb der christlichen Kirche steht der Islam keineswegs geeinigt gegenüber. Aber die Zwietracht hat hier keinen tiefergehenden, prinzipiellen Ursprung; es ist der Antagonismus der verschiedenen Geschlechter, welche genealogisch oder religiös sich zur Herrschaft berufen fühlen. Durch eine tiefe, unüberbrückbare Kluft getrennt, stehen die beiden Richtungen der christlichen Kirche, sie waren der geschichtlichen Entwicklung entsprungen.

Kein allgemeiner Krieg führt Islam und Christentum zusammen, aber ebensowenig herrscht allgemeiner Friede. Unablässig beunruhigen Feindseligkeiten das Mittelmeer, Konstantinopel, das Abendland.

Im Großen und Ganzen geht jetzt jede Religionsgenossenschaft ihren eigenen Weg zur Bekehrung der Heiden. Der Islam wirft sich auf Indien, Tataren und Türken, das Christentum auf die slavisch-finnischen Stämme und die noch heidnischen Germanen. Von religiösen Ideen getragen, entwickelt doch dieses Völkerleben wissenschaftliche, gewerbliche und künstlerische Anregungen, die bei den Arabern zwar rascher zur Wirkung und Blüte gelangen, aber doch nur die Teilnahme der herrschenden Klasse finden. Auch ist die Kirche volkstümlicher bei der Christenheit, weil die verschiedensten Völker bei ihr Platz finden, und ihr innerer Ausbau verschafft ihr große Erfolge. Ohne die Kirche ließe sich Karl der Große nicht denken, weder sein Kaisertum noch sein Reich überhaupt.

Aber diese gegenseitige Bedingung und Durchdringung barg doch auch die Keime eines altüberkommenen Gegensatzes zwischen weltlicher und geistlicher Gewalt, er ward das eigenste Charakteristikum der abendländischen Entwicklung, ohne dass er eine notwendige gemeinsame Aktion verhinderte. Sie rief auch zuerst die Feindseligkeit der nordgermanischen Nationen hervor, mit denen das neue Reich zu kämpfen hatte.

Mit dieser geistvollen Beleuchtung der herrschenden Gewalten des neunten Jahrhunderts verschafft sich Ranke den Uebergang zur Schilderung des neuen Elements, das jetzt in die Weltgeschichte eingreift, der Normannen. Es ist nicht ohne Interesse zu bemerken, dass der Historiker in der Auseinandersetzung über die nordische Sage darauf hinweist, dass nach den Untersuchungen nordischer Forscher (Bang und Bugge) die nordgermanische Sage aus den sibyllinischen Orakeln geflossen sei, „einer Nachbildung jenes seltsamen Gemisches alter Sprüche und philosophischer Ideen mit dem alexandrinischen Judentum", und wenn Ranke auch damit noch nicht die substantielle Originalität der Vorstellungen, die in den ältesten religiösen Denkmalen des Nordens hervortreten, so dunkel und einsilbig dieselben auch sind, in Abrede stellen will, so wird doch nach seiner Meinung „Niemand einen solchen (semitischen) Einfluss von vornherein leugnen: denn mystische und selbst religiöse Ueberlieferungen dringen auf Wegen vor, die sich nicht immer nachweisen lassen." Wir sehen, dass der Meister auch die Jünger zu Rate zieht, wo er seiner bedarf. Nichts irgendwie Bedeutendes entgeht seiner Betrachtung, in jedem Aufsatz findet er etwas, was er unter dem Gesichtspunkte weltgeschichtlicher Auffassung zu verwerten im Stande ist. Er geht ebenso gern den Pfaden eines Fachmannes nach in den „Westermannschen illustrirten deutschen Monatsheften" wie in den ihm naheliegenden gelehrten Zeitschriften. Man staunt, welche Fülle von ziemlich entlegenem Material der Greis geistig durchdacht hat.

Auch untergeordnete Dinge finden sein Interesse. Er hatte schon früher einmal in seiner „Genesis des preußischen Staates" gelegentlich der Charakterisirung Albrechts Achilles auf die Ungeschicktheit früherer Jahrhunderte verwiesen, den Fürsten nicht immer recht passende Beinamen zu geben. Dieser echt deutsche Fürst mit seiner deutschen Treue war kein Achilles. So erneuert er hier seine Mahnung bei den Karolingern. Der Fromme, der Kahle, der Dicke, was haben diese nicht sehr geschmackvollen Epitheta für eine andere Berechtigung, als eine durch langen Gebrauch geheiligte Macht der Gewohnheit. Historische Bedeutung haben sie ganz und gar nicht. Sie würden besser ganz vermieden werden, meint Ranke, — wenn dies nur möglich wäre.

Auch die kleinste Inkorrektheit entgeht seinem Auge nicht. Er findet, dass die Angaben über den Todestag des Papstes Leo III. widerspruchsvoller Natur sind. So wird selbst der Spezialforscher in einer Weltgeschichte Bereicherung für seine Studien erhalten. Großartigkeit der Gesichtspunkte, gepaart mit minutiösester Quellenforschung, das ist die strenge Anforderung, die der Meister vor Allem an sich stellt, das ist die Signatur Rankescher Geschichtschreibung auch in der Weltgeschichte. Freilich ein Nachschlagebuch ist unser Ranke nicht, die Becker und Schlosser will Ranke nicht zu Lückenbüßern in Antiquariatskatalogen degradiren. Ranke will studirt, nicht gelesen sein.

Frankfurt a. M. Louis Neustadt.

1885er Lyrik.

Von Gerhardt von Amyntor.

(Schluss.)

Eine ganz andere, ermunternde und erfrischende Luft weht uns aus Heinrich von Rederns „Federzeichnungen aus Wald und Hochland" (Heinrichs, München-Leipzig) entgegen. Hut ab vor dieser neuen Flagge! Sämmtliche Gedichte des liebenswürdigen Büchleins haben nur drei Strophen, und jede Strophe vier Verse. Das Auge will sich im Anfange ein wenig beklommen fühlen; man fürchtet eine gewisse Monotonie; bald aber gewahrt man zur höchsten Freude, dass sich der Dichter durch diese knappe Form eine außerordentlich wirksame Fessel angelegt hat, die ihn überall zum Verdichten zwang. Wie Kürze des Witzes Seele ist, so ist sie auch die Seele der Rederuschen Poesie. Der Wald wird uns in allen vier Jahreszeiten gemalt; das Hochland ersteht vor uns „in der Sonne", im „Schlagschatten", in „Streiflichtern" und im „Helldunkel", und mit der skizzenartigen genialen Naturmalerei ist innigste Naturbetrachtung gepaart, die auch das Interessanteste der Natur, den Menschen, in ihre Kreise zieht. Das Herz des Dichters glüht von der uralt germanischen Liebe zum Walde; der Wald ist die Heimat seiner eigensten Gedanken. Das sind nicht bloße Federzeichnungen, es sind plastische Bilder; es ist echte Lyrik. Vieles kann der Dichter nicht ausmalen im Banne seiner engen Form; aber er deutet es wenigstens an und so stachelt er des Lesers nachschaffende Phantasie auf und eröffnet uns weite und geheimnissvolle Perspektiven aus dem Endlichen ins Unendliche. Wir empfehlen das reizende und hochbedeutende Buch Jedermann, der für Lyrik empfänglich ist, auch dem Texte suchenden Liederkomponisten; der Name Heinrich von Redern wird bald in allen deutschen Gauen bekannt sein.

Auch Reinhold Fuchs hat sich mit einem Bande „Gedichte" (P. Heinze, Dresden) vorteilhaft eingeführt. Wir glauben in dem Träger dieses für uns ebenfalls neuen Namens einen noch jungen Mann zu erkennen; trifft dies zu, so ist seine reine Form, seine edle klare Vortragsweise und deren musikalischer Wohllaut um so bedeutender für seine dichterische Zukunft. Eine männliche Gesinnung, ein ernstes Streben, eine warme Begeisterung für das Wahre und Schöne spricht aus seinen Gesängen, denen wir im Großen und Ganzen gern das Prädikat „gelungen" zuerkennen. Ein freundliches Geschick hat den Sänger schon frühzeitig ein gutes Stück Welt sehen lassen, und von den schönsten Zielen seiner Reisen hat er Lieder und Erinnerungen mit beim gebracht. „Heimatlos", eine Hallig-Erzählung, giebt uns den Beweis auch seiner tüchtigen epischen Begabung; hoffen wir, dass ihn diese Begabung zu größeren epischen Schöpfungen antreiben wird, die ihm nicht minder gelingen mögen als seine mustergiltige Hallig-Erzählung.

Nur der Vollständigkeit wegen erwähnen wir die „Irrlichter, Lieder von E. Grosse" (Jena, Große, 1885), denen wir beim besten Willen nichts Anderes nachzusagen wissen, als dass wir sie nicht ernsthaft nehmen können, dass sie aber auch für eine jokose Lyrik zu flach und geschmacklos sind.

Um so herzerquickender mutete uns die gehaltvolle, schwerwiegende Gabe Gustav Legerlotzs an: „Aus guten Stunden, Dichtungen und Nachdichtungen", (Salzwedel, Klingenstein, 1886). Wer so nachdichtet, so umdichtet, wer unsere Sprache so meisterhaft beherrscht, dass sie wie ein edles Vollblutpferd auch dem leisesten Schenkeldruck der nach Gestaltung ringenden Phantasie gehorcht und willig jede schwierige Wendung, jeden wagekühnen Sprung, im Dienste des Reitkünstlers bewältigt, der ist selbst ein zaubergewaltiger Dichter, der Kopien in Originale verwandelt. Von diesen bewundernswerten, auf der Goldwage feinster Sprachempfindung abgewogenen und mit dem Diamantmeißel aufs allergewissenhafteste ausgefeilten Nachdichtungen vermochten wir nur die aus dem Griechischen, Lateinischen, Französischen und Englischen auf ihre Originale zu prüfen; die wenigen Proben aus dem Ungarischen nahmen wir auf Treue und Glauben hin. Die Krone scheinen uns die Verdeutschungen Burns und Bérangers zu verdienen; „Jungfer Bess", „Die Liebste über Alles", „das Haidenröslein", „Die Dirne von Ballochmile", „Der König von Yvetot" — wir nennen wahllos die ersten besten, denn fast alle Burnsschen und Bérangerschen Nachdichtungen sind gleichwertig — müssen als Kabinetsstücke einer virtuosen, staunenerregenden und uns entzückenden Uebersetzungskunst gepriesen werden. Und wie goldrein sind die Reime; wie frei von der letzten Spur einer Gussnaht ist die Form; wie köstlich-treffsicher ist die Mischung des Hochdeutschen mit oberdeutschen Mundarten, um den ganzen echten englisch-schottischen Dialekt des Bauernsohnes und Götterlieblings Robert Burns für unser Ohr und Gefühl wiederzugeben! Und nun vergleiche man einmal den „König von Yvetot" mit seinem Original: das ist keine Uebersetzung Bérangers, das ist vielmehr ein Sichhineinleben in die tiefsten Herzkammern des französischen Sängers und ein Wiedergebären seiner innersten Gedanken aus dem Mutterschoße der deutschen Sprache. Wie keck und scharf und spitz sind die originellen Schlagreime der letzten Verspaare der Bérangerschen Strophen nachgedichtet! Man möchte dem Künstler um den Hals fallen! Aus dem „Eigenen" des Dichters wollen wir nur den „Landsknecht" herausheben: das ist eine so kernige, derbe, trutzigverwegene Sprache, ein so echt mittelalterliches „Argot", wie es uns noch keiner der modernen Salonspielleute und geschminkten Vaganten vorgesungen hat. Ehre und Preis dem hochverdienten Dichter Legerlotz! seine Gabe wird ihn lange überdauern und ihm ein Denkmal sein aere perennius.

„Aus dem Capua der Geister" von Chillonius (München, Kallway, 1886) können wir nicht als eine Bereicherung unserer Lyrik schätzen. Spricht auch besonders aus den Abschnitten „Wasserringe" und „Miscellen" ein warmer Sinn für das Rechte und Gute, so sind doch die vielfach zerflossene Form und manche recht unbeholfene, ja triviale Wendungen nicht geeignet, uns zu einwandsfreier Anerkennung zu bewegen.

Ernst Harmening quält uns in seinem „Erde und Eden" (Jena, Mauke) erst mit den alten abgenutzten Ergüssen von Liebeslust und Liebesleid, denen jede Originalität fehlt, um uns dann plötzlich in dem Abschnitt „Freundschaft und Liebe" mit einigen formensichern und empfindungsreichen Sonetten angenehm zu überraschen. Auch der Abschnitt „Effendi" ist nicht ohne Reiz; nur wird der Witz oft ein wenig matt gehetzt.

Die „Gedichte" von Hermann Friedrichs (W. Friedrich, Leipzig) sind die prächtige Gabe eines Vertreters unserer jüngeren, neue Bahnen eröffnenden Dichtergeneration, die, wie der feurig-sprühende Karl Bleibtreu, der allerfeinste Gestalten ciselirende Wilhelm Walloth, alles Weichliche, Verschwommene, Sentimentale in die Rumpelkammer wirft und zimperlicher Scheinzüchtigkeit zum Trotz, ein Bild der wirklichen Welt im verklärenden Spiegel der Dichtkunst aufzufangen bestrebt ist. Hermann Friedrichs erweist sich als ganzer Dichter, voll von strotzender Kraft und einem Feuer, das nicht nur blendet, sondern auch wohltuend erwärmt. Die Gedichte gliedern sich in die Abschnitte „Oktavia", „Erloschene Sterne" und „Gestalt und Empfindung". Oktavia führt uns in zwölf Balladen in das alte Rom mit seinen Ungeheuern von Lasterhaftigkeit und seinen Becken, in denen noch echte Römertugend lebte; es sind eherne Gestalten, die uns der sichere Griffel des Dichters herausmeißelt; von starkem Empfinden und einer ungewöhnlichen Sprachgewalt zeugt die durchaus vornehme Dichtung. Das jähe Erlöschen anderer historischer Gestirne, von dem der zweite Abschnitt handelt, gab diesem seine Ueberschrift. Auch der dritte Abschnitt fesselt uns schon vom ersten Verse an und lässt unser Interesse nicht mehr los; es ist, als ob wir in ein Museum plastischer Gestalten träten. Ueberall verkörpert Friedrichs seine Empfindungen zu anschaulichen Gebilden, so in dem herrlichen „Zigeunermädchen", im schaurigpackenden „Gemsenjäger", in der tragischen Novellette „Vereinigt", in dem düstern „Letzten Lebenszeichen". Gedankentief und durch ihren Realismus ergreifend sind Dichtungen wie der „Galeerensträfling", „Die Leidenschaft", „Der Monolog eines Vereinsamten"! Friedrichs versteht wie Wenige die Kunst, niemals langweilig zu sein, und er erspart uns das abgenutzte Liebesgejammer, das wohl jeder Lyriker in seinen Schülerjahren verbricht und das uns leider von den meisten Goldschnittsängern nicht erlassen wird; er bekundet den vollen Beruf zum Dichter in jeder seiner formvollendeten, wohllautreichen und physiognomie-begabten Strophen.

Ein hohes Verdienst hat sich Konrad Telmann durch die Herausgabe der „Auserwählten Gedichte von Ludwig Giesebrecht" (Stettin, Saunier, 1885) erworben. Wie in einen Gesundbrunnen tauchen wir in den Born dieser Lieder. Höchste Klarheit des Gedankens, edler maßvoller Vortrag bei innerem heiligem Feuer, vornehme Form und in jedem Verse der Schlag eines goldenen Mannesherzens — das ist die Charakteristik der Giesebrechtschen Dichtungen. Eine urgesunde erquickende Atmosphäre, wie Hochgebirgsluft, weht uns aus dieser reichen, 20 Druckbogen starken Sammlung entgegen, die uns ein ganzes, langes, gesegnetes Menschenleben erzählt, das bis in die neueste Zeit bis in die Tage unserer letzten gewaltigen Siege, jedes Ereigniss auf dem Forum und im engumfriedeten Hause in lieblichen, rührend-einfachen und um so ergreifenderen Weisen verewigt hat. Zuletzt stehen wir mit dem einsam gewordenen Alten an der Bahre seines geliebten Weibes, und wir vergießen mit dem gefasst und würdevoll klagenden Manne gemeinsame Tränen. Es ist ein anheimelndes, liebenswertes, echt deutsches Liederbuch, das da Konrad Telmann durch Sichtung und neue Drucklegung vor unverdienter Vergessenheit bewahrt hat, und für diese Tat verdienstlicher Pietät drücken wir ihm dankerfüllt die Hand. Eltern, die ihren Kindern ein gediegenes, bildendes, veredelndes Gedichtbuch schenken wollen, sollten diese Giesebrechtschen Dichtungen wählen; sie werden wie ein befruchtender Himmelstau in die Kinderseelen fallen.

Die „Gedichte von Nordryk“ (Kommissions-Verlag von Metzler, Stuttgart, 1885) verdienen freundliche Beachtung. Sie bewegen sich in eigenen Gleisen und enthalten manches Ansprechende; eine noch strengere Sichtung würde den Wert des Ganzen erhöht haben. Sehr gewandt ist die Form der antiken Ode und des Distichons behandelt: einige wenige Verstöße gegen die Prosodie ließen sich leicht beseitigen.

Sehr angenehm berührten uns die Dichtungen eines Kurländers: „Am Strome der Zeit“ von Jeannot Emil von Grotthuß (Kymmel, Riga, 1886). Es ist immer erfreulich, wenn sich an den äußersten Grenzen deutscher Kulturwelt noch deutsche Dichterstimmen vernehmen lassen, und wir dürfen das Gouvernement Kowno, in welchem v. Grotthuß lebt, doch in kultureller Hinsicht als deutschen Boden bezeichnen. Eine geistvolle Prosa-Einleitung vermittelt uns die Bekanntschaft mit dem Autor, der sich als ein Mann ausweist, der nicht leichtlebig drauf los dichtet, vielmehr tief gedacht und gerungen hat und vom Pessimismus unserer Zeit nicht unberührt geblieben ist. Was wir zu Lorms Dichtungen äußerten, können wir auch hier nur wiederholen: im Widerstreit mit manchen neuern Kritikern erkennen wir auch dem Pessimismuss die volle Berechtigung zum lyrischen Ausdrucke zu, wie wir ja auch eine „satanische“ Lyrik in den Kategorien dieser Poesiegattung unbedenklich unterzubringen zu haben. Die Tonart, in der ein Sänger singt, entscheidet gar nichts; die Einheit der Stimmung ist das Geheimniss der lyrischen Wirkung. Und diese Einheit der Stimmung gelingt dem Dichter in allen seinen Liedern. Wer könnte z. B. das herrliche Gedicht lesen: „Ich bin müde, lasst mich schlafen gehen!“, ohne den Zauberhauch echter Poesie zu empfinden? Wenn diese Dichtung mehr elegisch ausklingt, so stehen dem Sänger auch die Töne eines prächtigen, stolz-männlichen Trotzes zur Verfügung. Sehr gelungen sind „Düstre Stunden“, „Mein letztes Lied“, „Warum?“. Eine Art erhabener Bitterkeit spricht aus dem „Begräbniss“. Alle, die für ernste Dichtung noch Sinn haben, machen wir aber besonders auf „Ein Fragment aus dem Leben“ aufmerksam, in dem der Dichter tiefe Gedanken glücklich in greifbare Gestalten verwandelt und abstrakte Ideen in bewegte Handlung und warm pulsirendes Leben umsetzt. Auch Grotthuß ist ein Dichter von Beruf und er hat seine eigene, männlichschöne Physiognomie.

Erwähnung sei noch der Lieder von Paul Barsch: „Auf Straßen und Wegen“ getan; sie sind mit einem warmen Geleitwort Schmidt-Cabanis' und mit einer Biographie des Autors aus der Feder des Herausgebers, Karl v. Klarenthal, versehen. Wenn letzterer sich in dieser Biographie an die „ehrliche Kritik“ mit dem Verlangen wendet, sie möge den Gedichten „bei aller sachlichen Strenge ein herzliches Wohlwollen entgegenbringen“ und „in Betracht ziehen, wie schwer es Paul Barsch war, das zu werden, was er heute ist“ — (er hat sich nämlich vom armen Tischlerjungen und Wanderburschen zur Stellung eines Redakteurs emporgearbeitet) — so erkenne ich bereitwillig das gute Herz und die menschenfreundliche Gesinnung an, die aus diesem Wunsche spricht, meine aber, dass es gerade Sache einer „ehrlichen Kritik“ ist, unbestochen durch die persönlichen Schicksale eines Autors, die Erzeugnisse desselben rein auf ihren inneren Gehalt zu prüfen und sich bei solcher Prüfung durch keine wohlwollende Nebenabsicht beeinflussen zu lassen. Das „herzliche Wohlwollen“ darf immer nur die Folge der „sachlichen Strenge“, nicht eine Abschwächung derselben sein; diese Unparteilichkeit ist der Kritiker sich selbst, dem Publikum und dem zu kritisirenden Autor schuldig. Und so muss ich denn bei aller Sympathie für den tapferen Autodidakten, bei aller Bewunderung seines tüchtigen Strebens nach hohen Zielen, doch rückhaltlos mein Urteil dahin zusammenfassen, dass er mir gerade zum Lyriker nur geringe Begabung zu haben scheint. Seine Lieder entbehren durchaus der Eigenart; sind sie auch von einer gewissen Keuschheit der Empfindung und von einem nicht zu verkennenden Zuge nach dem Idealen beseelt, so erheben sie sich doch in keiner Zeile über das Niveau des Mittelgutes und überraschen uns nirgends durch einen neuen, individuell gefassten Gedanken. Wenn wir ihnen sonach kein besonders günstiges Prognostikon zu stellen vermögen, so legen wir doch das Büchlein mit herzlicher Anerkennung des Menschen, nicht des Lyrikers, Paul Barsch aus der Hand, und wir sind mit dem Herausgeber der frohen Zuversicht, dass, „wer so viel schon erreicht hat, auch noch mehr erreichen werde“, nämlich — und dies ist unser Zusatz — wahrscheinlich auf dem Gebiete der Prosadichtung.

Zum Schlusse wenden wir uns noch den „Reminiscenzen“, Gedichte von Godefroy zu (Leipzig, Barsdorf, 1886). Es sind 389 Gedichte, die uns der Verfasser meist ohne besondere Ueberschriften darbringt; ein Inhaltsverzeichniss giebt nur die Anfangszeilen der bunt durcheinander gewürfelten Lieder. Dem Kritker ist es nicht gerade erleichtert, sich in der üppigen Wirrnis dieser Fülle zu orientiren. So viel dürfen wir aber mit unverletzten Gewissen versichern: es ist Vieles in der Sammlung enthalten, das unsere Beachtung verdient und das auch für den Liederkomponisten ein willkommenes Objekt sein wird. Wenn sich Godefroy, dem das Rhythmische im Blute zu liegen scheint und dem sich alle möglichen Eindrücke wie von selbst in kleine Gedichte verwandeln, noch mehr Zwang hinsichtlich der Reinheit des Reimes auferlegt, so dass er namentlich die misslautende und oft wiederkehrende Paarung von „Liebe“ und „trübe“ vermeidet, und wenn er das Leichtere und Flachere noch strenger von dem Schwereren und Tieferen auszuscheiden sich entschließt, so dürfte er eines steigenden Anteils seines Auditoriums gewiss sein, denn — wie schon gesagt — seine Gabe ist im Allgemeinen recht viel versprechend, und Einzelnes ist wahrhaft dichterisch empfunden.

Ziehen wir ein Fazit aus den verschiedenen Anmerkungen, die wir zu dem lyrischen Ertrage des vergangenen Jahres gemacht haben, so finden wir die erfreuliche Tatsache, dass trotz der ablehnenden Haltung des großen, meist dem Unechten und Sensationellen nachjagenden Publikums gegen die Poesie par principe, gegen die Lyrik, dennoch ein voller Chor lyrischer Sänger in unserm Vaterlande fortzusingen nicht ermüdet. Dies ist ein segensreiches Zeichen für unsere Zukunft. Denn, wenn wir nicht irren, bereitet sich mehr und mehr ein Rückschlag in unsern Genüssen und Vergnügungen vor, der unser Volk, vielleicht durch soziale Katastrophen hindurch, zur Wiederbetätigung seines ästhetischen Gewissens bringen und ihm die Kraft und das Verlangen zurückgeben wird, sich wieder im Jungbrunnen der reinen Lyrik Herz und Seele gesund zu baden. Wenn die Tamtamschläge einer zum Teil auf den Hund gekommenen Possenbühne, die substanzlosen, nur auf öde Spannung oder gemeinen Sinnenkitzel spekulirenden Strickstrumpfromane die Menge vergeblich locken werden, wenn der Ernst der Zeiten das gedankenlose, rohe, nur brutal-schaulustige Hinzudrängen zu den Erzeugnissen der bildenden Künste oder den heuchlerischen, nur als Mode mitgemachten Musikentzückungs-Schwindel nicht mehr gestatten oder nicht mehr lohnen wird, dann wird es an dem Lyriker sein, als ein anderer Tyrtäus, durch seine Sänge das Volk zum Siege wider die Messenier des Humbugs, der Kunstbarbarei und der Litteraturversumpfung zu führen. Bis über die Ohren stecken wir im Unflat des Unechten und der Sünde wider den heiligen Geist des Schönen; der Tag von Damaskus wird unserem materialistisch verkommenden Geschlechte nicht ausbleiben; und wenn es wieder Licht vor seinen geistig verfinsterten Augen geworden sein wird, dann werden sich ihm auch wieder die Ohren erschließen für den Herzschlag aller Poesie, für die Lyrik.

Die Flut der Zeitschriften.

Und sie laufen! nass und nässer
Wird's im Saal und auf den Stufen.
Welch entsetzliches Gewässer!
Herr und Meister! Hör' mich rufen!
Herr, die Not ist groß,
Die ich rief, die Geister,
Werd' ich nun nicht los.
Immer neue Güsse
Bringt er schnell herein;
Ach! und hundert Flüsse
Stürzen auf mich ein.

Dieses Wort des Altmeisters Goethe mit seinem Wehe- und Notruf tritt unwillkürlich Demjenigen vor die Seele, der die Ueberfülle von Zeitschriften, Wochen- und Monatsjournalen unterhaltenden und belehrenden Inhalts überblickt, wie sie z. B. ein Journal-Lese-Zirkel an uns vorüberführt. Gewiss: wer Vieles bringt, wird Manchem Etwas bringen; indess wie Mancher bleibt doch auch an dem Vielerlei hangen, und anstatt des multum bleibt sein Wahlspruch und seine Lebensregel ein verwirrendes multa! Ja, ein wirres, buntes Durch- und Widereinander von allerlei Auffassungen, Meinungen, Notizen und Wissens-Brocken setzt sich im Kopfe und Gedächtniss fest, und dem Inhaber solchen Sammelsuriums

Wird dann von allem dem so dumm,
Als ging ihm ein Mühlrad im Kopfe herum.

Sicherlich ein rechtes, ihr eigentümliches Zeichen unserer Zeit ist das Uebermaß und die Ueberflutung mit Zeitschriften allerlei Gattung. Von allen Seiten gelangen an den Freund der Litteratur in Kreuzbandsendungen die Prospekte, Abonnementseinladungen und Probenummern, zum Anfang der Quartale oder Semester oft mehrere an einem und demselben Tage, und gar manche Neugründung tritt, mitunter in fast marktschreierischer Weise, mit dem kühnen Anspruch an die Leser heran: „Wir lassen alles bisher Dargebotene weit, weit hinter uns; was wir bieten: in Wort wie Bild, ist bis dahin sonst nirgends geleistet worden; reicht uns die Hand zu billigem Abonnement! Die paar Mark werden sich reichlich lohnen.“ Nach kurzer Frist wird dann mit so und so viel tausend oder zehntausend Abonnenten aufgewartet und eine notarielle oder steueramtliche Beglaubigung der Zahl in Aussicht gestellt.

Im Fettdruck marschiren die Schriftsteller- und „Mitarbeiter“namen auf, was sie wirklich bringen, sind nicht selten gar spärliche Brosamen, die von der Reichen Tische fallen. Gar mancher Beitrag selbst „berühmter“, vielbegehrter Namen dient doch ersichtlich nur dazu, dass Lücken ausgefüllt und Spalten vollgedruckt werden.

Ein bestimmter Plan in der Leitung und Ordnung des Ganzen lässt sich da nicht erkennen, wo vor Allem das: semper aliquid novi im Vordergrunde steht.

Hatte unter diesem Andrang des Neuen besonders der Städter zu leiden gehabt, so wird doch jetzt mehr und mehr auch der Landbewohner in Mitleidenschaft gezogen. Zu einer ganz besondern Landplage sind die herum vagirenden Bücherverkäufer und Vertreiber von Zeitschriften geworden, die schlechterdings ihre Waare an den Mann bringen möchten; und welche Waare und was für Schund wird auf diesem Wege mit in Umlauf gesetzt!

Es beruht auf mehrjähriger genauer Beobachtung, wenn wir die Behauptung aussprechen, dass durch diese Kanäle (herumziehende, Dorf für Dorf abstrafende Kommis) eine ganze Flut der nichtswürdigsten Litteratur mit dem Aushängeschild recht verlockender und reizender Romantitel an den gemeinen Mann gebracht wird, der in früheren Zeiten von dieser die Moral zum Teil sehr gefährdenden Lektüre, wenigstens in dem dermaligen Umfang, keine Ahnung hatte. Das eigentliche lukrative Geschäft wird in der Regel vermittelst der Lieferungs-Ausgaben von Büchern wie Zeitschriften gemacht. Es fehlt oft bei Denen, die ihr Schwarz auf Weiß — sonderlich auf dem Lande, aber auch in der Stadt — an den Mann bringen möchten, nur noch die Pistole des Wegelagerers mit einem unmissverständlichen:

Und bist du nicht willig, so brauch' ich Gewalt.

Wenn uns wieder einmal einer der neusten Prospekte mit allen seinen lockenden Aussichten und Versprechungen — beispielsweise nennen wir: Vom Fels zum Meer — zugegangen ist oder auch eine Probe-Nummer mit einem reich besetzten Präsentirtisch der mundgerechtesten Speisen in Wort wie Bild, so fällt uns mitunter ein, welch treffliche Stilübung wir vor etwas über dreißig Jahren in der Sekunda eines preußischen Gymnasiums unter der Leitung eines sehr ehrenwerten Ordinarius leisten mussten. Es war kein geringeres Thema, uns vorgelegt zur Entwicklung der in uns etwa latenten poetischen Anlagen, als dies: Apostrophe an einen ausgetretenen Fluss! Wer nun recht oft in seinem Aufsatze den Fluss seiner Einbildung oder Phantasie mit einer Wendung wie etwa der folgenden apostrophirt hatte: O du Fluss, der du dein gewohntes Bett verlassen hast und deine trüben, schäumenden Gewässer über die lachenden, fruchtbaren Gefilde tosen lässest u. s. w.!, der war des Prädikates sicher: „Geht im Ganzen an." Wenn nur die Apostrophen an den ausgetretenen Fluss der Zeitschriften, Wochen- und Monatsblätter von etwas mehr Wirkung und Erfolg begleitet wären, wie seiner Zeit die Leistung einer ganzen Klasse an den wild tosenden Strom! Aber gewarnt soll mindestens von Zeit zu Zeit werden, damit nicht das Publikum, auch die sogenannte gebildete Welt sich allzu arglos und hingebungsvoll dieser Zeitströmung überlasse und eine Oberflächlichkeit sonder Gleichen immer mehr um sich greife. Man schwatzt und räsonnirt über alle möglichen Fragen der Zeit, politische, litterarische und das Gebiet der Künste berührende; man will es am Ende noch besser wissen und verstehen als die Kundigen selber, weil man zufällig unlängst in einer der Revuen einen kurzen orientirenden Artikel gelesen hat; das reicht völlig aus, um sich als Kenner und Wissenden aufzuspielen, während das Banausentum doch handgreiflich aus allen Löchern des die Unwissenheit verhüllenden Mantels herausschaut. Die Förderung dieser geistigen Selbstüberhebung und einer über Alles sich in behaglicher Breite ergießenden Maul-Diarrhöe verdanken wir zum großen Teil der Ueberfülle der Zeitschriften.

Und was manche Schreiber betrifft, wie gut würde ihnen ein otium cum dignitate bekommen, während sie sich einer leidigen Ueber-Produktion sine honore ergeben haben!

Was wir wünschen und erstreben? Dass man der Unsumme von Zeitblättern entschlossen den Rücken zuwende, sich einige, besonders alt bewährte, gut geschriebene und mit Geschmack redigirte Zeitschriften aussuche und sich auch kritisch — hinsichtlich der Auswahl besserer Lektüre von Büchern — von ihnen beraten lasse.

Wie liegt doch auch die Kritik neuer litterarischer Erscheinungen so vielfach im Argen! Dringende Empfehlungen schwacher, oberflächlicher, ja nichtssagender und verwerflicher Schriften, sie finden sich in Menge nicht etwa bloß in den Tageszeitungen, sondern auch in vielen unserer Wochen- oder Monats-Zeitschriften. Wie viele Kritiker haben denn den Mut heut zu Tage, offen und wahr ihre wirkliche Meinung über ein schwaches oder schlechtes Buch auszusprechen?

Und spielt sich nicht Mancher als Kritiker oder Rezensent auf, der gar nicht das Zeug dazu hat oder dem nicht die ausreichende Vorbildung und Begabung inne wohnt, um ein treffendes und sachgemäßes Urteil überhaupt abgeben zu können?

Die Unzahl der Zeitschriften hat es zu Wege gebracht, dass gute, solide Bücher wenig oder gar nicht mehr angeschafft und gelesen werden. Wir hören oftmals die Ausrede, wenn wir ein wirklich gutes Buch zur Anschaffung empfehlen: es kostet uns unser Zeitschriften-Lesezirkel schon ohnehin Geld genug; wir können bei den Ausgaben, welche Gesellschaft, Haus und Familie verursachen, unmöglich jetzt mehr Bücher in eigenen Besitz nehmen. Ein Buch leihen, das geht ja wohl an, wenn überhaupt für das gründliche Lesen eines Buches Zeit oder Neigung sich findet. Und nicht anders treiben's die „höheren Töchter" und auch ein Teil unserer Studiosen. Was wir beklagen, ist vor Allem der Umstand, dass das Vielerlei der leichten Lektüre, zumal in den Zeitschriften, ein ernstes, fleißiges Studium solider Bücher und wahrhaft fördernder Werke verhindert. Die Geister dringen nicht mehr in die Tiefe, sie begnügen sich mit der seichten Oberfläche; nicht Wenige fühlen in sich eine wahre Scheu, ein geistiges Unvermögen, an eine schwerere, mehr Rezeptionskraft erheischende Lektüre heranzutreten. Die leichte, zerstreuende Leserei mit ihrem Vielerlei verflacht die Geister dermaßen, dass sie einem wirklich guten Buche keinen Geschmack mehr abgewinnen können. Damit hängt enge zusammen, dass man nicht geneigt ist, aus der Lektüre guter Schriftsteller z. B. aus den Gebieten der Kunst-, Litteratur- und Kunst-Geschichte sich selber mit einiger Anstrengung und Vertiefung in den Gegenstand ein eigenes Urteil zu bilden: man vertraut — das ist ja viel einfacher und bequemer — einer Kritik, die man irgendwo in einem der vielen Zeitblätter flüchtig durchblickt hat. Die besseren Journale bitten wir bei dieser Gelegenheit, dass sie doch rechten Fleiß und volle Sorgsamkeit auf die Anzeigen und Empfehlungen guter, gediegener Lektüre belehrenden und unterhaltenden Inhalts verwenden mögen. Es kommt doch nicht selten vor, dass ein gutes Buch im Dunkel verborgen bleibt und den Wert bloßer Makulatur behält, weil sich kein Rezensent gefunden hatte, der nachdrücklich auf es hinwies. Ein Achill, und wenn es auch immerhin nur ein geringer wäre, will doch seinen Homer haben. Andererseits wissen wir einem unterrichteten Kritiker lebhaften Dank, wenn er vermöge seiner Sachkenntniss vor einem schlechten Buche warnt und dadurch dem Freunde der Litteratur Zeit und Opfer erspart.

Wenn man heutigen Tages einen Blick in die Haus- und Familien-Bibliotheken wirft, was findet man vielfach? Einige neuere Romane oder Novellensammlungen; Dramen und lyrische Gedichte fast gar nicht, dafür einige Jahrgänge neuerer Zeitschriften, der Gartenlaube, Illustrirten Welt, aus früherer Zeit: der Unterhaltungen am häuslichen Heerd, des Hausfreundes u. s. w.

Wo bleiben gute Werke über Geschichte im Allgemeinen, Kulturgeschichte, Litteraturgeschichte, gute Ausgaben unserer nationalen Dichter und Schriftsteller aus dem letzten Jahrhundert oder auch aus früheren Perioden? Diese wahrhaft beklagenswerten Zustände, bedauerlich im Blick auf den Absatz der Arbeiten wirklich guter Dichter und Schriftsteller und im Blick auf die deutsche sogenannte gebildete Welt, werden nur dann sich bessern, wenn die Zeitschriften mehr in den Hintergrund geschoben werden und an deren Stelle gute, dem Leser wirklich und dauernd Gewinn bringende Bücher und Werke treten. Und so möge der Schluss in den Anfang zurückkehren:

Stehe, stehe; denn wir haben
Deiner Gaben vollgemessen!
In die Ecke,
Besen, Besen!
Seid's gewesen!

Wetzlar. Adolf Lindenborn.

Litterarische Neuigkeiten.

„Deutsche Feierklänge in Krieg und Frieden" betitelt sich eine soeben im Verlag von Hermann Costenoble in Jena erschienene umfangreiche Anthologie zum Gebrauche für höhere und niedere Schulen, Seminare, Kriegervereine und für die Familie gesammelt und ausgewählt von P. Stählen.

Im Kommissions-Verlag von Wilh. Friedrich in Leipzig erschienen „Vier Märchen der transsilvanischen Zeltzigeuner„. Gesammelt, mit gegenüberstehender deutscher Uebersetzung und Glossar versehen von Heinrich Wlislocki.

Im Verlag von Félix Alcan in Paris erschien soeben ein neuer Band der Bibliothèque de Philosophie contemporaine. Derselbe enthält: „Le langage intérieur et les diverses formes de l'aphasie" par Gilbert Ballet.

In England ist seit einigen Jahren eine sozialdemokratische Partei unter der Führung des Anhängers von Marx, Herrn Hyndmann, entstanden. Das wissenschaftliche Organ derselben ist die Zeitschrift „To Day", an welcher auch mehrere deutsche Sozialdemokraten mitarbeiten. Das Athenäum teilt mit, dass nächstens in London bei Smith, Elder & Co. eine Novelle erscheint, welche das Leben und Treiben der dortigen Sozialisten zum Gegenstand hat.

Antonio Manno hat die Autobiographie des 1883 verstorbenen Geschichtsschreibers Ercole Ricotti mit einem Bildniss desselben herausgegeben und durch ein ausführliches Sach- und Personenregister die Benutzung des Buches erleichtert. (Ricordi di Ercole Ricotti pubblicati da Antonio Manno Editori Roux-Favale, Torino-Napoli, XVIII und 416 S. Lire 6.—.

Die Tauchnitz-Edition Collection of british authors veröffentlichte Vol. 2394 und 2395. Dieselben enthalten: „A tale of a lonely parish" by F. Marion Crawford.

Hachette giebt in der „Bibliothèque des Romans étrangers" die Novellen Carmen Sylva und Sascha und Saschka von Sacher Masoch heraus. Als dritter im Bande figurirt Tolstoi mit seinen Kosaken. Dieser Schriftsteller verdrängt nach und nach Turgenieff in der Gunst des französischen Publikums. — Im Journal des Economistes giebt H. Raffalovich eine Beschreibung des Königreichs Württemberg.

Eine soeben im Verlag von Carl Reißner in Leipzig erschienene Broschüre von einem „Unbefangenen" trägt den Titel: „Klassizismus oder Materialismus?" Der Verfasser gelangt zu dem Schluss: „Das Herauswerfen des Griechischen (aus unseren Gymnasien nämlich) bedeutet die Annullierung unserer Kultur und steht einem Armutszeugniss ebenso gleich, wie einer Selbstentmannung."

Kurz vor seinem Tode hat der in jüngster Zeit verstorbene Philosoph Pietro Siciliani die Umarbeitung eines auch in deutschen Büchern angezogenen Bandes über Sozialismus, Darwinismus und moderne Gesellschaftswissenschaft vollendet. (Pietro Siciliani Socialismo Darwinismo e Sociologia moderna Terza edizione interamente rifusa ediaccresciuta delle questioni contemporanee Bologna, Nicola Zanichelli 1885 XII und 496 S. in 16° Lire 5.—.

Unter dem Titel „Aus meinem Leben" giebt Maurus Jókai eine Sammlung von Skizzen heraus, welche in geistreicher, anmutender Weise Geschmack und Erlebtes, wichtige historische Episoden und interessante Vorfälle aus des Dichters Verkehre mit großen Zeitgenossen behandeln. Die Sammlung, welche sich auf etwa zehn Lieferungen erstrecken dürfte, erscheint im Verlage Moriz Rath's, Budapest.

Ein in Peking lebender Engländer, Herr Dudgeon, welcher wesentlichen Einfluss auf die leitenden Staatsmänner in China haben soll, ist im Begriff eine „Geschichte des Opiums" zu schreiben. Dieselbe handelt vorzugsweise von der Einführung des Opiums in China.

Alle für das „Magazin" bestimmten Sendungen sind zu richten an die Redaktion des „Magazins für die Litteratur des In- und Auslandes" Leipzig, Georgenstrasse 6.

Für die Redaktion verantwortlich: Karl Bleibtreu in Charlottenburg. — Verlag von Wilhelm Friedrich in Leipzig. — Druck von Emil Herrmann senior in Leipzig.

Das Magazin

für die Litteratur des In- und Auslandes.

Wochenschrift der Weltlitteratur.

1832 gegründet von Joseph Lehmann.

55. Jahrgang.

Herausgegeben von Karl Bleibtreu.

Preis Mark 4.– vierteljährlich.

Verlag von Wilhelm Friedrich in Leipzig.

No. 20. — Leipzig, den 15. Mai — 1886.

Inhalt:

Ludwig Börne.

(Zum 18. Mai 1886.)

Von Moritz Brasch.

Nicht nur einzelne Bücher, auch ganze Litteraturperioden haben ihre Schicksale. Je nach der politischen Windströmung, unter welcher die Beurteiler stehen, sehen wir bald dort eine Unterschätzung eintreten, wo noch vor wenigen Dezennien die große Bedeutung der betreffenden Periode über allen Zweifel erhaben schien; bald aber auch das, was etwa früher als archaistisch, als eine vergebliche Wiederbelebung abgestorbener Formen verworfen wurde, als den lebendigsten litterarischen Ausdruck des Jahrhunderts preisen.

Was hat sich z. B. die Aufklärungsepoche von den Weimaranern, oder die Romantische Schule von den Kritikern des Jungen Deutschland gefallen lassen müssen! Nun ist über dieses Junge Deutschland selbst das nämliche Geschick hereingebrochen und das Rächer- und Richteramt haben nun unsere „Neu-Deutschen" Litterarhistoriker übernommen.

Aber ohne Prophet sein zu wollen, können wir doch mit einiger Sicherheit voraussagen, dass Vieles, was heute von dieser Neudeutschen Kritik in den Himmel erhoben wird, von Späteren vielleicht noch vor Ablauf des Jahrhunderts als „Verirrung" abgetan werden dürfte. — — —

Glücklicherweise ist das Urteil der Geschichtsschreiber nicht immer das Urteil der Nation, die in letzter Instanz nach ganz anderem Maßstabe, nach dem der untrüglicheren Empfindung Lob oder Tadel, Unsterblichkeit oder ewige Vergessenheit austeilt.

Das Missgeschick des Jungen Deutschland ist nicht ganz unverdient. Warum hat diese einst so mächtige Schule nicht rechtzeitig für eine offizielle Historik gesorgt, deren Urteile noch mindestens ein halbes Jahrhundert lang hätten vorhalten können? Anstatt sich mit so fernliegenden Utopien wie die freiheitliche Erlösung der Menschheit, oder mit solchen Allotria wie Volkswohl, Frauenfrage, Juden-Emanzipation, Befreiung Polens und dergleichen abzugeben. Warum erhoben sich seine Schriftsteller nicht zu der Aufgabe, etwa den wohltätigen Einfluss der politischen Gottes-Gnadentheorie auf die Volksseele „teutsche" Nation exakt, gründlich und gefällig auseinanderstellen und weshalb haben die Dichter dieser Schule nicht lieber die doch nie veraltenden Themata des Frühlings, der Freundschaft und der Treue besungen, anstatt solche verfängliche Sachen zu dichten wie dieser Heine, oder wie Karl Gutzkow, der ein so impertinent frei-geistiges Buch „Wally, die Zweiflerin" geschrieben hat oder wie Heinrich Laube, dieser so kecke Schlesier, der in seinem „Jungen Europa" gar die „Emanzipation des Fleisches" proklamirte!

Und nun der Theodor Mundt, ein hegelianisirender Geschichtsphilosoph, Ludolf Wienbarg, ein ästhetisirender Herbartianer, Alexander Jung mit seinem Gefühlsmystizismus und wie die andern Stürmer und Dränger Alle heißen: was wollten diese Philosophen in der Litteratur, warum verließen sie ihr ruhiges Katheder und stürzten sich in die stürmische Zeitpolemik? und nun gar die Sturmkolonne der politischen Lyriker, wie Herwegh, Kinkel, Freiligrath u. s. w.

Nun erst der tonangebende Choragos, der kleine Feldmarschall all dieser revolutionären Federhelden, Ludwig Börne!

Es ist wahr, das Junge Deutschland war in seinen Poeten und Prosaisten eine Art politisch-soziale Agitationspartei. Lehnt es sich ja doch einerseits an die radikalen Ausläufer der Deutschen Philosophie, andererseits an die kosmopolitischen Ideen der Französischen Revolution an und Metternich und der Bundestag haben nicht ganz ohne Grund sie gefürchtet. Aber sieht man sich die Schriften jener Zeit, die auf den bundestäglichen Index gesetzt waren, näher an, so muss man sich freilich wundern, wie diese rein theoretisirenden vielfach oft recht phantastischen und utopistischen Anschauungen, den Deutschen Regierungen solchen Schrecken einjagen konnten.

Dazu kam der vollständige Mangel eines Zusammenhangs der einzelnen Führer wie der eines gemeinsamen Programms, wenn man nicht etwa Mundts geschichtsphilosophische und Wienbargs kunstphilosophische Theoreme als ein solches Programm ansehen will. Die Lehre des Letzteren von der „ästhetischen Gesellschaft", in der das Leben in Familie, Staat und Menschheit in der Zukunft sich als eine Art „höheres Kunstwerk" gestalten soll, hat mancherlei Analogien mit den Ideen der Romantiker und vielleicht auch erinnert Manches in Richard Wagners theoretischen Schriften an dieselbe, und ihre Realisirung setzte allerdings damals einen vollständigen Bruch mit den bisherigen Traditionen von Staat, Kirche und Gesellschaft voraus.

Aber wie wenige von den Dichtern des Jungen Deutschlands nahmen in ihren Romanen, Dramen und Gedichten es wirklich ernst mit dieser Theorie. Und die politischen Schriftsteller dieser Schule? Der einzige unter ihnen, dem seine Zeitgenossen eine wirkliche Bedeutung beimaßen, war Börne und dieser stand jener ästhetisch-sozialen Utopie gänzlich fern.

Ludwig Börne! Keine Jubiläumsbetrachtung, noch weniger eine Würdigung des großen Schriftstellers soll diese kurze Skizze sein: dazu fehlt es mir hier an Raum und — an Stimmung.

Börnes Jugend fällt noch ganz in die Zeit der Romantik und sein Ohr lauschte noch im Hause der Frau Herz zu Berlin den mystisch-schöngeistigen Ergüssen Schleiermachers. Zwar ist er früh zum Manne herangereift und nur ungern erinnert er sich später jener gefühlsseligen Zeit. Doch blieb — und hier berühren wir einen wichtigen Zug in Börnes Wesen — ein gut Stück Romantik dauernd in ihm haften. Dies erklärt zum Teil seine Begeisterung für Jean Paul, von der er uns in seiner herrlichen „Denkrede" ein so beredtes Zeugniss hinterlassen, aber auch seine Abneigung gegen den „kühlen" Olympier in Weimar.

Es ist immerhin eine missliche Sache, Börnes Polemik gegen Goethe rechtfertigen zu wollen. Offenbar ließ er sich zu sehr von seiner politischen Antipathie bestimmen; aber wie sollte der Mann, der in den weltbewegenden Ideen des Jahrhunderts sein eigentliches Lebenselement sah, es Goethe verzeihen, wenn dieser z. B. die große französische Revolution eine „verdrießliche Geschichte" nennt, oder wenn der Dichter für diese welthistorischen Ereignisse keinen höheren Ausdruck fand, als in solchen Possen wie der „Bürgergeneral" oder die „Aufgeregten" oder wenn Goethe während der großen Nationalbewegung der Freiheitskriege vor den Wirren der Zeit seine Zuflucht in der Chinesischen Litteratur findet. Wie sollte das Alles und tausend andere Züge aus Goethes Leben, nicht Börne erbittern, ihn, dem die Freiheit der Nation das Pathos seiner Seele bildete. Mitten in einer alles niederdrückenden bleiernen Reaktion ist Börne der begeisterte Prophet dieser Freiheit geworden. Und so glutvoll ist dieser Prophetengeist, dass er wie ein inneres Feuer sich und seine Hülle verzehrt, und der schwächliche Körper, der nicht mit Schritt halten kann, nur allzu früh erliegt.

Börne war der erste politische Berufsschriftsteller Deutschlands, der zugleich ein hervorragender öffentlicher Charakter war. Wohl hatten wir bis dahin Politiker, welche zugleich schriftstellerten, aber keinen Publizisten, der zugleich die Bedeutung und das Ansehen eines Führers der Nation besaß. Er repräsentirte in seiner Person die ganze damalige Opposition. Alles, was in Preußen an Sehnsucht nach konstitutionellen Zuständen, alles, was an freiheitlichen Forderungen bei den Kammeropponenten der kleinen süddeutschen Staaten hervortrat, konzentrirte sich in Börne und schlug hier zu einer mächtigen Flamme empor.

Heinrich von Treitschke hat ihm im dritten Bande seiner „Deutschen Geschichte" vorgeworfen, dass er keine politsche Frage im Detail behandelt und erschöpft hätte.

Gewiss, gelehrte staatsrechtliche Untersuchungen waren nicht Börnes Sache und man wird sie weder in seinen „Tagebuchblättern" noch in seinen „Briefen aus Paris" suchen dürfen. Aber in den zwölf Bänden seiner „Gesammelten Schriften" findet sich manche größere und ernstere Abhandlung historischen und publizistischen Inhalts. Doch zu umfassendern zusammenhängenden Arbeiten, selbst litterarischen Inhalts, fehlte Börne die Geduld. Er lächelt, wenn ihm sein Verleger Campe in Hamburg eine Gesammtausgabe seiner „Werke" vorschlägt. Höchstens will er den Ausdruck „Blätter" gelten lassen. Er wollte eben nichts anderes sein, als ein Tagesschriftsteller. Als echter Tribun steht er täglich, stündlich auf der Wacht und die weithintreffenden Blitze, die er schleudert, erhellen die Nacht seiner Zeit

Man hat Börne im Gegensatz zu Heine einen Charakter genannt. Gewiss war er ein solcher im höchsten ethischen Sinne, wenn man seinen sittlichen Ernst, seine fleckenlose Reinheit und seine Uneigennützigkeit in Betracht zieht. Aber psychologisch gefasst, liegt in ihm etwas von der stillen Menschenscheu und der erhabenen Menschenliebe Jean Jaques Rousseaus. Und bei aller Zuversicht, mit der er an den idealen Hoffnungen der Menschheit festhält, geht doch durch seine Schriften, ganz wie bei dem Genfer, etwas wie ein pessimistischer Grundzug, wie ein elegischer Hauch, wie eine schwer unterdrückte Klage, ja wie ein Zweifel, ob der Traum der Völkererlösung sich je erfüllen werde. Aber kaum ist die Klage verstummt, so ertönt auch schon wieder das beredte und mächtige Wort des Tribunen, bald als flammende Begeisterung des Verteidigers der Menschenrechte, bald als zürnender Groll des Jakobiners, bald als Hohn und schneidender Spott des Satirikers. Ein solches Meisterstück vernichtender Satire ist z. B. sein „Menzel, der Franzosenfresser". Seine politische Ueberzeugung wird ihm aber zum religiösen Glauben, und alle Töne der Glaubensinnigkeit wie des Glaubensfanatismus erklingen aus seinen politischen Schriften.

Hieraus sind daher mancherlei Einseitigkeiten in ihm erklärlich. So wenn er das politische Prinzip auf andere, heterogene litterarische Gebiete überträgt.

Börne als Litteratur- und Kunstkritiker ist von diesem Fehler nicht freizusprechen. Ich erinnere hier z. B. nur an seine Kritik des Schillerschen Tell. Aber wie er im Allgemeinen in Bezug auf schriftstellerische Originalität von wenigen seiner Zeitgenossen erreicht wird, so ist ihm als Dramaturg nur noch Lessing und Ludwig Tieck zur Seite zu stellen. Sein Humor ist echt, seine Empfindung wahr und tief, sein Witz scharf und treffend, seine Laune unerschöpflich. Börnes Sprachbeherrschung ist eminent: über alle Töne unserer Sprache, die zarten und die starken, verfügt er, sein Ausdruck hat je nachdem Schwung und Größe, oder Grazie und Schalkhaftigkeit; immer aber ist er naturwahr. Seine Bilder sind, zumal wo er eine humoristische Wirkung hervorbringen will, ungemein anschaulich, prägnant und charakteristisch.

Aber aus jeder Zeile, die Ludwig Börne geschrieben, spricht seine ganze männliche Persönlichkeit, er bleibt nie im rein Aesthetischen stecken. Alles ist ihm nur Mittel zum höheren Zwecke und dieser ist immer — die große politische Anschauung.

Gewiss ein großer Teil der politischen Schriften Börnes (das wollen wir nicht verkennen) hat heute für uns ihre aktuelle Bedeutung verloren. Wir sind keine Föderativ-Republikaner mehr; der abstrakte Fürsten-, Adels- und Pfaffenhass hat heute seine Berechtigung verloren oder wird wenigstens nicht mehr als politische Hauptmaxime angesehen. Unsere letzte vierzigjährige Entwicklung hat viele Forderungen der vormärzlichen Demokratie realisirt. Manches andere Postulat harrt noch der Erfüllung. Nichtsdestoweniger werden Börnes Schriften geschichtlich ihren Wert behalten, insofern sie Zeugniss ablegen von einem freien und edlen Geiste, der ein hervorragender Förderer unserer politischen Aufklärung gewesen ist.

Und deshalb muss und wird ihm Deutschland dankbare Erinnerung bewahren. Oder haben etwa die Engländer den Verfasser der längst veralteten Junius-Briefe vergessen? Oder haben die Franzosen und Italiener ihre großen Publizisten in den Winkel geworfen? Und weder England, noch Italien, noch Frankreich hat einen Publizisten von der Größe und Originalität Börnes aufzuweisen.

Die deutsche Litteraturhistorik hat diesem Schriftsteller noch eine Ehrenschuld abzutragen. Wie das Junge Deutschland überhaupt, so harrt insbesondere Börne noch eines verständnissvollen Biographen. Heines gehässiges Pamphlet gegen den ehemaligen Freund kommt hier nicht in Betracht; Gutzkows kurze, pietätsvolle Lebensskizze genügt nicht. Hier winkt also noch eine schöne litterarhistorische Aufgabe.

* * *

Unter den Gräbern des Père Lachaise zu Paris befindet sich eins, welches seither gern von deutschen Landsleuten aufgesucht wurde. Dasselbe ist von einem sinnigen Denkmal geschmückt: eine Granitpyramide auf einem Sandsteinsockel zeigt im oberen Teil in einer Vertiefung eine Büste (von David d'Angers), die unschwer die freundlichen, aber leidenden Züge Börnes erkennen lässt. Am untern Teile ist ein Bronzerelief sichtbar, auf welchem drei symbolische Figuren sich befinden: Deutschland, Frankreich und die Göttin der Freiheit, letztere die Hände der beiden erstern wie zum Frieden ineinander legend.

Es war im Jahre 1878 (12. Febr.), an Börnes Todestage, als wir wenige an Zahl (ich war vor einigen Tagen in Paris zu einem kurzen Aufenthalt angekommen), uns in der Gräberstadt des Père Lachaise eingefunden hatten. Der liebenswürdige und unermüdlich gefällige Senior der deutschen Schriftstellerkolonie in Paris, Ludwig Kalisch (der jetzt nun auch schon dahin gegangen), hatte mich ersucht, dem Zuge mich anzuschließen. Obwohl es noch früh war, fanden wir doch schon Börnes schneebedecktes Grab mit frischen Kränzen geschmückt. Sie mussten eben erst hingelegt worden sein. Wir fügten still die unsrigen hinzu.

Es war im Ganzen eine recht melancholische Vormittagsvisite, die wir da dem alten Freiheitsmanne abstatteten. Niemand von uns fand so recht das Wort für die Stimmung des Moments. War es nicht, als wenn da unten aus der Tiefe uns eine dürre, schmale Hand zum Fortgehen winkte? Wir verließen schweigend den Gottesacker.

„Drei Weiber“ von Max Kretzer.

Eine Studie über den deutschen und französischen Zola.

Jena. Hermann Costenoble.

Wenn wir in der Litteraturgeschichte von irgend einer gröblichen Herabsetzung oder Verkennung eines hervorragenden Talentes lesen, so halten wir dies für übertrieben oder denken mit salbungsvollem Pharisäismus: So was könnte uns nicht passiren! Nun, es wird ein recht belustigendes Faktum für künftige Litterarhistoriker bleiben, dass in einer Zeit, wo das seichteste Talentchen durch Reklame zu einem „Namen“ heraufgeschraubt werden kann, das unbestreitbar markigste Talent der zeitgenössischen Litteratur nur mit mühsamem Ringen und in aggressiver Haltung „aus Notwehr“ die ihm gebührende Geltung erreichen wird. Ich plauderte kürzlich mit einem namhaften älteren Autor, welcher ausnahmsweise das Talent des Arbeiterdichters frühzeitig gewürdigt hatte, über meine so hohe Auffassung von Kretzers Bedeutung, wie sie in meiner „Revolution der Litteratur“ sich ausprägt. Dabei warf Jener mir vor, dass ich allen Ernstes die „ja recht talentvollen Sachen des jungen Mannes“ neben die reifen Werke Zolas gestellt hätte.

Ich bin zerknirscht, aber nicht bußfertig. Mein angeborener Eigensinn, der immer die Sache und nie den Namen prüft, lässt mich leider dabei verharren. Mag die ganze ehrbare Litteratenclique mit ihrem Dilettantengeschwätz von „Kunst“ und „Stil“ und „Dilettantismus“ (sie, lauter unbewusste Dilettanten gefährlichster Sorte!) mich darob als einen Tollhäusler verketzern — ich muss es halt wagen: Kretzer ist nach meiner törichten Meinung an wirklich dichterischer elementarer Begabung Zola beträchtlich überlegen.

Ja, nun ist's heraus und die „Realisten“ steinigen mich am Ende auch noch. Denn die Mehrzahl derselben sind ganz seichte windige Gesellen, die sich auf Stil-Pflege legen, um ihre nüchterne Impotenz zu verstecken. Und (der Stil Kretzers bietet bekanntlich Anfechtbares genug, da er oft gradezu inkorrekte und sprachlich verrenkte Sätze schreibt.) Von diesem Kardinalfehler ist auch das vorliegende neueste Werk nicht frei. Da heißt es: „Sie bekundete eine eifrige Tätigkeit, sich . . . zu interessiren.“ . . „ihres sie wenig beglückt habenden Gatten.“ „Einen Haushalt zu machen“ . . „weil die Eigenschaften meiner Frau und das Zusammenleben mit ihr ein freudloses war.“ „A bas!“ ist wohl auch fälschlich im Sinne von „Ah bah!“ gebraucht. „Er konnte sich nicht verschließen“ für „er konnte nicht umhin.“ „Flechtete“ für „flocht“. Gerade die beiden ersten Seiten sind Muster ungehobelter und nachlässiger Schreibart.

Aber trotzdem ist ein Fortschritt auch hier zu verzeichnen und ganze Passagen sind durchweg vorzüglich geschrieben. Auch bezieht sich diese Bemängelung ja nur auf die Erzählung selbst, die des glatten stilistischen Schliffs entbehrt, der z. B. Heibergs Werke so vorteilhaft auszeichnet. Sobald die Personen selber reden, entfaltet Kretzer hingegen die vollendetste Virtuosität, die an Shakespeare erinnert: Seine Personen reden genau wie im wirklichen Leben.

Der Inhalt des vorliegenden Romanes zerfällt in die erotische Hauptfabel und das umrahmende Beiwerk der Lokal- und Sittenschilderung.

Das Motiv der eigentlichen Handlung ist im „moralischen“ Sinne das denkbar scheußlichste. Ich werde aber nicht nach beliebter Mode eine Ausschlachtung des Themas bieten, da hierbei nichts herauskommt, als eine Abstumpfung der stofflichen Leserneugier; ich will dem Publikum nicht den Genuss rauben, das Buch zu kaufen — pardon, zu leihen. Nur soviel sei gesagt, dass die „Drei Weiber“, jede in ihrer Art, richtig gezeichnet erscheinen, dass der Held Assessor Neukirch ein Musterexemplar einer ganzen modernen Strebergeneration repräsentirt, und dass Fanny zwar nicht grade den absoluten Durchschnittstypus der Berliner „Höheren Tochter“ darstellt, aber gleichwohl in der Analyse ihrer inneren Entwickelung eine Menge allgemein gültiger Züge aufweist. Ich stehe sogar nicht an, dies wenig erquickliche Porträt für das vollendetste des treffsicheren Meisters zu erklären. Jedenfalls würde es unmöglich sein, schon auf diese bloße erotische Seite des Romans hin Kretzer ein eminentes Talent abstreiten zu wollen. Seelenschilderungen wie die Seite 225 – 237, Seite 295, zeigen den Dichter als einen tiefen scharfäugigen Kenner des weiblichen, wie Seite 251 – 257 des männlichen Herzens. In Wirklichkeit aber ist die äußerliche Fabel derartig mit allgemeiner Zeit- und Lokalschilderung verwoben, dass in anderer Weise wie „Die Verkommenen“ auch dies Werk eine weit über das Interesse des Augenblicks sich erhebende Bedeutung beanspruchen darf. Da fällt zuvörderst eine bunte Reihe anekdotischer Nebenfiguren ins Auge, wie sie reicher und lebendiger kein Balzac und Thakaray vorführen dürften. Welche unvergleichliche Lebenswahrheit in den Gestalten des sentimental-ironischen Journalisten v. Schichlinsky und seines semitischen Gegenparts Dr. Isidor Gerechter! Welche erschütternde Komik ohne jede Karrikatur in den Gestalten des Majors a. D. v. Schimmel und des Hauptmann a. D. Schwitzer!

Diese Vorzüge der Charakteristik werden aber weit in Schatten gestellt durch ein andres hochwichtiges Moment.

Bereits in den „Verkommenen“ enthielt die Schilderung einer Berliner Theater-Première mit allen Chicanen, sowie eines jüdischen Festtages in dem Rosenthaler Vorstadtviertel, eine Menge dokumentärer Details, deren frappante Anschaulichkeit die echte Lokalatmosphäre der Reichshauptstadt atmete und heraufbeschwor — wie Aehnliches im „Nabob" Daudets versucht wird. Derlei spezifisch Berlinische Dokumentdetails bietet das vorliegende Werk in noch erhöhtem Maße. So im ersten Bande das Kabinetstück einer Berliner Abendgesellschaft, sowie sich daran knüpfende Szenen im Café National, nebst antisemitischer Keilerei auf der Friedrichstraße. Das ist Alles mit einer fabelhaften Lebendigkeit und Wahrheit aufgefasst und dargestellt. Vollends das mit Hogarthschem Stift entworfene Sittengemälde, welches das Stiftungsfest des „Feudalen Klubs" zum Sujet hat, bildet ein technisches und dichterisches Meisterwerk, welches in der Romanlitteratur irgend eines Volkes schwerlich übertroffen sein dürfte. Würde Kretzer dies Stück apart für sich herausnehmen — wobei die Vorgeschichte des Kneip-pianisten Liese und des alten Braun getrost der Phantasie des Lesers überlassen und ein Bret Harte'sches Clair-Obscur erzeugt werden könnte — und sodann dies Sittenbild bis ins Kleinste sauber durchfeilen, so möchte hier ein klassisches Zeit-Symbol erzielt werden, welches der Nachwelt den echten Geist unserer Epoche überliefert.

Denn, um diese entscheidende Frage zu streifen — Vorgänge wie diejenigen, welche die hässliche erotische Fabel vorliegenden Buches bilden, können natürlich überall vorkommen; aber typisch für die Berliner „gute Gesellschaft" sind sie keineswegs, wie Kretzer beinahe zu glauben scheint, da deren Familien-Sittlichkeit im Ganzen doch auf einem erheblich höheren Niveau steht, als die anderer Großstädte. An diesen Fehler des Buches werden sich die Gehässigen natürlich klammern. Das kann aber eben durchaus nicht hindern, dass in allem Uebrigen das speziell Berlinische erfasst und zur Erscheinung gebracht ist. Die Figuren sind zum größten Teil Porträtfiguren, welche der Eingeweihte auf den ersten Blick, wenn auch nicht immer die Auffassung des Autors teilend, erkennt. Man wird nun zwar scharfsinnig bemerken, dass diese Figuren, obschon im öffentlichen Leben Berlins wohlbekannte Personen, doch nur einen Bruchteil der besseren Gesellschaft repräsentiren. Die bei Frau v. Setzen versammelte Gesellschaft ist zwar äußerst naturgetreu dem Leben abgelauscht, mit ihrer äußerlichen Wahrung eleganter konventioneller Anstandsformen und ihrer überfirnissten Rohheit. Nichtsdestoweniger scheint dieser ganz richtig geschilderte „Salon" doch nur dritten Ranges, ein Uebergang zu der wirklich soliden und vornehmen Respektabilität, welche ihrerseits den Uebergang zu der Kavalier- und Hofgesellschaft der beau monde bildet, wo die innere Unvornehmheit und Frivolität wieder der zweideutigen fashionablen Gesellschaft jener Hautevolée die Hand über das Mittelglied der wirklich guten Gesellschaft hinüberreicht.

Es is nun sehr die Frage, welche Kreise denn eigentlich die spezifisch Berlinische Gesellschaft bilden. Die Hofgesellschaft, sagen wir kurz: die Wilhelmstraße, gewiss nicht. Diese Gesellschaft ist wesentlich kosmopolitisch, da sie in allen europäischen Ländern dieselbe Denkart und Lebensweise führt. Die Litteratur- und Kunstkreise und die damit verbundenen Kreise der Finanz gleichen sich ebenfalls überall im Wesentlichen. Den eigentlichen „Ton" der Berliner Gesellschaft bestimmen vielmehr die höheren und mittleren Militär- und Beamtenkreise, in denen sich das preußische Staatselement ausprägt. Da diese Kreise, vornehmlich die ersteren, sich aber streng exklusiv halten, so werden wohl nur sehr wenige Schriftsteller in Berlin existiren, die je den Vorzug der Bekanntschaft, geschweige denn der Intimität in diesen Salons genossen. Auch gewisse Schriftsteller, die in ihren Romanen mit Vorliebe die Aristokratie schildern, sind wohl so gut wie nie mit ihr zusammengetroffen. Andere Autoren en vogue könnten aus wirklicher eigener Kenntniss als zugelassene Spaßmacher die sogenannte „gute" Gesellschaft des diplomatischen Korps bis zur höchsten Charge hinauf schildern — hätten sie damit etwa die eigentlich vornehme Gesellschaft kennen gelernt? — Kretzer aber hat den einen unschätzbaren Vorsprung, dass er, während die meisten Andern eigentlich gar keine Schicht der Gesellschaft wirklich kennen, wenigstens die unteren auf das Allergründlichste und viel besser wie Zola kennt. Sein genialer Tiefblick hat nun bei der geringen Erfahrungsgelegenheit, die ihm hierfür zu Gebote stand, auch aus den sogenannten höheren Ständen nach Möglichkeit das Typische herausgefunden. Denn während er nur den Ausschuss des Künstler- und Litteratentums schildert und die interessanten Salons der höheren Kunstgesellschaft ihm wohl verschlossen blieben, weiß er wenigstens einen ganz spezifisch Berlinisch-Preußischen Typus des Intelligenz-Proletariats mannigfach zu verkörpern: den Offizier a. D.

Jener großartige Moment aber, wo der „Feudale Klub" bei feierlicher Verdauungsarbeit in Lösung der sozialen Frage macht und das plötzliche reale Auftauchen des Gespenstes „Not" der Schwätzerheuchelei die Maske abreißt — diese vernichtende Persiflage des ganzen faulen Humanitätsschwindels ist das allercharakteristischste „Zeichen der Zeit" und direkt unsrer gegenwärtigen Lügenära, so dass es für diese Jahre des Heils und der Reaktion ein unsterbliches Geschichtsdokument bleiben dürfte.

Ich bin nun gewiss der Letzte, die symbolische Bedeutung von Zolas „Germinal" zu verkennen. Habe ich diese Danteske Unterweltshistorie doch selbst als die großartige Allegorie der modernen Gesellschaftsordnung und ihres Verhältnisses zu den Gesetzen der eisernen Notwendigkeit bezeichnet, als die dichterische Formel für den Weltschmerz unserer Eisenzeit, wie die politische Revolutionszeit in Werther und Childe Harold ihren Ausdruck fand! Ich verkenne auch nicht die unheimliche erotische Symbolik der nächtlichen Massen-Liebelei am Schlunde des menschenverschlingenden Bergwerks. Aber ich kann mich nicht der Betrachtung verschließen, dass dies Alles doch sehr absichtlich, sehr ausgeklügelt und eben deswegen phantastisch wirkt. Erlebt — das merkt man — erlebt ist in diesem Buche so gut wie nichts. Wie anders bei Kretzer, wo Einem auf Schritt und Tritt der Erdgeruch ureigenster Beobachtung und Selbsterlebtheit mit fascinirender Unmittelbarkeit des Ausdrucks entgegenschlägt!

Zola gebietet über eine großartige kombinirende Phantasie. Grade das aber, was dem System des Realismus als Kernpunkt gelten soll, die prägnante Lebenswahrheit, ist nicht so vollkommen bei ihm ausgebildet. Dies zeigt sich, mag der Meister auch sonst all dem ästhetisirenden Dilettantengeschmeiß unendlich überlegen sein, sobald wir Kretzers Schriften zum Vergleich heranziehen. Da klaffen wohl hier und da Lücken der Komposition — dafür entwickelt sich aber Alles mit einer Selbstverständlichkeit und Natürlichkeit, dass wir die Frage der Unwahrscheinlichkeit — die recht oft bei Zola bedenklich an uns herantritt — hier überhaupt gar nicht aufwerfen, sondern wie gebannt der Erzählung folgen, als wäre es ein wirkliches sich vor uns abrollendes Stück Leben, und uns völlig in Szenerie und Personen der Dichtung hineinleben. Und die Charakterzeichnung — nun ja, die Maheude und die Heldin des „Assomoir“ sind ja prächtige Typen, aber Ida Merk u. s. w. sind mir ebenso lieb und eine Rosa Jakob hat Zola noch nie geschaffen. Katharine Maheu ist gut durchgeführt, aber Magda Merk und die Arbeiterin Jenny in den „Betrogenen“ sind viel weniger „romantisch“ zugestutzt und offenbar viel wahrer beobachtet. Und ich mag mich drehen wie ich will — ich kann ebensowenig den Reichtum meisterhaft aufgefasster Nebenfiguren (ich erinnere an den Budiker, an die Herren Dagobert Fisch, Rentel, v. Rollerfelde, an den Heiligenmaler in „Die Betrogenen“, sowie an die oben hervorgehobene Fülle solcher Staffagefiguren in „Drei Weiber“) in Zolas Werken entdecken, wie die grandiose Tragik der Hochmomente in dem Schlussakt der „Verkommenen“. Ich kenne die französischen Grubenarbeiter nicht; möglich, dass sie im „Germinal“ richtig geschildert sind. Aber man sehe sich mal eine ganz verwaschene Bestienfigur wie Chaval an und daneben den Kaulmann (nebst der ganzen Todtschlagszene im Budikerkeller) in den „Verkommenen“ — und dann wird man mit nachdenklichem Staunen zu dem Schluss gelangen, dass Kretzer den Arbeiter par excellence im Großen nach allgemeingültigen Gesetzen uns vorführt, grade weil er so direkt nach der Natur den Berliner Arbeiter zeichnet. Zola bietet uns immer nur Ausschnitte einzelner Stände, während Kretzer glücklich bemüht ist, alle Gesellschaftsklassen in seinen Lebensgemälden innerlich in Beziehung zu setzen und zu verbinden. Als sozialer Schriftsteller steht mir Kretzer — ich weise hier noch besonders auf „Die beiden Genossen“ hin — daher hoch über Zola.

Als Dichter betrachtet, wird die Wertschätzung der Beiden ein schwankendes Fazit bieten. Ein Vergleich zwischen „Pot Bouille“ und „Drei Weiber“ (wo eine ähnliche Tendenz vorliegt, obschon Kretzer in der Familie Lambert doch einen lichten Gegensatz zu der allgemeinen Verlogenheit einfügt) dürfte freilich für Zola nur sehr ungünstig ausfallen. — Statt psychologisch, finden wir manchmal kaum pathologisch Interessantes bei Diesem. Ein Bravourstück wie die famose Fehlgeburt-Szene in „Pot Bouille“ ist doch wirklich nur physiologisch zu goutiren. — Zola symbolisirt gern und gut. Die an den Pocken sterbende weißhäutige Nana als Symbol des Empire, während draußen das Gejohle „A Berlin!“ ertönt — ein gut ausgedachter Effekt. Dass Hennebeau das Riechfläschchen seiner Frau im Bett seines Neffen grade in dem Moment findet, wo draußen das Brod-Gebrüll ihn bedroht — dito. Zola ist — man wird lachen — ein großer Lyriker, d. h. ein lyrischer Didaktiker. Die brillante Szene, wo die strikenden Massen als Vision der künftigen Revolution im Abendrot rot angeglüt vorüberbrausen, wirkt so recht in seinem Stil! Aber der Fachmann erkennt überall die kluge gewandte Hand, die das ganze Marionettenspiel beherrscht. Kretzer versenkt sich weit mehr in sein Werk. Wie selbstverständlich, naturnotwendig, wächst der erschütternde symbolische Knalleffekt der mehrfach erwähnten Klubszene aus der Handlung selbst heraus! Eine didaktische Moral, „von des Gedankens Blässe angekränkelt“, liegt ihm ganz fern. Er taucht völlig in seine Gestalten unter und spricht aus ihnen heraus. Diese eherne Ruhe der Objektivität zeigt sich in „Drei Weiber“ nun voll entwickelt. Zola verrät sich — ja, man wird mich wohl missverstehen, oder nicht? — als eine pathetische Natur voll französischer Rhetorik. Kretzer hat die kalte leidenschaftslose Ueberlegenheit eines germanischen Satirikers.

Hingegen wird er Zola wohl kaum je auch nur annähernd erreichen in der unübertrefflichen Meisterschaft der Detailmalerei — nicht zwar inhaltlich, denn da ist Kretzers geniale Beobachtungsgabe, besonders in blitzartigem Beleuchten seelischer Abgründe, Zola noch überlegen; aber betreffs der wundervollen stilistischen Abrundung all jener Genrebilder, die der epische Lyriker Zola aneinanderreiht. Derjenige Dichter, welcher das reife Können des französischen Technikers mit der urwüchsigen Frische Kretzers vereint, wird der wahre große Dichter der Zukunft werden. Fürs Erste aber freuen wir uns, das wir einen „solchen Kerl“ wie unsern deutschen Zola unter uns haben.

Ihr kleinen Mittelmäßigen freut euch nicht? Das glaub' ich! Ihr wollt ihn nicht anerkennen, nicht wahr? Nun denn, ihr werdet müssen.

Charlottenburg. Karl Bleibtreu.

Realistisch-Kritisches zur Lyrik.

Aus Anlass von Arents „Jungdeutschland".*)

„Jungdeutschland" will mit seiner Lyrik etwas Neues geboten haben, und dass es diesen Anspruch mit Recht erhebt, wird hinsichtlich des Inhaltes Niemand leugnen können: das Buch zeigt in der Tat eine Physiognomie, welche von allem früher und bis heute Gewohnten entschieden absticht.

Eine inhaltliche Charakteristik dieses neuen Lyrikergeistes hat Paul Fritsche in seiner „modernen Lyriker-Revolution"**) versucht, einem übrigens sehr jugendlichen Schriftchen, welches mindestens zweifelhaft lässt, ob die Kraft der Prätension des Verfassers entspricht.

Was ich hier beleuchten möchte, das ist die formelle Seite der neuen Lyrik, welcher noch manche Befreiung von althergebrachten Uebelständen zu wünschen wäre. Wir werden so ziemlich Alle mit Litteratur und Kunst schon in einer frühen Jugend bekannt, in der wir, noch voll Respekt für die ungekannte große Welt des geistigen Lebens, nicht leicht den Mut einer eigenen Meinung haben können; und so kann es denn nicht fehlen, dass die herrschenden künstlerischen Manieren mit all ihren Fehlern unsern noch unverdorben natürlichen Geschmack, so lange er noch wachsgleich bildsam ist, nach sich modeln. Und ist das einmal geschehen, dann ist auch das echte Künstlergenie (wenn es nicht allerhöchsten Ranges ist) zur Zeit seiner Mündigkeit schon nicht mehr im Stande, immer nur Natur und Wahrheit vor Augen zu haben, — dann muss alles Heil von der bewussten Kritik erwartet werden. Dass heute die Dichter und Künstler mit den überlieferten Formen nicht zufrieden sind, sondern die Notwendigkeit vieler Besserungen auf diesem Gebiet empfinden, darf mit Sicherheit angenommen werden; wiederholt hat z. B. Karl Bleibtreu schon nach Lessing gerufen. Warum aber gleich so anspruchsvoll? Was ein Lessing könnte, sollten das nicht auch die vereinten Bemühungen mehrerer Kritiker zu Stande bringen? Unser Zeitgenius hat nun einmal die Caprice, sein Geistquantum diffuser auszustreuen. Nun wohl, so sollen auch Andere, was hier vorgebracht wird, überlegen und amendiren. „Jungdeutschland" aber ist so voll von bedeutenden dichterischen Kraftäußerungen, dass diese Sammlung wohl als Ausgangspunkt für solche kritische Beratung gewählt werden kann.

I. Die Fiktion.

Es ist im Grund eine ganz selbstverständliche Sache, dass jedes Kunstwerk darauf angelegt wird, einen ganz bestimmten Anschein zu erwecken, das Bühnenwerk z. B. den Schein, als ob die Schauspieler die Personen des Stückes (Hamlet, Ophelia u. s. w.) wären und deren Geschichte eben jetzt vor sich ginge. Und es ist eine ebenso selbstverständliche Forderung der Denkreinlichkeit, dass diesem Anschein durch nichts widersprochen werde; leider aber lassen die meisten Denk- und Vorstellungsmaschinen in Sachen der Reinlichkeit und Genauigkeit sehr viel zu wünschen übrig. Einem löblichen Theaterpubliko z. B. ist es ganz einerlei, wenn ihm alle Augenblicke der künstlerische Schein zerrissen wird, wenn die Personen des Stücks, offenbar nur dem lieben Publikum zu Gefallen, einander Dinge erzählen, die sie doch längst schon wissen müssen, oder wenn sie ihre Zuschauer, deren doch nach der Fiktion des Stückes gar keine da sind, ungescheut anreden und ankokettiren. Keinem fällt es da ein zu fragen: „ja wie ist denn nun die Sache? ist das Hamlet? was spricht er dann nach dieser Himmelsrichtung, als wäre eine große Menge Volks da? oder ist es der Herr X Y? ja, was Teufels bestimmt Sie denn, die Kleider der Personen anzuziehen, von denen Sie uns erzählen wollen? und deren Bart anzukleben? das ist ja Unsinn!"

Nun, gegen solchen Unsinn nicht aufzubegehren, ist schon eine ziemliche Schande für die lotterige Denkmaschine; verzeihlicher ist das Entsprechende in der Lyrik. Auch das lyrische Kunstwerk muss für einen bestimmten unzweideutigen Schein zugerichtet sein, es muss ihm eine klare Fiktion zu Grunde liegen. Das Gedicht kann einen Brief vorstellen, ein Stammbuch- oder Tagebuchblatt, es kann als Aufzeichnung eines Selbst- oder Zwiegesprächs, eines Stoßseufzers, eines Gebets u. s. w. aufgefasst werden, oder auch als Erzählung oder Schilderung eines Genrebildes, einer dramatischen Szene und anderswie. Aber alle diese Fiktionen müssen streng durchgeführt sein; es dürfen, bei Strafe der Unzufriedenheit jeder klaren reinlichen Phantasie, nicht verschiedene Fiktionen durcheinander gemengt sein; und besonders dürfen nicht, nach Art des vorhin genannten Bühnenunsinns, auf den Leser Rücksichten genommen werden, welche mit der Fiktion im Widerspruch stehen. Etliche Beispiele sollen das klar machen.

Arent beginnt ein Gedicht (S. 8):

Ich lehne träumend am Brückenrand . . .

Das enthält schon eine Unmöglichkeit. Wenn er träumend an einem Brückengeländer steht, so kann er nicht zugleich sagen oder ausdrücklich denken, dass er dies thue; und der Dichter, der ihm dennoch (um den Leser über die Situation aufzuklären) diesen Gedanken in den Mund oder ins Herz legt, verrät damit, dass er das fingirte Bild nicht klar genug geschaut hat: das gedichtete Bild hat sich nicht rein vom Dichter zur objektiven Selbständigkeit losgelöst, sondern ist noch mit den Unreinigkeiten seiner Geburt besudelt und schleift die Nabelschnur nach sich, die seine Herkunft verrät.

Jäh trifft mein Blick die Menschen all . . .

heißt es dann später in demselben Gedicht. Immerhin mag der Blick jäh treffen; aber der Mann soll das

*) Berlin-Friedenau, Thiel.
**) Frankfurt a. O., Waldow.

nicht ausdrücklich sagen oder denken, sonst schaut unsere Phantasie statt eines wahrhaft im Innern bewegten Menschen, der ganz in seiner Situation aufgeht, vielmehr einen Gecken, der mit uns, seinen Zuschauern, kokettirt.

Sage man nicht, dass dieser Tadel pedantisch sei; „pedantisch!" sagt der Hudelgeist so gern, wenn ihm ein strammerer auf die Finger sieht. Pedantisch wäre der Vorwurf, wenn der Verstand allein ihn ausspintisirt hätte, er stammt aber in der Tat von der unmittelbaren Empfindung, eine feine Phantasie kann gar nicht anders, als jene Koketterie bemerken und darüber verstimmt sein.

Ganz abscheulich wird es nun aber, wenn das lyrische Subjekt intime Liebesvorgänge mit solcher Schauspielerei in einem Atem beschreibt und zu erleben fingirt, wie es in Arents „à la Makart" geschieht (dessen Aufschrift nebenbei gesagt nicht glücklich ist, da das Gedicht nur eine sehr allgemeine Aehnlichkeit mit Makartischer Manier hat; der Titel müsste den Namen eines Makartischen Gemäldes nennen, welches den Dichter zu seinen Aeußerungen durchaus eigener Manier veranlasst hat). Solche Dinge, wie sie den Inhalt jener Verse bilden, erfordern Selbstvergessenheit und Reflexionslosigkeit, und sind daher unmöglich in der ersten Person Präsentis vorzutragen. Das ist einer der Gründe (einen andern später), warum auch der Prüderieloseste, der alles Menschliche ohne Ausnahme als poesiefähig anerkennt, dennoch jenes Gedicht — und die Litteratur hat dergleichen noch mehr — als hässlich und geschmacklos verwerfen muss.

Ich greife ein weiteres Beispiel einer in anderer Weise mangelhaft durchgeführten Fiktion aus unserem Buche (S. 69): „Anna" von Julius Hart. Die Fiktion ist: das letzte Zusammensein einer Magd aus dem niederen Volk mit ihrem Liebhaber, der nun, ohne sie, höheren Lebensbahnen zustrebt und dem Mädchen für seine rührend unwandelbare Liebe nichts als die Erwartung eines Kindes und einer trüben Zukunft zurücklässt.

Nur erwähnen will ich hier zunächst einen Verstoss von der handgreiflicheren Art, welche auch der landläufigen Kritik nicht zu entgehen pflegt: die Sprache ist für eine Dienstmagd viel zu gebildet. Kaum haben wir von ihr gehört, ihre Hand sei „ganz von Arbeit rauh", so fährt sie unmittelbar fort: „Ich weiß es wohl wie du dich stolz verzehrst nach Ruhm und Sonnenschein"; solche und noch gewähltere Reden kommen in Menge vor. Will man einwenden, dass der Dichter eine poetische Sprache brauche? es giebt auch eine poetische Sprache des niederen Volkes (man denke z. B. an die Volkslieder); wenn diese nicht zu Gebote steht, der darf eben Niemand aus dem niederen Volk redend einführen.

Doch zum Wichtigeren. Dass nur das Mädchen redend eingeführt wird, ist an sich noch nicht zu tadeln; denn dieses erweckt im Moment das Hauptinteresse, und der Dichter muss das Recht haben, von einer realen Szene (z. B. diesem Abschied) gleichsam nur das Zentrum für den Leser zu beleuchten und dann den Vorhang fallen zu lassen. Was aber als unnatürlich zu tadeln ist, das ist die Länge dieser ununterbrochenen Rede (58 Doppelverszeilen): man darf sich nur einmal die Szene dramatisch dargestellt denken, um sofort zu merken, dass der Dichter nicht ein Vollbild geschaut hat, von dem er nur eben das Zentrum allein zu beleuchten für gut findet, sondern dass das Gedicht mit einer teilweise versagenden, unvollständig schauenden Phantasie geschaffen ist: der Darsteller des jungen Mannes müsste in der größten Verlegenheit sein, wie er in der langen Zeit wortlosen Daseins eine mögliche Figur spielen sollte; immer ihr Haupt in den Armen halten und tröstend ihr Härchen streicheln, das geht nicht, er muss etwas sagen, wenn Alles auch schon gesagt ist. Scheint diese dramatische Probe von einem lyrischen Werk zu viel zu verlangen? ich müsste auf der gestellten Forderung durchaus beharren, denn eine kräftige unverkümmerte Phantasie kann sich nun einmal nicht damit begnügen, nur in abstracto eine Empfindungsreihe hinzustellen, einerlei wie sie in der realen Szene sich ausnehmen würde, sondern sie will ein Bild haben, sie will nicht nur denken, sondern schauen —: in diesem Schlagwort lassen sich die vorliegenden Bemerkungen über die Fiktion zusammenfassen. Damit soll natürlich nicht gesagt sein, dass der Dichter immer mit ausdrücklichen oder gar vielen Worten ein schaubares Bild einer äußeren Situation ausführen müsste; er darf sich auch auf die Worte oder unausgesprochenen Empfindungen des lyrischen Subjekts beschränken, aber er soll mindestens der unwillkürlich schaffenden Phantasie des Lesers nicht unmöglich machen, ein solches Bild zu vervollständigen. Und die größten lyrischen Gedichte sind immer die, welche mit wenig Aufwand Person und Situation zugleich in einem runden Bilde anschaulich machen. Derart ist Goethes „Ueber allen Wipfeln ist Ruh"; ebenso auch ein Gedicht des schmählich vernachlässigten Reinhold Lenz, das ästhetisch jenem Goetheschen ebenbürtig ist und nur durch den geringeren Lustgehalt der ausgedrückten Stimmung den Meisten weniger anziehend sein mag. Es entstand 1777.

Am Grabe von Goethes Schwester.

Ach soll so viele Trefflichkeit So wenig Erde decken?
In diesem dürren Moosekleid Und kümmerlichen Hecken —
Ist dieses schlechte Kissen wert, Dass hier dein Haupt der Ruh begehrt?

Wer sieht hier nicht förmlich den unseligen Mann in einer klarst geschauten Gegend, ein rauher Wind weht in sein Haar (wenngleich er nichts davon sagt, — er wird wohl Zeit und Lust übrig haben, vor uns zu schauspielern!) und wir empfinden so deutlich sein ganzes Herz, so wenig auch, und scheinbar spröde, seine Worte sind. Die wahre Kunst ist überhaupt immer spröde — für den oberflächlich Rohen, für den Kenner aber keusch; wenn das nur einmal diese koketten Schauspieler auf und außer der Bühne begreifen wollten.

Die Kürze des obigen Gedichtes erinnert mich an die Vorliebe für lange Lieder, welche Kirchbach in seinem „Lebensbuch" von sich bekennt; alle Natur liebe eine gewisse gesunde Breite, in der sie ihren Ueberschuss von Kräften auswirken kann (368). Wohl; aber die wahrnehmbare Aeußerung, welche am eigentlichsten in der Kunst verwendbar ist, kann sehr kurz sein müssen; es giebt kurzatmige und langatmige Stimmungen, die heftigsten aber und tiefsten, die zugleich in der Kunst am meisten wirken, äußern sich immer kurz. Der Dichter muss das auch selbst fühlen und soll sich ja hüten, die Stoßseufzer und Fragmente, die ihm kommen, zu einem vermeintlich wohlgebildeten Ganzen zu erweitern und abzurunden; er wird nur den Eindruck der Unmittelbarkeit damit preisgeben. Von Arent stehen in „Jungdeutschland" mehrere solcher musterhafter Fragmente, die er zum Teil selbst „Fragment" betitelt.

All die gröberen und feineren Verstöße gegen die Fiktion, deren wir nun etliche beispielsweise betrachtet haben, beweisen eine mangelhafte Penetranz, gleichsam eine Kurz- oder Blödsichtigkeit der Phantasie, durch welche der Dichter, statt eines klaren Bildes, von seinem Gegenstand nur einen ungefähren Schein erhält, den er dann durch eine mehr oder weniger glückliche Reflexionstätigkeit retouschirt und klarzeichnet. Und derselben Phantasieblödsichtigkeit auf Seiten des Publikums verdankt seine Daseinsmöglichkeit eine ganze Masse von krüppelhaftem lyrischem Buschwerk, welches, sobald man den Anspruch auf strenge Durchführung der Fiktion erhebt, unrettbar zum Tode verurteilt ist.

Hat wohl ein echter Dichter ein Interesse daran, dass das Publikum durch kritische Belehrung dazu erzogen wird, jenen Anspruch zu stellen? Ganz gewiss hat er es, und ich meine, er müsste geradezu Preise ausgesetzt wünschen für Auffindung aller nur irgendwie zu rechtfertigenden Anforderungen an die Dichtkraft. Denn er, der wahre Dichter, könnte ihnen leicht, sobald er sie erst anerkannt hat, fortan genügen; hingegen die furchtbare parnassische Plebs, die ihm heute Licht und Atem benimmt, müsste es wohl bleiben lassen, nach einem höher gehängten Lorbeer noch den Arm auszustrecken.

München. G. Cristaller.

Ueber die Dichtungen der Gegenwart und ihre Vorliebe für Krankheitsschilderungen.

(Schluss.)

Dass unser Jahrhundert das Zeitalter der Nervenkrankheiten ist, wissen wir Alle, und die Herren Dichter scheinen in dieser Beziehung reiche Erfahrungen gemacht zu haben. Unsere neuen Romane bringen eine ganze Sintflut von Ausdrücken wie „nervöse Müdigkeit", „nervöses Lachen", „nervöses Weinen" u. s. w. Ganze Charaktere werden als im hohen Grade nervös bezeichnet, so dass man oft sich Professor Bocks treffender Bemerkung erinnern muss, dass gar oft die Menschen sich nervös nennen, wenn es ihnen an Erziehung fehlt.

Indes haben moderne Dichter sich auch auf dem Gebiet der ausgeprägteren Nervenkrankheit versucht und hier will ich zuerst „L'Evangeliste" von Alphonse Daudet hervorheben, der den protestantischen Missionsfanatismus in seiner Entartung als eine wirkliche Krankheit schildern wollte. Ich will mich nun gar nicht darauf einlassen, nachzuweisen, wie vollständig Daudet das Wesen des Protestantismus missverstanden und wie er die gute französische Tradition verlassen hat, welche mit Recht die Protestanten als unschuldig verfolgte Landsleute und Mitbürger so wie als heilbringendes Salz in der französischen Gesellschaft betrachtet hat. Ich will will mich an seine Darstellung des Auftretens des religiösen Fanatismus halten. Er lässt eine reiche junge Bankiersfrau, die Vorsteherin mehrerer Missionsanstalten und Frauen-Vereine, durch Hilfe von Belladonna Bauernmädchen vergiften, indem sie in jenem die Vergiftungsekstase, die sie hervorruft, benutzen will, wobei ein junges gebildetes Weib, Dänin von Geburt, bei einem angesehenen Arzt mit so vielfältigen Giften — Atropin, Hyoscyamin, Strychnin u. s. w. — traktirt wird und zwar während so langer Zeit, dass ihr Nervensystem zerstört wird und sie ihre Mutter verlässt, um das willenlose Wesen der Bankierfrau zu werden, das man auf törichte Missionsreisen aussendet. Bei der Beurteilung einer ethischen Frage, wie die vorliegende, muss man etwas zurückhaltender sein, bevor man sein Urteil, wie: „so etwas ist undenkbar", ausspricht. Man muss einräumen, dass ein Dichter, der in Paris lebt, Beobachtungen machen kann, die unter unseren Verhältnissen undenkbar sein würden. Aber sicherlich darf ich ein großes Fragezeichen bei der angeführten Missetat des Arztes setzen, und mit Sicherheit darf ich behaupten, dass diese Art Vergiftungen nicht solche Folgen mit sich führen können, wie im „L'Evangeliste" geschildert worden sind, und dass sowohl religiöser Fanatismus existirt hat, wie auch noch existirt, ohne solche verbrecherische Handlungen.

In demselben Buch schreibt Daudet über eine Hautkrankheit, an der er sämmtliche Mitglieder einer mosaischen Familie leiden lässt. Die Schilderung ist ganz umständlich: wie sie bei einigen als ein bläuliches Muttermal auftritt, das spinnenartig sich immer weiter verbreitet; wie sie oftmals durch Operation beseitigt wird, aber immer wieder kommt, wie sie bei andern sich als Ausschlag über den ganzen Körper zeigt, oftmals verschwindet, aber jedes Frühjahr und jeden Herbst wiederkehrt. Die Wissenschaft hat niemals von solchen Affektionen gehört.

Um zu dem Nervensystem zurückzukommen, so hat Björnstjerne Björnson in „Ueber die Kräfte" uns eine verheiratete Frau vorgestellt, die während ihres Zusammenlebens mit einem exaltirten Prediger hysterisch geworden ist. Obschon sie ihren Gatten bewundert, kämpft sie gegen seine Uebertreibungen mit Rücksicht auf Oekonomie, Kindererziehung u. s. w. an, aber dieser fortgesetzte Kampf hat ihr Nervensystem vernichtet und sie anfs Krankenlager geworfen. Er will nun, dass sie wieder gesunde, und sein Mittel besteht in brennenden Gebeten, mit welchen er u. A. einen Erdrutsch, der seine Kirche bedrohte, ferngehalten zu haben scheint. Er ist wirklich glücklich in seinen Bestrebungen, sie erhebt sich, verlässt das Bett und geht ihm entgegen, als er aus der Kirche heimkehrte, aber in demselben Augenblick sinkt sie sterbend in seine Arme und im nächsten Augenblick giebt er seinen Geist auf. Steht man nun hier auf dem Boden des Realismus, auf dem der Erfahrungen oder jagen wir auf den endlosen Ebenen der Phantasie dahin? Gewiss tritt ein solcher plötzlicher Tod bei einer geschwächten Frau ein; aber dass der starke Mann, der in seinem geistlichen Beruf dem Unwetter des Meeres und des Felsens getrotzt hat, urplötzlich in den Tod versinkt — ja! physisch unmöglich ist das wohl nicht, aber es schmeckt stark nach den melodramatischen Schlusseffekten der neuen Romantik. Dennoch ist dies keineswegs das Merkwürdigste im Buch, auf dessen letzter Seite nämlich wird auf zwei medizinische Arbeiten hingewiesen, die eine von Charcot, dem berühmtesten Nervenpathologen der Gegenwart, dem auch Alphonse Daudet seinen „Evangelisten" gewidmet hat. Es ist nicht der Verleger, der diesen Hinweis zu Gunsten eines französischen Kollegen hat drucken lassen; offenbar ist es der Verfasser, der dies veranlasst hat und dieses Faktum verdient in Wahrheit alle Aufmerksamkeit. Es scheint anzudeuten, dass die Dichtung nun so weit in der Schilderung des Krankhaften gegangen ist, dass sie wie wissenschaftliche Werke Noten und Citaten aus den Quellenschriften des Autors bedarf. Schlägt man indess nach, was die angeführten wissenschaftlichen Arbeiten enthalten, so wird man finden, dass die Charcots — ohne Vergleich die bedeutendste Arbeit — die ganze Ausbeute seiner Studien bringt, d. h. die Darstellung der materiellen Zerstörung in der Nervensubstanz, wo man früher solche Veränderungen nicht beobachtet hat. Mit andern Worten: das Buch enthält eine Menge Beschreibungen und Bilder über mikroskopische Beobachtungen der Nervenstränge, Partien des Gehirns und des Rückenmarks, sowie rein wissenschaftliche Vorlesungen mit wesentlich anatomischen Details, doch auch etwas über die Symptome und Behandlungen der Krankheiten. Wenn Björnson dieses Buch gesehen und versucht hat, es zu lesen, dann hat er nicht ein einziges Wort desselben verstanden, denn der Stoff ist der schwierigste in der ganzen Arzneiwissenschaft und erfordert mehr als gewöhnliche Vorkenntnisse in der Medicin. Was bedeutet denn also jener Hinweis? Schwerlich dient er zur Wegeleitung für Aerzte! Oder meint der Verfasser, dass das Publikum das Werk kaufen soll, um sein Drama zu controlliren? Das Letzte ist ebenso unwahrscheinlich wie das Erste; aber ich will mit dem Erraten nicht weiter fortfahren; ich will es Jedem besonders überlassen, den Wert einer Handlungsweise zu beurteilen, die darin gipfelt, dass man eine Sache selbst nicht versteht, aber doch für Andere anführt, die sie auch nicht verstehen, und dies nur, um einigen Lieblingsideen eine imaginäre Stütze zu geben!

Was ich hier angeführt habe, dürfte genügen, um meinen aufgestellten Satz zu beweisen: dass die Dichter unserer Zeit gern bei krankhaften Erscheinungen auf dem physischen und auf dem psychischen Gebiet verweilen, dass aber ihre Beschreibungen sehr oft gänzlich unbefriedigend sind. Vorzugsweise wählt man dann die Krankheiten, die mit moralischem Verfall verbunden sind und sowohl in diesen wie in jenen geht man sehr weit mit der Detailschilderung. Manche werden vielleicht meinen, dass dadurch die Tiefen des menschlichen Elends ergründet wurden, und dass man nicht weiter kommen könne; aber dies ist leider durchaus nicht der Fall, bis zu dem Aergsten hat noch kein Dichter es gewagt hinabzusteigen, selbst die rücksichtslosesten Realisten müssen an irgend einer Stelle unterwegs stehen bleiben. Will Jemand dies bezweifeln, dann braucht er nur die flagrantesten Beispiele der „modernen" Novellenlitteratur mit den Polizeiprotokollen der Hauptstädte, den Journalen der Aerzte oder den Enthüllungen der Beichtväter zu vergleichen.

Folglich sind auch diese Verfasser an der konventionellen Grenze stehen geblieben? Ja, nichts ist sicherer: eine solche muss Jeder ohne Ausnahme sich stellen. Aber die konventionelle Grenze ist durchaus nicht für alle Zeiten ohne Unveränderlichkeit durch die Jahrhunderte festgestellt; sie wechselt mit dem Geschlecht und ist verschieden bei den verschiedenen Völkern. Deshalb ist es auch an und für sich gar nicht unerlaubt, zu versuchen, die Grenze zu versetzen, es sei nach oben oder nach unten, und die Gesellschaft fühlen zu lassen, dass die Betreffenden sowohl Kopf wie Herz besitzen, dann sanktionirt sie oftmals die Veränderung. Aber derjenige, dem Geist, Genie oder die Wärme einer fühlenden Seele fehlt, verrückt ohne jedes Recht die Grenze und kann am besten mit den Gespenstern der Volkssage verglichen werden, mit den Gespenstern von Menschen, die bei Lebzeiten um unrechten Gewinnes wegen die Grenzpfähle ihres Eigentums versetzten, weshalb sie verurteilt wurden, während der Stunden der Nacht ewig umher zu wandern und seufzend zu rufen: „Wo ist das Recht?“ „Wo ist die Grenze?“ So zeigt die Erfahrung, dass der Autor, der sich unter der Herrschaft des Modernismus befindet, stets durch eine wunderbare, unsichtbare Macht festgehalten wird auf dem bestrittenen Gebiete, stets versichernd, dass hier allein das echte Heim der Dichtung sei.

Während Aerzte, die als dichtende Schriftsteller aufgetreten sind, z. B. der schwedische Onkel Adam, wohl eine Choleraperiode geschildert haben, aber weder Cholerakrämpfe noch andere Symptome dieser Krankheit, erinnern jene Gegenwartsverfasser an gewisse sehr junge Mediziner, die außerordentlich eifrig sind, ihr gewonnenes, sehr unvollständiges und unbedeutendes Wissen mit schrecklichen Beschreibungen zu Markte bringen, um zu imponiren oder sogar ihre Umgebung zu erregen. Diese scheinen ihnen in ihrer eingebildeten Ueberlegenheit aus lauter spießbürgerlichen, beschränkten und reaktionären Individuen zu bestehen. Ungefähr dieselbe Tendenz kommt bei den Rednern der neuen Schule in einer bekannten Dichterfehde zwischen dem Dänen Schandorf und Kaalund zur Erscheinung.

Die neue Schule erklärt, dass sie wahre Verhältnisse schildere und dass dies nicht unerlaubt genannt werden könne. Einer ihrer Verfechter hat neulich auf einer Reise durch mehrere Städte in Schweden seine Meinung über die Moral in der modernen Dichtung vorgetragen und ist zu dem Resultat gekommen, dass wenn man nur das Wirkliche und Wahre schildere, nichts gegen die Moral der Schilderung einzuwenden sein würde. Wenn man jedoch die nach diesem System komponirten Werke liest ist man unwillkürlich genötigt, sich an Tegnérs Worte zu erinnern:

> Wahrheit suchten sie und meinten
> Sie allein zu besitzen,
> Doch wisset, der Himmel vereinte
> Alles Wahre, Schöne und Gute.

Und wenn das Schöne wie das Gute in diesen Arbeiten so schwach repräsentirt ist, so ist man zu dem Glauben versucht, dass das Wahre doch keinen vollständigen Ausdruck darin gefunden habe. Indess würde es ungerecht sein, wenn man mit einem Verse als Schlagwort ein jüngeres Dichtergeschlecht verurteilen wollte und sogar mit einem Vers eines alten Dichters wie Tegnér. Es wird daher gut sein, in sinniger Prosa jene Forderung an die Schilderung der Wahrheit zu prüfen!

Wie wenig exakt die Dinge oft genommen werden, ist oben bereits dargetan; aber selbst wenn eine Dichtung eine ganze Serie von faktischen Details giebt, die mit aller Naturtreue beobachtet und beschrieben sind, so kann sie doch als Ganzes ein durchgehend falsches Zeugniss geben, weil der innerste Gedanke und die Betrachtungen des Dichters jedenfalls der Darstellung ihren Stempel verleihen. Ließe er sich verleiten, seine Feder zum Diener dieser oder jener Partei zu machen, schreibt er einseitig von einem rechten oder linken Standpunkt in religiöser, politischer oder sozialer Hinsicht, dann schildert er die Männer der Gegenpartei beschränkt und niedrig gesinnt, während alle Tugend und Ehrenhaftigkeit in der Schaar der Meinungsgenossen zu finden ist; dann kann sein Werk möglichst wohl eine ganze Gallerie naturtreuer Porträts enthalten und dennoch unwahr sein. Oder sucht er niedrigen Gewinn, benutzt er — was ja nicht selten geschieht — die Tagespresse als Reklame für ein zukünftiges Opus, das mit neuer Dreistigkeit die nackte, ungeschminkte Wahrheit u. s. w. zeigen wird, ja! dann wird er oftmals sein eigentliches Ziel erfüllt sehen, denn das Publikum wird nach einem solchen Buch greifen und das Gold wird in seine Tasche rollen, aber die Wahrheit wird er weder ergreifen, noch mit den unreinen Händen festhalten können.

Täglich lehrt außerdem die Erfahrung, dass Bücher, die in der besten Absicht geschrieben zu sein scheinen, dennoch schädlich auf Viele wirken, die sich mit ihnen beschäftigen. Sie ließen sich vielleicht als Aufwiegler der Jugend oder Erregungsmittel für den allzu Erfahrenen gebrauchen, da es unter der Ausarbeitung nicht bedacht ist, dass sich in dem Gericht, welches man auf den Tisch setzt, viel zu viel Gewürz für die Gäste befindet. Man muss Rücksicht auf die normale Widerstandskraft der Organe nehmen und nicht die Menge für kräftig genug halten, um im Stande zu sein, ohne Schaden das zu genießen, was ihnen den Tod bringen kann. Hierzu antwortet man oft damit, was man vor 2000 Jahren in Rom sagte: „Ich bin ein Mensch und halte keinen Menschen für fremd.“ Nun wohl! Das ist wahr: es giebt keine noch so unbedeutende oder noch so widerliche Einfachheit in dem Dasein des Menschen, die nicht mit der Fackel der Wahrheit beleuchtet und durch die Hand der Barmherzigkeit gebessert werden könnte. Aber zum Teil muss diese Tat anderen Funktionären der Gesellschaft als den Dichtern überlassen werden; dem Geistlichen und dem Richter, dem Arzt und der Diakonissin — lasst ihnen ihr Gebiet, lasst sie sich mit den Denkern beraten! Der Dichter dagegen sucht in unser Heim einzudringen; seine Arbeit tritt in die tägliche Stube und in das Schlafzimmer der Kinder, und deshalb soll er nur im Umgangstone sprechen, der nicht als eine geringe und wertlose Sache genommen werden darf; denn durch ihn ist es, dass Gedanken, Gefühle und Bestrebungen geweckt werden, die für das ganze Leben des Menschen bestimmend werden. Und wie der Umgangston gewechselt und in wechselnden Alter-, Bildungs- und Interessen-Sphären verschieden sich bricht, so kann die Dichtung sich wohl in manchen

Formen bewegen, aber man muss stets darauf bedacht sein, dass sie Mann und Weib verbinden und nicht trennen soll. Eine Litteratur für das eine Geschlecht allein ist und bleibt eine Unnatürlichkeit, ein Raub.

Ich will mir hier einen kleinen Vergleich zwischen den Ausübern der Arzenei- und den der Dichtkunst in der Gegenwart erlauben. Jene sondern zwischen Pathologie oder Krankheitslehre, Therapie oder die eigentliche Arzneiwissenschaft und Hygiene oder die Lehre über die Erhaltung der Gesundheit; vornehmlich auf den letzten Zweig der Arzneikunst ist ja in unsern Tagen das größte Gewicht gelegt worden. Die modernen Dichter dagegen verweilen vorzugsweise in den moralischen Hospitälern; sie gehen von Bett zu Bett, spähen nach Krankheitszeichen mit solchem Eifer, dass sie sowohl die Therapie, wie die Hygiene ganz vergessen, ja sogar das erste Element in dieser: dass man frische Luft in dumpfe Atmosphäre der Krankenzimmer schaffen soll. Und entwickeln sie dann vor Aerzten jene Beobachtungen ohne ein Wort über die Heilmittel der Krankheit sagen zu können, dann nennt man dies „Probleme unter Debatte stellen".

Man spricht soviel über die Wirklichkeit im Gegensatz zur Idee. Was ist Wirklichkeit anders als die Idee von gestern? Was ist die Idee anders als das, was morgen oder nach hundert Jahren Wirklichkeit werden soll? Will der Dichter nicht für die Zukunft mit „Excelsior" auf seine Fahne geschrieben wirken, dann macht er einen geistigen Bankrott und verliert seinen schönen Beruf, der Prophet der Zukunft zu sein, dessen Worte man sich erinnern wird, wenn die des Priesters und des Schulmeisters längst vergessen sind.

Freilich dürfen wir uns über die Entwicklung und den Fortschritt des gegenwärtigen Geschlechts freuen; aber die Entwicklung schreitet nicht in einer schnurgeraden oder allmählich steigenden Linie vorwärts; sie geht in Wogen, von welchen jede neue gewiss höher und höher geht, doch mit tiefen Tälern zwischen sich. In Betreff der Poesie befinden wir uns offenbar in einem solchen Wogental, in der Periode der Decadence. Aber die Woge wird aufs neue sich erheben und die Dichtung wird Untugenden ablegen, die jetzt an ihr haften.

Wenn nur das wirklich Gute aufgenommen und ausgearbeitet wird, dann werden wir Gesänge zu hören bekommen, die einer lichten Zukunft würdig sind.

Berlin. Emil Jonas.

Die Quelle zu Schillers „Gang nach dem Eisenhammer".

Gestatten Sie mir freundlichst einige Bemerkungen zu der in Nummer 13 des „Magazins" angeregten Frage. Meines Wissens tauchte die Frage nach der Quelle der Ballade zum ersten Male 1832 im „Litterarischen Unterhaltungsblatt" auf. Im Jahre 1882 veröffentlichte Gustav Diercks im „Deutschen Dichterheim" ein Analogon zu Schillers Gedicht, das er einem 1724 gedruckten Werke entnahm. Wir werden indess kaum fehlgehen, wenn wir annehmen, dass Schiller weder das von Diercks erwähnte „Exempelbuch" R. D. Pruggers, noch weniger aber die von A. Leist herangezogene Märchensammlung des georgischen Schriftstellers Sulchan Saba Orbeliani kannte, obgleich wir nicht in Abrede stellen wollen, dass es von Interesse ist, die beiden Erzählungen mit der Dichtung Schillers zu vergleichen.*) Woraus Schiller geschöpft wird ziemlich klar, wenn wir eine Handschrift des Germanischen Museums in Nürnberg**) aus der ersten Hälfte des 15. Jahrhunderts und die Drucke etwas näher in Betracht ziehen. Die Handschrift ist zweimal gedruckt worden. Der erste Druck führt folgenden Titel:

Der selen trost mit manigen hübschen Exempeln durch die Zehen gebot vnd mit and' guten lere. Am Ende: Hie endet sich der selen trost — Getrackt vnd volendet in der Keyserlichen Stat Augspurg von Anthoni Sorge. Auf freytag nach Elisabeth. Anno Mcccc vnd in dem Lxxvjjj jar.

Der Seelentrost ist ein nach den zehn Geboten eingerichtetes Exempelbuch — vermutlich das Quellenwerk, dem auch Prugger den Gegenstand entnommen und individuell und seinem Bedürfnis entsprechend bearbeitet hat. Im Seelentrost steht vor jedem Gebote ein sich auf dasselbe beziehender Holzschnitt, welcher die ganze Seite einnimmt. Dann folgt eine kurze Erklärung eines jeden Gebotes, hierauf werden zahlreiche Beispiele, Exempel solcher Personen angeführt, welche das Gebot entweder treulich gehalten oder freventlich übertreten haben.

Die zweite Ausgabe von 1483 trägt den Titel:

Das Büchlein dz do hoisset der sele troste u. s. w. Am Ende: Hie endet sich der selen trost mit manigen hübschen Exempeln durch die zehen gebote vnd mit ander gutten lere. Getrucket vnd volendet in der keiserlichen stat Augspurg von Anthoni Sorgen Am freitag nach Letare Nach Cristi gepurt Mcccc vnd in dem Lxxxiii Jar.

Die hier in Betracht kommende Stelle, welche in der erwähnten Handschrift auf Seite 75 zu finden ist, lautet nach dem Drucke von 1483 also:

Es was ein ritter der het einem Künig gedienet lange zeit getreulichen, da er sterben solt, do beualhe (empfahl) er seinen sun dem Künig. D' Künig sprach er wolt es geren thun.***) Der sun d'hiess Wilhalm. Der vater rufft jm zu vnd sprach, Sun jch mues nun sterben, jch will dich leren dreu stuck, do solt du mein gedenken. das erst ist. du solt nymet ein tag on mess sein als verr (fern, weit) als du ymmer zu der

*) Vgl. übrigens auch: H. F. W. Hinrichs, Schillers Dichtungen nach ihren historischen Beziehungen. 1837.

**) Vergl. Anzeiger für Kunde des deutschen Mittelalters, 1832.

***) Die Handschrift: er wolt Yn wol handeln.

Kirchen haben magst. das ander wann du deinen herrn sihest betrübt oder dein frawen, solt du dich nit frewen, du solt mitt in trauren vnnd solt beweisen das dir jr betrübtnusse laid ist. das dritt ist wa (wann) du sichst ein missbelligen menschen der geren die leut hindersprechent (Böses nachredend) ist den solt du fliehen. do der vater gestarbe wilhalm der dienet also wol da in sein herr vnd fraw vnd alles hausgesinde lieb het. do was ein ritter in des Künigs hof, der pflag geren übelzureden hinder den leuten.[1]) Wilhalm d'czoch sich von jm vnd wolt kein gesellschafft mit jm nitt haben. Do het d'falsch riter gemerket wann die Künigin betrübt was, so betrubt sich auch Wilhalm. do gieng der falsch riter zu de Künig vnd sprach, Wilhalm hatt die Künigin lieb gewunnen, herr sprach er jch wil euch das sagen,[2]) betrübt sy mit schmähen worten,[3]) jr söllt das sehen, das Wilhalm mit jr betrübt ist. das thät der Künig vnd befand es also. do ward d'Künig zornig vnd nam rat wie er jm das leben näm.[4]) do sprach der falsch ritter, herr ich will euch einen guten rat geben, sendet in morgen frü in den wald zu dem Kalkofen vnd befelhet den Kalckprennern, wer morgen frü kompt[5]) zu in von ewren wegen den söllen sy[6]) in den Kalckofen werffen. also thät der Künig vnd beualhe wilhalmen des abents[7]) das er morgen frü zu dem Kalckofen rite vnd sölt sprechen, mein herr enbeut also, yr söllent tun als er euch enboten hab. Des morgens früh was wilhalm auff vnd reyt auss. do er auff den weg wz do hort er messleuten do reyt er hin vnd gieng in die Kirchen vnd hort die mess auss. die weil sass der falsch ritter auf vnd rit jm nach wolt vnd besehen wie es jm ergangen wär vnd kam zum ersten zu dem Kalckofen vnd sprach. Ir gesellen habent jr gethan[8]) das euch mein herr beuolhen hat. Nein sprachen sy wir haben es nit getan, wir wöllen es zehand (zur Hand, sogleich) tun. do ergriffen sy den falschen ritter vnnd wurffent in in den ofen. do wilhalm sein mess gehort da kam er zu dem Kalckofen vnd sprach das sy da tun sölten, das in der Künig beuolhen hett. do sprachen sy, sy heten es gethan.[9]) Er kam wider zu dem Künig vnnd sagt es wär alles geschehen es er käm. do fraget der Künig wo er also lang gewesen wär.[10]) do sprach er, er het mess gehört. do sprach der Künig, das hat dir da leben behüt.[11]) do fraget er solang biss er auff dye rechten warheit kam vnd het in do lieber dann vor.

Ich möchte hier auch erwähnen, dass sich die Erzählung, wie sie der „Seelentrost" überliefert hat, freilich in einer kleinen Modifikation, schon frühzeitig als Sage in dem bambergischen Lande findet. Man bringt sie hier nämlich mit dem Kaiser Heinrich und seiner Gemahlin Kunigunde in Zusammenhang. Bekanntlich wurde die Kaiserin des Bruches der ehelichen Treue bezichtigt. Um ihre Unschuld zu beweisen, wählte sie das Ordal des glühenden Eisens. Unversehrt schritt die „jungfräuliche Kaiserin", nachdem sie mit der keuschen Susanna zum allwissenden Gott gebetet, über die glühenden Pflugschaaren. Der tief beschämte Gemahl befahl nun — Adalberts Biographie weiß allerdings hierüber nichts zu berichten — den Verleumder im Kalkofen zu verbrennen. Nach seiner Meinung war der Schuldige ein Edelknabe, der die Kaiserin zu bedienen hatte. Der Verruchte aber, welcher zuerst die fromme Kunigunde und dann den treuen Edelknaben verdächtigt hatte, war der Kämmerer der Kaiserin, ein Edler von Truppach. Im Uebrigen stimmt die Sage genau mit der Erzählung des „Seelentrostes" überein: der unschuldige Edelknabe hört die Messe, während der ränkevolle Hofschranze in der Glut des Ofens sein Leben endet. Ein Gemälde aus dem XV. Jahrhundert mit der Darstellung des ganzen Vorfalles befand sich ursprünglich in der Kapelle der heiligen Gertraud zu Bamberg, an deren Stelle einst eine offene Feldkapelle gestanden zu sein scheint, in welcher der Edelknabe die Messe gehört haben kann. Jetzt wird das Bild in der St. Gangolphskirche aufbewahrt. An dieser Stelle soll einst der Kalkofen gestanden haben.

[1]) Die Handschrift: der pflag gern bose zu sprechen achter der lüde ruck. [2]) wollt jr das proben. [3]) mit wilchen worten Ir wollet. [4]) von dem tage brecht. [5]) komme aller erst. [6]) allzuhant. [7]) des andern tages. [8]) hait ir das getain. [9]) daz ist gedan wilhelm Reit widder heim zu dem Konjge vnd sprach das was gereid gedan. [10]) wo er so lang geharrt hette. [11]) die mess hat dir dein leben behalten.

Bamberg. Franz Friedrich Leitschuh.

Aus dem Nachlass Flauberts.

Par les Champs et par les Grèves.
(Paris, Charpentier. 1. Band.)

Von wenigen großen Schriftstellern kann man sagen, sie seien als Männer den Träumen ihrer Jugend treu geblieben. Die Meisten haben sich gehäutet und das mehr als einmal. Bei Flaubert aber kann von keiner derartigen Operation die Rede sein: was er in seiner Madame Bovary, in seiner Salambho, in den nachfolgenden weniger bekannten Werken und schließlich in seinen Briefen an Georges Sand war, das ist er schon mit achtzehn, mit siebenundzwanzig Jahren, im „Chant de la Mort" (1838) und in dem „Voyage en Bretagne" (1847).

Nur sind die Traumgebilde des Primaners, des jungen schriftstellernden Arztes trüb und verzweiflungsvoll, grau in grau, schwarz in schwarz. Wer mit kaum sprießendem Jünglingsflaum um Kinn und Wangen das entsetzliche Lied — denn diese lyrische Prosa lässt sich beinahe skandiren — das entsetzliche Lied des Todes singen konnte, der musste im Purpur des Ephebenblutes einen Tropfen schwärzesten Giftes tragen, das weiter und weiter um sich greifend den edeln Saft immer mehr trüben und zersetzen sollte.

Und neben diesem tödtlichen Spleen die herrlichste Farbenpracht des Stils! Man weiß ja, dass Flaubert der größte Prosakünstler des französischen XIX. Jahrhunderts ist. Seine Reise an den bretonschen Küsten liefert einen neuen Beweis dieser großartigen Virtuosität. „L'oeil aussi a ses orgies et l'idée ses réjouissances" sagt er zum Schlusse seiner „Elegie in den Ruinen eines alten Bergschlosses — Clisson — geschrieben". Nur dass diese Elegie so gar nichts Matthisson'sches an sich hat. Wenn er auch vom Lachen spricht, so ist dasselbe eher ein Grinsen „das ewige schöne schmetternde Lachen der Natur auf dem Skelett des Menschenwerkes, der Uebermut ihres Reichtums, die tiefe Anmut ihrer launigen Einfälle, das melodische Umsichgreifen ihres Schweigens".

Man lese doch zu Ende der Reisebriefe den Besuch auf dem Inselchen Grand-Bay bei Saint-Malo wo Chateaubriand bei Lebzeiten sein Grab hatte errichten lassen. „Da wird er schlafen, mit der See zugewandtem Haupte; in diesem auf einem Riff erbauten Grabmal wird seine Unsterblichkeit sein wie sein Leben war, einsam und von Gewittern umtost... und langsam; während die Wogen der heimatlichen Küste zwischen seiner Wiege und seinem Grabe sich hin und her schaukeln, wird Renés Herz, endlich erkaltet, im Nichts zerfließen unter dem unendlichen Rhythmus dieser ewigen Musik".

Nach der Grabstätte das Schloss der Väter: „denn, sagt Flaubert und mit ihm alle die nach Weimar oder Marbach, nach Frankfurt oder Tübingen wallen, nichts verrät die Trächtigkeit der Ideen und das Aufzucken, das diejenigen verspüren, die mit künftigen großen Kunstwerken tragend sind, aber nichts destoweniger fühlt man sich leidenschaftlich zu den Stätten hingezogen wo sie gezeugt und gelebt wurden, als ob an diesen Stätten etwas von dem unbekannten Ideal wäre haften geblieben."

Das hindert Flaubert aber nicht, der scharfe Kritiker zu sein, der er trotz seines Ausspruchs „die Kritik sei der Aussatz der Litteratur", war und von Châteaubriand den treffenden Ausspruch zu thun: „es genügte ihm nicht groß zu sein, er wollte großartig scheinen und dennoch hat diese eitle Sucht seine wahre Größe nicht verwischt."

Das Buch bringt als erstes Kapitel sein 1870 erschienenes „Vorwort zu den letzten Liedern Louis Bouillets". Dasselbe ist mit so treuer Hingabe und großer Wahrhaftigkeit geschrieben, dass man nicht umhin kann, den Menschen Flaubert trotz seines grauenerregenden Pessimismuss zu verehren und sich einer gewissen Sympathie nicht erwehren kann. Mit goldenen Worten beginnt dieses Vorwort: „Man würde vielleicht die Kritik vereinfachen wenn man, bevor man sein Urteil abgiebt, erklärte, welchem Geschmack man huldigt. In der Tat enthält jedes Kunstwerk ein gewisses Etwas, das der Person des Künstlers anhaftet und welches bezweckt, dass wir von der Ausführung abgesehn, uns gefesselt oder zurückgestoßen fühlen. Darum ist auch unsre Bewunderung nur bei denjenigen Werken vollständig, die zugleich unser Temparement und unsern Geist befriedigen. Vergisst man dies, so wird man sehr leicht ungerecht."

Dieser Bouillet, dessen Name so gut wie verschollen ist, verdient nach wie vor gelesen zu werden. Dies gilt besonders von seinem römischen Epos Meloenis. Er war ein Romantiker, trotzdem er ein episches Gedicht verfasst, vor Allem war er aber ein großer Dichter, dem einzelne „gute Verse" gelungen sind, wie nur selten den Größten. Sein sich auf die Madonna beziehendes

„Pâle éternellement d'avoir porté son Dieu"

ist prächtig und giebt zugleich das Schlusswort über Flaubert ab: auch er, der größte Prosadichter der Neuzeit neigt uns immer sein schmerzensreiches Antlitz zu, blass vom unsäglichen Schmerz einer stummen, sein Leben verzehrenden Verzweiflung.

Versailles. James Klein.

Litterarische Neuigkeiten.

Wolfgang Kirchbach hat soeben im Verlag von Otto Heinrichs in München ein in Prosa geschriebenes „Trauerspiel unserer Zeit" in fünf Aufzügen erscheinen lassen. Dasselbe trägt den Titel „Waiblinger" und zwar nach dem Helden Richard Waiblinger, Ingenieur und Forschungsreisender. Der Ort der Handlung ist: „Im Gebirge." Die Zeit um 1885. In vorliegender Schöpfung, die sich über alle früheren Leistungen dieses merkwürdigen Didaktikers erhebt, treffen wir einerseits die Vorzüge des Kirchbach'schen Talents und andrerseits seine Schwächen durch eine eigentümliche Verbindung von Umständen zu Vorzügen geworden. Es ist für jeden Verständnissvollen begreiflich, dass dieser Grübeler zu seiner ersten Tragödie einen pathologischen Stoff wählte. Der Held, Ingenieur und Afrikareisender, der geistige Aristokrat als Paria der Gesellschaft, steht ratlos der Welt da draußen gegenüber, die seinem idealistischen Innern sich zu einem wüsten Traumbild gestaltet. Den realen Mächten irdischer Gemeinheit erscheint er als „Lump", weil er „nichts hat". Er, der Geniale, muss verhungern und der bornirte selbstsüchtige Großbauer hat für ihn nur Hunde, um den Bettler davon zu hetzen. Eine Kombination von Umständen und Stimmungen kommt hinzu — eine Mischung von direktem Wahnsinn nervöser Ueberreiztheit und von einer Art Wahnsinn falscher Moralität, der selbstgerecht die wahre Logik der individuellen Wertung herstellen und dem verhungernden Gebildeten durch Wegräumung des brutalen Materialisten Platz schaffen will, entwickelt sich in dem Unglücklichen und er wird zum Mörder. Diese Logik selbstgeschaffener Rechtsbegriffe setzt er logisch fort, indem er, seinen Mord als sittliche Handlung auffassend, auch dem Gesetze gegenüber seine eigene Rechtsauffassung vertritt und demgemäß seinen Mord siegreich läugnet, den Verdacht ruhig auf Anderen ruhen lassend. Aber es giebt eine unerbittliche höhere Logik, welche dem Menschen eingeboren ist und sich das Gewissen nennt. Diese treibt ihn endlich doch zum Geständniss und er geht unter, mit ihm ein ideales (sehr verschwommen gezeichnetes) weibliches Wesen, das ihn liebt. — Jedem Litteraturkenner wird sofort ein bekanntes Werk gleichen Themas einfallen, dem Kirchbach direkte Einflüsse verdankt: Eugen Aram von Bulwer. Aber es lässt sich nicht läugnen, dass in „Waiblinger" das Thema tiefer erfasst und durch einen sozialpolitischen Hintergrund erweitert ist. Der szenisch-dramatische Aufbau erscheint tadellos, die Charakteristik der Nebenfiguren wohlgelungen. In der Hauptfigur steckt ein gut Stück von des Dichters eigenstem Wesen, wie denn Waiblinger die seltsame Kirchbachsche Gedankensprache redet, die er selbst als „traumreden" bezeichnet. Ob das Mystisch-Somnambule das durchgehends das Werk durchsättigt — hervorgegangen aus der Weltanschauung des Autors — immer ganz am Platze ist, sei dahingestellt. Jedenfalls ist das Ganze groß gedacht und von sittlichem Ernst durchwebt.

Ein eben so interessantes wie gründliches Schriftchen über das wunderbare Eiland Capri ist der bei H. Heyfelder soeben erschienene „Geographische und antiquarische Streifzug durch Capri" von Dr. Ed. Schulze. Abdruck aus der Festschrift des Dorotheenstädtischen Realgymnasiums zu Berlin.

Die Verlagshandlung von J. L. Beijers in Utrecht veröffentlichte in zwei stattlichen Bänden eine Uebersetzung von des berühmten italienischen Novellisten G. Verga Werk „De Malavoglias". Ob diese Uebersetzung eine wirklich autorisirte und berechtigte ist, haben wir leider nicht in Erfahrung bringen können. Es scheint uns aber bei der bekannten und neuerdings wieder bewiesenen litterarischen Raublust der Niederländer einigermaßen fraglich zu sein. Der Name des Uebersetzers ist diesmal auf dem Titel nicht genannt.

Wie wir soeben erfahren, wird B. von Suttners Roman „Daniel Dormes" in dem in Milwaukee (Amerika) erscheinenden Journal „Der Freidenker" nachgedruckt.

A. von Eye's „Wesen und Wert des Daseins", Untersuchungen zur Feststellung eines Gesammtbewusstseins der Menschheit erschien vor Kurzem im Verlag der Allgemeinen Verlags-Agentur in Berlin in zweiter Auflage.

Von dem griechischen Dichter Kostis Palamâs erschien soeben: Τραγούδια τῆς πατρίδος μου, Athen, 1886, eine Serie sehr geschätzter Dichtungen im Dialekt von Missolonghis enthaltend, deren Stoffe dieser Landschaft entnommen sind.

In den Jahren 1842—45 druckte in Padua als Student der jetzige Generalsekretär des italienischen Staatsraths Graf Carl Ruscone die erste vollständige Prosaübertragung Shakespeares in italienischer Sprache in zwei Bänden Großoktav. Am 15. Dezember 1885 war in einer römischen Druckerei der zehnte und letzte Band der vielfach umgearbeiteten elften Ausgabe fertig. (Teatro Completo di Guglielmo Shakespeare tradotto da Carlo Gusconi, Tipografia nell Ospizio di S. Michele, Roma, X Bände in 16° à Lire 2,50.)

Die Tauchnitz-Edition Collection of british authors veröffentlichte Vol. 2396 und 2397. Dieselben enthalten: „The Head Station" by Mrs. Campbell-Praed.

John Lubbock, der bekannte englische Gelehrte hat in der Pallmall Gazette eine Zusammenstellung der 100 besten Bücher verstorbener Verfasser veröffentlicht, ein litterarisch-kritischer Versuch nicht ohne Verdienst und Interesse, aber der Natur des Unternehmens nach vielen Anfechtungen ausgesetzt. Die deutsche Litteratur ist mit Werken Humboldts, Heines, Goethes und dem Nibelungenlied vertreten. Professor Max Müller hat die Lubbocksche Arbeit, welche die Pallmall Gazette in einer besonderen Ausgabe herausgegeben hat, mit einem interessanten Kommentar begleitet. Er hat auf die Anfrage, was er von der genannten Arbeit und dem derselben zu grundliegenden Bestreben, dem gebildeten Volk einen Führer durch die Litteraturschätze zu liefern, folgendes geantwortet. — „Wenn ich Ihnen meine aufrichtige Meinung sagen soll, so fürchte ich, dass Sie mich für den grössten litterarischen Ketzer oder Ignoranten halten. Ich kenne wenige Bücher, welche von Anfang bis zu Ende gut sind. Nehmen Sie z. B. den größten Dichter des Altertums, Homer. Wenn ich von ihm die Wahrheit und nichts als die Wahrheit sagen soll, so muss ich gestehen, dass auch bei ihm Stellen, mitunter größere, vorkommen, welche langweilig sind. Oder man nehme den grössten oder wenigstens einen der grössten Dichter der Neuzeit, Goethe und wiederum muss ich gestehen, dass mir manche Schriften von ihm nicht wert erscheinen, dass man sie zweimal liest. Es befinden sich Perlen in den berühmtesten Gedichten, wie in den wenigst bekannten, aber es giebt meines Wissens keinen Dichter, der nicht zuviel geschrieben hätte und der für alle seine Werke in einer Sammlung des Besten der Litteratur einen Platz beanspruchen dürfte." Diese Worte sind zugleich ein Wink für die Herausgeber der drei großartigen englischen Unternehmungen, welche das Beste und Gemeinverständlichste der Weltlitteratur in unerhört billigen Ausgaben (3 pence der gutgedrukte Band von ca. 200 Seiten) dem Volke darbieten. Es sind das die „Libraries" der Firmen Cassel, Routledge, Ward & Co. in London, welche zu gleicher Zeit ins Leben getreten sind.

„Errungen" betitelt sich ein Roman von J. Dominicus, welcher vor Kurzem im Verlag von J. D. Rauert in Sorau erschienen ist.

Bei Félix Alcan in Paris erschien von dem Verfasser der „Critique d'une morale sans obligation ni sanction", Henri Lauret, ein neues philosophisches Werk. Dasselbe trägt den Titel: „Philosophie de Stuart Mill."

„Ran von Nettelhorst." Roman von M. Lenzen di Sebregondi. (Bachems Roman-Sammlung. Zwei-Mark-Bände. Band 9.) Es darf wohl gesagt werden, dass mit jedem neuen Bande der Sammlung das Interesse an derselben wächst. — Band 10, Schlussband der ersten Serie, soll einen fesselnden Roman „Im Strudel der Hauptstadt" von M. v. Roskowska und eine höchst eigenartige historische Novelle „Hann Kuljevich" aus der Zeit der Türkenkriege von Mariam Tenger bringen.

Das seiner Zeit von der gesammten Fachkritik äußerst günstig beurteilte Werk Franz Woenigs: Pflanzenformen im Dienste der bildenden Künste. Zweite Auflage. Verlag von P. Ehrlich, Leipzig, ist bisher ohne Konkurrenz in der in- und ausländischen Litteratur geblieben und hat auch im Auslande wegen seiner Eigenart verdiente Würdigung gefunden. So erscheint gegenwärtig auch eine polnische Uebersetzung desselben von Stanislaw Fedeclei in Balandyna. Das neue längst mit Spannung erwartete wissenschaftliche Werk desselben Verfassers: „Die Pflanzen im alten Aegypten", Verlag der Königl. Hofbuchhandlung von Wilhelm Friedrich, Leipzig, die Frucht zehnjähriger, mühevoller Studien, hat bereits die Presse verlassen.

Zum Anthologien-Schwindel. Dr. Ernst Arthur Lutzer veröffentlichte soeben im Verlag von W. Schardius in Hamburg die erste Lieferung einer lyrischen Anthologie unter dem Titel „Veilchen". Auf der letzten Seite des Umschlages dieser Lieferung lesen wir unter Andern Folgendes: „Der Herausgeber dieser Anthologie hat sich die Aufgabe gestellt, diejenigen deutschen Dichter und Dichterinnen aus der Verborgenheit ans Licht zu ziehen, welche wirklich Gutes und Hervorragendes geleistet haben, bisher jedoch nicht das Glück hatten" u. s. w. Folgen die sich ziemlich von selbst verstehenden Mitarbeiterbedingungen und dann heißt es fett gedruckt weiter: „Als Gegenleistung verlangen wir nur, dass die verehrten Mitarbeiter soviel Interesse an dem Unternehmen bekunden, dass sie uns dadurch bei der Verbreitung desselben unterstützen, als sie nicht nur persönlich auf eine Anzahl von Exemplaren abonniren, sondern auch in ihrem Freundeskreise dahin wirken, das Werk bekannt zu machen." — Dies genügt zwar zur Charakteristik des Unternehmens, welches in zehn Lieferungen à 60 Pfg. vollständig sein soll.

Die Schriftsteller unter den gekrönten Häuptern werden demnächst um einen vermehrt. Der König Kalakaua von den Sandwichsinseln bereitet ein Buch vor, in welchem er über seine Reisen in Europa und Amerika berichtet.

„Mythologie der deutschen Heldensage" lautet der Titel eines neuen Werkes von Wilhelm Müller, welches vor Kurzem im Verlag von Gebrüder Henninger in Heilbronn erschienen ist. Das Werk soll besonders in ein genaueres Verständnis der deutschen Heldensage durch den Nachweis ihrer historischen und religiös-mythischen Bestandteile einführen, wobei der Verfasser sich bestrebt hat, der Geschichte zu geben, was sie beanspruchen muss, und dem religiösen Mythus zuzuweisen, was in dessen Bereich gehört.

Paolo Liry befürwortet in der „Nuova etnologia" und in einer Vorrede die neuste Uebertragung des „Buchs der Lieder" ins Italienische. Der als Uebersetzer von Goethe, Grillparzer u. A. gut bekannte Casimir Varese giebt in einer kurzen Vorbemerkung an, welche Nummern aus der Heimkehr, den Traum- und Nordseebildern er übergangen hat. (Enrico Heine Il libro dei canti tradotto da Casimiro Varese con prefazione di Paolo Liry. Firenze Successori Le Monnier 1886, XXIII und 317 S. Lire 4,—.)

Offenes Sendschreiben an Herrn Feodor Wehl, früheren Intendanten des Stuttgarter Hoftheaters. Entgegnung auf sein Buch: „Fünfzehn Jahre Stuttgarter Hoftheaterleitung." 30 Pf. Verlag von Robert Lutz, Stuttgart 1886. Der Verfasser dieser Streitschrift, der sich Schwab von Schwabenheim unterzeichnet, beleuchtet von seinem Standpunkte aus — dem Standpunkte eines dramatischen Dichters, welcher sehr eigentümliche Erfahrungen mit dem früheren Intendanten des Stuttgarter Hoftheaters und dessen Regisseurs gemacht hat — die Tätigkeit des Erstgenannten. Der Verfasser bestätigt aus eigener Erfahrung die Richtigkeit des Ausspruchs Melchior Meyers (wenigstens den zweiten Teil des Ausspruches), dass man ein Held sein müsse, um ein Schauspiel zu schreiben, ein Knecht, um es zur Aufführung zu bringen und fühlt sich daher gedrungen, einen für das Gedeihen der dramatischen Kunst und die Würde des dramatischen Dichters notwendige Reform anzuregen. Seiner Ansicht nach kann nur die Errichtung einer oder mehrerer Versuchsbühnen die dramatische Muse aus ihrer derzeitigen hilflosen Lage befreien.

Alle für das „Magazin" bestimmten Sendungen sind zu richten an die Redaktion des „Magazins für die Litteratur des In- und Auslandes" Leipzig, Georgenstrasse 6.

Im Verlage der K. Hofbuchhandlung Wilhelm Friedrich in Leipzig erschien soeben:

Paris der Mime.

Realistisch-Historischer Roman aus der Zeit Domitians

von

Wilhelm Walloth.

in 8° eleg. br. M. 6.— eleg. geb. M. 7.—

Walloth versteht das Leben der alten Welt mit einer realistisch packenden Kraft zu schildern, der gegenüber selbst die besten Schilderungen des modernen Lebens alltäglich, ja prosaisch erscheinen müssen. Eine Reihe höchst eigenartiger, noch nicht dagewesener Situationen ziehen an uns vorüber, mit realistischer Farbenglut fest und sicher hingemalt. Dabei stellt der Verfasser origineller Weise immer neben das Tragische, dass er mit Vorliebe malt, das komische Element; ja zuweilen durchdringen sich beide Richtungen, so dass hierdurch eine seltsam-schöne Mischung entsteht, die allein ausreichen würde, dem Werk dauernden Wert zu verleihen. Vor allem jedoch ist der mit wahrhaft shakespearescher Tiefe gezeichnete Charakter des „Paris" eine ganz neue Erscheinung! Man fühlt sich einem sympathischen Menschen gegenüber, dessen Eigenart man jedoch nirgends zu fassen vermag, man fühlt sich zum Nachdenken angeregt, ohne je auf den abstrakten Grund des Charakters zu kommen — ein Rätsel, dessen Auflösung uns beständig auf der Zunge schwebt, ohne dass wir sie auszusprechen vermöchten.

Dieser Paris gehört unstreitig zu den höchsten Charakterdarstellungen der Weltlitteratur.

Von demselben Verfasser erschien ferner im gleichen Verlage:

Octavia.

Historischer Roman aus der Zeit des Kaisers Nero

von

Wilhelm Walloth.

in 8° eleg. br. M. 6.— eleg. geb. M. 7.—

„Man muss vor allem betonen, wie eigenartig Walloth die Gattung historischer Romane auffasst, wie dichterisch seine Komposition, wie künstlerisch seine fliessende, aller Archaismen bare und doch charakteristische und nervige Sprache gegenüber dem glatten, geleckten Korkgeschnitzel des gelehrten Ebers wirkt. Die Charakterisierung Nero's ist ein Meisterwerk und die epischen Schilderungen, wie gleich im Anfang der Zirkuskampf sind von elementarer Kraft der Darstellung. Hier haben wir interessante Gestalten, hier erotische Konflikte von anzunehmender Originalität, dabei Beherrschung der Technik — und über dem allen das undefinierbare je ne sais quoi eines echten Dichteringeniums, das sich in der alles durchdringenden feierlichen und berauschenden „Stimmung" offenbart. Wenn der historische Roman einmal ausnahmsweise echte Poesie ist wie hier — dann, ja dann, ziehe ich, überzeugt „modern" wie ich sein mag, doch ein farbenprächtiges Gemälde vor, das meinem Geiste grosse historische Ideen vermittelt und eine Reihe wichtiger Vorstellungen vor mir entrollt, statt mich mit den „Realisten der Nüchternheit" zu langweilen.

„Gesellschaft".

Das Schatzhaus des Königs.

Roman aus dem alten Aegypten

von

Wilhelm Walloth.

3 Bde. in 8° eleg. br. M. 10.— eleg. geb. M. 12. —

„Mit einem dreibändigen Romane introduziert sich der Autor bei seinen Lesern, und zwar mit einer Arbeit, die gerade, weil sie sich gar nicht auf dem gewöhnlichen Felde des Romanciers bewegt, Anspruch darauf erheben kann, das Interesse wachzurufen. Der Gang der Handlung ist ein zu komplizierter, als dass es uns möglich wäre, denselben in gedrängter Kürze darzuthun. Wir müssen uns damit begnügen anzudeuten, dass sich Walloth eine Schilderung der Verhältnisse Aegyptens unter König Ramses, des zu seiner Zeit herrschenden fanatischen Hasses zwischen Juden und Aegyptern zum Motiv genommen; dass es ihm trefflich gelungen, den unversöhnlichen Hass, welcher in dem jüdischen Charakter liegt, einerseits, die mitleidslose Grausamkeit der Aegypter andererseits zu schildern. Wahrhaft erquicklich berührt in dem vor uns entrollten Bilde von Menschenhass und Grausamkeit die anmutige, liebeatmende Gestalt der Jüdin Myrah, des edlen Jünglings Menes aus ägyptischem Patrizierhaus. Das Liebesverhältniss und die endliche glückliche Vereinigung dieser Beiden, sowie die Schilderung der Leiden und Kämpfe, welchen sie ausgesetzt waren, bildet das Hauptthema des Romanes, dessen Interesse durch prächtige kulturhistorische Schilderungen nur erhöht wird."

„Ost und West".

Gedichte

von

Wilhelm Walloth.

in 8° eleg. br. M. 2.— eleg. geb. M. 3.—

Wilhelm Walloth hat uns mit einer seltenen Gabe beschenkt. Gleich auf der zweiten Seite finden wir ein tief gedankenvolles Gedicht, „Herbst", das unsere Erwartungen auf den weitern Inhalt des Werkes aufs höchste spannt. Dass wir es hier gleich kurz sagen: diese Erwartungen werden voll erfüllt, ja übertroffen. Walloth ist eine durchaus eigenartige Dichternatur; er hat für alles seinen besonderen Ausdruck, malt mit wenigen markigen Strichen und versteht durch Anschlagen einzelner Töne, die ganze Besaitung unseres Herzens mit in Schwingungen zu versetzen. Er beherrscht den Contrapunkt der lyrischen Komposition: mit einer einzigen Vorstellung, die er unmittelbar anregt, ruft er die volle Harmonie von zehn andern aus ihr entstehenden Vorstellungen wach. In knapper Form, oft nur in zwei Strophen, wird uns eine unendliche Fülle von Inhalt geboten. Diese Lieder stehen auf Goethescher Höhe und werden früh oder spät ihren Komponisten finden und, in Töne gesetzt, volkstümlich werden. Walloths „Balladen" erzielen in gleicher Knappheit der Form dieselbe erfreuliche Wirkung. Diese Kunst der Kürze, diese den Leser zum Nachschaffen und Ergänzen gebieterisch zwingende Art des Vortrags verleiht Walloths Dichtungen einen eigenen fesselnden Reiz und bekundet das ausgesprochene Gottesgnadentum des echten Poeten. Noch stolzer und siegesgewisser entfaltet der Dichter sein Banner in den „Oden". Wie prächtig stürmen ihm die Gedanken in den kunstvollen Rhythmen der antiken Versmasse! Oden wie sein „Meeresleuchten" sind nicht oft geschrieben worden. Die Ode „O Schlaf, der Menschenfreunde holdseligster" ist so krystallhell in ihrer wundervollen Gedankentiefe, so wohltönend im Flusse ihrer bestrickenden Verse, dass wir keine Ode des Horaz über sie stellen möchten. Die Höhe der Klimax ersteigt Walloth aber in seinen „Elegieen"; sie beweisen, dass ihm eine ganz ausserordentliche Begabung für virtuose Behandlung des Distichons und des tragischen Trimeters innewohnt. Als echter Künstler auch der äussern Anordnung bringt Walloth das Herrlichste des Ganzen, seine „Starnberger Elegieen", am Schlusse des Werkes. Diese Elegieen verdienten eine besondere kritische Abhandlung. Hier soll nur kurz auf die bestrickende Anmut, auf die reizende Kleinmalerei, auf die prachtvolle, urgesunde Sinnlichkeit kurz hingewiesen werden. Diese erweisen glänzend die ästhetische Berechtigung des Realismus und die grosse verheissungsvolle Zukunft desselben; sie zeigt, welche anmutenden Früchte der Realismus in einem deutschen Dichtergeiste reift im Gegensatz zu den faulig-frivolen Erzeugnissen des französischen Geistes, in dem der Realismus zu einem ekelhaften und armseligen Naturalismus entartete. Diese poesie-geadelte keusche Sinnlichkeit, die das Unsagbare so unverletzend zu sagen weiss, erhebt Walloth mit einem Schlage zu hoher Bedeutung unter den dichtenden Zeitgenossen. Man wird ihm das Recht zu dem von ihm gewählten Motto seines Werkes nicht bestreiten können:

„Einst, ich weiss, doch wird mit höhern Schlägen
Manches Herz bei meinen Liedern klopfen,
Wenn das meine längst schon ausgeschlagen."

„Kölnische Zeitung".

Durch alle Buchhandlungen des In- und Auslandes wie direkt von der Verlagshandlung zu beziehen.

Für die Redaktion verantwortlich: Karl Bleibtreu in Charlottenburg. — Verlag von Wilhelm Friedrich in Leipzig. — Druck von Emil Herrmann senior in Leipzig

Das Magazin

für die Litteratur des In- und Auslandes.

Wochenschrift der Weltlitteratur.

1832 gegründet von Joseph Lehmann.

55. Jahrgang.

Preis Mark 4.— vierteljährlich.

Herausgegeben von Karl Bleibtreu.

Verlag von Wilhelm Friedrich in Leipzig.

No. 21. Leipzig, den 22. Mai. 1886.

Inhalt:

Unsere Kritik.

Von Konrad Alberti.

Die folgenden Bemerkungen sollen durchaus keine erschöpfende Kritik der Kritik enthalten. Eine solche ließe die Kargheit des Raumes gar nicht zu, den die erneute Behandlung eines schon mannigfach angeregten Themas in einem litterarischen Wochenblatte beanspruchen kann. Wollte ich alle Uebelstände der deutschen Kritik aufzählen und dartun, wie die Letztere eigentlich beschaffen sein müsste, ich brauchte dazu wenigstens ebenso viele Druckbogen als ich jetzt Spalten in Anspruch nehme. Das Feld ist eben „gar so weit“, und ich muss mich auf einige Fingerzeige beschränken. Ich muss auch darauf verzichten, wie ich gern gewollt hätte, eine kurze Entwicklungsgeschichte der deutschen Kunst- und litterarischen Kritik zu geben — denn auch eine solche, reich an Abwechslungen und interessanten Episoden, ist vorhanden. Aber mich soll nur die deutsche Kritik der Gegenwart und im Besondern die litterarische beschäftigen; wie sie sein sollte und wie sie wirklich ist.

Wir sind heutzutage leider auf dem Standpunkte angelangt, dass die meisten Kritiker die Kritik als etwas um ihrer selbst willen Bestehendes betrachten, etwa wie die Kunstgelehrten meinen, dass Raphael und Michelangelo nur darum gelebt und geschaffen, damit sie dickleibige Werke über dieselben schreiben und sich um die Echtheit ihrer Werke herumstreiten sollen, oder wie etwa die Goethepfaffen glauben, dass Gott nur den Goethe in die Welt gesandt, dass sie über ihn Kollegien lesen und der Goethegesellschaft präsidiren sollen. Die Kunstkritik ist aber nie selbstständige Herrin, sondern stets Dienerin, oder vielmehr Begleiterin, eine Art Freigelassene, die Vermittlerin und das Bindeglied zwischen Kunst und Wissenschaft, gewissermaßen ein Bastard beider. Sie empfängt ihren Lebensunterhalt von der Kunst und ihr Gewand von der Wissenschaft. Es existirt noch ein solcher Bastard, die sogenannte didaktische Poesie, aber diese erhält umgekehrt den Unterhalt von der Wissenschaft und die Kleidung von der Kunst. Letztere leitet von der Wissenschaft zur Kunst über, jene umgekehrt. Daher kann die Kritik nur von der konkreten Kunstschöpfung zur Abstraktion führen, nie aber darf sie aus apriorisch konstruirten Grundsätzen in die lebendige Kunst hineinwirken wollen.

Die meisten Menschen — und leider darunter auch die meisten Künstler und noch schlimmer die meisten Kritiker selbst — verwechseln unaufhörlich Kritik und Rezension. Die Rezension ist nur die erwachsene Tochter der Kritik, aber ihr in jeder Beziehung untergeordnet. Sie beginnt ihr Wirken erst da wo die Kritik das ihre schon beinah vollendet hat. Die festen Grundsätze, welche die Kritik gewonnen, wendet sie auf die künstlerischen Neuschöpfungen an und prüft sie auf Grund derselben. Kritisiren heißt untersuchen, rezensiren ausmustern, darin drückt sich der ganze Unterschied aus. Die Rezension wird für den Augenblick geschrieben, die Kritik für die Dauer, jene für den Künstler und Kunstfreund, diese für die große Masse, soweit sie zur Kunst in Beziehung tritt. Es ist zu lächerlich, wenn kleine Rezensentchen von ihren „Kritiken" reden, während ihr Wissen nicht über die Kenntniss des allgemein Ueberlieferten, ihr Blick nicht über die Einzelerscheinung des Tages hinausgeht und eine Fähigkeit, große allgemeine leitende Grundsätze aufzufinden und aufzustellen, wie Pflicht der Kritik ist, nicht vorhanden ist.

Ein Rezensent hat keine andere Pflicht als der treue und gewissenhafte Ratgeber des großen, Kunstwerke oder Bücher kaufenden Publikums zu sein. Die Orte seiner Wirksamkeit sind die Tagesblätter. Den Tausenden, die sie lesen, soll er nichts weiter sagen, als ob die im Theater neu aufgeführten Werke, die in der Gallerie neu aufgestellten Bilder schlecht oder gut, ansehenswert oder nicht ansehenswert, die neu erschienenen Bücher kaufenswürdig oder nicht sind, und die Leser kurz aber anschaulich mit dem Gegenstand, dem Inhalt bekannt machen, damit Jeder weiß, ob das Besprochene für ihn und seine Zwecke geeignet ist. Erst wenn eine neue ästhetische Wahrheit oder Anschauung aufgetaucht und anerkannt ist, soll er sie in kurzen, objektiven Worten der großen Oeffentlichkeit vorführen und verkünden. Nie soll er an Einzelheiten kleinlich haften, nie noch neue Prinzipienfragen an die große Glocke hängen, die für dieselbe noch nicht reif sind, denn er bringt dadurch die große Masse nur in Verwirrung, er belästigt sie mit unnützem Cliquenstreit, der besser in den Reihen der Kunstangehörigen allein ausgefochten wird. Der Satz: „Alles durch das Volk" gilt in der Kunst nur mit Einschränkungen — schon aus dem Grunde, weil ihn die Politik anerkennt und darum die Interessen und den Geist der großen Masse zu sehr in Anspruch nimmt. Kunstrevolutionen kann man nur allmählich in immer weiter dringenden Wellen in das Publikum einführen, dem großen Haufen sind ja doch Fragen wie Musikdrama oder Oper? Idealismus oder Naturalismus? nur unverstandene Worte, er sieht an jeder Kunstgattung nur das Aeußerliche und sein Goethe ist, wer ihn am besten und längsten zu amüsiren versteht. Darum fort aus unsern Tagesblättern mit dem endlosen, ästhetisirenden Geschwätz, wie man es allenthalben findet, über welches das große Korps der Leser doch nur mit flüchtigen Blicke dahin streift. Damit wird nur das Bildungsphilistertum befördert, und manches wirre Gemüt nutzlos mit halbverstandenem Phrasenkram angefüllt. Fort aus denselben mit dem künstlerischen Parteienstreit! Dergleichen gehört nur in Blätter, welche von Künstlern und Kunstkennern oder wahrhaft Gebildeten gelesen werden! In erster Linie die Fachblätter, die Monats- und die besseren Wochenschriften. Knapp, sachlich, übersichtlich, schnell und gewissenhaft sei die öffentliche Rezension. Jede Polemik, wenigstens jede persönliche, müsste ausgeschlossen sein. Was soll das Publikum davon denken, wenn zwei Rezensenten mit verschiedenen Ansichten, oder ein Rezensent und ein Künstler sich in öffentlichen Blättern, wie wir es alltäglich sehen, herumbalgen? Es kann nur beide für Gassenjungen halten. Macht eure Privatauseinandersetzungen privatim oder in euren nicht gerade Jedermann zugänglichen Fachorganen ab, vor der Welt seid wenigstens dem Anschein nach einig, vor der großen Oeffentlichkeit geht Hand in Hand, das seid ihr eurem Stande schuldig!

Schnelligkeit ist die erste Bedingung eines guten Berichterstatters. Das Publikum verlangt mit Recht am nächsten Morgen zu wissen, wie die erste Vorstellung einer Neuigkeit ausgefallen, ebenso wie es über jedes neue politische Ereignis schnell unterrichtet werden muss. Ihm ist eben das Theater, das Buch nur ein Gegenstand der Unterhaltung. Wie kann man aber um Mitternacht, unter dem unmittelbaren Eindruck der Vorstellung, während die Maschine ungeduldig wartet, neue ästhetische Grundsätze ausführen oder erörteren? Wir sehen an unsern Blättern fast täglich, welch haarsträubender Unsinn dabei zu Tage kommt, wie unsere Rezensenten sich fast täglich schmachvoll blamiren. Darum sage man lieber einfach: man unterhält sich bei diesem Werke, jenem Buche, oder langweilt sich, die Rubrizirung, Untersuchung des Aufbaus, der Motive und den ganzen kritischen Rüstapparat aber überlasse man der Kritik der Fachblätter oder Rundschauen. Das große Publikum hat auch ein Recht zu verlangen, dass was man ihm als Tagesspeise giebt, der großen Masse wegen, die es täglich ein- bis zweimal einnehmen muss, leicht verdaulich sei, es beansprucht für die Rezensionen eine angenehme, leichte Form, feuilletonistische witzige Darstellung, wie sie sich mit der ernsten gediegenen Kritik nicht verträgt. Es ist unmöglich Lessingsche Wahrheiten in Lindauschen Wendungen zu sagen. Eine gute gehaltvolle Kritik ist eine nahrhafte Speise, sie muss freilich stilistisch wohlschmeckend zubereitet sein, aber ihre Bestandteile sind zu fest, als dass sie auf der Zunge zerfließen könnte, sie will mit einen gewissen Bedacht genossen werden.

Paul Lindau war, so lange er noch Rezensionen schrieb, in dieser Hinsicht das Muster eines Rezensenten, und in der Tat verschafften seine hübsch und leicht und witzig geschriebenen Theater- und Bücherbesprechungen den Blättern, die er leitete, hauptsächlich die große Verbreitung. Aber er hatte den Ehrgeiz als Kritiker gelten zu wollen, er gab seine Rezensionen sogar gesammelt in Buchform heraus, und nun erkannte man erst, wie wenig wahrer Gehalt in denselben steckte, wie Alles nur Augenblicksarbeit war. Später ist er gar unter die Dichter gegangen und hat damit bewiesen, dass er die Grenzen seiner Begabung vollständig misskennt.

Wie wenig gewissenhaft ein Teil unserer Kritiker und Rezensenten vorzugehen pflegt, dürfte dem geringsten Teil unseres Publikums bekannt sein, das ja gläubig hinzunehmen gewohnt ist, was schwarz auf weiß geschrieben steht. Welche Ränke, Kniffe und Pfiffe, welche Schmeicheleien, Beredsamkeit oder Grobheiten, wie viel persönliche Zu- oder Abneigung hinter einer öffentlichen Besprechung sich oft verbergen, ahnt zumeist der dem litterarischen Getriebe fernstehende nicht. Dreiviertel aller erscheinenden Besprechungen, wenigstens bei neuen Büchern, sind sogenannte „Gefälligkeitsrezensionen". Sie werden geschrieben, weil der Rezensent in persönlichem Verkehr mit dem Verfasser steht und von ihm so lange mit Bitten und Beschwörungen bestürmt wird, bis er zur Feder greift und eine Rezension für ein befreundetes Blatt schreibt. Zumeist liest er das Buch gar nicht, sondern begnügt sich diejenigen Stellen der Vorrede zu überfliegen, in welchen der Autor seine Absichten auseinander setzt und darnach zu urteilen, zuweilen lobt er das Buch mit freundlichen Worten, nur aus dem angeführten Grunde, obgleich er sich innerlich denkt, er habe eine so elende Schmiererei noch nie gelesen. Daher der nichtssagende, das Wesentliche meist vorsichtig umgehende Ton die stehenden Phrasen fast aller Besprechungen. Ein Romanschriftsteller, der politisch zur Partei eines Blattes gehört, sieht sein schlechtestes Werk sofort in demselben gelobt, ein bei weitem genialerer, der zur politischen Gegenpartei gehört, findet sein Meisterwerk heruntergerissen oder noch lieber todtgeschwiegen. Lehnte doch der Chefredakteur eines bekannten „Berliner Blattes" einmal einem seiner Mitarbeiter gegenüber es ab, eine Besprechung meiner Biographie Gustav Freytags zu bringen, weil — nun, was glaubt man wohl? Weil das Buch schlecht, ohne allgemeines Interesse wäre? Weit gefehlt! Weil — man lache nicht, es ist wirklich kein Scherz, „man hat mir's geschrieben" — weil ich ein halbes Jahr vorher in einer kleinen Schrift das „Deutsche Theater" in Berlin getadelt hatte, dessen Leiter diesem Leiter befreundet war und ihm die Leiter hielt bei seinen Promenaden auf dem Dachfirst des Tempels der Kunst, in dessen Inneres er vergeblich zu dringen suchte. Wie viele lobende Rezensionen erschlichen werden durch Entschädigungen in klingender Münze, liebenswürdige Geburtstagsgeschenke, Einladungen zu Tisch oder freundliches Entgegenkommen (um diesen Euphemismus zu gebrauchen) wenig spröder Schriftstellerinnen oder Künstlerinnen, will ich hier nicht auseinandersetzen, denn es widerstrebt mir in innerer Seele, die unangenehmsten Schattenseiten meines eigenen Berufs hier vor der Oeffentlichkeit bloßzustellen, ich will den Baum nicht beschmutzen, auf dem ich selbst niste. Es wäre auch töricht, leugnen zu wollen, dass es viele auf keine Weise zu beeinflussende, gerechte und geistreiche Rezensenten in Deutschland giebt, ja man darf wohl sagen, dass die überwiegende Mehrzahl unserer Rezensenten ehrenwerte und allen materiellen Bestechungen unzugängliche Männer sind. Nichtsdestoweniger fehlt es aber auch nicht an Beispielen des Gegenteils, und es liegt im Interesse unseres ganzen Standes und Berufes, dergleichen nicht ungestraft geschehen zu lassen, es ist eine Ehrensache jedes anständigen Schriftstellers, Fälle zur öffentlichen Kenntnis zu bringen, welche geeignet sind, auf die gesammte Presse und ihre Unabhängigkeit ein schlechtes Licht zu werfen. Die Würde des Standes verlangt es, keine Unwürdigkeit in demselben zu dulden. Wie aber soll man es nennen, wenn ein bekannter Lustspieldichter in Berlin, der seine Werke an einem hiesigen Theater zur Aufführung bringt, also am materiellen Gedeihen des Letzteren, das ihm seine hohen Tantièmen zahlt, offenbares Interesse hat, zugleich Theater-Kritiker eines maßgebenden Blattes der Hauptstadt ist und seinen Einfluss nun dahin benutzt, sein Theater — das heißt dasjenige, welches zum Teil von seinen Stücken lebt — dadurch emporzubringen, dass er alle Aufführungen, sie mögen so misslungen sein als sie wollen, bis in den Himmel erhebt, für dasselbe in widerwärtigster Weise die Reklametrommel rührt, alle anderen Theaterunternehmungen in Berlin aber in einem Tone abkanzelt, wie ihn kein Lehrer bezüglich der Arbeiten eines erwachsenen Schülers gebrauchen würde. Es kommt ihm darauf an, Alles neben sich in Grund und Boden zu rezensiren, er erkennt nichts Gutes neben sich an, höchstens was in Berlin zu seiner Clique schwört, darf ab und zu einmal auf ein bei Seite fallendes Lobspänchen rechnen. Jedes Wort, was dieser Mann in Theaterdingen schreibt, ist ein in Gift getauchter Pfeil, und er klingt dem unbefangenen Ohr misstönig, wie der Klang einer gesprungenen Glocke. Was er schreibt ist moralisch strafbarer Eigennutz, ist ungerecht, übertrieben, nach der Seite des Lobes wie des Tadels, und wenn er einmal ein junges aufstrebendes Talent eines freundlichen Wortes würdigt, so geschieht es sicherlich in der Absicht das anscheinend gütig gewährte Geschenk später bei passender Gelegenheit mit Zinseszins zurückzufordern. So zwingt er alle Bühenleiter Berlins, sich zu ihm in Beziehungen zu setzen, seine Stücke zu geben, deren Witz und Bühnenwirksamkeit ich übrigens durchaus anerkenne, ihm dramaturgische Aufträge zu erteilen, Uebersetzungen, Ballettexte u. dergl. zu bestellen. Wehe ihnen, wenn sie es wagen, ihn zu ignoriren! Und dieser Mann, der die Würde und das Ansehen der Kritik, ja der Presse überhaupt Tag um Tag mit Füßen tritt, gilt Zehntausenden als der neue Lessing, der Reformator der deutschen Bühne, und die um ihn gesammelte Clique, die er sich, wie Lessing von Klotz sagt, teils erschimpft, teils erlobt hat, posaunt sein Lob und seine Ehre hinaus in alle Winde. Nein, gegen einen solchen Missbrauch des litterarischen Einflusses müssen wir uns mit aller Entschiedenheit wenden. Das heißt nicht mehr die Muse zur milchenden Kuh machen, die für den Butterbedarf sorgt, das heißt die freie, unabhängige Kritik, die Tochter des Scharfsinns und der Wahrheit, zur Helotin erniedrigen, das heißt sie missbrauchen, sie für sich arbeiten lassen, wie der Berliner Louis seine Dirne.

„Dem Rezensenten, der seine Feder verkauft, soll man den Arm abhauen wie dem Vatermörder die rechte Hand," sagt Theodor Mundt, was aber soll mit dem Rezensenten geschehen, der aus persönlicher Gefälligkeit, aus Gutmütigkeit, aus Freundschaft gegen den Autor ein schlechtes Buch lobt und dadurch Hunderte veranlasst, ihr gutes Geld gegen eine wertlose Waare einzutauschen? Man sollte ihn eigentlich gesetzlich zum Ersatz des Schadens zwingen können, ebenso wie jeder Kritiker, der ein Buch aus andern als rein sachlichen Gründen tadelt, dem Autor, dem er dadurch materiellen Schaden zufügt, ersatzpflichtig sein müsste.

Eine gute Kritik wird bei einer neuen Kunsterscheinung stets drei Fragen aufwerfen und beantworten: was will dieselbe sein? was sollte sie sein? und was ist sie geworden? Sie wird sich die Absichten des Schöpfers erklären, wird untersuchen, ob dieselben mit den bisher herrschenden künstlerischen Grundsätzen zusammenfallen beziehentlich ihre Richtigkeit untersuchen, wenn es neue sind und wird endlich prüfen, ob das vollendete Werk sowohl mit den einen als mit den anderen übereinstimmt, ob es folgerichtig aus seiner Grundlage herauswächst oder nicht. Nur so ist es möglich, zu einem vernünftigen Urteil über ein Kunstwerk zu gelangen, nur so kann von einer sachlichen Kritik, nicht von einer subjektiven Rezension die Rede sein. Das A und O der kritischen Kunst hat Gutzkow in seinem Uriel Acosta ausgesprochen, wenn er den de Santos sagen lässt:

„Dies Buch sei Euch ein Buch — den Autor kennt ihr nicht."

Jeder Kritiker sollte diesen Spruch zehnmal laut wiederholen, bevor er die Feder ansetzt, seines Amtes zu walten. Auf wenigen Menschen lastet eine so große moralische und materielle Verantwortlichkeit als auf dem Kritiker: er ist der Herr des litterarischen und Kunstmarktes, er ist der Führer jenes Blinden, der sich Publikum nennt, er hat die Pflicht ihn sicher und gut zu geleiten und die Blindheit des Klienten, die eigentlich mehr eine Unkenntnis infolge geschäftlicher Ueberbürdung ist, weder zum Nutzen noch zum Schaden des Autors auszubeuten.

Es ist schwerer Rezensionen zu schreiben als Kritiken. Der Kritiker, der in den Fachblättern und in dem für ein kleines gebildetes Publikum bestimmten Revier das Szepter führt, braucht nur ein Mann von Geist zu sein, denn die Gelegenheit Ungerechtigkeiten zu Gunsten oder Ungunsten eines Dritten zu begehen, tritt nur selten an ihn heran. Jeder seiner Leser ist im Stande ihn zu kontrolliren, ihm eine Ungerechtigkeit nachzuweisen, und er wird sich hüten, sich vor ihnen eine Blöße zu geben. Der Rezensent einer großen, vielgelesenen Tageszeitung, der es in der Hand hat, täglich Zehntausende recht oder irre zu leiten, muss in erster Linie ein Mann von Charakter sein, dem jede Ungerechtigkeit widerstrebt, und solche Männer sind seltener zu finden als Leute von Geist.

In der deutschen Kritik hat seit einiger Zeit sich ein Ton verbreitet, welcher jeden mit Betrübnis erfüllen muss, der es mit der künstlerischen Ehre, dem litterarischen Anstand ernst meint. Einige Schriftsteller, deren Hauptverdienst darin besteht, dass sie ein paar Jahre auf den Pariser Boulevards herumgebummelt sind und den Ton der Seinevorstadtblätter abgelauscht haben, brachten von drüben jene nachlässige, witzelnde und „schnodderige" Manier mit, welche sie selbst als „rücksichtslos" bezeichnen, die ich dagegen nur flegelhaft nennen kann, zumal ihr die Grazie der französischen Phraseologie fehlt. Sie verhält sich zu jener Pariser Manier etwa wie das derbe deutsche Wort Gassenjunge zum leichten tändelnden „Gamin", es ist ein verschrumpftes, schlecht übertragenes Französisch. Wenn dergleichen gegen Schriftsteller untergeordneten Ranges, die nicht ernst zu nehmen sind, angewendet wird, so mag es noch verzeihlich sein, obwohl man auch Misstrauen gegen einen Kritiker haben muss, der zu dem oder jenem Autor sagt: „Du bist zwar nicht wert, dass man deinetwegen eine Feder ansetze, man müsste dich von rechtswegen ignoriren, ich aber werde doch über dich schreiben — nicht um deinetwillen, sondern um an dir meinen eigenen Witz zu zeigen und leuchten zu lassen." Unverantwortlich und geradezu bubenhaft aber ist es, wenn ein als Schriftsteller und Kritiker untergeordneter Geist gegen einen ernsthaften oder bedeutenden Künstler in einer Weise zu Felde zieht, welche dieser unmöglich erwidern kann, so lange er noch etwas auf seine Künstlerwürde und -ehre hält. Ich bin wahrhaftig kein Wagnerianer, wie aber Oskar Blumenthal in seinen „Theatralischen Eindrücken" gegen den Dichter Richard Wagner loszieht und ihn mit Tintenschlamm bespritzt, muss auch den leidenschaftlichsten Gegner Wagners empören. Wer kennt sie nicht, die alte Fabel Aesops? Als der Löwe gestorben war, trauerten selbst die Tiere um ihn, deren Verwandte er zerrissen hatte, und sie bewunderten die Stärke und den Mut des Geschiedenen, obwohl er sich auch gegen sie gekehrt hatte. Nur der Esel, dem er nie etwas getan, konnte sich die Wollust nicht versagen, einem Löwen einen Fußtritt zu geben. Leider aber ist dies nicht das einzige Beispiel seiner Art. Wir haben antisemitische Zeitschriften genug, welche jedes Buch darauf untersuchen, ob sein Autor ein Jude ist oder nicht, und einzelne liberale Blätter bringen grundsätzlich keine Besprechungen von Kunstwerken, deren Verfasser als Antisemiten bekannt sind. Dass bei solchen Grundsätzen jede sachliche Kritik überhaupt aufhört, ist klar.

Wie ungerecht die Kritik gegen junge Autoren verfährt, wie sie sie jahrelang antichambriren lässt, bis sie einem ihrer Werke einmal ein paar Zeilen gönnt, ist bekannt. Oft verdankt es ein junger Schriftsteller nur einem Zufall, wenn er in einem größeren Blatt einer Besprechung gewürdigt wird. Machte doch der Herausgeber einer bekannten Wochenschrift allen Ernstes einmal den Vorschlag, die Sitte der Versendung von Rezensionsexemplaren seitens der Verleger abzuschaffen; jede Redaktion sollte sich die Bücher von dem Verleger ausbitten, die sie besprechen lassen wollte. Dann würde es, glaube ich, jungen Schriftstellern überhaupt unmöglich sein, sich einen Namen zu machen, oder der heillosesten Protektionswirtschaft wäre Tür und Tor geöffnet.

Was der deutschen Kritik fehlt und was sie sich aneignen muss, will sie in Ehren neben der des Auslandes bestehen, das ist der Blick ins Große, Allgemeine. Immer haftet sie nur am Einzelnen, nie kommt sie über eine schulmeisterliche Klassifikation hinaus, und was nicht in dieselbe hineingeht, wird nach den alten, zopfigen Anschauungen verurteilt. Möge man sich daran gewöhnen, jede künstlerische Existenz zu dulden, keiner die Daseinsberechtigung abzusprechen, weil sie nicht in das System hineinpasst. „Sint quia sunt" sei der Wahlspruch einer gerechten Kritik. Zu verbessern, zu belehren trachte dieselbe, aber nicht abzuschrecken und nur Todesurteile zu fällen. Nur wer die Kunst zu selbstsüchtigen Zwecken missbrauchen oder ihr Reich einschränken will, der Mucker, der Frömmler, der Reaktionär, der Jakobiner, der Nihilist werde aus ihrem Tempel verwiesen, wer ihr aber dienen will, diene ihr ehrlich nach seiner Weise. Die Kunst, die Litteratur, sie sind nichts Fertiges, das heut ist wie es vor tausend Jahren war und immerdar so bleiben soll, — ein ewiges Auf und Nieder ist in ihnen, ein stetiges Sichfortentwickeln, ein Sterben und Auferstehen; der Sieg der einen Richtung ist der Fall der andern, veraltet scheint heute, was gestern klassisch war, und mit lachendem Munde nennen die Enkel, worüber die Ahnen heiße Tränen geweint. Was jede Zeit rührt und bewegt, heißt ihr schön: sie freue sich dessen und hebe es immer auf den Altar der Anbetung im Tempel der Kunst, aber sie wehre Niemandem abseits im Kreuzgang zu der Gottheit zu beten, die er in seinem eignen Busen trägt, denn wer weiß, ob, während ihr euerm Abgott duftige Huldigungen bringt, unter den Bettlerknaben am Eingang nicht der Mann heranwächst, der euren Gott stürzen und sein Idol an dessen Stelle setzen und euch zu den Bettlern an der Tür verweisen wird, so lange bis auch ihn ein Neuer und Stärkerer vom Platze drängt.

Lebensüberdruss.

Nur rückwärts, nimmer vorwärts darf ich schauen —
Nicht Taten winken, nur Erinnerungen —
Wer möchte, wenn der Säule Schaft zersprungen,
Des Tempels Wölbung ihr noch anvertrauen!

Manch Luftschloss kühn und ideal zu bauen,
Das einzig ist im Leben mir gelungen.
Mein letzter Trost, mein Lied ist auch verklungen,
Wie Vogelsang in herbstlich öden Auen.

Einst fand ich einen Jüngling, von Genossen
In wilder Schlacht auf Rosen sanft gebettet,
Die starre Hand fest um ein Bild geschlossen.

An jenen Todten sehnsuchtsvoll gekettet,
Frag' ich oft lebensmüde und verdrossen:
Warum, ihr Parzen, habt ihr mich gerettet?

Breslau. Th. Nöthig.

Wiener Autoren.

Von Ernst Wechsler.

I.

Friedrich Schlögl.

Wäre die letzterer Zeit so oft aufgeworfene Frage, wer Schriftsteller und wer Journalist sei, auch nur halbwegs so schwer entscheidbar, als sie nach der zahlreichen Polemik erscheint, dann steckte ich allerdings jetzt in großer Klemme: ich will über Wiener Autoren schreiben, über die interessantesten und bedeutendsten — ja, wie soll ich dies aber anfangen und von welchem Standpunkt aus soll ich mir die zu behandelnden Herren auswählen? Soll ich über die schreiben, welche nur in Zeitungen ihre Sachen veröffentlichen — also Journalisten — oder über die, welche nur Bücher herausgeben — also Schriftsteller —? Ginge ich streng nach dem ersten oder zweiten Grundsatze vor, so käme ich auf das merkwürdige Resultat, dass es in Wien nicht einen einzigen halbwegs acceptablen Schriftsteller und nicht einen einzigen kaum nennenswerten Journalisten giebt! Denn alle Namen I—III. Ranges haben Bücher herausgegeben und journalistisch gewirkt. Ich glaube, dieselbe Tatsache herrscht mehr oder minder in den litterarischen Kreisen aller großen Städte. Wie trotzdem obige Frage entstehen konnte, ist ein unlösbares Rätsel mit dem Hintergrunde der Lächerlichkeit. Die Herren, die sich über diese Streitfrage den Kopf zerbrachen, haben einfach das Werk mit seiner Erscheinungsform verwechselt. Es ist doch für den Wert eines geistigen Produktes ganz gleichgültig, ob es nun auf einmal (Buch) oder in Fortsetzungen (Zeitung) oder in Heftlieferungen vor die Oeffentlichkeit tritt. Schriftsteller ist eben der, dessen Arbeiten, welcher Gattung auch immer (Gedicht, Roman, Feuilleton, Leitartikel) eine künstlerisch abgerundete Form und einen Inhalt besitzen, der länger als über den Tag Geltung und Interesse beanspruchen darf. Journalist ist der, welcher das Handwerksmäßige der Zeitung mitbesorgt. Ob nun Jemand eine solche Stellung hat oder Kaufmann ist oder sich im Staatsdienst befindet, er bleibt auf alle Fälle Schriftsteller, wenn er in vorhin ausgesprochenem Sinne produzirt. Einem Reporter aber oder einem Lokal-Redakteur etwa bleibt ebenso der Titel Schriftsteller vorenthalten wie dem Beamten, Kaufmann etc. Dass der Reporter mit der Feder arbeitet wie der Schriftsteller ist eine Aehnlichkeit, die der Erstere auch mit einem Advokatenschreiber gemein hat.

Ich musste diese Bemerkungen machen, um die Anlage meiner Aufsätze zu rechtfertigen. Ich werde dem Leser interessante Persönlichkeiten aus der Wiener Autorenwelt vorführen, unbekümmert darum, ob ihr eigentlicher Broderwerb Schriftstellerei, Journalismus, Handel oder Staatsdienst ist. Aber alle, die ich nenne, haben Schönes und Bemerkenswertes für die Litteratur geleistet. Ich beginne selbstverständlich mit **Friedrich Schlögl**, ist er doch der „Wienerischste" unter den Wiener Autoren, denn sämmtliche seine Werke beziehen sich auf Wiener und Wien.*) Dass ich diesen Mann, der sich in Oesterreich einer seltenen Popularität erfreut, nur in ganz allgemeinen Umrissen charakterisiren kann, liegt in den Raumverhältnissen.

In einem gemütlichen Gasthaus in Wien („Zum schwarzen Gattern") versammelt sich jeden Freitag Abend eine kleine litterarische Gesellschaft, der Ludwig Anzengruber präsidirt. Das treueste Mitglied von ihnen ist F. Schlögl und wohl auch der treueste Stammgast jenes Wirtshauses. Man kann ihn seit Jahren jeden Abend dort sehen, wie er, meistenteils allein, behaglich sein Pfeifchen schmaucht, sich in ein Buch vertieft oder das Tun und Treiben der Leute beobachtet. Allerdings halten ihn seit neuerer Zeit Leiden von seiner Gepflogenheit manchmal fern, doch wünschen wir ihm von Herzen, dass er noch viele Jahre sich seiner abendlichen Gewohnheit erfreue. Ich habe ihn öfters im „schwarzen Gattern" aufgesucht und manch' heiteres Stündchen mit ihm verplaudert.

Das Leben dieses Mannes, der Wiens freud- und leidvolle Vergangenheit mit der Wahrheit des Historikers und der Lebhaftigkeit eines Künstlers geschildert hat, verfloss im Großen und Ganzen ruhig und ohne jene Katastrophen, die so oft ins Schicksal eines geistig bedeutsamen Mannes gewalttätig eingreifen. 1821 in Wien als der Sohn eines armen Handwerkers geboren, beendete er mit Mühe und Not das Gymnasium, um die Beamtenlaufbahn einzuschlagen, auf welcher es ihm aber nicht glücken wollte. 1870 nahm er Abschied, um sich ganz der Litteratur zu widmen. Seine litterarische Tätigkeit hat er übrigens schon 1845 begonnen, wo er für Provinzblätter schrieb. Wichtig ist sein Wirken für das Wiener Witzblatt „Figaro", dem er seit fast einem Menschenalter als Mitarbeiter angehört. Diese biographischen Daten schöpfen wir teils aus Brümmers ausgezeichnetem und beinahe in allen Fällen verlässlichem „Lexikon deutscher Dichter und Denker des neunzehnten Jahrhunderts" (Reclam, Leipzig), teils aus Schlögls direkten Andeutungen. „Ich bitte Sie," teilt er mir mit, „schreiben Sie die närrische Angabe nicht nach, dass meine Tante mich in der Deklamation unterrichtete (!) *) und dass ich die ‚Wiener Luft' gegründet, als **Konkurrenzblatt** des ‚Hans Jörgel'(!!!) Derlei tut weh! Die ‚Wiener Luft', die Lokalbeilage des ‚Figaro', gründeten wohl **Carl Sitter**, der langjährige Redakteur des Figaro, und **ich** nach Erscheinen meines Buches ‚Wiener Luft', 1875, aber mit dem trivialen Klatschblatt ‚**Hans Jörgel**' wollten wir wahrlich nicht konkurriren." — Außer dem „Figaro" widmete er seine Tätigkeit vielen österreichischen und deutschen Blättern, besonders ist seine feuilletonistische Mitarbeiterschaft für das „Neue Wiener Tageblatt" und die „Deutsche Zeitung" zu erwähnen.

So mannigfach auch der Inhalt seiner Werke ist, so sind sie dennoch von **einem** Streben erfüllt, dem er selbst irgendwo folgenden Ausdruck verleiht: „Ich gab mich mit Vorliebe dem Hange hin, der **Sprache des Volkes** zu lauschen, es in seinen Freuden und Leiden, in seinem Lieben und Hassen, in rühmlicher Erhebung und in sträflicher Erschlaffung, in seinen Trieben und Neigungen, in seinen Vorzügen und Lastern, in seiner Einfalt und kaustischen Schärfe, in seiner Herzensgüte und Gefühlslauheit, in seinem Uebermut und seiner Not, im Glückstaumel und in dumpfer Verzweiflung — nach eigener Anschauung und in persönlichstem Verkehr mit den buntesten Schichten und Standesgattungen

*) Bibliographie. „**Wiener Blut.**" Vierte Aufl. Wien, Rosner. 1875. „**Wiener Luft.**" Zweite Aufl. Wien, Rosner. 1876. „**Alte und neue Historien von Wiener Weinkellern**" etc. Wien, Hartleben. 1875. (Eine ungemein interessante und belehrende oinologische Studie.) „**Aus Alt- und Neu-Wien.**" Wien. 1882. „**Wienerisches.**" Zweite Aufl. Wien und Teschen, Prohaska. 1883 (wohl das umfangreichste Buch Schlögels). „**Vom Wiener Volkstheater.**" Teschen, Prohaska. 1884. (Ein gelungener Versuch zu einer Theatergeschichte Wiens.) „**Ueber Ferdinand Sauter.**" Wien, Engel. 1884. „**Das kuriose Buch.**" Wien, Hartleben. 1885. (Ein merkwürdiges, halb drolliges, halb rührendes Buch.) Damit ist aber Schlögels Tätigkeit bei weitem noch nicht abgeschlossen; er teilt uns mit, dass noch folgende Werke von ihm in Vorbereitung sind: „**Wien. Seine Lebens- und Lokalgeschichte** und „**Aus meinem Felleisen**" (Kreuz- und Querzüge eines Wiener Zeitungsschreibers). Der Vollständigkeit wegen erwähnen wir noch einen Beitrag „**Vom Wiener Volksleben**" für das vom Kronprinzen Rudolf erscheinende Werk: „Oesterreich-Ungarn in Wort und Bild".

*) Steht übrigens nicht im Brümmer, sondern in einem andern Lexikon.

kennen zu lernen, um, wenn ich vom „Volksleben der alten Kaiserstadt an der Donau" erzählen will, weder Fabeln noch Märchen, weder unsinnige Schmeicheleien noch unbillige Verunglimpfungen, überhaupt — keine Lügen zu bringen."

Dieses Programm führt Schlögl in seinen Schriften von der ersten bis zur letzten Zeile durch. Er analysirt nicht nur die aus einem Gemisch von sich oft widerstrebenden Elementen bestehende Wiener Volksseele, er tadelt nicht nur den leichtsinnigen Hang der Wiener zur Ausschreitung und Regellosigkeit, die allerdings oft künstlerischen Zug hat, er schreckt auch nicht zurück, die empörendste Brutalität und Herzlosigkeit zu malen und seine Devise erfüllt er oft mit furchtbarem Realismus. Schneidiger Pessimismus, göttliche Grobheit, drastische Ausdrucksweise eines Scherr — diese Eigenschaften geben Schlögls Arbeiten ein individuelles Gepräge. Interessant ist die äußere Art und Weise, wie Schlögl zeichnet und schildert. Er verschmäht weder den Dialekt, den er meisterhaft beherrscht, noch die dramatische Form; besonders seine dramatischen Szenen sind mit anschaulichstem und derbstem Humor durchgeführt. Die räsonnirende Skizze weicht sentimentalen Reminiszenzen; eine bunte Abwechslung herrscht in der Anlage seiner Arbeiten, was die große Annehmlichkeit hat, dass der Leser nie ermüdet, eine Erscheinung, die so oft bei der Lektüre von gesammelten Aufsätzen der Fall ist. Es ist erstaunlich, welcher Fülle von Typen und Originalen man in Schlögls Büchern begegnet; da erst kommt es einem zum Bewusstsein, wie reich entwickelt und übervoll an interessanten Momenten das Volksleben Wiens ist, wenn es von einem scharfblickenden Autor in summa vorgeführt wird. Man kann mit vollem Recht Schlögls Schilderungen plastische und farbensatte Stereoskopen des Wiener Lebens nennen; und dabei haben dieselben noch einen bedeutenden künstlerischen Vorzug: man sieht seine Gestalten und Menschenklassen nicht als starre Gruppen, sondern lebend und webend. man spürt ordentlich die Aenderungen und Umwälzungen der sozialen Verhältnisse von einer Zeit zur andern; das Heranwachsen einer Generation in ihren Sitten und Anschauungen hat Schlögl mit dem Griffel eines Künstlers gezeichnet, der in seinen Schöpfungen stets den fruchtbaren Moment zu erfassen weiß.

Seine historischen Arbeiten, besonders über das Theater, sind nicht minder vortrefflich und als Quellenmaterial wichtig. Schlögls Vorliebe fürs Theater hat ihre natürlichen Ursachen. War doch einer seiner Onkel Oberregisseur der Hofoper und seine Gattin eine ehemals berühmte Tragödin; so lernte er durch glaubwürdigste Tradition die nächste Vergangenheit der Wiener Theater kennen und hatte nebenbei Gelegenheit, dieses stückweise Wissen durch eigene Anschauung schon frühzeitig zu ergänzen, da ihm durch die Stellung seines Onkels die Möglichkeit geboten war, in den Hoftheatern ein- und auszugehen. „Ich half," berichtet er, „wie andere Buben beim Glockenläuten in der Kirche, häufig genug auf dem Schnürboden mit, wenn es galt, in der Wolfsschlucht-Szene des „Freischütz" das Donnerwetter zu machen und ich schüttete die Kieselsteine jedesmal mit heiligem Eifer in den hölzernen Schlott und hatte mein hellstes Ergötzen an dem schönen Gepolter — meinem eigensten Werke."

Auf nähere Einzelheiten seiner Werke einzugehen, ist uns, wie schon erwähnt, nicht möglich; wir wollten nur ein kleines Bild seiner litterarischen Persönlichkeit entwerfen, deren Schaffenskraft bei weitem noch nicht erschöpft ist. Der beste Beweis für den Wert seiner Tätigkeit ist wohl der, dass Schlögl gewissermaßen Schule gemacht hat; eine Reihe von Wiener Schriftstellern ist mehr oder minder mit Erfolg in seine Fußtapfen getreten. Die bedeutensten davon sind Pötzl und Chiavacci. Auf Beide habe ich bereits an anderer Stelle hingewiesen. Pötzl ist hauptsächlich Schilderer, Chiavacci mehr Poet, dessen novellistische Skizzen aus dem Wiener Leben Proben eines vollgültigen dichterischen Talentes sind.

Und so kann Meister Schlögl mit seinen Erfolgen wohl zufrieden sein; sein Name ist mit der Geschichte Wiens innig verflochten und alle Historiker, die sich mit ihr beschäftigen, dürfen an Schlögls Werken nicht vorüber gehen.

Heine in Spanien.

Heine hat es den Spaniern mit dem bestrickenden Zauber und dem süßen Gift seiner Liedchen von Liebe und Liebesweh, mit dem Brillantfeuer seines modernen Geistes, mit seiner romantischen Begeisterung, seiner germanischen Innigkeit, seiner mephistophelischen Ironie, seinem sprühenden Witz und seiner bitteren Skepsis, mit der ganzen Fülle seiner Originalität und Anmut, mit seiner wunderbaren Proteus-Natur und seinem Doppelwesen als Apoll und Satyr angetan: der Liebling der Grazien ist auch der Liebling der Söhne Calderons geworden. Wie Cid Campeador erringt er selbst nach seinem Tod noch den glänzendsten Sieg. Aber seine Triumphe sind Deutschlands Triumphe, denn nur ein deutscher Dichter wollte Heine sein, und die Schlachten, die er gewinnt, gewinnt er für den Ruhm der deutschen Poesie und der deutschen Lyrik, dem deutschen Lied erringt er den Preis. Sagen doch die Spanier selbst, die heute im Wohllaut der Verse ihres Teodoro Llorente unsern Heine genießen und dem Uebersetzer-Werk ihres Landsmanns das uneingeschränkteste Lob zollen, dass ihrem Parnass Dichter von so eigenartigem Gepräge wie der Sänger der Lorelei not thun, der neben der Ambrosia der Götter den Absynth der Menschen kredenzt. Als sie seine Liedchen bloß in französischer Prosa-Uebersetzung kannten, waren die Spanier schon für die Heinesche Muse begeistert und der von Deutschen abstammende Sevillaner Gustavo Adolfo Becquer wurde in seinen Rimas ein Nachahmer des Intermezzo. Mag sich der männlichstrenge Gaspar Nuñez de Arce immerhin gegen die Manier der Nachahmer dieser „lyrischen Seufzerchen" wenden, Heine selbst, der jetzt in der blanken Rüstung kastilianischer Verse prangt, steht als der strahlende Sieger da, in herrlichster Jugendschöne, wie mit dämonischer Gewalt die Herzen bezwingend, und die Lieder des modernen Petrarca, dessen Laura seine Cousine Amalie Heine geworden, werden in Spanien selbst von einem so guten Katholiken wie Menendez Pelayo als das Duftigste und Zarteste der Poesie gefeiert, während viele Deutsche in diesem subjektivsten Dichter des Jahrhunderts nur den genialen, aber charakterlosen, eitlen und nervösen Cyniker sehen, der die Jugend verweichlicht und entnervt.

Im Winter von 1885 auf 1886 hat sich der Liebesfrühling der Heineschen Lieder mit seinem unvergleichlichen Blütenschmuck über die spanische Welt ergossen, und groß wie nie ist jetzt im klassischen Lande der Romantik die Schwärmerei für den deutschen Dichter und seine leichtbeschwingten, farbenprächtigen Lieder.

Dies ist das nie genug zu rühmende Verdienst Teodoro Llorentes, des Redakteurs der valenzianischen Zeitung Las Provincias, der sich als limosinischer-Dichter (in seinem Llibret de versos) wie als kastilianischer einen Namen gemacht und in den Leyendas de oro und Amorosas sowie in der spanischen Uebersetzung des ersten Teils des Faust seine Meisterschaft als Uebersetzer, seine staunenswerte Kenntniss der deutschen Sprache und aller ihrer Feinheiten glänzend gezeigt und mit der Treue die volle dichterische Freiheit verbunden. Für Llorente ist keine Schwierigkeit im Buch der Lieder zu groß, um sie nicht in seinem Libro de los cantares, dieser schönen Ausgabe des spanischen Heine in der Barceloneser Biblioteca Arte y Letras siegreich zu überwinden. Jedes Gedicht hat ganz den Reiz eines spanischen Originals, und wenn auch nicht immer die deutsche Melodie und die deutsche Kürze, was weder im Italienischen noch im Spanischen möglich, so bewahrt es doch in jeder Strophe, bald in der melodischen Assonanz der Romanze, bald im Zauberbanne klangvoller Reime, die deutsche Originalität, und namentlich die witzreichen Pointen treten in feinster Ausarbeitung deutlich hervor, und was der Spanier zur Abrundung seiner Strophen, die meist Quintilien, hinzutut, trägt Heineschen Stempel. Der deutsche Dichter, der in seinen Liedern zuweilen in der Maske eines Studenten von Salamanca erscheint, vom Dom zu Córdoba und vom letzten Maurenkönig gesungen und die Gestalten des Gabriol und Jehuda ben Halevi heraufbeschworen, hat jetzt durch Llorente das volle Bürgerrecht in der spanischen Poesie erlangt.

Merkwürdigerweise hat schon der erste Spanier, der Heine zu übertragen versucht, den Ton des Dichters aufs Allerglücklichste getroffen. Es war dies der in Berlin in diplomatischer Stellung weilende Don Eulogio Florentino Sanz, der Verfasser des Francisco de Quevedo und der Achaques de la vejez, der ein Jahr nach dem Tode Heines fünfzehn Gedichte desselben aus dem Intermezzo und der Heimkehr im Madrider Museo Universal in vorzüglicher Nachbildung veröffentlichte. Statt aber aus dem Original selbst zu schöpfen, hat Manuel Maria Fernandez für seine allzuwenig leuchtenden Joyas prusianos (Madrid 1873) nur eine französische Uebersetzung benutzt und daher auch der Begeisterung der Spanier für Heines Diamanten und Perlen kaum Vorschub geleistet. Der verstorbene Jaime Clark, der in demselben Jahre in Madrid Poesias liricas alemanas herausgab, war zwar ein guter Kenner des Deutschen, aber kein Spanier und zu wenig Dichter. Ein junger Valencianer aber hat bereits 1883 unter dem Titel Poemas y Fantasias eine metrische Uebertragung Heinescher Gedichte herausgegeben, die mir indes nicht zur Hand ist.

Gleich allseitig anerkannt wurde mit Recht Teodoro Llorente, der schon in seiner mustergültigen Einleitung beweist, dass er auf der Höhe der allerneuesten Heine-Forschung steht. Nur weiß ich nicht, wie er zu der Behauptung kommt, die Gebeine des Dichters seien vom Pariser Friedhof Montmartre nach Hamburg, der Wiege seiner ersten Liebe, gebracht worden, und statt des 13. Dezember 1799 giebt er den 12. Dezember als Geburtstag unseres großen Lyrikers an. Die Heine-trunkenen Valencianer haben ihrem Mitbürger für seine herrliche Leistung durch ein glänzendes Bankett gedankt; Deutschland aber ist ihm jetzt schon zum zweiten Male zu hoher Anerkennung verpflichtet und muss den Namen des Valencianers auf dem ersten Blatt der Ehrenliste eintragen, in der es bewundernd den Italiener Zendrini eingeschrieben.

Nur höchst selten giebt Llorente zu einem Tadel Veranlassung. Unverständlich ist mir, weshalb er die 2. Strophe im 27. Liede der Heimkehr: „Madam, ich liebe Sie", folgendermaßen geändert hat:

Y no querrá nunca Dios
que feliz llegue á su lado
y exclame, á sus piés postrado:]
„Señora, muero por vos."

Hier ein Beweis, wie wundervoll Llorente die Pointen zu geben weiß in dem humoristischen Gedicht: „Sie saßen und tranken am Theetisch"

Tomaban té y platicaban
á la vez sobre el amor
ellos, con tono dogmático,
ellas, con dulce emoción.
— „Amor debe ser platónico"
el mustio corregidor
dijo, y exclamó sonriendo
la corregidora: — „Ay Dios!" —

— „El amor intemperante
es nocivo“ prorrumpió
el Doctoral, y una jóven
— ¿Por qué? — dijo á media voz.
— „Amor,“ dijo la marquesa
„ es invencible pasión,“
miró al conde de soslayo
y una taza le ofreció.
Aún cabias tú en el corro,
mi bien, y seguro estoy
de que mucho mejor que ellos
dijeras lo que es amor.

Nicht ganz getroffen ist das schöne Original (das 9. Lied mit der Schlussstrophe: „Dann löst sich des Liedes Zauberbann“) in dem Vers des Uebersetzers:

y perdiendo las letras su sentido,
te mirarán con plácida avidez;
y de olvidado amor blando gemido
suspirarán mis Versos otra vez.

Wie deutlich dagegen hat er in der 3. Strophe der 13. Romanze (Der wunde Ritter) das Original in den Versen wiedergegeben:

Quisiera mover querella
gritando en la justa asi:
„Amo á una hermosa doncella;
quien encuentre falta en ella,
salga y cierre contra mí.“

Ebenso die Canzonen, Terzette und Sonette, von denen das 14. Liedchen im Intermezzo spricht.

Wie geistreich hat er auf Lorelei den spanischen Reim ley gefunden, und wie prächtig übersetzt er: „Sie alle können's nicht wissen“ im 22. Liedchen des Intermezzo mit den Worten:

Pero no saben; ay! la pena mia
estrella, ave mi flor;
sábelo sólo quien desdeña impia
mi afán y mi dolor.

Wie echt Heinisch ist im 27. Liedchen: „Du hast mich mit Wäsche versorget und mit dem Pass für die Reise“:

me arreglaste el equipaje,
y hasta te hube de deber
el passaporte del viaje,

und wie vortrefflich stimmen im 29. Liedchen die Worte

de todos sus pretendientes
el pretendiente más tonto

und

de todos mis desatinos
el desatino más tonto.

Im 32. Lied aber hat er in seiner sonst so schönen Strophe nicht ausgedrückt: „Ich werde selber zur Leiche“, und in dem kostbaren: „Du hast Diamanten und Perlen, hast Alles was Menschenbegehr“ hat er das letztere mit der Wendung entstellt:

todo cuanto
vosotras anheláis
(Alles was ihr Frauen begehrt.)

Wie gut aber hat er „Philister im Sonntagsröcklein“ im 37. Liedchen des Intermezzo mit Horteras endomingados übersetzt! Und auch das ist Llorente zum Verdienst anzurechnen, dass er kein einziges Gedicht des Intermezzo und der Heimkehr ausgelassen.

Nach der meist unübertrefflichen, für Spanien wahrhaft epochemachenden Nachbildung Heines durch den valencianischen Dichter hat es jeder Nachfolgende schwer. Und dennoch wird Heine stets den Uebersetzer reizen.

Noch hallt Spanien vom Ruhm Heines und Llorentes wieder, als so eben einer der angesehensten Dichter des Spanisch sprechenden Amerika, der Venezolaner Juan Antonio Pérez Bonalde, in New-York mit der Prachtausgabe seiner El Cancionero betitelten Uebertragung des Buchs der Lieder und mehreren Vorreden in die Schranken tritt, um für seinen Helden und sich den Kranz des Ruhms zu erringen.

Auch ihm, dem hochbegabten Sänger, der inmitten seines kaufmännischen Berufs im eifrigsten Dienst der Muse sich müht, darf der schöne Lohn: der warme Dank Deutschlands nicht fehlen, und ihm, der der Vorreden so viele geschrieben, soll wenigstens die eine gute Nachrede nicht versagt werden, dass er Jahre lang mit dem deutschen Dichter gerungen und dass er vor Allen befähigt ist, das Göttliche in Heine in der Musik des spanischen Idioms zum vollendeten Ausdruck zu bringen, während bei ihm, dem treuherzigen Idealisten, das Dämonische von Heines Poeten-Natur sich abschwächt, und der Witz, der beim Journalisten Llorente so echt Heinisch-blendend sich geltend macht, oft seine Pointen verliert.

Wie vorzüglich indes Llorente, so möchten wir doch Pérez Bonalde nicht entbehren. In folgendem Gedicht kommt er sogar dem Sinne des Originals (Lied 61 der Heimkehr) entschieden näher:

Largo tiempo me he roto la cabeza
Pensando y maquinando noche y dia;
Hasta que, al fin, tus adorables ojos
Solvieron el problema de mi vida.

Y hoy existo no más donde la llama
Dulce y fulgente de tus ojos brilla . . .
Quién hubiera pensando que de nuevo
A amar en el mundo llegaria! . . .

Llorente übersetzt dagegen

Quebréme la cabeza noche y dia
con mil problemas de ávidos enojos;
y descubri la incógnita, alma mía,
al contemplar tus ojos.

Todo mi sér del resplandor brillante
de tu dulce pupila ésta suspenso:
desde que soy tu afortunado amante,
en nada más ya pienso.

Jedenfalls aber ist es eine falsche Note, wenn Pérez Bonalde das 44. Lied des Intermezzo so gestaltet:

Te he amado y te amo tanto,
Que si el mundo pereciera,
De entre sus ruinas surgiera
La llama de ese amor eterno y santo.

Im Heinischen Geist dichtet dies Llorente

Te amé, y mi pobre corazón aún te ama;
y aunque se hundiera el universo un día,
de sus escombros la triunfante llama
de mi insensato amor renaceria.

Zu seiner Lebensgeschichte hat Pérez Bonalde nicht die neuesten Quelle benutzt: daher nennt er die Cousine des Dichters statt Amalie Heine Eveline von Geldern und nimmt er das Scherzwort des Poeten, demzufolge derselbe am 1. Januar 1800 geboren sei, für Ernst. Bedürfte es aber noch eines Beweises, dass der Verfasser des Poema del Niagara, Pérez Bonalde, den Weihekuss der Musen empfangen, so hat er ihn mit dem reizenden Liliput-Gedichtchen, der Uebertragung des 36. Liedchens des Intermezzo (Aus meinen großen Schmerzen mach' ich die kleinen Lieder) geliefert, das bei ihm folgendermaßen lautet:

De mis grandes
Sufrimientos
Hago cantos
Pequeñuelos,
Que van dulces
Y ligeros
A su alma
Sin amor!

Van y tornan
En silencio,
Que, aflijidos,
No osan ellos
Referirme
Lo que vieron
En su ingrato
Corazón!

Mögen Beide, Llorente und Pérez Bonalde, in edlem Wetteifer um Lorbeer und Palme, ihrer schönen, so vielfach zu Vergleichungen anregenden Uebertragung des „Buchs der Lieder" bald die der andern poetischen Werke Heines hinzufügen!

Köln. Johannes Fastenrath.

Französische Selbstkritik.

Plauderei von Herman Semmig.

I.

Ruhmredigkeit hat man den Franzosen genug vorgeworfen; wir wollen nicht leugnen, dass es nicht bescheiden klang, wenn Napoleon III. erklärte, ohne Frankreichs Zustimmung solle kein Kanonenschuss in Europa abgefeuert werden, und Victor Hugos Tiraden haben nicht dazu beigetragen, Eugen Sues Verherrlichung von Paris als „dem schäumenden Gehirn der Welt" in Vergessenheit zu bringen. Das Volk der Denker — unsre Bescheidenheit erlaubt uns nicht, es mit Namen zu nennen — hat auch aus dem Studium dieser Ruhmredigkeit eine neue Geisteskrankheit entwickelt: den Größenwahn! Ueberhaupt haben die Fremden den Franzosen ihren Spott über andere Völker reichlich vergolten: am malitiösesten hat Shakespeare das Urteil der Landsleute seiner Zeit in seinem Spruch über die Franzosen zusammengefasst: „Gott schuf ihn auch, so mag er denn für einen Menschen gelten;" und der echte Nationalrusse sieht in dem heutigen Franzosen nur die Fäulnis des Westens verkörpert.

Dass indessen die Franzosen bei aller Selbstgefälligkeit, in der sie von allen Nationen so uneigennützig bestärkt werden, doch nicht so blind sind, alle Schmeicheleien ihrer Schönredner für baare Münze zu nehmen, dafür habe ich schon in meinem Buche „Französisches Frauenleben" (Leipzig, A. Krüger), das ich namentlich den deutschen Frauen empfehle, bündige Belege geliefert. Ja, noch kürzlich hat sich der Chauvinist Delpit im Pariser „Figaro" bitter beklagt, dass sich die Franzosen immer mehr germanisirten, deutsches Bier und deutsche (Wagnersche) Musik überflute jetzt Paris. Und wie hat doch sonst die vorzugsweise „geistreiche" Nation über die vorzugsweise „tugendhafte" Nation „ces mangeurs de choucroûte et buveurs de bière" gewitzelt!

Man muss eben die Franzosen belauschen, wenn sie unter sich sind, und man wird sehen, dass Selbsterkenntniss ihnen nicht abgeht. Einer solchen nationalen Sündenbeichte wohnte ich 1861 in Chambéry bei. Die Einwohner von Savoyen heißen Savoisiens oder Savoyards. Das letztre Wort hat aber in Frankreich eine üble Nebenbedeutung, es bezeichnet einen „groben, unbehobelten Menschen"; dies rührt wahrscheinlich davon her, dass die ärmeren Savoyarden, die seit dem 16. Jahrhundert zahlreich nach Paris zogen, um dort durch allerlei niedere Arbeit, besonders als Dienstmänner und Schornsteinfeger, sich eine kleine Summe zu ersparen, nichts von den feinen Manieren der eleganten Pariser besassen — es waren eben schlichte Gebirgsbewohner, aufgewachsen in einfachen Sitten, aber unverfälschten Gemütes und von einer Ehrlichkeit und Rechtschaffenheit, die alle Proben bestand. Diese Tugenden hat man in Paris wohl erkannt und gewürdigt, sich aber dadurch nicht abhalten lassen, das Wort Savoyard als gleichbedeutend mit „grossier et sans éducation" zu gebrauchen. (S. Dictionnaire national par Bescherelle.) Als nun 1860 Savoyen annektirt wurde, beschwerten sich die Einwohner über diese beschimpfende Bezeichnung. Um ihre Erbitterung zu beschwichtigen erklärte ihnen damals das Journal „Le Progrès de Lyon", dass sie diese Bezeichnung gar nicht so ernst zu nehmen hätten, da es nicht leicht ein Volk gäbe, dem der Franzose (le Français né malin, sagt Boileau) nicht etwas Uebles nachrede, ja dass er bei aller Ruhmredigkeit und Selbstgefälligkeit sich selbst mit seinem Spott nicht verschone; im Ganzen möchten sich die Franzosen für tadellos halten, im Einzelnen aber d. h. nach den verschiedenen Elementen der Provinzen legten sie sich die ärgsten ehrenrührigsten Beiwörter bei; was würde nun bei der Addition aus diesem Ganzen? So schrieb denn das Lyoner Blatt:

„On dit ivrogne comme un Suisse, gueux comme un Espagnol, jaloux et vindicatif comme un Italien, grossier comme un Anglais, sournois et querelleur comme un Allemand, rusé et menteur comme un Grec, Voleur comme un Arabe, bête comme un Chinois. Les nations ajoutent bavard et infidèle comme un Français. En revanche, nous autres Français, nous répétons du matin au soir: spirituel et poli comme un

Français. Or voici quels éléments composent l'esprit de cette nation:

La niaiserie d'un Champenois, la forfanterie d'un Gascon, la blague*) d'un Parisien, la duplicité d'un Normand, la ruse d'un Dauphinois, l'intempérance d'un Provençal, la vengeance d'un Corse, la mauvaise foi d'un Lorrain, l'entêtement d'un Picard, la superstition d'un Vendéen, la stupidité d'un Breton."

„Die Savoyer," fuhr dann das Lyoner Blatt fort, „werden sich nun nicht mehr wundern, dass die französischen Wörterbücher, u. A. Bescherelle, haben drucken lassen ‚grossier et sans éducation comme un Savoyard', in der nächsten Auflage wird Bescherelle diese Stalle streichen."

Er hat sie aber nicht gestrichen, wenigstens stand sie noch in der zwölften Auflage, die im Jahre 1868 erschienen ist. In meinen „Lettres savoisiennes", die im August 1862 in der Pariser „Illustration" erschienen, setzte ich den Franzosen im Allgemeinen und den Parisern ins Besondere auseinander, dass man in Savoyen ebenso gute und feine Sitten und Umgangsformen in der gebildeten Gesellschaft fände, wie anderswo, und dass es daselbst ebenfalls großen Wohlstand, ja Reichtum gäbe; kämen die ärmeren Bewohner der entlegenen unfruchtbaren Gebirgsgegenden nach Paris, um einen Erwerb zu suchen, so zögen ja die Bewohner der gebirgigen Auvergne und des Limousin im alten eigentlichen Frankreich zu gleichem Zwecke auch nach Paris. Ich hatte umsonst gepredigt, denn in Orleans hörte ich kurz nachher noch immer sprechen: „Quel Savoyard! c'est un vrai Savoyard," und das sollte wahrlich keine Schmeichelei sein.

Seltsamer Weise war ein geborner Deutscher der einzige „Pariser", der auf meine Verteidigung der braven Savoyarden einging, Adler-Mesnard aus Berlin, Professor an der Normalschule, wegen seiner Verdienste um deutsche Sprache und Litteratur in Frankreich vom Leipziger Schillerverein zum Ehrenmitglied ernannt. In seinem Kursus befand sich die Stelle: „Les Savoyards sont connes pour leur fidélité, leurs habitudes laborieuses et leur pauvreté etc." Die Franzosen hatten wirklich geglaubt, es gäbe nichts als arme Teufel in Savoyen. Als daher nach der Annexion das „Institut des provinces" in Chambéry tagte und der Marquis Costa de Beauregard daselbst, ein tüchtiger Historiker, die französischen Gäste zu einem Diner einlud, waren die letztern höchlichst über die Pracht an Silberzeug erstaunt, die sich vor ihren Augen auftat, dergestalt, dass der „arme Savoyard", der sie bewirtete, ein ironisches Lächeln nicht unterdrücken konnte. Auf meine Veranlassung hat Adler-Mesnard das Wort „Savoyard" in „Montagnards" umgeändert.

II.

Ein ganz gleiches Sündenbekenntnis wie der Journalist im „Progrès de Lyon" legte ein geistreicher Feuilletonist (man kann in der „Provinz" wahrhaftig ebenso geistreich sein wie in Paris), der Appellationsrat F. Dupuis, schon vor 1840 in Orleans ab. In einer „Causerie", die er im damals dort erscheinenden „Garde national du Loiret" veröffentlichte, schrieb er:

„La moitié du monde rit de l'autre, qui se moque à son tour de la première, ainsi va la vie . . . Chez nous, chaque provnce a toujours un lardon tout prêt à lancer à la province voisine. Le Breton reprochera sa tête verte au Picard; le Picard, sa tête dure, au Breton. En dépit de Racine et du Bonhomme, le Champenois s'entendra éternellement rappeller ses moutons, et tant que durera la France, Pourceaugnac sera le type des Limousins, et M. de Crac le modèle des Gascons. Un confiant Parisien, bon bourgeois de la rue Saint-Denis, ne tarira pas en épigrammes sur la finesse normande, tandis que l'homme né devers Caen rira dans sa barbe de la bonhommie du Badand."

Zur Erläuterung dieser Beichte diene Folgendes. Der echte französische Spitznamen der Pariser ist „badaud", nach Bescherelle ein Mensch, der Alles bewundert, über Alles erstaunt, der seine Zeit damit hinbringt, wie ein Einfaltspinsel das anzugucken, was ihm außerordentlich oder neu scheint; daher „badauder" soviel wie: Maulaffen feil halten. Man konnte das oft in den Straßen von Paris beobachten; da kam ein Pariser aus einem andern Stadtviertel zum ersten Mal in eine Straße; es fiel ihm eine riesenhafte Figur auf, die als Reclame hoch oben an einem Hause gemalt war; er blieb stehen und betrachtete sie mit dem neugierigen Erstaunen, über das sich der Pariser sonst bei dem Provinzler lustig machte; ein Anderer gesellte sich zu ihm, neugierig forschend, was der Andre anstaunt, ein Dritter staunte nun wieder die Beiden an und in wenig Minuten war der Haufen von Pariser Maulaffen so groß geworden, dass der Schutzmann rufen musste: „circulez, messieurs, circulez!" Ich sagte: „man konnte", weil ich aus eigener Beobachtung erzählte. Seitdem ist die Provinz auf den vermehrten Eisenbahnen massenhaft nach Paris geströmt und hat vielleicht etwas mehr Natürlichkeit in dies „Centre des lumières" gebracht. Damals aber sagte einer meiner Freunde aus der Bretagne, der zum ersten Mal nach Paris kam, zu mir: „Les Parisiens? ce sont des enfants."

Von den Einwohnern der Picardie sagt Bescherelle: „Les Picards sont ouverts, laborieux, mais prompts, brusques et entêtés. On dit proverbialement en France: Tête picarde, tête chaude. Dupuis sagte von ihnen: tête verte, das will nach Bescherelle heißen: étourdi, évaporé, manquant d'aplomb, d'expérience.

Zwei der Zierden der französischen Poesie, Racine und Lafontaine, „le Bonhomme" genannt, waren aus der Champagne. Von den Bewohnern dieser Provinz sagt man sprichwörtlich: „quatre-vingt-dixneuf moutons et un Champenois font cent bêtes". Bescherelle erklärt die Entstehung dieses Sprichworts folgendermaßen: für jedes Hundert Schafe musste früher in der Champagne eine Abgabe bezahlt werden; um derselben zu entgehen, führten die Schäfer nur neunundneunzig; es wurde daher bestimmt, das

*) Nach Bescherelle soviel wie: Großmäuligkeit, Windbeutelei.

in solchem Fall der Schäfer mitgezählt wurde, um das Hundert voll zu machen. „Ce proverbe a été, mal à propos, appliqué à la stupidité supposée des Champenois.“ (Besch.) Dies „mal à propos“ wäre bei dem Worte Savoyard sehr „à propos“ gewesen und Bescherelle hätte die dort erwähnte grossièreté auch „supposée“ nennen können. Dumm können auf keinen Fall die Champenois gewesen sein, die das geistreichste, witzigste Getränk, den Champagner, erfunden haben. Michelet charakterisirt das Volkstum dieser Provinz, wenn er von Jeanne d'Arc sagt: „elle eut la douceur champenoise, la naïveté mêlée de sens et de finesse, comme vous la trouvez dans Joinville“; nun, das schmeckt auch nicht nach Dummheit. Und da wir hier Belege aus der Litteratur heranziehen, so wollen wir, was Savoyen betrifft, daran erinnern, dass 27 Jahre vor der französischen Akademie der Senatspräsident A. Favre in Chambéry die Akademie „Florimontane“ stiftete, die ebenfalls 40 Mitglieder zählte, sich mit dem Studium der Schönheiten der Sprache beschäftigte und der Pariser Akademie als Vorbild diente; dass ferner C. Favre de Vaugelas, ausgezeichnet durch seine gesellschaftliche Eleganz und hochverdient um die Fixirung der französischen Sprache, Sohn jenes A. Favre war und sich in Savoyen gebildet hatte, was die Pariser Bescherelle, Demogeot und P. Albert gern übergeben, wenn nicht leugnen. (S. unsere „Kultur- und Litteraturgeschichte der französischen Schweiz und Savoyens.“ Zürich, Th. Schröter). Ja, ein Savoyard, Fichet, Rektor der Pariser Universität unter Ludwig XI. und an der Sorbonne Professor der Humaniora, hat mit einem Schweizer die Druckerei in Frankreich eingeführt und sein Traktat von der Rhetorik ist das erste Buch, das in Paris gedruckt worden ist!

Die Einwohner des Limousin, die Nachbarn der Auvergnaten sind, durch Molière in den Ruf gekommen, nicht zu geistreich zu sein. Um sich an einem Edelmann aus dieser Provinz zu rächen, der an einem Schauspielabend auf der Bühne einen Streit mit den Schauspielern gehabt hatte, schrieb der Dichter seine Posse „Monsieur de Pourceaugnac“ und verspottete in dieser Person seinen Gegner. Von diesem limosinischen Edelmann heißt es in dem Stücke: „Pour son esprit, je vous avertis par avance quil est des plus épais qui se fassent“. Und in der Tat lässt sich der Einfaltspinsel auf die plumpste Weise prellen. Seine Landsleute sind indessen ebensowenig lauter Pourceaugnacs, wie die Bürger der Stadt Schilda Schildbürger sind, wenn auch die Nachbarn sie mit der limosinischen Abkunft des Narren in Molières Posse aufzieh[e]n.

Als Prahler und Aufschneider sind die Gascogner in der Welt bekannt; Monsieur de Crac spielt bei den Franzosen die Rolle des Barons von Münchhausen. Das Sprichwort verbindet oft Gascogner und Normands. „Certain renard gascon, d'autres disent normand“ sagt La Fontaine von dem Fuchse, der die Trauben, die ihm zu hoch hingen, zu sauer fand, und von den Eidschwüren sagt derselbe: „Ceux des Gascons et des Normands passent peu pour mots d'Evangile“. Auf Rechtskniffe sollen sich die Normands schon seit lange verstanden haben, was sie nicht abgehalten hat, der Welt einen „grand Corneille“ gegeben zu haben, der die heroische Geradheit am großartigsten verherrlicht hat; eine „réponse normande“ ist eine zweideutige Antwort; „répondre en Normand“ heißt: weder ja noch nein antworten; „eine „réconciliation normande“ ist reine Verstellung, und „c'est un fin Normand“ ist ein verschmitzter Mensch, dem man nicht trauen darf.

Der Feuilletonist Dupuis wollte den Streit schlichten und fuhr fort: „Pour moi qui ne suis ni Normand ni Badaud, mais brave Guépin“ etc. „Guépin“ ist soviel wie Orléanais, aber damit kommen wir von der Selbstkritik auf das Selbstlob: darüber ein ander Mal.

Das ethische Gesetz der Deutschen und Franzosen.

Von Dr. A. Berghaus.

Der Gedanke, dass einem jeden Volke das Maß seiner Dauer, sein Auftrag und Beruf zugemessen sei, ist ein sehr alter. Schon die alte etruskische Augurenweisheit wusste um diesen Satz; die Hellenen begriffen und formulirten ihn für ihr Volk; die Römer weihten ihm einen fanatischen Kultus, indem sie sich für das zur Weltherrschaft berufene Volk und ihr Weltreich für unvergänglich und vorbestimmt erachteten. Es gehört gewiss zu den erhabensten und schwierigsten Aufgaben des menschlichen Geistes, aus der Geschichte der Völker die Aufgabe rein zu erkennen, welche jedem derselben zugefallen ist, rein herauszulesen, wie sie gelöst worden und was an ihr ungelöst geblieben ist. Die wahre Geschichtsforschung wird stets nur in der Lösung dieser Frage ihr Ziel finden; ihr letzter Zweck wird immer sein, aus allen Phasen der Spezialgechichte das ethische Gesetz dieses oder jenes Volkes rein herauszulesen. Denn nicht der einzelne Mensch, nicht das einzelne Volk stellt die Aufgabe des Menschendaseins vollständig dar, sondern die Menschheit überhaupt, und die Erkenntnis dieser Aufgabe wird daher um so vollständiger sein, je reiner wir die Einzelaufgabe der Völker erkennen. Diese spezielle Aufgabe des Volksindividuums bildet und begründet sein ethisches Gesetz. Das ethische Gesetz der Menschheit aber, oder mit einem anderen Worte: „Ihr Zweck und ihre Bestimmung“ werden zu finden sein, wenn die ethischen Gesetze der einzelnen Völker klar vor uns liegen werden. Die nächste Stufe zu der Wissenschaft dessen, was die Gottheit mit der

Menschenschöpfung bezweckte, wird daher die Erkenntnis sein, welche Aufgabe jedem der Völkerstämme zugefallen ist.

Nachdem das ethische Gesetz der Hellenen: „Gottähnlichkeit in rein menschlicher Sitte und menschlicher Schönheit darzustellen“ in vollkommenem Selbstbewusstsein durch dieses Volk erfüllt, fiel es vor einem individuell stärkeren Prinzip, das, in beschränkter Richtung wie zu einem Keil konzentrirt, von Außen her eindrang, vor der Volksidee der Römer. Die Staatsidee Roms war eine ganz fatalistische. Rom ist ihr gemäß, ewig und ewig zur Weltherrschaft berufen. Dies ist der Kern der Idee, unbesieglich darum und darum so mächtig, weil jeder andere Gedanke, von Genuss, Freiheit Schönheit oder Weisheit ihr vollkommen untergeordnet war. Herrschaft und, weil es ohne Gesetz keine Herrschaft giebt, Gesetz, bildeten die Peripherie des römischen Staatsgedankens im Bewusstsein des Römers. Mit diesem Gedanken, nicht mit dem der persönlichen Freiheit oder des Bürgertums, wie wohl angenommen worden ist, unterwarf sich Rom die Welt. Seine Aufgabe war, zu herrschen und vernünftige Gesetze zu geben; sein ethisches Gesetz, die römische Volksidee über die Welt zu verbreiten, nach dem Willen derselben Götter, welche Rom gegründet hatten. Auch diese Idee kam mit vollem Bewusstsein im römischen Volke zu ihrer Entfaltung, wie das ganze römische Altertum unabweisbar belegt. Rom aber herrschte, so lange es diesem Staatsgedanken treu und ohne Wanken ergeben blieb. Mit dem überhand nehmenden Kulturinteresse, mit der gespaltenen Kaisermacht kam eine erste Störung in diese Aufgabe: das Gesetz war nicht mehr eins; in den übermäßig ausgedehnten Provinzen galt ein anderes Gesetz als zu Rom; Imperator trat gegen Imperator auf.

Von dem Augenblicke an, dass die römische Staatsmacht sich in ihren verschiedenen Trägern selbst bekämpfte, sank sie naturgemäß; sie erlag einem neuen Prinzipe, dem Grundgedanken des Germanentums, der in der Freiheit und Selbstbestimmung des Individuums wurzelt. Griechen und Römer hatten ihr ethisches Gesetz erfüllt; der Staat war menschlich gebildet, die Aufgabe war gelöst, die Menschheit zu befähigen, die Idee der geistigen Freiheit des Individuums zu ertragen. Was der Naturgeist braucht, bringt er nach ewigen Gesetzen hervor! Das Individuum wurzelt im Willen, es wird erkennbar durch die Subjektivität des Willens. Das Christentum, welches sich vor Allem an den Willen wendet und mit ihm das Germanentum, welches das Individuum zur Grundlage des Staatswesens nimmt, übernahmen, Hand in Hand, die Fortbildung der ethischen Weltordnung.

Von vorn herein erblicken wir nun — dem antiken Götterwillen gegenüber — den Freiheitsbegriff als die Grundlage des germanischen Volkswesens, und zwar diesen Begriff in seiner zwiespaltigen Anwendung, als Unabhängigkeit des Volkes, des Stammes, Geschlechts und als geistige Selbstbestimmung des Einzelnen. In beiden Richtungen hatte sich dieser Begriff, als das ethische Gesetz der germanischen Völker, durch die Jahrhunderte der Völkerwanderung hindurchzuarbeiten. Die Stämme suchten zunächst nach ihnen zusagenden Wohnplätzen und geeigneten Mischungen. Sie vereinigten sich alle zu einem Heerbann gegen die Römer; es entstand der markomannische, der schwäbische Bund, in denen jeder Mann ein kühner Streiter gegen die Römer war. Der Kampf mit diesen dauerte fünf Jahrhunderte; da wurden sie Sieger über das Volk, das sich für ewig unüberwindlich gehalten hatte. Sie fanden hier das Samenkorn des Christentums in einem unfruchtbaren wüsten Boden; sie erkannten das Große und Herrliche, was in seinem unterdrückten Keime verborgen lag, und entschlossen sich, es mit sich zu nehmen und in ihren heimatlichen Gauen zur Blüte zu bringen. So wurde in der Mitte dieser großen allgemeinen Zerstörung unsere Kirche vor dem Untergange bewahrt und Deutschland ward das Weltreich des Christentums: seine Ausläufer im Süden und Westen nahmen die Trümmer des zerfallenen Römerreiches in sich auf.

Doch verdunkelte sich durch eben diese Mischung die reine Aufgabe des germanischen Volkswesens, um neue Gestaltungen einzugehen, ohne Ausnahme aber Strahlenbrechungen des einen Gedankens, des ethischen Gesetzes der Germanen. Im Reiche selbst wurzelte Alles im Gesetze der äußeren Unabhängigkeit und der inneren Freiheit. Die nächste Konsequenz der inneren Freiheit war der Kampf mit dem Romanismus, dem diese Freiheit fremd blieb und der sich in die Kirche geflüchtet hatte, um in ihr das römische Prinzip — ewige Herrschaft oder Macht Roms —, in einer neuen hierarchischen Gestaltung streng gegliedert fortleben zu lassen. Die Hohenstaufen in ihren Kämpfen mit diesem Geiste des Romanismus waren eben nichts Anderes, als der reine Ausdruck des ethischen Gesetzes des deutschen Volkes, gegenüber dieser Verjüngung der altrömischen Staatsidee in der Kirche. Den Sieg auf germanischer Seite entschied erst die „Reformation“: mit ihr ging das germanische Volksgesetz seiner Entfaltung rein entgegen; mit ihr sprengte die bis dahin noch gebundene Idee der geistigen „Freiheit“ des Individuums ihre Fessel, indem sie gleichzeitig mit Notwendigkeit aber auch die Form zerstörte, in der ein germanisches Staatswesen sich hatte zusammenfinden können, so lange jene Idee nicht die alleinherrschende geworden war.

So ward die Reformation die bestimmende Grundlage der bis in die neueste Zeit Geltung habenden Staatsform der Deutschen, die oberste Ursache, weshalb die Deutschen so lange haben darauf Verzicht leisten müssen: „Eine politische Gemeinschaft, ein

Volk zu sein." Die geistige Freiheit, die Selbstbestimmung des Individuums war der Grundgedanke des ethischen Gesetzes der Deutschen. Sie haben dies Gesetz, in dem ihre Volksethik wurzelt, bis zur höchsten und vollendetsten Entfaltung ausgebildet. Auf das Gebiet des Geistes hingewiesen durch Naturberuf (Götterwillen, würde der Hellene sagen), hat das deutsche Volk die ganze Sphäre des menschlichen Gedankens, das ganze Gebiet des Wissens und des Urteils ausgefüllt. Es hat die Wissenschaft der Wissenschaften, die Lehre vom Gesetze des Denkens, geschaffen, in der alle Erwartungen des menschlichen Geistes wurzeln und gipfeln und durch welche der Geist des Menschen zur wahren und höchsten Freiheit gelangt, und hat sich ob seiner Universalität geeignet gemacht, in den Geist der verschiedenen Völker einzudringen, ihre Eigentümlichkeiten zu erkennen und zu achten und dadurch jene internationale Stellung in Europa einzunehmen, ohne welche ein Fortschritt der Völker auf der Bahn der Gesittung und Freiheit nicht denkbar ist. Aber indem es die Berechtigung des Individuums über jede andere Berechtigung erhob, verlor es die Berechtigung des „Gemeinsamen" aus den Augen. Das Staatswesen musste einbüßen, was alle Individuen gewannen. Im Fortschritt dieser Richtung ging nach und nach der staatliche Zusammenhang der Einzelnen mit dem Volksganzen zu Grunde: der Deutsche wurde unfähig endlich, diesen Zusammenhang rein aufzufassen, darzustellen; sein Individuum stieß bei jeder Berechnung in der ihm angebildeten Freiheit gegen das Staatsganze an und trat mit ihm in den Kampf. So verloren wir Jahrhunderte lang die Fähigkeit, ein Volk zu sein, einem Willen gehorsam, einer Idee ergeben, eine Volksgemeinschaft darzustellen, welche dem Individuellen gegenüber für eine Macht, für eine Wesenheit zu gelten die Kraft in sich trug. Der Götterwille, das ethische Gesetz der Germanen erfüllte sich: die Idee der Freiheit des Individuums, die Selbstbestimmung des Einzelnen war voll ins Dasein getreten. Die Frucht war gereift. Jetzt hat nun das deutsche Volk wieder die Berechtigung des Gemeinsamen gefunden durch die kräftige Regierung eines Staates, der sich jeder Einzelne unterzuordnen hat.

Während so Germanien, im engeren Wortsinne seine Geschichte durchlief, brachen sich die Strahlen seines Geistes in den anderen europäischen Staaten aus germanischer Wurzel in mannigfachen Kombinationen. Die jedesmalige Proportion zwischen dem Urvolk, dem romanischen und germanischen Elemente, und das Verhältnis des Ueberwiegens des einen oder des anderen dieser Elemente im Physischen wie im Sittlichen bestimmten über Art und Gestalt dieser Kombination.

In Frankreich fanden die Germanen einen vollständig gegliederten zentralisirten Staat vor, mit einer nach Zahl und Bildung überwiegenden Bevölkerung, welche sie durch eine strenge militärische Organisation niederhalten konnten. Die Römer hatten die Gallier über 400 Jahre beherrscht und ihnen vollständig ihr Gepräge aufgedrückt. Sie waren in Sprache, Sitten und Reichsverfassung römisch, und als das Christentum eingeführt, war römische Kultur und römische Zentralisation allmächtig geworden. Neben dieser fanden die Franken in Gallien auch die Zentralisation der Zivilrechte, in der Finanzverwaltung und in der Kirche vor, ingleichen ein vollständig ausgebildetes Zollsystem und eine vollständig gegliederte Hierarchie. Der unruhigen Wandelbarkeit des keltischen Volksgeistes, wie sie uns Cäsar geschildert, gegenüber, prägte sich der Geist der Treue, als ein Grundzug der germanischen Seelenstimmung, hier lebendiger aus und trat mit dem dritten Volkselemente, dem romanischen Verlangen nach Herrschaft oder dem kriegerischen Geiste, in Wechselwirkung. Aus diesen drei heterogenen Elementen erwuchs der oft so rätselhafte französische Volksgeist. Man sieht das französische Volk fälschlich als ein durchaus homogenes an; es ist in der Tat aber nur homogen in gewissen Aeußerungen seines Geistes. Innerlich und mit ihren eigentlichen Grundgedanken sind die Franzosen, von Individuum zu Individuum, getrennter als irgend ein anderes Volk, wenngleich ein höchst lebendiges Nationalgefühl sie meistens abhält, diese Spaltung auch äußerlich zu manifestiren. In jeder gegebenen Zeitepoche ihrer Geschichte herrscht eines der Volkselemente über die beiden anderen; allein es herrscht auch nur, ohne die beiden anderen vertilgen oder ganz besiegen zu können. Plötzlich bringt ein Anstoß, äußerlich oder innerlich, ein anderes der solange dienenden Volkselemente zur Herrschaft und die Folge hiervon ist, dass die jedesmalige Staatsform wankt und zusammenbricht. Die Heterogenität der Volksbestandteile in geistiger Beziehung ist der Quell der endlosen Revolutionen des französischen Staatsgebäudes. Ja mehr — nicht bloß in dem Ganzen des Volkes herrscht dieses Gesetz des Heterogenen, sondern in jedem einzelnen Individuum selbst ist es geltend. Jeder Franzose, den nötigen Bildungsgrad vorausgesetzt, gehorcht dem dreifachen Elemente der Wandelbarkeit, dem Triebe der Treue und dem Verlangen nach Herrschaft für seine Volkseinheit. Daher denn auch der beständige Wechsel, nicht nur in den Grundanschauungen über das Verhältnis des Einzelnen zum Staatsganzen, sondern auch der Moralprinzipe bei den Einzelnen in diesem Volke, je nach dem Vorrange, den das eine oder das andere Element seines Geistes über die anderen gewinnt.

Die Ansicht, dass die Schmelzung zu einem Volksgeiste — das Nationalgefühl abgerechnet — weniger, als bei irgend einem anderen europäischen Stamme, bei den Franzosen vollendet sei, ist nicht die gewöhnliche. Sie mag befremden; aber bei näherer Prüfung des französischen Geistes in allen gesellschaftlichen Schichten, nach genauer Durchforschung der Geschichte dieses Volkes, wird sie gerechtfertigt erscheinen. Was das gewöhnliche Urteil täuscht, ist eben nur dies, dass das französische Volk die Fähigkeit besitzt, sich dem jeweilig herrschenden Volkselemente augenblicklich und ohne Widerspruch zu unterwerfen, eben deshalb, weil ihm die Idee der individuellen Selbstbestimmung fern liegt und fremd ist. Hierdurch wird nach der Seite der äußeren Erscheinung hin bewirkt, dass sich nur eine Form des Volksgeistes darstellt, während innerlich die Gährung und so zu sagen der Kampf der verschiedenen Volksgeister unter sich fortdauert, bis ein anderes der besiegten Elemente zum Siege gelangt.*)

*) Lange schon ist es eine Streitfrage unter den französischen Historikern, in welches Verhältnis sich die in Gallien eingewanderten Franken zu der romanischen Bevölkerung, die sie vorfanden, gesetzt haben. Boulainvilliers, Dubos, Montesquieu, Mably hatten besondere Meinungen geltend gemacht, da trat Augustin Thierry, ein echter Sohn der Revolution und einige Jahre lang Anhänger des St. Simonismus, auf und versuchte, dem Rechte der Revolution eine historische Basis zu verschaffen. Thierry stellt die Sache so dar, als wäre die einheimische Bevölkerung Galliens durch die fränkischen Sieger auf eine schmähliche Weise unterdrückt und zu einem Zustande wahrer Sklaverei herabgewürdigt worden. Schon in seiner „Geschichte der Eroberung Englands durch die Normannen“ machte Thierry die Hypothese von einem durch das ganze Mittelalter dauernden, alle Lebensverhältnisse durchdringenden Kampf zweier Bevölkerungen zum bewegenden Prinzipe der englischen Geschichte und trug sofort diese Anschauungsweise auch auf die französische Geschichte über. Zuerst in einer Allegorie, in der er das arme, misshandelte gallische Volk, fortwährend in scharfer Trennung vom fränkischen Sieger gedacht, als Jaques Bonhomme auftreten und Unsägliches erdulden lässt; dann in versuchter ernster Begründung für die merovingische Zeit in den „Lettres sur l'histoire de France“. Hier erklärt Thierry unumwunden, dass, wenn man sich ein getreues Bild machen wolle von dem Zustande der gallischen Romanen unter fränkischer Herrschaft, man sich nur Griechenland unter der Botmäßigkeit der Türken zu vergegenwärtigen brauche. Dieser Kampf zweier Völker soll zu einem entscheidenden Ausbruch in der Revolution gekommen sein, die somit als ein Sieg der romanischen Gallier über die germanischen Franken zu betrachten wäre. Die Richtigkeit dieser Hypothese angenommen, die sich im Grunde schon dadurch widerlegt, dass gleichwie bei den Franzosen Kultur und Sprache von der römischen Mutter stammt, so dagegen der deutsche Vater ihrem politischen und rechtlichen Leben den Stempel seiner Eigentümlichkeit aufgedrückt hat, so würde dieselbe jedenfalls ganz und gar nicht zu Gunsten der in den Staub getretenen Romanen sprechen, die ihren angeblichen Sieg über die fränkischen Unterdrücker so wenig zu benutzen verstanden, wie Schlafwachende von einer Verfassung zu andern und damit von einer Tyrannei zur anderen taumelten und überhaupt seit 100 Jahren sich gänzlich unfähig erwiesen haben, ein festes, dauerndes Staatsgebäude aufzuführen. Man muss daran um so mehr erinnern, als der Schweizer Bonseri vor etwa 20 Jahren den Einfall hatte, den Kelten neben anderen Vorzügen eine überraschende Befähigung zum politischen Leben vor den Germanen zu vindiziren. Von den gallischen Romanen zur Zeit der Völkerwanderung entwirft Fauriel (Histoire de la Gaule méridionale sous la domination des conquérants germains) ein solches Bild, dass von ihnen wahrlich nichts Gutes zu erwarten war. Sie waren das zivilisirtere, aber auch ein des Zügels gewohntes, furchtsames, zur Hinterlist und Berückung geneigtes Volk. Die reichen und vornehmen Romanen führten mitten in dem hereinbrechenden allgemeinen Elend noch ein glänzendes und üppiges Leben; sie liebten die Pracht, und wenn in ihren Genüssen die Feinheit der antiken Zivilisation noch nicht ganz verschwunden war, so waren sie dagegen in Wirklichkeit der Verderbnis der Gesinnung verfallen. Zwar galt Gallien noch im 4. Jahrhundert auch außerhalb seiner Grenzen als ein vorzüglicher Sitz litterarischer Bestrebungen und Talente und behauptete diesen Ruhm bis ins 5. Jahrhundert hinein, als der grösste Teil des Landes schon deutschen Herren gehorchte, aber dieser Glanz war nur ein erheuchelter, eitles Rauschgold, hinter dessen spiegelnder Oberfläche jede Spur seiner Produktionskraft gelähmt war.

Worin beruht nun hiernach das ethische Gesetz dieses Volkes und wie ist es zu formuliren? Es beruht in nichts Anderem, als in der vollständigen Emanation der drei Ideen der Wandelbarkeit, der Treue und der Herrschaft. Mit dieser Aufgabe ist das französische Volk bestimmt, im Mittelpunkte Europas die Unruhe in der Uhr der europäischen Stundenwelt zu sein. Das Aufsuchen neuer Staatsformen, das Experimentiren mit diesen ist seine Aufgabe; dem Stagniren der Formen zu wehren, die Bewegung des politischen Weltwesens zu erhalten, das Festwerden in toten und absterbenden Formen — wozu die übrigen Völker Europas mehr oder minder Neigung haben — zu hindern, das ist die Aufgabe des französischen Volkes. Auch diese Aufgabe ist ernst und edel, wenn sie richtig verstanden wird; sie bestimmt dies Volk zum Fahnenträger des Fortschritts in der Humanität und zu einem langen staatlichen Dasein unter wechselnden Formen.

Litterarische Neuigkeiten.

Wer sich eine heitere Stunde verschaffen will, der kaufe sich die Gedichte von K. Bernth, sogenannt „Heinrich der Wepper“, auf die schon unser selig entschlafener Paul Lindau, als er noch in der Gegenwart unter uns wandelte, mit seinem bekannten Eifer eines Raritätensammlers hingewiesen hat, um an dem harmlosen Opfer ein neues Pröbchen seiner weltberühmten Abschlachtungen zu liefern. Wir versagen uns diesen billigen Beweis „vernichtender Ironie“ und kritischer Größe. Für den Kenner wird K. Bernth neben Friderike Kempner den wohlverdienten Ehrenplatz stets behaupten.

Von der großen vollständigen Ausgabe von Herders sämtlichen Werken, herausgegeben von B. Suphan, welche auf 32 Bände berechnet ist, sind bisher 20 Bände erschienen (Berlin, Weidmannsche Buchhandlung).

Lieferung 299 von Josef Kürschners „Deutscher National-Litteratur“ enthält: „Erzählende Prosa der klassischen Periode“. 2. Bd., 5. Lfg., herausgegeben von Bobertag. 300 und 302 bringen „Lessings Werke“, 9. Bd., 1. und 2. Lfg., herausgegeben von H. Blümmer. 301 enthält „Goethes Werke“, 3. Bd., 2. Abt., 3. Lfg., herausgegeben von H. Düntzer, 303: „Lichtenberg, Hippel, Blumauer“, 1. Lfg., herausgegeben von Felix Bobertag.

„Von hüben und drüben.“ Von J. Bruck (Leipzig, Reißner). Diese Verse atmen eine kräftige mannhafte Gesinnung und einen frischen Humor. (Siehe „Mariannes Sehnsucht“.) Hingegen sind die Uebertragungen aus dem Englischen mangelhaft. — Der sympathische Geist, welcher diese Dichtungen durchweht, vermehrt unser Befremden über die dreiste Lüge des Herrn J. Bruck, welcher in einer amerikanischen, uns vorliegenden Zeitung wörtlich erklärt, dass er „die höchst fragwürdige Ehre hatte, dieses Unikum“, nämlich den jetzigen Herausgeber dieser Blätter „von Angesicht zu Angesicht zu schauen. Es war beim Stiftungsfeste des ‚Symposion‘ u. s. w.“ Da nun Herr Bruck sicher selbst am besten weiß, dass der Betreffende nie jenem Feste beigewohnt hat und während dessen gemütlich in seinem Wohnort Charlottenburg saß, so bedauern wir, schon wieder mal die grobe Verlogenheit unserer Federhelden konstatiren zu müssen. Nichts für ungut!

Alle für das „Magazin“ bestimmten Sendungen sind zu richten an die Redaktion des „Magazins für die Litteratur des In- und Auslandes“ Leipzig, Georgenstrasse 6.

Für die Redaktion verantwortlich: Karl Bleibtreu in Charlottenburg. — Verlag von Wilhelm Friedrich in Leipzig. — Druck von Emil Herrmann senior in Leipzig.

Das Magazin

für die Litteratur des In- und Auslandes.

Wochenschrift der Weltlitteratur.

1832 gegründet von Joseph Lehmann. | 55. Jahrgang. | Herausgegeben von Karl Bleibtreu.

Preis Mark 4.– vierteljährlich.

Verlag von Wilhelm Friedrich in Leipzig.

No. 22. — Leipzig, den 29. Mai. — 1886.

Inhalt:

Wssewolod Garschin.

Von August Scholz.

Man hat sich in den letzten Jahren bei uns daran gewöhnt, die Kunde von dem Reichtum der russischen Litteratur wie eine Sage aus fernem Lande zu vernehmen und weiter zu verbreiten. „Ah, dieser köstliche Humor Gogols, diese Eleganz Turgenjews, diese unergründliche Tiefe Dostojewskiis" — gewiss, gewiss, aber wenn das nur nicht zum größten Teil Redensarten wären, für die den Meisten die klaren Begriffe fehlen. Das litterarische Elend, das in den letzten zwei Jahrzehnten in Deutschland immer mehr und mehr um sich gegriffen hat — eine natürliche Folge des Umstands, dass die besten Köpfe in andere, zeitgemäßere Bahnen gelenkt wurden — hat die Lesesucht des Publikums über die Grenzen der heimischen Produktion hinausgelenkt. Nachdem es lange Zeit mit dem süßen Mehlbrei der heimischen Idealisten, Romantiker und Talmidichter gefüttert worden war, bekam es schließlich, mit der kräftigeren Zeit, Appetit auf eine kräftigere Kost, auf „etwas Saures, Scharfes, Prickelndes". Und man fand das Gesuchte nicht bloß bei den französischen und englischen Nachbarn, sondern überall ringsum: bei Norwegern, Dänen, Italienern, Amerikanern, Tschechen, Polen, Russen. Ja, namentlich auch bei den Russen.

Mit der dichterischen Herrlichkeit ist es gegenwärtig bei den Russen allerdings so ziemlich vorbei. Alles, was heut dem deutschen Publikum von russischen Romanen, Novellen, Skizzen und so weiter geboten wird, wie die Schriften von Tolstoj, Gontscharow, Dostojewskii, Pissemki u. s. w. stammt fast ausnahmslos aus den fünfziger und sechziger Jahren. Was seither in der russischen Litteratur vorgegangen ist, welches die inneren Ursachen ihres Verfalles waren, wie es gegenwärtig mit der Produktionskraft des russischen Volksgeistes steht — darüber wissen selbst die Herren „Kenner" unter den deutschen Litterarhistorikern und Kritikern verteufelt wenig zu sagen. Mit dem einfachen „Druck von Oben" ist die Sache nicht erklärt; unter Nikolaus, der sich auf das Drücken doch auch nicht schlecht verstand, erblühten Dichter wie Puschkin, Lermontow, Gogol und Gribojedow, wussten freie Geister wie Bjelinski und Stankiewitsch sich Geltung zu verschaffen. „Mangel an Talenten!" ruft Turgenjew in seinen Briefen — „das ist die Ursache unserer litterarischen Misere." In der Tat sind von namhaften russischen Schriftstellern in den siebziger und achtziger Jahren, außer Turgenjew selbst, nur wenige hervorgetreten. Unter denselben stehen der Satiriker Saltykow-Schtschedrin und der Dramatiker Ostrowski in erster Reihe — zwei echt russische Erscheinungen, die leider dem westeuropäischen Publikum weniger verständlich sind, als die großen russischen Novellisten und Romanschriftsteller. Neben diesen beiden — Dostojewskii, L. N. Tolstoj und Gontscharow waren nach und nach verstummt — machten sich nun die sogenannten „Enthüller" breit, die Nachfolger der Sljepzow, Reschetnikow, Uspenski, die Slatowrazki, Ertel, Michajlowski u. s. w., von denen Turgenjew sagt: „Fähigkeiten kann man diesen Herren nicht absprechen, aber wo bleibt Erfindung,

Kraft, Phantasie, dichterischer Gehalt? Sie sind nicht im Stande, irgend etwas zu ersinnen und freuen sich gar noch darüber: um so näher, denken sie, sind sie der Wahrheit. Die Wahrheit ist allerdings die Luft, ohne die wir nicht atmen können; die Kunst aber ist ein Gewächs — bisweilen sogar ein sehr launisches Gewächs — das in jener Luft sich entwickelt und heranreift. Diese Herren aber besitzen keinen Samen und können daher nicht säen."

Wenn nun ein berufener Richter mit so strengem, unbestochenem Urteil wie Turgenjew von einem aufstrebenden Schriftsteller sagt, er besitze „ohne Zweifel Talent und Originalität", so ist das immerhin eine litterarische Legitimation von hohem Werte. Wssewolod Michailowitsch Garschin ist es, über den sich Turgenjew mit diesen Worten gegen Saltykow-Schtschedrin äußert. Garschin ist noch ein Anfänger, erst dreißig Jahre alt. Er hat sich in Russland selbst noch nicht durchgekämpft — noch verlegt ihm die Gilde der litterarischen Macher und Romanfabrikanten, die Nemirowitsch-Dantschenko, Maxim Bjelinski, Salias, Baranzewitsch, in neuester Zeit leider auch der begabtere Albow — den Weg zum Publikum. Dafür aber ist Alles echt, Alles aus dem Grunde einer wirklichen Dichterseele hervorgeholt, was Garschin bietet. Dadurch tritt er aus der Reihe der spezifisch-russischen Dichter heraus und wird, wie Turgenjew, zum europäischen Schriftsteller, dem sich, wenn ihm eine harmonische Entwicklung gegönnt ist, alsbald das Interesse auch des deutschen Publikums zuwenden wird.

Garschin hat bisher zwei Bände Erzählungen (1883 und 1885) veröffentlicht. Dieselben enthalten vierzehn Nummern von verschiedenartigem Werte. „Vier Tage", „Der Feigling", „Aus den Erinnerungen eines Gemeinen" sind Reminiszenzen aus dem letzten russisch-türkischen Feldzug, den Garschin selbst mitgemacht hat (er wurde während desselben verwundet). Großartig in der realistischen Zeichnung, erinnern diese Skizzen durch ihre Technik an Wereschtschagins Schlachtenbilder. Der Inhalt ist genreartig, die Komposition noch unfertig. — Interessante Sujets aus dem Künstlerleben, das in den letzten beiden Jahrzehnten in Russland einen bedeutenden Aufschwung genommen hat, behandeln „Die Künstler"*) und „Nadeschda Nikolajewna". Ersteres ist ein origineller Versuch, den Nihilismus in der Kunst darzustellen — eine psychologisch-ästhetische Studie von ungewöhnlicher Tiefe, welche die alten Gegensätze von Optimismus und Pessimismus, Idealismus und Realismus, selbstbewusster Mittelmässigkeit und weltschmerzerfüllter Genialität in ganz eigener Art beleuchtet. „Nadeschda Nikolajewna" ist eine Modellgeschichte in russischem Rahmen. Dem Umfang nach die längste, steht diese Arbeit nach meiner Auffassung doch an poetischem Wert mancher von den kürzeren Novellen nach. Die einzelnen Figuren sind treffend in der Art Turgenjews gezeichnet, aber sie sind weder neu noch so interessant, dass es sich lohnte, ihnen „wieder einmal" zu begegnen. Die Heldin Nadeschda, ein Mädchen aus den gebildeten Kreisen, das sich dem Trunk ergeben hat, ist als sozialpathologische Erscheinung interessant; aber Garschin hat das Sujet bereits in der Skizze „Ein Ereigniss" erschöpft, und die Bekehrung der Gesunkenen durch eine „reine Liebe", die schließliche Sühne durch den Tod, die Unmenge Blut, welche zuletzt fließt — alle diese Momente und Grundgedanken lassen die „Nadeschda Nikolajewna" doch als etwas schablonenhaft gearbeitet erscheinen. — „Attalea princeps", „Was nicht war" und „die Kröte und die Rose" sind sinnreiche, märchenartige Allegorien, die indessen abgetan sind, wenn man ihre feine poetische Durchführung anerkannt hat.

*) „Die Künstler" erscheinen in der Berliner „Gegenwart."

Ich habe absichtlich die schwächeren Produkte Garschins — „Vier Tage" und „Die Künstler" nehme ich als bedeutende Leistungen aus — zuerst besprochen, um nunmehr eine kurze Reihe von Skizzen zu erwähnen, die in ihrer Art wirklich Meisterwerke sind und Garschin unter den Novellisten ersten Ranges einen Platz sichern. In erster Linie kommt eine Skizze von etwa 30 Seiten — „Die Bären"*) in Betracht. Garschin hat hier im Gewande schlichter Schilderung einen hochdramatischen Effekt erzielt. Ein kaiserlicher Ukas hat angeordnet, dass die in Südrussland lebenden Zigeuner, die sich als Bärenführer, Schmiede, Wahrsager, Heilkünstler u. s. w. ernähren und ihrem Wandertriebe folgend, überall vom Volke gern gesehen, von Ort zu Ort ziehen, ihre Bären tödten und sich in bestimmten Gemeinden sesshaft machen sollen. Man hat ihnen eine Frist von fünf Jahren gegeben, dieselbe ist abgelaufen, und der Termin zur Hinrichtung der Bären ist bereits festgesetzt. Damit die Kontrolle den Behörden möglichst erleichtert werde, kommen die Bärenführer immer aus mehreren Kreisen an einem Ort zusammen, an dem dann ein wahres Bärengemetzel beginnt. Die ergreifendsten Szenen entwickeln sich, die Zigeuner nehmen rührenden Abschied von ihren zottigen Ernährern und Freunden und müssen sie selber erschießen. Garschin hat sich hier als meisterhafter Schilderer erwiesen. Der satirisch gezeichnete kleinstädtische Hintergrund dient trefflich zur Hervorhebung des wilden, edlen Schmerzes, der die braunen Söhne der Natur erfüllt. Aber die Rache bleibt nicht aus — schaarenweise gehen die brodlos gewordenen Zigeuner in die Reihen der Pferdediebe über, die den Schrecken der Ukraine und Südrusslands bilden.

Ebenso originell, aber nicht in tragischer, sondern in komisch-satirischer Richtung gehalten ist die Skizze

*) Im Märzheft der „Deutschen Rundschau" in deutscher Uebersetzung veröffentlicht.

„Eine Begegnung" *). Es ist eine treffliche Studie über die russische Beamtenkorruption, wie „Die Bären" eine Geißelung der Gesetzmacherei „von oben herab" sind. Ein biederer Gymnasiallehrer findet in einer Seestadt einen Studiengenossen, der als Student mit harter Armut zu kämpfen hatte, in Luxus und Wohlleben wieder. Er ist über diesen raschen Wechsel der Lebensschicksale seines Freundes erstaunt und kommt bald hinter den Grund desselben: der Freund ist als Ingenieur beim Bau eines Hafendammes angestellt, die Krongelder aber, welche für den letzteren ausgeworfen sind, fließen fast ausschließlich in die Taschen der mit dem Bau beauftragten Ingenieure und Beamten. In ergötzlicher Weise schildert Kudrjaschew, der Ingenieur, die Manipulation, durch welche die Staatskasse alljährlich geplündert wird:

„Du weißt doch, dass auf jedem Meere Stürme sind? Nun, und die haben auch ihre Wirkung. Sie spülen alljährlich die Bettung des Dammes hinweg, und wir legen also eine neue . . . Legen eine neue — das heißt, auf dem Papiere, hier auf diesem Plane, da sie ja der Sturm auch bloß auf dem Plane zerstört hat. . . In Wirklichkeit nämlich können die Sturmfluten dem Damm gar nichts anhaben, da sie nur bis zu einer Tiefe von acht Fuß reichen. Unser Meer ist kein Ozean, und ein Damm wie der unserige hält schon etwas aus . . . Höre also, wie die Sache gemacht wird. Im Frühjahr, wenn die Herbst- und Winterstürme vorüber sind, berufen wir eine Versammlung und setzen die Frage auf die Tagesordnung. Wie viel von der Dammbettung ist in diesem Jahre hinweggespült worden? Sobald wir darüber einig sind, nehmen wir die Pläne vor und zeichnen es an. Dann berichten wir an die zuständige Stelle: So und so viel Kubikfaden begonnener Arbeiten sind durch Stürme zerstört worden. Darauf antwortet man uns: Baut weiter, bessert aus! Hol' Euch der Teufel! Nun, und so bessern wir denn aus."

„Aber was bessert Ihr denn aus?"

„Ei, unsere Taschen natürlich . . . Selbstverständlich schöpfe ich nicht direkt aus der Hauptquelle — ich erhalte meine bestimmte Summe, die bereits ein Anderer genommen hat, und wenn ich's nicht nehme, dann bekommt's vielleicht Jemand, der noch schlechter ist, als ich . . . So arbeiten wir denn redlich weiter, und wenn die Arbeit so vorwärts geht, wie in den letzten Jahren, dann wird sie hoffentlich für dieses Jahrhundert ausreichen . . ."

Und nun entwickelt Kudrjaschew mit cynischer Ruhe seine Spitzbubenmoral, während dem armen ehrlichen Gymnasiallehrer, der bei dem Ingenieur soupirt, vor Entsetzen der Bissen im Halse stecken bleibt.

Von psychologischer Tiefe und packender Schilderungskraft sind die beiden Studien „Die rote Blume" und „Eine Nacht". Jene stellt die letzten Lebenstage eines Wahnsinnigen dar, diese die letzten Stunden eines Selbstmörders. Mit der „Roten Blume" hat Garschin durch die einfache Erzählung, ohne alle Künstelei und Effekthascherei, wohl die größte Wirkung erzielt, die jemals realistische Darstellungskunst erreicht hat. Was er beim Leser wirkt, ist Schrecken und Entsetzen — und doch hat der geniale Dichter zum Schluss einen Ton gefunden, der die Harmonie der erregten Empfindungen wieder herstellt. Poe, Balzac und wie die Schilderer des Schrecklichen sonst heißen mögen, verschwinden neben dieser Epopöe des Wahnsinns. — Die „Nacht" erinnert den deutschen Leser ein wenig an Göthes „Faust" und an Jean Pauls „Neujahrsnacht eines Unglücklichen"; doch ist sie ohne Zweifel original entstanden und hat viel Eigenartiges. Der Selbstmord aus Lebensüberdruss ist wohl selten in so treffender, scharfer Weise analysirt worden, wie in dieser Garschinschen Studie.

Der Leser wird bemerkt haben, dass das Problem der Liebe in den Garschinschen Dichtungen eine geringe, fast verschwindende Rolle spielt. Es liegt das daran, dass die jüngste russische Generation, aus der Garschin hervorgegangen ist, zu sehr von Fragen und Interessen allgemeiner Natur eingenommen war, als dass sie den Kultus der Liebe, dieses rein individuellen Gefühles, allzueifrig hätte betreiben können. Garschin ist insofern ganz der Ausdruck seiner Zeit. Die Liebe zum Volke, der Abscheu vor der staatlichen Misswirtschaft, der Hang zur Grübelei, der sich in Folge der Lähmung aller frischen Tatkraft immer mehr entwickelt und einerseits zu heftigen Excessen, andererseits zur Selbstvernichtung führt — das sind die charakteristischen Züge des jungen Geschlechts, das ohne Hoffnung auf die Zukunft dumpf in den Tag hineinstarrt. Der russische Pessimismus ist eine tiefbegründete Erscheinung und hat mit dem raffinirten Lebensekel des französischen Naturalismus nichts gemein. Dass überhaupt noch Erscheinungen wie Garschin auf dem geistigen Friedhof in dem großen Ostreiche möglich sind, muss fast wundernehmen. Garschin hat viel Verwandtes mit dem polnischen Realisten Sienkiewicz, der den Pessimismus seiner ersten litterarischen Periode glücklich überwunden und sich zur poetischen Künstlerschaft im großen Stile durchgerungen hat. Beide stehen unter den slavischen Anhängern der realistischen Schule in erster Reihe, beide haben der Wirklichkeitspoesie neue Bahnen gewiesen. Es ist nur zu wünschen, dass auch Garschin, wie Sienkiewicz, Kraft und Stimmung zu großen Leistungen findet. Mit den vier zuletzt besprochenen Novellen, die im Verein mit den „Künstlern", den „Vier Tagen" und einer noch zu erwähnenden drolligen Soldatenstudie „Nikita" einen inhaltsvollen Band bilden, hat Garschin sich aufs Glücklichste in der Litteratur eingeführt. Die deutsche Kritik erweist ihm ihre Reverenz.

*) Wird in Nonnemanns „Was Ihr wollt" erscheinen.

Realistisch-kritisches zur Lyrik.

II. Die lyrische Bildersprache.

Auch für die lyrische Sprache ist das oberste Erfordernis die Wahrheit, d. h. die Naturmäßigkeit im strengsten Sinne des Worts. Man meint fast allgemein, die Poesie müsse, eben weil sie Poesie sei, eine andere Sprache haben als das wirkliche Leben: dasselbe, was man im gemeinen Leben so ausdrücke, müsse in der Poesie anders ausgedrückt werden, die Sprache müsse gewählter, „gehoben" sein. Ein schwerer Irrtum, der wieder nur durch Phantasieblödsichtigkeit ermöglicht wird; denn schaute die Phantasie ihre Bilder so klar, wie das Auge und das Alltagsbewusstsein die Wirklichkeit schaut, so müsste sie das Fremdartige, vom Wirklichen Abweichende bemerken und müsste unwillkürlich und unvermeidlich eine Erklärung dafür suchen, welche nur die sein könnte, dass man eben etwas bloß Fingirtes vor sich hat. Das ist aber ein Gedanke, der doch gerade fern-gehalten werden soll, — wozu denn anders wendet der Erzähler seine Täuschungskünste an, wozu verstecken Schauspieler und Theatermeister alle Vorbereitungen hinter die Kulissen? wozu anders, als um die Meinung zu ermöglichen, dass man etwas Wirkliches, beziehungsweise Kopie (Erzählung u. s. w.) von etwas Wirklichem vor sich habe. Ganz aus demselben Grund muss auch die dichterische Sprache wirklichkeitsmäßig sein.

Und sie ist auch in aller echten Poesie, und Lyrik insbesondere, geradezu dieselbe wie die der Wirklichkeit, aber — und das ermöglicht jenen dualistischen Irrtum — die Sprache einer verhältnissmäßig seltenen Wirklichkeit. Der Mensch der alltäglichen Sorgen und Geschäfte wie er meistens ist, spricht die Sprache der alltäglichen Prosa wie sie Regel ist; der von Ausnahmsleidenschaft Bewegte, oder in Andacht und Betrachtung Versunkene hingegen spricht und denkt — nicht nur in der Poesie, sondern innerhalb seines realen Lebens — eine mehrfach anders geartete Sprache, die aber genau so wahr und naturgemäß ist wie jene prosaische. Nehmen wir Bleibtreus „Unrast", eins der bedeutendsten Gedichte in „Jungdeutschland", wie erhaben und poetisch! aber wörtlich genau so kann ein wirklicher Mensch in solcher Stimmung denken, ja selbst vor sich hinsprechen, auch wenn ihm im Geringsten nicht einfällt, dichten zu wollen. Und solche Stimmungen hat jeder geistig höhere Mensch, der über dem Nullpunkt poetischer Anlage steht, auch der Nichtdichter; der Dichter ist im Unterschied von ihm nur derjenige, bei welchem die Stimmung und ihr Wortausdruck sich zugleich so im Gedächtnis fixirt, dass er nachher, mit den nötigen Ausfeilungen versehen, zu Papier gebracht werden kann. Liest nun solches Produkt der Mob, so fühlt er sich, ohne die Stimmung selbst voll in sich reproduziren zu können (wozu er schon zu schwerfällig wäre), doch angenehm berührt durch die Sonderbarkeit des Dings, oft wohl auch durch einen kleinen Anflug von jener Vollstimmung, und das ist seine Poesie. Demnach kann er begreiflicherweise nicht wissen, dass jene höhere Sprache genau so wirklich-wahr ist, in des Wortes verwegenster Bedeutung, als wenn Hans zu Kunz sagt: „Famoses Bier gestern im Löwenbräu!" — er kann es nicht wissen, weil ihm zwar das Letztere schon, niemals aber das Erstere in Wahr- und Wirklichkeit vorgekommen ist. So erklärt es sich denn, dass die Leute — leider in vielen Fällen z. B. bei Schiller nicht ohne Grund — meinen, der Dichter habe in seinen Gedichten höherer Sphäre den eigentlichen Ausdruck der Natur zu mehrerer Ergötzlichkeit der Pachydermata gefälscht und die Rede kühnlich mit allerlei Flitterschmuck versehen, welcher dem Pachyderma wohlgefällt; und dasselbe müsse mit allem geschehen, was der Dichter in den Mund nehme, allem müsse, damit es zur Poesie werde, gleichsam ein sprachliches Sonntagskleidchen angezogen werden. Dabei gehe zwar etwas Wahrheit verloren (denn in Wirklichkeit habe ja weder Hans noch Kunz jemals „poetisch" gesprochen), das tue aber gar nichts, denn für dieses bischen Wahrheit werde in profitabelster Weise sehr viel Schönheit eingehandelt, sehr viel! „Du hast die Milch der frommen Denkungsart in gährend Drachengift gewandelt!" Ach wie schön! aber wie gemein wär's, wenn der biderbe Bauer gar sagte „du Kebaib, du!"

Man geht nun auch her und untersucht, worin denn die angenehme Sonderbarkeit des Poetischen bestehe, und findet es (oder hat es vielmehr längst gefunden,) in Bildersprache, Vers, Reim und anderen dergleichen Sächelchen, aus denen man eine allgemeine poetische Uniform zusammenzuschneidern kein Bedenken trug, dermaßen dass, was an einer Stelle naturwahr und wirkungsvoll ist, unverständigerweise auch da obligatorisch wird, wo es Unsinn ist: der gewöhnlichste Inhalt, der ja bei längeren Werken, besonders Dramen, oft nicht zu umgehen ist, wird ebenfalls in die Form der hohen und höchsten Gedanken gekleidet, worinnen sie sich dann ausnehmen wie Droschkenkutscher in feinem Frack und Cylinder nebst Glacéhandschuhen. Recht bequeme Mode für den Dichterling, der überhaupt nur Droschkenkutscher zeugen kann: die leicht stehlbare Uniform putzt sie aber scheinbar echten Musenkindern heraus.

Um es nun kurz zu sagen: hinsichtlich der poetischen Sprache ist der Hauptübelstand, den ich der realistischen Strömung der Gegenwart wegzuschwemmen empfehlen möchte: der unmäßige Missbrauch der poetischen Mittel: Bild, Rhythmus, Reim, Alliteration, welche nun im Einzelnen betrachtet werden sollen.

Wir leben zwar nicht gerade in einer Zeit hervorragenden Bildermisbrauchs, wie es die Zeit des Euphuismus, oder die der Hoffmannswaldau und Lobenstein war; aber des Unverstandes in diesem Punkt ist leider genug. Man scheint vielfach zu meinen, dass Bilder dazu da seien, das an sich Triviale und Wertlose gleichsam zu vergolden und poesiefähig zu machen. Bilder sind immer nur da am Platz, wo eine Stimmung waltet, die im wirklichen Leben eine Neigung zu Bildern mit sich bringt; ein wahrer Dichter wird daher auch, so oft er mit Recht dichtet, d. h. aus überströmender Stimmung dichtet, keine unrechten Bilder anwenden können. Dagegen fällt der bloß Dichtenwollende, bei dem Verstand und Absicht einen poetischen Bastard miteinander zeugen, in alle möglichen Ungeschicklichkeiten und Fehler; was übrigens auch einem wirklichen Dichter passiren kann, wenn er aus industriellen oder anderen fremdartigen Gründen ein Gedicht erzwingt. Eine solche Ungeschicklichkeit ist es, wenn Henckell in seinem Sermon „An die Natur" sagt: „An deinen vollen nährenden Brüsten lieg' ich und schlürfe Milch des Lebens." Ich behaupte, solche Worte kommen nicht einem harmlosen naturgenießenden Menschen unter freiem Himmel, sondern nur einem Dichtenwollenden, dem es nicht ohne Grund etwas kahl erscheint, zu sagen: „hier liege ich auf dem Rasen"; weshalb er denn in seinem poetischen Bilderschatzkästlein nach einem passenden Schmuck für seine Blöße umherkramt, — ich weiß schon, es braucht gar nicht viel Kramens, — und glücklich die nicht mehr ungewohnten „Brüste der Natur" findet. Man hat das Bild schon im ehrwürdigen „Faust" gelesen; dort aber ist's mehr als eine übelangebrachte Reminiszenz, dort ist's mächtig fühlbar von der Stimmung diktirt, wenn Faust in fiebernder Sehnsucht aus dem wühlenden nur halb verstandenen Drang heraus ruft: „Wo fass ich dich, Natur? euch Brüste wo?!" Wie ein schwer Träumender sich aus einer Lage in die andere wirft, so sucht gleichsam der geängstigte, weil unbefriedigte, Trieb in einen verwandten umzuschlagen und irritirt des letzteren zugehörigen Vorstellungskreis. Bei Henckell hingegen passt das Bild deshalb nicht, weil in der stilleren befriedigten (oder meinetwegen sich befriedigenden) Stimmung seines Gedichts das Anschauungsvermögen zu klar und lebendig funktionirt, als dass es die anschauliche Inkongruenz des Bildes ignoriren könnte; recht bezeichnend für den ungeschickten Nachahmer ist noch die Ausmalung „vollen nährenden Brüsten". Kurz mit ein paar wissenschaftlichen Worten: Henckells Bild hat weder ein emotionelles (wie dort im „Faust"), noch ein anschauliches, sondern nur ein abstraktes tertium comparationis; für die Poesie passen aber nur die beiden ersten, nur sie sind poetisch, die der dritten Art (mit abstraktem Aehnlichkeitspunkt) sind im besten Fall geistreich und nur für die Prosa tauglich oder für solche größere Dichtwerke, welche, wie Roman und Drama, ihrer großen Ausdehnung wegen auch prosaische Elemente aufnehmen müssen.

Es seien hier noch einige solche Bilder angeführt, die man, wenn sie sonst gut genug wären, nur geistreich, nicht lyrisch-poetisch nennen könnte. Wenn Henckell (S. 271) sagt: „In unserem Hirne brennt der Wahrheit Licht", so kann man das nicht schauen ohne zu lachen; hätte er wenigstens „Geist" statt „Hirn" gesagt, so könnte man das Wort — vorausgesetzt, dass noch Niemand von der „Wahrheit Licht" geredet hätte, — wohl geistreich nennen, denn geistreich ist was unser abstrakt kombinirendes Denkvermögen erfreut, poetisch aber, was unser konkret schauendes Vermögen, oder Stimmung und Leidenschaft anregt. Auch eigentlich abstrakte Gedanken können poetisch sein, wenn sie Stimmung machen, wofür eine große Zahl von Bleibtreus kleineren Beiträgen Belege abgiebt; verkehrt aber, so häufig es geschieht, ist es, wenn man Abstraktes poetisiren will, indem man es so äußerlich verbildlicht wie Henckell in dem Vers (S. 271): „Und nur der Mensch geht auf der Schönheit Spur"; das ist scheinbar zum Schauen, in Wirklichkeit aber ein frostig abstraktes Bild, das man höchstens geistreich nennen könnte; wenn es geistreicher wäre. Mit dergleichen Pseudobildlichkeit, Bildern, die man nicht schauen, sondern nur denken darf, hat besonders Schiller sehr viel gesündigt.

Uebrigens scheint gerade diese Art von Bildern eine große Anziehungskraft auf die Mehrheit des Publikums auszuüben, in dem Maße, dass solche Floskeln — ein Beweis entschiedener Geschmacklosigkeit — förmlich in die allgemeine Sprache „aufgenommen" werden, natürlich in so abgeschliffenem Zustande, dass kein Mensch dabei etwas anderes als den kalten Begriff denkt. Wozu nur für ehrliche Begriffe so ein abgeschabt poetisches Gewand? wie hässlich und dumm, wenn man in einem medizinischen Bericht plötzlich zu lesen kriegt: „Die Bemühungen waren von Erfolg gekrönt." Aber so die Prosa zu verhunzen, ist oft das schließliche Schicksal der Bilder, welche zuerst von ungenirten Lyrikern im Tagelohn missbraucht und entwertet worden sind; sie werden, zuerst in der aristokratischen Poesie, dann in der gemeinen Prosa die öffentlichen Dirnen: jeder kann sie haben, wer aber ein nobler Mensch ist, mag nicht.

Es ist also dem Lyriker insbesondere ein gewisses litterarisches Schamgefühl anzuraten, das ihn abhält, schon dagewesene Bilder aus dem Privateigentum eines Anderen oder gar aus dem Kollektiveigentum der Zunft zu verwenden, es sei denn in irgendwie origineller Weise. Auch dieses litterarische Schamgefühl fehlt dem obenerwähnten „à la Makart" von Arent mit seinen vielen feilen Bildern, für deren Zusammenstilisirung auch ein anderer als ein Poet von Arents Range genügen würde.

Es wären noch viele andere Unschicklichkeiten im Bildergebrauch zu nennen, z. B. das gründliche Auspressen aller Vergleichungspunkte aus einem Bild, wozu Bleibtreu eine ausgesprochene Neigung hat. Lässt er sich z. B. durch die Zeile „Der Wahrheit

Blitz erhellt des Lebens Nacht“ (Anhang S. 14) dazu verführen noch ein ganzes Nest voll ähnlicher Eier hinzulegen, indem er eine vollständige Vergleichung zwischen einer Nachtlandschaft und dem Menschengeiste durchführt, wobei Sterne, Mond, Mondesstrahlen, ein Bergschacht, Quellen, Knospen, Veilchen sämmtlich ihr psychologisches Analogon finden. Welch frostig ausgeklügelte Allegorie! ein richtiges Bild ist wie ein schnell aufleuchtender Blitz, und man soll ihm nicht weiter nachforschen.

Doch alle weiteren Einzelheiten macht der eine Rat an den Lyriker entbehrlich, nicht zu wollen und nicht zu klügeln, sondern sich ganz der Stimmung zu überlassen, welche immer recht führt, wenn sie kräftig ist. Und fernerhin muss man wissen, dass die schönsten Bilder und die unentbehrlichsten nicht die metaphorischen sind, die etwas Anderes veranschaulichen sollen, sondern die plastischen, welche nichts bedeuten als sich selbst. „Füllest wieder Busch und Tal still mit Nebelglanz . . .“ das ist so ein Bild von der selbstherrlichen Art, in welcher Goethe der Meister ist. Goethe hat die moderne Lyrik noch nicht übertroffen.

München. G. Cristaller

Ueber litterarische Wertschätzung.

Soviel scheint festzustehen, dass das Rätsel des litterarischen Erfolges noch nicht gelöst ist. Wenn Gottschall in seiner Abhandlung über den archäologischen Roman diese Lösung im Zufall sucht, der in der Litteratur die Rolle der Mode übernimmt, so hat er damit nur die Ungelöstheit des Rätsels konstatiren wollen. Dennoch bin ich der Meinung, dass beispielsweise Georg Ebers mit seinen Romanen einem Interesse der Mitlebenden entgegen gekommen ist, denn eine Zeit, welcher durch die Tagespresse fast in jeder Woche die Nachricht von neuen Ausgrabungen aus prähistorischen und mythischen Epochen vermittelt wird, musste auch an der belletristischen Verwertung dieser Funde Gefallen finden. Wie Goethe irgendwo treffend sagt — und welcher Ausspruch von Goethe wäre dies nicht? — bleibt das Interessanteste für den Menschen immer der Mensch selbst und ob jene Verwertung eine mehr, oder minder geschickte, wie Wenige aus der großen Menge, selbst aus der Zahl der Gebildeten, vermögen dies heraus zu fühlen! Ich habe in dem Eberschen Roman: „Der Kaiser“ ganz die Gestalt wiedergefunden, wie ich sie in der Monographie von Gregorovius: „Hadrian“ kennen gelernt, dagegen freilich in dem, in obigem Roman auftretenden, Schwesternpaar eine Wiederholung der anmutigen Figuren in der bekannten Dichtung: „die Schwestern“ desselben Autors. Das Publikum nimmt doch nicht ganz mit Unrecht an, dass der Egyptologe Ebers dem Dichter die Farben geliehen und wollen wir ja an einem Erzeugnis der Poesie weder historische, noch archäologische Studien machen; im Gegenteil lässt der Dichter sich selbst und lassen wir ihn da im Stich, wo er dem Gelehrten die Gewalt über sich einräumt.

Bei dieser Gelegenheit möchte ich übrigens der Ueberzeugung Ausdruck geben, dass Niemand in Zukunft ein großer Dichter werden könne, der nicht von der wissenschaftlichen Bildung des Jahrhunderts durchtränkt ist.

Ein Dichter, welcher, dem seinigen den Spiegel in bedeutenden, künstlerisch wertvollen Werken vorgehalten, ist sicherlich Karl Gutzkow und es ist bekannt, dass er sich gerade durch die Abwesenheit der viel getadelten Eberschen Glätte um die Wirkung gebracht. „Die Ritter vom Geist“, „der Zauberer von Rom“, „die Söhne Pestalozzis“ sind großartige Kulturgemälde, welchen eine Realität zu Grunde liegt, gegen welche die ägyptische Kabinetmalerei allerdings verblassen muss.

Ich gehe zu einer neueren, litterarischen Erscheinung über und nenne den erlauchten Namen: Robert Hamerling. Ein tiefsinnigeres, dabei hochpoetisches Werk, als sein „König von Sion“, hat sicherlich in allen Litteraturen, nur wenige seines Gleichen und wie hält es unserer sozialistisch zerwühlten, religiös verhetzten, genusssüchtigen Zeit den Spiegel vor! Aber die Dichtung hat eine nicht volkstümliche Gestalt, ist in Hexametern geschrieben.

Dies ist nun zwar auch bei Goethes Hermann und Dorothea der Fall, aber die größere Harmlosigkeit des Inhalts und die damit verbundene größere Einfachheit in der Komposition überwinden für die Leser das Hindernis des undeutschen, holperigen Versmaßes.

Während Goethe in dieser seiner Dichtung Angesichts der entarteten französischen Revolution den Dämon der Zuchtlosigkeit der guten deutschen Sitte als Folie hinhalten durfte, zeigt uns diejenige Hamerlings in einem früheren Jahrhundert den Dämon des Aufruhrs und der Zuchtlosigkeit im Herzen des deutschen Reiches. Doch dies nur beiläufig.

Vor einigen Jahren veranstaltete eine Berliner Verlagshandlung eine Gesammtausgabe der Schriften von Leopold Kompert; ich hatte diesen Autor bis dahin nicht gekannt und war wahrhaft und freudig überrascht, einen echten Dichter in ihm zu finden, dessen hochpoetische Kultur- und Seelengemälde eine faszinirende Wirkung auf mich ausübten. Die künstlerische Virtuosität, mit der ich in Komperts Novellen und Romanen die schwerwiegendsten Gesellschafts-Probleme in flüssig Gold der Poesie aufgelöst fand, ist denn auch von den berufensten Litteratoren anerkannt. Aber die Figuren der Kompertschen Dichtung bewegen sich in einer beschränkten Welt und es lagert eine dumpfe, trübe Atmosphäre über ihnen, es ist — nicht durchwegs, aber größten Teils — die Welt des Ghettos, welcher der deutsche Leser fremd, unsympathisch, verständnisslos gegenüberstehen dürfte. In einer beachtenswerten Schrift von Karl Bleibtreu: „Revolution der Litteratur" ist auch des Grafen Schack, eines von mir hochgeschätzten Poeten, und zwar in wenig freundlicher Weise, gedacht und von seiner formvollen und nicht unbedeutenden Didaktik geringschätzig die Rede. Der Verfasser sagt: „dass er (der Graf Schack) es dichterisch so weit gebracht hat, verdankt er lediglich seiner glänzenden, materiellen Lage". Wenn dies heißen soll, der Dichter wäre zu Grunde gegangen, wenn er nicht ein wohlsituirter Mann wäre, da er vom buchhändlerischen Ertrage seiner Poesien nicht hätte leben können, so mag dies ganz richtig sein; wenn der citirte Ausspruch dagegen bedeuten soll, dass Graf Schack seine Anerkennung als Dichter lediglich seiner glänzenden materiellen Lage zu verdanken habe, so ist dies falsch.

Ich finde grade in dem Umstande der vornehmen sozialen Stellung ein Hindernis für die Volkstümlichkeit eines Dichters, denn trotz glänzender, aber doch sehr vereinzelt stehender Beispiele von poetischen Genies, die auf den Höhen der Gesellschaft geboren sind, werden die von der Muse Geweihten nicht bei den Junkern gesucht und tatsächlich hat sich Graf Schack als Dichter nur langsam und allmälig Anerkennung zu verschaffen vermocht.

Und nun komme ich zu dem Punkte, welcher der Kern meiner Ausführungen sein soll. Wilhelm Goldbaum sagt in einer Besprechung Gutzkows: „Die Kritiker haben gute Arbeit getan; einer von den Edelsten der Nation, der keine Staatspension, keine Orden, keinen Titel annahm, um sich die Ellbogen freizuhalten, ist durch ihre unablässige Maulwurfsgräberei diskreditirt, entwurzelt, dem Volke entfremdet." Hier liegts: die berufsmäßige, aber unberufene Kritik hat allezeit viel Schaden getan. Das Widerspruchsvolle, Launenhafte der Kunst- und Litteratur-Kritik macht das Publikum irre und ist nicht geeignet, demselben auf diesen Gebieten, ein Führer zu sein. Was der Rezensent der einen Zeitung als eine Schülerarbeit verwirft, das erhebt der andere gradezu zur Meister- und Musterleistung. Wohl hat uns das Beispiel Lessings gelehrt, dass der Kritiker furchtlos seines Amtes walten soll, aber das Niederreißen war ihm nur die Notwendigkeit, um für den Neubau Platz zu gewinnen. Ein Dichter wie der Graf Schack, der, ganz abgesehen von seinem Stammbaum, vermöge seines Strebens und Könnens, seines weltweiten Blicks, seiner freien menschlichen Auffassung der Dinge, seiner Erhabenheit über Standes- und andere konservative Interessen, immerhin nicht nur zu den Edelsten Deutschlands gehört, sondern zu den Edelsten aller Zeiten und Völker, ein Dichter, welcher „die Nächte des Orients", „Ebenbürtig", „die Plejaden", „die Pisaner", „Gaston", „Timandra" u. s. w. geschaffen, sollte deshalb, weil erstere ein didaktisches Element enthalten, nicht als bloßer formgewandter Didaktiker abgefertigt werden, wie es von Karl Bleibtreu in seiner Schrift: „Revolution der Litteratur" geschehen. In seinen „Litterarischen Bildnissen aus dem 19. Jahrhundert" vindizirt Georg Brandes dem Dichter Paul Heyse eine hervorragende Stellung und ob man ihn in einer Revolution der Litteratur mit Recht von seinem Platze herunterreißen darf, wäre noch die Frage und wenn es Karl Bleibtreu versucht, so bleiben doch die Verschiedenheit und der Widerspruch in der litterarischen Wertschätzung ebenso auffallend, als bedenklich. Ein unübersteigliches Hindernis für die allgemeine beifällige Aufnahme litterarischer Erzeugnisse bildet die Zweiteilung Deutschlands in ein protestantisches und katholisches. Sind doch in den katholischen Volksschulen unsere Klassiker kein beliebtes Bildungsmittel und werden Dichtungen, welche z. B. den Kampf der Waldenser gegen die brutale Macht der Orthodoxie, wie in Schacks Tragödie: „Gaston", verherrlichen, dem Katholiken immer contre coeur sein.

Der litterarische Erfolg ist kein richtiger Wertmesser für den dichterischen Gehalt und besonders in Deutschland ist es ja für einen Lebenden nicht an der Zeit, berühmt zu sein; sind Einige hierin voreilig gewesen, so bleibt ja der Nachwelt immer noch das Recht, das Urteil der höheren Instanz zu fällen.

Die Kritik aber hat die Pflicht, jede bedeutende Erscheinung mit Respekt zu behandeln und ihre Ausstellungen in eine Form zu kleiden, welche das Publikum nicht der poetischen Litteratur der Gegenwart entfremdet.

Es sind in Deutschland auch nach Lessing, Goethe und Schiller Dichter aufgetreten, die einen Platz verdienen im Herzen der Nation.

Gustav Sandheim.

Krittler und Nörgler.

Eine Betrachtung von Emil Peschkau.

Die Ueberschrift dieser Zeilen verrät schon, dass sie dem Litteratur-Publikum gewidmet sind. Dieses umfasst allerdings auch die Kritiker von Fach, jene Leute, welche berufsmäßig Bücher lesen und dann darüber schreiben, und so wird manches der folgenden Worte auch für sie gelten. Aber „Krittler und Nörgler" kann man sie ja schon aus dem Grunde nicht nennen, weil sie zum Mindesten ihre Freunde immer loben, und dann fehlt es glücklicher Weise auch heute nicht an ernsthaften, redlichen Kritikern, so dass ein solch boshafter Sammelname nicht gerechtfertigt wäre. Dagegen giebt es auch unter den nicht berufsmäßig kritisirenden Lesern eine sehr stattliche

Schaar von — ich möchte fast sagen „berufsmäßigen" Krittlern und Nörglern, und sie wollen wir heute einmal näher betrachten.

Man kann das Litteratur-Publikum in drei große Gruppen einteilen. Die kleinste dieser Gruppen umfasst jene Leute, die ein selbständiges, objektives Urteil zu gewinnen suchen und zu einem solchen befähigt sind; ihr Geschmack ist natürlich verschieden, aber sie haben alle das Gemeinsame, dass sie sich weder durch Freund noch durch Feind beeinflussen lassen, dass sie selbst ihre Lieblinge wählen und diesen dankbar sind für den verschafften Genuss, die Fehler und Schwächen der Werke ebenso willig hinnehmend, wie der Liebhaber es hinnimmt, wenn die Geliebte Sommersprossen im Gesicht oder ein Wärzlein auf der Hand hat. Zu beiden Seiten dieser Gruppe stehen die beiden anderen, weit stärkeren. Links die Krittler und Nörgler, rechts die Indifferenten — wenn dieser Ausdruck, der nicht ganz zutreffend ist, gestattet wird. Ich meine jene Leser und Theaterbesucher, die so eigentümlich „begabt" sind, dass eine Wechselwirkung zwischen ihnen und dem Dichter nicht möglich ist. Sie würden überhaupt nicht lesen und nicht ins Theater gehen, wenn sie nicht reiche Leute wären, die ihre Zeit todtschlagen und dem Bildungsschwindel unserer Tage ihr Opfer bringen müssen. Diese Wackern sind die Beute der Reklame-Heroen und der Zeitungskritik. Am besten kann man sie im Theater beobachten, wo sie sich gänzlich gleichgültig verhalten, wenn das Stück eines unbekannten Autors aufgeführt wird — zum Beispiel ein Stück von Grillparzer, Otto Ludwig und ähnlichen Leuten, von denen man nicht einmal weiß, wo sie wohnen — während sie in eine unbeschreibliche Beifalls-Raserei geraten, wenn ihnen der Name geläufig geworden ist, wenn es sich z. B. um ein Stück von Schiller oder von Oskar Blumenthal handelt. Wer diese Phalanx für sich gewonnen hat, ist ein „gemachter Mann", und mag er auch das albernste und schwächlichste Zeug bieten, man jubelt ihm doch entgegen — so lange wenigstens, so lange er nicht durch neue Götzen allzusehr in den Hintergrund gedrängt worden ist. Ebenso kann man diese Phalanx aber auch gegen sich haben, z. B. wenn man von den Zeitungskritikern zum Novellisten gestempelt worden ist und dann die unerhörte Anmaßung besitzt, Dramen zu schreiben, oder wenn man einmal öffentlich geäußert hat, die ehrenwerte Stadt, um die es sich handelt, sei ein Krähwinkel u. A. m. Zu dieser furchtbaren Phalanx gehört auch ein großer Teil der Sortimentsbuchhändler und Leihbibliothekare und diese sind denn auch ein nicht zu unterschätzender Hemmschuh der Fortentwicklung der Litteratur. Wären die jungen Talente auf sie angewiesen, dann drängen sie nur ganz ausnahmsweise durch. Der Redakteur einer Zeitschrift wird ja meist durch allerlei Rücksichten geschäftlicher Art beeinflusst, er ist aber doch in der Regel ein feingebildeter Mann, der Urteilsfähigkeit besitzt, und klopft man öfter bei ihm an, so wird einmal, wenn man gerade „Passendes" produzirt hat, auch „Herein" gerufen. Der Sortimentsbuchhändler und Leihbibliothekar dagegen hat in vielen Fällen nicht das Verständnis und die Bildung und meistens nicht die Lust und nicht die Zeit, ein eigenes Urteil zu fällen, und so empfiehlt er seinen Klienten immer nur Werke von Autoren, deren Namen sich ihm kräftig eingeprägt haben. Das sind die alten Herren und von den jüngern nur jene, denen ein besonderer Reklamecoup geglückt ist, oder die auf ihm unbekannte Weise das Interesse eines Teils seiner Kundschaft geweckt haben. Er ist also nicht nur selbst ein „Indifferenter", er führt und leitet auch noch andere Indifferente, die sich in ihrer Ratlosigkeit an ihn wenden.

Doch nun zur dritten Gruppe, zu den Krittlern und Nörglern. Dazu gehört in erster Linie eine Menschenklasse, die an der Sonne nie etwas anderes sieht als die Flecken. Es giebt nichts, was ihnen gefällt, sie sind ewig unzufrieden und können sich auch für das Herrlichste nicht begeistern. Dann kommen die Neider, deren jeder Mensch mehr hat, als er auch nur ahnt. Du glaubst mit einem harmlosen Börsenmann, mit einem unschuldigen Pfefferverkäufer zu reden, aber dieser Mann hat vor langen Jahren ein Dutzend Zeitungsartikel verübt, die nicht gedruckt wurden, oder ein Drama, auf dessen Aufführung die Bühnen verzichteten, und es schneidet durch seine Seele, so wie er erfährt, dass man dein Geschreibsel druckte, dein Drama aufführte. Der Mann ist sicher genießbar, wenn man mit ihm in den Konzertsaal oder eine Bildergalerie geht, aber er wird einem zuwider mit seiner ewigen Nörgelei, so wie man neben ihm im Theater sitzt oder mit ihm über Bücher und Zeitungen spricht. Endlich gehören zu den Nörglern noch die Feinde, die man sich zuzieht durch persönliche Momente, durch Lebensstellung, Anteilnahme am politischen Treiben, durch irgendwelche missliebige Anschauungen, die man geäußert hat u. s. w. Die Meisten, die zur Feder greifen, ahnen ja gar nicht, wie viel Feinde sie sich nun wieder machen! Kannte ich doch einen Mann, der Zeit seines Lebens über Hackländer schimpfte, weil — wie mir sein Sohn einmal erzählte — in einem der Romane Hackländers eine lächerliche Person vorkam, die seinen Namen trug!

Von diesen Krittlern und Nörglern ist die erste Gattung besonders interessant. Das sind psychologische Rätsel wie jene Menschen, die das Böse nur um des Bösen willen tun, bedauernswerte Gesellen, denn sie sind nicht fähig, irgend etwas aus voller Seele zu genießen. Macht man sie mit einem Autor bekannt, der entzückende kleine Novellen schreibt, dann rümpfen sie die Nase und bedauern, dass es keine großen Romane sind. Wohnen sie der erfolgreichen Aufführung einer Tragödie bei, dann konstatiren sie laut und schreiend, dass der Mann gar keinen Humor hat, und über den Humoristen wieder zucken sie die Achseln und meinen verächtlich: „Ein Spaßmacher“. Bei jeder Szene, jedem Kapitel forschen sie in ihrem Gedächtnis nach, ob ihnen nicht Aehnliches schon vorgekommen ist, überall ist es ihnen, als ob der Autor einen andern nachahmte, und wenn sie gegen ein neues Theaterstück gar nichts mehr vorbringen können, dann rennen sie im Foyer wütend auf und ab und schreien jedem Bekannten die Worte zu: „Das hat der Kerl aus einer alten Novelle gestohlen, so etwas bringt er ja gar nicht zusammen.“ Wer diese Patrone studiren will, der beobachte sie im Theater oder nehme ein Abonnement in einer Leihbibliothek. In letzterem Falle wird er nicht ohne Erstaunen bemerken, dass es eine ganze Klasse von Leihbibliothek-Abonnenten giebt, welche ihre Bücher gründlicher lesen als viele Kritiker und durchaus nicht mit mehr Freundlichkeit als diese. Man bekommt mitunter Bücher in die Hände, in denen fast Seite für Seite Dutzende von Bemerkungen eingetragen sind. Auffällige Worte sind unterstrichen, Druckfehler mit Ausrufungszeichen versehen, hie und da ist eine längere meist recht gehässige Betrachtung niedergeschrieben und dazwischen erheitern uns Worte wie: „Dumm!“ „Absurd!“ „Scheußlich!“ „Blöd!“ etc. in inf. Am bittersten sind diese Kritiker immer den neu auftauchenden Talenten gegenüber. Reklame, Bestechung, Claque und Clique, das sind die Worte, mit denen sie den neuen Namen begrüßen. Blutiger Hohn träufelt ihnen von den Lippen, so wie man irgendwo von dem Autor spricht, und sie sind im Stande zu ihrem Buchhändler zu gehen einzig und allein, um beim Eintritte recht laut und bissig, mit einem grimmigen Lächeln zu fragen: „Na, wie viel Baarbestellungen hat Ihnen denn der Dingsda eingetragen? Hahaha!“ Ihr Grimm und Hohn schwächt sich nun mit der Zeit wohl etwas ab — so wie eben der Reiz der Neuheit abnimmt — aber er verliert sich nie. Sie nörgeln und kritteln, ob der arme Kerl jung oder alt, ob er lebendig oder tot ist.

Das unterscheidet sie von der zweiten Gattung, den Neidern. Diese nörgeln nur an dem Lebenden und wenn du dir ihre Freundschaft gewinnen willst, so brauchst du dich nur hinzulegen und zu sterben. Man sucht diese Braven stets nur unter den Kritikern und Litterarhistorikern, sie sind aber auch im eigentlichen Lese-Publikum sehr zahlreich vertreten, wenigstens heutzutage, wo es fast keinen „Gebildeten“ mehr giebt, der nicht meint, er braucht nur die Feder anzusetzen, und dann schreibt sich's schon von selber. Mir haben schon Schumacher und Schneider, ein Hotel-Portier und ein Schutzmann und Dutzende anderer Menschen, die ich für gänzlich harmlos hielt, plötzlich eine Manuskriptrolle auf die Brust gesetzt und ich gestehe, dass ich schon so ängstlich geworden bin, wie es etwa ein reisender Engländer sein mag, der sich in den Abruzzen verirrt hat. Alle diese Leute aber tragen den Wurm in der Brust und je nach ihrer Gemütsart beeinflusst er ihr Urteil mehr oder weniger. Am wohlsten scheint er sich zu fühlen, wenn sie einem Lebenden gegenüber die Todten aufmarschiren lassen. Da wird der elendeste Skribent zum „Klassiker“ und dieselben Leute, die keinen Pfennig für moderne Litteratur ausgeben, legen willig ihr Geld auf den Ladentisch für Johann Peter Uz und Salomon Gessner, für Engel und Ramler, Claudius und Klopstock. Allen Respekt vor Klopstock — aber wer von den gewiss mehr als hunderttausend Deutschen, die seine Werke besitzen, hat auch nur eines derselben gelesen! Vor Kurzem erst lernte ich einen Mann kennen, der all diese schönen Sachen und noch viel, viel mehr besitzt; als aber die Sprache auf die zeitgenössische Litteratur kam, sagte er verächtlich: „Was wird denn überbleiben von all dem? Ich schaffe mir nichts an — die Weiber haben ja die Zeitschriften.“ Ich brauche kaum zu bemerken, dass auch dieser Mann einmal eine Woche hatte, wo er dachte, der Nachfolger Schillers und Goethes zu werden.

Die persönlichen Feinde eines Autors — die dritte Gattung der Nörgler — können besonders unheilvoll im Theater werden, wo schon manches Stück durch politische Gegner oder irgend eine andere Clique erbarmungslos ausgezischt wurde. Uebrigens kommen sie, als den Einzelnen betreffend, hier weiter nicht in Betracht. Dagegen schädigen die beiden andern Gattungen die Gesammtheit der Produzirenden und somit die Litteratur selbst ganz erheblich. Wie sie die Produktionskraft eines Dichters geradezu hemmen und unterdrücken können, dafür sei nur der Fall Grillparzer als Beispiel angeführt. Freilich werden daran auch diese Zeilen nichts ändern und es wird in alle Ewigkeit so bleiben. So lange es Menschen giebt, werden auch Menschen leben, die das Böse aus Freude am Bösen tun, und so lange es Menschen giebt, wird der Giftwurm Neid nicht sterben. Wohl dem, der sich über all das stolz emporzuschwingen vermag, und wohl auch dem, der mitten durch Nörgler und Krittler geht und lächelnd denkt: Es sind halt Menschen.

Redaktionssünden.

Eine harmlose Plauderei.

Es gab zu allen Zeiten und giebt auch heute noch gar sonderbare Käuze. Es giebt z. B. Leute, welche das Recht des Nachdrucks mit dem Brustton der Ueberzeugung verteidigen; Leute, welche die Lilienreinheit des Geschlechts der Borgia nachzuweisen bemüht sind; Leute, die der Ruhm der weltberühmten französischen Geographen und Entdeckungsreisenden nicht schlafen lässt und die — eine Gattung deutscher Tis-sots — flugs eine „österreichische Nationallitteratur“ entdecken, — warum sollte es nicht auch Weitherzige geben, die das von so vielen deutschen Journalen in ausgedehntem Maße geübte Recht eines Herausgebers oder Redakteurs fremde ihm eingeschickte Aufsätze nach Herzenslust zu „verbessern“ oder durch Zusätze resp. Weglassungen zu ändern, in Schutz nehmen. Denn was versuchte man nicht Alles in unserer rettungslustigen Zeit zu „retten“. Gegen letztere Art von Rettung möcht' ich aber, obzwar in die redaktionellen Gebräuche und Geheimnisse nicht eingeweiht, denn doch meine bescheidene Stimme erheben. Ich halte ein solches Verfahren des Redakteurs, wenn schon nicht für einen offenen Eingriff in fremdes Eigentum, doch jedenfalls für einen entschiedenen Uebergriff.

Was ist so ein der Redaktion eingesandter und von dieser acceptirter Artikel anders, als ein Vertrag über eine gegen Honorar überlassene, unverbrauchbare Sache innerhalb der Grenzen des Zwecks derselben und des Gebrauchs, zu welchem sie hingegeben wurde. Es steht Ihnen, sehr geehrter Herr, frei, mein Pferd zu reiten, aber zu Schanden reiten dürfen Sie's nicht.

Du hast mein Gut;
Dir hab' ich's anvertraut!
Und giebst du mir's nicht unbeschädigt,
Nicht mir, dem Unbeschädigten, zurück,
So treffe dich der Götter Donnerfluch!
(Grillparzer, d. gold. Vließ, I.)

Doch Scherz bei Seite! — Jeder Autor hat seinen eigenen Stil, seine eigenen Ansichten, die begreiflicherweise von denen des Herausgebers oder Redakteurs abweichen mögen, die der Verfasser aber gerade so, wie sie vorliegen, zur Geltung bringen möchte. Nichts ist ist also für ihn kränkender und verletzender, als jene, beziehungsweise jenen durch Frage- oder Ausrufungszeichen (eine besonders beliebte, schöngeisterische Kabulisterei), Parenthesen oder vollends Umänderungen, Streichungen etc. abgeschwächt zu sehen. Er glaubt neue Ideen, neue Anregungen in eigenartiger Form gegeben zu haben: Da kommt der Herr Schulmeister und klopft ihm, der längst aller Schulfuchserei und Pedanterie entwachsen zu sein glaubte, gar empfindlich auf die Finger. Warum soll er sich aber misshandeln lassen? Er will sich nicht besser aber auch nicht schlechter machen lassen als er ist. Und ist nicht auch letzterer Fall denkbar? Oder seid Ihr, sehr geschätzte Herren Redakteure und Herausgeber, alle lauter infallible Heiligkeiten?

Vor Kurzem sandte ich an die Redaktion einer hervorragenden Wochenschrift einen kleinen historisch-politischen Exkurs ein, der „mit Dank“ angenommen wurde. Himmel, wie erschrak ich, als er mir, sauber gedruckt, wieder unter die Augen kam! Obstupui, steteruntque comae! Von Ausrufungszeichen (einfachen und doppelten*), „Verbesserungen“, Eliminirungen, Randglossen (z. B. „Ein schönes Deutsch! vier Fremdwörter hinter einander!“ oder: „Hauptmoment? was heißt das? es ist ein ganz inhaltsleeres Wort“) wimmelte es nur so, dass mir ganz bange wurde und ich, obzwar längst kein homo novus in literis, mich sogar ein wenig zu schämen begann. Insbesondere aber gegen die Participia praes., welche in schleppende Relativsätze umgewandelt waren, und gegen die Fremdwörter schien der Herausgeber eine förmliche Idiosynkrasie zu haben, denn letztere waren nahezu sämmtlich ausgemerzt und durch eine mehr oder weniger glücklich gewählte Verdeutschung ersetzt. Nun ist ein vernünftiger, mäßiger Purismus in dieser Hinsicht gewiss nur zu loben, wenn aber beispielsweise so eingebürgerte Ausdrücke wie: „obligater Lehrgegenstand“ durch einen in Süddeutschland unbekannten „Zwanggegenstand“ (wie schön das klingt! und warum nicht ebensogut „Pflichtgegenstand“?) oder „qualitativ“ durch: „der Menge nach“ u. dgl. übersetzt werden, so nennt man das auf deutsch: Das Kind mit dem Bade ausschütten.

Wenn übrigens ein solcher Herr so Vieles, so Alles und Jedes besser wissen will, warum schreibt er dann nicht selbst, oder wenigtens nicht öfter als zumeist der Fall zu sein pflegt. Warum wird so häufig in den Prachtsalons des Modedichters wie im unscheinbaren Stübchen des Gelehrten antichambrirt und um Beiträge ge—worben, die, unter einer andern Flagge segelnd, vielleicht als mittelmäßige Dilettantenarbeit „wegen Ueberfülle des Stoffs“, „mit besten Dank“, „hochachtungsvoll ergebenst“ abgelehnt würden.

Ein Epigramm, ein „Essay“, eine Kritik, — schwubbs damit hinein! Ins Angesicht ein Vergeltsgott dafür oder ein: „Ihren Artikel haben wir mit Vergnügen acceptirt“, — und hinterrücks eine Sauce darüber gegossen, dass man sein eigenes Ragout fin nicht mehr schmeckt, — nein, Ihr Herrn, das ist kein schönes, löbliches Tun.

Glaubt der Redakteur ernstlich, den eingeschickten Beitrag in seiner vorliegenden, eigentümlichen Gestalt nicht aufnehmen zu können, warum stellt er ihn nicht lieber ganz zurück, oder warum macht er wenigstens nicht seine Verbesserungs- und Berichtigungsvorschläge (wenn es wirklich solche sind), statt eigenmächtig selber Hand anzulegen. Mag nun der Verfasser eine solche Zurechtweisung und Korrektur auch nicht gern sehen, einwenden kann er nichts dagegen. Aber sein Kind gezwickt und geflickt, geknufft und gepufft von fremder Hand zu erblicken, das greift ihm ans Herz; und sagt man ihm auch, dass es nur zum Besten des ungezogenen Jungen geschehen, so meint er doch, dass es noch gelindere Besserungsmittel gebe, wenn er anders nicht blind gegen die Fehler seines Lieblings ist.

*) So z. B. wurde mir das Wort „reichspreisgeberisch“ als „grober Fehler“ zweimal dick „angestrichen“, d. h. mit einem doppelten Interjektionszeichen versehn, obzwar es ganz regelrecht nach Analogie von: Landespreisgeber, landesverräterisch, schriftstellerisch — gebildet und in Wiener Journalen sehr oft zu finden ist.

Und wären auch wirklich Verbesserungen vorgenommen worden, so ruft ihm andererseits seine Bescheidenheit zu: „Schmücke dich nicht mit fremden Federn“ und gebietet ihm wieder aus diesem Grunde zu protestiren. In keinem Falle wäre also ein Autor in solcher Lage zu tadeln, wenn er einen derartig veränderten Beitrag nicht mehr als sein Erzeugnis anerkennen wollte. — Gott besser's!

Prag. E. Rochlitz-Seibt.

Ein altgriechischer Epigrammatiker über die soziale Frage.

Litteratur und Leben sollen sich gegenseitig durchdringen; es giebt auch bei geistig hochstehenden Völkern keine gesellschaftliche oder staatliche Frage, die nicht ihren Ausdruck in der Litteratur gefunden hätte. „Was du ererbt von deinen Vätern hast, erwirb es, um es zu besitzen.“ . . . „Vom Rechte, das mit uns geboren, von dem ist leider! nie die Frage“, sind echt sozialistische Sprüche; so sprechen eben „die Enkel, wenn sich Gesetz und Recht wie eine ew'ge Krankheit fortgeerbt haben“. Bei den Alten konnte die soziale Frage deshalb nicht auf eine gründliche Lösung harren, weil überhaupt die Arbeit keine bürgerliche Achtung genoss; für sie war der Sklave da. Und dennoch hat am Ende der unabhängigen griechischen Welt auch ein Dichter sein Wort zur Heilung jener „ew'gen Krankheit“ gesprochen, das für die Gegenwart von hoher Bedeutung ist.

Jeder Fortschritt in der modernen Mechanik wird durch Menschenopfer erkauft, indem er menschliche Arbeitskräfte entbehrlich macht. Der Arbeiteraufstand in Belgien soll zunächst von den Glasbläsern ausgegangen sein. Der Glasfabrikant Baudoux hatte die „fours à bassin“ (Beckenöfen) ersonnen, die an Stelle der menschlichen Tätigkeit traten; er vervollkommnete die Industrie, ruinirte aber die ärmeren Konkurrenten und — diese empörten sich. Wie urteilte nun der griechische Dichter über die Vervollkommnung der damals oft noch primitiven Industrie? Das sagt uns ein Epigramm von Antipatros, das schon Herder übersetzt hat; er hat es betitelt:

Die Erfindung der Wassermühle.

Lasst die Hände nun ruh'n, ihr mahlenden Mädchen, und schlafet
 Lange: der Morgenhahn störe den Schlummer euch nicht.
Ceres hat euere Mühe den Nymphen künftig empfohlen,
 Hüpfend stürzen sie sich über das rollende Rad,
Das mit vielen Speichen um seine Axe sich wälzend
 Mahlender Steine vier, schwere, zermalmende treibt. —
Jetzt genießen wir wieder der alten goldenen Zeiten,
 Essen der Göttin Frucht ohne belastende Müh'. —

Welcher Antipatros der Verfasser ist, weiß man nicht; es gab einen aus Sidon Gebürtigen, der hundert Jahre vor Christi Geburt lebte, und einen andern aus Thessalonika, der zur Zeit Christi selbst lebte; auf jeden Fall hatte der Verfasser die ganze Entwicklung des griechischen Staatlebens hinter sich und übte nun seine Kritik daran. Ein Grieche war es; bei den gegen die Sklaven so hartherzigen Römern hätte diese humane Auffassung wohl nicht aufkommen können. Das „nil humani“ des Terenz ist aus dem Griechischen übersetzt, wie denn das griechische „ἀνθρώπινος“ unserm modernen „Human“ schon ziemlich nahe kam. Uebrigens erfreuten sich bei den Griechen die Sklaven einer viel milderen Behandlung als bei den Römern. Die humane Gesinnung, die sich in dem Epigramm ausspricht, veranlasste unsern Herder, den vornehmsten Apostel der Humanität, es zu übersetzen. Ein Dichter hat den Satz ausgesprochen, dass die Vervollkommnung der Industrie den Arbeitern auch zum Segen gereichen solle. Ist doch der Menschheit Würde, nach Schiller, in die Hand der Künstler gegeben, soll doch in ihrem Spiegel das kommende Jahrhundert auftauchen!

Wollte der moderne Gesetzgeber das humane Wort des Dichters Antipatros nicht erwägen? Freilich die Ausbrüche des empörten Volkes in Belgien erfüllen uns mit Schrecken. — Schiller hat auch sie vorhergesagt, wenn er in seinem „Spaziergang“ warnend die überfeinerte Zivilisation schildert, „bis die Natur erwacht und an das hohle Gebäu rühret die Not und die Zeit,

Aufsteht mit des Verbrechens Wut und des Elends die Menschheit,
 Und in der Asche der Stadt sucht die verlorne Natur.“

Warum hört ihr denn nicht auf eure Dichter? sie haben euch Alles prophezeit. Nicht den Verbesserer der Industrie trifft hier der Vorwurf des Dichters, wohl aber den Staat, der nicht sofort für seine erwerblos werdenden Bürger eintritt und für anderweite Beschäftigung derselben sorgt. Jetzt, nach dem Unglück, tut man es; warum hat es der belgische Staat nicht vorher getan? Ein Blatt, das gewiss auch nicht der geringsten Hinneigung zu sozialistischen Theorieen angeklagt werden kann, der Pariser „Figaro“, der einen Berichterstatter an Ort und Stelle gesandt hatte, nennt die dortigen Arbeiter „malheureux et ignorants“; also Unglück und Unwissenheit hat dieselben irre geführt. Sollten sie nicht auch Mitleid verdienen? Wann kommen „die goldenen Zeiten“, wo die Humanität eines Antipatros, Herder und Schiller die Gesetze durchdringen wird?

Leipzig. Herman Semmig.

Henri Frédéric Amiel.

Etude biographique par Berthe Vadier. Paris. Fischbacher.

Dem Andenken des durch seine Fragments d'un journal intime zur posthumen Berühmtheit gelangten Genfer Professor und Dichter Amiel hat die bekannte Schriftstellerin B. Vadier obiges Buch gewidmet. Die Verfasserin war längere Zeit Amiels Schülerin und der Genfer Dichter hat die letzten Jahre seines Lebens in der Pension zugebracht, welche von ihrer Mutter geleitet wird. Außerdem erhielt sie von allen Seiten Briefe des Dichters mitgeteilt, dessen Verwandten ihr überdies ein umfangreiches biographisches Material zur Verfügung stellten. So entstand die nach Inhalt und Form höchst ansprechende Lebensbeschreibung Amiels, welche gewissermaßen eine Ergänzung zu den beiden Bänden des Journal intime bildet.

Aus dem reichen Inhalt des Buches möchten wir, weil deutsche Leser besonders interessirend, das Kapitel über die Berliner Universität hervorheben, welcher der Dichter acht Semester angehörte. Dieselbe hatte damals ihre Glanzperiode. L. von Buch, Mitscherlich, Johannes Müller, Alexander von Humboldt, Böckh, Bopp und Jacob Grimm, Ranke und Raumer, Savigny, Neander, Lepsius, Schelling, Stahl, anderer nicht minder berühmten Gelehrten zu geschweigen, bildeten den Kern des Lehrkörpers. Amiel konnte zwar deren Vorlesungen nicht sämmtlich hören, was er lebhaft bedauerte; er besuchte jedoch eine erkleckliche Anzahl Kollegien und zwar auf allen vier Fakultäten, obwohl er an der Vortragsweise der Professoren Manches auszusetzen hatte. Er tadelt an ihnen die absolute Vernachlässigung der Form, der Aussprache und der Kunst des Vortrages. Alles werde der Gründlichkeit geopfert. Hierzu käme, dass nur die Wenigsten frei vortragen, so dass die Studenten weniger als Zuhörer wie als Schreiber sich ausnehmen.

Nichtsdestoweniger bildete der Berliner Aufenthalt für Amiel die schönste Erinnerung seines Lebens. Die vier in Berlin zugebrachten Jahre nannte er „sa phase intellectuelle“ und bisweilen „la plus belle période de sa vie“.

Sehr interessant sind auch die in dem erwähnten Buche mitgeteilten Aeußerungen über die Berliner und über den deutschen Beruf Preußens, die Amiel besser begriffen hatte, als die meisten damaligen Deutschen. Hervorheben möchten wir ebenfalls die Urteile Amiels über Schiller und Goethe sowie die Angaben über die zahlreichen metrischen Uebersetzungen deutscher Gedichte — darunter die Glocke, Lenore, der König von Thule, Mignon — die wir Amiel verdanken, und welche viel zur Popularisirung der deutschen Lyrik in Frankreich beigetragen haben. Zum Teil bediente er sich hierbei eines von ihm erdachten vierzehnsilbigen Versmaßes, von dem uns zum Schluss eine Freiligraths Löwenritt entnommene Probe anführen möchten:

Quand le lion, roi des déserts, pense à revoir son vaste empire,
Vers la lagune, allant tout droit, dans les roseaux il se retire.

Berlin. G. van Muyden.

Sprechsaal.

Randglosse des Herausgebers zu den Lyrik-Artikeln von Cristaller.

Unser geistvoller Mitarbeiter, in dem wir einen Bahnbrecher neuerer gesunderer Aesthetik verehren, giebt in seinen Ausführungen sich nur dem Irrtum hin, dass die Beiträge in jener vielbesprochenen Anthologie immer charakteristisch für die Eigenart jedes einzelnen dort vertretenen Autors seien. — Bei dieser Gelegenheit möchten wir darauf hinweisen, wie verschieden die „litterarische Wertschätzung“ besonders in der Lyrik erscheint. Drama und Epik folgen bestimmten Gesetzen, deren Verletzung und Befolgung ein übereinstimmendes Urteil ermöglicht. Bei der Lyrik aber ist sozusagen dem individuellen Stimmungsleben des Beurteilers freie Bahn gelassen und die Bemühungen der Vischerschen Schule, auch hier ein festgeregeltes System zu bilden, sind trotz ihres unergründlichen Tiefsinns und ihrer feinfühligen Witterung für „Rhetorik“ so wenig von Erfolg gekrönt, dass gröber geartete und ungebildete Naturen grade in den poetischen Erzeugnissen dieser Anti-Rhetorikschule oft die phrasenhafteste Rhetorik entdecken und dafür das von Jenen als „Rhetorik“ Erkannte für echte Poesie halten. — Ich will mich hier auch nicht allgemeiner Beispiele enthalten, um den Widerspruch der Ansichten, die maßlose Ueber- und Unterschätzung, zu illustriren. So wird eine kleine Gemeinde nicht müde, Martin Greif als den grössten Lyriker der Gegenwart anzupreisen. Demgegenüber erklärt eine Majorität die Gedichte desselben teils für geschraubt, teils für platt, und tadelt mit Recht die häufig saloppe Form. Die Süddeutschen überhaupt entfalten oft eine Gemütlichkeit in Verfertigung unechter Reime, die für Norddeutsche unerträglich wirkt. Wir stellen gewiss über die Form den Inhalt und halten auch die innere Rhythmik, den melodischen Fluss der dichterischen Sprache, für wichtiger, als die Reimbehandlung. Aber die philologische Sprachauffassung eines Platen ist doch nun einmal Gesetz geworden. Regelmäßig berührt es uns peinlich, Goethe ruhig „Eiche“ und „Zweige“ auf „Gesträuche“, „Blätter“ und „Wetter“ auf „Götter“ u. s. w. reimen zu sehen. Was jedoch damals und einem Goethe erlaubt war, ist es heut nicht, und wenn die Kritik es z. B. Walloth ruhig nachsehen wollte, dass er „König“ und „höhnisch“, „Prinzen“ und „grinsen“ und tausend gleich schlimme Reimsünden verübt, so wäre dies sehr zu missbilligen. Denn wozu haben norddeutsche Lyriker z. B. der prächtige Liliencron denn auf die reine Form so viel Mühe verwandt, wenn man das Fehlen derselben grade denen verzeiht, die sich auf ihr künstlerisches Maß so viel zu gute tun? Nein, weil das Volkslied aus Naivetät ungefüge reimt, hat der Künstler Greif noch nicht das Recht dazu! Diese Berufung auf das Volkslied ist überhaupt eine recht bequeme Manier, das Platteste als erhabene Einfalt auszudeuteln. — Um aber zum Schluss zu kommen: Wir halten Greif und andere dieser Richtung in der Tat für echte und in ihrer Art hochbedeutende Lyriker. Aber über die Einseitigkeit dieser rein lyrischen Welt- und Naturanschauung kann doch kaum ein Zweifel bestehen. Und wenn wir den erbitterten Feinden dieser Vischerschen Schule keineswegs beipflichten, so müssen wir doch ebenso energisch die Anmaßungen derselben zurückweisen, die da wähnt, die Lyrik einzig für sich gepachtet zu haben, wie z. B. die Auslassungen gegen die „unreife Rhetorik“ Jungdeutschlands beweisen. Auch Goethes Lyrik ist in gewissem Sinne einseitig. Aber ein solcher Universaldichter darf sich ja die Lyrik als bloßes Tagebuch seiner privaten Seelenstimmungen reserviren, da er seine Ideen anderswo in episch-dramatische Gestaltung ausströmt. Jedenfalls ist es den Jungdeutschen hoch anzurechnen, dass sie der Lyrik neue — soziale, politische, religiöse

— Stoffgebiete zu erobern suchen. Allerdings schwelgen sie wiederum zu sehr in prächtig prunkender Diktion und schütten das Kind mit dem Bade aus, indem sie das Einfache ganz verwerfen und sich durch schwungvollen Pathos oft zum Bombast verleiten lassen.

Wir werden in diesen Blättern **jeder** Partei das Wort gönnen, was hiermit ausdrücklich auszusprechen wir gern die Gelegenheit ergreifen. Freilich wird ein einheitliches Prinzip uns dabei leiten. Das „Magazin" ist kein Magazin für allerhand Waaren, Kontrebande wird nicht eingeschmuggelt. Die beliebten Anstandsverbeugungen vor den Tagesgrößen und „Berühmtheiten" werden hier nicht geduldet; natürlich ebensowenig vorlautes Absprechen, falls es nicht sachlich seine Anschauungen zu begründen vermag. Jedes Reklame-Monopol hört gründlich auf. Von dieser absoluten Unparteilichkeit legen bereits verschiedene Artikel Zeugnis ab.

Noch einmal Oxford.

Auf einen kürzlich von uns über Oxforder Universitätsverhältnisse veröffentlichten Artikel ist uns eine Erwiderung zugegangen, welche wir nachstehend veröffentlichen und mit einigen unumgänglichen Bemerkungen versehen:

„Das „Magazin" bringt in der Nummer vom 3. April einen „Oxforder Universitätsklüngel" betitelten Aufsatz, der in Bezug auf die im vergangenen Sommer erfolgte Besetzung einer neubegründeten Professur zu Oxford mehrfache Unrichtigkeiten enthält. Es ist ein Irrtum, wenn die fragliche Stelle eine „englische Litteraturprofessur" genannt wird: in der amtlichen Bezeichnung „**The Merton Professorship of English Language and Literature**" steht die Sprache sogar vor der Litteratur. Ferner ist die Behauptung unrichtig, dass diese Professur „an einen jungen Mann" vergeben worden sei, „der . . . nur ein kleines angelsächsisches Dissertatiönchen geschrieben habe." Der neue Oxforder Professor ist allerdings noch kein alter Mann, aber doch auch nicht mehr so jung, wie der Leser nach jener Bezeichnung annehmen muss: er ist am 30. August 1853 geboren. Wenn aber von einem „kleinen . . . Dissertatiönchen" gesprochen wird, so kann der Leser nicht ahnen, dass es sich um eine Schrift von 71 ziemlich eng gedruckten Seiten in groß Oktav handelt, die von der gesammten Kritik aufs Wärmste anerkannt worden ist. So sagt das Londoner Athenaeum Nr. 2854, S. 45 am Schluss einer Besprechung derselben: „**Mr. Napier has exhibited proofs of trained and careful scholarship. From a student so sober, diligent, and acute, we are pretty sure to get some more important researches by — and — by.**" Und, um auch eine deutsche Stimme anzuführen, Prof. Wülker in Leipzig schreibt im Anzeiger zur Anglia, Bd. 5, S. 79: „Der Verfasser führte sich durch vorliegende Schrift gleich als einen kenntnissreichen und vorsichtigen Forscher auf angelsächsischem Gebiete ein", und, indem er dann auf die weiteren Absichten des Verfassers eingeht, schließt er: „Allerdings ist diese Arbeit keine leichte, doch Napier zeigte, dass er dieselbe ausführen kann." Diese beiden Urteile genügen, um zu zeigen, dass der Verfasser jenes Artikels kein Recht gehabt hätte, den Autor des angeblichen „Dissertatiönchens" als „einen bloßen Anfänger im Angelsächsischen" zu bezeichnen, selbst wenn auf jene erste Arbeit vom Jahre 1882 keine weitere gefolgt wäre. Napier hat aber das Jahr darauf erscheinen lassen: „Wulfstan, Sammlung der ihm zugeschriebenen Homilien" (Berlin, Weidmannsche Buchhandlung, X und 318 S. gr 8°.), eine Ausgabe, die allgemein als eine sehr sorgfältige anerkannt ist. Dass Prof. Napier aber nicht bloß in der ältesten Periode der englischen Sprache und Litteratur zu Hause ist, haben die Vorlesungen gezeigt, die er von Michaelis 1882 ab als außerordentlicher Professor in Göttingen mit dem besten Erfolge gehalten hat, wie sich denn auch die auf seine Anregung hin entstandenen Dissertationen auf mannigfaltigen Gebieten bewegen. Warum von den vielen Bewerbern um die Oxforder Professur gerade Napier gewählt worden ist, darüber kann man ja verschiedener Ansicht sein, solange die Wähler ihre Gründe für sich behalten; dass aber diese Wahl nach dem Ausdruck jenes Artikels, „wie ein schlechter Scherz" aussehe, wird Niemand behaupten können, der einen Blick wirft in das Heft mit den fünfundzwanzig „Testimonials", welche Napier nach englischer Sitte zur Unterstützung seiner Bewerbung um die Oxforder Professur eingereicht hat. Nur auf eines von diesen sei besonders hingewiesen, das von einem nach allgemeiner Anerkennung durchaus kompetenten Beurteiler herrührt, bei dem noch dazu, wie man sehen wird, jedes persönliche Interesse ausgeschlossen war. Prof. Dr. B. ten Brink in Straßburg, der auch in weiteren Kreisen durch seine (freilich leider noch nicht vollendete) ausgezeichnete Geschichte der englischen Litteratur berühmt ist, schreibt unter Anderm: „Dr. Napier ist mir persönlich unbekannt, desto besser aber kenne ich seinen Namen, der in Deutschland einen recht guten Klang hat, und seine Schriften, die allgemeine Anerkennung gefunden haben . . . . Sie bekunden eine gründliche Kenntnis der altenglischen (gewöhnlich als Angelsächsisch bezeichneten) Sprache, gute Methode, entschiedenen Scharfsinn, vor Allem vollkommene Zuverlässigkeit und Gewissenhaftigkeit der Forschung, und sind als eine wesentliche Bereicherung der philologischen Wissenschaft anzusehen . . . Für Herrn Dr. Napier . . . dürfte . . . insbesondere der Umstand ins Gewicht fallen, dass er die deutsche Sprache vollkommen beherrscht, dass er seine philologische Ausbildung in Deutschland vollendet hat und an einer der ersten deutschen Universitäten mit Erfolg als Lehrer tätig gewesen ist. Denn in diesen Tatsachen ist die Bürgschaft dafür gegeben, dass er die gelehrte Forschung auf seinem Gebiet vollkommen zu übersehen und zu beherrschen im Stande ist, und dass er sich diejenige Methode des Forschens und Lehrens angeeignet hat, wobei — wie es für die Merton Professur erfordert wird — die sprachliche und die litterarische Seite der englischen Philologie in gleicher Weise und im engsten Zusammenhang Berücksichtigung finden."

Hierauf sind wir zunächst zu antworten genötigt, dass diese Erwiderung, sofern sie sich gegen unseren Artikel richtet, von Anfang bis zu Ende **unrichtig** ist. Die Erwiderung **verschweigt** nämlich, dass unser Artikel keinerlei eigene Bemerkungen über Prof. Napier enthält, sondern nur die langen und eingehenden Darstellungen, die Mr. Sweet in der Academy und ein anonymer Verfasser in der Fourtnigthly Review gegeben hatten, in der Kürze wiedergeben will. Ob dies korrekt geschehen ist, wird sich aus der folgenden Vergleichung zwischen den einzelnen Anführungen der Erwiderung und den betreffenden Sätzen jener beiden englischen Originalartikel ergeben.

Die Erwiderung sagt: „Es ist ein Irrtum, wenn die fragliche Stelle eine englische Litteraturprofessur genannt wird: in der amtlichen Bezeichnung The Merton Professorship of English Language and Literature steht die Sprache sogar vor der Litteratur." Hierzu ist zu bemerken, dass Mr. Sweet Folgendes sagt: „Bei der Wahl des Professors hätte das Kollegium sich zuerst definitiv darüber schlüssig machen sollen, ob die Stifter einen Sprach- oder einen Litteratur-Gelehrten im Auge hatten." Und ferner sagt Mr. Sweet: „Unter Prof. Müller's Leitung beschloss das Kollegium verständigerweise, dass man unter keinen Umständen noch eine angelsächsische Professur zu der bereits bestehenden schaffen wolle, und bot den vakanten Posten demgemäß zuerst Mr. Lovell, dem amerikanischen Feuilletonkritiker, sondirend an." Und ferner sagt die Fourtnighbly Review: „Einen Mann, der sich des Angelsächsischen befleißigt (a student of Anglo-Saxon) zu einer Litteratur-Professur in Oxford zu erwählen, scheint mehr ein Scherz als eine Jobberei zu sein; aber einen student des Angelsächsischen in eine Litteratur-Professur einzusetzen, für welche ein (schon ernannter) Professor des Angelsächsischen ebenfalls kandidirt, sieht doch mehr wie eine Jobberei aus, als wie ein Scherz . . . . Ob aber Scherz oder Jobberei, die Wahl ist sicherlich ein Skandal." Wozu Mr. Sweet wiederum bemerkt, dass Skandal die Bezeichnung sei, welche die allgemeine Stimmung Oxfords über jene Angelegenheit am besten reflektire. Was sich in der uns eingesendeten Erwiderung auf diesen Punkt bezieht, ist demnach gänzlich unrichtig. Die „Erwiderung" verschweigt, dass man nach Mr. Sweet über die Intentionen der Stifter zuerst im Zweifel sein konnte, dass man sich in diesem Zweifel gegen eine zweite angelsächsische und für eine Litteraturprofessur entschied, und dass man die somit als litterarisch definirte Professur sogar einem feuilletonistischen Kritiker (American light literary critic) anbot. Sie verschweigt auch, dass die Fourtnightly Review den litterarischen Charakter der Professur ebenfalls als ausgemacht ansieht, wie unter diesen Umständen selbstverständlich sein musste und dass sie es die allgemeine Oxforder Ansicht nennt, ihre Besetzung mit einem student of Anglo Saxon sei ein Skandal gewesen. Und während sie alle diese Entscheidungen, Handlungen und Ansichten der Nächstbeteiligten verschweigt, folgert die „Erwiderung" aus dem Namen Professorship of English language and literature, dass es sich um eine Sprachprofessur handele, und nennt unsere Bezeich nung Litteraturprofessur unrichtig, ohne auch nur zu erwähnen, dass wir sie nur der englischen Auffassung und Bezeichnung nachgeschrieben haben.

Die Erwiderung nennt es ferner eine unrichtige Behauptung, dass „diese Professur an einen jungen Mann gegeben worden sei, der nur ein kleines angelsächsisches Dissertatiönchen geschrieben habe.“ Mr. Sweet sagt: „Die Wulfstan Dissertation soll Herrn Napier seine Göttinger Professur verschafft haben. Niemand, der diese Dissertation gelesen hat und deutsche Universitäten kennt, wird das auch nur für einen Augenblick behaupten wollen. Es ist ja überdies vollkommen bekannt, dass Herr Napier in Göttingen wesentlich darum gewählt wurde, weil er ein Engländer war, und wegen der energischen Fürsprache von u. s. w.“ Von einer anderen Arbeit Mr. Napiers sagt Mr. Sweet nichts, und unser, ihn wiedergebender Artikel demnach auch nichts.

Wir haben demnach korrekt citirt, während die „Erwiderung“ doppelt inkorrekt ist — sowohl darin, dass sie unsere korrekten Wiedergaben inkorrekt zu nennen sich gestattet, als darin, dass sie durch Verschweigung unserer mitcitirten Quellen unsere Wiedergaben als unsere eigenen Anführungen darzustellen unternimmt. Im Lichte dieser Tatsachen erwäge man, beispielsweise, dass der „Erwiderung“ zufolge unser Artikel die Wahl einen „schlechten Scherz“ geheißen, während wir Sweet und Fourtnigthly Review als die Quelle dieser Bezeichnung anführten, und man wird in seinem Urteil über die „Erwiderung“ nicht irregehen können.

Noch ein Punkt bleibt zu erledigen. Worauf es unserem Artikel ankam, war eine Schilderung der betreffenden Verhältnisse, nicht ein Angriff gegen Herrn Prof. Napier; so wenig war letzteres der Fall, dass unser Artikel den Namen des Prof. Napier nicht einmal nannte, sondern, in seinen Auszügen aus Sweet und Fourtnightly, wesentlich von den Dingen, aber nicht von den Menschen sprach. Die Erwiderung hat es für gut gehalten, Herrn Prof. Napier namentlich anzuführen, was uns zu zwei weiteren Bemerkungen veranlasst. Wird Prof. Napier genannt, so ist es nur billig, den folgenden Satz hinzuzufügen, in welchem Mr. Sweet ihm persönlich eine Ehrenerklärung giebt: „in der ganzen Angelegenheit wünsche ich nicht den geringsten Schatten auf Herrn Prof. Napier fallen zu lassen, welcher, nach meiner Ansicht, als ein bloßes Werkzeug von Anderen gebraucht worden ist.“ Die Erwiderung stellt Herrn Prof. Napier sodann als einen ausgezeichneten Gelehrten dar. Unser Artikel hat nichts dafür und nichts dagegen gesagt, sondern auch in dieser Beziehung bloß excerpirt, und zwar — da es sich, wie gesagt, in einem deutschen Blatt um die Schilderung von englischen Verhältnissen, und nicht von Persönlichkeiten handelte — nicht entfernt alle Einwendungen excerpirt, welche die citirten Quellen enthielten. Aus diesen Gründen sehen wir auch heute davon ab, die Ausführungen der „Erwiderung“ durch dasjenige zu ergänzen, was jene Quellen Weiteres besagen, und wünschen, dass der neue Professor, dessen erste Schritte so warme Unterstützung geleitet, die Schwierigkeiten, deren unschuldiger Gegenstand er in jener besonderen Lage gewesen zu sein scheint, durch seine Leistungen glänzend überwinde.

Litterarische Neuigkeiten.

Der dreibändige Roman von Detlev von Geyern: „Ein Feenschloss“ (Stuttgart, Deutsche Verlags-Anstalt) schildert die Zustände am spanischen Hofe gegen Ende des vorigen Jahrhunderts zur Zeit der französischen Revolution, welche in ihren Folgen so verhängnissvoll auf die Schicksale Spaniens einwirken sollte. Das Buch entwickelt in lebendigen und wahrheitstreuen Bildern die sehr merkwürdigen politischen Verhältnisse jener Zeit, sowie die Zustände des Hofes und des spanisch-nationalen Lebens in den verschiedenen Volksklassen.

Der junge Wiener Verein der Schriftstellerinnen und Künstlerinnen hat auf Antrag der Frau Anna Forstenheim die vaterländische Dichterin Betty Paoli zum Ehrenmitgliede ernannt.

Vor Kurzem hielt Georg Brandes in Warschau mehrere Vorträge über die polnische Litteratur, die auf manche Erscheinungen des geistigen Schaffens der Polen neues Licht werfen. Wir beabsichtigen über dieselben später ausführlicher zu berichten.

Der Mohr von Berlin, Abba, der Leibmohr der Gemahlin des großen Kurfürsten, oder wie er nach der Taufe im Dome zu Berlin genannt wurde, Frédéric de Cussy, ist der Mittelpunkt eines neuen Romans von G. Horn: „Der Mohr von Berlin“ (Stuttgart, Deutsche Verlags-Anstalt), um den sich das Schicksal der ersten, vom großen Kurfürsten 1862 nach Afrika ausgerüsteten Expedition in all den Fährnissen und Ereignissen derselben gruppirt. Was den Roman besonders anmutend macht, ist bei aller Einheit der Form die Verschiedenheit des Lokalen und der Wechsel von ergreifenden wie von humoristischen Kapiteln, nicht zu vergessen der patriotischen Genugtuung, die jeder deutsche Leser darüber empfinden wird, dass Deutschland wieder dahin gekommen ist, wo Brandenburg schon vor zweihundert Jahren gewesen war.

Anfang April starb zu Villepreux bei Paris der greise polnische Dichter Bohdan Zaleski, der letzte der polnischen Romantiker. Als Sänger der Ukraine steht derselbe neben Malczewski.

W. Blackwood in London publizirte ein pädagogisches Werk „Suggested Reforms in public Schools“ von Cotterhill, das viel Aufsehen erregt.

In der letzten Generalversammlung des Wiener Journalisten- und Schriftstellervereins „Concordia“ wurde, nachdem der wiedergewählte bisherige Präsident, Joseph Ritter v. Weilen, die Wahl nicht annehmen zu können, erklärt hatte, im zweiten Wahlgange der Kunstkritiker und Feuilletonist des „Neuen Wiener Tageblatt“ V. K. Schembera zum Präsidenten gewählt. Im letzten Verwaltungsjahre wurde aus der Vereinskasse ein Betrag von 10,000 Gulden für Unterstützungen verwendet; davon entfallen 6000 Gulden auf Jahres-Subventionen an invalide Mitglieder und an Wittwen und Waisen gewesener Mitglieder.

Ein ansprechendes Werkchen ist die Novelle „Badische Treue“ von H. Grube, Gebrüder Pollmann (Karlsruhe). Der Verfasser schildert die historisch merkwürdige Entstehung von Karlsruhe. Der urgermanische Herzenszug der Treue bildet das Leitmotiv der stimmungsvollen Erzählung. — Von demselben Verfasser erschien in gleichem Verlag eine Novelle, die ebenfalls an Badens Vergangenheit anknüpft: „Der Heidelberger Studententag“.

„La Péninsule des Balkans“ betitelt sich ein umfangreiches Werk von Emilie de Lavelege, welches in Brüssel bei C. Muquardt erscheint und sicher einem wirklichen Bedürfnis entgegenkommt.

Ein Aufruf zur „Errichtung eines Scheffeldenkmals in Heidelberg“ geht uns zu, von den Honoratioren dieser Stadt unterfertigt.

Am 21. April, als dem Geburtstage der Stadt, ist in Rom ein Denkmal Pietro Metastasios enthüllt und, der Landessitte gemäß, eine „Einzige (illustrirte) Nummer“ ausgegeben worden, welche ein paar Dutzend Schriften über den gefeierten Dichter enthält.

Der Verschönerungsverein in Pottenstein (Niederösterreich) wird an dem Hause, wo Ferdinand Raimund, der Vater und Meister des österreichischen Volksschauspieles, am 5. September 1836 auf so tragische Weise sein Leben endete, eine, mit dem vom Bildhauer Professor Otto König modellirten Porträt-Medaillon des Dichters gezierte Gedenktafel errichten, welche am fünfzigsten Gedächtnistage der Katastrophe feierlich enthüllt werden soll.

Bei E. Peterson (Leipzig) erschien: „Ich und Nicht — Ich“ von Mathilde Gräfin Luckner.

Die Resultate der letzten Volkszählung im Deutschen Reiche finden sich veröffentlicht in dem soeben erschienenen 1886. Jahrgang von O. Hübners geographisch-statistischen Tabellen aller Länder der Erde, dem wohlbekannten und beliebten Werkchen (6 Bogen in Taschenformat eleg. geb. 1 Mark, W. Rommel, Frankfurt a. M.), geleitet von Professor v. Juraschek in Innsbruck.

Alle für das „Magazin“ bestimmten Sendungen sind zu richten an die Redaktion des „Magazins für die Litteratur des In- und Auslandes“ Leipzig, Georgenstrasse 6.

Im Verlage der K. R. Hofbuchhandlung, Wilhelm Friedrich in Leipzig, erschien soeben:

Paris der Mime.

Realistisch-historischer Roman aus der Zeit Domitians

von

Wilhelm Walloth.

Preis eleg. br. M. 6.—, geb. M. 7.—.

Dieses neue Werk W. Walloths zeichnet sich dadurch aus, dass es das Leben der alten Welt mit einer realistisch packenden Kraft schildert. Eine Reihe höchst eigenartiger, noch nicht dagewesener Situationen ziehen an uns vorüber, mit realistischer Farbengluth fest und sicher hingemalt. Walloth wird sich gewiss durch diesen seinen neuesten Roman einen ehrenden Platz in der Romanlitteratur sichern.

Zu beziehen durch jede Buchhandlung des In- und Auslandes

Soeben erschien:

Ringkämpfe

von **Ernst Eckstein.**

Hochelegante Ausstattung. Preis broch. M. 3.—, fein geb. M. 4.—

Vorrätig in allen grösseren Buchhandlungen.

Verlag von Wilhelm Friedrich, K. R. Hofbuchhandlung in Leipzig.

Gustav Wolf, Verlagsbuchhandlung, Leipzig.

Eine reizende Novität besonders für junge Damen!

„Was ist Glück?"

Novelletten von

Alfred Graf Adelmann.

Eleg. geb. Miniatur-Ausgabe, Preis M. 2.50, brochirt M. 1.80

Soeben erscheint:

Revolution der Litteratur.

von

Karl Bleibtreu.

Zweite stark vermehrte Auflage.

— Eleg. broch. Preis 1,50 Mark. —

Längst hat sich Einsichtigen die Ueberzeugung aufgedrängt, dass wir an einem neuen Wendepunkt der Litteraturentwickelung angelangt sind, dass eine neue Sturm- und Drangperiode sich allgewaltig erhebt, aus welcher das Bleibende und Wahre nach unklarer Gährung sich gestalten wird. So hat denn einer der Hauptvertreter der neuen Litteraturrichtung den Versuch gewagt, schneidigen, präcisen Ausdruck für die Ziele und bisherigen Erfolge derselben zu bieten. Man kennt Bleibtreu's unerschrockene Kampflust und wird daher nicht staunen, mit wie genialer Sicherheit hier alle Talmi-Grössen der Reklame zerschmettert und so manche verkannten Verdienste zu Ehren gebracht werden. Die Broschüre, welche das grösste Aufsehen erregt, ist berufen wie ein reinigendes Gewitter am litterarischen Himmel zu wirken.

Verlag von Wilhelm Friedrich in Leipzig.

In allen Buchhandlungen zu haben.

Verlag von Firmin-Didot & Co. in Paris
56 Rue Jacob 56

Neu erschienen:

Henri Heine

et son temps

par L. Ducros,

Professeur à la Faculté de Lettres de Poitiers.

Un vol. in 18° Broché 3 Frc.

Stud. theol. et phil., z. Z. Hausl., s. noch lohnende Beschäft. z. B. Uebersetzungen, zu korrig. Druckbogen, Abschriften etc. zur Erw. von Mitteln z. weit. Studien. Gefl. Off. sub. A. W. an Exp. d. Bl.

EMMER-PIANINOS

von 440 M. an (kreuzsaitig), Abzahlungen gestattet. Bei Baarzahlung Rabatt u. Frankolieferung. Preisliste gratis. Harmoniums von 120 M.

Wilh. Emmer, Magdeburg.

Auszeichn.: Hof-Diplome, Orden, Staats-Medaillen, Ausstellungs-Patente.

Bücher-Einkauf

zu höchsten Preisen! Ganze Bibliotheken, sowie einzelne wertvollere Werke. Offerten gefl. zu richten an das Antiquariat **Halm & Goldmann,** Wien I., Babenbergerstr. 1 u. 3.

Unsere interessanten Antiquarkataloge stehen Bücherfreunden gratis und franco zu Diensten.

Verlag von Karl Konegen in Wien.

Beiträge

zur

Geschichte der deutschen Litteratur

und des

geistigen Lebens in Österreich.

Herausgegeben von

A. Sauer, J. Minor, R. M. Werner.

Heft 2. **Keil, Rob.,** Wiener Freunde 1784 bis 1808. Beiträge zur Jugendgeschichte der deutschösterr. Litteratur. br. fl. 1.50 (M. 3).

Heft 3. **Spengler, Franz,** Wolfgang Schmeltzl. Zur Geschichte der deutschen Litteratur im 16. Jahrhundert. br. fl. 1.50. (M. 3.)

Heft 4. **Meissner, Joh.,** Die englischen Komödianten zur Zeit Shakespeare's in Österreich. br. fl. 2.50 (M. 5).

Zu beziehen durch alle Buchhandlungen.

Für die Redaktion verantwortlich: Karl Bleibtreu in Charlottenburg. — Verlag von Wilhelm Friedrich in Leipzig. — Druck von Emil Herrmann senior in Leipzig.

Das Magazin

für die Litteratur des In- und Auslandes.

Wochenschrift der Weltlitteratur.

1832 gegründet von Joseph Lehmann.

55. Jahrgang.

Preis Mark 4.– vierteljährlich.

Herausgegeben von Karl Bleibtreu.

Verlag von Wilhelm Friedrich in Leipzig.

No. 23. — Leipzig, den 5. Juni. — 1886.

Inhalt:

Religion und Kunst.

Von Reinhold Biese.

Wie Alles hier auf Erden, so haben auch die Ideen ihre Entwicklung; der immer neu zuströmende Erfahrungsstoff giebt den Begriffen einen neuen Inhalt, und so sind auch die religiösen Ideen in einem beständigen Umwandlungsprozess begriffen und hierin abhängig von der gesammten Kultur, dem Gesammtbewusstsein der Zeit. In den Zeiten barbarischer Unwissenheit wurzelt die Religion in dem niedern, Geist und Gemüt einschnürenden Gefühle der Furcht und führt behufs einer Versöhnung der zürnenden Gottheit zu den unsinnigsten Veranstaltungen des Egoismus und des Aberglaubens. Wie aber der Schmetterling die Raupe verlässt, so hat die Religion, der Geisteskultur folgend, die niedern Affekte von sich gestreift und sich durchdringen lassen von dem Bewusstsein der Gotteskindschaft und Gottesgemeinschaft, von der Gewissheit, dass „Gehorsam besser ist als Opfer“. Die Religion wurde hiermit in die Gesinnung verlegt, die in werktätiger Nächstenliebe sich offenbart. Diese Idee des praktischen Christentums, des höchsten Ideals der Religion, ist nur leider im Laufe der Zeit wieder überwuchert von den Schlingpflanzen theologischen Wunder- und Buchstabenglaubens, wodurch eine Kluft zwischen Glauben und Wissen geschaffen ist, die sich jetzt geradezu verhängnissvoll durch alle Wechselbeziehungen der Menschen hindurch zieht, welche jedem Einzelnen, der es ernst mit sich meint, einen Seelenkampf aufnötigt, an dem Mancher verblutet ist und seine gesunde Geisteskraft erschöpft hat.

Die wahre Religion hat indes das Fortschreiten wissenschaftlicher Erkenntnis nicht zu fürchten, denn diese steigert und läutert nur die Ausdrucksformen der religiösen Stimmung. Diese ist in der Tat um so reiner, je mehr sie der Einklang einer geläuterten Naturerkenntnis und wahrer Geistesfreiheit ist, je mehr sich die Hingabe an das Unbegreifliche, Göttliche mit einem Gefühl für die Erhabenheit der Natur und ihrer die Welt gesetzmäßig durchwaltenden Kräfte verbindet, je mehr sich das eigene Ich in der Anschauung des Kosmos erweitert. Nur weil sich die religiöse Stimmung nicht in fortschreitender Harmonie mit dem Ganzen gehalten hat, sind die Dissonanzen zwischen Glauben und Wissen entstanden, welche jetzt vergeblich ihre Auflösung in die Konsonanz der Wahrheit suchen, die nur eine ist. Die modernen Anschauungen sind schon längst andere geworden, als sie in den Zeiten der Reformatoren waren. Wohlan! Die Religion unserer Zeit muss sich wieder in Einstimmung setzen mit der modernen Geisteskultur, mit den Ideen der Humaniät, welche für Kunst und Wissenschaft die Leitsterne sind. Sie wird dadurch nicht enttront, sondern in Wahrheit nur wieder zu einer allgemeingültigen Macht des Gemütes erhoben, dass man ihr Wesen nicht in den starren Lehrbegriffen einer Konfession sucht, sondern in dem rein menschlichen Stimmungszustande des Herzens, welches sich unter dem Eindrucke alles Wahren, Guten und Schönen läutert und zur Andacht erhebt. Bestände das Wesen der Religion, wie leider noch immer vielfach die

Voraussetzung ist, in einem bloßen Fürwahrhalten kahler Dogmen, so gäbe es für die Mehrzahl der Gebildeten keine Religion mehr, denn der auf der Höhe der Zeitbildung stehende moderne Mensch lässt sein Denken nicht mehr in die für ihn todten Formeln früherer Jahrhunderte einspannen.

Wie Religion und Kunst in Griechenland so innig verbunden waren, dass man die griechische Religion wegen ihres sinnlich-ästhetischen Charakters mit Recht als die Religion der Schönheit bezeichnet hat, so steht die religiöse und ideale Entwicklung des menschlichen Geistes überhaupt in einem inneren Zusammenhange. Religion und Kunst haben eine gemeinsame Wurzel in dem allgemeinen Bedürfnisse des Menschen nach einer Ergänzung der rauhen Wirklichkeit durch eine Idealwelt, in welcher die Widersprüche des Lebens harmonisch ausgeglichen sind und das Sehnen und Zagen des Herzens zeitweilig zur Ruhe und Einstimmung gelangt. Die Reinheit der Stimmung, die weihevolle Erhebung des Gemütes über die Schranken und Mängel des Irdischen, welche die Religion durch eine dem Herzen sich bewährende Symbolik und durch die innere Gewissheit des Glaubens an eine höhere Weltordnung der Liebe und Gerechtigkeit, sowie durch selbsteigene Betätigung wahrer Menschenliebe erzeugt, sucht die Kunst durch den schönen Schein einer höheren Wirklichkeit hervorzurufen, welche die Phantasie aus unbewusst träumender Kraft gestaltet und für die unmittelbare Anschauung hinstellt. „Die wahre Kunst ist edel und fromm von selbst", sagt Michel Angelo, „denn schon das Ringen nach Vollkommenheit erhebt die Seele zur Andacht, indem es sich Gott nähert und vereinigt", und nicht minder bedeutsam ist der Ausspruch Goethes: „Die Menschen sind in Poesie und Kunst nur so lange produktiv, als sie religiös sind." „Religiös," sagt Friedrich Vischer, „ist die Seele in jedem Momente, wo sie von dem tragischen Gefühle der Endlichkeit alles Einzelnen durchschüttert, durchweicht, im Mittelpunkte des starren, stolzen Ich gebrochen wird und aus der Welt von Trauer, die in diesem Gefühle liegt, durch den einen Trost sich rettet: sei gut! lebe nicht dir, sondern dem herrlichen Ganzen! diene ihm! fördere! wirke treu und wäre es im kleinsten Kreise." Die Religion, von welcher diese Männer der Kunst und Wissenschaft Zeugnis ablegen, ist nicht eine Religion, welche die Gemüter und Leidenschaften in den Fesseln abergläubischer Furcht gefangen hält, die das schwache, in Unwissenheit zagende Herz nicht zur Ruhe kommen lässt, die es immer von neuem in seinen Tiefen aufrührt und Seelenangst und Seelenpein erzeugt, um Gewalt über die Gemüter zu behaupten. Es ist die Religion, welche die Seele befreit von den Banden finsterer Wahnvorstellungen und die aus dem Gleichgewicht aller Seelenkräfte im Individuum als die Blüte reiner Menschlichkeit hervorgeht. Weihevolle Hingabe an das Objekt, Aufgeben in begierdelose Betrachtung, edle Betätigung der Geisteskräfte bis zu wonniger Selbstvergessenheit — das sind die allgemeinsten Merkmale religiösen Verhaltens. Selbstvergessene, hingebende Tätigkeit ist, in welchen Lebensbeziehungen auch immer, die ursprüngliche, am reinsten fließende Quelle religiöser Empfindung. Das Gefühl innerer Erhebung über die Banden des Irdischen, Niederen und Vergänglichen, frei werden von dem Drucke der Endlichkeit in seliger Ahnung des Göttlichen, Ewigen, Vollkommenen — das ist Religion. Mag auch die religiöse Empfindung im Laufe der Zeit für das gewöhnliche Bewusstsein an bestimmte Formen der Lebensbetätigung und an ganz bestimmte Vorstellungskreise fixirt worden sein, durch welche sie nun für die große Masse am Leichtesten ins Spiel tritt, im Grunde ist sie doch nur die differenzirte und gesteigerte Form, der jede hingebende Tätigkeit begleitenden andächtigen Stimmung. Die Erforschung der Wahrheit besteht in der stillen inneren Hingabe an sie, und was vermöchte die produktive Einbildungskraft stärker anzuregen und voller zu beschäftigen als die Kunst. Mit Recht sagt daher Goethe:

> Wer Wissenschaft und Kunst besitzt
> Hat auch Religion;
> Wer jene Beiden nicht besitzt
> Der habe Religion.

Beschäftigung ist für uns Menschen die Quelle der Verjüngung, die Geist und Sinn befreiende und läuternde Macht, die sich in dem Spiel des Kindes, in ernster Arbeit, in rechtem Handeln und in der Betätigung der Kunst durch ungemessene Mehrung des Lebens- und Wertgefühls, durch das Bewusstsein der inneren Uebereinstimmung, durch wahren Seelenfrieden offenbart. Beschäftigung macht das Leben erst lebenswert, giebt allein den wahren Trost in des Lebens Leid, denn sie hebt uns im Scheine eines verklärten höheren Daseins über das tragische Gefühl der eigenen Endlichkeit hinweg. Ja ernste Arbeit im Dienste höchster Menschheitsideale erfüllt uns sogar mit der erhebenden und freudigen Gewissheit, dass was immer des Wahren, Guten und Edlen der Einzelne gefördert und gewirkt hat, nicht verloren geht, sondern „dem herrlichen Ganzen" zu Gute kommt, welches fortbesteht, wenn auch der Einzelne vergeht.

Das Einzelleben setzt sich substanziell in seinen Nachkommen fort. Wie jeder Organismus das Produkt aller Faktoren ist, die in seiner Ahnenreihe vor ihm wirksam gewesen sind, so erhalten sich in der Form des sogenannten Instinkts unbewusste Erinnerungen, welche als vorbestimmende Beziehungen unabhängig von der Erfahrung des Individuums sind. Diese Tatsache war schon dem Altertum bekannt und galt als schwerwiegendster Beweis für die Präexistenz der Seele. Plato besonders erkannte in der Tatsache, dass die Knaben beim Erlernen der Wissenschaften so rasch in der Fülle der Erscheinungen sich zurecht finden, einen Beweis für die Wahrheit, dass die Seele schon vor der Geburt ein mit Intelligenz verbundenes Leben geführt habe. Durch die sinnliche Wahrnehmung werde sie veranlasst, sich auf das vor dem Erdenleben gewonnene Wissen wieder zu besinnen; alles Lernen sei nur eine Wiedererinnerung an die vor der Geburt geschauten ewigen Ideen. Die heutige Wissenschaft lässt nur die Immanenz der Ideen gelten; sie giebt die erhebende Gewissheit, dass die Ideenarbeit und die auf vernünftiger Einsicht gegründete Charaktereigentümlichkeiten des Einzelnen mit dem Tode des Einzellebens nicht verloren gehen, sondern als geistigsittliche Instinkte, als die eingebornen Mächte des Gemüts und Verstandes sich vererben und sich den Nachkommen als schützende, leitende Genien bewähren. Anderseits lehrt sie damit den natürlichen Grund erkennen, warum die Sünden der Väter heimgesucht werden an den Kindern bis ins dritte und vierte Glied. Und welch eine Mahnung giebt sie damit für Jeden, an seinem inwendigen Menschen zu arbeiten, sich zu dem auszugestalten, wozu die eingeborene Anlage seines Wesens Jeden für sich bestimmt, zu einem ganzen vollen Menschen!

„Werde, der du bist!“ Das rufen auch Religion und Kunst dem Menschen zu, indem sie Ideale des höchsten Menschentums schaffen und zur Nachahmung hinstellen. Somit sind Beide nicht nur durch die ihnen gemeinsame ideal gehobene, andachtsvolle Stimmung, sondern auch stofflich eng verbunden. Die Kunst hat mit der Religion den höchsten Lebensinhalt gemeinsam, und nur die Formen, in denen derselbe zur Darstellung kommt, sind verschieden. Die innere, poetische Wahrheit, die den Forderungen unserer Vernunft wie unseres Gewissens in gleicher Weise entspricht, ist das eigentliche Lebensprinzip, der geistige Gehalt Beider. Erscheint diese innere Wahrheit in der religiösen Vorstellungsweise zu möglichst fester Form verdichtet und dem Verständnisse der großen Menge angepasst, so sind ihre Formen in der Kunst dem freien Spiele der Phantasie überlassen, in beständigem Fluss, „aus Morgenduft gewebt und Sonnenklarheit,“ Ausdruck der jeweilig höchsten Lebensauffassung, des vollkommensten Menschentums. Stützt sich die innere Wahrheit dort auf die Autorität und die Tradition, so hier auf freieste, schwungvollste Individualität. Diese ist es, welche den Künstler macht, der uns den idealen Gehalt des Lebens offenbart.

Prinzipiell teilen sich also Religion und Kunst in die Aufgabe, Ideale zu schaffen, welche das Leben ebensowohl erhöhen als mit dem erwärmenden Hauche der Liebe und Schönheit beseelen. Beide wenden sich an Herz und Gemüt, verfeinern und veredeln unsere Empfindungen und geben unserm Denken und Handeln sub specie aeternitatis die höhere Richtung. Soll aber die Religion auch in den Kreisen der Gebildeten dauernd ihre Aufgabe neben der Kunst erfüllen, soll nicht diese die Erbschaft jener antreten, so ist es die höchste Zeit, dass eine allgemeine Erneuerung und Auffrischung des kirchlich-religiösen Lebens dadurch gewonnen werde, dass der sozialethische Geist des praktischen Christentums ganz von den Fesseln des rohen Buchstabenglaubens befreit werde. Videant sacerdotes!

Nur dann steht zu hoffen, dass die konfessionellen Gegensätze, welche mehr und mehr auf das politische Gebiet hinübergespielt und politische Marktfragen geworden sind, sich wieder zu einer höheren Einheit rein religiöser Gemeinschaft verbinden und dass der Riss, den die Religion jetzt durch unser Volksleben zieht, dauernd sich schließt. Videant consules!

Das Elend der modernen Lyrik.

In den Nummern 10 und 11 dieses Blattes ist uns „die Verflachung der modernen Lyrik“ im Einzelnen klargelegt und zugleich als die Ursache für den Misskredit bezeichnet worden, dessen sich die Lyrik beim Publikum erfreut. Ich kann dem Verfasser, soweit es eben jene Verflachung selbst betrifft, in allen wesentlichen Punkten nur Recht geben und finde es auch gut, dass er die Schuld für die Gleichgültigkeit des Publikums gegenüber der Lyrik zuerst bei dem Dichter selbst gesucht hat. Der Dichter, der ja doch in gewissem Sinne ein Priester und ein Lehrer der Menge ist, muss auch insofern seinem Berufe entsprechen, als er wie der Priester und der Lehrer den Grund für die Erfolglosigkeit seines Wirkens zuerst in sich selber sucht. Aber es würde doch einen allzu hohen Grad von Selbstverleugnung bedeuten, wollten die Dichter immer nur ihr eigenes Fleisch kasteien und das wohllöbliche Publikum in dem süßen Wahne lassen, als wäre seine Stumpfheit gegen lyrische Erzeugnisse das natürlichste und berechtigtste Verhalten von der Welt. Nein, das Publikum trägt selbst die weitaus größte Schuld an dieser Stumpfheit, und das zu beweisen ist der Zweck dieser Zeilen.

Fragen wir uns zunächst: Liest denn das Publikum gute Lyriker, wie Vischer, Lingg, Lorm, Hamerling und Andere? Liest es unsere größten Lyriker, wie Goethe, Heine? Nein! Forsche man doch einmal in gebildeten und „hochgebildeten“ Kreisen, ob der Lyriker Goethe, ob der Lyriker Heine in Wirklichkeit unserer gegenwärtigen Generation auch nur einigermaßen näher bekannt sind! Sie sind es nicht; man müsste denn naiv genug sein, den Umstand, dass manche Lieder der Letztgenannten oft gesungen werden, als ein Zeichen für intime Beschäftigung mit dem Dichter Goethe oder Heine zu nehmen. Das Verhalten des modernen Publikums gegen die Lyrik ist ein Verhalten gegen die Lyrik als solche und steht kaum in irgend einem Kausalnexus zu der faden und seichten Frühlings- und Liebesdudelei, die dem Geschmack des Publikums sogar unter Umständen noch am ehesten zusagt. Die geistige Natur unseres modernen Publikums und das Wesen des Lyrischen sind Dinge, die wenig oder nichts miteinander gemein haben und die sich niemals eng miteinander befreunden können, ohne dass eines derselben seine Eigentümlichkeit aufgiebt.

Der Grund für die Unempfänglichkeit des Publikums gegenüber den Eindrücken des Lyrischen liegt in der allgemeinen Veräußerlichung des Geschmacks, in der Richtung auf das Sinnlich-Bewegte und dem Abscheu vor dem Geistig-Stätigen. Es hat mich angenehm überrascht, bei zwei verständnisvollen Kritikern unserer Tage auf Gedanken zu stoßen, die sich, wie mir scheint, mit meiner Ansicht innig berühren. Ernst Eckstein schrieb in einem Artikel „Deutsche Litteratur im Auslande“ (Nr. 46 des „Magazin“ von 1885) folgendermaßen:

„Die Leute, die sich alles Ernstes einbilden, ein Bataillonskommandeur oder ein Ministerialrat bedeute für die Nation mindestens zehnmal soviel als der größte ihrer Poeten, zählen bei uns nach Millionen.“

Und Karl Bleibtreu sagt in seiner „Revolution der Litteratur“:

„— — weil ich das Kriechen vor dem Erfolg quand-même und die Brutalität gegen das Erfolglose . . . mit Entrüstung seit lange überschaute, . . . deswegen bin ich schonungslos im offenen Ausdruck u. s. w.“

und im weiteren Verfolg:

„Der Reichskanzler beklagt sich fortwährend über die Undankbarkeit der deutschen Nation. Wollte Gott, der Michel wäre auch nur den tausendsten Teil so dankbar gegen die Märtyrer und Helden des Gedankens, wie er es gegen jedes staatlich patentirte real-materielle Verdienst im Uebermaße ist!“

„Das Kriechen vor dem Erfolg quand-même“: Das heißt den Nagel auf den Kopf getroffen. Dieses Kriechen ist aber die Aeußerung moralischer und intellektueller Feigheit. „Der Lenker unseres Staates ist ein Genie!“ Folgerung: „So wollen wir unsere eigene Meinung hinunterschlucken.“ „Er ist ein Koloss an Tatkraft.“ Folgerung: „So wollen wir uns schnell in den Staub werfen und unsere Gesinnungstüchtigkeit und unseren Tatenmut für die Zeit sparen, wo es eine erfolglose Minorität totzuschlagen giebt.“ Blinkende Säbel und Gewehrläufe, Krupp'sche Kanonen: das sind Dinge, die imponiren; denn sie wissen sich meisterlich Erfolg zu verschaffen. Wie konkret nimmt sich ein Schanzensturm gegen eine Dichtung aus und nun gar erst gegen ein lyrisches Gedicht! Und das Sinnfällige ist so schön verständlich! Der Erfolg verhält sich meistens zur Ursache wie das Sinnliche zum Abstrakten. Die Denkfaulen warten deshalb auf den Erfolg, um die Ursache zu verstehen; sie warten die Zeit der Frucht ab, um den Apfelbaum vom Kirschbaum zu unterscheiden. Was in die Augen fällt, ja: womöglich, was in den Mund fällt, das entscheidet. Der in unserer Zeit grassirende widerwärtige Personenkultus ist nichts Anderes als der Ausdruck der blinden Anbetung des Erfolgs. Und dass immer nur der Erfolg und das Erfolg Habende hergenommen und verherrlicht wird, das ist eben der deutlichste Beweis für die Veräußerlichung und sit venia verbo Verrohung der gesammten Anschauungsweise unseres Volkes, die sich scheut, von der vorliegenden, fühlbaren und fassbaren Frucht des Gedankens, d. h. von der Handlung aus rückwärts über die rein geistigen Beweggründe oder vorwärts über die zu gewärtigenden Folgen der Handlung nachzudenken. Unser Volk ist auf dem Punkte, sich ohne Beschwerden mit dem hochgradigsten politischen und ökonomischen Experimentalismus abzufinden. Der kürzlich verstorbene Carlos von Gagern hat in diesen Blättern mit Nachdruck und Schärfe denselben Gedanken Ausdruck gegeben. Das Vorstehende ist also nicht neu; aber soviel ich weiß, ist es noch Keinem eingefallen, dass die Konsequenzen, welche sich aus so gearteten Gesellschaftszuständen für das Ansehen der Litteratur überhaupt ziehen lassen, in doppelter und dreifacher Schärfe die abstrakteste Form der Dichtung, nämlich die Lyrik, treffen müssen. Die Gunst, welche das Publikum den äußerlich fühlbaren militärischen und diplomatischen Glanzleistungen beweist, verhält sich zur Gunst, die es der Litteratur überhaupt entgegenbringt, wie sich diese Neigung zur Litteratur überhaupt zu der Sympathie verhält, mit der es die lyrischen Erzeugnisse unserer Zeit aufnimmt. Das ist eine regelrechte stätige Proportion mit fallenden Verhältnissen; der Exponent ist jene Veräußerlichung des Geschmacks.

Die reine, nicht mit epischen Elementen durchsetzte Lyrik ist ihrem Inhalt nach nur Gedanke, nur Gefühl; diese erscheinen losgelöst vom Stofflichen, und die wirkliche Lyrik bleibt deshalb immer die abstrakteste Form der Dichtung, mag ein feuriger und phantasiebegabter Dichter ihr auch ein noch so sinnliches und plastisches Aeußere geben. Das Drama und der Roman bieten Stoffliches; je niedriger die Spekulation des Verfassers ist, desto mehr roh-äußerliche Handlung pfropft er in sein Machwerk hinein, und der bändeverschlingende Lesewüterich braucht nur mit ganz unerheblichem Aufwand von Aufmerksamkeit die Seiten zu überfliegen, um immer noch ein leidliches Maß von „Unterhaltung“ davon zu tragen. Den groben Mechanismus der meisten Romanstoffe zu begreifen, dazu genügt eben schon ein ganz bescheidenes Spießbürgergehirnchen, das einen Stoff, der als Organismus auftritt, nicht verdauen kann und ihn deshalb verächtlich bei Seite schiebt. Dieses Behagen und einzige Gefallenfinden am Stofflichen ist in allererster Linie die Ursache dafür, dass die Erzählungslitteratur in unserer Zeit einen unvergleichlich größeren Absatz findet, als irgend eine andere Litteraturgattung. Diese Veräußerlichung des Geschmacks ist ferner die Ursache dafür, dass eine Birch-Pfeifferiade im Theater weit aufmerksamere Zuhörer hat, als ein Tasso oder eine Iphigenie von Goethe oder ein Nathan von Lessing und dass für die Dauer der Zirkussaison die Arena der Luftspringer von einer Kopf an Kopf gedrängten Menschenmenge umgeben ist, während in den öden Logenhöhlen des Theaters das Grauen wohnt. Das Gefallen am Aeußerlichen steigert sich in seinen Kundgebungen bis zur kindlichsten, zwerchfellangreifenden Lächerlichkeit. Da wird in einem Konzertsaal, in dem sehr gute, sehr ehrenwerte Gesellschaft erscheint, ein Satz aus dem Beethovenschen C-moll-Quartett ausgezeichnet gespielt. Keine Hand rührt sich zum Beifall. Warum? Es wurde ja, wie ganz gewöhnlich, mit dem Bogen gestrichen. Nun folgt ein kleines, anspruchsloses Stückchen; das wird pizzicato gespielt — rauschender Beifallssturm. Oder: „Ouverture zu Goethes Egmont von Beethoven." Impertinent-kaltblütige Stille nach dem Verklingen des letzten Akkordes. Da kommt ein Stück zur Ausführung, in dem das Klappern einer Mühle täuschend nachgemacht wird. Endloser Jubel im Publikum. Ich gebe es zu: es ist kein in geistiger Hinsicht ausgesuchtes Publikum, das hier versammelt ist, aber es sind doch Leute aus den Gesellschaftsschichten, auf welche Schriftsteller und Verleger unbedingt rechnen müssen, wenn sie nur irgend welchen materiellen Erfolg haben wollen. Die Beispiele ließen sich bis ins Endlose vermehren. Man kann es sogar erleben, dass diese Geistesverödung von litterarischer Seite wohlwollend beschmunzelt wird. In einer unserer angesehensten Monatsschriften wurde vor Kurzem von Schopenhauer erzählt, dass er einmal an der table d'hôte des Hotels, in dem er täglich speiste, ein Goldstück auf den Tisch gelegt habe mit dem Bemerken gegen seinen Nachbarn, das Geld den Armen schenken zu wollen, wenn die Offiziere an der Tafel einmal von etwas Anderem als von Jagd und Pferden sprechen würden. Der Erzähler der Anekdote fährt dann etwa fort: „Die Offiziere taten ihm aber nicht den Gefallen" und klammert dahinter ein: „Warum sollten sie es auch!" Unschuldsvolle Einfalt! Warum sie es sollten? Weil man ein entsetzlich armseliger Geist sein und eine ungemein primitive Bildung besitzen muss, wenn man im Stande ist, jeden Mittag über nichts Anderes, als über Jagd und Pferde zu sprechen. Aber der Anekdotenschreiber wollte ohne Zweifel dem „Geist der Zeit" ein Kompliment machen, und es entspricht durchaus dem „Geist der Zeit", dass man in gewissen aristokratischen Kreisen Wörter wie „Hamlet", „Othello" „Wallenstein" u. s. w. nur in die Unterhaltung wirft, wenn es zufällig Namen von preisgekrönten Rennpferden sind.

Die Stumpfheit gegen die Wirkungen des Rein-Seelischen hat zum großen Teile sogar Kreise ergriffen, in denen die edlere Poesie sonst kein unwillkommener Gast ist. Bei meinen Rezitationen habe ich in diesen Kreisen mit epischen und dramatischen Stücken immer, mit lyrischen so gut wie nie Erfolg gehabt. Es fragt sich freilich, ob die lyrische Poesie sich überhaupt für den deklamatorischen Vortrag eigne. Aber es geht beim Lesen von Lyrischem nicht anders. Die meisten Leser und Hörer lyrischer Gedichte stehen denselben ratlos gegenüber; sie haben am Schlusse des Gedichtes nicht selten die Empfindung, als müsse die Hauptsache noch erst kommen, und wenn sie sich bei einer berühmten lyrischen Dichtung gewissermaßen moralisch verpflichtet glauben, sie schön zu finden, so kann man auf ihrem Gesichte die Frage lesen: „Was wünschest du, dass ich empfinde, oder denke?" Vor allen Dingen gilt dies mit Bezug auf poetische Stimmung. Die unerlässliche Voraussetzung für den Genuss poetischer und überhaupt künstlerischer Stimmungen ist eine öftere und tiefe Einkehr in sich selbst, in das Leben der eigenen Seele. Unser inneres Ohr vernimmt die leisen und oft so mannigfach zusammengesetzten Bewegungen der Seele, die wir Stimmungen nennen, nur dann, wenn es überhaupt gelernt hat, scharf nach den Regungen des Innenlebens zu horchen. Die Seele, welche nur mit grob zugehauenem Material, mit den stärksten sinnlichen Wahrnehmungen arbeitet, erlangt nicht oder verliert die Fähigkeit der aufmerksamen inneren Wahrnehmung, wie der Arbeiter, der täglich mit schweren Balken und Steinen hantirt, die Zartfühligkeit und Geschicklichkeit der Hände verliert. Der Geschmack des modernen Publikums beruht auf einer ins Maßlose gesteigerten Unbescheidenheit betreffs der äußeren Voraussetzungen einer Kunstwirkung. Unsere Zeit bietet deshalb in gewissem Sinne Gelegenheit für das Streben eines Wordsworth, der (nach Georg Brandes) „beschloss, die Erwartungen des Lesers von den Wirkungsmitteln eines Gedichts auf ihre natürliche Spur zurück zu lenken". Ein solches Streben fordert freilich durchaus nicht, dass man sich, wie derzeit die „Seeschule" in einen scharfen Gegensatz stelle zu einem Byron, einem Shelley, wie denn überhaupt diese Erörterungen nichts weniger beabsichtigen, als der in ihren Mitteln zahmen und lahmen Zuckerwasserpoesie das Wort zu reden. Das der Lyrik abgeneigte Publikum unserer Tage findet eben auch entschieden kein Gefallen an Dichtungen wie Shelleys „Ode an den Westwind", wie Byrons „Traum" und „Weltfinsternis" (Darkness). Das Streben Wordsworths war doch vorwiegend auch ein Streben nach Einfachheit des Stoffes und der dichterischen Tendenzen. Wir wollen nur, dass sich das Publikum unter Umständen mit der Einfachheit rein äußerlicher Mittel begnüge. Es sträubt sich aber schon mit heroischer Hartnäckigkeit gegen das Ansinnen, in tiefe seelische Probleme einzudringen, wenn ihm dieses Eindringen durch eine instruktive Handlung erleichtert wird; wie viel mehr muss es die Mühe des Denkens und Sichversenkens von sich weisen, wenn es den Abstraktionen des Dichters, wie in der Lyrik, nahezu unmittelbar gegenübersteht! Wer der deutschen Litteratur und mit ihr der deutschen Lyrik helfen will, der muss bei der Wurzel anheben. Er kämpfe unerbittlich gegen den Byzantinismus der deutschen Nation und lehre diese Nation, so eilig wie möglich von ihrem Verzicht auf eigenes Denken zurückzukommen. In je breiteren Schichten das Recht auf eigenes Denken geltend gemacht wird, in desto größerem Maße wird der Glanz und das Ansehen des Götzenbildes „Erfolg" schwinden, desto weniger wird sich die Menge des Volkes von der Wirkung des Aeußerlichen, Sinnfälligen verblüffen und überrumpeln lassen. Und was der Litteratur im Allgemeinen zu Gute kommt, das wird aus ganz gleichen Gründen der Lyrik im Besonderen frommen. Das Ansehen der Lyrik steht und fällt mit dem Ansehen der Litteratur überhaupt.

Ottensen. Otto Ernst.

Aeschylos verlässt zürnend Athen.

O du allsehend Auge meines Helios,
O Fürst Apollon, dem mein Leben fromm geweiht,
Dich ruf ich an! Du steigst empor
Auf goldenem Fluggespann
Aus der Tiefe, wo um die Erde sich wälzt
Der nie einschlummernde Meeresstrom,
Und schwingst dich auf zum geflügelten Sitz
In die heilige Luft, wo der Adler sich sonnt,
Wo die goldgemähnten Rosse mit Dir,
Die ohne Gebiss dein Wille lenkt,
Durchmessen voll Mut den unendlichen Pfad
Mit der Schwingen raschem Wettflug.

Dir ward offenbar, welch Wehe bedrängt
Deinen Sohn und Diener, o Vater mein.
Ich ziehe mit dir hinaus, hinaus,
In die wüste, die freudlose Fremde.

Bevor du wandelst hinaus, hinaus
Dem Westen zu, lächelst du mild
Auf diese holdseligen Ufer,
Wo das Veilchen blüht,
Zu schmücken der Pallas Marmorbild,
Die auf Olivenhaine huldspendend lächelt,
Wo dem Dionysos schimmert die Rebe,
Wo die Bienen am Hymettos weihen
Den Honigschatz als Opfer auf Blumenaltären —
Du liebst, Apollon, dies Land.

Und ich, wie liebe ich dich, Allmutter Erde,
In dieser Spanne Bodens hier!
Die der Ahnen ehrwürdige Gräber deckt
Und meines Heims Schutzgötter birgt,
Du Erde, die all der Tempel Pracht
Und die hochgetürmte Akropolis trägt
Und noch stolzere Last wie ein Atlas:
Einen ganzen Himmel uralten Ruhmes —
O Erde Athens, wie liebe ich dich!
Denn auch ich, auch ich bin Athener.

Doch scheidend eil ich gen Westen
Dir nach, Apollon, durchs flimmernde Meer,
Von eilender Lüfte Geleit entführt,
Fern fern zum sagenumklungenen Eiland.
Von des Schicksals wirbelnder Scylla entrafft,
Mich reißt es zum Land der Sirenen.

Doch horch, was scholl? Welcher Duft weht sanft
Unsichtbar mich an? Welch Rauschen vernimmt
Wie von Vögeln mein Ohr? Lind flüstert die Luft
Von der Fittige leicht hinsäuselnden Schwung.
Vom Grabmal der Zweihundert dort
Tönts im Marathontale.

Hier wars, wo des Meders Bogen zerbrach
Und der feurige Sohn von Hellas schwang
Verfolgend den triefenden bronzenen Speer,
Als der Sturmlauf tanzte hinein in den Feind,
Wie zum Hochzeitreigen der Freier.

Die Schatten der Toten umschweben mein Haupt,
An meiner Seite fielen sie hier.
Sie folgen mir nach, in die Fremde nach,
Und mahnen mich an den alten Schwur,
Den ich treu besiegelt mit Schlachtenblut:
Allewig zu dienen dem Vaterland.
Ja, ich bin und ich bleibe Athener!

Schon entweichen dem Blick die Kuppen Euböas
Und Brilessos' Marmorwände erbleichen.
Schon winkt matt nur vom Burgberg über die Wogen
Dein goldener Speer, o Herrin Athene,
Dem scheidenden Athener nach.

Fahrwohl, fahrwohl! Mein Segel sich spreizt,
Wie der Möve Fittich, voran voran.
Apollon furcht seinen flammenden Pfad
Vor mir her in der spiegelnden Tiefe.
Und ist mein Köcher erschöpft und versandt
Des Wohllauts letzter tönender Pfeil
Und kehrt meine Asche einst heim nach Athen —
Da lächelt droben der Lyragott
Und hebt mich zum Sonnenwagen empor,
Der mich führt zu der Seligen Eiland.

Und wenn zerschmettert Athene's Speer
Und wenn Athen gesunken in Staub,
Wird auferstehen die große Zeit,
O Vaterland, in meinem Gesang,
Dess Schwert einst focht für die Freiheit.

Wie mein Prometheus, qualenumstrickt,
Ruf ich, erhabenen Stolzes voll:
In den Tartaros stürze hinab mein Leib,
Kronion schlendre zermalmenden Blitz,
Mich spalte des Schicksals Donnerkeil,
Doch mich wird's nimmer vernichten.

Charlottenburg. Karl Bleibtreu.

Beaumarchais.

„Imparfait ou déchu, l'homme est un mystère"; — liebenswürdig harmloser Gaukler, aber ein grundehrliches Herz dabei, oder ein gleißnerischer Schelm, der die berückenden Zauberkünste seines in allen Farben schillernden Geistes auch im Dienste unredlicher Zwecke spielen und sprühen ließ; — diese Frage konnte sich ein Jeder stellen, der Beaumarchais den Menschen nur aus jener versöhnlich-milden Darstellung gekannt, die Loménie in seinem sonst musterhaften Werke, auf Grund des ihm zugänglichen Materials, vom Schöpfer und Modell Figaros mit emsiger Sorgfalt und feinem Kunstsinn gezeichnet hatte; — in einem Werke, dessen Vorzüge seinen Meister — als würdigen Erben Prosper Mérimées und rühmlichen Vorgänger Taines — in die französische Akademie geführt haben, das aber, nach den wichtigen Ergebnissen neuer Forschungen und nach so manchem wertvollen Fund, bereits seit Langem einer durchgreifenden Ergänzung harren musste. Loménie hat noch einige dieser ihm gewiss nichts weniger als willkommenen Enthüllungen erlebt, wollte oder konnte aber an seiner klassisch-abgerundeten Arbeit aus Gründen nicht rühren, mit denen man gerade nicht einverstanden sein muss, um sie zu würdigen. Manches wurde auch erst nach seinem Tode bekannt; das Meiste ist heute noch bloß fragmentarisch, — Vieles gar nicht gedruckt. Es war daher voraussichtlich eine ergiebige Nachlese, die dem Sammlerfleiß eines neuen Biographen gewärtig stand; und wir können uns mit allen Freunden litterar- und kulturhistorischer Forschung nur freuen, dass dieser Fleiß, zu vielem Geschick und scharfem Urteil gesellt, im vorliegenden stattlichen Bande A. Bettelheims*) den meisten Ansprüchen gerecht wird, die man beim gegenwärtigen Umfang der Quellen an ein ausführliches Werk über Beaumarchais stellen darf.

Die keineswegs geringe Zahl und Höhe dieser Ansprüche können wir an der geradezu verblüffenden Menge und Mannigfaltigkeit jener Dinge leicht ermessen, mit denen sich Beaumarchais' proteische, in allen möglichen Farben und Gestalten schillernde Rührigkeit sein hastig bewegtes Leben lang beschäftigt hat. Eine gründliche Kenntnis der ganzen äußeren und inneren Geschichte des achtzehnten Jahrhunderts; Vertrautheit mit allen Einzelheiten des heillos verwickelten Staatswesens, der Rechtspflege, der Finanzverwaltung Frankreichs in erster Reihe, stellenweise aber auch anderer Länder, wie besonders mit den diplomatischen Schleich- und Ränkesystem der Zeit; eindringendes Studium der chaotischen Anfänge volkswirtschaftlicher Reformbewegungen, der ersten nahezu märchenhaft-abenteuerlichen Ansätze zum Gründer- und Börsenschwindel, pragmatische Erklärung nicht nur litterarischer und künstlerischer Zustände, vor Allem derer des Theater- und Autorenvölkchens in ihrem gegenseitigen Verhältnis, sondern auch sonstiger Sitten, Bräuche und Missbräuche, Ansichten und Vorurteile jener weltgeschichtlich so äußerst wichtigen Epoche, ohne deren Erwägung gewisse Erscheinungen und sonderliche Ausgeburten eben dieser Epoche uns kaum begreiflich wären; nicht anders ein tiefgehender Blick in alle offenkundigen, noch mehr aber in die geheimen Krankheiten einer Gesellschaft, die man ohne allzu großen Rigorismus ihres krachenden Unterganges würdig erachten kann; dies Alles und noch so Manches, wie es sich aus den zeitgenössischen Urkunden jeglicher Art zu erkennen giebt, ist die unerlässliche Grundlage, auf der sich ein biographisches Denkmal Beaumarchais' erheben muss, das die von Laharpe, Sainte-Beuve und Loménie so meisterhaft gezeichneten Konturen ergänzen, mit neuen Farben beleben will.

Wollen wir nun die Summe der Beaumarchais-Forschung, wie sie aus Bettelheims ausführlicher und scharf ausgeprägter Darstellung ersichtlich wird, in gedrängter Kürze andeuten, so haben wir im vielumstrittenen Verfasser der Figaro-Trilogie einen Menschen vor uns, der es auf den verschiedensten Gebieten über das gewöhnliche Maß hinaus, aber auf keinem zu wahrer Größe gebracht; der es Zeit seines Lebens, trotz allem fieberhaften Streben und Ringen, nicht erreichen konnte, dass man ihn nur halb so ernst genommen hätte, wie es sein heißester Wunsch gewesen; einen kühnen, in den Mitteln seines Fortkommens nicht sehr wählerischen Parvenu, der sich auf jeder, mit mehr oder minder frivoler Leichtfertigkeit erkämpften Etappe seines in jähem Wechsel auf- und niedersteigenden Pfades schwer kompromittirt, um dann mit einem Geniestreich sich wieder emporzuschwingen; der alle seine Leistungen mit weit größerem Geräusch als Erfolg, und noch immer größerem Erfolg als Verdienst in Szene gesetzt; ein unermüdlicher Schnellläufer auf der schlüpfrigen Rennbahn nach den Glücksgütern, der in unmittelbarer Nähe des Zieles beinahe immer ausgeglitten, von seinem Falle aber stets nur gestählt und neugewappnet erstanden ist; den man oft mit bitterem Hohn und böswilliger Verleumdung begeifert, wenn er unschuldig —, gewöhnlich verlacht, wenn er zu bedauern —, und zuweilen beklagt, gehoben und begünstigt hat, wenn er zu verurteilen war; eine wahrhaft problematische Natur, die zwischen angekränkeltem Edelmut nach obligat Richardsonschem Zuschnitt — und zwischen dem Gegenteil jener Prädikate schwankt, die er sich nur gar zu häufig beilegt; das Muster eines zartfühlenden Sohnes, eines opferwilligen Bruders und ein liebevoller, wenn auch nicht tadelloser Gatte, gewiss ein guter Vater, zumeist ein verlässlicher treuer Freund, ein seelenguter Mensch in Allem, wenn wir ihn selbst und seine Nächsten hören, neben deren Lobsprüchen jedoch so mancher Widerrede aus feindlichem Lager eine ge-

*) Beaumarchais. Eine Biographie von Anton Bettelheim. — Frankfurt a/M. Litt. Anstalt Rütten & Loening. 1886.

wisse Geltung schon darum einzuräumen sein wird, weil gar viele von Beaumarchais' unmittelbaren Aeußerungen an der Tiefe und Beständigkeit jener Gefühle nicht unerheblichen Zweifel erwecken, — in den mittelbaren Reflexen seiner Gesinnung aber, in seinen Dramen also und besonders im „Tollen Tag", einige widerliche Züge mit jenen erhabenen Regungen des menschlichen Herzens geradezu ein unerlaubtes Spiel und bösen Spott treiben; ein unentschieder Charakter mit ausgesprochenem Geschmack und unverkennbarer Vorliebe für stramme Männlichkeit und für ein ernstes gehaltvolles Führen des Lebens, der es nebenbei ersprießlicher findet, alle seine besseren Ziele würdigen Fähigkeiten im leichten Geplänkel für Flitter und Tand zu vergeuden; ein wohlvergnügter Parasit am faulen Staatskörper, der indess — bewusst oder unbewusst — mit einem und dem anderen kühnen Worte zur rechten Zeit sich einstellt, das einem Funken gleich in den aufgehäuften Brennstoff gefallen ist, und seinem Urheber den von ihm gewiss nicht angestrebten — wenn auch später geschickt verzinsten — Ruhm eines Vorkämpfers der großen Umwälzung eingebracht hat; ein Mensch endlich, der mit jeder Faser seines Wesens in seiner Zeit und Umgebung wurzelt, dessen größte Fehler nur die des Bodens, auf dem er aufgeschossen, der Sonne, die ihn gezeitigt; ein urgallisches Schelmengenie mit einem Wort, ein Typus raffinirten Lakaien und gesteigerten Gascognertums, wie er mit einem Fuß noch im ancien régime, mit dem anderen aber schon auf dem Boden der neueren Gesellschaft stabt; eine ganz eigenartige Gestalt demnach, der trotz all ihrer Vorzüge kein besserer Platz in der Galerie der Weltgeschichte anzuweisen, als jene Zwielichts-Region, in der sich unter Anderen auch Law und Cagliostro befinden.

Dies Alles, gegen die höchst sympathischen, aber nicht weniger geschmeichelten Lichtseiten des Bildes bei Loménie, hervorzuheben; neben Beaumarchais, dem Lustspiel- und Possendichter zweiten Ranges, den Theaterhelden der weltbekannten Clavigo-Szene in seiner wahren Gestalt, den Verfasser der Mémoires sur l'Espagne, den Mr. Ronac, wie er sich in den Papieren der Londoner, Pariser und Wiener Staatsarchive und Bibliotheken spiegelt, den Industrieritter im höheren und edleren (?) Stile, den Beaumarchais „Americanus" schließlich, in die gehörige Beleuchtung gestellt zu haben —, ist das Verdienst Bettelheims, dem im Einzelnen allerdings seine Vorgänger an teilweiser Verwertung des reichen biographischen Materials das Meiste schon vorweggenommen, der aber noch immer genug des Neuen und Wertvollen bietet, und durch schätzbare Ergänzungen nicht minder als durch individuellen, von seinen Vortretern nicht behinderten freien Blick in die älteren Quellen, auch dem bereits verarbeiteten Stoff ein neues Gepräge zu leihen versteht.

Graz. Ludwig Katona.

Vier Erzählungen von August Strindberg.

Utopier i Verkligheten. Stockholm, Alb. Bonniers Verlag.

Nybyggnad, Återfall, Över Molnen, Samvetsqval, so betiteln sich die ebenso lebensvollen, als gedankenreichen Studien, deren Grundthema der Kampf gegen „Degeneration, Ueberkultur", wie der Verfasser es nennt, also eigentlich die Verjüngung der Gesellschaft bildet. In jeder einzelnen Studie tritt das soziale Problem unter einer anderen Form in den Vordergrund. Nybyggnad (Neubau) hat vornehmlich die Emancipation der Frau zum Vorwurfe. Derselben anfangs entgegentretend und zwar zumeist mit den bekannten Einwürfen, nimmt es plötzlich eine überraschend kecke Wendung und lässt die Frage, unter den gänzlich veränderten Verhältnissen einer neuen Ordnung, zu einer so radikalen (ob nur dem Glück der Familie, der Wohlfahrt der Gesellschaft auch wirklich entsprechenden) Lösung gelangen, dass sie quasi ohne Rest aufgeht, wie 2 × 2 in 4. In „Över Molnen" (Ueber den Wolken) wird Künstler- und Litteratentum mit seiner falschen Ruhmsucht und Unsterblichkeitsbegier vor das Forum gezogen. Es wirft dem Kult des Schönen, „welches von der Wirklichkeit die Aufmerksamkeit auf den Schein ablenkt", den Fehdehandschuh hin und führt Klage, dass der ernste, begeisterte Wahrheitsrufer seinen Worten nicht anders Gehör schaffen könne, als indem er sich hinter den Mummenschanz der Schönlitteratur verbirgt. „Gewissensqual" giebt die politische, die internationale Beziehung des Zukunftsstaates und zwar in so hoher Auffassung, in so edel humanem Geist, dass wir uns ganz und voll gefangen geben und kaum je dazu gelangen, eine Einwendung zu formuliren. Wahrhaft ergreifend wirkt der erste Teil in seiner dramatischen Steigerung, und von ästhetischem, wie jedem anderen Standpunkte glauben wir dieser Erzählung vor allen andern die Palme reichen zu sollen. Und „Rückfall" zeichnet das vergebliche Ringen des Einzelnen sich loszuwinden aus den Umschlingungen der gegebenen Verhältnisse. Der Gewalt hat man die Kraft gehabt zu widerstehen, dem Sympathiebedürfnisse erliegt man. Der von sozialistischen Ideen erfüllte Held, der realistische Idealist, der mit heißer Seele den neuen Gestaltungen entgegendrängt, der durch die eigene Lebensführung für die neuen Wahrheiten zeugen, in seinem Kinde die Zukunft inauguriren möchte, er muss resignirt spätern Gechlechtern die Verwirklichung der langsam sich bahnbrechenden Ideen überlassen. Er vermag nicht, was er will. Der Geist eilt vorwärts, das Herz aber bindet und zwingt zurück, eine Klage, die öfters in Aug. Strindbergs Schriften wiederkehrt.

So bilden, wie man sieht, die vier Erzählungen gedanklich, wenn auch nicht in Bezug auf Handlung ein organisches Ganze, aus dem im Gegensatze zu dem meist düstern, dunkelglühenden Kolorit, welches dem Unmut über das Bestehende entspringt, eine helle Zukunftsfreudigkeit, ein echt dichterischer Optimismus hervorbricht. Es sind in dieser Beziehung in der Tat Utopien, und wie Hr. Strindberg den Dichter auch schelten mag, dass er die Welt mit Illusionen nährt, er selbst ist ein Dichter. Der nüchternen Betrachtung kann die Zukunft so beschwingte Hoffnung nicht erwecken. So rasch wird es nicht erscheinen, das goldene Zeitalter, in welchem alle Menschen, wenn auch nicht nach unsern jetzigen schwärmerischen Vorstellungen, so doch tatsächlich glücklich sind, wo Luxus und Ueppigkeit, aber auch Not und Sorge verbannt sind und das erhebende Bewusstsein beseligt, dass Niemand neben uns im Elend schmachtet, wo zwanglos frei, ein Jeder seine Arbeit tut, so Frau wie Mann, wo Niemand dient und Niemand bedient wird, wo Alle gleich sind und Neid und Hass und falscher, verzehrender Ehrgeiz keinen Boden finden.*) So zuversichtlich auch wir das Vorwärtsschreiten zu glücklichern Lebensbedingungen erhoffen, so glauben wir dennoch, dass lange, endlos lange Zeiträume vergehen werden, Zeiten der Kämpfe und des in die Irre gehenden Suchens, des im Dunkeln Umhertappens, ehe die Menschheit an das Ziel allseitiger Selbsterfüllung gelangt, und schon aus diesem Grunde, wenn wir dem unwiderstehlichen Triebe im Menschen auch gar nicht Rechnung tragen und uns allein auf den Boden der Utilität stellen wollen, können wir dem Verfasser nicht beistimmen, wenn er uns rät, die Fackel der Kunst zu verlöschen, die uns bisher geleuchtet. Sie ist kein „Luxus", sie ist trotz Allem und Allem gleich der Wissenschaft unsere Führerin. Mag immerhin der gegen sie gerichtete Vorwurf, dass das Schöne „als Lügenengel durch die Welt gehe, der verfälscht und die Dunghaufen des Lebens mit Rosen bestreut", zum Teil gerechtfertigt sein, das eine Genie, das neben unsere Stümperarbeit das herrliche Bild der Vollkommenheit hält und uns zur Nacheiferung spornt, wiegt alles Verderben der Afterkunst wieder auf. „Es ist die Kunst ein Privilegium der Reichen!" Wohl, so auch andere Lebensgüter. Sollen sie deshalb beseitigt werden? Nein, Allen seien sie zugänglich gemacht. Und noch eins. Ist es denn wahr, dass die Fehler unserer Ueberkultur nur dadurch verbessert werden können, dass wir alles Geistige so viel als möglich von uns abtun und hauptsächlich physisch leben? Wir geben gerne zu, dass wir uns einseitig, vielleicht halb phantastisch entwickelt haben und es die erste und dringendste Aufgabe der Zukunft ist, unsere Existenz auf eine gesundere, breitreale Basis aufzubauen. Allein, bedeutet es wirklich Rückkehr zur Natur „zum Zweckmäßigen" unseren Körper als nur mit solchen Werkzeugen ausgestattet zu erachten, die zur Verrichtung physischer Tätigkeiten dienlich sind? Heißt das die Einseitigkeit nicht bloß umkehren? Ist unser Hirn nicht ebenfalls ein vollberechtigter Teil unseres Körpers? Warum soll es künftig zurückgesetzt, nicht gleich den andern Trägern des Organismus geübt, gesund und tüchtig gemacht, warum ihm sozusagen die Gewerbegerechtigkeit, ganz oder teilweise, überhaupt die bürgerliche Geltung entzogen werden? Doch es hat in der Tat den Anschein, als ob ihm zur Sühne für seinen bisherigen Hochmut (den Geistesaristokratismus) auferlegt sei, durch eine Zeit tiefer Demütigung hindurch zu gehen, bis nach der Fegefeuerläuterung die Zukunftsgewaltigen es wohl oder übel in alle die Gerechtsame und Freiheiten wieder einsetzen müssen, die ihm nimmer streitig gemacht werden können."

*) Der Verfasser nennt es „realisirte Utopie", weil er sein Bild einem wirklichen „Happy Valley", dem familistère Gadins bei Guise im Departement Aisne, entnimmt.

Es gäbe der Für und Wider noch gar viele, doch es würde zu weit führen. Das Thema ist ja überhaupt unerschöpflich und auf Manches wird erst die Erfahrung kommender Jahrhunderte Antwort geben können. So beschränken wir uns denn zum Schlusse nur kurz zu resumiren: Ob es im Einzelnen auch da und dort unsere Opposition herausfordert; es ist von philantropischem Geiste erfüllt, ein überaus anregendes, ein schönes Buch, ja, schön, wie der Verfasser vor diesem Epitheton sich auch bekreuzen mag. Sittlicher Ernst, ein tiefes Streben nach Wahrheit, eine immer wieder hervorbrechende Trauer über die Zwingherrschaft der Lüge charakterisiren es. Es ist, als ob jeder Gedanke zur pochenden Empfindung gewandelt wäre. So reißt es, trotz reichen Gedankenstoffs mit fort als spannende Erzählung. Ein wundervoller Landschaftshintergrund erhöht den Reiz, und was der kühlen Ueberlegung Bedenken erregt, gerade das giebt der Dichtung ein um so innigeres Gepräge, um so schwungvollere Beredsamkeit — die Utopie.

Wien. Erich Holm.

Ein plattdeutscher Dichter.

Die plattdeutsche Sprache mit ihren mannigfachen und ganz eigentümlichen Reizen, ihrer markigen Ausdrucksweise und Originalität ist von unsern Dichtern lange verkannt worden; erst durch die Epoche machenden Schriften eines Fritz Reuter, eines Klaus Groth und eines Johann Meyer wurde das deutsche Volk dessen inne, dass es in seinem Plattdeutsch ein wahres Schatzkästlein besitzt, das in der Lyrik, im Epos wie im Roman gleich prächtig sich bewährt und das Gemüt und Herz bezaubert. Heutzutage wagt Niemand mehr, auf diese „Sprache der Bauern" geringschätzig herabzublicken, da die vorzüglichen Schöpfungen im mecklenburgischen und holsteinischen Idiom davon hinlänglich Zeugnis abgelegt haben, dass in denselben eine reiche Fülle wahrer und echter Volkspoesie enthalten ist. „Ut mine Stromtid" und „Quickborn" gehören nicht minder zu unseren klassischen Werken wie die Meisterwerke Schillers und Goethes. Während aber der süße Liedermund Klaus Groths in den letzten Jahren fast ganz verstummt ist, hat ein anderer Sohn der dithmarschen Erde, wo auch **Friedrich Hebbel** die starken Wurzeln seiner Kraft hatte, fortwährend ein Füllhorn der reizendsten Lieder, Epen und Volksstücke über uns ausgegossen, und noch immer singt's und klingt's von allen Zweigen des holsteinischen Dichterwaldes, wo **Johann Meyer** wohnt und in frischer Manneskraft schafft.

In Norddeutschland ist der Poet nicht so bekannt, wie am Holstenstrand, wo seine Lieder im Palast wie in der Hütte gesungen werden, aber er verdient es, dass sein Name überall mit Ruhm genannt werde, wo nur eine deutsche Zunge klingt, denn er hat noch tiefere und mächtigere Wurzeln im Volke wie Klaus Groth. Seine Gedichte sind wahre Perlen der Volkspoesie und seine erzählenden Poeme fesseln durch ihren Gedankenreichtum und ihre Formschönheit. Namentlich aber ist er ein Meister des Humors: dem Autor sitzt der Schalk im Nacken. Das Sinnen und Trachten der meerumschlungenen Schleswig-Holsteiner, die Schwächen und Eigentümlichkeiten seiner Landsleute hat er im Spiegel humoristischer Darstellung in anmutigster Weise gezeichnet, während seine zahlreichen Possen und Schwänke in plattdeutscher, aber auch hochdeutscher Sprache, eine unerschöpfliche Fundgrube der Komik und des derben Humors bilden.

Die hervorragendsten Werke unseres Poeten sind: „Plattdeutsche Gedichte", „Der plattdeutsche Hebiel", „Gröndunnerseag bo Eckernför", „Kleinigkeiten", „Uns' ole Modersprak", „Op'n Amtsgericht", „Theodor Preusser", — abgesehen von einem Band Gedichte im Hochdeutschen, „Prolog und Begleitworte zu lebenden Bildern", Märchen und anderen Gelegenheitsschriften.

Wer diese plattdeutschen Gedichte liest, der hat das Gefühl, als wäre er plötzlich mitten in einen grünen, frischen und würzigen Tannenwald geraten und schlürfte erquickendes Nass aus der Quelle echter Poesie; als hörte er die Nachtigall schlagen, die Lerche schmettern, und in diesem Konzert der gefiederten Welt erquickt ihn eine süße Harmonie, die das Herz packt und es zugleich überaus wohltuend berührt! Weder Klaus Groth noch ein anderer plattdeutscher Dichter vor und nach ihm hat das musikalische, sangbare Element der Sprache mit so unwiderstehlichem Zauber zu behandeln gewusst, wie er. Berühmte Dichter haben diese glänzenden Eigenschaften dieses merkwürdigen Genius zwar schon vor Jahrzehnten in begeisterten Worten anerkannt, aber es erscheint doch angebracht, dass immer aufs Neue auf diese klassischen Zeugen hingewiesen werde. **Fritz Reuter**, der Altmeister plattdeutscher Dichtkunst, hegte eine große Vorliebe für Johann Meyer, wie dies unter Anderm aus dem Briefwechsel des Ersteren, Nachgelassene Schriften, Bd. III, S. 139, ersichtlich ist. „Selten," heißt es dort, „gab es Schriften, die ein so treuer Spiegel des Verfassers sind als die Ihrigen; aus jeder Zeile guckt Jan Meyers Gesicht hervor, bald mit dem ernsten, bald mit dem schelmischen Ausdruck und immer gesund." **Friedrich Hebbel**, der Dichter der „Nibelungen" und der „Judith", bekanntlich auch ein Dithmarscher, hat im Jahre 1859 eine interessante Kritik über die plattdeutschen Gedichte Johann Meyers geschrieben. Dort lasen wir unter Andern: „... Vom hellen, sangbaren Liede an durch die saftige, frische Idylle hindurch bis zum historischen Genrebild hinauf, klingen uns aus dieser Sammlung alle Töne entgegen, die Klaus Groth Beifall gewannen." **Adolf Strodtmann**, gleichfalls ein Schleswig-Holsteiner, hat der Lyrik Johann Meyers einen höheren Wert als dem „Quickborn" von Klaus Groth beigemessen. Wenn man — so sagt er — die Gedichte des Letzteren ins Hochdeutsche übersetze, gehe nur allzu häufig ihr Reiz verloren und es bleibe oft kaum ein poetischer Gedanke zurück; der ganze Zauber liege meistenteils vorherrschend in dem überraschenden, unser Ohr gefangen nehmenden Wohllaut des mit vollendeter Technik behandelten Sprachidioms; oder im anderen Falle stehe wieder der raffinirt moderne Inhalt mit der schlichten, plattdeutschen Form in kokettem Widerspruch; dadurch werde freilich ein Erfolg, aber ein falscher, erzielt. Meyers Gedichte hingegen büßen durch eine Uebersetzung ins Hochdeutsche nichts ein von dem ihnen zu Grunde liegenden poetischen Gefühle oder Gedanken; auch seien die Stoffe so sehr dem wirklichen Volksleben entnommen, Empfindung und Reflexion sei so einfach und schlicht dargestellt, dass die Wahl des plattdeutschen Dialekts nicht als ein künstliches Reizmittel erscheine, sondern dem Dichter sich mit innerer Notwendigkeit aufdrängen musste.

Um eine Probe der Johann Meyerschen Lyrik zu geben, sei hier ein Lied desselben mitgeteilt:

Wit över de Heid'.

Wit över de Heid'
Wo de Klockenthorn steiht,
Wo de Windmöhl sick dreiht
In de Feern,
Kunn ick't findn, kunn ick't findn
Dar dat Hus mank de Lindn!
Möch dahin, möch dahin
O wa geern!

Seet des Abends op de Bank
Wo de Rosenbüsch hangt
An de Fenstern henlank
Still alleen.
Rük de Lind denn so söt,
Hung de Doornten in Blöth,
Sungn de Pögg denn ehr Leed
O, wa schön!

Eine höchst interessante Dichtung ist die durch Johann Meyer bewirkte Uebertragung der alemannischen Gedichte **Johann Peter Hebels** ins Plattdeutsche. Johann Meyer ist es trefflich gelungen, den Inhalt wie die Form des Originals in klassischer Weise wiederzugeben, und sowohl das tief Gemütliche, wie auch die heitere, frische Naivetät Hebels zu treffen! Diese plattdeutschen Gedichte atmen gleich den alemannischen einen wahrhaft idyllischen Reiz und sind ein echter Feldblumenkranz des deutschen Gemüts, treu, schlicht und innig. Man wandert — um mit Gottschall zu reden — auf einem sauberen Fußpfad durchs Kornfeld, auf dem hohe Aehren rauschen; man hört in traulicher Dachstube die Schwarzwälder Uhr picken; man lässt sich auf den Schweizerhäuschen gern die Störche und in den Herzen gern die Engel gefallen. Das ist ein Reich der Empfindung, deren Wert darin besteht, dass sie ihre Grenzen kennt und dieselben nirgends überschreitet. . . Wie bei Hebel, so findet sich auch bei Meyer echte Gemütstiefe, echt sinnige Einfachheit, echte Unmittelbarkeit der Darstellungsweise.

Allerliebst ist der Volkshumor, der sich in den Gedichten Meyers bekundet. Berühmt ist das Meyersche Spottpoem auf die Bäckermeister, welche kleine Weißbrode hacken. Es heißt dort unter Andern:

Ju Bäckers mit de witte Mütz
Un mit den witten Backstupplatten,
De Jude Been för't Braden schütz,
Wat sünd Ju mi für Candidaten!

Slaubergers Ju! — Ju denkt gewiss:
Lat Hans un Peter man berappen.
Je billiger de Weeten is,
Je lüttjer makt Ju uns den Happen.

De Weeten kost man söbntein Mark;
Was nütz't, dat't Koorn so rieklich dragen?
För'n Groschen Semmel is en Quark
För Een, de Hunger hett in'n Magen!

Vun'n Dutzend werd man nich mal satt,
Kunn noch ein halwes mehr vertehren.
Un een — dat is man för de Katt,
Keen Platz mehr, Bodder drop to smeren.

Nich gröter als een Marmelsteen,
Nich swerer als een Suckerplätten,
Un will man sich em mal ansehn,
Denn mut man erst de Brill upsetten.

Brukt aftobieten gar nie mehr,
Kann 'n so op eemal rünnerslucken,
Un wenn't man jüst keen Semmel weer,
Denn kunn man 'n ook as Kragenknop bruken.

Datt is doch gar keen Art und Wies'!
Ju kriegt mi All' den Swerenöter!
Bi düssen lüttjen Weetenpries
Waneer ward mal de Semmel gröter?

Was schließlich die vielen Schauspiele, Schwänke und Possen Johann Meyers im Platt wie im Hochdeutsch betrifft, so haben dieselben in der Gestaltung durch Lotte Mende und andere plattdeutsche Schauspieler und Schauspielerinnen bei ihrer Aufführung in Hamburg, Altona, Kiel und anderswo sehr gefallen. Die Figuren sind insgesammt auf Schleswig-Holsteins Boden gewachsen und die Gestalten und Figuren sind somit sammt und sonders Typen aus dem Holsteinlande.

Johann Meyer ist am 5. Januar 1827 zu Wilster im Dithmarschen geboren, war früher Redakteur der Itzehoer Nachrichten und steht nun seit zwanzig Jahren an der Spitze eines großartigen Humanitäts-Instituts, der Idioten-Anstalt in Kiel. Seine Lieder sind von Serpenthin, Witt, Baldamus und Anderen in Musik gesetzt, und in den Konzertsälen von Schleswig-Holstein singen all diejenigen Künstler und Künstlerinnen, die eben „plattdütsch snacken", die reizenden Lieder des Reuters der holsteinischen Lyrik.

Dresden. Adolph Kohut.

Historische Litteratur.

II.

Haben wir es hier wirklich mit einem unschuldigen historischen Werke zu tun oder will uns ein Schalk zum Besten haben, indem er uns die Gegenwart im Gewande einer längst entschwundenen Zeit vor Augen führt? So habe ich mich oft beim Lesen von Dr. Adolf Rosenzweigs „Das Jahrhundert nach dem babylonischen Exile" *) fragen müssen. Freilich, ich habe mich endlich überzeugt, dass es ein Werk ehrlicher Forschung ist und dass der Verfasser uns nur die Zustände, Bestrebungen und Geistesströmungen im Judentum des fünften Jahrhunderts vor Christi schildern will.

Und doch, gegen unsern Willen drängt sich die Parallele mit der Gegenwart auf, mehr als einmal glauben wir zwischen den Zeilen das de te fabula narratur zu lesen. Sehen wir genauer zu, so kommt uns die Sache nicht mehr so sonderbar vor. — Gleiche Ursachen bringen gleiche Wirkungen hervor.

So wie die Deutschen der Gegenwart, so waren die Juden vor dreiundzwanzig Jahrhunderten nach langer Fremdherrschaft und Uneinigkeit endlich dazu gelangt ihr nationales Reich wieder herzustellen; wie die Deutschen ihr erneuertes Kaisertum, so errichteten sie ihren erneuerten Tempel; der Traum mehrerer Generationen wurde erfüllt, die Sehnsucht der eifrigsten Patrioten gestillt.

Aber das ist ja eben der Fluch der Menschheit, dass sie das erreichte Glück nicht so zu schätzen weiss wie das erstrebte, dass sie im Glücke oft übermütig, nach langem Leiden oft unduldsam wird.

In der Zeit des babylonischen Exils hatten die Propheten das Volk getröstet und erhoben, die Liebe zur Nationalität und Nationalreligion rege erhalten, die Hoffnung auf Befreiung und auf eine glücklichere Zukunft genährt; „sobald aber die verheißene Zeit eingetreten war, die jedoch bei weitem nicht jenen idealen Vorstellungen, die im Herzen des Volkes ge-

*) Berlin, Ferd. Dümmler, 1885, XVI und 240 S. 8°.

nährt wurden, entsprach, musste auch notwendiger Weise das Ansehen der Propheten, sowie der Wert der freien Rede, in der die Kraft der Propheten lag, sinken". Deshalb erscheint uns auch die Konjektur unseres Autors, nach der das skeptisch-pessimistische Buch Koheleth (der Prediger Salomo) in dieser Zeit der ersten Enttäuschung nach Wiederherstellung des jüdischen Reichs entstand, sehr ansprechend.

Wenn er uns dann schildert wie die hebräische Litteratur gerade in der Zeit des Exils zur höchsten Blüte gelangte, da „die Politik keine Kräfte absorbirte" und wie dann die Liebe zum Volkstum auch die Liebe zur Sprache der Ahnen weckte, wie man sich bestrebte „die nationale Geschichte aus den Trümmern der Zeit zu retten und ihre Erhaltung durch Verbreitung im Volksleben zu sichern", wie man aus Volksliedern, Schlachtenverzeichnissen und Geschlechtsregistern eine nationale Chronik zusammenstellte, so finden wir auch hier viele Analogien mit unserer eigenen modernen Litteraturgeschichte.

Aber der Kultus der eigenen Nationalität kann auch ins Uebermaß getrieben werden, zur Absonderung, zur Unduldsamkeit gegen andere Nationalitäten ausarten. Aus solchem nationalen Fanatismus entstand die Konstitution Nehemia's, welche die Eheschließung mit Fremden verbot, ja die bereits geschlossenen Ehen annullirte, die überaus strenge Sabathfeier, über die Vorschriften des Pentateuch hinausgehend, einführte und fremde Sprachen verbot.

„Auch sah ich zu der Zeit Juden, die Weiber nahmen von Asdod, Ammon und Moab. Und ihre Kinder redeten die Hälfte asdodisch und konnten nicht jüdisch reden, sondern nach der Sprache eines jeden Volks. Und ich schalt sie und fluchte ihnen, und schlug etliche Männer und raufte sie, und nahm einen Eid von ihnen bei Gott: Ihr sollt eure Töchter nicht geben ihren Söhnen noch ihre Töchter nehmen euren Söhnen oder euch selbst." (Nehemia cap. 13.)

Ueberhaupt, wenn wir das Buch Nehemia mit seinen Verhandlungen und Maßregeln in Bezug auf die Sonntagsruhe, die soziale Frage und den Schutz der eigenen Nationalität lesen, glauben wir fast ein ganz modernes Werk vor uns zu haben.

Und wenn wir bei Rosenzweig weiter lesen, wie in jener Zeit nach dem Exil die Engel- und Dämonenlehre bei den Juden Eingang fand, wie die Dämonen allerlei Krankheiten verursachten und dagegen die strengen und minutiösen Vorschriften über Waschungen und Reinigungen erlassen wurden, so erinnern wir uns an die Bacillen und andere Mikroben, die jetzt für alle Krankheiten verantwortlich gemacht werden und gegen die wir uns auch nur mit Reinigungen und Waschungen — Desinfizirungen und Antiseptica — wehren.

Dagegen können wir unserm Autor durchaus nicht beistimmen, wenn er in den „Nethinim" des Buches Nehemia die späteren Essener sieht und aus einer Kaste von Tempeldienern eine religiös-philosophische Sekte macht, welche überdies zu einer Zeit auftauchte, da man die Nethinim schon seit einigen Jahrhunderten vergessen hatte. Im Buche Esra (VIII. 20) werden die Nethinim als Leute genannt, welche „David und die Fürsten" den Leviten als Hilfsdiener gaben. An dieser Stelle muss die Konjektur des Autors zerschellen; aber er hilft sich leicht darüber hinweg, indem er sie für eine „Glosse des spätern Verfassers oder Abschreibers, dem die Stellung und das Wesen der Nethinim nicht mehr klar war" erklärt. Aber bestanden denn zur Zeit dieses Verfassers nicht die Essener? wie konnte ihm also ihre Identität mit den Nethinim unbekannt sein?

Auch wie die Essener ihr Anfangs-N verloren und aus Nessinim Essener wurden erklärt Rosenzweig auf sonderbare Weise: „Das erste N wurde in der griechischen Aussprache elidirt, was um so annehmbarer ist als das N als Vorschlaglaut in den indo-germanischen Sprachen leicht abgestoßen wird; vergl. im Deutschen Natem und Atem, Nast und Ast; im Italienischen Nabisso und Abisso, Ninferno und Inferno." — Wir haben immer geglaubt, dass hier kein N abgestoßen sondern eins zugesetzt wurde.

Auch gegen den Stil unseres Autors hätten wir manches einzuwenden, wie er es auch selbst erwartet hat; da er sich schon in der Vorrede dagegen verteidigt. Freilich macht er durch diese Verteidigung die Sache noch ärger. Wir hätten sonst geglaubt die hie und da etwas schwülstige Ausdrucksweise sei im Naturell des Autors begründet; aber er gesteht selbst er habe absichtlich eine „etwas gehobene" Schreibweise, „die der wissenschaftliche Beurteiler nicht gut billigen dürfte" gebraucht, um seiner Schrift Leser aus „Laienkreisen" zu gewinnen. Wir sind aber der Ansicht, dass auch Laien, trotz ihres „schaurigen Indifferentismus" ein in einfacher schöner Sprache geschriebenes Buch, wenn es nur sonst interessant ist, lieber lesen werden als in gehobener Sprache. Unser Autor, der ja recht interessant zu schreiben weiß und die Zeit, die er behandelt sowie ihre und die spätere auf sie bezügliche Litteratur gründlich kennt, möge bei seinem nächsten Werke auf diesen falschen Schmuck verzichten.

Wien. M. Landau.

Litterarische Neuigkeiten.

Von Alfred Friedmann erschien soeben bei J. C. C. Bruns in Minden (Westphalen) ein Band, Novellen, Skizzen, Reisen, Litterarisches enthaltend, unter dem Titel: „Erlaubt und Unerlaubt“ und ein zweiter Band poetischer Erzählungen, mit dem Bilde des Verfassers und einer Widmung an die Stadt Wien: „Aus Höhen und Tiefen!“

Vor fünfzehn Jahren. Nach französischer Quelle und eigener Erinnerung. Ein Vortrag von Dr. Cosack, Major a. D. (Danzig, Kafemann). Diese treffliche Broschüre wendet sich vor Allem gegen die tendenziösen, von den gröbsten chauvinistischen Lügen und Entstellungen wimmelnden, Erinnerungen des General Ambert. — Interessant ist nur, dass die gedankenlose deutsche Presse jenes Machwerk mit hohem Wohlwollen besprach, während sie eine Dichtung wie „Dies irae“, deren divinatorische Richtigkeit gerade durch solche „Memoiren“ französischer Militärs bestätigt wurde, teilweise als eine Verletzung der erhabenen französischen Nation bezeichnete. Nur immer hübsch Hut ab vor Allem, was nicht — deutsch ist!

In Turin bei Casanova erschien „Novelle e Poesi Valdostani“ von G. Giacosa, und ein neuer Band Lyrik „Valsolda. Poesia Dispersa“ des genialen Fogazzaro, worin uns besonders die prächtige Uebersetzung von Heines „Ich hab im Traum geweinet“ (S. 89, „Ho pianto in sogno“) überrascht hat.

Das neuste Lieferungswerk der deutschen Litteratur trägt den Titel „Zwischen Donau und Kaukasus“, Land- und Seefahrten im Bereiche des Schwarzen Meeres. Von A. v. Schweiger-Lerchenfeld. (Mit 215 Illustrationen und 11 Karten, worunter zwei große Uebersichtskarten in Wandkarten-Format. 25 Lieferungen à 30 Kr. = 60 Pf. = 80 Cts. = 36 Kop. Wien, Pest, Leipzig, A. Hartlebens Verlag. Die Länder am Schwarzen Meere, an welche sich die ältesten völkergeschichtlichen Ereignisse knüpfen, sind heute und in der nächsten Zukunft der Schauplatz bedeutsamer Wandlungen und Umgestaltungen. Die Ereignisse, die sich dort vorbereiten, werden gewissermaßen die Schlussszene von Vorgängen bilden, die seit den ältesten Zeiten jene Region in Form von Völkerzügen, staatlichen Umwälzungen und ethnologischen Wandlungen zum Ausgangspunkte hatten. Mannigfache Interessen, sowohl reale als wissenschaftliche, sind damit verknüpft, der Teilnahme weiter Kreise für so hochinteressante Erdräume nicht zu vergessen. Das vorliegende Werk bezweckt, Länder und Völker in dem Gebiete des Schwarzen Meeres zu schildern, Vergangenheit und Gegenwart auf dem Boden der Ortskunde zu einem anziehenden Gemälde zu gestalten. Der weite Erdraum vom „goldenen Byzanz“ bis tief in die südrussischen Steppen hinein, von der unteren Donau bis zu den Stammsitzen der von Kriegeromantik und Völkersagen verklärten kaukasischen Aelpler, bildet den engeren Bereich der Schilderungen. Der Verfasser, der wiederholt am Schwarzen Meere geweilt und einen größeren Bereich desselben aus eigener Anschauung kennt, ist durch Kenntnisse und Erfahrungen in die Lage versetzt, die bedeutsame und dankbare Aufgabe befriedigend zu lösen.

A Singvögerle. Aus der Schläsing von Philo vom Walde. (Baumert & Ronge, Großenhain.) Ein reizendes Buch, in dem urfrische Volkspoesie quillt. Wir wünschen ihm viele Freunde.

„Klein-Deutschland. Bilder aus dem New-Yorker Alltagsleben. Von C. Stürenburg“ lautet der Titel eines Buches, welches vor Kurzem im Verlage von G. Steiger & Co. in New-York erschienen ist. Der interessante Inhalt umfasst folgende Hauptteile: Unser Hans. Bilder aus der Mietkaserne. Alte Bekannte. Fremdes Volk. Freudvoll und Leidvoll. Im Vorworte sagt der Verfasser: „Greif nur hinein ins volle Menschenleben!“ Nach diesem ermunternden Worte des weltkundigen Altmeisters hat der Verfasser aus dem bewegten Leben der amerikanischen Großstadt einzelne Bilder und Figuren, die nach seiner Ansicht das Interesse eines größeren Kreises wohl in Anspruch nehmen dürfen, zu zeichnen unternommen. Besonders sind es aber die charakteristischen Eigentümlichkeiten, Verhältnisse und Gestalten des deutsch-amerikanischen Lebens, die Revue passiren sollen. Da führt der Weg nicht durch die Salons der Reichen, sondern durch das bunte, laute, gemütvolle „Klein-Deutschland“ der gewaltigen Metropole, wo mehr als in den vornehmeren Stadtvierteln Kontraste sich jagen, wo das Volk zu gleicher Zeit Lustspiele und Trauerspiele aufführt, wo man mit den Fröhlichen lachen und mit den Traurigen weinen kann. Und weil in den Typen dieses Volkslebens seine Eigenart plastisch hervortritt, sind auch dialektische Anklänge nicht unterdrückt worden: wer das Volk kennen lernen will, wird auch zu schätzen wissen, wie das Volk seine Gedanken und Gefühle in Worte einzukleiden pflegt.“

Moskau 1812. Schauspiel von G. Felix (Berlin, Steinthal). Ein gutgemeinter Versuch, jenes große historische Drama dramatisch zu gestalten. Doch wollen wir, obschon uns sogar die obligate Deutsche Reich-Prophezeiung der Zarin am Schluss nicht erspart blieb, gern zugeben, dass gerade die Gestalt Napoleons mit Ernst und Eifer von dem gewiss noch sehr jungen Autor erfasst ist.

Maurice Souriau, de la Convention dans la Tragédie classique et dans le Drame romantique. Paris. Hachette 1885. Dieses Buch ist nur eine Doktoratsthese in im philologischen Fach, doch werden solche Arbeiten an der Sorbonne äußerst ernst genommen und haben immer einen beträchtlichen Umfang. Hier liegt sogar ein eigentliches Fachwerk vor über den Unterschied des klassischen Theaters aus dem 17. Jahrhundert und den neuromantischen Bühnenstücken, durch welche um's Jahr 1839 eine Neugestaltung der dramatischen Kunst versucht wurde. Der an sich sehr dankbare Stoff ist mit Gelehrsamkeit und mit Witz erschöpfend beschöpfend behandelt, besonders interessant aber sind die Schlußfolgerungen, zu welchen der Verfasser gelangt. Derselbe sieht in den großen Erfolgen, welche ihrerzeit V. Hugo, A. de Vigny und A. Dumas davontrugen, nur eine vorübergehende Erscheinung der Mode, ein Strohfeuer, welches schon längst erloschen ist. Die Werke der beiden letzteren Dichter sind von dem regelmäßigen Repertoire der höheren Pariser Bühnen bereits verschwunden. Victor Hugo erscheint noch öfter, aber aus Gründen, die mit dem eigentlichen Wert seiner Sachen wenig zu tun haben, und sein Verständniss kommt dem Publikum mehr und mehr abhanden. Aber die Schüler und Nachfolger? Die sind eben nicht da, oder ihre „Verdienste die blieben im Stillen“. Ganz ohne Wirkung war das neuromantische Theater freilich nicht, nur ist dieselbe ausschließlich negativ. Sie hat dazu gedient, das klassische System in Verruf zu bringen, aber an dessen Stelle ist nicht das neue mit Pomp verheißene Repertoire getreten, welches Shakespeare, Calderon und Schiller in Schatten stellen sollte, sondern das prosaische Rühr- und Familiendrama der Sardou, A. Dumas II und Anderer, in welchem halb geflennt, halb gelacht wird und tragische Gegensätze durch komische Mittel gelöst oder vielmehr nicht gelöst werden. Dass diese letztere Mischgattung gegenwärtig vorherrscht, ist bekannt, aber die Art und Weise, wie sie sich aus der sogenannten romantischen Reform herleitet, ist noch nirgends so klar und scharfsinnig dargelegt worden, wie in dem Sourianschen Werke.

Die Verlagsbuchhandlung von J. Bacmeister in Bernburg und Leipzig veröffentlichte vor Kurzem einen zwei starke Bände umfassenden Familien-Roman von Elly Reuss (E. Relly). Derselbe trägt den Titel: „Erreichte Ziele“.

Aus der von Adolf Kössner herausgegebenen Bibliothek spanischer Schriftsteller liegt Bändchen II und III vor. Ersteres enthält Comedias de Calderon I. Teil „La vida es Sueño“. Letzteres „Con mal o con bien a los tuyos te ten“. Novela por Caballero. Beide mit erklärenden Anmerkungen vom Herausgeber.

Die Librairie Hachette & Cie. in Paris kündigt soeben eine Uebersetzung von Julius Stinde „Die Familie Buchholz“ an. Der Titel lautet: „La Famille Buchholz Roman Traduit de l'allemand. Sur la trente-et-édition par Jules Gourdault“.

Die Bibliothek der Gesammtlitteratur des In- und Auslandes (Fünfundzwanzig-Pfennig Ausgabe) veröffentlichte soeben Nummern: 4 Lessing, Minna von Barnhelm. 5: Schiller, Wilhelm Tell. 6 und 7: Goldsmith, Der Landprediger von Wakefield. 8: Shakespeare, Julius Cäsar. Nummer 5 und die folgenden Bändchen sind mit kurzen bibliographischen Notizen versehen und hat bei allen die Puttkamer'sche Orthographie Anwendung gefunden. Diese Bibliothek verdient allseitig empfohlen zu werden.

Unter dem Titel „Ein neues Geschichtswerk über Russland“ von Professor A. Brückner in Dorpat erschien eine Broschüre, welche mitleidlos mit dem Werke „Wie Russland europäisch wurde. Von Ernst von der Brüggen“ umspringt. (Sonderabdruck aus der Nordischen Rundschau.) Man kann hier nur fragen: Was ist Wahrheit? — Das Ziel des uns in seinem politischen Streben wohlbekannten kurländischen Edelmanns ist jedenfalls ein uns sympathisches. Allerdings scheint die Entgegnung darauf in ihrer Schärfe oft überzeugend.

Im Verlag der litterarischen Anstalt in Frankfurt a. M. (Rütten & Loening) erschien soeben der VII. Band des „Goethe-Jahrbuchs“, herausgegeben von Ludwig Geiger. Dasselbe enthält den ersten Jahresbericht der Goethe-Gesellschaft. Der Herausgeber teilt ferner aus dem nun erschlossenen Goethe-Archiv in Weimar den ersten wertvollen Beitrag mit. Es sind dies die Leipziger Briefe Goethes an seine Schwester und an Behrisch, welche für die Erkenntnis von Goethes Jugendgeschichte von größter Bedeutung sind und eine Fülle bisher ganz unbekannter ungemein wichtiger Nachrichten enthalten. Der in jeder Beziehung reichhaltige Band sei unsern Lesern auf das Beste empfohlen.

Als Edition der Sektion Wien des Siebenbürgischen Karpathen-Vereins erschien im Wiener Verlage Carl Graeser eine kleine Schrift des hervorragenden Historikers und Publizisten Dr. Wilhelm Lauser: „Ein Herbstausflug nach Siebenbürgen“. Es ist ein Genuss, einem so geistvollen und tiefgebildeten Reiseführer in ein Land zu folgen, welches, durch landschaftliche Reize, völkerschaftliche Eigentümlichkeiten und historische Erinnerungen in gleicher Weise ausgezeichnet, doch bis allher die große Heerschaar der Touristen nicht angezogen hat, trotzdem es besonders für den Deutschen von lockendem Interesse sein muss, fern im Osten auf seine Brüder, auf seine häusliche Art und Sitte, auf das treu gewahrte deutsche Wort und auf die rein erhaltene deutsche Biederkeit zu stoßen. Der gute Deutsche von kräftiger Gesinnung und kräftigem Ausdruck spricht aus dem Büchlein und hebt es dadurch zu politischer Bedeutung empor; darüber erscheint aber weder die Schilderung der Landschaft, noch auch die Aufarbeitung des historischen Materials vernachlässigt: dort offenbart sich eine entzückende, plastische Darstellungskraft, hier ein umfassendes Wissen, verarbeitet in einem patriotischen Herzen. Das reich illustrirte Werkchen ist des wärmsten Entgegenkommens seitens des lesenden Publikums würdig.

Hodika. Vaterländischer Roman von Ferdinand Pflug. (Hinstorff, Rostock). Geschichte und Sage verweben sich in dieser neusten Arbeit des rühmlichst bekannten Verfassers. Hier finden sich die frühesten Anflüge des folgenschweren Ringens enthalten, welches Germanen- und Wendentum in den Ostmarken des Reiches zu durchkämpfen hatte, ehe sich aus der Mischung beider Elemente das moderne Preußentum entwickelte.

Ein erschöpfendes, großzügiges Bild der Wirksamkeit des österreichisch-ungarischen Noten-Institutes seit der auch historisch denkwürdigen Errichtung der dualistischen Bank bis auf die letzten Tage, eine klar gegliederte Darstellung ihrer heutigen Gestaltung und Organisation, eine Zusammenfassung der einschneidenden, in ihren Folgen so segensreichen Reformen, die auf allen Gebieten ihrer Thätigkeit durchgeführt wurden, Alles in Allem: die unwiderlegliche Beweisführung des mächtigen Aufschwunges, den das Institut als solches und besonders in seinem Verhältnisse zu Ungarn in der, im Titel genannten Zeitperiode genommen hat, das ist das im Verlage von Alfred Hölder, Wien, erschienene Werk „Die Verwaltung der österreichisch-ungarischen Bank 1878 bis 1885“ von Gustav Leonhardt. All jene Momente finden in dem Autor, der die Geschichte der Bank nicht nur geschrieben, sondern in seiner Stellung als deren Generalsekretär auch selbst gemacht hat, einen nüchtern-vornehmen Darsteller, der auf dem Boden von Daten und Thatsachen eine Fülle volkswirtschaftlicher Reflexionen in so vollendet klassischer Form sprießen lässt, dass wir seinem Werke auch in stilistischer Hinsicht in der ganzen einschlägigen Litteratur kein zweites an die Seite zu stellen wüssten.

Am 17. April starb im Haag die bedeutendste Romanschriftstellerin der Gegenwart, Anna Luise Gertrud Bosboom-Toussaint, im Alter von 73 Jahren. Vor drei Jahren, an ihrem 70. Geburtstag, hatte ihr das ganze intellektuelle Niederland eine großartige Freude bereitet. Sie war in Alkmaar am 16. September 1812 geboren und seit 1851 mit dem ausgezeichneten niederländischen Maler Bosboom vermählt. Ihr erster, epochemachender Roman, „Das Haus Lauernesse“, wurde in fast alle europäischen Sprachen übersetzt. Viele andere historische Romane folgten. Sie sind immer etwas breit, aber immer aus wohltuender Herzenswärme, mit tüchtigen geschichtlichen Kenntnissen und mit verständiger künstlerischer Anordnung behandelt. Professor Son ten Brinck in Leiden hat vor drei Jahren ein sehr ansprechendes Lebensbild von ihr herausgegeben.

Der Verein zur Errichtung eines Denkmals für Walther von der Vogelweide in Bozen hat an die Dichter Tirols einen Aufruf erlassen, welchem wir folgende Stellen entnehmen: „Bozen, die urdeutsche Grenzwarte unseres geliebten Heimatlandes, wird in nicht mehr ferner Zeit an die Verwirklichung eines patriotischen Planes gehen, welcher, von der opferfreudigen Teilnahme des In- und Auslandes getragen, einen bleibenden Kunstschmuck der Stadt und ein leuchtendes Denkmal des im Lande waltenden deutschen Geistes ins Leben rufen soll. Dem bedeutendsten Minnesänger des Mittelalters, Walther von der Vogelweide, wird auf dem schönsten Platze unserer Stadt ein würdiges Denkmal erstehen. Mit diesem Unternehmen, zu dem nunmehr die Vorarbeiten emsig betrieben werden, wird ein zweites, nicht minder patriotisches, Hand in Hand gehen. Wieder soll, wie einst zu Walthers Zeiten, manch' herzerfreuendes Lied unsere Täler durchdringen und im freien Sange Zeugenschaft dafür ablegen, dass im Volke von Tirol der poetische Geist einer glorreichen Vorzeit keineswegs erstorben ist. Die Vereinsleitung hat nämlich einstimmig den Beschluss gefasst, es sei zum Besten des Walther-Denkmals eine wertvolle dichterische Festgabe zu schaffen. Dieselbe wird in einem, mit künstlerischer Zier reich und vornehm ausgestatteten Buche bestehen, welches in bezeichnender Auswahl das poetische Können und Streben unserer heimatlichen Sänger veranschaulicht. Nachdem für die bildliche Ausschmückung bereits die hervorragendsten einheimischen Künstler gewonnen sind, wäre neben einzelnen auserlesenen Stücken jener tirolischen Dichter, welche nicht mehr zu den Lebenden gehören, nun auch eine recht eifrige Beteiligung aller gegenwärtigen poetischen Kräfte des Heimatlandes in hohem Grade erwünscht. Ob diese Beiträge zu unserem Werke lyrischer oder epischer Art sind, oder ob sie, freilich nur in ganz engem Rahmen, eine dramatische Arbeit darstellen, ist ohne Belang; ebenso bleibt die Wahl des Stoffes, so angemessen eine Beziehung auf die Geschichte, die Litteratur und die landschaftliche Schönheit Tirols sein dürfte, dem freien Erachten der mitarbeitenden Dichter anheimgestellt. Poesien politischen Gehaltes und solche von verletzender Wirkung sind natürlicherweise ausgeschlossen.“ Mit der Herausgabe und Redaktion des Werkes ist der k. k. Gymnasial-Professor Dr. Ambros Mayer betraut, an welchen alle Einsendungen zu richten sind.

Aus Zeitschriften.

Der Allgemeine Litterarische Wochenbericht (Herausgeber Dr. Max Vogler) enthält in Nr. 16 und 17 einige recht interessante Artikel „Die Kritik und die Lüge.“ — „Ein journalistischer Emporkömmling.“ Bravo, vereint vorwärts im Kampfe für Reinigung der Presse!

Nr. 730 der „Academy“ enthält einen interessanten Nekrolog unseres geschätzten Mitarbeiters Dr. E. Oswald, der auch als Präsident der Carlyle-Gesellschaft in London sich so manches Verdienst erwarb, über E. Ollier. — Wir erfahren sodann, dass die Shelley-Gesellschaft eine Aufführung des monströsen, weit überschätzten Shelleyschen Dramas „Die Cenci“ am 7. Mai durchgesetzt hat. (Merkwürdigerweise haben bei uns die Meininger zu gleicher Zeit den „Marino Faliero“ Byrons auf die Bühne gebracht.) Der geistreiche, oft nur ein wenig geistreichelnde Shelley-Apostel Dr. J. Todhunter hat einen Prolog dazu geschrieben. — Das ausgezeichnete Werk von Hon. Roden Noel (Kegan Paul) „Essay on Poetry and Poets“ wird gebührend gewürdigt. Ein uns unbekannter Poet, Ernest Myers, wird ausführlich behandelt, der wieder mal ein „Judgement of Prometheus“ geleistet hat. Immer und immer wieder die Allegorie-Schule von Shelley und Keats! — Die Korrespondenz Disraeli-Beaconsfields mit seiner Schwester (John Murray) scheint einer langen Besprechung von H. Garrod nach kaum lesenswert.

Alle für das „Magazin“ bestimmten Sendungen sind zu richten an die Redaktion des „Magazins für die Litteratur des In- und Auslandes“ Leipzig, Georgenstrasse 6.

Im Verlage der K. Hofbuchhandlung Wilhelm Friedrich in Leipzig erschien soeben:

Totentanz der Liebe. Münchener Novellen. Von M. G. Conrad.

in 8. eleg. br. M. 6.— eleg. geb. M. 7.—

„Conrads Stil, sein ganzer litterarischer Habitus ist des öfteren mit dem Heines und Johannes Scherr in Vergleich gezogen worden, wie uns dünkt, mit Unrecht. Conrad hat zwar mit Heine den leichtflüssigen Stil, die geistessprühende Sprache, mit Scherr nicht selten neue kraftgenialische Redewendungen, die Wucht des Ausdrucks und, wenn man will, jene bekannte göttliche Grobheit gemein, die den Züricher Professor auszeichnet. Sein heisser Patriotismus, der ungebändigte Enthusiasmus für Aufklärung und Freiheit scheint sich noch am ehesten mit dem Bilde Börnes zu decken. Weshalb übrigens nach Vergleichen suchen, wo uns eine ausgeprägte, schon in sich berechtigte Eigenart entgegentritt." Augsb. Abdztg.

„Die alten Meister pflegten nur selten ihren Gemälden die Signatur beizufügen, man erkennt sie doch an der Pinselführung, der Farbenmischung, dem wesentlichen Inhalt ihrer Schöpfungen. Gleicherart bedurfte es bei einem Buche eines Meisters, wie Conrad, keiner Namensnennung, der Autor wäre nach wenigen Seiten doch sofort erkannt. Er hat den Standort seiner Beobachtungen aus Paris nach München verlegt, aber der heimische Boden hat nur verjüngend auf ihn gewirkt — der Riese hat wieder die Mutter berührt und es wachsen ihm neu die Kräfte! — Die gleiche Schärfe der Auffassung, die gleiche Ehrlichkeit der Schilderung, die auch einem etwas gewagten Bilde nicht in heuchlerischer Verschämtheit ausweicht, die Conrads frühere Bücher: „Madame Lutetia", „Lutetia's Töchter" und „Flammen!" auszeichnet, findet sich auch in seinem neuen Werke. Es ist eine markige Gestaltungskraft, die, uneingeengt von konventionellen Fesseln das Leben zeigt, wie es ist, nicht wie es von Schönfärbern gemalt sein will, die dem Hässlichen nicht ausweicht, aber — und darin unterscheidet sich Conrad sehr zu seinem Vorteile von seinen französischen Vorbildern, Zola und seiner Schule — auch das Schöne sieht und es darzustellen weiss. Gesunde Sinnlichkeit atmet durch das Buch, nicht krankhafte Lüsternheit und darum wird es keinen Anstoss erregen bei den „freien Geistern", denen Conrad schon früher einmal ein Werk gewidmet. Einen herzlichen Willkommengruss darum dem Dichter auf heimischer Erde und den Ausdruck der frohen Zuversicht, dass er daselbst genug des Schildernswerten finden werde, um ihn dauernd zu fesseln!" Wiener Allgemeine Zeitung.

Lutetias Töchter. Pariser-deutsche Liebesgeschichten. Von M. G. Conrad.

in 8. eleg. br. M. 5. eleg. geb. M. 6.—

„Eine Sammlung von höchst geistreichen und lebendig geschriebenen novellistischen Skizzen aus dem grossen Paris. Die Naturwahrheit dieser grossen Schilderungen ist frappant ... Ein schwüler Hauch brütet über dem Buche, aber es enthält Thatsachen. Gesunden Lesern darf es bestens empfohlen werden." Deutsche Wochenschrift.

(„Conrad bekennt sich als Poet zur naturalistischen Schule bis in die letzten Konsequenzen naturwahrer Schilderung von Dingen und Zuständen. Und auch in der Stoffwahl ist Conrad Naturalist und greift ganz resolut auch dort ins volle Menschenleben, wo es sich in seinen dunklen und dunkelsten Nachtseiten offenbart." Tägliche Rundschau.)

„In diesen Erzählungen hat Conrad seinen eigenen Stil, seine eigene Manier. Er spricht starkgeistig und volltönend, geht gerade aus, fasst alles sicher an, lacht manchmal helllaut auf, dass sein Lachen ansteckend wird, oder spitzt bloss nur den Mund zu einem liebenswürdigen, schelmischen Lächeln." Montags-Revue.

„... Es ist überhaupt interessant zu beobachten, wie sich diese deutsche Kraftnatur, der deutsche Patriot, das warme deutsche Herz in diesen Pariser Geschichten äussert, die zum Teil sehr pikante Stoffe behandeln. Der Deutsche versinkt nicht in dem Stoff, er wird Herr über ihn, er erzielt schliesslich trotz des verfänglichen Stoffes einen sittlichen Eindruck." Didaskalia.

„Von M. G. Conrad Novellen lesen heisst sinnlich kräftigen Darstellungen in der plastischsten Form begegnen." Elberfelder Zeitung.

„... Diese Erzählungen haben, so übermütig launig, so gefährlich-pikant sie einem deutschen Geschmacke vielleicht erscheinen mögen, einen ernsten, sozusagen kulturhistorischen Hintergrund. Ueberall, selbst bei den bedenklichsten Situationen liest man, stellt man sich nicht von vornherein auf den Standpunkt der Böswilligkeit, das heilige Bestreben, die Welt zu schildern, wie sie ist, zwischen den Zeilen, überall hat das Buch den hellen Klang der Wahrheit." Der Sammler.

Madame Lutetia! Neue Pariser Studien. Von M. G. Conrad.

in 8. eleg. br. M. 6.— eleg. geb. M. 7.

„Unter diesem Titel veröffentlich Dr. M. G. Conrad in einer Reihe von bunten Aufsätzen ein Buch über das Paris von heute, wie es prächtiger und lebensvoller nicht gedacht werden kann. Der Verfasser häuft darin ein Material des Interessanten und Wissenswerten vor uns auf, das wahrhaft imposant genannt werden muss." Tägliche Rundschau.

„... Und eine so genaue Kenntnis der litterarischen Welt in Frankreich, einen so tiefen Einblick in die Charaktere und Eigentümlichkeiten seiner Künstler und Gelehrten, zugleich in die Sitten und Verhältnisse der heutigen Gesellschaft in Paris, als wir uns nur wünschen können." Bayr. Landbote.

„Der Verfasser, bekanntlich einer unserer schneidigsten Schriftsteller und zugleich überzeugter Realist, giebt in diesen neuen Pariser Studien wieder eine Anzahl jener reizenden Skizzen, die scharfe Beobachtung mit fesselnder Darstellung verbinden." Echo.

„... Mit dem raschen und sicheren Blick, der das Wesentliche und Bezeichnende aus dem Wuste des Zufälligen und des aufgeputzten Scheines herausfindet, verbindet Conrad die Gabe der stets unterhaltenden Darstellung und der schwungvollen Diktion." Neueste Nachrichten.

„Wie in früheren feuilletonistischen und sozialpolitischen Schriften, welche diesem Autor seinen Ruf gaben, hatten wir auch Seite für Seite die seiner Feder eigene geistvolle, oft satirische Behandlung des vielseitigen Pariser Lebens zu bewundern, — getreue Spiegelbilder, deren Flecken und krasser Stoff nicht dem Darsteller zum Vorwurf, sondern vielmehr seiner Wahrheitsliebe zum Verdienst gereichen. Wer zwischen den Zeilen liest, wird unter dem leichten, plaudernden, prickelnden Stil immer wieder einen ernst sittlichen Kern entdecken, der von seinen vorurteilsfreien Anschauungen, seinem edlen Streben und Ringen zum Besten der Menschheit und seiner unbeengten, wahrhaft patriotischen Liebe zu Deutschland zeugt ..." Weltpost.

Flammen für freie Geister. Von M. G. Conrad.

in 8. eleg. br. M. 5.— eleg. geb. M. 6.—

„Wer ein offenes Auge, ein offenes Ohr für Freiheit und Fortschritt auf allen Gebieten des Wissens, des Glaubens und der Gesellschaft hat, der findet hier Anregung, Belehrung. Die Sprache ist originell, oft fast zu kernig." Neue Welt.

„Ein seltsamer, aber vollauf gerechtfertigter Titel, denn es wehen helle Flammen in dem Buche, feurige, luftreinigende Blitze zucken daraus hervor und werfen so kräftige Streiflichter auf die verschiedenen wunden Punkte unserer Zeit, dass sie jeden ehrlichen Freiheitsfreund bis ins innerste Herz erwärmen müssen ... Den ganzen Zorn eines edlen freien Herzens hat Conrad ausgeströmt in diesen Blättern; mit überwältigender Macht braust er einher und schlägt die Falschen nieder und reinigt die Seele von dem Gifte, das sie täglich einschlucken muss. Ja, fürwahr, wie eine rettende That wirken diese lodernden Worte eines Mannes, der keine andere Rücksicht kennt, als die auf die Wahrheit." Deutsche Volkszeitung.

„Mit gewichtigen Keulenschlägen zieht der in Paris lebende Verfasser, dem schon mehrfach die Ehre zu Teil wurde, seine Schriften auf den Index gesetzt zu sehen, gegen Missbräuche aller Art zu Felde. — Er widmet der deutschen Judenhetze ein Kapitel, das heutzutage Jeder lesen sollte, er bespricht den Lissaboner und Wiener Kongress, er betrachtet das Weib und die Freimaurerei. Auch hier verleugnet er seine löbliche Tendenz nicht, mit altem Schutt aufzuräumen, und manches Kraftwort kennzeichnet die Schwächen, deren sich auch die Logen schludig machen. Man muss nicht meinen, diese Kapitel seien nur Freimaurern, Brüdern, verständlich; wer ein offenes Auge, ein offenes Ohr für Freiheit und Fortschritt auf allen Gebieten des Wissens und Glaubens hat, der findet hier Anregung, Belehrung. Die Sprache ist originell, oft fast zu kernig; aber gewisse Dinge kann man nicht mit Glacehandschuhen anfassen. Das Buch verdient die weiteste Verbreitung." Neue Illustrierte Zeitung.

Für die Redaktion verantwortlich: Karl Bleibtreu in Charlottenburg. — Verlag von Wilhelm Friedrich in Leipzig. — Druck von Emil Herrmann senior in Leipzig.

Dieser Nummer liegt bei ein Prospekt über Julian Schmidt, Geschichte der deutschen Litteratur.

Das Magazin
für die Litteratur des In- und Auslandes.

Wochenschrift der Weltlitteratur.

1832 gegründet von Joseph Lehmann.

55. Jahrgang.

Preis Mark 4.— vierteljährlich.

Herausgegeben von Karl Bleibtreu.

Verlag von Wilhelm Friedrich in Leipzig.

No. 24. — Leipzig, den 12. Juni. — 1886.

Inhalt:

Optimismus und Pessimismus.

Wenige philosophische Begriffe dürften so popularisirt worden sein, als diese beiden; man hört sie von allerlei Leuten anwenden, die sich nie um ein philosophisches System gekümmert haben. „Sie sind Pessimist?“ fragte mich neulich Jemand. „Je nachdem, wenn ich gut gespeist, eine schön brennende Havanna-Cigarre und die Quartalsmiete parat liegen habe, so bin ich Optimist, eigentlich aber und sonst bin ich Pessimist.“

Optimisten und Pessimisten, man könnte ebensowohl von Zufriedenen und Missvergnügten sprechen. Ernsthaft genommen, handelt es sich da um uralte Gegensätze, zwei verschiedene Weltanschauungen, die zu allen Zeiten nebeneinander hergegangen sind und zu einer höheren Einheit verschmolzen werden müssen, wenn man der Wahrheit auf die Spur kommen will. Les extrêmes se touchent. Verständigen wir uns zunächst über den Sinn, der obigen beiden Wörtern beigelegt wird.

Denken und Handeln des Optimisten beruhen auf der Voraussetzung von der Güte der Menschennatur und der Wohlgeordnetheit der Schöpfung, während der Pessimist die Ueberzeugung von der Schlechtigkeit der Menschennatur und der Mangelhaftigkeit der Weltordnung gewonnen zu haben glaubt. Gestatten Sie mir hierzu zwei Beispiele aus der Geschichte. Wer nicht durch eignes Studium der römischen zu dem Resultat gelangt ist, kann es sich aus der gründlichen historischen Untersuchung Beulés über: „Augustus, seine Familie und seine Freunde“ aneignen, dass dieser große Kaiser seinen Kalkül auf die schlechten Leidenschaften der römischen Gesellschaft begründet hat. Wäre Augustus ein Menschenfreund, der wahre Freund seines römischen Volkes, eine edle Natur, ein Optimist gewesen, hätte er den Versuch gemacht, die republikanischen Tugenden zu erneuern, die entarteten Römer zu regeneriren, die Welt hätte ein anderes Aussehen bekommen mögen.

Ein solcher Menschenfreund, voll Liebe und reformatorischen Eifers für die seiner Regierung anvertrauten Völker, die edelste Menschennatur, die je einen Tron geziert hat, war Kaiser Joseph der Zweite. Aber wie anders endete er, als Augustus! Noch nicht fünfzig Jahre alt, wurde er gebrochenen Herzens, in dem Bewusstsein, alle Reformen vergebens angestrebt zu haben, durch den Tod abgerufen. Dieser Vergleich, dem man aus dem Alltagsleben unzählige Beispiele anreihen könnte, liefert zugleich den Beweis, dass die „handgreiflichen“ Resultate nicht auf Seite der Optimisten zu sein pflegen.

Heut wissen wir es freilich, dass die Saat des edelsten Habsburgers nicht verloren gegangen ist, dagegen diejenige des schlauen Augustus den Untergang des römischen Reiches befördert hat. Es ist wahr, Geschichte und Naturwissenschaft scheinen dem Pessimismus das Wort zu reden, aber die Aufgabe der modernen Philosophie dürfte es sein, beide Weltanschauungen zu vereinigen, da man keiner derselben für sich eine absolute Berechtigung zugestehen kann.

Sollte nicht in der innersten Verbindung der positiven Elemente von Optimismus und Pessimismus eine Weltanschauung zu gewinnen sein, die unserer Bildung Solidität und Harmonie verleiht?

Eine derartige Amalgamirung vollzog die katholische Kirche in ihrer Art, indem sie die Lehre aufstellte, die Erde sei gar nicht für unseren dauernden Aufenthalt geschaffen, sondern nur eine Vorbereitungsschule für das ewige Leben in einer anderen, besseren Welt. Diese Voraussetzung von einer Erziehung des Menschengeschlechts finden wir in einer Variation bei Lessing wieder. Dass die Lehre der katholischen Kirche als Weltanschauung theoretisch das ganze Mittelalter beherrschte und noch heute trotz der gewaltigsten Bekämpfung von weitreichender Gültigkeit, ist bekannt.

Wenn man den Streit zwischen Optimismus und Pessimismus als das Bestreben ansieht, zu einer wissenschaftlich stichhaltigen Weltanschauung (in ethischer Beziehung) zu gelangen, so kann man sagen, dass Lessing dieses Ziel zu erreichen suchte durch die Forschung nach Wahrheit, wobei er es mehr auf die Forschung, als auf die Wahrheit selbst absah, da es eine reine (absolute) Wahrheit für den Menschen nicht gebe. Goethe suchte und glaubte jenes Ziel in der harmonischen Ausbildung der Persönlichkeit und rastloser Tätigkeit zu finden, Schiller in der ästhetischen Erziehung des Menschen, mit anderen Worten, in der bildenden Wirkung der Künste Jean Paul endlich löste die Gegensätze in den Humor auf.

In einem Aufsatze des trefflichen Friedrich Kreyssig: „Ueber die pessimistische Strömung in der Litteratur unserer Zeit" wird der Pessimismus gegen Friedrich von Hellwald in folgender Weise abgefertigt: „Das Leben ist schlechtweg dazu da, damit ein Jeder an seinem Platze seine Schuldigkeit tue. Wo das geschieht und in dem Maße, als das geschieht, ist der Weltzweck erfüllt und Alles in bester, vollständigster Ordnung, ist auch gar keine Veranlassung, zu pessimistischer Verzweiflung, vielmehr Alles so gut — als wir es eben vertragen können."

Diese Abfertigung erscheint mir, offen gestanden, als etwas philiströs, auch abgesehen davon, dass Tausende gar nicht das Glück haben, auf ihren Platz, oder überhaupt nur auf einen Platz gestellt zu sein.

In der philosophischen Litteratur besitzt der Pessimismus zwei glänzende Vertreter: Schopenhauer und Eduard von Hartmann; in die poetische hat er sich als „Weltschmerz" durch Lord Byron, Lenau, Heinrich Heine eingeführt, die als echte Poeten ihre persönlichen Empfindungen zu Empfindungen der Zeit erweiterten.

„Den Albigensern folgen die Hussiten
Und zahlen blutig heim, was jene litten;
Nach Huss und Ziska kommen Luther, Hutten,
Die dreißig Jahre, die Cevennenstreiter,
Die Stürmer der Bastille und so weiter.'

Ebenso häufig, als von Optimismus und Pessimismus hört man von Idealismus und Realismus reden und haben diese Begriffe in mannigfacher Anwendung mit jenen eine Verwandschaft.

Der Idealist wendet sich so viel als möglich von der niederen Alltäglichkeit des Lebens ab in eine Welt der Gedanken (Flucht in die Welt der Ideale), der Realist stellt sich auf den Boden der Tatsachen, will nur mit den gegebenen Faktoren rechnen und gewinnt auch wirklich im Leben vor dem Idealisten stets einen sichtbaren Vorsprung.

Aber auch die Einseitigkeiten von Idealismus und Realismus können aufgehoben werden durch Verschmelzung beider zu harmonischer Lebensführung, denn die Uebertreibung des Idealismus führt zur Schwärmerei, die Forcirung des Realismus zum Materialismus, das ist die Tronerhebung des sinnlichen Genusses.

Die häufigste Anwendung finden jetzt Idealismus und Realismus in Kunst und Poesie, worin seit Jahrzehnten beide Richtungen in beständigem Kampfe liegen. In der deutschen Poesie gilt Schiller als der größte Idealist, Goethe als der größte Realist, doch wird ein sorgfältiges Studium beider Dichter zu der Ueberzeugung führen, dass diese Unterscheidung nur dann einen Sinn hat, wenn sie sich auf deren Produktionsweise bezieht. Idealisten sind sie Beide gewesen, wie denn der wahre Poet, will er nicht die Poesie negiren, gar nicht anders, als Idealist sein kann.

Die Wohltäter der Menschheit sind allemal Idealisten gewesen und wird auch in aller Zukunft jeder Vorschritt in ihrer Entwickelung dem Idealismus zu verdanken sein.

Berlin. Gustav Sandheim.

Zur Germanisirung.

Während unsere Volksvertretung sich müht die Summen und Mittel zur Germanisirung der polnischen Provinzen herbei zu schaffen, hat in den Vereinigten Staaten ein einzelner Mann, der mit nichts als seiner Intelligenz und seinem deutschen Herzen in der neuen Welt ankam, unserer deutschen Zunge ein Heer angeworben, das, nach der Tätigkeit einiger Jahre, jetzt vermutlich schon hunderttausende von Seelen, oder besser Seelchen, weit übersteigt. Dieser Getreue heißt W. W. Coleman und ist der Herausgeber einer der gediegensten großen Zeitungen der neuen Welt, des „Milwaukee Herold". Eines Morgens wurden in Milwaukee viele Tausend kleine Zeitungsblättchen; vier Seiten Oktav, verteilt und versandt mit dem nett verzierten Kopftitel: „Kinder-Post". Der Inhalt der deutlich gedruckten kleinen Zeitung bestand aus einem Gedichte, einem Bildchen, einer Erzählung, drei bis vier verschiedenen Besprechungen, dem Briefkasten des Kinderpost-Mannes und einem Rätsel. Die Kinder-Post wurde in den

Schulen verteilt und wer sich dieselbe holen oder bestellen wollte, erhielt das deutsche Blättchen auch gratis. Alle acht Tage wiederholte sich dasselbe, für die kleinen Germanen aufregende Ereignis. Binnen Jahresfrist mochte kein deutschredendes Schulkind ohne die Kinder-Post sein innerhalb der Grenzen der Vereinigten Staaten und weit über dieselben hinaus, es wurde eine vortrefflich redigirte „Jugend-Post", gleichfalls illustrirt und in der Ausdehnung eines Bogens, eine Lehrerpost und ein gelbes Blättchen, „A. B. C.-Post", gleichfalls illustrirt, hinzugefügt, und die englischen Kinder beneiden ihre deutschen Mitschüler jeden Montag bei der Verteilung des großen Post-Konvolutes so sehr, dass von ihnen eifriger denn je die Sprache studirt wird, in welcher so hübsche Dinge erzählt werden. Herrn Colemans Staatsstreich, sein Okuliren des wurzelechten Stammes gelang bestens und gestaltet sich mehr und mehr zu einem lukrativen Geschäfte, denn der Amerikaner lässt sich nicht gern beschenken, es gelang, weil er die schöne deutsche Absicht im amerikanischen Geiste ausführte und das Unternehmen bereits riesig emporwuchs, ehe die Opposition eine Gefahr ahnte. Die Kinder-Post, deren Mitarbeiter nie mit ihrem Familiennamen, außer in einem jährlich erscheinenden Register, genannt werden, ist konfessionslos, sie moralisirt nicht, sie ist frei von dem deutschen Erbübel, der Sentimentalität. Wenn, neuesten Forschungen zu Folge, keine Nation so viele Selbstmorde verzeichnet als der germanische Stamm, so mag daneben erwähnt werden, dass keine andere ihre besten Impulse so reichlich im Wetterleuchten der Sentimentalität verpufft. Die Kinder-Post redet zu jungen selbständigen Staatsbürgern, sie führt ihnen in ansprechendster Form Ursache und Wirkung vor das Gemüt. Der kleine Amerikaner weiß nichts vom Schulzwang, aber er weiß, dass sein Können seine Zukunft bedeutet. Der zehnjährige Bube ist sich klar, dass seine Eltern, auch die wohlhabenden, in fünf bis sechs Jahren ein Kostgeld von ihm erwarten, dass er jenseits der Schulbank sich etabliren, verheiraten und jeden Gebrauch seiner Freiheit machen kann, frei aber macht ihn — mit wenig zumeist für den Betreffenden unheilvollen Ausnahmen — seine Erwerbsfähigkeit. Ein Millionär sagte mir: Mein siebzehnjähriger Sohn unterwirft sich meinen Ansichten nur aus gutem Willen und sein: Never mind Papa, ich verdiene mehr als ich brauche! legt mir die Rücksicht gegen ihn auf, welche der deutsche Jüngling gewöhnlich bis hinein in die zwanziger Jahre gegen den zahlenden Vater zu nehmen hat!

Die Kinder- und Jugend-Post ebnet jener Intelligenz die Wege, indem sie Land und Leute, Ereignisse und Erfahrungen in knapper Fassung, manchmal wie ein Zeitungsreferat, schildert — jener praktischen Intelligenz, welche drüben der Schulbildung beinah mehr gegenüber, als zur Seite steht. Wer je im Hinterwalde lebte, staunt was der Mensch alles ohne Schule wissen kann. Ich las einem Holzhacker, der nie Unterricht genoss, ein Gedicht vor, und einige Tage später brachte er mir ein paar sehr geläufige, gut geschriebene Strophen in demselben Versmaße.

Im Jahre 1880 war die deutsche Sprache in den Vereinigten Staaten von der zweiten deutschen Generation noch so wenig geachtet, dass selbst die Kinder eines deutschen Dichters von Ruf unter sich englisch redeten. Eine Bäckerfrau versicherte, sie prügelte ihre Kinder genug deshalb, aber sie schämten sich deutsch zu reden. Freilich war das Deutsch der germanischen Stadtquartiere ein bis zur Karrikatur mit Englisch verquicktes Idiom oder ein Plattdeutsch, dessen sich sogar die Süddeutschen bedienten, welche dasselbe in der Heimat gar nicht gekannt hatten. Das Selbstbewusstsein der jetzt zur Geburts-Aristokratie zählenden May-Flower-Einwanderer hatte sich stolz auf seine englische Souveränität über das Sprachen-Chaos der alten und eingewanderten Landsleute erhoben, aber die Zeit kommt heran, wo auch die deutsche Stimme in ihren Mutterlauten gewichtige Entscheidungen aussprechen darf. Die Sendboten, welche in Form litterarischer Geistesgaben, in der Person bedeutender Männer, als Erzeugnisse von Kunst und Wissenschaft hinüber gehen aus Deutschland, haben immerhin bedeutenden Einfluss, aber derselbe ist ein sehr beschränkter, gegen die tausend- und abertausendfältigen Missions-Erfolge in der Kinderstube, neben dem häuslichen Kamine, sich durch Kindermund ausbreitend, mit der Wichtigkeit der unschuldigen Jugendeindrücke.

Lingen. E. von Dincklage.

Armenische Schriftsteller.

II.

Pater Leo Alischan.

„Notre role historique n'était pas grand, mais nous avons participé à tout," sagte einmal Alischan bei Gelegenheit einer Prüfungsfeierlichkeit, als er noch Vorsteher der armenischen Muradjan-Schule in Paris war. Seine Worte lassen sich auch auf das bisherige wissenschaftlich-litterarische Wirken der Armenier anwenden. Dieses ist bis heute noch kein glänzendes, einflussreiches, aber es berührt Alles, es bildet ein kleines „Ganzes", das, wenn es sich so wie bisher weiter entwickelt, ein „Großes" werden kann. Der beste Anhaltspunkt für eine solche Voraussetzung ist die litterarische Tätigkeit Alischans selbst.

Dieser Dichter und Schriftsteller wurde vor mehr als einem halben Jahrhundert zu Erserum geboren, also gerade im Herzen seines Heimatlandes, in mitten desjenigen Teiles seines weit zerstreuten Volkes, der noch nationale Eigenart und Sitte bis auf den heutigen Tag in unversehrter Reinheit bewahrt hat. Die Eindrücke, die er in den Kinderjahren in seiner Heimat empfing, begleiteten ihn bis weit in die Ferne und verblichen auch dann nicht, als der reichbegabte Mann in mitten der europäischen Zivilisation von ungleich glänzenderen Bildern umgeben war, als es die seiner Heimat sind. Wie viele andere vom Triebe zu litterarisch-wissenschaftlicher Tätigkeit beseelte Armenier, trat auch Alischan in den Mechitaristenorden ein und fand so als Geistlicher genügende Muße zu seinen Studien und Arbeiten. Seine zarte und empfängliche Natur verwelkte jedoch nicht in der Zelle des Klosters, nein, sie blieb frisch und entwickelte sich. Allerdings ist es augenscheinlich, dass Alischan ein weit größerer Dichter geworden wäre, wenn er mitten im Wogenschlage des Lebens geblieben und nicht die Klosterschwelle betreten hätte. Trotzdem ist er ein bedeutender, empfindungsreicher Schriftsteller, dessen Lieder und Gesänge zu den schönsten Zierden des neu-armenischen Schrifttums gehören.

Der Hauptzug seiner Lyrik ist eine weihevolle, edle Heimatsliebe und die Bilder der Heimat, ihre Natur, ihr Lenz, ihr Himmel und ihre Sonne, ihre Erinnerungen, Freuden und Leiden, malt und besingt, beweint und beklagt er in seinen Dichtungen mit immer neuen Farben und Klängen. Von der Königin der Adria, wo sein Kloster steht, entschwebt seine Phantasie ins Morgenland, in seine Heimat, wo er die Kindertage verlebt, und er schaut all die Pracht des wonnigen Südens, den Schneeschimmer des Ararat und die Ruinen der einstigen Königstadt Ani und diese Bilder begeistern ihn und entlocken seiner Leyer die feierlichsten Sehnsuchtslieder. Als Gefühlsmensch liebt Alischan die Natur und er liebt sie wie sie nur der gläubige Christ lieben kann, der alle ihre Pracht als eine Gnadengabe des Schöpfers entgegen nimmt. Sein Verhältnis zur Natur ist innig, herzlich, er hält Zwiegespräche mit den Blumen, den Bächen und den Vögeln, mit dem Winde, dem Meere und den Sternen. Dabei durchschleichen seinen Geist Gedanken über das Schalten und Walten der Menschheit, über die Flut des Lebens und die Nichtigkeit alles Irdischen, aber bei diesen Betrachtungen verharrt er in den Grenzen, die ihm der Glaube zieht.

Auch die Vergangenheit Armeniens besingt Alischan mit Begeisterung und gern wandelt er beim Mondscheine auf den Gefilden seiner Heimat umher und erinnert sich der Glanztage seines Volkes und der Kämpfe, die dieses in vergangenen Jahrhunderten mit den Bekennern des Islam zu bestehen hatte. Alle Helden der armenischen Vorzeit stehen verklärt in seinen Liedern, mit Wehmut und feierlicher Bewunderung besingt er ihre Taten. Besonders schön ist sein Gedicht, das er dem Andenken des von der armenischen Kirche als Märtyrer gefeierten Helden Wardan Mamikonian widmet. Wardan fiel im Kampfe gegen die Perser, aber durch seinen Tod verhalf er den Seinigen zum Siege und befreite sie vom Perserjoche. Das Gedicht heißt „Die Nachtigall von Awarairi" und beginnt mit folgender Einleitung:

„Was ziehest du, o Mond, so still dahin
Und gießt des Silberlichtes matte Strahlen
Auf Berg und Flur und dunkles Waldesgrün
Und mich den Greis, der ich allein, von Allen
Verlassen, hier zu mitternächt'ger Zeit
Herumirr' auf dem Awarairgefilde,
Wo unsre Väter sich dem Tod geweiht,
Wo Persiens Lanze brach an unserm Schilde!
Wo sie, die Unvergleichlichen, gefallen,
Um ruhmumglänzt dann wieder aufzustehn.
Kommst du hierher aus deinen Himmelshallen,
Aus deinen ewig azurblauen Höhn,
Um über diese heiligen Gebeine
Hier auszubreiten deinen Trauerflor,
In Gold gewebt aus deinem Strahlenscheine?
Ziehet aus den Wolken du vielleicht hervor,
Um mit dem hier so reich vergoss'nen Blute
Zu röten deinen hellen Strahlenkranz?
Bist du betroffen etwa noch vom Mute,
Mit dem einst Wardan hier, umflort von Glanz,
Als Held in der Entscheidungsschlacht gefallen,
Als er in Feindesherzen trug den Tod
Und seine Seele ließ zum Himmel wallen,
Wo er nun tront als Heiliger bei Gott?
Auch du, Tygmut*), du lispelst still und bange
Noch immer klagend in dem Schilfgefild;
Auch du, o Wind, der du vom Makuhange
Herniederschwebst, wo ungestüm und wild
Der Gießbach brauset, oder ziehst du nieder
Vom heil'gen, greisen Berge Ararat?
Ach, zitternd, bebend wehst du immer wieder
Hier über diese wüste Kampfesstatt
Und säuselst stille hin von Tal zu Talen
Und trägst des bangen Herzens Seufzer hin
Zu meinen weit zerstreuten Brüdern allen
Um in ihr Herz als Schmerzlied einzuzieh'n!
Ach du, o treuer Freund gequälter Herzen,
O Nachtigall, du Kind der Blumenmacht,
Du Rosenseele lindre meine Schmerzen,
Besinge laut die heil'ge Heldenschlacht,
Besing' mit meiner Seele eng verbunden,
Wie der Armenierheld den Tod gefunden!"

Die gegenwärtige Lage seines Volkes bietet Alischan wenig Trost, aber er schaut mit Hoffnung in die Zukunft und besonders schön spricht er diese Hoffnung in einem längeren Gedicht aus, in welchem er den großen und den kleinen Massis (Ararat) über die Vergangenheit und Zukunft seines Volkes reden lässt.

Seine Sprache ist durchweg sanft, weihevoll und selbst, wenn sie den Schmerz berührt, ohne Bitterkeit. „In Liebe lass mich erwachen, in Liebe atmen und leben und liebend sterben!" sagt er in einem Gebete.

Alle dichterischen Werke Alischans umfassen fünf starke Bände, in welchen sich außer den Originalgedichten auch Uebersetzungen Byrons und deutscher Dichter befinden. Hervorzuheben ist besonders seine Uebersetzung von Schillers „Lied von der Glocke", von dem übrigens die Armenier noch eine zweite von Barchudarianz ausgeführte Uebertragung besitzen.

Als ihm mit dem vorrückenden Alter die Dichterkraft allmählich schwand, widmete sich Alischan

*) Ein Fluss.

fast ausschließlich seinen wissenschaftlichen Arbeiten, die allesammt der Vergangenheit oder dem heutigen Zustande seines Heimatlandes gelten. Wie er früher die Ruinen, Gräber und Schlachtfelder Armeniens in Liedern besungen, widmete er jetzt seine ganze Geisteskraft und seinen Fleiß der streng sachlichen Beschreibung derselben, wobei er sich jedoch nicht als poesieloser, ohne Gefühl schaffender Grübler zeigt, sondern als ein Gelehrter, der mit Liebe und Begeisterung seinen Forschungen ergeben ist.

In französischer Sprache schrieb er zwei wertvolle Werke „La Physiographie de l'Arménie" und „Haik et son periode", eine Studie über die Urgeschichte Armeniens. Vorzüglicher und bedeutungsvoller sind jedoch die Werke, die er in armenischer Sprache verfasst hat. Unter diesen ist besonders hervorzuheben „Schirak", eine etnographisch-geographisch-archäologische Beschreibung des heutigen Gebietes von Alexandropol, welches einst den nördlichsten Teil des alten Armeniens bildete. Für dieses Buch wurde ihm der Ismirianspreis zuerkannt. Sein letztes und größtes wissenschaftliches Werk ist „Cilicien", ein mit vorzüglichen Zeichnungen versehenes umfangreiches Buch, in welchem er nach geschichtlichen Beweisstücken, Inschriften und Ruinen von Klöstern und Schlössern die armenische Epoche dieser Provinz Kleinasiens schildert.

Hohen litterarischen Wert hat auch sein Studium über den armenischen Kirchenvater Narses Schnorhali, einen bedeutenden religiösen Dichter und Theologen aus dem zwölften Jahrhundert.

Die schriftstellerische Tätigkeit Alischans ist, wie aus dem Gesagten ersichtlich, eine sehr umfangreiche und fruchtbare. Neben Anderem, nicht hier Erwähnten hat er auch eine Sammlung armenischer Volkslieder in armenisch-englischem Texte herausgegeben und gilt zu dem noch für einen tüchtigen Geographen.

Tiflis. Arthur Leist.

Heines Memoiren.

Es ist Tatsache, dass die 1884 in der „Gartenlaube" veröffentlichten Memoiren Heines eine arge Enttäuschung waren. Zu einem Federkünstler wie der Verfasser der Reisebilder versah man sich eines litterarischen Nachlasses von ganz andern Wert und Gewicht als das oberflächliche Geschreibe, womit spekulirende Unternehmer die harrende Welt zu berücken und beglücken dachten. Man kann wohl als gewiss annehmen, dass Heine in keiner Weise die Absicht hegte, ein so dürftiges Machwerk nach seinem Tode erscheinen zu lassen, gerade wie man das auch von Goethe hinsichtlich so mancher Produktion behaupten muss, die das Goethe-Jahrbuch aus dem Weimarischen Versteck, wo sie keineswegs auf Mitteilung harrten, ans Licht gezogen.*) Nie und nimmer konnte Heine willens sein, das was er zum Beispiel in dem Buche Seite 90 über die Metrik der französischen Poesie sagt, urbi et orbi kund und zu wissen zu tun; er hätte sich ja damit selbsteigner Hand das Zeugnis eines Barbaren ausgestellt oder wenigstens eines Unwissenden, der nie einen Vers von Corneille, Racine, Molière, Boileau, La Fontaine, Voltaire, J. B. Rousseau, Regnard oder Gresset gelesen. Ein so barocker Einfall, den französischen Hexametervers, der übrigens gar nicht existirt,**) ein „gereimtes Rülpsen" zu nennen, kann nicht einmal im flüchtigsten Gespräch hingehen; schwarz auf weiß aber macht er einen so peinlichen Eindruck, dass man viel Reime des Dichters dafür hingäbe, wäre er geheim geblieben. Eine schwache Entschuldigung dieses blödsinnigen Urteils kann man höchstens in dem Umstand finden, dass Heine niemals der französischen Sprache mächtig war, sie niemals erträglich schreiben noch sprechen konnte. So kann man sich denn auch für versichert halten, dass wenn er das Schicksal der letzten Blätter, die er gekritzelt, in einem andern Leben erfahren hat, sein Zorn über die Spekulanten der Gartenlaube sich in einer ausgesucht schneidenden Satire, dem Zahn des Cerberus vergleichbar, Luft gemacht haben wird. Auch Goethe vermehrte gewiss die Zahl seiner „Zahmen Xenien" um eine, die seinen Silben- und Versstechern das Genick brechen würde.

Aber bleiben wir bei Heine und sagen, dass wie ein so reich begabter Geist als der seinige nichts produziren kann was alles Gehalts bar und ledig wäre, so konnte auch der wenn noch so grausam geplagte Dichter diese seine letzten Gedanken nicht aufs Papier werfen, ohne dass sie nicht irgendwo den Stempel des ihm eigentümlichen Genies trugen. Dies ist nun offenbar der Fall mit der Erzählung vom roten Sefchen, die ungefähr den achten Teil (S. 178—192) der eigentlichen „Denkwürdigkeiten" (von Seite 83—197) ausmacht, und darin, so erdichtet sie auch sein möge oder eben weil sie es ist, das einzige Denkwürdige ist. Wenn ich sie erdichtet nenne, verstehe ich das nicht vom Kern der Novelle, sondern von der Einkleidung. Der Kern ist, was meines Wissens noch Niemand bemerkt hat, aus dem Altertum gegriffen und scheint aus zwei ganz verschiedenen Nachrichten zusammengesetzt.

Der kurze Inhalt der Fabel ist, dass Sefchens Großvater aus einem Versteck unter der Erde ein Packet hervorlangt, welches ein altes Richtschwert enthält, womit wohl hundert armen Sündern der Kopf abgeschlagen wurde und das in Folge dessen die kostbarsten Zauberstücke verrichten kann.

*) Unter andern Proben s. Band V, 369: Annette an den Geliebten.

**) Wollten die großen französischen Dichter Hexameter schreiben, griffen sie zum Latein und erzeugten dann Meisterverse wie: Hic tandem stetimus nobis ubi defuit orbis.

Nun erzählt Valerius Maximus in seinen Memorabilien,*) man bewahre in Marseille seit der Gründung dieser Stadt ein Richtschwert, das, von Blutrost zerfressen wie es war, kaum noch im Stande sei ferner einen Verurteilten damit zu köpfen. Und anderseits berichten uns Apollodor, Plutarch und Pausanias,**) um nur diese zu nennen, dass Ægeus, der dritte König Athens, sein siegreiches Schlachtschwert unter einem gewaltigen Stein versteckte und sein Sohn Theseus schon als sechszehnjähriger Jüngling Kraft genug besaß den Felsen aufzuheben, um sich der dort hinterlegten Waffe zu bemächtigen. Sie diente ihm denn auch zu mancher so wunderbaren Tat, dass er dem Herkules zur Seite gestellt werden durfte.

Diese Schwertgeschichte war so populär im Altertum, dass die bildende Kunst sie häufig als Vorwurf benutzte, wie Gemälde, Marmore und Gemmen es hinlänglich bezeugen.***) So konnte denn auch Heine, der zuweilen in alten Büchern herumstöberte, von diesen Fabeln Wind haben und sie als Grundlagen zu der ihm sonst ganz eigenartigen Geschichte Sefchens verwenden. Das alte Wort: „Nichts Neues unter der Sonne", bleibt ewig wahr, aber

Es ist ein groß Ergötzen
Zu schauen wie vor uns ein weiser Mann gedacht,
Und wie wir's dann zuletzt so herrlich weit gebracht.

Paris. C. Schöbel.

Ein Kapitel deutscher Urgründlichkeit.

Dass wir Deutsche und Deutschschreibende es gründlich nehmen in orthographischen Dingen beweist der seit mehr als einem Jahrzehnt geführte und immer noch nicht entschiedene Kampf um die holde Jungfrau Orthographie gegen den bösen Drachen Schlendrian. Dieser Kampf hat sich aus dem Innern der Schulhäuser und Studierstuben herausgewälzt an das „Licht der Oeffentlichkeit" und hat sogar den Eintritt in die erlauchten Ratsversammlungen und Parlamente erzwungen. Es giebt lohnendere Aufgaben als ihn mitzufechten, kurzweiligere Beschäftigungen als ihm zuzusehen und zuzuhören, und in Anbetracht dieser unzweifelhaften Wahrheit möchte ich den Leser nicht durch eine aufgewärmte Dosis furoris orthographici — einschläfern. Nur auf ein ganz spezielles, bisher so viel ich sehe, vom Wogen des Kampfes verschont gebliebenes „stilles Gelände" erlaube ich mir heute die Aufmerksamkeit zu lenken. Es ist auch, für weniger geduldige Leser, nicht ganz uninteressant, dieses Gelände; und wenn ich es soeben als ein bisher, verschont gebliebenes bezeichne, so meine ich: von andern verschont — denn ich selber habe es allerdings einmal gestreift. Mit welchem Erfolg, weiß ich nicht, aber ein neulich gelesenes Buch hat in mir jene alten Zweifel aufs Neue wachgerufen und — verstärkt, so dass ich nicht umhin kann, sie auch den Lesern dieser Blätter zur Prüfung vorzulegen. Es handelt sich nämlich um die Schreibung der fremden Eigennamen, und zwar für diesmal der antiken. Denn was die modernen betrifft, so hat das Herkommen so ziemlich allgemein entschieden, dass sie mit dem unversehrten, lautlichen und phonetischen Bestande ins Deutsche herübergenommen werden; die persönlichen wenigstens. Aber doch nur „im Allgemeinen", denn es giebt Ausnahmen: man denke an Raphael, Tizian, Ariost, Columbus u. a. Indessen auch diese Ausnahmen sind durch das Herkommen geweiht und gefeit und dasselbe gilt von den geographischen Eigennamen, wo die Willkür doch zahlreichere Ausnahmen geschaffen hat. Man vergleiche, bezüglich Aussprache, Paris und Marseille, man denke, bezüglich Schreibung, an Brüssel, Löwen, Prag, Madrid, Edinburg, Venedig, Mailand u. s. w., die ja eigentlich, nach dem oben angegebenen Prinzip, alle anders lauten sollten; dass hier aber auch das Herkommen einzelne Schwankungen zulässt, beweisen z. B. Neu-York oder New-York, Neu-Orleans und New-Orleans (dort eine Koppelung von deutscher und französischer, hier die englische Aussprache). — Man wird nun nicht sagen dürfen, es sei völlig einerlei, wenigstens ganz unerheblich, wie die antiken Eigennamen geschrieben werden oder zu schreiben seien. Die politische Geschichte, die Kunst- und Litteraturgeschichten würden mit Recht gegen jenen Ausspruch reklamiren; auf den drei genannten Gebieten (die natürlich nicht die einzigen sind) spielen die Eigennamen, persönliche wie geographische, eine ganz bedeutende Rolle, und es kann uns doch nicht einerlei sein, ob uns beständig ein Aischylos oder ein Aeschylus, ob ein Hesiodos oder ein Hesiod, ob ein Thebai, Delphoi, Athenai, Plataiai oder ein Theben, Delphi, Athen, Plataeae u. s. w. ums Ohr schwirrt. Der Verfasser jenes oben angeführten Buches, das meine Zweifel wieder anregte, hat sich darin als konsequenten strengen Puristen zeigen wollen, der die griechischen Formen unverändert herübernimmt, aber als Purist von reinem Wasser hat er sich gleichwohl nicht bewährt, denn er schreibt zwar konstant Syrakusai, Taras, Korinthos (statt Syrakus, Tarent, Korinth) — aber warum dann nicht auch Athenai und Rome? Er schreibt einfach Athen und Rom, wie gewöhnliche Menschenkinder. Und warum nicht Karchedon statt des bürgerlichen, auch von ihm adop-

*) Valerii Max. Factorum dictorumque Memorabilia II, 6, 7. —

**) Apollod. Biblioth., III, 15, 7. — Plutarch., Theseus, III, 9; VI, 3, 4. — Pausan., I, 27, 8.

***) S. Museo Borbonico, II. taf. 12: Napoli 1825; — Zoega, Li Bassirilievi antichi del Palazzo Albani, Roma 1807, tav. XLVIII, cf. tom. I, p. 226, Caylus, Recueil d'antiquités, VI, pl. 26, n. 5, Paris, 1764.

tirten Carthago? Er schreibt Fravartis und die Griechen kennen doch nur einen Phraortes, ferner Hakhamanis, die Griechen aber kannten nur einen Achaimenes, dann Uah-âb-ra (die Griechen: Apries), aber wieder Psammetichos, wie die Griechen, während doch, konsequenterweise, Psemtek zu schreiben war. Man sieht: Das Prinzip ist in die Brüche gegangen. Der Verfasser versuchte (aber nur tastend, nicht energisch) die jeweilige Form der Heimatsprache, also die ursprüngliche, der Eigennamen beizubehalten. Dann muss er aber den Kyros durchweg zum Kuruš stempeln, den Kyaxares zum Hakhšatra, den Kambyses zum Kambudschija, den Ismenios zum Eschmoun, den Kadmos höchst wahrscheinlich zum Zedem, er darf nicht mehr von Isis und Osiris, sondern nur noch von Êse und Usise, nicht mehr von Cheops, Chefren, und Mykerinos, sondern nur noch von Chufu Châfrê und Menkerê sprechen. Es müsste ferner, dies Prinzip einmal angenommen, das Läuterungsfeuer durch die hebräische Nomenklatur (speziell des alten Testamentes) fegen: ob da lauter liebliche, dem deutschen Ohr angenehme Lautkomplexe zum Vorschein kommen würden, ist zwar sehr zweifelhaft, kann aber, allerdings gegenüber einem wohlbegründeten Prinzip nicht in Betracht kommen. Letzteren Anspruch dagegen, d. h. in Betracht zu kommen, darf der Usus und die Sitte, eine tausend- und abertausendjährige Sitte erheben, gemäß welcher jedes Volk, antik oder modern, die Eigennamen, innerhalb gewisser Grenzen, seinem Sprachidiom anbequemt. Warum wollen wir Deutschen, wir allein und isolirt, jetzt auf einmal uns gegen diese Sitte, die wir seit Jahrhunderten befolgt haben, pedantisch steifen? Ist's denn doch wahr, dass uns die Pedanterie nun einmal im Blut liegt? Dass wir aus lauter Gründlichkeit darauf ausgehen, neue Differenzpunkte zu schaffen, sogar in der Muttersprache? Es scheint in der Tat so. Wir wollen uns heute auf die Gräcomanie in Schreibung der Eigennamen beschränken; sie gewinnt am meisten Terrain und ist noch am ehesten geeignet, jene Pedanterie zu illustriren.

Stellen wir uns vor, wir fänden in irgend einem Buche (Erbauungsbuch oder wo sonst) die Worte: Das Euaggelion des Matthaios belehrt uns über Palaistine, wo Jesus Christos wandelte . . .", wir würden, ehe wir noch unserem Wissensdurst die folgende Belehrung als Labung gönnten, dem Gefühl der Befremdung einige Zeit lassen, der Befremdung über diese sonderbare, allem bisherigen Brauch zuwiderlaufende Schreibung; und wenn gar der Herr Pfarrer von der Kanzel herab sich in solchen Lauten vernehmen ließe, so wäre es um die Andacht der Gemeinde für eine Zeit lang geschehen. Ein anderes Beispiel aus dem profanen Leben: Ein Studienfreund erkundigt sich bei seinem ehemaligen Studiengenossen, jetzt Lehrer in einer größeren Stadt, über die dortigen Verhältnisse (gleichviel aus welchem Grunde) und erhält von besagtem Lehrer folgende briefliche Antwort: Wir haben hier ein Gymnasion als untere und ein Paidagogion als höhere Stufe, das dem Rang nach einem Lykeion gleich steht; es führt von den Fabeln des Aisopos, in dreijährigem Kursus, bis zu den Dramen des Aischylos; dass aber Homeros das geistige Kentron bildet, versteht sich von selber. Für die Aisthetik ist durch unser Museion bestens gesorgt, auch an poietischer Anregung fehlt es nicht u. s. w. u. s. w. Man wird einwenden, das seien ja zum größeren Teil gar keine Eigennamen, und jene Wörter seien eben nicht direkt, sondern erst durch das Medium des Latein in unsere Sprache gekommen. Gut. Aber wäre es dann nicht konsequent und einheitlich, die Eigennamen durch dasselbe Medium gehen zu lassen, umsomehr, da sie uns ja tatsächlich auch durch das Lateinische vermittelt worden sind. Sollen wir, wenn Cicero von dem großen Athenischen Tragiker oder von dem großen mazedonischen Eroberer spricht, im Deutschen (bei der Uebersetzung) Aeschylos und Alexander, dagegen, wenn wir dieselben Namen aus Plutarch übersetzen, Aischylos und Alexandros schreiben? Auch, wer etwa glaubte, die Eigennamen verdienten mehr Schonung und größere Sorgfalt in der Germanisirung als andere in unsere Sprache aufgenommene Fremdwörter, wird doch den soeben angeführten Dualismus für bedenklich und einen einheitlichen Modus agendi, auch wenn dieser vielleicht der Eigentümlichkeit ein wenig mehr ins Fleisch schneidet, für vorzüglicher halten. Einen durchaus und ausnahmslos einheitlichen giebt es freilich nicht, ohne Konzessionen an das Herkommen geht es nicht ab, und kein sprachliches Dekret kann einen mehrhundertjährigen Gebrauch aus der Welt schaffen. Und wenn sich die Graecisten auch allesammt an ihr „aigyptisches" oder „boiotisches Thebai", ihr Athenai und Delphoi klammern — der Gebrauch schreitet unerbittlich über sie weg und bleibt bei seinem aegyptisch, seinem Theben, seinem Athen, wie recht und billig, und wir zweifeln auch daran, ob die Thebaier oder Thebaeer — beide schöne Spielarten kommen vor — item die Athenaier oder Athenaeer jemals die alten Athener und Thebaner im Schrifttum oder in der Konversation ausstechen werden. Konsequenterweise müssten die Graecisten sich Graikisten und das Griechenvolk Graiker nennen — es hat es gleichwohl noch Keiner gewagt! Die Gleichen getrauen sich auch nicht Matthaios und Palaistine und Christos zu sagen, ebensowenig als "Eidol", „Eironie", Empeirikes, Hairetiker u. s. f.; sie lassen sich auch nicht von Homoiopathen kuriren, ergötzen sich auch nicht an Tragoidien oder Comoidien, sprechen auch nicht von Offenbachs „schöner Helene" (wie sie doch eigentlich müssten), aus demselben Grunde, warum sie sich auch, wohlweislich, scheuen, diese oder jene Dialekt zu unterstützen, diese oder jene Paragraph zu citiren — und warum? weil es das Herkommen nicht gestattet; und doch ist besagtes Herkommen in den beiden letzten Fällen von einem dicken Fehler ausgegangen, während es, nach unserer Ansicht, gerade in dieser Frage sich von einem richtigen Gefühl leiten ließ, wenn es Oedipus und Aeschylus u. s. f. dem Oidipus und Aischylos vorzog. Wenn die Franzosen dafür Edipe und Eschyle schreiben und sprechen, so wollen wir nicht behaupten, dass sich diese Namen für ein deutsches Ohr durch besonderen Wohlklang auszeichnen oder dem Originallautlich nahe kommen — aber sie klingen doch französisch und in jedes Franzosen Mund gleich, dagegen wir Deutsche verletzen mit diesen ewigen ai und oi (wenn wir Aischylos und Oidipus schreiben) unsere Lautgesetze, bei letzterem völlig, bei ersterem annähernd, denn oi ist gar kein, ai ein seltener deutscher Diphthong, wohl aber sind oe und ae nicht nur gut lateinische sondern auch gut deutsche Doppellauter. Auch die Schlusssilbe os sollte den gräzisirenden Puristen ein Fingerzeig sein, nach welcher Seite hin unsere Sprache oder unser Sprachgefühl neigt, ob nach dem Griechischen oder nach dem Lateinischen. Unzweifelhaft nach diesem. Man denke an die massenhaften Wörter auf ua, die, entweder griechischen oder lateinischen Ursprungs, in unserer Sprache das volle Bürgerrecht erhalten haben (Marasmus, Kommunismus, Liberalismus u. s. f.), kein einziges auf os, alle auf us, obschon das Suffix eigentlich griechisch ist und ismos lautet! Es ist ein Glück für uns, dass die Römer Karthago sagten und nicht das punische Wort ohne weiteres auf lateinischen Boden übertrugen, das griechische Karchedon klingt auch nicht übel — aber haben die Puristen griechischer Façon schon darüber nachgedacht, warum sie, ihrem Prinzip zum Trotz, nicht Karchedon und nicht Annibas sagen, sondern gut lateinisch Karthago und Hannibal? Etwa, weil die Karthager mit den Römern mehr zu schaffen gehabt haben als mit den Griechen? Aber diese haben Afrika und die Karthager lange vor den Römern kennen gelernt und beeinflusst; der Name Karchedon ist lange vor dem romaisirten Karthago im Umlauf gewesen. — Gegen die gräcisirende Pedanterie erhebt auch das Accent seine machtvolle Einsprache. Der Accent ist keine zufällige und indifferente Beigabe, er ist ein wesentlicher Faktor der Sprache, ein Hauch ihres Geistes, ein Hauptzug in ihrem Charakter. Wer das Wort will, wie es leibt und lebt, muss auch den Accent haben wollen. Nun ist aber die lateinische Betonung (trotzdem dass der Lateiner den Ton nie auf die Endsilbe legt) der unsrigen viel verwandter und unserem Sprachgefühl viel entsprechender als die griechische, darum betonen wir im Deutschen alle antiken Namen nach lateinischer Art und sind bisher selbst von Seite der Graecisten mit einem Sophoklés und Xenophón, einem Odysseús und einer Penelópe, einem Plataiai und einem Kynós Kephalai, einem Chairóneia und Koróneia glücklich verschont geblieben. Dieser lateinische Accent sitzt so zäh, dass er sogar beim Abstoßen der Endsilbe (bez. Endsilben), seinen ursprünglichen Platz behält: Horáz, Catúll, Tibúll, Virgíl, Lucréz u. s. w. Warum soll aber dieses selbe Verfahren, auf bekannte griechische Namen angewandt, verpönt sein? Warum soll ich nicht meinen Homér, Pindar lesen, oder Lysipp bewundern dürfen? Wenn das nicht erlaubt sein soll — keine Spur von wirklichem Grund spricht aber dagegen — so wird man auch mit dem Philipp in der Geschichte und im Kalender aufräumen müssen, der aber sitzt so fest, dass er ganz gemütlich und zwar schon lange her seinen Ton (wie unter den lateinischen Namen Aúgust u. A.) nach vorn gerückt hat und zwar, nicht etwa dem Griechischen, sondern dem Deutschen zu liebe. — Würden wohl die Puristen nicht auch verlegen werden durch die Frage, welchen griechischen Dialekt sie denn eigentlich zu Ehren ziehen wollen? Den attischen, natürlich. Aber Leonidas, und Alkman und Pallas Athene (d. h. die allgemein gräcisirten Formen) heißen ja bei den Attikern Meneleos und Alkmaion und Pallas Athena. Ist dies nicht ein fernerer Grund, sich an die lateinische Form zu halten? Aber ad vocem Pallas Athene könnte jemand fragen, ob auch in der Uebertragung der griechischen Götternamen die lateinischen Formen Platz zu greifen hätten, die ja meist ganz anderen Stammes sind. Natürlich ist die Antwort: nein! den Zeus, Poseidon, Hephästos, Dionysos, die Here, Artemis, Athene, Aphrodite können wir nun und nimmer preisgeben; hier ist doppeltes Eigentum zu wahren, und der Rechtsspruch lautet einfach: Man gebe den Römern, was der Römer und den Griechen was der Griechen ist (hier sogar mit der Koncession, die griechischen Endungen beizubehalten: Dionysos, Hephästos, uud zwar, weil der Usus dahin neigt); da, wo bei beiden Völkern der gleiche Name vorhanden ist und die Römer gegen ihre sonstige Art in der Lateinisirung sich größere lautliche Freiheiten genommen haben, würden wir uns gleichfalls für die griechische (als die ursprünglichere) Form entscheiden, also Asklepios, Herakles, ebenso, dem Usus zu lieb, Achilleus und Odysseus (statt Ulizes), gab es doch schon im frühesten Latein eine Odyssia (Uebersetzung der Odysee), immer aber mit der Cautel, dass, wo ich auf römischem Boden stehe und römische Luft atme, ich, in der Uebersetzung oder in der Schilderung, auch die römische Form anzuwenden habe; ich werde, beispielsweise, den Pollux bei Horaz nie zum Polydektes reden lassen, wenngleich beide Wörter desselben Stammes sind.

Es ist hier natürlich nicht der Ort zu untersuchen, wie es denn die Griechen selber, von denen wir so gerne lernen, weil sie instinktiv das Richtige fanden, und wie es die Römer mit den Fremdwörtern gehalten haben. Aber das darf hier gesagt sein, dass sie weit entfernt waren von der sklavischen Pedanterie, um jeden Preis, auch den des Wohlklangs und gesunden Sprachgefühls, Genauigkeit zu erstreben, bezw. die Fremdwörter wie Keile in das Gefüge ihrer Sprache hineinzutreiben und es gewaltsam auszurenken. Darum sieht und hört sich ihr Salamis (von phönizischen Schalam), ihr Kypros (phönizisch Gopper), ihre Aphrodite und ihr Okeanos ganz anständig, sogar griechisch an (ein Lob, das z. B. unserem weder deutsch noch persisch klingenden Ormuzd (statt Ahuramazdao) gewiss Niemand erteilen wird — und wer würde sofort in Dareios den persischen Daryawush, in Xerxes den Khrshearse erkennen, wenn diese Namen nicht aufs zweifelloseste beglaubigt wären? Und doch sind sie gerade um so viel, nicht mehr und nicht weniger, vom Original verschieden als den Griechen zur Befriedigung ihres Sprachgefühls genügend schien. Wenige Striche nur — aber es muss ein griechisches Bild sein. Und so haben es auch die Römer gehalten: Sie haben bei Agamemnon, Platon u. a. das Schluss-n abgestoßen, weil ein Schluss-o lateinischer klang, und die Form Plato hat sich auch bei uns (die Puristen ausgenommen) erhalten. Dasselbe Prinzip finden wir nun auch bei dem merkwürdigen Kultur-Volk der Etrusker, bei ihrem Ulxe (Ulixes), Aplnus (Apollo), Elxntre (Alexander). Bei uns dagegen muss der Letztere, natürlich, Alexandros heißen, sintemal er vor 2200 Jahren so getauft worden ist! Im Kalender, und auch sonst, wird er wohl als simpler Alexander fortzuexistiren gezwungen sein. Wenn wir so überaus urgründlich, wie vorher geschildert, verfahren wollen — wozu denn eine Menge von Namen (alle persischen, assyrisch-babylonischen, ägyptischen, phönizischen u. s. w.) erst aus zweiter Hand, d. h. von den Griechen beziehen? Warum nicht gleich an den so lieblich plätschernden Urquell der Keilschriften und Hieroglyphen sich wenden? Warum und mit welchem Recht überhaupt von Phoinikern und Aigyptern sprechen, da diese Völker sich selber mit völlig andern, anders lautenden und anderes bedeutenden Namen genannt haben? Wo ist nun da Konsequenz?

Kurz: Das einzig rationelle, geschichtlich und sprachlich gerechtfertigte Mittel, so zu sagen allen Schwankungen und Inkonsequenzen mit einen Strich ein Ende zu machen, ist, uns an die lateinische Norm zu halten, — geschichtlich: weil wir seit Jahrhunderten nicht bloß an die Vermittlung der römischen Kultur gewöhnt sind, sondern weil die Geschichte die besagte Vermittlerrolle den Römern und ihrer Kultur recht eigentlich zugewiesen hat. Weil nun aber diese Kultur, und mochte sie auch noch so sehr von der griechischen getränkt und durchsättigt sein, sich über den damals in Betracht kommenden „Erdkreis“ erstreckte und mit allen Völkern in Berührung kam, mit allen rechnen musste und einer Masse von Verschiedenheiten ihr einheitliches Gepräge aufdrückte, so durfte sie nicht bloß verlangen, sondern sie hat es auch schon längst erlangt, dass dieses Einheitliche von Mit- und Nachwelt einfach angenommen wurde, natürlich mit den Modifikationen, welche Zeit und Umstände erfordern. In Betreff der Romanen ist man billig jedes weiteren Wortes enthoben — aber auch die Deutschen haben sich jenem Einfluss als einer Naturnotwendigkeit bequemt. Wer das Ungereimte der jetzt sich breit machenden gräcisirenden Manier sich recht sonnenklar machen will, dem raten wir, zu seinem höheren Ergötzen, die Probe an einen oder zwei Dutzend aus dem Griechischen entlehnter Gemeinnamen zu machen, d. h. sämmtliche aus ihrer lateinischen Diphthongirung und Endung zurück zu gräcisiren. Also auch sprachlich ist die vorgeschlagene Methode gerechtfertigt.

Basel. J. Mähly.

Das jüdische Volapück.

Eine Sprach-Studie.

Das Judentum in Russland bietet eins der interessantesten Objekte für kulturhistorische Forschungen und ist ein wahres Schatzkästlein für unser an Originalitäten armes Jahrhundert. Sitten, Gebräuche und Sprache tragen da noch ein ursprüngliches, tausendjähriges Gepräge und besonders ist es Letztere, die unsere Aufmerksamkeit in hohem Grade verdient. Von mehr als vier Millionen gesprochen — auch in Galizien, Rumänien und Bulgarien ist sie heimisch — kann sie füglich das Volapük oder Pasalingua des Judentums genannt werden. Auch unsere deutschen Landsleute hier in der Fremde, auf den Verkehr der Handel und Wandel ausschließlich regelnden und vermittelnden Juden angewiesen, eignen sich dieselbe, freilich zum Schaden der schönen Muttersprache, an und bedienen sich derselben vielfach bei ihrer Handelskorrespondenz. Die eigentliche Pflanzstätte aber dieser Mundart ist Litauen, das nordische Gosen, wo sie sich trotz Russifizirungsbestrebungen noch unverfälscht erhalten hat und aus einer üppig emporschießenden Volkslitteratur — sogar ein regelmäßiges Wochenblatt fehlt nicht — aus den Vorträgen der Wanderprediger, „Magids“, den poetischen Produktionen der Hochzeitsbarden „Batchen“, auch „Marschalek“ genannt, immer neue Nahrung schöpft. Es ist nicht meine Sache, hier über den Wert oder Unwert dieser litterarischen, dichterischen und rednerischen Erzeugnisse zu Gericht zu sitzen, nur konstatiren will ich das seltsame Vorkommnis einer uns vielfach an die Zeit des sechszehnten Jahrhunderts erinnernden Volkslitteratur mit ihren Schwänken und Eulenspiegelschnurren.

Bei einer nähern Untersuchung dieses eigentümlichen Dialekts fallen uns zunächst einige charakteristische organische Mängel des Sprechens auf. Die Juden im Grodnoschen Gouvernement vermögen das aspirirte h nicht hervorzubringen, was auf ihre überrheinische Herkunft schließen lässt. Der sch Laut in der Gegend von Wilno und Kowno ist gleich einem scharfen s, ganz wie in Hamburg. Der Doppellaut pf klingt in einigen Wörtern wie f z. B. Ferd (Pferd) und in andern wie p z. B. Propen (Pfropfen). ch hat den für deutsche Ohren so misstönenden An- und Auslaut. Der Buchstabe o hört sich wie oi oder eu an z. B. Broid (Brod). Die Umlaute fehlen gänzlich und die Aussprache die Diphtongen ist eine getrübte und verschwommene. Bemerkenswert ist, dass das Wort „Ohren", gewöhnliche „Euren" ausgesprochen, in Minsk „Ewern" lautet, also wie im Russischen, wo u in den Diphtongen w lautet, wie Awgust (August), Ewropa (Europa) u. s. w. Dies erinnert uns an den früheren Gebrauch des w für u, wie in dem Anrede-Pronomen „Ew." noch zu sehen ist. Ich kann hier nicht auf eine Untersuchung aller vom Deutschen abweichenden Laute eingehen und beschränke mich nur auf das Wesentlichste.

Das Sprachgefühl und besonders das Sprachgehör ist bei den Juden hier zu Lande sehr schwach entwickelt und eine wahre Sisyphusarbeit ist es daher für den deutschen Lehrer, seinen Schülern die richtige Aussprache des o, der Umlaute und Diphtongen, sowie den Unterschied zwischen Dehnung und Schärfung und die richtige Anwendung des ß und ss beizubringen. Auch sprachlich vorgeschrittene Schüler schreiben „wärfen" statt werfen und ebenso auch die Wörter Herz, Berg, sterben u. s. w. mit dem Umlaut ä, weil dieselben in ihrem Idiom „warfen", „starben", „Harz", „Barg" lauten. Freilich ist dies die Folge der landläufigen Nachlässigkeit.

Charakteristisch ist auch die Gewohnheit, bei der Rede zu gestikuliren mit dem auswärts gebogenen Daumen der geschlossenen rechten Hand, der dem Sprecher gleichsam als Redeschaufel oder Grabstichel zu dienen scheint, um den Gedankengestalten die gehörige Rundung zu geben.

Wir verweilen indes nicht länger bei diesem Gegenstande und machen uns mit dem grammatischen Teile dieser Sprachbildung etwas näher bekannt. Dieselbe kennt nur ein zweifaches Geschlecht — ein männliches und weibliches, nur „Kind" wird zuweilen mit dem sächlichen Artikel „das" verbunden, welches Wörtchen auch zur Bezeichnung eines unbestimmten Gegenstandes dient. Der unbestimmte Artikel ist aber für alle Geschlechter „ein", vielmehr „ä", also „ä Mann", „ä Frau". Im Allgemeinen wird das Geschlecht meist unrichtig und nach slavischer Analogie angewandt, also „der Nos" (die Nase), „die Kop" (der Kopf), „der Ferd" (das Pferd), „der Buch", „der Eug" (das Auge), „der Messer", „die Fuß" u. s. w. Die Endung „le" oder „lach" dient als Verkleinerungs- oder Kosenamen. Die Deklinationsform ist verkümmert und kennt eigentlich nur einen Dativ, der auch als Akkusativ gilt. Zur Bezeichnung des Besitzfalles hängt man „s" an. Man spricht also: „Gieb mir dem Buch, dem Messer" oder „ich will dem Buch, dem Messer"; dem Bruders oder der Schwesters Buch" u. s. w. Das macht sich also überaus leicht und bequemer als im Volapük. — Die Pluralbildung von Bein, Stein, Hand, Hand, Hahn u. dgl. ist, wie bei andern ungebildeten Deutschen auch „Beiner", „Steiner", „Hemder", „Hähner". Auch die Provinzialismen „höcher", „die mebrsten", „uff" „auf'm" u. a. haben Kurs, ebenso „ihr" als Anrede-Pronomen, wenn sich beide Teile „ihrzen". Im Uebrigen giebt es auch bei den Pronomena keinen Genitiv und Akkusativ, wir heißt „mir" und sie (Plural oder Anrede) „se", welches Wörtchen auch für „ihnen" gilt, also „gib se dem Messer"; das possessive Pronomen ihr lautet „ser", wenn es sich auf mehrere Personen bezieht, sonst wie im Deutschen. „Wems Buch is dos?" — wird gefragt. Das reflexive „sich" bleibt beim Konjugiren für alle Personen unverändert: „Ich freue sich, du freust sich, er freut, wir freuen sich" u. s. w. Dass die Tempora nur unvollständig sind und sich also nur auf die drei Hauptzeiten beschränken, dass Abwandlung, Rektion, Satzbau etc. hinken, versteht sich von selbst und will ich nur einige charakteristische Beispiele hervorheben: „Wir sanen" (wir sind), „se sanen" (sie sind), „ich bin geschlofen", „er is gekimmen zu gein, es geit ä Regen." u. s. w. u. s. w.

Den Quellen dieses sonderbaren Sprachengemisches nachgehend, sehen wir das Deutsche als den eigentlichen Hauptstrom, mit einer starken Vermischung von hebräischen und chaldäischen und einer noch stärkern von slavischen Wörtern. Letztere ist in Südrussland — in Podollen und Wolhynien so stark, dass das dortige Judendeutsch ohne die Kenntniss des Russischen nur schwer verständlich ist. Das Polnische hat jedenfalls ein großes Kontingent geliefert und Wörter, wie „Spilke" (Stecknadel), „Kascha" (Grütze) „Katschke" (Ente) „Bulke" (Semmel), „Butelke" (Flasche) „Wetschere" (Abendbrod), „chappen" (fangen), „odewen" (erziehen), „Seide" (Großvater), „Bobe" (Großmutter) und ähnliche sind auch den außerhalb Polens lebenden Juden geläufig.

Uns interessirt in erster Reihe das gewaltige Anleben aus unserem deutschen Sprachschatz, dessen Münzen, von gar altem Klang, draußen in der Fremde noch umgesetzt werden, während sie an der Entstehungsstätte außer Kurs gesetzt sind. Wörter, wie: „Schnur" (Schwiegertochter") „Schwäh'r" (Schwäher, Schwiegervater), „schier", „Seiger" (Uhr, polnisch zegarek) „Sangen" (Aehren), „schütter", „Söldner" für Soldat, „itzt" auch „itzund", „jeglicher", „jedweder", „Schwebel", davon „Schwebelach" (Streichhölzchen), „Haber", „Moid" (Maid), „Tändler" (Trödler), „Laibel" (Laib Brod), „ebbes" (etwas) „Gewinnerin" (Gebärerin), „winzig" (wenig) u. s. w. sind solche Münzen.

Dafür läuft aber auch mittelmäßige und herzlich schlechte Münze als Provinzialismen und Barbarismen mitunter wie: „Maul" für Mund, „Futter" für Pelz, „Stub" für Haus, „grob" für dick, „der dosige" für dieser, „Peim" für Böhm (Silbergroschen für drei Kopeken), „Jauch", recht unästhetisch für Suppe, „klären" (nachdenken), „überbeißen" (frühstücken), „anbeißen" (zu Mittagessen), „Fartuch" (Vortuch für Schürze, auch polnisch Fartuch), „Zimes" (Gemüse), entstanden aus „Zum essen" oder „Zugemüs", „Knupp" (Knoten), „Hack" (Axt), „Schaff" (Schrank), „Patsch" (Ohrfeige), „as" (dass), „Wedel" (Schweif und Schwanz, sowohl von Pferden, Hunden, als auch von Vögeln und Fischen). Das Wort „Schalent", eine bekannte Sabbatspeise, dürfte von Schalen, weil in Schalen oder irdenen Töpfen beim Bäcker eingestellt, oder nach Andern von dem französischen chalent, chaleur herzuleiten sein, wie „Zandake", d. i. derjenige, welcher den Neugebornen bei der Beschneidung hält, aus Syndicus entstanden ist. Dass Heirat, weil dies Wort zufällig mit den ersten Worten der hebräischen Trauungsformel „harei at" eine Aehnlichkeit hat, hebräischen Ursprungs ist, beruht auf Erfindung.

Weit wichtiger und für den Sprachforscher und Geschichtsschreiber von bedeutendem Interesse ist das Vorhandensein von guten mittelhochdeutschen Worten, wie sie im Nibelungenlied und ähnlichen Dichtungen des Mittelalters nur noch anzutreffen sind und die die jüdische deutsche Mundart anderer Länder nicht mehr kennt. Dies deutet auf die allerälteste Einwanderung der Juden in Polen hin, etwa um die Zeit der Piasten. So heißt „schnell" in der russisch-jüdischen Mundart „gich" und in der polnisch-jüdischen „gach", also wie im mittelhochdeutschen „gâch", woraus jach und jähe entstanden ist. Ebenso sind die Wörter: „turren" für dürfen (von turren), „Fadern und fädemen" für Faden und fädeln (von vademe und vedemen), „heint" für heute (von hint), „nechten" für gestern (von nehten), „zerlosen" für ausgelassen (von lôse), „gel" für gelb", „ken" für gen, „gereit" für bereit, „klauben" für sammeln und pflücken (von klûben), „Klaus" für Betstube und „Klausner" für frommer Betbruder (von Klosenaere) „Greis und greisen" für Fehler, Fehler machen u. v. a. unzweifelhaft mittelhochdeutschen Ursprungs. Recht bezeichnend ist es, dass „schmecken", „der Geschmack", ganz wie im Mittelhochdeutschen (smak, gesmak, smeken), von dem Geruchssinn der Nase gesagt wird, aber auch Tabakschnupfen bedeutet. Widersinnig klingt die gang und gäbe Frage: „Hörst du, wie es schmeckt?" —

Es erübrigt uns noch der hebräisch-jüdischen Worte zu gedenken, die das Judentum für seine große Anleihe in durchaus wertloser Münze an das Deutschtum abgegeben, als da sind: Dalles, Schaute, meschugge, Masel, koscher, kapores und wie sie alle heißen.

Auch das Rotwelsch des deutschen Gaunertums wimmelt von solchen hebräischen Entlehnungen, wie „Ganew" (Dieb), „ganwenen" (stehlen), „baldowern" (ausspähen), „Chawrusse" (Diebesbande), „Zarfes" (Franzose für Dietrich) u. a. Das Wort „Schlemihl", gleichbedeutend mit Pechvogel, hat durch unsern deutschen Dichter Chamisso deutsches Bürgerrecht erlangt, jedoch ohne begründete Berechtigung, denn diesen Namen führt nach Numerus, Vers 6 ein Fürst aus dem Stamme Simon, dessen Schicksal mit jener Bezeichnung nichts gemein hat. Dagegen heißt Unglück im hebräischen „Schlimasel" und ein Mensch, dem Alles widerrät, wird jüdisch-volkstümlich „Schlimasalnik" genannt.

Endlich ist auch der Kaufmann, dessen eigentliche Domäne ja das Anleihegeschäft ist, nicht zurückgeblieben. Wer kennt nicht die Wörter: Schacher, schachern, pleite und schofel? Schofel finden Sie vielleicht auch diesen meinen schriftstellerischen Versuch; — dann war's freilich verlorene Liebesmühe.

Bialystok. S. Wiener.

Ein finnischer Volksdichter.

Max Vogler hat in dieser Zeitschrift (Jahrg. 1885, Nr. 21) eine sehr interessante Charakteristik der finnischen Volkslyrik gegeben und Proben derselben aus H. Pauls vortrefflichem Buche: „Kanteletar, die Volkslyrik der Finnen" (Helsingfors, 1882) mitgeteilt. Ernst Ziel hat in Nr. 47 desselben Jahrganges drei weitere Proben („Altfinnische Volkslieder") beigesteuert, die wohl alle den Wunsch erregen, die ganze Sammlung finnischer Volkslyrik kennen zu lernen, die uns durch H. Pauls gelungene Verdeutschungen so leicht zugänglich gemacht ist. Mit Unrecht, finde ich aber, ist in Voglers Artikel unerwähnt geblieben, dass die Finnen jetzt auch eine Kunstpoesie, besonders eine Kunstlyrik besitzen, die zwar noch nicht sehr umfangreich ist, aber doch bereits des Vorzüglichen genug aufzuweisen hat, um auf Beachtung und Würdigung auch außerhalb Finnlands vollen Anspruch erheben zu können. Derselbe Hermann Paul, dem wir die Bekanntschaft mit der finnischen Volkslyrik zu verdanken haben, hat bereits im Jahre 1877 auch eine Sammlung moderner finnischer Gedichte in deutscher Uebersetzung herausgegeben (unter dem Titel „Aus dem Norden"), die manche wertvolle Perle der Kunstpoesie enthält, in Deutschland aber leider unbeachtet geblieben zu sein scheint. (Eine empfehlenswerte Anthologie moderner lyrischer Originaldichtungen ist Leinu's „Väinölä". Unsi helmivyö suomalaista runoutta. Borgå 1884. Werner Söderström.) Ich gedenke auf diesen Zweig der jungen finnischen Nationallitteratur später einmal ausführlicher zurückzukommen, und bemerke vorläufig nur, dass mit dem neuerwachten Nationalbewusstsein zu Anfang unseres Jahrhunderts, das sich litterarisch zunächst in der Aufzeichnung der noch im Munde des Volkes lebenden alten Gesänge und Lieder manifestirte, auch die Kunstdichtung in erfreulicher Weise sich zu entwickeln begann, namentlich seit in Helsingfors eine „Finnische Litteraturgesellschaft" gegründet wurde. Wie rasch diese Entwicklung vor sich gegangen ist, beweist u. A. der Umstand, dass die Finnen sogar schon eine kleine novellistische Litteratur besitzen. Diese auffallende Erscheinung geht Hand in Hand mit dem merkwürdigen Aufschwung, den Finnland in diesem Jahrhundert auch auf den übrigen Gebieten der Kultur genommen hat. Das Hauptaugenmerk ist bei den Finnen, wie bei ihren skandinavischen Nachbarn, auf die Volksaufklärung gerichtet. Das finnländische Budget weist alljährlich sehr bedeutende Posten für die Errichtung und Vervollkommung der Schulen, insbesondere der Volksschulen, auf. Man trifft daher auch bei beiden Geschlechtern oft einen so hohen Bildungsgrad an, dass man staunen muss. Das glänzendste Zeugnis aber für die Volksaufklärung unter den Finnen ist wohl der Umstand, dass zu ihrer Litteratur auch Leute beisteuern, die ihrer sozialen Stellung nach nicht zu den gebildeten Ständen gerechnet werden. Man wird da an die ganz ähnlichen Erscheinungen bei den aufgeklärten Isländern erinnert, mit denen die Finnen auch noch das Weitere gemeinsam haben, dass sie in der politischen Emanzipation des Weibes als die Vorkämpfer aller übrigen europäischen Völker erscheinen und die meisten Erfolge aufzuweisen haben. Auf einen finnischen Volksschriftsteller im bezeichneten Sinne, und zwar auf einen Novellisten, der auch wegen der Vortrefflichkeit seiner Leistungen vollste Beachtung verdient, möchte ich denn in den nachfolgenden Zeilen die Aufmerksamkeit des deutschen Publikums lenken. Ich meine aber Pietari Päivärinta.

Am 18. September 1827 wurde dem Einlieger-Paar Päivärinta in Kirchspiel Ylivieska in Finnland ein Knabe geboren, der den Namen Pietari erhielt. Er war das erste Kind dieser armen Leute und bekam später noch drei Brüder. Bei all ihrer Armut sahen die Eltern doch darauf, dass der Junge etwas lernte, und sie unterrichteten ihn selbst im Lesen. Auch das Schreiben erlernte Pietari auf irgend eine Weise, wie er auch sonst seinen Wissenstrieb so viel als möglich zu befriedigen wusste, in so weit er dies eben ohne Schulunterricht im Stande war. Dabei war er gar oft gezwungen betteln zu gehen, wenn die Eltern krank lagen und nicht arbeiten konnten. Von seinem zehnten Jahre an verdiente er sich durch Arbeit bei fremden Menschen sein eigenes Brot. Für seine Sparpfennige kaufte er sich Bücher und Zeitungen und die Lektüre derselben war seine liebste Erholung und Unterhaltung in freien Stunden. Mit zweiundzwanzig Jahren verheiratete er sich mit einer armen Häuslerstochter und kaufte auf Schulden eine Wirtschaft im Walde. Nachdem er 4 Jahre unter Mühseligkeiten und Entbehrungen hier zugebracht, bekam er, da er wegen seiner schönen Stimme bekannt war, den Antrag, in Alavieska provisorisch die Küsterstelle zu versehen. Päivärinta nahm den Antrag auch an. Einige Jahre darauf machte er das Küsterexamen in Vasa und wurde später Küster in seiner Heimat, wo er noch lebt. Im Jahre 1882 war er Repräsentant der Bauern im Landtage. Seine Leselust wurde durch die misslichen Lebensverhältnisse und Existenzsorgen, in die er durch seine Verheiratung geraten war, nicht nur nicht vermindert, sondern eher gesteigert. Besondere Vorliebe hatte er von jeher für die schöne Litteratur. Doch auch für politische und soziale Schriften, welche sich mit der Lage seines Vaterlandes beschäftigten, zeigte er ein warmes Interesse, wie er ja auch für die neue Gestaltung der Verhältnisse in Finnland ein warmes Herz hatte und jeden Fortschritt auf diesem Gebiete freudig begrüßte. Bald begann er auch sich selbst in litterarischen Arbeiten zu versuchen und schrieb Korrespondenzen für Zeitungen, die Beifall fanden.

Es war im Sommer des Jahres 1867, als er eines Tages, hinter dem Pflug herschreitend, auf die Idee verfiel, ein Buch zu schreiben. Er machte sich auch sogleich an die Ausführung dieses Gedankens und schrieb mit merkwürdiger Raschheit ein Buch, das Episoden aus dem „großen Krieg" behandelte und noch im selben Jahre zu Uläborg gedruckt wurde. Auch ein Drama dichtete er um diese Zeit, das aber nie im Druck erschienen ist. Im Jahre 1876 brach er durch einen Fall einen Fuß und musste mehrere Wochen hindurch das Bett hüten. Diese unfreiwillige Muße benutzte er zum Entwurfe neuer Arbeiten, und als er wieder so weit hergestellt war, dass er im Bette aufsitzen konnte, schrieb er das ganz treffliche Buch: „Mein Leben, Zeichnung aus dem Familienleben", welches auf Kosten des Vereins für Volksaufklärung gedruckt und dem Autor mit 600 Mark honorirt wurde. Er war zu dieser Zeit bereits fünfzig Jahre alt. Durch diesen für ihn so glänzenden Erfolg fühlte Päivärinta sich noch mehr zu litterarischer Tätigkeit angespornt und er veröffentlichte seither unter dem Titel „Bilder aus dem Leben" eine Reihe von Novellen und novellistischen Skizzen, welche die eminente Begabung dieses wackeren Mannes aus dem Volke unbestreitbar an den Tag legten. Diese sind denn auch das Beste, was Päivärinta bisher geschrieben hat und haben dem Namen ihres Autors den guten Klang verschafft, den er nicht nur in seiner Heimat, sondern im Norden überhaupt besitzt. Diesem wurden eine Auswahl aus den „Bildern aus dem Leben" durch eine treffliche Uebersetzung ins Schwedische bekannt gemacht, welche der angesehene Dichter Rafaël Hertzberg der selbst ein Finnländer ist, besorgt und ebenfalls unter dem Titel „Bilder ur Lifvet“ in zwei Heften herausgegeben hat. (Borgå 1883 und 1884, Verlag von Werner Söderström). Das erste Heft ist mit dem Porträt des interessanten Dichters geschmückt, dessen geistvolle Züge auf das Angenehmste überraschen.

Päivärintas Novellen haben ein scharf ausgesprochenes, originelles Gepräge. Ein strenger Ernst ist der Grundzug derselben, der aber den eigentümlichen Reiz dieser Bilder und Skizzen nicht vermindert. R. Hertzberg übertreibt nicht, wenn er im Vorworte zu seiner Uebersetzung behauptet, dass Päivärintas Novellen durch die feine psychologische Beobachtung, die warme und tiefe Lebensauffassung und die einfache, ergreifende Art der Darstellung, die man darin findet, den besten Schilderungen aus dem Leben der Landbevölkerung, welche die Weltlitteratur aufzuweisen hat, an die Seite zu stellen seien, und er charakterisirt dieselben ganz zutreffend mit den Worten: „Die geschilderten Begebenheiten und Personen treten lebendig und wahr hervor, die Naturszenerien und der harte Kampf ums Dasein sind in großen starken Zügen meisterhaft gezeichnet und die eigene Individualität des Verfassers — er tritt nämlich immer als Erzähler seiner eigenen Erlebnisse auf — sammelt und reflektirt alle Strahlen dieses Lebens gleich einem Reflexionsspiegel. All dies bewirkt, dass man mit dem lebhaftesten Interesse seiner Darstellung folgt und sich von den Freuden und Leiden, denen man darin begegnet, sympathisch berührt fühlt. Wirklich bewunderungswürdig ist das Vermögen des Autors, aus einem Stück gegossene Charaktere zu schaffen. . . Was weiter dazu beiträgt, die Lektüre dieser Novellen ansprechend und angenehm zu machen, ist die Feinheit und Noblesse, die beinahe in jeder Zeile der Schilderung hervortritt und zwar ganz ungesucht und natürlich wie mit zu der Luft gehörend, welche die Personen dieser Erzählungen atmen und in der sie leben. In dieser Beziehung stehen Päivärintas Erzählungen wirklich selten hoch.“

Es ist mir nicht bekannt, dass von den Novellen dieses interessanten finnischen Autors die eine oder andere ins Deutsche übersetzt worden wäre, wie sie es doch verdienten. Vielleicht tragen die vorstehenden Zeilen Einiges dazu bei, Päivärinta auch bei uns Eingang zu verschaffen.

Wien. J. C. Poestion.

Litterarische Neuigkeiten.

Eine beachtenswerte Arbeit ist die Arbeit von G. Friedrich „Die Krankheiten des Willens“. (München, Friedrichsche Buchhandlung.) Das Gleiche gilt von „Moderne Versuche eines Religionsersatzes“ von H. Druskowitz und „Ideale und Güter“ von Dr. G. Class.

Geschichte der Erfindung der Buchdruckerkunst von A. von der Linde (Berlin, Ascher & Komp.). Die Herausgabe dieses deutsch-nationalen Werkes ist durch die Munificens des Preußischen Ministeriums ermöglicht.

Von Julius Lipperts Lieferungswerk „Kulturgeschichte der Menschheit in ihrem organischen Aufbau“ liegt nunmehr die vierte Lieferung vor. Dasselbe wird zwei stattliche Bände umfassen.

Das grosse, aber einseitige Werk Taines über die französische Revolution erhält nun einen Konkurrenten in der Person des Engländers Morse Stephens, welcher insbesondere die Revolution in den Provinzen zum Gegenstand seiner Forschungen gemacht hat. Das Werk wird drei Bände umfassen.

Der englische Spezialkorrespondent J. A. O'Shea wird seinen „Blättern aus dem Leben eines Berichterstatters“, welche im vorigen Jahre erschienen sind, eine Fortsetzung folgen lassen. Dieselbe wird den Titel „An Ironbound City“ führen und den achtmonatlichen Aufenthalt des Verfassers in Paris während der Belagerung und der Zeit der Commune beschreiben.

Im Verlag von Emil Sommermeyer in Baden-Baden erschien vor Kurzem eine kleine Novelle in Versen von Adolf Büchle. Der Titel lautet: „Künstlerin Liebe.“ Der Stoff ist dem griechischen Altertum entnommen und in jambischen Blankversen nicht ohne Talent behandelt.

Viele sittenrichterliche Anfechtungen erfährt die neueste Arbeit Paolo Mantegazzas, der sich auf dem Titelblatt in seiner amtlichen Eigenschaft als Professor der Anthropologie und Mitglied der Ersten italienischen Kammer nennt. Der berühmte Naturforscher und Reisende bezeichnet sich auch als Verleger des Werks, obschon ihm die Fratelli Treves in Mailand dem Anscheine nach alle Mühen des Selbstverlags abgenommen haben. (Gli amori degli uomini Saggio de una etnologia dell' amore di Paolo Mantegazza, professore d'antropologia e senatore del regno. Milano, Paolo Mantegazza editore 1886. Preis der 2 Bände Lire 8,—.)

Bei Cäsar Fritsch in München erschienen soeben zwei lesenswerte Broschüren: „Ratschläge zur Erziehung der Jugend.“ Eltern und Kinderfreunden gewidmet von M. v. M. und „Philipp von Jolly.“ Ein Lebens- und Charakterbild von Gottfried Böhm. Dasselbe enthält einen Lichtdruck der Büste Jollys und ein Verzeichniss seiner Schriften.

Von Lina Schneiders vielgelobter Uebersetzung von Carl Vosmaars „Amazone“ (Stuttgart, Deutsche Verlagshandlung, mit Vorwort von Georg Ebers) ist eben die zweite Auflage erschienen.

Ein Buch, das in Frankreich großes Aufsehen macht, ist dasjenige der Redaktion der ultramontanen Zeitung Le Monde La France Juive von Drumont. Im Lande also, das die bürgerliche Gleichstellung der Juden schon vor beinahe hundert Jahren proklamirt und verwirklicht hat, beginnt nun auch die antisemitische Bewegung. Charakteristisch ist, dass die ganze Geschichte auf ein paar Zweikämpfe hinauslaufen zu sollen scheint und dass der erste Gegner des Verfassers, Herr Arthur Meier vom Gaulois der Vorkämpfer des Royalismus in Frankreich ist. Tiefgehend wird jedenfalls die Bewegung nicht werden.

Die Débats vom 29. April widmen dem Buche Dr. Wychgrams „Das weibliche Unterrichtswesen in Frankreich“ einen längern Artikel. Sie heben hervor, dass das Werk des Leipziger Oberlehrers an Korrektheit des Tons nichts zu wünschen übrig lasse, und dass der Verfasser aufs Beste unterrichtet sei und seinen Gegenstand vollständig beherrsche. Einen Vorwurf können sie nicht umhin ihm zu machen, den eines allzu großen Optimismus.

Altmeister **Robert Hamerling**, dieser Makart der Poesie, hat in dem Verlag von J. F. Richter in Hamburg eine würdige Vertretung gefunden. In vorzüglicher Ausstattung bietet uns dieselbe Altes und Neues der Hamerlingschen Muse. Die Siebente verbesserte Auflage von „Sinnen und Minnen. Ein Jugendleben in Liedern" liegt uns vor, worin sich viel Gedankentiefes und Formschönes (wenn auch wenig Eigenartig-Elementares und geringe lyrische Frische) zeigt. Auch die anmutige Dichtung „Amor und Psyche", welche in anthropomorphischer Menschenvergötterung schwelgt, erfreute uns.

Kleine Poetik für Schule und Haus. Zweite Auflage nach E. Kleinpauls dreibändiger Poetik neu bearbeitet von K. Limbach. (Bremen, Heinsius.) Ein verdienstliches Werk. Zu rügen ist nur, dass die Beispiele durchweg den alten Generationen entnommen und die lebenden Dichter ignorirt sind.

Der Gemeinderat der Stadt Paris hat den Herren Etiévant und Richard das Théâtre du Nation konzedirt um eine Volksbühne daraus zu machen, nicht etwa eine Art Gärtnerplatztheater, nein es sollen um, scheint es, die Pariser noch demokratischer zu machen als sie sind, historische Schauspiele, die möglichst demokratisch gehalten sind, darauf gegeben werden: Sind in Aussicht genommen: Jacques Bonhomme (der französische Michel), le Grison (das schlagende Wetter), Etienne Marcel (die Einnahme von Verdun). Das Interessanteste an dem Unternehmen ist, dass am Donnerstag Vorstellungen für die Kleinsten unter den Schülern und Schülerinnen der Primärunterrichte und am Sonntag für die ältern gegeben werden. Für erstere wählt man Stücke wie: La Mère von Florian, l'Avocat Pathelin, le Malade Imaginaire. Die Lehrer werden vor der Aufführung den Kleinen eine Vorlesung über das zu gebende Stück halten. Für die großen Schüler wählt man Stücke aus dem klassischen Repertoire mit politischem Anstrich: Senculas von Rotrou, Horace von Corneille, Britanicus von Racine, Brutus von Voltaire, Charles IX. von Marie Joseph Chénier, alle mit vorangehenden Konferenzen die aber einen litterarhistorischen Charakter haben werden. Dieser interessante Versuch soll mit dem ersten September beginnen.

Bei **Cotta** in Stuttgart erscheinen eine Reihe interessanter Werke, aus denen wir hervorheben:

Koser, R. Friedrich der Große als Kronprinz.

Albrecht, Adam. Aus dem Leben eines Schlachtenmalers.

Oswald von Wolkensteins Gedichte, übersetzt von J. Schrott. — Der Tiroler Minnesänger, dessen Lebensschicksale noch kürzlich in den „Liedern aus Tirol" von Karl Bleibtreu dichterische Beleuchtung erfuhren, ist hier zum ersten Male geschmackvoll übertragen.

In Mailand bei Treves erschien ein Roman „La Montanara" von Barrili und ein Roman „La Famiglia Bonifazio" von Antonio Caccianiga.

„Fräulein Don Quixotte" (Don Quixotte Kisasszony), ein neuer Roman von Alexander **Brúdy** — Verlag: Gebrüder Révai, Budapest — hat viel Staub aufgewirbelt in ungarischen — Kritikerkreisen. Ein Rezensent widerspricht dem Andern, der Eine lobt, was der Andere tadelt. Und wer das Buch gelesen hat, findet in den Widersprüchen und Extremen, die sich darin stoßen und drängen, die Erklärung der Widersprüche einer sonst gewissenhaften Kritik, wie sie von der ungarischen Presse geübt wird. Das unstreitig bedeutende Talent des jungen Autors bewegt sich in einem weiten Kreise und in den offenbarsten Kontrasten; die kindliche Naivetät wandelt sich plötzlich zur faltigen Lebensmüdigkeit und aus den phantastischsten Träumen idealberauschter Romantik tritt mit einem Male der berufene Jünger Zolas hervor und bringt den Naturalismus zu despotischer Herrschaft; solcher Züge, die einander ausschließen, finden sich viele in dem interessanten Buche, dem selbst die Einheit des Stiles mangelt; derselbe liegt an manchen Stellen noch in den Windeln des Anfängertums, während er anderswo durch seltene Schönheit entzückt, je nachdem es dem Autor eben gelungen ist, die Schreibweise seines oder des andern seiner Lieblingsmeister nachzuahmen. So lässt sich kapitelweise der Einfluss Zolas, Balzacs, Turgenjeffs, Flauberts, und des ungarischen Romanciers Tolnai erkennen. Brody hat demnach noch den Ausgleich in sich selbst, Heftigkeit in Denken, Empfinden und Gesinnung, Selbständigkeit des Stils anzustreben, um berechtigt zu werden, nach dem Kranze zu greifen, der immer noch Jokais Haupt schmückt; mit diesem scheint übrigens der junge Schriftsteller, nach seinen bisherigen Werken zu schließen, auch eine Eigenheit gemein zu haben: kein vorzügliches Ganze schaffen zu können, sondern nur treffliche Teile. Das trifft auch bei seinem jüngsten Romane zu.

Kulturgeschichtlicher Cicerone für Italien-Reisende von E. von Hörschelmann. Erster Band. (Berlin, Fr. Luckhardt.) Ein vortreffliches Buch, in welchem die rühmlichst bekannte Verfasserin, die besonders als Dante-Kennerin verdienten Ruf genießt, ihre reichen Kenntnisse auf diesem Gebiet entfaltet.

Bei Hoepli in Mailand ist eine Sammlung von Briefen des jungverstorbenen Heine-Uebersetzers B. Zendrini erschienen, der ein autographisches Fragment beigegeben ist. Dem Ganzen ist ein einleitender Essar vorgedruckt. (Epistolario de Bernardino Zendrini preceduto da uno studio del Prof. Guiseppe Pizzo. Ulrico Hoepli, Milano 1886. 317 S. Lire 4.—.)

Als Teil des seit 1884 erscheinenden Werkes: „Die römische Campagna im Mittelalter" von Tomassetti ist kürzlich ein Band veröffentlicht worden, der die Via Latina im Mittelalter unter Mitberücksichtung der andern Geschichtsepochen behandelt und sich der Form nach als chronologisch geordnete Beschreibung einer Reise von Rom nach Monte Algido giebt. (G. Tomassetti La Via Latina nel medio evo Analisi storica Roma. Löscher & Cio. 1886. 318 S. Lire 8.—.)

Als eine unzweifelhaft hervorragende Erscheinung auf dem Gebiete der modernen deutschen Essay-Litteratur ist **Moritz Brasche** vor Kurzem erschienenes zweibändiges Werk: „**Essays und Charakterköpfe zur neuern Philosophie und Litteratur**" (Leipzig 1885) zu bezeichnen. Wer hier gelehrte philosophische Abhandlungen vermutet, irrt sich; es sind vielmehr allgemein verständliche Studien teils historischen, teils kritischen Inhalts und zwar über Fragen und Persönlichkeiten der neuern Philosophie, überall den Zusammenhang der spekulativen Ideen mit den politischen, religiösen und litterarischen Zeitströmungen der Gegenwart nachweisend. Insbesondere heben sich diejenigen Essays ab, die der Verfasser als „Charakterköpfe" bezeichnet, durch die Lebendigkeit und plastische Kraft, mit der die einzelnen hier behandelten Philosophen hervortreten und es dürfte auf diesem Terrain wohl zum ersten Mal der Versuch gemacht worden sein, den abstrakten Gedankengehalt mit seinem persönlichen Träger, das philosophisch Allgemeine mit dem Leben und der individuellen Einart des betreffenden Denkers zu einer sich ergänzenden Eigenheit zu verschmelzen. Um unsern Lesern eine Vorstellung von der Fülle und Mannigfaltigkeit der in den beiden Bänden gesammelten Arbeiten zu geben, mögen folgende genannt sein. Bd. I enthält: „Zur Philosophie der Weltgeschichte", „Die sozialistischen Phantasiestaaten", „Die Idee des ewigen Friedens mit Rücksicht auf Politik und Völkerrecht", „Zur Philosophie des Schönen. Ein kritischer Essay über einige neure Aesthetiker." Bd. II: Hermann Lotze; Carl Fortlage; Friedrich Albert Lange, der Historiker des Materialismus; Bruno Bauer, Raph Waldo Emerson; ferner: Zum Jubiläum der Kritik der reinen Vernunft; Kant und die Gegenwart, Kant und die Naturforschung; Schleiermacher als Ethiker; Zu Hegels Todestag; Ueber eine Gesammtausgabe von Herbarts Werken; Eine Bacon-Frage; Hugo Grotius, der Begründer des modernen Völkerrechts; Rousseau als Religionsphilosoph; d'Alembert als Philosoph und Herausgeber der großen Encyklopädie u. s. w. Wer in diese gehaltvolle und vielfach sehr umfangreiche Studie sich vertieft, muss die seltene Kunst des Verfassers bewundern, Fragen und Probleme von so ernstem Inhalt in ebenso anziehender als formschöner Gestalt uns vorgeführt zu haben.

Dem an Dichter-Denkmalen so armen Wien steht nach dieser Richtung eine ansehnliche Bereicherung bevor: Das **Grillparzer-Monument**, ausgeführt von Kundmann und Weyer, dürfte bald nach der Vollendung des neuen Burgtheaters seinen bestimmten Platz im Volksgarten erhalten. Nicht so weit vorgeschritten, aber dennoch der allgemeinen Sympathie gewiss sind das Projekt eines gemeinsamen Denkmals für Nikolaus **Lenau** und Anastasius **Grün**, für welches seiner Zeit besonders in den Kreisen der akademischen Jugend mit enthusiastischem Eifer gewirkt wurde, und das **Goethe-Denkmal**, dessen Verwirklichung sich der Goethe-Verein zur Aufgabe gemacht hat.

S. Mandelkerns vor zwei Jahren im Verlag von Wilhelm Friedrich in Leipzig erschienener hochbedeutender Roman „Thamar“, zwei Bände, ist nun auch der Raubsucht der Niederländer verfallen. Der Uebersetzer ist ein gewisser W. J. A. Huberts und der Verleger J. P. Revers in Dordrecht. Die Niederländer sind doch noble Leute!

Die Verlagshandlung von Gressner & Schramm in Leipzig veröffentlichte vier Novitäten und zwar ein „Lehrbuch der Stereometrie“, für das Selbststudium bearbeitet von W. Burckhardt, mit vielen in den Text gedruckten Holzschnitten, ein Ergänzungsband zur dritten Auflage seiner Mathematischen Unterrichts-Briefe — „Kaiser Wilhelms-Land und der Bismarck-Archipel“, nach den neusten Quellen geschildert von Carl Hager, mit Abbildungen und zwei Karten von Kaiser-Wilhelms-Land — „Vier tragische Novellen“ von C. von Weber und endlich „Gedichte“ von Oskar Oertel, zweite veränderte Auflage.

Wie uns seiner Zeit ein Engländer, Lewes, die beste, Goethe-Biographie geschrieben hat, so ist neuerdings von einer Engländerin, Helen Zimmern, eine Lessing-Biographie bereits in zweiter Auflage erschienen, die wir im Verhältnis zu den anderen Büchern, die von Gelehrten über Lessing und seine Werke geschrieben sind, als die beste im populären Sinne bezeichnen können. Der Leser wird nicht durch Quellenangaben und gelehrtes Beiwerk ermüdet, im Gegenteil, Helen Zimmern versteht es, durch Klarheit und Mutterwitz das Interesse bis ans Ende festzuhalten. Wir empfehlen unsern Lesern die soeben erschienene zweite Auflage umsomehr, als selbe, sehr elegant ausgestattet, mit dem Porträt Lessings versehen, zu dem niedrigen Preise von nur 4 M. (die erste Ausgabe kostete 10 M.) für beide Bände käuflich ist. (Verlag von H. Barsdorf in Leipzig.)

In Graz wird demnächst ein Anastasius Grün-Denkmal aufgestellt werden, mit dessen Ausführung der Wiener Bildhauer Professor Kundmann betraut wurde.

Die Bibliotheks-Kommission des Wiener Gemeinderates hat das von Beyfus gemalte Bildnis Eduard v. Bauernfelds angekauft, um dasselbe in den Räumen der städtischen Bibliothek aufzustellen.

Dem Andenken seines Gefährten, des Afrikareisenden Giovanno Chiarinini gewidmet und mit dem Bildnis desselben geschmückt ist ein bei Barbèra in Florenz erscheinendes, mit vielen Illustrationen und einer großen Landkarte versehenes Werk Sebastian Martinis über seine afrikanischen Reisen in den Jahren 1878—81. (Sebastiano Martini Ricordi di Escursioni in Africa dal 1878 al 1881. Diario geografico e topografico. Firenze. Topografia di G. Barbere. 1886 XXVIII a 386 S. Lire 10.)

Die neueste Arbeit P. Perolari Malmignatis, gewesenen italienischen Konsuls in Kairo, giebt einerseits eine Beschreibung seiner Reise nilaufwärts und zu den Denkmälern, andrerseits eine Darstellung der jetzigen politischen und sozialen Lage des Nillandes Egyptens. (P. Perolari Malmignati L' Egitto senza Egiziani. Milano, Treves. 1886. 327 S. Lire 3.50.)

Im Verlag der C. F. Winterschen Verlagsbuchhandlung in Leipzig gelangte soeben das erste Heft von Hans Blume: „Deutscher Pitaval“ zur Ausgabe. Es ist dies eine „Vierteljahrsschrift für merkwürdige Fälle der Strafrechtspflege des In- und Auslandes“, welche à Heft M. 3 kostet. Das erste Heft bringt: Ein dunkles Geheimnis und die Verbrechen der Anarchisten in Deutschland in den Jahren 1880—85. I. Letzteres ist in sechs Kapitel eingeteilt. Der „Deutsche Pitaval“ will die bedeutsamsten Straffälle der Gegenwart und „Vergangenheit des In- und Auslandes nach den besten Quellen, den Akten, Verhandlungen und Urteilen darstellen in abgerundeter, gemeinverständlicher, kritisch und wissenschaftlich durchgearbeiteter Form.

Im Verlag der C. F. Schmidtschen Universitäts-Buchhandlung (Friedrich Bull) in Straßburg und Leipzig erschien ein Band Lyrik von Eduard Halter unter dem Titel: „Die kleinen Lieder mit Dichten und Trachten.“

Bei Otto Meißner in Hamburg gelangte eine „Germans Grammar“ by Ellis Greenwood and Romius Vögler zur Ausgabe. Außerdem ein zu derselben gehöriger „Key“ with grammatical and explanatory notes von demselben Verfasser.

Das Karlsbader Album von Karl Böttcher zeigt eine gediegene Ausstattung und manchen „berühmten“ Lyriker als Mitarbeiter; sogar Albert Träger.

Albert Unflad in Leipzig ließ wieder ein originelles Buch vom Stapel: „Die Reise durch Jahrhunderte. Aus der Plaudermappe eines Grenzbummlers.“ Mit 115 Illustrationen von Doré. Elegant gebunden 3 Mark.

Im Verlage von Moriz Rath, Budapest begann kürzlich eine Gesammt-Ausgabe der Werke Turgenjeffs in trefflicher ungarischer Uebertragung zu erscheinen. Die im selben Verlage erscheinende illustrirte Ausgabe von Shakespeares sämmtlichen Dramen hat mit „Othello“ in der meisterhaften Nachdichtung Karl Spáš' würdig begonnen; auch die Uebersetzungen der großen Nationaldichter Johann Arrany, Alexander Petöfi und Michael Vörösmarty werden dieser Ausgabe eingefügt werden, deren jedes einzelne Stück Gregor Csiky mit einer litterarhistorischen Einleitung und den notwendigen Erklärungen versehen wird.

Die Gesellschaft, jene „realistische Wochenschrift,“ welche M. G. Conrad in München seit Januar 1885 herausgab, ist seit Januar dieses Jahres in eine Monatsschrift verwandelt. Die ersten fünf Hefte liegen uns vor und wir säumen nicht den Gesammteindruck derselben hervorzuheben, da dies schöne Unternehmen die wärmste allgemeine Beachtung verdient. Der geniale Herausgeber hält sich oft zu sehr in den Schranken der Redakteurschaft zurück. Er bietet uns in Nr. 1 ein Stück aus seiner bekannten Novellensammlung „Lutetias Töchter“ — eine Novelle voll lebens- und liebesfroher Sinnlichkeit, welche die volle Schilderungskraft und koloristische Glut seiner stilistischen Technik zeigt — obschon wir „Die Frau Majorin“ keineswegs zu den besten Schöpfungen dieses Bahnbrechers realistischer Novellistik rechnen. Ganz vorzüglich ist seine Reisestudie in Nr. 4. Seine übrigen Beiträge in den Heften über Münchener Theater und Kunst zeigen die gewohnte Frische und Schneidigkeit des tapferen Kämpen.

Überhaupt enthalten die Hefte eine Reihe packender und geistvoller Essays. So besonders die von Cristaller, von Flürscheim. Noch auffallender ist die Vorzüglichkeit der lyrischen Beiträge, worunter wir in erster Linie die von H. v. Reder hervorheben. Auch Alberta von Puttkamer, Walloth, Liliencron, Bleibtreu und Andere sind gut vertreten.

Weniger Vorteilhaftes können wir leider von dem Novellistischen aussagen. Und zwar ist das Bedauerliche zu konstatiren, dass die zwei Erzählungen aus fremden Sprachen weitaus den Löwenanteil des günstigen Gesammteindrucks behaupten. „Sie ging nicht zu Grunde“ aus dem Russischen (Heft 2) kontrastirt in sehr wenig für das deutsche Erzeugnis schmeichelhafter Weise mit der darauf folgenden von G. Blume, einem sonst recht begabten Mitgliede der Jungdeutschen Tafelrunde. Vollends in Heft 4 verirrt sich ein Autor, P. Andow, zu einem „Liebesmärchen“, dessen krampfhafte Ungesundheit um so greller absticht, als ein Meisterwerk ersten Ranges „Bertaldas Ritter“ aus dem Dänischen des trefflichen Rudolf Schmidt vorhergeht — eine Novelle, die zum Reifsten und Wahrsten gehört, was wir seit lange gelesen haben.

Geistreich und lebensprühend ist die Novelle von A. v. Suttner in Heft 1, wie man es von diesem hochbegabten Autor erwarten darf. Sie bietet viel Beobachtetes aus dem High Life in Frankreich und Tiflis, das man wohl getrost als Selbsterlebtes bezeichnen kann. Aber die Erzählung ist zu zerhackt, der Stil oft manierirt. Letzteres gilt auch von der „Ehestandsgeschichte“ von B. Onlot, „Es Löwos“, die zwar alle Liebenswürdigkeit und heitere Anmut der gefeierten Verfasserin entwickelt, aber doch ein wenig süßlich und geziert wirkt. — Frisch und reinlich hingeschrieben ist die „Reisearabeske“ von A. v. Muschlitz. Entschieden die beste Leistung der vertretenen deutschen Novellisten scheint mir A. v. Sternbergs „Aufzeichnungen meiner Urgroßtante“. Nicht ohne poetischen Reiz ist die Novelle „Sybille“ der Gräfin Luckner.

Jedes Heft ist mit dem Porträt eines Mitarbeiters geziert, so das erste mit dem des Herausgebers, das zweite mit dem von Karl Bleibtreu, das dritte mit dem von Johann Strauß, das vierte mit dem von Heinrich v. Reder, das fünfte mit dem von Karl Stieler.

Alle für das „Magazin“ bestimmten Sendungen sind zu richten an die Redaktion des „Magazins für die Litteratur des In- und Auslandes“ Leipzig, Georgenstrasse 6.

Für die Redaktion verantwortlich: Karl Bleibtreu in Charlottenburg. — Verlag von Wilhelm Friedrich in Leipzig. — Druck von Emil Herrmann senior in Leipzig.

Das Magazin

für die Litteratur des In- und Auslandes.

Wochenschrift der Weltlitteratur.

1832 gegründet von Joseph Lehmann.

55. Jahrgang.

Herausgegeben von Karl Bleibtreu.

Preis Mark 4.— vierteljährlich.

Verlag von Wilhelm Friedrich in Leipzig.

No. 25. —— Leipzig, den 19. Juni. —— 1886.

Unsern verehrlichen Lesern wird die Notwendigkeit der baldigen Erneuerung des Abonnements in freundliche Erinnerung gebracht.

Leipzig. Die Verlagshandlung des „Magazins".

Inhalt:

„Erloschene Sterne."

Ein Beitrag zur Geschichte deutscher Kritik.

Von Rochlitz-Seibt.

In der Kunst des Vergessens sind wir Deutsche wirklich groß, und mag deutsche Treue und Festigkeit sprichwörtlich geworden sein, in Sachen ästhetischen, speziell litterarischen Geschmacks sind wir vielleicht das wankelmütigste Volk der Erde.

Es ist ein eigentümlich wehmütiges Gefühl, das den Litteraturfreund beschleicht, wenn er Dichtertrone, die noch vor 60—70 Jahren von einer anbetenden und bewundernden Menge umlagert waren, nach allmählicher oder auch plötzlicher Unterhöhlung, in Trümmer geschlagen, heute selbst in der Studierstube des Litterarhistorikers oder Konversationslexikographen als altes Gerümpel in den dunkelsten Winkel gestellt sieht.

Da ist z. B. der vielgefeierte, vielverlästerte Kotzebue.

Es giebt heute unter den sogenannten „Gebildeten" vielleicht Niemand, der von diesem Manne, wenn überhaupt, anders als mit geringschätzigem Achselzucken zu sprechen sich für berechtigt hielte. Dass jedoch berühmte Kritiker, ja Heroen unserer Litteratur, Kotzebue nicht bloß für einen talentvollen Schriftsteller, sondern sogar für einen großen Dichter erklären, hat man übersehen oder vertuscht. Der kaltkritische Engel, „der Philosoph für die Welt", war von „Menschenhass und Reue" geradezu begeistert, Wieland zeigte sich Kotzebue noch 1802 sehr günstig und lobte besonders „Die Hussiten vor Naumburg", bloß bedauernd, dass das Stück gar zu tief rühre, ein Vorwurf den man sich schon gefallen lassen kann, der demokratische Börne endlich nannte ihn, allerdings halb ironisch, seinen lieben, guten Kotzebue. Am interessantesten ist jedoch, dass selbst Goethe ihm nicht bloß Talent, sondern — wer lacht da? — sogar Genie zuschrieb, dass er noch in seinen späteren Jahren 6—8 Wochen an die Umarbeitung des Schauspiels „Der Schutzgeist" wandte, und dass er selbst in den allerletzten Tagen seines Lebens sich mit Kotzebue beschäftigte (Falk, Ueber Goethe und dessen Briefe an Zelter). — Ein Umschwung trat erst ein, als Kotzebue seine schmutzige, anmaßende Satire gegen zweiundzwanzig der angesehensten deutschen Poeten (darunter Goethe, der es ihm, wie gezeigt, freilich nicht nach Gebühr entgelten ließ, Schlegel, Tieck u. A.) losließ, die einen derartigen Unwillen erregte, dass er anfangs geraten fand, die Autorschaft der anonym erschienenen Schrift ganz zu verleugnen, und erst nach längerem Sträuben zu dem Bekenntnis gezwungen werden konnte, er sei wirklich der Verfasser. Von da ab mischte sich jener Unwille in die Kritik aller seiner Stücke ein und steckte endlich auch das Publikum an, vollends als ihn Platen als „stiefelschmierenden Lope" dem allgemeinen Spotte preisgegeben hatte. Heute ist Kotzebue ein todter Mann, der höchstens dann und wann in dem „Original"lustspiel manches berühmten Komödiendichters der Gegenwart, wenn auch überschminkt und mit neumodischem Flitter behangen, seine Auferstehung feiert.

Da ist weiter **Müllner**, der „Advokat zu Weißenfels", der sich 1815 durch seine „Schuld" zum ersten dramatischen, später dramaturgischen Konsul aufschwang und durch ungefähr ein Jahrzehnt in dieser Stellung behauptete. Und wie hat sich schon die folgende Periode und die privilegirte, gedruckte Kritik gegen ihn und sein berühmtestes Stück benommen! Auch hier war es Platen, der, obgleich vermöge seines leidenschaftlichen Subjektivismus zum unparteiischen Kunstrichter am wenigsten geeignet, den Hauptschlag führte und jenen Umschwung bewirkte, der beim deutschen Publikum auf die Ueberschwenglichkeit des Gefühls, oft widerlich genug, zu folgen pflegt. Man fing an, einzusehn, man habe zehn Jahre lang Müllners Ruhm zu hochgestellt, und um sich dafür gleichsam an sich selbst zu rächen, setzte man ihn nun viel zu tief herab, ging's nicht anders, durch spöttische Witzeleien, die freilich wohlfeil genug sind und doch der großen Menge nicht wenig imponiren.

Doch fehlte es auch nicht an bedeutsamen Stimmen, welche das große Talent des Dichters rückhaltlos anerkannten, so selbst der strenge **Börne**. Dieser, vor dem ein „Tell", eine „Emilia Galotti" keine Gnade fand, der Goethes poetischen Genius leugnete, nennt die „Schuld" eine schöne Sünderin. — **Grabbe**, in seinem „Scherz, Satire, Ironie und tiefere Bedeutung", lässt den „Schulmeister" sagen: „Die Schuld" dünkt mich trotz ihrer Mängel doch viel zu gut, als dass ihre Rezensenten sie verstehen könnten." So urteilt, um in dem Jargon gewisser Litteraturhistoriker zu sprechen, ein „Kraft- und Originalgenie", ein sogenannter „Charakteristiker" von einem „deklamatorischen Jambentragöden" und „Fabeldramatiker", welche beiden Spezies durch eine ganz schauderhafte Kluft von einander getrennt sein sollen! Endlich lässt auch **Grillparzer** Müllners Talente volle Gerechtigkeit widerfahren, von dem er sagt, er habe in seiner Art Unübertreffliches geleistet, obzwar gerade Grillparzer von Seite Müllners die hämischesten*) Angriffe zu erdulden hatte. Nie soll uns allerdings eine Autorität zu einem Für oder Wider bewegen, wenn sich aber drei so bedeutende und in ihrer Beanlagung so grundverschiedene Geister, wie Börne, Grabbe und Grillparzer in, wenn auch eingeschränkter, Anerkennung einigen, so kann der Gegenstand dieser Anerkennung, dieses Lobes, kein ganz unwürdiger sein, und es ist also empörend und ekelhaft, wenn sich irgend so ein kritisirender Nichtskönner in großartiger Positur hinsetzt und schreibt, Müllner habe keine poetische Ader besessen, bei ihm sei alles kühlste, nüchternste Berechnung u. dgl. Unsinn mehr.

Wir für **unsern** Teil, nach **unserem** subjektiven Empfinden, halten Müllners Hauptwerk „Die Schuld" wenn nicht in der Idee, doch in der Durchführung für eins der besten deutschen Trauerspiele und glauben, dem erschütternden Eindruck der beiden letzten Akte könne sich, selbst bei der bloßen Lektüre, kein empfängliches Gemüt so leicht entziehen.

Als Dritten im Bunde, gleich dem Vorigen als Schicksalsdichter stigmatisirt und heute völlig „versunken und vergessen" nennen wir **Zacharias Werner**, dessen Lebenslauf ein Beleg dafür ist, dass das Sprichwort „Junge H — alte Betschwestern" auch einer Erweiterung und Uebertragung ins masculinum fähig ist. — Auf eine Würdigung dieses großartig, aber fragmentarisch angelegten Geistes einzugehn, ist hier nicht der Ort, nur darauf sei hingewiesen, dass **Goethe**, unter dessen Auspizien Werners „24. Februar" und „Wanda" in Szene gingen, ihn „sehr genial" nennt und seines vertrauten Umganges würdigte. — Noch auf einen zweiten Umstand möchten wir hier aufmerksam machen, der unseres Wissens noch von keinem Litterarhistoriker oder Kritiker hervorgehoben wurde, nämlich auf die vielfachen Berührungspunkte, in denen Werners dramatische Begabung sich mit jener Grillparzers begegnet. Eine Paralelle zwischen den beiden Dichtern wäre in dieser Hinsicht eine sehr interessante und dankbare Aufgabe, namentlich was die historischen Stücke z. B. „Ottokar" einerseits und „Attila" andererseits anlangt, welch Letzterer dem Wiener Dichter unverkennbar vorgeschwebt hat. Abgesehen von Werners letzten Stücken mit ihrem alles überwucherndem Mystizismus, der bei Grillparzer gewissermaßen nur im Keime entwickelt ist, finden wir bei beiden dieselbe Detailmalerei der Situationen, dieselbe geniale, sichere Charakterzeichnung, sogar dieselben Stilwendungen, aber auch oft genug die gleiche Zersplitterung des dramatischen Interesses an mehrere Personen, das häufige Vordrängen epischer und lyrischer Elemente, die Ermattung der letzten Akte, die sprachlichen und metrischen Nachlässigkeiten u. s. w. Dagegen fehlt es Werner durchaus an dem bei Grillparzer schön entwickelten, seinem dramatischen Talente die Wage haltenden Kunstverstand, ohne den nun einmal, selbst bei der größten Begabung, ein Kunstwerk nicht gedacht werden kann, wie denn in der Tat Werner, im Gegensatz zu Grillparzer, außer seinem in sich

---

*) So z. B. ist Müllners Kritik von Grillparzers „Ottokar" die denkbar läppischeste und kleinlichste. Müllner geht auf den Kern des Stücks, auf Komposition, Charaktere etc. gar nicht ein, sondern beschäftigt sich nur mit den äußerlichsten Aeußerlichkeiten. So bemängelt er, dass Ottokar im **Feldlager Rudolfs** (im III. Akt) mit der **Krone** auf dem Haupte erscheint, statt mit dem Helme, dass die Zeltwände auf **einen** Schwertstreich fallen, dass es heißen solle: „mancher Geier" statt manch' Geier, dass Grillparzer überhaupt noch immer nicht grammatikalisch und stilistisch richtig schreiben gelernt habe u. s. f.

abgerundeten, bühnengerechten einaktigen „24. Februar“ und etwa „Martin Luther“ kein solches geschaffen hat.

Interessant ist auch Werners Urteil über Grillparzer, welches selbst dem alles auf diesen Bezügliche mit Bienenfleiß zusammentragenden Fäulhammer entgangen zu sein scheint, daher es hier seinen Platz finden möge. Es steht in der bandwurmartigen Vorrede zu Werners Trauerspiel „Die Mutter der Makkabäer“ (Wien 1820) und lautet: „— — Ich kenne und schätze persönlich den schätzbarsten vielleicht dieser neuesten dramatischen Dichter (sc. Grillparzer), dessen seltenes Verdienst, als eines den Meistern des Stils sich schön Beigesellenden, schon nach Gebühr anerkannt ist; Bürger der Kaiserstadt, die mir seit fast fünf Jahren ein gastliches Obdach darbot, ist er Mitglied also eines achtungswerten Volkes, das weise genug ist, nicht nur Leichen einzubalsamiren, sondern auch Lebende zu lieben! Von ihm und einigen Wenigen noch erwarte ich mit Freudigkeit, dass sie das erringen werden, was lange das schönste Ziel meines Wirkens war, ein Ziel, welches zu erreichen nicht minder das, was man Laune des Schicksals zu nennen pflegt und höhere Bestimmung nennen sollte, als fremde Beschränktheit und eigene Beschränkungslosigkeit verhinderten.“ — Dieses freundschaftliche Verhältnis scheint sich allerdings bald geändert zu haben, indem sich Grillparzer in seiner Selbstbiographie über Werner als „politischen Denunzianten“ lebhaft beklagt. Gleichwohl hat er ihm später doch einen anerkennenden poetischen Nachruf gewidmet (siehe „Gedichte“). In parenthesi sei zum Schlusse noch bemerkt, dass es erfreulicherweise auch an dem Gegenbilde zu jenen vergessenen Litteraturgrößen nicht fehlt, an Talenten nämlich, die anfangs von der Kritik selbst höchster Autoritäten, wie Goethe, vornehm über die Achsel angesehn, sich später Bahn gebrochen haben und heute zur nationalen Macht geworden sind, wir nennen hier nur Uhland, Kleist und (teilweise) Grillparzer, hinsichtlich welcher das deutsche Volk jenes kühl abweisende Urteil seines Dichterfürsten desavouirt hat, indem es Uhland, wie schon die riesige Auflage seiner Gedichte beweist, unter seine Lieblingsdichter aufgenommen und als Lyriker nicht unter — sondern in eine Reihe mit Goethe gestellt hat, und auch den beiden andern, Kleist und Grillparzer, deren Werke Goethe, wie Laube richtig bemerkt, zum Teil offenbar nur vom Hörensagen, d. h. durch Zelter, gekannt hat, gerechter geworden ist.

Eine so große und unerquickliche Rolle also Einseitigkeit und hyperboräische Uebertreibung sei es im Lobe sei es im Tadel in der Geschichte unserer Litteratur spielen, so mag uns zu einigem Troste gereichen, dass wenigstens unsere Dichterheroen, Schiller und Goethe, zur Zeit siegreich und unbestritten dastehn, und dass Angriffe wie jene Börnes und W. Menzels heute wohl nicht mehr möglich wären. Heute und in der nächsten Zukunft wenigstens nicht! Für späterhin möchten wir allerdings keine Bürgschaft übernehmen. Eine Zeit, die sich erdreistet, eins der größten Genies, die je gelebt, einen Mozart*) zöpfisch und antiquirt zu finden, kann es gar herrlich weit bringen und endlich auch dahin gelangen der famosen „Zukunftsmusik“ eine noch famosere „Zukunftspoesie“ beizugesellen und als deren Messias irgend einen marktschreierischen „Wortmusikanten“ (per analogiam der heutigen „Ton-Dichter“) auf ihren Schild zu erheben, wodurch natürlich auch Schiller und Goethe entbehrlich würden.

Ein realistischer Dichter.

Wie der Anblick einer fruchtbaren Landschaft nach langem Wandern in öder Heide, wie der Hauch würziger Bergluft nach dem Staube der Landstraße erfrischte uns jüngst eine schlicht broschirte Gedichtsammlung, die wir unter all dem aufgeputzten, süßlichen Liederkram, den die moderne Lyrik wöchentlich in Hunderten von Goldschnittbänden auf den Büchermarkt schleudert, zufällig entdeckten. Dieses Bändchen, von dem wir reden wollen, führt den Titel „**Adjutantenritte** und andere Gedichte von Detlev Freiherr von Liliencron“ (Leipzig, Verlag von Wilhelm Friedrich. M. 2) und verrät schon dadurch, welchem Stande der Verfasser angehört. Freiherr von Liliencron war Offizier und im Feldzuge gegen Frankreich Regimentsadjutant. Einem Freunde ververtraute er: „Ich habe erst mit dem 35. Jahre angefangen zu dichten, d. h. das, **was ich erlebte** in poetischem Drange niederzuschreiben.“ Dieses Geständnis erklärt, weshalb seine Poesien so urwüchsig, echt und eigentümlich sind, warum sie so warm zu Herzen sprechen. Seine Adjutantenritte wurden nicht im sanften Traume auf phantastischem Pegasus, sondern im Donner der Schlacht auf schnaubendem Renner zurückgelegt. Es ist keine hohle Phrase, wenn er singt:

„Und in den Staub der letzte Schelm,
Der mich vom Sattel wollte stechen!
Ich schlug ihm Feuer in den Helm
Und sah ihn todt zusammenbrechen.“

*) In Berlin, Dresden, Leipzig etc. erscheint Mozart doch noch immer dann und wann auf den Konzertprogrammen, für die Mozartstadt (!) Prag aber existirt er, von den 2. 3 Opern abgesehen, einfach nicht. Erst kürzlich sprach daselbst so ein Südler vom „veralteten“ Mozart. In Prag „ehrt“ man das Andenken an den Tonheros in der Weise, dass man eine der elendsten „Straßen“ (canis a non canendo), die selbst Kecskemet nichts weniger als zur Zierde gereichen würde, Mozartgasse getauft hat, während die elegantesten Straßenzüge mit den „weltberühmten“ Namen eines Rubes, Klicpera u. dgl. „geschmückt“ werden. — Difficile est satiram non scribere.

Liliencron hat froh für Kaiser und Reich gestritten und gelitten. Schwachnervige Damen dürfen jedoch nicht befürchten, bei diesen Gedichten in Ohnmacht zu fallen. Nur Wenige erinnern an den militärischen Beruf des Verfassers und selbst in diesen wählt er den Grundton nicht aus Dur, sondern aus Moll. Ein Beispiel wird seine Art und Weise am klarsten veranschaulichen:

Tod in Aehren.

Im Weizenfeld, in Korn und Mohn,
Liegt ein Soldat unaufgefunden,
Zwei Tage schon, zwei Nächte schon,
Mit schweren Wunden, unverbunden.

Von Durst gequält und fieberwild,
Im Todeskampf den Kopf erhoben.
Ein letzter Traum, ein letztes Bild,
Sein brechend Auge schlägt nach oben.

Die Sense rauscht im Aehrenfeld,
Er sieht sein Dorf im Arbeitsfrieden.
Ade, Ade, du Heimatswelt! —
Und beugt das Haupt, und ist verschieden.

Aber rechtfertigen wir zunächst das dem Dichter beigelegte Eigenschaftswort „realistisch". Steht dasselbe nicht im Gegensatz zu „poetisch"? Nein, will der Poet mit der Zeit fortschreiten, so muss er sich ihrer Strömung anvertrauen. Der Wahlspruch unserer Tage heißt:

„Der Traum ist vorüber, die Wirklichkeit
Stöst dröhnend ins Horn und ruft uns zum Streit."

Man stelle sich unter dem Worte keine Eigentümlichkeit vor, die den Gesetzen der Schönheit und Harmonie widerspricht, man verwechsle es nicht mit „naturalistisch". Der Dichter soll uns kein photographisches Straßenbild geben, auf dem jede zerbrochene Fensterscheibe und jeder Kehrichthaufen sichtbar ist, sondern soll mit feinem Verständnis nach dem Leben malen, soll Licht und Schatten kunstreich verteilen.

Ein solcher Künstler ist Liliencron. Er verbindet den Adel des Geistes mit dem Adel der Form. Seine Gedichte wollen nicht durch weite und tiefe Gedanken blenden, sie erzählen wahre Erlebnisse, nicht interessant erdichtete Abenteuer. Er richtet seinen Blick nicht auf das Allgemeine, er begnügt sich mit der scharfen Beobachtung der nächsten Umgebung und schildert alltägliche Vorgänge, aber im Glanze, wie sie die Kristalllinse des Dichterauges wiederspiegelt. Wie originell behandelt er das vielbesungene Thema der Liebe! Liebeslieder stehen heutzutage auf dem Kurszettel deutscher Poesie als notleidendes Papier verzeichnet. Man kann es dem Publikum nicht verargen, wenn es an fader Süßholzraspelei und chronischem Herzbrechen keinen Geschmack mehr findet. In den vorliegenden Gedichten sucht man vergeblich nach solchen Seufzerduetten und weltschmerzlichen Schülerliebschaften. Die erotischen Lieder Liliencrons tragen nicht die bleichsüchtige Farbe krankhafter Empfindung, sondern das frische Rot gesunder Sinnlichkeit. Lassen wir ihn selbst reden:

„Komm, Mädchen, mir nicht auf die Stube.
Du glaubst nicht, wie das gefährlich ist
Und wie mein Herze begehrlich ist —
Komm, Mädchen, mir nicht auf die Stube.
Du klipperst und klapperst mit Tellern und Tassen,
Rasch muss ich von Arbeit und Handwerkszeug lassen,
Du kleine Kokette
Und muss dich küssen und stürmisch umfassen etc."

Oder:

Es lauscht der Wald.
Komm bald, komm bald,
Eh' noch verschallt im Lärm des neuen Tages
Der Quelle Murmeln und verhallt.

Geschwind, geschwind,
Mein süßes Kind,
Eh' noch im Wind die Schauer tiefer Stille
Vergangen und verflogen sind.

Durch Wipfel bricht
Das Morgenlicht;
O länger nicht, mein holdes kleines Mädchen,
Lass nun mich warten länger nicht!

Die Sonne siegt —
Allendlich schmiegt
Und lachend wiegt sie sich in meinen Armen.
Zum Himmel auf die Lerche fliegt.

Wie liebenswürdig trotz alles Leichtsinns erscheint sein „Bruder Liederlich":

„Die Feder am Sturmhut, in Spiel und Gefahren, Halli!
Nie wusst ich im Leben zu fasten, zu sparen, Hallo!
Der Dirne lass ich die Wege nicht frei,
Wo Männer sich raufen, da bin ich dabei.
Und wo sie saufen, da sauf ich für Drei u. s. w.

Und als ich beim Abschied die Hand gab der Kleinen, Halli!
Da fing sie bitterlich an zu Weinen, Hallo!
Was muss ich heut denken ohn' Unterlass,
Dass ich ihr so rauh gab den Reisepass?
Wein her, zum Henker! und da liegt Trumpfass. Halli und Hallo!"

Wir dürfen unter der Fülle des Schönen nicht ängstlich wählen und könnten diese Proben leicht um ein Dutzend vermehren, jedoch haben wir noch manches Andere hervorzuheben. Welch tiefe Empfindung verraten seine ernsten Lieder! Zum Beispiel:

Einer Todten.

„Ach, dass du lebtest. Tausend schwarze Krähen,
Die mich umflatterten auf allen Wegen,
Entflohen, wenn sich deine Tauben zeigten,
Die weißen Tauben deiner Fröhlichkeit.
Dass du noch lebtest. Schwer und kalt umsaugt
Die Erde deinen Sarg und hält dich fest.
Ich geh' nicht hin, ich finde dich nicht mehr.
Und Wiedersehn? Was soll ein Wiederseh'n,
Wenn wir zusammen Hosianna singen
Und ich dein Lachen nicht mehr hören kann?
Dein Lachen, deine Sprache, deinen Trost" u. s. w.

Wir sehen, unser Dichter ist auch Meister der Form. Mag er den Reim durch volltönigen Rhythmus ersetzen oder in Sicilianen und Sonetten Muster der Reimkunst und Kabinetsstücke poetischer Genremalerei geben. Aber Liliencron versteht auch meisterhaft Landschaften zu zeichnen. Seine Heide- und Marschlandbilder können sich getrost ähnlichen Bildern Storms, Groths oder Hebbels an die Seite stellen.

Dass er über die Naturschilderung den Menschen nicht vergisst, davon zeugen „Der Heidebrand“ und ähnliche Gedichte. Wie bei den alten Volksliedern werden wir bei dem erwähnten Gedicht gleich mitten in die Vergangenheit versetzt:

„Herr Hardesvogt, vom Whisttisch weg,
Viel Menschen sind in Gefahr.
Es brennt die Heide von Djernisbeg
Und das Moor von Munkbrarugkar.“
Schon steh' ich im Bügel, schon bin ich im Sitz,
In den Sattel springt der Gendarm wie der Blitz.
Just schlägt es im Städtchen Glock Zwölfe,
Wir reiten, als hetzten uns Wölfe.“

Diese lebendige und ergreifende Schilderung lässt uns zum Schluss noch einen flüchtigen Blick auf die Balladen und erzählenden Gedichte werfen. Auch auf diesem Gebiet leistet er Bedeutendes, schlägt er einen Ton an, der an die markigsten Weisen unserer berühmten Balladendichter erinnert. Auch in diesen Schöpfungen wandelt unser Poet seine eigenen Pfade, die ihn weitab von der Heerstraße der Tagesdichter führen. Wie ergreifend ist „Wer weiß wo?“, wie humoristisch klingt sein Wickinglied „König Regnar mit den gepichten Hosen“, welches schauerlich seltsame und doch wahre Bild aus dem alltäglichen Leben zeigt uns „Hochsommer im Walde“:

„Kein Mittagessen fünf Tage schon.
Die Heimat so weit, kein Geld und kein Lohn,
Statt Arbeit zu finden, nur Hunger und Not,
Nur wandern und betteln und kaum ein Stück Brot.“

Was biegt der Handwerksbursch in den Wald?
Was läuft ihm übers Gesicht so kalt?
Was sieht er trostlos in den Baum?
Was irrt sein Auge von Baum zu Baum?

Die Sonne sinkt und Stille ringsum,
Die Drossel nur lärmt noch, sonst Alles stumm.
Was schaukelt der Erlbaum am Waldesrand?
In seinen Aesten ein Mensch verschwand.

Von seinem ärmlichen Bündel den Strick,
Er legt um den Hals ihn, um Wirbel, Genick,
Dann lässt er sich fallen — nur kurz ist die Qual, —
Er sieht die Sonne zum letzten Mal.

Der Tau fällt auf ihn, der Tag erwacht,
Der Pirol flötet, der Tauber lacht.
Es lebt und webt, als wär nichts gescheh'n,
Gleichgültig wispern die Winde und weh'n.

Ein Jäger kommt den Hügel herab,
Und sieht den Erhängten und schneidet ihn ab,
Und macht der Behörde die Anzeige schnell,
Gensdarmen und Träger sind bald zur Stell'.

In hellen Glacés ein Herr vom Gericht,
Der prüft, ob kein Raubmord, wie das seine Pflicht.
Sie tragen den Leichnam ins Siechenhaus,
Und dann, wo kein Kreuz steht, ins Feld hinaus.

Da Niemand zuvor den Todten geseh'n,
Erhält er die Nummer drei hundert und zehn.
Drei hundert und neun schon liegen im Sand,
Wer hat sie geliebt, wer hat sie gekannt?

Nach dem Lesen dieses Gedichts wird wohl Niemand behaupten, dass die Ueberschrift unserer kurzen Betrachtung zu viel sagt. Die Gestaltungskraft eines Dichterlings würde zur künstlerischen Bewältigung derartiger Stoffe nicht ausreichen. Eine widerliche Fratze würde uns angrinsen. Von Liliencron lässt unser Herz schneller schlagen in Freud und Leid, lässt es fühlen, dass ein Dichter zu ihm spricht. In Anbetracht der gleichgültigen und ablehnenden Haltung des heutigen Leserkreises gegen Gedichte sei noch erwähnt, dass vorliegende Sammlung als Anhang eine Anzahl vortrefflicher Prosaskizzen enthält, deren Schluss die „Adjutantenritte“ (Erinnerungen an die Schlacht von St. Quentin) bilden. Dieselben haben dasselbe Gepräge, wie Karl Bleibtreus größere Schlachtgemälde, wie denn auch als Lyriker die beiden Dichter eine entschiedene Verwandtschaft bekunden.

Th. Nöthig.

Neueste Lyrik.

Gerhard von Amyntor hat jüngst in diesen Blättern der Hoffnung Raum gegeben, dass die Lyrik wieder festeren Boden im Publikum gewinnen werde. Ein erfreulicher Beweis dafür scheint vorzuliegen. Die Schulzesche Hofbuchhandlung in Oldenburg teilt mit, dass die erste 1000 Exemplare starke Auflage der neuen Dichtungen von Emil Rittershaus sofort bei ihrem Erscheinen vollständig vergriffen war und ein schleuniger Neudruck nötig wurde. Wir begrüßen dieses gewiss seltene Schicksal einer Lyriksammlung mit lebhafter Freude. Denn so oft der Geschmack des Publikums sich auch vergreift und vergriffen hat, diesmal hat er nicht so ganz das Unrechte getroffen.

„Buch der Leidenschaft“ enthält edle Früchte ausgereifter, wenn auch beschränkter, Dichterkraft. Es will uns scheinen, als ob Rittershaus, der oft einer gewissen Süßlichkeit nicht entbehrte, sich hoch über sein bisheriges Können hinausgeschwungen habe. Das ist wirklich ein Buch der Leidenschaft, und Byrons Diktum „Poesie ist nur Leidenschaft“ hat sich hier selbst bei einem Durchschnittstalente wieder bewährt.

Eine glühende Schönheitstrunkenheit, eine duftige Wonneberauschung hält Sinne und Seele des Dichters gefangen, indem er den Liebreiz des Weibes und die Holdseligkeit der Natur wie ein sich innerlich Bedingendes zugleich empfindet. So entstehen Lieder, die in den Tiefen süßester Geheimnisse schwelgen, wie „Im Maimond,“ „Der Bräutigam,“ „Von weißen Blüten“. Doch auch dann weiß der alternde Dichter unser Herz zu rühren, wenn er mit sanftelegischen Herbstgefühlen sich bewusst wird, dass der rosige Mai und der goldene Sommer für immer ihm entschwunden sind. Einen besonders tiefen Ton für diese noch immer blutvolle Erinnerungssehnsucht, die so schwer vom Genusse scheidet und noch kaum entsagungsstille werden will, hat er in dem Cyklus „Mohnblume" gefunden.

Manche anderen milderen Klänge tönen schwächer an das aufmerksame Ohr, obschon auch ein sanfter Laut ehelichen Friedens wie „Abendglocken" innig in uns nachklingt. Bedeutendes überhaupt wird man bei Rittershaus vermissen, aber seine farbensatten Verse mit der „Sahnen-Poesie" gewisser anderer Modeminnerlein zu verwechseln, wäre ein schnödes Unrecht. Form und Sprache sind hochvollendet, obwohl „gereicht" und „gezeigt" — „Gewühl" und „Spiel" leider auch hier als echte Reime auftreten.

Ganz verschieden von dieser gefälligen Frauenlob-Lyrik mutet uns die neue Sammlung an, welche A. Friedmann unter dem vielverheißendem Titel „Aus Höhen und Tiefen" uns bietet. Seine schwerflüssige gedankenbefrachtete Art leistet in der eigentlichen Lyrik, wo Empfindung und Leidenschaft der treibende Motor sein sollen, nur Mäßiges. Auch sein Balladeskes, dessen Stoffe er mit fleißig spürendem Sinn aus allen Zonen zusammenscharrt, will nicht recht behagen. Es fehlt der Schwung, die markige Kraft, vor Allem die Konzentration. Sobald sich Friedmann jedoch seinen geistvollen feuilletonistischen Einfällen überläßt wie in „Champagnergedanken" oder auch dem Fluge höherer Ideen folgt wie in „Michel Angelo", flößt er ehrliche Achtung ein. Endlich enthält auch der dicke (unnötigerweise mit des Dichters Bildnis geschmückte und grundloserweise der „Stadt Wien gewidmete") Band ein kleines didaktisches Epos „Apollo Eidechsentödter", welches zwar leider den undeutschen Hexameter missbraucht, aber mit klarer Durchbildung der Sprache im sogenannten „klassischen" Stil eine bedeutsame Idee sinnvoll veranschaulicht. Schon um dieses Stückes willen dürfte der Rang eines wirklichen Poeten Friedmann kaum abgestritten werden. Auch verhehle ich nicht, dass es für mich etwas Sympathisches hat, in diesem fleißigen Didaktiker einen Mann zu sehen, der ausnahmsweise nicht an Gedankenarmut leidet. Das ist man in Deutschland bei Leuten, die in Versen schreiben, seit lange nicht mehr gewöhnt!

Trotz seines ausgesprochenen allgemeinen Eklektizismus muss ich also Friedmann eine gewisse Eigenart zuerkennen. Gelbveigelein und Vergissmeinnicht verschmäht er uns vorzusetzen. Trotz aller scheinbaren Weichlichkeit eine männliche Dichterphysiognomie.

Es fällt mir schwer, mich von diesen ernsthaften Erzeugnissen dem anspruchsvollen Gereime des Dilettantismus zuzuwenden. Aber so Etwas wirkt oft heilsam.

Ein Herr Ernst Rethwisch drängt sich in letzter Zeit recht laut an die arme Muse heran und seine „Sänger-fahrten" (Norden, H. Fischer Nachfolger) ermangeln daher auch natürlich nicht einer „zweiten Auflage". Prosaische Sprache, triviale Form, Armut an jeder Eigenart, an Phantasie und Ideengehalt zeichnen diesen „Sänger" aus, der mit den bekannten Cliché-Phrasen der deutschen Lyrik seit Goethe und Heine voll falscher Naivetät und teils unwahrer, teils unreifer Sentimentalität seine nüchterne Talentlosigkeit zu maskiren strebt.

„Natürlicher erschien
Mir nie Poesie"

singt dieser Barde in seinem gereimten Zeitungsjargon. Mir auch nicht.

„Du hast mir nachempfunden
Mit zartem Frauensinn."

Wie wäre das auch anders möglich bei einem so adeligen Sänger, welcher sich zur Höhe seiner Geliebten in den unnachahmlichen Versen aufschwingt:

„Ich brauche nur an dich zu denken,
So stellt das kleine Wörtchen ‚von'
Sich vor mein Herz, mein ganzes Wesen
Wird adlig, wäre auch der Ton,
Der eben noch in ihm erklungen
So häßlich und so ungeweiht,
Dass man sich wirklich schämen müsste,
Dass man sich selber täte leid."

So gedruckt im Jahre des Heils 1886. Ehe nicht ein Gesetzvorschlag durchgeht, welcher auf Ausfuhr solcher Verse ein strenges Zollverbot legt, werden ähnliche Rethwische lustig weiter als begnadete junge Poeten durch dies Jammertal irrwischen. Schalkhaft wirkt unser Sänger, wenn er den Willen zum Leben bejaht:

„Wenn du nicht wärst, Geliebte,
Dann käm' ich auch so weit,
Zu sagen, dass auf Erden
Mehr banges Herzeleid,
Als Wonne sei zu finden,
Dass es viel besser sei,
Man wäre nicht geboren,
Man bräche bald entzwei:
So aber ist mein Wille
Zum Leben riesengroß,
Ich lass nicht los mein Leben
Und lass auch dich nicht los. (!!)"

Gebenedeites Schlachtopfer! Ich wünsche ihr Glück. Doch ach, sie ist seiner nicht würdig:

„O dass du dich entfernen musstest
Von meinem Frauenideal!"

Auch wir entfernen uns hier von der Backfisch-Muse des Herrn Rethwisch.

Gott sei Dank, ist das fürchterliche Liebesweh niemals unheilbar. Rethwisch endet mit „Brautliedern" und sein wahlverwandter Bruder in Apollo, Karl Lorenz, Portlsmouth, Staat Ohio (Kommissionsverlag der International News Company, New-York, 1886), führt am Ende der Klagelieder seine „Muzze" doch noch heim.

Wer hätte das gedacht! Versichert doch dieser Dichter in der famosen Vorrede: „Beinahe jedes meiner Lieder*) ist ein Tropfen Herzblut; der Titel

*) Man beachte die würdevolle Selbstbeschränkung, die in diesem wunderbaren „beinahe" liegt!

aber, der sie zusammenfasst, entstand über der Leiche meines Herzens. Ich glaube nicht, dass es etwas Schrecklicheres giebt, als eine seelische Gefühllosigkeit." O doch! Ich kenne noch etwas Schrecklicheres — will es aber Herrn Lorenzo nicht verraten. „Mit dem Verschwinden der Finsternis ist ein unzurückführbarer Abschnitt meines Lebens in die Vorgangenheit versunken. Was ich gelitten, kann man nicht zum zweiten Male leiden.*) Mein Seelenleben muss daher notgedrungener Weise in ruhigere Bahnen einlenken."

Auf diese ruhigen Bahnen bin ich fabelhaft gespannt. Auch in Zukunft wäre ich lüstern, ein Wort mit diesem Geist zu reden. Schon lange harrten die Deutsch-Amerikaner auf das Geschenk der Götter, den Herold ihrer nationalen Mischungseigenart, den Poeten von Gottes Gnaden. Er ist gefunden. Neue „Bahnen" der Poesie zu eröffnen verschmäht Karl Lorenz; dafür eröffnet er aber der Muttersprache, seinem geliebten Deutsch, neue Bahnen, auf welchen ein spezifisch deutsch-amerikanisches Idiom sich entwickeln dürfte.

Das herrliche Büchlein („Welke Blätter") ist einem „Professor" (wohl nach amerikanischem Ritus, etwa Philadelphiae) J. P. Czerwinski gewidmet, welcher auf seiner Geige „Thränen spielt", wofür ihm unser Karl „einen manchen Dank" schuldet. Wer schon in der Prosa sich so markig auszudrücken versteht, der wird erst seine vollen Schwingen entfalten, wenn die göttliche Poesie ihn beflügelt. Und siehe, unsre Hoffnung auf Bereicherung der Sprachformen hat uns nicht getäuscht. Dass „Schmetterling" und „Sinn" im Ohre Lorenzens reim-euphonisch klingen, dass die Klagetöne au den Felsen „vergällen", dass die Blätter bald „verwesen sind" und die Herzen „gemorscht sind", dass der Dichter auf Seite 15 das Wort „trotz" im Sinne von „trotzdem" oder „obschon" gebraucht — das alles ist kühn, aber reizvoll. Neuschaffende Winke giebt uns unser Poet, wenn er auch das stammverwandte Angelsächsisch liebevoll in das Bereich seiner Verse zieht, sobald die karge Muttersprache versagt. Findet er z. B. keinen Reim auf „Blume" — flugs schreibt er:

„Das macht mich still und gloomy."

Hat ihm schon! — Vollends gewinnt er aber unser Herz, wenn er scheinbar triviale neudeutsche Wendungen gebraucht, um unmittelbare Empfindung in schlichten Naturlauten auszulallen. So denkt er sich seine schlafende Geliebte

„Still von Engeln eingewiegt,
Schuldlos wie ein junges Schaf."

Wie wahr gefühlt ist es, wenn er klagt:

„Ach was ist man für ein Tor!
Mit der Liebe war es aus." (S. 18)

*) Und ich, Herr Lorenz, der Ihre Leiden gedruckt nachleiden musste?! Tasten Sie nicht an meine Martyrkrone!

und vom Haus seiner Geliebten meldet:

„Wo ich elend zu verschied'nen Malen,
Auch vergnügt, ging ein und aus." (S. 30)

Wie kühn sind Wendungen wie:

Du nahmst gefangen Herz und Sinn
Mehr als du sonst gewohnt es.

und

„Wie lächelte ich dir so zärtlich
Genehme Kühlung zu,
Verscheuchend Mücken, die gefährlich
Erwiesen deiner Ruh."

„Und dass mein schöner Wahn zerstiebe,
Fandst endlich du für gut."

„Die Wahrheit hörte ich, doch anders
Als ich sie mir gedacht;
Noch nie hat sie auch so besonders
Elendig mich gemacht."

Er „betrinkt" sich „mit Wonne an meines Liebchens „Blick", er „murmelt Stoßgebete", er „lacht rasend", für ihn heißt die richtige Betonung „Dickicht" und „Statüe". Ja, er besitzt sogar das seltene Gut der Selbsterkenntnis, „ein armer Wurm" (Seite 17): „sie haben mich verrückt gemacht, wahnsinnig Leyer und Lieder"!! (Seite 45) Welche Naturmalerei in den Worten:

„Am kalten wintergrauen See
Streicht einsam eine Möve;
Ihr heis'rer Schrei gleicht einem Weh,
Das gerne sie eröffe"!!

Einige Hochmomente erinnern an einen andern großen, Dichter, bekannt im deutschen Land, an Wilhelm Busch. So:

Unheimlich rauscht der Wind im Busch,
Gleich eines Geistes flüchtig Husch.
Ein stilles Sehnen weckt das Bild
Im Herz mir, ungewöhnlich mild.

Geradezu bestrickenden Zauber atmet aber der letzte Abschnitt „An meine Muzze". Diese Muzze muss ein recht schlechtes Mädchen gewesen sein Da ist es natürlich, dass der Himmel sie mit innerer Unzufriedenheit gestraft hat — siehe das Motto Lorenzens:

„I am so sad."
Muzze.

Und wie hat er in seines „Fiebers Rauschen (!)" sie verehrt. So liebt nur ein Dichterherz.

O meine Muzz', in Fiebergluten
Brennt mir Gehirn und Brust;
Ich fühl das Herz langsam verbluten
Langsam und wohlbewusst.
Du mir in meiner schönsten Stunde
(Es ward dir sicher schwer)
Beibrachtest eine Jammerwunde,
Nun fordere nicht mehr."

Jaja, die jungen Damen am Ohio sind schon so! Was soll sie noch fordern! Ihm „wird es nacht und bang", wie sich's gehört, doch

„Eines muss ich dir bekennen,
O schöne Muzze mein,
Auch jetzt fühl' mein Herz ich brennen
Für dich, für dich allein.

Ich will dich ohne Hoffnung lieben,
Vergessen, unerklärt.
Mein Schicksal ist mir vorgeschrieben,
Vernichtend, unerhört."

Doch mit dieser unerhörten Vernichtung fühlt Muzze, schlau wie sie sich hat, endlich ein menschliches Rühren.

„Ich liebe dich."
Muzze.

Er giebt's uns Schwarz auf Weiß gedruckt und wir können's getrost nach Hause tragen. Singe weiter, Schwan vom Ohio, singe weiter! Spät ertöne dein Schwanengesang!

Eine ganz absonderliche Zwitterstellung zwischen jenen kunstbewussten Poeten, die ich im Eingang besprach, und einem Dilettanten voll heftiger Gefühlsschwelgerei wie unser Ohio-Barde, nimmt Wilhelm Arent in den „Liedern" ein, in welchen er soeben (Schellers Buchhandlung, Berlin) zum so und so vielsten Male von der Muse Abschied nimmt. In seinem „Herzenstestament" teilt uns der jugendliche Dichter mit:

„Meine Seele ist verdorben
In der Lüste eklem Schlund."

Wir leben aber der festen Hoffnung, dass der im Mystifiziren so geübte Autor uns hier wieder mal ein wenig blauen Dunst vormacht. Denn wäre seine Seele so verdorben in der Lüste eklem Schlund, so würde er wohl nicht mit so hartnäckiger Rüstigkeit den Weinberg der Poesie bestellen, und wäre sein Leid so unnennbar groß wie er versichert, so müsste er doch der verachteten Welt nicht stets aufs Neue seine Leiden in edler Druckerschwärze wie eine vollgeladene Weltschmerzpistole auf die Brust setzen.

In den „Liedern des Leides" (1882) zeigte sich echte Empfindung; in den „Gedichten" (1884) mehr als das: echtes lyrisches Talent; in „Reinhold Lenz" und „Aus tiefster Seele" wurde eine große dichterische Begabung offenbar; in „Kunterbunt", jenem vielbeschwatzten, mir gewidmeten Opus dufteten uns in den neuen Zusätzen schon die Keime des Verfalls entgegen — und diese „Lieder" sind der dichterische Bankerott des jungen Lyrikers. Fast möchten wir Herrn Arent den Rat geben, seinem oft gebrochenen Vorsatz jetzt treu zu bleiben und „Der Poesie zu entsagen", wenn nicht „für alle Zeit", so doch für einige Zeit. Wir fühlen uns gedrungen dies auszusprechen und wir fühlen das Recht dazu. Die Feinde des Herrn Arent sollen nicht, dieses Büchlein in der Hand, uns parteilicher Großschreiung überführen können. Der jugendliche Dichter möge uns also gestatten, dass wir unser Urteil rückhaltslos kundgeben.

Das Sprachtalent Arents ist so auffallend, dass es sich nirgends verleugnen kann. Es giebt sich also selbst hier in einigen Einzelheiten für den Kenner bestrickend zu erkennen. Die sonstige Form aber ist nachlässig und schluderig und sogar der Wohllaut des Rhythmus wird meist vermisst. Schon früher fielen uns in „Kunterbunt" seltsame Neigungen des Autors auf, in absichtlichen Inversionen zu schwelgen oder geradezu ungefüge, schwer lesbare Versungeheuer aneinanderzureihen, die freilich, wir leugnen es nicht, einen fremdartigen Reiz atmeten, aber doch schon bedenklich an greisenhaftes Raffinement einer nach Extravagantem haschenden, erschöpften, dichterischen Genusskraft gemahnten. Aber jetzt erst! Welche Mischung von Trivialität und Phrase des Ausdrucks zugleich im „Prolog"! Welche banale Rhetorik in „Porträt"! Wie nichtig abgeleiert „Wunsch", „Auf der Höhe", „Empor zu Sternenträumen", „Am Meer", „Weltleid" u. s. w. u. s. w.! Es finden sich da gradezu erbärmliche Reimereien. („An . ." Seite 12, „Des Maies Erwachen", „Auch ich", „Schicksal", „Hilf Gott" u. s. w.) Auch die „Freien Rhythmen", in denen der Dichter früher dem dithyrambischen Ausbruch vulkanischer Ideen- und Gefühlsmassen Luft machte, sind jetzt kalte Lava geworden — in poesieloser Didaktik erstarrt. Freilich blüht aus dieser öden Lavawüste einer so früh zerrütteten Dichternatur noch spärlich manch Blümlein wunderhold hervor, und um Arent ganz gerecht zu werden, wollen wir das wenige Gute auf diesen 67 Seiten sorgfältig auslesen. So z. B.

Des Frühlings reiche Locken
Durchsäuselt der Wind so sacht, (Flickreim)
Und schimmernde Blütenflocken
Gleiten hernieder zur Nacht.

Es baschen meine Hände
In kindlicher Freudigkeit
Die duftige Himmelsspende
Zum Schmuck für dein Osterkleid.

Eindrucksvoll ist „Nachtgang" („Vom Freunde ging ich einsam, tief allein . ."). Dass dies erlebt und empfunden ist, merkt man wohl. Auch „Fragment" (Seite 25) verrät begnadete Stimmungsmomente. Auch gelangen einzelne Kleinigkeiten wie das sinnige „Ohne Wert", „Vollmondnacht", „Nixental", „So weit". Aber mit wie viel Unreifem müssen wir diese reiferen Klänge bezahlen!

Der Dichter scheint gar nicht zu ahnen, wie prosaisch er manchmal in den sonstigen hochtrabenden Sehnsuchtton hineinlallt und wie unerträglich seine Verletzungen der Metrik auf die Dauer wirken! Und dabei passirt es ihm sogar, dass er, um einen Reim auf „gestalten" zu finden, von seinem „fieberkalten (!) Haupte" redet, und dass er gar in „Abendstimmung", unbewusst Goethe kopirt! Um so mehr hätte er sich die unglaubliche Bemerkung unter „Nachträgliches" dass sein Gedicht „Tränen taun vom Auge nieder" den „Goetheschen Geheimbderatton" parodiren solle, sparen können. Ebenso die „nachträgliche" Anfügung des elenden „Schlussvers" zu der elenden Schmieralie „Einer Kellnerin". Auch hätte Reinhold Lenz sich gewiss nicht dafür bedankt, dass einige dieser Gedichte, wie Arent anführt, „in unverkennbarem Lenzton geschrieben" seien: Arent könnte mit seinem Idol künftig respektvoller umgehen!

„Anlässlich des Gedichtes „Sehnsucht" ist es vielleicht nicht überflüssig, auf das fast durchweg im Sinne Richard Wagners so viel wie möglich beobachtete Prinzip der Alliteration hinzuweisen." Ja wohl, es ist aber auch „nicht überflüssig darauf hinzuweisen", dass diese schnöde Reimerei von Karlchen Mießnick herrühren könnte, dem sicher Verse gefallen wie:

Dein schönes Goldhaar
Spende Duft mir,
Es sei dein Aug'paar (!)
Selige Gruft mir."

Also, das Aug'paar erkiest Arent als seine „selige Gruft!" Nun, da ist es wohl auch „nicht überflüssig, darauf hinzuweisen", dass es als eine Dreistigkeit gelten muss, bei solchem Schund „Alliteration" und „Richard Wagner" altklug ins Gefecht zu führen! Aber Arent liebt freilich seine Verslein so brünstig, dass er zwei „Gedichte", die „im Buche keinen Platz finden konnten" „nachträglich" noch anheftet. In einem derselben scheint das „Aug'paar" zu noch feineren Kunststücken bestimmt:

Lass meine Seel' verbluten
In deiner Augen Bronnen"!

Was denkt sich Herr Arent wohl, wieviel hunderte solcher Lappalien ein Volldichter (wenn er überhaupt zu solchen Gereime fähig ist!) in den Papierkorb wirft?

Wenn dem richtigen Stimmungslyriker völlig die Begriffe fehlen und ein Wort zur rechten Zeit sich einstellen muss, fängt er einfach an die Natur abzumalen. Selbst unser bedeutendster Naturdichter seit Lenau, Martin Greif, giebt sich manchmal diesem Unfug hin — als ob Malen und Abmalen der Landschaftskonturen schon in sich dichtende Gestaltung wäre! So auch unser junger Poet, wenn er nicht mehr weiß, wo aus noch ein. So „In der Mark", „Auf dem Heiligenberg" u. s. w. Dabei werden freilich seltsame Dinge zu Tage gefördert. Da „fliegen Traumschatten dämmernd wie süßes Gottgebet" — wie was? Das ist mir zu hoch. Der Dichter hat sich bei diesem Unsinn ebensowenig gedacht wie wir selbst. Da giebt's eine „mondblaue Luft" und Verse wie:

Schwermütig der Mond spinnt sacht (sic!)
Nebelschleier immer dichter.

Welch ein unklares Gerede! Und vollends, welch eine Cliché-Rederei in „Am Busen der Natur", „Frühlingsfreude" u. s. w.! Gar ergötzlich ist „Abend am Tiber". Da Arent niemals in Rom war, so wissen wir anfangs nicht den Grund dieser sonderbaren Ueberschrift zu deuten, um so mehr augenscheinlich der Rhein gemeint ist — denn den gelben Tiber wird doch Niemand „tiefgrün" nennen können. Da löst sich das Rätsel: Auf „Strom", „Dom", „Arom" hat der Dichter nur den Reim „Rom" finden können und flugs schreibt er großartig nieder:

„Uns küsst der Hauch vom ew'gen Rom".

Die Ueberschrift folgt naturgemäß.

Der eitelste Poetaster hätte ein klassisches Opus wie „Kirchgang" ungedruckt gelassen. Seine völlige Kritiklosigkeit bewies Arent auch, indem er eins seiner besten Gedichte, das schon in „Liedern des Leides" enthalten war, nachher in „Aus tiefster Seele" verballhornisirte. Jetzt hat er es hier wieder (wohl auf meine Anregung) in der alten Form hergesetzt.

Waldritt.

Wie sind die stolzen Hallen
So liederstumm und leer!
Die welken Blätter fallen
Müde und todesschwer.

Ein jedes Fühlen rauben
Will mir die sterbende Welt . .
Des Rosses Stampfen und Schnauben
Mich nur im Leben hält.

Das ist wahr und tief empfunden und glücklich zu einfach schlichtem Ausdruck gebracht. Eine gewisse Tiefe verkenne ich auch nicht in dem Stoßseufzer „Verraten", dem seltsamerweise ohne den Autor zu nennen ein Vers von mir als Motto vorgesetzt ist. Und auch die Apotheose:

„An . . ." („Poet, du wirst es ewig bleiben")

zeugt von augenscheinlich ehrlicher Begeisterung.

Alles in Allem aber ist der Eindruck dieser „Lieder" ein so unbefriedigender, dass wir dem Autor zurufen müssen: Bis hierher und nicht weiter! Nicht weiter mit diesem Kultus der Stimmungs-Lyrik, der alles Mark aus den Knochen saugt, mit dieser Schein-Poesie, die naturgemäß zum Spielen mit Worten, zu gedankenloser Dudelei verlockt.

Arent widmet dies Büchlein an seinem „zweiundzwanzigsten Geburtstag". So früh, kaum dem Knabenalter entwachsen, schon so viel geleistet zu haben ist sicher aller Ehren wert.

Die unwiderlegbaren Proben eines in gewissem Sinne elementaren Lyriktalents hat er geboten und das naseweise Gerede seiner Gegner, meist Ritter von der traurigsten Gestalt (wovon ich natürlich Greif und Kirchbach ausnehme), kann daran nichts ändern. Sein „Aus tiefster Seele" und sein „Reinhold Lenz" bleiben bestehen und rechtfertigen vollauf mein günstiges Urteil im Allgemeinen. Eine gewisse krankhafte Genialität à la Edgar Poe ist ihm nicht abzustreiten. Aber die Einseitigkeit dieser graziös-melodischen Stimmungsverschwommenheit zeigt ihn als ein Talent von sehr bescheidenem Wollen. Leidenschaftdurchzittertes Gefühl mag mit eine Bedingung des Dichtertums sein, aber bildet für sich allein noch kein echtes Dichtertum. Die „reine Lyrik" gleicht darin der Musik — man kann ein guter Lyriker und dumm sein wie ein Heldentenor.

Die reine Lyrik ist ja unglaublich einfach. Mit geübter Sprachbegabung und einem nicht allzu gedankenarmen Hirn kann man solche „Lieder“ geradezu en gros fabriziren. Man nehme sich ein Vers-Schema und kritzele etwa aufs Papier hin:

Gemüt — glüht, blau — Au. Rein — Schein, Lichts — Nichts.

Hier bleibe man stehn — denn das echte Lied darf nur zwei Strophen umfassen. „Gemüt“ und „blau“ sind unentbehrliche Utensilien und für die pantheistisch-schopenhauerische modernste Dichtung spielen Clichés wie „Schein“ und das sogenannte „Nichts“ eine wichtige Rolle Dies Alles vorbedacht, wird sich das „Lied“ ganz von selbst zusammenfügen:

Leise blüht mir im Gemüt
Blümlein wunderblau.
In mein Herz die Sonne glüht,
Wandelnd durch die Au.
Doch mich mahnt so klar und rein
Strahl des Sternenlichts:
Sein und Sonne sind nur Schein,
Ewig ist das Nichts.

Ecco! Der reine Arent, wie er leibt und lebt — und obendrein ohne Inversionen.

„Ewig ist das Nichts“ — bum! Wie das voll tönt!

In solcher Weise verpflichte ich mich, nach vorgeschriebenen Vers-Schemas, jeden Tag 20 „Lieder“ zu „dichten“.

Die herbe Bitterkeit dieser Worte, denen der Verständnisvolle sicher ein aufrichtiges „sittliches Pathos“ anhört, wird Jedem gerecht erscheinen, sobald wir uns über den albernen Lyrikerhochmut klar werden, der zuguterletzt Alles in Wortmusik auflöst und in abstrakter Negation alles Realen naturgemäß bis zu dem Punkte gelangt, wo nur noch Stimmungszerflossenheit als wahre Poesie erscheint. Mit der souveränen Einbildung eines naiven Knaben auf alle mannhaften und mannbaren Gattungen des Dichtertums herabzuschauen, als begnadigter Stimmungsfritze im Vollgefühl des einzig wahren Schöpfermysteriums — alle Verkörperungen des Realen oder realer Ideen als nicht-dichterisch verpönen — Sternentau und Veilchenblau zu einem weinerlichen Reim verknüpfen — das eigene Persönchen, welches weltverachtend nach Weltlust lechzt, selbstverleugnend dem All vermählen, um desto brünstiger die Befriedigung unersättlicher Ichsucht zu genießen — — das ist ein „echter Lyriker“ von Gottes Gnaden, sei er nun ein „Genie“ wie Heine oder ein genialischer Dilettante wie Arent.

Und darum glaube ich, dass die eigentliche Lieder-Singerei, man sage was man will, nicht mehr in unsere rauhe, aber männlich-ernste und zielbewusste Zeit gehört. Die „Gedichte in Prosa“ („Senilia“) von Turgenieff enthalten mehr wahre Poesie, als alle Versmacherei.

Auf diese „Lieder“ des Tenoristen Arent (Don Juan de Tenorio!) — dem einst die herrlichsten Töne wie „Unnennbar“ u. s. w. entquollen, dessen Poesie das antike Lenz-Symbol der Attis-Sage, in corybantischem Aufschwung über die Materie und wollüstiger Auflösung in der brünstig umfassten Natur, verdeutlichte — passt frappant der boshafte Ausfall Martin Greifs:

Gesegnete Weiherstunde.

Ein Dichter schritt am Weiher hin,
Er schritt in tiefem Sinnen hin.
Und als er eine Weil' gedacht,
Da hat er einen Reim gemacht.
Quak Quak.

Der Reim er schien ihm süß Getön
Und der Gedanke gar so schön.
Er schrieb ihn in sein Buch hinein,
Da fiel ihm gleich ein Dutzend ein.
Quak Quak.

Und als er es gesungen aus,
Da ging er mit dem Lied nach Haus.
Am gleichen Tag noch sandt er's hin
Zum Druck ins neue Magazin.
Quak Quak.

Ob wohl auch bald ein Komponist
Für das Gedicht gefunden ist?
Quak Quak.

Der verehrte Dichter kann sich beruhigen — im alten „Magazin“ hier suchen solche Weiherstunden umsonst einen Wiederhall.

Da wir aber einmal bei der Lyrik und beim Froschquaken sind, so fällt mir durch eine tiefsinnige Ideenassoziation unser Bodenstedt ein. Der gefeierte Ghaselen-Dichter hat in dem Organ, als dessen nomineller Herausgeber er löblich fungirt, ein Artikelchen über die Vlämische Poesie geliefert. Wir entnehmen demselben mit Vergnügen, dass die Gedichte des Herrn von Bodenstedt ins Vlämische und Holländische übersetzt sind. Dieser wertvollen Mitteilung würde der Artikel allein seine Entstehung verdanken, wenn er nicht zugleich Gelegenheit geboten hätte, in völlig unbefugter und vom Zaun gebrochener Weise gegen die armen Realisten zu rempeln. Dem alten Herrn sitzt freilich schon geraume Zeit der Hut auf Krakehl. In einem famosen Gedicht „Seltsamer Besuch“ erzählt er uns mit weihevoller Geschwätzigkeit, wie ein „junger Mann mit unheimlich rollenden Augen“ ihn „verlegen“ aufgesucht, ihm „stotternd“ Umstürzler-Verse vorgelesen und das „Wühlen im Schmutz“ als höchste Kunstoffenbarung gepredigt habe. Da man es wohl kaum errät, so will ich der Welt freudig anvertrauen, dass für Eingeweihte kein Anderer als ich dieser verlegene Jüngling sein kann, welchem denn auch der Altmeister väterlich die Wahrheit sagt:

„„Es scheint mir, dass die Verse wenig taugen.““
„Verdächtig rollten wieder seine Augen.“

Wie so sehr bedaure ich, dass bei unserm geschätzten Altmeister gewisse Schwächen des Alters sich schon so früh bemerkbar machen! Schon beginnt er an Gedächtnisschwäche zu leiden. Denn dass ich nie in meinem Leben mit dem Sänger von Schiras irgend welche Verbindung pflog (es sei denn ausgenommen, dass mir ein schmeichelhafter Gruß von ihm durch einen älteren Herrn übermittelt wurde), muss ich ja gerade zu meiner Schande gestehen. Doch meine natürliche Bescheidenheit hat mich gehindert, ihm je mit einem „Besuch" jene kostbare Zeit zu rauben, welche die Drechselverskunst gebieterisch mit Beschlag belegt. Ach, bei dem „verdächtigen Augenrollen" summt mir unwillkürlich das abscheuliche Hohngedicht von Arno Holz im Ohre:

„So seh ich ihn verblichnen Airs,
Den alten goldbebrillten Knaben —
O. F. v. B., das Beste wär's,
Du liessest endlich dich begraben!

Dies verruchte Pasquill hier zu citiren, hieße die Verletzung der Ehrfurcht, welche wir dem Alter schulden, sanktioniren. Es ist unzart, wenn Holz von „Kaffeekuchen" und „farblosem Nichts, vergleichbar einer Kinderuhr" redet und gar ausruft: „Drum gecke weiter, alter Geck!" — von dem wahrhaft mörderischen Schlussvers („Buch der Zeit" Seite 62) ganz zu schweigen. Nein, nein, solcher Pietätlosigkeit bin ich fern, und wenn ich je von „Stammbuch- und Bonbonpoesie" sprach, so habe ich natürlich nie auf Mirza Schafy hingezielt, dem ich sonst so gern in Schiras einen kritischen „seltsamen Besuch" gemacht hätte.

Indessen wird Herr von Bodenstedt mir vielleicht gestatten, einigen seiner lyrischen Urteile über den Realismus meine ehrerbietige Aufmerksamkeit zu widmen.

Zolas „Germinal" hat unser gefeierter Ghaselendichter gelesen und konnte derselbe noch lange nicht die hässlichen schmutzigen Bilder dieses Buches in der Erinnerung loswerden. Ueberhaupt verhält sich Zola wie ein krächzender Rabe zu dem Adler Goethe, so dass nur Menschen, welchen jede Ahnung vom eigentlichen Wesen der Poesie abhanden kam, diese Beiden vergleichen können.

Ei, wer ist dieser Missetäter gewesen? Sollte er am Ende auch mit dem großen Unbekannten identisch sein — mit dem gewissen Jemand, mit welchem sich der alte Herr, wie der Riese Polyphem mit dem schlauen „Niemand", blind herumbalgt? Eingeweihte behaupten: ja.

Ja, da muss ich nun wohl sagen, dass ich dem „alten goldbebrillten Knaben" (pfui, respektloser Arno!) Verschärfung seiner Brillengläser lebhaft wünsche. Denn offenbar wird ihm das Lesen schon sauer. Denn sonst möchte er wohl in der Vorrede der zweiten Auflage meiner Brochüre mit einer Klarheit, die nichts zu wünschen übrig lässt, meine Unabhängigkeit von Zola betont und jede Ueberschätzung desselben abgelehnt finden.

Was aber den „Adler" Goethe betrifft, so darf ich bemerken, dass ich diesem kosmischen Geiste die gebührende Verehrung stets und immer gewidmet habe, selbst wenn ich über gewisse persönliche Allüren Sr. Excellenz mich sehr rebellisch zu äußern wagte. Allein, der Polyhistor Goethe möge die Schulmeisternaturen beschäftigen — mich geht nur der Dichter Goethe etwas an. Und da muss ich denn bekennen, dass ich mit Ausnahme des lyrischen Elements die dichterische Begabung Goethes (des sonst unvergleichlich großen Geistes) keineswegs unerreichbar oder gar universell erachten kann. Nur spaßhaft wirkt es für mich, wenn dieser Dichter des vorigen Jahrhunderts uns von der Philologenästhetik (die ja leider in Deutschland das große Wort führt) als ein poetischer Allumfasser vorgeritten wird. Nicht nur giebt es zahllose Gebiete des äußeren wie des inneren Lebens, die Goethe völlig verschlossen blieben und in die seine etwas zimperlich „vornehme" Natur sich auch kaum hineingewagt hätte, — sondern auch in den beschränkten Gebieten, die er traktirte, steht sein Können (Faust und die Auslese seiner Lyrik natürlich ausgenommen) durchaus nicht so unanfechtbar und gigantisch da.

Die frevelhafte Unterschätzung Schillers des Dramatikers korrespondirt mit der Goethepfafferei und zeigt so recht, wie die musikalischen und spintisirenden Teutonen alles Dichtertum gewissermaßen über einen lyrischen Leisten schlagen.

Dass allerdings dem Herrn von Bodenstedt der Altmeister als unerreichbares Idol vorschwebt, begreife ich. Denn wie Fritz Mauthner so boshaft singt:

Dass der „Westöstliche Divan" vor „Mirza Schaffy"
Geschrieben worden: das ist Niederträchtigkeit.

Rührend komisch orakelt unser alter Herr, wenn er ein trauriges Zeichen der Zeit darin sieht, dass junge Leute, die selbst noch nicht wissen wohin der Welt Gesetze vorschreiben wollen. — Wohin? Ei, auf zur Wallfahrt nach Schiras! Hier blühen die Lorbeeren der hundert Auflagen. Wie singt Mauthner?

„Sei nicht zu klug, doch wird ein Gedänkchen beliebt sein,
Sei nicht gemein, doch wird ein Gestänkchen beliebt sein.
Sei wie Mirza Schaffy! So wird dein Buch
Bei Jung und Alt als Weihnachtsgeschenkchen beliebt sein."

Doch — obschon ich wohl weiß, dass Herr von Bodenstedt sich Urteile über Dichter erlaubt, ohne deren Wollen und Können auch nur notdürftig zu kennen, geschweige denn zu verstehen, — so will ich damit noch nicht die sittliche Beschaffenheit seines kritischen Denkens antasten. Auch will ich dem trefflichen Manne seine Verdienste als Polyhistor keineswegs schmälern; er hat hübsche Reisebilder geschrieben und sich mit emsigem Bienenfleiß in fremde Sprachen vertieft, ein polyglotter „Herold der Weltlitteratur", um mit seinem geliebten Altmeister zu reden.

Jedenfalls aber rate ich ihm, erst die deutschen Werke zu lesen, über die er urteilt — ich kenne wenigstens Mirza Schaffys Sprüche sehr genau, z. B. den treffenden Vers:

„Wer da lügt, muss Prügel haben!"

Charlottenburg. Karl Bleibtreu.

Gedichte von Oskar Oertel.

Zweite veränderte Auflage. — Leipzig, Gressner & Schramm.

Wo man geht und steht, erschallt gegenwärtig das alte Klagelied über die traurigen Zustände der deutschen Lyrik, und junge Dichter oder vielmehr Solche, die es zu sein wähnen, sind gleich bereit, dem Publikum alle Schuld in die Schuhe zu schieben. Warum denken sie denn nicht in erster Linie an sich und ihre Kollegen? Ein wenig Selbsterkenntnis müsste ihnen doch zeigen, wie wenig die gegenwärtige Lyrik — einige ehrende Ausnahmen abgerechnet — auf die Teilnahme des modernen Lesers Anspruch erheben kann. Inhalt und Form ist veraltet; die alten Gleise werden unermüdlich weiter ausgetreten; und dem Pulsschlage der neuen Zeit verschließt man wohlweise das Ohr. Denn es ist freilich leichter, nach berühmten Mustern alte Gedanken, längst zu Papier gebrachte, stereotype Empfindungen in ebenfalls stets wiedergekäuten Rhythmen noch einmal zu verdünnen, als mit hellem Auge für die Wirklichkeit das rasch vorwärts drängende Leben der Gegenwart in seinem charakteristischen Denken, Wollen und Empfinden poetisch zu bemeistern. Freilich gehört dazu ein — Dichter, während die meisten der Herren bloß Versemacher sind.

Zu letzterer Kategorie gehört unstreitig auch Oskar Oertel. Denn vergebens haben wir in dem ganzen Band Gedichte nach einem einzigen Verse gesucht, der, sei es inhaltlich oder auch nur formell, etwas Individuelles, den Dichter spezifisch Charakterisirendes aufwiese. Die Stoffe sind die althergebrachten: Gott und Natur, Lenz und Liebe, Wein, ohne dass aber jemals an Stelle der schablonenhaften Allgemeinheiten ein individuelles Gepräge träte. Das religiöse Gedicht hat bei Oertel weder den knappen, kernigen Ausdruck des alten Kirchenliedes, noch den phantasievollen Schwung der Klopstockschen Ode. Wo er letztere formell nachahmt, verfällt er nicht selten in die dürrste Prosa, wie z. B. S. 9:

> „Herr, Herr, Gott! Unerforschlicher!
> Zwar vermag ich in meiner Endlichkeit nicht
> In diese Gedanken mich zu vertiefen und sie,
> Dächt' ich auch meines Lebens ganze Dauer ihnen nach, zu ergründen."

Komisch wirkt im Gegensatz dazu die bombastische Aufforderung S. 11:

> „Donnert, tausendmal tausend Sonnensysteme . . ."

oder die lokale Abgrenzung der Lust- und Unlustgefühle S. 20:

> „Das Zimmer ist nur für den Schmerz,
> Für Freude aber Berg und Flur!"

Zeichnen sich fast sämmtliche religiöse Gedichte durch einen langweiligen Predigerton aus, so finden wir in den übrigen die gesammten Kulissen und Requisiten wieder, ohne die der deutsche Lyriker gemeiniglich nicht gedacht werden kann. Da haben wir natürlich den Lenz mit den eilenden Wolken, von denen man sich forttragen lassen möchte, mit Haidekraut und Schneeglöckchen, mit der tirilirenden Lerche, die man wegen ihres Fliegens und Singens anwinselt — und natürlich darf auch der bekannte singende Schwan nicht fehlen, an dessen Debut der Verfasser folgende geheimnisvolle Erläuterung knüpft:

> „Wer's vernimmt, mag achtsam lauschen,
> Denn noch Niemand hört es schon . . ."

Es ist selbstverständlich, dass hier „schon" von dem geneigten Leser lediglich als Reimholz zu betrachten ist, das sich des folgenden „Ton" halber aus einer deutschen Schulgrammatik hierher verirrt hat. — Doch genug! Bei derartiger konventioneller Versemacherei läuft der Schablone halber so viel Unwahres und Widersinniges mit unter, dass man unwillkürlich lachen muss. Freilich, dass in der Nacht „alle Tränen trocknen, aller Kummer schweigt, dass es kein Unglück, keine Armut mehr giebt", das kann kein Mensch glauben; aber doch noch wunderbarer ist das Rezept, das der Verfasser den jungen Mädchen giebt, „die Blumen nicht zu pflücken, sondern stehen zu lassen; das Pflücken bringe Liebesgefahr (sic!), und das Ansehen genüge ja vollkommen!" — Führwahr, so zartbesaitet sind wir nicht, um die Gemütstiefe und Sinnigkeit dieser Verse zu würdigen, und ich glaube, der Dichter hat Recht, wenn er von sich selber spricht:

> „Die Blume welkt bei des Nordwinds Hauch,
> Der eisig ihren zarten Kelch umweht:
> So scheidet gern der müde Sänger auch
> Aus einer Welt, wo man ihn nicht versteht!"

E. St.

Gedichte von Karl Lengkuk.

Sonne und Mond.

Der Sommersonne gleich,
Die, ihrer siegenden Strahlen froh,
In scheuer Winkel Dunst und Dunkel
Ihres Lichtes Segen legt,
Der Sonne gleich
Sei deines Herzens Hass,
Deines Herzens Mut und Wahrheit!

Doch wie des Mondes Leuchten
Höhen und Täler schlummerleise streichelt,
Neig' dein Verzeihen, neig' deine Liebe sich
Zu der Angst der Armen,
Zur Not der Schwachen,
Zu aller Mühbeladenen Bedrängnis;
Und, — wie des Mondes zärtlich Leuchten
Strahle des Herzens Sehnsucht . . .

Ueberschätzung.

(Der litterarische Reformator an eine gewisse Adresse.)

Ja, mich überschätzen Viele; Alle —
Außer dir und deinen Neidgenossen;
Freund, doch bin ich dessen unverdrossen.
Und wenn's dir nur wiedergäb die Ruh,
So gestünd ich's obendrein dir zu,
Dass dich selber wohl in keinem Falle
Ueberschätzt ein Andrer je — als du.

Memel.

Litterarische Neuigkeiten.

„Sumpf.“ Unter diesem vielversprechenden Titel hat Julius Hart ein Drama (bei Bruns, Minden) herausgegeben, dessen Inhalt mit Fleiß und Geschick aus der „Dalila“ von Feuillet und der „Demimondehochzeit“ von Augier, den szenischen Motiven nach, zusammengestellt ist. Es freut uns dies um so mehr, als Herr Hart stets als Kritiker eine große Geringschätzung der neufranzösischen Bühnenschriftsteller an den Tag legte. (Auch bezüglich Zolas scheint er sich bekehrt zu haben, trotzdem er noch kürzlich einen feschen Artikel gegen diesen Mann und seine deutschen Anhänger vom Stapel ließ. Denn er tummelt sich wenigstens hier ganz behaglich im „Sumpf“ umher!) An Romantik fehlt es zwar auch nicht. Die Heldin, eine Berliner Lorette, heißt — Timea (!) Zurbaran (!) und ihre Zofe — Zillah (!). Das ist freilich romantisch. Ebenso romantisch erscheint es uns, dass wir über die Erwerbsquellen dieser jungen Dame in einem wohltuenden Halbdunkel gelassen sind. Doch hätten wir ernstlich gewünscht, wenigstens über die Ernährungsverhältnisse des „Helden“ Franz aufgeklärt zu werden, da dieser genialische Kunstmaler für Austern und Champagner eine entschiedene Vorliebe entfaltet und gleichwohl als vornehmer Idealist von Gottes Gnaden niedrige Brot-Arbeiten verschmäht. Sollte hier etwa ein umfangreiches Pump-System angedeutet sein? Oder verstehen wir des Dichters Intentionen richtig, wenn wir hinter den Kulissen der Mildtätigkeit edler Freundinnen keine Schranken gesetzt sehen? Wie gesagt, bei unseren grobrealistischen Anschauungen beschäftigte uns die Lösung dieses Rätsels, als wir den sonderbaren „Sumpf“ durchmusterten, dessen Schmutz der Antirealist Julius Hart mit kräftiger Detailmalerei pastos aufträgt. — Auch die Lebensweise des Waffenbruders H. Holbach, in dessen Mentorreden wir den strengen Idealismus Heinrich Harts zu erblicken glauben, wird uns aus dem Stücke nicht recht klar und auf Klarheit der Verhältnisse müssen wir als Realisten dringen. Doch — bei Idealisten nimmt man das ja nicht so genau! Das Stück enthält Stellen von großer dramatischer Kraft, obwohl die Sprache oft bedenklich rhetorisch wirkt. „Tiger und Schlangen“ fühlt der ehrsame alte Spießbürger Rückert im Busen — das ist a bissel zu tropisch. Uebrigens sind die Gestalten des alten Rückert (nach dem „Pelikan“ von Augier gearbeitet) und des Posamentierhändlers wirklich vortrefflich gelungen und können wir zu der letzteren dem begabten Dichter nur Glück wünschen.

Mit dem Anti-Realismus der Herrn Hart ist's wohl auch nicht so schlimm gemeint. Sie sagen sich einfach, dass vielleicht bedeutendere Talente, als sie es sind, die Führung der realistischen Richtung übernommen haben. Da scheint es denn allen „Idealisten“ zweckmäßiger, zu frondiren und in litterarischer Opposition sonstigem Missvergnügen Luft zu machen. Die einen rücken mit der „Moral“ ins Feld, falls ihr Neid keine andere Waffe mehr weiß, die andern mit „Idealismus“. Wie unser gefeierter vaterländischer Dichter F. von Bodenstedt es noch kürzlich treffend ausdrückte: Den Realisten fehlt das notwendigste Erfordernis der Dichtkunst, die Begeisterung. Die Tragweite dieses tiefsinnigen Denkspruchs wohl ermessend, versuchten auch wir uns jüngst zur „Begeisterung“ aufzuraffen und es gelang uns nach heißem Bemühen folgendes persische Ghasel:

Die an dunkelen Problemen schmerzzerrissen sich begeistern,
Diese zählt kein idealer Teutscher zu den wahren Meistern.
Jenen nur erscheint die echte Muse hehrer Kunstbegattung,
Die mit angestrengtem Sitzfleisch Reime aneinander kleistern.

Unserem Ermessen nach treibt es die Brüder Hart gebieterisch nach dieser „begeisterten“ Richtung hin und hoffen wir den beiden begabten Dichtern noch auf ganz anderen Pfaden der Kunst zu begegnen. Ein Drama in Tetrametern mit obligatem Chor dürfte ihrer Eigenart am besten „liegen“. Die Hoffnungen, die man in der Broschüre „Revolution der Litteratur“ betreffs der kommenden Leistungen der Herrn Hart im „sozialen Drama“ mit einem „vielleicht“ davor ausdrückte, sind hingegen durch den „Sumpf“ leider wenig erfüllt. Man hat noch keinen „sozialen“ Stoff gefunden, wenn man solche Sumpfverhältnisse auf die Bühne bringt: das möge sich dieser junge Gegner Zolas gesagt sein lassen.

Gleichwohl wollen wir eine gewisse elementare Kraft, eine rauhe Leidenschaftlichkeit, bei J. Hart nicht verkennen, obschon sich bis jetzt nicht absehen lässt, ob er Lyriker, Novellist, Dramatiker sei. Das eigentlich theatralische Element im „Sumpf“ ist schwach. Die Charaktere kommen daher zu keinem rechten Leben; sie stehen am Ende da, wo sie am Anfang standen — äußerlich umgestaltet, aber nicht innerlich.) Bei Hart liegt Falsches noch unvermittelt neben Richtigem. Er scheidet in seinem Sturm und Drang das Misslungene nicht von dem Gelungenen aus. Kompositionstalent fehlt ihm ganz, Form besitzt er nur im rhetorischen Sinne. Seine tragischen Figuren sprechen genau so, wie die in dem gedanklich bedeutenderen „Waiblinger“ Kirchbachs (dieselbe Schule!), in hochtrabenden Tiraden, während die komischen Nebenfiguren wiederum ein wenig outrirt, was die Franzosen „chargirt“ nennen, erscheinen. Bei den Harts hat sich die dichterische Natur, die unleugbar vorhanden ist, noch nicht zur reinen Kunst geadelt. Gerade beim Drama aber ist das feinste Kunstgefühl notwendig. — Wir sprechen jedoch die Zuversicht aus, dass die Herrn Hart ihre Talente noch reifer entwickeln werden, sei es nun als „Idealisten“ oder als „Realisten“.

Bei Deubner in Berlin giebt J. von Dorneth ein „Leben Luthers“ heraus.

Bei Hachette in Paris erscheint als Antwort auf Raoul Frarys Buch: „La Question du Latin“ die „Questions d'enseignement secondaire“ von Charles Bigot. Der Verfasser, ein ehemaliger Gymnasiallehrer, nun Journalist, begehrt nicht wie Frary die völlige Unterdrückung der alten Sprachen: er möchte etwa dreißig Lyceen auf hundert damit fortfahren lassen und die übrigen siebzig zu eigentlichen Realgymnasien umgestalten. In zwei oder drei Lyceen schlägt Bigot vor, das Hauptgewicht nicht auf die lateinische, sondern auf die griechische Sprache zu legen. Was die Organisation betrifft, schlägt Bigot vor, nach deutschem Muster die Klassenlehrer durch Fachlehrer zu ersetzen und einem unter denselben gewählten Dekan (doyen) die eigentliche Leitung des Unterrichts zu übertragen.

Im Verlag der Nouvelle librairie parisienne (E. Giraud et Cie.) erschien vor Kurzem eine umfangreiche Studie, betitelt: „L'Année littéraire 1885“ aus der Feder Paul Ginisty, des Redakteurs des Gil Blas. Der stattliche Band enthält außerdem „une preface de Louis Ulbach et une introduction sur ‚Le livre a Paris‘ par Octave Uzanne.“

„Sphynx“, Monatsschrift für die geschichtliche und experimentale Begründung der übersinnlichen Weltanschauung auf monistischer Grundlage, herausgegeben von Dr. Hübbe-Schleiden, Verlag von Th. Grieben in Leipzig. Das Juniheft enthält: Zur Lösung des Problems, Mediumismus oder Taschenspielerkunst? Von M. Hermann. — Problem: Medium oder Taschenspieler? Der Stand der Streitfrage. Von Carl du Prel. — Aus den Untersuchungs-Akten. Zwei Briefe. — Medium und Adept, begriffliche Gegensätze und deren sittlicher Hintergrund. Von Wilhelm Daniel. — Gedanken-Uebertragung. Ein Protokoll. Von Max Dessoir. — Ein spiritistischer Familienkreis. Tatsachen, zusammengestellt aus Briefen des Hausvaters 1885—86. Chiromantik und Chirognomie, alter Glaube und neues Wissen. — Osanna, Die Verhexte. Von J. S. Haussen. — Das Frühmessner-Buch von Mortell. Uebersinnliches im Sagengewande. Von Hermann Eichhorn. — Kürzere Bemerkungen: Astrologie und Alchymie. Eine sogenannte Ehrenrettung. — Das Wesen der Mediumschaft. Eine spiritistische Anschauung derselben. — Schwarze und weiße Magie. Medien, Hexen und Heilige. — Levitation. Einige ältere Angaben über dieselbe. — Seele. — Noch einmal der Vegetarismus. — Der Doppelgänger. — Das Allergräslichste ist das Denken. — Zusammenstellungen übersinnlicher Tatsachen.

Die bekannte Nachdruckswut der Amerikaner wird jetzt noch von den Niederländern in hohem Maße übertroffen. Kaum, dass die dortigen Verleger das Erscheinen eines hervorragenden Werkes, besonders in der Belletristik in Erfahrung gebracht haben, so lassen sie sich dieses als gute Prise nicht entgehen. Der erst vor wenigen Monaten in dem Verlage der königlichen Hofbuchhandlung von Wilhelm Friedrich in Leipzig erschienene dreibändige Roman von Amyntor „Vom Buchstaben zum Geiste" wird demnächst ins Holländische übersetzt von Stenfert Kroese van der Zande in Arnhem erscheinen.

Im Verlag von Gustav Wolf in Leipzig erschien ein Bändchen Novelletten unter dem Titel: „Was ist Glück?" von Alfred Graf Adelmann. Der Stoff zu jeder einzelnen dieser Novelletten ist dem Erlebten entnommen, und eben deshalb leben die Gestalten darin und sprechen zum Herzen des Lesers. Sprache, Zeichnung, Charakterschilderung in denselben sind so klar und fein gehalten, dass Berthold Auerbach einst über eine dieser Novelletten, als dieselbe in Ueber Land und Meer erschienen, geäußert hatte: „Die Arbeit ist ein echtes kleines Kunstwerk, ein eigenartiger Schmuck unserer modernen Novellenlitteratur." Die einzelnen Novelletten, wie die Skizze, welch' letztere dem Buche den Namen gegeben, beweisen auf's Neue, dass nicht der Umfang, sondern der Aufbau den Wert eines Kunstwerkes bekunden.

Georg Stilke kündigt den neusten Roman von Björnson „Thomas Rendalen" in Uebersetzung von W. Lange an. Ebenso Erzählungen der tüchtigen E. von Dincklage.

Im Verlag von Bangel & Schmitt (Otto Petters), Heidelberg, Universitäts-Buchhandlung erschienen vor Kurzem in einem Bändchen vereinigt zwei Dramen von K. Ph. Scholler. Das erste derselben trägt den Titel: „Diogenes." Schauspiel in fünf Akten. Das zweite heißt: „Karl der Große." Schauspiel in fünf Akten. In diesem hat der Verfasser den Versuch gemacht „einer Generation, die die Gründung des neuen Reiches erlebte, die Schwingungen des nationalen Geistes bei Gründung des alten Reiches vor mehr als einem Jahrtausend mit dichterischer Freiheit zu vergegenwärtigen."

Bei F. Luckhardt in Berlin sind zwei hochinteressante Novitäten erschienen: „Der einsame König, ein Lebensbild nach authentischen Quellen", das gerade jetzt das Interesse weiter Kreise in Anspruch nehmen dürfte und „Memoiren einer arabischen Prinzessin".

Ein eigenartiges Werk ist „L'Art intime" (E. Rouveyre, Paris) von Spire Blondel.

Von dem in der Geschichte der englischen und deutschen Philosophie wohlbewanderten Barzelotti, der vor ein paar Jahren seine Stellung als Universitätsprofessor aufgab, um sich um ein Abgeordnetenmandat bewerben zu können, ist ein Band psychologischer Essays in zweiter Auflage erschienen. Unter den im Zusammenhang behandelten „Heiligen, Originalen und Philosophen" dürfte in Deutschland nur der sog. „Heilige David", ein halbverrückter italienischer Religionsstifter aus dem vorigen Jahrzehnt, der von italienischen Carabinieri erschossen wurde, weniger bekannt sein. (Santi Solitari e Filosofi Saggi Psicologici di Giacomo Barzelotti seconda edizione. Bologna, Zanichelli. 1886. XXVIII a 326 S. Lire 4.—.)

Von Guiseppe Cassone, der eine Uebersetzung der sämmtlichen Werke Petöfis vorbereitet, ist die erste italienische Uebersetzung der minder eigentümlichen poetischen Erzählung „Der Apostel" des ungarischen Dichters erschienen. Der Abgeordnete Helfy hat zu der Leistung des uns nicht weiter bekannten Verfassers, der in Italien die gewiss nur selten studirte Sprache der Magyaren erlernte und Mitglied des „Ungarischen Instituts" geworden ist, eine Vorrede geschrieben. (A. Petöfi L' Apostolo Prima versione italiana a Giuseppe Cassone con prefazione di Dr. Ignazio Helfy, deputato al parlamento ungherese. Roma, libreria editrice Manzoni. Lire 2.50.)

Auch die ungarische Provinz will zu der jungen National-Litteratur ihr Scherflein leisten. Da ist denn kürzlich in Debreczin ein Büchlein erschienen, auf dessen Titelblatt die Worte prangen: „Kain. Dramatisches Gedicht von Alexius Londess." Der erste Mord, dieses oft und unübertrefflich schön von Byron behandelte poetische Motiv, ist hier mit mehr gutem Willen, als kräftigem Können verwertet; glatte, bilderüppige Verse täuschen den flüchtigen Leser über die Mängel der Dichtung hinweg, in welcher die bedeutsamsten Momente der kargen Handlung ohne Kraft, Leidenschaft und energische Vertiefung durchgeführt erscheinen. Bei plastischerer Gestaltung müssten manche Szenen, wie etwa der Moment, da Kain seinem Sünderleben durch einen Sprung in den Abgrund ein Ende machen will und plötzlich vom Felsenrande zurücktaumelt, als Hoffnung, Glaube und Vertrauen in Gottes Barmherzigkeit in seiner Seele erwachen, von machtvoller Wirkung sein.

Amédée Pigeon veröffentlichte im Verlag von Calmann Lévy in Paris ein neues Werk unter dem Titel: „La confession de Madame de Weyre."

Von Emil Peschkau erscheint demnächst ein neues humoristisches Werk: „Herr und Frau Pieps" im Verlag von E. Pierson in Dresden. Später folgt eine Novellensammlung desselben Autors „Am Abgrund", die ein Bändchen der Reclamschen Universalbibliothek bilden wird. Außerdem erscheint eine größere Arbeit Peschkaus demnächst im Feuilleton der „Kölnischen Zeitung" unter dem Titel „Rohrdommeln".

Die böhmische Novellistik steht gegenwärtig im Zeichen der historisch-archäologischen Erzählung; namentlich die Zeit des fünfzehnten und sechzehnten Jahrhunderts ist bei Erzählern und Publikum beliebt. Ein jüngerer Erzähler, Josef Brun, giebt in den „Erinnerungen der Blutschreiber" eine Reihe von kleinen Novellen in Form von alten Rechtsfällen, jede mit einer zeitgemäßen „Nota" des Amts- oder „Blutschreibers" abgeschlossen. Seine Anmerkung am Schlusse, dass diese „Noten" nicht echt sind, ist eigentlich eine Beleidigung für den gebildeten Leser, lässt sich jedoch entschuldigen. Die treffliche Ausstattung, in Böhmen noch nicht ganz landesüblich, verdient volles Lob. Prag, Simáček.

Die Gerichtsfexen, jenes merkwürdige Lustspiel von Racine, hat Dora von Gagern in vortrefflichen Versen übersetzt. (Wien, Manzsche Hofbuchhandlung.)

Neue Erscheinungen.

Der Götterhimmel der Germanen von Ferdinand Schmidt. (Wittenberg, Herrosé.) Der bekannte Jugendschriftsteller entrollt hier die Glaubenswelt unserer Ahnen mit begeisterter Hingebung an den Gegenstand.

Geharnischte Sonette von einem Volksfreunde. (Tübingen, Osiander.)

Die Ursprünge des Handels und Wandels in Eropa von Dr. O. Schrader. (Jena, Costenoble.)

Einführung in das Studium der Kunstgeschichte von Alwin Schulz. (Leipzig, Tempsky & Freytag.)

Die Habsburger. Roman-Cyklus von Karl Schram. (Wien, G. Auger.) Band I.

La Peur, étude psycho-physiologique traduit de l'Italien de Professor Mosso. (Paris, Germer Baillière.) — A. Weill: „Le Pentateuque selon Moïse et le Pentateuque selon Esra suivi de Vie. (Ebenda.)

Realencyklopädie der christlichen Altertümer von Dr. F. Kraus. (Freiburg, Herder.)

Bilder von der Ostgrenze, Studien von M. Friedberg. (Leipzig, R. Friese.)

Bei Brockhaus in Leipzig erscheinen die gesammelten Werke von Moritz Carriere.

Ein pseudonymer Egon Sophus lässt „Novellen" aus der Reichshauptstadt erscheinen. (Hamburg, Günther.)

Dichten und Denken. Gedichte von Auguste Meyer. (Stuttgart, Hallberger.)

Heitere Geschichten von Helene von Götzendorf-Grabowski. (Wiesbaden, Bechtold.)

Les Contemporains, études Litteraires par Jules Lemaitre. (Paris, Lecène & Oudin.)

Optische Häresien von R. Schellwien. (Halle, Pfeffer.)

Gli Amori delle Donne del Neo Cirillo. Degli Uomini del P. Mantegazza. Gli Amori Degli Imbecilli del Neo Cirillo erschienen bei C. F. Mantini in Mailand. 65000 Exemplare verkauft — und alle Sorten von „Amori" — was will man mehr!

Alle für das „Magazin" bestimmten Sendungen sind zu richten an die Redaktion des „Magazins für die Litteratur des In- und Auslandes" Leipzig, Georgenstrasse 6.

Für die Redaktion verantwortlich: Karl Bleibtreu in Charlottenburg. — Verlag von Wilhelm Friedrich in Leipzig. — Druck von Emil Herrmann senior in Leipzig.

Das Magazin

für die Litteratur des In- und Auslandes.

Wochenschrift der Weltlitteratur.

1832 gegründet von Joseph Lehmann.

55. Jahrgang.

Preis Mark 4.— vierteljährlich.

Herausgegeben von Karl Bleibtreu.

Verlag von Wilhelm Friedrich in Leipzig.

No. 26. Leipzig, den 26. Juni. 1886.

Inhalt:

Das Theater in China.

Von Adolph Schulze.

Unsere Vorstellungen über die Bühnenverhältnisse im Reich der Mitte waren bisher ziemlich dunkel. Allerdings wusste man seit langer Zeit, dass das Drama von den Chinesen eifrig gepflegt wird und an einzelnen Uebersetzungen in die abendländischen Sprachen hat es ebenfalls nicht gefehlt, dennoch aber sind unsere Nachrichten gerade über die Theaterverhältnisse so unvollkommen und lückenhaft, dass es unmöglich ist, sich auf Grund derselben ein anschauliches Bild zu machen. In den jüngsten Tagen hat jedoch die europäische Litteratur auf diesem Gebiet eine wertvolle Bereicherung erfahren, die um so schätzenswerter ist, als wir sie einem hochgebildeten, mit den litterarischen Verhältnissen seiner Heimat eng vertrautem Chinesen verdanken. General Tscheng-Ki-Tong, der durch sein auch in deutscher Uebersetzung (Leipzig, Carl Reißner) erschienenes Werk: „China und die Chinesen“ bereits rühmlichst bekannte Militärattaché bei der Kaiserlich chinesischen Gesandschaft in Paris, hat nämlich seine in dem obigen Werke angekündigte Absicht zur Tat gemacht und ein Buch über die dramatische Litteratur seiner Heimat geschrieben, welches unter dem Titel: „Le Théatre des Chinois“ kürzlich bei Calman Lévy in Paris erschienen ist. Der Inhalt desselben ist in so mannigfacher Hinsicht interessant, dass eine eingehendere Besprechung an dieser Stelle gerechtfertigt erscheinen dürfte.

Was bei der Lektüre des Buches zunächst in die Augen fällt, ist der Mangel an äußerer Ausstattung auf der chinesischen Bühne. Dieselbe besteht aus einem auf öffentlichen Plätzen, oder selbst auf der Straße in wenigen Stunden aufgeschlagenen Brettergerüst, mit einer spanischen Wand als Horizont, und einigen Stühlen; alle sonstigen Dekorationen, Kulissen und dergleichen fehlen vollständig. Um den Zuschauer mit den äußerlichen Verhältnissen bekannt zu machen, erscheint der Regisseur vor Beginn des Stückes auf der Bühne und hält eine kurze Ansprache, in welcher er die Entwicklung desselben und die Szenerie in schwungvollen Worten schildert.

Der Sinn für die dramatische Kunst muss in der Tat sehr hoch entwickelt sein in China. Einerseits spricht dafür schon die Fähigkeit des Publikums, sich nur mit Hülfe der Phantasie in die von dem Dichter geschaffene Situation zu versetzen, dann aber auch noch der Umstand, dass, wie Tscheng-Ki-Tong uns belehrt, sämmtliche Häuser der Reichen und Mitglieder der Aristokratie einen besonderen Theatersaal enthalten, in welchem die klassischen Stücke des chinesischen Repertoires aufgeführt werden. Hier ist auch der Ort, fügt der Verfasser hinzu, wo man unser Theater studiren muss, um zu erfahren, dass dasselbe keineswegs lediglich aus einem furchtbaren Lärm von Gongs, Trommeln und Trompeten besteht.

Die Schauspieler, welche der chinesische Autor die bevollmächtigten Minister des Dichters bei Sr. Majestät dem Publikum nennt, stehen gesellschaftlich auf der niedrigsten Stufe. Sie führen ein vagabondirendes Leben und ziehen von Stadt zu Stadt, um ihre Künste zu zeigen. Der Direktor ist der absolute Herrscher der Truppe. Zwischen ihm und seinen Künstlern existiren geheimnissvolle Bande, über die sich der Verfasser selbst nicht recht klar ist. Mögen es nun geheime Pakte, Gelübde, oder einfache Kontrakte sein, jedenfalls sind die Engagements von langer Dauer und Prozesse kommen selten vor. Jede Truppe bildet einen Stamm, ein dem Willen eines Einzigen unterworfenes Völkchen, in dem dieser Einzige herrscht wie ein König über seine Untertanen. Nach dem ganzen Eindruck des betreffenden Kapitels zu urteilen, scheint das Leben der Schauspieler die meiste Aehnlichkeit mit dem unserer Zigeuner zu haben und auch mit demselben geheimnissvollen Zauber umwoben zu sein.

Dass weibliche Schauspieler in China nicht existiren ist bekannt; weniger bekannt dürfte aber sein, dass sie unter den mongolischen Kaisern die Bretter betreten durften. Ihr Ruf war jedoch ebenfalls der denkbar schlechteste und ein Dekret des Kaisers Khubilaï vom Jahre 1263 stellt sie in der öffentlichen Achtung mit den Kurtisanen auf gleiche Stufe. Im vergangenen Jahrhundert wurden sie der guten Sitte geopfert und seitdem werden ihre Rollen von Knaben und Jünglingen dargestellt.

Den Vorstellungen in den Häusern der Reichen und Vornehmen geht gewöhnlich ein Gastmahl voraus. Nach Beendigung desselben betreten die Schauspieler unter tiefen Verbeugungen den Saal — und einer von ihnen überreicht dem Vornehmsten der Gäste ein Buch, in welchem mit goldenen Lettern die fünfzig bis sechzig Stücke verzeichnet sind, die sie auswendig wissen und ohne Weiteres zu spielen vermögen. Nachdem die Liste dann bei sämmtlichen Gästen zirkulirt hat, wird sie dem Direktor zurückgegeben. Hierauf wird dem Publikum der für dasselbe reservirte Raum geöffnet, die Frau des Gastgebers nimmt mit ihren Freundinnen auf einer erhöhten Galerie, hinter einem Bambusgeflecht Platz und die Vorstellung beginnt.

Die Zahl der Theaterstücke ist außerordentlich groß und wenn es lediglich auf die Quantität ankäme, so würde keine Nation der Welt mit China rivalisiren können; schon die unter der Dynastie der Yuen geschriebenen Dramen bilden die stattliche Anzahl von fünfhundert Bänden. Aber Tscheng-Ki-Tong meint selbst, dass es sich in dieser Frage nicht um Ziffern handelt.

Das Ideal des chinesischen Dramas ist gleichwohl ein hohes: es soll die vornehmsten Lehren der Geschichte repräsentiren, und den Landesgesetzen zufolge sollen die Theatervorstellungen „wahre oder erdichtete Bilder darstellen, die aber dazu angetan sind, die Zuschauer zur Ausübung der Tugend zu begeistern". Das Anstößige wird als Verbrechen bestraft und die betreffenden Gesetzesparagraphen sind äußerst kategorisch.

Die Leidenschaften in den chinesischen Dramen sind anderer Natur als die unserer heimischen Bühne. Die Liebe wird dort lediglich als ein Gefühl aufgefasst, während die eigentlichen Tugenden, namentlich die Liebe zur Arbeit und vor Allem die Frömmigkeit als Leidenschaften behandelt werden. Der Verfasser gebraucht absichtlich den Ausdruck „Frömmigkeit", weil derselbe das entsprechende chinesische Wort am treffendsten wiedergiebt, indem derselbe nicht nur die Beobachtung gewisser Kultusregeln, sondern auch die Treue in der Erfüllung aller Pflichten in sich schließt, deren edelste und mächtigste darin besteht, die Familie zu achten, zu schützen und zu lieben. Hieraus ergiebt sich der Schluss, dass die Kindes- und Elternliebe als die wirksamsten aller dramatischen Leidenschaften in China betrachtet werden.

Außerdem spielt auch der Ehrgeiz bei den öffentlichen Prüfungen eine ziemlich bedeutende Rolle; im Allgemeinen aber sind die Leidenschaften der chinesischen Bühne mehr bürgerlicher Natur und stehen in engerer Verbindung mit dem wirklichen Leben.

Die Einteilung der Theaterstücke ist, wie schon aus dem nachfolgenden Rollenverzeichniss hervorgeht, ziemlich dieselbe wie im Abendlande. Es treten nämlich auf:

In Männerrollen:

Ein Großwürdenträger.
Ein bejahrter Vater.
Ein junger Baccalaureus.
Ein erster Komiker.

In Frauenrollen:

Die bejahrte Frau.
Die Kammerzofe.
Die Kupplerin.
Ein vornehmes junges Mädchen.
Die Frau von zweifelhafter Tugend.
Die Kurtisane.

Alle diese Rollen sind klassisch; die sie darstellenden Persönlichkeiten sind Figuren des wirklichen Lebens, die auf der Bühne zum Typus geworden sind. Es fehlt nur die Rolle des betrogenen Ehemannes, meint der Verfasser boshaft. An Stelle derselben hat die chinesische Bühne dagegen eine andere Rolle, welche der europäischen fehlt, nämlich die des Sängers. Der Sänger tritt als handelnde Person auf. Seine Verse bilden jedoch nur einen Teil seiner Rolle und haben den Zweck, den Zuschauer auf eine moralische Betrachtung, auf vorhergegangene Ereignisse oder auf etwas Außerordentliches in der Situation hinzuweisen. Er ist der Vertreter des Dichters in dem Drama. Wenn seine von Musik begleitete, harmonische Stimme sich plötzlich von dem Dialog abhebt, nimmt sie den Geist des Zuschauers gewissermaßen gefangen und zeigt ihm unter einer idealen Form den Zusammenhang des Stückes; es ist, als ob sie den Genius des Dichters darstellte, welcher dem Zuschauer seine geheimsten Empfindungen offenbart. In seiner äußern Form lässt sich in Folge dieser Rolle das chinesische Theaterstück am besten mit dem Textbuch einer komischen Oper vergleichen; nur darf man nicht vergessen, dass in dem chinesischen Stück immer nur eine Person als Sänger auftritt.

Bei dieser Gelegenheit konstatirt der Verfasser dann gleichzeitig noch die große Vorliebe seiner Landsleute für Musik und Poesie. Die ältesten Denkmäler ihrer Litteratur sind in Versen geschrieben und zur Charakteristik dieser Tatsache führt er folgendes Beispiel an: Die chinesische Bezeichnung für das Wort „Vers" ist aus zwei verschiedenen Charakteren gebildet, deren einer „Wort" und der andere „Tempel" bedeutet. Als Sinn des Ausdrucks ergiebt sich daher der Begriff „Worte des Tempels".

Diese Bemerkung genügt, meint er, um festzustellen, dass das chinesische Volk bereits in der fernsten Vergangenheit der lyrischen Begeisterung fähig war.

Die chinesischen Theaterstücke tragen ebenso wie die des Abendlandes einen nach dem Zeitalter ihres Ursprungs verschiedenartigen Charakter. Von den litterarischen Epochen des Landes hat Tscheng-Ki-Tong die bedeutendsten angeführt. Die erste derselben fällt unter die Dynastie der Thang, vom 8.—10. Jahrhundert. Die zweite und dritte fallen mit dem Zeitalter der Song und Yuen, vom 10.—14. Jahrhundert bezw. bis auf unsere Zeit, zusammen. Das ist die historische Ordnung. Außerdem tragen aber die Theaterstücke auch noch eine allgemeine Bezeichnung, welche sich nach der Dynastie, der sie angehören, richtet. So nannte man sie zur Zeit der Sui „Vergnügungen der friedlichen Straßen"; unter den Thangs „Musik des Birnbaumgartens"; unter den Songs „Vergnügungen der blumengeschmückten Wälder" und unter den Mongolen: „Freuden des gesicherten Friedens". Die Dramen der Dynastie der Kin und der Yuen führen den Namen Yuen-pen bezw. Tsa-Ki. Auf die Letzteren trifft auch in erster Linie die vorhin beschriebene Zusammenstellung zu. Außerdem giebt es noch ein anderes Genre, in welchem vorzügliche Werke enthalten sind. Es sind dies die Yen-Kia oder Bluetten, so genannt wegen der Feinheit ihrer Intriguen.

Tscheng-Ki-Tong hält sich aber in seinem Buche hauptsächlich an die Dramen des Tsa-Ki, welche ausschließlich dem Zeitalter der Yuen, der bedeutendsten Epoche der chinesischen Litteratur, angehören.

Zwei hochinteressante Kapitel widmet der Verfasser sodann dem Einfluss der Religion auf die dramatische Litteratur. Hierbei kommen hauptsächlich der Buddhismus und die Sekte des Tao in Betracht, welche beide vermöge ihrer Lehre von der Seelenwanderung den chinesischen Autoren reichen Stoff zu dramatischen Verwickelungen lieferten. Der Verfasser hat seine Ausführungen durch Beispiele erläutert, welche jedoch uns hier zu weit führen würden.

Eins der berühmtesten Stücke des chinesischen Repertoires ist der „Pi-Pa-Ki" oder „Die Geschichte der Laute". Nach der Meinung des Verfassers gehört es zu denen, welche überall gelesen werden können. Ebenso wie Molière in Peking als Thsaï-Tseu (Genie) erklärt werden würde, wenn man seinen „Geizhals" dort aufführte, so würde auch der Verfasser des Pi-Pa-Ki bei uns im umgekehrten Falle derselben Ehre gewürdigt werden. Tscheng-Ki-Tong macht sich den Spaß, eine Kritik über das Stück zu schreiben, als ob dasselbe an der Porte-Saint-Denis aufgeführt, und er von der Redaktion des Temps abgesandt wäre, um über die Première zu berichten. Wir können nicht umhin, den Leser mit der launigen Art und Weise, in der er dies thut, einigermaßen bekannt zu machen. Nach einigen einleitenden Bemerkungen schreibt er wie folgt:

„Die ersten Chinesen, welche sich in dem bekannten Kostüm auf der Bühne zeigten, erregten eine leichte Heiterkeit, welche das Publikum in gute Laune versetzte, und neugierig hörte man, was diese Käuze sich einander zu sagen haben könnten. Bald jedoch verwandelte sich die Neugier in Interesse; eine ergreifende Handlung füllte die verschiedenen Bilder aus, so dass selbst die Anspruchsvollsten mit ihrem Beifall nicht zurückhielten. Vom achten Bilde ab war der Erfolg gesichert; das Vergnügen gewann die Oberhand; die Logen ließen sich hinreißen; das ganze Haus war gefesselt von dem reizenden Spuk: die Himmlischen hatten ihr Spiel gewonnen! Ihr Erfolg ist unbestreitbar."

Im ferneren Verlauf seiner „Besprechung" führt der Verfasser dann auch den Prolog an, mit welcher der Hauptdarsteller das Stück einleitet. Derselbe erscheint interessant genug, um hier wiedergegeben zu werden:

Meine Herren!
(die Chinesen sagen niemals: meine Damen)

Die Schauspieler des Kaisers werden die Ehre haben, den Pi-Pa-Ki vor Ihnen aufzuführen. Vernehmen Sie den Inhalt:

Tschao ist eine junge Frau von auffallender Schönheit, Tsaï-Yong ein ausgezeichneter Baccalaureus. Kaum zwei Monate waren sie ehelich verbunden, als der Kaiser die Gelehrten aus allen Provinzen des Reiches zusammenrief und die Eröffnung des Examens ankündigte. Den Bitten des Vaters nachgebend, reist Tsaï-Yong nach der Hauptstadt erringt die akademische Palme und wird mit einem Schlage in die ersten Reihen der Doktoren versetzt. Nunmehr geht er eine neue Ehe ein; er heiratet Nieou. Allein durch seine Erfolge auf den Gipfel des Ruhmes, der Größe und des Reichtums erhoben kann er nicht umhin, ein Amt anzunehmen. Während dieser Zeit bricht in seinem Vaterlande eine verheerende Hungersnot aus. Sein Vater und seine Mutter sterben nacheinander. Wie betrübend für den braven jungen Mann! Tschao, die von Kummer gebeugte junge Frau, nimmt alle durch den Gebrauch geheiligten Pflichten auf sich. Sie schneidet sich ihr Haar ab und verkauft es, um die Eltern ihres Gatten bestatten lassen zu können. In dem Zipfel ihrer hanfenen Tunika trägt sie die Erde zusammen und errichtet ihnen einen Grabhügel. Dann nimmt sie ihre Laute und richtet ihre Schritte nach der Hauptstadt. Unterwegs sehen wir sie auf den Landstraßen, wie sie die häuslichen Tugenden besingt.

Das Wiedersehen Tschaos und Tsaï-Yongs findet in einer Bibliothek statt. Tränen und bittere Reue sind die Folgen dieser Szene. Der junge Mann hatte im Grunde seines Herzens sich die kindliche Liebe bewahrt; Nieou war weise und bescheiden. Schließlich kehrt daher Tsaï-Yong von seinen beiden Frauen begleitet in sein Heimatland zurück und erfüllt die Leichenzeremonien."

Dies ist das Exposé des Stückes. Wir lassen nun noch ein Bild aus demselben folgen; den Zusammenhang wird der Leser erraten; es würde uns zu weit führen, wenn wir ihn hier wiedergeben wollten:

Vierzehntes Bild.

Tsaï-Yong — Nieou.

Nieou.

Ich habe soeben die Töne der Laute gehört mein Gebieter.

Tsaï-Yong.

Ganz recht, liebe Frau, ich spiele, um die Ruhe des Gemüts wieder zu erlangen.

Nieou.

Seit langer Zeit hat man mir von deinem Talent erzählt, mein Gebieter. Ich weiß, dass du ein Meister der Tonkunst bist; wie kommt es, dass in dem Augenblick, wo ich eintrete, um mein Ohr deinen Tönen zu leihen, deine Laute plötzlich schweigt. Ich würde so glücklich sein, heute deinen Gesang bewundern zu können, denn auch deine Magd hat Kummer. Ich bitte dich, Herr, singe mir eine Romanze.

Tsaï-Yong.

Wenn du es wünschest, so sage mir, welche Romanze ich dir singen soll. Gefällt dir das Lied: „Der Fasan, der früh empor sich schwingt" . .

Nieou.

O, nein! Es steht nichts von Liebe darin.

Tsaï-Yong.

Du hast Unrecht, aber gleichviel, ich werde dir das Lied von dem Vogel Bouangh singen, der von seiner Gefährtin, die er liebte, getrennt wurde.

Nieou.

Der Gatte und die Gattin sind vereint. Warum willst du auf der Laute den Schmerz der Wittwenschaft besingen?

Tsaï-Yong.

So singen wir ein anderes Lied. Was meinst du von der Romanze: „Der Groll der schönen Favoritin Tschao-Kiun."

Nieou.

Was brauchst du die Rache im Palast der Han zu besingen, wenn Friede und Eintracht unter uns herrschen? Sieh der Abend ist schön, die Aussicht so entzückend mein Gebieter. Ich bitte dich, singe mir die Romanze: „Wenn der Sturm die Fichten schüttelt."

Tsaï-Yong.

Sehr gern. Das ist eine schöne Romanze.

(Er singt zur Laute.)

Nieou (ihn unterbrechend).

Du irrst, Herr; warum singst du das Lied nach der Melodie: „Wenn ich an die Heimkehr denke."

Tsaï-Yong.

Warte, ich werde noch einmal anfangen.

Nieou.

Du irrst wiederum, Herr; das ist die Melodie von der „verlassenen Turteltaube".

Tsaï-Yong.

Ich habe die Melodien verwechselt.

Nieou.

So täuscht man sich nicht, mein Gebieter. Du hast absichtlich eine Melodie für die andere genommen. Du verachtest deine Magd und hältst sie nicht würdig, vor ihr zu singen.

Tsaï-Yong.

Der Gedanke liegt mir sehr fern! Ich kann nur das Instrument nicht gebrauchen.

Nieou.

Und warum nicht?

Tsaï-Yong.

Weil ich mich früher auf meinem alten Instrument begleitete. Diese Laute ist neu. Ich bin noch nicht an sie gewöhnt.

Nieou.

Wo ist deine alte Laute?

Tsaï-Yong.

Ich habe sie längst bei Seite gelegt.

Nieou.

Warum?

Tsaï-Yong.

Weil ich jetzt eine neue habe.

Nieou.

Gestatte deiner Magd, dass sie noch weiter fragt; warum legst du nicht die neue Laute fort und nimmst die alte wieder, auf der du so gut spieltest?

Tsaï-Yong.

Glaubst du, dass ich im Grunde meines Herzens die alte Laute nicht gern hätte? Ach, es ist mir nicht gestattet, diese fortzulegen! . . .

Nieou.

Noch eine Frage, Herr, ich bitte dich! Da es

dir nicht gestattet ist, deine neue Laute fortzulegen, woher kommt es, dass du noch solche Anhänglichkeit für die alte bewahrst? — Ich glaube, dein Herz ist nicht hier.

Tsai-Yong (traurig).

Ich habe meine alte Laute zerbrochen, und wenn ich jetzt auf diesem neuen Instrument spielen will, erkenne ich mich selbst nicht wieder. Ich verwechsele eine Note mit der andern.

Nieou.

Die Schuld liegt nicht am Instrument, sie liegt in deinem Herzen. An wen denkst du denn mit solcher Innigkeit?

Tsai-Yong.

An wen soll ich denken?

Nieou.

Wie soll ich das wissen! An ein Wesen, nach dem dein Herz sich sehnt.

Wir glauben mit den vorstehenden Ausführungen hinreichend dargetan zu haben, dass Tscheng-Ki-Tongs neues Werk es ebenfalls verdient, auch in Deutschland gelesen zu werden. Der gefeierte chinesische Diplomat plaudert nicht nur über das Theater seiner Heimat, sondern auch noch über tausend andere Dinge mit einem so ergötzlichen Humor, verbunden mit solcher Schärfe des Urteils, dass die Lektüre seines Buches den Leser unwillkürlich in einen Zustand lächelnden Behagens versetzt; man glaubt einen Demokritos im Mandarinenkleide vor sich zu haben. Nebenbei ist das Buch im fesselndsten Pariser Feuilletonstil geschrieben, der unsere Bewunderung erregen muss, wenn man bedenkt, dass der Verfasser sich erst seit etwa elf Jahren in Europa befindet und während dieser Zeit nicht nur französisch, sondern vor Allem doch auch Taktik, Ballistik und tausend andere, wichtigere Dinge studiren musste.

Wenn es wahr ist, wie wir irgendwo einmal gelesen haben, dass er außerdem auch noch sein Selbstporträt in Oel gemalt haben soll, dann wird man mit der Zeit wohl kaum umhin können, Tscheng-Ki-Tong ebenfalls unter den Thsai-Tseu, nicht nur in seiner Heimat, sondern auch in Europa einen Platz einzuräumen.

Aesthetische Streifzüge.

Von Hermann Conradi.

I. „Manier".

In der Vorrede zur zweiten Ausgabe seiner „Grönländischen Prozesse" (1822; zuerst erschienen diese barock-satirischen Skizzen 1782 in der Vossischen Buchhandlung zu Berlin) macht Jean Paul verschiedene geistvolle und zutreffende Bemerkungen über den Stil, die ich hierher setzen möchte. Er sagt da u. A.: „Jeder eigentümliche Stil ist gut, sobald er ein einsamer bleibt und kein allgemeiner wird; denn selber der reinste und vollendetste — wenn ein Mensch, sogar ein Plato, Cicero, Goethe, Rousseau, einen schreiben könnte — dürfte nicht der allgemeine und einzige werden und alle Büchersäle füllen, von der alten Welt bis in die neue hinab, oder wir würden vor Uebersättigung verhungern und abmagern . . ." Und später heißt es: „Darf die Prosa nicht auch ihre Spielarten haben? Nur werde freilich nicht jedes Buch in solchem Stile geschrieben — wie doch ein Nachahmer tut . . ."

Nun! Auch die Prosa darf ihre Spielarten haben, einfach, weil das in ihrer natürlichen Art liegt, durch die wirkenden Individualkräfte bedingt und bestimmt wird. Die Momente dieser persönlichen Einzeläußerungen — hier nur in Bezug auf künstlerische Betätigung, speziell auf den Stil genommen — sind doch aber auch keine willkürlichen. Ihr Charakter, ihr ganzes Wesen hängt von dem Gewachsen- und Gewordensein der Persönlichkeit ab. Man schreibt, wie man muss, wird man sich auch oft genug dieses Zwanges nicht bewusst und glaubt man, dass der Wille aktiv ist. Man täuscht sich. Dieselben Mächte, deren kombinirtem Einfluss man den Gewinn neuer Gedankenmaterie, einer neuen geistigen Zone verdankt, wirken mit und wirken nach bei den einzelnen künstlerischen und wissenschaftlichen Aeußerungsakten, die in der Mehrzahl doch nur nackte Reproduktionen, bei schöpferischen Naturen nach den Bildungsgesetzen des Geistes — Satz vom Gegensatz! — vollzogene Ausführungen bedeuten. Wie man den Menschen ihre Dummheit nicht übel nehmen kann — man tut es, weil es menschlich bequem und naheliegend ist, sich den Gründen gegenüber die Augen zuzuhalten, nur nach der Erscheinung und deren Beziehung zum eigenen Ich zu fragen, und dann, weil man eben seine Lust, sein Vergnügen daran hat — so kann man schließlich auch Keinen für seine künstlerische Unfähigkeit verantwortlich machen. Man sollte jede Leistung aus ihren Entstehungsgründen heraus zu begreifen und unter dem Gesichtspunkt dieses Erkennens sachlich zu beurteilen suchen. Dies wäre das naturwissenschaftliche Moment der Kritik. Dazu käme das kulturgeschichtliche welches nach der Bedeutung eines Erzeugnisses in sozialem, gesellschaftlichem Sinne forscht. Diese Punkte würden Pol und Gegenpol einer vernünftigen, sachgemäßen, wirklich „modernen" Beurteilung abgeben.

Eine scharf ausgeprägte Individualität wird nun immer ihre eigene Art haben, sich zu vermitteln. Wohl wird in letzter Instanz ihre kulturgeschichtliche Bedeutung von einer gewissen Einseitigkeit abhängen. Aber diese Einseitigkeit muss das natürlich gewordene Resultat einer vielseitigen Empfänglichkeit, einer freien geistigen Reizbarkeit sein. Von der Ausdehnung und Ertragsfähigkeit der geistigen Bezirke hängen Wert und Wirkungskraft ab. Hier ergeben und scheiden sich nun drei Möglichkeiten. Ist die geistige Reizbarkeit eine verhältnismäßig geringe, der Horizont beengt, die ganze Natur a priori einseitig gestimmt, dann bildet sich früh der Modus der geistigen Vermittlung aus, die Manier schafft sich in jungen Jahren. Man denke an Ossip Schubin ... Ist die Empfänglichkeit größer, aber die Tendenz zur Einheitlichkeit geringer, der Reiz am Werde-Prozess größer als die Lust am geschlossenen Resultat, dann wird sich die Manier auch ziemlich früh bilden, und sie wird sich auch immer im Großen und Ganzen gleichbleiben, allerdings innerhalb erweiterter Grenzen, in Rücksicht auf größere Maßstäbe. Hier bietet Jean Paul selbst das beste Beispiel, der sich wirklich in seiner ganzen Art Zeitlebens ziemlich treu geblieben. Wo aber die geistige Aufnahme- und Aneignungsfähigkeit eine große ist und zugleich das Bestreben herrscht, Alles einem bestimmten Ziele zuzubilden, Alles zu vereinheitlichen, nicht willkürlich, sondern naturgemäß zusammenzuschmelzen, wie es bei Goethe der Fall gewesen, da wird sich eine in ihren Grundelementen unzerstörbar gefestete Eigenart, eben eine Manier, die immer der Ausdruck von etwas Geronnenem, Gallertartigem ist, erst verhältnismäßig spät bilden ... Und solche Geister, welche diese natürliche und darum gesunde Entwicklung durchmachen; die zugleich fest und flüssig; die sich abschließen, wenn mit den Jahren die natürlichen Bedingungen gegeben werden — das sind die wirklich bedeutenden und fruchtbaren. „Was einem angehört, wird man nicht los und wenn man es wegwürfe", sagt Goethe („Maximen und Reflexionen" VI.). Das sind die großen und kleinen Bausteine, die unsere Existenz bedingen und deren Verneinung das Individuum unmöglich machen würde. Aus ihrem Walten und Wirken gebiert sich die Erscheinung, welche der Einzelne darstellt. Durch die Atmosphäre dieser Erscheinung werden nun die von außen hereinfallenden Lichtstrahlen nach natürlichen Gesetzen unter bestimmten Winkeln gebrochen. Das Verhältnis, in das der gebrochene Strahl zu dem psychischen Centrum des Empfangenden tritt, ergiebt auf allgemein menschlichem, wie auf speziell künstlerischem Gebiete die Sonderart der Persönlichkeit. Hier liegen also auch die Ursachen, die zu einer früheren oder späteren Manier führen. Der ganze psychische Vorgang ist natürlich äußerst komplizirt und lässt sich kaum in die einzelnen und feinsten Röhrchen und Gefässe hinein verfolgen.

II. „Karikatur".

Die Karikatur (aus dem Italienischen: Caricare, übertreiben) hat natürlich scharf ausgesprochene und grell gefärbte Tendenzen. Treten diese nicht bewusst und deutlich zu Tage, erscheint wohl die brüske, in ihrer Wirkung brutal satirische Verzerrung als beabsichtigt, aber nicht als erreicht, dann ist die Karikatur gleichsam die Karikatur einer Karikatur, das heißt: die in Szene gesetzte Leistung ist geschlechtslos, sie ist weder ernst noch satirisch, sie ist verunglückt, das Zeichen einer zeitlichen oder dauernden Unfähigkeit. Und damit habe ich den Sinn berührt, in dem man das Wort „Karikatur" so oft gebraucht: als Prädikat des kritischen Tadels, in der Regel einem schriftstellerischen Resultat gegenüber, dessen Anlage und Ausführung normal gedacht war, aber nicht normal geraten ist ... Die Karikatur, deren man sich zu allen Zeiten mit Vorliebe zur geißelnden Glossirung und Verlächerlichung politischer Verhältnisse, politischer Zeit- und Tagesgrößen bediente, nimmt ihre Bildungsgesetze und Wirkungsmaßstäbe aus dem verworrenen Schlingpflanzen-Dickicht der „Aesthetik des Hässlichen". Eine eigentliche, selbständige Kunstform, ein zusammengeschlossenes Ganzes, in dem Strömungen und Gegenströmungen vom Schöpfer in Beziehung gesetzt und zu einem durch innere Gründe bedingten „guten" oder „schlechten" Ende geeinigt werden, stellt die Karikatur nicht dar. Sie stellt die Verzerrung, die Uebertretung rücksichtslos hin, rückt die aus allen Fugen der Harmonie gesprengte, auswüchsige Erscheinung in die hellste Mittagsbeleuchtung, wohl in der Absicht, durch dieses grelle und grausame Betonen der ethisch oder ästhetisch hässlichen Momente in der Seele des Aufnehmenden die Sehnsucht nach dem und die Lust an dem Gegenteil, an der natürlichen Gesundheit zu wecken — aber in ihrer Natur selbst liegt es nicht, durch Berücksichtigung milderer Momente zu dem Ausgleich erleichternd beizutragen.

Beabsichtigt wird die Karikatur, besonders die streng und einheitlich durchgeführte, seltener im Schrifttum ... Das germanische Wesen liebt sie vollends nicht ... Rabelais, der größte Satiriker aller Zeiten, war auch ein vorzüglicher, unübertrefflicher Karikaturenzeichner ...

Verwandt mit der Karikatur ist das Burleske — (auch das Groteske, das schließlich eines Wesens mit dem Burlesken). — Aber das Burleske ist harmloser, liebenswürdiger ... Von dem italienischen burla, der Spaß, gebildet, will es derbes, urwüchsiges Behagen, volkstümliches „Gaudium" erwecken. Es überschüttet nicht mit ätzenden Säuren, es spekulirt durch die Zusammenwürfelung buntester Gegensätze, heterogenster, zumeist aus dem unmittelbaren Volksleben gegriffener Momente, auf ein gesundes, volles, schlichtes Lachen, nicht auf jenes dumpfe, ungemütliche Halblachen, zu dem die radikale Karikatur reizt ... Freundschaftliche Beziehungen zwischen einem Riesen und einem Zwerge, diesen Heyseschen „Grenzen der Menschheit", haben immer etwas Komisches, unter Umständen sogar Possenhaftes ... Eine Fülle witzigster und „schnurrigster" Momente ließen sich hier zwanglos ausbrüten ... Wollte man aber einen Zwerg darstellen, der ganz ernsthaft den Versuch macht, sich mit den Attributen eines Riesen zu versehen, würde das halb Burleske, halb Karikatur sein ...

Und zur schneidigsten Karikatur würde das Bild auswachsen, wollte man einen mit Riesenattributen wirklich ausgestatteten, dabei aber ganz ernsthaft bleibenden Zwerg in nüchterner Nacktheit festhalten ...

Auch das burleske Genre pflegen wir Deutschen wenig. Mehr als die Poeten noch die Maler und Zeichner, unter denen Oberländer hier der gewaltigste ist ... Von Ausländern nenne ich als Helden ersten Ranges im Gebiet des Burlesken nur Cervantes und Scarron, den Gemahl der Frau von Maintenon ...

Presse und Sensationsbedürfnis.

Es ist schon zu wiederholten Malen hervorgehoben worden, dass die Zeitung das Buch immer mehr verdrängt und dass diese im Interesse einer gesunden Entwicklung unserer Litteratur beklagenswerte Tatsache in dem unruhigen Drängen und Hasten, welches unserer Zeit eigen ist, ihre Erklärung findet. Es ist ja so bequem, einen Roman löffelweise zu sich zu nehmen; das erfordert keinen besonderen Zeitaufwand, und man kann beim Frühstück in aller Gemütsruhe sein Feuilleton genießen. Die liebevolle Versenkung in die inneren Schönheiten einer Dichtung wird durch solche Zerstückelung natürlich unmöglich gemacht, und das unerbittliche „Fortsetzung folgt" ist der Engel mit dem flammenden Schwerte, welcher die Phantasie des Lesers aus dem Paradiese der vom Dichter geschaffenen Idealwelt herausjagt. Die Schuld trägt allein das liebe Publikum; denn nur seiner Geschmacksrichtung kommt die Zeitung entgegen, wenn sie, statt mit abgerundeten Skizzen und Essays, mit Romanfetzen die Spalten „unter dem Striche" füllt — und auch dem Autor ist es nicht zu verdenken, wenn er, so lange der Absatz belletristischer Bücher im Argen liegt, den einträglicheren Zeitungs-Abdruck vorzieht. Wie oft dabei die höheren Forderungen der Kunst mit den praktischen Bedürfnissen einer Zeitung kollidiren, liegt auf der Hand. Ein lehrreiches Beispiel bot hierfür kürzlich der Feuilleton-Redakteur eines der angesehensten und verbreitetsten Tagesblätter, welchem ich die Uebersetzung eines italienischen Romans anbot. Obgleich er die hervorragende Bedeutung desselben anerkannte, so fürchtete er doch, dass die Einfachheit der Handlung (ein Haupt-Vorzug der modernen italienischen Novellisten) dem Sensationsbedürfnisse unseres Publikums zu wenig entsprechen würde, und forderte mich auf, den Roman noch einmal auf seine journalistische Verwendbarkeit zu prüfen und etwaige Längen unbarmherzig und mit Hintenansetzung aller ästhetischen Bedenken zu streichen. Wer Farina und Castelnuovo gelesen, der weiß, was das zu bedeuten hat; denn der Haupt-Reiz liegt hier oft in der Detailschilderung. Wie schwer die Forderung jenem Redakteur wurde, wird man ermessen, wenn man bedenkt, dass er sich durch eine größere eigene Schöpfung als feinfühliger Poet bewährt hat und dass er somit der Not, nicht dem eigenen Triebe gehorchte, als er sie stellte. So ist der Autor gezwungen, auf die künstliche Spannung des Lesers von Tag zu Tag, von Fortsetzung zu Fortsetzung hinzuarbeiten, immer neue Personen einzuführen und die Fäden der Handlung möglichst zu verwirren, manche Punkte länger unaufgeklärt zu lassen, als es mit der Logik vereinbar ist, an den Schluss der einzelnen Kapitel und Abschnitte recht viel Fragezeichen zu setzen, das Ganze zu atomisiren, kurz, das Rezept der lustigen Person im Vorspiel zum „Faust" vom dramatischen auf das erzählende Gebiet zu übertragen. „Tu l'as voulu, George Dandin!" — könnte man dem Publikum zurufen.

Anders steht es mit dem lokalen und „vermischten" Teile der Zeitungen, sowie mit der dem Gerichtssaale gewidmeten Rubrik. Hier kann nur die Presse gegen die eingerissenen Uebelstände Abhülfe schaffen und ihren Einfluss als Erzieherin der öffentlichen Meinung und des öffentlichen Geschmacks in segensreicher Weise betätigen. Wenn in einem Kaffee-Kränzchen alte Jungfern, in Ermangelung einer edleren Beschäftigung, ihren spitzen Zünglein freien Lauf lassen und, die Arie Basilios von der „calunnia" durch Beispiele bekräftigend, die auf der Straße und im Hause aufgelesenen Neuigkeiten mit der nötigen Sauce einander zum Besten geben, so hält man dies der um ihr bestes Teil betrogenen Weiblichkeit zu gute. Wenn aber die Presse selbst, ihres hohen Berufes uneingedenk, zur alten Klatschbase wird und pikante Histörchen mit frivolem Behagen auftischt, dann ist der Unwille hierüber gerechtfertigt. Ob sich nun die berüchtigte Seeschlange durch die Spalten windet oder eine von vornehmer Hand angeblich entwendete Brillant-Taube die Gemüter der Leser beunruhigt — in allen solchen Fällen wird an niedrige Triebe der Menge appellirt (was sich als besonders wirksam erweist, wenn dabei gelegentlich den höheren Gesellschaftskreisen ein Fußtritt versetzt werden kann); dergleichen wird mit Begierde verschlungen, und da ist es denn freilich bequem, es zu einer Auflage-Ziffer zu bringen, welche mit dem inneren Werte der Zeitung oft seltsam kontrastirt. Dass nicht bloß der gute Geschmack, sondern auch die Moral verdorben werde, dafür sorgt die „chronique scandaleuse" mancher Blätter, dieses schleichende Gift in dem Körper der Journalistik. Der Selbstmordversuch einer erst verführten und dann verlassenen jungen Dame ist sicherlich für die Beteiligten ein wichtiges Ereignis; ob dasselbe aber wert ist, in einer ganzen Reihe von Druckzeilen mit allen möglichen feuilletonistischen Zutaten beschrieben zu werden, dürfte füglich zu bezweifeln sein. Auch Indiskretionen aus dem Boudoir einer Künstlerin gehören nicht notwendig in den Rahmen einer Zeitung. Am Schlimmsten aber steht es mit den Kriminal-Berichten, welche oft mehr zur Verherrlichung der Verbrecher, als zur Abschreckung und Warnung geschrieben zu sein scheinen. Mit wie zärtlicher Genauigkeit werden da die Gaunerstückchen einer Einbrecherbande geschildert! Ja, man musste es erleben, dass die poetischen Ergüsse eines Raubmörders bekannt gemacht wurden — wahrscheinlich, um ihn uns „menschlich näher zu rücken". Als die Pall Mall Gazette ihre entsetzlichen „Enthüllungen" brachte, veranstaltete eine Berliner Zeitung, welche den Liberalismus auf ihre Fahne geschrieben hat („Libertinismus" müsste es in diesem Falle richtiger heißen), eine in vielen Tausenden verbreitete Extra-Ausgabe einer deutschen Uebersetzung — und Backfische wetteiferten mit halbwüchsigen Burschen in dem verständnisvollen Genusse der verbotenen Frucht, welche sie sich für einen lumpigen Nickel verschaffen konnten. Ein ähnliches würdiges Schauspiel spielte sich gelegentlich des Prozesses Graef ab. Eine sachliche Klarlegung des Ganges der Verhandlungen an geeignetem Orte (z. B. in einer Monatsschrift) konnte man sich gefallen lassen; auch vertrugen einzelne — nach der psychologischen Seite hin interessante — Punkte eine selbständige dichterische Behandlung: der sensationelle Aufputz aber, mit welchem gewisse Blätter — nomina sunt odiosa — ihre starkgewürzten Berichte vom Stapel ließen, ließ nur zu oft die lüsterne Gesinnung der Reporter erkennen, deren faunisches Lächeln sich nur schlecht hinter den gewandten Schilderungen verbarg. An den Schandpfahl mit diesen Blättern, welche Geschmack und Moral ihrer Leser langsam vergiften und keine höheren Ideale kennen, als den Abonnenten-Fang à tout prix! Aber, Gott sei Dank, es giebt noch anständige Blätter genug, welche solche unsaubere Mittel verschmähen und von deren gutem Einfluss zu erwarten ist, dass er jene schlechten Einflüsse mit der Zeit paralysiren und den Geschmack des Publikums auf gesündere Bahnen lenken wird.

Man könnte fragen, was das Alles mit der Entwicklung unserer Litteratur zu tun hat. Und doch hängt es, wenn auch nicht unmittelbar, so doch mittelbar damit zusammen. Hat der Leser erst einmal an derlei Dingen Gefallen gefunden und seine Neigung die Richtung auf das Sensationelle erhalten, dann wirkt auch der lokale Teil einer Zeitung auf das Feuilleton zurück. Daher das Ueberwuchern des kriminalen Elements in unserer erzählenden Litteratur. Daher die Blüte des Kolportage-Romans. Doch da geraten wir in ein trauriges, leider unerschöpfliches Kapitel, welches für sich betrachtet zu werden verdient und auch früher schon im „Magazin" seine gebührende Beleuchtung erhielt.

Berlin. Albert Stern.

Eine neue Welt.

Drama in fünf Akten von Heinrich Bulthaupt.

Bulthaupts Name hat ja als Dramatiker schon einen guten Klang, und seine „Neue Welt" ist ganz dazu angetan, denselben zu erhöhen.

Es geht ja oftmals so, dass das Verbot von poetischen Werken nur dazu beiträgt, das Interesse zu erhöhen und den Erfolg beim Publikum zu sichern. Der „Neuen Welt" Bulthaupts wäre dies sehr zu wünschen, um so mehr, als eine Ursache zu dem Verbot des Herrn von Hülsen wirklich kaum zu finden ist, oder dürfte aus Kulturkampfrücksichten auch heute noch keinem Jünger Savonarolas ein entrüstetes Wort gegen den unerhörten Greuel der die Geister und Gewissen knechtenden Inquisition in den Mund gelegt werden?

Armer Ludwig Behaim, auch Deutschland, wohin du dich hoffend wendest, macht Anstalt, dich als Ketzer zu empfangen!

Warum greift die Bühne nicht freudig zu, wenn ihr solche Stücke geboten werden? Die deutsche Schaubühne gleicht wahrlich einer Kranken, die eine Idiosynkrasie besitzt gegen Alles was sie heilen könnte, und die nur mit größtem Widerstreben das nimmt, was ihr Gesundung brächte.

Doch wenden wir uns dem Stücke selber zu.

Die Handlung spielt im Jahre 1500 zu Sevilla; die Inquisition ist der düstere Untergrund, auf den das Leben und Treiben der spanischen Gesellschaft gemalt ist.

Der erste Akt führt uns in den Salon der Donna Blanka, der Wittwe eines deutschen Kaufmanns zu Sevilla. Es ist der Vorabend des Hochzeitsfestes ihrer Tochter Maria mit Don Adone, Marquis de la Mota.

Endlich sieht dieser sein langersehntes Ziel erreicht, Maria, die er glühend liebt, als die Seine heimzuführen; denn Ludwig Behaim, der kühne deutsche Seefahrer, der Günstling der Königin Isabella, der Jugendgespiele der Maria, dem ihr ganzes Herz gehörte, hat auf einer Fahrt nach der von Columbus erschlossenen neuen Welt in den Wellen sein Grab gefunden, was Don Adone, der glücklich gerettet, mit eigenen Augen geschaut hat; so lautet wenigstens seine Erzählung. In Wahrheit aber hat er selbst von dem Wrack, das Beide bei dem Schiffbruch rettend trug, diesen mit eigner Hand tückisch in die Flut gestoßen, um sich des Nebenbuhlers zu entledigen. Leidenschaftliche Liebe, die Angst des schlechten Gewissens, sowie der Druck, den Fray Leon, der Richter des heiligen Offiziums der Inquisition, dessen williges Werkzeug er ist, auf ihn übt, geben diesem Charakter das Gepräge.

Aber Ludwig Behaim ist nicht in den Wellen begraben. Glücklich gerettet, hat er die neue Welt erreicht, aber das Land, reich gesegnet von der Natur wie ein Paradies, fand er befleckt von dem

Greuel der Eroberer, von der schändlichen Gewalt, die die Hidalgos an den armen Eingeborenen geübt, und die Verwüstung blühender Fluren kennzeichneten den Weg der unmenschlichen Entdecker. Sein fühlendes Herz empörte sich, er suchte Columbus, ihm die Augen zu öffnen, doch fand er ihn nicht; da kehrte er nach Spanien zurück, bei der Königin selbst die Sache jenes Landes zu führen.

So trifft er denn in Spanien ein, sein erster Weg ist zu Maria.

In einer hochpoetischen Liebesszene werden die Treueschwüre erneut, und, vertrauend auf die Gunst der Königin, auf den Anhang, den er beim Volke hat, gelobt er, am andern Tage, also dem festgesetzten Hochzeitstage, wiederzukommen und seinem Recht auf die Geliebte, wenn nicht mit Güte, so mit Gewalt Geltung zu verschaffen.

Diese gewaltsame Entführung ist der dramatisch spannende Inhalt des zweiten Aktes. Von großer Wirksamkeit ist dann auch der dritte Akt, wo Isabella, über Ludwig Behaim und die gewaltsam durch ihn entführte Maria zu Gericht sitzend, mit hobeitsvoller Würde die Rechte der Herzen selbst dem Fray Leon, dem Richter des heiligen Offiziums der Inquisition, gegenüber zu wahren weiß, bis endlich Adone zum letzten Mittel greift, und auf Grund eines Kreuzes, das dem Ludwig Behaim durch Intrigue beigebracht ist, ihn für einen Jünger Savonarolas, für einen Ketzer, erklärt.

Ludwig Behaim, zu stolz und zu ehrlich, seinen Glauben zu verleugnen, voll heiligen Zorns und Abscheus gegen die Greuel der Inquisition, leibt seiner Ueberzeugung begeisterte Worte und verfällt dadurch dem Gericht des heiligen Offiziums.

Nachdem Maria für seine Befreiung aus dem Kerker sich dem Don Adone durch Schwur gelobt, giebt sie sich selbst den Tod durch Gift, um ihrem Schicksal zu entgehen.

Ludwig Behaim wendet sich danach, nachdem auch noch im letzten Akt seine Begegnung mit Christoph Columbus ihm gezeigt hat, dass auch Spaniens größter Mann, der der Menschheit eine neue Welt gegeben, nur darauf sinnt, diese dem Geist der Knechtschaft, ja selbst der Inquisition mit ihren Scheiterhaufen zu überantworten, bekümmert ab von dem Lande, das Kerker und Grab seiner Liebe, seiner Hoffnungen war; ein todwunder Mann geht er von Spanien und doch ohne Fluch; da es selbst zu eigener Qual Tod und Fluch im Herzen nährt. Nach Deutschland richtet sich seine letzte Hoffnung, vielleicht dass dort die neue Welt entsteht, die jenseit der Wasser in Spaniens Fesseln versiecht.

Dies in Kürze der Gang der Handlung, die mit dramatischem Pulsschlag vorwärts treibt, auch die Charaktere sind scharf gezeichnet. Ludwig Behaim ist, wie man sieht, ein Blutsverwandter des Marquis Posa, aber allerdings im Hinblick auf diesen ein Epigone. Es ist die Tragödie des idealen Schwärmers, der an der Macht der Lüge und dem Fanatismus, der die Welt beherrscht, zerschellt; aber mit der trostlosen Resignation, mit der Ludwig Behaim von Spanien scheidet, scheidet eigentlich auch der Leser von der Dichtung, denn der schwache Hinweis auf Deutschland und die schönen Worte der Isabella zum Schluss lassen eine eigentlich erhebende Stimmung nicht mehr aufkommen. Dies muss man allerdings als ein Manco empfinden, es fehlt eben gerade zum Schluss das gleichsam versöhnende Moment, wodurch das trostlos Traurige zum Tragischen erhoben wird.

Den letzten Akt halte ich überhaupt, auch was dramatische Kraft anbetrifft, nicht auf gleicher Höhe mit den Uebrigen stehend; und sollte Columbus in dem Stück einmal selbst auftreten, so wäre es wohl besser gewesen, ihn auch wirklich als handelnde Person und nicht erst ganz zuletzt gleichsam nur als symbolische Figur vorzuführen.

Aber von diesen Bedenken abgesehen, tritt uns doch das Ganze als ein hochbedeutendes Werk entgegen voll wahrer, echter Poesie! aber — armer Ludwig Behaim, du wendest dich mit deinem letzten Hoffnungsschimmer nach Deutschland, und man hat dich auch hier gleich als Ketzer empfangen!*)

Berlin. Richard von Hartwig.

Komödie des Lebens.

Aus dem Englischen des Thomas Bailey Aldrich.

Sie schieden mit Händedrücken,
Mit Küssen und Tränen heiß;
Sie trafen sich in der Fremde
Nach zwanzig Jahren schneeweiß.

Begegnend wie alte Bekannte,
Mit Lächeln und ruhigem Blick,
Auch nicht die leiseste Ahnung
Im Herzen von einstigem Glück.

Sie schwatzten von Diesem und Jenem,
Von Nichts, wie der Modetor,
Sie in einem Gainsboroughhütchen,
Er schwarz, der die Gattin verlor.

O, welche Komödie des Lebens!
Schien Keines sie zu bemessen:
Sie hatte längst seine Küsse,
Er ihre Tränen vergessen.

Paul Deviloff.

---

*) Wie inzwischen aus Heinrich Bulthaupts Protest im „Deutschen Montagsblatt" hervorgeht, ist es leider nicht bei dem Verbot des Stückes für die Königlichen Bühnen geblieben; das Polizeipräsidum in Breslau hat sich bewogen gefühlt, auch dort die von Erfolg gekrönte Aufführung zu inhibiren.

Ein Programm der Zukunftslitteratur.*)

Um die Zeit, wo der Schatten der herannahenden Neugestaltung des modernen litterarischen Schaffens bereits so scharfe Kontouren annimmt, das man die charakteristischen Züge des erwarteten Originals in der Silhouette zu erkennen glaubt, wird es wohl am Platze sein, eines Entwurfes zu gedenken, in welchem ein philosophischer Geist noch in der ersten Hälfte des Jahrhunderts die künftige Reform des künstlerischen Schaffens überhaupt, speziell die des litterarischen, behandelt.

Sophie Germain**), vorzüglich durch ihre mathematischen Leistungen bekannt, mit gründlichen fachwissenschaftlichen, philosophischen und ästhetischen Kenntnissen, sowie mit reichlicher Lebenserfahrung ausgestattet, verfasste auf ihrem Sterbebette eine philosophische Betrachtung über den Zustand der Wissenschaften und Künste, in welcher sie folgende Gedanken ausspricht:

Das menschliche Geistesvermögen — mit welchen Gegenständen es sich auch befassen mag — kennt nur einen fundamentalen Typus des korrekten Schaffens: die Vernunft sowohl wie die Einbildungskraft funktionirten nur damals richtig, wenn sie die Gesetze der Ordnung und der Proportionalität befolgen. Das Wahre und das Schöne, unendlich mannigfaltig in ihren Erscheinungen, besitzen einen gemeinschaftlichen Typus, welcher sowohl die natürliche Konstitution der Dinge, wie das menschliche Schaffen beherrscht. Ordnung und Proportionalität, als Gesetzmäßigkeit und Harmonie erläutert, liegen der Verfassung der Natur zu Grunde; dieselben Merkmale finden sich in den Wissenschaften und Künsten.

Ein Blick auf die Geschichte der Entwicklung des menschlichen Geistes, wie sie sich in den Werken desselben offenbart, belehrt uns, dass alle wissenschaftlichen und künstlerischen Anstrengungen des Menschen stets darauf gerichtet waren, jenen universellen Typus der Ordnung und Proportionalität möglichst vollkommen darzustellen. Jedoch nicht jede Epoche war der Betätigung beider Funktionen des menschlichen Geistes: der Vernunft und der Phantasie, gleich günstig. Wissenschaft und Kunst zeigten sich im engen Verbande in ihrem Beginne, wo ihr gemeinschaftlicher Ursprung noch unverkennbar war: damals herrschte in Kunst und Wissenschaft die das Wirklichkeitsbild vernachlässigende Dichtung vor. Sie trennten sich hierauf, und während die Wissenschaft die Natur in ihrer Realität zu erfassen begann, fand sich der Gestaltungsdrang gelähmt. — Aber es ist noch nicht versiegt, die voranschreitende Wissenschaft hat den Schleier der religiösen und metaphysischen Dichtungen zerrissen, und bietet nun der Kunst den Anblick der tatsächlichen Naturwahrheit und Naturschönheit. Derselbe Typus, welchen der noch unwissende menschliche Geist in sich gefunden und nach dem er geschafft, muss auch ferner seine künstlerischen Leistungen beherrschen; aber aber ein neuer Enthusiasmus, auf einer solideren Basis als auf unzuverlässigen Fiktionen ruhend, wird die Künstler begeistern, nun das Wahre und Schöne harmonisch zu verbinden. Wissenschaft und Kunst werden ihren alten Bund von Neuem aufnehmen: die Spekulation wird die Wissenschaft, das exakte Wissen die Kunst beleben. Die Gestaltungskraft, welche als angeborene Funktion des menschlichen Geistes wohl gelähmt werden, aber nicht abhanden gekommen sein konnte, wird bei ihrem Neuerwachen, dem ewigen Ideal der Kunst: der Ordnung und der Proportionalität, näher kommen, als es ihr früher möglich war; das charakteristische Merkmal dieser neuen Entfaltung der bildenden Kraft der Menschen, wird das fruchtbare Bündnis der Kunst mit der Wissenschaft sein. Der Inhalt der neuen Kunst wird das Wahre sein, nun klarer erkannt und gewissenhafter verwertet; der Geist, der sie beherrschen wird, muss in Anlehnung an die Beschaffenheit des Wirklichen in der Natur, der der Einheit und Einfachheit sein.

Die Gedanken Sophie Germains sind das Resultat des positiven Verhaltens auf dem Gebiete der Kunst. Es könnte scheinen, dass die naturalistische Schule von heute Germains künstlerisches Testament vollzogen habe. Die Ausgangspunkte sind tatsächlich dieselben: das Anstreben der Wahrheit in Inhalt und Form, das Vorwiegen der Lebenskopie über die Dichtung, und der Kampf mit der Manirirtheit, die Symmetrie der Komposition, schließlich die Versinnlichung des engen Bündnisses zwischen Kunst und Wissenschaft durch den „experimentirenden Roman" — das Alles erinnert an das Programm Germains. Und es ist dieses Programm, nur in erster, misslungener Anwendung. Denn da sie das Wahre suchten, welches oft unschön erscheint, begannen sie das Schöne und Helle im Leben zu vernachlässigen; die Symmetrie der Komposition brach durch die Form hervor, anstatt ihr als verborgener Reiz zu dienen, und die Verwertung der Resultate der Wissenschaft würde zu einem willkürlichen Manövriren mit dem physischen und psychischen Schicksale einer Menschenreihe.

Aber wenn auch das erste Auftreten einer positiven Richtung in der Kunst zu keinen harmonischen und klassischen Werken führte, die Theorie Germains ist in sich begründet und mit dem reifen

*) Sophie Germain (1776—1831), in der Geschichte der Mathematik seit ihren ersten Leistungen anerkannt, wurde als Philosophin erst in neuester Zeit gehörig gewürdigt. So von Dühring in seiner „Kritischen Geschichte der Philosophie", Berlin 1873 (S. 510—12), dann von H. Göring in der „Gegenwart" 1885, Nr. 2.

**) Das Werk, auf welches wir uns beziehen, führt den Titel: „Considérations générales sur l'état des sciences et des lettres aux différentes époques de leur culture", und erschien zuerst in Paris 1833, hierauf 1879 in den „Oeuvres philosophiques de St. Germain, suisses de pensées et de lettres inédites" herausg. von Hte. Stupny. Diese letzte Ausgabe liegt uns vor.

und vollen Klange des Wissens, neben der philosophischen Abrundung derselben, wird auch jene harmonische Kunst auftreten, welche Sophie Germain voraussah.

Lemberg. Alfred Nossig.

Der tertiäre Mensch des Abbé Bourgeois.

Schon einmal habe ich mich in einem Lokalblatt über den Abbé Bourgeois als geologische Autorität ausgesprochen; die Notiz scheint keine Verbreitung gefunden zu haben, denn in der Berliner „Gegenwart“ vom 20. März ist die Mythe von seinem tertiären Menschen wieder aufgetaucht. Dass ich mich mit den geologischen Forschungen in Frankreich vertraut zu machen gesucht habe, zeigt mein Buch über „Die französische Litteratur im Mittelalter“, das ich in dem vulkanreichen Velay (Haute-Loire) 1860 geschrieben habe und worin ich nach den Forschungen des Archivars zu Le Puy, Mr. Aymard sagte, dass sicher Menschenaugen die letzten Vulkane der Auvergne haben verlöschen sehen. Darauf deutet auch eine Sage bei Gregor von Tours hin, die also nicht weit über die Grenze der historischen Zeit hinausragen kann. Zwischen der prähistorischen Menschenzeit und der tertiären Zeit liegt aber eine Kluft, die nur der mythenbildende Geist eines katholischen Abbé auszufüllen vermag. Bis in die Diluvialzeit vielleicht mochte das Messer aus Silex reichen, das 1869 bei Eisenbahnarbeiten in der Gegend von Selles-sur-Cher gefunden wurde und von dem mir der Finder eine getreue Abbildung nach Orleans schickte. Aber der tertiäre Mensch hat gewiss nur in dem Kopfe des Abbé Bourgeois gehaust; bis auf weitere unumstößliche Beweise eines Geologen von Fach erklären wir diesen tertiären Menschen für eine Einbildung, wenn nicht gar Erfindung.

Der Abbé Bourgeois war Lehrer an der Schule Pontlevoy bei Blois am linken Loireufer, welche den Rang eines Gymnasiums einnimmt; sie hat nur Priester zu Lehrern und steht unter dem Patronat des Bischofs von Blois. Vor der Revolution war sie ein Benediktinerkloster (seit 1034, wo das Schloss, dessen erster historisch bekannter Besitzer Ludwig der Fromme war, von seinem damaligen Besitzer Gelduin in ein Kloster umgewandelt wurde), die Benediktiner waren gelehrte Leute und die Tradition vererbte den Gelehrtennimbus der von ihnen hier gegründeten Schule auf die neue unter der Restauration eröffnete Unterrichtsanstalt, in welcher natürlich ein dem Staatsunterricht nicht holder geistlicher Wind wehte. Als Nachkommen der Benediktiner dünken sich nun die Herren Abbés von Pontlevoy gern noch hervorragende Größen der Wissenschaft und gut kirchlich gesinnte Franzosen glauben es ihnen aufs Wort.

Eine Lieblingsstudie der französischen Priester bildet aber seit etwa 50 Jahren die Archäologie; sollte dies mit der romantischen Schule und deren Vorliebe für das Mittelalter zusammenhängen? Die Baukunst des Letzteren wurde namentlich von dem „Institut des provinces de France“ auf den wissenschaftlichen Kongressen Frankreichs, deren Gründer der Archäolog de Caumont war, gepflegt; von da zur prähistorischen Industrie war es auf dem an keltischen Altertümern so reichen gallischen Boden nur ein Schritt. Steht doch selbst bei dem Flecken Pontlevoy ein keltisches Denkmal, genannt „La pierre de minuit“, sogenannt, weil sich der Stein während der Mitternachtsmesse zu Weihnachten im Augenblick der Einsegnung der Hostie umdreht! Etwas südlicher von Pontlevoy liegt Châteauroux, dort wimmelt es unter der Erde von Silexmessern und anderem keltischen oder noch älteren Geräte, was einen englischen Archäologen veranlasste, eine Parallele zwischen den jetzt hier blühenden Stahlmesser-Fabriken und dem prähistorischen Arsenal von Steinwaffen für den ganzen Westen Galliens zu ziehen. In dem nicht zu fern davon gelegenen Flecken Le Grand-Pressigny sah ich bei dem dortigen Arzt ein ganzes Museum von solchem Gerät, wovon mir derselbe, mein Gastfreund, einiges mitgab. Bisher waren nun alle Forscher des Landes kaum bis Diluvialzeit hinabgestiegen, deren zahlreichste Spuren wohl im Norden bei Abbeville entdeckt worden sind; da fiel es dem Abbé Bourgeois ein, einen Schacht bis in den Tertiärboden zu graben; war es ein solcher? Möglich ist es. Und plötzlich findet er daselbst Menschenwerke! Ja, damit war eine Revolution in der Wissenschaft bewirkt. Staunen ergriff Alles, was lesen konnte.

Nur Einen nicht, das war der Apotheker in Saint-Aignan-sur-Cher. Auf der erwähnten Fußwanderung in jener Gegend, die vor der Erfindung der Zündhütchen die Kriegswelt auch mit Feuersteinen versorgte, kam ich auch in dies Städtchen und begann hier das Frage- und Antwortspiel des archäologischen Touristen. Man wies mich zu dem Apotheker, den frug ich nach Auskunft über die Entdeckungen des Abbé! „Ah! l'abbé Bourgeois, celui-là trouve tout ce qu'il veut.“ „Gehen Sie nur,“ fuhr er fort, in das Dorf X zu dem „Perrier“ X (Steinhauer) — ich habe die Namen nicht mehr im Gedächtnis — der wird Ihnen viel erzählen.“ Das klang so skeptisch, dass ich neugierig ward und den Steinhauer aufsuchte. Es dämmerte schon, als ich bei ihm eintrat; auf dem Fensterbrett lagen größere und kleinere Bruchsteine von Silex. Der Mann erzählte mir nun ganz treuherzig, dass sich der Abbé Bourgeois zuweilen bei ihm Steine aus Silex zuhauen ließe, ganz den prähistorischen ähnlich; er nannte mir auch noch einen Herrn von X, der eben solche bei ihm bestellte. Ich nahm von den angefangenen ein paar Proben mit und habe sie bis heute aufbewahrt. „Der findet Alles, was er will“, hatte der Apotheker gesagt; das Wort fiel mir jetzt erst auf. Warum ließ sich der Abbé künstliche Steinmesser nachmachen? Wenn dieselben in fremde Hände gerieten, konnten sie leicht täuschen. Also warum? Für einen gewissenhaften Forscher wäre dies eine unpassende Liebhaberei gewesen. Und dann ist zu beachten, dass der tertiäre Mensch eine Kollision mit der Genesis herbeiführen muss. Wie konnte ein Priester damit spielen! Kurz — ich will keine Vermutung, noch weniger eine Behauptung aussprechen, sondern mich mit der Frage begnügen und weitere Bedenken für mich behalten. Es hat Leute gegeben, die zuletzt selbst geglaubt haben, was sie anfangs nur zu sehen gewünscht hatten. Eine Selbsttäuschung aus Liebhaberei könnte man einem katholischen Priester, dessen Wissenstrieb durch den Syllabus so beschränkt und zugleich so gereizt wird, noch nachsehen. Aber seit jenem Abend bei dem Perrier kann ich an den tertiären Menschen des Abbé Bourgeois nicht mehr glauben.

Vor einiger Zeit ließ ich diese Bedenken einem solchen Provinzialkongress in Blois durch einen dortigen Lehrer mitteilen. Da kam ich aber schön an. Nicht etwa, weil ich an der Gelehrsamkeit eines Priesters zu zweifeln wagte. Nein, die Republik ist ja ziemlich antiklerikal. Aber dass sich ein Deutscher, „un Prussien", erdreistete, die Forschungen ihres Landsmannes zu bekritteln, das konnten die Chauvinisten nicht zugeben; dies sei der einzige Grund, schrieb mir der aufgeklärte Lehrer. Selbst die Autorität des Apothekers in Saint-Aignan-sur-Cher, der doch auch etwas von Geologie verstand, half nichts. Es hieß da, wie bei Lessing „der Jude wird verbrannt": „C'est un Prussien? Le Prussien a tort, notre Abbé a raison." Es fehlte nur noch, dass ein Spiritist unter den Leuten gewesen wäre; er hätte den tertiären Menschen des Abbé Bourgeois mit Haut und Haaren citirt.

Leipzig. Herman Semmig.

Fidele Geschichten von Alexander Büchner.

Leipzig, Wilhelm Friedrich.

Nur über den Titel möchten wir mit dem Verfasser rechten. Dieser passt jedenfalls nicht auf alle die Erzählungen, welche das Bändchen enthält. In der „Grauen Puppe" und in „Des Teufels Rechen" giebt es sogar Todte und auch abgesehen davon könnte man diese beiden Novellen schwerlich als Humoresken bezeichnen. Der Verfasser müsste sich denn auf das c'est le ton qui fait la chanson berufen. Der Ton ist ja im Ganzen humoristisch gehalten, aber hier und da erhebt auch er sich zu ernster Kraft.

Die fidelen Geschichten sind nicht neu; sie stammen aus einer Zeit, da Büchner und Franz Wirth, dem das Büchlein gewidmet ist, „Beide noch sehr jung waren und die Last des Daseins mit einem Mut und einem Geldbeutel ertrugen, von denen keiner wusste, welcher der leichtere war". Jetzt werden sie doch den Meisten neu sein, denn die Zeitschriften, in denen sie vor Jahren erschienen, sind, wie angesehen sie einst waren, heute fast schon verschollen. Der Verfasser spricht in der launigen Widmung die Befürchtung aus, es möchte auch in den Geschichten Manches veraltet erscheinen. „Heutzutage," heißt es darin, „erwartet das Publikum im Roman und in der Novelle die zärtlichste Behandlung kulturgeschichtlicher Probleme oder hals- wie herzbrechende Leidenschaften oder große, in Weltstädten vollbrachte Taten und in ferne Länder schweifende Abenteuer. Meine Geschichten dagegen nähren sich fast alle redlich im Lande und auf dem Lande, oder gar auf dem Wasser, aber immer in bescheidenen Umgebungen, in frischer, freier Luft, im Wald und auf der Heide, und kommt man einmal unter Dach und Fach, so ist es meistens im Wirtshaus, statt im Boudoir oder im Ballsaal oder in Geheimrats Amtsstube." Offenbar ist es zum guten Teil Erlebtes oder Miterlebtes, was uns Büchner poetisch ausgeschmückt erzählt. Das giebt den Novellen eine eigentümlich realistische Plastik. Durch eine solche zeichnen sich besonders auch die zum Teil vorzüglichen Naturschilderungen aus. Als die besten von den sechs Erzählungen erscheinen uns die beiden schon genannten und dann „Der Landsoldat am Meer", die einzige, welche uns in die neue Heimat des Dichters, die Normandie, führt, wo der großherzoglich hessische Gerichtsaccessist a. D. als o. ö. Professor der undankbaren Aufgabe lebt, die Bacherliers in die deutsche Litteratur einzuführen und der dankbareren die Leser dieses Blattes in Bezug auf französische Litteratur in geistreichster Weise auf dem Laufenden zu erhalten. Mögen dieselben in wirklicher Dankbarkeit sich beeilen, die fidelen Geschichten zu lesen — und sie werden aufs Neue verpflichtet sein.

Cassel. Ellissen.

Sprechsaal.

Offener Brief.

Hochgeehrter Herr Redakteur!

Jeder, der Einsicht hat in das gegenwärtige litterarische Leben Deutschlands und die Stellung unseres Volkes zu demselben, wird die beiden Aufsätze in Nr. 14 Ihres Magazins von Ernst Eckstein und Emil Peschkau nicht nur mit freudiger Anerkennung, sondern auch mit Dank gegen die beiden Verfasser, die mutig für eine fast verloren scheinende Sache in die Schranken treten, gelesen haben. Die dort ausgesprochenen Gedanken aber haben schon vor einem Jahre zu der Begründung der „Herdergesellschaft zur Förderung deutscher Dichtung der Gegenwart" geführt. Hervorragende Schriftsteller begrüßten die junge Gesellschaft mit Worten der Zustimmung, ja, oft des begeisterten Lobes, so z. B. Hermann Allmers,

Gustav Freytag, Johannes Minckwitz (jüngst verstorben), C. H. Simon, O. von Leixner (jetzt Vorsitzender der Herder-Gesellschaft), F. W. Fricke und Andere.

Die Zwecke der Gesellschaft sind nach ihrer Verfassung:

1. das Gute von dem Schlechten in der heutigen Dichtung streng zu sondern, für jenes Verständnis und Liebe zu erwecken, dieses zu kennzeichnen, als das, was es ist;
2. den Absatz guter Dichtungen möglichst zu fördern, und zwar
   a) durch Ankauf derselben für die Büchereien der örtlichen Vereine (deren es mit der Zeit ja eine große Zahl geben wird);
   b) durch alljährliche Bücherverlosungen (wobei jedes Mitglied ein einzelnes Buch oder sämmtliche Bände eines Sammelwerks erhält);
3. Dichter und Schriftsteller, die mit der Not oder ihrem Berufe hinderlichen Schicksalen ringen, zu unterstützen.

Man sollte meinen, diese Bestrebungen müssten den Beifall und die lebhafte Unterstützung aller Litteraturfreunde finden, statt dessen aber haben wir außer einer Reihe hier und da zerstreuter Mitglieder nur einen einzigen organisirten Ortsverein (für Hamburg und Umgegend). Vor Allem sollten doch wohl die Schriftsteller und Buchhändler der Sache ihren Einfluss zugute kommen lassen. Ist es in der Tat den Herren Eckstein und Peschkau mit ihren Aufsätzen voller Ernst gewesen, so darf vorausgesetzt werden, dass sie das zeigen, indem sie die Herder-Gesellschaft nach größter Möglichkeit unterstützen. Der Beitrag ist sehr gering (vier Mark für ordentliche, zwei Mark für außerordentliche Mitglieder). Alles Weitere ist aus der „Verfassung“ zu ersehen, welche auf Nachfrage kostenlos versandt wird.

Es ist in der Gesellschaft eine Organisation vorhanden, die allen edleren Bestrebungen für die Aufrechterhaltung des Wertes und der Ehre deutscher Dichtung entgegenkommt. Möchten bald alle Schriftsteller, die in deutscher Zunge reden, derselben ihre rege Teilnahme widmen, indem sie nicht allein selbst beitreten, sondern auch das große Publikum heranzuziehen suchen! Pantenius mag wohl recht haben, wenn er meint: Soll den Schriftstellern geholfen werden, so müssen sie sich selber helfen (siehe Daheim, Nr. 6). Ein Fürwort, für die Sache in einer befreundeten Zeitung eingelegt, kann reiche Früchte tragen; ein geehrter Name mehr in unsern Listen kann vielleicht gar die Deckel gefüllter Geldkisten emporheben.

Wir werden gern bereit sein, berechtigten Wünschen weit entgegen zu kommen. Besonders würde uns der Rat erfahrener Herren für die Neubearbeitung unserer Satzungen, die in Kurzem stattfinden muss, willkommen sein.

Es sei noch die Bemerkung erlaubt, dass man am besten der Anmeldung sogleich den ersten Beitrag (vier bez. zwei Mark) beifügt, damit der Eintritt noch vor Ablauf des Vereinsjahrs (30. Juni) vollzogen wird. Anmeldungen nehmen entgegen: O. von Leixner zu Groß-Lichterfelde, E. Wrede zu Hamburg, Anckelmannstraße 39, F. W. Dodel zu Leipzig, Leibnizstraße 26. 28, R. Linnarz zu Bederkesa und sämmtliche Mitglieder, Anmeldungen mit gleichzeitiger Beitragszahlung der unterzeichnete Geschäftsführer der Herder-Gesellschaft.

Godesberg bei Bonn.

Otto Rocca.

Litterarische Neuigkeiten.

Eberhard Gothein veröffentlichte im Verlage von Wilhelm Köbner in Breslau ein größeres Werk „Die Kulturentwicklung Süditaliens in Einzeldarstellungen“. Der Verfasser hat nach mehrjährigem Aufenthalt in Italien und vor allen Dingen tüchtigem Quellenstudium eine längst gefühlte Lücke in unserer Litteratur durch diese Arbeit ausgefüllt und wird dieselbe für jede Bibliothek gewiss bald unentbehrlich sein.

„Schutt und Aufbau“ betitelt sich eine soeben von Wilhelm Backhaus im Verlage der Rengerschen Buchhandlung in Leipzig herausgegebene Broschüre mit nachstehendem Inhalt: „Die liberale Phrase, die Quintessenz des Liberalismus, die Bildung einer nationalen Reformpartei.“

Der von A. Bolm im Verlage von F. Schönemann in Berlin herausgegebene Geschichtskalender, ein Tagebuch der Geschichte und Biographie, ist ein wertvolles Werk, dessen Erscheinen jeder Gebildete mit Freude begrüßen wird. Mit wahrhaft erstaunlichem Fleiße und Genauigkeit ist dasselbe zusammengetragen und müssen wir nur diese an und für sich gewiss sehr schwierige Arbeit mehr als gelungen nennen.

Bei L. Westhaußer in Paris ist erschienen: **Nouvelle Slaves**, mit einem Vorwort von W. Cherbuliez, de l'Académie Française. Den Titel „Slavische Novellen“ darf man nicht so genau nehmen. Die zwei längsten und bekanntesten Geschichten der Sammlung sind Ferdinand von Saars Innocens und der Steinhauer. Neben Saar figuriren Sacher Masoch, der ja eigentlich auch nicht als richtiger Slave gelten kann. — Das eigentliche slavische Element ist nur durch kleine Sachen von Ysuckelic, Pauloward, Nestor Kukolnik vertreten. Sieben von den acht Erzählungen sind von Frau K. Toursky-Stubinger aus dem Deutschen, Russischen und Kroatischen ins Französische übertragen worden. Cherbuliez' Vorwort ist eine jener glänzenden Plaudereien wie sie der gefeierte Akademikus zu schreiben weiß: der Verleger hätte beim französischen Publikum keinen bessern Einführer finden können, als den berühmten Verfasser der Slavischen Romane, Graf Kostia und Ladislas Bolski.

In der Bibliothèque scientifique universelle (Verlag von F. Fetscherin & Chuit in Paris — früher Baer & Komp.) kommt soeben zur Ausgabe eine Uebersetzung des von dem bekannten italienischen Professor P. Mantegazza herausgegebenen, schon in mehrere Sprachen übertragenen Werkes „L'Amour dans l'humanité, essai d'une ethnologie de l'Amour. Der Uebersetzer M. Emilien Chesneau ist seiner Aufgabe durchaus in jeder Weise gerecht geworden, und wird das Werk auch in Frankreich gewiss zu den gesuchtesten Werken der Saison gehören.

Eine neue litterarische Revue, in der Verteilung des Raumes an Aufsätze und Notizen, sowie im Inhalte derselben dem „Magazin“ ähnlich, unter dem Titel „Rozhledy literární“ in Prag zu erscheinen begonnen. Ein bescheidener Raum soll auch der Litteratur des Auslandes gewährt werden; vor allem den übrigen slavischen Litteraturen. Der Inhalt der Probenummer (bis auf die Rezensionen) giebt zu den besten Hoffnungen Berechtigung. Die neue Revue soll monatlich erscheinen. Prag, Ružička.

Im Verlage von Eugen Peterson in Leipzig erscheinen demnächst „**Kulturbilder aus dem Osten**“ von **Ferdinand Schifkorn**. Der Verfasser war in seiner Eigenschaft als Militärgeograph in der Lage, die Länder (Ungarn, Siebenbürgen, Rumänien), deren Eigenart er schon als Mitarbeiter verschiedener belletristischer wie politischer Blätter ersten Ranges schilderte, während siebenjähriger Wanderungen gründlich kennen zu lernen. Diese für den Fremden so schwer zu erlangende genaue Kenntnis aber wie der Umstand, dass der Autor weder auf die Eitelkeit von Kompatrioten, noch auf höhere Gunst oder Ungunst Rücksicht zu nehmen hat, sondern **die volle, ungeschminkte Wahrheit sagen darf und will**, kennzeichnen dessen Kulturbilder vor so vielen ähnlicher Art, und dürften auch dem Buche — nebst manchen Feinden — hoffentlich zahlreiche Freunde erwerben.

Das Wochenblatt der New-Yorker Volkszeitung druckt **Hermann Heibergs** „Vornehme Frau“ in ihren Riesenspalten ab. Wenn wenigstens die Nachdrucke der Pensionskasse der deutschen Schriftsteller zu Gute kämen! — Auch der Herausgeber dieser Blätter hat die gleiche Ehre kürzlich mit seiner militärischen Novelle „Das Geheimnis von Wagram“ bei einer Chicagoer Zeitung erduldet. Bekanntlich war selbst ein Dickens völlig machtlos gegen diesen frechen Unfug der Yankeeflegelei. Ohne die Piraten im Genuss ihrer unumschränkten Freiheit stören zu wollen, senden wir ihnen hiermit verbindlichsten Gruß: Heil Columbia, Heimat der Freien!

Im Verlage von Friedrich Schulthess in Zürich beginnt soeben zu erscheinen: „Quellenbuch zur Schweizergeschichte“, bearbeitet von Dr. Wilhelm Oechsli. Das Werk wird ein sehr brauchbares Hülfsmittel für den historischen Unterricht, wie auch eine Ergänzung zu jedem Lehr- und Handbuch der schweizerischen Geschichte sein. Wir werden, wenn dasselbe komplet, noch einmal darauf zurückkommen.

Es geht uns die Mitteilung zu, dass ein Herr in Hamburg eine englische Shakespeareausgabe besitzt, die als Geschenk Heines an Immermann mit der launigen Dedikation geziert ist: „Seinem lieben Zeitgenossen Immermann sendet Heine viele Grüße durch William Shakespeare."

Von H. Burmester ist ein plattdeutscher Roman: „Nawerslüd" erschienen.

Bei Gelegenheit des Streites über die Echtheit der Königinhofer Handschrift dürfte für die paläographische Nachprüfung ein Facsimile im Maßstab von 2 : 3 willkommen sein, das die Verlagshandlung von Simáček in Prag auf einem einzigen Blatte herausgegeben hat. Preis 20 Kreuzer.

Professor Max Müller hat den Vorsitz über die neu begründete englische Goethegesellschaft übernommen und wird bald nach Ostern seine Antrittsrede halten. Die Gesellschaft zählt bereits ca. 100 Mitglieder.

Im Verlage von P. Genschel in Gera erschienen zwei lesenswerte Broschüren kolonisatorischen Inhalts über Südbrasilien und Südafrika; bei Walther & Apolant (Berlin) eine Kritik der neuesten Kirchenpolitik Bismarck-Kopp: „Eine ungehaltene Herrenhausrede", worin der Bischof von Fulda, sowie protestantische Förderer seiner „Friedenspolitik" scharf mitgenommen werden.

Die Jahreszeiten der Liebe. Gedichte von Paul Deviloff (Leipzig, W. Friedrich). Wenn diese Verse auch noch vielfach durch sprachliche Härten, unklare Bilder, unreife Gedanken den Anfänger verraten, so mutet uns in ihnen doch eine ungemachte Empfindung und sinnige Naturbeschauung wohltuend an. Wir können das Bändchen immerhin empfehlen. — Das Gleiche gilt von „Lieder eines Harfenknaben", welche J. P. Colling in Luxemburg herausgab. Besonders die Sonette an Lord Byron haben uns angesprochen.

Allerhand Blech und Pech in Bild und Wort von Damian Dalberich, Apothekarius laureatus. Mit 240 Illustrationen. Preis 2 Mark, ist das neuste Produkt des rührigen Verlags von A. Unflad in Leipzig.

Das einige Italien, dies treffliche Werk von Siro Corti, das vom italienischen Unterrichtsministerium preisgekrönt wurde, hat die Verlagshandlung von J. F. Richter (Hamburg) ins Deutsche übertragen lassen und mit den Porträts von Victor Emanuel, Humbert I., Cavour und Garibaldi geschmückt. Als eine Lücke des Buches, dessen edler patriotischer Geist uns sympathisch berührte, müssen wir es bezeichnen, dass bei Schilderung der Carbonari-Bewegung die Bemühungen Lord Byrons für die Sache dieses Bundes, dem er angehörte, übergangen sind. An chauvinistischen Uebertreibungen ist auch kein Mangel. Lächerlich wirkt, was von der alles übertreffenden Tapferkeit der italienischen Truppen unter Napolen I. gefabelt wird, die sich z. B. bei Dennewitz und Wartenburg unter aller Würde schlugen.

Chicagos Schillerdenkmal, Erinnerungsblatt zur Enthüllungsfeier am 8. Mai 1886. — Ein rührender Beweis der warmen Anhänglichkeit unserer transatlantischen Landsleute an das alte Mutterland.

Deutsche Zeit- und Streitfragen. Herausgegeben von F. von Holtzendorff. Heft 3: Die Macht der Phrase in Religion und Kirche von J. Kradolfer, Prediger in Bremen. (Berlin. C. Habel.) — Eine höchst lesenswerte Broschüre, auf die wir gern aufmerksam machen. Sie enthält bittere Wahrheiten, auch gegen den Hofprediger Stöcker.

„Henri Heine et son temps" von L. Ducros (Firmin-Didot, Paris) bringt wenig Neues, ist aber recht anmutend geschrieben und als ein Beweis dafür willkommen, dass die deutsche Litteratur immer mehr in Frankreich Wurzel fasst.

„De' Natali, de' Parenti, della Famiglia die Ugo Foscolo con Lettere e Documenti inediti e un' Appendice di cose inedite e rare" betitelt sich ein stattlicher Band (Mailand, Fratelli Dumolard), welchen Camillo Antona-Traversi publizirt. Er enthält äußerst interessante Aufschlüsse und biographische Einzelheiten von Wert.

Im Juli dieses Jahres wird M. G. Conrad im Verlage von W. Friedrich in Leipzig seine lange mit Spannung erwarteten Novellen „Was die Isar rauscht" publiziren. — Zugleich erscheinen dort neue Erzeugnisse von Walloth, Liliencron, Heiberg und Bleibtreu.

„Erinnerungsblätter an J. V. v. Scheffel" hat die deutsche Lese- und Redehalle der deutschen Studenten in Prag zum Trauerkommerse am 13. Mai 1886 herausgegeben, zu welchen viele deutsche Dichter beigesteuert haben. Wir nennen Dahn, Eckstein, Greif, Hamerling, Milow, Rosegger, Anzengruber, Bleibtreu und andere. Den passendsten Beitrag hat unseres Erachtens Ernst von Wolzogen geliefert mit seinem „Ad exercitium Ichthyosauri!" (Melodie: „Das war der Pfalzgraf bei Rheine").

Unter Benutzung verschiedener Bücher, unter denen ein im Jahre 1885 erschienenes „Die konventionellen Gebräuche beim Zweikampfe" mit aufgeführt ist und unter Berücksichtigung italienischer Verhältnisse, hat J. Gelli eine Arbeit über das Duell zu dem Zweck veröffentlicht, dass dasselbe in Ordnung vor sich gehe und auf Ausnahmefälle beschränkt bleibe. (Il Duello nello storia della giurisprudenza e nella pratico italiana Per Jacopo Gelli. Firenze, Löscher & Seeber. 192 S. in 4°. Lire 5.—.)

Ein Buch von bleibendem Werte ist die glänzende Darstellung unserer interessantesten Litteraturepoche, welche Feodor Wehl jüngsthin bot: „Das Junge Deutschland." (Hamburg, Richter.) Der reiche Anhang seither noch unveröffentlichter Briefe von Mundt, Laube, Gutzkow scheint uns minder bedeutungsvoll, als die in geradezu klassischem Stil geschriebene litterarhistorische Darstellung selbst. Freilich merkt man Wehl selbst den alten Jungdeutschen an und der fanatische Kultus des Esprits, dem er geistvoll als Hauptmerkmal jener Uebergangsepoche bezeichnet, ist ihm selbst nicht fremd. Man höre z. B. folgendes Aperçu über Heine, den er als den Napoleon des Espritreiches leiert. „Das Begrabene hatte den wesentlichsten Reiz für ihn und das wird an diesem Dichter ewig charakteristisch bleiben, der dadurch in seinen Schriften eine nächtliche Heerschau abhält, wie sie Zedlitz in seinem bekannten Gedicht besungen. Der von uns geschilderte Esprit ist in der Gestalt Heines selbst bei dieser Mondscheinrevue der kleine bleiche teuflische Kaiser, der im verblichen glitzenden Mantel auf dem schwarzen Pferde der Romantik sitzt und den rasenden ‚Galopp vom Erhabenen zum Lächerlichen' vor der Front seiner Gedankengespenster ausführt."

Ein sehr bedeutendes Werk ist Emerich Madáchs dramatische Dichtung „Die Tragödie des Menschen", welche Alexander Fischer in vortrefflicher Weise aus dem Ungarischen übertrug. (Leipzig, W. Friedrich. Zweite Auflage.) In der Vorrede verteidigt der Uebersetzer den Verfasser, in dem er mit Recht mehr einen großen Denker als einen großen Dichter verehrt, gegen den Vorwurf, Goethes „Faust" nachgeahmt zu haben. Wir glauben auch nicht, dass ein Vernünftiger daran denken wird. Viel deutlicher ist der Einfluss von Byrons „Kain" zu erkennen.

Fr. von Hohenhausen hat eine Anthologie „Auf Flügeln des Gesanges" bei Neufeld & Mehring (Berlin) erscheinen lassen, welche natürlich mit Illustrationen und zwar natürlich von P. Thumann geziert ist. Selbst der Einband ist „stilvoll" („Entwurf von Professor Theger in Rom"!). In solchen „Dichterstimmen neudeutscher Lyrik" geben sich natürlich alle Mittelmäßigkeiten ein Rendezvous.

Sammlung gemeinverständlicher wissenschaftlicher Vorträge, herausgegeben von Rud. Virchow und F. v. Holtzendorff. Heft 4: Eine wissenschaftliche Alpenreise im Winter 1832 von Dr. J. Buchheister. (Berlin, C. Habel.) Heft 5: Peter Vischer und das alte Nürnberg von Robert Bauer.

Les Ecarts Législatifs par E. Worms. (Paris, Fetscherin et Chuit.) Ein überaus lehrreiches und gehaltvolles Buch, in klarem flüssigem Stil geschrieben.

Alle für das „Magazin" bestimmten Sendungen sind zu richten an die Redaktion des „Magazins für die Litteratur des In- und Auslandes" Leipzig, Georgenstrasse 6.

Für die Redaktion verantwortlich: Karl Bleibtreu in Charlottenburg. — Verlag von Wilhelm Friedrich in Leipzig. — Druck von Emil Herrmann senior in Leipzig.

Das Magazin

für die

Litteratur des In- und Auslandes.

Wochenschrift der Weltlitteratur.

Fünfundfünfzigster Jahrgang.

Begründet von Joseph Lehmann, 1832.

Herausgeber: Karl Bleibtreu.

Hundertundzehnter Band.

Juli bis Dezember 1886.

Leipzig.

Verlag von Wilhelm Friedrich.

K. R. Hofbuchhändler.

Inhalt.

27.

28.

29.

30.

31.

32

33.

34.

35.

36.

37.

38.

39

40.

41.

42.

43.

44.

45.

46.

47.

48

49.

50.

51.

52.

Sprechsaal.

Litterarische Neuigkeiten.

Anzeigen.

Das Magazin

für die Litteratur des In- und Auslandes.

Wochenschrift der Weltlitteratur.

1832 gegründet von Joseph Lehmann.

55. Jahrgang.

Herausgegeben von Karl Bleibtreu.

Preis Mark 4.— vierteljährlich.

Verlag von Wilhelm Friedrich in Leipzig.

No. 27. Leipzig, den 3. Juli. 1886.

Inhalt:

Modelle.

John Forster erwähnt in seinem vortrefflichen Werke „Charles Dickens' Leben“ eine Kritik, die Henry Lewes ein Jahr nach dem Tode des genialen Romanschriftstellers verfasst hatte und in welcher merkwürdige Anschauungen über das Schaffen des großen Humoristen zu Tage gefördert wurden. Bereits vier Jahre vorher hatte Taine die übergroße Phantasie Dickens' getadelt und dessen Realismus bestritten. Seine Betrachtung gipfelte in der Behauptung, Dickens Lebendigkeit der Vorstellung sei einfach mit Wahnsinn zu vergleichen; infolgedessen seien Menschen und Gegenstände in seinen Erzählungen im Lichte einer überreizten Phantasie erstanden, und nur die Schilderung einer Art verschrobener Welt habe jenen köstlichen Humor gezeitigt, der Dickens so außerordentlich populär gemacht hat. Der Mangel an Objektivität finde sich überall.

Lewes, der Verfasser der berühmten Goethebiographie, ging noch weiter als Taine, der immerhin außerordentlich sachlich geurteilt hatte. Er gab den Gegnern Dickens', die diesen einen theatralischen Sentimentalisten und einen talentvollen Karrikaturisten genannt hatten, Recht und verglich dessen Tollheit der Phantasie einfach mit Sinnentäuschung. Der englische Gelehrte berief sich dabei auf eine Aeußerung des Humoristen: „Dickens erklärte mir einmal, dass jedes von seinen Charakteren gesprochene Wort deutlich von ihm selbst gehört werde. Es verursachte mir Anfangs kein geringes Kopfzerbrechen, mir die Tatsache zu erklären, dass er eine Sprache hören könne, die der Sprache wirklicher Gefühle so ungleich war, ohne ihre Widersinnigkeit zu bemerken, aber mein Staunen verschwand, als ich an die Phänome der Sinnentäuschung dachte.“

Eine größere Verständnislosigkeit für das Schaffensgeheimnis eines Dichters kann man sich kaum denken. Die wenigen citirten Worte enthalten den ungeheuren Abstand, der zwischen einem selbstschöpferischen und einem reproduktiven Geist ewig vorhanden sein wird. Taine entwickelte in seiner Anschauung ein System: er berief sich auf den berühmten Ausspruch, wonach der Wahnsinnige, der Liebende und der Dichter als von demselben Gefühle beseelt erscheinen und zog ohne Zweifel die bekannte Parallele zwischen Genie und Wahnsinn. Lewes dagegen begründete sein Urteil mit einem lächerlichen Irrtum, der nur durch seine falsche Auffassung von dem Gemütsleben eines Dichters entschuldigt werden konnte. Was Dickens auf eine geistige Welt angewendet wissen wollte, übertrug er naiver Weise auf eine körperliche. Dickens gab Forster ebenfalls zu, dass er an einer ganz merkwürdigen Einbildungskraft leide, aber wie ganz anders hören seine eigenen Worte sich an! In der traurigsten Periode seines Lebens schrieb er an seinen Freund: „. . . Aber ist es nicht verzeihlich, dass ich ein wunderbares Zeugnis für meinen Beruf als Künstler darin erkenne, dass, wenn ich inmitten dieser Unruhe und Schmerzen, mich an mein Buch setze, eine wohltätige Macht mir Alles zeigt und mir Interesse dafür abgewinnt und ich es nicht erfinde — nein, wahrhaftig nicht, — sondern es sehe und so niederschreibe. Erst wenn Alles verblichen und verschwunden ist, fange ich an zu ahnen, dass die augenblickliche Befreiung mich etwas gekostet hat.“

Man vergleiche einmal den Sinn dieses Bekenntnisses mit der Auffassung Lewes'. Diese „wohltätige Macht“, die „Alles zeigt“, die dem Auserwählten die dem profanen Auge unsichtbaren Höhen und Tiefen dieser Welt wie mit einem Zauberstabe enthüllt, ist weiter nichts, als das große Rätsel, dass jeder Dichter von Bedeutung sich selber ist: Das Ingenium, für welches er keine Erklärung findet, das Geheimnis seines Schaffens, mit dem er steht und fällt. Wollte man an jeden hervorragenden Dichter die Frage richten, wie er schaffe, so würde die Antwort immer dieselbe sein: Unter dem Einflusse einer augenblicklichen Inspiration, im Banne empfangener Eindrücke, die unter jener „wohltätigen Macht“ vor seinem geistigen Auge neu erstehen; bei dem Gedanken an Selbsterlebtes, an Personen, deren Tugenden und Laster er kennen gelernt hat und welche seinem Helden anzudichten mit dämonischem Triebe er sich gezwungen fühlt.

Wenn ich hier gerade Dickens in Beziehung auf das Geheimnis seiner Produktion genannt habe, so geschah es selbstverständlich nicht aus dem Grunde, um den überwundenen Standpunkt zweier geistreicher Kritiker noch näher zu erörtern. Ein Kritiker wird immer subjektiv denken, niemals dem leitenden Gedanken eines Autors sich unterzuordnen vermögen. Martial sagt mit Recht, dass kein Buch anders komponirt sein kann und dass jeder Schriftsteller der beste Kritiker seines Werkes ist. Die Mängel und Vorzüge eines Buches wird derjenige am besten zu würdigen wissen, der den Inhalt beim Schaffen mit durchlebt hat, dessen ganzes Denken und Empfinden dasjenige seiner Helden war. Im guten wie im bösen Sinne.

Ich habe vielmehr Dickens um deswegen erwähnt, weil er einer derjenigen realistischen Schriftsteller war, die bei Gestaltung ihrer Figuren stets ein Modell vor dem geistigen Auge hatten. Wenn heute ein Autor es wagt, seinem Helden ähnliche Züge lebender Personen zu verleihen, so findet man das einfach unerhört, unkünstlerisch, und die ausgesprochenen Gegner realistischer Darstellung überbieten sich in Verdammungsurteilen, die alle in der Phrase enden: Wo bleibt die Poesie, die Romantik, wenn man Menschen von Fleisch und Blut schildert, die man tagtäglich vor Augen hat!

Diese Anklagen sind nicht neu. Sie sind immer aufgetaucht, wenn ein bedeutender Geist es wagte, die Natur als Vermittlerin einer ungekünselten Darstellung zu gebrauchen. Als Dickens, einer der liebenswürdigsten und friedfertigsten Menschen, auf den Einfall gekommen war, in Mr. Micawber in „David Copperfield“ seinen eigenen Vater zu zeichnen, nur um seiner Kunst zu genügen, hatte er die schärfsten Angriffe zu erleiden, trotzdem ihm Niemand den Vorwurf machen konnte, das Andenken seines Vaters gemissbraucht zu haben. Dasselbe war bei Mrs. Nickleby, der er Züge seiner Mutter gegeben hatte, der Fall. Noch schlimmer erging es ihm, als er in „Oliver Twist“ in der Figur des Mr. Fang einen wegen seiner Unverschämtheit und Ungerechtigkeit allgemein missachteten Polizeirichter Namens Laing derartig porträtirt hatte, dass dessen Entfernung vom Amte notwendig wurde. Während die human Denkenden das wie eine Genugtuung betrachteten und Dickens für seine „litterarische Tat“ Dank wussten, hatte er anderseits von den Anhängern des enttronten Richters mancherlei Schmähungen zu erdulden.

Selbst berühmte Kollegen schonte Dickens nicht. Ich glaube, es ist in „Bleak House“, wo Boythorn und Skimpole eine Rolle spielen. Zwei Zeitgenossen der Litteratur, Landor und Leight Hunt (der eine vortreffliche Geschichte der englischen Presse geschrieben hat), glaubten in den Geschilderten sich wieder zu erkennen. Der Letztere namentlich kam nicht gut weg. Hunt schwieg zuerst; vielleicht weil er sich zu sehr „getroffen“ fühlte. Aber wie immer sorgten die „guten Freunde“ für den Skandal, den der Dichter, dem es nur darum zu tun war, wirkliche Menschen zu zeichnen, gar nicht bezweckt hatte. Es kam zu peinlichen Auseinandersetzungen. Interessant ist die Erklärung Dickens, die Forster anführt — schon um deswegen, weil sie tiefe Einblicke in das Schaffensgetriebe des Humoristen gestatten. „Trennen Sie,“ sagte er zu Hunt, „in Ihrem eigenen Geiste das, was Sie selbst von sich sehen, von dem, was die Leute sehen wollen*). Da es Ihnen so viel Schmerz verursacht hat, so will ich es von der schlimmsten Seite nehmen und sagen, dass ich es aufs Tiefste bedaure und fühle, dass ich Unrecht hatte es zu tun. Sonst würde ich es im besten Sinne genommen und mich im Gefühle dessen beruhigt haben, was ich lebhaft als Wahrheit empfinde, dass nämlich nichts darin ist, was Ihnen Schmerz verursacht haben sollte. Jeder Autor muss nach seiner Erfahrung schreiben und so auch ich nach meiner Erfahrung von Ihnen; aber so oft ich fühlte, dass ich darin zu weit ging, tat ich mir Einhalt, und die am meisten durchstrichenen Stellen meines Manuskripts sind diejenigen, wo ich eifrig bemüht war, die Eindrücke, nach denen ich schrieb, Ihnen ungleich zu machen.... Der Charakter ist nicht der Ihrige, denn es sind Züge darin, welche auch fünfzigtausend anderen Leuten gemeinsam sind, und ich dachte nicht, dass Sie ihn je erkennen würden“ u. s. w.

Es ist charakteristisch und giebt zu mancherlei Bedenken Veranlassung, dass es in der Regel der Presse und dem öffentlichen Leben nahestehende Leute sind, die unter einem Typus das Porträt einer bestimmten Person erblicken; während es dem großen Lesepublikum, dem der Schriftsteller schließlich doch am Meisten zu danken hat, gar nicht einfällt, dem

*) Die Sperrung der Schrift habe ich hinzugefügt. M. K

Autor irgend eine böse Absicht unterzuschieben. Und doch wird jeder gebildete und denkende Leser in seiner nächsten Nachbarschaft vielleicht die Menschen finden, denen der Autor Züge der Aehnlichkeit für seine Figuren entlehnt hat. In diesem Falle wird der richtige Instinkt dem Publikum einfach sagen: So sind die Menschen, so ist das Leben, den oder den habe ich kennen gelernt! Der gewöhnliche Leser denkt in den meisten Fällen viel objektiver, hat eine viel höhere Meinung von dem Verfasser, als der Durchschnittsrezensent, dem es in erster Linie viel mehr um den Autor, seine persönliche und litterarische Stellung zu ihm zu tun ist, als um die Würdigung des Buches an sich. Statt die innere Wahrheit der geschilderten Menschen anzuerkennen, sich weder um Hinz noch Kunz zu kümmern, die in dem Buche vorkommen könnten, erblickt er ein wahres Gaudium darin, den Dichter als „Photographen" so viel als möglich herunter zu setzen, und nur um deswegen, weil dieser es gewagt hatte, gleich jedem ernst studirenden Maler, nach bekannten Modellen zu zeichnen und zu schaffen.

Der Autor, der derartige unverständige, gehässige, gewöhnlich anonym in die Welt geschickten Angriffe über sich ergehen lassen muss, tröstet sich gewöhnlich mit dem Gedanken: Was versteht dieser Tagesschriftsteller von deinem Beruf, dem Hinuntertauchen in die Menschenseele, deinem Erfassen der Dinge, dem monatelangen Abgeschlossensein von der Welt, den stillen Nächten, in denen das Morgengrauen dich noch am Schreibtisch fand, weil das Leben deiner Figuren dich so mächtig gepackt hatte, dass du dich nicht von ihnen zu trennen vermochtest!

Ist er boshaft, wird er an die Worte Fieldings denken: „In Wirklichkeit schmeichelt die Welt den Kritikern viel zu sehr und hält sie für Menschen weit größerer Tiefe und Gründlichkeit, als sie es wirklich sind."

Die Meisterschaft jedes Dichters zeigt sich in der Charakteristik seiner Figuren. Je wahrer er sie gestaltet, je menschlich näher sie in ihrer Erscheinung, ihrem Tun und Lassen dem Leser gerückt werden, je ergreifender und belustigender sie auf ihn wirken, je mehr wird das selbstverständlich für die Lebenserfahrung des Autors, sein gründliches Menschenstudium sprechen. Kein wirklicher Dichter, der nicht etwas durchlebt hat, keine wirkungsvolle Dichtung, in der nicht ein Stück Leben Berührungspunkte mit dem Freud oder Leid des Lesers findet! Das gilt von den Großen wie von den Kleinen. Darsteller und Rhetoriker sind die schärfsten Gegensätze in der Dichtung. Der Erstere legt den Hauptwert auf den Inhalt, er giebt das wieder, was das Leben ihm gegeben hat; der Letztere glaubt durch gekünstelte Aeußerlichkeiten, durch konventionelle Formen über das „Was" sich hinwegsetzen zu können. Er blendet aber vermag nicht zu überzeugen. Der Erstere giebt die ganze Figur, die man von allen Seiten beschauen kann, der Letztere ein schwaches Relief, an dem man nicht ergründen kann, wie die Gestalt in einem andern Lichte betrachtet, ausgesehen haben würde.

Wenn nun die vollendetste Charakteristik so viel wie vollendete Lebenswahrheit bedeutet, so wird vor allen Dingen der realistische Schriftsteller, der einen Spiegel des Lebens wie es ist geben soll, seiner Modelle dringend bedürfen. Je lebhafter seine Vorstellung von diesen ist, je weniger wird er sich beim Schaffen von ihren Grundzügen zu trennen vermögen. Versteht er seine Phantasie zu entfalten, so hört er die Originale seiner Gestalten, während er sie schildert, lachen, sprechen; er hat ihre Eigentümlichkeiten vor Augen, erblickt ihre Angewohnheiten, ihre Gesten, vernimmt einen von ihren Gepflogenheiten unzertrennbaren Ausspruch — alles Dinge, die notwendig zur Charakteristik einer Person sind. Er lebt wie im Banne dieses Modells. Schließlich vermeint er es dicht vor sich zu haben, den Ort, die Gesellschaft zu erblicken, wo er es kennen gelernt hat. Das Arbeitszimmer erweitert sich, der Ausblick wird ein unbegrenzter. Während er auf den Lampenschirm starrt, befindet er sich in einer anderen Welt, vielleicht inmitten eines glänzend erleuchteten Ballsaals, einer tafelnden Gesellschaft, im Dunkel einer einsamen Straße, an der Stätte von Armut und Elend: an Orten, die den Schauplatz seiner Schilderungen bilden. Seine Vorstellungskraft zaubert ihm ganze Szenen vor Augen, lässt Haupt- und Episodenfiguren wie Gespenster vor ihm auftauchen. Er durchlebt noch einmal, was bereits längst hinter ihm liegt. Er weiß eigentlich gar nicht, wie er schafft. Unbewusst entsteht Alles. Wenn er sein Werk vollendet hat, zweifelt er gewöhnlich an der Wirkung desselben. Nichts gefällt ihm. Ist er Stimmungsmensch, so wird sein Urteil fortwährend schwanken. Heute findet er eine Szene vorzüglich, morgen verfehlt. Endlich kommt ein guter Freund, dem er Einiges vorzulesen beginnt. Er sieht die Wirkung und fühlt sich zum ersten Male befriedigt. Nach und nach erst gesteht er sich selbst ein, etwas nicht ganz Schlechtes geleistet zu haben und lächelt vergnügt.

Eigentlich bildet die ganze Schaffensperiode eines Schriftstellers eine einzige große Aufregung, nur unterbrochen von zeitweiligen Erholungspausen. Aber auch während diesen wird er arbeiten, trotzdem er vielleicht keine Feder anrührt. Wo er geht und steht, wird er den Stoff zu seinem kommenden Buch im Kopf haben, an diese oder jene Szene denken, das Eine in Gedanken umwerfen, das Andere aufbauen, an diesen oder jenen Personen, die er kennen lernt und die ihm Züge zu seinen Figuren geben sollen, so lange modeln, bis sie an der richtigen Stelle zu verwenden sind.

Ich pflege stets ein Notizbuch bei mir zu tragen, das nur diesem Zwecke dient. Wo ich mich auch befinde — jeder augenblickliche Einfall, der meinem neu entstehenden Romane nützlich sein könnte, wird sofort fixirt. Hauptsächlich Namen der Personen und Situationen werden notirt und flüchtig angedeutet. Die meisten meiner Romane, Novellen und selbst Skizzen sind so entstanden. Fünf solcher Bücher sins bereits vollgeschrieben, die für mich ein wertvolles Material merkwürdiger Einfälle, Erlebnisse, Aussprüche, Charakteristiken von Personen etc. enthalten. Ich fange nicht eher an zu schreiben, bevor nicht der Titel endgültig gefunden ist. Er muss sich mit dem Inhalt decken; aus ihm heraus entwickelt sich der ganze Roman. Um fortwährender Anregung zu bedürfen, muss ich viele Menschen sehen. Ich fühle mich unglücklich, wenn mein täglicher Gang durch die belebten Straßen einmal ausbleiben muss. Ich darf mir schmeicheln, eine ungemein scharfe Beobachtungsgabe zu besitzen. Ich sehe Alles, nichts entgeht mir. Die unscheinbarste Szene, welche vielleicht von Tausenden unbeachtet bleibt, erhält ihren Wert für mich. Für Physiognomieen habe ich ein scharfes Gedächtnis, besonders auch für die Lächerlichkeiten der Menschen.

Wollte ich die Entstehungsgeschichte meiner Romane erzählen, müsste ich ein ganzes Buch darüber schreiben. Nur Einiges, weil es vielleicht von allgemeinem Interesse sein dürfte, will ich hier anführen. Ich hatte den Plan zu meinem Roman „Die Betrogenen“ gemacht. Noch schwebte mir Alles dunkel und unklar vor. Nur die Idee und einige Episodenfiguren standen fest. Ueber die eigentliche Handlung war ich noch unschlüssig. Ich verkehrte damals viel mit einem Maler der Düsseldorfer Schule (dem Original zu dem Heiligenmaler Schlichting im selben Roman). Er war der Sohn ganz armer Handwerksleute, pockennarbig und unbeholfen; obendrein stotterte er etwas. Aber er war einer der offensten Naturmenschen die ich kennen gelernt habe. Ueber die Größe seines Herzens ging nichts. Da er, wie bereits erwähnt, etwas schwerer Zunge war, so hörte er lieber zu, als dass er sprach. Dafür qualmte er aus einer kurzen Pfeife um so ärger. Vernahm er einen guten Witz, so lachte er laut und stoßweise, so dass alle Umsitzenden auf ihn aufmerksam wurden. Bemerkte er das, so wurde er rot wie ein junges Mädchen und paffte äußerst schnell seinen türkischen Tabak, bis eine große Dampfwolke sein Haupt umzog. Gesprächig wurde er nur, wenn die Rede auf Malerei kam. Dann donnerte er los gegen die „Modernen“, dass einem angst und bange wurde. Die Begeisterung machte ihm die Zunge geläufig, Overbeck war sein Kunstgott, den er anbetete. Man wird das begreiflich finden, wenn man erfährt, dass er Katholik war.

Eines Sonntags holte er mich wie gewöhnlich zu einer Exkursion ab. Spät Abends gerieten wir in eine Taverne zu Stralau. Guitarrengeklimper und Gesang, vornehmlich die Aussicht auf „Studien“, hatten uns in das räucherige Lokal gelockt. An einem langen Tisch saßen ergraute Webermeister einer großen nahegelegenen Teppichfabrik, unter ihnen das Original zu meinem „Papa Titius“, im genannten Roman. Merkwürdigen Dingen lauschten wir da: einer Erzählung von einer „jungen Dame aus guter Familie“, die als Arbeiterin in einer Fabrik beschäftigt sei. Sie trage Handschuhe und Schleier, worüber die „Kolleginnen“ sich sehr belustigten. Außerdem spreche sie französisch und englisch. Sie besitze ein Kind von ihren Verführer und habe sich deswegen mit ihrer Familie entzweit. Es dauerte nicht lange, so saßen wir inmitten der Alten um ferneren Details zu lauschen. Eine neue „Lage“ verhalf uns dazu. Mein Roman war fertig. Als wir auf der Chaussee Berlin zuschritten, lockte uns noch Tanzmusik auf ein Stück Wiese am Ufer der Spree. Schiffer, Fischer und anderes Volk feierten eine „italienische Nacht“. Guirlanden verbanden kleine Mastbäume, Lampions in allen Farben leuchteten an ihnen. Unzählige Paare drehten sich auf dem grünen Teppich der Natur, während die „Hauskapelle“ der Schiffer ihre falschen Noten hören ließ. Der Vollmond stand hoch am Himmel und übergoß die Spree mit Silber. Nun hatte ich auch noch die Szenerie für das Jubiläumsfest im Roman. Ich war lange nicht so vergnügt gewesen, wie an diesem Abend. Noch oft habe ich allein da draußen meine Studien fortgesetzt.

Auch Jenny Hoff, die beste Figur im ganzen Roman, hat ihr Modell gehabt, eigentlich zwei, denn ich habe ihr zum Teil Eigenschaften und Züge eines Mädchens verliehen, das in meinem eigenen Leben eine Rolle gespielt hat. Ich bewohnte vor sechs Jahren ein bescheidenes Zimmer in der Gitschiner Straße, gegenüber der Gasanstalt. Vom Fenster aus beobachtete ich das Original zu dem alten Kohlenschipper in „Die Betrogenen“. Er sah stets schwarz wie ein Neger aus. Des Mittags trug ihm seine Tochter, ein bildhübsches, stark entwickeltes Mädchen im Alter von fünfzehn Jahren, das Essen zu. Sie hatte wundervolles blondes Haar, das in üppigen Flechten über ihren Nacken hing.

Nach zwei Jahren — ich war inzwischen verzogen — sah ich sie wieder. Sie passirte regelmäßig des Morgens und Abends die Oranienstraße und hatte sich in ihrem Anzug verfeinert. Wahrscheinlich ging sie nach irgend einer Fabrik oder Nähstube, um leichte Handarbeit zu machen. Sie hatte wirklich ein Madonnengesicht. Nach und nach veränderte sie sich in ihrer Kleidung, trug große Federhüte und auffallende Mäntel mit unechten Spangen. Dann sah ich sie während längerer Zeit nicht, bis ich sie eines Nachts in einem Café in Begleitung eines jener gezierten Jünglinge erblickte, die ohne die bekannten zwei Taschenbürsten nicht leben können. Ihre Wangen hatten die gesunde Röte verloren. Ich machte mir sofort ihre Geschichte zurecht: das Sündenbabel begann sie zu verschlingen. Auch Leo Brendel, ihr Verführer, ist nach der Natur gezeichnet. Er war der Sohn begüterter Eltern und Volontär in einer großen Fabrik der Köpnickerstraße. Der Stadtreiseonkel Leisemann läuft heute noch in Berlin herum und ist der passionirte Schnorrer sämmtlicher Stammtische. Er bezahlt nur mit Anekdoten. Der erfindungssüchtige Buchhalter Vetter erfreut sich ebenfalls noch seines Daseins. Er wollte durch eine große Erfindung ein reicher Mann werden. Eines Tages konstruirte er eine neue Bohrmaschine, die aber nicht ging, als er sie zusammengesetzt hatte.

Auch in den „Verkommenen" sind lebende Menschen geschildert. Mit dem Komiker Sängerkrug wohnte ich eine Zeit lang auf einem Flur. Selten stand er vor sechs Uhr Abends auf, namentlich an Feiertagen, wo er am hellen Morgen erst nach Hause kam. Die Taschen hatte er stets gefüllt mit Bonbons, Apfelsinen und andern Süßigkeiten, die er an sämmtliche Kinder im Hause und auf der Straße verteilte. Dagobert Fisch, der verkommene Philologe und große Shakespearekenner, hat ebenfalls sein Modell gehabt; auch Zipfel, der Budiker. Magda Merk wohnte in einem Hinterhause der südöstlichen Vorstadt. Während die Eltern ihrer Beschäftigung nachgingen, versorgte sie ihre kleinen Geschwister mit wahrhaft rührender Zärtlichkeit. Und doch war sie erst zwölf Jahre alt. Sie kam mir immer wie eine ernste Frau vor. Selten habe ich sie lachen gehört.

Ueber die Originale zu meinem kürzlich erschienenen Roman „Drei Weiber" könnte ich einen Band schreiben. Es würde aber zu weit führen, man könnte mir auch den Vorwurf machen, dass ich zu viel von mir spreche. Es war mir aber lediglich um die Sache zu tun. Diejenigen, die von dem innersten Wesen des Realismus keine Ahnung haben, stellen sich denselben immer sehr leicht vor. Sie denken, es genüge schon, irgend eine Tatsache zu erwähnen, die mit der realen Welt in Zusammenhang steht. Die psychologische Seite vergessen sie ganz und gar. Wer die modernen Menschen schildern will, muss sie zum mindestens kennen gelernt haben, sonst setzt er sich der Gefahr aus, von dem ungebildetsten Menschen zurecht gewiesen zu werden. Wenn Knaus Typen aus dem Bauernstande malt, so werden die Originale jedenfalls am besten wissen, in wie weit er in seiner Ausführung gefehlt hat. Alle Achtung vor den Romantikern, aber ehe sie den Realismus schmähen, sollten sie es einmal mit ihm versuchen. Es wird sich dann zeigen, ob sie gesehen, beobachtet, gefühlt und richtig erfasst haben, ob gesundes Blut in den Adern ihrer Menschen rollt. Das Leben wird stets unsere größte Lehrmeisterin bleiben. Wer ihr mit Andacht lauscht, wird ihr zu danken haben. Die ewigen Gesetze der Natur stehen über den Gesetzen der Kunst; man kann versuchen, sie einzuschränken, niemals wird man sie durch einen künstlichen Zwang zu untergraben vermögen. Die Leidenschaft ist dazu da, um entfesselt zu werden, und die Natur, um verstanden zu werden. Wer in ihrem offenen Gesicht nicht liest, wird nicht viel zu verschenken haben. Ich will mit einem Ausspruch Walter Scotts schließen, den Lockhart, sein Biograph, anführt: „Wer nach der Natur zeichnet, wird die meiste Aussicht haben, diejenigen zu interessiren und zu belustigen, welche sie täglich anschauen."

Berlin. **Max Kretzer.**

Ringelgedicht.

I.

Fatinga tanzt. Ich lieg' am Holzesrande
Entzückt von ihrer Glieder Bronzeguss.
Entlassen hab' ich die Zigeunerbande,
Das Mädchen blieb zurück, als wär's zum Pfande,
Und weil sie will und weil sie bleiben muss.
Ein Pascha bin ich, bin ein reicher Grande,
Im grünen Turban streif ich oft im Lande,
Den biedern Heimatsbrüdern zum Verdruss.
Fatinga tanzt.

Die Schellentrommel blitzt im Sonnenbrande,
Der Pirol lockt im dichten Buchenstande,
Und über Kiesel schwatzt der Wiesenfluss.
Und Alles freut sich, lauscht dem süßen Tande,
Selbst über mir die kleine Haselnuss.
Fatinga tanzt.

II.

Der Sommer ging. Ich steh' an alter Stelle;
Die kleine Haselnuss ist längst gepflückt.
Gestorben ist die muntre Wiesenwelle,
Entlaufen ist mein brauner Weggeselle,
Am Baume lehn' ich, am Gewehr gebückt.
Springfüßig floh nach Süden die Gazelle,
Als sie der Winter zwang in Bärenfelle,
Und Eis die Nordlandwasser überbrückt.
Der Sommer ging.

Zu schmal war ihr die breite Marmorschwelle,
Der hohe Säulengang hat sie gedrückt.
Und eines Abends, mit der Hindin Schnelle,
Als sie mit letzten Rosen sich geschmückt,
Ist sie entsprungen in die Dämmerhelle.
Der Sommer ging.

Kellinghusen. **Detlev von Liliencron.**

Italienisches.

(Zamboni: Sotto i Flavi. — Lyrisches von Fogazzaro und Camici. — Neue Heine-Uebersetzung.)

Die Flavier — Titus und Vespasianus wenigstens, stehen in einem alt-überlieferten Weltrufe der Milde. Aber sie haben Jerusalem zerstört und die Juden misshandelt — sie werden immer eine grollende Partei gegen sich haben. Wie es zuging unter diesen „milden" Flaviern, versucht Herr Filippo Zamboni zu zeigen in einer umfangreichen dramatischen Dichtung. („Sotto i Flavii, poema drammatico in 9 parti", Florenz 1885.) Der Dichter, aus der Schule Niccolinis, veröffentlichte neben Lyrischem und neben Historischem in Prosa eine nicht weniger umfangreiche dramatische Dichtung „Roma nel mille" und die Tragödie „Bianca della Porta", jene zweimal, diese fünfmal aufgelegt.

Seine „Flavier" sind ein merkwürdiges litterarisches Erzeugnis.

Julius Sabinus, besiegter Gegenkaiser in Gallien, hat mit seiner heißgeliebten Gattin Eponia und zwei Sprösslingen sich eine Reihe von Jahren hindurch in einer Felskluft des Gebirges verborgen gehalten. Da fasst Eponia den heroischen Entschluss, allein mit den beiden Kindern nach Rom zu pilgern und Gnade für ihren Gemahl von den Flaviern zu erbitten. Nach mancherlei Abenteuern tritt sie in Rom dem Vespasian bei einem großen öffentlichen Feste mit ihrer Bitte in Flammenworten entgegen. Der Kaiser und die Seinen argwöhnen, dass auch Sabinus es gewagt, heimlich nach Rom zu kommen: Eponia stellt dies feierlich in Abrede und erlangt so die erflehte Begnadigung. Aber Sabinus ist seiner geliebten Gattin wirklich insgeheim gefolgt und weilt ohne ihr Wissen jetzt in Rom. Seine Entdeckung bietet den Flaviern einen Vorwand, die Begnadigung zu widerrufen, Sabinus und Eponia neuerdings gefangen zu nehmen. Beide werden zum Tode verurteilt und vom tarpejischen Fels gestürzt.

Ein bedeutendes und wirksames Thema!

Die ersten Szenen mit den unzähligen großen Chören, dann die langen, langen Gespräche zwischen Sabinus und Eponia in der Felskluft bilden nicht die Glanzseite des Werkes. Sabinus erscheint in Gefühlslosigkeit und Liebesglut wie zerflossen; seine Reden, seine Blicke, seine Umarmungen begleitet er mit Tränenströmen. Die bekannte, schon von Plato hervorgehobene Verwandtschaft der Poesie mit dem Wahnwitz tritt in manchen dieser träumerischen und schwärmerischen Szenen zu Tage. Aber die zweite Hälfte der Dichtung enthält Auftritte von unleugbarer Großartigkeit, von bedeutender Kraft und Tiefe. So z. B. die Szene der Eponia vor Vespasian, die Szenen im Circus, vor Allem aber die Schlußszenen auf dem tarpejischen Fels, die nicht bloß an Großartigkeit, sondern auch an Originalität der Erfindung ihres Gleichen suchen.

Giebt es heutzutage noch ein Publikum für umfangreiche Dichtungen dieser Art in dramatischer Form? Der Erfolg dieses Poems wird es lehren.

A. Fogazzaro hat seine Gedichtsammlung „Valsolda" neu herausgegeben und durch einen Anhang „Poesia dispersa" auf das Doppelte vermehrt. (Turin, Casanova 1886.) Was bei dieser Sammlung zuerst auffällt, ist der Mangel an Sonetten. Ein Band italienischer Lyrik, der nicht wenigstens zu zwei Dritteilen aus Sonetten besteht, gehört unter die litterarischen Curiosa. Was dem Deutschen das Lied, ist dem Italiener das Sonett. Der Mangel an Sonetten ist indessen nicht das einzige Originelle an dem Buche; ich fasse mich kurz, indem ich sage, dass Fogazzaro — dessen epische Dichtung „Miranda" auch ins Deutübersetzt worden ist — hier auf bedeutendem landschaftlichem Hintergrund eine Reihe ganz wunderbarer Situations- und Stimmungsbilder geliefert hat. Ich hebe nur die Nummern IV, XIV, XV, XVII als charakteristische Proben hervor. In der „Poesia dispersa" sind Stücke dieser Art seltener; aber auch hier sind die Gedichte Profomao, Caligola, Papa Leone X., Quiete meridiana nell' Alpe geniale Lichtblitze von zündender Wirkung. Ich gestehe, dass die neueste italienische Lyrik, soweit sie sich eine gesunde Ader bewahrt, und nicht in blasirtem Pessimismus untergeht, mir Achtung einflößt. In dem Besten was sie bietet, scheint mir das Problem einer „neuen", zeitgemäßen Poesie mit weniger Lärm, aber mit größerer Klarheit und Sicherheit als anderswo gelöst.

Einen eigentümlichen, etwas monotonen Eindruck machen die „Vecchi fantasmi" von Dino Camici (Florenz 1885.) Die Mehrzahl dieser Gedichte durchweht eine träumerisch-brütende Melancholie, die am Schlusse meist in einen, gleichsam blitzartig aufleuchtenden Erguss feurigen Lebens- oder Liebeverlangens ausklingt. Man fühlt sich in einer fast allzu engen Sphäre poetischen Empfindens und Denkens. Aber es zeigt sich weiterhin, besonders gegen das Ende des Büchleins, dass es dem Dichter gar wohl möglich, einen höheren, freieren Flug zu nehmen und sich in einem weiteren Anschauungskreise zu bewegen. Hübsche Proben davon finden sich auf Seite 71, 74, 79, 82, 86.

Zendrinis italienische Uebersetzung des „Buchs der Lieder" von Heine ist geschätzt und bekanntlich in drei Auflagen verbreitet. Um so größeres Interesse erregt ein neuer Versuch derselben Art: Enrico Heine, il libro de' Canti, tardda Casimiro Varese, mit einer Vorrede von Poalo Lioy. (Florenz, Lemonnier 1886.)

Wirft man als Deutscher einen Blick in eine solche Uebersetzung, so fühlt man sich zunächst seltsam angemutet. Ist einem z. B. „Ich grolle nicht, und wenn das Herz auch bricht — ewig verlornes Lieb'!" so recht in Fleisch und Blut des Herzens übergegangen — obendrein vielleicht mit der Melodie Schumanns — und man lies't hernach:

> Rancor non ho, se pure il cuor mi schianti,
> O eternamente mio perduto amore!
> Brilla pur ne' superbi diamanti u. s. f.,

so fühlt man sich angefröstelt vom Klang der fremden Worte und will nicht glauben, das könne, obgleich eine ganz gute Uebersetzung der uns lieben, vertrauten Worte, dieselbe Wirkung machen wie diese. Und sieht man gar aus der zarten, nebelduftigen Nixe, der „Prinzessin Ilse, die wohnet im Ilsenstein", eine „Principessa d'Ilsemberg" geworden — eine Madame la Princesse d'Ilsemberg, so geht für den Deutschen alle „Stimmung", aller poetische Zauber und Reiz zum Teufel, und er fühlt sich aus dem stillen, romantischen Felsental des Harzes nach Homburg oder Baden-Baden versetzt.

Aber für Deutsche ist eine Uebersetzung des Heine nicht geschrieben. Der Deutsche kann die Treue einer solchen Uebersetzung beurteilen, über die Wirkung auf italienische Leser kann nur der Landsgenosse des Uebersetzers Auskunft geben. Und in dieser Beziehung stellt die geistreiche Vorrede eines bekannten, trefflichen Schriftstellers unserem neuen Heine-Uebersetzer das ehrenvollste Zeugnis. Zugleich bringt derselbe den nicht misslungenen Nachweis, dass die Zendrinische Uebersetzung, trotz ihrer drei verbesserten Auflagen, keineswegs mangellos dasteht, ein neuer Versuch also durchaus nicht überflüssig war. Unter Anderm legt der Vorredner seine kritische Sonde auch an die Zendrinische Uebertragung des Liedes: „Auf Flügeln des Gesanges". Da begegnet es dem Kritiker, dass er „kichern und kosen" mit fanno risetti e discorrono wiedergiebt. Aber „kosen" heißt nicht discorrere, sondern accarezzarsi l'un l'altro. Schnitzer zu finden ist leicht, aber sie zu vermeiden unmöglich. Mit größerem Glück weist der Vorredner Flickworte und prosaische oder sonst unpassende Wendungen in der Zendrinischen Uebersetzung des Liedes nach. Herr Lioy wird sich vielleicht wundern, wenn ich ihm sage, dass trotzdem die Zendrinische Uebersetzung des Liedes den deutschen Leser sympathischer anmutet, als die an und für sich tadellose Uebersetzung Vareses. Sie hat den großen Vorzug, im Versmaß des Originals geschrieben zu sein. Zendrini hatte begriffen, dass dies eine Sache von Bedeutung sei, und modelte in den späteren Auflagen seine Uebersetzungen immer mehr nach der metrischen Form des Originals. Einem veränderten Metrum fügen sich dramatische, epische, auch kleinere lyrisch-epische Dichtungen. Aber das Lied! das deutsche Lied! insbesondere das zarte, geflügelte Heinesche Liedchen! Da scheint Sinn und Tonfall und Vers und Melodie so innigst verbunden, dass etwas völlig Anderes daraus werden muss, wenn man es trennt.

Etwas Anderes gewiß. Aber immerhin vielleicht noch etwas Schönes und Wirksames. Es ist eben der Triumph des Genies, dass seine Kundgebungen ihre Urkraft unter allen Umständen doch irgendwie betätigen. Kann doch schon ursprünglich das, was der Genius bietet, in der verschiedensten Art aufgefasst, verstanden und genossen werden.

In seiner Vorrede äußert sich Herr P. Loy wiederholt, man fühle bei Heine sich immer an Beethoven und Chopin, bei Beethoven und Chopin an Heine erinnert! Ein Mondbewohner würde, wenn er erst einen afrikanischen Neger und dann einen amerikanischen Wilden zu Gesicht bekäme, bei diesem sich sehr an jenen, bei jenem sehr an diesen erinnert fühlen. Nicht so der Erdbewohner; der würde nur für die Unähnlichkeit der beiden ein Auge haben. Und so würde auch der Deutsche, wenn es in Deutschland Jemandem einfiele, Beethoven und Heine nebeneinander zu nennen, sich bloß des ungeheuersten Gegensatzes bewusst werden, den es auf litterarischem und künstlerischem Gebiete geben kann. Wenn also die Wirkung, welche ein Dichter auf Leser verschiedener Nationen ausübt, so unberechenbar ist, so wird man es am Ende auch dem Ohre, dem Takt, dem Geschmack der Ausländer überlassen müssen, sich die Poesie des fremden Dichters in der Form anzueignen, in welcher sie fühlen, dass er am besten auf sie wirkt.

C. Vareses Uebersetung kann sich damit zufrieden geben, das Lob, dass der Deutsche ihr spenden kann, dass der Treue, mit dem, welches P. Lioy ihr in der Vorrede spendet, zu vereinigen.

Graz. Robert Hamerling.

Die uralte Sage vom Welten- und Lebensbaum.

„The Folk-Lore of China, and its Affinities with that of the Aryan and Semitic Races." By N. B. Dennys. London. — „The Songs of the Russian People, as illustrative of Slavonic Mythology and Russian Social Life". By W. R. S. Ralston. London. — „Transactions of the Gaelic Society of Inverness".

I.

Vom hohen Norden an, wo die Fichte träumend auf einsamer Höhe steht, bis zum glühenden Palmen-Lande hin lässt sich die Lehre von einem Welten- und Lebensbaum durch arische und semitische Völker hindurch verfolgen.

Bald erscheint der das All versinnbildlichende Baum als ein einziger Urstamm mit gewaltigen Zweigen. So erhebt sich auf skandinavischem Boden die gewaltige Esche Yggdrasil. Bald stehen zwei Bäume nebeneinander, wie der „Baum des Lebens" und der „Baum Ohne-Leiden" bei den Iraniern. Wieder treffen wir, im ältesten vedischen Schrifttum, auf einen an alterlosem Strome oder See grünenden Baum, der sämmtliche Früchte der Welt trägt; dessen Anblick jung macht; von welchem

Honigseim herabträufelt; und auf dem wunderbare Vögel sitzen, die das Lob der Unsterblichkeit singen. Das ewig junge Leben des Alls wird uns hier dichterisch zur Anschauung gebracht.

Ein höchst merkwürdiges Zwischenglied dieser, von den Nord-Germanen bis nach Kleinasien und nach Iran und Hindostan reichenden Weltanschauung findet sich in einem alten slavischen, wenigstens in slavischer Fassung auf uns gekommenen Liede, das noch heute in den Karpathen-Ländern umgeht. Es ist ein Weltschöpfungslied, und es gehört zu den um Weihnacht gesungenen sogenannten „Kolyadki".

Man hat diese Letzteren entweder als Räder-, oder als Jul-, oder als Kalender-Gesänge erklärt: was im Grunde auf Eins herauskommt. Denn das Rad der Sonnenscheibe oder das Zeiten-Rad wird am Jul-Feste (dessen Name sprachlich vielleicht mit dem griechischen Helios verwandt ist) als an dem Feste der Sonnenwende umgetrieben gedacht und hat daher natürlich auf den Kalender Bezug.

Ganz eddisch hört sich das von dem slavischen Karpathen-Volke gesungene Lied an:

Einst gab es nicht Himmel und gab es nicht Erde,
Nicht Himmel, noch Erde; nur blaue See —
Und inmitten der See zwei Eichen.
Da saßen darauf zwei Tauben,
Zwei Tauben auf den zwei Eichen,
Und begannen unter sich zu beraten.
Unter sich zu berathen und zu sagen:
„Wie können die Welt wir erschaffen?
Laßt uns geh'n auf den Grund des Meeres;
Laßt uns bringen dorther feinen Sand,
Feinen Sand und blaue Steine!
Wir wollen säen den feinen Sand;
Wir wollen hauchen auf den blauen Stein.
Aus dem feinen Sand — die dunkle Erde,
Die kühlen Gewässer, das grüne Gras!
Aus dem blauen Stein — den blauen Himmel,
Den blauen Himmel, die helle Sonne;
Die helle Sonne, den klaren Mond,
Den klaren Mond und all' die Sterne!

Man vergleiche damit die Eingangsverse von „Der Seherin Ausspruch" in der Edda, auch unser halbheidnisches Wessobrunner Gebet. Man halte ferner dazu, was aus den noch übrig gebliebenen Spuren der vor-asischen Wanen-Religion erhellt, welche vornehmlich die Religion der einst am baltischen Meeresufer wohnenden Sueben war und offenbar, im Gegensatz zu dem Asen-Glauben, eine Entstehung der Welt aus dem Wasser annahm und es wird sich ein eigentümlicher Zusammenklang des slavischen Liedes mit germanischen Dichtungen und Anschauungen ergeben.

Mehrere Zeilen desselben kommen an die Verse 3, 4 und 5 der „Wöluspa" merkwürdig nahe heran. Diese erinnern wieder an die fast gleichlautenden Eingangsworte im Wessobrunner Gebet. An dem slavischen Liede ist aber wieder bemerkenswert, dass damals, als es nicht Himmel, noch Erde gab, schon die blaue See vorhanden war, aus welcher zwei Bäume hervorragten. Das ist wanisch gedacht und trifft zugleich wieder mit der uralten iranischen Anschauung von den aus dem Meere emporragenden heiligen zwei Urbäumen zusammen, die da heißen: All-Samen und All-Heil.

Auf den zwei Eichen, welche im karpathischen Liede die Urwesen der Welt darstellen, sitzen zwei Tauben — wie in der nordgermanischen Mär ein Adler und ein Habicht auf der Welt-Esche horsten, und wie auch in der persischen Sage zwei Vögel auf einem der Urbäume nisten. In der Edda gehen die hochheiligen Götter nach geschehener Weltentstehung als Berater zu den Richterstühlen, um Rat zu halten, wie der Nacht und dem Neumond und den Abteilungen des Tages die Namen zu geben, und wie die Zeiten zu ordnen seien. Im karpathischen Liede dagegen beraten sich die zwei Tauben über die Erschaffung der Welt selbst.

Warum nun gerade Tauben?

Ohne Zweifel weil die Taube von Uralters her als Sinnbild der Liebe und der fruchtbaren Zeugung galt. Aus einem Mylitta-, Astarte- oder Aphroditen-Tempel auf Cypern sind lebensgroße Bildsäulen von Priestern der Liebesgöttin ausgegraben worden, welche Tauben in den Händen halten. An das Taubenopfer bei den alten Hebräern, und später im Tempel zu Jerusalem, braucht kaum erinnert zu werden. (Vergl. 3 Mose, 12, 6; und Evangelium des Lukas, 2, 24.)

Für Gesänge wie das angeführte karpathische Lied ist das Wort „Kolyadki" aus Byzanz in die slavischen Sprachen eingeführt worden. Von Byzanz her kam auch obiges Lied unter das Volk der Karpathen. Dies teilte mir vor Jahren der dem Slaventum sogar politisch äußerst günstige, englische Sagenforscher W. R. S. Ralston mit, der es in seine „Gesänge des russischen Volkes" aufgenommen hat.

Nun ist Byzanz in alter Zeit thrakisch gewesen, später hellenisirt worden, hat durch zeitweise Unterwerfung unter persische Herrschaft und durch Zinspflichtigkeit an die nach Thrakien eingebrochenen gallischen Stämme, durch römische Regierung u. s. w. mancherlei bunte Schicksale erfahren. Slavisirt wurde es jedoch nie.

Man darf daher, bei dem eigentümlich eddischen Tone des genannten Weltschöpfungs-Liedes, schon die Frage erheben: wo dessen eigentlicher Ursprung zu suchen sei?

Thraker haben, wie gesagt, den Boden, auf welchem Konstantinopel liegt, in alter Zeit bewohnt. Für die schon seit den Tagen des Goten Jornandes behauptete Verwandtschaft der Germanen mit den Thrakern sind im „Magazin" mehrfach die Beweise gegeben worden. Wir brauchen übrigens nur Xenophon's Bericht über das ihm von dem Thraker-Häuptling Seuth (Seyd = Seifried, Siegfried) gegebene Gastmahl zu lesen, um uns, bis zur Nagelprobe des Trinkhorns, ganz heimisch wie unter nächsten Stammesgenossen zu fühlen.

In Byzanz hieß zu Xenophon's Zeiten der unmittelbar an ein Stadttor stoßende Platz: das „Thrakion". Viele Jahrhunderte später erscheinen wiederum germanische Waräger oder Wäringer vor Konstantinopel. Zuerst als Russen-Fürsten und -Krieger aus skandinavischem Stamme. („Russ" selbst ist, wie ebenfalls im „Magazin" nachgewiesen worden, ein germanischer Name.) An der Spitze ihrer nordischen Kämpfer-Sippe, und mit zum Teil finnischen und slavischen Heerschaaren, rückten sie zum Ansturm gegen die Stadt, ohne in sie eindringen zu können. Im elften Jahrhundert jedoch, und darüber hinaus, finden wir sowohl skandinavische Wäringer, als auch Deutsche (Franken und Fläminger) unter den Hülfsvölkern der Byzantiner in Konstantinopel. Bei Georgios Kedrenos und Anna Komnena, in der Harald Hardrada-, der Herdibreids- und der Thiodreks-Sage stehen die Belege dafür.

Wie nun, wenn etwa diese, die Streitaxt tragenden Barbaren (*πελεκυφόροι βαρβάροι*, mit Anna Komnena zu reden) in Byzanz Spuren ihrer eigentümlichen Weltschöpfungs-Lieder hinterlassen hätten? Runenschrift, die von ihnen herrührt, soll sich ja noch auf einem Denkmal in Konstantinopel finden.

Von jeher haben die Griechen sich Fremdes anzueignen gewusst, indem sie ihm andere oder schönere Gestalt gaben. Das melden uns ihre ältesten Schriftsteller schon aus heidnischer Zeit. Nach ihrem Zeugnis nahmen die kleinasiatischen Hellenen sowohl die Musik, als auch eine Reihe religiöser Gebräuche der Phryger, Myser und Lyder, lauter thrakisch-germanischer Völker, an, und bildeten sie weiter aus. Das so Gewonnene ging dann zu den Griechen in Europa über.

Dasselbe meldet Strabon von dem Einflusse der europäischen Thraker auf die Hellenen. Er klagt (X, 3, 18), dass die Athener, wie in anderen Dingen so in Bezug auf den Götterdienst ihrer Liebe zum Fremden treu geblieben. Auf der athenischen Bühne seien sie wegen ihrer Neigung zu den thrakischen und phrygischen Religionsgebräuchen verspottet worden. Platon und Demosthenes bezeugen es ebenfalls. In vorwurfsvollen Worten erhoben sie sich gegen jene Liebe der Athener zum lärmenden bacchantischen Götterdienst der Thraker.

Wenn wir solche Neigungen der alten Hellenen — und die Athener selbst waren ja nur hellenisirte „Pelasger" — ins Auge fassen: wäre es da unmöglich, dass in späteren Jahrhunderten skandinavische und deutsche Lieder bruchstückweise aus den Tagen der warägischen, fränkischen und flämischen Hülfsvölker in Konstantinopel haften blieben, und dass die Griechen allmählich das Vorgefundene zu Eigenem verarbeitet hätten, worauf es dann die Donau hinauf unter das ruthenische Volk wanderte?

Da würde sich das karpathische Lied in slavischer Fassung, und als jedenfalls nachweisbare Uebertragung aus Byzanz, schließlich als germanisches Gut erweisen, und der auffallende Zusammenhang mit eddischem Ton und Inhalt wäre erklärt.

Sei dem, wie ihm wolle, der genannte weihnächtliche Jul-Gesang der Karpathen-Slaven ist unbestreitbar ein Zweig jener eigentümlichen Weltanschauung, die sich in dem Baumdienste so vieler Völker verkörpert hat und in der Ur- oder Welt-Esche der Nord-Germanen ihren gewaltigsten Ausdruck besitzt.

(Schluss folgt.)

London. Karl Blind.

„Eine Heidin." Von Juliette Lamber (Madame Adam).

Auf demselben Fleckchen Erde, auf welchem Petrarca die platonische Liebe in seinen Sonetten und Canzonen an Laura verherrlicht hat, lässt die Verfasserin zwei Menschen leben, die den Verlockungen der Aphrodite Pandemos nicht lange zu widerstehen vermögen.

Tiburce Gardanne, der Künstler, und Melissandre von Noves, die Herrin des Schlosses Estève, sind die beiden handelnden Personen, denen es schon zu allem Anfang bestimmt ist, der sinnlichen Liebesgöttin zum Opfer zu fallen. „Nehmen Sie sich in Acht, mein berühmter Freund, Sie machen mir den Hof!" so beginnt Melissandre ihren ersten Brief an Tiburce, — und so eine Warnung, von schönen Frauenlippen kommend, muss wohl eher als Herausforderung gelten. Dieser Ansicht ist auch Tiburce; er sendet zum Dank für diesen Brief, in welchem ihm Frau von Noves eine Beschreibung ihres idyllischen Wohnsitzes gegeben, zwei Sonette Petrarcas, von seiner Meisterhand illustrirt. „Ich habe die Züge Lauras in Erregung gezeichnet, — werden Sie mir ihre Aehnlichkeit verzeihen?" frägt er, — und: „Gestrenger Maler, ich habe weder den Charakter noch die Gefühle der Geliebten Petrarcas, daher soll ich auch ihr Bild nicht wachrufen," giebt sie ihm zur Antwort. —

Der Künstler ist weise genug, bald von Petrarcas Art zu lieben, — „die am Morgen und am Abend, bei Tag und bei Nacht Tränen vergießt," — abzulassen. Nach kurzem Briefwechsel schon erklärt er: „Ich liebe Sie," — und Melissandre findet keinen Grund, diese offene Erklärung übel zu nehmen. Sie ist keine gewöhnliche Frauennatur, diese schöne Heidin, sondern ein ganz eigenes Wesen, ein Geschöpf der Sonne und der wilden Natur, unter deren Schutz und direkten Einfluss sie aufgewachsen ist. Sie selbst erzählt zu allem Anfange dem Künstler die Geschichte ihres jungen Lebens: „Wer ich bin? — Noch Niemand hat mir diese Frage gestellt, habe ich selbst es getan? Nein. — Was ich bin? Ich bin eine Heidin; das ist es, was mich von anderen Frauen unterscheidet. Warum ich eine Heidin bin? Das, mein berühmter Freund, will ich jetzt mit Ihnen zu ergründen suchen."

. Melissandre berichtet nun, wie ihr Vater dadurch ein erbitterter Feind aller Religion geworden, dass seine Gattin dem religiösen Wahnsinn verfallen war. Von da an bestimmte er, dass sein einziges Kind von Allem fern gehalten werden solle, was den Geist desselben irgendwie beeinflussen konnte; es sollte sich sein Wissen nur aus selbständiger Beobachtung der Natur bilden. Sie lernte durch Zufall lesen, nachdem ihr selbst die Bücher verboten waren, „denn sie verwirren den Geist; sowie das Wasser, an der Quelle geschöpft, am reinsten ist, so ist die unmittelbare Anschauung die richtige."

In geistvoller Weise zeigt uns nun die schöne Frau, wie das ein großer Irrtum gewesen. Nicht im Religionverbieten, sondern im Religionergründen, — im geistigen Zweikampfe zwischen traditioneller Unvernunft und der uns angeborenen Vernunft, — liegt der Schlüssel zum Tabernakel der wahren Erkenntnis, — und die Folge jenes strengen Verbotes war, dass Melissandre dem Drange folgte, allein das Geheimnis aller Dinge zu lösen; ohne Führer, ohne Richtung begann sie zu suchen. Sobald ihre griechische Erzieherin schlief, schlich sie in den Garten, um zu beobachten, was im Mondlicht und im Scheine der Sterne während der Nacht vorging. Es ist reizend dargestellt und zeugt von feiner Seelenbeobachtung, wie die Verfasserin den Zweck von Melissandres nächtlichen Exkursionen mitteilt: „Ich schlief auf den Wiesen, damit der Tau mich gleich den Blumen und Gräsern mit seinen Perlen bestreue; ich kletterte in die Wipfel der Platanen, um mich gleich den Vögeln auf den Aesten zu schaukeln. Ich suchte den Maler zu überraschen, der über Nacht die Erdbeeren rötet, die Pfirsiche mit Flaum überhaucht, die Pflaumen bräunt, die Schale der Aepfel glänzend macht, die Trauben dunkel und hell färbt, die Aprikosen vergoldet."

So bildete sich ihr Geist nach der Natur, und naturgemäß mithin musste sie sich auch eine individuelle Religion bilden, welche in den verschiedenen Naturkräften die Emanationen geheimnisvoller höherer Wesen sieht. Höhere Wesen insofern ihnen mehr Gewalt zu Gebote stand, als ihr, dem schwachen Menschenkinde, — im Grunde aber menschliche Götter, wie es immer waren und sind, nachdem sie der Mensch erst hat erfinden müssen. Auch Melissandres Götter sind die Stärksten, die Furchtbarsten, die Mächtigsten, die Allwissenden, — mit einem Worte ideelle Wesen mit der höchsten Potenz m e n s c h l i c h e r Eigenschaften ausgestattet. „Was meine Einbildungskraft am meisten beschäftigte, das war die Sonne; sie erschien mir als der sicherste Ausdruck des Göttlichen; am besten fähig, den Keim einer religiösen Idee im Menschen zu wecken. Die eingeatmeten Flammen des unsterblichen Gestirnes berauschten mich, ich suchte seine glühenden Küsse, ich glaubte in ihm e i n m i r ä h n l i c h e s, nur heißeres Wesen zu finden, das ich mit Strahlen bekränzte, das für mich L e b e n und G e s t a l t eines M e n s c h e n annahm, dessen Gewohnheiten ich teilte, zu gleicher Stunde mit ihm aufstehend, mit ihm mich niederlegend, — verliebt in sein strahlendes Antlitz, verzweifelt über sein Verschwinden wie über die Abwesenheit eines angebeteten Wesen. Die Sonne war meine erste Leidenschaft, mein erster Gottesdienst."

Durch ihre Erzieherin erfährt Melissandre Einiges über die Homerschen Götter, die Sonne tritt ihr jetzt in Gestalt des Phöbus entgegen, und dieser wird der Hauptgott, dem sie ihr geistiges Ich weiht. Das leibliche Ich wird bald die Beute Gardannes; wozu sich lange sträuben, da Herr von Noves nur dem Namen nach ihr Gatte ist? Einer jener Jammermänner übrigens, dieser leibliche Nachkomme der unvergesslichen Geliebten Petrarcas, — wie man sie leider nur zu häufig im wirklichen Leben begegnet; ein Spieler und Wüstling, der es ganz natürlich gefunden, das reichdotirte sechzehnjährige Mädchen zu heiraten, um dann in der elegant-unverfrorenen Weise solcher Gentleman-Banditen das Geld seiner Frau mit leichtfertigen Weibern durchzubringen! Der Zufall kommt endlich den beiden Liebenden zu Hülfe: Herr von Noves wird eines Tags im Duell erschossen und Melissandre ist frei. Ihr letzter Brief an Tiburce lautet: „Ich erhalte eine Depesche meines Vaters und erfahre den Tod des Herrn von Noves, der im Duell gefallen!

Apollo ist er Gott?

Soll ich dein angetrautes Weib sein?" . . . Mit dieser entscheidenden Frage schließt die Novelle. Novelle ist eigentlich nicht die richtige Bezeichnung; es ist eine Idylle in Briefen, die übrigens in einem Atem gelesen werden sollte, denn absatzweise genossen, wirkt sie etwas ermüdend, — auch möchte ich betonen, dass nüchterne Leute weniger Reiz daran finden werden, als solche, welche sich eben im Stadium des ersten Liebesrausches befinden; für diese ist sie wie geschaffen.

Mich interessirte die Lektüre vor Allem deshalb, weil ich die Heidin (Païenne) in der Originalsprache gelesen und mir schon damals dachte, dass diese sinnlich-mystische Erzählung in ihrer ciselirten Art, in ihrer Stilkoketterie schwer in deutscher Sprache wiederzugeben sein müsste. Der Uebersetzer hat seine Aufgabe mit Glück, Geschick und Geschmack gelöst.

Madame Adam ist eine äußerst sorgfältige Schriftstellerin, die mehr auf Stil, als auf Handlung hält; dabei verfügt sie über einen Reichtum von Gedanken, Dank welchem sie es zuwege bringt, ihre beiden Helden 156 Seiten hindurch fast ausschließlich nur über Liebe korrespondiren zu lassen, — eine Kleinigkeit für solche, die wirklich momentan von dem Taumel der Liebe erfasst sind, — aber ein Kunststückchen für den Autor, der diesen Frühling hinter sich hat!

Die Erzählung ist von einzelnen höchst poetischen Bildern durchflochten, insbesondere ist es Melissandre, welche in der Zeichnung von Stillleben und von Gegenden dem Künstler selbst den Rang abläuft. Vom psychologischen Standpunkte betrachtet, ist die Heidin mit Verständnis und Konsequenz bis zum Ende durchgeführt. Der nüchterne Leser hätte sich, wie gesagt, mit dem halben Umfange begnügt, — doch die Liebe bleibt ja ewig jung, mithin zweifle ich nicht, dass die Erzählung genug Bewunderer finden wird, . . . ja so Mancher, der nicht gerade mit besonders reger Phantasie ausgestattet ist, dürfte aus derselben Stellen schöpfen und als Eigentum verwerten, die ihn beim Gegenstand seiner Anbetung sicherlich eine gute Note eintragen werden.

Der Band enthält noch zwei Novellen: „Die Tochter des Adlerjägers", — „Die sprudelnde Quelle", — und ein Stimmungsbild: „Der weiße Teufel".

Die erste Novelle spielt im italienischen Gebirge, wo der Vater des jungen Mädchens gleich zu Anfang der Erzählung auf seiner gefahrvollen Jagd den Tod findet. Unvermutet erscheint ein junger Fremdling, welcher der Waise den Leichnam des alten Jägers begraben hilft, und dieser Fremdling entpuppt sich, nachdem er Mariannens Herz gewonnen, als Führer der gefürchteten Räuberbande. Jetzt schwankt das junge Mädchen zwischen Liebe und Ehrgefühl, bis erstere die Oberhand behält, und zum Lohn dafür entsagt Paolo seinem wüsten Treiben, allein das Verhängnis will es, dass ihn seine verlassene Schar auffindet und dass er den Kugeln seiner ehemaligen Genossen zum Opfer fällt.

In der zweiten Erzählung führt uns die Verfasserin wieder nach Südfrankreich. Zwei Familien stehen sich feindlich gegenüber: die aristokratisch-klerikalen Belissen und die demokratischen Arion. Ihre Kinder lieben sich, und glücklicher, als Romeo und Julie, sollen sie sich auch schießlich bekommen.

Eine piemontesische Sage giebt Anlass zum Stimmungsbilde „Der weiße Teufel". Was er mit seinen eisigen Fittigen berührt, ist rettungslos dem Tode verfallen, und so ist denn auch ein junges Paar seine Beute geworden, das nun in der kleinen Dorfkirche begraben wird. — Das Bild dieser Beerdigung bei Schneefall ist mit Sorgfalt und Liebe ausgeführt und macht der künstlerischen Feder der Verfasserin alle Ehre.

Ich habe diesen Geist des Novellenbuches in aller Kürze besprochen, weil ich die Heidin für die bedeutendste Nummer halte; die Verfasserin scheint derselben Meinung zu sein, indem sie diese „Hymen der Liebe", wie sie's selbst nennt, Alexandre Dumas widmet. In ihrer Vorrede sagt sie: „Litterarisch genommen, ist das Buch verwegen. In dem abgeschlossenen Tale, wo Petrarca die platonische Liebe verewigte, wage ich es, eine Leidenschaft voll Glut, voll Erwiderung, voll Genuss zu schildern.

Nancluse mit seinen kalkigen Abhängen, die der Sorgne und ihren üppig grünenden Ufern als Schale dienen, mit seiner Quellengrotte, welche die Phönizier einem segenspendenden Gotte geweiht, Nancluse ist zum Rahmen einer anderen Leidenschaft geschaffen, als der ausschließlich idealen Liebe."

Das mag wahr sein; südliche Sonne, südliche Luft, südliche Natur sind nicht die Elemente, um kaltes Blut zu erzeugen, und — wäre Laura so wie Melissandre in jene geheimnisvolle Grotte geraten, auch sie hätte vielleicht unter dem Einflusse der leidenschaftlichen Götter der Gewalt der Sinne unterliegen müssen . . . . .

Harmannsdorf. A. G. von Suttner.

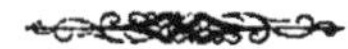

„Schlechte Gesellschaft."

Bei den Gegensätzen, welche durch die neuere französische Richtung hervorgerufen sind, bei dem Kampfe, der für und gegen den sogenannten Realismus entstanden ist, scheint es richtig und notwendig, sich zunächst einmal über die Aufgaben und Ziele aller Kunstbestrebungen klar zu werden.

In demselben Augenblick, wo wir beginnen werden, zwischen Studien und regelrechten Kunstwerken zu unterscheiden, die litterarischen Produkte unter diesem Gesichtspunkte zu prüfen, werden wir zu einer gerechten und unbefangenen Beurteilung gelangen.

Die größten Studien der Neuzeit sind von Emile Zola verfasst. Es ist gleichgültig, was seine Bücher enthalten: was er uns gegeben, entfloss seinem Genie.

An „Kunstwerke" in der Litteratur sind andere Bedingungen zu stellen. Sie dürfen nur die Aufgabe haben, sich in den Dienst des Guten, Wahren und Schönen zu stellen, und da sind die Mittel, welche viele der neueren Studienkünstler anwenden, unstatthaft.

Hauptvertreter der realistischen Schule, wie Bleibtreu, Conrad und Kretzer werden mir nicht beistimmen. Der Standpunkt der ersteren Beiden ergiebt sich aus den Vorworten zu Bleibtreus „Schlechte Gesellschaft" (Leipzig, Wilhelm Friedrich). Ich lasse diese folgen:

An Karl Bleibtreu.

Du hast mich in „schlechte Gesellschaft" gebracht. Nimm meinen Dank dafür! Sie behagt mir; denn ich habe als vorsichtiger Weltfahrer genau geprüft und gefunden, dass sie die — beste ist, denn sie ist die ehrlichste selbst in ihrer Verworfenheit. Sie kokettirt nicht mit ihrem Gewissen, wie es die patentirte honette Schurkerei tut. Ein großes Verdienst!

Ein noch größeres aber hast du dir erworben durch eine litterarische Behandlung, welche ohne Rücksicht auf die Gewohnheiten des Publikums und die Satzungen einer pseudo-idealistischen Schule die größten Schwierigkeiten aufsuchte und bemeisterte, um die höheren sittlichen Forderungen des echten Kunstwerks zu erfüllen. Und wie nahe lag die Versuchung, der alltäglichen, banalen, unsere schöngeistige Litteratur zum Teil noch beherrschenden polizeimäßigen Scheinmoral ein Zugeständnis zu machen und die enormen Schwierigkeiten des Stoffes durch eine ebenso gerühmte wie bequeme Technik feig zu umgehen!

Heil dir, dass dich der rechte Mut unserer wahrhaft sittlichen, weil unerschrocken realistischen Kunst nicht verlassen!

Also sprach Zarathustra: „Rede ich von schmutzigen Dingen? Das ist mir nicht das Schlimmste. Nicht, wenn die Wahrheit schmutzig ist, sondern wenn sie seicht ist, steigt der Erkennende ungern in ihr Wasser."

Du bist als Erkennender wie als Nachschaffender der Wahrheit bis in ihre abgründigsten Tiefen nachgegangen. Dem ästhetisirenden Gesindel mit seiner oberfaulen Sittlichkeit mag dein Tun fatal sein. Wir achten der grinsenden Mäuler nicht und der lüsternen Fratzen, und wo man uns ob unserer rücksichtslosen Lust an der reinen Kunst und Erkenntnis mit denunziatorischen Blicken verfolgt, gehen wir mit stolzer Verachtung vorüber.

So lass uns denn auch ferner in guter Waffenbrüderschaft des Weges ziehen und eingedenk des Schopenhauerschen Wortes unser Werk verrichten: „Ist die Wahrheit ein Skandal, nun so geschehe der Skandal und die Wahrheit werde gesagt!"

München, in den Hundstagen 1885.

M. G. Conrad.

Vorrede.

Grade durch den Gegensatz höchster Sentimentalität zu der völlig ungeschminkt dargestellten Rohheit des realen Lebens kann jener unheimliche Eindruck künstlerisch erzeugt werden, den das Wesen des Menschen bei jedem denkenden Beobachter wachruft.

Der Mensch ist keine Maschine und eine blosse physische Anatomie daher unrealistisch. Andrerseits soll rücksichtslos die Einwirkung des Physischen betont werden. Die verlogene Patchouli-Poetik, in welcher das Menschentier mit beschnittenen Krallen in Glacehandschuhen sich spreizt und gleichsam in Zuckerwasser besäuft, muss so lange befehdet werden, bis der tausendfältige Sündenschmerz der Menschheit endlich das Geflöte der Afterpoesie mit seinem donnernden Aufschrei erstickt hat.

Thakeray beklagt sich, man dürfe die Dinge nicht mehr beim rechten Namen nennen, wie der alte Fielding. Aber es steckt ein dämonisches Element der Unwahrhaftigkeit in jeder Rücksicht auf die Feuerversicherungsanstalten der konventionellen Moral. —

Technisch bemerke ich, dass die Einzelstücke unter sich zusammenhängen und von der burschikosen Einleitungs-Farce „Der dumme Brutus", die nur als historisches Catilinasymbol hierher gehört, zu dem Schluss des Werkes eine wohlberechnete Steigerung hinanführt. Warum der kleine Essay eingefügt ist, wird der verständige Leser erraten. „Die vielen Gedichte," höre ich jammern. Ja, sie sollen, o Polonius, mit eurem Bart zum Barbier!

Um Missverständnissen vorzubeugen, bemerke ich, dass „Gottlieb Ritter" so völlig in Mussets Denkart und Poesie (zu seinem Verderben) aufgegangen ist, dass er manchmal Mussetsche Gedanken wiedertönt.

Selbstverständlich sind die Figuren und Handlungen sammt und sonders erfunden; die Modelle dazu sind so leicht zu treffen, dass es sich hier für mich nur darum handelte, gleichsam Symbole zu schaffen.

Dies Buch ist nur ein Ausschnitt gewisser Gemütszustände, die besonders in jugendliche Idealisten den Keim einer moralischen Schwindsucht pflanzen. Mit solchen Einzelstudien des neudeutschen Daseins muss begonnen werden, ehe es gelingt, die komplizirte Mechanik der Gesellschaftsordnung analytisch in ihre Teile zu zerlegen.

Ich wünsche meinem Buche nur dreierlei: dass die Heuchler es unmoralisch, die Sentimentalen es brutal und gewisse jugendliche St. Beuves der Realistenschule es sentimental finden mögen! Dann wäre ich ja getrost in meinem Gemüte, dass ich ein hochmoralisches, gesundes und wahres Buch geschrieben haben muss.

Wohl, die Wahrheit soll immer über Alles gehen und in den Studien mag meinethalben die Aesthetik bettelnd an der Tür stehen. In dem Kunstwerk aber behält sie ihre ewigen und dauernden Rechte!

Ich meine, dass ein großer Künstler, ein Künstler im eminenten Sinne Alles sagen kann. Sein Genie wird das rechte „Wie" finden. Er wird auch nicht das Besondere schildern, sondern das Allgemeingültige.

Einer der größten deutschen Meister ist und bleibt Fritz Reuter. Er schilderte uns Land und Volk im Leben so, dass der gebildetse Geist und der einfachste Mann mit gleicher Befriedigung seine Bücher liest! Ist das nicht das Höchste, was ein Mensch erstreben kann?

Wenn Reuter nicht Dialekt-Dichter gewesen wäre, wir hätten kaum seines Gleichen.

Ein Kunstwerk ist z. B. auch Gustav Freytags „Soll und Haben". Ist es denn Zufall, dass solche Bücher Auflagen über Auflagen erleben? Wollen wir Etwas schaffen, das wir vor unseren Kindern verstecken müssen? Ja! lautet die Antwort. Wohl, es sei, aber dann nenne man auch die Dinge bei ihrem Namen: „Studien".

Carl Bleibtreu bietet uns in der „Schlechten Gesellschaft" Studien, von denen mehrere einen sehr bedeutenden Charakter tragen. Um sie gerecht und nach ihrem Werte zu beurteilen, müssen wir neben seinem Gesammtwirken den Kern seiner Bestrebungen ins Auge fassen. Bei Leuten, wie Bleibtreu, welche nicht nur Bücher schreiben, um Geld zu verdienen, die nicht deshalb in langen Nächten bei angestrengter Arbeit sitzen, um dem Publikum zu gefallen, sondern von jenem heiligen Ernst durchdrungen sind und von jenem Enthusiasmus getragen werden, durch welchen allein früher oder später etwas Großes, Bedeutendes sich gebiert, genügt nicht ein landläufiges Urteil mit „gut oder schlecht".

Ein solcher Mensch kann etwas Schlechtes, Mittelmäßiges überhaupt nicht schreiben. Er wird durch seine Fehler seine Größe dokumentiren.

Bleibtreu ist, meines Erachtens, noch in der starken Entwickelung seiner großen Kraft und ebenso großen Könnens. Er schuf noch keine absolut makellose Venus und keinen fehlerfreien Apoll; sein Meißelhandwerkszeug genügt bisweilen noch nicht ganz. In allen seinen Schöpfungen — nur viele seiner poetischen Produktionen nehme ich aus — fehlt jenes letztes Etwas der Feile, welches in dem Mangel wie ein Strich auf einem sonst tadellosen Spiegel wirkt.

Bleibtreu ist ein großer, ehrlicher, gewaltiger Kämpfer für seine Ideen. Es schadet auch nichts, dass ihm Hunderte oder Tausende nicht zustimmen. Ich bin auch in vielen Dingen sein Gegner, unterschreibe namentlich nicht seine Urteile über Repräsentanten in der deutschen Schriftstellerwelt. Er will das Gute, Wahre und Schöne auf seine Weise mit seinen Mitteln.

Das schöne, todtgeschwiegene Buch: „Der Nibelungen Not" war ein Anlauf zu etwas Hervorragendem, und würde nicht zu dem Bedeutendsten sich einiges Unreife gesellt haben, würde er nicht auch hier, wie später, seiner Passion gefolgt sein, Reflexionen neben der herlaufenden Erzählung in Poesien umzusetzen, wir hätten in „Der Nibelungen Not" einen zweiten „Ekkehard" gehabt.

Hoffentlich wird Bleibtreu dieses merkwürdige Erzeugnis seines Geistes noch einmal umarbeiten und seine Erfahrungen dann zu Rate ziehen. Wir würden ein Werk erhalten, das der deutschen Litteratur zur höchsten Zierde gereichen könnte.

Die Produktionskraft Bleibtreus ist erstaunlich. Viele seiner Gedichte tragen den Stempel des Großen. Sie suchen mit Erfolg eine erhabene Idee zum Ausdruck zu bringen, einen großen Schmerz, oder eine große Leidenschaft zu schildern. Er ist im besten Sinne ein realistischer Lyriker.

Als Stilist ist Bleibtreu ungleich. Neben durchsichtig-gedankenreicher Sprache finden sich Unebenheiten, und bisweilen verlässt den scharfen Kritiker die Selbstkritik. Dies zeigt sich auch in den fünf Studien, welche das oben angezeigte Buch enthält.

„Der dumme Brutus" muss uns durch die Idee versöhnen. Die Satire ist zu plump, um fesseln zu können.

In der „Prostitution des Herzens", sowie im „Raubvögelchen" gelangt der Realist zu seinem Recht. In beiden Erzählungen handelt es sich um eine Beschreibung jener Frauen, welche mehr durch die Verhältnisse in den Schmutz herabgezogen werden, als durch Beispiel, Erziehung, Veranlagung oder Vererbung.

Den Mittelpunkt bildet ein junger, mit sich selbst moralisirender, zu guten Entschlüssen sich nicht aufraffender Mensch. Es ist Alles vortrefflich, oft mit einer stupenden Sicherheit entworfen. Aber Bleibtreu begnügt sich mit der blossen Schilderung; er zeigt uns keinen Kampf an der rechten Stelle. Das Psychologische ist nicht hinreichend zu seinem Rechte gelangt. Es handelt sich mehr um Aufzählung von Aeußerlichkeiten, bei denen der Held mit dem unbefriedigten Sinnlichkeitsdrang erscheint, als dass er eingriffe. Was durch seine Brust geht, löst er in gesondert eingefügten Versen auf. Auf diese Weise fehlt beiden bedeutenden Erzählungen die rechte Vertiefung. Was Bleibtreu aus seinem reichen Geistes- und Gemütsleben uns bietet, wird in silbernen Schüsseln auf den Nebentischen servirt. Wir müssen immer erst aufstehen und dort Umschau halten. Weshalb der Dichter an dieser barocken Neigung festhält, verstehe ich nicht.

Er weicht von den natürlichsten Vorschriften ab und bringt den Leser nur um die Wirkung, die er durch seinen geistigen Spürsinn völlig erreichen könnte.

„Eine feine Familie" ist einheitlicher. Der Stoff brutal, die Darstellung rücksichtslos, die Studie an sich vorzüglich. Was das Kapitel: „Die Wechselbeziehungen von Kunst und Leben in der Poesie" enthält, sagt schon der Titel. Der Aufsatz ist geistvoll geschrieben.

In „Raubvögelchen", worin sich namentlich das ungewöhnliche Talent Bleibtreus dokumentirt, sind ganz wundervolle Schilderungen.

Die Tragik am Schluss ist ergreifend, überhaupt der letzte Ausgang dessen, was nicht anders werden konnte, solcher Art, dass man das Buch, durchschauert von dem Ende, aus der Hand legt.

Alles in Allem ist die „Schlechte Gesellschaft" das rechte, echte testimonium ingenii eines Menschen, der mit erhobener Riesenfackel oben auf der Spitze eines Berges steht und Licht verbreiten möchte gegen Dunkelheit, Schein und Lüge! Und dadurch wird auch dieses sein Buch geadelt!

Berlin. Hermann Heiberg.

Litterarische Neuigkeiten.

Von Friedrich Friedrich befindet sich im Druck: „Hinter den Kulissen. Humoristische Skizzen und Bilder aus dem Schauspielerleben." Der geschätzte Verfasser zeigt hier seine bekannten Fähigkeiten spannender Verwickelung, gefälliger Erzählung und guten kompositionellen Aufbaus. — Verlag von Wilhelm Friedrich in Leipzig.

Im Verlag von G. Callwey, München, erschienen: „Mimosen." Theaternovellen von Julius Grosse. „Die wilde Braut." — „Der Trankelsimmet." Erzählungen von Maximilian Schmidt.

Der rühmlichst bekannte Militärverlag von R. Eisenschmidt, Berlin, publizirte eine sehr interessante Novität: A. W. Wereschtschagin: „In der Heimat und im Kriege. Erinnerungen eines russischen Junkers aus der Zeit vor und nach Aufhebung der Leibeigenschaft." Deutsch von A. Drygalski. Das Anfang dieses Jahres erschienene Buch hat in Russland ein solches Interesse erregt, dass die erste Ausgabe im Laufe eines Monats vergriffen worden ist. Die Schilderungen des russischen Lebens erinnern in ihrer Lebhaftigkeit und Treue an Turgenjew, sind aber weniger pessimistisch gefärbt und wirken in der Hauptsache erheiternd. Die Realistik seiner Darstellung lässt überdies in Alexander Wereschtschagin durchaus den Bruder des Malers Wassili Wereschtschagin erkennen. Die den Russen so sympathische Persönlichkeit Skobelews steht bei den Kriegsschilderungen neben der des Erzählers entsprechend im Vordergrunde.

Der frühere Bibliothekbeamte Ugo Balzani hat das Werk des Oxforder Rechtslehrers Bryce über das „Heilige Römische Reich" ins Italienische übertragen. Der Verfasser hat die Uebersetzung durchgesehen, Anmerkungen hinzugefügt und den Text zum Teile bearbeitet. (Il sacro romano impero da Giacomo Bryce tradotto da Ugo Balzani. Napoli, La Vallardi. 1886. Lire 10.—.)

Die Verlagsbuchhandlung Barbèra in Florenz ist eine jener Firmen, welche sich am meisten um die italienische Dialektdichtung verdient gemacht haben. Dieselbe veröffentlicht eben eine Auswahl von Gedichten in der so gefälligen venetianischen Mundart. Der Herausgeber R. Barbiera hat 27 mehr oder minder berühmte Dichter herbeigezogen und seiner Arbeit einen Essay über die Dialektdichtung im Allgemeinen und den venetianischen Dialekt ins Besondere vorausgeschickt. (Poesie veneziane scelte ed illustrate da Raffaello Barbiera con uno studio sulla poesia vernacola e sul dialetto die Venezia. Firenze, Barbèra. 1886. XLVI a 308 S. Lire 3.50.)

Die Freunde des auch in seinen dramatischen Arbeiten mehr lyrischen Dichters Pietro Cossa seien auf eine nicht gerade bedeutende Sammlung lyrischer Gedichte aufmerksam gemacht, welche dieser Tage erschienen sind. (Poesie Liriche inedite di Pietro Cossa. Roma, editore Perino. Lire 1.—.)

Aus den Gedichten von **Jaroslav Vrchlický**, dem berühmtesten böhmischen Dichter (1858 geboren), hat E. **Grün** (Leipzig, Wartig) eine Auswahl übersetzt, nach welcher wir die ungemessenen Lobpsalmen, die Vergleiche mit Calderon und Lope, Heine und Byron, durchaus nicht rechtfertigen können. Ein genialer Hauch weht höchstens in „Gesang des Satyr“ und „Aktäon“, die an Shelley und Tennyson erinnern. Doch beweist auch der Cyklus „Satanella“ ein nicht gewöhnliches Talent.

Die Seelenfängerin. (Jena, Costenoble.) Unter diesem anlockenden Titel hat **Sacher-Masoch** seiner Galerie weiblicher Sultaninnen und Pelz-Venusse ein neues Makartsches Gemälde hinzugefügt. Seine blutrünstige Phantasie berauscht sich wieder in raffinirten Gräueln, nach dem alten Satze, dass Grausamkeit die Schwester der Wollust ist. Lebendige Schilderung, spannende Verwicklung und kräftige Situationsdramatik ist gleichwohl dem Buche nicht abzusprechen, das zu den gelungeneren dieses missleiteten Talents gehört. Der Zobel und andere Pelzwerke spielen natürlich wieder eine große Rolle. Von der lächerlichen Uebertreibung des bekannten Kolportage-Stils, in dem sich Sacher-Masoch gefällt, geben wir ein beliebiges Pröbchen auf Seite 94: „Sein Kopf . . mahnte an die **edelsten Gebilde hellenischer Meister**. . . Seine schlanke Gestalt war von der **göttlichen Muskulatur eines römischen Fechters und den tadellosen Proportionen eines hellenischen Dionysios**.“ Das ist ein bischen viel auf einmal. Wie übel hat dieser Mann mit dem ihm anvertrauten Pfunde gewuchert und wie schwer hat er sich durch seine auf die schlechtesten Leidenschaften spekulirende Produktion versündigt!

Die **Goethegesellschaft** hat wieder mächtig in Weimar getafelt. Wie wir hören, soll ein Strumpfband des Altmeisters entdeckt worden sein. Steht weit abseit, ihr Profanen!

Allein. Gedichte von Karl Poll. (Metzlersche Buchhandlung in Stuttgart.) Eine erfreuliche Gabe ernster und sinniger Weltbetrachtung, jedoch ohne das Gepräge eigenartiger Kraft.

Giacosa, der sich durch seine mehr gefällige als wahrheitsgetreue Schilderung des Mittelalters z. B. im Trionfo dell' amore, bei der Damenwelt in große Gunst gesetzt hat, ist von leichten versifizirten Drama zur Prosa übergegangen und giebt in einem Bande Novellen und Schilderungen aus dem Val d' Aosta einen von den Landesangehörigen geschätzten Beitrag zur Landeskunde, dem Freierfundenes zur Seite steht. (Giuseppe Giacosa Novelle e paesi Valdostani. Torino, F. Casanova. 1886. 356 S. Lire 4.—.)

In der Vorrede zu seiner vor Kurzem erschienenen Arbeit: „Der Cardinal Alberoni und die Republik San Marino“, deren kleinere Hälfte aus 160 inedirten Dokumenten besteht, versichert C. Malagola, dass die Archive des genannten, so überaus merkwürdigen Gemeinwesens nunmehr vollständig geordnet seien und ihre wertvollen Schätze dem forschenden Geschichtsschreiber offen stehen. (Il cardinale Alberoni e la republica di San Marino Studi e Ricerche di Carlo Malagola. Bologna, Zanichelli 1886. XIII a 752 S. Lire 6.—.)

„Laila. Schilderungen aus Lappland“ von **A. Friis**. Aus dem Norwegischen von Tischendorf. (Leipzig, Wigand.) Das Buch bietet unter dem anspruchslosen Titel ein kleines meisterhaftes Dichterwerk, das neben den in hohem Grade fesselnden Beschreibungen der Natur und der eigenartigen Sitten und Gebräuche jener nördlichen Gegenden zugleich einen Roman bildet, der auf jeden Familientisch passt, für Groß und Klein, harmlos, rein und schlicht und doch wissenschaftlichen Wert hat.

Zwei der sympathischsten Erscheinungen im Bereiche der deutschen Kunst und Litteratur: der Maler **Franz von Defregger** und der Schriftsteller **P. K. Rosegger** finden in den neusten zwanglosen Heften (40 und 41) der „Deutschen Bücherei“ (Verlag von S. Schottländer in Breslau) durch **Adalbert V. Svoboda** eine ebenso eingehende wie gehaltreiche biographisch-kritische Behandlung. Beide Hefte (à 50 und 60 Pfennige) bringen die gelungenen Porträte der geschilderten Lieblinge der Nation in Kupferradirung, so dass auch in dieser Hinsicht die Lebensbilder an Vollständigkeit und historischem Interesse nichts zu wünschen übrig lassen.

Im Verlage von Max Niemeyer in Halle a. S. hat eine **Altnordische Textbibliothek** zu erscheinen begonnen, welche altnordische, d. i. altisländisch-norwegische und altdänisch-schwedische Texte in handlichen Ausgaben und mit litterarhistorischer Einleitung und Glossar versehen, enthalten soll. Herausgeber ist Dr. E. **Mogk** in Leipzig, der auch die Sammlung mit einer trefflichen Ausgabe der **Gunnlaugssaga ormstungá**, dieser lieblichsten und zugleich in klassischer Sprache geschriebenen isländischen Saga, eröffnet hat. Als zweites Bändchen soll eine Neuausgabe der isländischen **Friðþjófssaga** in Aussicht genommen sein, welche von Dr. Ludw. Larsson in Lund, der eine neue Collation der Handschriften vornimmt, besorgt werden wird. Das Unternehmen muss als höchst dankenswert bezeichnet werden und verdient die ausgiebigste Förderung nicht nur von Seiten der Germanisten, sondern überhaupt von Allen, die sich für die herrliche, leider noch viel zu wenig bekannte altnordische Litteratur interessiren.

Der unverwüstliche **Gustav Schumann** hat seinen guten Freund **Fritze Bliemchen aus Dräsen** wieder fleißig interviewt und seine Beobachtungen unter dem Titel „Nur hibsch gemiethlich! A Stammdischalbum for seine lieben Freinde“ gesammelt. (Illustrirt von O. Gerlach und Anderen. Verlag von C. Reißner in Leipzig.) Einer Empfehlung bedarf Schumanns Humor nicht mehr, der ja in seiner Art schon klassisch geworden ist. Der berufene Humorist zeigt sich hier wieder in voller Frische.

Ziemlich gequält nimmt sich dagegen oft die Muse von **R. Schmidt-Cabanis** aus, deren Sprösslinge ein gar dickleibiger Band „Brummstimmen aus Papa Kronos Liederfibel“ vereinigt. Aber die große Versgewandtheit und die Vielseitigkeit des Autors, der sein scherzhaftes Steckenpferd auf vielen Gebieten umhertummelt, sind immerhin rühmend hervorzuheben.

„Gedichte“ von G. von **Schulpe**. (Leipzig, Leiner.) Diese Lieder verraten entschiedenes Stimmungstalent. Die Uebertragungen aus dem Ungarischen sind wohlgelungen.

„Der Waldenhorst.“ Romantische Dichtung von L. Brill. (Münster, Schöningh.) — Eine anmutige Dichtung in gut gebauten Versen.

Bei Casanova (Turin) erschien in vorzüglicher Ausstattung „I Lanzia di Faliceto“ von E. Calandra, mit Vorrede von G. Giacosa.

„Gedenkrede zur Feier von Börnes Jubiläum“ von A. **Klaar** (Prag). Eine schneidige glänzende Würdigung des tapferen Kämpen, wie wir von dem trefflichen Klaar erwarten durften.

„Die Herzogin von Finnland“ von Z. Topelis. Aus dem Schwedischen von O. Gleiß. (Gütersloh, Bertelsmann.) — Obschon sich in diesem historischen Roman, welcher die Liebe des Eroberers von Finnland, des späteren preußischen Feldmarschalls Keith, zu einer schönen Finnländerin schildert, viele „stumpfe Punkte“ befinden — d. h. Momente, wo der Roman in trockene pragmatische Erzählung übergeht; ein schwerer künstlerischer Fehler, an dem auch Wallothe römische Romane leiden —, so zeigt sich doch wieder an anderen Stellen eine gesunde Kraft der Auffassung und Darstellung.

„Leute von heute.“ Fünf Zeitbilder von **Ohrusen**. (Zürch, J. Schabelitz). — Wir werden auf dies Werk noch näher zurückkommen.

Ein Unternehmen, das wir mit Freude begrüßen, ist die in 12 Lieferungen à 40 Pf. erscheinende Erzählung „Aus dem nationalen Leben der Deutschböhmen“, welche **W. Schild** bei O. Leiner in Leipzig unter dem Titel „Auf treuer deutscher Wacht“ erscheinen lässt. Wie die Deutschen der tschechischen Hochflut begegnen müssen, wie die Deutschböhmen eine Vormauer gegen den Panslavismus bilden, wird darin lebendig geschildert.

Neue Erscheinungen.

Blau-Blümchen von Erna Velten. (Leipzig, Peterson.)

Die Marschal-Inseln von C. Hager. (Leipzig, Lingke.)

Was ist die Heilsarmee? von J. Pestalozzi. (Halle, E. Strien.)

In der Geisblattlaube. Ein Märchenstrauß im Garten der mütterlichen Freundin Frau J. Scheffel (der Mutter des Dichters) gewunden von Alberta von Freydorf. (Dresden, Meinhold & Söhne.)

Vier humoristische Novitäten (Leipzig, Albert Unflad): Lewinsky, Aus dem Guckkasten. — Delmar, Stille Geschichten. — Ohrenberg, In lustiger Gesellschaft. — Lindenberg, Federzüge.

Richard Wagner-Jahrbuch von Josef Kürschner. (Selbstverlag des Herausgebers.)

Aus dem Geistesleben der Gegenwart von K. Stommel. (Düsseldorf, F. Bagel.) — Der Inhalt des Werkes setzt die Vielseitigkeit des Autors in ein vorteilhaftes Licht.

Im Zwielicht von H. Sudermann. (Berlin, Lehmann.) Der Verlag posaunt fettgedruckt: „S. ist mit einem Schlage in die vorderste Reihe der deutschen Romanschriftsteller eingetreten.“ Nous verrons! Ein ganzer Sternenhimmel voll unter dem Wendekreis der Reklame!

Die Museen Athens. (K. Wilberg in Athen.)

Die drei jüngsten Hefte der Geographischen Universalbibliothek. (Weimar, Geographisches Institut) bieten: 1. „Riviera die Ponenta“ von O. Schneider. 2. „Die Erforschung der Nilquellen“ von H. Daum. 3. „Timbutku“ von K. Lüders.

Jahrbuch der Naturwissenschaften 1885—1886 von Dr. M. Wildermann. (Freiburg, Herder.)

Folklore in Southern India. Part I and II by Pandit S. M. Natêsa Sâstri. (Bombay, Education Society's Press, By Culla. — London, Trübner & Co.)

Heinrich Heine in Dorpat von P. Hagemann. (Berlin, A. Hettler.)

Der Traktat Rosch ha-Schanah mit Berücksichtigung der meisten Tosstot ins Deutsche übertragen von Dr. M. Rawicz, Bezirksrabbiner in Schmichsim. (Frankfurt a/M., Kaufmann.)

Diwân des Abraham Ibn Esra mit seiner Allegorie Hai Ben Mekis. Zum ersten Male aus der einzigen Handschrift, mit erläuternden Anmerkungen herausgegeben von Dr. Jacob Egers. (Frankfurt a/M., Kaufmann.)

Zeischrift für die Geschichte der Juden in Deutschland. Herausgegeben von Prof. Dr. Ludwig Geiger. (Braunschweig,-Schwetschke & Sohn.) Bd. I, Heft 1.

Liutai antichi e moderni. Genealogia degli Amati e dei Guarnieri secondo i documenti ultimamente ritrovati negli atti e stati d'anime delle antiche parrocchie dei S. S. Faustino e Giovita e di S. Donato di Cremona Note aggiunte alla prima edizione sui Liutai, publicata in Firens nell' anno 1885 per cona di Giovanni de Piccolellis. (Firenze, Le Monnier.)

„Aus dem Burgfrieden.“ Altmünchener Geschichten von F. Trautmann. (Augsburg, Litterarisches Institut von Dr. Huttler.)

Eine neue „German Grammar“ haben Ellis Greenwood und Romulus Vögler in die Welt gesetzt. (Hamburg, Meißner.)

„Saggio d'Estetica“ von Marco Lessona.“ (Turin, Casanova.)

„Tierbeobachtung und Tierleben der alten Griechen.“ Von E. Kurts. Leipzig, A. Neumann.

„Im Vaterhause.“ Roman aus Livlands jüngster Vergangenheit von Leon Hardt. (Dresden, Meinhold.)

Aus Zeitschriften.

Am 6. Juni 1886 wurde Nr. 1 eines neuen holländischen Blattes ausgegeben: „Het Nieuwe Zondagsblad“ unter Redaktion von W. H. von Heizningen. Verlag von C. L. Brinkmann.

Das fünfte Heft der „Romänische Revue“ (Budapest, Selbstverlag des Herausgebers Dr. Cornelius Diaconovich) enthält: Die Anfänge der „Academia Romana“ in Bucuresci. — Die Prozesse der „Tribuna“. — Ovid, Schauspiel von V. Alexandri. — Ein Rhomaiopheles. Kulturbild von F. Wiesbach. — Romänische Volksmärchen. Von L. Schönfeld.

Nr. 20 des „Allgemeinen Litterarischen Wochenberichts“ (Herausgeber Dr. M. Vogler) enthält einen trefflichen Artikel des Herausgebers über „Die heutige Lage des deutschen Verlagsbuchhandels und die sittliche Bildung des Volkes.“

Der „Londoner Zeitung“ entnehmen wir, dass die Eröffnungsversammlung der englischen Goethe-Gesellschaft (in deren Ausschuss Dr. Eugen Oswald gewählt wurde, was, da Oswald Präsident der Carlyle-Society ist, für beide Gesellschaften förderlich sein muss) durch eine schöne Rede von Max Müller-Oxford eröffnet wurde. Wir führen mit Beifall folgende Sätze an: „Nie sei es nötiger gewesen, Goethes Geist in uns lebendig zu erhalten, sowohl in Deutschland wie in England, als gerade jetzt, wo die internationalen Beziehungen zwischen den leitenden Ländern Europas schlimmer seien, wie zwischen den Wilden Afrikas; wo Religion, Philosophie, und Alles, was das Leben teuer und wert mache, missachtet und verspottet würden und solche verschrobene Ansichten vom Leben herrschten, dass man kaum seinen Augen traue, wenn man sich dem Lichte zuwende, welches vor kaum hundert Jahren von Männern wie Goethe, Wieland, Lessing, Herder, Schiller, Jean Paul und anderen Geistesheroen ausging, deren Schöpfungen ihm noch heute einen unbeschreiblichen Genuss verschaffe. Geld-Erwerb sei nicht das Ziel jener großen Männer gewesen und die Politik hätte bei ihnen nur eine untergeordnete Rolle gespielt; nie aber habe das geistige und gesellschaftliche Leben eine höhere Stufe erreicht, als zur Zeit jener schlichten, einfachen Männer in Weimar, deren Licht um so stärker leuchte, je weiter wir uns von ihrer Zeit entfernten. Noch sei der Weltfrieden zwar nicht da, denn noch würden Millionen von Menschen unter Waffen erhalten, um den Launen der Könige, oder vielmehr selbst der Botschafter zu dienen und wir befänden uns in einem fortwährenden Kriegszustande, den spätere Geschichtsschreiber als schlimmer wie die Zustände zur Zeit der Hunnen und Vandalen schildern müssten; durch die Welt-Litteratur würde aber diesen Zuständen ein Ende gemacht werden; Shakespeare habe durch seine unsterblichen Dramen mehr getan, die Nationen einander näher zu bringen, als alle Botschafter, und wenn Gladstone nicht italienisch studirt hätte, würde Italien heute noch nicht frei sein, wie das Studium der griechischen Dichter ja auch die Grundlage zur Befreiung Griechenlands gelegt habe. Deutschland und England aber gehörten zusammen, denn sie seien Bein vom selben Bein und Fleisch vom selben Fleisch, und das gegenseitige Studium der Litteratur beider Nationen könne dieses Gefühl der Zusammengehörigkeit nur erhöhen. Möge denn ein jedes Mitglied der Goethe-Gesellschaft im Geiste der Worte arbeiten: „Liebe Kindlein, liebet euch untereinander!“ denn wenn sie in diesem Geiste arbeiteten, würden sie Goethes Ideal verwirklicht sehen: „Friede auf Erden und den Menschen ein Wohlgefallen!“

In Nr. 24 der „Deutschen akademischen Zeitschrift“ findet Leo Berg treffende Worte für die herrschende moralische Feigheit in einem Artikel „Der Kulturkampf und die Litteratur“, worin der Mut mit Recht als erstes Erfordernis des wahren Dichters gepriesen wird.

Nummer 28 wird enthalten:

„Der Frankfurter Philosoph und die Frauen“ von Ernst Eckstein.

„Eine Sünde der Männer“ von Gerhard von Amyntor.

„Die Sage vom Welt- und Lebensbaum“ (Schluss) von Karl Blind.

„Wiener Autoren“ von Ernst Wechseler.

„Unser Geschichtsunterricht“ von Conrad Alberti.

„Byrons Dramen“ von Karl Bleibtreu.

„Münchener Theaterbrief“ von M. G. Conrad.

„Der slovenische Luther“ von H. Penn.

Alle für das „Magazin“ bestimmten Sendungen sind zu richten an die Redaktion des „Magazins für die Litteratur des In- und Auslandes“ Leipzig, Georgenstrasse 6.

Verlag von Wilhelm Friedrich, K. R. Hofbuchhandlung in Leipzig.

Einleitung

in ein

Aegyptisch-Semitisch-Indoeuropäisches Wurzelwörterbuch

von **Karl Abel.**

brochiert Mark 90.00.

Dr. Abel ist es im obigen, überall in Fachkreisen Aufsehen erregenden Werke in der That gelungen, Ordnung in das Chaos des egyptischen Lexikons zu bringen und hat die Lösung einer bedeutenden, oftmals gestellten, aber niemals beantworteten Frage unternommen; der Autor sucht in dem Werke die Fortschritte der Aegyptologie, an denen derselbe in so wirksamer Weise beteiligt ist, zur Begründung einer gemeinsamen Etymologie der drei grossen kaukasischen Rassen zu verwerthen und stellt darin den etymologischen Werth des Aegyptischen dem des Sanskrit an die Seite.

Philologen, Theologen, Historiker, Ethnologen werden dem hochbedeutsamen Werke, welches der Urgeschichte der Menschheit neue psychologische und ethnographische Thatsachen erschliesst, ihre Beachtung unbedingt schenken müssen.

Von demselben Verfasser ist erschienen:

Sprachwissenschaftliche Abhandlungen.

Ein starker Band broch. M. 10.—

Ueber den Gegensinn der Urworte.

In 8. broch. M. 2.—

Gross- und Klein-Russisch.

Aus Ilchester-Vorlesungen über vergleichende Lexikographie gehalten an der Universität Oxford.

Uebersetzt von **Rudolf Dielitz.**

In 8. broch. M. 6.—

Zu beziehen durch jede bessere Buchhandlung.

Verlags-Buchhandlung von **Ferd. Schöningh in Münster i. W. und Paderborn.**

Soeben erschienen und sind in allen Buchhandlungen zu haben:

Brill, Ludwig, Der Waldenhorst. Romantische Dichtung. In eleganter Ausstattung auf Velinpapier mit rother Randeinfassung. 146. Seiten. 8. broch. M. 2.40. eleg. geb. M. 3.60.

Brill, Ludwig, Der Singschwan. Lyrisch-epische Dichtung. 5. Aufl. 234 Seiten. 8. broch. M. 3.—, eleg. geb. M. 4.50. In kaum 4 Jahren die 5. Auflage.

Droste-Hülshoff, Annette Elisabeth, Freiin von, Gesammelte Werke. Nach dem handschriftlichen Nachlasse verglichen und ergänzt, mit Biographie, Einleitungen und Anmerkungen versehen von **Wilhelm Kreiten.** IV. Band. Die prosaischen Schriften und Jugendwerke. broch. M. 4.50. eleg. geb. M. 5.50.

Inhalt: Bei uns zu Lande auf dem Lande. — Die Judenbuche. — Bilder aus Westfalen. — Perdu. — Aus Familienbriefen. — Jugendgedichte. — Bertha. — Ledwina. — Joseph.

Ueberall vorräthig:

Revolution der Litteratur

von

Karl Bleibtreu.

Zweite vermehrte Auflage.

Preis elegant broschirt Mark 1.50.

Verlag von **Wilhelm Friedrich, K. R.** Hofbuchhandlung in **Leipzig.**

Zu beziehen durch jede Buchhandlung des In- und Auslandes.

Paul Heinzes Verlag in Dresden-Striesen.

Stimmen aus dem deutschen Dichterwalde,

ein Musenalmanach für das deutsche Haus.

Herausgegeben von **Alfred** und **Paul Heinze.**

Orig.-Prachtband mit dem Porträt **Carmen Sylvas.**

Preis 4 Mark.

Dieser Musenalmanach, ausschliesslich Original-Beiträge der nambaftesten zeitgenössischen Dichter enthaltend, ist von der Kritik auf das Glänzenste beurtheilt worden und eignet sich bei seiner prächtigen Ausstattung ganz besonders zu Geschenken.

Gedichte

von **Reinhold Fuchs.**

Preis eleg. geb. M. 3.60, broch. M. 3.—

Diese Gedichte des talentvollen, bereits zwei Mal preisgekrönten Autors zeichnen sich sowohl durch blendende Formschönheit, als durch Ursprünglichkeit der Auffassung und Empfindung, sowie durch bedeutende Gedankentiefe aus.

Soeben erschien:

Ringkämpfe

von **Ernst Eckstein.**

Hochelegante Ausstattung. Preis broch. M. 3.—, fein geb. M. 4.—

Vorräthig in allen grösseren Buchhandlungen.

Verlag von Wilhelm Friedrich, K. R. Hofbuchhandlung in Leipzig.

Emmer-Pianinos

von 440 M. an (kreuzsaitig). Abzahlungen gestattet. Bei Baarzahlung Rabatt und Frankolieferung. Preisliste gratis.

Harmoniums von 120 M.

Wilh. Emmer, Magdeburg.

Auszeichnungen: Hof-Diplome, Orden, Staats-Medaillen, Ausstellungs-Patente.

Von

Friedrich Friedrich

befindet sich im Druck:

Hinter den Coulissen.

Humoristische Skizzen und Bilder aus dem Schauspielerleben.

Zweite vermehrte Auflage.

Verlag von Wilhelm Friedrich in Leipzig.

Verlag von Tausch und Grosse in Halle an der Saale.

Des Lebens Wellenschlag.

Novellen

von **H. Steinau.**

Zweite Auflage.

8. 429 Seiten. broch. M. 4.— eleg. geb. M. 5.—

Allgemeine Hausfrauen-Zeitung VII. Jahrgang Nr. 17.

Wir können mit Recht dieses Buch als eins der so selten vorkommenden **guten** Werke empfehlen.

Die Wiedenburgs.

Roman in drei Abtheilungen

von **H. Steinau.**

8. 517 Seiten. broch. M. 4.50, eleg. geb. M. 5.50.

Neue Preussische (Kreuz-)Zeitung 1885. Nr. 289.

Seit Freitags „Soll und Haben" erinnere ich mich kaum einer so meisterhaften und sicheren Behandlung des Geschäftslebens in unserer modernen Litteratur begegnet zu sein.

Vorräthig in jeder grösseren Buchhandlung.

Für die Redaktion verantwortlich: Karl Bleibtreu in Charlottenburg. — Verlag von Wilhelm Friedrich in Leipzig. — Druck von Emil Herrmann senior in Leipzig.

Das Magazin

für die Litteratur des In- und Auslandes.

Wochenschrift der Weltlitteratur.

1832 gegründet von Joseph Lehmann.

55. Jahrgang.

Preis Mark 4.— vierteljährlich.

Herausgegeben von Karl Bleibtreu.

Verlag von Wilhelm Friedrich in Leipzig.

No. 28. — Leipzig, den 10. Juli. — 1886.

Inhalt:

Der Frankfurter Philosoph und die Frauen.

Von Allem, was Arthur Schopenhauer geschrieben hat, ist das Kapitel „Ueber die Weiber“ — im zweiten Bande der Parerga und Paralipomena — unzweifelhaft das bekannteste.

Menschen, die von dem innern Zusammenhange der Schopenhauerschen Philosophie keine Ahnung haben, prunken so keck und vertraut mit Bemerkungen über das „schmalschultrige, breithüftige und kurzbeinige Geschlecht“, dass man glauben sollte, sie gingen mit der Willenslehre zu Bett und stünden mit der „Abhandlung zur Teleologie“ wieder auf.

Es ist kaum eine Uebertreibung, wenn Paul Heyse in seinen „Kindern der Welt“ sogar einen Schuhmachermeister an dieser Errungenschaft Teil nehmen lässt.

Besagter Schuhmacher hat von einer kernhaften Stelle in § 378 gehört, wo es heißt:

„Mit den Mädchen hat es die Natur auf das, was man, im dramaturgischen Sinne, einen Knalleffekt nennt, abgesehen, indem sie dieselben, auf wenige Jahre, mit überreichlicher Schönheit, Reiz und Fülle ausstattet, auf Kosten ihrer ganzen übrigen Lebenszeit; damit sie nämlich, während jener Jahre, der Phantasie eines Mannes sich in dem Maße bemächtigen könnten, dass er hingerissen wird, die Sorge für sie auf Zeit Lebens, in irgend einer Form, ehrlich zu übernehmen.“

Von dem ur-pessimistischen Jammer, der aus diesen Zeilen heraustönt, ernstlich bewegt, sagt der Schuhmachermeister eines Tages zu seiner Gemahlin:

„Louise, du bist auch einmal ein Knalleffekt der Natur gewesen: aber der Effekt ist vorüber und es knallt nicht mehr.“

Der Dichter charakterisirt mit diesem drolligen Genrebild ganz treffend die außerordentliche Popularität jener Studie, und den eigentümlich pikanten Ruhm, den sie ihrem Verfasser auch in solchen Sphären bereitet hat, wo man sonst für „die Welt als Wille und Vorstellung“ sehr wenig Verständnis besitzt.

Ueberraschender Weise repräsentirt nun gerade das Kapitel „Ueber die Weiber“, trotz seiner glänzenden Einzelheiten, das Anfechtbarste, was jemals der Feder eines begnadeten Denkers entflossen ist. Die Beobachtungen sind willkürlich und ohne Zusammenhang neben einandergestellt; die darauf gegründeten Schlüsse entbehren der Stichhaltigkeit; das Ganze macht mehr den Eindruck satirischer Uebertreibung im Stile des Juvenal und ähnlicher Weiberverächter, als einer ernst gemeinten wissenschaftlichen Darlegung. Unsrer Meinung nach stellt der Autor in diesem Kapitel Einfälle, Gedanken, Stimmungen aus sehr verschiedenen Lebensperioden kaleidoskopisch zusammen; er liefert gleichsam Tagebuch-Notizen über innere Erlebnisse, — und in diesem Falle lässt sich das Kontradiktorische, das zwischen den einzelnen Aperçus obwaltet, vollkommen begreifen.

Schon gleich zu Anfang der Studie widerspricht sich Schopenhauer handgreiflich, wenn er in dem eben citirten § 378 den Mädchen „überreichliche Schönheit, Reiz und Fülle“ zuerkennt, während er kurz darnach (im § 382) die Absicht bekundet, diese Schönheit zu läugnen.

Denn hierauf zielt doch der Passus ab, der da also lautet:

„Das niedrig gewachsene, schmalschultrige, breithüftige und kurzbeinige Geschlecht das schöne nennen konnte nur der vom Geschlechtstrieb umnebelte männliche Intellekt: in diesem Triebe nämlich steckt seine ganze Schönheit. Mit mehr Fug als das schöne, könnte man das weibliche Geschlecht das unästhetische nennen."

Ich sage: der Passus „zielt darauf ab", denn im Grunde besagt er gar Nichts. Er enthält vielmehr eine leicht zu durchschauende Tautologie, die sich bei einem so eminent scharfsinnigen Philosophen, wie Arthur Schopenhauer, nur durch die Unterstellung erklärt, er habe beim Niederschreiben dieser schwarzgalligen Attacke seine eignen genialen Bemerkungen über die Metaphysik der Liebe völlig vergessen, und sei lediglich der Privatmann, der hypochondrische Misogyn, der verdrießliche alte Herr von der Table d'hôte gewesen, der sich ja unter Anderem auch darüber fast zu Tode ärgerte, dass die Kavallerie-Offiziere, die mitspeisten, monatelang Nichts aufs Tapet brachten, als Hunde, Pferde und Frauenzimmer.

Was heißt denn das: „Nur im Sexualtriebe des einen Geschlechts steckt die Schönheit des anderen?" Ist das nicht selbstverständlich? Oder giebt es auf diesem Gebiete etwa eine rein objektive Schönheit, die unabhängig wäre von einem perzipirenden und sie begehrenden Subjekt? Der Sexualtrieb, die Liebe, sucht sich unter den Individuen des andern Geschlechtes dasjenige zum Besitz aus, das in seiner Verschmelzung mit dem suchenden Individuum den Typus der Gattung am reinsten darstellen würde. Den vollendeten Typus aber nennen wir schön. Die menschliche Schönheit ist also durchaus nichts Positives, vom Sexualtrieb zu Trennendes; sie fällt vielmehr, wie ich dies anderwärts ausführlich erörtert habe, durchaus mit der Zweckmäßigkeit zusammen, und ist eigentlich identisch mit der Gesundheit im prägnanten Sinne des Wortes, insofern nämlich jede störende Abweichung von der typischen Norm auf einer Hemmung, d. h. auf einer Krankheit beruht. Gesunde Zähne sind schön, weil sie zweckmäßig sind; denn sie gewährleisten durch eine vollständige Zerkleinerung der Speisen eine zweckmäßige Ernährung. Eine hohe, ebenmäßige Stirne ist schön, weil sie zweckmäßig ist; denn sie verbürgt eine Reihe psychischer Eigenschaften, die im Kampf ums Dasein günstig und fördernd sind. Eine breite, vollentwickelte Brust ist schön, weil sie zweckmäßig ist; denn sie bedeutet die Tauglichkeit der Atmungsorgane. — Umgekehrt berühren uns nicht nur die sogenannten Gebrechen, sondern alle irgend auffällig hervortretenden Abweichungen vom Zweckmäßigkeits-Typus unsympathisch. Eine schmalhüftige Frauengestalt ist hässlich, weil die dürftige Entwickelung des Beckens das Schicksal der künftigen Generation kompromittirt. Ein im Punkte der Plastik stiefmütterlich behandelter Busen ist hässlich, weil er dem neugeborenen Kinde keine zweckentsprechende Nahrung gewährleistet. — Wo sich dagegen keinerlei Hemmung vorfindet, wo alle diejenigen Eigenschaften, die sich im Laufe der Jahrtausende als zweckmäßig für den Kampf ums Dasein bewährt haben, in möglichster Vollkommenheit ausgeprägt sind, da sprechen wir von der Schönheit κατ' ἐξοχήν, und je mehr sich ein Individuum diesem Typus nähert, um so entschiedener wird es von dem andern Geschlechte begehrt.

Es ist sonach absolut selbstverständlich, dass es der männliche Sexualtrieb ist, der das weibliche Geschlecht als das schöne bezeichnet. Er konstatirt hiermit lediglich ein Naturgesetz, prädizirt aber nicht das Geringste über eine etwa vorhandene objektive, allgemein gültige Schönheit, die etwa auch den Angehörigen einer anderen Spezies als der des *homo sapiens* gefallen müsste. Die Schönheit ist eben lediglich eine Abstraktion, die mit der verschiedenen Struktur des perzipirenden Gehirns variirt. Der Neger findet die Negerin ganz mit dem gleichen Rechte schön, wie der Weiße die Frauengestalten Rafaels; ja, wenn der Gorilla nach menschlicher Weise zu reflektiren vermöchte, so würde er eine recht typische Gorilla-Gestalt aus vollster Ueberzeugung und mit Aufbietung aller Beweismittel seiner Aesthetik als das Hoheitsvollste und Herrlichste hinstellen, was aus dem schöpferischen Schoße der Mutter Natur hervorgegangen.

Ist der Eingang des § 382 der Schopenhauerschen Abhandlung daher philosophisch durchaus hinfällig, so involvirt er, wie bereits angedeutet, vom Standpunkt des unphilosophischen Publikums einen untilgbaren Widerspruch mit § 378. Wer Beides in einem Atem gelesen hat, der fragt sich vergebens, was denn Schopenhauer nun von dem Liebreiz der jungen Mädchen faktisch behaupten will; ob er die „überreichliche Schönheit" des § 378 gelten lässt, oder die Negation derselben in § 382. Kein Oedipus löst dieses Rätsel, es sei denn, dass jener artige Backfisch Recht hatte, der von der Schwierigkeit dieser Frage in Kenntnis gesetzt, das große Wort sprach: „Die hübschen Mädchen werden ihm wohl gefallen haben und die häßlichen nicht." So geht's ja manchem Olympier in diesem irdischen Jammertal; er muss sich alsdann nur hüten, diese beiden kontradiktorischen Eindrücke mit der Naivetät eines lyrischen Dichters zu generalisiren und philosophisch klingende Thesen daraus zu schmieden.

Mit dem Aeußern also des schönen Geschlechtes hat der Kritiker Schopenhauer kein Glück.

Nun zu dem Innern!

Auch hier erweist sich der sonst so gewaltige Denker nicht sehr konsequent.

Einerseits charakterisirt er die Weiber in § 379 als falsch, verlogen, treulos, undankbar und verräterisch.

Andrerseits applaudirt er in § 375 den Worten Jouys, der da versichert:

„Gäbe es keine Frauen, so würde der Anfang

unseres Lebens ohne Hülfe und Schutz, die Mitte ohne Glückseligkeit, das Ende ohne Linderung und Trost sein."

Ja, er citirt sogar die pathetischen Worte aus Lord Byrons „Sardanapal" (Akt I, Szene 2):

. . . your last sighs
Too often breathed out in a womans hearing,
When men have shrunk from the ignoble care
Of watching the last hour . . .

Das wirkt bereits überraschend.

Weit schlimmer jedoch steht es mit der Polemik Schopenhauers gegen die Intelligenz der Weiber.

Man freut sich ja, wenn ein scharfer Dialektiker den „Feindinnen des reinen Gedankens" einmal die *leges* liest und ihnen nachweist, wie oft sie, durch ihre Instinke verblendet, wider die Logik sündigen

Schopenhauer geht jedoch mit den Siebenmeilenstiefeln seines Weiberhasses allenthalben ins Unbegrenzte; er übertreibt aus Prinzip, und *qui trop embrasse, mal étreint!*

Seine Ausfälle sind oft geradezu verblüffend in ihrer Unverträglichkeit mit gewissen Grundlehren der — Schopenhauerschen Philosophie, und hierin beruht ihre Komik für den Kenner des Schopenhauerschen Hauptwerks.

Die Abhandlung „Ueber die Weiber" spricht dem schönen Geschlecht *pure* Alles ab, was nach Verstand und Vernunft klingt.

Ihr gereizter Verfasser citirt mit Wollust den Ausspruch Rousseaus, der da lautet: *„Les femmes, en général, n'aiment aucun art, ne se connaissent à aucun e n'ont aucun genie."*

Er versichert aus eigener Erfahrung: „Weder für Musik, noch für Poesie, noch für bildende Künste haben sie wirklichen und wahrhaftigen Sinn und Empfänglichkeit; sondern bloß Aefferei zum Behufe ihrer Gefallsucht ist es, wenn sie solche affektiren und vorgeben."

Er stellt die These auf, dass die „eminentesten Köpfe des ganzen Geschlechts es nie zu einer einzigen, wirklich großen und ächt originellen Leistung" gebracht haben.

Er zieht die schroffe Behauptung Juan Huartes heran, die sich verdolmetscht wie folgt: „Die natürliche Zusammensetzung des weiblichen Gehirns ist weder eines besonderen Verstandes, noch eines besonderen Talentes fähig."

Er nennt die Weiber „die gründlichsten und unheilbarsten Philister", das in jedem Betracht zurücktretende zweite Geschlecht, „dessen Schwäche man schonen soll, aber welchem Ehrfurcht zu bezeugen über die Maßen lächerlich ist und uns in ihren eigenen Augen herabsetzt."

Alles dies steht nun zwar nicht im unmittelbaren Kontrast zu den sonstigen Erörterungen des Weiber-Kapitels: aber, aber — was viel bedenklicher ist — es widerspricht einem scharf und deutlich betonten Lehrsatze des Schopenhauerschen Hauptwerks.

Dieser Satz lautet:

„Der Mensch erbt den Charakter vom Vater, den Intellekt von der Mutter."

Wir wollen an dieser Stelle die größere oder geringere Gültigkeit dieser These nicht untersuchen; sie stimmt nicht einmal zu der bekannten Selbstanalyse Goethes, der vom Vater nicht allein „die Statur", sondern, als intellektuelles Moment, „des Lebens ernstes Führen" ererbt hatte; wir konstatiren hier nur die völlige Unverträglichkeit dieser Lehre mit den schroffen Attacken des Weiber-Kapitels.

Es lässt sich doch schlechterdings nicht absehen, wie das klägliche Jammer-Geschöpf, als welches Schopenhauer in jener Abhandlung das Weib zu schildern bestrebt ist, seinen männlichen Nachkommen, den zukünftigen Forschern, Dichtern und Philosophen, all' die glänzenden Eigenschaften auf dem Weg der Vererbung vermachen soll, wenn diese Eigenschaften, wie Schopenhauer behauptet, der Erblasserin selber so absolut fremd sind.

Nein, auch hier hat Schopenhauer der Essayist völlig vergessen, was Schopenhauer der Philosoph in seinem genialen Hauptwerke mit so blendendem Scharfsinn zu erhärten bestrebt ist; das Espritvoll-Pikante war hier der Feind des Wahren.

Der Widerspruch ist so unerhört, so verdrusserweckend, dass der Leser, der die betreffenden Stellen des Hauptwerks halbwege im Kopfe hat, bei der Lektüre des Weiberkapitels den Gedanken nicht los wird, der Frankfurter Philosoph schreibe hier aus rein individueller Verstimmung heraus. Eine lebhafte junge Dame äußerte geradezu — (die Bemerkung ist ächt frauenhaft, aber charakteristisch) —: „Aha, den hat gewiss Eine abfahren lassen!"

Wenn wir sonach zu dem Resultate gelangen, dass gerade die Grundidee jener so populär gewordenen Studie unhaltbar ist, so sei doch hier nochmals betont, wie äußerst wertvoll einzelne Paragraphen für die Beurteilung gewisser Eigenschaften des Frauen-Charakters und wie fruchtbringend die hier verstreuten Körner des Geistes sind. Die Kritik der modernen Ehegesetze z. B. zeugt von überraschender Kühnheit und Klarheit; die Bemerkungen über das Wesen der Galanterie wirken unendlich anregend und dürften, der Anschauung überfeinerter Ritterlichkeit zum Trotz, ernste Erwägung verdienen.

Eine Hauptfrage lässt Schopenhauer aus begreiflichen Gründen unbeantwortet: die Frage nach der Entstehung gewisser Charakterzüge, die das Weib allerdings wesentlich von dem starken Geschlecht unterscheiden. Er weist nicht nach, wie diese geistigen und gemütlichen Eigenschaften — (man könnte sie, nach einer bekannten Analogie, tertiäre Sexualcharaktere nennen) — sich im Lauf der Jahrtausende nach dem Gesetze der Anpassung notwendig entwickeln mussten. Er ahnte eben noch Nichts von dem großen biologischen Grundgesetze des Darwinismus. Schriebe er sein Kapitel über die Weiber jetzt, im neunten Dezennium, so würde sein Hauptaugenmerk gerade auf diesen Punkt sich zu richten haben. Er hätte dann nachzuweisen, was die Gesellschaft von ihrer primitivsten Gestaltung an bis auf die reiche Kultur-Epoche der Gegenwart aus dem Weibe gemacht hat; wie der leiblichen Differenzirung der Geschlechter eine geistige parallel ging, und wie die geistige noch straff und stramm über der Arbeit war, nachdem die leibliche das uns vorliegende Resultat in allen Punkten erreicht hatte. Hierüber ein andermal.

Dresden. Ernst Eckstein.

Eine Sünde der heutigen Männer.

Von Gerhard von Amyntor.

Sein „Schloss" war ein sehr behaglich eingerichtetes, äußerlich ganz unansehnliches Landhaus, in dem es sich für einige Herbstwochen sehr angenehm leben ließ. Dass das Haus „Schloss" genannt wurde, entsprach nicht nur dem stolzen Selbstbewusstsein meines Gastfreundes, sondern auch dem allgemeinen Brauche der dortigen Gegend, in der nun einmal jede Wohnung eines grundbesitzenden Edelmannes, und wenn sie mit Holzschindeln oder Rohr gedeckt wäre, ein „Schloss" heißen muss. Diesem Bedürfnis, den Wert einer Sache durch eine vornehme Bezeichnung zu erhöhen, genügte der Gutsherr auch an seiner höchsteigenen Person, indem er es stillschweigend duldete (ich hatte ihn sogar im Verdacht, dass es auf seinen Befehl geschah) — dass ihn die Dienerschaft und die Dorfbewohner „Herr Baron" anredeten. Er war der Spross eines adeligen Geschlechts, dem niemals die Baronswürde verliehen worden war, und hatte nur das ererbte Recht, nach dem Besitztum, das Steckenfeld heißen mag, sich als „Herr von Steckenfeld" geltend zu machen. Aber — merkwürdig — als ich am Tage meiner Ankunft vor dem „Schlösse" vorfuhr und einen Diener fragte, ob Herr von Steckenfeld anwesend sei, wurde mir im Tone einer fast tadelnden Berichtigung erwidert: „Ja wohl, der Herr Baron sind drinnen." Auch der Kutscher, der Gärtner, der Förster und das weibliche Küchenpersonal redeten den Schlossherrn nur als Herrn Baron an, und so gewöhnte ich mich bald selbst an diese willkürliche Standeserhöhung meines einstigen Studiengenossen, indem ich im Verkehr mit der Hausdienerschaft ihm ebenfalls dieses schmückende Prädikat gab, obgleich mir jedesmal bei solcher Gelegenheit ein gewisser spöttischer Ton eigen sein mochte.

Mein Pseudobaron war das Urbild eines liebenswürdigen Wirtes; was Küche und Keller nur zu liefern im Stande waren, das ließ er auf die Tafel kommen; er stellte mir seine Reit- und Wagenpferde zur Verfügung, gestattete mir die Benutzung seiner Jagdflinten und würde, wenn ich solch unbescheidenes Verlangen geäußert hätte, mir auch seine Rasirmesser geliehen haben. Nach dem Mittagsmahle, an dem seine etwas schwerhörige Gattin und sein achtzehnjähriges frisches Töchterlein Teil nahmen, brachte er stets seine besten Cigarren zum Vorschein, und wenn sich die Damen entfernt hatten, setzte er sich in einen Polsterstuhl am Fenster und blickte wiederholt durch die Scheiben, ob der Bote mit der neuen Zeitung nicht bald erscheinen wollte. Traf dann endlich das erwartete Tagesblatt ein, so bot er es mir jedesmal zuerst an, was ich aber dankend ablehnte, da ich sehr bald merkte, dass es seine Gewohnheit war, mit dem Blatte in der Hand ein wenig einzunicken. Ich saß dann ebenfalls an einem Fenster im Lehnstuhle, blies meinen Rauch in die Luft und dachte im Stillen, ein vernünftiges Buch oder Journal wäre jetzt eine recht erwünschte Sache. Am dritten Tage meiner Anwesenheit wagte ich eine darauf hinzielende Frage.

„Fritz," sagte ich, „hältst du für deine Damen gar kein Familienblatt? keine Monatsschrift? keine Zeitung mit einem größeren Feuilleton?"

Der Angeredete hob das Antlitz von seinem Tagesblatt und sah mich verwundert an.

„Feuilleton? Monatsschrift? Nein! Wozu denn?"

„Nun deine Damen verspüren doch gewiss das Bedürfnis zu erfahren, wie es in der Welt da draußen eigentlich zugeht."

„Mein Gott! dafür genügt ja dieses Blatt. Meine Tochter liest es des Abends meiner Frau vor."

„Hm! Das ist aber rein politisch. Was lest ihr an den Tagen, da keine Zeitung erscheint?"

„Aha, ich merke, wo du hinaus willst. Du hältst mich für einen „Junker", der sich nur um seine Pferde und um seine Jagd kümmert. Da bist du aber im dicken Irrtum: ich habe eine Bibliothek."

Er legte auf das letzte Wort eine besondere Betonung.

Nun machte ich meinerseits verwunderte Augen; von dieser Bibliothek hatte ich bisher keine Ahnung gehabt.

„Wirklich, mein Freund? Ei, da gratulire ich dir! du musst sie mir zeigen."

„Nun, es ist gerade kein anheimelnder Raum. Du weißt, mein Schloss ist klein; man muss sich zu helfen wissen. Ich habe den Bücherschrank auf dem Boden aufgestellt; wer einen Band begehrt, muss sich ihn von da herunterholen."

„Dagegen lässt sich nicht viel einwenden. Geht man doch auch nach dem Keller, wenn es gilt, ein besonders gutes Fläschchen persönlich auszuwählen. Führe mich zu deinen geistigen Schätzen."

Fritz stand auf und sagte zögernd:

„Sehr gern. Nur musst du nicht erwarten, ein volles Lager der ganzen modernen Litteratur zu finden; ich habe nur wenig . . . aber das Wenige ist gut."

Wir stiegen eine knarrende Treppe empor und befanden uns bald unter dem Ziegeldache des Hauses. Dort stand, aus Kisten und Kasten ehrwürdig hervorragend, ein verstaubter, wurmstichiger Schrank mit kleinen Glasscheiben, der mit alten Scharteken angefüllt war. Er war verschlossen.

„Wo ist nun der Schlüssel?“ fragte der Schlossherr und durchsuchte vergebens seine Taschen. „Warte einen Augenblick! ich will meine Frau rufen.“

„Aber ich bitte dich . . . jetzt? . . . du wirst sie stören.“

„Durchaus nicht. Geduldo dich nur; ich bin gleich wieder da.“

Und fort war er.

Ich benutzte die Einsamkeit, wischte mit meinem Sacktuch den Staub von den Scheiben und versuchte, die Rückentitel der einzelnen Bände zu entziffern. Was ich längst vermutet hatte, wurde mir zur Gewissheit. Es war eine Bücherei, die schon Fritzens Großvater angelegt haben musste: Werke von Klopstock, Wieland, Lessing, Herder, Thümmel, Musäus, Hölty, Voss, Stolberg und Anderen; keine einzige Schrift der späteren Zeit, geschweige der Gegenwart.

Frau von Steckenfeld und Fräulein Anna, die Tochter, betraten, von Fritz gefolgt, etwas atemlos den Bodenraum.

„Entschuldigen Sie nur,“ keuchte die ältere Dame, „wenn der dumme Schrank verschlossen ist. Ich begreife gar nicht . . . wo in aller Welt mag nur der Schlüssel stecken? Anna, hast du ihn vielleicht gehabt?“

„Ich, Mama? Du weißt doch, dass ich in meinen Leben nicht an diesen Schrank gehe . . .“

„Nun, ich doch auch nicht!“ unterbrach sie die Mutter fast empfindlich, „Fritz, besinne dich, du hast ihn gewiss verlegt!“

„Aber liebe Frau,“ beteuerte der Gatte, „seit zehn Jahren habe ich den Schlüssel nicht in die Hand genommen! Ob ihn nicht Johann . . . ?“

„Johann? Man kann nicht wissen . . .“

„Ja, ja!“ rief die Tochter, der eine plötzliche Ahnung kam, „der Diener wird uns schon sagen können, wo der Schlüssel ist. Wahrscheinlich steckt Johann der Köchin die Schmöcker zu, über denen sie alle Abende bis Mitternacht wach sitzt . . .“

„Ah!“ machte Frau von Steckenfeld, „deshalb auch der mir unbegreifliche Petroleum-Verbrauch! Und die Köchin deklamirt immer Verse, so dass ich ihretwegen schon den Doktor befragen wollte. Na, warte! dahinter wollen wir bald genug kommen!“

Sprach's und enteilte wie der Wind; Fräulein Anna hinterdrein.

Ich stand verblüfft.

„Lieber Freund,“ sagte ich verlegen, „da habe ich wohl ein Unheil angerichtet . . .“

„Durchaus nicht, mein Teurer!“ beruhigte mich der Schlossherr, „im Gegenteil, es ist mir ganz lieb, dass wir einmal dem Schlingel von Bedienten auf die Schliche kommen. Ich werde ihm das Hineinstecken seiner Nase in meine Bücher schon versalzen! Was braucht so ein Dorfbengel zu lesen oder meiner Köchin den Kopf zu verdrehen? Unsereiner liest ja auch nicht . . .“

„Aber, ich denke, deine Damen versorgen sich hier mit geistiger Nahrung?“

Fritz stutzte; er hatte sich verschnappt. Plötzlich lachte er hell auf:

„Ha, ha, ha! alter Junge! wozu das Versteckspielen? Da du es doch nun einmal weißt, will ich nicht länger hinter dem Berge halten . . . Was sollen uns diese alten Scharteken? Ich habe, bei meiner Ehre, genug im Felde zu tun und bin froh, wenn ich mit meinen Wirtschaftsbüchern zu Stande komme. Und meine Frau? Die schafft in Küche und Keller und quält sich mit den Dienstboten und mit der Wäsche und mit den Obst-Einnahmen; die hat wahrhaftig keine Zeit für all das krause Zeug, das auf Lumpenpapier gedruckt wird.“

„Aber deine Tochter, Fritz . . . sie muss sich doch durch Lektüre bilden, veredeln . . .“

„Bilden! veredeln!“ ahmte er mir spöttisch nach. „Der Teufel hole diesen Schnickschnack von Bildung! Soll Anna etwa ein Litteraturprofessor werden? Was braucht sie von Hölty und Musäus und den übrigen Hansnarren zu wissen?“

„Hm! nun ja! das Pensum ist etwas weitschweifig. Erspare ihr immerhin die Alten! Aber mit den Dichtern der Gegenwart sollte sie doch wenigstens bekannt werden . . .“

„Ach, geh' mir mit deinen Dichtern der Gegenwart! Mit Goethe ist unsere Litteratur aus; das versichern uns ja täglich die Herren Gelehrten. Soll sich mein Mädel mit überspannten Romanen die Phantasie beflecken? Sie ist so kerngesund und unverdorben . . . sie soll mir überhaupt nicht lesen! Sie strickt und stickt und flickt, dass es eine Art hat; sie kümmert sich um die Milchwirtschaft und hat den ganzen Eiersegen unter sich; ich sage dir, sie wird eine Hausfrau comme il faut, und der Landwirt, der sie einmal heimführt, kann von Glück sagen . . . wozu sollte sie ihre hübschen blauen Augen durch die Lektüre von Novellen und Mondscheingedichten verderben?“

Statt der Antwort seufzte ich. Das war derselbe Ideengang, den mir schon mancher praktische Landwirt entwickelt hatte; eher hätte ich einen Mohren weiß gewaschen, als diese festgewurzelten Ueberzeugungen gelockert und ausgerodet.

„Lass uns hinuntergehen“; sagte ich ablenkend, „es ist hier oben ungemütlich . . .“

„Gewiss; wir wollen uns unten eine neue Cigarre anzünden. Und heute Abend begleitest du mich auf den Anstand! ich weiß einen Wechsel . . . ich sage dir, es müsste mit dem Bösen zugehen, wenn wir den Rehbock nicht bekämen!“

. . . Es ist die allertatsächlichste Wirklichkeit, die ich hier berichte, und nicht ein Mal oder zehn Mal, sondern hundert Mal ist sie mir begegnet. Im Allgemeinen liest unser Grundbesitzer — lobenswerte Ausnahmen bestätigen überall nur die Regel — nichts als seine Zeitung und vielleicht noch das Bedeutendere aus der landwirthschaftlichen Litteratur. Die Belletristik und der Durchschnitt unserer adligen und bürgerlichen Grundbesitzer stehen zu einander in gar keiner Beziehung, ganz im Gegensatze zum englischen Landwirt, der keinen Anspruch auf allgemeine Bildung erheben zu dürfen glauben würde, wenn er seine Bekanntschaft mit den besseren Erscheinungen des schönen Schrifttums nicht auf dem Laufenden erhielte.

Dasselbe lässt sich von unserem Wehrstande behaupten. Wir haben das wissenschaftlich und gesellschaftlich gebildetste Offizierkorps der Welt; unsere jungen Offiziere müssen sehr fleißig sein und allerlei studieren, um den täglich wachsenden Anforderungen ihres Fachwissens zu genügen; die etwaigen freien Abende widmen sie einer unentbehrlichen, Herz und Gemüt veredelnden Geselligkeit; da glauben sich die Meisten von der Verpflichtung befreit, sich auch noch um die schöne Litteratur unseres Volkes planmäßig zu kümmern, und gelegentliche Theaterbesuche oder Durchlesung eines zufällig aufgegriffenen Romanes müssen die allernotdürftigste Fühlung mit den Erzeugnissen unseres schönen Schrifttums herstellen.

Nicht anders verhält es sich mit unserm Kaufmannsstande, der doch noch vor Allen die Mittel hätte, die neuen besseren Bücher zu kaufen und so ein Förderer der heimischen Dichtkunst zu werden. Der englische Kaufherr kauft die Werke der englischen Dichter. Sortiments-Buchhändler in unseren größeren Städten haben mir aber übereinstimmend versichert, dass der deutsche Kaufmann niemals ein belletristisches Werk begehre, und unsere Börsenmatadore haben wohl Zeit für Theater und Tänzerinnen, für Korsofahrten und Diners, für Konzerte und Bilderausstellungen, aber niemals für ein — Buch, und wäre es das bedeutendste, das der deutsche Genius erzeugt hat.

Der Durchschnittsgelehrte mit dem deutschen Zopfe liest nichts anderes als seine Fachschriften. Von unsern Handwerkern und Kleinbürgern wird man erst recht nicht eine Pflege und Unterstützung der schönen Litteratur, besonders Angesichts unserer sehr hohen Bücherpreise verlangen können, und so bleibt denn, immer vorbehaltlich der wenigen rühmenswerten Ausnahmen in allen Ständen, keine Gesellschaftsklasse übrig, auf die sich die Belletristik, wie auf ein sicher tragendes Fundament, stützen könnte. Unser schönes Schriftum ist ein Aschenbrödel, das sich die Erbsen einer selten gewährten Gunst mühselig zusammenlesen muss, ein Paria, dem man gelegentlich einen Obolus hinwirft, um einen gewissen Schein zu retten, mit dem man aber jeden näheren Verkehr ängstlich meidet. Gäbe es keine deutschen Frauen, die allein noch die Flammen auf dem Altar der Litteraturförderung hüten und vor dem Erlöschen bewahren, unsere Belletristik wäre längst an mangelnder Gunst der berufenen Faktoren elendiglich zu Grunde gegangen.

Dies ist ein Krebsschaden unseres öffentlichen Lebens, der eine Säftevergiftung des ganzen gesellschaftlichen Körpers zur Folge haben kann, und es verlohnt sich wohl der Mühe, das öffentliche Gewissen einmal wach zu rufen und auf die schweren Gefahren einer solchen allgemeinen ästhetischen Erkrankung hinzuweisen.

Die nächstliegende Gefahr besteht darin, dass eine Litteratur, die nur noch ausschließlich von Frauen gelesen wird, sich auch immer mehr geneigt zeigen dürfte, nur für das weibliche Geschlecht verlockend erscheinen zu wollen. In der Tat wird auch schon ein großer Teil unserer Belletristik nur noch von weiblichen Federn und für weibliche Leser verfasst. Wir sind nicht blind gegen die hohen Verdienste mancher schriftstellernden Frau, aber wir beklagen es ebenso aufrichtig, dass sich eine Unzahl ganz unberufener Frauen und Fräulein immer dreister zur Ausübung einer Kunst herandrängt, die gerade durch diese Frauen und Fräulein verwässert, entadelt und zu einer nichtsnutzigen und albernen Backfischlitteratur heruntergebracht wird. Und diese Verwässerung unserer Epik entfremdet hin wiederum dem schönen Schrifttum auch noch die letzte Gunst der deutschen Männer. Wenn wir aber erst glücklicher, oder richtiger, unglücklicher Weise so weit sein werden, dass kein deutscher Mann mehr einen neuen deutschen Roman kauft noch liest, dann wird eine Verrohung unserer öffentlichen Sitten hereinbrechen, von der sich die Kunstverächter heute noch keine annähernd richtige Vorstellung zu machen scheinen. Die politischen Kämpfe der Gegenwart zersetzen unsere Gesellschaft in Parteien und Gruppen, die sich immer feindlicher gegenüberstehen, einander immer erhitzter und rücksichtsloser befehden; soll hier nicht ein nacktes Barbarentum zur Herrschaft gelangen, so muss die Kunst die Rolle des ausgleichenden und besänftigenden Vermittlers übernehmen, der die Siedehitze des Hasses abkühlt und das rein Menschliche in den Herzen der Kämpfer wieder zur Geltung bringt. Man glaube aber nicht, dass die alleinige Pflege der bildenden Künste und der Musik dieses Wunder bewirken kann; nie wurden die bildenden Künste eifriger gepflegt als in dem kaiserlichen Rom, und nie ist die Bestialität geiler ins Kraut geschossen als in der Weltmetropole eines Nero. Ein Meisterbild, eine Prachtstatue, eine das Innerste ergreifende Musik kann uns wohl auf Momente aus dem Banne des erdrückenden und verwirrenden realen Lebens erlösen und in das beseligende Reich der Wunsch- und Begierdelosigkeit emportragen, auf längere Dauer aber kann diese nur die Dichtkunst mit ihrer ungleich stärkeren Nachwirkung und dem unendlich weiteren Umfange ihres Stoffgebietes. Die Dichtkunst operirt ausschließlich mit Gedanken; die schöne Form ist ihr nur ein Nebenzweck; nur durch den Gedanken nimmt sie die Geister gefangen und bewegt sie die Herzen. Vernachlässigt ein Volk die Pflege seines schönen Schrifttums, so zersägt es den Ast, der seine Gesittung trägt; immer lauter wird es dann den Ruf: „Panem et circenses!" erschallen lassen, und die nach roher Schaulust entfesselte Gier wird jedes Saatfeld der wahren Kultur orgiastisch zertrampeln.

Den männlichen Vertretern unserer sogenannten Bildung, die, ach! oft nur ein achtelblütiges Spottbild auf sich selbst ist, muss der Vorwurf gemacht werden, dass sie durch eine unverantwortliche Vernachlässigung unserer schönen Litteratur dem Bereinfluten der Verschlechterung unserer öffentlichen Sitten überall die Schleusen öffnen. Und wie unbewusstkomisch gebärden sich oft diese palast-bewohnenden Spitzen unserer Gesellschaft! Ich war in der „Soirée" eines befrackten und besternten Herrn, der sich gern das Ansehen eines Mäcenas gab und in seinen Salons die Blüte aller Kreise versammelte; er wusste den Namen des französischen Ortes, bei dem der eben eintretende General ein Gefecht bestanden hatte; er kannte die Verdienste des ebenfalls geladenen Professors um die Verbesserung des Kehlkopfspiegels; er dienerte vor dem berühmten Elektriker und beglückwünschte ihn zu der von ihm bewirkten Vervollkommnung einer Dynamo-Maschine; er schüttelte dem Reichstagsboten die Hand und fragte ihn nach dem Stande seiner Interpellation; als aber ein aller Welt bekannter Schriftsteller die Schwelle überschritt, rief er ängstlich seine Tochter herbei und fragte sie in aller Eile: „Um Gottes willen, Kind, was hat denn der Doktor X. eigentlich geschrieben?" Das Töchterlein wusste besser Bescheid, als der Vater, und blies diesem den Titel eines Werkes ins Ohr, über das nun der huldvoll lächelnde Wirt dem Gaste seine Komplimente drechselte. Vor solchem entwürdigenden Komödienspielen schrickt so ein moderner „Vertreter der ganzen Bildung unseres Jahrhunderts" durchaus nicht zurück ... Die schöne Litteratur ist ja ein Aschenbrödel, das man übersehen, ein indischer Paria, dem man den Rücken zukehren darf!

Man teilte mir neulich mit, dass Gottfried Kinkel kurz vor seinem Tode einen Vortrag in Karlsruhe gehalten habe, in dem er den Männern den Rat gab, in jeder Woche zwei Abende zu Hause zu bleiben und zu — lesen; er soll ihnen vorgerechnet haben, wie viel sie dabei an wahrer Bildung und die Litteratur an Förderung gewinnen würden. Wir möchten diesen Rat hier vor einem größeren Publikum eindringlichst wiederholen und die Männer, die sich so gern die Herren der Schöpfung nennen und oft mit einem so grundlosen Ueberlegenheits-Bewusstsein auf das schönere Geschlecht herabblicken, herzlich bitten, die Lücken ihrer unvollkommenen Bildung durch planmäßige Lektüre gewissenhafter auszufüllen. Und da wir annehmen, dass vielleicht auch der vorliegende Artikel nur von einer Mehrzahl von Frauen gelesen werden dürfte, so bitten wir dieselben, ihre Ehegatten und Söhne mit allen Mitteln ihres zauberkräftigen Einflusses zu einer treueren Pflege des schönen Schrifttums anhalten zu wollen. Der Mann aber, der sich etwa mit seinem ausschließlichen Anteil an den Werken der bildenden Künste oder der Musik hinsichtlich seiner Vernachlässigung der Dichtkunst entschuldigen wollte, ist allemal im Unrecht. Jede Kunst operirt mit Ideen, denn die aufgefasste Idee ist, nach Schopenhauer, die wahre und einzige Quelle jedes echten Kunstwerkes. Bildende Künste und Musik sind aber in ihrem Stoffe beschränkt, und nur die Dichtkunst beherrscht wegen der Allgemeinheit des Stoffes, dessen sie sich bedient, nämlich der Begriffe, den allergrößten Gebietsumfang. Ihr Hauptgegenstand ist aber der Mensch, und keine andere Kunst kann es ihr in Darstellung des Menschen gleich tun, weil ihr die Fortschreitung zu Statten kommt, die den bildenden Künsten mangelt. Darstellung des Menschen in der zusammenhängenden Reihe seiner Bestrebungen und Handlungen ist, nach Schopenhauer, der große Vorwurf der Poesie, den sie gründlicher wie jede andere Kunst zu erschöpfen weiß. Daher ist die Poesie als der Mutterschooß für alle Kunst zu betrachten; sie ist die Urkunst der Menschheit; das erste andächtige Gebetsstammeln des ersten Menschen gegenüber dem erdrückenden Geheimnis der Natur ist das erste lyrische Gedicht gewesen. Ohne Poesie ist auch keine andere Kunst denkbar; ein Maler, ein Bildhauer, ein Musiker, ein Architekt, der nicht zugleich Dichter ist, wäre besten Falles nur ein geschickter Farbenkleckser, Steinhauer, Geräuschmacher, Kasernenfabrikant. Und ein Laie, der irgend welchen Anteil an den bildenden Künsten oder der Musik zur Schau trägt und in seinem Herzen kein Verlangen nach den Erzeugnissen des schönen Schrifttums spürt, ist im Grunde nur ein kunstunverständiger, ja kunstfeindlicher Heuchler und Barbar. So, meine verehrten Leserinnen, stehen die Sachen, und wenn Sie zu Ihren Ehemännern wirklich wie zu Vertretern der ganzen modernen Bildung bewundernd emporsehen wollen, so müssen sich diese schon dazu bequemen, einen oder zwei Abende in der Woche nicht in den Klub oder das Wirtshaus zu gehen, sondern hübsch zu Hause zu bleiben und ein gutes Buch oder ein gutes Journal zur Hand zu nehmen und durch Vermittelung desselben wieder Fühlung mit unserer bisher von ihnen sündhaft vernachlässigten Belletristik zu gewinnen. Nur so werden die „Herren der Schöpfung" ihre mangelhafte Bildung vervollständigen und sich jene unentbehrliche ästhetische Kultur aneignen, die stets auf Geist und Geschmack und Duldsamkeit und jede damit verwandte

Trefflichkeit schließen lässt; dann wird, nach einem Worte Schillers in seinen „Briefen über die ästhetische Erziehung des Menschen“, „das Ideal das wirkliche Leben regieren, der Gedanke über den Genuss und der Traum der Unsterblichkeit über die Existenz triumphiren; dann wird die öffentliche Stimme das einzig Fruchtbare sein, und ein Olivenkranz höher ehren denn ein Purpurkleid.“ Dann würden wir auch zum Teil jenen Frieden wieder finden, den uns der immer leidenschaftlichere politische Kampf dauernd zu verscheuchen droht, und die öffentlichen Sitten würden an Feinheit und Verbindlichkeit gewinnen, die gerade auf dem Felde einer geschmackvollen und herzlichen Pflege der Dichtkunst so herrlich gedeihen.

Liebenswürdige Leserinnen, schmeicheln Sie mit der Zauberkraft Ihrer Ueberredungskunst den reifen männlichen Mitgliedern Ihres Hauses das feierliche Gelöbnis ab, dass diese neben den Pflichten des Berufes, der Vereinstätigkeit und des Wirtshauskultes auch der Pflicht des — Lesens fortan gewissenhafter nachkommen wollen, und fordern Sie es als ein Ihnen gebührendes Recht, dass ihnen der Gatte oder der Sohn irgend ein bedeutendes neues schöngeistiges Werk an einem bestimmten Abende der Woche hinfort selbst vorlese! —

Potsdam. Gerhard von Amyntor.

Die weibliche Feder in der Litteratur und ihre Kennzeichen.*)

Vor einigen Wochen erschien in diesem Blatte ein Aufsatz unter obigem Titel, der schwere Anklagen gegen die Schriftstellerinnen enthielt und diese für den Niedergang unserer Litteratur und das immer mehr schwindende Interesse des gebildeten Publikums für dieselbe verantwortlich machte. Möge einer „weiblichen Feder“ ein Wort zur Sache gestattet sein.

Der Verfasser jenes Artikels, Herr Arthur Pusch, beklagt zuerst „das Ueberhandnehmen des Virtuosentums in der Schriftstellerei, das sich hauptsächlich aus den Frauen rekrutire, die alle Journale und Zeitungen mit ihren Produkten überschwemmten und die vereinzelten kraftvollen männlichen Töne hinderten gehört zu werden. Schon, dass über 600 Schriftstellerinnen in Deutschland lebten, müsse bedenklich erscheinen.“

Wie kommt der Verfasser — ein Vertreter des starken Geschlechts — dazu, vor dem schwächeren so kleinmütig die Segel zu streichen, indem er diesem ein so unheilvolles Uebergewicht über die schreibende Männerwelt zuspricht? Vergisst er denn, dass es neben den 600 Schriftstellerinnen Tausende von Schriftstellern giebt, Tausende, die alle, weil sie eben Männer sind, es viel leichter haben als jene sich Gehör zu verschaffen und ihre Waare auf dem großen Markte abzusetzen? Uebersieht er, dass sämmtliche Zeitungen und Journale von Männern redigirt werden, die der schriftstellernden Dame eher ein ungünstiges Vorurteil entgegenzutragen pflegen, als das Gegenteil? In der Hand der Redakteure liegt es doch einzig und allein, welche der eingesandten Beiträge sie zur Veröffentlichung wählen — denn dass die 600 Schriftstellerinnen eine Macht repräsentiren, welche einen Zwang auf die Redaktionen auszuüben vermöchte, wird auch Herr Pusch nicht glauben. So muss es wohl ein anderer Grund sein als „die Ueberschwemmung mit den Produkten weiblicher Federn“, welcher die Redaktionen einer Menge von Familienblättern bewegt, eine Art von Litteratur zu veröffentlichen, die Herr Pusch ganz richtig als überspannt, weichlich, sentimental und unwahr charakterisirt, und für die er die schriftstellernden Frauen verantwortlich macht, während doch auch männliche Autoren reichlich dazu beisteuern, dass der Grund nicht in einem Mangel an besserem belletristischen Stoffe liegen kann, ist bei der großen Zahl tüchtiger Schriftsteller und der bekannten Ueberproduktion auf litterarischem Gebiet selbstverständlich, und dass die Redakteure, — hoch gebildete Männer, die häufig selbst als Litteraten Namen von gutem Klang besitzen, — an dieser Art von „weiblichen“ Romanen und Novellen Gefallen finden sollten, ist auch nicht denkbar. So wird es denn wohl einzig und allein der verwilderte Geschmack des großen Publikums sein, der hier entscheidet. Ihm zu Liebe bevorzugen die Redaktionen häufig diese Machwerke, die dem gedankenlosen Unterhaltungsbedürfnis der Menge zusagen, und suchen dieser noch weis zu machen, dass es besonders wertvolle Gaben seien, die sie geboten. Dass gerade jene Blätter berufen wären, den Geschmack zu bilden und zu veredeln und eine erziehliche Wirkung auszuüben, das vergessen die Herren Redakteure, oder vielmehr, sie sind genötigt es zu vergessen, wenn sie ihren Platz behaupten wollen, da es den Verlegern mehr auf die Abonnentenzahl anzukommen pflegt als darauf, eine höhere sittliche Aufgabe zu erfüllen. Sagte mir doch kürzlich ein befreundeter Redakteur ganz offen, als von einem Autor die Rede war, den er selbst einen geist- und gedankenvollen nannte: „Wir haben schon zwei Romane von ihm abgewiesen; sie waren für unser Journal zu gut.“ Und als ich meiner idealeren Auffassung der Pflichten seines Berufes Ausdruck gab, meinte er lachend: „Was hilft es uns, wertvolle Romane zu bringen, wenn wir dadurch nur Abonnenten verlieren? Was soll das Publikum mit Gedanken? Nur Liebe, recht viel Liebe und ein wenig spannende Handlung, das ist's, was Beifall findet.“

*) Anmerkung des Herausgebers. Wir teilen die in diesem Artikel ausgesprochenen Ansichten, trotzdem wir den Geist der Frauenlitteratur im Ganzen für verderblich halten. Den meisten männlichen Autoren aber, die doch auch nur „Liebesgeschichten“ verfertigen, möchten wir zurufen: Erst besser machen!

Herr Pusch behauptet, das die Frauen nur Liebesromane schreiben und auch nur dazu befähigt seien; die höchsten Probleme der Menschheit wären nie oder höchst selten ein Stoff, den Frauen dichterisch zu gestalten versucht oder vermocht hätten; seien sie doch nicht einmal im Stande unsere Zeit zu verstehen, geschweige denn sie geistig zu durchdringen. Außerdem stellt er den Satz auf, dass keine Frau es bisher vermocht hätte, den Charakter eines Mannes wahrheitsgetreu und natürlich zu zeichnen, dichterisch zu gestalten und durchzuführen, dass sie somit gegen den Ausspruch Proudhoms, dass die Kunst eine ideale Darstellung der Natur sein solle, fehlten. Zum Beweise führt er die „bekanntesten Schriftstellerinnen Fr. Bremer, Carlén und L. Mühlbach“ an.

Warum Herr Pusch wohl diese drei halb vergessenen, kaum noch gelesenen Schriftstellerinnen die „bekanntesten“ nennt? George Elliot, George Sand, Ottilie Wildermut hätten näher gelegen. Auch unter den 600 lebenden deutschen Schriftstellerinnen hätte er einige gefunden, die bekannter sind, als jene drei: zum Beispiel Fanny Lewald, Luise von François, Wilhelmine von Hillern, M. von Ebner-Eschenbach. Freilich hätten diese dann auch vielleicht das Gegenteil von dem bewiesen, was er beweisen wollte. Dass alle diese Frauen gewagt haben, hohe Probleme zu behandeln, dass sie wenigstens ein gewisses Verständnis auch unserer Zeit entgegenbringen, wird Herr Pusch nicht leugnen können; ob es wirklich keiner einzigen von ihnen gelungen ist, den Charakter eines Mannes wahrheitsgetreu zu zeichnen? — Gustav Freitag, der „Die letzte Reckenburgerin“ einen deutschen Musterroman genannt, wird nicht der Meinung sein.

Die eben angeführten weiblichen Autoren haben das Glück gehabt bekannt zu werden, obgleich sie zu den besseren Schriftstellerinnen gehören, und die Folge davon ist, dass sich ihnen jetzt auch die Spalten der wirklich gediegenen Zeitschriften öffnen. Viele andere Schriftstellerinnen aber, die auch „Gedanken“ haben und ihre Zeit geistig zu durchdringen suchen, werden, wenn nicht eine besondere Gunst des Schicksals oder des Zufalls sie emporträgt, umsonst nach dem Blatte suchen, das die Früchte ihres Schaffens veröffentlicht, umsonst nach dem Verleger, der das Risiko einer Buchausgabe auf sich nimmt. Gerade für die besten Schriftstellerinnen ist der Kampf mit der Ungunst der Verhältnisse oft ein sehr schwerer. Beweis dafür wieder Luise von François, die sich jahrelang vergebens bemühte, einen Herausgeber für ihre Erzählungen zu finden und sich schließlich nach Amerika wenden musste. — Ist aber endlich auch dies Hindernis überwunden und das Werk gedruckt — wie viele gute Bücher bleiben dennoch unbekannt und gehen im Wust wertloser Tageslitteratur verloren. Ich führe hier zum Beispiel den im Verlage des Magazin erschienenen Roman H. Lou: „Im Kampfe um Gott“ an. Wie wenige kennen das Buch, das gewiss nicht zu den unbedeutenden zu rechnen ist.

Der Herr Verfasser jenes Artikels wendet sich schließlich auch gegen die Romane der Frauen, welche es unternehmen „eine verwerfliche Tendenz dichterisch zu behandeln, — nämlich die Frauenemanzipation.“

Ich muss gestehen, dass ich keinen einzigen Roman kenne, der zu beweisen sucht, dass die Frau außerhalb der Ehe mit größerer Sicherheit ihre Befriedigung findet, als in der Ehe. Dass es zahlreiche Werke dieser Art giebt, wie Herr Pusch behauptet, scheint mir unglaublich. Das Elend der liebelosen Geld- und Versorgungsheirat ist allerdings ein stark benutzter Vorwurf für Romane weiblicher Autoren; die Tendenz kann aber Herr Pusch weder verwerflich finden, noch mit der Emanzipation verwechseln.

Dass die Schriftstellerin in den meisten Fällen nicht fähig ist, ganz objektiv zu urteilen, dass sie geneigt ist, das Gefühl herrschen zu lassen über den Verstand — wer wollte das leugnen. Vielleicht ist Herr Pusch auch im Recht, wenn er glaubt, dass die Einseitigkeit ihrer Geistesrichtung die Frau verhindere das Höchste zu leisten; — aber sind das Gründe, welche gegen die Schriftstellerei der Frau überhaupt sprechen? — die dazu berechtigen, das weit verbreitete Vorurteil gegen dieselben durch so scharfe Angriffe zu verstärken? Wer ist denn von den Männern gleich ein Goethe?

Es giebt auch unter den Vögeln Adler und Tauben, Nachtigallen und Grasmücken. Soll die Taube das Fliegen lassen, weil sie sich nicht zum Adler emporschwingen kann, soll die Grasmücke schweigen, weil sie nicht so schön singt, wie die Nachtigall? Nein, ein jeder brauche seine Kräfte so gut er es eben vermag.

Stettin. K. Rinhart.

Historisches.

Von der „Allgemeinen Kulturgeschichte“ von J. J. Honegger ist soeben der „Zweite Band. Geschichte des Altertums“ erschienen. (Leipzig, J. J. Weber). — Das bedeutende Werk beginnt mit einer Art Tabelle, in welcher die Unterschiede von „Alte Zeit“ und „Neue Zeit“ einander gegenübergestellt werden. Treffend wird erstere als Zeitalter der „Objektivität“, des „Formal-Sinnlichen“, u. s. w., letztere als Zeitalter der Subjektivität, der ideellen Entwickelung u. s. w., gekennzeichnet. Das Ende der alten Geschichte setzt Honegger 388 nach Christus, da er als chronologischen Markstein die Aufhebung des Jupiterkultus in Rom betrachtet. — Die Geschichte der alten Welt spaltet sich in zwei Perioden: die Geschichte des Orients und die Geschichte der Mittelmeerstaaten.

Richtig wird das Aegyptertum aus den Bodenverhältnissen erklärt, wie dies schon Bukles Methode war. „Aus den unabänderlichen Erscheinungen und Formen der Natur scheint in den Geist des Volkes übergegangen der strenge Sinn für Regel, Maß und Gesetz, die Folgerichtigkeit des Denkens." Wunderschön hat Hegel die Sphinx als das sprechendste Symbol ägyptischen Geistes erklärt: „Die Sphinx ist von einem Griechen getödtet und das Rätsel gelöst worden: Der Inhalt sei der Mensch, der sich frei wissende Geist." Dem Nilvolke galt als der erste irdische Urstoff der Schlamm, wie dem Nordländer das Eis.

Stellt China den prosaischen Instinkt und die mechanische Form dar, so nennt Honegger Indien das Land „kindlicher Ueberschwänglichkeit, des maßlosen Ueberströmens der Empfindung", eines Pantheismus, in dem ebenso wie in der chinesischen Staatsordnung das Individuum wertlos verschwimmt. „Auch in dieser Atmosphäre kommt kein persönlicher Charakter auf, keine Menschenwürde noch bewusste Sittlichkeit."

Im Gegensatz zu der ägyptischen Todessehnsucht und der indischen Selbstvernichtung bedeutet der Parsismus unserem Kulturhistoriker mit Recht „die Religion eines kampfmutigen arbeitstüchtigen Lebens und Ringens, die Selbstbefreiung des wahren Seins."

Die Darstellung der Juden und Phönikier, nicht gerade sehr sympathisch gehalten, hätte wohl hier und da eine etwas tiefere Auffassung zugelassen. Das Venedig des Altertums, Karthago, ist nach Möglichkeit gewürdigt.

Selbstverständlich ist der größte Teil des Werkes den Griechen gewidmet und es fällt auch hier manches treffende Wort. „Der Hellenismus ist die erste Welteinheit", heißt es Seite 346. Vielleicht ist er nächst dem Christentum noch heute der bestimmendste Verbindungs-Faktor der allgemeinen europäischen Kultur. Dem Volke der Kunst folgt dasjenige der praktischen Tatkraft. Wie Hellas Kulturarbeit hauptsächlich nach Osten, geht diejenige Roms nach Westen und Norden.

Das Resultat dieser realistischen Bildung ist ein naturgemäßes: Jede ausschließlich praktische Richtung (wie z. B. die des jetzigen Deutsch- und Preußentums) führt zum Materialismus. „Das ist das Los jedes Eroberers, der nicht zivilisatorisch wirkt."

Dieser Satz, mit dem Honeggers treffliches Werk schließt, bietet uns erwünschten Uebergang zur Betrachtung eines Werkes militärhistorischer Gattung, welches den größten Eroberer, der ursprünglich französischer Zivilisator war, aber allmählich in römischer Anti-Ideologie verrohte, behandelt. „Napoleon als Feldherr" von Graf York von Wartenburg, Hauptmann im Generalstab (Königl. Hofbuchhandlung Mittler und Sohn, Berlin 1886) zeugt von tiefem Studium der einschlägigen Litteratur, sowie von selbstständigstem Denken. Der Verfasser hat sich ein höchst interessantes Ziel gesteckt: Er will nämlich die elementare Notwendigkeit nachweisen, welche sowohl das Aufsteigen des Napoleonischen Genie-Gestirns als den Niedergang desselben bedingt. Er wählt daher als Motto des soeben erschienenen zweiten Teiles das Wort des großen Mannes selbst: „Ich kann sagen, dass ich mein einziger Feind gewesen bin." Ist es dem geschätzten Verfasser nun im ersten Teil glänzend gelungen, uns die Feldherrnentwickelung des meteorgleich auftauchenden General Bonaparte mit seiner rastlosen nervösen Spannkraft analytisch zu zergliedern und zu erklären, folgten wir ihm gern auch bei Darstellung des Empereurs und gaben wir ihm Recht, als er im Feldzug von 1807 bereits die Anzeichen der verhängnisvollen Nachlässigkeit, aus Ueberschätzung der eigenen Mittel und Verachtung der Möglichkeitsverhältnisse erzeugt, erkennen wollte, — so müssen wir hier im zweiten Teil, von Aspern bis Waterloo, öfters von Yorks Ansichten abweichen.

Das Buch gewinnt seinen Hauptreiz durch die gut gewählten Proben aus Napoleons Korrespondenz, wo in taktischen und strategischen Bemerkungen eine bewunderungswerte Sicherheit des Urteils sich ausprägt, die wir als den Mutterwitz des Genies oder das Genie des Mutterwitzes bezeichnen möchten. Sonst ein Meister der Rhetorik, wenn dies seinem Charlatanismus praktisch dünkte, ist seine Sprache hier stets schmucklos, einfach, lakonisch und trifft stets den Nagel auf den Kopf, oft Gewaltiges mit zwangloser Natürlichkeit, wie ein Cyklop einen Felsblock, hinschleudernd.

Allerdings hat York Recht, wenn er den Kaiser 1809 mit seinen eigenen Worten straft: „Die Zeit ist die große Kunst der Menschen. Das was 1810 geschehen soll, kann nicht 1807 getan werden. Die gallischen Nerven fügen sich nicht dieser großen Berechnung der Zeit, jedoch allein durch diese Rücksicht bin ich erfolgreich gewesen in Allem, was ich getan habe." Gleichwohl zwangen ihn tiefe politische Kombinationen, die York nicht gehörig zu würdigen scheint, zu mancher schnelllebigen Ueberstürzung. Wer würde auch zweifeln, dass 1809 Spanien wirklich im ersten Anlauf unterworfen und seine militärische Widerstandsfähigkeit vernichtet wäre, falls nicht der österreichische Krieg die Entfernung des Empereurs verlangt hätte!

Prächtig fertigt er Jourdans wahnsinnigen Offensivplan gegen Madrid ab; in Plan und Durchführung beim Einfall in Spanien bewährt er die alte Sicherheit der strategischen Anschauung; das centrale Durchbrechen der feindlichen Linie, dieses Lieblingsprinzip Napoleons, wird hier und 1812 nochmals in großartigster Weise durchgeführt. Wenn York einen Unterschied der Spannkraft zwischen dem Manne von Arkole und dem dicken Kaiser gleichwohl schon hier konstatiren will, nämlich in Bezug auf die nicht wie früher ermöglichte persönliche Allgegenwart des Feldherrn, — so scheinen uns dies einfach physische Fragen, die mit dem strategischen System selbst nichts zu tun haben. Auch bedenke man, dass des Welttyrannen Napoleon Geist von vielen Gegenständen zugleich belastet wurde, während der junge Bonaparte sich ganz konzentriren konnte.

Auf der vollen Höhe seines Genies zeigt sich Napoleon aber nun bei Eröffnung der bereits durch seine Generale verfahrenen Oesterreichischen Kampagne. Hierbei müssen wir das höchst bemerkenswerte Urteil Yorks, Jominis und Willisens, anlässlich der totalen Feldherrnuntätigkeit des Generalstabschefs Berthier, welches in der Anschauung wurzelt: Der Nicht-Militär, aber geborene Strategenkopf, hat hundertmal mehr Feldherrnwert, falls er nur mit Verständnis eine Menge Kriege studiert hat, als der älteste Haudegen. Die „Kriegserfahrung" an sich ist ganz wertlos.

Zahllose Beispiele verbürgen dies. Daher wird eben ein bürgerliches Revolutionsheer, falls dort die fähigsten und oft jüngsten Kräfte an der Spitze stehen, jedem legitimen geschulten Heere überlegen sein.

Und an dies Axiom sei hier gleich das andere angeknüpft: dass nur Geistesgröße und hohe Einbildungskraft den wahren Feldherrn macht. Darum nennt York die Begabung des Feldherrn „jener verwandt, die das Genie des großen Dichters macht: die Erkenntnis einer höheren als der rein sachlichen Wahrheit."

Wenn nun „die glänzendsten und geschicktesten Manöver Napoleons" bei Eckmühl und Abensberg stattfanden, wenn seine Tätigkeit damals so „großartig" war wie in den Tagen vor Mantua, so werden wir uns doch bedenken müssen, ehe wir die Nichtverfolgung der geschlagenen österreichischen Armee vor Regensburg als „ersten Merkstein einer in ursächlichem Zusammenhange stehenden Entwickelung" ansehen und der Tatsache, dass Napoleon nicht die beispiellose nächtliche Verfolgung der Preußen bei Waterloo hier inszenirte, gleich eine „symptomatische Bedeutung beimessen". Wir kennen ja die Motive Napoleons hier absolut nicht und dass der Erzherzog schon am andern Tage wieder kampfbereit stand, zeigt ja an, dass die Verfolgung mit den ermüdeten Truppen kaum so sichere Erfolge versprach, als man jetzt hinterher annimmt. Die französische Kavallerie verfolgte ja übrigens weit und lange genug. Viel wahrer scheint uns der Vorwurf der steigenden Sorglosigkeit, den York gegen Napoleon am Tage von Ebelsberg erhebt. „Immer wichtigere Fragen fallen für ihn jetzt unter den Begriff der Einzelheit, um die er sich nicht besonders zu bekümmern habe, die seine Unterführer schon erledigen würden." Und hier liegt die spätere Folge dieser Anschauung bei Kulm, Katzbach und Dennewitz nahe. Dennoch ist dieser Vorwurf, so wahr er sein mag, ein wenig rigoros. Denn dass der Oberfeldherr so großer Massen sich gewöhnt, nur das Ganze im Auge zu halten, ist doch natürlich. Wenn seine, obendrein in seiner Schule gebildeten Unterführer seinem Vertrauen nicht entsprechen, so trifft die Schuld nicht ihn. Jedenfalls aber scheint es uns ein wenig seltsam, fortwährend den jungen General einer kleinen Nebenarmee von 30—50000 Mann (1796) zur Beleuchtung des kaiserlichen Chefs der Großen Armee heranzuziehen. „Uebermenschlich" hat York ganz richtig die Leistungen des Siegers von Arkole genannt. Uebermenschlich ist aber auch die Tätigkeit des Kaisers vor Eckmühl wie — was York nicht genügend hervorhebt — später auf der Lobau und speziell vor der Schlacht von Wagram. Bei den Anforderungen der Allwissenheit und Allgegenwart, wie sie hier gestellt werden — in welch' traurigem Lichte möchten da die berühmten Leistungen der preußischen Führer von 1870 erscheinen!

Die Niederlage von Aspern (die übrigens keine eigentliche Niederlage, sondern ein bloßer Rückzug war) ist bei näherer Betrachtung sehr natürlich und gereicht der Führung des Kaisers nicht zur Unehre, während die Führung vor und bei Wagram nichts zu wünschen übrig lässt.

Der Einmarsch in Russland vollends, die schönen Manöver vor Smolensk zeigen das Genie des Kaisers vielleicht in höherem Grade wie je zuvor. Eins der Hauptgeheimnisse der Napoleonischen Strategie, die Frontveränderung, hatte hier freilich nicht den gewohnten Erfolg — auch ist Yorks Rüge, dass der Kaiser nicht den Uebergang bei Smolensk aufgab, als er es rechtzeitig besetzt fand, sehr berechtigt. Aber auch hier sind wir nicht klar, ob — wie am 19. Junot — nicht am 17. und 18. andre Korpsführer ungünstigen Einfluss auf die Operationen geübt haben.

Ganz vortrefflich weist York die gewöhnliche Besserwisserei zurück, Napoleon habe am Dnjepr Halt machen und nicht weiter vorrücken sollen. Unter den Umständen selbst war der Marsch auf Moskau die einzige letzte Möglichkeit des Erfolges. Ebenso überzeugend aber tadelt er das Nichtdransetzen der Gardereserve bei Borodino, trotz des dafür vorgebrachten bekannten Grundes. Und die gesammte Schlachtleitung dieser brutalen Frontal-Schlacht kann allerdings nur „Erstaunen" erregen. „Muss auch hier sein körperlicher Zustand zur Begründung der auffallenden Erscheinung herangezogen werden?" Wir hoffen nicht. Der Napoleon, den eine starke Erkältung (es scheint Halsentzündung gewesen zu sein) am Entwerfen eines genügenden Schlachtplans hindert, wäre nicht mehr wiederzuerkennen.

In seiner vollen Geistesgegenwart und Entschlusskraft zeigt er sich jedoch wieder auf dem Rückzug, namentlich an der Beresina und vorher bei Krasnoi („Krassny" schreibt York). Auf welche Kriegserfahrung lässt es schließen, welches Bild einer Veteranenarmee entrollt es, wenn der Kaiser den Befehl erteilt: „Man muss marschiren, wie wir einst in Aegypten marschirten" u. s. w.! Bei dem trotzigen

Ausharren des Imperators allein mit seiner Garde angesichts der ganzen russischen Armee, um den Rückzug seiner Heertrümmer zu decken, im alleinigen Vertrauen auf seinen sieggekrönten Namen, gerät York in Begeisterung. Ganz ähnliches wiederholt sich 1814 bei Arcis sur Aube. Aber hier müssen wir doch logisch fragen, worin denn dann das Nachlassen seines Genies und seiner Spannkraft sichtbar wird? Die Sache ist einfach die: Von 1809—15 kämpfte er mit gleichem Genie und oft noch größerer Energie unter ungünstigen Verhältnissen gegen Uebermacht und gute Generale ohne endlichen Erfolg, wie er bis 1809 unter günstigen Verhältnissen gegen schlechte Generale und schlechte Truppen mit höchstem Erfolg gekämpft hatte.

Dies einmal zugegeben, fällt aber der gedankliche Zweck der Yorkschen Gesammtbetrachtung in sich zusammen.

Großartig ist auch Napoleons Neuorganisation seiner zerrütteten Streitkräfte zu Beginn 1813. Seine Kavallerie war ruinirt, seine Infanterie bestand zum größten Teil aus blutjungen Konskribirten. Also musste Artillerie aushelfen. „Eine Truppe braucht um so mehr Artillerie, je weniger gut sie ist.“ „Die großen Schlachten werden mit Artillerie gewonnen.“ Er kämpft mit seinen unsicheren Truppen, als habe er noch seine alte Armee unter sich.

Wenn nun York Seite 242 nach Lützen und Bautzen urteilt, dass „ein Genie auch mit den unvollkommensten Mitteln zu siegen vermag, dass aber der dauernde Erfolg einem Staate besser durch eine festgegründete Organisation zu Teil wird“, so trifft dieser so wahre Ausspruch doch Napoleons eigene Feldherrntätigkeit an sich in keiner Weise. Ebenso wenig können wir uns mit dem Vergleich befreunden, der Seite 161—63 zwischen den Deutschen vor Paris 1870 und Napoleon vor Moskau gezogen wird. Das sind ja eben so durchaus verschiedene heterogene Verhältnisse, dass sie sich gar nicht vergleichen lassen. Vor allen Dingen hatte ja Napoleon nicht, wie die Deutschen, das eigene Land im Rücken, sondern war durch Deutschland — und zwar zuvörderst Preußen — von Frankreich getrennt.

Dass die Intendanturvorbereitungen, trotz der großartigsten Anstrengungen des Kaisers, sich 1812 als nicht genügend erwiesen, fällt wieder nicht ihm zur Last. Die französische Intendantur war sonst unter ihm vorzüglich, hat hingegen zu allen andern Zeiten absolut nichts getaugt. Dass sie einer so unerhörten Aufgabe nicht gewachsen war, ist nicht erstaunlich. Es wird uns ja vielleicht nicht erspart bleiben zu sehen, was unsre unablässig geübte höchstvollendete Intendantur in einem russischen Feldzug leisten wird und ob dann unsre, als Nordländer auch sicher gegen das Klima abgehärteten, Truppen so viel günstigere Resultate erzielen werden. Ueber den Feldzug von 1812 wird man erst endgültig urteilen können, sobald ein ähnliches Wagnis durchgeführt worden ist.

Ob man wirklich den Abschluss des Waffenstillstands von 1813 als eine so unverzeihliche Schwäche betrachten soll, wagen wir nicht zu entscheiden.

Hingegen muss jeder Unbefangene Yorks Kritik über Napoleons anfänglich glänzendes, später militärisch ganz unqualifizirbares Benehmen bei Dresden beipflichten. Dass Napoleon ermüdet, durchnässt und unwohl war, ist eben bei — Napoleon gar keine Entschuldigung. Wir müssen beiläufig fragen, an welche Leser der Verfasser wohl gedacht hat, als er bei „Prinz von Würtemberg“ unten eine Note beifügte: „Russischer General; führte das auf Peterswalde zurückweicheude Flügelcorps.“ Auf absolute Laien kann er doch unmöglich rechnen und auf einen halbwegs historisch Gebildeten wirkt eine solche Note über den Sieger von Kulm wie eine Beleidigung. Auch nimmt es uns Wunder, dass die militärisch so wertvollen Memoiren des Prinzen nirgends benutzt scheinen.

Ganz ausgezeichnet aber sind Yorks Betrachtungen über die Operationen Napoleons, die endlich zur Schlacht von Leipzig führten. Ja, hier hat er allerdings recht, das Bülletin vom 10. Oktober 1805: „Es regnet sehr, aber das verzögert nicht die Gewaltmärsche der Großen Armee“ mit den Briefen vom September 1813 zu vergleichen, wo das schlechte Wetter und immer wieder das schlechte Wetter ein entscheidendes Wort mitspricht.

Nachdem uns die Mitteilungen aus Norvins „Portefeuille de 1813“ über Napoleons meisterhaft klare Pläne Anfang Oktober zur Bewunderung hingerissen, müssen wir allerdings staunen über die schwankenden Missgriffe bei der Ausführung und die Verletzung seines obersten Grundsatzes, des vereint Kämpfens, durch Zurücklassung zweier Korps bei Dresden. Trefflich hat York diese militärisch unentschuldbaren Fehler durch den Zwiespalt des Herrschers und Feldherrn in Napoleon erklärt. Ueber den letzten großen Entschluss Napoleons, seine Basis zu wechseln und, über die Elbe gehend und Dresden aufgebend, Magdeburg als Stützpunkt zu wählen, ohne Rücksicht darauf, von Frankreich abgeschnitten zu werden, — denkt York ebenso, wie wir selbst dies in „Napoleon bei Leipzig“ auffassten. „Der Plan ist so schön und genial, wie nur je einer seiner Pläne gewesen war.“ Aber wenn er das widerwillige Aufgeben dieses Planes und die Unentschlossenheit Napoleons scharf tadelt, so scheint York uns die vielen privaten Hemmnisse (Widerstand der eigenen Generale, Abfall von Bayern u. s. w.) denn doch viel zu gering anzuschlagen.

Dass Napoleon bereits am 12. gezwungen war, die Entscheidungsschlacht bei Leipzig zu suchen, weil er sich einfach ausmanöverirt hatte und in einer Zwickmühle steckte, ist klar. Yorks Ausspruch:

„Nimmt man die ungünstigsten Lagen, Ulm, Jena, Sedan, so findet man sie nicht schlechter“ dürfte aber wieder übertrieben sein.

Die Betrachtungen über die inneren Linien und die zentralen Massen im Gegensatz zur konzentrischen Operation, an Jominis Ausführungen anschließend, welche das Kapitel „Leipzig“ schließen, sind sehr anregend. York bewundert Napoleon wiederum bei Hanau und giebt zu, seine Kraft selbst sei eigentlich nicht gesunken, sondern sie habe sich zu unstät geäußert. Sein Charakter habe nicht die Anspannung der Kraft gleichmäßig erhalten wie beim General Bonaparte. Wiederum können wir nur entgegnen, dass der General Bonaparte auch nicht entfernt die übermächtigen Gefahren sich umdrohen sah, wie der Empereur in seinen letzten vier Feldzügen. Deshalb können wir nicht, wie York nach dem Beispiel aller Autoritäten, den 9. bis 14. Februar 1814 (den Vorstoß gegen Blücher) neben den 12. bis 15. April 1796 stellen, sondern darüber. Denn es war ein Anderes, das Blüchersche Hauptquartier, York und Sacken mit den besten Truppen der Koalition zerschmetternd auseinanderzusprengen, und zwar nach verzweifeltster Lage und mit notdürftig zusammengerafften Truppen, als die österreichischen Mietlinge unter ihren Kamaschengreisen des vorigen Jahrhunderts.

Ueber die Kampagne in Frankreich bringt York im Uebrigen nichts Neues bei. Bei Betrachtung der schicksalsvollen Tage vom 14. bis 18. Juni 1815 legt er aber, unseres Ermessens, viel zu viel Wert auf die Nörgeleien von Charras. Allerdings sind der viel zu späte Angriff am 16., die sorglose Trägheit am Vormittag des 17., der etwas zu späte Angriff am 18. dem Empereur selbst als Fehler anzurechnen. Im Uebrigen aber erlag er einer Kette von Missverständnissen und Uebelständen (wie ich in einem Essay „Die Ursachen der Entscheidung von Waterloo“ nachzuweisen bemüht war) und seinem Verhängnis. Er sollte fallen. Denn trotz aller Fehler seiner Untergebenen und eigener Nachlässigkeit — griff Erlon, dem bestimmten Befehl gemäß, am 16. Abends bei St. Amand ein, so wurde Blücher entscheidend geschlagen. Und fiel Grouchy, der Ordre gemäß, auch nur am Abend des 18. zwischen die preußischen Marschkolonnen, so wurde selbst unter den ungünstigsten Umständen die Schlacht von Waterloo gewonnen; jedenfalls artete sie zu keiner Niederlage aus. Dass aber York, all seinen in zwei dicken Bänden entwickelten Grundsätzen untreu, das Daransetzen des letzten Trumpfes, der alten Garde, als einen Tollhausstreich bezeichnet, während wir es mit Grolmann-Damitz und Beitzke als den „größten Entschluss seines Lebens“ und unter den verzweifelten Umständen den einzig möglichen auffassen, — das begreifen wir wirklich nicht. Versöhnen aber muss uns die schöne Schlussbetrachtung (obschon auch hier wieder Erzherzog Karl, Skobelew, Gambetta als in ihrer Art große Führer auftauchen) über den ganzen Napoleon. Sie deckt sich im großen Ganzen mit unseren eigenen, in „Napoleon bei Leipzig“ „Das Geheimnis von Wagram“ u. s. w., ausgesprochenen Tendenzen, die natürlich nicht vom Standpunkt eines militärischen Fachmanns ausgehen.

Das ist für beide Teile, den Kritiker als Militär wie den Kritiker als Dichter, vielleicht nicht ohne Wert und bekräftigt durch Uebereinstimmung die allgemeine Wahrheit. In einer so kleinlich und philiströs rechnenden Zeit wie der unsern wird diese uns doch noch so nahe gerückte Märchenfigur, dieser corsische Autochthone, dieser fälschlich „der letzte Römer“ genannte Urmensch so wenig in seiner dämonischen Eigenart verstanden, dass ein geistvolles Buch wie dies des Grafen York nur mit lebhaftester Befriedigung von allen Verständnisvollen begrüßt werden wird. Es ist schon eine Tat, wenn dieser, mit allem Rüstzeug der Wissenschaft arbeitende, gründliche preußische Generalstäbler den Schlachtenmeister frischweg als das bezeichnet, was er war, nämlich: der größte Feldherr aller Zeiten.

Charlottenburg. Karl Bleibtreu.

Sprechsaal.

In Sachen anmassender Kritik.

Motto: Ich verlange von einem Kritiker, dass er selbst konsequent sei und erst nach eingehender Untersuchung ein Urteil fälle. J. J. Rousseau.

Die Deutschen haben bekanntlich eine Anzahl vortrefflicher Sprüchwörter, unter denen das lehrreiche: „Wer im Glashause sitzt, soll nicht mit Steinen werfen“, nicht gerade das schlechteste ist. An diesen Spruch wurde ich lebhaft erinnert, als ich den Inhalt eines Artikels, den Herr Dr. Oskar Welten, Bücherrezensent der „Täglichen Rundschau“ in Nr. 14 der „Deutschen Schriftsteller-Zeitung“ ersten Jahrganges, veröffentlicht hatte, mit dem Werte einer sogenannten „Kritik“ verglich, die denselben Herrn zum Verfasser hat, am 1. Juni dieses Jahres in der „Täglichen Rundschau“ abgedruckt wurde und sich mit meinem Roman „Drei Weiber“ befasst. In dem erwähnten Artikel der „Deutschen Schriftsteller-Zeitung“ beklagt sich Herr Dr. Welten über die kritische Verunglimpfung, welche die „Wiener Allgemeine Zeitung“ seiner Person und seinen beiden Novellenbüchern „Nicht für Kinder“ und „Buch der Unschuld“ — zwei unsterbliche Werke, über welche bereits Theophil Zolling in der „Gegenwart“ das kritisch-vernichtende Urteil gefällt hat, dass ihr buchhändlerischer Erfolg und litterarischer Wert nur auf die einen frivolen Inhalt voraussetzenden Titel zurückzuführen sei — zu Teil werden ließ.

Ich will zugeben mit Recht! Denn wenn man in einer objektiv sein sollenden Bücherbesprechung dem Autor das Bedauern darüber ausspricht, dass er anstatt die Feder zu führen nicht gelernt habe „ein anderes Handwerkszeug, Able und Pfriemen etwa, zu verwerten“, so ist das nicht mehr schön zu nennen; trotzdem kein Mensch, in Anbetracht dessen, dass das Schusterhandwerk ein uraltes und ehrliches ist, in diesem geschriebenen Bedauern eine persönliche Beleidigung finden wird. Singen doch die Nürnberger heute noch:

Hans Sachs war ein Schuh —
macher und Poet dazu.

Und weshalb hätte Herr Dr. Welten nicht das Angenehme mit dem Nützlichen verbinden sollen!

Zugegeben, dass Herr Dr. Welten in erster Linie über die (teilweise) Anonymität*) des boshaften Ratgebers empört war (ich speziell will ihm als ein großes Lob anrechnen, dass er seine Kritiken — wenigstens in der „Täglichen Rundschau" — stets, den Urheber kenntlich, unterzeichnet) — hat er doch kein Recht, sich aufs hohe Pferd zu setzen und Andern gute Lehren zu geben, bevor er sie nicht selbst beherzigt. Den besten Beweis dafür will ich durch Anführung einiger Stellen aus der „Kritik" meines Romans geben. Kritik? — nein, persönliche Beschimpfung! Man muss derartige Ergüsse gallsüchtiger Geister niedriger hängen, um ihre Wirkung vollkommener zu machen. Es würde den Raum dieses Blattes zu sehr in Anspruch nehmen, wollte ich das ganze Machwerk citiren; die meine Person betreffenden Stellen werden genügen. Herr Dr. Welten schreibt unter anderem: „Denn alle diese Menschen, die uns Kretzer hier vorführt, und ihre Zahl ist eine sehr stattliche, zeigen in fast verzweifelter Eintönigkeit dieselben widerwärtigen Charaktereigenschaften bei aller Verschiedenheit des Standes, der Namen, der Erscheinung etc. . . . . . Alle diese Männer, mit Ausnahme von einem oder zweien sind gefräßig, lüstern, knauserig, schmarotzerhaft, verlogen und verleumderisch, nur dass bei diesem die einen, bei jenem die andern gemeinen Neigungen vorwiegen, und alle diese Frauen bis auf eine, welche aber stark im Hintergrund gehalten wird, sind kokett, frech, skandalsüchtig und huldigen der „freien Liebe" aus Eitelkeit, Ehrgeiz, Temperament, oder — niederster Gewinnsucht . . . . . Noch mehr aber sehe ich die Verwilderung des Geschmackes bei diesem jungen Autor darin, dass er stadtbekannte Figuren der Berliner Gesellschaft ohne Aufgebot von feiner, geistvoller Satire äußerlich so plump kennzeichnet, dass man mit den Fingern auf sie weisen muss etc. etc. . . . Und es ist unverkennbar, dass eine mehr oder minder heiße persönliche Animosität, um nicht zu sagen Rachsucht, ihm hier die Feder geführt hat. Durch solches nicht genug zu verdammende Tun aber gesellt sich Max Kretzer als integrirender Teil (!) dieser von ihm so anwidernd geschilderten Gesellschaft bei und wir erwarten jeden Augenblick auch ihn selbst in dem Roman auftauchen zu sehen, wie es ja nachgerade auch litterarischer Brauch wird" etc.

Man verstehe nur recht: Mir persönlich, einem Manne, der bescheiden nur ganz seiner Familie und seinem Schaffen lebt, wird der Vorwurf gemacht, ich bildete den ergänzenden Teil jener als gefräßig, lüstern, knauserig, schmarotzerhaft, verlogen und verleumderisch geschilderten Gesellschaft (nach des ehrenwerten Kritikers Ansicht) meines Romans! Das heißt mit anderen Worten, ich besäße dieselben „widerwärtigen Charaktereigenschaften".

Ich habe nicht das Vergnügen, den „großen Kritiker" der „Täglichen Rundschau" persönlich zu kennen, würde mich auch vor diesem Vergnügen bedanken. Es ist sonst meine Art nicht, Anti-Kritiken zu liefern. Wenn ich Herrn Dr. Welten die Ehre gab, mich mit einer seiner Kritiken zu befassen, so geschah es hauptsächlich aus dem Grunde, um seinem Talente, anständige Schriftsteller zu beschimpfen, die gebührende Achtung zu erweisen!

In einem zweiten Artikel, den Herr Dr. Welten in der „Deutschen Schriftsteller-Zeitung" gegen den Kritiker der „Wiener Allgemeinen Zeitung" veröffentlicht hat, sagt er wörtlich: „Ich weiß eigentlich nicht, ob sich's der Mühe lohnt, über eine solche Persönlichkeit noch ein Wort zu verlieren. Man nagelt den Namen Dr. — — zu aller Nutz und Frommen öffentlich an und damit ist die Sache erledigt. Und doch! Das Auftreten dieses Individuums, welches den Mund so voll nimmt und sein Urteil als rücksichtslose Wahrheit gegen die Urteile der norddeutschen Zeitungskritik seinem Publikum auftischt, fordert unwiderstehlich zu der Frage heraus: „Wer ist eigentlich Dr. — —?"

Es scheint, als habe Herr Dr. Welten vorahnungsvoll diese Worte auf sich selbst verfasst.

Zum Schluss: In meinem Roman „Drei Weiber" kommt der Typus eines Berliner Durchschnittskritikers vor. In der Gesellschaft, in welcher er verkehrt, beantwortet man die Frage nach seinem Gewerbe stets mit den vielsagenden Worten: „Er lebt vom Schimpfen!"

Sollte Herr Dr. Oskar Welten sich darüber geärgert haben?

Berlin. Max Kretzer.

*) Der betreffende Kritiker, der den Artikel mit G. M. unterzeichnet hatte, hielt später in einer Zuschrift an die „Wiener Allgemeine Zeitung" unter Nennung seines vollen Namens sein Urteil vollständig aufrecht.

Wir bemerken zu dieser Erklärung noch das Folgende. Herr Kretzer beschäftigt sich hier nur mit dem persönlich beschimpfenden Teil jener Kritik. Uns aber sei gestattet, unserer Entrüstung darüber Ausdruck zu verleihen, dass ein selbst als Produzent so anfechtbarer Autor wie Welten in einem so absprechenden Tone über einen Kretzer zu urteilen, sein Werk „dilettantisch (!?) durch und durch" zu nennen wagt. Als ich persönlich Herrn Weltens Eigenart durch dieselbe Taktik, die ihm geläufig ist, einmal gründlich züchtigte — nämlich durch Aneinanderreihen seiner reizendsten Stilblüten —, war der gereizte Herr verblendet genug, meine vernichtende Rezension hinten in seinem Büchlein mit Wehegeschrei über meine Brutalität abzudrucken. Später passirte ihm ein ähnliches Missgeschick. Er ließ nämlich eine Besprechung meiner anonymen Broschüre „Paradoxe der konventionellen Lügen" vom Stapel, welche man bei einem solchen Allerweltsnörgeler getrost als begeistert bezeichnen darf. (Er sagt zum Beispiel: „Was dieser Anonymus auf wenigen Bogen sagt, ist tiefer und wahrer, klarer und einleuchtender, herzerhebender, und geistanregender als alle dicken Bücher Nordaus".) Wie schmerzlich muss er durch die meine Anonymität aufdeckende Anmerkung seiner Redaktion enttäuscht worden sein! — Aber in seinem eigensten Interesse raten wir ihm, durch Rezensionen wie die jüngsten über Kretzer (auch über den talentvollen Walloth, den er des Größenwahns bezüchtigt) nicht wieder einen üblen Schein zu erwecken.

Wir ergreifen aber mit Freude diese Gelegenheit, um uns wieder einmal im Allgemeinen mit den Gepflogenheiten unserer Kritikasterie zu beschäftigen.

Wenn wir von den Tagesrezensenten absehen, so müssen wir auch bei denjenigen, denen ein wirklich kritisches Talent zuzusprechen ist, die urwüchsige Frische eines genialen Kritikers, der mit keckem Draufschlagen stets den Nagel auf den Kopf trifft und, wenn er sich mal verhaut, immer noch im Hiebe selbst seine Muskulatur zeigt, fast durchwegs vermissen. Doch obschon barock und schwülstig und tüftelnd, verleitet der lehrhafte Orakelton der sogenannten „vornehmen" Kritik den Gutgläubigen, vom Wortschwall betäubt, zu der Vorstellung: „Ha, dies sind die wahren Hüter der Eleusinischen Mysterien! Wenn die mal erst selbst produziren, dann zittre, o Welt!"

Diese Lehrmeister sind jedoch meist klugredende Eklektiker, die aus allen Winkeln der Weltlitteratur Anregungen zusammenhaschen, um ihren Mangel an Elementargewalt zu verkleistern. Produziren nun diese hochfliegenden Geister von ursprünglich nur ästhetisch-kritischer Veranlagung, so kommt jene rhetorische Didaktik heraus, oder jene geschraubte erkünstelte Leidenschaft der Phrase, die alle Blößen ihrer engen Gestaltungsfähigkeit nur um so nackter und grade sie, die mit äußerster Schärfe die Werke der Ueberlegenen nach der Seite der „Kunst" oder „Form" hin bemängeln, als formlose Durchbrecher der Kunstgesetze zeigt — nur dass für wahre Naturkraft, wie bei Kretzer und ein paar Anderen, bei ihnen die Pose der Afterstärke eintritt.

Eine andere Sorte der „vornehmen" Kritik ist diejenige, welche sich angeblich wirklich ernsthaft mit einem Autor beschäftigt, sobald sie ihn seziren will, und trotz dieses künstlichen Scheins die Dummheit und Ungerechtigkeit des landläufigsten Rezensententums nicht verläugnen kann — jene Kritik, welche über einen Dichter einen vernichtenden Essay loslässt, ohne auch nur ein Viertel seiner Werke zu kennen.

Diese mangelhafte Kenntnis der Autoren, über die man ein Langes und Breites fabelt, ist man ja bei unserer leichtfertigen Geschäftskritik gewohnt. Aber vornehme Blätter sollten sich dessen enthalten.

So kennt ein Anonymus, der in den „Grenzboten" den Naturalisten lange Artikel widmet, auch nur meine „Schlechte Gesellschaft" und die vier Militärnovellenbücher.

Die letzteren findet er „viel erfreulicher" als meine „Novellen aus dem neudeutschen Leben", aber sie seien „gewiss keine Leistungen, auf welche sich der Anspruch gründen lässt, die Litteratur um eine neue und ergiebige Gattung bereichert zu haben". Neu ist die Gattung jedenfalls; ob sie „ergiebig" ist? Glaubt man vielleicht, dass ich nun diese Branche rüstig weiter beackern will, etwa wie Ebers eine ägyptische Romanfabrik „ergiebig" machte? Die weiteren Ausstellungen des Anonymus beweisen nur, dass er — mit Ausnahme von „Dies Irae" — über Zweck und Technik dieser Bücher völlig im Unklaren tappt. Wenn er aber meine „Politischen Phantasieen" und „phantastischen Orakelsprüche" nicht goutiren kann, so sollte er es wenigstens vermeiden, einen meiner Sätze („der Mensch verehrt nicht die Größe, sondern ihren Schein" u. s. w.) wörtlich ohne Anführungsstriche zu annektiren. So etwas ist nur dem geistreichen Dänen Brandes gestattet, dessen eigenartige litterarische Kleptomanie sich willenlos alles Glänzende, was ihm grade aufstößt, sogar von seinen Feinden aneignet.

Ohne Unwahrheiten geht es auch sonst nicht ab. So versichert Anonymus, Heiberg und Kretzer (die er übrigens sehr von oben herab behandelt) würden offenbar von der engeren Tafelrunde der Naturalisten nur geduldet, aber nicht für voll gerechnet!! Was werden Heiberg und Kretzer über diese Insinuation lachen — die doch eine erschreckende Unkenntnis der internen Verhältnisse verrät! Ist die Unwahrheit aber unabsichtlich, so geht einfach daraus hervor, dass Anonymus meine Broschüre gar nicht gelesen hat. Und dann schreibt er lange Essays über mich und die „Schule"!

Sonderbar wirken seine Bemerkungen über die realistische Lyrik. Von meinem „Lyrischen Tugebuch" heißt es, es enthalte an sich schöne Gedichte, die aber bedenklich an die angefeindeten „Wonnebrunzler und Feigenblätter" gemahnten. Wenn ich den wahren Sinn jenes Diktums recht verstehe, so meint Anonymus, bei mir kämen weder Unflätereien noch Revolutionsgebelfer vor! Ja, wenn er das unter „Realismus" versteht, so kann ich diese Insinuation nur belächeln. Nein, in der Lyrik giebt es nur ein Gesetz: Entweder ist es Poesie oder es ist nicht Poesie.

Dass ich im Schweiße meines Angesichts bemüht bin, aus meiner Lyrik alles Unreife auszumerzen, wo der stürmische Gedanke nicht zu runder Form sich gestaltete und besonders im Historischen geistreichelnde Prosa in Reime gebracht war — das wird meine neue Sammlung beweisen, die demnächst erscheint.

Gleichwohl ist es grundfalsch, wenn in einem lesenswerten Artikel der „Weserzeitung" von mir behauptet wird: „ . . . Man kann in Bleibtreu eine Steigerung seiner dichterischen Absichten deutlich verfolgen. Von Haus aus ist er besonders ein starkes lyrisches Talent und Gedichte, rein lyrisch oder balladenhaft, sind nicht nur in einzelnen Sammlungen . . . abgelagert, sondern sie dringen auch massenhaft in seine Novellen hinein oder sie bilden das Vor- und Nachwort seiner Bücher. Aber . . . die Haltung seiner Schriften wird immer eindeutiger und naturwahrer und in jener Parteischrift spricht er schon das große Wort gelassen aus, dass ein rechter Kerl die Welt mit seiner Lyrik nur nebenbei belästige."

Zuvörderst bin ich durchaus nicht „von Haus aus" Lyriker, sondern Dramatiker. Ganz gemeine äußerliche Gründe haben das Was und Wie meiner dichterischen Entwickelung wesentlich beeinflusst. Nicht ohne geheime Erbitterung muss ich daher das Treiben vorlauter Musenknaben betrachten, die eine Morgenröte der Poesie in ihren Gedichtelein, erschienen in kühnem Selbstverlag, erblicken, weil sie nicht ganz so seicht und läppisch reimen wie die Modepoetaster.

Die Einseitigkeit der Realisten, falls diese nur in Prosa dichten, wird wohltuend durch ein bischen Verspoesie durchbrochen, und ich weiß, dass Niemand unter uns den Vers an sich verpönen will — wie Zola in seiner eintönigen Einseitigkeit es gerne möchte. Wohl aber hat die „Weserzeitung" ganz Recht, wenn sie mir die These unterschiebt, dass echte große Prosadichtung etwas viel Bedeutenderes sei, als die schwungbafte Lyrik. Durchaus protestiren muss ich gegen die kleinliche Auffassung: weil Zola kein Lyriker sei, „so mag man schon daraus auf eine geringe Entwickelung des eigentlich dichterischen Vermögens in ihm schließen." Also weil ich ein „starkes lyrisches Talent" bin, darf ich mich von vornherein an „eigentlich dichterischem Vermögen" Zola hoch überlegen erachten?! Ich bedauere auf diese schmeichelhafte Logik nicht eingehen zu können. Welch ein Widerspruch ist es aber dann, wenn Verfasser mich mit Gutzkow vergleicht und doch bemerkt: „Ein ähnlicher Fall (nämlich das Fehlen lyrischer Begabung) zeigt sich bei Lessing, noch auffallender bei Gutzkow, und auch bei ihnen steht die dichterische Schaffenskraft völlig unter der Herrschaft des Verstandes, des denkenden Bewusstseins." Also bei Shakespeare steht „die Dichterkraft" nicht „unter der Herrschaft des denkenden Bewusstseins"?!

Doch die angeführten Beispiele sind charakteristisch, weil so plump gewählt. Ja freilich, Lessing und Gutzkow waren zwei der bedeutendsten Geister, die je ein Volk hervorgebracht hat, aber Dichter waren sie nicht, und mehr oder minder haben beide das zugegeben. Ich weise daher diesen Vergleich sowohl für Zola als auch für meine kleinere Person entschieden ab — nicht, weil ich also auch nach Zugeständnis der Gegner ein sogenannter „Dichter", das heißt ein leidlicher Lyriker, bin, sondern weil in Zolas und in bescheidenem Maße auch in meinen Prosa-Werken dichterischer Elementarismus zu spüren ist.

Und grade von diesem Standpunkt aus muss ich allerdings dabei beharren, „Schlechte Gesellschaft" fürs erste als „Höhepunkt seines dichterischen Schaffens" zu betrachten und alle Einwände dagegen bis jetzt als seichte Nörgeleien des Formalismus, und zwar von jeder Schattirung, gelassen abzulehnen.

Der Mann von der „Weserzeitung" will billig urteilen. So spricht er Conrad „gesunde Beobachtungsgabe und großes Darstellungstalent" zu und nennt Conradis „Brutalitäten" „geschickt geschrieben". „Nicht bekannt" sind ihm hingegen „die Schriften von Max Kretzer, dem Bleibtreu ganz besonderes Lob zollt". Aus dieser Unkenntnis eines wesentlichsten Faktors ist es zu erklären, wenn es ferner heißt: „Sie zeichnen in kleinen Novellen nur magere Bruchteile unserer Gesellschaft. Sie wetteifern mit Zola in der Genauigkeit der Einzelausführung, in dem ganzen naturalistischen Nachzeichnen jedes Umstandes, aber sie wählen die Stoffe so, dass es sich immer nur um die sinnliche Liebe handelt und diese rein nach der Seite ihrer leidenschaftlichen Wirkung geschildert wird. Es gilt dies besonders von Conrad in München und Bleibtreu in Berlin." Das sagt ein Mann, der meine Broschüre gelesen haben will, in welcher ich mit wahrer Vehemenz gegen die lächerliche Missdeutung, als ob Realismus und Erotik identisch wären, opponire und diese Einseitigkeit direkt „unrealistisch" nenne! Das sagt ein Mann, welcher nachher äußert: „Er ist ohne Zweifel ein sehr bedeutendes Talent, und hat bei erst siebenundzwanzig Jahren schon eine große Reihe von Werken hervorgebracht", wobei er ausdrücklich meine Schlachtepen anführt! Also ich verherrliche besonders die Erotik „immer nur", weil ich zufällig ein Buch dieser Art geschrieben habe! Auch die „Grenzboten" reden von „Irrungen einer starken und in ihrer eigentümlichen Stärke naturgemäß einseitigen Begabung", obschon sie doch meine Militärnovellen und meine Lyrik citiren! Es ist zum Verzweifeln. Also Jemand, der in einer „großen Reihe von Werken" sich „immer nur" bemühte, männliche große Ideen und Konflikte der landläufigen allbeherrschenden Minnepoesie entgegenzusetzen — der ist „besonders" ein Erotiker! Wahrhaftig, es gehört ein kühler Kopf dazu, um diesen gordischen Knoten von Sophismen und Widersprüchen zu durchhauen.

Grade weil ich nicht einseitig bin und die Möglichkeit eines so grundfalschen Vorwurfs einfach durch die Tatsachen ausgeschlossen sein sollte, darum darf ich, um mit der „Weserzeitung" zu reden, den Chorus der Jungdeutschen Lyriker „im Ganzen wohlwollend begrüßen, aber doch sehr väterlich mit ihnen reden, vor lyrischer Kraftvergeudung warnen und ihnen die höhere Bahn der realistischen Novellen zeigen". Denn wenn ein Prosaist wie zum Beispiel Balzac auf die Verskunst schimpft und dabei selbst notorisch nicht einen Vers zu Stande brachte (auch bei dem seligen Auerbach zeigte sich dies Phänomen), so denkt man mit Recht: Die Trauben sind zu sauer. Und das Gleiche trifft zu, wenn ein „moderner" Autor das Historische verspottet, weil ihm die Kenntnisse und die Auffassung dazu fehlen.

Nun denn, weil ich Verskünstler bin, darf ich es aussprechen, dass erst in der Prosa das eigentlich Geniale sich entfalten kann, vor allem, weil die Flittergold-Maskerade, wo ein Zwergpoetlein sich unter „schöner Sprache" und „vollendeter Form" drapirt, hier ganz unmöglich wird. Da heißt es einfach: Bist du bedeutend oder nicht? Einfach und schlicht, steht hier das Ding an sich, die tatsächliche Sache, in ruhiger Würde da und heischt von dir blutvolle Wahrheit. Nochmals wiederhole ich meine Blasphemie: „Dass oft eine schlechte Novelle mehr wirkliche Schöpferkraft verrät, als ein gutes Gedicht" und seufze dazu mit Hamlet: „Dies war ehedem paradox, aber nun bestätigt es die Zeit."

Und weil ich mich so viel im Historischen und Kulturhistorisch-Ethnographischen versucht habe, eben deswegen darf ich es aussprechen, dass mir der soziale Roman eines Kretzer als Giptel des heute zu Erstrebenden erscheint.

Dass ich aber auch der Lyrik ihren eigentümlichen Wert als Stimmungsduft bewahrt wissen will, zeigt die Einfügung so vieler Gedichte in meine „Schlechte Gesellschaft", welche teils die psychologische Motivirung diskret unterstützen, teils als eine Art gedämpfter Begleitmusik dienen, welche über der unheimlichen Stimmung, die über diesem schroffen Naturalismus lagert, verklärend schwebt. Nur ein oberflächlicher Formalismus kann — ein „zu viel“ gern zugegeben — an sich die zahlreichen Verseinsprengsel jener Novellen tadeln.

Mag die „Weserzeitung“ nur ruhig „Protest erheben gegen eine solche Fesselung der Dichtung unter ein einseitiges übertriebenes Gesetz“. Möge man sich an andere Realisten wenden, mich trifft der Vorwurf nicht. Hingegen streite ich einigen bitteren Ausfällen der „Grenzboten“ nicht eine scheinbare Berechtigung ab, aber nur eine scheinbare. Dass es angenehmer wäre, Prinzessinnen statt Schankmädel zu schildern, glaube ich schon, angenehmer und — leichter. Uebrigens sind die von mir geschilderten Typen von so ungewöhnlicher Art, dass die tiefe soziale Tragik, die ich eben aus diesen unterirdischen Verhältnissen schöpfe, hier doppelt kräftig wirkt. Genussmenschen und Weltleute jeder Sorte haben an meinem wahrhaft moralischen, von tiefster Selbsterlebtheit des Schmerzes durchsättigten Buche sicher kein Gefallen gefunden. Denn ich reisse der Venus die Larve ab und zeige ihre Bestialität. Und dabei soll durchaus nicht bloß von der Venus Vulgivaga die Rede sein, sondern ich suche ja zu zeigen, wie die Venus Urania sich eng derselben verschwistert. Den Satz: „Was allein unecht an diesen Schilderungen erscheint, ist die ihnen beigemischte ‚Ideologie‘,“ muss ich als Zeugnis einer psychologischen Unerfahrenheit und Unreife betrachten.

Im Uebrigen möchte ich dem Anonymus, der auch in meiner „Bonaparte-Anbetung“ ein gefährliches Symptom entdeckt, doch fragen, wo ich „mit der Forderung“ aufgetreten bin „als Vorläufer einer neuen Aera unserer Litteratur, als Präludium zur poetischen Symphonie des zwanzigsten Jahrhunderts anerkannt und bewundert zu werden“. Ich habe meines Wissens so etwas überhaupt nicht beansprucht, es jedenfalls nicht gefordert. Ob „Erscheinungen wie Bleibtreu keine Gesundung unserer Litteratur bedeuten“, das wird sich ja zeigen. Als besonnener Mann würde ich solche apodiktischen Aussprüche, zumal einem noch jungen und keinesfalls in sich abgeschlossenen Autor gegenüber, doch unterdrücken!

Mein kommender Roman, dessen Szenerie sich über Berlin, London, Schottland und Norwegen erstreckt, wird all diesen Tiradenmachern wohl selbst zu Gemüte führen, dass, was auch immer meine großen Schwächen, Blößen und Schranken sein mögen, ihre Vorwürfe nur bewusstem oder unbewusstem Schwindel entspringen.

Max Kretzer hat wenigstens das Glück gehabt, einen kongenialen Beurteiler zu finden, der, jedem persönlichen Interesse fremd, seine Bedeutung verstand und öffentlich mit Nachdruck hervorhob. Ich selber bin bisher noch nicht so glücklich gewesen. An warmen und wärmsten Beurteilern hat es mir nie gefehlt, an wirklich verständnisvollen aber nur zu oft. Jeder klammert sich an Aeußerlichkeiten oder würdigt nur eine Seite eines weitverzweigten Schaffens. Es zeigt wenig Verständnis, den Verfasser von mehr als einem Dutzend Prosa-Werken als „Lyriker“ anzupreisen. Es zeigt wenig Kenntnis, den Dichter über dem „Militärschriftsteller“ zu vergessen. Es zeigt aber auch wenig Verständnis, die Militärnovellen ganz zu übergeben, wenn man ein allgemeines Urteil über meine Eigenart abgeben will. Jedenfalls darf ich doch wohl eine auch nur halbwegs leidliche Kenntnis meiner Werke beanspruchen, ehe Jemand Artikel über mich schreibt. Ich wollte meinen Sinnen nicht trauen, als ich es erleben musste, wie bei dem Auftauchen des „Jungdeutschland“ ein Dichter, der seit 1879 rastlos wirkt, von einigen naiven Leuten gleichsam mit einem Verjüngungsprozess zu den sogenannten „Stürmern und Drängern“ gerechnet wurde, wenn auch nur als Führer. Da aber noch kürzlich R. v. Gottschall in einem sonst ziemlich sympathischen Artikel wunderlich genug war, das Schriftchen eines Jungdeutschen über die „Lyrikrevolution“ mit meiner Broschüre zusammen zu behandeln, so muss ich es denn also wohl offiziell aussprechen, dass ich jene jugendliche Tafelrunde von Lyrikern wohl mit Wohlwollen, aber schon die Idee einer Genossenschaft mit diesen begabten Anfängern als eine Beleidigung betrachte, die nur durch haarsträubende Unwissenheit und Leichtfertigkeit des Urteils oder aber durch wohlberechnete Absichtlichkeit inspirirt sein kann. Meine Genossen heißen: Kretzer, Conrad, Heiberg, Wildenbruch und noch manche andere — die Jungdeutschen Lyriker sind meinethalben Gefolgsmänner von Wert, aber das ist auch grade genug.

Karl Bleibtreu.

Für die Redaktion verantwortlich: Karl Bleibtreu in Charlottenburg. — Verlag von Wilhelm Friedrich in Leipzig. — Druck von Emil Herrmann senior in Leipzig.

Das Magazin

für die Litteratur des In- und Auslandes.

Wochenschrift der Weltlitteratur.

1832 gegründet von Joseph Lehmann.

55. Jahrgang.

Herausgegeben von Karl Bleibtreu.

Preis Mark 4.— vierteljährlich.

Verlag von Wilhelm Friedrich in Leipzig.

No. 29. Leipzig, den 17. Juli. 1886.

Inhalt:

Unser Geschichtsunterricht.

Von Conrad Alberti.

Allgemein bekannt ist die Antwort, welche Schiller auf die Frage erteilt hat: „Was heißt und zu welchem Zwecke studirt man Universalgeschichte?“ und ebenso bekannt der Ausspruch Goethes: „Das Beste an der Geschichte ist der Enthusiasmus, den sie erregt.“ Gewiss ist, dass kaum eine zweite Materie, wenigstens kein anderer Zweig der Wissenschaften im Stande ist, in den Herzen zumal der Jugend eine so anhaltende Begeisterung zu erwecken, als die Geschichte. Namentlich die patriotische und kriegerische Begeisterung wird durch sie zu hellen, zündenden Flammen erblasen. Darum bildete auch der Geschichtsunterricht stets einen der wichtigsten Punkte des Schulwesens, darum hat man ihm bis heut stets die größte Aufmerksamkeit und Sorgfalt zu Teil werden lassen. Allein wie unsere Zeit, obwohl in ihren Fundamenten noch immer und für lange in den Anschauungen unserer klassischen Tage stehend, doch in manch einzelnen Punkten schon über die letzteren hinausgegangen ist, so dürfte es auch vielleicht nicht unangebracht sein, einmal die Frage aufzuwerfen, ob die Geschichte und der Geschichtsunterricht wirklich nicht noch andere Zwecke haben können, als die Jugend dem Ideal der Humanität näher zu bringen, wie Herder annimmt, oder Begeisterung zu erregen, wie Goethe will, oder die Erkenntnis des höchsten Zwecks im Gange der Weltbegebenheiten zu fördern, wie Schiller verlangt.

Die Zeiten sind vorüber, in denen man die Menschheit nicht anders betrachtete als unter dem Bilde einer sich selbst in den Schwanz beißenden Schlange, in denen man die ganze Weltgeschichte als ein Gemenge von sehr viel Wahnsinn, Torheit, Ruchlosigkeit und sehr wenig Vernunft ansah. Die moderne Anschauung nimmt eine langsame aber stetige organische Entwicklung und Fortbildung sowohl der Natur im Ganzen wie der menschlichen Gesellschaft im Besonderen zur Erzeugung immer vollkommener Organismen an. Natur und Gesellschaft zeigen verschieden gestaltete Erscheinungsformen derselben ihre Entwicklung regelnden Gesetze. Die Kenntnis resp. die Mitteilung dieses Entwicklungsganges der Gesellschaft, seiner Anfänge, seines Verlaufs und der ihn beeinflussenden Faktoren und die Erkenntnis jener ihn regelnden Gesetze muss demnach das höchste Ziel der Geschichtsschreibung, bezw. des Geschichtsunterrichts sein. Der Letztere soll zunächst den unbeständigen Sinn der Jugend festen und bilden, soll ihr die Ueberzeugung einimpfen, dass es geschichtliche Wunder, Revolutionen, Sprünge in der Entwicklung in Wahrheit nicht giebt, dass die anscheinend wirklich vorhandenen eben nur scheinbare oder vermeintliche sind, die sich bei näherem Studium von selbst aufklären — wie es ja auch in der Natur derlei giebt, die eben auch da zu den Ausnahmen zählen — und dass das vornehmste positive Ergebnis der Geschichte die Erkenntnis ist, eine gesunde ungestörte Entwicklung der Menschheit sei nur möglich auf Grund ernsten, redlichen, unaufhörlichen Vorwärtsstrebens und Arbeitens an der Vervollkommnung der eignen Individualität und zum Besten der Gesammtheit. Das Ziel der Geschichtsschreibung kann daher nicht sein die Heldenverehrung, die Verherrlichung einzelner mächtiger und gewaltiger Gestalten, und nicht die ausschließliche Verherrlichung des Krieges und seiner Erfolge. Denn prüft man die Geschichte mit unbefangenem Auge, so wird man finden, dass der unmittelbare Einfluss der sogenannten Geschichtshelden auf die Fortentwicklung der Menschheit weit öfter ein hemmender als ein fördernder gewesen, dass er das letztere nur dann war, wenn jene großen Männer die Verkörperung und der Ausdruck der leitenden Ideen ihrer Zeit waren, der Inbegriff und die Zusammenfassung der fortbildenden Kräfte und Willensströmungen ihrer Epoche. So ist die wahre Größe Alexanders nur eine mittelbare, die Folgen seiner Taten für die Entwicklung der Menschheit entsprangen nicht seinen Absichten, sondern sind mehr oder minder zufällige, durch andere Umstände begründete, während ein Bismarck als Einiger des Reichs und Begründer des praktischen Versuchs der Aufbesserung der sozialen Missstände in Deutschland die Zusammenfassung der Hauptstrebungen seiner Zeit ist — worin zugleich seine Größe und seine Nichtgröße beruht. Die Heldenverehrung im Geschmack Carlyles, wie sie früher Sitte war, zieht den Byzantinismus groß, wir würden ohne sie nicht so unter der Schmach des Letzteren zu leiden haben, wie es jetzt der Fall ist.

Auch die Bedeutung des Krieges ist eine andere, als Viele annehmen. Wohl lässt der Krieg „die Kraft erscheinen“, wohl erzeugt er auch „dem Feigen den Mut“. Aber einen wirklichen Einfluss auf die Entwicklung der Menschheit hat nur der geringste Teil aller geführten Kriege genommen. Wie viele derselben sind aus Habsucht, Raubgier, Ruhmsucht, als das letzte Mittel der Könige, um ihren wankenden Tron zu sichern, geführt worden, wie viele sind für die Geschichte gänzlich nutz- und zwecklos verlaufen, oder haben den Entwicklungsgang gehemmt und gestört! Und selbst die Kriege, welche ihn förderten, haben nicht das jedesmalige Verdienst für sich allein in Anspruch zu nehmen, ihre fördernden Wirkungen wären fast immer auch ohne sie, nur vielleicht etwas später, eingetreten, der Krieg beschleunigt die Entwicklung höchstens, er löst den Knoten, aber der Friede knüpft das Gewebe. Der Krieg ist der Gerichtsvollzieher, nicht aber der Richter der Menschheit, er ist der Blitz, nicht aber die Wolke. Was jedoch die Saat auf dem Felde wachsen lässt und fördert, ist der Regen, der aus der Wolke herniederströmt; Donner und Blitz, wenn sie auch mehr Lärm machen als jene, bezeichnen nur den endlichen Eintritt des befruchtenden Regens, der sich langsam ohne Blitz und Donner im Aether angesammelt hat: der Ausbruch des Donnerwetters befördert nur sein Herabkommen. So hat der Krieg von 1870 die Einigung des Vaterlandes beschleunigt, befördert, gefestigt, nicht aber bewirkt, sie war auf Grund der politischen Entwicklung Deutschlands von 1803 ab eine Notwendigkeit, die früher oder später eintreten musste. Was ein Volk groß und mächtig, ein Reich blühend und stark macht, das ist vor seinen großen Männern, vor seinen glücklichen und ruhmreichen Königen die unermüdliche, rastlose, ernste Arbeit und Selbstfortbildung der Einzelnen und der Nation auf dem Gebiete der inneren Kultur, des wirtschaftlichen und sozialen Lebens. So nur sind England, Amerika und zum guten Teil auch Frankreich groß und reich geworden. Auch Deutschland hat sein Bestes sich auf diesem Gebiete errungen. Es ist Sache des Geschichtsunterrichts, dies der Jugend im Einzelnen zu erweisen, sie zu belehren, dass der Besitz einiger großen Männer, dass selbst die allezeit zum Schlagen gerüstete Wehrhaftigkeit noch nicht die Größe einer Nation ausmachen und sichern und für ihre Fortentwicklung ausschlaggebend sind, sondern vielmehr die unablässige, eifrige allgemeine Teilnahme an dem Ausbau der inneren Kultur-, Wirtschafts- und Gesellschaftsverhältnisse, das eindringende Studium der Entwicklungsgeschichte dieser Verhältnisse seit dem Beginn dieser Kultur in allen Ländern und besonders im Vaterlande. Nur dann kann eine Saat von Männern herangezogen werden, welche fähig ist, allezeit das Erforderliche und Richtige zu begreifen und zu tun, welche fähig ist politisch zu denken, welche Anteil und zwar fördernd wirkenden Anteil an dem Gange der politischen und sozialen Dinge nimmt, welche sich nicht in unfruchtbare Theorien verliert, sondern immer das Praktische, Erreichbare, Nutzbringende, Reale im Auge behält, welche nicht wie unsere heutige Jugend in die Netze gewissenloser Volksverführer fällt, welche im Stande ist, sich auf jenen angeführten Gebieten selbst Urteile zu bilden und nicht verlegen und verworren dasteht, sobald die großen Fragen des Lebens der Neuzeit an sie herantreten, sobald ihr zum ersten Mal der Wahlstimmzettel in die Hand gedrückt wird. Denn vielleicht mehr als von allen andern Wissenschaften gilt von der Geschichte das Wort: „Non scholae sed vitae!“

Wie aber sieht es nach dieser Richtung hin mit dem Geschichtsunterricht auf unseren Schulen, auch mit den für den Gebrauch der Jugend bestimmten geschichtlichen Unterrichtsbüchern aus? Was nimmt unsere Jugend aus dem Geschichtsunterricht fürs Leben mit?

Im Großen und Ganzen ist unser Geschichtsunterricht auf den höheren wie auf den niedern Schulen nur eine Darstellung der in den verschiedenen Zeitepochen geführten Kriege, der Herrscher, die sie geführt, der großen Männer, die die siegreichen Schlachten geschlagen, und der Folgen der Letzteren, zum mindesten nehmen diese Dinge im Unterricht einen unverhältnismäßig großen Raum ein. Von der Entwicklung des Nationalgeistes der einzelnen Völker, der Kultur- und sozialen Arbeit derselben, den Zuständen auf diesen Gebieten zu den einzelnen Zeiten haben die wenigsten Schüler, wenn sie die Schule verlassen, einen einigermaßen klaren Begriff. Das perikleische Zeitalter, die Renaissance in Deutschland und Italien, die Zeit Ludwig XIV. — damit hört die Kenntnis von den Letzteren auf. Man frage doch einmal unsere Schüler, selbt unsere Abiturienten nach den Ursachen der Größe Englands und nach der Geschichte seines Nationalreichtums, nach den Ursachen der deutschen Bauernkriege und nach den Zuständen jener Zeit, nach den Ursachen des wirtschaftlichen Darniederliegens Italiens und der Entstehung und Entwicklung seiner Latifundienwirtschaft, nach den wirtschaftlichen Gründen des amerikanischen Secessionskrieges, oder warum die Sklaverei für das Altertum eine soziale und kulturelle Notwendigkeit war, und nach der Bedeutung des Christentums für die Sozialgeschichte — oder nach der Entwicklung der Zolleinheit Deutschlands — man frage und warte ab, ob man von dem größten Teile der Gefragten eine andere Antwort erhalten wird als ehrfurchtsvolles Schweigen oder haarsträubenden Unsinn. Aber sämmtliche Schlachten des peloponnesischen, des zweiten punischen oder des dreißigjährigen Krieges werden sie mit genauester Angabe der Jahreszahlen nur so herunterraspeln! Als ob derlei mechanische oder kriegsgeschichtliche Kenntnisse nun für den, der nicht Militär von Beruf ist, nur den geringsten Wert hätten! Als ob es nicht genügte den Verlauf eines jeden Krieges in den einfachsten Umrissen zu kennen, nur die notdürftigsten und allerwichtigsten Geschichtszahlen, die ja bloße Orientirungspunkte sein sollen, zu wissen, als ob die genaue Kenntnis jener eben angeführten Verhältnisse nicht von tausendfach größerer Wichtigkeit fürs Leben ist! Oder man frage unsere jungen die Schule besuchenden Leute, worin die Bedeutung Friedrichs des Großen für den preußischen Staat bestehe. Sie werden mit wenig Ausnahmen erwidern; darin, dass er Schlesien erobert und in drei schweren Kriegen gegen eine überlegene Anzahl Feinde festgehalten hat. Davon ahnen die Guten nur selten was, dass es zehnmal schwerer und bedeutender war, das eroberte Land mit dem erobernden so zu verschmelzen und zu vereinigen, dass schon fünfzig Jahre nach der Eroberung die Befreiung des ganzen Landes vom Feinde von dieser kaum gewonnenen Provinz ausgehen konnte, und dass es viel wichtiger ist, die Mittel im Einzelnen zu kennen, durch die Friedrich der Große und seine Nachfolger solches bewirkten, als die einzelnen Schlachten der schlesischen Kriege zu wissen. Oder man frage dieselben, weshalb Napoleon I. ein großer Mann gewesen? Sie werden ebenso wahrscheinlich antworten, weil er viele und große Schlachten gewonnen, weil er einer der ersten Feldherrn aller Zeiten gewesen sei. Dass das bürgerliche Gesetzbuch Frankreichs, das trotz mancher Härten und Fehler ein Kolossalwerk der Zivilgesetzgebung ist und wahrscheinlich noch dauern wird, wenn der letzte Spross der Napoleoniden schon längst im Grabe modert und Austerlitz, Jena, Marengo, schon längst vergessen sein werden, dass dieses Buch seinen Namen trägt, werden sie zwar wissen,aber ohne zu ahnen, dass es den Ausschlag geben wird, wenn die Unsterblichkeit seines Namens in Frage gestellt sein wird. Denn das einzige, was sie vom Code Napoléon wissen, ist doch, dass es in denselben einen seltsamen Paragraphen giebt, welcher lautet: la recherche de la paternité est interdite. Wieso aber selbst dieser Paragraph in den Zeiten seiner Entstehung seine natürliche Erklärung findet, nicht einmal das wissen sie. Und wie verzerrt und unwahr erscheinen selbst den Augen der Jugend so manche bedeutenden historischen Gestalten. Blücher gilt ihr fast immer noch nach der traditionellen Auffassung als der alte, biderbe Haudegen, selten weiß sie etwas von dem wahrhaft dämonischen Element, das in ihm lebte — ein Joachim II. aber erscheint ihr immer noch in der Aureole des freiheitsbegeisterten, glaubensstarken Einführers der Reformation in den Marken, anstatt dass sie sich gewöhnte der Wahrheit die Ehre zu geben und diese nach Georg Wilhelm am Wenigsten sympathische Gestalt aus dem sonst so erlauchten Hohenzollernkreise unter dem rechten Gesichtspunkte zu betrachten.

Dies Alles aber kann nicht wunderbar erscheinen, wenn man die Art des Geschichtsunterrichts, wie er bei uns gepflegt wird, betrachtet. Er ist selbst in den oberen Klassen der höheren Schulen selten mehr als ein mechanisches Auswendiglernen einer viel zu großen Anzahl Geschichtszahlen oder Tabellen, eine nackte Darstellung der verschiedenen Kriege, ihrer Feldherrn, Schlachten und der Friedensschlüsse. Von der Darstellung der allmählichen sozialen Entwicklung, von einer Einführung in die großen, konstanten Gesetze derselben ist keine Spur zu finden. So trocken und geistlos der vielbesprochene klassische Unterricht auf unsern höheren Schulen gepflegt wird, dass er bald zur rein formalen, grammatikalisch-phraseologischen Bildung herabsinkt, ebenso trocken auch der Geschichtsunterricht. Ganze Wochen werden oft auf die Darstellung eines großen Krieges, zum Beispiel des dreißigjährigen oder der peloponnesischen verwendet, der sich gut in einer Stunde abmachen ließe, da es vollauf genügt, den Hauptverlauf derselben zu kennen, und Einzelheiten durchaus entbehrlich sind, während gerade die soziale Entwicklung jener Epochen besonders interessant und lehrreich ist. Noch erinnere ich mich lebhaft, wie wir als Sekundaner jedesmal mehrere Stunden hindurch mit der Belagerung von Syrakus im peloponnesischen Kriege, mit der Schlacht von Salamis, der Eroberung von Karthago gequält wurden und genaue Karten derselben anfertigen mussten. Hatte das nun irgend einen Zweck, einen Wert? Und um unsern damaligen Geschichtslehrer, der heut in einer hervorragenden Stellung in Berlin weilt, beneideten uns damals alle sechs übrigen höheren Lehranstalten meiner Vaterstadt, denn derselbe besaß wirklich eine ausgezeichnete Vortragsgabe und zählte zu den besten Geschichtslehrern. Nur worin der Wert und die Bedeutung der Geschichte beruht, begriff er nicht, und das Leben musste es uns erst später lehren, denn auch die Lehr- und Hülfsbücher, die der Schüler gemeinhin in die Hand erhält, sagen ihm nichts darüber, auch sie enthalten meist nicht viel mehr, als eine trockene Aufzählung und Darstellung der geführten Kriege. Man sehe sie nur einmal recht genau durch, sie erwecken alle mit einander den Anschein, als sei der Krieg der alleinige „Beweger des Völkergeschicks", während dies die soziale und Kulturarbeit ist, als sei er Feuer, Dampfkessel, Triebstange und Rad zugleich an der unaufhörlich vorwärts dampfenden Maschine der geschichtlichen Völkerentwicklung, während er in Wahrheit nur das Ventil ist: eine notwendige Sicherheitsmaßregel aber nicht der treibende Teil. Wie wenige historische, für das Privatstudium bestimmte Werke aber giebt es selbst, welche den Gang der Geschichte vom richtigen Standpunkt aus klar legen, und wie Wenige kommen im Drange des Kampfes ums Dasein, der fast ihre ganze Zeit in Anspruch nehmenden Erwerbstätigkeit dazu, dickleibigen Werken solcher Art wie die Rankes, Mommsens, Treitschkes sind, die Aufmerksamkeit und Zeit zu schenken, welche so schwere und gewaltige Werke nun einmal verlangen? Nein, auf der Schule muss der Grund zu der richtigen, der modernen Weltanschauung entsprechenden Geschichtsauffassung gelegt werden, was auf der Schule versäumt wird, vermag das spätere Leben nur selten und schwer nachzuholen.

Möge das Publikum, mögen die zuständigen Behörden die Wichtigkeit dieser Angelegenheit nicht unterschätzen, sondern ihr recht bald näher treten. Es wird dann Sache derer sein, in deren spezielles Berufsfach diese Angelegenheit fällt, die ganze Methode unseres Geschichtsunterrichts im Einzelnen zu prüfen und auf geeignete Mittel für Abhülfe zu sinnen. Möchten die, welchen die schöne Aufgabe zu Teil geworden, die Jugend in den Entwicklungsgang der Ereignisse der Vergangenheit einzuweihen, die Wichtigkeit dieser Sache nicht verkennen, sondern suchen, für die Erfüllung ihrer Aufgabe den richtigen Standpunkt zu gewinnen. Möchten sie nur nicht glauben, dass der mutige Sinn, die Wehrhaftigkeit und die Liebe zum Vaterlande in unserer Jugend etwa geschwächt werden könnten, wenn diese gewöhnt würde, sich mehr mit der friedlichen, inneren Entwicklung fremder Nationen und der eignen zu beschäftigen, wenn sie lernte, dass in dieser die Aufgabe und die Größe der Völker und der Inviduen beruht und dass die große Parole der Zukunftsgeschichte lautet: möglichst friedliche, vernunftgemäße, praktische Ordnung der sozialen Verhältnisse der Menschheit! In keiner Weise würde durch solche Anschauung der Sinn für kriegerische Tüchtigkeit, vermindert, wohl aber der für fleißige, planmäßige Friedenstätigkeit, für soziale Tüchtigkeit gestärkt werden, der einer Stärkung zumal bei uns unpraktischen Deutschen noch so dringend bedarf. Und möchten uns bald geeignete und einsichtsvolle Kräfte knappe und doch ausreichende Bücher für den Geschichtsunterricht schreiben, in denen auf Grund der modernen gesunden Geschichtsauffassung mehr enthalten ist, als eine bloße Aufzählung der sämmtlichen Dynastien und ihrer Mitglieder, die je in der Welt lebten, und aller der Kriege und Schlachten, die sie und ihre Feldherrn geschlagen haben!

Die uralte Sage vom Welten- und Lebensbaum.

II.

Merkwürdige Anklänge an den Weltenbaum finden sich sogar auf turanischen Boden, bis nach **China** hinein, wo uns auch sonst allerhand altbekannte Gestalten aus unserm Märchenkreise in neuem Kleide entgegentreten.

Das mag Vielen sonderbar dünken. Halten doch die Meisten China für eine schroff in sich abgeschlossene Welt! Und gilt doch die chinesische Mauer, welche ehemals ein Bollwerk der Sittigung gegen die Einbrüche tatarischer Horden bildete, gewöhnlich als rednerisches Bild für strenges Fernhalten alles Fremden!

Gleichwohl stand China, vor Jahrhunderten, den ausländischen Bildungseinflüssen offen, bis es Maßregeln gegen die Umtriebe europäischer Jesuiten ergreifen musste. Aus Indien empfingen die Chinesen eine Glaubenslehre, wie die Japaner eine Glaubenslehre und Bildung aus China. Ueberdies stammt Manches, was auf dem Gebiete der Volksmären jetzt als ausschließlich arisch gilt, wohl von Turan her, oder hat dort jedenfalls sein Gegenstück — gleichwie die Wurzel mancher sogenannten semitischen Gedankengebilde entweder auf arischen, turanischen oder ägyptischen Ursprung deutet. Der Wechselwirkungen zwischen den verschiedenen Sagenkreisen sind jedenfalls viele.

Damit ein chinesischer Bezug zum arischen Weltenbaum nicht so ganz unvermittelt, also unwahrscheinlich aussehe, mögen hier einige Andeutungen über sonstige Zusammenklänge gegeben werden.

Die chinesische Volkssage — schreibt N. B. Dennys*) — erzählt von Peris und Schwan-Jungfrauen, welche sich in die Wohnung glücklicher Jünglinge herabsenken. Sie redet von schönen, badenden Feen, die, wenn man ihnen die Gewänder raubte, zu Gattinnen derer wurden, welche sie gefangen ge-

---

*) „Die Volksmären Chinas und ihre Bezüge zu den arischen und semitischen Stämmen."

nommen, und diesen Kinder gebaren, dann aber geheimnisvoll verschwanden.

Wer denkt da nicht an die germanischen Schwan-Jungfrauen mit ihren Federhemden? Oder an die mit der chinesischen Dichtung so merkwürdig zusammenstimmende shetländer Mär von den „Finninnen“, jenen Meerfrauen, deren mythische Gestalten ich aus einer Vermengung von Nixen-Sagen mit geschichtlichen Ereignissen — nämlich mit dem wiederholten Eindringen nord-germanischer, den „Fenier“- oder Fianna-Namen tragenden Eroberer nach Shetland — erklärt habe?*)

Erinnert nicht auch die chinesische Dichtung an die zur Nacht-Mahr gewordenen Walküren, oder „Wal-Ridersken“, wie sie noch jetzt im deutschen Volksaberglauben heißen? Hören wir nicht bei uns, wie eine solche Zaubergestalt durch's.. Astloch eines Zimmerbalkens oder durch's . . Schlüsselloch in die Kammer des Schlafenden dringt, und wenn, man das Ast- oder Schlüsselloch verstopft, sich plötzlich als schönes Mädchen erweist, das von Manchem geheiratet worden ist, ihm als Gattin Kinder gebar, auch glücklich mit dem Gatten lebte, bis sie, von Sehnsucht nach der Heimat ergriffen, den Mann bat, den Pflock aus dem Ast- oder Schlüsselloch zu ziehen, durch das sie ins Haus gekommen war? Tat er das, so verschwand sie und kam nicht wieder, oder erschien höchstens von Zeit zu Zeit, um ihre Kinder zu waschen und ein wenig zu pflegen.

Noch mancherlei andere wunderbare Erinnerungen an abendländische, wie an vorder-asiatische Volks- und Religions-Sagen klingen uns aus China entgegen. Da hören wir ein Lied von der Göttin des Mond-Palastes:

Auf goldenem Trone, dess' glänzende Helle
Das Auge blendet mit zaub'rischem Schein,
Sitzt eine schöne Gestalt in schneeweißem Gewande.
Es ist Tschang O, die herrliche Fürstin der Feen.
Regenbogen-beflügelt schweben Engelein um sie,
Ein Himmelsdach bildend ob ihrem Tron;
Eine Feen-Schaar steht um sie im Kreise,
Buntgegürtelt, in duftiges Weiß gehüllt.

Ist das nicht ein von Engeln umschwebtes Madonnen-Bild? Und klingt die Schilderung des goldenen Trones nicht zugleich an die, in eine „Mutter Gottes“ umgedichtete Freia-Holda unseres noch in den Kinderstuben gesungenen Liedchens an, welche „auf der goldenen Stiegen“ die „mit goldenen Kannen aus dem goldenen Brünnel“ geholten Kleinen schön wiegen tut?

Sind nicht Süd- und Hinter-Asien voll von ähnlichen Bezügen?

Hören wir nicht, wie der indische Gott des Friedens und der Liebe, **Chrischna**, der Sohn der Dewagni, auf dem Schooße seiner Mutter ruhend, von den Hirten das Opfer der Früchte empfängt, während die Thiere sich ihm schmeichelnd zu Füßen legen; wie dann die Brüder des Chrischna ermordet werden, er aber mit seinen fliehenden Eltern über einen Fluss gerettet wird, dann zu Weisheit und Kraft erwächst, den Kampf mit dem Bösen aufnimmt, um schließlich in der Blüte seiner Jahre an einen Baum gebunden und mit einem Pfeil getödtet zu werden?

*) Londoner „Contemporary Review.“

Ist das nicht auch ein Kreuzesbaum?

Wird uns nicht in der reformirten indischen Lehre des Buddha erzählt, dass dieser göttergleiche Weise den Mutterleib der Maha Maja in Gestalt eines fünffarbigen Strahles bezog, somit unbefleckt von ihr geboren ward? Dass er sich später, nur von zwei Schülern begleitet, in die Wüste begab, wo ihm zwei Feinde entgegentraten, die ihn nach der Bewährung seines Glaubens befrugen? Dass er nach dem Sieg über die Versuchung in die Welt zurückkehrte, seine Lehre predigte und sich als den Heiligen der Heiligen verkündete? Dass er später abermals auf neunundvierzig Tage in die Wüste ging, um ein Fasten zu erfüllen? und dass seine Lehre die Weltverachtung und die Läuterung von den Leidenschaften empfiehlt?

Sehen wir nicht in der dem Buddhismus verwandten chinesischen **Fohi**-Religion den Glaubensstifter ähnlich geboren werden von einer Tochter des HERRN, die von einem Regenbogen umgeben ward, in Folge dessen sie empfing und um Mitternacht eines Knäbleins genas? Gehen dann nicht die Anklänge dieser Religion wieder nach anderer Richtung hin, indem dem Fohi die Gesetzestafeln „aus der Tiefe der Gewässer“ gebracht werden — gleich als liege, wie in der wanisch-asischen Religion, auf Wassersgrund auch die Weisheit geborgen?

Sehen wir nicht eine chinesische Naturgöttin **Poo-sa** madonnenhaft, mit einem Kindlein vor ihr, dargestellt?

Welche Erinnerungen ruft ferner in uns, auf chinesischem Boden, der Baum hervor, an welchem eine männliche und eine weibliche Gestalt, deren Gewänder sich unten anscheinend schlangenhaft ringeln, anbetend stehen, während oben eine vielarmige Gottheit tront, die in einer ihrer Hände ein Kreuz hält?

Dann tritt uns wieder die heilige Mutter Schingmoo, mit dem Glorienschein um das Haupt und dem Kinde im Arme, entgegen, die nach der chinesischen Lehre aus königlichem Stamme war und einst beim Baden im Flusse durch den Duft einer Lotosblume befruchtet wurde. Doch genug der auffallenden Anklänge. Sie sollten hier nur erwähnt werden, damit man es nicht allzu überraschend finde, wenn auf chinesischem Boden auch ein Lebensbaum wurzelt.

„In fernster Abgeschiedenheit“ — so lautet eine dortige Sage — „befindet sich im himmlichen Reiche der Mitte ein Berg, von Feen bevölkert, welche auf seinen Abhängen den Samen von Sesam und Koriander für diejenigen sammeln, denen Langlebigkeit beschieden ist. Ihren Begünstigten wenden die Feen die

Frucht des **Lebensbaumes** zu, der sie unsterblich macht."

Ist das nicht wieder der Unsterblichkeitsbaum der Hindu, von welchem Süßigkeit fließt — der Haoma-tragende, ebenfalls das ewige Leben sichernde Baum der iranischen Perser — die Honigseim herabträufelnde Welt-Esche der Skandinaven?

> Ask veit ek standa, heitir Yggdrasill,
> Hár badhmr ausinn hvíta auri:
> Thadhan koma döggvar, thaers í dala falla,
> Stendr ae yfir groenn Urdhar brunni.
>
> Eine Esche weiß ich stehen, heißt Yggdrasil;
> Den hohen Baum netzt weißer Nebel;
> Davon kommt der Tau, der in die Täler fällt,
> Immergrün steht er über Urds' Brunnen.

So singt die Seherin in der „Wöluspa". Und in der jüngeren Edda, welche sozusagen den erklärenden Katechismus der älteren eddischen Götter- und Heldenlieder bildet, heißt es: „Den Tau, der von ihr (der Esche) auf die Erde fällt, nennt man Honigtau: Davon ernähren sich die Bienen."

Alle Freude und alles Leid der Menschheit aber hängt in des germanischen Weltenbaumes Zweigen. Ueber Urds' Brunnen steht er; und Urd, oder **Wurd**, ist alles **Gewordene** mit seiner Vergangenheit, der dunkle Hintergrund der lebendigen Gegenwart.

III.

Erkennt man solche Bezüge und Zusammenklänge zwischen den Weltschöpfungs-Lehren, den religiösen Auffassungen und den dichterischen Gestaltungen des entlegenen Ost-Asien und unseres Weltteiles: so wird man nicht erstaunt sein, unter dem Volke des äußersten Nordwestens von Europa wieder auf einen abergläubischen Gebrauch zu treffen, der mir zur Auffassung des Alls als einer gewaltigen Esche zu gehören scheint.

Unter den Gälen des schottischen Hochlandes herrschte noch vor hundert Jahren, bei Entbindung der Frauen, ein eigentümlicher Gebrauch. Vielleicht findet er sich selbst heute noch da und dort in einem abgelegenen Orte. „Bei Geburt eines Kindes," so wird erzählt, „hält die **Amme** oder die **Hebamme** das Ende eines **grünen Eschenzweiges** ins Feuer und während der Zweig brannte, fing sie mit einem Löffel den am anderen Ende **heraussickernden Saft auf und träufelte denselben, als die erste, zu genießende Flüssigkeit, dem neugeborenen Kindlein ein**".

So zu lesen in den „Verhandlungen der Gälischen Gesellschaft von Inverneß" (Band V; 1877—78).

Ist das im eigentlichen Sinne ein keltischer Gebrauch? Wie bei dem karpathischen Slaven-Liede darf man hier eine Frage erheben.

Lang' ehe die Angeln, die Sachsen, die Friesen und die Jüten Süd-Britannien eroberten, nachdem ihnen germanische Belgier schon vorhergegangen waren, drangen Pikten oder Pehten, deren skandinavischer Ursprung keinem vernünftigen Zweifel unterworfen sein kann, nach dem heutigen Schottland ein und stellten dort ihre Herrschaft fest. **Tacitus** rechnet die Kaledonier zu den Germanen. Selbst die später aus Nord-Irland eingedrungenen Skoten, welche Schottland den Namen gaben, sind der größten Wahrscheinlichkeit nach von germanischer Verwandtschaft gewesen und haben erst allmählich unter dem Gälen-Volk ihre Sprache verloren, wie die Franken unter den Galliern, die Longobarden unter den Italienern, die Goten unter den Kelt-Iberiern Spaniens.

Eine spätere vielhundertjährige Norweger-Herrschaft im nordwestlichen Schottland ließ wiederum klare Spuren in der großen Leibesgestalt, dem Gesichtsschnitt, der hellen Haar- und Augenfarbe vieler Angehörigen eines Volkes zurück, das heute Gälisch redet, während der eigentliche Gäle in den schottischen Hochlanden sich durch Kleinheit des Wuchses, durch bräunliche Haut und schwarze Farbe des meist krausen Haares scharf abscheidet.

Unter gälischem Gewand muten uns manche hochschottische Volksmären grundgermanisch an. In einzelnen Fällen sind sie als solche deutlich nachweisbar. So scheint es denn, als habe der eddische Weltenbaum eine Wurzel bis in die fernsten Täler der nordwestlichen Gälen getrieben, und als sei dort eine Geburts-Zeremonie entstanden, oder bis jüngsthin dort haften geblieben, durch die der „junge Erdenbürger" mittelst des Saftes eines Eschenzweiges ins menschliche Leben eingeweiht wurde.

Das wäre also die letzte Spur von dem Honigtau Yggdrasils: eines Säuglings erste Nahrung!

London. **Karl Blind.**

Armenische Schriftsteller.

III.

Mkrtitsch Beschiktaschlian.

Beschiktaschlian war eine edle, reine, von den schönsten Idealen beseelte Dichternatur. In Armenien geboren und in Venedig bei den Mechitaristen erzogen, war er in seinem innersten Wesen durch und durch Armenier, aber eine sorgfältige europäisch-katholische Erziehung, sowie eine reiche Bildung entwickelten in ihm europäische Denkweise und Weltanschauung. Aus Italien nach dem Orient zurückgekehrt, ließ er sich in Konstantinopel nieder und erwarb sich dort bald unter der armenischen Gesellschaft große Liebe und Achtung als Dichter und Patriot. Allerdings war er kein geharnischter Kämpfer, denn dazu war er von viel zu sanfter Natur, aber doch hatten seine von einem erhabenen Pathos durchklungenen Worte Kraft genug um in den Herzen Aller Wiederhall zu finden. Für die Konstantinopoler armenische Gesellschaft, die durch

Zwiste zwischen den Bekennern der gregorianischen und denen der katholischen Kirche gewissermaßen in zwei Lager zerklüftet war und noch heute ist, war der aufgeklärte und sanftmütige Beschiktaschlian ein Friedensvermittler und er hat viel zur Annäherung beider Parteien beigetragen. Obgleich selbst im Herzen Europas erzogen und begeistert für die europäische Kultur, war er doch ein Gegner der Ausländerei, die sich besonders in den sechziger Jahren unter dem Konstantinopoler Armeniern großen Anhanges erfreute und seine Bemühungen diese Frankomanie zu schwächen oder ganz zu erschüttern, waren keineswegs ohne Erfolg. Besonders rüstig arbeitete er in dieser Richtung an der Förderung des armenischen Theaters und schrieb mehrere historische Dramen wie „Arschak“, „Wochu“ u. s. w. und sogar mehrere Lustspiele. Auch trat er oft als öffentlicher Redner auf und sein Wort wurde immer mit Begeisterung aufgenommen. Wie sehr er der Ausländerei entgegen wirkte, beweist der Umstand, dass die heute in der armenischen Welt bekannte Romanschriftstellerin Frau Sserpuhi-Düssap nur durch seinen Einfluss dazu bewogen wurde ihrer Frankomanie zu entsagen. Als sie mit Beschiktaschlian bekannt wurde, sprach sie nur französisch und verstand fast gar nicht armenisch, während sie heute zu den besten armenischen Schriftstellern gehört.

Die für Beschiktaschlian enthusiastisch eingenommenen Armenier lieben es diesen Dichter mit Musset zu vergleichen, worin sie sich allerdings zu weit versteigen, denn er mag wohl in Schwung und musikalisch fließendender Sprache dem Franzosen nahe kommen, besitzt aber bei weitem nicht dessen Gedankenreichtum. Allerdings schließen seine meisten Gedichte mit schönen Gedanken ab, aber diese sind nur so zu sagen lyrisch und meist mehr poetisch als philsophisch. Der Hauptfaktor seiner lyrischen Ergüsse ist die Liebe in ihren verschiedensten Erscheinungen und zwar Liebe zur Heimat, Liebe zur Natur, Menschenliebe im nationalen Sinne und Liebe zu den Frauen. Die Liebe zur Heimat tritt besonders glühend in seinen Liedern hervor, die er im Jahre 1862 während des Aufstandes in Zeitun dichtete und die unter seinen Landsleuten viel Begeisterung hervorriefen. Die in der Schlacht gegen die Türken verwundeten Armenier lässt er keinen andern Wunsch haben, als dass die Nachricht von ihrem Siege über die Türken nach Zeitun gebracht werde. Auch die Mutter des „Jünglings von Zeitun“, die in der Nacht die Leiche ihres Sohnes auf dem Schlachtfelde sucht, unterdrückt all ihren Schmerz und ergiebt sich dem Siegesjubel. Anderwärts ist seine Liebe zur Heimat, wo sie mit Sehnsucht gepaart, elegisch. Von Heimweh geplagt wendet er sich ab von den Reizen der Natur des fremden Landes und verlangt nach dem Winde, den Blumen, den Vogelliedern und den Wassern der Heimat.

Seine Menschenliebe lässt ihn über die Religionsunterschiede hinwegsehen und in jedem Landsmann einen Bruder erkennen. Er spricht zum Kind wie ein zartliebender Vater und das Wort Freund ist ihm heilig. „Wir sind Brüder“, beginnt eines seiner schönsten Lieder, das in Konstantinopel bei fast allen armenischen Versammlungen gesungen wird. Aus diesem Liede ist auch seine Grabschrift entnommen: „Unter den Sternen giebt es nichts Erwünschteres als das Wort „Bruder“!“

Als zarte, empfängliche und südlich glühende Natur ist ihm natürlich die Liebe zu den Frauen ein Hauptmoment des Lebens, aber er ist weit davon gleich anderen orientalischen Dichtern in ihnen nur die Spenderinnen sinnlicher Freuden zu sehen. Für ihn ist das Weib ein ideales Wesen, das er nicht nur mit dem Herzen, sondern auch mit der Seele liebt. Seine Gefühle sind züchtig und rein, seine Entzückung über die Körperschönheit der Geliebten verrät nie Gelüste nach sinnlichen Genuss, sondern ist edel und zart. Der schöne Körper der Geliebten ist ihm eine zarte Blume, die er mit Entzückung betrachtet und preist, aber nicht ein Gefäß der Wollust, das er nur besitzen will um seine Gelüste zu befriedigen.

Wie ihn alles Schöne erfreut und begeistert, so hebt auch die Schönheit der Natur sein Gemüt und Herz und er liebt sie mit derselben Zartheit und Innigkeit wie Alischan. Meer, Wind, Himmel, Sterne und Wolken, Blumen und Bäume sind bei ihm wie beseelt, denn er malt sie nicht mit todten Farben, sondern haucht ihnen Leben und vor Allem seine Liebe ein. Die Bilder der Natur sind ihm der liebste Schmuck für seine Lieder und zwar verleiht er ihnen meist den glänzenden orientalischen Farbenreichtum.

Auch als Uebersetzer hat sich Beschiktaschlian hervorgetan und manches schöne Gedicht von Byron und Viktor Hugo übersetzt. Seine Originalgedichte, die zumeist Lieder sind, kennt heute jeder gebildete Armenier auswendig und viele von ihnen werden in Konstantinopel in den vornehmsten Salons gesungen.

Proben aus Beschiktaschlians Gedichten:

I.

Zieht hin, o meine Lieder,
Doch nicht ins luft'ge All,
Wo sich Zephire tummeln,
Hell glänzt des Lichtes Strahl.

Zieht hin, o meine Lieder,
Doch nicht zum Himmelszelt,
Von wo die Sterne strahlen
Hernieder auf die Welt.

Zieht hin, o meine Lieder,
Doch nicht zur Blumenflur
Der wunderlichen, reichen,
Allnährenden Natur.

Zieht hin, o meine Lieder,
Doch nicht zu jenen Höh'n,
Wo tanzender Sylphiden
Lustreiche Lieder dröhn'.

Zieht hin, o meine Lieder,
Zu meiner Maid zieht hin,

Zum Lichte ihrer Augen,
Die hell wie Sterne glühn.

Und ist sie euch gewogen,
Schwebt wie ein Vogelschwarm
Auf ihre Locken nieder,
Auf Händchen, Brust und Arm.

Und singt ihr süß und wonnig
Bei Tag und Nacht ins Ohr
Und tragt ihr ohne Ende
Mein banges Lieben vor.

Mag sie, wenn ich gestorben
Und aus mein Herzensdrang,
Sich meiner noch erinnern
Bei eurem hellen Klang!

II.

Ach, möchte ich ein Lüftchen sein,
Ein Frühlingslüftchen mild und klar,
Ich schwebte hin zum Haupte dein
Und küsste zart dein Lockenhaar.

Ach, möcht' ich eine Rose sein,
Die wonnig strahlt mit Frühlingslust,
Ich blühte auf im Morgenschein
Auf deiner schönen sücht'gen Brust.

Ach, möchte ich ein Vöglein sein,
Ich flöge leise zu dir hin
Und koste mit dem Schnäbelein
Dir zärtlich Wange, Mund und Kinn.

Ach, möchte ich ein Traumbild sein,
Ich käme in der Nacht zu dir,
Schlich, wenn du schläfst, bei dir mich ein
Und nähm' des Herzens Ruhe dir.

Ach, sag, was hab ich dir getan,
Womit verdient ich solches Weh,
Das nimmer ich verschmerzen kann,
Von dem ich noch kein Ende seh.

Ein Engel warst du, der entschwebt,
Ein schnell Vergangner süßer Traum,
Ach, kurz hat mir dein Herz gelebt,
So kurz wie eine Blume kaum.

III.
Frühling.

Wie webst du doch einher so mild,
O Morgenlüftchen frisch und klar!
Wie spielst du sanft im Blumgefild
Und in der Jungfrau Lockenhaar!
Doch du kommst nicht vom Heimatland,
Drum sei von meinem Herz gebannt.

Wie süß singst du, o Vögelein
Im blumbedeckten Frühlingsgrün!
Dein Lied bezaubert ganz den Hain
Und macht zum Wonnetempel ihn.
Doch du kommst nicht vom Heimatland,
Drum sei von meinem Herz gebannt!

Wie murmelst du zur Frühlingszeit,
O Wiesenbach, so wonniglich!
An deinem Spiegelbilde freut
Die Rose und die Jungfrau sich.
Doch du kommst nicht vom Heimatland,
Drum sei von meinem Herz gebannt!

Fliegt auch dein Vogel und dein Wind,
Armenien, nur durch Wüstenei'n,
Mag trüb auch, wie es Sümpfe sind,
Der Spiegel deiner Bäche sein,
Sie kommen doch vom Heimatland
Und sind dem Herzen nah verwandt.

Tiflis. Arthur Leist.

Der Zigeunerjunge.

Von H. von Reder.

Was reckt sich dort von dunkler Höh
So schwarz ins Abendrot:
Mir wird dabei so bang ums Herz,
Als drohte schwere Not.

Mein Sohn, das ist ein Birnenbaum
Mit einem queren Ast,
Den streckt er weithin durch die Luft,
Als lüd' er wen zu Gast.

O Mutter, ist's ein Birnenbaum,
Was tun die Raben dort;
Sie flattern um das leere Holz
Und krächzen in Einem fort.

Sei still, mein Lipps, geschwind vorbei,
Der Ast wächst immer mehr.
Ich seh, wie er sich reckt und streckt,
Schon langt er nach dir her.

Du lügst, vor einem dürren Baum
Da braucht es keine Flucht.
Mir schwant, dass es ein Galgen ist,
Der trug und trägt noch Frucht.

Neuere Romane.

„Violanta" von Ernst Eckstein. Leipzig. Verlag von Carl Reißner.

„Die schöne Wienerin" von Hieronymus Lorm. Jena. Hermann Costenoble.

Ernst Eckstein, der unermüdliche Romanzier, wirft einen Roman nach dem andern auf den Büchermarkt. Seine neueste Schöpfung betitelt sich „Violanta", und es ist wahrscheinlich, dass wenn diese Zeilen das Licht der Welt erblicken, der fruchtbare Dichter schon wieder mit einer neuen Schöpfung auf dem Plane erschienen sein wird.

„Violanta" vereinigt alle Vorzüge der Darstellung, welche Ernst Eocksteins bisherige erzählenden Dichtungen auszeichnen. Der Dichter führt uns diesmal nicht ins klassische Altertum zurück, sondern nach dem Lande der Sehnsucht eines jeden Deutschen, nach Italien. Dort auf dem Schlosse Buonaventura spielt sich die spannende Handlung ab und es fehlt nicht an interessanten Herzenskonflikten, an heitern Episoden wie tragischen Szenen, an idealen Gestalten, wie an frivolen Genussmenschen, an Rache brütenden Italienerinen, wie an engelsguten blonden Gretchenfiguren, kurz an all dem Apparat, welchen Eckstein so meisterhaft zu handhaben weiß und aus deren Ingredienzen er seine Romane braut, die wohlgefällig sind vor Gott und Menschen und die sogar in höheren Töchterschulen ein beliebter Leckerbissen der Lektüre sind. Wie in „Prusias", den „Claudiern", der „Aphrodite" und in der „Sumidierin" fesselt uns auch hier die blendende Schreibweise, die stilistische Formvollendung des Dichters. Er handhabt die Prosa mit ebensolcher Virtuosität, wie in seinen lyrischen und epischen Dichtungen den Vers. Er erinnert hierin vielfach an Friedrich Spielhagen, nur meidet er die Paradoxa des Berliner Romanziers. Der Titel des Romans könnte ebenso und noch besser „Ghita" heißen, denn der interessanteste Charakter, welcher die Konflikte heraufbeschwört und dann deren Lösung herbeiführt, ist nicht so sehr die sanfte und blondhaarige junge Gräfin Violanta Buonaventura, als vielmehr die leidenschaftliche, mit italienischem Feuer liebende Dorfschöne Ghita. Eine sehr charakteristische Figur ist die des französischen Roués und Abenteurers, Baron de Lagrange, der in einer Person Don Juan und Mephisto zugleich ist. Bei aller Anerkennung des großen erzählenden Talentes, welches sich auch in „Violanta" bekundet, darf ich auch einige Schwächen des Romans nicht unerwähnt lassen. Die Wandlung Ghitas, die urplötzlich aus einer rachebrütenden Furie eine madre dolorosa der schmachtendsten Art wird, erscheint mir psychologisch unwahrscheinlich und ist von dem Dichter zu wenig motivirt. Die Lösung der Konflikte ist zu überhastet und, in der Schlusskomposition merkt man es förmlich an, dass Ernst Eckstein, wie man zu sagen pflegt, die Sache „übers Knie gebrochen hat". Er wollte à tout prix mit der Geschichte fertig sein, und der Mangel an einer künstlerischen Abrundung und harmonischen Vollendung berührt daher recht unangenehm. Einige Szenen sind gar zu sehr auf Effekt berechnet und lassen die moderne französische Schule erkennen, — meines Erachtens bedarf Ernst Eckstein nicht des Luxus der Sensationshascherei. Trotz alledem und alledem reiht sich auch „Violanta" würdig den bisherigen reizvollen und unterhaltenden Romankompositionen des Dichters an, von dessen Muse das Publikum noch manche hohe künstlerische Gabe erwarten darf.

Während Ernst Eckstein uns in das Land der Goldorangen führt, ladet uns Hieronymus Lorm in die Stadt an der schönen blauen Donau, nach Wien. Der Roman „Die schöne Wienerin" ist ein sehr anziehendes und lehrreiches Kulturbild aus dem Oesterreich der dreißiger und vierziger Jahre unsres Jahrhunderts. Das heitere und lachende Wien wie es scherzte, sich amüsirte, mit seinen Volksbelustigungen, seinem sinnlichen Zug, seinen verliebten Feldmarschallieutnants, seinen spionirenden Hofräten welche die geheime Polizei repräsentirten, seinen aristokratischen Zirkeln und seiner bürgerlichen Gesellschaft, — alle diese Elemente bilden den Rahmen der verwickelten, farbenprächtigen und ebenso fein ausgesponnenen wie kunstvoll durchgeführten Lormschen Erzählung. Aber neben der Schilderung des heiteren und lebenslustigen Wien fehlt es auch nicht an pessimistischen Schlagschatten und düsteren Szenen wie man sie von dem Dichter des Pessimismus nicht anders erwarten kann. Es ist hier nicht wie bei „Violanta" eine Gräfin von unzweifelhaft blauem Blute die Trägerin der Erzählung, sondern ein verarmtes Mädchen, die ihre Eltern bei der großen Ueberschwemmung verloren hatte und welche die unglaublichsten und wunderlichsten Lebensschicksale durchmacht, bis sie endlich aus der Schule des Jammers und Elends, der Not, der Entbehrungen und Enttäuschungen aller Art in den Hafen des Glücks und der Ehe einläuft. Eine sehr bedeutsame, wenn auch passive Rolle spielt in dem Lormschen Roman eine schöne Kusine der schönen Wienerin, deren Vater angeblich ein Kardinal ist und die von einem russischen Fürsten, einem geistlichen Herrn und Edelfrauen überaus geheimnisvoll überwacht wird, damit sich ja Niemand ihr nähere. Die ganze Figur und Alles was drum und dran ist, trägt das Gepräge des Phantastischen und Absonderlichen, und Hieronymus Lorm mutet uns zu, an Dinge zu glauben, welche selbst im „Lande der Unwahrscheinlichkeiten" der dreißiger und vierziger Jahre unglaublich erscheinen. Die an Konflikten reiche und spannende Handlung verliert dadurch einigermaßen an Interesse dass zu viel Personen und Ereignisse in den Mittelpunkt der Erzählung gedrängt sind, wodurch die Lebensschicksale der Haupthelden und Heldinnen nicht das ausschließliche Interesse erregen.

Hieronymus Lorm, ein geborener Oesterreicher, kennt Wien durch und durch und die kaleidoskopischen Bilder aus dem Wiener Leben, die er so reizend und romantisch zu malen weiß, werden sicherlich nicht allein in Oesterreich, sondern auch in Deutschland mit Vergnügen genossen werden. „Die schöne Wienerin" ist ja ein dankbarer Stoff und Hieronymus Lorm ein galanter Schilderer des zarten Geschlechts an der schönen blauen Donau.

Dresden. Adolph Kohut.

Grand-Carteret: Raphael et Gambrinus ou l'art dans la Brasserie.

Paris, Westhausser.

Für den Verfasser des prächtigen Buches „Die Sitten und die Karikatur in Deutschland" enthält, wie er selbst in seiner Vorrede zu seinem neuen Werke sagt, jede menschliche Manifestation ein Dokument, das als Baustein für die Geschichte der Sitten oder der Ideen dienen kann. Demnach musste er sich gedrungen fühlen auch in der Tendenz, welcher die Modernsten unter den modernen Parisern huldigen, ihre Räume in Farbenpracht erglänzen und dieselben mit „stilvollem" Schmuck zu dekoriren, ein solches Dokument zu sehen und es einer eingehenden und genauen Untersuchung zu unterwerfen.

Für den Augenblick begnügt sich die Pariser Mode damit, das von ihr adoptirte bayrische Bier in mehr oder minder „bayrisch" dekorirten Kneipen sich kredenzen zu lassen. Grand-Carteret will aber nicht, dass man in diesem Hang nichts als eine geschickte Spekulation der Schenkwirte oder den aufschneiderischen Spuk junger ausgelassener Maler sehe. „Wissentlich oder unwissentlich," sagt er, „bringen Schankwirte und Künstler eine unserem Zeitalter ganz besonders angehörende Regung zum Ausdruck, welche unmerklich die Kunst zur Anwendung auf die Dinge des alltäglichen Lebens hinzieht, die sie heute zum Bierhaus führt und die morgen dahin führen wird mit ihrem reichen vielfarbigen Schmuck die Vorderseite der Häuser und die weiten Hallen der Bahnhöfe zu bedecken, welche man geschmackvoll neu erbauen wird in einem Stil, der unseren ästhetischen Bedürfnissen besser entsprechen wird."

Schreiber dieses gesteht aufrichtig, dass er diese Hoffnung etwas kühn findet, besonders in Betreff der Häuserfaçaden. Auch eine andere Hoffnung, die der Verfasser in seinem Vorworte laut werden lässt, scheint ihm zu hoch gespannt. Grand-Carteret meint nämlich, dass „die deutschen Bierhallen, wovon einige von den Architekten königlicher Schlösser und Theater erbaut worden sind, uns als Muster dienen sollen sowohl in Betreff der in demselben entwickelten Pracht als des großen Raumes, des trefflichen Verständnisses der verschiedenen Stilformen, der belustigenden und interessant possierlichen Art wie sie dekorirt worden sind."

Damit sich dieser Wunsch verwirklichte, müssen die guten Pariser philiströsere Archäologen und überzeugtere Kneiper sein, als sie es in der Tat sind, Kneiper wie diejenigen, die auf dem Titel abkonterfeit zu sehen, denen der richtige Stoff eigentlich erst dann recht mundet, wenn er im richtigen Gefäß kredenzt und in der stil- und stimmungsvollen Bude geschlürft wird. Für die Gallier aber, selbst für die biertrinkenden, wird immer und ewig Mussets Vers „qu'importe le flacon" maßgebend bleiben. Und vollends Häuser und Bahnhöfe all fresco bemalen zu lassen, wenn ihnen einmal das beizubringen ist, dann kann man zuversichtlich sich auf den jüngsten Tag vorbereiten und sein Schnupftuch parfümiren auf die gemischte Gesellschaft hin, in der man sich auf der Bock- wie auf der Schafseite befinden wird.

Auch scheint Grand-Carteret selbst eine dunkle Ahnung davon gehabt zu haben, denn trotzdem er er die jetzigen Pariser Malkastenkneipen durch andere ersetzen will, widmet er ihnen dennoch gut zwei Drittel des Buches und das letzte Drittel allein genügt ihm nicht nur, die germanischen, sondern auch die Straßburger und Schweizer Bier- und Weinstuben zu absolviren.

Das Motto mag also sein:

„Grau, teurer Freund, ist alle Theorie"

und der Leser mag das Buch nehmen wie es eigentlich geschrieben worden ist, ohne Hintergedanken, ohne „der Tendenz Verpfefferung", rundweg als einen Spaziergang durch die humoristischen Pariser Kneipen, die schwarze Katze, den größten Bock, die spinnende Sau und wie sie alle heißen mögen. Die altdeutschen kennt er ja besser, von den unterschiedlichen Ratskellern gar nicht zu reden, wenn er auch in denselben keine Phantasien gedichtet und vom guten Ratskellermeister nicht sich hat ans Tageslicht befördern lassen.

Als Illustrationswerk ist Carterets Buch ausgezeichnet, obgleich Verfasser und Verleger wegen des Preises sich alle Polychromie haben untersagen und auf das „schwarz und weiß" beschränken müssen. Als Titelkupfer dient eine „Fille de brasserie au bal Debray. Pointe-sèche von Desboutin", welche an und für sich genügt, darzutun, dass, was der Pariser Rapin und Student in allen möglichen dekorirten und unbemalten Kneipen sucht neben erträglichem Stoff, das sogenannte ewig Weibliche ist „und grün des Lebens goldner Baum" für ihn bleibt und bleiben wird, denn braunes oder blondes Bier kommt ja nur in zweiter Linie, der grüne Absinth wird die Oberhand behalten.

Versailles. James Klein.

Das englische Parlament.

Seitdem Montesquieu in seiner mehr geistvollen als wissenschaftlichen Weise Englands Verfassung zum Gegenstand seiner Erörterungen machte, haben sich hervorragende Geister der verschiedensten Nationen eingehend mit der Erforschung der merkwürdigen Rechtszustände dieses Landes befasst. Trotzdem blieb das Wesen des englischen Staates und seiner Verfassung so gut wie unverstanden und es gab wenig Staaten, über deren Einrichtungen so viele Irrtümer und Missverständnisse verbreitet waren, wie über England. Erst seitdem Rudolph Gneist zur ewigen Ehre der deutschen Wissenschaft seine bahnbrechenden Studien über Englands Verfassung und Verwaltung veröffentlichte, erst seitdem er durch die Arbeit eines Menschenalters sich bemühte, den englischen Staat in seiner jetzigen Gestalt und seiner historischen Entwicklung und hauptsächlich die englische Selbstverwaltung zur Kenntnis und zum Verständnis seiner Landsleute zu bringen, wurde es Licht auf diesem Gebiete, erst seitdem begannen die unklaren und nebelhaften Vorstellungen zu weichen, welche durch den genialen Verfasser des Geistes der Gesetze verbreitet worden waren. Gneist ist nicht nur in Deutschland der größte Kenner des englischen Staates und seines Rechts, sondern auch in andern Ländern und selbst England besitzt kein Werk, welches den seinigen gleichstünde. Nachdem Gneist in seinen früheren, lediglich für den Fachmann bestimmten Büchern, die englische Selbstverwaltung, das Verwaltungsrecht und die geschichtliche Entwicklung der englischen Verfassung mit der Vollendung des Meisters geschildert hatte, sucht er nunmehr in seiner neusten Schrift, welche in der Sammlung der Schriften des von ihm begründeten Allgemeinen Vereins für deutsche Litteratur erschienen ist und sich demgemäß an ein weiteres Publikum als das fachmännische wendet, das Wesen und die Entwicklung des englischen Parlaments seinen Landsleuten näher zu bringen.*) Das Buch zerfällt in neun geist- und lichtvolle Essays, welche die Geschichte des Parlaments, dieser „Korporation der Korporationen" wie Gneist es einmal früher genannt hat, von den ältesten Zeiten an bis auf die Gegenwart darstellen. Bevor der Verfasser zu dieser Betrachtung übergeht, erörtert er in einer Einleitung den Charakter der Parlamente als Verbindungsglieder zwischen Staat und Gesellschaft. Die Ausführungen über diesen Gegenstand gehören vielleicht mit zu dem Besten, was die staatswissenschaftliche Litteratur der neusten Zeit aufzuweisen hat. Die großen Probleme des Völkerlebens, die organische Verbindung von Staat, Gesellschaft und Kirche werden hier in wahrhaft staatsmännischer Beleuchtung besprochen und diese Erörterungen haben in unsern Tagen mehr als wissenschaftlichen Wert. Es werden sodann die ersten Keime des englischen Parlaments, die angelsächsischen Landesversammlungen und die anglonormanischen Hoftage geschildert; die Reichsstände, welche in der Periode der normanischen Königsherrschaft bereits vorhanden sind, bilden sich fort zu den beiden Häusern des Parlaments, die Reformationszeit ändert die Stellung desselben ganz bedeutend; das Unterhaus gewinnt in ihr das Recht der Steuerbewilligung und die Kontrolle der Staatsverwaltung und die beiden Revolutionen steigern die Machtfülle der Gemeinen in der erheblichsten Weise. Im achtzehnten Jahrhundert erhält die Formation des Unterhauses und damit die eigentliche Parlamentsherrschaft ihren formellen Abschluss. Im neunzehnten Jahrhundert wird die bisherige Zusammensetzung des Hauses der Gemeinen durchgreifend verändert, es wird zunächst die erste Reformbill durchgreifend, welche den Einfluss der Korporationen wesentlich vermindert; es folgt hierauf die Periode der Sozialreform und der Bruch mit den bisherigen Grundlagen der englischen Verwaltung und endlich die neue Reformbill, welche die Zahl der Wähler um zwei Millionen vermehrt und das Zeitalter der radikalen Parteien inaugurirt.

*) Das englische Parlament in tausendjährigen Wandlungen vom neunten bis zum Ende des neunzehnten Jahrhunderts. Berlin 1886.

An dieser Stelle macht Gneist Halt und wirft einen kurzen Blick auf die künftige Entwicklung des englischen Staates. Gneist ist der Ansicht, dass demselben gewaltige Stürme im Innern bevorstehen, er ist aber auch der festen Ueberzeugung, dass dieselben von ihm überwunden werden, wenn er die Bausteine zu seinem Wiederaufbau in der eignen Vergangenheit suchen werde. Der tausendjährige Bestand des englischen Parlaments berechtigt zu der Hoffnung, dass die Lebenskraft des angelsächsischen Stammes sich mächtig genug erweisen wird, um auch in der schwierigsten Periode, welche England vielleicht jemals zu bestehen hatte, „den Sieg der gerechten Sache zu erhalten". Die Sprache des Gneistschen Buches ist seines Inhaltes würdig. Die Diktion, welche der große Gelehrte in demselben anwendet, erinnert in ihren kurzen, abgebrochenen, überaus präzisen Sätzen unwillkürlich an die Ausdrucksweise, welche den Annalen des Tacitus als besonderes Kennzeichen anhaftet.

Mainz. Ludwig Fuld.

Sprechsaal.

I.

Karl Bleibtreu führt in seiner Broschüre „Die Revolution der Litteratur" sehr klar aus, wie der Geist des Materialismus in Verbindung mit dem Philistertum Alles aufbietet, um die Ideologie zu unterdrücken, und nur mit Geringschätzung auf dieselbe herabblickt.

Vielleicht wäre es angebracht, wenn die Blätter, die die Fahne der Ideologie unentwegt hochhalten, eine Rubrik eröffneten, in der jedem Protest gegen eine derartige Nichtachtung Ausdruck gegeben würde.

Ein eklatantes Beispiel dieser Art lieferte unlängst das „Deutsche Theater" in Berlin.

Ernst von Wildenbruch hatte sein „Neues Gebot", das, wie bekannt, aus Kulturkampfrücksichten für die Königlichen Bühnen verboten worden war, dem „Deutschen Theater" eingereicht, nachdem es in Frankfurt am Main einen großen Erfolg davongetragen hatte.

Die Direktion des „Deutschen Theaters" sendet darauf das eingereichte Stück zurück. Diese Entscheidung könnte man ja missbilligen, aber es ließe sich doch sonst nichts weiter sagen: das Recht der freien Entschließung kann man ja der Theaterdirektion nicht absprechen; aber sie schickt es zurück, ohne es der Mühe wert zu halten, die Ablehnung durch irgend ein Wort zu begründen.

Eine derartige bequeme Geschäftspraxis von Seiten der Theaterleitungen ist ja allerdings unbekannten Autoren gegenüber leider an der Tagesordnung. Ob es sich aber mit dem allergewöhnlichsten litterarischen Anstand verträgt, einem Autor wie Ernst von Wildenbruch gegenüber von solcher Praxis Gebrauch zu machen, der doch gewiss ein Recht besitzt, mit Respekt behandelt zu werden, darüber dürfte wohl ein Streit überflüssig sein, ganz abgesehen davon, wie bezeichnend es für die Leitung des „Deutschen Theaters" ist, an einem Dramatiker wie Ernst von Wildenbruch geringschätzig vorüberzugehen, aber unablässig bemüht zu sein, einen Oskar Blumenthal zum großen Poeten aufzupäppeln.

Berlin. Richard von Hartwig.

II.

Memento.

In dem, in der Charfreitags-Nummer dieser Zeitschrift enthaltenen, ebenso interessanten als zeitgemäßen Aufsatz über populär-wissenschaftliche Litteratur von Rochlitz-Seibt ist es auffallend, den hervorragendsten der populär-wissenschaftlichen Schriftsteller nicht genannt zu finden, nämlich David Friedrich Strauß. Vor einem ernstlichen Vorwurf ist der geehrte Herr Verfasser dadurch geschützt, dass er seinen Aufsatz eine flüchtige Skizze nennt. Ich denke, Straußens Leistungen auf dem gedachten Gebiete wären doch ganz eminent und weder in Frankreich noch England übertroffen. Sein Leben Jesu für das deutsche Volk bearbeitet, ist allerdings wegen der juristischen Schärfe der Beweisführungen eine nicht ganz anstrengungslose Lektüre, aber von seinem Ulrich von Hutten z. B., der sich wie ein Roman liest, habe ich immer den Eindruck gehabt, dass er vom Reformations-Zeitalter ein anschaulicheres Bild giebt, als die eigentlichen Darstellungen jener kultur- und kirchengeschichtlichen Bewegung; anderer populär-wissenschaftlicher, mit unvergleichlicher Kunst geschriebener Schriften von Strauß hier nicht zu gedenken. Vielleicht gefällt es Herrn Rochlitz-Seibt, demselben nächstens einen eigenen Artikel in seiner Eigenschaft als populär-wissenschaftlicher Schriftsteller zu widmen. Derselbe würde von den Lesern dieser Zeitschrift sicher mit Dank aufgenommen werden.

Gustav Sandheim.

III.

In Nr. 4 der deutschen Litteraturzeitung findet sich eine Kritik über mein „Vita di Ugo Foscolo“ (Verona, H. F. Münster) aus der Feder O. Wieses, die in einzelnen Punkten einer Richtigstellung bedarf. Herr Wiese schliesst sich in der bekannten Streitfrage, ob Foscolo die Idee zu den Sepolcri seinem Freunde Pindemonte vorweggenommen habe oder nicht, ohne Weiteres der Ansicht Antona Traversi's an und bezeichnet meine Schlussfolgerungen als falsch. Da ich nun in meinem Buche für jeden unbefangenen Leser nachgewiesen zu haben glaube, dass die „Sepolcri“ geistiges Eigentum Foscolos sind, möge mir eine kurze Replik gestattet sein.

Foscolo schreibt in seinem Briefe vom 6. September 1806 an seine Freundin Albrizzi: „Als Franceschini mir Ihren Brief übergab (im Juli desselben Jahres) war ich im Begriff in die Berge und an die Seen zu gehen. Ich hatte ein Poem über die Sepolcri druckbereit, vielleicht nicht schön, nicht elegant, das ich Ihnen aber mit allem Feuer meiner Seele vorgetragen hätte u. s. w.“ Der von Herrn Wiese aus diesem Schreiben gezogene Schluss, Foscolo habe nur den Entwurf zu diesem Gedichte vorbereitet gehabt, ist mithin unhaltbar, da Foscolo ja doch ausdrücklich bemerkt, dass er dasselbe seit dem Monat Juli druckbereit „pronto per la stampa“ hatte. Auf Seite 249—273 meines Buches ist für jeden unbefangenen Leser evident nachgewiesen, dass der Druck des Poems Ende Dezember 1806 beendet war, das Buch selbst aber erst im April 1807 veröffentlicht, d. h. im Publikum verbreitet wurde. Grund dieser Verzögerung war der Umstand, dass sich die beiden Freunde nicht über die Aufnahme des von Monti geschriebenen Vorwortes einigen konnten. Irrtümlich ist auch die Behauptung Wieses, dass in Foscolos Brief an Pindemonte vom 27. Dezember 1806 das Geständniss eins Plagiats enthalten sei. Mit seiner Bemerkung „ich habe den gleichgültigen Philosophen gespielt und bereue es“ spielt Foscolo lediglich auf seinen Streit mit Pindemonte im Hause der Albrizzi an.

Hätte Herr Wiese aufmerksam die beiden langen Kapitel meines Buches gelesen, welche die Frage behandeln, so wäre er ohne Zweifel zu demselben Schluss gekommen, den die „Nuova Antologia“, die meine Arbeit übrigens sehr reservirt bespricht, daraus zieht, wenn sie sagt: „Auch De Winckels ist der Ansicht, dass der Foscolo gemachte Vorwurf, er habe sich mit der Veröffentlichung der Sepolcri eines Plagiats gegen Pindemonte schuldig gemacht, unbegründet ist, eine Ansicht, die nunmehr durch unzweifelhafte Beweise zur Gewissheit geworden zu sein scheint.“

Verona. F. G. de Winckels.

Litterarische Neuigkeiten.

„Das Buch Kassandra“ von K. M. Heidt. (Großenhain, Baumert & Ronge). — Es gehört zu den charakteristischen Zeichen unserer Zeit, dass man Diminutiv-Werkchen von minimalem Umfang als selbständige „Werke“ kühn in Verlag giebt und auf den Markt wirft. So begegneten wir bei den Gedichten eines Jungdeutschen mehrfach der Anzeige, er habe bereits „Ein soziales Nachtstück“ erscheinen lassen. Natürlich wähnten wir, auch einen kräftig einsetzenden Novellisten vor uns zu haben, was unsere Achtung wesentlich hob. Wie erstaunten wir aber, als der jugendliche Poet uns sein „Werk“, von dem wir so oft schon gelesen, überreichte — dies großartige „soziale Nachtstück“, in welchem wir einen strebsamen Konkurrenten Max Kretzers kennen zu lernen hofften, bestand aus einem überaus mittelmäßigen Bänkelsängerlied von vier Druckseiten!! Und das lässt sich ernsthaft als „Jugendwerk“ anführen! Da soll einer nicht die Geduld verlieren! Wir verhehlen nicht, dass uns ähnliche Bedenken bei diesem „Sonettenkranz“ beschlichen. Aus 15 Sonetten besteht nämlich das ganze gewaltige „Buch Kassandra“, an dem der Titel unleugbar das Gewaltigste ist. Ich leugne nun gar nicht, dass die kräftige Sprache, die an den Epilog von Meißners „Ziska“ gemahnt, und die fein durchgeführte Form mich für den Dichter einnehmen. Allerdings ist erstere von Gewaltsamkeit nicht frei. Dass den Dichter „bange Seufzer müde umschleichen“, mag hingehn. Aber dass „Geister der Zerstörung ob der Kluft streichen“, will mir schon nicht behagen. Wolken streichen durch die Luft hin — meinethalben mag auch das „durch“ und „hin“ dabei wegfallen, aber „Geister“ sind keine Wolken und können nicht einfach „streichen“. Nachher „streichen“ sogar Seite 10 auch noch die „erstorbenen Seufzer“. Und dass die Späher „nicht so listig wie Fiescos Mohr (!)“, ist ein ebenso mit den Haaren zum Reim herangezogenes Bild wie:

> Eures Hochmutkarrens morsche Speichen
> Zerflocken werden sie wie Meeresschaum (!)

Was ist ein „erzgeschliffener Dorn“? „Des Geistes Garben“ kann man doch nicht „streuen“, da die Garben erst die Frucht des gestreuten Samens sind.

Nicht zum Scherze und aus kleinlicher Nörgelsucht, die wohl Niemand bei uns voraussetzt, führen wir diese Einzelheiten an. Wir anerkennen gern, dass Heidt sich als ein sogenannter „Dichter“ d. h. als ein Geist, der Sprachgewalt, Anschaulichkeitsvermögen und Schwung besitzt, in diesem ominösen Werkchen von 15 Seiten ankündigt. Möge er aber ja nicht vergessen, dass es bei seichten und oberflächlichen Beurteilern „Tiefe“ heißt, wenn man den Mund mit dröhnenden Sturmphrasen vollnimmt, dass es aber nicht genügt, in wohlgesetzten Sonetten die nahende Revolution zu predigen (mit den wohlbekannten nebulosen Schlusstiraden vom „Weltfrühling“ und „Gott der Liebe“), um als Kassandra aufzutreten

---

Auch nur 20 Seiten stark ist die Dichtung „Kalypso“ von Xanthippus (drittes Tausend. O. Heinrichs, München). Aber hier ist auf den engen Raum eine Fülle keuscher Poesie zusammengedrängt. Ein edle Einfalt der Sprache verbirgt einen Schatz tiefer Erfahrung und tiefer Empfindung.

Unter dem Titel „L'Alternative“ hat M. A. Burdeau ein Werk des englischen Philosophen Edmund Llay übersetzt. Es bildet einen Teil der „Bibliothèque de Philosophie contemporaine“, die bei Felix Alcan in Paris erscheint.

Die rührige Verlagshandlung von Gebrüder Treves in Milano veröffentlicht soeben „Reminiscenze e Fantasie di Enrico Castelnuovo.“

Bei Wilhelm Koebner in Breslau erschien eine von Arthur Heidenhain herausgegebene Brochüre über „Die Unionspolitik Landgraf Philippe des Großmütigen von Hessen und die Unterstützung der Hugenotten im ersten Religionskrieg“. Die Abhandlung ist einer umfassenderen Darstellung der Unionspolitik Landgraf Philipp des Großmütigen in den Jahren 1558 bis 1563 entnommen und ist mit großer Genauigkeit ausgeführt.

Bei Gebrüder Dumolard in Milano hat Bice Benvenuti ein schön ausgestattetes Buch betitelt „Fantasia e Realtà“ herausgegeben.

„Die letzten Grafen von Hanau-Lichtenberg“ betitelt sich eine von Oberstlieutenant Wille in Verlage von G. N. Alberti in Hanau herausgegebene Brochüre. Dieses Werkchen, welches sich dem grösseren Werke „Hanau im dreissigjährigen Kriege“ unmittelbar anschließt, umfasst die Regierungszeit der drei Grafen der Lichtenberger Linie, welche bekanntlich nach dem Erlöschen des Münzenberger Mannesstammes (1642) über die vereinigten Grafschaften herrschten.

Eine grössere italienische Anthologie ist im Verlage von Raffaello Giusti in Livorno unter dem Titel „Antologia della poesia Italiana“ compilata e annotata da Ottaviano Targioni Tozetti erschienen. Freunden italienischer Poesie können wir die hübsch zusammengestellte Anthologie nur empfehlen.

„Kleine Erzählungen und Kriegsbilder“ von Graf L. Tolstoi. Aus dem Russischen von W. P. Graff. (Berlin, Wilhelmi.) Das magische Halbdunkel der Stimmung, welches der russischen Litteratur ihre Signatur giebt, lagert auch über diesen Novellen des gefeierten Autors. Nirgends klingt ein Motiv rein aus, alles wird nur tastend angedeutet. Unserer schwächlichen schwankenden Zeit ist diese Art zwar besonders sympathisch. Eine tiefere künstlerische Anschauung wird aber diese ganze Manier durchaus als unkünstlerisch, ja in gewissem Sinne trotz aller scheinbaren Lebensreife unreif nennen, und überhaupt den Kultus, der heut mit der Moskowitischen Litteratur getrieben wird (welche man fälschlich in ihrer lyrischen Stimmungszerflossenheit als „realistisch“ preist), durchaus verdammen. Diese Tolstoischen Novellen sind ja ganz hübsch, aber gerade bei den „Kriegsbildern“ aus der Belagerung von Sebastopol (à la Wereschagin) fällt einem tiefer Eindringenden die leere Trivialität und Kleinlichkeit, die trockene Beobachtungsspielerei, auf.

Eine gewisse Trockenheit des Tons herrscht auch in den „Drei Erzählungen von Rafael Patkanian“, welche den ersten Band der Armenischen Bibliothek bilden, herausgegeben von Abgar Joannissiany, übersetzt von Arthur Leist. (Leipzig, W. Friedrich.) Gleichwohl macht die wirklich bewundernswerte Schärfe der Beobachtung und die schlichte Naturwahrheit der Schilderung diese Lektüre zu einer sehr anziehenden. Auch sind dies keine Halbdunkel-Skizzen nach russischem Muster, sondern vollausgetragene Lebensdarstellungen mit Anfang und Schluss. Man sieht doch wo und wie!

Henry George, der durch sein Buch „Fortschritt und Armut“ berühmt gewordene Nationalökonom kündigt in amerikanischen Blättern das baldige Erscheinen eines neuen Buches „Protektion and fre trade“ an. Er wird in demselben die Frage von Schutzzoll und Freihandel vom Standpunkte der Interessen der amerikanischen Arbeiter behandeln. George verlegt das Buch selbst, d. h. er hat unter dem Namen George & Co. eine Verlagsbuchhandlung in New-York errichtet.

Sir Henri Gordon, der Bruder des in Egypten gefallenen Helden ist mit einer Denkschrift über den letzteren beschäftigt. Dieselbe wird mit Karten und Zeichnungen bei Kegan in London unter dem Titel „Events in the life of Charles George Gordon“ erscheinen.

Von Wilhelm Jordans Roman „Die Sebalds“ giebt jetzt die Deutsche Verlags-Anstalt, nachdem die dreitausend Exemplare starke erste Auflange innerhalb Jahresfrist verkauft ist, eine zweite, durchgesehene Auflage heraus, welche dadurch noch ein besonderes Interesse erhält, dass Jordan eine hochinteressante große Vorrede dazu geschrieben. Es fallen durch dies Vorwort ganz eigentümliche Lichter sowohl auf das merkwürdige Werk selbst wie auch auf des Autors Stellung zu Christentum, Kunst, Forschung und die sozialen Bestrebungen unserer Tage. Jordans Roman wird, das steht zu erwarten, gleich wie sein Epos „Nibelunge“ sich immer mehr Freunde gewinnen und Gemeingut der deutschen Nation werden.

Vom Schweizerischen Idiotikon (Wörterbuch der schweizerdeutschen Sprache) ist das zehnte Heft, das erste des zweiten Bandes, erschienen; es behandelt den Anfang des Buchstabens G. Wir haben in dieser Zeitschrift schon oft auf das Erscheinen dieses verdienstvollen Lexikons aufmerksam gemacht und wiederholen mit dem Herausgebern (F. Staub, C. Tobler & R. Schoch) den berechtigten Wunsch, dass die berufene deutsche Gelehrtenwelt sich des Werkes mehr annehmen möge als bisher.

Herr Kirchbach wünscht in einer Zuschrift an uns, dass wir die Tatsache konstatiren, er habe den berühmten Bulwerschen Roman „Eugen Aram“ nicht gekannt, von dem wir in unserer Besprechung (Nr. 20) den Dichter des „Waiblinger“ inspirirt wähnten. Uebrigens höre er, dass nur eine äußerliche Aehnlichkeit zwischen beiden Werken bestehen könne. — Wir glauben ja selbst anerkannt zu haben, dass Kirchbach das Motiv durch einen grösseren sozialpolitischen Hintergrund erweitert habe. Die von uns angedeutete Aehnlichkeit ist aber doch sehr viel tiefer gefasst, als der Autor anzunehmen scheint.

Ein hochgebildeter Mann von ursprünglich edelem, ja weichem Charakter wird logischerweise zu einer Mordtat verleitet und zwar, indem er diese Handlung, verbrecherisch an sich, vor sich selbst als eine sittliche Notwendigkeit, als eine Art Ausgleich der materiellen Unterdrückung des Intellekts, als eine gerechte Nemesis auffasst. Später aber erkennt er, der die Naturgesetze durchschauende und sich über dieselben erhaben wähnende Forscher, dass über die ewigen, ewig gleichen Sittlichkeitsgesetze keine hochtrabende Sophistik hinweghilft und ein Mord eben ein Mord bleibt. Lange simulirt er vor der Welt mit Erfolg — bis er sein eigener Verräter wird. Mit ihm geht seine Geliebte („Madeline“-Bulwer, „Adeline“-Kirchbach) unter. Auch korrespondiren der Sohn des Ermordeten bei Bulwer und die Tochter des Ermordeten bei Kirchbach.

Doch geben wir gern zu, dass solche Uebereinstimmungen zufällig sein können, und würden übrigens dem deutschen Dichter durchaus keinen Vorwurf daraus machen, dass er ein Vorhandenes benutzte und weiter ausführte. Je prends mon bien, où je le trouve. — Dass uns Eugen Aram sofort einfiel, war natürlich. Dass der in London geborene Herr Kirchbach ein so berühmtes Buch gar nicht kennt, wie er jetzt mitteilt, konnten wir ja nicht annehmen.

Während der später gestorbene Emerson schon mehrere Biographen gefunden hat, wird ein solcher erst jetzt dem Dichter Longfellow, der nebst Emerson der hervorragendste Vertreter amerikanischer Litteratur ist, zu Teil. Der Bruder Longfellows hat in zwei Bänden ein „Life of Henry Wadsworth Longfellow“ geschrieben, oder vielmehr herausgegeben. (Boston & London.) Auf den Faden einer etwas mageren Biographie hat der Bruder Auszüge aus den Tagebüchern und Korrespondenzen des Verstorbenen gereiht. Dieselben lassen den Dichter der „Evangeline“ und des „Hyperion“ ganz als einen der liebenswürdigsten, zartbesaitetsten Menschen und Dichter erkennen, als der er uns auch in seinen formvollendeten Gesängen und romantischen Erzählungen entgegentritt. Das Werk ist der schönste und beste Kommentar zu Longfellows Dichtungen, denn seine Tagebuchblätter berichten genau über Entstehen und Reifen seiner Werke. Unter den Korrespondenzen interessiren den Deutschen vornehmlich diejenigen von und an Ferdinand Freiligrath, mit welchem ihn eine lebenslange Freundschaft verband. Eine knappere und für das allgemeine Publikum bestimmte Biographie des Dichters wird von einem Bostoner Freunde desselben vorbereitet.

Ludwig Keller veröffentlicht soeben im Verlage von S. Hirzel, Leipzig, „Die Waldenser und die Deutschen Bibelübersetzungen“. Die Geschichte der deutschen Waldenser-Bibel ist besonders interessant und wichtig, weil sich in ihr die Schicksale der alten Gemeinden vom vierzehnten bis zum achtzehnten Jahrhundert bis zu einem gewissen Grade wiederspiegeln; denn nicht nur die Geschichte der sogenannten Waldenser, sondern auch die jener Gemeinden des sechzehnten Jahrhunderts, die man Täufer nannte, gruppirt sich um diese altdeutsche Bibel. Die allgemeinen Gesichtspunkte, unter welchen jene Bewegung betrachtet werden muss, sind von dem Verfasser stets im Auge behalten worden und auf die ganze Bedeutung dieser altchristlichen Gemeinden nach verschiedenen Seiten hin erörtert. Der Autor hat mit diesem Werk neue wertvolle Materialien sowohl zur Geschichte der deutschen Reformation und der lutherischen Bibelübersetzung, als auch zur Geschichte des Anabaptismus und der Mennoniten, sowie der Rosenkreuzer und der Bauhütten beigebracht.

Bei Diffa G. B. Paravia & Comp. (di J. Vigliardi) Torino-Roma-Milano-Firenze ist soeben erschienen Adila, dramma storico von Alfredo Marchisio, auf welches auch schön ausgestattete Werk wir nicht umhin können unsere Leser noch ganz besonders aufmerksam zu machen.

Johannes Zuctajeff giebt im Verlage von O. Herbeck in Moskau ein für Philologen und Sprachforscher sehr wertvolles Werk unter dem Titel „Inscriptions Italiae cuferioris dialecticae in usum praecipue academicum“ heraus.

„Bulgarien und Ostrumelien. Mit besonderer Berücksichtigung des Zeitraumes von 1878—1886 nebst militärischer Würdigung des Serbo-Bulgarischen Krieges“, wurde soeben im Verlage B. Elischer in Leipzig von Spiridion Gopčenić veröffentlichet. Der Verfasser hat es sich in dem Werke angelegen sein lassen den Schwerpunkt in die Schilderung der historisch-politischen Vorgänge in Bulgarien und Ostrumelien zu verlegen, während die Vorgeschichte dieser Länder, ihre Geographie, Ethnographie und Statistik nur kurz behandelt von ihm worden ist. Wir müssen das Erscheinen dieses Werkes nur mit Freude begrüßen, zumal es eigentlich das erste ist, welches uns die Beschreibung des serbisch-bulgarischen Krieges vollständig unparteiisch giebt und aber auch beide Teile Fehler gleich scharf kritisirt; wir wünschen demselben eine möglichst weite Verbreitung.

Der bekannte italienische Professor Camillo Antona Traversi hat soeben zwei größere wertvolle Werke herausgegeben, von denen das eine „De Natili de Parenti, della Famiglia di Ugo Foscolo con lettere e documenti inediti e un' appendice di Gose o rare“ bei Gebrüder Dumolard in Mailand und das zweite „Lettere disperce e inedite di Pietro Metastasio cun un' appendice di scritti intorno allo stesso“ bei Euseo Molino in Rom erschienen ist.

Die soeben herausgegebenen Bände der Collection of British Authors (Tauchnitz Edition) enthalten: „Living or dead by Conway“. Die Verlagshandlung (Bernhard Tauchnitz in Leipzig) dieses so trefflichen Unternehmens, das wohl gar keiner Empfehlung mehr bedarf, lässt es sich stets angelegen sein, die Collection in bester Weise zu vergrößern und wird daher auch vom wohlverdienten Erfolge gekrönt.

Aus dem Verlage von Felix Bagel in Düsseldorf liegt uns vor: „Chronik der Gegenwart“, herausgegeben von Dr. Ed. Hüsgen, III. Jhrg. 1885 (Preis geb. M. 6). Das Buch enthält eine vollständige Chronik der Ereignisse des Jahres 1885 und ist die als vorzüglich anerkannte, leicht orientirende Einteilung auch in dem neuen Jahrgange beibehalten worden. Der Eigenart der politischen Verhältnisse des Jahres 1885 ist nach jeder Richtung hin Rechnung getragen. Mit eingehender Ausführlichkeit ist das deutsche Reich behandelt, aber auch die wichtigeren Ereignisse der übrigen Länder sind gebührend berücksichtigt. Wir können die so an Reichhaltigkeit, Objektivität und Gründlichkeit bis jetzt wohl unübertroffene Chronik einen treuen Spiegel des Jahres 1885 nennen.

Von Maximilian Schmidt erschienen im Verlage von G. D. W. Callwey drei Bändchen Humoresken: „Die Feldherrnhalle“, „Lustige Haft“, „Die Bärenritter“. Alle drei zeugen von einem frischen, kerngesunden Humor und werden gewiss Jedem eine erheiternde, anregende Lektüre sein.

Aufruf.

Wir stehen in Deutschland vor einer neuen Kulturepoche oder sind sogar schon im Beginne derselben! Und doch befinden wir uns anscheinend eher in einer rückwärts- als vorwärtsläufigen Bewegung unserer geistigen Kulturentwicklung. Sehen wir doch auf religiösem Gebiete konfessionelle Zerrissenheit und Unduldsamkeit immer mehr an Boden gewinnen, auf politischem das Vorherrschen eines blinden Parteihaders, auf nationalem das Erstarken des Partikularismus, auf sozialem das Anwachsen der Sozialdemokratie mit dem Anarchismus im Hintergrunde, auf dem Schulgebiete ein noch zu einseitiges Vorherrschen der formalen Geistesbildung auf Lehrgebieten, die für unsere Jugend ungeeignet und die sie, weil sie ihr mit Recht unsympathisch, ermüden und überbürden, in der Wissenschaft einerseits noch immer das Hervortreten eines zünftigen, dem wirklichen Leben entfremdeten Doctrinarismus, andererseits das zunehmende vollständige Aufgehen unserer Gelehrten in ihr Spezialgebiet, sodass sie den allgemeinen Ueberblick und das Interesse für alles Andere leicht verlieren, auf den Hochschulen in üppiger Blüte den Mensursport, vollständige Zerrissenheit, Absonderung und gegenseitiger Hass, mangelnder Sinn für die allgemeinen studentischen Interessen, kurz überall, wohin man blickt, Zersplitterung, vollständiges Aufgehen in das Besondere, Schwinden des Sinnes für das Allgemeine!

Wer die Weltgeschichte mit kritischem Auge verfolgt, der weiß aber, dass auf derartige Erscheinungen notwendig eine vorwärtsgehende Bewegung folgt. Sie sind der Stachel, der einsichtsvolle, klardenkende Männer zur kräftigen Tat antreibt. Und so sehen wir denn in Wirklichkeit die ersten Keime einer neuerwachenden Geistesrichtung. Von den verschiedensten Seiten, und neuerdings erfreulicher Weise auch von Organen der Staatsgewalt, sind besonders auf dem Schulgebiete gegen die erkannten Uebelstände Maßnahmen getroffen. Man schreitet zur Bildung von Vereinigungen, um gemeinsam denselben entgegenzutreten.

In diesem Kampfe für Entwickelung einer neuen Kulturepoche gedenkt die am 18. Oktober 1885 zu Eisenach gebildete „Deutsche akademische Vereinigung“ eine nicht unwichtige Stellung einzunehmen. Sie will die bessernde Hand an die akademische Jugend, die Zukunft unserer Nation, legen; sie will sie befreien von mittelalterlichen Auswüchsen, sie fernhalten von allen Versuchen, sie zu Parteizwecken auf religiösem, sozialem und politischem Gebiete zu benutzen, sie bewahren vor Zersplitterung — durch Hebung des Sinnes für das Allgemeinwesen, für ein wahres Deutschtum, für ein inniges geistiges Zusammengehen mit allen Deutschen, wo sie auch wohnen; sie will vor allen Dingen unsere akademische Jugend durch persönlichen Verkehr und durch ihre Organe: „Die Deutsche akademische Zeitschrift“ mit „Deutscher Studenten-Zeitung“ als Beiblatt bekannt machen mit den Bestrebungen der Männer, der Vereinigungen, welche für eine neue Geistesrichtung, für ein wahres Deutschtum eintreten, das weder in nationaler Ueberhebung noch in Rasseverfolgungen besteht.

Die „Deutsche akademische Vereinigung“ wird daher bestrebt sein, einerseits alle Einzelbestrebungen zu gemeinsamem Kampfe zusammenzufassen, andererseits mit den bereits bestehenden Vereinigungen, wie dem Schulverein, Sprachreinigungsverein, Realschulmännerverein, Deutscher Verein zur Förderung des Arbeitsunterrichts und allen auf Hebung des nationalen Lebens gerichteten Bestrebungen derart ein Verhältnis einzugehen, dass man gegenseitig als Körperschaft eintritt, um die beiderseitigen Bestrebungen zu fördern. Mit den studentischen Körperschaften, welche bemüht sind, einen echt deutschen nationalen Sinn bei ihren Mitgliedern zu erziehen und diese zu tatkräftigen, charakterfesten, zu sittlich, wissenschaftlich und staatsbürgerlich reifen Männern herauszubilden, wird sie in enge Verbindung zu treten und sie für den Eintritt in die Vereinigung als Körperschaft zu gewinnen suchen.

Dass der „Deutschen akademischen Vereinigung“ in diesem Kampfe für eine neue Geistesrichtung und für die Hebung des nationalen Lebens eine sehr wichtige Aufgabe zufällt, liegt auf der Hand, denn wer dafür sorgt, dass alle jetzt entstehenden neuen Anschauungen, wie z. B. über Schulreform in der akademischen Jugend, den künftigen Beratern und Lenkern des Staates, festen Boden fassen, der hat für die Verwirklichung der Ideale den wirksamsten Weg gewählt.

Daher geht an alle Gleichgesinnten, welche im Sinne unserer Bestrebungen tätig sein und namentlich auf die akademische Jugend einwirken wollen, die Aufforderung, sich uns anzuschließen. Es handelt sich um die höchsten Güter unserer Nation, um eine normale, gesunde geistige Entwickelung unserer Jugend. Hier kann und darf Niemand fehlen, dem nur einigermaßen das Wohl der Nation am Herzen liegt. Am 24. und 25. Juli findet in Leipzig die erste allgemeine Versammlung statt, in der die Satzungen in obigem Sinne festgestellt werden und im Besonderen über allgemeine studentische Schiedsgerichte, über ein studentisches Duellgesetz, über Schulreform verhandelt werden wird.

Beitrittserklärungen nehmen Dr. Küster, Berlin SW., Grosbeerenstraße 87 und Dr. von Kalckstein, Berlin W, Frobenstraße 33, entgegen. Der jährliche Mindestbeitrag soll fünf Mark betragen. Bei einem Beitrage von zehn Mark an erhält man das Vereinsorgan frei zugesandt. Das Nähere über die allgemeine Versammlung wird durch das Vereinsorgan und die politische Presse bekannt gegeben werden.

Alle für das „Magazin“ bestimmten Sendungen sind zu richten an die Redaktion des „Magazins für die Litteratur des In- und Auslandes“ Leipzig, Georgenstrasse 6.

Für die Redaktion verantwortlich: Karl Bleibtreu in Charlottenburg. — Verlag von Wilhelm Friedrich in Leipzig. — Druck von Emil Herrmann senior in Leipzig.

Das Magazin

für die Litteratur des In- und Auslandes.

Wochenschrift der Weltlitteratur.

1832 gegründet von Joseph Lehmann.

55. Jahrgang.

Preis Mark 4.— vierteljährlich.

Herausgegeben von Karl Bleibtreu.

Verlag von Wilhelm Friedrich in Leipzig.

No. 30. Leipzig, den 24. Juli. 1886.

Inhalt:

Wiener Autoren.

Von Ernst Wechsler.

II.

Ludwig von Mertens.

Im vorhergehenden Aufsatze haben wir über F. Schlögl gesprochen, der das Wiener Leben in kulturhistorischer Hinsicht geschildert hat; heute sei von einem Autor die Rede, dessen Lebensaufgabe darin bestand, Wiens Geschichte mit der laterna magica der Poesie zu beleuchten, und dessen sämmtliche Schöpfungen daher in Wien abspielen.*) Eine andere Stadt hätte einen solchen Poeten mit all' den ihr zu Gebote stehenden Ehren überhäuft, man hätte ihn zum Mittelpunkte des litterarischen Lebens gemacht — die Wiener aber in ihrer wohl auch mit Dummheit etwas versetzten Gemütlichkeit nennen zwar hin und wieder den Namen Mertens; ob sie seine Werke lesen? Nur eine kleine Gemeinde tut es, und dieser Umstand allein beweist hinlänglich das großartig geringe Interesse der Wiener an echten Dichtungen, die ihre Stadt verklären. Allerdings gab es Zeiten, wo der Name Mertens in aller Munde war, wo man über seine Schöpfungen bald aus Herzensgrund lachte, bald erschrak und sich gewaltig ärgerte. Vor einiger Zeit hat — nach langjähriger Schaffenspause — sein letztes Werk die Presse verlassen und an dieses anknüpfend wollen wir die Silhouette des edlen und noblen österreichischen Poeten zu entwerfen versuchen.

Ludwig von Mertens stammt aus einer alten niederländischen Familie zu Brüssel. Er wurde im Jahre 1826 in Wien geboren, studierte daselbst die Rechte, machte als Offizier den ungarischen Feldzug des Jahres 1849 mit, diente dann in Italien, musste jedoch in Folge seiner im Kriege zugezogenen Krankheit den Militärdienst verlassen und in den Civildienst übertreten, aus dem er seit ungefähr einem Jahre in den Ruhestand trat. Er hat seinen Aufenthaltsort aus Hietzing bei Wien in die Residenz verlegt und lebt nun dort in stiller Beschaulichkeit und in anregendem Umgang mit gleichgestimmten Männern, die ihn persönlich und litterarisch wohl zu schätzen wissen.

Mertens ist vor Allem feuriger Patriot, d. h. er hängt mit allen Fasern an seinem deutschen Heimatslande, dessen Geschichte er genau kennt, — die Geschichte der von Kaiser Karl dem Großen gegründeten Ostmark, das ist die Geschichte eines Jahrhunderte langen Kampfes deutscher Männer gegen Hunnenkraft und slavische List. Die Vaterlandsliebe war es, welche ihm die Feder in die Hand drückte, und diese ist der vorspringendste Zug seiner littera-

*) Bibliographie. Das belagerte Wien. Eine Reimchronik. Hamburg, J. F. Richter. 3. Auflage. — Die moderne Gesellschaft. Hamburg, J. F. Richter. — Die vornehme Gesellschaft. Wien, Perles. — Ein deutscher Bürgermeister. Wien, Rosner. — Ein Idyll auf dem Kahlenberge. Wien, Schöneweck. — Weibliche Reise nach Prag. München, Braun & Schneider. — Falad. Kleine Bilder aus der Völkerwanderung. Wien, Konegen. — Außerdem hat Mertens noch eine Anzahl von ungedruckten Werken in seinem Pult liegen: Theaterstücke und Novellen, welch' letztere, soweit sie mir bekannt, durch ihre ungekünstelte Einfachheit der Form und durch ihren feinsinnigen Inhalt ungemein wohltuend berühren. Es wäre für einen Verleger ein dankbares Unternehmen, wenn er sich um diese Novellen bewerben wollte.

rischen Eigentümlichkeit, die in warmer Lebendigkeit bald in den Strom der Jahrhunderte taucht und aus dessen tiefstem Grunde edle Perlen seltsamer und interessanter Begebenheiten hervorholt, bald in glühendem Zorn die Geißel schwingt über die Schwächen der Gesellschaft seiner Zeit und ihr einen feingeschliffenen Spiegel ihres Wesens vorhält. Mertens kennt wie wenige die Geschichte Oesterreichs und dieser Kenntnis entsprang seine unwandelbare Ueberzeugung, die er zu wiederholten malen mit prächtiger Beredsamkeit ausspricht, dass die Bürgerkraft der erste Pfeiler des Staates ist, dass Bürgertum und Bürgertugend einen undurchdringlichen Wall gegen äußere feindliche Anstürme bildet. Auch seine Sprache, seine Form verrät den österreichischen Poeten durch und durch. Er schwelgt in Bildern, seine Verse funkeln und schimmern in allen Farben dichterischer Malerei, die den süddeutschen Poeten so charakterisirt und die ihn auch teilweise bei seinen Kollegen im Reich in Verruf gebracht hat. Mertens huldigt in idealster, heutzutage selten mehr vorkommender Weise der Schönheit; in diesem Kult geht sein trunkenes Herz auf und macht seine Sprache überquellen, so dass sie allerdings hie und da die Grenzen des Abgerundeten überschreitet und der plastischen Kraft seiner Schöpfungen Abbruch tut. Dass die bedeutendste Triebkraft seines Talentes die Phantasie ist, braucht nach dem Gesagten nicht erst hervorgehoben zu werden; sie durchdringt alle seine Werke von der ersten bis zur letzten Zeile. Und trotz all' dieser schönen Eigenschaften, die ihren Träger zum leichten und reichen Schaffen eigentlich prädistiniren, hat Mertens verhältnismäßig wenig geschrieben. Circa ein halb Dutzend Bücher rührt von ihm her, aber diese kleine Anzahl genügt, seinen Namen vollgültig zu machen und ihn in die vorderste Reihe der österreichischen Poeten zu rücken.

Meines Erachtens sind das „Belagerte Wien" und die „Moderne Gesellschaft" seine besten Werke, da sich in ihnen am deutlichsten seine Eigenart ausspricht und seine dichterische Kraft am stärksten hervortritt. Bei der Lektüre des „Belagerten Wien" fragt man sich oftmals, weshalb das Werk nicht in allen Händen ist und als Lese- und Musterbuch in allen Schulen eingeführt worden. Denn trotz der dritten Auflage, zu der es die Dichtung gebracht hat, ist sie bei weitem nicht nach Verdienst gewürdigt und gelesen worden. Der hauptsächlichste Grund dafür liegt wohl in dem zu großen Umfange des Buches. Der Autor hat in der Masse des sich ihm aufdrängenden Stoffes nicht genug Maß halten können und unsere Zeit ist zu kurzatmig, um lange Dichtwerke gehörig zu genießen. Aber welche Fülle von Poesie liegt in diesem Buche aufgespeichert! Das grandiose historische Ereignis von der Belagerung Wiens durch die Türken hat Mertens in ungefähr hundert Gedichten geschildert, die eine schimmernde Kette von Liedern, Balladen, Romanzen, Genrebildern darstellen. Mannigfach sind die Rhythmen dieser Gedichte, wie die Töne, die sie anschlagen. Dass bei so verschieden veranlagten Gedichten Mertens manchmal die Bahn Lenaus oder Uhlands, überhaupt jener Dichter betritt, welche historische Balladen und Romanzen geschrieben haben, ist selbstverständlich; doch sagen wir nicht, dass seine Gedichte an die Poesien jener Herren gemahnen, sondern sprechen es keck und kühn aus, dass sie sich mit denselben messen können. Es sind in dem Buche Stellen, die in ihrer Wucht und Gedrungenheit Uhland, in ihrem melodischen Schmelz der Sprache Lenau, in ihrer tropischen Farbenglut Freiligrath, in ihrem historischen Tiefsinn und Weitblick Hermann Lingg zur Ehre gereichten. Jahre lange kulturhistorische Studien hat Mertens für dieses Werk gemacht und selbe wohl zu verwerten gewusst; das „Belagerte Wien" ist ohne alle Frage eine poetische Leistung, welche ihrem Autor einen Ehrenplatz in der deutsch-österreichischen Litteraturgeschichte sichert.

Im Gegensatz zu dieser historischen Dichtung wurzelt die „Moderne Gesellschaft" in der Gegenwart. An dem losen Faden einer Erzählung reiht der Dichter ein Genrebild an das andere, alle aber mit einander wetteifernd an Schärfe der Satire und treffender Beobachtungsgabe. In volltönenden Trochäen schildert Mertens die einzelnen Stände und enthüllt uns deren Schwächen und Laster. Dieses Buch zündete. In acht Tagen war es ausverkauft, aber es zog dem Poeten den gründlichsten Hass der modernen Gesellschaft zu. „Der Kirchenfürst und der Künstler", „Der Held und die Journalisten" sind die Glanzpunkte des Buches, prächtige Studien, und man darf sich nicht wundern, dass die Pfeile, die Mertens in diesen Versen abschießt, ihr Ziel nicht verfehlten und dort mächtig einschlugen. Als Fortsetzung dieses Buches ist die „Vornehme Gesellschaft" zu bezeichnen, die ein genaues Bild des österreichischen Hochadels giebt. Die Form darin ist eine künstlerisch höherstehende, als in der „Modernen Gesellschaft". Die bunt drapirten, aber ungemein glücklich gebauten Strophen haben aber den Nachteil, dass in solch feinem Gewande die unmittelbare Wirkung der Satire, die in der „Modernen Gesellschaft" so voll hervortrat, abgetönter und gedämpfter erscheint. Auch dieses Werk machte viel von sich reden, wenn auch nicht immer zu Gunsten der Persönlichkeit des Autors.

Eine helle und stürmische Lachwirkung trug Mertens mit seinen zahlreichen Beiträgen für die „Münchner fliegenden Blätter" davon, von denen die „Reise nach Suez" (von Oberländer gelungen illustrirt) als Buch heraus kam. Niemand hätte es dem pathetischen Mertens zugetraut, dass er so harmlos witzig, so übermütig sein kann. Die Gestalt Laura Fischers als zimperlicher Backfisch, sentimentale Ehefrau und abenteuernde Witwe ist eine der gelungensten unserer humoristischen Litteratur.

Den genannten Werken folgt das „Idyll auf dem Kahlenberg", welches die Gesammtgeschichte Wiens seit den Zeiten Roms in kleinen Bildern erzählt; dem in vielfacher Hinsicht an „Luise" von Voss gemahnenden Büchlein fehlt es nicht an vielen sinnigen und gemütvollen Stellen, nur stört die Wirkung der allzuhäufige Beginn des Hexameter mit „aber". Der etwaige Einwand, dass dies nach griechischem Muster geschehe, ist falsch; im Griechischen nehmen die Partikel eine ganz andere Stellung und Bedeutung im Satze ein als in der deutschen Sprache. — Eine sehr schöne abgerundete Erzählung in Versen ist der „Deutsche Bürgermeister", der eine Familienfehde im Hause Habsburg behandelt. Im breiten Entrollen historischer Ereignisse, aus denen deutlich die Hauptgestalten hervorragen; im Ausmalen lieblicher Familienszenen zeigt sich Mertens ungemein gewandt. Das Buch ist wie das „Belagerte Wien" eine Glorifikation des mächtigen, selbstbewussten, vor keiner Gefahr zurückschreckenden Bürgertums. Auch in diesem Buche entwickelt Mertens seine außergewöhnlichen historischen Kenntnisse und beinahe nirgends auf Kosten der poetischen Konzeption und der reinen künstlerischen Wirkung. Sein letztes Buch „Falad", welches im Bilde der alten römischen Stadt Vindobona ein Zeitbild der jetzigen Wirren in Oesterreich zur Anschauung bringt, zeigt alle schönen Seiten seiner poetischen Begabung aufs Beste und Vorteilhafteste. Ob aber unsere Zeit Werken derartigen Genres, und seien selbe auch noch so gediegen, die nötige Aufmerksamkeit entgegenzubringen vermag?

Nun, derlei Aeußerlichkeiten, ob ein Buch von Herrn Mayer oder von Herrn Gritzhuber gelesen wird oder nicht, haben keinen Einfluss auf den Wert und die Beurteilung dieses Buches; und Ludwig von Mertens ist ein Poet, der unbeirrt von dem Grade des äußeren Erfolges weiterschafft. Diejenigen aber, die sich aus dem schrillen Lärm des Tags von Zeit zu Zeit flüchten wollen in das Asyl der Poesie, sie werden es nicht unterlassen, sich mit den Schöpfungen von L. v. Mertens innig vertraut zu machen.

Der slovenische Luther.

Ein Beitrag zur Geschichte der protestantischen Litteratur-Periode der Slovenen.

Von Dr. Heinrich Penn.

Im Monate April feierten die Protestanten Oesterreichs freudig gehobenen Herzens den fünfundzwanzigsten Jahrestag der Erlassung des kaiserlichen Patentes vom 8. April 1861, dem sie vollständige Gleichstellung mit den Katholiken Oesterreichs verdanken.

Da ist es nun an der Zeit, eines noch viel zu wenig gekannten Mannes zu gedenken, welcher sich unvergängliche Verdienste um die evangelische Sache in Oesterreich erwarb.

Die Geschichte aller Völker zeigt uns, dass große politische Ereignisse, bedeutende staatliche und religiöse Reformen stets im innigen Zusammenhange mit der Entwicklung der Litteratur dieser Völker stehen, und jede große Zeit in der Regel auch große Erscheinungen auf litterarischem Felde erzeugt hat.

Eine Bestätigung dafür finden wir denn auch bei dem slovenischen Volke. Vom IX. bis zum XVI. Jahrhundert, also durch mehr als sechshundert Jahre, lag das Feld der nationalen Sprachforschung brach und ungepflügt, — da kam das XVI. Jahrhundert mit seinen einschneidenden politischen Ereignissen, vor allem der gewaltigen Reformation, die eine mächtige Bewegung nicht nur im kirchlichen, sondern auch im staatlichen Leben hervorbrachte, und mit derselben begann für das slovenische Volk eine neue Aera.

So haben wir die merkwürdige Erscheinung, dass gerade die Reformation die slovenische Litteratur neu beleben, neu erwecken sollte, dass es die Prediger der evangelischen Lehre waren, die als slovenische Litteratoren sich unvergängliche Verdienste um die slovenische Nation erwarben, so zwar, dass man die Zeit von 1550—1612, welcher wir die Wiedererweckung der slovenischen Litteratur verdanken, die protestantische Periode der slovenischen Litteratur nennen muss. Wir sehen in diesen Jahren einen bedeutenden Aufschwung in allen „windischen Landen", Schulen wurden errichtet, Bücher in slovenischer Sprache geschrieben und auch gedruckt, und mit Hülfe der patriotischen Landstände Krains entstand sogar die erste nationale Buchdruckerei in Laibach.

Und da treffen wir vor Allem auf die Gestalt eines Mannes, der sein ganzes Leben hindurch mit seltener Ausdauer und unerschütterlicher Festigkeit an dem Werke gearbeitet: dem Volke die Lehren des Evangeliums in seiner Sprache zu vermitteln, eines Mannes, dem dieses Volk die Wiedererweckung seiner Litteratur, ja sogar die ersten gedruckten Bücher verdankt — Primus Truber, — den Reformator Krains, den slovenischen Luther!

Wir wollen im Folgenden ein Bild des noch immer viel zu wenig gekannten, des — aus religiösen Gründen — von den altslovenischen Schriftstellern viel zu wenig gewürdigten Mannes, sowie seiner Bestrebungen bieten, das um so mehr interessiren dürfte, als jene Periode noch immer nicht genügend durchforscht, der heutigen Generation noch immer zu wenig zugänglich gemacht ist.

Primus Truber wurde im Jahre 1508 in Rašiča unweit Auersperg (in Unterkrain) geboren und begann seine Studien in Fiume, wo er sich das Kroatische und Italienische aneignete. Die philosophischen Studien absolvirte er in Salzburg und Wien mit Hülfe des Bischofs Bonhomo von Triest, der ihm zeitlebens ein hochherziger Mäcen war,

Derselbe machte ihn 1527 zum Priester in Triest und verschaffte ihm später die Pfarre Lack bei Ratschach, von wo Truber nach Tüffer, hierauf nach Cilli und 1531 als Kanonikus nach Laibach kam. Von diesem Momente an begann eine neue Zeit für Truber. Schon während seines Aufenthaltes in Salzburg neigte er dem Protestantismus zu, denn das üppige Leben, welches die katholische Geistlichkeit, namentlich die Kirchenfürsten führten, erfüllte ihn mit heiligem Zorn. Der damalige Erzbischof von Salzburg zumal lebte die größte Zeit des Jahres in seiner Residenz in Gesellschaft buhlerischer Weiber. Die Eindrücke, welche Truber dort erhielt, mögen noch durch die Predigten des Paul Speratus in der Wiener Stephanskirche verstärkt worden sein, denn kaum hatte Truber sein neues Amt in Laibach angetreten, als er auch schon von der Kanzel herab gegen die Ehelosigkeit der Priester, sowie gegen die Austeilung des Abendmahles in einer Gestalt zu predigen begann.

Gerade zur selben Zeit machte sich in Laibach der Protestantismus allmählich bemerkbarer, der „Landesschreiber" Mathias Klobner bildete den Mittelpunkt der evangelischen Strebungen. Truber gesellte sich zu ihm und fing erst schüchtern, dann immer energischer in der Nikolauskirche im Sinne des Evangeliums von der Kanzel zu wirken an. Das machte ein ungeheures Aufsehen in Laibach, scharenweise drängte sich das Volk zu den Predigten Trubers, die er Nachmittags, als sogenannte Christenlehre, hielt.

Natürlich konnte der katholische Klerus dazu nicht schweigen. Bischof Rauber entsetzte den Neuerer seines Amtes als Domherr und verbot ihm das Predigen im Dome. Doch aus Laibach vermochte er ihn nicht zu vertreiben, denn die evangelische Lehre war damals namentlich unter den Landständen schon sehr verbreitet und so räumten dieselben 1532 Truber das Elisabethenkirchlein im Bürgerspitale zu seinen Predigten ein.

Nah mehreren Jahren erst gelang es seinen Feinden ihm den Aufenthalt in Laibach unmöglich zu machen, und so ging Truber 1540 nach Unterkrain, kurze Zeit darauf jedoch berief ihn Bischof Bonhomo nach Triest als slovenischen Prediger.

Aber auch von dort wandte er sich bald wieder nach Laibach zurück. Hier hatte jedoch mittlerweile und zwar 1544 der energische Bischof Urban Textor seinen Sitz aufgeschlagen und erwirkte sofort vom Kaiser Ferdinand die Bewilligung, gewaltsam gegen die Prädikanten vorgehen zu können. Die Gesinnungsgenossen Trubers, der Domherr Wiener und Vikar Dragolić, wurden gefänglich eingezogen, Truber gelang es sich zu flüchten. Sein Haus jedoch ward erbrochen und ausgeraubt, seine evangelischen Bücher und Schriften verbrannt, er mit dem Kirchenbann belegt. Truber ließ bei seiner Flucht zwei Anhänger zurück, die Priester Johann Scherer und Georg Kobilo, welche sich verehelichten, wobei der eine an dem anderen die Trauung vollzog.

Truber selbst ging nach Nürnberg, wo ihm der Prediger Veit Dietrich die Pfarre in Rothenburg an der Tauber verschaffte. Dort verehelichte sich unser Reformator auch. Im Jahre 1552 wurde er nach Kempten versetzt. Als er noch in Laibach predigte, empfand er bereits lebhaft die Unzulänglichkeit, welche darin bestand, dass das Evangelium vom Priester erst lateinisch gelesen und dann von demselben schlecht und recht in die Landessprache übersetzt werden musste. Deshalb verfasste Truber im Jahre 1550 einen slovenischen Katechismus und eine Fibel und ließ dieselben in Morbarts Druckerei in Tübingen drucken.

Diese beiden Werke waren die ersten gedruckten slovenischen Bücher. Truber ließ sie mit deutschen Lettern und mit deutscher Orthographie erscheinen und gab darauf weder seinen Namen noch den Druckort an. Es hieß auf den Büchern:

„Gedruckt in Siebenburgen durch Jernej Skurjaniz." Er sagt später selbst in einem Schreiben an den König Maximilian, dass er die Bücher musste „verborgen, mit gefahr, und in seinem abwesen, so dass er sie nicht hat mögen kurigiren, drucken lassen."

Die Fibel, welche keine zwei Druckbogen stark war, führt den Titel: „Ane Buquice, is tih se ty mladi in preprosti Slovenci mogo lahko v kratkim zhasu brati nauzhiti. V tih so tudi ty vegshy stuki te Krzhanske vere inu ane molytve, te so prepisane od anige perjatila vseh Slovenzov."

(Ein Büchlein, aus dem die jungen und fleißigen Slovenen leichtlich und kurz das Lesen erlernen können. Enthält auch die Hauptstücke der Christenlehre und ein Gebet. Verfasst von einem Freunde aller Slovenen.)

Dieses Büchlein nun umfasst von Seite 1—4 eine slovenische Vorrede, von 4—7 das Abc, von 8—26 einen kurzen Katechismus.

Das zweite Buch „Der Katechismus" ist bedeutend umfangreicher und zählt acht Druckbogen. Der Titel desselben lautet: „Anu kratku poduzhene s katerim vsaki zholnik more vnebu pryti." (Eine kurze Belehrung, mittelst welcher jeder Schüler in den Himmel zu kommen vermag.)

Diese beiden Bücher wurden im Jahre 1555 abermals in einer neuen Auflage gedruckt und zwar diesmal „durch Primus Truber in Tübingen", wie diese Ausgabe in slovenischer Sprache offen bekennt.

Bevor unser Reformator die beiden Bücher erscheinen ließ, sandte er das Manuskript derselben den krainischen Landständen, damit dieselben den Druck besorgen mögen. Die Stände wagten sich jedoch nicht daran, denn erstens gaben sich die beiden Büchlein als im evangelischen Geiste abgefasst, andererseits aber war bis dorthin noch kein Werk in slovenischer Sprache gedruckt worden.

Wegen der vielen Mühen, Hindernisse und Unannehmlichkeiten, welche Truber durch diese Bücher erwuchsen, wollte er alle ähnlichen Versuche für die Zukunft unterlassen. Da fügte es ein glücklicher Umstand, dass er mit dem Bischof Peter Paul Vergerio aus Capo d'Istria bekannt wurde.

Derselbe, anfangs ein eifriger Katholik, so dass der Papst sich seiner wiederholt zu wichtigen Missionen nach Deutschland bediente, schlug später ebenfalls die evangelische Richtung ein, und trug nun das sehnlichste Verlangen, die Bibel in slovenischer Sprache dem Volke zugänglich zu machen. Er besprach sich deshalb mit Truber und die Beiden beschlossen zuerst, das neue Testament zu übersetzen und herauszugeben. Da sich aber die Kosten selbstverständlich sehr hoch stellten, so erbat sich Vergerio die Hülfe des Herzogs Christoph von Württemberg zum Druck des genannten Buches.

Der Herzog zeigte sich denn auch gerne und in hochherzigster Weise dazu bereit, und da andererseits die krainischen Protestanten, so namentlich Baron Ungnad und Probst Brentius ebenfalls das Werk nach Kräften unterstützten, so kam bereits 1555 das Buch des Evangelisten Matthäus heraus, und zum besseren Verständnis fügte Truber noch das „Namenbüchlein" und den Katechismus dazu.

Allerdings ging nun das Werk etwas langsamer von Statten, so dass erst im Jahre 1557 der Druck aller vier Evangelisten vollendet war. Namentlich verzögerte die weite Entfernung Trubers von Tübingen den Druck, deshalb mühten sich seine Freunde dafür, dass er von Kempten nach der Pfarre Urach nahe bei Tübingen übersetzt wurde, was denn auch durch die Bereitwilligkeit des Herzogs bald gelang.

In Tübingen hatte sich mittlerweile eine förmliche litterarische Gemeinde gebildet. Selbst aus Kroatien waren mehrere evangelische Popen dorthin gekommen, da sie hofften mit Hülfe Trubers die Bibel in cirillischer und glagolitischer Schrift herauszugeben. Es gab allenthalben ein reges litterarisches Streben und Wirken. Wir besitzen ein drei Seiten langes Verzeichnis der Bücher, welche Truber bis zum Jahre 1561 edirte. In sämmtlichen südslavischen Ländern zeigte sich große Rührigkeit, eine Reihe von Litteratoren erstand, so Anton Dalmatin, Stefan, Konsul in Istrien, Matthäus Popović, Johann Maleževec, Georg Juričić und Leonhard Merčević. Ihr Protektor war der genannte Bischof Vergerio, welcher seinen mächtigen Einfluss zur Unterstützung der litterarischen Strebungen geltend machte.

Am 1. März 1561 berichtete Truber an König Maximilian über den Druck verschiedener Bücher in kroatischer Sprache, die er ihm dedicirte.

Im Jahre 1559 hatte Magister Michael Tiffernus, ein geborener Krainer, damals Professor der Theologie in Tübingen, zwei Stipendien für krainische Studenten, die an der dortigen Universität Theologie studiren wollten, gestiftet. Infolge dessen wurden viele Krainer an der Universität Tübingen zu Doktoren promovirt.

Indes hatten sich in Krain selbst die Verhältnisse scheinbar zu Gunsten der Evangelischen geändert und die Landstände riefen Truber nach Laibach zurück. Aber dieser fand es angezeigter an seinem bisherigen Platze zu bleiben, da er dort ersprießlicher für die Sache des slavischen Bibeldruckes und des Evangeliums zu wirken vermochte. Die Stände jedoch ließen nicht ab von ihm und delegirten sogar einen eigenen Abgesandten nach Tübingen, der ihnen den ersehnten Mann zur Stelle schaffen sollte. In Wahrheit folgte Truber demselben zu einem kurzen Aufenthalte in die Heimat, warb dort neue Freunde und Gesinnungsgenossen, machte die Bekanntschaft zweier „uskokischer" Priester, sogenannte „Altgläubige" und nahm dieselben auf seiner Rückreise nach Tübingen mit.

Allein die krainischen Landstände ließen nicht nach in Truber zu dringen, sich wieder dauernd in seinem Vaterlande zu ersprießlicher Wirksamkeit niederzulassen und so machte sich dieser denn endlich mit bangem Herzen auf, und übersiedelte 1562 mit seiner Familie nach Laibach. Er trennte sich nur schwer von seinen litterarischen Freunden, die es übrigens für alle Fälle so zu lenken wussten, dass ihm die Pfarre in Urach erhalten bleiben sollte. Sein „großer Gönner" der Herzog selbst bestätigte ihn als Pfarrer.

Als Beweis, wie sehr die Lehre des Evangeliums in ganz Krain Wurzel gefasst hatte, gelte der Umstand, dass seiner Zeit sogar der erlauchte Maximilian 400 Gulden zum Druck der slavischen Bücher beitrug und auch andere Städte in Deutschland denselben förderten.

Truber war nicht umsonst schweren Herzens nach Laibach gekommen, denn es konnte dort seines Bleibens nicht lange sein. Der katholische Klerus machte alle möglichen Anstrengungen, um ihn abermals zu vertreiben, und dem Bischofe Peter gelang es sogar vom Kaiser Ferdinand einen vom 30. Juli 1562 datirten Befehl an den Landeshauptmann zu erwirken, sofort die Irrlehrer Primus Truber, Hans Scherer, Georg Kobilo, Georg Matschig, Caspar Rokavez, N. Stradiot und M. Klobner „als ärgerliche, sektirische, verführerische, unberufene, ihrem geistlichen Ordinario ungehorsame, widerspenstige, vermeinte Prädikanten und Personen" gefänglich einzuziehen.

Doch machte die Landschaft allsogleich ihre Gegenvorstellung und gelang es derselben durchzusetzen, dass Truber vom Bischof bezüglich seiner Lehre befragt werden sollte. Am 6. und 20. Dezember 1562 legte ihm der Bischof 24 Fragen vor, die er alle im evangelischen Geiste beantwortete, daher er für einen Ketzer erklärt und ihm das Predigen verboten wurde.

Während eines Monates, bis zum Herablangen des kaiserlichen Befehles nämlich, war Truber im Gefängnis gehalten, dann aber freigegeben worden. Auch 1563 erfolgte abermals ein Befehl, ihn zu verhaften, doch wusste die Landschaft diesmal die Gefangennahme zu vereiteln. Im vorher genannten Jahre (1562) hatte Truber auch den ersten slovenischen Buchdrucker Hans Mandelc (Manlius) mit nach Krain gebracht. Derselbe druckte mit lateinischen Lettern slovenische und auch lateinische Bücher, die im evangelischen Sinne geschrieben waren. Dieser musste später ebenfalls Laibach verlassen, aber nur für kurze Zeit, da er schon 1579 den „ganzen Katechismus" in Laibach druckte.

Im Jahre 1563 beriefen die Krainischen Stände Sebastian Krell als Hülfsprediger Trubers und errichteten eine evangelische Schule in Laibach, zu deren Leiter Leonhard Budin ernannt wurde. Truber ging auf einige Zeit nach Rubia im Görzerschen, um dort das Evangelium zu verbreiten.

1564 starb Kaiser Ferdinand und Maximilian folgte ihm auf dem Tron. Erzherzog Karl, ein eifriger Katholik, übernahm die Regentschaft in Steiermark, Krain, Kärnthen u. s. w. und schlug seine Residenz in Graz auf. Truber hatte eine neue protestanische Kirchenordnung eingeführt und selbe in Tübingen in slovenischer Sprache drucken lassen. Da er dies ohne landesherrliche Bewilligung getan, ergriff die Geistlichkeit die Gelegenheit, um neuerdings gegen den ihr verhassten Reformator aufzutreten. Die Kirchenordnung wurde verboten und Truber sammt Familie und seiner ganzen Habe des Landes verwiesen.

Die Landstände wandten sich sofort in einer Relation an den Erzherzog, um eine Aufhebung dieser Verfügung zu erwirken, erlangten jedoch für Truber nur eine Frist von zwei Monaten. Nach Ablauf derselben musste der vielgeprüfte Mann Krain den Rücken kehren. Die Stände sprachen ihm 200 Thaler als jährliches Gehalt zu und versahen ihn mit den wärmsten Empfehlungsbriefen an den Herzog von Württemberg. Er erhielt durch den hochherzigen Fürsten auch sofort die Pfarre Laufen am Neckar, und da er wegen seines Buchdruckes in der Nähe von Tübingen leben wollte, kurze Zeit darauf die Pfarre in Derendingen.

(Schluss folgt.)

Drei neue Romanschriftstellerinnen.

„Memoiren einer arabischen Prinzessin". Berlin, Friedrich Luckhardt. 1886, 2 Bände.
„Dimitar", historischer Roman von E. von Hoerschelmann. Leipzig, Franz Duncker, 1886.
„Ich und Nicht-Ich". Von Mathilde Gräfin Luckner. Leipzig, Eugen Peterson, 1886.

Den Herren Romanschriftstellern ist in den weiblichen Kollegen eine bedenkliche Konkurrenz erwachsen. Die Zeiten, wo es noch als eine sensationelle Begebenheit angesehen wurde, dass zarte Feenhände in Deutschland die Maschen eines Romanstrumpfes geschickt zusammenzufügen wussten, sind längst dahin. Im Jahrhundert der Mühlbach und ihrer Genossinnen sind Romanschriftstellerinnen eine so berechtigte Eigentümlichkeit wie — verzeihen Sie das harte Wort! — die Tournüre, das Reisen in die Luxusbäder, die Porträtirung der weiblichen Mitarbeiter in Zeitschriften u. s. w. Die schönen Tage von Aranjuez, als die Paalzow, die Ida Hahn-Hahn und Luise Mühlbach so spärlich gesät waren, sind eben vorüber, und heutzutage ist die Gleichberechtigung der Damen mit den Herren der Schöpfung, auf dem Gebiete des Romans, eine vollendete Tatsache.

Aus dem Wuste der erzählenden Dichtung in Prosa ragen die obengenannten drei Schöpfungen hervor, die entschieden eine besondere Beachtung verdienen. Dieselben sind Kunstwerke, welche nicht nur dem banalen Unterhaltungsbedürfnis des Publikums Genüge tun wollen, sondern auch etwas enthalten, was immer seltener wird: wahre Poesie und abgerundete künstlerische Form.

Die drei Damen, die ich dem geehrten Leser vorstelle, gehören sammt und sonders der Aristokratie an. Die erstere ist eine arabische „Prinzessin von Oman und Zanzibar", verheiratete Frau Emily Ruete, seit Jahren jedoch in Berlin lebend und deutsch ganz vortrefflich sprechend und schreibend; die andere eine junge Gräfin aus Altenburg, mir persönlich bekannt, deren Novellen in Zeitungen und Zeitschriften sehr beachtet wurden, und die dritte, bereits als Verfasserin des Romans: „Im Banne der Schmach" keine Neulingin mehr auf dem Felde der Litteratur. Diesem Trifolium gebührt die Anerkennung, dass sie keine Blaustrümpfe sind, d. h. dass sie nicht deshalb schreiben, um bloß ihre Eitelkeit zu befriedigen, sondern weil sie den Beruf dazu haben, sie singen, weil ihnen der Gesang gegeben. Die Bekanntschaft der drei Grazien dürfte sich wohl verlohnen und so wollen wir in deren Schriften ein klein wenig blättern.

Die interessanteste Erscheinung von allen ist entschieden die deutsch denkende und schreibende arabische Prinzessin. Japanesen, Chinesen und andere orientalische Schriftsteller haben sich bereits in deutschen Schriften versucht, dass aber eine afrikanische Prinzessin, in deren Adern unverfälschtes blaues Blut von — Zanzibar rollt, nach Spreeathen kommt und dort einen zweibändigen kulturhistorischen Roman schreibt und noch dazu in trefflichem Germanisch, woran selbst die Mitglieder des deutschen Sprachreinigungsvereins nichts aussetzen könnten, — das ist, trotz Rabbi ben Akiba, noch nicht dagewesen! Die Afrikanerinnen sind uns wirklich darin „über"! Ich frage die verehrten Berlinerinnen, die sich mit den in der Reichshauptstadt seiner Zeit weilenden Nubiern, Turkos, Sioux-Indianern, Zulukaffern etc. verheiratet haben, ob es ihnen in den Sinn gekommen und wenn ja ob sie je das Talent gehabt, einen Roman in der Sprache ihrer Ehemänner zu schreiben? Quod non!

Die Prinzessin von Zanzibar schildert in ihren Memoiren in höchst interessanter und fesselnder Weise die Geschichte ihres Lebens, welches ein sehr bewegtes war. Indem sie jedoch über Sitten und Gebräuche im Orient, Stellung der Frau, Toiletten und Mode, Kinder-Erziehung und Schule, arabische Eheschließung, arabische Damenbesuche, kleine und große Feste, Palast-Revolutionen u. s. w. berichtet, gewinnen diese „Memoiren" einen **kulturhistorischen** Grund von unschätzbarem Wert. Was uns die verehrte Prinzessin hier in schlichter und anziehender Form erzählt, ist durchaus neu und so abweichend von occidentalischer Denkart und Sitte, dass man diese Skizzen mit dem lebhaftesten Interesse lesen wird.

Das ganze Leben der Prinzessin ist ein spannender Roman. Die durchlauchtige Araberin hat mit den anderen durchlauchtigen und undurchlauchtigen Damen das Eine gemein, dass sie Tag und Stunde ihrer Geburt nicht angiebt. Wir erfahren nur, dass sie in **Bet il Mtoni**, am Meere, etwa acht Kilometer von Zanzibar, als die Tochter **Sejjid Said's**, des Sultans von Zanzibar, geboren wurde. Die Mutter der Prinzessin war eine Tscherkessin und eine der Gemahlinnen des Sultans. Neben seiner Hauptfrau („Horme" genannt) besaß der Vater unserer Prinzessin noch 75 Nebenfrauen — Saravi genannt — und die Zahl seiner Kinder betrug sechsunddreißig. Sie genoss einen primitiven Unterricht. „Als ich endlich den Kurân" (so wird das Wort geschrieben) „etwa zum dritten Teil auswendig gelernt hatte", — schreibt die Verfasserin (B. 1, S. 52) — „da galt ich im Alter von etwa 9 Jahren für die Schule entwachsen." Später lernte sie jedoch das Schreiben auf eigene Hand und zwar auf ebenfalls ganz primitive Art und Weise. Das musste selbstverständlich im Geheimen geschehen, da muhamedanische Frauen nie Unterricht im Schreiben erhalten und ihre etwaige Kenntnis nicht verraten dürfen. Als Leitfaden nahm sie einfach den Kurân vor und bemühte sich die Buchstaben auf dem Schulterblatt eines Kameels, das in Zanzibar die Stelle einer Schiefertafel vertritt, getreu nachzumalen. Es glückte ihr und ihr Mut wuchs. Einer ihrer sogenannten gebildeten Diener wurde ihr Schreiblehrer. „Als die Sache bekannt wurde," erzählt die Prinzessin (B. 1, S. 58), „verschrie man mich ganz entsetzlich, was mich indes nicht viel bekümmerte. O wie oft habe ich nicht diesen Entschluss im Laufe der Zeit gesegnet, der es mir möglich gemacht hat, wenn auch mangelhaft, aber doch direkt mit meinen Getreuen in der fremden Heimat zu verkehren!" Beim Tode ihres Vaters, als sie gerade 12 Jahr alt war, wurde sie für mündig erklärt und erhielt ihr Erbteil angewiesen. Die Geschwister gerieten über die Herrschaft und Erbschaft des Sultans von Zanzibar in Streit und es bietet ein trauriges psychologisches Interesse, die einzelnen — unerquicklichen — Phasen dieser Familienzwistigkeiten, unter denen die Prinzessin sehr leiden musste, zu verfolgen. In dieser Zeit lernte die Prinzessin einen jungen Deutschen kennen, welcher als Vertreter eines Hamburger Handelshauses in Zanzibar weilte. Ihr Haus lag unmittelbar neben dem seinigen und allmählich entwickelte sich ein inniges Verhältnis zwischen dem jungen Paare. Sie entfloh mit ihrem Verlobten heimlich nach Aden, wo sie Unterricht in der christlichen Religion empfing. Ihre Taufe, wobei sie den Namen Emily erhielt, fand in der englischen Kapelle zu Aden statt und unmittelbar danach auch die Trauung nach englischem Ritus. Als die Feierlichkeit beendet war, schiffte sich das junge Paar nach Hamburg, der Vaterstadt des Herrn Ruete, ein, woselbst der Neuvermählten Seitens der Eltern und Angehörigen des jungen Mannes die liebevollste Teilnahme zu Teil wurde. Das Zusammenleben mit ihrem Gatten sollte nur 3 Jahre dauern. Er hatte das Unglück, beim Abspringen von der Pferdebahn zu fallen und dabei zu verunglücken. „Ich stand nun," schreibt Frau Ruete, „einsam in der großen, fremden Welt, mit drei kleinen Kindern, von denen das jüngste nur 3 Monate zählte. . . . . Noch 2 Jahre verlebte ich in Hamburg. Ich wurde hier fortwährend vom Unglück verfolgt. Durch fremde Schuld verlor ich einen beträchtlichen Teil meines Vermögens und musste nun daran denken, die Führung meiner Angelegenheiten in eigene Hand zu nehmen. Der Aufenthalt an der Stätte meines damaligen Familienglückes war mir gründlich verleidet . . . Ich siedelte nach Dresden über und fand hier in allen Kreisen das freundlichste Entgegenkommen. Von hier unternahm ich eine Reise nach London. Als später in mir der Wunsch entstand, in einem ruhigen Orte zu leben, zog ich mich für einige Jahre nach dem idyllischen Rudolstadt zurück. Auch in der dortigen Gesellschaft wurde mir sehr viel Liebe und Freundschaft, namentlich auch von den fürstlichen Herrschaften, entgegengebracht. Ich erholte mich hier bald wieder, so dass ich daran denken konnte, nach Berlin überzusiedeln, um hier meinen Kindern eine gute Erziehung angedeihen zu lassen. Auch hier lernte ich manche lieben Freunde kennen, die mir den Berliner Aufenthalt angenehmer zu gestalten suchten; selbst bei den allerhöchsten

Herrschaften fand ich die huldvollste Aufnahme, an welche ich mich stets mit Liebe erinnern werde."

Der Wert der „Memoiren einer arabischen Prinzessin" liegt zuvörderst, wie bereits bemerkt, in dem anziehenden kulturhistorischen und ethnographischen Inhalt, den die Verfasserin mit großem schriftstellerischem Talent verwertet hat, dann aber auch in dem Umstand, dass sich im Kopfe der Frau Ruete, Zanzibarscher Durchlaucht, unsere occidentalische Welt ganz anders malt wie in anderen Menschenköpfen. Wir finden in diesem zweibändigen Werke eine Fülle der interessantesten, aber auch paradoxesten Behauptungen, die vielfach Widerspruch hervorrufen werden. Diese Araberin liest uns manchmal den Text, wie zuweilen die Truppen des falschen Propheten den Engländern. Aus der Fülle derartiger Einfälle sei nur Folgendes hervorgehoben. Von der Toilette der arabischen Damen redend, sagt die Verfasserin (Bd. I, S. 107 ff.): „Wenn eine arabische Dame ausgehen will, so legt sie ihre ‚Schele' an, die Umschlagetuch, Paletot, Jacke, Regen- und Staubmantel zusammen vertritt. Dieselbe ist ein großes, schwarzseidenes Tuch, mit wollenen und seidenen Bordüren besetzt, je nach Reichtum und Geschmack der Trägerin. Und diese einzige Umhüllung einer Orientalin wird immer vollständig aufgetragen, ohne je aus der Mode zu kommen; auch die Vornehmsten und Reichsten pflegen nie mehr als eine Schele zu besitzen. Und wäre es einer Orientalin, die, wie allbekannt, von Haus aus durch die große, permanente Hitze bequem und untätig gemacht wird, die wissenschaftlich ganz ungebildet ist, wäre es einer solchen nicht noch eher zu verzeihen, wenn ihr Herz und ihre Gedanken an äußerem Prunke hängen, als einer sorgsam unterrichteten, aufgeklärten Europäerin, die doch Besseres zu tun hätte, als Tag und Nacht sich mit ihrer Toilette zu beschäftigen? Obgleich ich selbst eine Orientalin bin, so ist mir doch nichts schrecklicher, als wenn mir das Unglück begegnet, mich mit einer rechten Mode-Dame unterhalten zu müssen, die oft von gar nichts Anderem zu sprechen weiß, als von der allerneuesten Tracht und was dazu gehört. Oft muss ich mich im Stillen fragen, wie ist es möglich, dass ein Wesen von solchem Bildungsgrade in solchen Hohlheiten aufgehen kann?"

Ex uno discite omnes! . .

Die Verfasserin des historischen Romans: „Dimitar", E. von Hoerschelmann, ist zwar eine Deutsche, aber der Schauplatz ihrer Erzählung ist gleichfalls ein exotischer: teils das moderne Griechenland zur Zeit der Befreiung dieser Insel vom türkischen Joche, teils Corsica sind die Länder, wo sich die aufregende, an leidenschaftlichen Konflikten und Sensations-Szenen reiche Handlung dieser geschichtlichen Erzählung abspielt. Es ist merkwürdig, dass auch Friedrich Spielhagen vor mehreren Jahren im „Uhlenhans" diesen neugriechischen Boden als Hintergrund der Fabel sich gewählt hat. Da die griechische Frage kürzlich recht aktuell war, dürfte dieser Griechen-Roman gleichfalls jetzt nicht unzeitgemäß sein.

E. von Hoerschelmann arbeitet stark nach französischen Mustern. Nervenaufregende, zuweilen grässliche Szenen und starke Effekte verschmäht sie keineswegs, wenn es gilt, auf den Leser einen tiefen Eindruck zu machen. Der Held des Romans ist ein leidenschaftlicher Grieche, halb Don Juan, halb Faust, mit einem Schuss von Mephisto. Nachdem er in der Politik Schiffbruch gelitten und eine „todte Seele" geworden, liebt er leidenschaftlich ein schönes Weib slavischen Ursprungs, Therese Lariska. In dem Augenblicke, da er die Letztere zu seinem Weibe machen will, taucht eine frühere Flamme Dimitars, die Künstlerin Maria Grenacci, auf, die bei Therese erscheint, um es ihr begreiflich zu machen, dass sie an Dimitar ältere Recht habe und dass sie — Therese — zurücktreten müsse. Es geschieht. Dimitar bekommt die Philippika ins Gesicht geschleudert: „Es war Maria Grenacci, die einst auf verräterische und ehrlose Weise verführt, dann ihrem Schicksal preisgegeben, sich hülfesuchend zu mir wandte." Dimitar replizirt: „Hättest du mich geliebt, so würdest du mich auf diese Beschuldigung einer Unbekannten, einer Schauspielerin, deren Metier darin besteht, ihre wahre Gestalt unter tausend Masken zu verbergen, und noch dazu einer Grenacci, nicht ungehört verurteilt haben." Was tut unser Dimitar? Erschießt er sich? Braucht er Gewalt? Geht er nach Griechenland, um ein Nachfolger oder, besser gesagt, Vorfahr eines Deljannis — „toller Hans" genannt — zu werden? Mit Nichten! Der sonderbare Grieche — heiratet Maria Grenacci, aber nur, um sie langsam zu tödten, und zwar nicht bildlich, sondern tatsächlich durch Gift. Die psychologischen Kämpfe, welche die Heroen und Heroinnen dieses Dramas durchmachen, sind mit großer Meisterschaft, mit siegender Dialektik und in einer blendenden Sprache geschildert, aber es fehlt auch nicht an gar zu grellen Farben und krassen Widersprüchen. Es berührt überdies sehr peinlich, dass die arme Maria Grenacci, ohne jegliche Schuld, qualvoll zu Grunde gehen muss und dass Dimitar für all' seine Schlechtigkeit dem Arme der Nemesis entgeht. Es mag dies neugriechisch-slavische Moral sein, aber sie behagt entschieden nicht unserem Geschmacke und unserer modernen Anschauung von der sittlichen Macht der Wahrheit und der poetischen Gerechtigkeit! Die Dichterin schließt ihren Roman mit folgenden Worten aus den Aufzeichnungen Therese Lariskas: „Werden unsere Mitmenschen uns verzeihen? werden sie ein Wort der Sühne für uns übrig haben, wenn diese Blätter einst aus ihrem Dunkel an das Licht des Tages treten, oder wird nur ihr Richtspruch über uns ergehen? — — Und wenn es so ist, wird Gott uns gnädig sein? Wird er milder richten als die Menschen?" . . . In Anbetracht der entschiedenen Begabung der Verfasserin wollen wir Gnade statt Recht walten lassen, wenn sie ihr schönes Talent, das der französischen Effekthascherei nicht bedarf, mehr inden Dienst des Aesthetisch-Schönen stellt.

Warum Frau Gräfin Mathilde Luckner ihren starken Band Novellen „Ich und Nicht-Ich" betitelt hat, wissen die Götter allein! Soll diese Bezeichnung philosophisch sein? Nun, von Philosophie ist glücklicher Weise in diesen poetischen und reizenden Erzählungen nichts zu verspüren! Sollen die Novellen Selbsterlebtes schildern? Mit Ausnahme des Schlussaufsatzes: „Meine Reise nach Paris" habe ich jedoch in diesem Bande nichts entdecken können, was irgendwie mit dem Schicksal der jungen und schönen Gräfin zusammenhängt. Von dem wenig berechtigten Titel abgesehen, muss ich sagen, dass diese Novellen von einem frischen und liebenswürdigen Erzählungstalent Zeugnis ablegen, dass die Dichterin entschieden noch eine Zukunft vor sich hat. Einen besonderen Wert beansprucht die auch räumlich bedeutendste Novelle: „Eine Doppelehe", welche das tragische Geschick eines preußischen Lieutenants schildert, dessen erste, von ihm zärtlich geliebte Frau von Jesuiten sechs Jahre lang in einem Kloster widerrechtlich zurückgehalten wird. Als sie zu ihrem Manne zurückgekehrt war, findet sie ihn neu vermählt, doch stirbt die zweite Frau sehr à propos, und der Gatte vereinigt sich wieder mit der ersten Gemahlin, der Mutter seiner Kinder. Das heikle Thema ist sehr delikat behandelt, nur behagt mir das Motiv der Jesuitengewalt nicht. Wem will die verehrte Verfasserin es einleuchtend machen, dass der schneidige Herr von Wedelstern — so heißt unser Offizier — so ohne Weiteres an den Tod seiner Frau glauben wird, ohne authentische Dokumente über das Ableben derselben zu besitzen oder an Ort und Stelle Nachforschungen zu halten?

Es ist übrigens merkwürdig, dass dasselbe Motiv noch von einer anderen Dame, Helene von Siedmogrodzka, einer talentvollen Novellistin und Gesangslehrerin, in Berlin in ihren Novellen (Verlag von W. Issleib [G. Schuhr] 1886) gleichfalls, und zwar schon vor dem Erscheinen von: „Ich und Nicht-Ich" behandelt wurde! Nur ist hier die Frau, welche, ihren Mann im Schlachtfelde gefallen glaubend, zum zweiten Male heiratet. Diese Darstellung hat für mich, offen gestanden, weniger Verletzendes als die Lucknersche.

Alle diese drei Romanschriftstellerinnen gehören zu den begabteren Töchtern der epischen Muse. Trotz so mancher Schwächen verdienen die genannten Schöpfungen die Beachtung aller Gebildeten, die sich nicht bloß zerstreuen und unterhalten, sondern auch poetisch angeregt fühlen wollen. Wir empfehlen daher die hier besprochenen Schriften dem Leser mit dem Ausspruch: introite, et hic Dei sunt!

Dresden. Adolph Kohut.

Byrons Dramen.

(Anlässlich der Meininger-Inszenirung des „Marino Faliero".)
Von Karl Bleibtreu.

Eingeweihte wissen, dass Lord Byron, der Weltdichter des Weltschmerzes, zugleich der berühmteste und — unbekannteste Dichter der Neuzeit ist. Bei den romanischen und slavischen Völkern den Ruhm Goethes weit überstrahlend, hat er trotzdem dort nirgends eine genießbare Uebersetzung gefunden. Deutschland war wie gewöhnlich auch hier glücklicher bei Aneignung eines ausländischen Poeten, obschon selbst Gildemeisters Arbeit nicht annähernd die Schönheit des Originals wiedergiebt. Außerdem aber dürfen auch die ästhetischen Urteile und Biographien, die bei uns über Byron gezeitigt wurden, in keiner Weise abschließend genannt werden. Taine und Brandes, ein Franzose und ein Däne, sind dem Dichterlord noch am gerechtesten geworden. In seiner Heimat hat außer einem trefflichen Essay von Swinburne nur Sir Egerton Brydges wertvolle Beiträge zur Byron-Kritik geliefert und das unverständige Gerede des schrullenhaften Allerweltsverbesserers Carlyle über den Lordschmerz spiegelt nur eine allgemeine Stimmung in England wieder — wie denn in Dikens' Briefen erbaulich zu lesen steht, Tennyson (!) habe eine tiefere und wahrere Poesie als Byron dem glücklichen Albion dargereicht! Damit korrespondirt auf diesem Eiland der Weisen die Mode-Anbetung Shelleys, des bei Lebzeiten so arg Verketzerten, welcher jetzt schlechtweg nach Shakespeare Englands größten Genius vorstellen soll — er, der sich neben Byrons Sonne als ein „Glühwürmchen" bezeichnete und staunend zu dem Koloss emporsah!

Ganz logisch betrachtet man denn auch Shelleys fragwürdige „Cenci" (ein verworrenes unerquickliches Opus, dessen Stoff natürlich unreifen Köpfen imponirt, weil unnatürliche Schandtaten den Kern bilden) als die machtvollste Leistung des englischen Dramas seit Shakespeare — und deutsche Litterarhistoriker wie Scherr lallen pflichtschuldigst dies unbegreifliche Urteil nach. Dies empörende bei Seite Schieben der Byron-Dramen zwingt zu kräftiger Widerlegung und es sei gleich von vornherein betont: Nach Shakespeare und Calderon ist der Epiker Byron doch noch der bedeutendste Dramatiker der neueren Zeit, so weitab das Drama seiner eigentlichen Begabung lag.

Mit dieser vom landläufigen Urteil abweichenden Behauptung stehen wir freilich nicht ohne Helfer da und dürfen uns sogar auf einen der tiefsten und feinsten Geister des Jahrhunderts, auf Bulwer, berufen. Den überschwänglichen Lobeserhebungen, die dieser in „England und die Engländer“ Byrons Dramen widmet, vermögen wir zwar nicht beizupflichten. Aber ein solches Urteil aus solchem Munde muss Jeden stutzig machen und uns veranlassen, Für und Wider unparteilich zu prüfen.

Eigentlich giebt es nur drei große Dramatiker: Den Schöpfer von „Agamemnon“, „Prometheus“, „Die Perser“ — den Schöpfer von „Der Richter von Zalauna“, „Der standhafte Prinz“, „Das Leben ein Traum“ — den Schöpfer des „Lear“, „Macbeth“, „Hamlet“. Alle andern sind entweder Dramatiker und keine Dichter — oder Dichter und keine Dramatiker. Im günstigsten Falle ist stets ein Gleichgewicht zwischen der rein poetischen und dramatischen Potenz zu vermissen.

Die Rhetorik-Tragödie der französischen Klassiker wie diejenige Alfieris zeigt beide Elemente in nur dürftiger Entfaltung; die Salonkomödie der Neufranzosen kommt hier nicht in Betracht; Mussets „Lorenzaccio“, obschon dramatisch richtig empfunden, ist eine Skizze; Victor Hugo zeigt sich als großer Theatraliker und Bühnentechniker, aber die Armseligkeit seiner Stoffe, die mit ihrem ewigen „Où est la femme“ an die Kostümstücke Scribes erinnern, lässt eigentliche dramatische Größe ohnehin nicht zu. Nachdem er in seinem Erstlingswerk „Cromwell“ seine Unfähigkeit erkannt, den hohen Stil des Dramas zu pflegen, warf er sich rüstig der Sensations- und Spektakelpoesie in die Arme und blieb stofflich in den Kreis seiner Marion Delorme's, Ruy Blas, Maria Tudor's gebannt.

Goethes dramatische Skizzen entbehren weniger dramatischer Lebendigkeit, als vielmehr des Sinnes für eigentlich dramatische Konflikte — mit Ausnahme von „Iphigenie“, wo ihm jedoch alle Situationen von der Antike überliefert und zubereitet waren. Die Deutschen haben freilich einen bedeutenden Bühnendichter, er heißt Schiller. Aus Shakespeares Schule hervorgegangen, besaß er nächst diesem unläugbar die kräftigste dramatische Ader. Aber wer wollte läugnen, dass er sich, rein dramatisch betrachtet, oft im Stoffe vergriff und außer „Jungfrau“, „Wallenstein“, „Demetrius“ wenig klare runde Konflikte fand! Auch reichte seine poetische Kraft bei aller Gedankenfülle und allem hinreißenden Pathos nicht immer aus, um das echt Poetische und echt Dramatische zu verbinden.

Weniger reich an Lebendigkeit, aber glücklicher im Tiefblick für dramatische Stoffe, auch von elementarerer Poesie erfüllt, zeigt sich der große Dichter des Nordens, Björnson, in seiner Trilogie „Sigurd Slembe“ u. s. w. Aber ein Genie vom höchsten Range ist ja auch er nicht.

Wenn nun also ein anerkannter Weltdichter wie Byron seine Poesie in dramatische Formen gießt und sogar darauf eine besondere Anstrengung verwendet so lässt sich mindestens erwarten, dass der rein dichterische Gehalt dieser Dramen den aller rivalisirenden Leistungen überragen werde. Und dies ist denn in der Tat der Fall. An Poesie steht eine Dichtung wie „Sardanapal“ durchaus ebenbürtig neben den höchsten Leistungen Shakespeares und Calderons. Selbst Byrons einseitigste Bewunderer werden aber nicht läugnen können, dass er an dramatischem Impuls und Impetus sehr weit hinter einem Schiller zurückbleibt — was um so auffallender erscheint, als doch seine kleineren Epen eine so stürmisch fortreißende Handlung bewegt. Viel erfolgreicher ist er aber in einem anderen wesentlichen Punkte, ohne den der blutvollste lebensprühendste Bühnenschriftsteller nur lebhafte Szenen und lebende Bilder, wobei nützliches Blech in Gestalt von Rüstungen mit Jambenskeletten darin vorgerasselt wird, doch nie ein echtes Drama schaffen kann. Ich meine die straffe Spannung des Konflikts und Wahl einer einheitlichen festgeschlossenen Handlung.

Allgemein wurde bei ungünstigen Beurteilungen der Byronschen Dramen das angebliche Misslingen derselben durch die unglückliche Wahl der Stoffe erklärt. Wir sind entgegengesetzter Ansicht. Wie richtig der Instinkt des Dramatikers Byron leitete, zeigt sich sogar in seiner Plagiat-Tragödie „Werner“, an welcher Rosenkranz in seiner „Aesthetik des Hässlichen“ viel Schönes zu doziren weiß — augenscheinlich ohne zu ahnen, dass dies ganze Stück nur eine wörtliche Entlehnung einer alten Novelle vorstellt.

Wenn wir nun die hierhergehörigen Werke des großen Dichters im Einzelnen würdigen wollen, so dürfen wir die „Dramatischen Gedichte“ und „Mysterien“ nicht ganz von dieser Betrachtung ausschließen. Von einem höheren Standpunkt aus möchte man sogar „Kain“ (nach Goethes, Shelleys, Scotts, Moores Urteil die gewaltigste Dichtertat des Jahrhunderts) für ein regelrechtes Drama von sehr wohlgebildeter Struktur halten, in dem die höheren Gesetze des dramatischen Stils vollkommen bewahrt und durchgeführt sind. Auch findet sich dort das Dramatischste in Shakespearischem Sinne, was Byron geschaffen: Die Szenen nach dem ersten Morde, vor allem der erschütternde kurze Monolog des Mörders, der sich analogen Stellen im „Macbeth“ ebenbürtig anreiht. — Die Fortsetzung dieses „Mysteriums“, die großartige Rhapsodie „Himmel und Erde“, welche Goethe wohl nicht mit Unrecht noch über den „Kain“ stellte, kommt hier wenig in Betracht. Noch weniger der „Manfred“, welcher im Grunde nur einen einzigen Monolog mit obligaten lyrischen Visionen vorstellt. Gleichwohl ist die Unkenntnis der Byronischen Werke eine so allgemeine, dass in einer litterarisch interesselosen Nation wie der deutschen, wo natürlich nur die Bühnenaufführung einen Dichter populär machen kann, dieses dramatische Gedicht fast einzig und allein in weitere Kreise gedrungen ist — unterstützt durch die Schumannsche Musik und in neuerer Zeit durch die ergreifende Darstellung eines Künstlers wie Ernst Possatt. Der hohe Gedankenflug und die erhabene Bilderfülle der Naturanschauung, sowie einige philosophisch-ethische Vorzüge vor Goethes Faust, sollen ja nicht bestritten werden. Als Ganzes genommen, steht jedoch „Manfred" höchstens in zweiter Reihe der Byronischen Schöpfungen, obschon noch Taine ausführlich dabei verweilt, während schon Brandes das rechte Wort darüber spricht. Die Dichtung gewann freilich eine gewisse Wucht und Energie des dramatisch-leidenschaftlichen Ausdrucks dadurch, dass sie Selbsterlebtes zur Erscheinung bringen sollte, besonders in dem Astarte-Motiv.*)

Selbsterlebtes steckt aber auch in den eigentlichen Dramen des Lords, denen wir uns jetzt zuwenden wollen: denn der wahre Dichter erfindet nie absolut, sondern erlebt, und sucht sich daher auch aus der Geschichte diejenigen Stoffe heraus, welche seinem momentanen individuellen Gemütszustande entsprechen. So sind denn auch die venetianischen Staatsaktionen, die Byrons Genius ergriff, sozusagen selbsterlebt Nachdem Hellas, seine einstige Größe und sein heutiger Verfall, sich ihm bei seinen Reisen und Abenteuern von selbst als symbolischer Hintergrund aufgedrängt hatte, bietet ihm Venedig, das er „von Kind an liebte wie eine Feenstadt des Herzens" (Childe Harold), naturgemäß dieselbe passende Nahrung seiner poetischen Eigenart. Er weiß, warum sein Marino Faliero die Stadt San Markos ein „See-Gomorrha" nennt: Ist er doch selbst ein venetianischer Nobili geworden! Am einschneidendsten aber musste ihn die Aehnlichkeit jener Adelsoligarchie mit der englischen berühren. Auch er, wie die Helden seiner Dramen, stand ja als radikaler Patrizier im Kampf gegen die heimische Staatsform. So schildert er denn in den „Foskari" das Weh des Exils — er, der Selbstverbannte, der noch im „Don Juan" so innig seines Ahnenschlosses gedenkt. Die Liebesseufzer Foskaris für sein schönes Venedig erinnern uns daran, dass der Dichter selbst aus dem Palast der Moncenigo jahrelang über die Adria hinschauen durfte. Spricht Jakopo von seinem Rudern und Schwimmen im Kanal, so wissen wir, wer hier seine Erlebnisse erzählt.

Der Konflikt dieses Stückes wird dadurch herbeigeführt, dass der junge Foskari, des Dogen Sohn, gegen das Gesetz aus der Verbannung zurückgekehrt ist, weil ihm unbezwingliches Heimweh das Leben in der Fremde unmöglich macht. Er wird mit der Tortur empfangen und abermals zu lebenslänglicher Verbannung verurteilt. Dies Schicksal erscheint ihm so unerträglich, dass sein von Folter und Schwindsucht entkräftester Körper zusammenbricht und er im Augenblick der Abreise stirbt. Zugleicht hat aber auch die eifersüchtige und neidische Geheimpolitik der furchtbaren „Zehn" gegen den alten berühmten Dogen den letzten Streich geführt und ihn gewaltsam des Amtes entsetzt. Auch der Greis stirbt an Kummer über den Verlust seines Sohnes und seiner Würde.

Man hat hier von „unentwickelten und gespreizten Charakteren", von „ungenügenden und gesuchten Motiven" gesprochen (Elze, der immer wohlwollende „klassische" Byron-Biograph!). Derselbe scharfzüngige Aburteiler meint betreffs Marina, der Gattin des jungen Foskari: „Sie strömt während des ganzen Stückes von Rachegefühl und wütendem Hasse über gegen die Behörden und Staatseinrichtungen Venedigs, sie übertrifft in ihrer Wut noch die Margaretha in Richard III., allein Niemand kümmert sich um ihre Schmähreden; sie hätte ebensogut schweigen oder ganz wegbleiben können." Diese Ausstellungen sind übrigens den tonangebenden Kritikern der Byron-Zeit, Jeffrey und Heber, entlehnt, welche zugleich behaupten, die beiden Foskari seien schwächliche Fliegen in Loredanos Netz, und besonders bei der schweigenden Resignation des Dogen verweilen. Die furchtbare Gestalt des Decemvirs Loredano, die Elze ebenfalls verwirft, hat wenigstens bei Heber Gnade gefunden, er nennt ihn „wahrhaft tragisch" („well conceived and truly tragic"). Aber diese gesammten Nörgeleien sind seicht und oberflächlich. Gerade darin liegt das eminent Poetische und Dramatische, das die beiden Männer in ihrem düstern Patriotismus sich willenlos der geheimen Schreckensherrschaft Venedigs überliefern, wie von schaudernder Ehrfurcht gebannt, — während das leidenschaftliche Weib, die nur in der Familie wurzelt, die Gesetze der Natur und Menschlichkeit dem blinden ehernen Staatsgesetz in wilder Anklage gegenüberstellt.

Man hat die Vaterlandsliebe Jacopo's übertrieben und lächerlich gefunden — wie man denn alles Außergewöhnliche auf diese bequeme Manier nivelliren und in den Staub ziehen kann. Ich finde die Darstellung dieses zarten originellen Gefühls, das nur in einem Hellenen und Italiener der Renaissance mit solcher Glut sich ausströmen konnte, denen jede Fremde „barbarisch" und die Heimatstadt als eine sichtbare Geliebte erschien, durchaus gelungen. Diese Ansicht teilt auch Bulwer. Dieser weist darauf hin, wie bewunderungswürdig der Charakter des alten Vaters, durch das absonderliche System der Venetianischen Politik verhärtet und verfeinert, mit dem des Sohnes kontrastirt — besonders in dem verschiedenen Ausdruck des Patriotismus. Ich finde in dieser Hinsicht den Anfang des zweiten Aktes, wo der Doge, den glorreichsten Frieden unterzeichnend, sich rühmt, die „Königin der Meere" nun auch zur „Herrin der Lombardei" erhoben zu haben, und im selben Augenblick zur erneuten Kriminaluntersuchung seines schuldlosen Sohnes gerufen wird, von erschütternder Tragik. Mit vielem Geschick wird unser Widerwille gegen die

*) Siehe meinen Essay „Der wahre Byron". (Magazin" 53. Jahrgang), auf welchen auch W. Kirchbach in einer musterhaften „Einleitung" zu Byrons Werken („Cotta'sche Bibliothek der Weltlitteratur") zurückkommt.

übergroße Schroffheit und Strenge dieses alten Römers in Bewunderung seiner Hingebung verwandelt. In den Nuancen seiner Seelenangst stoßen wir auf manche aus dem Tiefsten quellenden Naturlaute. — Sehr irrig aber scheint es mir, wenn Bulwer den fünften Akt, die Entsetzung des Dogen, wegwünscht. Gerade hierdurch wird das Stück aus einer Familientragödie mit politischem Hintergrund zu einer wirklich großen geschichtlichen Handlung, zu einem Symbol der unerbittlichen Oligarchie und des ohnmächtigen Kampfes der Individuen gegen die Staatsmaschine, erhoben.

„Die Foskari" ist Alles im Allem ein vortreffliches Stück, welches Stellen von markiger dramatischer Kraft und Würde enthält. Dass diese durch manche Längen und breite deklamatorische Rhetorik geschwächt werden, sei nicht geläugnet. Die Handlung ist auch ein wenig mager und arm an äußeren Effekten. Man merkt die Schule Alfieris, kann aber nur Lord Russels Witzwort: „Wenn der dritte Gesang des Childe Harold wirklich von Wordsworth inspirirt ist, wie einige behaupten, so ist dies sicher sein bestes Gedicht!" auch auf diesen Fall anwenden.

Gegenüber der Verkennung der „Foskari" hat „Sardanapal" auch bei den strengsten Beurteilern Gnade gefunden. Wenn zwar des Dichters Geliebte, die Gräfin Guiccioli, das Stück „erhabener als Hamlet" findet, so ist sie sicher durch die besondere Selbsterlebtheit des Stoffes bestochen worden. Denn trotz des streng bewahrten Assyrischen Kostüms ist die Porträtähnlichkeit eine einleuchtende und Lord Sardanapal, Lady Byron und Theresa Guiccioli treten einfach in antiken Masken auf. Von der Seite des rein Poetischen aus betrachtet, mag „Sardanapal" allerdings zu den reifsten Schöpfungen dieses Genius gezählt werden. Allein, wesentlich anders steht die Sache, sobald wir den dramatischen Maßstab anlegen. Es ist wahr, von einer Charakter-Entwickelung, welche viele Beurteiler für Hauptnotwendigkeit des Dramas halten, kann in Byrons Dramen nur bezüglich der Gestalt Sardanapals die Rede sein. Dies scheint mir jedoch keine absolute Bedingung und es bedarf sogar der Untersuchung, was gelehrte Aesthetiker eigentlich darunter verstehen. So wirft auch der sonst nicht gerade schulfuchsige Scherr dem Dichter vor: Byrons Charaktere seien bei ihrem ersten Auftreten schon ganz fertig und abgeschlossen; es fehle ihm die Kunst, die Charaktere in ihrem Werden darzustellen. — Nun, die große Mehrzahl aller tragischen Helden, deren ich mich erinnern kann, ist „bei ihrem ersten Auftreten fertig und abgeschlossen" und ihr „Werden" beschränkt sich höchstens auf die Auslebung ihrer fertigen Naturanlage, in direkte Handlungen umgesetzt. Nach diesem Maßstab müsste ich z. B. Byrons „Kain" zu den vollendetsten Dramen und die Dramen des Aeschylos zu den ungenügendsten rechnen. Die sogenannte Aesthetik widerspricht überhaupt fortwährend sich selbst und tappt meist mit unverdauten Schulbegriffen umher, ohne irgend welche Ahnung von der wirklichen Technik. Die „Charakterentwickelung" in diesem Sinne gehört ausschließlich dem Roman-Fach an, wo bei unbegrenzter Fülle von Zeit und Raum der Psychologie freies Feld gelassen ist. Im Drama entscheidet einzig und allein die folgerichtige energische Verknüpfung des Konflikts — sei dieser nun auf Ideen oder auf Leidenschaften aufgebaut.

Auch Bulwer meint: „Vor allen Stücken Byrons ist Sardanapal zur Aufführung geeignet. Die Pracht der Szene, die Reichhaltigkeit der Verwickelung (?), die Lebendigkeit der Handlung (?) würden den Beifall der Menge gewinnen, die mehr durch Aeußerlichkeiten, als durch das langsame und minder lebhafte innere Interesse angelockt wird." Ich bin andrer Ansicht.

Sei die sogenannte „Handlung" noch so lebhaft, so rächt sich Schwäche des eigentlich dramatischen Konflikts stets und ein schwerfälliges Stück von geringer szenischer Lebendigkeit wird stets den Sieg davon tragen, sobald nur der Konflikt selbst richtig angeschaut und geschürzt ist. Das ist der Unterschied des Theatralikers vom Dramatiker.

Ein orientalischer Sultan wird durch Rebellion aus seiner Wollüstelei aufgerüttelt und geht anständig unter — ist das ein großer tragischer Konflikt? Allerdings liegt ein solcher in dem Stoffe verborgen und wird vom Dichter angedeutet in den Klagen Sardanapals, dass die Sklavenvölker sein mildes humanes Regiment mit Undank lohnten und lieber blutige Eroberungen von ihm verlangten. Er vergisst aber nur, dass dieser Instinkt der Völker vielleicht doch der richtige ist, wenn sie sich lieber der Gloire opfern, statt in Materialismus versumpfen wollen, und dass seine gutmütige Weichlichkeit ein verderbliches Beispiel bietet. Hier liegt eine große tragische Schuld. Aber Byron konnte seiner ganzen Weltauffassung nach (besonders nach der historischen Seite, die den wunden Punkt der Weltschmerz-Ethik bildet und den Pessimismus zur Unreife stempelt) unmöglich diesen inneren Konflikt con amore durchführen.

Richtig angeschaut, dürfte das Stück auch gar nicht „Sardanapal", sondern „Myrrha" heißen. Denn diese griechische Geliebte des asiatischen Despoten ist nicht nur, wie Jeffrey sie nennt, „the vivifying angel of the piece", sondern sie ist eine der interessantesten und vollendetsten tragischen Figuren, die je eines Dichters Phantasie entsprossen. Der Monolog Myrrhas am Schluss des ersten Aktes „Wy do I love this man?" zeigt uns den Keim des herrlichsten Problems, indem das schlichte Einzelgefühl der Liebe sich zum Erhabenen steigert, weil es sich — in dem Verhältnis der stolzen Hellenin zu ihrem Gebieter, dem weltbeherrschenden „Barbaren" — mit den großen Fragen des Schicksals verschmilzt. Diese schönste Blüte in dem reichen Kranz Byronischer Heldinnen ist neben der Antigone die edelste und lieblichste Frauengestalt der Weltlitteratur, und die ergreifende Darstellung ihrer inneren Kämpfe von den hehrsten Tiefbliken der Kunst ein Zeugnis. Auch giebt die Gegenüberstellung des braven Salemenes, bei dem ihre Liebe für den Menschen durch Liebe für den Letzten der Nimrodsöhne ersetzt wird, eine erfreuliche Probe dafür, das Shakespeares Meisterkunst der kombinirten Kontraste Byron nicht verschlossen geblieben war. — Jedenfalls hat der große Dichter durch die Schöpfung der Myrrha erschöpfend erläutert, was damit gemeint war, als er bei Beginn seiner Dramatikerperiode die „Liebe" nur dann für ein würdiges Objekt des Dramas erklärte, falls sie ins Großartige gesteigert sei. Und dennoch überwuchert auch im Sardanapal eben in Folge des Hauptinteresses, das sich hier um die Liebe konzentrirt, das lyrische Gefühl den dramatischen Pathos, und was wir als einen Triumph der Dichtung bewundern, müssen wir als dramatisch wertlos erkennen.

Dies Werk wurde 1853 von Kean als Ausstattungsstück im Sinne der Meininger zugestutzt, als Layards Entdeckungen das Tagesinteresse auf Niniveh hinlenken. Der Erfolg entsprach den Erwartungen, und auch heute noch würde Sardanapal das Publikum in hohem Maße fesseln.

Hingegen müssen wir, entgegen der gang und gäben Wertung, es vollkommen billigen, wenn der Herzog von Meinigen mit „Marino Faliero" die Bühnenfähigkeit des großen Dichters zu erproben sucht. Denn Alles im Allem ist gerade der „Doge von Venedig" — ein zehnjähriges intensives Spezialstudium Byrons hat mich zu diesem Urteil geführt — das bedeutendste Produkt der dramatischen Muse seit Shakespeare.

Die kühle Aufnahme dieses Erstlingsdramas in England erklärt sich einfach daraus, dass man hier zuerst jenen Ich-Schmerz vermisste, den man als Spiegelbild des Zeitgeistes bisher in dem Modelöwen geliebt hatte. Auch mag ein geheimer Instinkt die Londoner Gesellschaft veranlasst haben, dieses düstre Gemälde einer Adelsherrschaft als eine dunkle Drohung gegen sich selbst zu empfinden und abzulehnen. In dem „Dogen" ist in der Tat wieder alles selbsterlebt. Es ist der demokratische Lord im Kampf gegen seine Standesgenossen, mit seinem heimlichen Widerwillen gegen seine plebejischen Verbündeten und seinem aristokratischen Hochmut. Bertuccio erinnert an Shelley, Calendero an den jungen Gamba. Angiolina ist eine englische Lady, und wer weiß, ob Byron nicht seiner Gattin eine Züchtigung angedeihen lassen wollte, indem er das Erhabensein der Dogaressa über das Urteil der Welt und ihre Verläumdungen betont.

Die ins Auge fallenden Mängel des Werkes bestehen in der durchgehenden Länge der Monologe und Gespräche, wogegen Byron freilich hervorhebt, dass er nicht für die Bühne, sondern nur für Lektüre geschrieben habe.*) So ist der wunderschöne Dialog des Dogen und der Dogaresse im zweiten Akt unerträglich lang. Lag dem Dichter aber daran, zu seinem Privatvergnügen solche erhebenden Gefühle zu schildern, so ist dagegen nichts einzuwenden. Das Gleiche gilt von der poetisch glänzendsten Stelle der ganzen Dichtung, dem berühmten Mondschein-Monolog des Patriziers Lioni, der nichts weiter besagt, als dass Lord Byron, von einem Ridotto per Gondel in seinen Palast zurückkehrend und Venedig überschauend, folgende Stimmung hatte — und mit dem Stücke selbst gar nicht zusammenhängt, auch ganz uncharakteristisch im Munde eines mittelmäßigen jungen Lebemannes wirkt. Ebenso sind die Gespräche der Verschworenen recht weitschweifig; aber hier ist zu beachten, dass dieselben gleichsam pro domo gehalten sind: Der Karbonari Byron richtet sie an seine Bundesbrüder, die Befreiung Italiens im Auge. Wer kann es ohne Bewegung hören, wie „der plebejische Brutus" ausruft: „Niemals scheitert, wer in einer großen Sache fällt. Und trinke der Block sein Blut auch, dörre in der Sonne sein Haupt und schlag ans Tor man seine Glieder — doch wandelt stets sein Geist umher" u. s. w. — eine Ausführung der bekannten Verse im „Giaur" von der „Schlacht der Freiheit, die oft verloren, immer gewonnen wird."

Ein ähnliches politisches Ziel entschuldigt auch die Länge des „Fluchs" auf dem Schafott, der aus dem majestätischen Anfang sich immer mehr in erzwungene und überladene ex post-Prophezeiung hineinarbeitet. Das Alles ist auf den Eindruck in Italien berechnet, um Hass gegen das österreichische Governement und Schmerz über den Verfall alter Größe wachzurufen — wie denn überhaupt zu einem wahren Verständnis Byrons Kenntnis seines Lebens und der Zeitgeschichte unbedingt nötig erscheint.

Es finden sich aber auch Stellen in diesem Drama, wo feines Kolorit und großartiger Gedankenflug sich zu echt **dramatischen** Stimmungsbildern vereinen. So des Dogen nächtliche Zusammenkunft mit dem Haupte der Verschwörer unter dem Reiterstandbild seines Urahnen.**) So die Schlussszene des dritten Aktes, welche Lockhart sehr richtig zu den Hochmomenten der englischen Poesie zählt.***)

Wir wollen bei den Einwürfen der englischen Kritik, wo natürlich Ottways „Venice preserved" eine Rolle spielt, nicht verweilen. Da soll der Doge angeblich unnatürlich leidenschaftlich, die Dogaressa unnatürlich kalt sein. Höchst komisch wirkt im Munde eines **englischen** Rezensenten einem Byron gegenüber der Vorwurf der **Prüderie**, weil die

---

*) Die mir vorliegende Regie-Bearbeitung, welche der bekannte Verfasser der theatralisch gut aufgebauten „Hexe", Arthur Fitger für die Meininger übernahm, ist im Ganzen glücklich, schneidet aber durch unnötige Streichungen der Dichtung oft ins Fleisch.

**) Von Fitger gestrichen!

***) Von Fitger durch gewaltsamen Widerstand des Dogen verballhornt.

makellose Keuschheit und adlige Reinheit der stolzen Angiolina zu den früheren Gulnares und Zuleikas des Modedichters Byron nicht passen will. Herrlich predigt auch der große Professor Elze: „Man begreift nicht, wie ein so äußerliches unbedeutendes Motiv den alten Dogen zu einer Verschwörung gegen alles was ihm bisher lieb, groß und heilig war, antreiben kann." Das denkt wie ein Seifensieder! Der stolze blutvolle Faliero, der den Bischof von Treviso im Ornat öffentlich ohrfeigte, ist auch als Greis noch ein Nobili der Renaissance, kein deutscher Professor. Wegen viel geringerer Anlässe pflegt man sich noch heutzutage auf Leben und Tod zu Duelliren. Die öffentliche Beschimpfung einer angebeteten und wegen ihrer Tugend verehrten Gattin würde dem unbedeutendsten Bürger tödtliche Erbitterung entzünden. Er, der stolze berühmte Mann, ist aber obendrein der Fürst des Staates und als Greis doppelt zur Eifersucht berechtigt, wenn nicht auf die Ehre seines Weibes, so doch schon auf seine eigene Ehre. Die leichte Bestrafung Stenos, der heut für ein ähnliches Vergehen ein paar Jahr Zuchthaus erhielte, ist eine absichtlich tödtliche Beleidigung des Staatsoberhaupts, ihm zugefügt durch jenes oligarchische System, unter dem der Doge schon so lange seufzt. Es ist der letzte Tropfen, der den Kelch überfließen lässt.

Gewaltsam oder nicht — das Motiv ist positiv höchst innerlich und bedeutend. Der Fürst, der sich teils aus selbstsüchtiger Rachewut teils aus nobleren patriotischen Gründen gegen seinen eigenen Staat verschwört, bietet eine tragische Figur von seltener Größe. Weit entfernt, eine falsche Stoff-Wahl getroffen zu haben, wie man ihn beschuldigte, hat Byron vielmehr grade durch die Wahl des Stoffes unwiderleglich sein Talent zum Dramatiker bekundet. Uebrigens machen hier die vielen Nachahmer, die von Delavigne bis Kruse den gleichen Stoff behandelten, die Probe aufs Exempel.

Am strengsten gehen die Feinde der Byronischen Dramen ins Gericht mit seinem System der sogenannten Aristotelischen „Einheiten", welches zu einem steifen Zusammendrängen der Situation verführe. So hätte der Dichter freilich das krankhafte Heimweh des jungen Foscari uns begreiflicher gemacht, wenn er uns diesen zunächst in der Verbannung vorgeführt hätte. Ebenso wäre er vielleicht dem Verständnis des Hörers näher gekommen, wenn er die sonstigen langen Kränkungen des Dogen Faliero, von denen wir später aus dessen Munde hören, irgendwie bei der Exposition in Handlung umgesetzt hätte. Aber gegen die „Einheiten" an sich lässt sich, trotz aller berechtigten Angriffe gegen deren künstliche Ueberschraubung, nicht viel einwenden. Wären sie nicht nötig, so würde man wohl nicht ewig an Shakespeare herumschneidern müssen. Allen Redensarten zum Trotz, basirt das moderne Salonstück in der Tat auf den „Einheiten", und wir gestehen offen, dass wir auch die „Einheit der Zeit", die Byron mit besonderem Nachdruck verfocht, für eine berechtigte Forderung halten. Es giebt denn doch dem Drama eine große kompositionelle Geschlossenheit!

Sei dem wie ihm wolle — mögen auch die tiefsten Geheimnisse des organischen Baus, das Aufeinanderwirken der Charaktere aus innerer Notwendigkeit, Byron nicht zur Erkenntnis gekommen sein, so verrät er doch überall eine achtunggebietende dramatische Begabung. Bulwers Bemerkungen über die Mängel der poetischen Erzählungen Byrons im Gegensatz zu seinen hoch darüber gestellten Dramen zeigen freilich nur, dass der Romancier Bulwer über die Technik der Poesie wenig im Klaren war. In der poetischen Erzählung sowie im didaktischen und humoristischen Epos (Childe Harold und Don Juan) steht Byron unerreicht da; im Drama aber muss er Shakespeare hoch über sich sehn. Jedenfalls hat sich die Meininger Hofbühne ein unschätzbares Verdienst erworben, indem sie Byron das Bürgerrecht der deutschen Bühne eroberte.

Litterarische Neuigkeiten.

In der J. Kauffmannschen Verlagsbuchhandlung in Frankfurt a/M. erschien ein wertvolleres Werk von Julius Elk über „Die jüdischen Kolonien in Russland". Kulturhistorische Studie und Beitrag zur Geschichte der Juden in Russland.

Von der von Joseph Kürschner herausgegebenen „Deutschen National-Litteratur" liegen uns weitere zehn Bändchen (315—324) vor mit folgendem Inhalt: Adolf Knigge, Die Reise nach Braunschweig (315), Johann Jakob Engel, Herr Lorenz Mark (316), Die historischen Memoires (317/318), Kleinere historische Schriften (319), Geschichte des dreißigjährigen Krieges (320/22), Aristipp und seine Zeitgenossen (323/325).

Band 2407 der Collection of British Authors Tauchnitz Edition enthält „King Arthur" by the Author of „John Halifax Gentleman". Verlag von Bernhard Tauchnitz in Leipzig.

„Gefragt" betitelt sich ein von C. Schirmer im Verlage von Oswald Mutze in Leipzig erschienener Roman. Die Verfasserin hat ihren Stoff gut behandelt und wird das Büchlein gewiss einem Jedem ein paar anregende Stunden bereiten.

Die bekannte Schriftstellerin C. W. E. Braune, welche vor nicht langer Zeit einen zweibändigen Roman „Die alte Mühle" im Verlage von Wilhelm Friedrich in Leipzig veröffentlichte, hat soeben wieder bei Otto Janke in Berlin einen neuen Roman unter dem Titel „Freifrau Sibylle von Kirchheim" verlegt. Die beliebte Autorin zeigt auch hier in diesem Romane ein reiches Talent und feine Beobachtungsgabe, und können wir denselben allen Lesern unseres Blattes nur empfehlen.

Die Universal-Bibliothek von Ph. Reclam jun. in Leipzig, welche sich wegen ihrer Billigkeit, zugleich aber auch Gediegenheit einer allgemeinen wohlverdienten Verbreitung rühmen kann, ist wieder um zehn weitere Bändchen vermehrt werden: No. 2141—42 „Denison, So'n Mann wie mein Mann." Eine Ehestands-Humoreske. No. 2143 „Dido." Scherzspiel in einem Aufzuge von Ernst Wichert. No. 2144 „Der Dreispitz." Aus dem Spanischen des D. Pedro de Alarcon. No. 2145 „Der Advokat", Schauspiel in fünf Aufzügen von Felix Philippi und endlich 3146—2150 „Titus Livius Römische Geschichte". Uebersetzt von Professor Conrad Heusinger. Vivat sequens!

„Eckbert." Drama in fünf Akten von Hermann Wette. (Als Manuskript gedruckt. Felix Bloch. Berlin.) — Dies in moderner Zeit spielende Drama ist in Jamben geschrieben. Wie in der sogenannten „Poesie" d. h. der gebundenen Rede sich alles Triviale und Seichte leicht unter Rhythmus und der sogenannten schönen Sprache versteckt, so auch giebt der Jambus Vielem einen trügerischen Anstrich unechter Poesie. Für die Bühne, die ein Spiegel des realen Lebens sein soll, ist er im Allgemeinen vollends verwerflich. Die Sprache in vorliegendem Drama ist dramatisch bewegt, enthält Stellen von großer Kraft, oft auch jambisch zugestutzte Prosa: aber vor Allem dient sie dazu, den großen Mangel zu verdecken, den jeder Jambentheatraliker sofort für den Kenner verrät, nämlich den Mangel an Charakterisierungsvermögen. Individuell sind hier nur zwei Charaktere herausgearbeitet: Eckbert und sein Kammerdiener. Andere Gestalten, wenn auch outrirt gezeichnet, sind schon sehr typisch, die meisten fast schablonenhaft. Sie unterscheiden sich weder in Rede noch Wesen voneinander. Dem Genre des Charakterdramas (Shakespeare, Kleist, Grabbe, Hebbel u. s. w.) gehört Wette mit diesem Erstlingswerk also nicht an. Dagegen hat er das andere und vielleicht noch wichtigere Erfordernis des echten Dramas: — Wahl eines echt tragischen Konflikts und Spannung dieses Konflikts durch energisch zielbewusst vorwärts drängende Handlung — Vollauf erfüllt. Groß und tief ist der Konflikt in „Eckbert", welchen wir etwa dahin deuten möchten: Der Väter Sünde rächt sich an den Kindern und im speziellen Fall auch an den Vätern durch die Kinder. Nur hat hier der Autor wieder gefehlt durch ein zu Viel. Den obigen Satz an drei Paaren zugleich demonstriren, — darüber geht die Konzentration verloren. Hier sei Wildenbruch, der übrigens ja auch als Jambendramatiker nicht in der Charakteristik seine starke Seite hat, für Wette ein Muster.

Mit diesem zu Viel, welches verwirrt und den Eindruck zersplittert, verbindet sich dann auch das allzu Uebertriebene der Konflikte selbst, die an scharfgewürzter Ungeheuerlichkeit ja ihres Gleichen suchen. Dass die Bühnen sich dem Werk verschließen werden, ist daher vorauszusehen. Auf der Bühne würde, was bei der Lektüre schon kräftig wirkt, erst recht abstoßen. Dass bei den würdigen Intendanzen natürlich weniger diese künstlerischen, als vielmehr höchst jämmerlich materielle Gründe bei einer etwaigen Ablehnung mitspielen würden, ist selbstverständlich.

Das Stück spielt: „Herbst 1812." Vortrefflich. Ein bedeutsamer Zug, den wir begrüßen. Wette sucht das moderne historische Drama ganz in der richtigen Epoche. Doch auch hier ein „Aber". Dies „1812" erweckt bei historisch Veranlagten gewisse Hoffnungen und dann Aerger, da sie getäuscht werden. Wir hassen nun jede Schablone und sind's zufrieden, wenn „1812" nur als Hintergrund einer Familientragödie benutzt wird. Mehr oder minder trieben Victor Hugo und seine Schule es nicht viel anders; sie wollten von der Historie-Staffage ihrer psychologischen Herzensdramen nichts als „couleur". Aber auch diese „Farbe" fehlt hier. Das ganze Stück könnte (die paar Aeußerlichkeiten abgerechnet) ebensogut 1712 oder 1886 spielen. Das stimmt genau mit dem Mangel an Charakteristik überein. Dieser Mangel wird aber insofern hier wirklich als ein dichterischer Fehler empfunden, als wir bestimmt erwarten durften, den patriotischen Seelenkampf in Gegenüberstellung des Napoleon anbetenden Grafen und seines natürlichen Sohnes, des Freiheitsideologen, durchgeführt zu sehen. Dennoch, obschon unser Tadel nichts an Deutlichkeit zu wünschen übrig lässt, müssen wir mit derselben Deutlichkeit betonen, dass „Eckbert", an sich betrachtet, das Zeugnis einer nicht gewöhnlichen Kraft darbietet, die nur noch gährend mit sich streitet und ins Uebertriebene schweift.

„Das Mönchtum, seine Ideale und seine Geschichte" betitelt sich eine von Adolf Harnack im Verlaße der J. Rickerschen Buchhandlung in Gießen herausgegebene Broschüre. Trotz des so großen Gegenstandes ist es dem Verfasser gelungen, in gedrängtem Raume ein treffliches Bild des Mönchtums zu entrollen. Die Schrift ist für jeden Gebildeten sehr empfehlenswert.

Bei G. E. C. Gad in Kopenhagen wurde soeben das zweite Heft des zweiten Bandes der „Historia Kildeskrifter", herausgegeben von Dr. Holger Rordam veröffentlicht, ebenso liegt von dem in dem Verlagsbureau in Kopenhagen erscheinenden „Nordisk Conversationslexikon" das 37. Heft (Groekenland-Görres), wie auch von der im gleichen Verlage edirten „Nordens Historie" das 49. Heft bereits vor.

„Orgien und Andachten" von Ernst Wechsler. (Leipzig. W. Friedrich). Dies Versbüchlein ist Carl von Thaler, dem bekannten Redakteur der Neuen Freien Presse gewidmet, mit einer poetischen Zueignung, worin das sogenannte „Ideal" vorkommt und gegen den Realismus weise Worte fallen. Der Dichter sagt:

„Erfüllt von Menschenglück und Menschenfluch,
Schwoll himmelweit mein Herz und es entstand
Dies ernste Buch."

Das „himmelweite Schwellen" haben wir nun eigentlich kaum entdecken können, wohl aber ernstes wackeres Streben und entschieden hervorragendes Talent. Um so mehr wünschen wir, dass Wechsler von seinem Irrweg des „idealen" Stils zurückkommen möge und sich vor allem zur Prosa bekehre. Wenn sich Jemand dem Widersinn hingiebt, realistisch moderne Studien in das Gewand des Verses zu kleiden, so geht dies gewöhnlich aus dem berechneten Streben hervor, durch Formgeschick den Mangel an Gedanken und Schilderungsgabe zu verstecken. Hier liegt der Fall aber genau umgekehrt. Unser begabter Autor besitzt ein nur mäßiges Formtalent, wie das „Lyrische Intermezzo, Sonntag im Prater" (S. 38—69) beweist, wo statt der eintönigen reimlosen Jamben (die immer wie skandirte Prosa wirken, nicht Fisch noch Fleisch, weder den Reiz der poetischen Sprache noch den Reiz des realistischen Prosastils teilend) einmal Reimverse eintreten. Dagegen besitzt der junge Poet in reichem Maße Phantasie und Gedanken. Die kräftige Didaktik in „Das entschleierte Bild zu Sais" verrät den Denker. — Wir hoffen Wechsler auf dem Gebiet der Novelle bald wieder zubegegnen.

Mit Beginn des neuen Quartals ist die Redaktion der Zeitschrift „Litterarischer Merkur" an Gustav Moldenhauer in Königsberg i. Pr. übergegangen. Der neue Herausgeber will es in fleißiger und sorgsamer Arbeit sich angelegen sein lassen, dem Inhalte des „Litterarischen Merkur" eine zum Teil veränderte Gestalt zu geben.

„Im Thüringer Wald." Lieder von John Henry Mackey. (Dresden und Leipzig. E. Pierson). In diesem dünnen, schlicht ausgestatteten, Heftchen steckt mehr lyrische Frische und quellende Begabung, als in manch stattlichem Band „berühmter" Modeversifexe. Das ist echtes junges Sängerblut, das ist ein wanderfroher Musensohn, der singt wie der Vogel singt, der in den Zweigen wohnet. Nicht gar schwer wiegt die Gabe, nicht in Höhen und Tiefen vermag dieser bescheiden sinnige Geist zu dringen. Einiges ist auch dilettantisch trivial (7. 13. 14). Aber über dem Ganzen weilt jener wirkliche Duft lyrischen Zaubers, der den jungen Wanderer, „so für sich hin" auf einsamen Waldwegen fürbass pilgernd, umsponnen hat. Und wer uns diesen Zauber eben vermitteln kann, ist ein Poet. Hier und da muss Mackay seine Sprachbegabung noch schulen. So hat er die komisch prosaische Wendung Seite 12 stehen gelassen: „Ich grüße froher, wie gewöhnlich, ihn." Das erinnert an die herrlichen Verse in W. Arents letzten Liedern:

„Ich küss die Zeh', die nackte, der kleinen Annemarie,
Ich küss die Zeh', nichts weiter, so heiter wie noch nie."

„Teodora", science Bisantine, betitelt sich ein bei Edoardo Perino in Rom herausgegebenes, durch viele Illustrationen noch bereichertes belletristisches Werk.

Die neueste amerikanische Sensationsnovelle ist betitelt: „Haschisch". Ihr Verfasser Thorold King erzählt darin die Geschichte eines Mörders, an dessen Statt ein Unschuldiger zum Tode verurteilt wird. Die Braut und der Bruder des Letzteren bieten alles auf, um den Tod des Unschuldigen zu rächen. Sie finden den wahren Mörder, und es gelingt ihnen, demselben eine Dosis Haschisch beizubringen. Im Haschischrausch verrät sich der Verbrecher, indem er seine verbrecherische Handlung scheinbar wiederholt.

In Amerika ist gegenwärtig die Zeit der Veröffentlichung der Kriegsdenkwürdigkeiten. Kaum hat der zweite Band von Grants Memoiren die Presse verlassen, so wird eine neue revidirte Ausgabe der Denkwürdigkeiten des Generals Shermanns angekündigt und dieser Letzteren wird die Herausgabe der Memoiren des Generals R. E. Lee, ebenfalls eines der hervorragendsten Führer im amerikanischen Bürgerkriege folgen

---

Alle für das „Magazin" bestimmten Sendungen sind zu richten an die Redaktion des „Magazins für die Litteratur des In- und Auslandes" Leipzig, Georgenstrasse 6.

Für die Redaktion verantwortlich: Karl Bleibtreu in Charlottenburg. — Verlag von Wilhelm Friedrich in Leipzig. — Druck von Emil Herrmann senior in Leipzig.

Das Magazin

für die Litteratur des In- und Auslandes.

Wochenschrift der Weltlitteratur.

1832 gegründet von Joseph Lehmann.

55. Jahrgang.

Preis Mark 4.— vierteljährlich.

Herausgegeben von Karl Bleibtreu.

Verlag von Wilhelm Friedrich in Leipzig.

No. 31. Leipzig, den 31. Juli. 1886.

Inhalt:

Die erste Orientreisende.

Eine litterarische Studie von Carl Seefeld.

Heute, wo die Strecke Paris-Konstantinopel in einem mit allem modernen Comfort ausgestatteten Schlafwagen des Orient-Expresszuges innerhalb weniger als zweimal 48 Stunden bequem zurückgelegt werden kann, gehört eine Reise nach dem Oriente zu den Alltäglichkeiten, über die sich Niemand wundert, denen Niemand mehr eine größere Bedeutung zumisst.

Anders war es noch vor fünfzig Jahren und nun erst recht zu Beginn des achtzehnten Jahrhunderts, um welche Zeit dieses Unternehmen von einer englischen Dame in Szene gesetzt wurde, die aus mehr als einer Ursache auch der deutschen Lesewelt in Erinnerung gebracht oder eigentlich bekannt gemacht zu werden verdient.

I.

Lady Mary Wortley Montagu*) (mit dem Mädchennamen: Pierrepont), von welcher hier die Rede ist, war im Jahre 1690 zu Thoresby als die Tochter des nachmaligen Herzogs von Kingston geboren. Durch Schönheit und Geist in ganz ungewöhnlichem Maße ausgezeichnet, heiratete sie im Jahre 1712 das Parlamentsmitglied Edward Wortley Montagu, mit dem sie schon eine jahrelange Bekanntschaft verbunden hatte, ohne dass es zwischen Beiden zu den nötigen Erklärungen gekommen war, wie denn auch die mit dem Vater, als zwischen praktischen Engländern, wegen der finanziellen Abmachungen gepflogenen Verhandlungen durch lange Jahre nicht zum Ziele geführt hatten. Im Jahre 1716 wurde ihr Gatte zum Gesandten bei der Hohen Pforte ernannt und Lady Mary fasste sofort den Entschluss, die Reise mitzumachen. Damals herrschten über den Orient noch die unrichtigsten, zum Teile abenteuerlichsten Vorstellungen; jedenfalls galt die Entfernung als eine enorme und die Verkehrsverhältnisse waren sehr schwierige. Kein Wunder daher, dass der Entschluss der jungen Frau in allen Kreisen der Gesellschaft als Heroismus angestaunt wurde, zumal sie auch ihr neugeborenes Kind auf die Reise mitnehmen musste. Die Route ging über Deutschland, insbesondere auch über Wien, wo längerer Aufenthalt genommen wurde. Während ihres Aufenthaltes in Konstantinopel lernte sie auch die wohltätigen Folgen der Impfung kennen, die sie als Erste auch auf ihren dreijährigen Sohn anwendete und später mit Erfolg in England einzuführen suchte. Die Stellung ihres Gatten ermöglichte ihr, von den Sitten und Einrichtungen des Orients eine umfassendere und gründlichere Kenntnis zu erlangen, als jemals einer Nichtmohamedanerin vor ihr verstattet worden war.

Auf der Rückreise, welche 1718 stattfand, wurde auch Tunis, Carthago, Frankreich etc. besucht. Nach England zurückgekehrt, wählte Lady Mary, auf Andringen des Dichters Pope, mit dem sie damals noch in freundschaftlichsten Beziehungen stand, Twickenham bei London zum bleibenden Wohnsitze. Hier war es nun, wo ihr Salon durch zwanzig Jahre Alles vereinigte, was die englische Gesellschaft jener Tage

*) Wir geben dieser, von Lord Wharncliffe beobachteten Namensschreibung den Vorzug vor der früher üblich gewesenen Schreibweise: „Montague“.

an Geist (Addison, Steele, Young und Andere waren häufige Gäste) oder sozialer Stellung Hervorragendes bot. Aber durch so lange Zeit eine so illustre Vereinigung unbeschränkt zu beherrschen und dies vermöge außerordentlicher körperlicher und geistiger Reize, ist ein Vorrecht, welches eben diese Gesellschaft, und zumal der zartere Teil derselben, nicht ungesühnt über sich ergeben zu lassen pflegt. Ist es daher zu verwundern, dass im Laufe der Zeit Neid und Missgunst sich erhoben und das glänzende Bild zu beflecken und zu verdunkeln suchten? Dazu kam, dass Lady Mary eine spitze Feder führte und Vorliebe für die Satire hatte, was ihr manche Freunde in Gegner verwandelte. Der erbittertste und zugleich weitaus gefährlichste unter diesen Gegnern erstand ihr jedoch aus ihrem einstigen Freunde Pope. Ueber die Ursachen dieses Gesinnungswechsels gehen die Meinungen sehr auseinander, je nach dem Lager, aus welchem sie stammen. Während die Anhänger Popes behaupten, er sei durch die beißenden Satiren Lady Marys tief verletzt worden, wollen die Parteigänger der Letzteren glauben machen — und diese Angabe ist die verbreitetste und am meisten geglaubte — Pope habe sich mit der bloßen litterarischen Freundschaft nicht begnügen wollen, sondern von Lady Mary auch noch andere und wärmere Gefühle verlangt, was sie, die nur ihren Gatten zu lieben erklärte, ihm in ziemlich brüsker Weise abgeschlagen habe. Liest man die während ihrer Freundschaftsperiode Seitens des Dichters an die Freundin gerichteten, oft recht überschwenglichen Verse, so gewinnt man allerdings den Eindruck, als ob er in ihr nicht bloß die hochgestellte Dame und geistvolle Schriftstellerin verehrt habe. Aber es darf dabei nicht außer Acht gelassen werden, dass jene Verse in den Tagen Annas und Georg I. geschrieben wurden, unter deren Herrschaft die Galanterie sozusagen in der Luft steckte und auch die Dichter in einer unsrem heutigen Geschmacke häufig widerstrebenden Weise beeinflusste. Wie dem auch sei, so viel steht fest, dass Pope („die böse Wespe von Twickenham", wie sie ihn in einem Briefe nennt) in der Folge Lady Mary ebenso heftig angriff, als er sie früher gefeiert hatte und dass er und sein Anhang damit die Wirkung erzielten, ihren Privatruf auf das empfindlichste geschädigt zu haben.

Es scheint, dass diese Anfeindungen bei Lady Montagu nach und nach eine gewisse Englandmüdigkeit erzeugten. Tatsache ist, dass sie im Jahre 1739 die Heimat, ihre Familie und Freunde verließ, um fortan auf dem Kontinente zu leben. Zu einem offenen Bruch mit den Ihrigen ist es jedenfalls nicht gekommen; denn sie unterhielt mit Allen, insbesondere aber mit ihrem Gatten, eine sehr rege Korrespondenz, obwohl sie ihn bis zu seinem — erst zweiundzwanzig Jahre später erfolgten Tode — nicht mehr sah. In diesem Briefwechsel wird Alles, nur nicht das gegenseitige Verhältnis der Gatten, berührt und so ist aus demselben wenig Aufschluss über diese unter allen Umständen merkwürdige Trennung auf Lebenszeit zu entnehmen. Uebrigens stimmen die Urteile der Zeitgenossen darin so ziemlich überein, dass zwischen den Ehegatten eine solche Verschiedenheit des Charakters und der Lebensauffassung bestand, welche den von Lady Mary unternommenen Schritt als im beiderseitigen Interesse gelegen und ihrer ferneren Ruhe nur förderlich erscheinen ließ.

Unsere Heldin begab sich nunmehr nach Italien, wo sie an verschiedenen Orten residierte. Den Sommer brachte sie regelmäßig in einem alten Palaste in Lovère am Iseosee zu. Mit der Kultur ihres Gartens und mit der Zucht von Seidenwürmern beschäftigt, daneben litterarisch tätig, verlebte sie daselbst ihre Tage in angenehmer und friedlicher Weise, wobei ein reger Verkehr mit der kleinen Gesellschaft des Ortes unterhalten wurde. Mit der Zeit aber dürfte die einstige Beherrscherin des glänzendsten Salons dieser allzu bescheidenen geselligen Freuden denn doch überdrüssig geworden sein; denn im Jahre 1758 übersiedelte sie nach Venedig, wo sie bis zu ihrer im Jahre 1761 auf die Nachricht von dem Tode ihres Gatten erfolgten Rückkehr nach England verblieb. Sie sollte aber nicht mehr lange heimische Luft atmen; denn schon am 21. August 1762 endete ihr reichbewegtes, von der Menschen Gunst und Ungunst vielfach durchkreuztes Leben.

II.

Der litterarische Ruf Lady Montagus ist durch ihre Korrespondenz und insbesondere durch die während der Orientreise geschriebenen Briefe begründet. Sie hat sich zwar auch auf anderen Gebieten schriftstellerischen Schaffens versucht und einige nicht üble Gedichte, Satiren etc. hinterlassen; doch dürften diese für sich allein kaum genügt haben, um ihren Namen auf die Nachwelt zu verpflanzen. Die Briefe jedoch haben, ganz abgesehen von dem Talent und Witz, die aus allen ihren Schriften hervorleuchten, und von der vielfach an Madame de Sévigné gemahnenden Grazie, mit der sie geschrieben sind, einen bleibenden kulturhistorischen Wert vermöge der Exaktheit und Zuverlässigkeit, mit welcher die Sitten und Gebräuche ihrer Zeit und vor Allem die des Orientes gezeichnet werden, wenn sich auch freilich nicht leugnen lässt, dass sie Manches, unserem heutigen Geschmacke weniger Zusagendes, teils Ungehöriges, teils Pedantisches, enthalten.

Die Briefe wurden erst nach dem Tode Lady Marys und zwar in verschiedenen Ausgaben veröffentlicht. Die weitaus umfassendste und genaueste ist die von ihrem Urenkel Lord Wharncliffe veranstaltete Ausgabe, welche im Jahre 1861 in dritter Auflage erschienen ist. Sie enthält in zwei sehr starken Bänden den ganzen bis knapp vor ihren Tod geführten Briefwechsel dieser ungemein schreiblustigen Dame. Ein allgemeineres Interesse können wohl nur die mehr erwähnten Reisebriefe beansprachen, von denen, so viel uns bekannt, keine genügende deutsche Uebersetzung existirt; es dürfte daher nicht unpassend erscheinen, zur Charakteristik des Inhaltes und Stils derselben schließlich Einiges daraus im Auszuge mitzuteilen.

Wir beschränken uns hierbei, um ein halbwegs abgeschlossenes Ganze zu bieten, auf die aus Wien geschriebenen Briefe.

. . . „Diese Stadt, welche die Ehre hat, des Kaisers Residenz zu sein, entsprach durchaus nicht meinen Erwartungen und Ideen; die Straßen sind sehr enge und so schmal, dass man gar nicht die schönen Vorderseiten der Paläste betrachten kann, von denen viele, die wirklich prachtvoll sind, eine solche Beobachtung in hohem Grade verdienen. Sie sind alle aus schönem weißen Stein gebaut und ungemein hoch. Denn da die Stadt für die Menge Menschen, welche darin zu leben wünscht, zu klein ist, so scheinen die Erbauer derselben vorgehabt zu haben, dieses Missgeschick dadurch wieder gut zu machen, dass sie eine Stadt auf den Kopf der andern stellten, indem die meisten Häuser fünf, manche sechs Stockwerke haben . . .“ (ddo. 8. September 1716. „To the Countess of —“).

Sehr ausführlich verbreitet sie sich über das Hof- und gesellschaftliche Leben von Wien.

. . . . . „Ein Weib wird unter 35 Jahren nur als unfertiges Mädchen angesehen und kann, bevor sie nicht etwa 40 erreicht hat, noch keinen Lärm in der Welt machen. Ich weiß nicht, was Sie über diesen Gegenstand denken; aber für mich liegt ein bedeutender Trost in der Erkenntnis, dass es auf Erden solch ein Paradies für alte Weiber giebt und bin ich auch damit ganz zufrieden, derzeit unbedeutend zu sein, in der Absicht, einmal zurückzukehren, wenn ich schon nirgends anderswo mehr zu erscheinen geeignet bin . . . . . Uebrigens hat auch hier das erschreckende Wort: ‚Ruf‘ eine ganz andre Bedeutung, als in London; einen Liebhaber gewinnen heißt nicht nur nicht den Ruf verlieren, sondern ihn erst recht eigentlich erwerben, da die Damen viel mehr geachtet werden mit Bezug auf den Rang ihrer Liebhaber als mit Bezug auf den Rang ihrer Gatten“ . . . . . (ddo. 20. September 1716. „To lady R. —“)

Eine für jene Zeit charakteristische Anekdote (Se non è vero etc.) enthält der an Mrs. J . . . gerichtete Brief ddo. Wien, 26. September 1716: . . . „Aus Oesterreich kann man nicht mit Lebhaftigkeit schreiben und ich bin schon angesteckt von dem Phlegma dieses Landes. Selbst ihre Liebschaften und ihre Streitigkeiten werden mit einem erstaunlichen Gleichmute, geführt und sie sind niemals lebhaft außer in Sachen des Ceremoniells. Darin zeigen sie wahrhaft ihre ganzen Leidenschaften und es ist noch nicht lange her, dass zwei Damen, deren Wagen sich in einer engen Straße bei Nacht begegneten und die nicht darüber einig werden konnten, welcher von beiden zurückgehen sollte, mit gleicher Artigkeit bis zwei Uhr Morgens dasaßen und so fest entschlossen waren, auf dem Fleck eher zu sterben, als in einem Punkte von solcher Wichtigkeit nachzugeben, dass die Straße wohl bis zu ihrem Tode nicht mehr frei geworden wäre, hätte sie nicht der Kaiser durch seine Garden trennen lassen und selbst dann noch, weigerten sie sich, sich zu rühren, bis endlich das Auskunftsmittel gefunden wurde, sie Beide, und zwar genau in demselben Momente, mit Tragsesseln herauszubringen . . .“

In Wien hatte unsre Reisende auch Gelegenheit, den Prinzen Eugen von Savoyen kennen zu lernen.

. . . „Nun ich diesen großen Mann genannt habe, werden Sie gewiss erwarten, dass ich über ihn etwas Besonderes sage; aber ich habe ebensowenig Lust über ihn in Wien zu reden, als ich über Herkules im Hause der Omphale reden wollte, wenn ich ihn dort gesehen hätte. Ich weiß nicht, welchen Trost andre Leute in der Betrachtung der Schwächen großer Männer finden (vielleicht, dass es sie dem Niveau derselben näher rückt); für mich liegt immer ein Schmerz in der Wahrnehmung, dass es keine menschliche Vollkommenheit giebt . . .“ (ddo. 16. Januar 1717. To the Countess of —“)

. . . „Prinz Eugen war so freundlich mir gestern seine Bibliothek zu zeigen; wir fanden ihn in Gesellschaft Rousseaus und seines Günstlings, des Grafen Bonneval. Die Bibliothek ist zwar nicht sehr umfangreich, aber gut gewählt; da aber der Prinz in dieselbe nur solche Ausgaben aufnehmen will, die schön und dem Auge wohlgefällig sind, es aber gleichwohl eine Menge vorzüglicher Bücher giebt, die nur mittelmäßig ausgestattet sind, so verursacht dieser lächerliche Geschmack, viele empfindliche Lücken in der Sammlung. Die Bücher sind prachtvoll in türkisches Leder gebunden, zu welchem Zwecke eigens zwei der berühmtesten Buchbinder von Paris hercitirt worden sind. Bonneval erzählte mir spaßweise, dass mehrere Folianten über die Kriegskunst da wären, welche mit der Haut von Spahis und Janitscharen eingebunden seien; ein Scherz, der dem ernsten Antlitze des berühmten Kriegers ein vergnügtes Lächeln entlockte. Der Prinz, ein Kenner der schönen Künste, zeigte mir mit besonderem Wohlgefallen die berühmte, einst Fouquet gehörige, Porträtsammlung, die er um einen ungeheuren Preis gekauft hatte. Er hat sie durch eine beträchtliche Menge von Neuerwerbungen vermehrt, so dass ihresgleichen in Europa kaum wiederzufinden ist . . .“ (ddo 2. Januar 1717 „to the Abbot of —“)

Leider müssen wir der Versuchung widerstehen, weitere Auszüge aus dem Briefwechsel zu liefern; denn einerseits würde hierdurch Zweck und Umfang dieser Skizze in ungebührlichem Maße ausgedehnt, während es andrerseits kaum möglich ist, die aus der Türkei geschriebenen Briefe — und diese sind

ja eben die wertvollsten der Sammlung — bruchstückweise mitzuteilen, ohne den gerade in der zusammenhängenden Darstellungsweise derselben gelegenen Reiz zu zerstören.

Unsere Aufgabe halten wir für gelöst, wenn es uns gelungen ist, durch die mitgeteilten Proben auch weitere Kreise auf eine in Deutschland kaum dem Namen nach bekannte Schriftstellerin aufmerksam gemacht zu haben, welche Pope (natürlich noch vor ihrer Entzweiung) mit einem Gedichte besungen hat, dessen erste Strophe also lautet:

„In beauty or wit
No mortal as yet
To question your empire has dar'd;
But men of discerning,
Have thought that, in learning,
To yield to a lady was hard."

Wie fördert man die Litteratur?

Seit „Meyers Groschenbibliothek" mit dem Motto: „Bildung macht frei" bis zu der jetzt im Erscheinen begriffenen, höchst respektablen Joseph Kürschnerschen „Deutsche Nationallitteratur" sind soviel komplete und fragmentarische, kritische und nichtkritische Klassiker-Ausgaben erschienen, „dass ich sie nimmer zählen kann".

Ich erinnere an die Hildburghausenschen Sedez-Heftchen mit dem kleinen, jedoch nicht undeutlichem Druck auf nicht ganz schlechtem Papier, mit den beigegebenen Porträts und wie Viele ihnen derzeit manche glückliche Stunde verdankten.

Seitdem sind fünfunddreißig Jahre verflossen und soviel Bildung gehäuft worden, dass uns die Götter drum beneiden könnten. Vollends die Aufrichtung des neuen deutschen Reiches schien die Sache ins Pyramidale steigern zu wollen. Da erfolgte ein Rückschlag.

„Franztum drängt in diesen verworrenen Tagen, Wie ehemals Luthertum es getan, ruhige Bildung zurück." So klagte Goethe. Bei uns ward dieses Geschäft von anderen Mächten besorgt und es zeigte sich, dass wir entweder der Bildung noch lange nicht genug hatten, oder, dass dieselbe nicht „frei" machen könne.

Darum aber werden wir nicht aufhören, unsere schöne Litteratur zu lieben.

Mit Recht ist in dem Kampf für die Realschule geltend gemacht worden, dass unser eigenes Schrifttum umfangreich und tief genug sei, um des Griechischen und Römischen nunmehr als Grundlage der Pädagogik entraten zu können und zwar ist diese Behauptung von so sach- und fachkundiger Seite aufgestellt und motivirt worden, dass sie als vollgültiges Zeugnis für die hohe Bedeutung unserer Litteratur auch nach dieser Richtung hin angesehen werden muss. Man setzt deren klassische Periode in die Zeit des Erscheinens von Lessings „Minna von Barnhelm" und „Laokoon" bis auf die Befreiungskriege, resp. bis auf den Eintritt von Goethes Greisenalter. Von da bis zum Auftreten Heines die romantische und mit diesem zugleich den Anfang der Epoche der modernen Litteratur. Was aus der ersten außer Lessing, Goethe und Schiller und denjenigen Dichtern und Prosaikern, welche sie vorbereiten halfen, heute etwa noch geliebt und gelesen wird, das dürfte bei einer sorgfältigen Musterung nicht allzu schwer festzustellen sein. Selbst Wieland und Herder, von dessen sämmtlichen Werken die berühmte Weidmannsche Buchhandlung soeben eine neue kritische Ausgabe veranstaltet, welche doch neben Goethe, Schiller und Jean Paul an erster Stelle genannt werden, gehören sie noch zu den gelesenen Schriftstellern?

„Herders sämmtliche Werke, herausgegeben von Bernhard Suphan, sind von dem Erscheinen der ersten Bände (im Jahre 1877) an mit dem lebhaftesten Interesse aller Kenner und Litteraturfreunde aufgenommen worden." Die Kenner und Litteraturfreunde! Es sind ihrer Wenige und ich meine, es wäre ein Unglück, wenn sie nicht vorhanden wären. Es sind aber nicht diese, welche ich bei meinen Betrachtungen im Auge habe, sondern das ganze, große, gebildete Publikum. „Er ist in nichts ein Muster und in Allem ein Andeuter und Erwecker."

Ist es nicht, als wenn Goethe diese Worte auf Herder bezogen hätte? Seine „Ideen zur einer Philosophie der Geschichte der Menschheit", sicherlich für ihre Zeit eine hochbedeutsame Erscheinung, müssen sie nicht gegen eine neuere Kulturgeschichte der Menschheit (z. B. die von G. Friedrich Kolb) als veraltet dastehen? Dass eine so vollständige, wohlausgestattete Herder-Ausgabe für Kultur- und speziell Litteratur-Historiker sehr interessant sein muss, begreift sich vollkommen.

Indes, „ungelesene" Autoren erscheinen wie außer Kours gesetzte Münzen, denen es zwar an Edelmetallgehalt keineswegs fehlt, die aber besser in einem Münzkabinett, als in den Taschen unsrer Hausfrauen am Platze sind.

Wenn man je fünfzig Exemplare von Klopstocks „Messiade" und Kleists „Frühling" kaufen wollte, um sie als Prämien für Schüler zu verwenden, könnte man darauf rechnen, dass auch nur je fünf davon gelesen würden?

Ich setze die Verneinung dieser Frage voraus und behaupte, dass Verleger, welche bei Veranstaltung sogenannter Klassiker-Bibliotheken notorisch ungelesene alte Autoren einschmuggeln, eine Sünde gegen die moderne Litteratur begehen, denn das Geld, welches die guten Abonnenten für die scheinbar wohlfeilen Hefte verausgaben, sammelt sich zum Kapital, das sie dann nicht mehr für die Erzeugnisse der Neueren, die ihnen auch meist Frischeres und Besseres zu bieten haben, übrig behalten. Gottschall schließt seine vorzügliche Geschichte der deutschen Nationallitteratur „nicht ohne die Hoffnung, dass wer mit unparteiischem und wohlwollendem Geiste seine Darstellung verfolgt hat, dass, wem es auf die tatsächliche Feststellung unserer modernen Litteraturschätze ankam, jene Auffassung nicht teilen werde, welche von einem Verfall unserer Litteratur fabelt."

Wenn auch Lyriker und Epiker, wie Goethe, und Dramatiker, gleich Lessing und Schiller, noch nicht wiedergekommen sind und wahrscheinlich sobald nicht wiederkommen werden, so drängt sich uns dennoch die Ueberzeugung auf, dass sich unseren besten neueren Dichtern gegen die klassische Epoche gehalten, der Horizont erweitert und die gelehrt antiken Voraussetzungen, die ja schon die Romantiker nur deshalb mit Unrecht tadelten, weil sie nichts Besseres an die Stelle zu setzen hatten, bei ihnen fortgefallen sind.

Der geistvolle Hieronymus Lorm hat uns in seinen „Makulatur-Studien" ein ganzes Verzeichnis verschollener Autoren gegeben, aus dem jedoch Willibald Alexis zu entfernen wäre. Es kommt ganz und gar nicht darauf an, Den oder Jenen als nicht lesenswert zu bezeichnen, sondern nur, die versifizirte Langeweile, die als „Klassiker" herumspukt, als acta reposita zu konstatiren. Einer antiquirten Vorstellung zu Folge pflegt man jenes epitheton ornans den Prosadichtern nur zögernd zu erteilen, oder gar vorzuenthalten, während, wie Ernst Eckstein richtig bemerkt, ein Ladislaus Pyrker unbesehen als „Klassiker" ins Land ging. Dagegen hat unsere moderne Litteratur Romane und Novellen aufzuweisen, die ihr voraussichtlich als ein dauernder Besitz verbleiben werden, was allein erst dem Begriff der Klassizität entspricht und den Anspruch darauf begründet.

Die Zurückdrängung des Abgestorbenen und die Pflege des Lebendigen, das ist es, was die Litteratur fördert! Dies hätte vor Allen die berufsmäßige Kritik begreifen sollen, was leider vielfach nicht der Fall gewesen ist, denn es ist grundfalsch, eine Dichtung in der Manier zu beurteilen, dass die kritischen Streiflichter mit Vorliebe deren wirkliche oder vermeintliche Schwächen so drastisch hervorkehren lassen, dass die gelungenen Partien mehr oder minder im Schatten verbleiben und der Leserwelt ein Degout beigebracht wird, unter dem Verleger und Schriftsteller schon verhängnisvoll zu leiden gehabt haben.

Ganz besonders aber haben gewisse Litteratur-Historiker sich in diesem Punkte versündigt und ihren Beruf misskannt, indem es ihnen nur um kritische Rechthaberei zu tun war, bei der die Argumente da und dort nur nicht in der Sache selbst lagen.

Wenn man die stattlichen sechs Bände von Adolf Friedrich von Schacks sämmtlichen Werken durchsieht, so staunt man immer wieder über eine poetische Produktivität, die in der modernen Litteratur nicht ihres Gleichen hat. In der Lyrik, wie in der Epik und im Drama hat uns dieser Dichter-Genius gleich Gutes, Gedankenvolles und Formvollendetes geboten. „Und nur das urteilslose Anbeten des Erfolges," meint Eugen Zabel*) von den Dramen, „kann diesem Teile seiner Produktion die Anerkennung versagen. Sie hat ihm überhaupt Jahre lang gefehlt, wie er selbst sich bitter beklagte, und erst die neueste Zeit hat einzusehen begonnen, welch poetischer Reichtum, welche Fülle von Schönheit seine Werke umfassen. Vielleicht hat hierzu auch die schöne Cottasche Gesammt-Ausgabe derselben beigetragen.

Leider ist nicht jeder Dichter auch nur annähernd in so günstiger Position, wie Schack, um des buchhändlerischen Erfolges entraten zu können und diesem glücklichen Umstande, dass der herrliche Poet unabhängig ist vom äußeren Erfolg, verdanken wir es wahrscheinlich, dass er uns in der Mitteilung seiner Gaben nicht verkürzte.

Also Verleger, Kritiker und Publikum müssen sich vereinigen, um die gute Litteratur zu fördern, an Talenten hat es uns niemals gefehlt und sie werden auch dem neuen Deutschland nicht fehlen. Und wenn die Litteratur gefördert wird, werden es auch die Dichter und sie werden einsehen, dass die Zeit verlangt, was ihr gemäß ist und dass nur Genies es wagen dürfen, die Schatten aus Hellas und Rom und noch älterer Kulturstätten heraufzubeschwören. Ein Bild aus der deutschen Vergangenheit, wie es der soeben heimgegangene Victor Scheffel gezeichnet, ist nicht Jedermanns Sache, obwohl es zur Nacheiferung reizen mag. Die Zeit aber ist vorüber, in der „ein volles, ganz von einer Empfindung volles Herz" genügte, um ein Dichter zu sein, auch wenn man Meister im Ausdruck derselben wäre. Wer mit der dichterischen Begeisterung nicht auch dichterische Gestaltungskraft verbindet, der wird kaum noch eine tiefgreifende Wirkung erzielen. Dies sehen wir an Rückert.

Es ist beklagt worden, unter Anderen von Bodenstedt, dass die Dichtkunst nicht, wie Malerei, Skulptur und Architektur, in den Dienst des Staates zu treten Gelegenheit habe, allein das ist ein rechtes Glück für sie, weil ihr dies die Unabhängigkeit verbürgt; die Wirksamkeit des Staates hat ihre Grenzen, wenn es auch in neuester Zeit versucht wird, sie zu erweitern. Ich schließe mit dem treffenden Ausspruch Goldbaums „Ueber Litteraturfreunde":

„Und wahrhaftig, nicht weniger verständnisvoll, als Perikles und des Kaisers Augustus Freund, nicht weniger begeisterungsfähig, als Karl August von Weimar, nicht weniger dankbar, als die Mediceer ist das Volk, stark im Empfinden, gewaltig in der Begeisterung, im Bewundern ein Meister wie im Hassen."

*) Eugen Zabel, Graf Adolf Friedrich von Schack. Wien 1885.

Berlin. Gustav Sandheim.

Ein Preis-Dichter.

Die Schriftstellerei ist ein schlechtes Geschäft. Das ist wohl ein alter Gemeinplatz, aber eine junge Wahrheit. Denn erst seit so unverdaulich viel in Litteratur „gemacht" wird, seit jeder Gewürzkrämer-Gehülfe mit Freiligrat in die Schranken tritt, jeder verdorbene Student ein „Buch der Lieder" in seiner Faust fühlt, seit jeder Kadett sich berufen glaubt, seine Manöver-Erlebnisse zum Helden-Epos zu hyperbolisiren und in Hexameter zu gießen, jeder hungernde Diurnist und jede alternde Gouvernante die Erinnerungen an die erste Liebe und den ersten Verrat zu wässerigen Romanen zu schweißen und jeder schlechte Schauspieler im Dünkel, ein neuer Mobère oder Shakespeare zu sein, zum Dramen-Fabrikanten wird, erst seit durch tausend und tausend schale Machwerke, für die sich leider auch Verleger und Verbreiter finden, durch den in Buch und Familienblatt gebotenen, litterarischen Bliemchen-Kaffee der Geschmack der großen Masse verdorben, ihr kritisches Empfinden, ihre ästhetische Feinfühligkeit gänzlich untergraben sind, ist jener Gemeinplatz wahrhaftige Wahrheit geworden. Die materiellen Erfolge eines Scheffel, Bodenstedt und etwa noch Freitag sind die Ausnahmen, welche nur die Regel bestätigen. In einer solchen Zeit ist es schwer, an die Existenz eines wirklichen Poeten zu glauben, der sich ein ansehnliches Vermögen in „Preisen" erworben und dasselbe durch das Erträgnis seiner Werke noch beträchtlich gesteigert hat — und wenn man erfährt, dass diese Werke Dramen sind, so wird man die Gestalt gar in das Gebiet der Mythe verlegen. Der Deutsche ist mit Hinblick auf seine vaterländischen Verhältnisse zu diesem Kopfschütteln berechtigt; es hat seit vielen Dezennien keinen deutschen Dramatiker gegeben, keinen wirklichen Bühnen-Dichter — die Moser und Konsorten können da nicht in Betracht kommen —, welchem seine Feder auch nur den Lebensunterhalt hätte schaffen können. Jener glückliche Poet kann also nur in Frankreich zu Hause sein, wo ein großes, für seine Dichter und ihre Werke begeistertes Publikum mehrere hundert Aufführungen eines Kerndramas Augiers ermöglicht und aus Liebe zum Poeten auch hundert Aufführungen eines dialogisirten Poëms von Coppée, als Theaterstück ausgegeben, über sich ergehen lässt; hier allein ist ein solcher „Preisdichter" möglich.

Und er ist kein Franzose, freilich auch kein Deutscher. Er ist der Sohn einer kleinen Nation, deren Kultur und Bildung noch jung, deren Kunst und Litteratur durch wenige Namen erst zur Kenntnis des Weltpublikums gelangt sind; er ist Ungar und nennt sich Gregor Csiky. Ein Mann, der in einer einzigen Woche zwei Preise von 400 und 100 Dukaten (4000 und 1000 Mark) erringt, kann kein gewöhnlicher Geist sein und scheint uns würdig, auch dem deutschen Publikum vorgestellt zu werden.

Csikys litterarische Tätigkeit ist erst jungen Datums. Vor wenigen Jahren war er noch katholischer Priester, schrieb theologische Lehrbücher und dozirte an einem theologischen Lyceum; die Muse und eine andere schöne Frau machten den Mann der Kirche abwendig und eines Tages hatte Budapest einen glücklichen Ehegatten mehr und die ungarische Bühne öffnete sich ihrem berufensten Dichter. Preis auf Preis, ein wahrer Goldregen strömte auf sein Schaffen nieder; damit war er offiziell zum Tronfolger Szigligetis, des ungarischen Schiller mit Benedix-Bedeutung, deklarirt, der bis dahin alle Preise in Pacht gehabt hatte. Und die Heranziehung dieses neuen Talentes war eine Notwendigkeit, denn es wäre sonst — bei dem großen, auch jetzt noch herrschenden Mangel an produzirenden Kräften — die ungarische Nationalbühne, kaum geboren, schon gewesen. „Das Orakel" und „Janus" hatten hintereinander den Teleki-Preis (100 Dukaten) erhalten und dem Lustspiele „Der Unwiderstehliche" fiel gar der Karácsonyi-Preis (400 Dukaten) zu. Dies waren aber bloß akademische Erfolge. Die Kritik tadelte an den genannten Stücken den Mangel an Lebens- und Menschenkenntnis. Dieser Tadel war ein irriger. Csiky war damals schon der Menschenkenner, der er heute ist, und vielleicht konnte er sich gerade als solcher, als scharfer Beobachter des modernen Lebens, in jene antike oder romantische Zeit nicht finden, welche er seinen Handlungen zum Rahmen gab. Das Drama „Das Orakel", dessen Heldin die delphische Pythia ist, scheint mir dennoch als Symbolisirung des Niederdrucks heidnischer Gebräuche durch die Religion der Liebe, als verborgene Polemik gegen das Cölibat, als Plaidoyer für das Recht der Sinne und des Herzens von dauerndem Werte.

Nach einem kurzen Aufenthalte in Paris wendete sich Csiky der modernen ungarischen Gesellschaft und ihren Problemen zu, er wurde Realist in des Wortes bestem Sinne. Wieder war es ein Preisstück, das Lustspiel „Misstrauisch", welches den Uebergang bildete; im selben Jahre (1879) gelangten im Budapester Nationaltheater das Schauspiel: „Die Proletarier" zur Aufführung mit einem bis dahin in Ungarn unerhörten Erfolge. Das Publikum jubelte und jauchzte förmlich; den das Repertoire beherrschenden Franzosen war das Szepter aus der Hand gewunden, das ungarische Kassastück war gefunden und mit ihm der Dramatiker der Zeit. Im Gewande des modernen Sittendramas waren die „Proletarier" ein beißende Satire auf alle Auswüchse der ungarischen Gesellschaft. Csiky hatte sich seine Gestalten auf der Straße gesucht, im Salon, im Café und er war mit der Maxime durchgedrungen, die er kurz vor jenem Triumphe geäußert: „Man kann nur natürliche Menschen auf die Bühne bringen, wenn man Modelle vor Augen hat; es ist wie bei der Malerei und der Skulptur. Die Menschen im Theater müssen wirkliche Menschen sein, wie Menschen denken und sprechen. **Wahrheit!** Das ist der berechtigte Realismus auf der Bühne."

Und in diesem Sinne schuf Csiky weiter mit staunenswerter Fruchtbarkeit und ein Erfolg löste den andern ab. Ich will die Bühnenwerke nicht alle aufzählen, welche unseren Dichter zum souveränen Beherrscher der ungarischen Bühne machten; es sei aber bemerkt, dass deren manche würdig wären, dem an gediegenen Originalen ohnehin nicht zu reichen deutschen Theaterrepertoire einverleibt zu werden. Besonders „Die Proletarier" und Csikys jüngstes Gesellschafts-Drama „Ein dunkler Punkt" müssten bei guter Darstellung „einschlagen" und es wären den deutschen Bühnenleitern die von Ladilaus **Neugebauer** gelieferten Uebertragungen zur Lektüre wärmstens zu empfehlen.

Auf eine musterhafte Plautus-Uebersetzung und auf zwei historische Jamben-Dramen hat Csiky seine letzten Preise erhalten; der ersteren wurde der große Karácsonyi-Preis, den beiden Kothurnstücken der Teleki-Preis. Und doch nimmt sich Csiky auf dem Kothurn nicht gut aus; steif und holperig schreitet er aus und nicht selten purzelt er auch von seiner Höhe herab. Was ich in den im vorigen Jahrgange des „Magazin" veröffentlichten Aufsätzen „Ueber die neuere ungarische Litteratur" von dem Drama „Nora" dargelegt, dass Csiky keine Historie im großen Style, im Style Shakespeares oder Schillers aufzubauen vermag, es weist sich auch in seinem jüngsten Drama „Spartacus", das erst vor einigen Wochen den Dramen-Preis der ungarischen Akademie erhielt und kurz darauf im Nationaltheater einen succès d'estime errang. Das über diese Konkurrenz von dem bedeutenden Aesthetiker Zoltan **Beöthy** erstattete Referat wirft so bezeichnende Schlagschatten auf die Pflege des historischen Dramas in Ungarn, dass mir die auszügliche Mitteilung nicht uninteressant erscheint.

Der durch den Grafen Joseph Teleki gestiftete Dramenpreis war für 1885 auf ein Trauerspiel ausgesetzt. Es langten zwölf Konkurrenzwerke ein, die sich in gleicher Zahl mit dem modernen Leben, der ungarischen und antiken Geschichte befassten. Als die schwächsten erwiesen sich die Dramatiker des Zeitlebens; die poetische Gestaltung, die dramatische Form, die theatralische Möglichkeit, all das ringt sich noch bei ihnen aus dem Dunkeln los; kein Bild steht klar und plastisch vor ihrem Geiste. Mit diesen Stücken auf gleicher Stufe stehen zwei ungarisch-nationale Historien, während die beiden Anderen bei überwiegenden Mängeln einige poetische Schönheiten als Funken des Talents aufweisen. Die antiken Motive sind nicht schlecht gewählt: die Dramatisirung der Liebe der Semiramis weist bei aller Naivetät auf eine gewisse Lebhaftigkeit der Phantasie hin, die wohl jetzt noch nicht recht flügge ist; der Autor eines „Nero" war unfähig, aus dem Poeten den Tyrannen, aus dem Romeo den Satyr, aus dem Weltmenschen den gestürzten Lüstling herauszuarbeiten. — In zwei Dingen gleichen sich fast all die Stücke; zuerst im Mangel an dramatischer Auffassung und Gestaltungskraft. Die Vertreter der tragischen Idee, die Helden, sind nicht nur weit entfernt von aller wirklichen Hoheit, ihre angeblichen Leidenschaften entbehren auch jener ungekünstelten, derben Kraft, die, wenn sie gleich nicht erhebt und zum Mitgefühle anregt, doch wenigstens imponirt und erschüttert. Die Helden sind keine Helden, sie sind nicht groß, nicht stark. Nicht als ob sie nicht mit der Erschütterung der Weltordnung drohten, doch trotzdem vermögen sie weder die Welt, noch unser Herz, noch auch die Kulissen zu erschüttern. Ihre Kraft ist nur Phrase. Bezeichnend für die ganze Konkurrenz ist, dass nicht nur Dózsa, der Bauernkönig, auch Martinuzzi, der Diplomat, Zoroaster, der Glaubensstifter, Spartacus, der Gladiator, in den Fesseln der Liebe schmachten. Das erinnert uns an jenen denkwürdigen französischen Romanstil, da Cyrus nichts Wichtigeres zu tun hatte, als Mandane den Hof zu machen und Brutus und Lucretia in seufzende Verse gefasste Liebesbilletchen tauschten. Die Liebe ist gewiss ein mächtiges tragisches Motiv, aber in ihrer Glut, Gewalt, Leidenschaft, nicht in ihrer Verweichlichung. Wohl besitzt die Weltlitteratur zwei Tragödien, in denen die Liebe erschlaffenden Einfluss übt und den Helden von der Höhe seiner Macht niederstürzt: Shakespeares „Antonius und Kleopatra" und Byrons „Sardanapal"; doch dort tritt die Liebe als wirklich tragisches Motiv mit glühender Kraft und elementarer Gewalt auf, hier mildert sie den kaum erträglichen Graus der Katastrophe. — Ein zweites Charakteristikon der Preiswerke ist die sprachliche Lockerheit; abgesehen davon, dass sich kaum eines zu Kraft, Wohlklang, Reinheit und Schönheit der poetischen Diktion erhebt, dass oft die Jamben viel ernsthafter mit Hindernissen ringen, als die Helden, erschrickt man förmlich vor den dem ungarischen Stil zuwiderlaufenden Ausdrücken und Formen; es wimmelt von schlechten Wortverbindungen, fehlerhaften Satzbildungen und fremdartigen Wendungen. Die ungarische Grammatik hat kein Gesetz, mit dem die Autoren nicht in Kollision gerieten. Aesthetiker und Philologen sind sich noch nicht klar, warum und wozu die Kapitel über Grammatik in die Poetik des Aristoteles geraten sind. Vielleicht hatten auch die Griechen Dramen-Konkurrenzen, bei denen nebst den dramaturgischen, auch grammatikalische Lektionen erteilt werden mussten.

Nur eines der Preiswerke ist im Stile bedeutend reiner, von gekünstelten und widerungarischen Formen freier, als die übrigen. Es heißt „Spartacus". Die Handlung ist reich und klar, abwechslungsvoll, rasch fortschreitend und mit Kenntnis der Bühnenwirkung durchgearbeitet. Wie steht es aber um die tragische Idee, die psychologische Wahrheit, die dichterische Wirkung? Darauf antworte eine Skizze der Fabel. Auf dem Sklavenmarkte zu Capua erscheint Justina mit ihrem Söhnchen Vitus; sie kommt aus Thrakien, ihren Gatten Spartacus zu zu suchen, den ein Sklavenhändler gewaltsam geraubt hatte. In ihrem Söhnchen hat sie sich einen wahrhaften Rhetor und Logiker erzogen; der achtjährige Knabe tröstet die Mutter:

„Mein Vater Sklave, o der Helden bester
Und kühnster der Gefangne eines Feiglings!
Doch lass' uns nicht verzagen, Mutter. Alle,
Die wir gefragt, sie nannten Capua
Den Ort, wo der besuchteste und größte
Der Sklavenmärkte abgehalten wird.
Wenn irgendwo, so finden wir ihn hier,
Doch müssen wir uns auf den Markt begeben."

Der Knabe denkt nicht übel. Spartacus ist wirklich in Capua; Sinister, der Sklavenhändler, bewahrt ihn und zwei Genossen, den Gallier Crixus und den Numidier Hyppins, für den reichen Lentulus Buriatus, der Gladiatoren sucht. In einigen bewegten, prächtigen Szenen wird der Markt vorgeführt. Justina erschaut ihren Gatten, der gefesselt unter der Peitsche wütet, und wirft sich Leontius, dem Sohne des Lentulus, zu Füßen, welcher die Sklaven für den Vater gekauft und fleht ihn an, Spartacus freizugeben. Der junge Wollüstling nimmt aber das Weib, das ihm gefällt, auch mit und lässt den Knaben niederstechen. Im zweiten Akte giebt Lentulus seinen Freunden einen Schmaus mit obligatem Gladiatorenkampf. Simia, ein Parasit, erzählt Marktgeschichten; in dem Schmarotzer regt sich das menschliche Gefühl und er klagt den an, von dessen Gunst er zehrt. Das ist just nicht unmöglich; doch gleicht dieser Parasit mit seiner sentimentalen Entrüstung und den in Scherzworte gehüllten Betrachtungen eher einem mittelalterlichen Hofnarren, als einem jener römischen Schmarotzer, dessen Typus Plautus uns vorgeführt. Aber Lentulus wird gerührt und er schickt seinen liederlichen Sohn mit einem strengen Putzer in den Krieg:

„Schon lange fühlt es mein bekümmert' Herz,
Dein Leben schändet unsern alten Namen,
Dein tatenlos ausschweifendes Genießen
Ertödtet in dir jede Heldentugend,
Die einem Römer nicht Verdienst, noch Schmuck
Gewesen, sondern Pflicht allein, seit Roma
Sich auf den sieben Hügeln stolz erhebt."

Und sofort vertieft sich dieser „Römer" in eine Schwelgerei, an der sich sein eben herabgekanzelter Sohn ein Muster nehmen kann. Justina giebt er Spartacus zurück, der sich aber von ihr abwendet, nicht nur in moralischer Entrüstung, sondern weil er, halb unbewusst, schon Flavia liebt, Lentulus' stolze Tochter. Er plant mit seinen Genossen einen Aufstand, der ausbricht, als zur Unterhaltung der Gäste der blutige Gladiatorenkampf beginnen soll. Die berauschten Herren werden gefesselt, ihre Paläste geplündert und in Brand gesteckt. Spartacus fordert die Sklaven auf:

„Beschwört, dass ihr verbannen und verläugnen
In Euren Herzen jed' Empfinden werdet,
Dess Namen Rache nicht und Freiheit ist!
Sprecht d'rauf mit mir den Eid."

Sie schwören. — Der dritte Akt führt in das Feldlager der Sklaven, die, verstärkt durch große Schaaren, den Arrius besiegt haben und Rom bedrohen. Aber sie sind über das Tun ihres Führers ungehalten und Crixus klagt Justina:

„. . . Er ist der Sklavin Sklave worden.
Im Zelte hält er sie, die langen Tage
Verbringt er neben ihr; schon murren auch
Ob dieser Flavia unsere Helden."

Derselbe Mann schweigt auch vor Spartacus nicht, der Flavia wie eine Göttin anbetet.

„Das ist die Rache nicht, die du geschworen.
Den andern gleich, ja, eher als die andern
Muss sie als uns'rer Rache Opfer fallen.
Willst du's nicht tun, so liefre uns sie aus.
Du oder wir! So gilt's. Du sprachst das Wort
Und heilig ist der Eid uns: Schmach für Schmach."

Spartacus verspricht diese Wünsche zu erfüllen; doch vor Flavia vergisst er die Wünsche seiner Krieger, vergisst er sein Versprechen und gelobt auf den Knieen, Rom zu demütigen und so groß zu werden, dass sie ihm ihre Liebe gestehen werde. Dann giebt er das Mädchen frei. Justina nimmt Gift. — Im vierten Akte berät Flavia mit ihrem Vater und ihrem Verlobten Lucius Arrius einen meuchlerischen Mordanschlag gegen Spartacus; dieser überrascht die Gesellschaft, will die Männer niederstechen, Flavias Blick macht seinen Arm erschlaffen, der Verliebte siegt über den Soldaten. Flavia schließt sich ihm mit plötzlichem Entschlusse an und verlässt Vater und Verlobten. Lentulus jammert ihr nach: „Nicht Römerin ist sie mehr, herabgesunken zum Lustweib des entfloh'nen Sklaven." — In Spartacus Zelte spielt sich die Katastrophe ab. Flavia fordert die Römer zu einem nächtlichen Ueberfalle auf. Die Aufständischen grollen wider den Führer, der eitlen, blutigen Ruhm sucht, nachdem die Freiheit schon errungen ist; ihm schwebt die Niederwerfung Roms und als erhoffter Preis, Flavia, vor. Das Mädchen verhält sich, mit ihrem Herzen kämpfend, noch immer zurückhaltend gegen seinen Liebesjammer:

„Mit welcher Absicht kamst du dann? Hat dich
Als Rächerin vielleicht der Feind geschickt?
O, er hat seine Rache voll und schwer,
Denn so viel Wunden schlug ja nie mein Schwert,
Als meinem armen Herzen du geschlagen."

Der Angriff der Römer erfolgt. Spartacus greift zum Schwerte, doch Flavia kommt ihm zuvor und stößt ihn nieder; dann zückt sie den Dolch gegen die eigene Brust und gesteht sterbend ihre Liebe zu dem Gladiator, der vor den sieghaften Römern mit den Worten:

„Die Lieb' vernichtet alles Große . . .
Ich glaubt' es nicht, erfuhr's an mir und sterbe"

sein Leben aushaucht.

Ein altes ästhetisches Gesetz erheischt, dass wenn der Held aus seinem Schicksal eine Lehre zieht, diese nicht falsch sein dürfe. Spartacus Lehre ist aber falsch. Die Liebe zerstört nicht das Große, sie hat auch ihn nicht zerstört. Ihn stürzte die Vernunftlosigkeit seiner Liebe, die Verleugnung seines Selbst, die Untreue an jenem Boden und Leben, aus dem er seine Kraft geschöpft hatte. Jene Lehre ist eine natürliche Folge der im Sterben und Handeln Spartacus zum Ausdrucke gelangenden falschen Psychologie. Rücken wir dem tragischen Momente näher. Spartacus ist der wilde Sohn der Natur, der echte Barbar; als solcher steht er in seiner natürlichen, kraftvollen Wildheit der verfallenden römischen Kultur gegenüber. Der Natursohn kann das Sklavenjoch nicht dulden, der Barbar der thrakischen Wälder kann zwischen den römischen Mauern nicht zu Atem kommen, er fühlt das Recht der Kraft, seiner Kraft und revoltirt. Das erklärt auch seinen Erfolg. Als er seine Freiheit wieder erlangte, unterjochte er die Herren, äscherte die Kerker ein, schlug die gegnerischen Heere. Und plötzlich wird er ein Anderer. Er liebt und obschon die, die er liebt, in seiner Gewalt ist, wird er zum scheuen, schmachtenden Seladon, ihr zu Liebe verleugnet er sein ganzes Wesen. Eine solche Liebe ist bei einem Naturmenschen eine ebenso psychologische, als naturgemäße Unmöglichkeit, wie etwa die Zähmung eines Tigers beim Anblick von Blut. Im Rausche der errungenen Macht, der Gefahr, des Blutvergießens, der Triumphe ist das, was wir hier sehen, nicht der befreiten Kraft zügelloser Ausbruch, der gierige Genuss der neuen Macht, die natürliche Befriedigung der Rachesehnsucht, sondern ein unbegreifliches und unglaubliches Insichsinken. Spartacus wird zum Spielzeug moderner Auffassung, moderner Empfindung. Der historische Spartacus, der Führer des Gladiatoren-Aufstandes, ist, wie ihn Plutarch, Appianus und Orosius schildern, wirklich eine tragische Gestalt. Durch Kraft, Mut, Freiheitsliebe und Mäßigkeit erhebt er sich über seine Genossen; die Natur schuf ihn zum Helden. Seine Gattin, eine thrakische Wahrsagerin, hat ihm eine glänzende Laufbahn prophezeit und der Spruch hat sich erfüllt. Seinen Siegen folgten Tage des Missgeschicks; er verbündete sich mit Korsaren, die ihn betrogen und er sah sich von Licinius Crassus zum Verzweiflungskampfe gedrängt, nachdem in der Schlacht 35,000 Sklaven von ihm abgefallen waren. Er tötete sein Ross, warf sich, Crassus suchend, auf die dichten Feindesreihen, bis er, von hundert Lanzen durchbohrt, sein Leben aushauchte . . .

Es ist die Gewohnheit der ungarischen Preisrichter, an dem Stücke, welchem sie, angeblich als unter den schlechten dem besten, den Preis zusprechen, kein gutes Haar zu lassen. Ich habe diesem „akademischem" Tadel hier Raum gegeben, weil er zum litterarischen Charakterbilde Gregor Csikys einige bezeichnende Züge beistellt. Man sieht aus der obigen Darstellung auch, dass dieses letzte Preis-Drama an poetischen Kraftstellen und Schönheiten nicht leer ist und L. Neugebauer wird mit der Uebertragung ins Deutsche vielen Freunden eines guten — Lesedramas einen dankenswerten Dienst erweisen. Diesen Ruhm braucht aber Csiky nicht und die deutsche Litteratur bedarf auch keiner solchen Bereicherung.

Wien. Heinrich Glücksmann.

Der slovenische Luther.

Ein Beitrag zur Geschichte der protestantischen Litteratur-Periode der Slovenen.

Von Dr. Heinrich Penn.

(Schluss.)

Nebst dem Drucke slovenischer Werke förderte und unterstützte Truber auf das Eifrigste die Drucklegung kroatischer Bücher mit glagolitischer und cirillischer Schrift. Dalmatin und Konzul übersetzten wiederholt Trubers und die Schriften aus anderen Sprachen ins Kroatische.

In das Jahr 1567 fällt Trubers letzte Reise nach Krain, aber die Stände konnten sich seiner Anwesenheit aus Furcht vor dem Erzherzog nicht recht erfreuen, deshalb „setzte sich Truber wieder zu Pferd und zog seines Weges", wie Valvasor schreibt.

Von dieser Stunde an sah der Reformator seine Heimat nicht mehr. Die 200 Thaler, welche ihm die Stände als Prediger der krainischen Landschaft bis an sein Ende auszahlen ließen, verteilte er an Notleidende, namentlich solche, die wegen ihres Glaubens verfolgt waren.

Alle Autoren, sowohl lutherische als auch selbst katholische, rühmen Truber wegen seiner Menschenfreundlichkeit, Gastfreundschaft, Ehrenhaftigkeit und seines eisernen Fleißes. Er warf sich nach seiner Rückkehr mit erhöhtem Eifer auf die Uebertragung evangelischer Bücher in „sein geliebtes Slovenisch". Noch auf dem Todtenbette arbeitete er an der Uebersetzung von Luthers Hauspostille und als er nicht mehr schreiben konnte, diktirte er die Worte seinem Schreiber. Zwei Tage vor seinem Tode vollendete er das Werk. Sein Sohn Felician gab dasselbe mit Hülfe der krainischen Landschaft 1595 heraus und war dies das letzte slovenische Buch, welches in Tübingen gedruckt wurde.

Truber starb am 28. Juni 1586, vor seinem Tode gab er genau alle seine Verpflichtungen an, er selbst jedoch erließ sämmtlichen Schuldnern die Forderungen, welche er an sie hatte. Der Tübinger Probst Jakob Andreae begrub ihn und hielt dem Verewigten „ein christlich Leichenpredigt", in welcher er Trubers Verdienste um den Protestantismus und um die slovenische Sprache feierte. Wie allgemein geehrt der Verewigte war, erhellt aus der Elegie, die Mart. Crusius sofort nach seinem Tode verfasste: „Vir hoc tumulo sanctus de Slava est gente repultus Primus qui Christo praeco fidelis erat." Und später: „Transtulit in patriam divina volumma linguam" etc.

Sillem sagt von Truber schon bei Gelegenheit der Herausgabe der beiden ersten Bücher: „Wahrlich für einen Mann war das, was geschehen, schon alles Lobes wert; zwei Jahre nach seiner Vertreibung hatte er die Uebersetzung zu Stande gebracht, prüfen und unter manchen Hindernissen drucken lassen an einem entfernten Orte von Männern, die der Sprache nicht kundig waren, dazu hat er die Kosten selbst hergegeben. Und so geringfügig auch diese ersten gedruckten windischen Bücher zu sein scheinen, so wird man doch zugeben müssen, dass durch deren Herausgabe er den Grundstein zu einer nationalen Litteratur gelegt hatte, dass der Inhalt derselben aber dazu angetan war, deutsche Kultur unter den Slovenen zu verbreiten. Wahrlich der eingeschlagene Weg scheint uns auf eine glückliche Weise die scheinbar auseinander gehenden Interessen slavischer nationaler Entwicklung und Ausbreitung deutscher Wissenschaft und Kultur vereinigt zu haben."

Baron Ungnad nennt unsern Reformator „den fürnembsten und Prinzipalen" der Bibelübersetzer in die windische und kroatische Sprache.

Truber hinterließ zwei Söhne, der ältere Primus war in Rothenburg geboren und wurde Pfarrer in Kilchberg. Der jüngere Felician kam nach Krain und verblieb dort durch mehrere Jahre als deutscher Prediger und slovenischer Autor.

Kurz zusammengefasst finden wir alle Stellungen, die Truber bekleidet hatte, in einer Unterschrift womit er im Jahre 1586 ein Schreiben an die krainische Landschaft zeichnete. Sie lautet: „Primus Truber, gewesener ordentlich berufen — präsentirt — und konfirmirter Domherr zu Laibach, Pfarrer zu Lack bei Ratschach, zu Tyfer (Tüffer) und Skt. Bartholomä-Feld, Kaplan bei Skt. Maximilian zu Cilly, windischer Prediger zu Triest, und nach der ersten Verfolgung Prediger zu Rothenburg an der Truber, Pfarrer zu Kempten und Aurach, nachmals Prediger der ehrsamen löblichen Landschaft Krain und in der Grafschaft Görz zu Rubia und nach der andern Verfolgung Pfarrer zu Laufen und jetzo zu Derendingen bei Tübingen."

Truber gab achtzehn Bücher heraus und begnügen wir uns, da die Titel durchwegs slovenisch und nach dem damaligen Gebrauche sehr langatmig sind, um die Leser nicht zu ermüden damit — dieselben nur ganz kurz zu erwähnen. Es sind außer der bereits genannten Fibel und dem Katechismus in wiederholten verbesserten Auflagen das Neue Testament (zuerst in zwei abgesonderten Teilen, dann komplett) — das Buch des Evangelisten Matthäus — geistliche Lieder — die Psalmen Davids — Luthers Hauspostile — die evangelische Kirchenordnung. Bei dem großen Katechismus mit Psalmen und den Hauptstücken der alten und neuen Christenlehre, der „auch mit vielen schönen geistlichen Liedern verbessert" war, arbeiteten außer Truber noch Chr. Krell, Dalmatin, Schwaiger, Klinec und A. Bochorič.

Alle diese Schriften wurden in Tübingen gedruckt, mit Ausnahme des großen Katechismus mit den Psalmen, der durch Krell im Jahre 1579 in Laibach bei Mandelc erschien, und ebenfalls des großen Katechismus mit den Psalmen, der Christenlehre und den geistlichen Liedern von Truber und Anderen, dessen Druck in Wittenberg durch Dalmatin besorgt ward.

Das vollständige Neue Testament wurde heimlich und auf Umwegen durch Megiser und seine Leute über Salzburg und Klagenfurt nach Krain gebracht, weil es dort verboten war.

Aus der Schilderung des rastlosen Wirkens und der Unerschütterlichkeit, mit welcher Truber die evangelischen Ideen verfocht und mit Wort und Schrift verbreitete, erhellt ohne Zweifel seine außerordentliche Bedeutung für die Sache des Evangeliums in Krain, so dass er mit Recht der slovenische Luther genannt werden kann.

Andererseits ist er ein ewig leuchtender Stern am Himmel der slovenischen Litteratur- und Kulturgeschichte, da er seinem Volke die ersten Bücher in der Muttersprache desselben gab und zugleich eine ganze Schaar gleichstrebender Patrioten und Nachfolger erweckte. Wenn wir uns auf das philologische Gebiet begeben und Truber dort aufsuchen, so müssen wir allerdings gestehen, dass die von ihm geschriebenen slovenischen Sätze vielfach deutsch gedacht und deutsch gefügt waren, und dass seine Sprache von Germanismen strotzt. Der Dialekt, in dem seine wie die Bücher der anderen Schriftsteller aus dieser Periode geschrieben sind, ist fast durchgehends jener der Unterkrainer, denn derselbe wird zumeist in Laibach gesprochen, und da Laibach des Landes Hauptstadt war, glaubten die Autoren sich des dort üblichen Dialektes bedienen zu müssen. Dazu kam noch der Umstand, dass Truber ausschließlich in unterkrainischen Ortschaften predigte, und niemals in Oberkrain. Aber gerade in Laibach sprach und spricht man das Slovenische mit den zahlreichsten Germanismen und Fremdworten. Viele derselben schlichen sich denn auch bei dem damaligen primitiven Zustande der „krainerischen Sprache" in die Prosa Trubers ein.

Auch ist es auffallend, dass er in seinen ersteren Büchern weniger Geschlechtsworte anwandte, als in seinen letzteren.

In der Vorrede zum Katechismus sagt er darüber: „Unsere Sprache braucht wenig articolos." Dass die vielen Druckfehler auf Rechnung des Druckers kommen, ist selbstverständlich, Truber klagte ja einmal darüber, dass „er sie hat nicht mögen kurigiren". Auch finden wir im Contexte bald das v, bald das u, und vermischt er häufig i, j und y, ferner z und c.

Sein eifrigstes Bestreben aber ging darnach, die Sprache so rein als möglich zu schreiben, „chroatische Worte hat er nicht aufnehmen und neue nicht ersinnen mögen", und wenn ihm für einen Begriff das slovenische Wort fehlte, ersetzte er es lieber durch ein deutsches oder lateinisches Wort.

Als Cirill slovenisch zu schreiben begann, wählte er in solchen Fällen Lettern und Zeichen, die der Sprache verwandter und ähnlicher waren. Aber er konnte das leicht tun, da seine Schüler noch gar keine Buchstaben kannten, es denselben daher gleichgültig war, ob sie ganz neue oder schon früher gebrauchte Zeichen lernen mussten. Bei Truber jedoch war dies nicht der Fall, er musste sich bereits bekannter Lettern bedienen, und konnte keine neuen erfinden. Außerdem schrieb Truber aber für den Druck, und durfte schon deshalb keine neuen Lettern anwenden, weil selbe in den Druckereien gar nicht vorrätig waren.

Aber dass Truber ein guter Slovene und für die Würdigung seines Volkes eifrig bestrebt war, zeigen seine Vorreden zu den ersten Büchern. So sagt er im Vorworte zum Katechismus: „Und entsetze dich nicht, ob dir am ersten gedruckt seltsam und schwer, sondern lies und schreibe diese (slovenische) Sprache selbst, wie ich eine Zeit lang getan, alsdann wirdest befinden und gar bald sehen und merken, dass auch diese unsere Sprach' sowohl als die Teutsche zierlich gut zu schreiben und zu lesen ist."

Was Truber begonnen, setzten teils bei seinen Lebzeiten, teils nach seinem Tode Andere fort, und müssen wir hier besonders folgender evangelischer slovenischer Schriftsteller erwähnen: Georg Juričić, Sebastian Krell, Georg Dalmatin mit Adam Bohorić, sicher die bedeutendsten Schriftsteller der protestantischen Litteraturperiode Krains. Dalmatin war unter dem Namen Juri Kobilo (Stutenjörge) bekannt. Schönleben behauptet nämlich, Dalmatin habe um eine Stute (auf slovenisch kobila) seinen Glauben geändert und sei von diesem Momente an nur Kobilo genannt worden.

Valvasor jedoch widerspricht energisch dieser Behauptung. Dalmatin studirte in Tübingen durch die Munificenz des Herrn Hanns Kiesel von Kaltenbrunn, Adam Bohorić, der als ein Schüler Melanchtons in Wittenberg studirte, war später Rektor der landschaftlichen Schulen in Laibach.

Weiters sind noch zu nennen: Hyeronimus Megiser (ein geborener Württemberger), der längere Zeit in Krain und Steiermark lebte, wo er slovenisch lernte und als Slavist wirkte.

Schießlich erwähnen wir noch Trubers Sohn Felician, Gregor de Sommarip, Lukas Klinec, Johann Schweiger, Tulščak und heben noch besonders Hanns Baron Ungnad hervor, der zwar selbst kein Autor war, aber in Württemberg eine slavische Bibeldruckanstalt ins Leben gerufen und den größten Teil seines Vermögens der Herausgabe slavischer Bücher widmete. Auch diesem für das Evangelium so opferfreudigen Manne wurde Herzog Christoph von Württemberg ein hochherziger Förderer, er wies ihm den Mönchhof in Urach zum Wohnsitze an, und wie rastlos und verdienstlich Ungnad wirkte, dafür möge der Umstand sprechen, dass durch seine Bemühung innerhalb des kurzen Zeitraumes von drei Jahren (1561—1564) über 26 000 Exemplare slavischer Bücher gedruckt wurden, für damalige Verhältnisse gewiss eine überaus beträchtliche Zahl.

Mit diesen Namen schließt im Jahre 1612 die protestantische Periode der slovenischen Litteratur, die 1550 mit dem ersten slovenischen Bibeldruck durch Truber begonnen hatte.

Wenn auch viele Bücher aus dieser Zeit verloren gingen oder unbekannt blieben, so kann man doch behaupten, dass die bedeutungsvollsten Werke erhalten blieben. Als jedoch die Jesuiten ins Land kamen, verbrannten sie die meisten slovenischen Bücher, deren sie habhaft werden konnten, Vor dem Landhause in Laibach errichteten sie den Scheiterhaufen. Was diesem Autodafé entrann und den „frommen Vätern" der Erhaltung würdig schien, bewahrten sie in der Bibliothek ihres Klosters. Allein das Unglück wollte, dass bei einer Feuersbrunst diese ganze Bibliothek verbrannte und damit viele wertvolle Denkmale aus der kurzen, aber hochbedeutsamen Epoche vernichtet wurden.

Die größte Sammlung aus jener Zeit bewahrt gegenwärtig die Hofbibliothek in Wien, nach ihr die Lyceumsbibliothek in Laibach, letztere namentlich durch die Einverleibung der Sammlungen Kopitars und des Barons Zois. Außerdem finden sich slovenische Bücher jener Periode noch in Gotha und besonders in der Universitätsbibliothek zu Tübingen, wo auch viele Originalbriefe Trubers aufbewahrt werden.

Ist es nicht eigentümlich, dass die Südslaven Deutschland die Erweckung und Belebung ihrer Litteratur verdanken, dass es ein deutscher Fürst war, durch dessen mächtige Hülfe und Förderung die Südslaven die ersten Bücher in ihrer Muttersprache erhielten?

Für alle Zeiten müssen sie dankbar des Herzogs Christoph von Württemberg gedenken, des hochherzigen Förderers der evangelischen Sache, welcher in seinen Landen dem „slovenischen Luther" gastlich ein Heim erschloss, ihn mit mächtiger Hand gegen seine Verfolger schützte und ihm wie dem unermüdlichen Baron Ungnad den Druck der slavischen Bücher ermöglichte.

Neue Novellen und Romane.

Der Titel „Tragische Novellen“, den Karl Emil Franzos*) seinem neuen Novellenbuche gegeben hat, ist wohl nur für die zweite, größere und zugleich bedeutendere Novelle „Der Stumme“ ganz zutreffend. Dieselbe entrollt uns in der Tat ein farbiges und glutvolles Gemälde aus des Dichters Lieblingsdomäne Halb-Asien, das von erschütternder Tragik ist und dennoch, wie eine echte Tragödie, mit keiner herben Dissonanz endet, sondern den Leser versöhnt und innerlich erhoben entlässt. Die Novelle rechnet, — wenn man davon absieht, dass der Held, der hier selber seine traurig-wilde Geschichte erzählt, in Wahrheit wohl schwerlich so sprechen könnte, wie der Dichter es tut, — zu dem Besten und Eigenartigsten, was dieser glänzende Erzähler geschaffen hat; sie hat Stellen von fortreißender Kraft und Leidenschaft, ist künstlerisch komponirt und meisterhaft in der Stimmung. Der Novelle „Melpomene“ (schon der Titel ist etwas gesucht) kann man dagegen das Prädikat „tragisch“ trotz des traurigen Ausgangs schwerlich geben. Sie ist inhaltlich etwas konventionell; eher wunderlich, als originell in der Charakterisirung des Helden und musste, um uns einigermaßen glaubhaft gemacht zu werden, um ein Menschenalter zurückdatirt werden. Wozu aber solche Konflikte hervorgraben, die der heutigen Menschheit nicht mehr recht verständlich sind und sie also auch nicht mehr erschüttern, sondern nur noch peinlich berühren können, da doch die Gegenwart wahrlich an anderen, noch bestehenden Konflikten nicht arm ist? Erzählt ist auch diese Geschichte mit gewohnter Verve, schwungvoll und packend.

Zwei sehr verschiedenartige Novellen „Der Wille zum Leben“ und „Untrennbar“ hat Adolf Wilbrandt**) in einem Bande vereinigt. Auch der Entstehungszeit nach liegen sie wohl weit auseinander, denn wir sind der ersteren erst unlängst, der zweiten vor langen Jahren schon in der Journallektüre begegnet. Die erste ist mit behaglicher Breite, — in den Dialogen manchmal etwas zu breit — erzählt und enthält ein interessantes Thema in äußerst anziehender, fein abgeschliffener Form. Ohne eigentlich spannend zu sein, fesselt sie doch von Anfang bis zu Ende, bringt eine Fülle anregender Gedanken, behandelt brennende Tagesfragen in geistvoller Weise, überrascht durch hübsch erfundene Pointen und zeigt in Schilderung und Charakteristik überall den gewiegten Meister. „Untrennbar“ ist offenbar der traurigen, wahren Geschichte nachgedichtet, welche Wilbrandt im Vorwort als Herausgeber einer Novelle seines verstorbenen Freundes Johannes Kugler erzählt hat. Nur sind die Untrennbaren hier eben Geschwister und nicht, wie dort, Mutter und Sohn. Und deshalb gerade ist die Geschichte weniger glaubhaft geworden, ja, so viel redliche Mühe sich der Dichter auch gegeben hat, uns die unlösliche Zusammengehörigkeit dieses Geschwisterpaares zu beweisen, weniger natürlich. Der Schluss, der Manchen befremden und abstoßen wird, ist aber nach unserem Urteil menschlich ebenso gerechtfertigt, als künstlerisch wahr.

Die Novellen „Ledige Leute“ tragen den neuen Autornamen G. von Berlepsch*) in die Oeffentlichkeit. In der Verfasserin — mit einer solchen haben wir es doch wohl zu tun, — lernen wir ein ansprechendes Talent kennen, das freilich keinerlei neue Bahnen wandelt und nur den Liebhabern der „altmodischen“ Richtung gefallen wird. Auch stoffhungrige Leser finden bei ihr nur geringe Ausbeute. Denn inhaltlich sind G. von Berlepsch's Novellen sehr mager, und ihre Stärke liegt in der feinen Charakterisirung, sowie in der sinnig-poetischen Stimmungsmalerei des Details. Nur dass sie dabei sehr in die Breite verfällt und die heutigen Leser ungeduldig sind. „Der Chevalier“ ist eine Charakterstudie, die nicht ohne Reiz ist aber einige Unwahrscheinlichkeiten mit sich bringt, mit denen nur ein leiser, humoristischer Hauch, der über dem Ganzen liegt, wieder versöhnt. „Jakobe“ ist unter dem sichtbaren Einfluss Gottfried Kellers entstanden, voll hübscher Schilderungen zürcherischen Lebens, die nur viel zu viel Raum beanspruchen, und stofflich nicht originell genug; aber voll reizvoller Einzelzüge und sehr glücklich in der Lokalfarbe wie im Erzählerton. Alles in Allem eine neue, anziehende Novellistin, die bei nötiger Pflege und Selbstbeschränkung gewiss noch Gutes leisten wird.

Den schroffsten Gegensatz zu den Novellen von G. von Berlepsch bilden die einer anderen Schriftstellerin, F. von Kapff-Essenther, „Moderne Helden“, Charakterbilder**) von geradezu verblüffender Originalität, wie sie so leicht wohl noch von keiner Frau geschrieben sein dürften. Mit anerkennenswerter Beherztheit geht die Verfasserin auf ihr Ziel los, behandelt ihre schwierigen und heiklen Probleme mit tapferer Konsequenz und Unerbittlichkeit, als könnte es gar nicht anders sein, und weiß ihre Sache so lebendig, so scharf, mit so ehrlichem Ueberzeugungsmut zu verfechten, dass ihr selbst die Gegner nur Beifall spenden können. F. von Kapff-Essenther ist eine ächt moderne Dichtererscheinung von scharf ausgeprägter Eigenart, geistvoll und klar bewusst in ihren Aufgaben und Zwecken, keine bloße Unterhaltungsschriftstellerin. Die Novelle „Nur ein Mensch“ ist bis auf den etwas abfallenden, rührseligen Schluss von frappirendem und fesselnden Interesse; „Hans, der nicht sterben wollte“ eine prächtige Charakterskizze und der breiter ausgeführte „Sommernachtstraum“ ebenso originell in der Erfindung wie

*) Stuttgart, Adolf Bonz & Komp.
**) Stuttgart, J. Engelhorns Romanbibliothek.

*) Leipzig, Wilhelm Friedrich.
**) Zwei Teile in einem Band. Jena, Hermann Costenoble.

reizvoll und bedeutend in der Ausführung. Der Stil ist immer klar, lichtvoll, scharf und knapp. Dichterinnen von so genialer Eigenart, wie F. von Kapff-Essenther, können wir nur freudig willkommen heißen. Sie machen das Vorurteil gegen weibliche Novellistik zu Schanden und verdienen von Männern gelesen und gewürdigt zu werden. Man wird den Namen bald allgemeiner kennen.

Rudolf von Gottschalls Erzählung „Schulröschen“*) enthält unzweifelhaft sehr hübsche und wirkungsvolle Lustspielmotive; wir wissen aber nicht, ob das gleichnamige Lustspiel des Verfassers nach dieser Erzählung gearbeitet ist oder die letztere umgekehrt aus diesem entstand. Die Erzählung ist jedenfalls hübsch, sehr fließend und knapp erzählt und von jener harmlosen, ansprechenden Lustigkeit durchweht, die immer eine behagliche Stimmung in uns hervorruft. Der Stoff selber ist freilich nichts weniger, als originell, aber es sind ihm mancherlei neue Seiten abgewonnen und heitere Pointen darin eingewoben. Neben der Titelheldin und deren prächtig geschilderten Eltern tritt als neue und ganz zeitgemäße Novellenfigur besonders der Typus einer jener allermodernsten Jugenderzieher hervor, die ihren „Reservelieutenant“ stets voranstellen und sich auf den patenten Lebemann herausspielen. Dieser Oberlehrer Berling ist ein herrliches Exemplar seiner Gattung und vortrefflich beobachtet.

Neben dem längst anerkannten und gewiegten Romancier tritt ein Neuling mit dem unbekannten und unaussprechlichen Namen Heinrich Krzyzanowski vor uns hin und bietet uns die eigenartige Erzählung „Im Bruch. Eine Biographie.“**) Es ist nicht ganz leicht, einen richtigen Maßstab für dies Buch zu gewinnen, das stellenweise wunderlich und dann wieder stellenweise langweilig ist, aber immer aufs Neue durch seine Besonderheit fesselt, bis uns der letzte Teil vollends gefangen nimmt und wir nicht mehr umhin können, in dem Verfasser einen wirklichen Dichter zu erkennen, den man hören sollte. Es sind so feine Einzelzüge in diesem seltsamen Werk, wie sie eben nur einem echten Poeten gelingen, und es steckt so viel wirkliches Herzblut darin, dass die schlichte Geschichte spannt und ergreift, wie keine noch so raffinirt ausgesonnene! Der Verfasser ist einer von den wenigen, neueren Novellisten, die sich noch eine Charakterentwickelung ihrer Helden angelegen sein lassen und nicht bloß auf die Beobachtung interessanter Aeußerlichkeiten hinarbeiten. An Längen und todten Stellen fehlt es allerdings auch nicht. Aber einem so eigenartigen und — was schwer wiegt — zugleich so bescheiden auftretenden, so unaufdringlichen Talent gegenüber ist es Pflicht der Kritik, ein aufmunterndes und lobendes Wort zu sprechen. Und das sei Heinrich Krzyzanowski gegenüber hiermit getan!

*) Breslau, Eduard Trewendt.
**) Berlin und Stuttgart, W. Spemann.

Wenn von den Vertretern des jüngsten Deutschlands immer die Behauptung aufgestellt wird, dass sich unter den „Alten“, über die heutzutage mit solcher Abschätzigkeit geurteilt wird, dass man den Bestrebungen der Neuen gegenüber unwillkürlich stutzig werden muss, kein einziger, wirklicher Realist befinde, so wird dieselbe durch Theodor Fontane siegreich widerlegt. Seine neue Erzählung „Unterm Birnbaum“*) ist ebenso, wie verschiedene, frühere Werke desselben Dichters, ein glänzender Beleg für das kraftvolle, echt realistische Talent dieses „Alten“, und wir zweifeln stark daran, ob einer von den redegewaltigen „Jungen“ es ihm nachmachen könnte. Aber ein wie feiner, taktvoller Künstler ist Fontane auch noch bei aller seiner Realistik! Wie diskret vermeidet er jede Ausmalung des Grässlichen, in dem unsere naturalistischen Heißsporne schwelgen würden! So wird z. B. der Mord selber, um den sich die ganze, bei aller Einfachheit doch spannende und erschütternde Kriminalgeschichte dreht, gar nicht geschildert und die Lösung des Konflikts beweist den echten, feinfühligen Poeten, der uns das Schaurige erraten lässt, ohne es uns aufdringlich vor Augen zu führen um den wohlfeilen Ruhm, als gewissenhafter Kopist des Wirklichen zu glänzen. Und wie scharf umrissen, deutlich und lebenswahr heben sich hier alle Gestalten von dem charakteristisch geschilderten Landschaftsbilde ab! Da ist nirgends ein Strich zu wenig, nirgends einer zu viel. Alles fein abgewogen und künstlerisch ausgeglichen bei scheinbar ungezwungener Leichtigkeit der Darstellung und natürlicher Schlichtheit. Das Charakterbild der Hauptperson, dieses märkischen Gastwirts, der mit so berechnender Schlauheit jeden Verdacht des Mordes von sich abzuwälzen weiß und den lustigen Biedermann spielt, ist eine Meisterleistung ersten Ranges. Und neben ihm sieht man sie alle vor sich, diese trink- und spiellustigen Honoratioren des Dorfes, ordentlich greifbar in ihrer Naturwahrheit bis zum Gensdarmen und dem dummen Ladenschwengel Ede herab. Kurz: das Werk eines großen Realisten, der aber zugleich und vor Allem ein großer Dichter ist, und für das wir nur Worte rückhaltloser Anerkennung haben. Hut ab vor diesem „Alten“!

Zwei neue Werke zugleich legt uns Richard Voss vor, der wohl nur aus Versehen in diesen Blättern unlängst von F. von Kapff-Essenther mit den jüngeren Realisten, die zugleich das Leben ihres Volkes zu schildern unternehmen, in einem Atem genannt wurde. Der weitaus Bedeutendste unter den dort Genannten und ein unzweifelhaftes Genie, ist er doch keineswegs als Realist im Sinne der jüngeren Schule zu bezeichnen, und das Leben und Treiben der Jetztzeit im deutschen Reiche hat er nie und nirgends zum Vorwurf für seine Prosaschöpfungen genommen. Diese letztere Tatsache mag

*) Berlin, G. Grothe.

man immerhin bedauern und sie ist ja oft genug von Berufenen und Unberufenen gerügt worden, aber wer Voss' Eigenart kennt, wird schwerlich zu der Ueberzeugung gelangen, dass er auf jenem Gebiete Ersprießliches, geschweige denn Großartiges leisten würde. Seine Domäne ist nun einmal Italien, im Speziellen Rom und die römische Campagna; hier wurzelt er mit allen Fasern seines Seins, hierher flüchtet er selber immer wieder, so oft er auch versucht hat, sich in Deutschland heimisch zu machen, und von hier weiß er uns immer neue, fesselnde und erschütternde Geschichten zu erzählen, in denen allen, so verschiedenartig sie an sich sein mögen, landschaftliche Stimmungsbilder aus der römischen Campagna wiederkehren, wie wir sie in gleicher Naturwahrheit und Vollendung noch nie bei einem todten oder lebenden Dichter gefunden haben. Sie sind von einem Reiz, der jeden Kenner entzücken muss, in dem Nichtkenner aber eine aus Sehnsucht und Schwermut gemischte Empfindung hervorrufen wird, die zu dem Inhalte der Vossischen Romane oft so gut passt.

Was freilich die erste der vorliegenden Erzählungen „Die neue Circe"*) angeht, so hat sie zu unserer speziellen Genugtuung eine im Vorjahre in einem Essay über den Dichter ausgesprochene Vermutung, derselbe werde wohl noch ein humoristisches Talent in sich entdecken und pflegen können, vollinhaltlich bestätigt. Es weht in diesem Buche ein so urgesunder und harmlos-frischer Humor, wie ihn die meisten Leser dem pathetischen Tragödiendichter wohl kaum zugetraut hätten, (auch Wildenbruch pflegt ja jetzt häufig das humoristische Genre), wie er aber zur völligen Gesundung dieses großen, anfangs schwer krankenden Talents doppelt erforderlich war. Diese „italienische Dorfgeschichte" endet freilich im Grunde grausam pessimistisch aber für den Kenner des italienischen Volkscharakters treffend wahr, und sie enthält so drollige Szenen und so allerliebste Genrebilder, bringt in den Figuren der beiden Helden ein paar so prächtige Charakterskizzen, in einzelnen episodischen Gestalten aus dem italienischen Volksleben so gut beobachtete und lebenswahr wiedergegebene Typen, dass man trotz einiger Längen und Wiederholungen während der Lektüre nie aus der behaglichsten Stimmung herauskommt. Und dazu diese farbenfrischen, für den Rahmen der Erzählung wohl manchmal zu breit ausgesponnenen, aber immer gleich fesselnden Landschaftsbilder, in denen Voss sich als ein Maler mit der Feder erweist, wie wir deren nicht viele haben! Ein recht erfreuliches Buch.

(Schluss folgt.)

*) Dresden, Heinrich Minden.

Mentone. Konrad Telmann.

Litterarische Neuigkeiten.

Der siebzigste Geburtstag Gustav Freytags hat eine Fülle der üblichen Festartikel gezeitigt. Uns will darunter am besten der treffliche Essay behagen, welchen des Dichters Biograph Conrad Alberti in der Posener Zeitung veröffentlichte. Wir freuen uns des schneidig männlichen Mutes, mit welchem der kernige Schriftsteller auch den Herrn „Klassikern" ihr urewiges Monopol-Recht, das die Philisterschablone ihnen zuerkennt, zu bestreiten weiß.

„Aerztliche Sprechstunden." Organ des hygieinischen Vereins zu Berlin. Von Sanitätsrat Dr. Paul Niemeyer (Jena, Costenoble). XVI. Band. 5. Heft. In bekannter geistvoller Weise ergeht sich der vom einsichtigen Publikum wegen seiner Verdienste um Natur-Hygieine ebenso geschätzte, als von Zunftpedanten angefeindete Verfasser hier über eine Fülle historischer und vornehmlich litterarischer Themata, um diese dann in überaus anregender Weise mit dem Grundthema der Hygieine zu verknüpfen. In wohlwollendem Sinne werden auch viele Aeußerungen der Broschüre „Revolution der Litteratur" von C. Bleibtreu auf ärztliche und überhaupt moderne Kulturlügen-Zustände vergleichend angewandt.

„Der Hausfleiß in Ungarn 1884" von A. Braun und R. Krejcsi. (Leipzig, Fock.)

„Zur fünfhundertjährigen Jubelfeier der Universität Heidelberg" lässt O. Linke ein „humoristisches Intermezzo" erscheinen: „Ergo Bibamus." (Minden, C. C. Bruns.)

Eben dort erschienen „Heitere Fahrten" von unserm geschätzten Mitarbeiter A. Kohut, sowie „Kleine Bilder" von J. Trojan. „Liederkranz aus Petöfis Dichtungen, übersetzt von G. von Schulze."

„Armenische Bibliothek". II. Band. „Litterarische Skizzen" von Arthur Leist. (Leipzig, W. Friedrich.) Diese anregenden Studien, von denen wir einige im „Magazin" veröffentlichten, entrollen ein Bild der jungen armenischen Litteratur, die uns in ihrer urwüchsigen Frische wahrhaft anheimelt. Besonders die Proben aus Patkanians Gedichten (so das herrliche „Die Tränen des Araxes") geben uns einen nicht geringen Begriff von den poetischen Schätzen, die in den Schluchten des Ararat schlummern.

„Tassos erste Liebe." Dramatisches Gedicht von Emil Schönaich-Carolath. — Ein feinsinnig-lyrischer Blumenstrauß, vom Duft keuscher Poesie umweht. Das Schicksal eines echten Dichters, durch Schmerz zur Größe, soll veranschaulicht werden.

Der hohe Fels heißt Einsamkeit,
Darauf ein Jeder geendet,
Der ein Herz voll Sturm und Glückseligkeit
An eine Frau gewendet.
Es ist der Fels der Poesie,
Den Keiner noch erklommen,
Der nicht von des Glückes Melodie
Auf ewig Abschied genommen.

Mit bitterem Lächeln muss man freilich die Worte des Ferraresischen Gesandten lesen:

Des Königs von Hispaniens Majestät
Erhebt euch nach der Cortes Wunsch zum Granden.
Dank sendet euch der Kurfürst von der Pfalz.
Gregor der Papst verleiht euch das Emblem
Nebst Kreuz der Ritter von Jerusalem.
Und Englands Herrscher legt um einen Fels
Den Ordensschmuck der Distel und der Rose.
Das, Tasso, nenn ich selten stolze Loose.

Ja, „selten!" Unendlich viel größeren Dichtern, als der gute Tasso es war, blühen solche „stolzen Loose" freilich nicht, besonders in vorgeschrittenen Kulturepochen wie der unseren. Manches Wunder ist auf Erden geschehen. Aber dass eine deutsche „Majestät" einen Dichter zum „Granden" erhöbe, — dies eine Wunder kann kein Gott erzwingen!

„Privatökonomie und Sozialökonomie." (Zürich, Schabelitz.) Ein neuer Sturmvogel der nahenden großen Umwälzung, welche die empörende Unvernunft der bestehenden Verhältnisse herbeiführen muss. Aber ach, solche geistreichen Theoretiker täuschen sich nur zu sehr über die enormen Schwierigkeit auch der kleinsten Reform.

„Ludwig der Erste, König von Bayern." Erinnerungsbüchlein zur Feier seines 100. Geburtstags von Charl. Bode. (Dritte Auflage, München, G. Callwey.) — Dies wohlgelungene Gedenkblatt erfüllt seinen Zweck vollkommen. Es hat uns mit der Ueberzeugung durchdrungen, dass der besonders durch Heines Spöttereien in Misskredit gekommene König in der That eine eigenartige bedeutende Persönlichkeit war, sympathisch als Herrscher wie als Mensch. Auf Norddeutsche besonders muss die begeisterte Kunstpflege und das geistige Streben des Dichterkönigs (der übrigens wirklich poetisches Talent besaß) einen wehmütig erhebenden Eindruck machen, so manchen Gegensatz anderer Fürstengeschlechter vor Augen. Wenn bayerischer Lokalpatriotismus ihn den „Großen" betiteln möchte, so berührt das komisch. Aber Ludwig I. wie sein unglücklicher ebenso reichbegabter Enkel Ludwig II. werden in der Geschichte des deutschen Geisteslebens dauernd fortleben. Dieser „Mediceer Güte lächelte der deutschen Kunst".

Ein betrübendes Pendant zu obiger Schrift bildet die Brochüre „Ludwig II., sein Leben und Ende" von Paul von Haufingen, Rittmeister a. D. (Hamburg, Günther). Mögen auch die schwersten Anschuldigungen des Verewigten nicht auf „Verleumdung" beruhen, wie Haufinger annimmt, so wird man doch dieser Fülle ursprünglich groß angelegten Menschentums gegenüber nur die Grabschrift finden: „O welch' ein edler Geist ward hier zerstört!" Und vor allem: Richtet nicht, damit ihr nicht gerichtet werdet! — Die Brochüre ist etwas trocken geschrieben, aber brav gedacht.

„Aus dieser Welt der Komödie" von Otto Spielberg, (Leipzig, Heuser). Wir empfehlen dies geistvolle, anregende, von edelster Gesinnung erfüllte Werk.

„Der Mensch und seine Wohnung in ihrer Wechselbeziehung" von Dr. Chr. Rupprecht (München, Ackermann). Ein lehrreiches Schriftchen, das wir empfehlen können. — Auch Wilhelm Bodes Abhandlung „Die Kenninger in der Angelsächsischen Dichtung (Darmstadt, Leipzig, Zernin) ist für Fachleute interessant. Ebenso „Der Traum als Naturnotwendigkeit" von W. Robert. (Hamburg, Seippel).

„Nebelland und Themsestrand" von Leopold Katscher (Stuttgart, Göschen). Der Verfasser hat längere Zeit in England gelebt und seinen Aufenthalt gut angewendet. Er hat einen offenen Blick und weiß anschaulich zu schildern. Der Autor hat aus dem Leben geschöpft und hat gründliche Trottoirstudien gemacht. Er kennt das Londoner Pflaster, wie ihm jeder zugeben wird, der das Seinebabel selber studirt hat.

„Tutti frutti", Gedichte von B. Tellheim. (Zürich, Schabelitz). Arno Holz hat natürlich Schule gemacht. Wer bedeutendes Reimtalent und Schnodderigkeit besitzt, fühlt sich zum großen Dichter prädestinirt. Reminiszenzen an Heine sind dabei besonders beliebt. So erinnert „Um des Mammons Willen" Zeile für Zeile an das berühmte Sonett „Im Traum sah ich ein Männlein" aus „Junge Leiden". An Trivalitäten ist kein Mangel. „Du weißt es nicht, wie ich dich rasend liebe".

„Der hinkende Teufel in Berlin" von Arthur Wolff (Leipzig, Renger). Pikant und flott hingeworfene Feuilletonstudien.

Georg Irrgang, wohl ein Pseudonym, hat in Leipzig bei O. Mutze „Leonora", ein Schauspiel, „Die Brüder", Schauspiel, „Der gefährliche Vetter", Lustspiel, und „Pelopidas", Trauerspiel, erscheinen lassen. Letzteres ist gut aufgebaut und würde sicher ein effektvolles Bühnenstück werden.

„Blätter, Blüthen und Früchte", Gedichte von Gottlieb Putz (Meran, Pötzelberger). Sehr brav gemeinte und tüchtige Lieder von kernhafter Gesinnung, oft nur etwas unbeholfen im Ausdruck.

„The wind of Desting by A. Sh. Hardy." (Houghton, Mifflin & Co., New-York.) Ein guter Roman von kräftigem Styl und psychologischer Vertiefung.

„Loraines Testament" von Hugh Conway (Dresden, Pierson). Eine sehr spannende Erzählung, der Schule der „Sensationel novels" angehörig, die jetzt in England herrscht. Die Uebersetzung ist befriedigend.

Vor fünfzehn Jahren, 150 Tage vor Paris, Erinnerungen aus dem Großen Hauptquartier. (Rengersche Buchhandlung, Leipzig.) — Ueber das Benehmen der französischen Nation während des letzten Krieges wird das treffende Urteil gefällt, dass hier folgende Schilderung, die ein namhafter französischer Irrenarzt von gewissen Kranken giebt, Wort für Wort auf den Charakter der französischen Nation passe, der sich in den letzten Monaten nackt enthüllt habe. Die Schilderung lautet: „Es giebt keine lügnerischen Erfindungen, keine Beleidigungen, Beschuldigungen, keine niedrigen und schmutzigen Handlungen, keine Drohungen und Gewalttaten, welche diese Kranken nicht fähig wären gegen diejenigen in Szene zu setzen, welche sie mit ihrem Hasse oder ihren verkehrten und ungeheuerlichen Gefühlen verfolgen. Dabei aber wollen sie selbst der Welt gegenüber den Schein völlig geistiger Gesundheit behalten, wollen für Muster von Tugenden und von Langmut gelten und schieben die schlimmen Gesinnungen, welche Bestandteile ihres eigenen Charakters sind, den von ihnen angeklagten Personen unter." —

Den Aufruf der „Deutsch-Akademischen Vereinigung" (s. Nr. 29) haben unterschrieben: Prof. Dr. M. Baumgarten, Rostock; Oberlehrer Dr. Fr. Blau, Görlitz; Pfarrer Joh. Bohl, Gadmen, Schweiz; Schuldirektor Dr. Aug. Bieber, Hamburg; Dr. H. Dewitz, Custos am zool. Museum Berlin; Oberst z. D. v. Elpins, Vorsitzender des Deutschen Kriegerbundes, Berlin; Prof. Dr. A. Eulenburg, Berlin; Präsident a. D. Generaldirektor W. Ewald, Gotha; Realgymnasialdirektor Dr. Geist, Posen; Versicherungsdirektor G. Hartmann, Berlin; Dr. Robert Keil, Weimar; Landgerichtsrat a. D. A. Küster, Stettin; Prof. Dr. Lange, London; Rechtsanwalt Emil Lehmann, Dresden; Prof. Dr. Mendel, Berlin; Prof. Dr. Jürg. Bona Meyer, Bonn; Justizrat Nebe, Naumburg a. S.; A. F. Graf von Schack, München; Prof. Schmeding, Duisburg; Stadtbaurat Schramm, Zwickau i. S.; Schriftsteller Wilhelm Sehring, Karlsruhe; Prof. Dr. Edmund Stengel, Marburg; Rechtsanwalt Tollkiemitt, Naumburg a. S.; Schriftsteller J. Trojan, Berlin; Prof. Dr. Uhrig, Miltenberg v. d. M.; Prof. Dr. Wislicenus, Leipzig; Dr. phil. Eugen Wolff, Dresden; Docent Hermann Wolff, Leipzig; Dr. v. Harstein, Berlin; Karl Fenkell, Schweiz; Professor Meyer, Berlin; Professor Willkomm, Prag.

Neue Erscheinungen.

„Jesus Christus und die Essener" von Karl Buddus. (Meran, Pötzelberger.)

„La Crémation en Italie et à l'étranger de 1774 jusqu'à nos jours" par G. Pini. (Milan, Commission Internationale pour la Crémation des cadavres).

„Geschichte meines Lebens" von Alfred Meißner. (Teschen, Prochaska.)

„Sammlung gemeinnütziger Vorträge." Herausgegeben vom „Deutschen Verein zur Verbreitung gemeinnütziger Kenntnisse in Prag." Nr. 113. Der Oelbaum. Eine kulturhistorische Skize von Dr. A. Hedinger.

„Moderne Wunder" von C. Willmann. (Leipzig, Spamer.)

„Adressbuch deutscher Exportfirmen." (Leipzig, Spamer.)

„Einleitung in das Studium des Altnordischen" von J. C. Poestion. II. Teil. (Hagen, Riesel.)

„Geschichte einer Fürstin." (Zürich, Orell Füssli.)

„Novellenkranz" von K. A. Mayer. (Breslau, Schottländer.)

„Novellen" von A. Rangabé. (Ebenda.)

„Friedrich Rückert und das Regentenhaus von Coburg-Gotha" von Prof. Beyer. (Stuttgart, Greiner & Pfeiffer.)

Bastian, „Kulturländer des alten Amerika. Band III. — Laas, „Der deutsche Unterricht." — Schwan, „Altfranzösische Liederhandschriften. — Zeller, „Friedrich der Große als Philosoph." (Berlin, Weidmann.)

„Universalbibliothek der bildenden Künste." Nr. 1: Lukas Cranach. Nr. 2: Hans Folbein. (Leipzig, Lemme.)

„Graf Lothar." Drama von Cäsar Stuart. (Leipzig, Wartig.)

„Zwei Geschichten aus dem vollen Leben" von . . . (Zürich, Schabelitz.)

„Hinter der Leinwand" von Wolf-Südhausen. (Zürich, Schabelitz.)

Alle für das „Magazin" bestimmten Sendungen sind zu richten an die Redaktion des „Magazins für die Litteratur des In- und Auslandes" Leipzig, Georgenstrasse 6.

Für die Redaktion verantwortlich: Karl Bleibtreu in Charlottenburg. — Verlag von Wilhelm Friedrich in Leipzig. — Druck von Emil Herrmann senior in Leipzig.

Das Magazin

für die Litteratur des In- und Auslandes.

Wochenschrift der Weltlitteratur.

1832 gegründet von Joseph Lehmann.

55. Jahrgang.

Herausgegeben von Karl Bleibtreu.

Preis Mark 4.— vierteljährlich.

Verlag von Wilhelm Friedrich in Leipzig.

No. 32. —— Leipzig, den 7. August. —— 1886.

Inhalt:

Alexander Ostrowski.

Von August Scholz.

Der Tod hat unter den großen russischen Schriftstellern, die in den fünfziger Jahren wie eine glänzende Plejade emporgestiegen waren, während der letzten sechs Jahre eine reiche Ernte gehalten. Nekrassow, Dostojewskij, Turgenjew, Aksakow — eine Reihe von bedeutungsvollen Namen, die in der Denktafel der russischen Geistesgeschichte mit unauslöschbaren Zeichen eingeschrieben sind. Nun ist auch Alexander Ostrowski, der hervorragendste russische Dramatiker, aus der Reihe der Lebenden geschieden. Er war groß in seiner Art, wie jene in der ihrigen. Er hatte sich, wie sie, die eine hohe Aufgabe gestellt: zur Bildung seines Volkes beizutragen und es geistig vorzubereiten, damit es dereinst nicht bloß dem Namen nach, als geographischer Begriff, zu Europa gehöre, sondern als ebenbürtige Kulturnation sich der großen Familie der zivilisirten Völker anschließe. Die russischen Schriftsteller der großen litterarischen Epoche, welche jetzt als abgelaufen zu betrachten ist, hatten eine schwere Aufgabe zu erfüllen: sie hatten die Erbschaft Peter des Großen anzutreten, eine Erbschaft, die nicht immer Rosen auf den Weg der Erben streute. Eine rauhe, harte Arbeit war es, welche die erwählten russischen Geister zu verrichten hatten: überall wimmelte es von Gegensätzen, die versöhnt, von Schäden, die offen gelegt, von Lächerlichkeiten, die gekennzeichnet werden mussten. Selten sah sich die Poesie vor eine so ernsthafte Aufgabe gestellt, wie in Russland. Daher ist es auch kein Wunder, dass die Geisteswerke der russischen Dichter und Schriftsteller etwas Rauhes, Eckiges, Granitenes an sich haben, das nicht Jedermanns Geschmack ist, das aber den kräftigen Geist unwillkürlich anzieht. Es gab da keine süßlichen Reime zu singen, keine zarten Liebesidyllen auszuspinnen, keine Büchlein in rotem Maroquin mit Goldschnitt „zur Unterhaltung und Belehrung" zu verfassen. Schon äußerlich repräsentirt sich eine belletristische Bibliothek russischer Schriftsteller im Original ganz anders als die bunte Papageienpracht unserer Weihnachts-, Oster- und Pfingstlitteratur: alles große, starke, würdige Bände in einfachem Kleide, Handbüchern gleich und ernsten Studien. Ernst durch und durch ist die neue russische Litteratur, wo aber das Lachen durchbricht, da verzieht es sich bald zu bitterem Spott und mitleidsloser Ironie. Mit unwiderstehlicher Kraft wird das Leben gepackt und, just wie es ist, ohne Verzweiflung, aber auch ohne Schonung und Beschönigung gezeichnet. Und der Erfolg blieb auch nicht aus: viele Reformen, die in Russland eingeführt wurden, sind nur der schneidigscharfen Kritik jener sozialen Sittenrichter zu verdanken, und wenn auch das Werk der Reformen schließlich äußerlich ins Stocken geriet, so sind doch tausend und aber tausend ausgestreute Samenkörner überall aufgegangen, und das russische Volksleben ist seit den fünfziger Jahren in eine neue hoffnungsvolle Phase getreten. Es giebt kaum ein zweites Beispiel in der Geschichte der Völker, dass eine Litteratur so unmittelbar befruchtend und heilsam fördernd auf das gesellschaftliche Leben der Nation gewirkt hat.

Merkwürdiger Weise trat, wie auf Verabredung, von vornherein eine Teilung der litterarischen Arbeit unter den russischen Autoren ins Leben: Nekrassow schrieb Verse, Leo Tolstoj, Gontscharow, Dostojewskij verfassten Romane, Turgenjew handhabte die kleinere Skizze und die Novellenform, Aksakow publizirte Essays und Saltykow-Schtschedrin bemächtigte sich der Satire. Ostrowski begann von vornherein als Dramatiker und ist der dramatischen Form während seines langen, vier Jahrzehnte umfassenden Lebens unentwegt treu geblieben. Als Stammvater aller dieser Geistesheroen ist der geniale Gogol zu betrachten, welcher der russischen Litteratur mit kühner Hand die Bahnen vorgezeichnet hat, in denen sie sich auch tatsächlich weiter entwickelte. Auch Ostrowski ist von Gogol wesentlich beeinflusst worden: in seinen ersten Stücken findet man manchen Anklang an den Dichter des „Revisor". Allein bald machte sich seine Individualität selbständig in ihm geltend, und er schuf ein ureigenstes Produkt: das Ostrowskische Drama.

Die dichterische Physiognomie Ostrowskis weicht sehr wesentlich von derjenigen anderer Bühnendichter ab. Man weiß nicht, soll man seine Stücke Komödien, Tragödien oder Schauspiele nennen. Weder die eine, noch die andere Bezeichnung wird ihnen voll und ganz gerecht. Die Begriffe der Aristotelischen und Lessingschen Dramaturgie hören hier auf, maßgebend zu sein. Der Hauptgrund dafür liegt darin, dass der Inhalt der Ostrowskischen Stücke zu stark in den Vordergrund tritt und die Form darüber in die zweite Linie zurück weicht. Das stoffliche Gebiet, welches Ostrowski für die in den vierziger Jahren noch sehr arme nationalrussische Bühne entdeckte, war so groß, so gestaltenreich und fesselnd, dass das äußere Kleid der Dichtung für Kritik und Publikum einfach nebensächlich wurde. Nicht nach dem szenischen Aufbau, nach der dramatischen Spannung, der richtigen Behandlung der Peripetie fragte man bei Ostrowskis Stücken; man erfreute sich einfach an den Gestalten, die man Tags vorher auf der Straße gesehen und die man nun unerwartet auf der Bühne wieder erblickte. Der Grundzug der Dramen Ostrowskis ist satirisch und das entspricht durchaus dem Grundzug des russischen Volkscharakters. Er begnügte sich damit, nach dem Leben zu malen, zu porträtiren, er kannte sein Publikum, wusste dem Geschmack desselben zu entsprechen und sich den Erfolg zu sichern. Seine Stücke kann man am Besten als „Lebensbilder" bezeichnen; Humor und Tragik, Scherz und Ernst, beißende Satire und laute Anklage finden sich in ihnen neben einander. Die Personen derselben sind weder ausgemachte Bösewichte, noch edelmütige Helden, sondern Menschen, wie sie die Wirklichkeit bietet; das Spiel der Leidenschaften ist nicht im heroischen Stile unseres vornehmen Dramas, sondern im mäßigen Trott des Alltagslebens gehalten. Das hindert freilich nicht, dass bisweilen mitten aus dem Morast eine schimmernde Perle hervorblitzt, dass im anspruchslosen Kreise der Kaufleute und Beamten, die der Dichter schildert, sich eine ergreifende, tief poetische Szene abspielt, die fast an das Melodrama streift, doch vor diesem die Lebenswahrheit, den „Geruch der Wirklichkeit" voraus hat. Ostrowski arbeitet nirgends absichtlich auf den Effekt, weil er der Wirkung schon Dank dem Stoffe sicher ist. Es herrscht ein gesunder Naturalismus in seinen Stücken, der niemals in Pessimismus ausartet, sondern zuversichtlich in die Zukunft schaut. Dabei ist er feinfühlig genug, keine Moral auszukramen, sondern dem Zuschauer das Urteilen und Schließen, das Verdammen und Beloben zu überlassen. Lerow und Graf Sollohub, seine Zeitgenossen und Rivalen, die mit etlichen Stücken einen großen Erfolg errungen haben und die Freunde Ostrowskis fast für den Ruhm des Letzteren fürchten ließen, suchten durch moralische Idealtypen zu wirken und wirkten auch für den Augenblick; aber ihre Stücke sind längst verblasst, während die Dramen Ostrowskis wie eine Reihe trotziger Granitblöcke dastehen und noch lange zu dauern versprechen. Sie entsprechen eben zu sehr dem russischen Geschmack, der russischen Geistesrichtung, welche mehr darauf eingerichtet ist, ruhig nachzusinnen und zu grübeln („dumu dumatj", „einen Gedanken denken" nennt es der Russe), als sich erschüttern und rühren zu lassen. Ostowski ist durch und durch volkstümlich, ist Molière im echt sarmatischen Gewande. Für den Kritiker des zivilisirten Europa, das von der dramatischen Kunst etwas Anderes verlangt, als der Russe, ist dieser Dichter freilich eine harte Nuss, die mit der Lessingschen Zange nicht aufzuknacken ist.

Ostrowskis dichterische Tätigkeit zerfällt in drei Perioden. Als dreiundzwanzigjähriger Jüngling begann er 1846 mit dem Drama „Ein Familienbild", das von vornherein die allgemeine Aufmerksamkeit auf den jugendlichen Bühnendichter lenkte. Es folgten dann in rascher Reihenfolge bis zum Jahre 1856: „Szenen aus dem Leben jenseits der Moskwa",*) „Gleiche Brüder, gleiche Kappen", „Die arme Frau", „Setz Dich nicht in fremden Schlitten", „Armut ist keine Schande", neben einer Reihe kleinerer, äußerst humorvoller, bisweilen auch tiefernster Piecen. Diese Stücke, die man gewöhnlich als Produkte der Jugendperiode des Dichters zusammenfasst, behandeln fast durchweg die Kaufmannswelt von Moskau, jenes sonderbare, halbasiatische, noch wenig von der Kultur beleckte „Dunkle Reich",**) das hier zum ersten Male vor den Augen des Publikums enthüllt wurde. Ostrowski ist selbst ein geborener Moskauer und hat die eigenartigen Sitten der „weißsteinernen" Zarenstadt an der Moskwa mit packender Treue gezeichnet. Wir finden in seinen Stücken jenes altertüm-

*) „Jenseits der Moskwa", Samoskworjatsche, heißt der Stadtteil von Moskau, in welchem die Geschäftsleute wohnen.

**) So nennt es der Kritiker Dobroljubow.

liche Familienleben mit seinem patriarchalischen Despotismus, welches vor dem sozialen Sturm der fünfziger Jahre in Moskau noch unverfälscht bestand, in charakteristischen Gestalten verkörpert. Wir begegnen den kleinlichen, nicht immer vor dem Richterstuhl der Moral bestehenden Praktiken dieser theetrinkenden Geschäftsleute, die an Schlauheit und List selbst die Armenier und Griechen übertreffen und ihren Vorteil mit ruhiger, langsam arbeitender, aber sicherer Zähigkeit verfolgen. Es sind dies jene phlegmatischen Idealegoisten, vor denen Peter der Große die Juden schützen zu müssen glaubte, als diese ihn um die Erlaubnis baten, in Moskau und den übrigen nördlichen Gouvernements Handel zu treiben. „Nein, nein," sagte der Zar zu den hebräischen Abgeordneten, „meine Russen würden Euch bis auf die letzte Kopeke ausplündern, lasst es lieber sein." Diese Welt von eigenartigen Menschen hat Ostrowski für die russische Litteratur entdeckt. Die genannten Stücke streifen fast durchweg an das Komödienhafte — der Geist Gogols, Humor, heitere Laune und leichtere Satire herrschen in ihnen noch vor. Ab und zu treten freilich auch tragische Konflikte ein, wie zum Beispiel zwischen dem strengen Familientyrannen Russanow und seiner emanzipationssüchtigen Tochter, die ihren Versuch, sich dem Familiendespotismus zu entziehen, teuer bezahlen muss. Im großen Ganzen hatte Ostrowski mit diesen Stücken einen glücklichen Wurf getan, und die Zeitverhältnisse waren dem Erfolg derselben durchaus günstig. Erschienen sind doch während jener geistig hocherregten Epoche vor dem Krimkrieg, in welcher auch Turgenjew mit seinen „Skizzen aus dem Tagebuch eines Jägers" als glänzender Stern, als Entdecker des „Muschik"*) auftauchte. Noch war es dem edlen Bjelinski, dem unbestechlichen, schneidigen Kritiker der dreißiger und vierziger Jahre, vergönnt, den jungen Dramatiker zu begrüßen. Es entspann sich alsbald ein förmlicher Streit um Ostrowski: Die Moskauer Slawophilen wollten ihn für sich in Anspruch nehmen, da er ein Moskauer wäre, in Moskau lebte, Moskau schilderte und die sittlichen Ideale der Moskauer Patrioten zum Ausdruck brächte. Aber schlagend wies Dobroljubow, der Kritiker der Petersburger Radikalen, nach, dass Ostrowski viel zu sehr Dichter sei, um slawophilische Politik zu treiben, und dass, wenn er auch die Auswüchse der Zivilisation karrikire, seine Kritik der einheimischen Verhältnisse, die wahrlich keine Verherrlichung verdienten, doch mindestens ebenso unerbittlich sei. In der Tat erschienen Ostrowskis Stücke seither immer zuerst in den Petersburger Zeitschriften, wiewohl er, seiner vornehmen Natur gemäß, am Gezänk der Parteien niemals teilgenommen hat.

Die Periode dichterischer Reife erreichte Ostrowski um die Mitte der fünfziger Jahre. Damals erschien sein historisches Drama „Es geht nicht immer wie man will", das auch künstlerisch fester gefügt ist, als die meisten der vorher genannten Stücke. Der russische Komponist Sjerow legte den Inhalt dieses Dramas seiner tragischen Oper „Höllenmächte" zu Grunde, die bei ihrem Erscheinen großes Aufsehen erregte. — 1857 erschien das Schauspiel „Ein einträgliches Amt", in welchem Ostrowski die Bestechlichkeit des russischen Beamtentums geißelt. Er bedient sich keiner Donnerworte gegen die Schuldigen, wie Graf Sollohub bei ähnlicher Gelegenheit, sondern zeigt einfach an seinem Helden Schadow, wie erbärmlich und innerlich hohl eine solche der moralischen Grundlage beraubte Existenz selbst in Russland sein muss. Der Effekt dieses Stückes war ein ganz außerordentlicher. — Immer ernster und bedeutsamer schreitet die Muse Ostrowskis einher. Im Jahre 1859 erscheint sein tieftragisches Drama „Das Ungewitter", bald darauf die Stücke „Die Schülerin", „Wer ist frei von Fehlern?" „Schutnikow" u. A. m. Auch eine Reihe historischer Dramen erschien in diesen Jahren, alle durchweg nationalen Inhalts. Die bedeutendsten unter ihnen sind: „Der Wojewode", „Minin", „Wassilissa Melentjewa", „Der falsche Demetrius", „Wassili Schujski". Der Erfolg dieser historischen Dichtungen blieb indessen hinter demjenigen der sozialen Dramen Ostrowskis zurück.

Gegen Ende der sechziger Jahre begann Ostrowskis Kraft zu erlahmen. Zwar schrieb er immer noch sehr fleißig und gewissenhaft und brachte die Zahl seiner dramatischen Dichtungen im Laufe der Jahre bis auf ein halbes Hundert, doch haben seine letzten Arbeiten es in der Regel nur zu einem Achtungserfolge gebracht. Es ging dem großen Dramatiker in dieser Beziehung genau so, wie es Turgenjew und den meisten andern Dichtern der fünfziger Jahre ging: sie hatten ihre Aufgabe im Wesentlichen erfüllt und die Ereignisse gingen über ihre Köpfe hinweg. Das große Werk der Reformen, für welches sie so mutig gekämpft hatten, war in den ersten Regierungsjahren Alexanders II. glücklich in Angriff genommen worden, dann aber erschienen die finstern Mächte des Katkowschen Panslavismus und des Bakuninschen Anarchismus auf der Bildfläche, und ein düstrer Nebel senkte sich auf Russland herab, der nicht einmal sehen lässt, dass die von den großen Männern der fünfziger Jahre ausgesäeten Körner im Stillen keimen und wachsen. Aber sie wachsen wirklich.

Zum Schluss fügen wir einige biographische Notizen über den am 14. Juni verstorbenen Dramatiker bei. Alexander Nikolajewitsch Ostrowski wurde im Jahre 1823 in Moskau geboren und hat fast sein ganzes, äußerlich ziemlich ereignisvolles Leben in seiner Vaterstadt zugebracht. Er besuchte daselbst das Gymnasium und die Universität; er studirte Jurisprudenz, doch beendete er die Kurse nicht, da ihn irgend ein „Unannehmlichkeit" zum Verlassen

*) Der russische Bauer.

der Universität zwang. Er nahm dann kurze Zeit beim Moskauer Handelsgericht Dienste und lernte hier die Typen kennen, die er später so trefflich schilderte. Bald indessen widmete er sich ganz der schriftstellerischen Tätigkeit. Er stand in reger Beziehung zu Turgenjew und den übrigen Schriftstellern der „Plejade". Ein Gruppenbild aus dem fünfziger Jahren zeigt sein offenes, volles, glattrasirtes Gesicht neben dem düstern Kopfe des Grafen Leon Tolstoj und der ernsten Physiognomie Turgenjews; andere Schriftsteller umgeben die drei Freunde. Mit Pissemski, dem Verfasser der „Tausend Seelen", war Ostrowski eng befreundet, neben ihm wollte er auch begraben sein. Vor einigen Jahren wurde Ostrowski durch Alexander III. ein jährliches Ehrengehalt von 3000 Rubeln bewilligt, bald darauf wurde er zum General-Intendanten des Moskauer Theaters ernannt. Die Anstrengungen, welche mit diesem Amte verbunden waren, rieben seine Kräfte auf, ein altes Leiden (Aneurisma) brach wieder hervor, und nach kurzem Krankenlager starb er auf seinem Gute Schtschelykowo, am Ufer der Wolga, Gouvernement Kostroma. Er lebte in glücklicher Ehe und hinterlässt eine Wittwe nebst sechs Kindern. Auf Anordnung seines Bruders, des kaiserlichen Domänenministers Ostrowski, wurde seine Leiche nicht nach Moskau gebracht, sondern auf dem Stammgute beigesetzt. — Ostrowskis litterarische Erbschaft hat eine von ihm herangezogene Schule von Bühnenschriftstellern angetreten, unter denen Sadowski, Wassiljew und Frau Linskaja die bedeutendsten sind.

Die Unterwerfung des Spiritismus unter die Wissenschaft.*)

Von Max Schneidewin.

Die großartige und fast unvergleichliche Produktivität unseres eminenten Zeitgenossen Eduard von Hartmann hat sich in dem letzten Jahre einmal wieder auf der Vollhöhe ihres Schaffens gezeigt. Seit dem Herbste 1884 liegen von dem Philosophen vor: „Das Judentum in Gegenwart und Zukunft", in welcher, was in dieser Frage viel sagen will, die deutsche und die humane Gesinnung, eine ohne Kosten der anderen, vereinigenden Schrift der Verfasser den brennenden Stoff so erschöpfend unter zahlreiche Gesichtspunkte stellt, dass hinfort die betr. beiden im öffentlichen Leben sich breit machenden entgegengesetzten Gesinnungen als rückständig bezeichnet werden müssen, bevor sie sich nicht ernstlich mit dem gerechtigkeitliebenden Scharf- und Tiefblick des Philosophen auseinandergesetzt haben. Im Frühling 1885 erschienen ferner „Philosophische Fragen der Gegenwart" (298 S.) und im Herbst „Moderne Probleme" (250 S.), eine doppelte Sammlung höchst vielseitiger philosophischer Abhandlungen, die größtenteils in den letzten Jahren in Zeitschriften zerstreut veröffentlicht gewesen sind. Zwischen diese beiden Bücher fiel nun noch im Hochsommer 1885 die starke Broschüre über den Spiritismus: wahrhaftig, man muss fast fürchten, dass die Natur die Produktionskraft für diesen Autor und die bloße Aufnahmefähigkeit für den besten Teil des lesenden Publikums zu verschieden verteilt hat.

Für die Spiritismusschrift möchten wir das große Resultat in Anspruch nehmen, dass sie dahin wirken kann und hoffentlich wirken wird, dass auf Grund ihrer Anregungen eine zuverlässige Forschung dieses ganz eigenartige Gebiet, welches den Aufgeklärten eine Torheit, den Phantastischen eine Gotteskraft, der exakten Forschung beinahe ein verrufenes noli me tangere ist, endlich einmal umspannen wird, der zufolge in einigen Jahren vielleicht einmütiges, lichtes Verständnis auf dem Boden des bisherigen Urwaldes siegreich wohnen kann, in welchem allerdings Männer, wie Carpenter, Crookes, Cox, Fahnestock, Wittig, Owen, Perty u. A. schon mächtig die Axt geschwungen haben. Auf keinen Fall nämlich, selbst wenn von den spiritistischen Phänomen die allerfrappirendsten und in überwältigendem Maße nach Mitwirkung bewusster Intelligenz aussehenden als objektiv zugegeben werden müssten, glaubt E. von Hartmann behufs Erklärung derselben zu „Geistern" seine Zuflucht nehmen zu müssen, und eben hiermit scheint mir unser Philosoph den exakten Forschern, deren gemeinschaftlicher Bemühung die Eruirung der Wahrheit auf diesem dunkeln Gebiete sich nicht lange versagen dürfte, Vorurteile verscheuchend den Weg zukünftig zu erringenden definitiven Untersuchungsergebnissen vorangegangen zu sein. Denn bisher hatten diese Forscher mit geringen, deren Misstrauen erweckenden, Ausnahmen die wissenschaftliche Gêne und Prüderie dem fraglichen Gebiete gegenüber noch nicht überwunden, weil es sie von vornherein abstieß, sich mit angeblichen Erscheinungen befassen zu sollen, deren Begreiflichkeit durch Rückkehr zu längst abgetanem, finsterem, verhasstem und verachtetem Aberglauben bedingt sein sollte. E. von Hartmann weist nämlich im fünften und letzten Abschnitte seiner Schrift nach, dass die Theorie der spiritistischen Phänomene Schritt für Schritt von der Hülfshypothese sich manifestirender Geister immer mehr dahin abgedrängt sei, in dem Medium die alleinige Quelle der wundersamen Vorfälle mediumistischer Sitzungen zu suchen. Wenn er dabei, wenn ich nicht irre, sieben Etappen auf dem Rückwege von dem Uebernatürlichen zum Natürlichen feststellt, so ist freilich, ganz ähnlich, wie vielfach seinen großen ethischen und religiösen Werken, der „Phänomenologie des sittlichen Bewusstseins", dem „religiösen Bewusstsein der Menschheit im Stufengange seiner Entwicklung" und der „Reli-

*) Eduard von Hartmann: „Der Spiritismus." Leipzig, Wilhelm Friedrich. 1885.

gion des Geistes" gegenüber, zu bemerken, dass mit der außerordentlichen Virtuosität seines konstruktiven Talentes eine nachweislich sich ebenso differenzirende, in der jedesmaligen Phase als in der erreichten und allseitig zu verteidigenden Wahrheit sich festsetzende, geschichtliche Wirklichkeit der eingenommenen Standpunkte nicht Schritt hält; was übrigens dem begrifflichen Werte seiner Beweisführungen keinen Abbruch tut.

Was die Tatsächlichkeitsfrage der mediumistischen und angeblich spiritistischen Phänomene betrifft, so steht unser Philosoph auf dem Boden der denkbar größten Umsicht. Auf der einen Seite verlangt er für das Außerordentliche die Beglaubigung durch unzweifelhafteste, sich gegen die Quellen der Irrtümer im Voraus auf das besonnenste schützende Beobachtung und will von der Summe aller desfalsigen Berichte auf das Konto der Leichtgläubigkeit und des bewussten Betrugs eine große Masse abgesetzt wissen, auf der anderen steht er hoch über der Superklugheit der Aufklärung des vorigen Jahrhunderts, welche a priori über das Mögliche und Nichtmögliche absprechen zu können wähnte und den Respekt vor der sich geltend machenden Wirklichkeit verloren hatte, wenn diese nicht in ihre Schablone passte. Höchst merkwürdig ist bei E. von Hartmann, einem doch wesentlich hochidealistischen deutschen Philosophen, die starke Ausprägung realistischer Kennerschaft in Dingen des gewöhnlichen Lebens, mit welcher er z. B. im „Judentum" über die Maximen der Privatwirtschaft, hier (besonders S. 8 ff.) über die Bedingungen taschenspielerischer Kunststücke spricht. Sein Resultat ist, dass die Frage über die Tatsächlichkeit der mediumistischen Erscheinungen nicht spruchreif ist, aber doch in der Uebereinstimmung zahlreicher, zum Teil trefflicher Zeugen eine solche Fürsprache besitzt, dass die definitive Aufklärung dieses Gebietes durch berufenste Forscher nachgerade ein brennendes Bedürfnis wird. Wenn er geradezu die Mitwirkung der Regierungen zu offizieller Dotirung solcher Erforschung wünscht, so ist auch das, zumal in der näheren Begründung S. 14 ff., uns ein einleuchtender Gedanke, obgleich in Deutschland doch wohl die Beunruhigung der öffentlichen Meinung durch diese Dinge noch keineswegs eine bedenklich in die Augen fallende ist.

E. von Hartmann will nun alle die betreffenden Erscheinungen physikalischer und geistiger Natur, ohne sich seinerseits das entscheidende Wort über ihre Wirklichkeit anzumaßen, für den Fall ihrer definitiven Bestätigung einer Erklärung unterwerfen, welche das Gebiet des Rationellen und Natürlichen in keiner Weise zu verlassen braucht, um doch die Anforderung des Ausreichens im Verhältnis zu dem zu Erklärenden zu erfüllen. Er hat sich zunächst mit der erstaunlichen Leichtigkeit, mit welcher dieser hochbegabte Geist zu studiren versteht, als ob die Ergebnisse seines Studiums schon in ihm selbst in zarten, durch das Studium nur aufzufrischenden Linien vorgezeichnet ständen, aus einer erdrückenden Masse von Quellen die Kenntnis jener Erscheinungen gänzlich zu eigen gemacht und dieselben dann auf das geschickteste derartig klassifizirt, dass er von Leichterem zu Schwererem aufsteigt. Solche Erscheinungen sind z. B. das Tischrücken, das unwillkürliche Schreiben, das unwillkürliche Sprechen und „Zungenreden", die Beunruhigung der Magnetnadel, das elektrische Knistern, das Hinrutschen von Gegenständen zum Medium, die Modifizirung der Schwere der Gegenstände, wozu dann die „Wasserprobe der Hexen" und das Schweben von Hexen und Heiligen gehört, das Klingeln und Läuten und Steinewerfen ohne zu entdeckenden Täter, die Zertrümmerung des Zöllnerschen Bettschirms, das Spuken durch Klopflaute, das fernwirkende Schreiben, das Erscheinen von Gliedmaßen und ihr Abdruck in Mehl; das gesteigerte („hyperästhetische") Gedächtnis, die Vorstellungsübertragung, das Gedankenlesen, das Hellsehen; die Transfigurationen des Mediums und die „Materialisationen", d. h. das Auftauchen von den Medien verschiedener Phantomgebilde. Der Leser einer nicht-spiritistischen Zeitschrift, der, weil ihm von alledem nicht das geringste je im Leben vorgekommen ist, kühl bis ans Herz hinan von der Ueberzeugung erfüllt ist, dass das Alles auf puren Schwindel hinauslaufe, wird in einem Gemisch von Lächeln und Verachtung von solchen Erscheinungen sprechen hören. Und doch würde nun E. von Hartmann zufolge die Anerkennung der Tatsächlichkeit jener Erscheinungen keineswegs mit dem Fluche der Abergläubischkeit behaftet sein oder auf übernatürliche Dinge führen, sondern die Erklärung derselben ganz wohl die Grenzen denkbarer Hypothesen über natürliches Geschehen innehalten können. Das klingt einem Teile der angeführten typisch wiederkehrenden Fälle gegenüber ganz unglaublich, aber man lese nur einmal des Philosophen geistvoll originelle Darstellung, um — keineswegs von dem Allen im Sturm sich überzeugen zu lassen, aber doch zuzugeben, dass die wissenschaftliche Behandlung der „Traum- und Zaubersphäre" aufgegangen ist. E. v. Hartmann nimmt allerdings neue und wunderbare Kräfte in den seltenen mediumistisch veranlagten Individuen an, aber doch Kräfte, die mit den bekannten nicht ohne Analogie sind. Die drei Schlüssel, die er ansetzt, sind: mediumistische, der Elektrizität verwandte Nervenkraft, Hallucination und Ansteckung der Zuschauer mit Hallucination. Die Bedingung, unter welcher diese drei Potenzen in Wirksamkeit treten, ist der Zustand der „Trance" oder Ekstase, d. h. die Konzentrirung der gesammten vitalen Kraft auf die innersten Hirnschichten jenseit der Rindensubstanz, der Trägerin des normalen animalen Lebens, resp. das Mitergriffenwerden jener innersten Schichten von der gesammten Lebensenergie, d. h. der larvirte Somnambulismus oder Trancezustand, welcher letztere Begriff mir das Originellste der Hartmannschen Leistung zu sein scheint. Da würde z. B. das „Fliegen" nicht auf einer wirklichen Aufhebung der Schwerkraft beruhen, sondern auf einer Ladung der aufschwebenden Körper mit mediumistischer, der Schwerkraft entgegenwirkender Nervenkraft. Da würde z. B. die höchst wunderbare Geschichte, die der berühmte Astronom Professor Zöllner in einer Sitzung mit Slade erlebt hat, und die nebst manchen anderen Erscheinungen von den beiden ersten Taschenspielern Deutschlands und Frankreichs, Bellachini und Houdin, vor Notar und Zeugen als gänzlich außerhalb der Möglichkeit ihrer Kunst liegend erklärt ist, in eine gewisse Begreiflichkeit rücken. Zwei von Professor Zöllner gekaufte und chemisch gereinigte Schiefertafeln, die nie vorher in Mr. Slades Hand gewesen, waren mit einem Bindfaden kreuzweise überbunden, die Enden des Bindfadens versiegelt; Mr. Slade fragt den Professor Zöllner, was auf diesen Tafeln geschrieben sein sollte; dieser sagte die ihm in eben dem Moment einfallenden Worte „Littrow, Astronomer", man hörte einen Griffel kratzen, der auf den unter dem Tische gehaltenen Tafeln lag, diese wurden hervorgeholt, entsiegelt und geöffnet und enthielten die beiden Worte in deutlicher Schrift. Was kann es betretenderes geben? E. von Hartmann meint, jene mediumistische Kraft könne sich zu einem Analogon der Kombination von Druck- und Zugkraft, wie sie beim Schreiben zur Anwendung kommt, konzentriren und ohne physische Vermittlung auf den Griffel wirken, Kraft des Willens der somnambulen Hirnteile des Mediums. Höchst frappirend, — aber was in aller Welt soll man sonst jener Geschichte gegenüber sagen, außer das absolut nichts erklärende Schlagwort „Schwindel"? Da würde endlich z. B. die kleine braune Hand, die der Professor Zöllner „als Freund aus der vierten Dimension" drückte, einfach eine Hallucination sein, die aus dem somnambulen Bewusstsein des Mediums infektorisch auf Zöllners Gehirn überging und ihm so real erschien, wie uns allen die Gegenstände unserer Träume. Dass die bekannteste Form des Somnambulismus, das Nachtwandeln, welches bei verschlossenen Augen und Versenkung des tagwachen Bewusstseins in Schlaf Dinge leistet, die der nämlichen Person im wachen Zustande ganz unmöglich sein würden, weiß Jedermann; dass damit noch geheime Kräfte des Organismus, die für gewöhnlich schlummern oder nur bei Personen mit abnormem Nervenleben vorhanden sind, in Wirksamkeit treten, ist doch unleugbar; und von hier aus geht E. von Hartmann den weiteren Weg zur Erklärung von Erscheinungen, die, wenn sie irgend erklärlich sein sollen und in ihrer Tatsächlichkeit höchst unwahrscheinlich alle abgeleugnet werden können, in der Richtung ähnlicher Kraftäußerung liegen müssen.

Uebrigens wirkt es sehr wohltuend, dass E. von Hartmann von Ueberschätzung dieses Erscheinungsgebietes, welches doch eben für die meisten Menschen gar nicht vorhanden ist, sich weit entfernt zeigt. Im Gegensatze zu dem Baron von Hollenbach und dem Dr. du Prel, welche für die Begründung ihrer eigentümlichen Anschauung von dem wachen Leben als nur der niederen und irdisch-provisorischen Sphäre unseres gesammten Ichlebens gerade auf den mystischen und magischen Phänomenen fußen und diese mit Schopenhauer für den wichtigsten Teil aller Erfahrungstatsachen halten, zieht unser Theoretiker in seiner Spiritismusschrift nirgends prinzipielle philosophische Fragen heran, als ob diese nun erst hier in das rechte Licht gerückt würden, denkt nirgends daran, seine Philosophie durch dieses erst nachträglich von ihm studirte Gebiet modifiziren zu müssen, wie er es doch immerhin durch den nachträglich studirten Darwinismus bis zu einem gewissen Punkte in großartiger Weise getan hat in seiner höchst merkwürdigen Schrift „Das Unbewusste vom Standpunkt der Physiologie und Descendenztheorie". Auch dieser Umstand wird dazu beitragen, ernste Naturforscher für das exakte Studium des Spiritismus zu gewinnen, dass dieser ihnen nicht als der Stein der Weisen, als der Schlüssel zu einer gänzlich neuen Weltanschauung angepriesen, sondern jenem Studium nur eine Erweiterung unserer Kenntnisse von physiologischen und physischen Kräften in Aussicht gestellt wird.

Neue Novellen und Romane.

(Schluss.)

Ungleich bedeutender freilich ist der Roman „Der Sohn der Volskerin",*) unstreitig das Beste, was Voss auf diesem Gebiete bisher geleistet, in der Gedrungenheit der Komposition und dem zielbewussten Fortschreiten der Handlung seinem Roman „Die neuen Römer" entschieden überlegen, wenn der letztere auch, schon durch seinen aktuelleren Inhalt, wie durch die sonnige Heiterkeit seiner Liebesszenen inniger ergreift. Der vorliegende, neue Roman fließt in den ersten Kapiteln etwas wirr und wüst durcheinander, bis er in ein geregeltes, streng künstlerisches Fahrwasser gelangt, und bietet in der Figur des Ziegenhirten Romulus dem Autor ein paarmal Gelegenheit zu Uebertreibungen, welche die Lebenswahrheit dieser Gestalt seines Buches in Frage stellen. Sieht man von diesen beiden Bedenken ab, die sich gegen den Roman geltend machen können, so kann es nur noch eine Stimme der wärmsten Anerkennung dafür geben. „Der Sohn der Volskerin" ist ein ebenso eigenartiges als bedeutendes Buch, kühn im Wurf, großartig in der Ausführung und voll von einer wilden Poesie und einer fesselnden Schwermut, wie sie zu dem Charakter der Land-

*) Stuttgart, Adolf Bonz & Komp.

schaft, in welcher die Geschichte sich abspielt, in bestem Einklang stehen. Das Lokalkolorit ist meisterhaft gelungen, und Voss erweist sich hier als ein Stimmungsmaler ersten Ranges. Die Bilder der in Sommersonnenglut brütenden Campagna und des armseligen, volskischen Bergvolkes, das um kargen Lohn dort in der fieberschwangren Luft seine Frohndienste tut, die Gestalten der stolzen, ungerecht leidenden, Rache brütenden Surrina und ihres Sohnes wird so leicht nicht wieder vergessen, wer sich einmal in sie vertieft hat. Das ist eine Geschichte, die mit ihren prächtigen Schlusskapiteln, in denen Garibaldis Auftreten und Bedeutung mit der Intuition des ächten Dichters geschaut und geschildert ist, lange in uns nachklingt.

Wenn auch gerade kein bedeutendes und originelles Werk, so doch eine erfreuliche Unterhaltungslektüre ist der Familien-Roman „Die Letzte derer von Dresedow" von E. von Wald-Zedtwitz.*) Bücher, wie dieses, bilden jenen gesunden, guten Stamm, für den das Wort „Mittelgut" keineswegs einen abschätzigen, sondern im Gegenteil einen ehrenden Beigeschmack haben soll und dessen wir bei dem gewaltigen Lesebedürfnis der Neuzeit vorzugsweise bedürfen, weil nicht lauter geniale Bücher geschrieben werden können, um dasselbe zu befriedigen, und damit man nicht zu jenem wertlosen Tand zu greifen braucht, der heute so massenhaft an die Oberfläche dringt, wie Schaumblasen auf siedendem Wasser. Die Geschichte ist hübsch erzählt, stellenweise poesievoll, hat gesunde, ansprechende Tendenzen und bringt in knapper Fassung und klarer Diktion ein gut erfundenes, mit reicher Detailkenntnis ausgestattetes Lebensgemälde eines adligen Mädchens, das nach schweren Schicksalen und bittren Enttäuschungen endlich doch noch das Glück findet und mit ihrem Gatten wieder in das alte Schloss ihrer Väter einzieht. Die Gestalten sind alle lebenswahr, — besonders der leichtsinnig-flotte Wolf von Frieseck, der die Tochter liebt und die Stiefmutter zur Frau nimmt, weil er sie und nicht die Erstere für die Universalerbin hält, sowie diese Stiefmutter selbst, die ursprünglich die „französ'sche" Gouvernante des Fräuleins gewesen, — und die Bilder aus der Landschaft Thüringens sind mit sichtlicher Liebe gezeichnet. Das Buch bildet eine treffliche Haus- und Familienlektüre.

Das Letztere kann man von dem „Berliner Roman: Quartett" von Fritz Mauthner**) nicht behaupten. Derselbe, — der erste Teil einer projektirten Triologie „Berlin W." — ist eine Ehebruchsgeschichte, die mit aller Verve und Eleganz eines Feuillet erzählt ist. Dagegen ließe sich nun nichts sagen und wir wüssten an diesem Roman, der nur den sympathischen Figuren des Buches, vor allem also dem Klavierlehrer Gruber, ein so reiches Maß von harmloser Gutmütigkeit vindizirt, dass es eigentlich wohl schon Dummheit genannt werden könnte, überhaupt nicht viel auszusetzen; er ist vielmehr lebendig, spannend und mit realistischer Schärfe erzählt, bringt auch eine Anzahl neuer und ganz interessanter Charaktere zum Vorschein. Ja, wir sind überzeugt, dass Mauthner, obgleich wir sein hervorragendes Talent eher für ein satirisch-parodistisches denn für ein wirklich selbstschöpferisches halten, von den Autoren, die sich heute gleichzeitig mit ihm bemühen, uns „Berliner Romane" zu schaffen, der berufenste ist. Aber wenn er uns glauben machen will — und das tut er doch zum Schlusse — dass sein unterhaltendes und interessantes Buch nun wirklich der vielgesuchte, spezifische „Berliner" Roman sei, so können wir ihm das nicht zugeben. Wir finden in diesem Roman, abgesehen von der Lokalisirung des Schauplatzes, die gar nichts besagen will und bei der Mauthner übrigens viel diskreter verfährt, als Lindau, gar nichts ausschließlich Berlinerisches. Wir glauben weder, dass es überall in Berlin W. so zugeht, wie in dieser Geschichte beim Kommerzienrat Pitersen und Bankier Herbig, noch glauben wir, dass diese Geschichte nicht buchstäblich ebenso irgendwo anders spielen könnte, sei es in Wien, sei es in einer großen deutschen Stadt des Nordens oder Südens. Gegen das Aushängeschild des Mauthnerschen Romans, nicht gegen diesen selbst, dem sich viel Gutes nachrühmen lässt, müssen wir also protestiren.

Ossip Schubins Roman „Gloria victis"*), der hier den Schluss machen soll, giebt eigentlich kaum Gelegenheit, Neues über die Verfasserin zu sagen. Man kennt ja genügend ihre glänzenden oder, besser gesagt, blendenden Eigenschaften, ihre eminente Beobachtungsgabe, ihre Art, Geschautes wahrheitsgetreu wiederzugeben und die Sitten, Lebensart und Sprechweise des österreichischen Highlife zu schildern. Man kennt auch ihren exotischen, von Austriacismen und fremdsprachlichen Citaten wimmelnden, unruhigen, zerfahrenen, affektirten Stil. Ossip Schubin ist durch und durch manierirt, man könnte sie die „Dichterin der Blasirtheit" nennen. Auf den ersten Blick überrascht, frappirt und fesselt Vieles bei ihr; es ist ungewöhnlich, kühn und fremdartig. Sieht man aber näher zu, so entdeckt man unter einer schimmernden Außenhülle recht viel Leere und Hohlheit. Ihre Wirkungen sind auf den Augenblick berechnet, sind raffinirt ausgeklügelt, aber es sind immer nur Kunststücke, die sie bietet; wirklich künstlerische Eigenschaften fehlen ihr ganz. Sie ist überhaupt keine Dichterin, sondern nur eine Anempfinderin. Alles ist bei ihr äußerlich beobachtet und geht aufs Aeußerliche hinaus; sie macht oft den Eindruck, als hätte sie das Tun und Treiben ihrer Personen irgendwo durchs Schlüsselloch beobachtet, sich ihre Mienen und Geberden genau eingeprägt, aber nur den

*) Potsdam, Eduard Döring.
**) Dresden, Heinrich Minden.

*) Berlin, Gebrüder Paetel. 3 Bände.

Schall der Worte vernommen, nicht auch das Seelenleben studiren können. Ihre Erfindungsarmut ist wahrhaft überraschend. Ossip Schubin schreibt jetzt schon sich selber ab, macht die gleichen Glossen, die ihr imponirt haben, gebraucht dieselben Namen und giebt jetzt in dem vorliegenden Roman gar schon eine Fortsetzung des früheren „Unter uns“, an und für sich ein äußerst bedenkliches Unterfangen. Uebrigens soll nicht unerwähnt bleiben, dass dieser neue Roman entschieden mit größerer Ruhe gearbeitet ist, als die früheren; die Verfasserin scheint einzusehen, dass man doch nicht immer gleich Alles so aus dem Aermel schütteln darf, auch nicht, wenn man für ein Genie gehalten wird. Das Buch ist besser konzipirt und sorgfältiger durchgearbeitet; es sind einzelne Szenen von gewinnender Eigenart darin. Nur ist Alles noch ungleichmäßig und ohne jede künstlerische Anordnung. Vollständig Nebensächliches wird in unendlicher Breite ausgesponnen, Wichtiges kaum flüchtig berührt, gelegentlich ganz übergangen. Das Ganze kommt auf eine Serie lose aneinandergereihter, nach Willkür erfundener Genrebilder heraus, die nur um ihrer selbst willen da zu sein scheinen, nicht aber harmonisch sich einem großen, wohl durchdachten, fein abgewogenen Ensemble einfügen; Ereignisse, die um Jahre voneinander entfernt liegen, werden kraus und bunt durcheinander gewürfelt, Nebenpersonen in den Vordergrund gerückt, andere sind bloß da, um der Verfasserin Gelegenheit zu witzigen Bemerkungen zu bieten, ohne im Geringsten mit der Handlung im Zusammenhang zu stehen. Das Alles schmeckt nach Effekthascherei, es ist keinesfalls künstlerischer Ernst darin. Und wenn das behandelte Thema auch an sich interessant ist, (für drei Bände ist die Handlung freilich viel zu dünn), wo bleibt die Lösung? Die Verfasserin greift abermals, wie in „Unter uns“, zu dem letzten Auskunftsmittel des Duells. Ist dieses hier zwischen Vater und Sohn schon an sich äußerst unglaubwürdig, so ist Oswalds Tod im Duell, der ja nur durch einen Zufall erfolgt, nichts weniger als die Lösung des Konflikts. Man fragt naturgemäß: was wird, wenn er leben bleibt? und er müsste ja leben bleiben. Der Zufall ist keine Lösung und Ossip Schubin entlässt uns also mit einem Fragezeichen.

Mentone.

Konrad Telmann.

Ein magistratliches Begrüssungsgedicht vor achtundsiebzig Jahren.

Mitgeteilt von Adolph Kohut.

Wenn jetzt Magistrat und Stadtverordnete den Monarchen und das königliche Haus begrüßen, so pflegt dies gewöhnlich in einer Adresse in Prosa zu sein, wobei der Kurialstil nicht außer Acht gelassen wird. Ganz anders war dies in der „alten, guten Zeit“ der Taschenalmanache und der gefühlvollen Gelegenheitsgedichte. Da herrschte das Pathos vor und die überschwenglichen Gefühle konnten nur in gebundener Rede zum Ausdruck kommen. Man ersieht dies aus nachfolgendem Begrüßungsgedicht des Magistrats der Haupt- und Residenzstadt Königsberg am 16. Januar 1808, bei der „Zurückkunft Ihrer Majestäten des Königs und der Königin“ (Friedrich Wilhelm III. und Königin Luise). Das Original des mir freundlichst zur Verfügung gestellten, sehr interessanten Poems befindet sich im Besitze der Frau Professor M. Cruse in Insterburg.

Dieses Huldigungs-Gedicht lautet wörtlich:

Willkommen! strömt, auf blumumstreuten Wegen,
Aus treuer Herzen heiligem Erguss,
Der Freude freudiger Triumphruf Dir entgegen.
Willkommen! ruft, zu Deines Volkes Segen,
Des Vaterlandes Genius.

Wohl uns, die kein verhängnisvoller Schluss
Der Mächte, die des Schicksals Ketten schmieden,
Von ihres Königs Brust geschieden.
Wohl uns! Es blitzt ein morgenroter Strahl
Durch unsrer Tannen schneebestäubte Pyramiden;
Es ist dein milder Stern, o Frieden,
Ist nicht des Opfermessers falscher Stahl.
Wohl uns, auf frommen Hausaltären
Steigt, zu der Andacht lautem Chor,
Der Inbrunst Dankgebet empor:
Dass wir dem Fürsten angehören,
Mit dem das Herz den schönsten Bund beschwor;
Dass uns ein Schmuck von unverfälschten Sitten,
Dass uns der Heimat Recht, rein von der Willkür Gift,
Dass uns der Glaube blieb, für den die Väter stritten,
Und der Gedankenfreiheit goldne Schrift.
Wohl uns! und Heil, Heil Dir und Deinem Trone,
Freund Deines Volks! Was auch der Krieg zertrat,
Dir blieb der Ehre palmumwundner Pfad,
Dir blieb Dein Herz, das Herz von einem Brennus-Sohne,
Dir blieb zu königlichem Lohne,
Was nicht die Schlacht zerstört, nicht Schicksal, nicht Verrat,
Blieb Deines Volkes Herz, das mit der Bürgerkrone
Der Liebe, mit dem Kranz der Treue freudig naht.
Aufblüht des Frühlings frische Saat
Auf Fluren, die, nicht mehr von Rossetritten,
Von donnerndem Geräder nicht zerstampft,
Des Pfluges friedlich Eisen nur zerschnitten;
Empor aus Asche stehn die Hütten,
Wo jüngst die Schlacht, ein Lavastrom, gedampft,
Indess die Menschheit, statt der blutgefärbten Szenen,
Von der Hyäne, die Geschlechter würgt,
In stummer Zukunft Schooß ihr uns Haupt verbirgt,
Umklungen von der Hoffnung Harfentönen.

Sei von des Vaterlandes Söhnen,
Der Hoffnung goldne Hore, sei gegrüßt!
In deren Hand, das Schicksal zu versöhnen,
Irenens frischer Oelzweig sprießt.
Die, mit verjüngtem Strahl die Zukunft zu verschönen,
Das Königliche Paar in Götter-Arme schließt.

Empfang', umglänzt von einem schönern Lichte,
Als nur dem Diadem entfließt,

Vom Strahl umglänzt, der, wie vom Angesichte
Des Engels, sich auf Fürstentrone gießt,
Des wahren Ruhms gereifte Sonnenfrüchte
Empfange, Königliches Paar,
Und wenn dereinst der Weltgeschichte
Metallner Mund zu ernstem Blutgerichte
An der Vergelterin Altar
Dies eherne Jahrhundert fodert,
Dann, ein Gestirn aus bessern Welten, lodert
Das Alter Friedrich Wilhelms licht empor;
Dann zeugt der Tugenden entzückter Chor,
Es zeugt das Recht mit nie gebeugtem Schwerte,
Die Treue zeugt, die schön verklärte,
Es zeugt der Künste Blütenflor,
Zeugt der Gewerbe Dank, die brüderlich verbündet
Frohlockend einziehn in der Städte Tor,
Es zeugt die Fackel, die Er angezündet
Dem lang' entadelten Geschlecht,
Das ihm in goldenem Geflecht
Den Erndtekranz der Freiheit windet;
Dann, wenn der Wahn des Augenblicks verschwindet,
Wenn längst in des Vergessens todter Nacht
Palmyrens Königin begraben,
Dann glänzt, weit über Tron und Zeit und Glück erhaben,
Luisens Name noch in unverlöschter Pracht.

Zu meinem Bedauern ist der Name des Verfassers dieses historisch so interessanten Gedichts nicht angegeben. Weiß ihn vielleicht einer unserer Leser?

Zur russisch-deutschen Lexikographie.

Zwischen Slaven und Germanen hat sich in neuester Zeit ein so reger Verkehr entwickelt, dass die Kenntnis des verbreitetsten slavischen Idioms, der russischen Sprache, auch in weiteren Kreisen mehr und mehr als dringendes Bedürfnis empfunden wird. Leider aber wird gerade auf dem Gebiete der russischen Grammatik und Lexikographie so viel Oberflächliches und Stümperhaftes zu Tage gefördert, dass man in der Wahl der einschlägigen Lehrmittel nicht vorsichtig genug sein kann. Finden sich doch z. B. in dem mit viel Reklame auf den Büchermarkt geschleuderten Rosenthal'schen „Meisterschafts-System" — nebenbei gesagt, ein Kompositum, das ebenso unlogisch gedacht wie ungrammatikalisch gebildet ist — Curiosa der seltsamsten Art, die auch dem Nichtphilologen ein Lächeln entlocken können. Herr Heinr. Wilh. Ad. Keller, welcher die genannte Lehrmethode auf das Russische anwendet, gibt z. B. eine köstliche Einleitung zur Aussprache des dumpfen I-Lautes, von der wir zum Ergötzen der Leser wenigstens den Schlusspassus hier wörtlich anführen: „Man trete dabei vor den Spiegel, stecke etwa eine Bleifeder zwischen die Zähne und achte darauf, dass die Lippen des bei der I-Lage breitgezogenen Mundes nicht im Mindesten sich zur Bleifeder hin bewegen, sondern, sobald man das U sprechen will, sich auseinander spreizen, so dass die Zähne frei werden" etc. Ich denke, dieser einzige Satz charakterisirt zur Genüge die wissenschaftliche Höhe und praktische Verwendbarkeit solcher Sprachlehren.— Um so erfreulicher ist es, dass wenigstens auf dem Gebiete der Lexikographie ein bedeutender Schritt nach vorwärts verzeichnet werden kann. Die älteren Arbeiten auf diesem Gebiete, das Lexikon von Schmidt und das Parallelwörterbuch von Reiff, sind für die heutigen Bedürfnisse ganz unbrauchbar; und wenn auch von Pawlowsky und Booch-Frey-Messer Besseres geleistet wurde, so sind auch hier der Mängel so viele, dass Abhülfe Not tut. Namentlich hat das letztgenannte Werk die Wahrheit des Sprichwortes erwiesen, dass viele Köche den Brei verderben. Vor Allem ist bei allen diesen Arbeiten für den modernen Leser der Umstand störend und unbequem, dass sich darin ein wahrer Ballast veralteten und überflüssigen Sprachstoffes abgelagert hat, der dem Leser die rasche Orientirung unnötig erschwert. Darum ist das „Russisch-deutsche Wörterbuch von N. Lenström" (Sondershausen, Verlag von Fr. Aug. Eupel [Otto Kirchhoff]) freudig zu begrüßen. Das Werk will mit absichtlicher Weglassung alles Veralteten, einen vollständig genügenden Wörterschatz der modernen Litteratur-, Umgangs- und Volkssprache bieten und bemüht sich, in allen Redewendungen und Ausdrücken dem deutschen wie dem russischen Idiom gleichmäßig gerecht zu werden. Die Farblosigkeit der den Worten beigefügten Erklärungen, wie sie die früheren Lexica zeigen, wird durch möglichst charakteristische Ausdrücke beseitigt, und die lebendige Volkssprache durch die eigentümlichen Sprichwörter und Redewendungen illustrirt. Auch dürften die beigefügte kurze Abhandlung über die Aussprache und Accentuirung im Russischen von Dr. Wilh. Körner, sowie die „Notizen über das russische Verbum und dessen Konjugation" von dem Verfasser des Wörterbuchs nicht zu unterschätzen sein. Ist das Werk auch nicht frei von kleinen Mängeln — und von welchem Wörterbuch ließe sich das behaupten? —, so bezeichnet es dennoch einen großen Fortschritt auf dem Gebiete der russisch-deutschen Lexikographie und verdient daher die Anerkennung seitens aller Gebildeten im höchsten Maße. Hoffentlich wird auch der im Erscheinen begriffene zweite Teil des Werkes, der deutsch-russische, den Erwartungen, zu welchen uns der erste Band berechtigt, im vollsten Maße entsprechen, damit die verdienstliche Arbeit nach allen Seiten hin dem Bedürfnisse des Lernenden und Lehrenden genügen kann.

Leipzig. S. Mandelkern.

Litterarische Neuigkeiten.

„Gedenkblatt für die fünfhundertjährige Schlachtfeier von Sempach." Zur Erinnerung an die eidgenössische Winkelried-Stiftung. (Gebrüder Benziger, Einsiedeln.) — Das schöne Festlied zur Sempach-Feier hat kein Geringerer als Conrad Ferdinand Meyer gedichtet.

„Litterarische Abende für den Familienkreis" von F. Zehender. (Zürich, Schultheß) I.—III. Serie. Nicht ohne Geist geschrieben, voll gediegener Kenntnis der einschlägigen Materieen, von edelem Streben getragen, können diese litterarischen Charakterbilder doch ihren pädagogisch-zunftmäßigen Ursprung nicht völlig verleugnen. So ist es denn zu erklären, dass Geibel und Rückert, diese leidenschaftslosen formpflegenden Akademiker, hier weit überschätzt und Geister wie Heine und teilweise auch Lenau nicht gebührend gewertet werden. Am besten gelungen ist die Schluss-Serie. Berthold Auerbachs Verdienst wird gebührend beleuchtet und gegenüber Scheffel und Freytag ihre Nachahmer im historischen Roman Ebers, Dahn, Hausrath u. s. w. scharf und präzis abgeschätzt. Durchaus oberflächlich und von mangelhafter Kenntnis zeugend, sind hingegen die Aeußerungen (2. Serie, Seite 6—10) über Walter Scott, dessen riesenhafte Ueberlegenheit Z. nicht zu begreifen scheint. Und Alexis scheint er gar nicht zu kennen.

In Newyork ist soeben ein sensationelles Machwerk erschienen, in welchem Deutschland die künftige Besiegung durch das mit den meisten europäischen Staaten verbundene Amerika in einem großen Zukunftskriege der Jahre 1890—91 in Aussicht gestellt wird. Die Schrift führt den Titel „Bietigheim, its causes and consequences". Bei Bietigheim in Württemberg wird nämlich die Entscheidungsschlacht geschlagen. An der Seite seiner einzigen Verbündeten: Oestreich und Russland unterliegt Deutschland in jener europäischen Entscheidungsschlacht, in welcher das gesamte westliche und südliche Europa sich mit den Vereinigten Staaten verbunden hat. Die Folge der Schlacht ist die Ausbreitung der republikanischen Staatsordnung in Europa, welche am Anfang des 20. Jahrhunderts alleinherrschend geworden ist. Es ist bezeichnend, dass dieses phantastische Machwerk gleichzeitig in einer französischen Ausgabe erscheint. In erster Linie schmeichelt der Inhalt des Buches den Revanchegelüsten der Franzosen. Aber, wie ärmlich für die Letzteren! Nicht im Stande, sich die Revanche selber zu nehmen, soll sie mit Hülfe der Vereinigten Staaten und des gegen Deutschland koalirten westlichen Europas genommen werden.

„Sphinx", Monatsschrift für die geschichtliche und experimentale Begründung der übersinnlichen Weltanschauung, herausgegeben von Dr. Hüble-Schleiden in Th. Griebens Verlag (L. Fernau) Leipzig. — Inhalt des Juliheftes: Der Doppelgänger. Von Carl du Prel. Heinrich Cornelius Agrippa von Stettesheym (mit Abbildung). Von Carl Kiesewetter. Seele und Geist. Begriffe und Bezeichnungen der Mystik. Von Wilhelm Daniel. Der Zauberspiegel. Ein Beitrag zur Geschichte des tierischen Magnetismus von Ferdinand Maach. Indische Mystik, das Wesen der Buddhalehre. Von Sumanyala, obersten Hohenpriester von Adams Peak in Ceylon. Magnetismus und Hypnotismus (mit 7 Abbildungen). Von Gustav Gessmann. Seher und Medien des 17. Jahrhundert von J. S. Hanssen. Kürzere Bemerkungen: Mesmerismus und strafrechtliche Verfolgung. Ludwig Richters Lebenserinnerungen. Das Auge, ein Spiegel des Körpers. Luther als Psychiker. Die Kirche und der Vegetarismus. Der goldene Schnitt. Materialismus und Moral. Der spiritistische Familienkreis.

Deutscher Einheitsschulverein. Soeben ergeht, von einer grossen Zahl namhafter Universitätslehrer und Schulmänner unterzeichnet, ein allgemeiner Aufruf an alle Universitäten und Schulen Deutschland, einen „Deutschen Einheitsschulverein" zu begründen. Dieser Verein darf allgemeines Interesse beanspruchen; denn er verfolgt den Zweck, durch eine maßvolle, besonnene Reform des Gymnasiums die so oft beklagte Zweiteilung unseres höheren Schulunterrichts wieder zu beseitigen und an Stelle des jetzigen Gymnasiums und Realgymnasiums wieder eine höhere Lehranstalt, die Einheitsschule, zu setzen, welche sich den Kern der alten humanistisch-gymnasialen Bildung bewahrt, dieselbe aber durch Rücksichtnahme auf die berechtigten Forderungen der Gegenwart neu kräftigt und verjüngt. Alle Diejenigen, welche dem Vereine beitreten, bezw. die konstituirende Versammlung desselben am 5. Oktober d. J. in Hannover besuchen wollen, werden gebeten, dieses dem mitunterzeichneten Gymnasiallehrer F. Hornemann in Hannover, Marschnerstraße 51, schriftlich bis zum 15. August l. J. mitzuteilen. Derselbe erteilt auch jede Auskunft in Sachen des Vereins.

Der vor kurzem erschienene zweite Teil von Sittls Geschichte der griechischen Literatur bis auf Alexander d. Gr. (München, Ackermann, Preis 6,50 Mk.), weist dieselben Vorzüge auf, die wir schon an dem ersten Teil bei dessen Erscheinen rühmen konnten: sorgfältige Benutzung der Quellen, kritische Behandlung des Materials und einen über die nächsten Grenzen schweifenden Blick für die Bedeutung, welche die einzelnen Litteraturerscheinungen etwa für die Weltlitteratur gewonnen haben. Auffallend ist nur die eigentümliche Anordnung des Stoffes, nach welcher zuerst die Rhetorik, dann die Entwickelung des Dialogs und endlich die innerlich wie zeitlich doch eigentlich voranzustellende Geschichtschreibung behandelt werden. Als besonders gelungen möchten wir aus dem wiederum von gründlichen und vielseitigen Wissen zeugenden, nur unseres Erachtens kritische Fragen etwas stark berücksichtigenden Band neben der Einleitung die Kapitel über die Entwickelung der attischen Beredsamkeit hervorheben. Auch verdient der Verfasser Dank für die liebevolle Behandlung, die er dem halb vergessenen Ktesias hat zuteil werden lassen. Wir sehen dem dritten Band mit Spannung entgegen.

Saalfeld: „Deutsch-lateinisches Handbüchlein der Eigennamen aus der alten, mittleren und neueren Geographie". (Leipzig, E. F. Winter'sche Verlagshandlung, 1885. Preis 4 Mk.) Dieses mit Sachkenntnis und praktischem Geschick ausgearbeitete und trefflich ausgestattete Büchlein enthält ziemlich alle geographisch irgendwie bedeutenden Namen Mitteleuropas, in erster Linie Deutschlands, mit beigefügter lateinischer Form, oder, wo diese nicht historisch nachzuweisen war, Uebersetzung und dürfte daher nicht nur in den Schulen, in welchen entsprechende Arbeiten gefertigt, sondern auch dem Geschichtsfreunde und Altertumsforscher als bequemes und, soviel Referent nachgeprüft hat, in den meisten Fällen durchaus zuverlässiges Hülfsmittel bestens empfohlen werden.

„Nur auf Schläger." Novelle von O. Felsberg. In dieser hübschen Erzählung wird der Wahnsinn des sogenannten Duells und speziell der studentischen Mensuren in grausenerregender Wahrheit beleuchtet. (R. v. Decker's Verlag, Berlin.)

„Anno Domini?!" Zukunftsvision auf der Teutoburg von Meerheimb. Wir wollen nur hoffen, dass der große Weltkrieg für uns ein so erfreuliches Ende nimmt, wie dieser begeisterte Skalde wähnt. (O. Parisius, Berlin).

Nr. 41 des 12. Jahrganges der Illustrirten Berliner Wochenschrift „Der Bär", Preis vierteljährlich 2 Mk. 50 Pfg. (pro Nummer von ca. 2 Bogen also noch nicht 20 Pfge.), Verlag von Gebrüder Paetel in Berlin W., hat folgenden Inhalt: Gedenktage. „Verfestet", eine Berliner Geschichte aus dem Jahre 1380 von Oskar Schwebel (Fortsetzung). Feuilleton: Ein Streich Joachims I. auf dem Reichstage zu Augsburg im Jahre 1530, von G. H. Die Hartung'schen Schulen in Berlin, aus der Erinnerung eines alten Berliners, mitgeteilt von Dr. Heinrich Otto. II.; Eine Rundfahrt um die Insel Potsdam, von P. Wallé. Miscellen: Wilhelm Perring (mit Abb.); Ein neuer Menzel (mit Abb.); Ein Berliner Verkehrslexikon; Wie Friedrich II. der Jagd abhold wurde; General Forkade; Das Jubiläum einer Brücke; Eine Alte Flecken-, Dorff-, und Ackerordnung; Die beiden Finkenstein; Kraul von Ziskaberg; Der König Ueberall (Abb.) etc.

„Friedrich der Große als Erzieher seines Volkes. Ein Gedenkbuch zum 100. Jahrestage seines Todes (17. Aug. 1786)" betitelt sich eine von Conrad Fischer bei Heinrich Stephanus in Trier erschienene Brochüre. Die Arbeit zeugt von einem gründlichen und fleißigen Quellenstudium und wünschen wir derselben viele Freunde und Gönner, die sie auch gewiss finden wird.

Richard von Hartwig. „Weltmärchen". (Berlin-Friedenau, Fr. Thiel.) — Ein höchst anmutiges liebenswürdiges Büchlein, dessen gemütvolle Poesie an Andersen gemahnt. Die schöne kräftige „Allegorie": „Poetenschicksal" wurde seinerzeit im „Magazin" abgedruckt.

„Das Mädchen von Byzanz.“ Trauerspiel von **Heinrich Kruse.** 2. Aufl. (Leipig, S. Hirzel.) Es erfüllt einen Vorurteilslosen stets mit Wehmut, wenn er die vergeblichen Anstrengungen der alten Schule verfolgt, im sogenannten klassischen Stil mit historischen Stoffen große Wirkungen zu erzielen. Denn wehmütige Achtung gebührt dem Kämpfer, welcher infolge mangelnder Sehkraft sich selbst dazu verurteilt, gegen Wind und Licht mit ungleicher Teilung der Kampfverhältnisse zu streiten. Es ist ungerecht, wenn die geistige Richtung unserer Zeit gleich in Bausch und Bogen erklärt, das Historische sei die Eselsbrücke für jeden Poetaster; es sei natürlich schwerer, Blick für die Gegenwart zu haben; der historische Stoff sei ja vorgekäut u. s. w. Nein, es erfordert ernste Versenkung der Phantasiekräfte, sich in eine entlegene Zeit zurückzudenken und diese Versenkung dann dem Leser zu vermitteln. Dass es an sich eine **unmögliche** Aufgabe ist, sein Fühlen in die Vergangenheit zurückzuschrauben, liegt auf der Hand. Verstanden hat diese Kunst im Romane nur Einer, Willibald Alexis. Nun will ja aber das **Drama** auch gar nicht das Lokalkolorit einer entlegenen Epoche wiedergeben, sondern nur gleichsam den symbolischen Kern aus der historischen Handlung ziehen. Gleichwohl berührt es uns peinlich, wenn Kruse im vorliegenden Stück Lieder in modernen Reimstrophen einfügt. Im Uebrigen ist jedoch der Geist der Perserkriegperiode trefflich wiedergegeben und manches Detail mutet uns echt hellenisch an. Ueberhaupt ist dies Stück das Werk eines **Dichters.** Mit welch knapper scharfer Charakteristik sind die Gestalten in ihrer nationalen Eigenart erfasst! Wie prächtig stellen sich die lärmenden sanguinischen Ionier dem strengen Spartiatentum gegenüber! Wie meisterhaft klar steht Aristides in seiner ruhigen Würde vor uns da! Auch der halbkomische Charakter des Gelon ist trefflich gelungen und Pausanias, man mag sagen, was man will, ist eine Gestalt, wie nur ein Bedeutsames erkennender Dichter sie geschaut hat. Dennoch setzt gerade hier die Kritik ein, wenn sie bekennen muss, dass trotz aller auch rein dichterischen Vorzüge (wir rechnen dazu den Monolog der Kleonike im 2. Akt und die ganze Partie der greisen Mutter im 5. Akt) das Drama keinen reinen und voll ausgetragenen Eindruck hinterlässt. Es ist begreiflich, dass der Verrat des Pausanias einen nach großen historischen Problemen spürenden Sinn mächtig fesselt. Es ist der Wallensteinstoff des Altertums. Aber schon Schiller hat hier nicht ganz den rechten Schlüssel des historischen und menschlichen Interesses geboten. In der genialen Szene mit Wrangel wird uns der grosse Verräter zum ersten Mal patriotisch näher gerückt: Er benutzt die Fremden nur, um das Vaterland zu retten. Aber der gemeine persönliche Ehrgeiz überwiegt später durchweg. So nun auch bei dem Pausanias von Kruse. Grade **das** wäre gewaltig gewesen, zu schildern, wie ein ursprünglich hochherziges und großartiges Streben durch den damit verbundenen persönlichen Nebenzweck überwuchert und vergiftet wird. Vor allem hätte uns der Dichter nicht nur **Andeutungen** eines edlen Nebenzweckes geben müssen; denn hier tritt uns bereits ein unedles Streben mit edlem Nebenzweck in Pausanias entgegen, statt dass der Dichter, um tragisches Mitgefühl zu erregen, das gerade Gegenteil hätte darstellen müssen. Und auch dieser versöhnende Nebenzweck, in dem der Kern des Pausanias Drama-Motive zu suchen wäre, ist unklar, ganz nebenbei betont. Was ferner die Kleonike-Episode anbelangt (welche schon auf Byron, siehe Manfreds berühmten Monolog, unheimlichen Zauber übte), so könnte ein größerer Dichter, als Kruse es ist, dies schaurige Motiv ganz anders erfassen. Erst wenn Kleonike Pausanias wieder liebt, kann hier Erschütterndes sich gestalten. — Doch mit allen inneren Schwächen ist dies Drama an sich eine Achtung gebietende Leistung — ein Zeugnis einer reifen und markigen Kraft.

Von der von **Otto Hendel** in Halle a. S. erschienenen und auch herausgegebenen Bibliothek der Gesamtlitteratur des In- und Auslandes, ein würdiges Gegenstück zu der Reclamschen Universalbibliothek, liegen uns bereits weitere 12 Bändchen 15—26 vor. Lichtenstein von Wilhelm Hauff (15—16), Luise von Johann Heinrich Voss (17), Das Heimchen am Herde von Charles Dickens (18), Götz von Berlichingen von Joh. Wolfgang von Göthe (19), Gedichte von G. A. Bürger (20—22). Wallenstein von Friedrich von Schiller (23/24) und Quintius Fixlein von Jean Paul (25/26). Die Ausstattung ist für den billigen Preis von 25 Pfg. pro Nummer eine ganz vorzügliche und wird auch diese Bibliothek gewiss ebenso bald wie die „Reclamsche“ eine weite ihr auch zukommende Verbreitung gefunden haben.

„Die Gänseliesel in der modernen Litteratur“ von **J. Lippmann.** (Risel & Co., Hagen i. W.) Der Verfasser sagt in seiner Einleitung:

Wenn man die biographischen Notizen liest, welche in kurzen Zwischenräumen die illustrirten Zeitungen über neu aufgetauchte Litteraturgrößen bringen, kommt man zu dem Schluss, dass keine frühere Epoche so reich an genialen Schriftstellern war, wie unsere Zeit. Doch leider nur zu bald zerstiebt solch' beseeligende Anschauung von der modernen Roman-Litteratur, wenn man die Arbeiten dieser neugebackenen Berühmtheiten prüft und findet, dass es in den meisten Fällen schwächliche Machwerke, kaum gut genug, einem gelangweilten Pensionsdämchen über einen verregneten Nachmittag oder ein hintertriebenes Stelldichein hinwegzuhelfen, dass von litterarisch-künstlerischer Bedeutung nur vereinzelte Ausnahmen sind.

Kaum zu erklärende Verkennung dessen, was unsere Zeit mit Recht verlangt, bestimmt eine Anzahl Verleger und Herausgeber großer Journale, unter vollständiger Verleugnung des modernen Bedürfnisses und Geschmackes, immer wieder und wieder nach jenem unwahren, widerlichen, romantischen Gebräu zu greifen, das sentimentale Blaustrümpfe mit ihren blaustrümpfigen Verehrern und Verehrerinnen von einer längst dahingegangenen idealisten Weltanschauung mit Gewalt in der modernen Litteratur festzuhalten bestrebt sind.

Nachdem die „Gartenlaube“ vor Jahren mit der Entdeckung weiblicher „Genies“ so große „Erfolge“ erzielt hat, begaben sich auch andere unternehmende Verleger auf Entdeckungsreisen und sie hatten alle das Glück, „hochbegabte“ Schriftstellerinnen zu finden, welche gestatteten, ihre Erzählungen dem staunenden Abonnenten zu bieten und der Welt zu verkünden, dass wieder ein litterarischer Messias im Unterrock unter uns weile.

Bei autoritätsgläubigen Lesern wirken diese Manöver eine Zeit lang, die Geistesblüten der Berühmtheit“ werden gelesen, bewundert und auch gekauft.

So haben wir das tragkomische Bild, dass, während die Presse auf allen anderen Gebieten menschlicher Tätigkeit das Neue berücksichtigt, befürwortet, zu seiner Verbreitung wesentlich beiträgt, ein großer Teil derselben auf dem ihr ureigensten der Litteratur, zäh und beharrlich am Alten festhält. Die unwahren, läppischen, süßlichen Figuren der Romantiker, die nie gelebt — diese Schatten, sie müssen immer wieder herbei.

„Die Furcht anzustoßen, das ästhetische Gefühl“ irgend einer alten Pensionsvorsteherin zu verletzen, veranlasst viele Herausgeber angesehener Pressorgane, das schalste Zeug frisch gewendet, gefärbt, geflickt und ausgebügelt auf den Markt zu bringen, und den litterarischen „Separateur“ als schriftstellerisches Genie auszuposaunen.

Im religiösen, politischen und sozialen Fragen ist es die Presse, welche die Ideen in die Massen trägt, Stimmung macht, kommende Verhältnisse vorbereitet; auf belletristischem Gebiet richtet sie sich, statt dem Geschmack des Publikums die Richtung anzugeben, nach einzelnen, krankhaft Empfindlichen, und so hat man es denn glücklich dahin gebracht, dass es fast nur noch Damen sind, welche diese Erzeugnisse lesen, Damen und weibische Männer, die am leichtesten in diesem Sinne zu schreiben verstehen und sehr „gesucht“ sind.

Ein so geartetes „Talent“ neuesten Datums hat die „Deutsche Illustrirte Zeitung“ in Nataly von Eschstruth entdeckt. Ich weiß nicht, welches Ziel sich die Verfasserin der „Gänseliesel“ gesteckt; gerne will ich ihr vorweg zugestehen, dass ihre „Hofgeschichte“ nicht schlechter ist, ganz gewiss nicht schlechter, als die Geistesprodukte einer Marlitt, Werner und Konsorten, — folglich hat sie so gut wie diese, das Recht, porträtirt, biographirt und berühmt zu werden. Aber der Weg zum Ruhm ist ein dornenvoller! Es mag recht angenehm sein, von galanten Verlegern über den steinigen Pfad gehoben zu werden, und sich plötzlich an einer Stelle zu befinden die durch missliche Umstände oft für außergewöhnliche Begabung und rastlosen Fleiß unerreichbar bleibt, aber an solch' exponirter Stelle muss man darauf gefasst sein, grell beleuchtet zu werden.

Nun, der Herr Verfasser beleuchtet denn auch den von der „Deutschen Illustrirten Zeitung“ entdeckten Stern der modernen Litteratur!

Alle für das „Magazin“ bestimmten Sendungen sind zu richten an die Redaktion des „Magazins für die Litteratur des In- und Auslandes“ Leipzig, Georgenstrasse 6.

Für die Redaktion verantwortlich: Karl Bleibtreu in Charlottenburg. — Verlag von Wilhelm Friedrich in Leipzig. — Druck von Emil Herrmann senior in Leipzig.

Das Magazin

für die Litteratur des In- und Auslandes.

Wochenschrift der Weltlitteratur.

1832 gegründet von Joseph Lehmann.

55. Jahrgang.

Preis Mark 4.— vierteljährlich.

Herausgegeben von Karl Bleibtreu.

Verlag von Wilhelm Friedrich in Leipzig.

No. 33. — Leipzig, den 14. August — 1886.

Inhalt:

Friedrich der Grosse und der deutsche Buchhandel.

Von Adolf Kohut.

Friedrich Wilhelm I., der Vater Friedrichs des Großen, bekümmerte sich bekanntlich blutwenig um Schriftstellerwesen, Buchhandel und Verlag. Die Potsdamer Garde mit ihren Größen stand seinem Herzen näher als die Litteratur mit ihren Größen. Wenn also auch seine Regierung die Wissenschaft und Litteratur und dabei in Verbindung auch den Buchhandel nicht förderte, so tat sie doch andrerseits nichts zur Niederhaltung des buchhändlerischen Aufschwunges. Es gereicht dem Könige zum Ruhme, dass er anfänglich kein Censurgebot erließ. Er hatte zwar ein, von dem nachmaligen Großkanzler Freiherrn von Cocceji entworfenes und gedrucktes „Allgemeines Censuredikt“ vollzogen, doch kam dasselbe nicht zur Ausübung, weil das Generaldirektorium jeder allgemeinen Censur widersprach. Der Monarch fügte sich diesem Proteste. Wie wenig er geneigt war, politische Schriften zu censiren, beweist seine Bandbemerkung, womit er am 20. September 1732 eine von dem auswärtigen Departement ihm vorgelegte Verordnung über die Censur begleitete: „Was ist das?“ lautete seine Zurückweisung des Censur-Anliegens. Trotz alledem wurden tatsächlich von den Regierungsbeamten theologische, philosophische und politische Schriften, samt den Zeitungen, einer Censur unterzogen und die in Berlin ankommenden Bücher durften dem Packhofe nicht eher verabfolgt werden, als bis dem Generalfiskal ein Verzeichnis derselben vorgelegt wurde, um ja nicht gotteslästerliche oder unsittliche Schriften in die „Stadt der Gottesfurcht und frommen Sitte“ hineinzuschmuggeln. Gegen dieses Gebahren trat jedoch immer aufs Neue das Generaldirektorium als eifriger Kämpe für die Pressfreiheit in die Schranken. Nur für theologische Schriften wollte es eine Censur zulassen, nicht aber für Werke anderen Inhalts. Diese mutige Behörde äußerte sich hierüber in nachstehender bemerkenswerter Weise in einer Vorstellung an den König: „Das Bücherwesen hat seit der Reformation in ganz Deutschland, nicht weniger in allen zivilisirten Staaten, freien Lauf gehabt, wodurch die Gelehrsamkeit zu sehr hohem Grade gestiegen ist, in welchem wir sie heutzutage sehen. Sollte nun diese Freiheit durch dergleiche Ordre in Ihrer Majest. Landen eingeschränkt werden, so würden hierdurch die Gelehrten nicht allein sehr niedergeschlagen, und der Buchhandel gänzlich zu Grunde gerichet werden, sondern auch die Barbarei und Unwissenheit, welche Ihrer Majestät glorwürdigste Vorfahren mit so vieler Mühe und Kosten vertrieben, aufs Neue zum großen Präjudiz der gegenwärtigen und zukünftigen Zeit überhandnehmen.“ Dieser Protest verhallte aber diesmal wirkungslos. Der König ließ die Beamten gewähren und in dem „Neurevidirten und erläuterten Accise-Tarif für Berlin und die kurmärkischen Städte“ finden wir einige Censur-Bestimmungen, z. B.: „Jüdische Bücher, wenn solche vorher censiret und vom Censore ein Zettel darüber erteilet, ob sie erlaubt oder nicht — zahlen zwei Groschen.“

Die Lage änderte sich jedoch, als der ruhmgekrönte Schriftsteller, der aufgeklärte Freund Voltaires, Friedrich II. von Preußen, im Jahre 1740 den Tron bestieg. Der junge Monarch, dessen Grundsatz war: „Gazetten dürfen nicht geniret werden," und „Pasquille müssen niedriger gehängt werden", und der die ganze sittliche Kraft seines Volkes zu heben suchte, begriff gar bald, dass der Buchhandel nicht durch Zwangs-Maßregeln und Chicanen in seinem Emporblühen behindert werden dürfe. Die Censur war ihm zuwider. Es ist dies u. A. aus folgendem Schreiben des Kabinetsministers Grafen Podewils vom 5. Januar 1740 ersichtlich: „Se. K. M. haben mir nach aufgehobener Tafel allergnädigst anbefohlen, des Königlichen Etats- und Kriegsministers Herrn von Thullinger Excellenz in Höchstdero Namen zu eröffnen, dass dem hiesigen Berlinischen Zeitungsschreiber unbeschränkte Freiheit gelassen werden soll, in dem Artikel von Berlin und demjenigen, was initzo hieselbst vorgeht, zu schreiben, was er will, ohne dass solches censirt werden soll, wie Höchstderselben Worte waren, weil Solches dieselben divertire, dagegen aber sodann dass auch fremde Ministri sich nicht würden beschweren können, wenn in den hiesigen Zeitungen hin und wieder Passagen anzutreffen, so ihnen missfallen könnten. Ich nahm mir zwar die Freiheit, darauf zu regeriren, dass der ***sche Hof über diesen Punkt sehr pointilleux sei; Se. Majestät erwiderten aber, dass Gazetten, wenn sie interessant sein sollen, nicht genirt werden müssten, welches Sr. K. M. Allergnädigstem Befehl zu Folge hierdurch gehorsamst melden solle." Freilich bezog sich der Befehl Friedrichs II. nur auf Berliner beziehungsweise interne Angelegenheiten, während bezüglich „auswärtiger Puissancen" große Behutsamkeit angeraten wurde. In der Tat war unter der Regierung Friedrichs des Großen die Presse so frei und so aller Fesseln ledig, dass der König selbst die schlimmsten Angriffe auf seine Person in Blättern und Broschüren duldete, ohne dieselben zu konfisziren oder deren Verfasser zur Rechenschaft zu ziehen. Von der Lauterkeit seiner Gesinnungen und seiner vorurteilslosen und unbefangenen Anschauung zeugen seine diesbezüglichen Briefe, Erlässe u. s. w. Als der bevollmächtigte Minister des Königs am französischen Hofe, Lord Maréschall, dem König von einer französisch geschriebenen, zuerst handschriftlich verbreiteten, dann in London gedruckten Schmähschrift Mitteilung machte, schreibt der Monarch, Berlin 23. October 1753, u. A.: „. . . Jeder im öffentlichen Leben stehende Mann muss der Kritik, der Satire, ja, oft genug der Verleumdung als Zielscheibe dienen. Jeder, der einen Staat regiert hat, sei es als Minister, als General oder als König hat Sticheleien zu ertragen gehabt; es wäre mir daher unangenehm, wenn ich der Einzige sein sollte, dem dieses Schicksal erspart bliebe. Ich verlange weder eine Widerlegung des Buches, noch die Bestrafung des Verfassers, sondern habe es mit großer Gemütsruhe gelesen und sogar einigen Freunden mitgeteilt. Ich müsste eitler sein als ich bin, um mich über derartigen Schmutz zu ärgern, mit dem Jeder auf der Straße beschmutzt werden kann, und ich müsste ein schlechterer Philosoph sein, als es ich bin, wenn ich mich für vollkommen und über die Kritiken erhaben halten wollte. Ich versichere Sie, lieber Lord, dass die Schimpfreden des namenlosen Verfassers die Heiterkeit meines Lebens auch nicht durch die kleinste Wolke getrübt haben, und dass noch zehn ähnliche gegen mich gerichtete Schriften herauskommen könnten, ohne meine Denk- und Handlungsweise in irgend einer Beziehung zu ändern." Demselben Lord Maréschall gegenüber spricht er sich in einem Schreiben vom 8. December 1758 in gleicher Weise über die Schmähschriften aus, die auf ihn geschrieben werden. „Sie sagen mir," meint der König, „dass meine Feinde mich bis in den Escurial verleumden. Ich bin daran gewöhnt. Ich höre über mich nichts als die Unwahrheit. Ich bin vollgestopft mit nichtswürdigen Schmähschriften und gemeinen Lügen, welche der Hass und die Verbitterung in ganz Europa fortwährend verbreitet." In ähnlichem Sinne äußert sich Friedrich in seinem Briefwechsel mit Voltaire. Ich lese z. B. in einem Schreiben des Philosophen von Sanssouci an den Philosophen von Ferney: „Ich teile das Schicksal aller edlen Männer, welche auf der Bühne auftreten: von den Einen werden sie begünstigt, von den Andern schlecht gemacht. Unser einer muss auf Spöttereien, Verleumdungen und eine Menge Lügen, die über uns ausgesprengt werden, gefasst sein; aber meine Ruhe wird dadurch in nichts gestört. Ich gehe meinen Weg, tue nichts gegen die innere Stimme meines Gewissens, und kümmere mich sehr wenig darum, in welcher Weise sich meine Handlungen in dem Gehirn manchmal sehr wenig denkender, zweibeiniger und federloser Wesen abspiegeln."

Als jedoch die Zeitungen die ihnen durch den König gewährte Freiheit arg missbrauchten, büßten einige derselben die ihnen zu Teil gewordenen Vorteile ein, aber der Buchhandel hatte sich stets einer besonderen Berücksichtigung des Königs zu erfreuen. Wie die rein wissenschaftliche Presse, so konnte sich auch der anständige Buchhandel und Verlag frei ohne jeden Zwang bewegen. Zwar wurde am 30. Septbr. 1742 allen Buchdruckern bei schwerer Strafe verboten, uncensirte Bücher zu drucken und nach dem Befehl vom 3. April 1743 sollten keine „gottlose und ärgerliche Bücher debitirt werden", aber der Generalfiskal und die Censoren beachteten, wie Preuß in seinem Werk über Friedrich den Großen treffend sagt, des Königs und der Zeit Geist. Doch wurde ein Berliner Buchhändler, der den „Candide" verkaufte, auf Antrag des Censors theologischer Schriften, im Jahre 1761 fiskalisch belangt.

Friedrich II. hätschelte bei jedem Anlass seine Lieblingsschöpfung, die Akademie der Wissenschaften, und da er bei diesem exquisiten Institut die größte litterarische Gerechtigkeit und das größte Taktgefühl voraussetzte, verordnete er am 8. Novbr. 1747, dass die Akademie der Wissenschaften alle die zum Druck kommenden Bücher, Leichenreden, Gedichte u. s. w. aus der ganzen Monarchie censiren solle, aber alsbald überzeugte er sich, dass diese Maßregel sehr unpraktisch sei und sie wurde schon nach kurzer Zeit, am 10. März 1748, wieder redressirt. Erst als die Schmähschriften-Autoren es gar zu arg trieben, willigte der König am 16. März 1749 in die Einsetzung besonderer Censoren, mit der Einschränkung: „dass ein ganz vernünftiger Mann zu solcher Censur ausgesuchet und bestellet werden soll, der eben nicht alle Kleinigkeiten und Bagatelles releviret und aufmutzet". Von welchem Geiste jedoch dieses Censuredikt erfüllt war, ersieht man u. A. aus § 10 desselben, wo es heißt: „Bei dieser vorgeschriebenen Censur ist unsere Absicht jedoch keineswegs dahin gerichtet, eine verständige und ernsthafte Untersuchung der Wahrheit zu hindern, sondern nur vornehmlich demjenigen zu steuern, was den allgemeinen Grundsätzen der Religion und sowohl moralischer als bürgerlicher Ordnung entgegen ist." Trotz dieses Edikts taten die Buchhändler doch was sie wollten und der König verschonte: „Die Contravenienten, ratione praeteriti, aus bewegenden Ursachen allergnädigst mit der in dem Edikt von 1749 verordneten Strafe." Wie wenig die Censur gehandhabt wurde, ersieht man daraus, dass Professor Formey — wie er sich selbst ausdrückt — die „imprudence blamable" hatte, unter den Augen des Königs in seiner „Nouvelle Bibliothèque germanique" — une satire très vive contre les incrudèles, d. h. auf Friedrich selbst, zu machen. Als der Buchhändler Friedrich Nicolai, um die Form zu wahren, 1759 den Dr. Heinsius, als den Censor der philosophischen Schriften ersuchte, die Censur der „Litteraturbriefe" zu unternehmen, wunderte sich der ehrsame Censor über dieses Beginnen Nicolais nicht wenig. Es war ihm schon seit Jahren nicht vorgekommen, dass jemand ein wissenschaftliches Buch oder eine litterarische Zeitschrift censiren lassen wollte.

An strengen Verboten gegen den Druck und Verkauf solcher Bücher, die „Unsere und Unseres Königlichen Hauses Gerechtsame und Angelegenheiten betreffen", hat es der König übrigens nicht fehlen lassen. So wurde in einem Cirkular vom 28. Januar 1763 den Uebertreteren des Verbots eine Strafe von 100 Dukaten und Verlust des Privilegs angedroht. Der König ärgerte sich besonders über das erdichtete Werk: „Supplément aux Oevres et poesies diverses du Philosophe de Sanssouci", einem sogenannten zweiten Teil der Vermischten Schriften des Philosophen von Sanssouci. Aber immer und immer war, trotz aller Ukase, der König bemüht, den anständigen Buchhandel und Buchhändler zu schützen. Sehr bezeichnend ist in dieser Beziehung ein Befehl Friedrichs an die theologische Fakultät von Halle vom 7. Febr. 1780. Derselbe lautet: „Da die den Schriftstellern ohnedem äußerst lästige Censur soviel als möglich eingeschränkt und in Fällen, wenn wider Religion und Sitten nichts vorkommt, der Druck nicht versagt werden muss: so finden wir kein Bedenken, dass das hier von unserem Oberconsistorialrat Feller, qua censore, bereits approbirte Scriptum: „Freimütige Betrachtungen über das Christentum" mit dem Motto 1. Cor. 1, 12, 13 und 3, 21 fortgedruckt werden könne, ohne dass es einer zweiten Censur oder Decreti approbatorii von dort aus bedarf."

Friedrich der Große ließ die ärgerlichen Bücher nicht beschlagnahmen, sondern versuchte manchmal deren Verfasser zu warnen. So tat er es mit einem der rabiaten Schmähschriftsteller, dem Kriegs- und Steuerrat bei der Cleveschen Kammer, Namens Heinrich Crantz. Der Mann hatte eine ungemein boshafte Feder und seine Broschüren waren voll Gift und Galle. Seinetwegen schrieb der König an den Staatsminister von Münchhausen: „Der Kriegsrat Crantz soll auf die Originalvorlage sowenig in seiner ihm erteilten Censurfreiheit beeinträchtigt, als wegen seiner beigelegten Schrift von Jemand beunruhigt werden. Ich will vielmehr, dass Ihr ihn dagegen, so oft er nichts wider den Staat, eine vernünftige Religion und gute Sitten schreibt, jedesmal schützen sollet. Jedoch habe ich ihn bei dieser Gelegenheit gewarnt, dass er nicht allzu naseweis sein möchte, sonsten er doch einmal anlaufen und seine beißende Schreibart ihm Ungelegenheiten zuziehen könnte. Ich überlasse Obiges Eurer Verfügung."

Der erwähnte Buchhändler und Litterarhistoriker Friedrich Nicolai, der Freund und Gesinnungsgenosse G. E. Lessings und Moses Mendelssohns, hatte sich der besonderen Gunst des Monarchen zu erfreuen. Seine „Litteraturbriefe" las der König fleißig und erklärte sie für vorzügliche Leistungen. Als der Generalfiskal von Anières dem Herausgeber der Litteraturbriefe allerlei Unannehmlichkeiten bereitete, beklagte sich dieser bei dem König. In einem Erlass vom 4. Dezember 1775 befiehlt nun der Monarch, Nicolai in Ruhe zu lassen und ihn nicht in seinem Geschäft irgendwie zu beeinträchtigen. Dafür bewahrte Nicolai dem Könige zeitlebens die größte Liebe und Verehrung. Nicolai hat in seinem interessanten Buche: „Anekdoten" eine Fülle der bezeichnendsten Daten über das Leben und Denken Friedrichs des Großen veröffentlicht, welche für den Biographen des genialen Fürsten von hohem Werte sind. Ich erinnere nur an die Mitteilungen Nicolais über das Verhältnis Friedrichs zu La Mettrie etc.

Den freiheitlichen Geist, der unter Friedrichs Regierung waltete, charakterisirt nichts so treffend als die Tatsache, dass G. E. Lessing die Fortsetzung der berühmten „Wolfenbütteler Fragmente" seines Freundes Reimarus in Berlin erscheinen lassen durfte, nachdem die Braunschweiger Regierung scheu wurde und über den Lärm erschrak, den der in Braunschweig erschienene erste Teil der „Fragmente" hervorgerufen hatte. Friedrichs Hauptstadt war damals der sicherste Freihafen für den freisinigen Buchhandel. Das neue Fragment hieß: „Vom Zwecke Jesu und seiner Jünger" und erschien 1778 bei Werter in Berlin. Sehr wahr sagte vor einem Jahrhundert die „Berlinische Monatsschrift von Gedicke und Biester" (Berlin, bei Hande und Spener, 1784, Bd. 3, Stück 4, N. 4) unter Anderm über die Einwirkungen des freiheitlichen Friedericianischen Geistes auf den Buchhandel: „O ihr, welche Gott unter dem Namen der Könige und Fürsten zu Vormündern seiner unmündigen Kinder bestellte, von deren Weisheit die Völker die Erhaltung ihrer Menschenrechte zu fordern haben! Wann wollt ihr anfangen, euren Völkern Friedrich zu sein, nicht zu scheinen? Wann werdet ihr ihnen die Freiheit geben, worauf sie von Geburt an unveräußerliche Ansprüche haben: die Freiheit zu denken und ihre Gedanken mitzuteilen? — Eure Nachbaren werden es gern sehen, wenn eure Censurkollegien furchtbarer sind als eure Armeen. Denn Freimütigkeit und Tapferkeit waren von jeher Geschwister. Von Seiten des preußischen Staats dürft ihr nicht hoffen, nachgeahmt zu werden. Dort kämpft man mit demselben Mute gegen Feind und Vorurteile. Die Freiheit, laut zu denken, ist die sicherste Schutzwehr des preußischen Staats. Dort ist man vernünftig genug, die fürchterliche Stille, welche vor dem Gewitter vorangeht, mehr zu scheuen als den scharfen Nordwind, der uns zuweilen etwas Schneegestöber in die Augen fagen mag. Dort dient diese Freiheit statt des von Montesquieu gepriesenen Gegengewichts, welches ebenso oft den nützlichen, als den schädlichen Aeußerungen der königlichen Gewalt entgegentritt."

Hande und Spener, Voss, Mylius, Friedrich Nicolai und viele andere Buchhändler entfalteten, trotz der damals noch so elenden Gesetze bezüglich des Nachdrucks, eine ungemein rührige Tätigkeit unter der Aegide Friedrichs. Namentlich hat der Letztere dem deutschen Buchhandel zu neuem Leben verholfen. Mit Lessing, Mendelssohn, Winkelmann, Hagedorn und Anderen gab er eine „Bibliothek der schönen Wissenschaften und Künste" heraus, die außerordentlichen Anklang fand; noch mehr gefielen die „Briefe, die neuste Litteratur betreffend", welche für die litterarische Kritik des achtzehnten Jahrhunderts Epoche machend wirkten; und der „Allgemeinen Deutschen Bibliothek", die Nicolai gleichfalls — im Jahre 1765 — ins Leben rief, ließ sich damals Nichts an die Seite stellen. 107 Bände sind von dieser Riesenbibliothek, die unter dem Szepter Friedrichs des Großen allein gedeihen konnte, erschienen.

Wenn auch vor dem Genius ihres hohen Gatten erblassend, so war doch Elisabeth Christine, Königin von Preußen, die Gemahlin Friedrichs, eine bedeutende Schriftstellerin, die ihre Werke in Berlin verlegte und sich für den Buchhandel sehr interessirte. Ihre Uebersetzung des „Manuel de la Religion" par Jean Auguste Hermes ließ sie z. B. bei G. J. Decker, „Imprimeur du Roi", 1784 erscheinen.

Decker war der Verleger auch vieler Freunde und Günstlinge des großen Königs. Von Achard, Direktor der physikalischen Klasse der Akademie der Wissenschaften, publizirte Decker z. B. die Schriften: „Versuche mit dem Elektrophor und Theorie desselben", „Sur la déphlogistication de l'air phlogistiqué" und mehreres andere. .. Ja selbst der gefürchtete Oberfiskal, der erwähnte Herr von Anières, war ein recht fleißiger Schriftsteller, der mit den Buchhändlern in sehr regem Verkehr stand. Seine Sachen erschienen in Berlin, teils bei Decker, teils in der Buchhandlung des Waisenhauses.

Ich darf schließlich noch eines Verlags nicht unerwähnt lassen, dessen Verlagstätigkeit allerdings nichts weniger als ersprießlich war und dessen Wirken Friedrich dem Großen nicht zum Verdienst angerechnet werden kann. Dieses Verlagsgeschäft war die — Akademie der Wissenschaften. Die Akademie besaß das Monopol des ausschließlichen Verlags aller Arten von Kalendern und war die Einfuhr aller fremden Kalender verboten. Die Akademie hatte, wie Dohm in den „Denkwürdigkeiten meiner Zeit" mitteilt, von dem Verkauf der Kalender, welchen sie verpachtete, ganz bedeutende Einkünfte. Leider sorgte aber die Akademie nicht dafür, dass durch die für das Volk bestimmten Kalender nützliche, sittliche und ökonomische Kenntnisse verbreitet wurden. In den Volkskalendern wimmelte es von ungereimtestem Aberglauben und von lächerlichen Vorurteilen. Die Akademie befürchtete die Abnahme des Absatzes ihrer Kalender, und daher Verminderung ihrer Einkünfte so sehr, dass sie aus diesem kleinlichen Grunde auch nicht die kleinste Anfechtung der herrschenden Vorurteile wagte. Nur durch den kleinen Taschenkalender hat die Akademie zur Verbreitung mancher nützlicher Kenntnisse in den gebildeten Klassen beigetragen und ein Beispiel gegeben, das dann in anderen deutschen Landen, z. B. durch die Taschenkalender von Gotha, übertroffen wurde. Wie ängstlich die Akademie war, mag man aus folgender Tatsache erfahren. Sie hatte einmal angefangen, die roten Buchstaben, wodurch die Festtage in den Kalendern unterschieden werden, abzuschaffen, weil das Buntscheckige den guten Geschmack beleidige; aber ein Teil des Publikums erklärte sich für die gewohnten roten Buchstaben und sogleich im nächsten Jahre ließ sie die Akademie wieder herstellen.

Wie Friedrich der Große schließlich über den Beruf des Buchhändlers dachte, mag man aus einer eigenhändigen Marginalresolution des Königs ersehen. Als der Buchhändler Kanter aus Königsberg in Preußen um den Titel als Kommerzienrat bat, bemerkte der König (den 30. März 1768) am Rand der Eingabe: „Buchhändler, das ist ein honnetter Titel!"

Orphische Gedichte.

Von Heinrich Bulthaupt.

I.

Wie Welt und Götter wurden? Frag' die Weisen,
Die Priester frag' und höre, wie sie streiten!
Nimm Alles, was sie badern, füg's zusammen,
Ein Unhold wird's von tausend Widrigkeiten.

Wie Welt und Götter wurden? Frag' die Dichter,
Sie bringen Blumen, Kränze, vollgewunden,
Von Purpurnelken, von Agley und Rosen —
Doch wo sie wurzeln — Keiner hat's gefunden.

Wie Welt und Götter wurden? Dringt dein Auge
Durch dieser Wolken nächtiges Getriebe?
Ein einz'ger Stern nur flattert durch das Dunkel,
Ein seliger: Im Anfang war die Liebe!

II.

Welch' helles Klagen durch die Nacht?
Ein Neugebornes regt sich dort.
Wohin der Zug, der stille Zug?
Sie tragen einen Todten fort.

Was flüstert im Violengrund?
Zwei Herzen tauschen Lieb' um Lieb'.
Im Bettlerkleid wer wandert dort?
Ein König, den sein Volk vertrieb.

Mein Herz, und immer noch im Sturm
Von Glück und Leiden, Wonn' und Weh?
Und lernst nicht, was die Welt dich lehrt,
Und gehst zur Ruh'? — Zur Ruhe geh!

III.

An das Licht.

Lass mich mit festem Blick, o himmlisches,
Erwarten deiner goldenen Pfeile Schwung,
Schon liebt das Auge nicht den Abend
Mehr und die schattige Dämmerung.

Wohin du dringst, wie freudig dring' ich nach,
Denn du bist Wahrheit, du bist das Heil allein.
O Licht, o Sonne, o ihr Sterne,
Weihet den Sehnenden zu euch ein!

Verworren lebt der Sterblichen Geschlecht,
In welchen Hüllen deckt es die eigne Not
Und schaudert, dass vielleicht der Wahnsinn
Unter der Nacht verborgen ruht.

O leuchte hell und schone den Schwachen nicht,
Wenn auch dein Strahl ihm jegliche Wonne raubt,
Und schlinge deine Seherbinde
Deinem Begnadeten fest ums Haupt!

Zur amerikanischen Litteratur.

Vor uns liegen zwei kürzlich im Druck erschienene Schriften, die wir beide der Beachtung werthalten, nicht sowohl weil die Verfasser derselben Deutsch-Amerikaner sind, sondern weil beide mit Geist und Verständnis geschrieben sind und Gegenstände berühren, die, so verschieden sie auch dem Inhalte nach sein mögen, das Interesse aller Gebildeten wachrufen.

Die erste dieser Schriften, welche im Jahre 1885 in New-York (Verlag der American News Company) erschien, ist „The New South" betitelt und hat Karl Schurz zum Verfasser, der bekanntlich seit mehreren Dezennien in den Vereinigten Staaten lebt und in Kriegs- und Friedenszeiten daselbst verschiedene hohe und einflussreiche Stellungen bekleidete, die ihn wohl in den Stand setzen konnten, die amerikanischen Verhältnisse gründlich kennen zu lernen. Schurz hatte im Laufe der letzten zwanzig Jahre zweimal Gelegenheit, längere Reisen durch die Südstaaten der Union, in denen früher das Institut der Negersklaverei gesetzlich begründet war, zu unternehmen und sich mit den dortigen Zuständen genauer bekannt zu machen. Im Jahre 1865, wenige Monate nach Beendigung des blutigen Bürgerkrieges, welcher die Sklaverei der Neger aufhob, besuchte er, mit Ausnahme von Texas und Florida, alle Südstaaten, und im Winter von 1884 auf 1885 bereiste er abermals den ganzen Süden, den Staat Mississippi ausgenommen. Beide Male kam er mit einer großen Anzahl von Personen, die den verschiedensten politischen und sozialen Kreisen und Richtungen angehörten, in nähere Berührung und verschaffte sich dadurch, von einem unparteiischen Standpunkte ausgehend, eine möglichst genaue Kenntnis von den allerdings aus leicht begreiflichen Ursachen noch vielfach unfertigen und zu keinem Abschluss gekommenen politischen und sozialen Verhältnissen der Südstaaten. Das Resultat seiner sorgfältig angestellten Forschungen legte er in der genannten Arbeit nieder.

Unmittelbar nach dem Niederwerfen der südlichen Rebellion gewährten die früheren Sklavenstaaten das traurige Bild einer nahezu vollständigen staatlichen Auflösung. Die Heere des Südens waren nach einem vierjährigen erbitterten Kriege aufgelöst worden und die heimgekehrten Krieger hatten zunächst nur für sich selbst zu sorgen. Das Land war in höchstem Grade erschöpft. Auch dort, wo keine wirkliche Verwüstung stattgefunden, war von einer produktiven Arbeit kaum etwas zu merken, denn seit dem Frühling des Jahres 1861 hatte man sein Augenmerk nur darauf gerichtet, die Armeen im Felde zu vervollständigen und zu erhalten. Das in den Händen des Volkes befindliche Geld war ganz wertlos; überall herrschte die bitterste Armut. Die Negersklaven, welche bisher den Acker bestellt hatten, benutzten die gewonnene Freiheit und verließen die

Plantagen. Das alte Arbeitssystem hatte aufgehört, eine neue Basis war aber noch nicht gefunden. Die Farbigen verstanden ihre Freiheit nicht zu verwerten und die Weißen, die bisherigen Herren, hatten nicht gelernt, die Neger als freie Menschen zu behandeln. Der Zorn der früheren Herren wurde leicht erregt durch das übermütige Wesen der früheren Sklaven und Erstere griffen zu allen möglichen Mitteln, die Letzteren zur Arbeit zu zwingen. So geschah es, dass die Weißen nur zu häufig gegen die Farbigen gewalttätig vorgingen. Wäre die nationale Gewalt nicht vermittelnd dazwischen getreten, so würde viel mehr Blut, als es dennoch geschah, vergossen worden sein. Das sogenannte „Freedmens Bureau", welches Anfangs sehr wohltätig wirkte, indem es den unrecht behandelten Freigelassenen Schutz gewährte, huldigte im Laufe der Zeit vielfachen Missbräuchen. Die Leidenschaften des Krieges glimmten eben noch fort unter der Asche und die wiederhergestellte Union erschien den besiegten Südländern nur zu häufig als die Herrschaftsform von „Yankeesoldaten und freigewordenen Negern". Die Union konnte, wie Schurz mit vollem Rechte hervorhebt, von keinem größeren Unglück betroffen werden, als durch den zu frühen Tod des ermordeten Lincoln. Der einzige Mann, welcher mit scharfem Blick und sicherer Hand die „Rekonstruktion" der Vereinigten Staaten vollendet haben würde, war Abraham Lincoln; er stand gleichsam zwischen dem Norden und Süden und beide hatten volles Vertrauen zu ihm. „Seine Mäßigung und seine liebevolle Milde (his moderation and charity)," sagt Schurz, „würde das Misstrauen des Südens nicht wachgerufen haben und seine Festigkeit und Ausdauer, den Negern die bürgerliche Freiheit zu verschaffen, wäre den Südländern nicht als Rache erschienen." Ganz anders war es mit der Staatsweisheit Andrew Johnsons beschaffen, dessen Leidenschaftlichkeit und „schwankender Charakter" (ill-balanced mind) den Süden nicht beruhigen und den Kongress und die republikanische Partei in keiner Weise befriedigen konnten.

Es ist uns nicht vergönnt, ausführlicher auf die Arbeit von Schurz einzugehen, sondern wir heben nur noch kurz einige Hauptpunkte hervor, die nicht nur für die Bevölkerung der Vereinigten Staaten, sondern auch für das Ausland von Interesse sind. Beim Beginn des Bürgerkrieges war der Süden entschieden viel ärmer, als der Norden, dennoch begann er in seinem Uebermute den ungleichen Kampf mit Letzterem, der ihm an Menschen und Geldmitteln weit überlegen war. Trotz alledem sind die Südstaaten jetzt reicher, als vor dem Kriege, obschon dieser Reichtum ungleich verteilt ist. Es sind neue Industriezweige ins Leben getreten, die mineralischen Schätze sind ans Licht gezogen, in Alabama wetteifert man in den Eisenregionen mit Pennsylvanien, die Baumwollmühlen sind vervielfacht, Manufakturetablissements mehren sich und wenn auch die Zuckerproduktion in Louisiana etwas abnimmt, so haben dafür der Tabaksbau in Nordkarolina und die Gewinnung von Baumwolle in verschiedenen Staaten einen neuen Aufschwung genommen. Die arme weiße Bevölkerung (the poor white trash) hebt sich geistig und materiell und die farbige Race folgt ihr, obschon langsamer, auf diesem Wege nach. Manche Südländer, die tapfer im Bürgerkriege kämpften, äußerten Schurz gegenüber: „Es ist furchtbar, daran zu denken, was aus uns geworden wäre, wenn wir den Norden besiegt hätten!" Sie würden jetzt ebenso tapfer für die Erhaltung der Union kämpfen, als sie vor einigen zwanzig Jahren deren Auflösung anstrebten. Wie Schurz meint, ist an einen abermaligen Kampf für Wiederbelebung des Instituts der Negersklaverei seitens des Südens nicht zu denken. In den meisten Fällen liegt dem Misstrauen, welches in diesem Punkte im Norden gegen den Süden gehegt wird, ein politisches Motiv zu Grunde. Die frühere Liebe und Achtung für Jefferson Davis, den einstmaligen Präsidenten der südlichen Konförderation, sind stark im Absterben, obschon letzterer bei einer kürzlich unternommenen Reise durch einige Südstaaten vielfach freundlich aufgenommen wurde. Die südlichen Generale, gewöhnlich „Rebel Brigadiers" genannt, liegen jetzt in der Regel, wie manche Unionsgenerale, bürgerlichen Beschäftigungen ob. Schurz erzählt, dass er von manchen gebildeten Südländern gehört habe, sie liebten weder Jefferson Davis, noch hätten sie nach dem Frieden großes Vertrauen zu ihm gehabt, aber sie könnten es schwer ertragen, wenn man diesen Mann, den sie sich einst zum Führer erkoren, als einen „infamen Schurken" (infamous rascal) bezeichne. Und dies ist ebenso begreiflich, wie anerkennenswert. Was die Tarif- und Silberfrage anbetrifft, so sind die Ansichten hierüber im Süden fast ebenso gespalten, wie im Norden. Beide Fragen gehören bekanntlich zu den brennenden und beschäftigen in hohem Grade die Bundesgesetzgebung, doch neigt man im Süden wohl mehr der Herabminderung des Tarifs zu, während man in der Währungsfrage mehr der Silberprägung oder dem Bimetallismus huldigt.

Der Sieg, welchen in der letzten Präsidentenwahl die demokratische Partei durch die Erwählung von Grover Cleveland davontrug, hat für die Neger segensreiche Folgen gehabt, insofern er zwei gefährlichen Täuschungen ein Ende machte, denn einmal glaubte man, ein Erfolg der Demokraten würde die alte Sklavenfrage wieder aufleben machen, und dann fürchtete man, das Negerelement könne bei dem Kampfe zwischen den Republikanern und Demokraten eine kontrollirende Machtstellung einnehmen. In beiden Punkten hat man sich geirrt; die Schwarzen scheinen zu begreifen, dass sie am besten für sich sorgen, wenn sie das allgemeine Interesse zu fördern suchen. Auch in anderer Beziehung hat die Erwählung von Cleveland zum Präsidenten der Vereinigten Staaten, wie von Schurz angedeutet wird, zwei günstige Resultate gehabt: es bot sich dem Süden Gelegenheit, durch die Tat seine nationale Gesinnung zu beweisen, und die Negerbevölkerung konnte dartun, dass ihre Freiheit und ihre Rechte nicht abhängig waren von dem Vorherrschern einer bestimmten politischen Partei, z. B. der republikanischen. Schurz schließt seine verdienstvolle Arbeit mit der Bemerkung, dass für die Union die Zeit des Bürgerkrieges vorüber sei und dass dem patriotischen Amerikaner das Wohl der Republik höher stehe, als der Vorteil einer politischen Partei. Wir können nur wünschen, dass der Autor sich nicht in einem Irrtum befinden möge; wie die Dinge aber jetzt liegen, hat Präsident Cleveland einen schweren Stand. Die große Mehrzahl der republikanischen Partei ist mit dem Präsidenten wegen der Verteilung der öffentlichen Aemter durchaus nicht zufrieden, nur die „unabhängigen Republikaner", zu denen Schurz gehört, stehen auf seiner Seite; aber auch die Demokraten sind nicht alle treue Anhänger Clevelands, sondern zürnen ihm mehrfach, weil er ihren Heißhunger nach Aemtern nicht stillt. Die verhängnisvolle Aemterfrage ist noch immer nicht gelöst und es muss dahingestellt bleiben, wann und wie diese Lösung erfolgen wird. Ohne Zweifel hat Cleveland den besten Willen, allein erst die Zukunft wird lehren, ob er die Einsicht und die Kraft besitzt, den tiefgewurzelten Giftbaum der Korruption zu fällen und unschädlich zu machen. Erst in jüngster Zeit hat diese Frage zwischen dem Präsidenten und dem Bundessenat einen harten Konflikt hervorgerufen, dessen Ende noch nicht abzusehen ist.

Die zweite der oben bezeichneten Schriften, „Brook Farm und Margaret Fuller" (New-York, Druck von Hermann Bartsch, 1886) hat den litterarisch sehr tätigen Karl Knortz zum Verfasser und besitzt zweifelsohne einen kultur- und litterarhistorischen Wert. Die alten Puritaner Neuenglands sind infolge ihrer starren Intoleranz, ihrer schmachvollen Hexen- und Quäkerverfolgungen, überhaupt wegen ihrer vielfach herz- und gemütlosen theokratischen Bestrebungen von den Kulturhistorikern manchmal sehr unglimpflich behandelt worden, obschon sich das Auftreten jener Pioniere, wie Knortz richtig bemerkt, von dem den übrigen Christen der damaligen Zeit nicht wesentlich unterschied; allein der Ruhm muss ihnen doch ungeschmälert bleiben, dass sie bei Gründung ihrer Ansiedelungen ernsthafter darauf bedacht waren, dieselben auch zu Pflanzstätten höherer Bildung zu machen, als die Mehrzahl der übrigen Einwanderer, und dass sie durch frühzeitige Gründung leistungsfähiger Lehrinstitute den Grund zur amerikanischen Kultur und Freiheit legten. Beim Ausbruch des Unabhängigkeitskrieges standen die Nachkommen dieser ernsten und energischen Pioniere mit wenigen Ausnahmen treu zu ihrem neuen Vaterlande; und als späterhin das Gefühl, dass Sklaverei in einer Republik eine Anomalie sei, immer allgemeiner wurde, da waren sie es trotz ihrer sonstigen, uns zuweilen nahezu unverständlichen Engherzigkeit wieder, die auf Beseitigung dieses inhumanen Institutes drangen. Aus den von den Puritanern gegründeten Lehrinstituten, besonders aus dem „Harward College", sind im Zeitenlaufe die bedeutendsten Dichter, Schriftsteller und Gelehrten Amerikas hervorgegangen; an Letzterem studirte man auch zuerst in Amerika deutsche Litteratur und Philosophie, besonders die Letztere, nachdem dieselbe durch Kants Wirken zu einer geistigen Großmacht geworden war. Die Verehrer von Kants „Kritik der reinen Vernunft", welche der Metaphysik neue Felder öffnete, bildeten im Ausgange der dreißiger und Anfange der vierziger Jahre dieses Jahrhunderts die stille Gemeinde der Transcendentalisten in Neuengland, deren reformatorische Wirksamkeit sich für das amerikanische Geistesleben sehr heilsam erwiesen hat. Man mag jene Leute, zu denen die bedeutendsten Schöngeister Amerikas in ihrer Jugend gehörten, mit den oft etwas närrischen Schwärmern der Wertherepoche in Deutschland vergleichen und in Wahrheit liegen einige Vergleichungspunkte nicht zu weit; man mag sie, wie es wiederholt geschah, als sentimentale Schwärmer hinstellen, sie wirkten doch, wie Knortz nachweist, in freisinniger Richtung für den Fortschritt und bahnten nicht selten wichtige soziale und politische Reformen an.

Das Hauptorgan der Transcendentalisten bildete die von Margaret Fuller redigirte Vierteljahrsschrift „the Dial", welche von 1840 bis 1844 erschien und für die Männer wie Theodor Parker, Thoreau, Cranch, Dwight, Clark, Alcott und Ripley philosophische und theologische Aufsätze, Gedichte und Kritiken lieferten. Die Transcendentalisten duldeten alle Glaubensbekenntnisse, denen eine poetische oder philosophische Seite abzugewinnen war; sie befanden sich mit ihren Ansichten vielfach in geradem Gegensatze zu der bestehenden sozialen Ordnung, waren aber dabei so sehr von ihrer kulturhistorischen Mission eingenommen, dass sie den ihnen entgegen gebrachten Indifferentismus der Welt gar nicht begreifen konnten. Die ungeschmälerte Entfaltung der Eigenart galt als der oberste Grundsatz der Transcendentalisten; sie gründeten daher 1841 auf der sogenannten Brook Farm zu Roxbury bei Boston in Massachusetts eine Kolonie, in der sie ihre speziellen Träume zu verwirklichen bemüht waren. Durch die Organisation eines angenehmen und, wie man glaubte, auch produktiven Arbeitssystems sorgte die Gesellschaft für Beschäftigung aller ihrer Mitglieder nach Maßstab ihrer individuellen Tauglichkeit und Neigung. Auf die Erziehung der Kinder wurde das Hauptaugenmerk gerichtet und sollte denselben, wie es in der Konstitution hieß, die höchste physische, intellektuelle und moralische Ausbildung zu Teil werden. Von hervorragenden Dichtern befand sich auf der Brook Farm auch Nathaniel Hawthorne, über den ich ausführlicher in meinem Buche: „Aus dem Amerikanischen Dichterwalde" (Leipzig, Verlag von Otto Wigand, 1881) berichtet habe.

Knortz schildert in ausführlicher und der Wahrheit entsprechender Weise das Leben und Treiben auf der Brook Farm und namentlich die vielseitige Tätigkeit und den Opfermut der Margaret Fuller. Longfellow und James Russell Lowell sympathisirten nicht mit den sozialistischen Bestrebungen der Transcendentalisten, obschon sie sonst mit vielen der Letzteren in näherer Verbindung standen und befreundet waren. Von den Schriften Margaret Fullers existiren mehrere Ausgaben; die von Emerson, Clarke und Channing aufgezeichneten Erinnerungen an sie füllen zwei Bände; von ihren Werken erwähnen wir hier namentlich „Woman in the 19. Century" und „Life without and within", die beide 1875 in neuerer Ausgabe zu Boston erschienen. Als Dichterin war Margaret Fuller nicht sehr fruchtbar, die wenigen von ihr erhaltenen Gedichte sind didaktischer Natur. Ihre Uebertragungen deutscher Gedichte, sowie ihre vollständige, in dem Werke „Art, Literature and the Drama (Boston 1875) enthaltene Uebersetzung des Goetheschen „Tasso" zeugen von einem außerordentlich gründlichen Studium der deutschen poetischen Ausdruckweise und dürfen daher unstreitig den besten Leistungen ihrer Gattung zugezählt werden. In Margaret Fuller verlor Amerika, darin stimmen wir Knortz bei, seine gebildetste und vorurteilfreieste Frau, die mehr als irgend eine andere gewirkt hat, den engherzigen Nativismus des puritanischen Neuenglands zu beseitigen und das Interesse an deutscher Litteratur und Philosophie wachzurufen.

Dresden. Rudolf Doehn.

Ueber das Romanwesen in Deutschland und Frankreich.

Ein geistreicher Mann hat sich unlängst in diesen Blättern*) gegen die immer überhandnehmende Wassersuppenproduktion**) der deutschen Romanschriftsteller mit scharfer Kritik und beißender Satire erhoben. Es wäre Zeit, dass alle Männer, denen das Wohl der deutschen Litteratur am Herzen liegt, diesem gegebenen Beispiele folgen, damit durch fortwährenden Tadel den modernen Autoren in Erinnerung gebracht werde, dass sie ihrer Würde und der des lesenden Publikums Hohn sprechen, wenn sie ihren Eifer daran setzen fade abgeschmackte Erzeugnisse zur Welt zu bringen unter dem mehr als blöden Vorwande, dass sie hiemit dem Geschmacke des Lesepublikums Rechnung tragen wollen. Diese letztere Behauptung ist eine schwere Beleidigung der deutschen Lesewelt, wofür sie bittere Rache nimmt, indem sie, die deutschen Romane verschmähend, zu den französischen greift und somit auf klare Weise zu verstehen giebt, dass sie das Gute vom Schlechten zu unterscheiden wisse. Sie bedurfte nicht lange, um zu erkennen, dass die französischen Romane, was Gehalt, Interesse, Charakterschilderungen anbetrifft, die deutschen weit hinter sich lassen.

Woher diese unbestreitbare Inferiorität des Deutschen dem Franzosen gegenüber?

Sollte etwa gar die Phantasie des Deutschen an Reichtum und Mannigfaltigkeit der des Franzosen nachstehen? Dies annehmen, hieße ein Armutszeugnis dem deutschen Geiste ausstellen, wogegen die unübertreffliche deutsche Lyrik, Kind des Gemütes und der Phantasie, mit eherner Zunge zeugen würde. Nein, die Phantasie geht dem deutschen Geiste nicht ab, er besitzt dieselbe in hohem Grade und man könnte eher behaupten, wie es aus dem Folgenden erhellen wird, dass er derselben einen nur zu weiten Spielraum gewährt, was die Wirkung des Romans, als getreues Spiegelbild des Lebens betrachtet, notwendig beeinträchtigen muss.

Wie kommt es dennoch, dass der moderne deutsche Geist, der so Erhabenes und Schönes in den verschiedenen Zweigen des menschlichen Wissens und Könnens geleistet, was den Roman anbetrifft, mit den Franzosen nicht wetteifern kann?

Diese Frage, von ungeheurer Wichtigkeit, verdient in hohem Maße die Aufmerksamkeit aller Litteraturfreunde. Jeder spreche sein Wort, erteile den ihm gutdünkenden Rat, und wenn alle Meinungen ihren Ausdruck gefunden haben werden, dann werden sich auch die Mittel zur Hebung des Uebelstandes von selbst ergeben.

Ich maße mir nicht an, diese so sehr verwickelte Frage von allen ihren Gesichtspunkten aus beleuchten zu können. Ich werde all mein Augenmerk auf einen der Hauptmängel der deutschen Romane richten und mich bestreben, denselben, durch die Berufung auf die französische Litteratur, ins rechte Licht zu setzen.

Alle deutschen Romane, mit wenigen ehrenvollen Ausnahmen, behandeln einen und denselben Stoff und zwar die Liebe eines keuschen Mädchens zu einem zarten Jünglinge der, ebenfalls liebeentbrannt, mit Hindernissen aller Art zu kämpfen hat, um zum heißersehnten Ziel seiner Wünsche zu gelangen. Es ist die ewige Geschichte von Romeo und Julie mit dem einzigen Unterschiede, dass sich die Liebenden am Schluss kriegen müssen.

Das Skelett des Romans ist Jedem im Vorhinein bekannt, und, was Wunder, wenn man kein Interesse an demselben nimmt? Es ist wahr, dass jeder Schriftsteller bestrebt ist diesem Gerippe eine mehr oder minder schöne Form zu verleihen, dasselbe mit

*) Siehe Nr. 1 des laufenden Jahrgangs des „Magazin" den Aufsatz „Unser litterarisches Elend" von Gerhard von Amyntor.

**) Herr Gerhard von Amyntor sucht ihren Ursprung in der Apathie des Lesepublikums. Wir bedauern, diese Meinung nicht teilen zu können. Nicht der Apathie sind die schlechten Romane, sondern den schlechten Romanen die Apathie zuzuschreiben.

allerhand Tand und Flitter zu umhüllen, doch vermögen diese Aeußerlichkeiten den fehlenden Gehalt, den inneren Kern zu ersetzen? Nein, einer todten, verknöcherten Gestalt kann trotz dieser Kunstgriffe kein neues frisches Leben eingehaucht werden.

Es ist wahr, dass die Geschlechtsliebe sich zu allen Zeiten der besonderen Gunst der Dichter und Schriftsteller erfreut hat. Die Romane aller Nationen legen davon ein beredtes Zeugnis ab, aber während die anderen Völker, namentlich Frankreich, im Laufe der Zeiten, nachdem die Geschlechtsliebe ein längst abgenütztes Thema geworden, zu den anderen Leidenschaften, Tugenden und Gebrechen ihre Zuflucht genommen, verblieb Deutschland noch immer in der alten Bahn, zehrte noch immer an dem einzigen Romanstoffe und schien einen hartnäckigen Widerstand dem neuen Hauche, der in der modernen Romanlitteratur wehte, entgegenzusetzen.

Die traurigen Folgen kann jeder täglich wahrnehmen. Die Qualität der deutschen Romane wird immer schlechter und schlechter und es kann natürlicherweise auch nicht anders der Fall sein. Jedermann, der sich in der Rechtschreibung keine Fehler zu Schulden kommen lässt, glaubt sich berufen, Romanschriftsteller zu werden. Der Stoff liegt vor, es gilt wohlklingende Phrasen in den Mund von Liebenden zu legen, es gilt den Kampf der Liebe gegen und wider alle Elemente zu beschreiben, leichte Sache für Jeden, der einige Schuljahre auf dem Gewissen hat. Jeder, der auf Bildung Anspruch macht, hält sich gegen seine Mitmenschen verpflichtet auf das bekannte Liebesthema eine Variation zu verfassen und daher diese wahre Flut von Romanen, die den Büchermarkt überschwemmt; in all dieser Masse sieht man dieselbe Schablone, dieselbe Mache. Alle Helden und Heldinnen, die der Verfasser zusammengeflickt hat, sind dem wahren Leben unbekannte Gestalten, es sind Karrikaturen, die im Geiste des Autors gespuckt und denen er sich abmüht menschliche Gestalt zu verleihen. Eitles Bemühen! er schafft nur Hampelmänner, die ohne Warum und Weshalb unerklärliche Bewegungen ausführen, seine Helden gleichen den heidnischen Götzen, sie haben Ohren und hören nicht, sie haben Augen und sehen nicht.

Um diesem gewaltigen Uebel zu steuern, giebt es nur ein Mittel. Der Schriftsteller verlasse seine vier Wände, wo er höchstens das Zeitwort „lieben" abzuändern vermag, stürze sich ins wahre Leben, beobachte das Treiben der Menschen, ihre Tugenden und Schwächen, und dann nur wird er unser Interesse beanspruchen können. Mit andern Worten, das wirkliche Leben muss dem Roman als Vorbild dienen, dort muss der Autor seine Typen beobachten und nicht dieselben dem Reiche seiner Träume entlehnen.

Mit Erzählung von Träumen und Märchen gefällt man Kindern, der gereifte Menschenverstand verlangt nach Wahrheit und Wirklichkeit.

Der Roman also muss sich soviel als möglich an das Leben anlehnen. Die Franzosen haben diese Wahrheit seit lange anerkannt und diesem Umstande nur ist der große Erfolg zuzuschreiben, den ihre Romane bei allen Völkern gefunden haben. Die französischen Autoren haben das Banale, Sentimentale aus ihren Werken gebannt und sich dagegen streng an die Natur, an das wahre Leben gehalten. Die Wirklichkeit ist so reich an schönen, erhabenen Momenten, dass sie als unnütz erachteten ihrer Phantasie zu entlehnen, was ihnen die Realität in Hülle und Fülle bot. Die segensreichen Folgen dieser Richtung waren vor Allem die Ausmerzung nichtssagender pathetischer Gefühlsüberströmungen, die tiefen Studien und Beobachtungen aller Dinge, die die Menschheit angehn und die zweifellos das Interesse Aller in Anspruch nehmen müssen.

Daraus erklärt es sich, dass die Romanlitteratur der Franzosen, mit dem Vorwärtsschreiten der Menschheit Schritt haltend, ihren Inhalt und ihre Tendenzen wechselt, während diejenige der Deutschen unverändert bleibt und entschlossen scheint, wie eine Mumie, sich selbst überleben zu wollen. Während die Franzosen in ihren Romanen Alles berühren, Alles besprechen, von den sozialen Fragen bis zu den niedrigsten Leidenschaften der Menschenseele, klingt in den deutschen Romanen nur **eine** Saite, Liebe, wieder Liebe und noch einmal Liebe.*) Diese **Einsaitigkeit** der deutschen Romane rührt einzig und allein von der Störrigkeit der Autoren ihre Phantasie über die Wirklichkeit setzen zu wollen.

Während beim Romanschreiben der Franzose stets das wahre Leben im Auge hat — **phantasirt** der Deutsche.

Wenn man diesen Grundunterschied zwischen dem Verfahren der deutschen und französischen Schule wahrgenommen hat, ist es sehr leicht zwei Eigentümlichkeiten zu erklären, die man auf den ersten Blick dem Zufall zuschreiben möchte.

Die deutsche Litteratur strotzt von historischen Romanen, während die französische sehr wenige dieser Art aufzuweisen hat. Die Ursache liegt auf der Hand. Der deutsche Autor schafft seine Helden ohne seine Zeitgenossen zu beobachten, er fabrizirt sich ein Liebespaar, legt demselben Phrasen in den Mund und lässt es nach Belieben handeln. Da diese Phrasen und diese Handlungen ebenso gut oder ebenso schlimm auf die Neuzeit, das Mittelalter und das Altertum passen, so kann er sich erlauben sein Heldenpaar Ferdinand und Louise, Romeo und Julie Antonius und Kleopatra zu nennen, ja, er kann sich sogar den ungewöhnlichen Luxus gestatten, demselben ägyptische Namen zu verleihen. Und auf diese Weise

*) Wie weit die Liebesfaselei einen menschlichen Geist zu bringen vermag, zeige der folgende einem neuesten Romane entnommene Satz (Der Autor beschreibt die bewegte Jugend seines Helden): „Er opferte der Liebe, er streifte mit Leidenschaft in den **venusischen** (?) Gefilden; Liebe war sein Abgott, Venus seine Göttin u. s. w." Der Leser möge urteilen.

wird ein historischer Roman gebraut. Den Franzosen ist diese Manipulation unbekannt. Sie überlassen es der Geschichte, Ethnographie u. s. w. die verschwundenen Zeiten mit ihren großen Männern aus der Vergangenheit heraufzubeschwören, ihre Aufgabe besteht nur in dem Studium ihrer Zeit, sie bestreben sich deren Charakter, besondere Merkmale und Tendenzen den Zeitgenossen vorzuführen und der Zukunft aufzubewahren. Ihre Romane sind, was sie sein sollen, der wahre unverfälschte Abglanz ihrer Epoche.

Die zweite Eigentümlichkeit, die unsere Aufmerksamkeit verdient, ist die Häufigkeit der französischen Romane, die als Titel einen Eigennamen tragen, während dies in Deutschland viel seltener der Fall ist. Die Erklärung ist einfach. Der Held der dem Romane seinen Namen verliehen ist eine dem wirklichen Leben abgelauschte Gestalt, er verkörpert eine Tugend, eine Leidenschaft, eine Idee. Man sehe „Numa Roumestan“ von Daudet, „Nana“ von Zola und viele Andere. Jede dieser Gestalten ist ein lebendiges Wesen und man kann sich beim Lesen des Rufes nicht enthalten: „ei, wie wahr! es ist wie aus dem Leben gegriffen!“ Solches kann man dem deutschen Autor nicht nachsagen. Anstatt ein einziges Wesen zu meißeln, ihm Leben von seinem Leben einzuhauchen, zieht er es vor in vagen, unbestimmten Gefühlen zu waten und seine Romane führen mit Vorliebe die Titel: „Liebe und Hass“, „Verschlungene Pfade“, „Im Bann der Ehre“, „Stolz und Liebe“, Namen, die eine ganze unabsehbare Welt vor uns eröffnen, die beim Lesen mikroskopisch zusammenschrumpft und die Leere des Romans wirkt ansteckend auf den Geist des enttäuschten Lesers.

Die deutschen Autoren haben nur einen Weg diesen Sachverhalt zu ändern und zwar, ihre Phantasie zu bändigen und dieselbe im Dienste der Wahrheit zu stellen. Sie müssen in der unversiegbaren Quelle des deutschen Lebens schöpfen, dasselbe ist reich an erhabenen, erschütternden Momenten. Das deutsche Volk besitzt Leidenschaften, Tugenden und Laster, die sich vorzüglich zu Romanstoffen eignen, die Autoren haben nur zuzugreifen und sie werden dann mit den Franzosen um die Palme ringen können.

Statt dessen sehen wir die Schriftsteller hartnäckig ans Herkömmliche halten, sie drehen sich immer in ihrem engen Kreise anstatt mutig die neue Bahn des modernen Romans betreten zu wollen.

Einige Männer, zu ihrer Ehre sei's gesagt, haben es versucht, mit den verwitterten Traditionen zu brechen,*) doch haben sie nicht lange gegen die Vorliebe des Publikums für die französischen Romane zu kämpfen vermocht. Die Karawanen in der weiten Sandwüste nehmen vor dem Ausbruch des Sirocco alle ihre Kräfte zusammen um zur rettenden Oase zu gelangen, sie verzagen nicht, ihr Mut ist bewunderungswürdig, — doch kaum hat der Sirocco sein zerstörendes Werk begonnen, kaum türmen sich die Sandsäulen empor, so verzichten die Wanderer auf jeden Kampf, sie steigen von ihren Kameelen und strecken sich in den Sand nieder, den Tod mit Resignation erwartend. Diese todtbringende Wirkung des Sirocco haben bisher die französischen Romane auf die Sandwüste der deutschen Romanlitteratur ausgeübt. Manche haben versucht dagegen aufzuschreien, doch dies war zur Ohnmacht die Lächerlichkeit hinzugesellen. So lange die französischen Romane die deutschen übertreffen, werden sie sich der Gunst der Deutschen erfreuen. Und mit Recht, denn das Schöne und Edle hat kein Vaterland. Die Meisterwerke einer Nation sind das Gemeingut Aller. Wie das Licht und die Luft gehören die großen unvergänglichen Geister der ganzen Menschheit an.

Deutsche Autoren! Zwar sagt das Sprüchwort „Alle Wege führen nach Rom“, ihr habt nur einen Weg, der zum Heile führt. Geht bei der hehren, göttlichen Natur in die Schule und seid bestrebt, euch der hohen Meisterin und Lehrerin durch eure Werke würdig zu erweisen!

Deutsche Autoren! In eurem Namen, im Namen des deutschen Geistes lasst die schaalen Wassersuppen fahren, der gesunde deutsche Magen verträgt Kraftsuppen!

Paris. Bernard Lebel.

*) Wir können nicht umhin, bei dieser Gelegenheit Karl Bleibtreu's zu erwähnen, der, als Träger und Vorkämpfer der neuen Ideen, so manchen Angriff seitens hohlköpfiger und verblendeter Skribenten erdulden musste. Wir behalten uns vor, darauf nächstens ausführlicher zurückzukommen.

Ideografia semitica e trasformazione della radice ebraica nelle lingue indo-europee, von Gius. Barzilai.

(Trieste, tipografia del Lloyd austro-ungarico.)

Der Verfasser des ungefähr 400 Seiten in Großoktav umfassenden Buchs ist ein in Triest lebender italienischer Gelehrter, bekannt durch eine Reihe von ihm herausgegebener, zumeist alttestamentarische Gegenstände behandelnder linguistischer Monographien. Seine „Ideografia“ erschien um die Mitte des vorigen Jahres. Abgesehen von einigen Besprechungen in den Feuilletons italienischer Lokalblätter blieb das neue Werk bisher ziemlich unbeachtet. Wenn ich hier auf das von großer Gelehrsamkeit zeugende und, wie mich bedünkt, manchen neuen Ausblick eröffnende Buch aufmerksam mache, so geschieht dies nur zu dem Zwecke, den fachmännischen Kreisen in Deutschland Kunde davon zu geben. Zu einem Urteile über den behandelten Gegenstand bin ich als Nichtorientalist nicht berufen. Ich beschränke mich deshalb darauf, die Hauptpunkte, in denen Dr. Barzilai die überraschenden Resultate seiner jahrelangen Studien zusammenfasst, referirend hervorzuheben und in möglichst gedrängter Form darzulegen. Das endgültige Verdikt über die Sache bleibt den Leuten vom Fache vorbehalten.

Die Darwinsche Theorie von der Entwicklung der Arten auf die Entstehung der Sprache übertragend, ist der Verfasser geneigt die ersten sprachlichen Anfänge auf eine Art von protoplasmatischer Ursprache zurückzuführen, die sich jedoch, als blosse Abstraktion, selbstverständlich jeder Betrachtung entzieht. Auf positivem Boden fußend knüpft er den Beginn seiner Forschungen an jenes Entwicklungsstadium der Sprache, wo sich das Bedürfnis einer schriftlichen Fixirung des gesprochenen Worts bereits fühlbar machte, also an die Schaffung des Alphabets, und beschränkt dabei seine Betrachtungen auf die indo-germanischen und semitischen Sprachen. Seine Untersuchungen gipfeln in zwei Schlussergebnissen: einmal, dass die hebräische Sprache als die Urmutter (capostipite) aller dieser Sprachen zu betrachten sei, und dann, dass die semitischen Sprachen den Charakter des „Konventionellen und Künstlichen" tragen, d. h. sie seien konventionell und künstlich in dem Sinne, dass „der menschliche Geist die Gesetze der Natur und die von ihr gebotenen Materialien auch auf dem Gebiete der Sprache unter Anwendung geeigneter Mittel zu zweckentsprechenden Bildungen benutzt habe."

Man könnte sich versucht fühlen, hierbei an eine konventionelle und künstliche Sprachschöpfung, etwa in der Art des vielberufenen Volapük zu denken. In diesem Sinne will jedoch Barzilai die Sache nicht verstanden wissen. Er meint vielmehr, dass die hebräische Sprache, sowohl in den Grundzügen ihres Baues wie in der Ausgestaltung desselben, überall das eigentümliche scharf eindringende, klügelnd abwägende und kombinirende Wesen des semitischen Volksgeistes widerspiegele, eine Ansicht, die durch den Charakter einer jeden Sprache ihre Bestätigung findet, weil eben jedes Volk, einem Naturgesetze gehorchend, sowohl seiner Litteratur wie seiner Sprache das eigentümliche Gepräge seiner Auffassungs- und Empfindungsweise aufdrückt.

Das Konventionelle und Künstliche der semitischen Sprachen, in erster Reihe der hebräischen, erkennt der Verfasser darin, dass die alphabetischen eine bestimmte Wurzel darstellenden Elemente durch Umkehrung oder einfache Verschiebung neue Worte bilden, die zu dem Urbegriffe gewöhnlich im Verhältnisse der Antithese, zuweilen auch in dem von Ursache und Wirkung oder von Zweck und Mittel stehen. Er kann in dieser auffallenden Erscheinung nicht eine Wirkung von Zufälligkeiten erkennen, sondern er sieht darin eine bewusste Schöpfung des Sprachgeistes, weil mehr als dreiviertel des hebräischen Sprachschatzes den Beleg dafür bieten. Die Elemente des Alphabets sind somit ebensoviele Ideen vertretende Zeichen, oder, wie er sagt, sie sind „Koeffizienten einfacher Grundideen", welche durch Verbindungen unter einander und unter Einwirkung des Gesetzes der Metathese zu neuen komplexen Begriffen verschmelzen.

Ein jedes hebräisches Buchstabenzeichen stellte somit ursprünglich einen bestimmten Gegenstand dar. Im Laufe der Zeit modifizirte oder verlor sich jedoch die ursprüngliche Gestalt, aber das alte Symbol blieb in der Wortbedeutung erhalten. So stellt z. B. der Buchstabe Aleph in seiner Urform ein Joch dar. Die Bedeutung verblieb in dem Worte alaph, ins Joch spannen, desgleichen in dem Plural alaphim, Saumtiere. Der Buchstabe Mem imitirte die kräuselnden Wellen eines Flusses; Mem, als Wort, bedeutet „Wasser". — In den samaritanischen Charakteren hatte das Jod die Gestalt einer Hand; als Wort bedeutet es „Hand". — Scheinbar einfache Begriffe wie „Sohn" oder „Bruder" stellen sich als Produkte von Kombinationen dar, bei denen die alphabetischen Elemente als Koeffizienten einfacher Grundideen erscheinen. So verschmelzen in dem Worte Ben, Sohn, die Urbegriffe von Bet, Haus und Nun, Sprosse, zu „Sprössling des Hauses = Sohn". In ähnlicher Weise leben in Ahh, Bruder, die Urbegriffe von Alaph, Joch und Het, Schoß, also „im Mutterschoße Verbundener" = Bruder. Hunderte von Worten führt Barzilai als Belege für seine „ideographische" Analyse auf, bei denen die alphabetischen Elemente in ihren Urbegriffen als Koeffizienten neuer komplexer Begriffe erscheinen.

Von besonderem Interesse ist, was er über die durch Metathese der alphabetischen Elemente der Wurzeln geschaffenen neuen Begriffe des Gegensatzes, der Ursache und Wirkung, des Mittels und Zweckes sagt und durch Hunderte von Beispielen (S. 8—79) zu belegen sucht. Ich greife aufs Geratewohl einige der überraschendsten heraus:

Halaph, verbinden, wird durch die Umkehrung zu Phalha, trennen. Hasen, dunkel, wird durch die Umkehrung zu Senha, glänzen. Hascher, Mangel, wird durch die Umkehrung zu Scherah, Ueberfluss haben. Motz, schlürfen, verschlucken wird durch die Umkehrung zu Tzom, nüchtern.

Der Verfasser glaubt, dass durch seine Entdeckung der Metathese als eines der ideographischen Gesetze (S. 151—153) namentlich der biblischen Exegese ein bedeutender Dienst geleistet werde, weil es nur auf diesem Wege möglich sei, Worte von bisher unbekannter oder zweifelhafter Bedeutung befriedigend zu erklären. Ein synoptisches Bild (S. 156 und 157) führt dem Leser in anschaulicher Weise eine ganze lange Reihe derartiger durch Verschiebung der konstitutiven Elemente alphabetischer Worte geschaffener Antithesen vor.

Auf die Darlegung der Bedeutung der Buchstaben als ideographische Zeichen folgt die Feststellung der das ganze System ordnenden sieben einfachen, gleichfalls durch eine Menge von Beispielen erläuterten Gesetze.

Der dritte und umfangreichste Teil des Buches (S. 297—400) beschäftigt sich mit der Umwandlung der semitischen Wurzeln in den entsprechenden Wörtern der indo-europäischen Sprachen. In diesem von einem wahren Ameisenfleiße und zugleich von einer erstaunlich scharfsinnigen Kombinationsgabe zeugenden Teile liegt der Schwerpunkt des ganzen Werkes, nämlich die von Barzilai versuchte Beweisführung, dass die indo-europäischen Sprachen der Hebräischen entstammen Mit einer Aufzählung von Beispielen wäre hier nicht viel getan; auch würde der mir zur Verfügung stehende Raum dazu nicht ausreichen. Ich beschränke mich deshalb, auf das Buch selbst zu verweisen. Dies in gedrängten Zügen der Inhalt des Buches.

Wie ich Eingangs bemerkte, bin ich nicht berufen über einen meinen speziellen Studien so fern liegenden Gegenstand ein Urteil abzugeben. Da indessen in dem Barzilaischen Werke ein riesiges Stück höchst gewissenhafter Arbeit steckt und die darin ausgesprochenen Ansichten, auch wenn sie sich nur als teilweise begründet erweisen sollten, immerhin viel Anregendes und der Beachtung Würdiges enthalten dürften, so hielt ich mich gewissermaßen für moralisch verpflichtet, die Aufmerksamkeit unserer deutschen Orientalisten auf das Buch zu lenken. Mir ist nicht gegenwärtig, ob und in wie weit die moderne Sprachforschung eine Verwandtschaft zwischen den indo-europäischen und den semitischen Sprachen konstatirt hat; dass eine solche vorhanden ist, scheint mir durch Barzilai unwiderleglich dargetan. Allerdings möchte ich mich, schon aus historischen Gründen, kaum zu der Ansicht bekennen, dass, wie der Verfasser meint, die hebräische Sprache als „Urmutter" sämmtlicher indo-europäischen Sprachen zu betrachten sei. Wohl aber scheint mir die weitere Frage, ob die semitischen und die indo-europäischen Sprachen nicht einer gemeinsamen Mutter entstammen, einer gründlichen fachmännischen Erörterung würdig, und zur Beantwortung dieser Frage bietet das Buch unbedingt ein vorzügliches und reiches Material.

Triest. C. M. Sauer.

Otto Heinrich, Graf von Loeben.

Ein Gedenkblatt zu seinem Säkulartage.

Am 18. August d. J. werden die Bewohner Dresdens den Säkulartag eines der gefeiertsten Söhne ihrer Vaterstadt, des Dichters und Schriftstellers Otto Heinrich Graf von Loeben feiern. Loeben, in der Litteratur auch unter dem Namen Isidorus Orientalis und Kukuk Waldbruder bekannt, nimmt in der Geschichte der romantischen Dichtkunst und Litteratur einen hervorragenden Platz ein. Er gehört vielleicht seiner philosophischen und dichterischen Anschauung nach zu denjenigen, welche aus der Romantik der Vergangenheit unter der Führung Arndts das Ideal für die Zukunft des Vaterlandes gewannen, und diesem Ideal in den Kämpfen des Jahres 1813—14 in Wort und Tat Ausdruck verliehen. Dennoch setzte sich Loebens Umgang aus den Romantikern der früheren Schlegel'schen Richtung zusammen. Sein Name wird daher immer im Verein mit dem Mystiker Görres, mit Brentano, Arnim und Fouqué genannt. Im Hause seines Vaters, des Kabinetsministers Otto Ferdinand Graf von Loeben, war er frühzeitig auf Kunst und Wissenschaft hingewiesen worden. Besonders die Liebe zur Ersteren veranlasste ihn späterhin, das in Wittenberg und Heidelberg betriebene Studium der Rechte mit Beschäftigungen zu vertauschen, welche seinen wissenschaftlichen und dichterischen Neigungen mehr entsprachen. Es waren für ihn schöne Stunden, in welchen er, angeregt durch seinen Freund Fouqué, auf dessen Schloss Nennhausen er öfters verweilte, ganz in der Beschäftigung mit dem Rittertum und Minnedienst alter deutscher Herrlichkeit aufging. So entstanden sein „Ritterehre und Minnedienst", sein „Rosengarten", die „Irrsale Klotars und der Gräfin Sigismunda" und viele seiner herrlichen Märchen, welche sich durch liebliche Bilder und Wohllaut der Sprache auszeichnen. Als er im Jahre 1813 aus dem Feldzug, welchen er als Freiwilliger im Range eines Lieutenants mitgemacht, entlassen wurde, war es besonders Otto von der Malsburg, der bekannte Uebersetzer Calderons, welcher anregend auf ihn wirkte. Wir erwähnen aus dieser Zeit sein nach dem Muster Lope de Vegas gedichtetes Schauspiel: „Stern, Szepter und Blume." Leider war dem ewig schaffenden, phantasiereichen Dichter kein langes Leben beschieden. Acht Jahre nach seiner Vermählung erlag er im 39. Lebensjahre epileptischen Krämpfen, an denen er schon seit dem Jahre 1822 schwer gelitten hatte. Sind auch viele seiner Schöpfungen etwas zu phantastischen Inhalts, ist auch seine Darstellung nicht immer klar und von wünschenswerter Deutlichkeit, so wird Loeben dennoch stets den Ruhm eines gewandten Erzählers und eines mit beredten Worten für alles Höhere und Edle begeisterten Dichters behalten.

Berlin. Josef Lewinsky.

Litterarische Neuigkeiten.

Von der von der rührigen Verlagsbuchhandlung Philipp Reclam jun. in Leipzig herausgegebenen Universalbibliothek liegen uns weitere 10 Bände (2151—2160) vor. Die Ruinen und das natürliche Gesetz von Const. Franz Volney (2151—2153), Der Pfingstmontag, Lustspiel in Straßburger Mundart von J. G. D. Arnold (2154/55), Die Glücksmühle, Novelle von Joan Slavici (2156), Des Hauses Dämon. Schauspiel in zwei Aufzügen (2157), Im Banne der Versuchung, Roman von Hector Malot (2158—60).

Novellen von A. R. Rangabé. Breslau, Verlag von S. Schottländer. Der Verfasser dieser vorliegenden Sammlung von sechs Novellen ist der bekannte neugriechische Staatsmann und königlich griechische Gesandte beim Deutschen Kaiserreiche, der sich früher schon als dramatischer Dichter Ruf erworben und um die geistige Fortentwicklung seines Vaterlandes verdient gemacht hatte. Sein begeisterungsvolles Streben in letzterer Richtung berührte selbst die so wohltuend, welche manchen unliebsamen Charakterzug der Neugriechen kannten, und so ist es auch jetzt hoch anzuerkennen, dass uns der Dichter inmitten des anwidernden Gezänks zwischen Griechen und Türken gleichsam attische Nächte feiern lässt. Seine Novellen zeugen für eine eminente Kraft der Gestaltung und Schilderung; Ton, Stil und Auffassung bekunden eine große Aehnlichkeit mit Maurus Jokai'schem Geiste und in der That lässt sich Rangabé als Erzähler mit dem berühmten Magyaren messen.

„Novellenkranz“ von Karl August Mayer. Breslau, Verlag von S. Schottlaender. Der Verfasser, ein Süddeutscher, hat sich als feiner und gewandter Novellist bereits früher einen guten Namen gemacht. Wie alle seine erzählenden Arbeiten, zeichnen sich auch die vorliegenden ungemein ansprechenden sechs Novellen durch warm pulsirendes Leben, treffende Charakteristik und jenen gesunden Realismus aus, der von Unfeinheit und Uebertreibung gleich fern ist. Abgesehen von der geschickten Darstellung der geschichtlichen Ereignisse, welche die Seele des Lesers teils in heiterem, teils in tiefernstem Sinne ganz ergreift, besteht ein großer Vorzug dieser Novellen in der meisterhaften Ortsschilderung. In „Die Neuvermählten“ ist es die Schweiz, in „Die Pfarrerin von Ellersbach“ und „Eine Nacht im Walde“ der Hunsrück, in „Der Freiwillige“ die Heidelberger Gegend, welche der Verfasser reizvoll und naturwahr vor uns hinzuzaubern weiß, während er in „Die Bettelpreußen“ die so schwer zu überwindende Abneigung der Süddeutschen gegen die Norddeutschen klar legt, die aber nicht besser bekämpft werden konnte, als durch die treue Kriegskameradschaft, welche Nord- und Süddeutsche unter der Heldenführung des Generals von Werder im Oberelsass verband und von welcher der Held der Geschichte manch herzergreifendes Ereignis zu schildern weiß. „Unsere Frau“ erinnert an das süße Burschenleben und wird namentlich bei der studirenden Jugend Anklang finden. Sämtliche Novellen besitzen einen großen Unterhaltungswert.

„Edgar, oder: Vom Atheismus zur vollen Wahrheit.“ Das ist der Titel eines höchst interessanten Buches, das soeben im Verlage der Paulinus-Druckerei in Trier erschienen ist und den bekannten Konvertiten, den Jesuiten-Pater Freiherrn v. Hammerstein zum Verfasser hat. Edgar, ein junger, talentvoller, aber ungläubiger Jurist, liegt krank in einem von barmherzigen Schwestern geleiteten Spital in England darnieder. Daselbst macht er die Bekanntschaft eines aus Deutschland vertriebenen deutschen Ordensmannes, welcher ihm durch anregendes Gespräch die Stunden unfreiwilliger Muße verkürzt. Durch diese Unterhaltungen und den sich daran knüpfenden lebhaften Briefwechsel führt ihn der Ordensmann allmählich an der Hand des gesunden Menschenverstandes durch eine Kette logisch ineinandergreifender Schlussfolgerungen aus dem vollständigen Unglauben zurück zum Glauben an Gott, den Schöpfer der Welt, an Jesus Christus, den Gottessohn und Erlöser der Menschheit, und endlich zur „vollen Wahrheit“. Das ist der wesentliche Inhalt dieser ausgezeichneten Schrift. Bündige und doch vollständige Erörterung, überzeugende Logik, durchsichtig klare und allgemein verständliche Darstellung, lebendiger, geistvoller Stil, liebenswürdige Herzlichkeit, ruhige leidenschaftslose Sprache sind die Hauptvorzüge dieser Schrift. Der reiche philosophische, geschichtliche und theologische Inhalt wird in großer Abwechslung der Form: in Gesprächen, in Briefwechsel und in Erzählung dargeboten, und dadurch wird das Buch zu einer sehr angenehmen Lektüre. Für die allseitige Gediegenheit und Wissenschaftlichkeit des Werkes bürgt schon der Name des durch seine Werke („Erinnerungen eines alten Lutheraners“ und „Kirche und Staat“) bekannten Verfassers.

Band 2408/09 der Collection of British authors, Tauchnitz Edition enthält: „A. Mental Struggle by the author of Molly Bawn“. (Leipzig, Bernh. Tauchnitz.)

Ein sehr lesbares kleines Klosteridyll „Bruder Adolphus“ von Friedrich Oser ist soeben illustrirt von Karl Jauslin bei M. Bernheim in Basel erschienen.

„Idées en vacances par E. Boullon“ betitelt sich ein bei E. Dentu in Paris erschienenes Werk; derselbe Verfasser hat zu gleicher Zeit im Verlage von Alcan Levy in Paris ein Drama „Hiéronyme“ drame en vers erscheinen lassen, dasselbe spielt in Syracus und zwar zwei Jahrhunderte vor Christi.

Von „Frauenlob“, ein Mainzer Kulturbild aus dem 13. und 14. Jahrhunderts von Gerhard von Amyntor, welches Anfang vorigen Jahres im Verlage von Wilh. Friedrich in Leipzig erschien, liegt uns bereits die 3. Auflage vor. Es war vorauszusehen, dass dieses „Mainzer Kulturbild aus dem 13. und 14. Jahrhundert“ kraft seiner Lebenswahrheit, seiner scharfen Charakterzeichnung und seiner spannenden Handlung den Eindruck auf die Leserwelt nicht verfehlen würde. Der Verfasser hat vielfach geistige Kämpfe zu schildern, die auch jetzt noch unsere Nation tief erschüttern und giebt denselben in dem damaligen Leben einer mächtigen rheinischen Bischofsstadt einen farbenreichen und vielbewegten Hintergrund. Wie schon der Name des Buches ankündigt, ist der Held der Erzählung der Dichter Heinrich von Meißen, genannt Frauenlob, die Glorie, die Gerhard von Amyntor um sein Haupt webt, umstrahlt voll den litterarischen Ruhmesschein, der dem Minnesänger geblieben ist.

„Monumenta Germaniae Paedagogica.“ Unter Mitwirkung von Fachgelehrten herausgegeben von Karl Kehrbach. (Hofmann & Comp. Berlin). Die „Monumenta“ werden die Bausteine zu einer Geschichte des gesammten Unterrichts- und Erziehungswesens in den Ländern deutscher Zunge (Deutschland, Oesterreich, Schweiz, Ostsee-Provinzen), und zwar von den frühesten Zeiten an, liefern; sie wollen versuchen, Jahrhundert für Jahrhundert zu verzeichnen, was die Menschen in den weiten Schichten aller der Stände, die überhaupt einen Unterricht und eine Erziehung genossen, wirklich an Kenntnissen und an Bildung besessen haben. Die gesammte Entwicklung des deutschen Erziehungs- und Unterrichtswesens soll in ihren wesentlichen litterarischen Manifestationen ohne Bevorzugung einer besonderen Schulgattung, eines besonderen Zeitraumes oder einer besonderen Konfession, überhaupt ohne jeden Partei-Standpunkt durch die „Monumenta Germaniae Paedagogica“ vorgeführt werden.

Unzählige Schriften und Schriftchen geschichtlichen ernsten und heiteren Inhalts sind schon über den deutsch-französischen Krieg 1870/71 erschienen, doch noch keins von von den letzteren hat uns aber so angeheimelt, wie das von Fr. Enk von dem Käselitz im Verlage von Hermann Risel & Co. in Hagen i. W. erschienene. „Bei Erbswurst und Feldzwieback“, Kriegsgeschichten nach dem Tagebuche eines ehemaligen Feldzüglers, sowie nach Feldpostbriefen von 1870/71 betitelt sich dieselbe und müssen wir gestehen, dass wir dasselbe mit vielem Interesse verfolgt und gelesen haben; wie gesagt eine sehr gute Unterhaltung sowohl für Civil als auch Militär.

A. de Mussets „Gigina Don Paes Le Castagne dal Fuogo“ ist von G. B. Bartocci Fontana übersetzt bei F. Campitelli in Foligno herausgegeben worden.

„Die richtige Aussprache des Hochdeutschen“ betitelt sich eine Broschüre, die von Otto Rocca im Verlage von Wilhelm Werther in Rostock erschienen ist. Die Schrift bietet eine zutreffende, ausreichende, wohlbegründete Orthoepie des Hochdeutschen in lesbarer Form, wie sie die berechtigten Wünsche der Sprach- und Gesanglehrer, Künstler, Redner und der Gebildeten überhaupt erheischen. Möge sie den erwünschten Erfolg haben.

Eine recht gute deutsche Uebersetzung des französischen Romans „Die Ehe des Lieutenants Grant von Pierre Lott“ ist im Verlage von Hermann Risel & Co. in Hagen in W. erschienen. Die Erzählung wird gewiss auch bei uns wie in Frankreich viel gelesen werden.

Dr. Heinrich Wiese hat es sich zur Aufgabe gemacht, den litterarischen Nachlass des bekannten Philosophen Dr. Friedrich Harms zu veröffentlichen und so unsere Litteratur um ein wertvolles Werk über „Logik“ bereichert. Für Bibliotheken ist das Buch unter allen Umständen eine Notwendigkeit, das Werk ist ein Complement der 1884 veröffentlichten Metaphysik.

Drei Theaternovellen hat Julius Große unter dem Titel „Mimosen" im Verlage von D. W. Callwey in München erscheinen lassen. Der bekannte und immer wieder gern begrüßte Autor wird hier Jedem bei der Lektüre dieser Novellen einen Genuss bereiten und werden dieselben den Kreis seiner Freunde sicherlich noch erweitern.

„Söven Kierkegard, Stadien auf dem Lebenswege." Studien von Verschiedenen. Zusammengebracht und herausgegeben von Hilarius Buchbinder ist von A. Bärthold auch uns in einer vortrefflichen Uebersetzung (Verlag von Johs. Lehmann in Leipzig) zugänglich gemacht worden.

Die Veröffentlichung der Biographie Darwins steht nun nahe bevor und wie der Londoner Verleger des vom Sohne Darwins herausgegebenen Buches ankündigt, wird dieselbe eine kurze Autobiographie des Verstorbenen mit enthalten. Es ist ein komisches Zusammentreffen, dass derselbe amerikanische Verleger, welcher die Sensationsschrift „Bietigheim" ankündigt, worin dem monarchischen Deutschland die Niederlage durch die Republiken Frankreich und Amerika in nahe Aussicht gerückt wird, dicht unter dieser Schrift eine Novelle von Joaquin Miller, dem Dichter der Sierralieder ankündigt, worin dem verrotteten New-York, in welchem die brutalste und genusssüchtigste Plutokratie herrscht, ein Ende mit Schrecken in Aussicht gestellt wird. Die Erzählung, in welcher das Leben und Treiben der Geldfürsten Gould, Vanderbilt und Genossen an den Pranger gestellt wird, führt den Titel „Gotham", ein Anklang an „Gomorrah".

Ein recht willkommenes Buch hat Carl Hager im Verlage von Georg Lingke in Leipzig erscheinen lassen. Die Veranlassung dazu hat dem Verfasser jedenfalls die Kolonialpolitik des Reiches, das Streben nach überseeischen Ländern gegeben und ist seine Aufmerksamkeit sein und Forschungsfeld auf die östlich von den so viel umstrittenen Karolinen gelegenen Marshall-Inseln gefallen. Das Land wie seine Bewohner, ihre Sitten und Gebräuche sind in dem Werke der Gegenstand eingehender, vielseitiger, wissenschaftlicher Erörterung.

Der durch seine sozialwissenschaftlichen Werke bekannte Autor Leonhard Freund hat soeben dem im Verlage von Karl Fr. Pfau in Leipzig erschienenen ersten Hefte seiner „Studien und Streitzüge auf sozialwissenschaftlichen, juristischen und kulturhistorischen Gebieten" das zweite folgen lassen. Es sind in demselben recht wertvolle Beiträge unter Anderm über Kultur und Recht, Christentum und Nationalökonomie, die Judenfrage, Psychologie der Gesellschaft, die Treue in deutschen Sprüchen und Sprüchwörtern, welche das Interesse eines Jeden in hohem Grade wach rufen müssen.

Ein recht wertvolles Werk ist von Dr. Heinrich Romundt in der Nicolaischen Verlagsbuchhandlung in Berlin herausgegeben worden. Dasselbe betitelt sich „Ein neuer Paulus, Imanuel Kants Grundlegung zu einer sicheren Lehre von der Religion". Die großen Schwierigkeiten, welche gerade Kants philosophische Religionslehre dem Verständnis des Lesers bereitet, hat der Verfasser in dieser Schrift sehr erleichtert und wird dieselbe sicherlich auch dem großen Publikum verständlich sein.

„Im Pfalzgrafenschloss" betitelt sich eine zwar kleine aber sehr lesenswerte Studenten- und Soldatengeschichte aus dem alten Heidelberg von Friedrich Percy Weber. Auch die Verlagsbuchhandlung Moritz Schauenburg in Lahr hat es sich angelegen sein lassen, anlässlich des Jubiläums der alten Universität dem Bändchen ein hübsches Gewand zu geben.

Nr. 42 des 12. Jahrgangs der Illustrirten Berliner Wochenschrift „Der Bär", Preis vierteljährlich 2 Mk. 50 Pfge. (pro Nummer von ca. 2 Bogen also noch nicht 20 Pfge.), Verlag von Gebrüder Paetel in Berlin W., hat folgenden Inhalt: Gedenktage. — „Verfestet", eine Berliner Geschichte aus dem Jahre 1380 von Oskar Schwebel (Schluss). — Feuilleton: Kunstkritik vor hundert Jahren. — Die Hartungschen Schulen in Berlin, aus der Jugenderinnerung eines alten Berliners, mitgeteilt von Dr. Heinrich Otte (Schluss); Eine Pfingstwanderung in der Mark, von Adolf Boetticher; Kathinka Balmy, von H. Wagener. — Miscellen: Die Jubiläumsausgabe von Menzels Illustrationen zu den Werken Friedrichs des Großen (mit drei Abb.); Friedrich II. und General Katzler: Servis und Einquartirungswesen Potsdams aus den Tagen Friedrichs des Großen; Bastiani; Der Prinz von Homburg in Neustadt: Empfangsfeierlichkeiten in Alt-Ruppin; Professor Adolph Menzel (Porträt).

Auf zwei im Verlage von J. F. Richter in Hamburg herausgegebene Werkchen zur Erlernung der schwedischen Sprache machen wir unsere Leser mit Vergnügen aufmerksam, das eine trägt den Titel „Deutsch-Schwedisches Gesprächbuch mit einer kleinen Grammatik" von C. H. Lindberg, das zweite „Deutsch-Schwedisches Elementar- und Extemporalien-Buch" von demselben Verfasser. Sowohl durch den großen Wortvorrat als auch durch die Aufstellung und die völlige Korrektheit der schwedischen Ausdrücke, welche letztere in derartigen kleineren Büchern selten zu finden sind, zeichnen sich dieselben vorteilhaft aus und werden daher auch denen, welche die schwedische Sprache erlernen wollen, guten Nutzen gewähren.

Heinrich Köhler hat soeben im Verlage von Eugen Peterson einen Band Novellen unter dem Titel „Katastrophen" veröffentlicht, welche, wie seine früheren Schriften, eine reiche Begabung bezeugen. In demselben Verlage erschienen von der rühmlichst bekannten Autorin Erna Velten sechs allerliebste Erzählungen für junge Mädchen „Blaublümchen." Von unseren höheren Töchtern und Damenwelt überhaupt wird dieses neue Opus gewiss mit Freude begrüßt werden und werden diese „Blaublümchen" bald einen Schmuck des litterarischen Straußes in jeder Familie bilden.

Ein recht hübsch ausgestattetes Werkchen hat Carl Böttcher im Verlage von Georg Lingke in Leipzig edirt. „Karlsbader Album" hat der Verfasser dasselbe getauft und giebt uns in demselben eine nette Auswahl lyrischer Gedichte von unsern lebenden Dichtern, von denen die meisten Träger eines recht klangvollen Namens sind.

Eine der herrlichsten Schöpfungen der neueren serbischen Litteratur „Der Bergkranz" (Die Befreiung Montenegros). Historisches Gemälde aus dem Ende des siebzehnten Jahrhunderts von Petar Petrovic Njegus (Verlag von Carl Konegen in Wien) ist soeben zum ersten Male von J. Kirste, Doctor der Philosophie, ins Deutsche übertragen worden. Der Verfasser giebt uns ein fesselndes Bild aus Montenegros Vergangenheit und schildert darin die Sitten, Gebräuche und Anschauungen des Volkes mit historischer Treue.

„Bilder von der Ostgrenze", Studien und Skizzen von M. Friedeberg (Verlag von J. Mikszas in Tilsit und Robert Friese in Leipzig). Das Werk, welches nunmehr komplett ist, verdient eine wohlwollende Beachtung Der Verfasser, welcher sich entschieden mit großem Fleiße an dasselbe gemacht, führt uns durch die ostdeutschen Gaue und entrollt vor unseren Augen ein lebenswahres Bild der Jetztzeit und Vergangenheit.

Katalog einer Richard Wagner-Bibliothek, nach den vorliegenden Originalien systematisch-chronologisch geordnetes und mit Citaten und Anmerkungen versehenes authentisches Nachschlagebuch durch die gesammte Wagner-Litteratur von Nicolaus Oesterlein II. Bd. (Verlag von Breitkopf & Härtel in Leipzig). Dieser zweite Band des „Catalog einer Richard Wagner-Bibliothek", welche im Zusammenhange mit dem 1882 erschienenen ersten Bande dieses Werkes erscheint, darf als eins der bedeutendsten und zugleich reichhaltigsten bibliographischen Werke gelten, welche bisher über Richard Wagner erschienen sind. Es enthält nicht nur sämmtliche für und gegen Wagner erschienenen Schriften, sondern auch eine große Anzahl von Aufsätzen, Artikel und Notizen aus Zeitungen, soweit es bisher die Forschung auf diesem Gebiete zu erreichen vermochten. Dieses bibliographische Werk wird wird nicht bloß für Fachleute sondern auch für die ganze gebildete Welt von Interesse sein.

Alle für das „Magazin" bestimmten Sendungen sind zu richten an die Redaktion des „Magazins für die Litteratur des In- und Auslandes" Leipzig, Georgenstrasse 4.

Für die Redaktion verantwortlich: Karl Bleibtreu in Charlottenburg. — Verlag von Wilhelm Friedrich in Leipzig. — Druck von Emil Herrmann senior in Leipzig

Das Magazin

für die Litteratur des In- und Auslandes.

Wochenschrift der Weltlitteratur.

1832 gegründet von Joseph Lehmann.

55. Jahrgang.

Herausgegeben von Karl Bleibtreu.

Preis Mark 4.— vierteljährlich.

Verlag von Wilhelm Friedrich in Leipzig.

No. 34. — Leipzig, den 21. August. — 1886.

Inhalt:

Bildungsideale und Klassizismus.

Die klassischen Sprachen im Lehrplan unserer höheren Schulen gründen ihre Unentbehrlichkeit als Mittelpunkt des höheren Unterrichts bekanntlich auf die Anschauung, dass die Erziehung zur wahren Humanität nur durch die antike Litteratur, eine vollkommene Ausbildung der Verstandeskräfte nur durch die lateinische Grammatik möglich sei.

In dieser Anschauung aufgewachsen wird uns die Vorstellung schwer, dass für den altsprachlichen Unterricht zu anderen Zeiten andere Gesichtspunkte maßgebend gewesen sein könnten. Wir meinen unwillkürlich, seit den Tagen des Melanchthon müsse die ethische und intellektuelle, die „allgemeine“ Bildung durch die Klassiker der leitende Gedanke des deutschen Gymnasialunterrichts gewesen sein; und da uns heutigen Tages nicht nur der Philologe und der Theologe, sondern auch der Arzt und der Jurist, wie überhaupt Jeder, welcher am Leben der Gegenwart in leitender Stellung teilzunehmen berufen ist, ohne klassische Bildung undenkbar erscheint, so hören wir mit einem gewissen ungläubigen Erstaunen, dass noch Friedrich August Wolf das Griechische nur für Philologen und Theologen forderte, dass noch in den dreißiger Jahren die ostpreußische Regierung die Ansicht kundgeben konnte, einem Baumeister erwachse aus der Kenntnis jener Sprache kein erheblicher Nutzen, dass noch bis zum Jahre 1834 die Zulassung zum Studium ohne Abiturientenexamen möglich war. So verhältnismäßig jung also ist neben einem fast vierhundertjährigen humanistischen Unterrichtsbetrieb die Idee der „allgemeinen Bildung“ durch die alten Sprachen, dass die auf derselben beruhende Organisation des höheren Schulwesens erst vor ungefähr fünfzig Jahren ihren Abschluss fand!

Diese Tatsache verdient gerade jetzt, wo die Bildungsfrage die öffentliche Meinung so sehr bewegt, um so mehr Beachtung, als die Verteidiger des modernen Klassizismus so gerne auf die Stabilität dieses Bildungselements in unserer Kulturentwickelung hinzuweisen pflegen. Wenn uns so häufig die Behauptung entgegentritt, dass wir schon Jahrhunderte lang zu unserem Heile bemüht gewesen sind, in unseren Schulen vermittelst des Griechischen und Lateinischen Charakter- und Verstandesbildung zu pflegen, so verlohnt es sich dem gegenüber nachzuweisen, dass in Bezug auf die letzten Ziele des Sprachunterrichts die humanistischen Schulen des sechzehnten ebensowenig wie die höheren Lehranstalten des siebzehnten und achtzehnten Jahrhunderts etwas gemein hatten mit dem modernen Gymnasium, dass der Klassizismus seit der Reformation den stehenden charakteristischen Faktor unseres Erziehungswesens bildet neben wechselnden, bald im Einklange, bald im Gegensatz mit jenem sich entwickelnden Bildungsidealen. Dies überzeugend nachgewiesen zu haben, ist das Verdienst Paulsens, dessen Geschichte des gelehrten Unterrichts auf den deutschen Schulen und Universitäten (Leipzig 1885) als die erste quellenmäßige, abschließende und objektive Darstellung der behandelten Materie von epochemachender Bedeutung für die Geschichte unseres Erziehungswesens ist. Die Ergebnisse von Paulsens Forschungen liegen der folgenden kleinen Skizze zu Grunde. Möge sie dazu dienen, das Interesse für den reichhaltigen und interessanten Inhalt des Paulsenschen Buches in weitere Kreise zu tragen!

Der Klassizismus tritt in unser Kulturleben mit dem Anfang des sechzehnten Jahrhunderts. Der mittelalterliche Gelehrte kümmerte sich wenig um die Schönheit der Form, in welcher die geistigen Schätze des Altertums überliefert waren. Seine Sprache hatte mit der des Cicero kaum die Vokabeln gemein; er bediente sich der lateinischen Wörter und Wendungen, weil sie für den Ausdruck seiner Begriffe und Gedanken universale Geltung hatten, und schuf ohne Bedenken neue, wenn die vorhandenen nicht genügten. Das scholastische Latein war eine lebende Sprache, die sich nach den Bedürfnissen der Rede entwickelte und wandelte ohne Rücksicht auf den Sprachgebrauch mustergültiger römischer Schriftsteller.

Erst der Humanismus legt den Nachdruck auf die Form, und auf diese ausschließlich. Als die Kenntnis der Klassiker über die Alpen zu uns drang und in wenigen Jahrzehnten den mittelalterlichen Schul- und Universitätsbetrieb über den Haufen warf, berauschte man sich — des trockenen Tons der Scholastik satt — vor Allem an dem Rhythmus und Wohllaut der Sprache. Kein neues wissenschaftliches Prinzip brachten die Humanisten: nach wie vor galt die menschliche Erkenntnis als abgeschlossen durch die heiligen Schriften und durch das klassische Altertum. Neu war nur das Bestreben, durch das Studium der Alten die Fähigkeit mustergültiger Darstellung des vorhandenen Wissensschatzes zu gewinnen; man suchte sie nachzuahmen, wie sie zu reden und zu dichten. Wer formvollendete lateinische (oder auch wohl griechische) Gedichte oder Prosawerke selbst herzustellen vermochte, stand auf der Höhe der Bildung und Wissenschaft seiner Zeit. — Dieser Anschauung entsprach das humanistische Unterrichtswesen. Die Beherrschung der lateinischen Sprache war — neben solchen Kenntnissen im Griechischen und Hebräischen, als zum Verständnis der heiligen Schriften nötig waren — das erste, vornehmste Ziel. Ihrer sollten nach Sturms Lehrplan für die Schule zu Straßburg die Knaben schon im neunten Lebensjahre mächtig sein. Die Lektüre der Schriftsteller hatte keinen anderen Zweck, als den in ihnen aufgespeicherten Wissensschatz nutzbar zu machen und das sprachliche Material zu seiner Darstellung zu gewinnen.

Man sieht, der Humanismus des sechzehnten Jahrhunderts hat in Bezug auf die Erziehungsideale mit dem modernen Humanismus nichts als den Namen gemein. Man dachte nicht daran, wie heute, durch den Geist des Altertums die Anschauungs- und Denkweise zu veredeln, den Charakter zu bilden. Die ersten Humanisten mochten davon geträumt haben, nicht nur in der Litteratur, sondern auch im Leben an die Alten anzuknüpfen; den Reformatoren war solch heidnisches Wesen ein Greuel, und der Schule Melanchthons ist nicht der Geist der Antike die Hauptsache, sondern ihre Denkform, die Sprache. Die Gedichte des Ovid verdienen zwar auch um der Sachen willen gelesen zu werden — so führt ihr Erklärer Sabinus aus —; sie sind ein wahrer thesaurus eruditionis, man kann aus ihnen sehr viel Geographie, Astronomie, Naturgeschichte lernen; in erster Linie sind sie aber um der Sprache und der Art der Verse willen den Jünglingen vorzulegen, sie versehen den der Beredsamkeit Beflissenen mit einem vollständigen oratorischen Apparat! — Sophokles ist nach Ansicht des Rostocker Professors Passelius vor Allem et intelligendi et dicendi magister optimus; jede Tragödie enthält die vorzüglichsten Erörterungen oder locos communes! Was würde ein moderner Bewunderer des Ovid und des Sophokles zu einem solchen Masstab der Wertschätzung sagen? — Kann man so als Ziel der humanistischen Schule **formale Bildung durch das Studium der Klassiker** bezeichnen, so haben wir uns natürlich andererseits zu hüten, unter formaler Bildung das zu verstehen, was man heute mit jenem Namen zu benennen pflegt: von der, nach moderner Anschauung, unersetzlichen verstandesbildenden Kraft der lateinischen Grammatik hatten die Gymnasiallehrer vor 300 Jahren so wenig eine Ahnung, dass sie, wie Paulsen ausführt, die Erlernung derselben Alle ohne Ausnahme als eine harte Notwendigkeit betrachteten! Die humanistische Schule beruhte auf dem Prinzip der Nützlichkeit; und hierin lag ihre Stärke, denn sie entsprach vollständig dem Bedürfnis ihrer Zeit, der die richtige Ueberlieferung und Interpretation des Wortes Gottes und des wissenschaftlichen Canons, sowie die formvollendete Darstellung derselben durch das damals einzig angemessene Ausdrucksmittel der lateinischen Sprache die Summe alles geistigen Strebens war.

Aber sehr bald wuchs man über dieses Bildungsideal hinaus. Die Anfänge der modernen, voraussetzungslosen, wissenschaftlichen Forschung, die ersten schüchternen Anzeichen erwachenden Nationalgefühls richten sich sofort gegen das humanistische Schulwesen. Schon 1612 erregt der Vorschlag des Ratichius „im **Hochdeutschen** eine Schule herzurichten, darinnen alle Künste und Fakultäten ausführlich können gelehrt und propagiret werden", die lebhafte Teilnahme des Frankfurter Wahltages; nicht viel später eifert Comenius gegen die Gelehrtenschulen seiner Zeit in jener leidenschaftlichen Weise, die an den modernen Kampf gegen das Gymnasium erinnert; und die letzte Hälfte des 17. Jahrhunderts findet fast alle Voraussetzungen, auf denen die innere Berechtigung einer Lateinschule beruht, im Schwinden begriffen. Ueberall in Wissenschaft, Staat und Gesellschaft regen sich neue, dem Klassizismus feindliche Kulturelemente. Die Philosophie sieht mit dem Prinzip der Voraussetzungslosigkeit ab von der geschichtlichen Ueberlieferung; Mathematik und Naturwissenschaften gewinnen ihre selbständige Methode der Forschung; es bilden sich neue staats- und rechtswissenschaftliche Doktrinen und Disziplinen. Das steigende Uebergewicht Frankreichs zeigt dem Deutschen das erstrebenswerte Vorbild eines die kleinen Republiken des griechischen Altertums weit überragenden, auf modernen Grundsätzen der Regierung und Verwaltung ruhenden mächtigen Staatswesens und einer glänzenden Nationallitteratur. Die Wandlung der sozialen Verhältnisse nach dem großen Kriege legt die führende Rolle in die Hände des im Besitz der Hof- und Staatsämter keineswegs gelehrten Interessen huldigenden Adels. Ein neues Zeitalter ist angebrochen, in der die sapiens atque eloquens pietas des sechzehnten Jahrhunderts sehr wenig Geltung hat. Welch ein Unterschied zwischen dem bescheidenen Magister Melanchthon und dem kaiserlichen Reichshofrat Baron von Leibnitz! Nicht mehr der vollkommene Gelehrte ist der Mann des Tages, sondern der vollendete Hofmann, der durch gesellschaftliche Formen und französische Bildung, durch Kenntnisse in den modernen Wissenschaften zum Hofdienst und zur Bekleidung der höheren Staats- und Militärämter tauglich ist. Nimmt man hinzu, dass auch in den mehr auf ein inneres Geistes- und Gemütsleben gerichteten Kreisen der Gebildeten das religiöse Moment der Pflege der Klassiker um ihrer selbst willen immer nachdrücklicher entgegentrat, so hätte man erwarten dürfen, die vereinigte Strömung des Rationalismus und des Pietismus würde die humanistische Schule hinweggeschwemmt haben. Eine Befreiung von den Fesseln des überlebten Klassizismus wurde wohl versucht, — wir erinnern an Thomasius —; aber sie konnte nicht gelingen. Die neuen Ideen fanden in der durch den überwuchernden Humanismus verkümmerten deutschen Sprache keine adäquate Darstellungsform. Noch in der Mitte des achtzehnten Jahrhunderts konnte ein Lessing Bedenken tragen, seinen Laokoon in deutscher Sprache abzufassen: er zweifelte an ihrer Ausdrucksfähigkeit für den zu behandelnden Stoff und dachte allen Ernstes daran, französisch zu schreiben. Wie das Französische die Sprache der gebildeten Gesellschaft, so war und blieb die Sprache der Wissenschaft das Lateinische, welches deshalb wohl oder übel in der Schule gelernt werden musste. Latein nahm die erste Stelle ein im Stundenplan der ihrem Zeitalter am meisten entsprechenden Ritterakademien, Latein trieb man auch auf Franke's Pädagogium in Halle täglich drei Stunden! Niemals trug die höhere Schule so wenig dem geistigen Bedürfnis ihrer Zeit Rechnung, als in der zweiten Hälfte des siebzehnten Jahrhunderts und im Großen und Ganzen fast das achtzehnte Jahrhundert hindurch. Sie hatte für die modernen Disziplinen nur ein paar Nachmittagsstunden und betrachtete sie mehr als „Rekreationen", denn als ernsthafte Unterrichtsgegenstände; „selbst bei ihrer Behandlung trat häufig der Gesichtspunkt hervor, den Schüler zu befähigen, über diese Dinge in gutem oder erlaubtem Latein sich auszudrücken." Sie verschwendete den größten Teil von Zeit und Kraft an die Erlernung einer Sprache, deren Herrschaft alle Einsichtigen als eine drückende Fessel empfanden, an einen Unterricht, der rein mechanisch und nur auf die Aneignung der mündlichen und schriftlichen Sprachfertigkeit gerichtet war. Man wollte weder verstandesbildend wirken, noch die Schätze der antiken Litteratur dem geistigen Leben nutzbar machen. „Man dachte nicht daran, dass man in der Schule einen klassischen Autor zu einem anderen Zwecke in die Hand nehmen könne, als die Kunst, in seiner Form zu schreiben, aus ihm zu erlernen." Die Klassiker wurden nach jenen dickleibigen Ausgaben traktirt, wo, um mit Seume zu reden, „des Dichters Grazien in einem Ozean von Notenkrämerei zu Grunde gingen" — oder sie wurden durch Kompendien, durch Sammlungen von loci communes oder durch neulateinische Autoren ersetzt. Als Unterlage des ewigen Deklinirens, Konjugirens, Exponirens, Analysirens, Phraseologisirens, Imitirens war ja auch ein fasciculus epigrammatum, war Buchanini psalterium oder Schœnaei Terentius Christianus bequemer und passender als die Heiden, deren Schriften ja doch nur „ein Hemmnis der Gottesfurcht sind, — die nicht viel mehr erzählen als abscheuliche Schandpossen und Narrendeutungen, alberne Fabeln von so und so vielen und vielerlei Göttern und Göttinen", — die den frommen Thomasius, wie ein Zeitgenosse von ihm rühmend hervorhebt, in ihrer Gottlosigkeit „einige Jahre vor seinem Tode gleichsam anstunken". — Heyne erlernte die Anfangsgründe des Lateinischen an Erasmus de civilitate morum und machte lateinische Verse, ehe er einen römischen Dichter gelesen hatte; der Pfarrer seiner Vaterstadt Chemnitz diktirte ihm solche aus seinen collectiones epigrammatum, die er paraphrasiren und in ein anderes Metrum übertragen musste. Der Unterricht, den er in der Lateinschule genoss, war nicht viel besser; erst in der Prima gelangte er zur Notiz von einigen Klassikern.

Jedoch neben solchen Zuständen begann schon um die Mitte des vorigen Jahrhunderts jener Aufschwung der Altertumswissenschaften, der scheinbar allen Gesetzen geschichtlicher Entwickelung zuwider, auf das Bildungsleben unserer Zeit einen so überwältigenden Einfluss ausüben sollte. Gesner, Heyne, Ernesti sind die ersten pädagogischen Apostel jenes Kultus der Antike, der im letzten Jahrzehnt des vorigen Jahrhunderts seinen Höhepunkt erreicht und die größten Geister der Nation in seinem Bann gefangen hält. Im Jahre 1794 schrieb Schiller den bekannten Brief an Goethe, der, „als griechischer Geist in diese nordische Schöpfung geworfen, gleichsam von innen heraus auf rationellem Wege ein neues Griechenland gebären müsse". Diese Worte bezeichnen zugleich das Bildungsideal des modernen Humanismus: Nicht mehr die Nachahmung und Fortsetzung der Litteratur der Alten, nicht mehr die mechanische Erlernung des Lateinischen als Sprache der Wissenschaft, sondern die Durchdringung des modernen Menschen mit den Ideen und Anschauungen des Altertums, die Erziehung zur Humanität durch die Griechen, „jene exemplarische Darstellung der Ideë des Menschen“, ist der alleinige Zweck des Studiums der Klassiker. F. A. Wolf hat dieses Bildungsprinzip zuerst systematisch entwickelt, und unser Jahrhundert hat auf demselben die staatliche Organisation des höheren Unterrichts begründet. Seit ungefähr fünfzig Jahren ist die klassische Bildung für Jeden, der auf eine höhere Stellung in Staat und Gesellschaft Anspruch macht, unerlässliche Bedingung ohne Rücksicht auf individuelle Neigung und spätere Berufstätigkeit. Auch die allerneueste Zeit hat wenig hieran geändert; manche Berufswege, die früher nur dem Gymnasiasten offen standen, sind jetzt zwar auch dem Realschulabiturienten zugänglich gemacht; aber auch er muss immer noch dem Klassizismus einen ansehnlichen Tribut zollen; auch kommt er in Bezug auf Anstellungsfähigkeit und gesellschaftliche Stellung immer erst in zweiter Linie in Betracht. — Neben dem Prinzip der Erziehung zur Humanität durch die Alten hat das sog. formale Prinzip, das heißt die Ausbildung des Verstandes durch die lateinische Grammatik in der modernen Gymnasialpädagogik immer mehr an Bedeutung gewonnen. F. A. Wolf legte dem grammatischen Unterricht wenig Wichtigkeit bei; bei den Neueren scheint es oft, als ob die römischen Klassiker nur um der lateinischen Formenlehre und Syntax willen da sind.

Die vorstehenden Ausführungen zeigen uns, dass eigentlich nur die humanistische Schule des sechzehnten Jahrhunderts im Einklang stand mit dem geistigen Leben ihrer Zeit; dass die beiden folgenden Jahrhunderte im Allgemeinen an dem humanistischen Schulbetrieb festhielten und gewissermaßen festzuhalten gezwungen waren trotz der beginnenden Loslösung und fortschreitenden Befreiung unserer Kultur von dem Einfluss der Antike, dass der Humanismus in den deutschen Schulen auf diese Weise lange Zeit nur ein Scheinleben fristete, bis die vor etwa hundert Jahren inaugurirte zweite Renaissance des klassischen Altertums ihn mit neuem Inhalte erfüllte, ihm die herrschende Stellung in unserem Bildungsleben zurückgab. Wir stehen jetzt vor der Frage, wird diese Herrschaft der klassischen Bildung Bestand haben? werden die alten Sprachen ihren Platz im Mittelpunkt des höheren Unterrichts in dem Maße wie bisher behaupten können? Die Antwort liegt unserer Ansicht nach nicht auf einem Gebiet, auf welchem sich die Erörterung dieses Gegenstandes meistens zu bewegen pflegt. Wenn die Verfechter des jetzigen Zustandes behaupten, dass die klassischen Studien nun und immer notwendig und unentbehrlich seien für die Erweckung und Förderung idealer Gesinnung in unserem Volksleben — denn auf diesen Punkt läuft jede Verteidigung des Klassizismus mehr oder weniger hinaus — so können wir solche Behauptungen in ihrem Wert oder Unwert ganz auf sich beruhen lassen. Das Entscheidende liegt für uns in der Tatsache, dass eine Durchdringung des modernen Menschen mit dem Geist der Antike, welche die von ihr erwarteten Früchte zeitigen soll, für Einzelne vielleicht erreichbar, für die Gesammtheit der Gebildeten aber schlechterdings nicht mehr möglich ist. Wir wollen hier nicht untersuchen, wie weit sie es noch vor hundert Jahren war. Jedenfalls war damals das klassische Altertum noch ein positiver Faktor im Kulturleben der Nation. Der Gegensatz gegen den Absolutismus fand in ihm seine politischen, die aufblühende deutsche Dichtung ihre ästhetischen Ideale verkörpert; die Gesellschaft suchte in der Rückkehr zu den Alten eine Rückkehr von dem alle Erscheinungsformen des geistigen Lebens beherrschenden Konventionalismus einer rationalistischen Weltanschauung zur Freiheit und Natur. Dazu kam, dass die Richtung der Zeit vorwiegend eine ästhetische war. Dem öffentlichen Leben teilnahmlos oder ablehnend gegenüberstehend, träumten unsere Dichter und Denker von einem Reiche der Geister, welches, wie Schiller sagt, durch ein höheres Interesse an dem, was rein menschlich und über allen Einfluss der Zeiten erhaben ist, die politisch geteilte Welt unter der Fahne der Wahrheit und Schönheit vereinigte. Und doch dachte man damals nicht daran, die klassische Bildung in dem Grade wie heute zur Grundlage der Erziehung zu machen: Wolf verlangte das Lateinische nur für Studirende, das Griechische nur für Philologen und Theologen; seine Anforderungen in den einzelnen Unterrichtsfächern sind, mit den heutigen verglichen, äußerst gering.

Das Ende des neunzehnten Jahrhunderts nimmt in doppelter Hinsicht einen entgegengesetzten Standpunkt ein. Einmal hat sich unsere Kultur von den Fesseln der Antike vollständig befreit; es giebt kein Gebiet geistiger Tätigkeit mehr, auf dem jetzt noch durch ein direktes Zurückgehen auf die Alten neue Anknüpfungspunkte einer Weiterentwickelung gewonnen werden könnten. Daneben verbieten die großartige Entwickelung unseres Staats- und Verwaltungswesens, die Vielseitigkeit und Vertiefung der modernen Wissenschaft, die gesteigerten Anforderungen des alle geistigen Bestrebungen in seinen Dienst zwingenden öffentlichen Lebens mehr als je jene ästhetische Gesammtrichtung des Denkens und Empfindens, die unsere Nation schon einmal bis hart an den Rand des Abgrundes geführt hat. Wir sind aus einem empfindelnden Volke ein handelndes geworden und fordern dennoch von unseren Söhnen, die wir zur Teilnahme am Leben der Gegenwart erziehen wollen, auf dem Gymnasium ein Einleben und Aufwachsen in einer Welt, die mit der unsrigen ganz und gar keine Berührungspunkte mehr hat! Eine Vereinigung solcher Gegensätze ist einfach unmöglich; die klassische Bildung schließt das Verständnis für das Leben und die Aufgaben der Gegenwart aus. Ein Symptom dieses Widerspruches zwischen Schule und Leben ist die Tatsache, dass die Gymnasien ihren ausgesprochenen Zweck nicht mehr erfüllen; die Konferenzen preußischer Gymnasialdirektoren, namhafte Publizisten wie von Sybel und von Treitschke, Professoren aller Fakultäten*) sprechen es unumwunden aus, dass das Interesse der Studirenden für das Altertum ein geringes ist und immer geringer wird, dass also die Mühe, die geistigen Schätze des Altertums für unser Volksleben fruchtbar zu machen, vergeblich ist.

Mag deshalb Mancher von seinem Standpunkt aus diesen Entwickelungsgang beklagen, so ist doch die gänzliche Befreiung auch der Schule vom Klassizismus nur eine Frage der Zeit. Er wird allmählich anderen, modernen Bildungselementen Platz machen müssen, und der Pflicht, solche zu suchen und für die Erziehung zu verwerten, wird sich die Schule nicht lange mehr entziehen können. Die Klagen über den schwindenden Idealismus sind nur ein Zeichen mangelnder geistiger Bewältigung der Mächte, die die Gegenwart mit innerer Notwendigkeit beherrschen. Nicht ein äußerliches künstliches Gegengewicht zu schaffen gegen die „materialistische“ Richtung der Zeit, sondern derselben ihre ideale Seite abzugewinnen ist die Aufgabe der Bildungsbestrebungen der Zukunft.

Ludwigslust. A. Lachmund.

Das eiserne Zeitalter in der Litteratur.

Von Leo Berg.

Unsere Zeit ist unpoetisch! Das ist ein oft gehörter Schrei. Nicht nur, sie habe keine Poeten, sie könne auch keine haben. Unsere sozialen Einrichtungen, unsere politischen Zustände und unsere philosophische Weltanschauung geben der Poesie keinen Spielraum. Dampfmaschinen, Polizei und Darwinismus sind unpoetische Dinge. Es wurde viel auf die neue, die gottverlassene und schönheitsberaubte Zeit geschmält. Wie viel poetischer war es nicht, als man noch im Postwagen fuhr, als man noch die Kirche besuchte und fromm war!

Aber nichts törichter als sich gegen eine Weltanschauung oder Institutionen zu wenden, weil sie weniger zu poetischer Behandlung geeignet erscheinen; kommt ja doch, um mit der Rahel zu reden, jede neue Erscheinung mit einer Verrenkung zur Welt. Aber sind eure Neuerungen nur gut und heilsam, die Poeten werden nicht ausbleiben, die die Gesetze ihrer Schönheit entdecken und darstellen!

Wie ihr von der neuen Philosophie, nicht anders werden einst die Griechen von dem Christentum gedacht haben. Was kann ein gestaltenloser Gott dem Künstler bieten? Wie dürftig, wie unschön, ein Heiland, der gekreuzigt wird! Wohl Wahres mag die neue Religion enthalten, aber heilige Muse von Hellas vale! Die Dantes, die Wolfram von Eschenbachs, die Raphaels und Michel Angelos erschienen, und auf einmal vernahm die Welt, dass in jener Religion eine solche Fülle von künstlerischen Motiven, ein solcher Glanz von Schönheit verborgen liege, dass kein Vergleich mit den Alten zu scheuen sei. Und so ging es immer. Was kann unpoetischer sein, als die kantische Philosophie. Es ist sattsam bekannt, was Schiller dieser zu verdanken hatte. Heine nennt ihn geradezu den berauschten Kant.

Das freilich ist eine unbestrittene Wahrheit: Je vollkommener der Mensch wird, desto weniger wird er zu künstlerischer Produktion geeignet sein: hat doch die Sehnsucht nach dem Fernen, Unerreichten nicht den geringsten Anteil an den Schöpfungen der Poesie. Im Winter, hinterm Ofen werden bekanntlich die meisten Frühlingslieder und im Kerker die meisten Freiheitsoden gedichtet. Ein Zeitalter, in dem die Zeitungen wie die Pilze aus dem Boden schießen und das eine wenig eingeschränkte Pressfreiheit besitzt, wird freilich keinen Shakespeareschen Narren, keinen Hamlet mehr schaffen können!

Aber wenn dies der Grund für den Verfall der Dichtkunst ist, dann, Muse, Ade! Dann wollen wir streben, nur immer vollkommener, immer glücklicher zu werden, damit wir der Poesie nicht mehr bedürfen; so wie wir eines Arztes los zu werden bemüht sein müssen, mag er auch gleich noch so liebenswürdig sein. Ach, die Krankheit hat ja doch auch ihre Poesie; doch wer wird fort und fort auf die Aerzte schmälen, die den Traumgelüsten eines Kranken mit ganz prosaischen Instrumenten ein Ende machen wollen! — Die Menschheit aber wird nie ganz gesund, nie ganz glücklich und vollkommen werden, und das bedingt die Ewigkeit der Poesie.

Wenn eine Wunde heilt, bricht eine alte Narbe auf, ist eine Hoffnung erfüllt, so lockt schon ein neues Ziel. Die Poesie wird ewig sein, denn der Mensch wird ewig unglücklich sein.

Doch unsere Zeit? Ganz gewiss, ihr habt recht, Goethe könnte in unseren Tagen nicht mehr gedeihen! Der geringste aber von unseren bedeutenden Poeten würde sich auch in dem Kleinstaat Weimar beengt gefühlt haben. Aber lasst ihn ruhen, den Großen; und wenn einst das neue Drama von der Freiheit der Völker aufgeführt wird und die Kanonen die Musik dazu machen werden, dann prunkt nicht mit

*) Vgl. das die Bedeutung des Klassizismus für unsere Zeit erschöpfend behandelnde Buch von Prof. Schmeding, die klassische Bildung der Gegenwart. Berlin 1885.

ihm, sonst möchte man sich an ihm vergreifen, wie man einst die Vendôme-Säule in Paris demolirt hat; vergrabt ihn still, wie man einen Schatz vergräbt, wenn der Feind naht. Ruhigere Zeiten, Zeiten des Genusses werden wieder kommen. Er gehört vergangenen Geschlechtern an, die die Völker heute schon nicht mehr verstehen. Freilich hat in unseren Tagen noch ein Poet gelebt, der aufs Neue sich in jenen Strom der Schönheit untergetaucht; aber es war das Schwanenlied, das Geibel der alten Zeit gesungen. Man braucht nur Goethe und Geibel zu nennen, um den ganzen Unterschied unserer Zeit von der alten zu empfinden.

Wo aber sind unsere Poeten? Unter den genannten Tages-Größen werden wir sie auch vergeblich suchen. Sie wird der Wind zerstreuen, und vielleicht das nächste Menschengeschlecht weiß nichts von denen mehr, auf deren Büchertitel so stolz die 20. oder 30. Auflage prunkt. Aber täuscht euch auch nicht! Es sind nicht die Poeten des Volkes, eher seine Possenreißer. Zerstreuung sucht der bedrängte Mensch; er will seinen Leiden entfliehen, auch sie mit Worten nicht nennen hören. Doch mit der Zeit widert das an; und wir können gerade in der letzten Zeit das Aufkommen einer Poesie beobachten, die wie ein kaltes Bad an einem stickichten Sommertage wirkt. Noch sind es freilich wenig, noch haben sie ein kleines Publikum. Aber genug, dass ihr Ansehen wächst, dass ihre Schaar nicht geringer wird! Es ist ein eigentümliches Gepräge, das diejenigen modernen Dichter auszeichnet, aus deren Poesien uns am Meisten der Geist der Zukunft entgegen zu wehen scheint:

Gottfried Keller und Alfred Meißner, und von den fremden Nationen vor Allem Iwan Turgenjew; auch diejenigen von den älteren, deren Popularität sich in aufsteigender Linie befindet, wie H. von Kleist und Friedrich Hebbel und die mit ihrer eisernen Konsequenz vielmehr dem gegenwärtigen als den vergangenen Geschlechtern anzugehören scheinen.

Was sind das für Poeten? Das sind nicht die heitern Söhne Apolls, wie wir die Dichter uns zu denken pflegen; keine Jünglinge; das sind Männer, denen der Ernst auf der Stirn tront; jeder ein Dante! Eiserne Männer das, wie sie einer eisernen Zeit geziemen. Bei ihnen suchet die Gedanken der Zeit, das Weh und die Wünsche des Volkes. Wie geistesverwandt sind sie auch! Alles Tändelnde, Spielende ist aus ihren Poesien gebannt, keiner Autorität wird Konzession gemacht, keine Konsequenz im Reiche des Gedankens und des Willens gefürchtet. Welch ein Stolz, welch ein Mannes-Pflichtgefühl, und welche Selbstentäußerung, welch ein Drang, nein sage Wille nach Freiheit!

Denn da finden wir keine pathetischen Worte, die die Freiheit preisen und sie ersehnen, sie sprechen nur den Willen mit wenigen energischen Worten aus.

Der Wille eines Mannes aber ist schon die halbe Tat. „Es ist so leicht, die Menschen zu verachten!" ruft Meißner einfach aus, und wirkt mit diesem nackten Satze gewiss mehr, als ein anderer Dichter, der lange Hymnen auf die Rechte der unterdrückten Klassen singt; an denen man sich so leicht berauscht, und ach, so leicht damit seiner Humanität genug getan zu haben glaubt. Wie schön, von Freiheit und Gleichheit zu schwärmen, um dann mit desto besserem Gewissen seine Bedienten zu tyrannisiren. Das ist eine ganz andere Logik, als man sie bei Dichtern zu suchen pflegt. Gegen solche Konsequenz der Gedanken, wie wir sie bei diesen Dichtern finden, gegen diese stahlharte Manneskraft, gegen dieses ungeheure Weh, das kein Himmel abzulösen vertröstet, dagegen mögen die kleinen Menschenrezepte nichts. Das ist die Logik der Tatsachen; das ist die Sprache des Hungers, und das lernt sich so leicht! Wehe den Aristokraten, wenn diese Poeten einst populär geworden, so wie etwa Rousseau, Voltaire und Schiller im vorigen Jahrhundert, oder so wie Turgenjew in Russland heute schon populär ist.

Die größte Poetennatur neben H. v. Kleist ist unzweifelhaft Gottfried Keller, dessen Verehrer aber noch ein sehr kleines Häuflein bilden. Er hat Gedichte gemacht, die man getrost mit denen Goethes oder Schillers vergleichen darf. Welch' ein Lied ist nicht z. B. das auf die Nacht! Dennoch glaube ich nicht, dass Keller der Dichtermessias unserer Zeit ist. Er wird vielleicht für diese sein, was Klopstock für Goethe, Aeschylos für Sophokles gewesen ist. Er ist oft schwerfällig und dunkel, die Schmerzen der Zeit kennt er wohl, aber nicht die Heilung.

„Das ist leichtes Geschäft, in Verwandtem das Feindliche sondern,
Weisheit aber vernimmt tieferen Frieden im Streit."

So Geibel. Aber erst den Kampf und dann den Frieden; und nur der kennt den Frieden, der ein wahrer Kämpe ist. Noch hat der Kampf nicht recht begonnen, noch kann also von keinem Frieden die Rede sein.

Ich habe nur die Gipfel genannt. Derer aber, in denen die neuen Ideen gähren, sind Viele.

Auch Ernst von Wildenbruch gehört im gewissen Sinne hierher, wenigstens wie er uns in seinen Novellen erscheint, während in seinen Dramen die einzelnen Kräfte zersplittern und wundersame Erscheinungen so zu Tage gefördert werden. Es herrscht bei ihm wie den Meisten ein erschreckender Wirrwarr der Begriffe, ein Drüber- und Drunterwerfen, dass man glauben möchte, die Kultur solle wieder ganz von Neuem beginnen.

Ein wüster Lärm, ein Sturm gegen das Alte war aber zu aller Zeit der Anfang der sich ihrer selbst besinnenden Menschheit.

Ja, wer die jüngste Bewegung in unserer Litteratur beobachtet, der wird an die Sturm- und Drangperiode der siebziger Jahre des vorigen Jahrhunderts, an die Zeiten der Romantiker und Jung-Deutschlands sich erinnert fühlen. Ein Haschen nach Originalität, ein Brechen mit allen Traditionen, ein Missachten aller Autoritäten. Ich kann mich in diesen wüsten Strudel nicht mit hineinstürzen, und dennoch habe ich das Gefühl, dass in diesen, allerdings noch kleinen Kreisen, die Zukunft des litterarischen Ruhmes Deutschlands ruht. Noch gähnt es mich chaosartig an.

Die Parole heißt: Wahrheit um jeden Preis! Tod allen Vorurteilen! Absolute Demokratie in der Litteratur.

Aber welch eine Skala vom stilvollen Realismus bis zum krassesten Materialismus, wie viel Vorurteile in der Missachtung alter Vorurteile, welche Demolirungswut gegen alles Große, wie viel Nebel! Nein, je moderner eure neuen Tendenzen, um so fester müsst ihr euch an das Alte anschließen.

Wenn alle Stützen des Glaubens, Wissens und Denkens schwanken, dann muss der Einzelne um so fester stehen, will er nicht von den stützenden Pfeilern begraben werden. Welch' eine Kraft, welch' eine Schule des Urteils gehört nicht dazu, wenn man sich an keine Autorität halten will! Das ist gewöhnlich ein Wandern ins Plan- und Ziellose, vor dem einem graut. Vor allem aber unserer Massen-Produktion gegenüber kann Schulung des Urteils und Vorsicht gar nicht genug empfohlen werden. Aber was geschieht, um Licht und Ordnung zu verbreiten? Wer kümmert sich auch wahrhaft um aufstrebende Richtungen und Talente? Wer versteht es auch, sein Ohr an den Schooß der Zeit zu legen, um das keimende Leben zu spüren? Die, die auf der Warte der Zeit stehen, die Rezensenten und Litteraten an Journalen und Tagesblättern, haben, wenn sie es selbst vermöchten, keine Zeit dazu.

Eine Kritik, die heute bespricht, was gestern auf den Markt kam, kann weder gründlich noch wahrhaft fördernd sein. Es ist viel über die Oberflächlichkeit der Tageskritik geschrieben worden, doch nicht immer mit Gerechtigkeit. Das hätte auch kein Lessing, kein A. W. Schlegel zu Stande gebracht, noch um elf Uhr eine um zehn Uhr beendigte Tragödie gründlich zu kritisiren. Den weitaus meisten Herren Rezensenten wird man indes wohl nicht Unrecht tun, wenn man annimmt, dass sie weder Lessingsche, noch Schlegelsche, und überhaupt keine des Namens würdige Kritiken zu Stande brächten, ob ihnen gleich zehn Jahre Zeit zu einer Rezension vergönnt wären. Die aber wahrhaft berufen wären, fördernd und Licht verbreitend in die neuen Bewegungen einzugreifen, die Gelehrten, die Herren Professoren der Litteratur, die haben noch viel weniger Zeit; sie schreiben lieber den 2000. Kommentar zum Faust oder brüten über einen zerlesenen Kodex, auf dass schließlich eine Düntzersche Weisheit zu Tage gefördert werde. Ach Gott, es ist doch so beschämend leicht, über Goethe oder Shakespeare heute etwas Geistreiches zu sagen! Jedenfalls leichter als über Gottfried Keller oder Alfred Meißner. Meistenteils sind die Herren auch viel zu stolz, sich um die Produkte der Gegenwart zu bekümmern. Ein alter Professor glaubte immer seine klassische Bildung dadurch ganz besonders zu belegen, wenn er, nach dem er viel von den Herrlichkeiten Homers, Shakespeares und Goethes zu erzählen wusste, zum Schluss pathetisch ausrufen konnte: „Und nun vergleichen Sie unsere zeitgenössische Litteratur, und Sie werden gestehen müssen, dass sie keinen Schuss Pulver wert ist."

Täusche dich nur nicht, alter Professor, sie dürfte noch einmal ganzer Kanonenladungen wert sein! — Vergleichen ist gut zum Charakterisiren, aber nicht zum Messen. Goethe an Shakespeare gemessen oder dieser an Sophokles, würde auch auch kaum einen Schuss Pulver wert sein. Die Vorzüge Shakespares sind nicht die Goethes u. s. f. Und wenn sie uns auch noch fehlen, die all umfassenden Riesenpoeten, so sind doch große Anläufe vorhanden. Aber sind nicht auch alle zweiten, dritten und zehnten Geister vergangener Epochen Objekte unaufhörlichen Studiums? Oder sollte ein Keller, ein Meißner, der Mühe ihn zu erkennen und verstehen, nicht wert sein, die an die Werke eines Lenz, Gerstenberg u. s. w. gewendet wird? Aber Lenz war ein Stürmer und Dränger, gehörte einer Bewegung an, aus der Schiller und Goethe hervorgegangen sind, und diese Gemeinschaft Aller giebt ihm schon ein Anrecht dazu! Worauf aber können sich unsere modernen Geister stützen, wenn sie nicht selber Schillers oder Goethes sind? O. betrügt euch nicht! Das alles hat der alte Gottsched auch schon gewusst. Ihr vollzieht nur ein Werk der Dankbarkeit, wenn ihr die Krippe reinigt, in der euer Heiland geboren, und an der Stelle des Stalles einen Palast aufbaut. Und nun tut ihr so vornehm, und fürchtet euch immer etwas zu vergeben, wenn ihr in einen noch frisch duftenden Stall gehen, euch mit dem lebendigen Hirtenvolk befassen sollt. Aber die Heilande der Welt sind noch immer in der Krippe geboren worden.

Orphische Gedichte.

Von Heinrich Bulthaupt.

IV.

Du bist mir erschienen in Lebensglanz
Im Traum der Nacht
Und hast mir die Sehnsuchtsflammen hell
In der Brust entfacht.

Als wolltest du sagen: Küsse mich!
So bebte dein Mund,
Und fragend blickte dein Auge mir
In der Seele Grund.

Du hobst den Arm und die weiße Hand
Und winktest: komm!
Und wie ich dich hielt, da zerging das Bild
Und der Tag erglomm.

Ich aber sinne und denke Nichts
Als nur das Eine:
Hinab zu dir in der Erde Grund,
Du ewig Meine!

Hinab zu dir! Mit des Saitenspiels
Und der Liebe Macht
Errett' ich dich, o du Sel'ge, mir
Aus der ew'gen Nacht!

V.

Nun wohlan, zur dunklen Pforte!
Taumelnd reißt es mich dahin!
Klirrend stürzt die Erdenfessel,
Flügel tragen Herz und Sinn.
Eins nur will ich: meine Liebe,
Eins nur denk' ich: sie allein!
Auf denn, Seele, von den Todten
Die Geliebte zu befrei'n!

Frage nicht, wohin die Straße,
Sorge nicht um Pfad und Steg,
Durch die Wellen, durch die Schluchten
Bahnt sich dir der eb'ne Weg!
Ohne Glanz des Auges Sterne,
Wirst du wie im Wahnsinn gehn —
Doch der Gott in deinem Busen
Wird die Schatten leuchten sehn.

Denke nicht, du denkst den Zweifel —
Zaudre nicht — es rinnt der Sand —
Glaube nur — und Flügel tragen
Dich ins ferne, fernste Land.
Eh' du noch um deine Sohlen
Das Sandalenpaar geschnürt,
Siehst du dich mit Geisterhänden
Wundernd schon ans Ziel geführt!

Gieb denn, gieb, dass ich vollende,
Ach! wonach die Seele ringt,
Hohe, sehnsuchtheiße Liebe,
Die das Mächtigste vollbringt.
Eh noch in den Purpurwellen
Dieser Sonnenball verschwand,
Tropft von meiner Stirn der eis'ge
Nebel schon vom Todtenland!

Russische Revue. Vierteljahrsschrift für die Kunde Russlands.

Herausgegeben von R. Hammerschmidt unter verantwortlicher Redaktion von Ferdinand von Koerber.

Seit fünfzehn Jahren erscheint in Petersburg ein Journal wissenschaftlich-patriotischen Charakters, welches in seiner bescheidenen Würde und Selbstachtung von dem vorgesteckten Programm und Charakter nicht abwich, alle Reiz- und Lockmittel verschmähte, welche ihm eine größere Popularität und Verbreitung bei der Menge oder bei den leichtlebigen, verwöhnten Gesellschaftsschichten verschafft hätte. Es ist noch heute, wie im ersten Jahre seines Bestehens gelesen und beachtet von einem mäßigen Kreis wissenschaftlicher Korporationen, Gesellschaften und Anstalten, strebsamer Köpfe und gelehrter Häuser; benutzt von einzelnen Spezialgelehrten und geschätzt von besonderen Freunden Russlands; nicht genug besprochen, nicht stark genug verbreitet für sein wirkliches Verdienst; nicht genug gekannt für den Nutzen, den es stiftet, für das reiche Material, was er dem Historiker, dem Nationalökonomen, dem Politiker bieten könnte. Es hat von jeher verschmäht, Reklame für sich zu machen. So wollen wir versuchen, ob es uns gelingt, durch Zusammenstellung von Fakten und durch ins Lichtstellen seines Wertes für dasselbe erlaubte, ehrliche und verdiente Reklame zu machen und zugleich dem Andenken des früh verstorbenen, talentvollen, betriebsamen Gründers, Herrn Hofbuchhändler C. Böttger, ein Gedenkblatt zu schreiben.

Die „Revue" nennen wir eine wissenschaftlich-patriotische, weil sie nur durch Ergründung von Tatsachen, Verbreitung von der „Kunde" Russlands und ganz ausschließlich nur Russlands patriotisch wirken will. Denn wer Land und Leute, ihre Resourcen und ihre Geschichte studirt, beweist seine Liebe zum Reiche und wer die Resultate dieses Studiums zum Allgemeingut macht, verbreitet die Liebe zum Vaterlande. Hier ist noch das besonders verdienstliche Streben, diese gediegene Arbeit dem Auslande zugänglich zu machen und entgegen zu wirken gegen die herkömmliche, leichtfertige, hochmütige, oft sogar feindselige Art, wie Fremde über Russland schreiben. Engländer, Franzosen und auch Deutsche haben nach flüchtigem Besuche und vom Hörensagen, nach Erfahrungen im Waggon, auf der Straße, auf dem Markte, nach einzelnen Ereignissen und Vorkommnissen geglaubt, Russland und seine Eigenart beurteilen und beschreiben zu können. Und wie schwer ist doch für einen Fremden, ein anders geartetes Volk und Staatswesen richtig aufzufassen, richtig zu verstehen und richtig darzustellen. Dazu gehören Zeit, Studium, Kenntnisse und aber auch guter Wille, aber auch Vorbereitung. Für solche Vorbereitung, für solche Kenntnisse und solches Studium sammelt nun schon lange die „Russische Revue" ein gediegenes Material, welches in einer Reihenfolge von Aufsätzen wohl geordnet und gruppirt, vielfach kunstreich dargestellt und konsequent durchgeführt dem lesenden Publikum vorliegen.

Vielfach von Gelehrten und Spezialisten gearbeitet geben die Aufsätze doch gleichsam nur das Resultat von deren Hauptstudien, so weit es für weitere Kreise geeignet ist; sie nötigen den Leser nicht diese Studien mitzumachen und doch vermeiden sie sorgfältig und mit Geschick die Verflachung des Gegenstandes, wie sie sogenannten populären Schriften so häufig eigen, sie vermeiden den unsympathischen Dilettantismus, welcher sich neuerdings so unerträglich breit macht. Wer nicht gesonnen ist, mit Ernst sich in den Gegenstand zu vertiefen, den stets wiederkehrenden Bearbeitungen desselben Gebietes konsequent zu folgen, wer nicht Freude daran findet, die sich folgenden Arbeiten selbstdenkend zusammenzufassen, die Resultate und Folgerungen daraus zu ziehen, dem wird sich der hohe Wert der fünfzehn Jahrgänge „Russischer Revue“ nicht erschließen. Sie ist nie pikant, nähert sich weder der Tagespresse, noch der Unterhaltungslitteratur, sie hat ihren eigenen, ernsten, schlichten Charakter bewahrt und durchgeführt bis zur Stunde.

Sie beginnt jeden Jahrgang mit einer Uebersicht über die Finanzbewegung des russischen Reiches.

Daran anknüpfend folgen eine Anzahl kleinerer Aufsätze finanz-volkswirtschaftlichen Inhalts, über Lokalindustrien und Produktion einzelner Gegenden, z. B. die Senfproduktion der Stadt Zorizyn, die Baumwollenkultur im Kaukasus, die Naphtaindustrie in Russland, die Bauernindustrie im Gouvernement Olonez, die wichtigsten Resultate der wirtschaftlichen Tätigkeit im Kaukasus, die Schafzucht in Russland, die Erträge von der Erbschafts-Steuer in Russland im Jahre 1884 etc. etc. Und zwar sind solche Aufsätze teils auf unedirtes, teils auf offiziell publizirtes Material des Finanzministers basirt.

Es folgen statistische Arbeiten aus den verschiedensten Gebieten: über Geldprägung, über Agrardarlehen, über deutsche Kolonien in Russland etc.; es folgen meteorologische Arbeiten: „Das Klima von St. Petersburg“ von O. Metz, „Ueber die Gewitter und die Hagel in Russland“ von demselben etc. etc. Hieran schließen sich geographische Aufsätze, welche bald mehr ins ethnographische, bald mehr ins historische, ökonomische oder politische Gebiet hinüberstreifen, bald rein geographisch bleiben. Um ein Beispiel herauszugreifen, welches mir speziell zugänglich ist, weise ich auf die Konsequenz hin, mit welcher die „Russische Revue“ unsern Bewegungen in Zentralasien, unsere Feldzüge, unsere Exploration, Besiedelung und Zivilisation dieser Landstriche begleitet, und wie wesentlich sie dazu beitrug, die Kenntnisse von Transkaspien und Zentralasien zu verbreiten. P. Lerch war der erste, welcher im Jahre 1862 über das russische Turkestan, seine Bevölkerung und seine äußeren Beziehungen einen längeren Aufsatz brachte. 1873 publizirte Dr. Emil Schmidt seine Arbeiten über die Expedition nach China, welche weit über Maß einer bloßen Reisebeschreibung oder eines militärischen Berichts hinausgewachsen ist. 1881 nach der Skobelewschen Expedition und der Eroberung von Achal-Teke brachte die „Russische Revue“ einen Aufsatz von General Armankow, dem Erbauer der strategischen Kaspibahn und dem Chef des Truppentransports in Russland, über die Achal-Teke-Oasis und die Kommunikationswege nach Indien; 1885 einen Aufsatz von G. von Seydlitz: Der Transkaspische Landstrich und Lessars epochemachenden Berichte: Das südwestliche Turkmenien mit den Stämmen der Sharyken und Ssaloren; endlich 1886: die Transkaspi-Bahn und der Weg nach Indien von O. Heyfelder, in welchem die Weiterführung der Bahn bis Buchara und Ssamarkand in topographischer, geographischer, hygienischer, aber auch in historischer Beziehung von einem Teilnehmer der Skobelewschen Expedition besprochen ist. Als damaliger Chefarzt hatte der Autor Gelegenheit, Boden- und Wasserbeschaffenheit, Flora und Fauna, Klima und Nosologie zu beobachten und nach Einrichtung des Sanitätswesens beim Bahnbau Einfluss zu üben, daher auch jetzt das fortdauernde Interesse für die Förderung der Bahn und das Verständnis für die außergewöhnlichen Bedingungen an deren Existenz.

Den Uebergang zu den historischen Arbeiten bilden solche Aufsätze, wie die „Geographisch-historische Studie über das Gouvernement Orenburg“, frei nach dem Russischen von S. Beck, wo neben der Beschreibung des Landes, offenbar aus eigener Anschauung, seines schrecklichen Klimas, seiner Fruchtbarkeit an Getreide, seiner Mineralschätze, seiner zahlreichen Kameelkarawanen, auch die Geschichte der langsamen Erwerbung, der noch langsameren Assimilation und der noch bis heute unvollendeten Zivilisation der Provinz gegenüber ist, eine Geschichte, reich an Aufständen, Gewalttaten, Kriegen und Heldentaten.

Mit Vorliebe werden die Archive oder die aus den Archiven gewonnenen russischen Publikationen, wie z. B. der „Russkaja Starina“, der Mitteilungen der kaiserlichen historischen Gesellschaft etc. benutzt, um dem Leser Monographien, Dokumente, unbekannte Tagebücher aus der russischen Geschichte, besonders aus Peters I., Katharinas II., Pauls I. Zeit zugänglich zu machen: „Neue Beiträge zur Geschichte der Kaiserin Katharina II.“ von Professor A. Brückner, einem konstanten, fleißigen Mitarbeiter der Revue; „Der Cäsarewitsch Paul Petrowitsch (1754—1796), eine historische Studie“ von Dmitri Kobeta; „Briefe des Cäsarewitsch Großfürsten-Tronfolgers Alexander Nikolajewitsch an seinen Erzieher General K. K. Moerder“, aus dem Russischen von O. O. oder aus Hasselblatts bewährter Feder: „Historischer Ueberblick der Entwickelung der kaiserlich russischen Akademie der Künste" und Dr. Georg Schmidts wichtige Beiträge: „Zur russischen Gelehrtengeschichte" im zweiten Hefte des Jahrgang 1886; Arwed Jurgensohns vortreffliche Besprechung von Graf Münnichs Lebensbeschreibung von Kostomarow.

Ueberhaupt vermittelt die „Russische Revue" durch Uebersetzung und Besprechung russischer einschlagender Arbeiten deren Kenntnis fürs Ausland. Eine eigene Abteilung ist dem Litteraturbericht, ein Anhang dem Verzeichnis neu erschienener russischer Bücher gewidmet. Andererseits bespricht sie auch ausländische Erscheinungen des Büchermarktes, welche in irgend einer Beziehung zu ihrem Programm stehen.

Nehmen wir hierzu die Referate über die archäologischen Wanderkongresse in Russland, über die Tätigkeit der Naturforscher-Gesellschaft in St. Petersburg, Kasan, Charkow etc., so ergiebt sich von selbst, dass die „Russische Revue" so ziemlich aus allen Gebieten des geistigen Lebens und der historischen Entwickelung Russlands Beiträge bringt in freien Bildern, in von einander unabhängigen Schriften und Studien, welche in den Rahmen eines gemeinsamen Programms, gewählt und geordnet nach festen Grundprinzipien, ein einheitliches und harmonisches Ganze bilden.

St. Petersburg. O. Heyfelder.

Historische Litteratur.

III.

„Ein Jegliches hat seine Zeit und alles Vornehmen unter dem Himmel hat seine Stunde," sagt der Prediger Salomo, und diese Wahl der richtigen Zeit ist beim Veröffentlichen eines Buches nicht minder wichtig und für den Erfolg entscheidend als bei jedem andern Unternehmen. Wieviel wertvolle vortreffliche Werke sind nicht unbeachtet geblieben, weil sie gerade zu der Zeit erschienen, als die Welt sich für einen großen Krieg oder für irgend eine andere Haupt- und Staatsaktion ausschließlich interessirte. Dagegen haben wieder andere Bücher, deren innerer Wert nicht eben groß war, Glück gemacht, weil sie gerade zu rechter Zeit erschienen, weil sie einen Gegenstand behandelten, für den sich eben alle Welt interessirte. Sind solche Werke die Frucht langjähriger gründlicher Studien und ist ihr Zusammentreffen mit dem Tagesinteresse nur ein zufälliges, dann sind sie wahre Sonntagskinder, deren Laufbahn stets von Erfolg und Glück begleitet ist.

Aber selbst wenn sie erst durch das Tagesinteresse hervorgerufen sind, können sie einen von diesem unabhängigen Wert haben und auch nach dessen Schwinden nützliche und brauchbare Bücher bleiben.

Ein solches Buch scheint uns die „Geschichte Irlands von der Reformation bis zu seiner Union mit England" von Dr. R. Hassencamp (Leipzig, Ed. Wartigs Verlag, 1886) zu sein.

Es sind nicht die Resultate archivalischer Forschung und langjähriger gründlicher Studien, die uns in diesem Buche geboten werden; der Verfasser scheint auch nicht **alle** gedruckten Quellen benutzt zu haben; aber er hat uns ein Werk geliefert, welches die Ansprüche, die das gebildete deutsche Publikum an eine Geschichte Irlands stellen kann, befriedigt. Bei der Wichtigkeit, welche die irische Frage jetzt für England und mittelbar für ganz Europa gewonnen hat, wird sich wohl jeder denkende Leser die Frage vorlegen: Warum ist der Irländer, der doch dieselben Rechte wie der Engländer und Schotte genießt, mit seiner Lage unzufrieden? Warum genügt ihm nicht der Anteil an den Rechten und der Macht des Parlaments der vereinigten Königreiche und warum wünscht er eine besondere Volksvertretung für seine Insel? Warum sträuben sich wieder die Bewohner einer Provinz dieser Insel gegen diese Lockerung des Zusammenhangs mit dem Gesammtreich und woher entstand dieser unauslöschlich scheinende Hass zwischen den Bewohnern desselben Landes, welche eine und dieselbe Sprache sprechen?

Auf alle diese Fragen giebt zwar das Buch Hassencamps keine erschöpfende Antwort; aber Vieles wird uns daraus doch klar und verständlich, und für Jene, welche sich gründlicher unterrichten wollen, ist im Anhang ein kurzer Litteraturnachweis über die wichtigsten die Geschichte Irlands behandelnden Werke gegeben.

Hassencamps Werk selbst ist aus einem im Jahre 1882 erschienenen Gymnasialprogramm entstanden, welches aber nur die Geschichte Irlands von 1660 bis 1760 behandelte. Diese Arbeit bildet nun ungefähr den fünften Teil des Buches, — Kapitel fünf, sechs, sieben und acht. — Die ersten vier Kapitel behandeln ziemlich kurz die Zeit vor 1660, während die letzten sechs Kapitel den vierzig Jahren von der Tronbesteigung Georg III. bis zur Union vom Jahre 1800 gewidmet sind. Von diesen fällt wieder der Löwenanteil der zweiten Hälfte dieser Periode zu, was dadurch gerechtfertigt ist, dass die Zeit des amerikanischen Unabhängigkeitskrieges, der französischen Revolution, des selbständigen irischen Parlaments, der Freiwilligenbewegung und des Aufstandes in Irland — die wichtigste für die Geschichte dieses Landes ist und durch den Zusammenhang mit den Vorgängen im übrigen Europa auch für dieses die interessanteste Periode der Geschichte Irlands bildet. Doch hätte, meines Erachtens, der Aufstand von 1798 noch etwas ausführlicher behandelt zu werden verdient, namentlich in seinem Zusammenhange mit der Politik Frankreichs.

Napoleon soll gesagt haben: „Si au lieu de l'expédition de l'Egypte j'eusse fait celle de l'Irlande que pourrait l'Angleterre aujourd'hui? A quoi tiennent les destinées des empires?"

Diese Worte des Verbannten von St. Helena beweisen die Wichtigkeit der irischen Revolution von 1798 und die Bedeutung, welche sie bei genügender Unterstützung durch Frankreich für ganz Europa hätte haben können, und deshalb wäre eine ausführlichere Darstellung derselben erforderlich gewesen.

Der Autor entschuldigt sich in der Vorrede, dass er sein Werk nur bis zum Jahre 1800 fortgeführt und dass er es erst mit der Reformation begonnen hat. In ersterer Beziehung mag es wohl seine Richtigkeit haben, dass es schwer fällt, über die Geschichte der letzten Dezennien zu einem abschließenden Urteile zu gelangen und dass mit der Union die selbständige Geschichte Irlands eigentlich aufhört. Doch hätte das Werk immerhin wenigstens bis zur Katholikenemanzipation fortgesetzt werden können. Mehr aber noch vermissen wir die Geschichte Irlands vor der Reformation; denn wenn zu jener Zeit, wie der Autor meint, „die Herrschaft Englands über die westliche Insel mehr dem Namen nach als in Wirklichkeit existirte", so wäre dies nach unserer Meinung gerade ein Grund, sie in die Darstellung einzubeziehen. Nur durch die Kenntnis Irlands in seiner Unabhängigkeit, mit den eigentümlichen Sitten seiner Einwohner, den Rivalitäten und Zänkereien seiner Häuptlinge werden uns die späteren Schicksale des Landes vollkommen begreiflich. Außerdem hat die Annahme der Reformation zum Ausgangspunkte der Darstellung die Folge, dass bei dem Leser, der die frühere Zeit nicht kennt, der Eindruck hervorgebracht wird, dass der Gegensatz zwischen Engländern und Iren erst durch die Verschiedenheit des Bekenntnisses geschaffen wurde, während doch der nationale Gegensatz in seiner ganzen Schärfe schon früher bestand, und man beinahe sagen könnte, die Irländer seien nur deshalb Katholiken geblieben, weil die Engländer protestantisch wurden. Freilich trug dann die religiöse Spaltung sehr viel zur Steigerung des gegenseitigen Hasses bei und verhinderte die Ausgleichung der nationalen Verschiedenheiten. Aber seit dem vorigen Jahrhundert hat es auch unter den Protestanten Irlands nicht an den eifrigsten Bekämpfern der englischen Herrschaft gefehlt. Zum Teil beruhte aber auch diese Gegnerschaft auf religiösen Motiven, denn die englische Regierung und das irische, nur die Minorität vertretende Parlament, haben nicht bloß die große katholische Majorität der Bevölkerung, sondern auch die protestantischen Dissenters, die Presbyterianer und die Puritaner zum Besten der englischen Hochkirche bedrückt. Auch diese Verhältnisse hätten eine etwas eingehendere Darstellung verdient.

Abgesehen von diesen kleinen, eigentlich mehr auf die Quantität als die Qualität des Gebotenen bezüglichen Ausstellungen haben wir an dem Buche Hassencamps nichts auszusetzen gefunden. Die Darstellung ist lichtvoll und verständlich, die Sprache klar und einfach.

Besonders anerkennenswert ist auch die völlige Unparteilichkeit des Autors. Dass er als Deutscher weder für Engländer noch für Irländer Partei nimmt, ist leicht begreiflich; aber auch in Allem, was auf die religiösen Verhältnisse Bezug hat, zeigt er sich vollkommen unparteiisch. Er hat uns ein Werk geliefert, aus dem man eine für Jeden, der nicht Historiker oder Politiker von Fach ist, genügende Kenntnis der Geschichte Irlands ohne viele Mühe und Zeitverlust erlangen kann, und da meines Wissens keine neuere deutsche Geschichte der interessanten Insel existirt, so darf man wohl die etwas abgedroschene Phrase, dass es eine fühlbare Lücke ausfüllt, darauf anwenden.

Die äußere Ausstattung ist eine recht anständige. Druckfehler sind mir keine aufgefallen: Irisches Parlament (S. 74) und irisches Kabinet (S. 163) statt englisches sind wohl eher Schreibfehler.

Wien. M. Landau.

Zur Charakteristik von Annette von Droste-Hülshoff.

Von Theodor Ebner.

Um eines bestimmten litterarischen Zweckes willen veranlasst, die religiösen Dichtungen der Annette von Droste-Hülshoff einer näheren Durchsicht und Prüfung zu unterziehen, konnte ich mich im Verlauf dieser Arbeit der Ueberzeugung nicht verschließen, dass so hoch die Dichterin in ihren sonstigen Erzeugnissen stehen mag, sie doch gerade in diesem Zweige ihrer praktischen Tätigkeit Schwächen zeigt, die für mich in einem eigentümlichen Kontrast mit dem aller Orten üblichen Lob derselben auch hierin stehen. Wenn man auch weiß, wie wenig derartige rühmende Aussprüche auf einem gründlichen Studium beruhen, wie sie vielmehr insgemein nur ein oberflächliches und sich an einige Stellen haltendes Urteil bilden, so ist man selbst gar oft dennoch leicht geneigt, seine eigene Meinung von denselben beeinflussen zu lassen, sei es aus irgend einer Bequemlichkeit des Denkens oder einer unwillkürlichen Scheu vor der Macht einer nun einmal eingebürgerten Ansicht.

Annette von Droste-Hülshoff hat sich in ihren erst nach ihrem Tod erschienenen geistlichen Liedern keineswegs als nur katholische Dichterin erweisen wollen. Wie in all ihren poetischen Arbeiten an mancher Stelle ein absichtlich erscheinendes Zurückdrängen der eigenen weiblichen Persönlicheit zu bemerken ist, wie sie fast nirgends ihrer Individualität Ausdruck giebt, und nur selten von eigenem Leid oder Freud zu erzählen weiß, so begegnen wir auch in der Gesammtheit ihrer geistlichen Dichtungen, mögen dielben nun an einzelne Persönlichkeiten oder Ereignisse anknüpfen, dem deutlichen Bestreben, denselben einen über die engen konfessionellen Schranken erhabenen, allgemeinen menschlich-christlichen Ausdruck und Wert zu geben! Dieses Bestreben, das bei ihr auch in der Hauptsache von Erfolg begleitet ist, giebt ihr zugleich die Berechtigung einer Anerkennung auch von protestantischer Seite und es hieße die Absicht des Schreibers dieser Zeilen verkennen, wollte man in denselben etwa ein Urteil über die katholische Dichterin erblicken. Abgesehen von allen dogmatischen und exegetischen Differenzen und Streitigkeiten findet ein unbefangener Blick ja auch in der katholischen Religion, freilich nicht in ihren Verzerrungen und Auswüchsen, soviel des Ewig-Wahren und Schönen, das Bild der jungfräulichen Mutter des Erlösers ist auch für den protestantischen Christen ein so mächtig wirkendes, dass er mit der gleichen Andacht, wie der katholische Christ, vor demselben stehen und in ihm die Spuren eines Gedankens finden wird, den nicht Gewalt noch die Willkür einengen oder gar vertilgen können. Und von hier aus wird er dann auch leicht ein unbefangenes Verständnis für den poetischen Wert der auch bei Annette von Droste-Hülshoff ziemlich stark vertretenen Marienlieder finden.

Es ist wahr, auch in den geistlichen Liedern der Dichterin ringt ein mächtiges und kräftiges Gefühl mit dem Ausdruck und man kommt gar oft zu der Ansicht, dass die nun einmal gezogenen Schranken dasselbe einengen, dass hierdurch gar oft eine Kürze Platz greift, welche den Gedanken selbst beinahe unverständlich macht, und die Wirkung auf den Leser, die ja gerade bei den geistlichen Liedern eine augenblickliche und die menschliche Seele unmittelbar ergreifende sein soll, wesentlich beeinträchtigt. Man begegnet solchen Stellen in ihren geistlichen Liedern oft und wenn ich nur einzelne derselben als Beleg für das oben Gesagte anführe, so möchte ich dabei zugleich noch eine andere Schwäche der Dichterin hervorheben. Es mag sein, dass Manches bei einer nochmaligen durch den Tod der Verfasserin unmöglich gemachten Ueberarbeitung der Gedichte verbessert oder getilgt worden wäre, so wie wir heute die Gedichte in Händen haben, begegnen wir gar oft einer prosaischen Stelle, einem Worte oder einem ganzen Satze, der einen auffallenden Kontrast zu der sonst so farbenreichen poetischen Sprache der Dichterin bildet. Aber gerade das Hasten und Suchen nach Originalität in Bild und Ausdruck, das Bestreben eines kurzen prägnanten Ausdrucks hat sie zu manchen, sagen wir es offen, Geschmacklosigkeiten verleitet, denen wir ebenso wie in ihren geistlichen, auch in ihren weltlichen Dichtungen begegnen. Hierzu möchte ich, beiläufig gesagt, namentlich auch ihre Vorliebe für Fremdwörter und Provinzialismen rechnen, die uns gar oft auffallen, und denen sie am Ende hätte leicht aus dem Wege gehen können.

Johannes Scherr hat einmal in einer, so viel ich mich erinnere, in den Monatsheften für Dichtkunst und Kritik, stehenden Charakteristik der Dichterin, in der er sie als Dichterin κατ' ἐξοχήν preist, doch den Tadel nicht unterdrücken können, dass man gerade bei dem Letzten was wir von ihr besitzen, ihrem „Geistlichen Jahr", den Eindruck der Ermüdung, und, sagen wir es gerade heraus, den der Langeweile nicht überwinden können. Er hat diesen Tadel freilich in einer noch etwas derberen, und wie er bei Allem tut, was mit der „menschlichen Tragikomödie" des Christentums zusammenhängt, ungerechten Weise ausgesprochen. Allein dass in demselben ein Körnlein Wahrheit enthalten sei, dass eine Sammlung geistlicher Lieder, wenn sie Anspruch auf Anerkennung machen will, immer ein Wagnis ist und bleibt, das in den seltensten Fällen gelingt, steht wohl außerhalb jeden Zweifels. Die Gründe hierfür aufzusuchen und hervorzuheben, dafür ist hier nicht der Ort. Allein, warum soll man hier nicht daran denken, wie Ausdruck und Versinnlichung des Göttlichen in Wort und Bild gerade dann, und da am meisten, einen gewaltigen Eindruck auf den Menschen machen, wo es sich in seiner ganzen Erhabenheit und idealen Schöne von einer ihm fremdartigen Umgebung abhebt, wo Alles darnach angetan zu sein scheint, um es herauszuheben aus dem Rahmen des Alltäglichen, und das Auge von der unvollkommenen Umgebung hinweg immer wieder auf dieses Bild der Vollkommenheit zu lenken. Aber, und das ist es, was ich damit sagen möchte, das Einerlei, das Aneinanderreihen von Gedichten, deren Grundton immer der gleiche ist, denen vermöge ihrer Eigenschaft als geistliche Lieder schon die Leichtigkeit und Lebendigkeit fehlt, ist eine Schwäche, die uns namentlich auch bei den Gedichten von Annette Droste-Hülshoff in die Augen fällt. Zumalen sie hiemit manchmal ein Satzgefüge verbindet, das die äußerste Gedankenanstrengung erfordert, um seinen Zusammenhang mit dem Vorangehenden und Folgenden erkennen zu lassen.

Ich habe oben von prosaischen Wendungen gesprochen, und stehe nicht an, diese Behauptung aus den Gedichten zu beweisen. So will mir schon in dem ersten Gedicht der Ausdruck, dass das Menschenherz in seine „dunkle wüste Zelle" heimkehren und sie „mit seinen Seufzern auslüften" solle, zum mindesten sehr gewagt erscheinen. Ein ander Mal lässt die Dichterin „mit grausig schönen Flecken sich der Matten Blumen strecken", ein Bild, das ich einfach nicht verstehe; sie lässt den Löwen durch die Wälder „kreisen", die kranken Augen sich im Thau des Himmels „bähen", lässt den Herrn zum Schutze um die Seinen „des frommen Glaubens zarte Aetherhalle ziehen" und eine „Spitze" verborgen „lauschen" in dem Leben. Ein ander Mal nennt sie die Brust

„schuldgebrochen", schildert sich „ausgeschlürft wie von Empusenzungen(!)", spricht in einem geradezu widerwärtigen Bild von Seufzern und kleiner Schuld, die ihr „entfahren", lässt die Muskeln „wallen" und Frost und Hitze muss sich ihr „reimen", dass keine Blume ihr gedeiht. Sie spricht vom „Zeitenzeiger(?)", der sich auf die Minute gestellt, lässt den Schläfer „den schnöden Flaum" von sich stoßen, lässt den Bösen „der Nerven Fäden brechen" und die Reden „durch der Augen Tür" eingehen, während der normale Mensch doch hiezu seine Ohren hat. Man kann in der Sammlung noch weiter blättern und wird auf manchen Ausdruck stoßen, der sich nicht in den poetischen Rahmen einfügen will, der die Schwerfälligkeit in Wort und Satz nur fördert. Zeilen wie:

Aber von mir selbst bereitet
Leb' ich oft der Pein

oder Verse wie

Hab ich grausend es empfunden
Wie in der Natur
An ein Fäserchen gebunden,
Eine Nerve nur
Oft dein Ebenbild verschwunden
Auf die letzte Spur,
Hab ich keinen Geist gefunden,
Einen Körper nur!

drücken einen einfachen Gedanken jedenfalls in der möglichst schwerfälligsten und schwülstigsten Sprache aus! An ähnlichen dunklen Tiefsinnigkeiten leidet z. B. ein Vers aus dem Gedichte: „Am Mittwoch in der Charwoche". Dort stellt sie nämlich als eine Frage, die sie „in den Tod drücke" diese auf:

Wie ein Leib, der längst entfaltet
Durch der Pflanze milden Saft,
In erneuter Lebenskraft,
In den zweiten Leib gestaltet,
Wie er wieder mag erscheinen
Von den Andern unverwehrt,
Der ihn trug in den Gebeinen
Und vom Dritten längst verzehrt?

Was soll das heißen?

Die geistlichen Lieder der Dichterin erfordern, wie sich schon aus den wenigen Proben leicht ersehen lässt, eine zu große Gedankenarbeit, d. h. man muss stets auf der Hut sein, um den Faden des Verständnisses nicht zu verlieren, und verliert dabei doch den Hauptgewinn, den uns die Lektüre solcher Poesien bringen soll, den der religiösen Erbauung und Erhebung. Ich denke hier als Gegensatz zu der Dichterin an die schönen und ebenso wahren wie klaren religiösen Lieder Joseph von Eichendorffs, um damit darauf hinzuweisen, wie auch der schönste und treffendste poetische Ausdruck doch immer noch die Einfachheit und Schlichtheit des Wortes und Gedankens wahren kann. Annette von Droste-Hülshoff ist eine originelle Erscheinung. Sie steht mit sich und ihrem Schaffen in stolzer Einsamkeit da, man sucht umsonst in der Gleichförmigkeit ihres Lebens nach einem Sprung, nach einem Schmerz, der sie auf eine Stufe mit Anderen stellte; in gar zu herber Keuschheit hat sich dieses Herz von der Welt abgeschlossen. — Als weltliche Dichterin ist sie mir immer hoch, wenn auch hier nicht tadellos dagestanden. Aber ich kann in das landläufige Lob nicht einstimmen, und ich habe die Ueberzeugung, dass unter den Wenigen, die Annette von Droste-Hülshoff in der Tat lesen — noch Mancher ist, der meine Ansicht teilt.

Litterarische Neuigkeiten.

Professor Dr. K. Glaser hat in dem Jahresbericht des K. K. Gymnasium in Triest (1886) das indische Schauspiel „Pârvatis Hochzeit" zum ersten Male ins Deutsche übertragen.

Kein Geringerer als Carducci hat auf einen Sonettenkranz von C. Pascarella aufmerksam gemacht. In fünfundzwanzig Sonetten in römischer Mundart, die an Evidenz der Darstellung ihres Gleichen suchen, hat der jugendliche Maler und Dichter die in ganz Italien bekannte, Mentana vorausgehende Episode „Villa Glori" besungen, wo zwei Brüder Cairoli den Heldentod fanden. (Cesare Pascarella. Villa Glori. Sonetti. Roma, C. Pascarelli editore 1886. Lire 1.)

„Im Zwielicht". Zwanglose Geschichten von Hermann Sudermann (Berlin, F. & P. Lehmann). Der Verfasser hat sich in kurzer Zeit durch seine Schriften einen klangvollen Namen verschafft und zeigt auch hier wieder in diesen „Zwanglosen Geschichten", dass er ein Recht auf Beachtung hat. Dieselben sind gut durchdacht und flott geschrieben und werden den Kreis seiner Freunde gewiss noch erweitern. Auch die Verlagshandlung hat dem Bändchen ein hübsches mit einem guten Umschlagbilde versehenes Gewand gegeben.

Unter den Veröffentlichungen, mit welchen C. Chiala, der Freund Lamarmoras, sich um die Kenntnis der Geschichte des neuen Italiens verdient gemacht hat, ist eine zum fünfundzwanzigjährigen Todestage Cavours erschienene zu erwähnen. Es sind die Denkwürdigkeiten des vor wenigen Jahren verstorbenen Großkanzlers der italienischen Orden, Michelangelo Castelli, in dessen Haus das sogenannte Connubio, einer der wichtigsten Akte des subalpinischen Parlaments, von den Beteiligten, Cavour und Rattazzi vorbereitet wurde. (Il conte di Cavour. Ricordi di Michelangelo Castelli, editi per cura di Luigi Chiala, Deputato al Parlamento. Editori Roux & Favale, Torino-Napoli 1886. 268 S. Lire 4.)

Die rührige Verlagshandlung Bernhard Tauchnitz in Leipzig hat von der bekannten Collection of British Authors dem 2409. Bändchen schnell das 2410. folgen lassen, dasselbe enthält: „Transformed by Florence Montgomery."

„Altdeutsche Weisen aus dem zwölften bis siebenzehnten Jahrhundert". Urtext mit Uebertragungen von Ernst Moser. Brünn, Friedrich Irrgang. Dem Verfasser kann es nur zu Dank angerechnet werden, dass er uns mit dieser Arbeit erfreut. Es sind zwar schon früher derartige Werke edirt worden, aber nur im Urtext. Moser natürlich hat es sich jedoch angelegen sein lassen, dem allgemeinen Verständnis die altdeutschen Weisen durch Uebertragung zugänglich zu machen und wird das Werk gewiss auch überall eine günstige Aufnahme finden.

„L'expansion coloniale de la France, étude économique, politique et géographique sur les établissements français d'outre-mer, par J. L. de Lanessan, député de la Seine." Die bekannte französische Verlagsbuchhandlung Felix Alcan in Paris hat durch die Herausgabe dieses von gründlichem Studium zeugenden Werkes einen wertvollen Beitrag zum französischen Kolonialwesen geliefert, das auch unser vollstes Interesse in Anspruch nehmen wird und muss.

Von der von Georg Weber herausgegebenen allbekannten „Allgemeinen Weltgeschichte", Verlag von Wilhelm Engelmann in Leipzig, liegen uns bereits von der zweiten Auflage Lieferung 74/75 vor (Geschichte der Reformation und Religionskriege).

Von dem bekannten russischen Schriftsteller Graf L. N. Tolstoi ist soeben dessen dreibändiger Roman „Anna Karenina", von W. Paul Graff ins Deutsche übertragen, in zweiter Auflage bei Richard Wilhelmi in Berlin erschienen. In zwei Liebespaaren Anna Karenin und Alexis Wronsky, sowie Konstantin Lewin und Litty Pscheratzky wird das verneinende und bejahende Prinzip des Romans ausgesprochen, dessen Handlung abwechselnd in Moskau, auf einem Landgute und in Petersburg spielt. Die Geschichte der strafbaren Liebe Anna Karenins zu dem eleganten Offizier Wronsky, die bei dem wundervoll geschilderten Wettrennen in Krassnoje-Sselo vor aller Welt klar wird und damit endigt, dass das unglückliche Weib sich unter die Räder eines Eisenbahnwagens stürzt, hat Tolstoi mit erschütternder Wahrheit erzählt. Das Gegenstück dazu ist die sanft aufblühende Neigung Konstantin Lewins zu Litty, deren Auge zunächst von Wronskys vornehmer Erscheinung geblendet wird, schließlich aber doch den treu ausharrenden Lewin mit ihrer Hand belohnt. Graf Tolstoi, einer der hervorragendsten russischen Dichter der Gegenwart, ist ja auch in anderen Ländern ein sehr beliebter Autor und ist dieser Roman gewiss uns Deutschen eine recht willkommene Bereicherung der Litteratur.

Die Wittwe Ole Bulls, des Geigerkönigs, hat die Biographie ihres Mannes in englischer Sprache veröffentlicht, welche demnächst auch in einer autorisirten deutschen Ausgabe im Verlage von R. Lutz, Stuttgart, erscheint. Durch sie werden manche Irrtümer berichtigt, welche sich beharrlich in den Lebensbeschreibungen über den Künstler erhalten haben.

Von Alfredo Testoni liegen uns aus dem Verlage von Nicola Zanichelli zwei Bände Teater Bulgneis vor. Dieselben enthalten: Scuffiareini, cumedia in triatt, El tropp è tropp, cumedia in du att, Insteriari, cumedia in tri att und Pisuneint, scen d'fameja diversi in triatt.

In „Usca La Settimia", der ersten von vier Novellen, die Fabio Nanarelle in einem Bändchen herausgegeben hat, ist eine umbrische Legende verarbeitet. Das siebente Mädchen, das zur Welt kommt, ohne dass eine männliche die weiblichen Geburten unterbricht, habe immer, sei es im Guten, sei es im Bösen, außerordentliche Gaben. Unser Dichter zeigt uns eine schreckliche Schönheit, welche dem jungen Manne, den sie in geheimnisvoller Weise beglückt, drei schwere Tropfen geronnenes Blut auf dem Hemde, zunächst dem Herzen hinterlässt. Der zweiten und ausführlichsten der Novellen „Die Leserin" schadet es unseres Erachtens, dass die liebende Engländerin Alles auf das persönliche Zusammentreffen verschiebt, während jeden Tag die Post geht. In der dritten „Der erste Roman", welche das Leben der italienischen Knabeninstitute vortrefflich vorführt, gebietet ein sich der Familie aufopferndes Mädchen dem angehenden Dichter Entsagung; in der vierten „In Valnerina" rettet mit einiger Kühnheit eine Klosterschwester den verlassenen Bräutigam und Patrioten aus den Schlingen einer Kokette. Wir sind fast durchaus in der Welt der gebildeten Mittelklassen, die Leidenschaften sind beträchtlich herabgestimmt, ein Fehltritt z. B. in der dritten Novelle ist äußerst diskret behandelt, wir lernen indessen nicht nur das Leben und die Anschauungen, sondern auch gewisse Strömungen der vorgeführten Gesellschaftsschichten sehr gut kennen und erfreuen uns an prächtigen Naturschilderungen. Besonders an der Art, wie überall Blumen etwas zu sagen haben, erkennen wir das Studium des Verfassers an Ort und Stelle, der seine Figuren in eine ihm gründlich bekannte Welt, Umbrien, Rom und die römische Provinz hineinstellt. Die Sprache ist nach unserem Geschmack bisweilen zu gewählt. (Fabio Nannarelli, Usca La Settimia ed altri racconti, Città di Castello 1886. Lire 2.50.)

Eine recht hübsche Erinnerung an den deutsch-französischen Krieg 1870/71 ist die von Max Dittrich herausgegebene, im Verlage von Fr. Tittels Nachfolger in Dresden erschienene und auch gut geschriebene Broschüre, betitelt „Beim Regiment des Prinzen Friedrich August 1870/71".

In Washington erscheint ein für die Shakespeareforscher interessantes Werk, betitelt „Shakespearean Referee" Der Verfasser giebt hierin den Wortschatz aller bemerkenswerten in den Spielen vorkommenden Wörter mit Erklärungen etymologischer und anderer Art heraus. Denselben sind die Uebersetzungen aller von Shakespeare gebrauchten lateinischen, französischen, italienischen und spanischen Wörter beigefügt.

Die Nichte des verstorbenen Thomas Carlyle hat alle in dem Nachlass ihres Onkels befindlichen Papiere dem amerikanischen Professor Norton anvertraut. Demselben soll die Aufgabe zufallen, durch Veröffentlichung dieser Papiere den Privatcharakter Carlyles in einem anderen und vorteilhafteren, d. h. gerechteren Lichte erscheinen zu lassen, als dies in dem von Froude herausgegebenen Werke über Carlyle der Fall ist. Norton hat bereits zwei Bände des Carlyleschen Briefwechsels veröffentlicht und bereitet nunmehr eine Schrift über seine eigenen Erinnerungen an Carlyle vor, welche zuerst in der „Princeton Review" herauskommen wird.

Ein Artikel der römischen „Rassegna" (No. 183) beschäftigt sich mit einem Protest Paolo Ferraris gegen die politischen Behörden, denen Artikel II des italienischen Gesetzes über die Urheberrechte vom 19. September 1882 vorschreibt, die öffentliche Aufführung von Theaterstücken zu verbieten, wenn der Theaterunternehmer nicht im Stande ist, eine förmliche Ermächtigung des Verfassers oder seiner Vertreter vorzulegen. Paolo Ferrari, der im Alter von 64 Jahren stehend, etwa fünfzig Lust- und Schauspiele geschrieben hat und allseitig für den ersten Theaterdichter des gegenwärtigen Italiens gilt, stellt folgende Rechnung auf: In Italien gebe es 130 öffentliche Schauspielertruppen und mehr als 200 Theater; da jeden Tag wenigstens zwei Stücke von ihm aufgeführt werden, müsste er, wenn ihm eine Vorstellung auch nur 15 Lire eintrage, 900 Lire den Monat verdienen, seine Einnahmen als Theaterdichter betrügen indessen nur 200—300 Lire das Jahr. Wenn er nicht als Professor der italienischen Litteratur und der Aesthetik an der Mailänder Akademie angestellt wäre, könnte Ferrari, wie es scheint, nicht leben, denn der Verkauf seiner Druckwerke wird ihm wohl nicht sehr viel eintragen. Und doch haben wir vor wenigen Tagen von einem höheren Verwaltungsbeamten und Schauspieldichter die merkwürdige Mär vernommen, er verdiene nicht viel, aber Felice Cavallotti habe in den letzten drei bis vier Jahren, in Folge seiner begünstigten Stellung als Abgeordneter, 100000 Lire und mehr für Aufführungen und Bücher eingenommen. Von einer die Rechte ihrer Mitglieder schützenden Tätigkeit der in Mailand bestehenden Gesellschaft dramatischer Autoren ist uns nichts bekannt geworden.

„Lebenserinnerungen eines deutschen Malers", Selbstbiographie nebst Tagebuchniederschriften und Briefen von Ludwig Richter, herausgegeben von Herwich Richter (Frankfurt a. M., Johannes Alt). Der Verfasser dieses Werkes hat durch die Herausgabe der Selbstaufzeichnungen seines berühmten Vaters unsere Litteratur um ein Werk bereichert, das nur mit Freude begrüsst werden kann. Dasselbe, aus einer bedeutsamen Periode deutscher Kunstentwickelung, hat denn auch eine mehr als sympathische Aufnahme überall gefunden, wie die bereits uns vorliegende vierte Auflage wohl beweist.

Ein würdiges Pendant zu obigem Werke ist das im Verlage von Robert Oppenheim in Berlin erschienene „Carl Maria von Weber, sein Leben und seine Werke", dargestellt von August Reißmann. Auch hier wird uns von dem Verfasser eine klarverständliche Darstellung des Lebens und der künstlerischen Entwickelung des allbekannten Komponisten gegeben und hat die Schrift noch durch die Beigabe von Portraits und Notenbeilagen einen besonderen Wert.

„Der dritte Teil der Tragödie „Faust", treu im Geiste des zweiten Teils des Goetheschen Faust gedichtet von Deutobald Symbolizetti Allegoriowitsch Mystifizinsky (Tübingen, H. Laupp'sche Buchhandlung) liegt bereits in dritter Auflage vor, wir können nicht umhin, auf das nicht zu unterschätzende Werk unsere Leser noch ganz speziell aufmerksam zu machen.

Alle für das „Magazin" bestimmten Sendungen sind zu richten an die Redaktion des „Magazins für die Litteratur des In- und Auslandes" Leipzig, Georgenstrasse 6.

Für die Redaktion verantwortlich: Karl Bleibtreu in Charlottenburg. — Verlag von Wilhelm Friedrich in Leipzig. — Druck von Emil Herrmann senior in Leipzig.

Das Magazin

für die Litteratur des In- und Auslandes.

Wochenschrift der Weltlitteratur.

1832 gegründet von Joseph Lehmann.

55. Jahrgang.

Herausgegeben von Karl Bleibtreu.

Preis Mark 4.— vierteljährlich.

Verlag von Wilhelm Friedrich in Leipzig.

No. 35. Leipzig, den 28. August. 1886.

Inhalt:

Theatralische Experimente.

Von M. G. Conrad (München).

I.

Ich bin ein geschworener Feind aller Theaterreform-Litteratur. Hier stehe ich als Leser und Kritiker an der Grenze meiner Tapferkeit. Die verehrliche deutsche Nation, von welcher unsere Litteratur- und Kunstgeschichten so wunderschöne Dinge zu vermelden wissen, möge dem Abtrünnigen verzeihen: die Skepsis hat ihn dermaßen übermannt, dass er auf die neunhundertneunundneunzig Reform-Theorien und -Rezepte, welche das „Volk der Dichter und Denker" alljährlich zum Besten seiner nationalen Schaubühne ausheckt, keinen Pfifferling giebt. Und trieften diese Reformschriften von mystischer Weisheit wie weiland Aarons Bart — sie sind mir zuwider wie die patentirteste eselsgraue Dummheit. Die theoretisirende Impotenz ist mir ein Greuel aller Greuel. Nicht Wollen allein — Können ist Trumpf!

Kommt daher ein Dichter, ein Künstler und spricht: „Versuchen wir's, wagen wir ein Experiment auf den Brettern, welche in Deutschland kaum mehr als die französische Halb-Welt bedeuten, ein recht dreistes, unverschämtes, urteutonisches Experiment, dass alle schöne Seelchen in Ohnmacht fallen, hier ist das Experimentirbuch!" — dann kehrt mir der kritische Mut wieder und ich bin bereit, das Härteste über mich ergehen zu lassen.

* * *

Ich habe vom Bühnendichter, vom dramatischen Künstler also insonderheit eine großartige, vielleicht eine verrückte Privatmeinung: Kunst ist für mich nicht Kraft, sondern Ueberkraft und der Künstler der Uebermensch. Dieses „Ueber" ist unerlässlich. Seht doch, was sich alles reckt und spreizt, um sich als Kraft und als Mensch auszugeben! Nur in dem „Ueber" liegt das Besondere, das Erstaunliche, Anbetungswürdige. Wo ich diese Ueberkraft und diesen Uebermenschen spüre, da hebt für mich die wahre Kunst an. Da kommen dann die Jahrtausendwerke zum Durchbruch, welche die Ewigkeit herausfordern.

Und der Rest? Er ist Vorbereitung, Vermittelung, Uebergang, soweit er strebend in die Höhe führt und auf der Höhe halten hilft; er ist Verderb und Hemmnis, sofern er abwärts drängt in die Niederungen der Massenkurzweil, des spekulativen Ulks. Was er auch sei, künstlerisch ist er im letzten Grunde belanglos, denn er ist keine Urkraftmehrung des menschlichen Schöpfergeistes; ob er auf- oder abwärts leitet, das ist nicht künstlerisch, sondern nur sittlich und wirtschaftlich von Bedeutung. Mit ihm lässt sich auch nichts reformiren, sondern höchstens ein wenig revolutioniren. Die Jahrtausendwerke entscheiden und die Jahrtausendmänner — d. h. die Ueberkraft der Uebermenschen.

* * *

Ich weiß sehr wohl, dass sich mit sotaner Privatmeinung keine öffentliche Meinung machen lässt, weder in der litterarischen noch in der außerlitterarischen Gemeinde. Schon wer kritisch mitreden will, muss sehr viel Wasser in seinen Wein schütten, um nicht der Verführung unserer braven geistigen Mäßigkeitshelden zur Trunkenheit und zum Rausch geziehen werden.

Die deutsche Welt von heute tut sich ja so unbändig viel auf ihre Nüchternheit zu gute, und die Nüchterlinge allein sind ihr die rechten Kritiker. Ich finde das den Verhältnissen unserer kleineren und größeren Belagerungszustände angemessen und ganz in der Ordnung.

Das Seltene und Erhabene wird nicht durch die Gemeinheit angetastet; es steht über der Kritik, wie sie der Alltag übt. Und selbst diese Kritik stiftet noch Nutzen genug, wenn sie das unzweifelhaft Verfehlte und Kraftlose abweist, und nicht schweigend duldet, dass das anerkannt Mittelmäßige vor dem anerkannt Guten sich den Vortritt erschleiche, dass Maulwürfe mit Fledermausflügeln sich auf Dichterpostamente setzen u. dergl. Das Feld ist groß.

* * *

Nun zurück zu dem Experimentirbuche!

Was darin steht, ist nicht für die Mikroskopie der gelehrten Stubenkritik, überhaupt nicht für die intellektualen Schnüffeleien an allen äußeren Sinnen verkümmerter Schriftpedanten. Es ist lebendiger Geistertanz in der Zauberlaterne des Theaters, das uns ein Stück Wirklichkeit mit allen Täuschungsmitteln schauspielerischer Kunst verträumen soll — und wir wollen die einzigen Wachenden dabei sein und mit geschärftesten Sinnen all die süßen Schauer, die bitteren Freuden des vorgetäuschten Lebensstückes durchempfinden, ja bis zum letzten Tropfen auskosten Wein und Bodensatz menschlicher Leidenschaft im Ringkampfe mit den unsichtbaren Mächten, die unseres Geschlechtes Schicksal weben in blinder Notwendigkeit.

Wolfgang Kirchbach gab uns ein solches Experimentirbuch in seinem „Waiblinger" und das Theater am Gärtnerplatz gab uns die Experimentirbühne, verstärkt durch die Mitwirkung des königlichen Hofschauspielers Häusser. Denn zur überzeugenden Glaubbarmachung eines Charakters wie dieses Titelhelden Richard Waiblinger bedarfs eines Charakterdarstellers allerersten Ranges — und Häusser ist ein solcher.

(Das Experiment aber ist dies: ein Trauerspiel unserer Zeit in der Weise vorzustellen, dass alle abgenutzten Ideen der religiös-politischen Kulturkämpferei, der dynastischen Alkoven-Weltgeschichtsmacherei und ähnlicher Vergangenheitströdel ausgeschlossen, dafür die modernsten Elemente der sozialen Frage, als da sind der Gegensatz von Besitz und Armut, von Geistes- und Humanitäts-Aristokratie mit leerem Portemonnaie und brutalen, bäuerisch vertiertem Geldkasten-Materialismus u. s. w. in einem realen Lebensbild tragisch ausgestaltet werden soll. Der Hintergrund soll ein durchaus zeitgerechter, d. i. die sozialpolitische Kampfszenerie der Gegenwart sein, der Mittelpunkt der Kämpfenden ein Mann, der alles technische und philosophische Wissen und Streben nicht allein, sondern auch allen patriotischen und humanitären Idealismus und die daraus fließenden Enttäuschungen und Kümmernisse in seiner Person vereinigt.)

* * *

Nun sehen wir diesen Mann in Aktion! Ein umgesattelter protestantischer Theolog, der „das herrliche Amt" eines Ingenieurs, genauer: Eisenbahntechnikers, bekleidet, packt nach einer sehr kurzen, sehr keuschen, aber aussichtslosen Liebesgeschichte „sein Vermögen und seine Kraft" zusammen, um sie der „Menschheit" zu weihen. „Er geht zur Erforschung ins Innere Afrikas." Was er im dunkeln Erdteil weiter getrieben, erfahren wir nicht. Wir erblicken den Ex-Afrika-Forscher zum ersten Mal in Lebensgröße in der Sommerfrische bei einem Bauern im bayerischen Hochgebirg, sehr „derangirt", sehr lebensmüde, mit der „letzten Mark" in der Tasche, aber in seinem Haupte „das Bild ferner Erdteile, die nebelgekrönten Kegelgipfel Afrikas".

In der Sommerfrische pflückt er Blumen, hört an den Telegraphendrähten „die Aeolsharfe dieses Jahrhunderts" musiziren und „träumt unterm Weltenraum des Drähtchens zarten Menschentraum" — dabei versäumt er aber nicht, von dem weltfernen Gebirgsnest aus „Briefe auf Briefe an Eisenbahngesellschaften, Staatsbehörden und wissenschaftliche Anstalten" zu schreiben. „Tag für Tag kamen Antworten, dass alle Stellen besetzt seien, ja als Abenteurer hat man ihn mit Härte zurückgewiesen." Als Abenteurer? Ja, konnte er sich denn auf keine positiven Forschungsergebnisse, auf keine irgendwie nennenswerten Leistungen aus seiner afrikanischen Kultureroberung stützen? Hatte er unterwegs keine Beziehungen angeknüpft? — Es scheint nicht. Und jetzt ist er so arm, dass er sich in der Sommerfrische im Gebirge „weder Papier noch Tinte kaufen" kann, um „die Resultate seiner Forschungen" aufzuschreiben! Und der naive Pechvogel von einem Ex-Afrikaforscher jammert: „Staat und Gesellschaft stößt mich von sich; an den Bauern muss ich mich wenden, vielleicht kennt der Erbarmen." Seltsame Meinung eines weitgereisten, weltbewanderten Technikers unserer Tage, der bei einem bayerischen Hochgebirgler die Baarmittel sucht, die er von „Staat und Gesellschaft" nicht erlangen kann! Weil ihn die „Andern" ohne Hülfe gelassen, glaubt er, ohne weiteren Anhalt es durchzusetzen, bei einem Bauern „tausend Gulden" Vorschuss zu erhalten, wenn er ihm das Kompliment macht, dass er „zum bravsten Bauern seines Vaterlandes" rede — und ihm nun endlose Vorträge über die „Opfer" hält, die er, Waiblinger, dem „Fortschritt der Menschheit" gebracht, um damit sein Pumprecht zu begründen. Der Bauer ist wie alle Bauern. Wer „nichts" hat, ist für ihn ein „Lump" (mit Ausnahme lustig-geschwätziger Handwerksbursche, für die er sonderbarerweise im Kirchbachschen Stück ein großes faible hat!) und die sogenannte „Menschheit" ist ihm nicht vorgestellt.

Waiblinger führt immer stärkeres Geschütz ins Gefecht, um die Geldfeste seines „bravsten Bauern" zur Uebergabe zu zwingen.

Nun rückt er mit dem Stärksten vor: mit sozialistisch-kommunistischen Besitztheorien. Da wird der Bauer großartig grob. Das kann man sich ja denken — und das Ende der zwei langen ersten Akte, des Pumpduells zwischen Waiblinger und Glasbauer ist, dass der Erste den Letzten ersticht.

Hier tritt bei dem Zuschauer die große Gefühlswende ein. Diese Mordtat ist nur durch verstopften Idealismus, Unbeholfenheit, Dummheit und Nervenzerrüttung zu motiviren. Mit dem Glasbauern Andreas Obbacher ist die einzig gesunde, trutzige, heldenhafte Gestalt von der Bühne verschwunden. In den folgenden drei Akten interessirt uns nur noch zu sehen, wie Waiblinger den kaltgemachten Bauern verdaut. Auch das Gedankenmaterial ist in den ersten zwei Akten fast vollständig erschöpft, nur einige kräftige Variationen kehren in den folgenden Akten wieder. Erlag Waiblinger in der ersten Hälfte des Stücks dem Wahnsinn eines überhitzten Idealismus, so wird er in der zweiten Hälfte ein kompleter Narr durch den Geisterspuk seines belasteten Gewissens. Von seinen Lebenstaten sehen wir direkt nichts mehr; wir hören nur eine Festrede von ihm, die er als Oberleiter des Gebirgsbahnbaues bei Eröffnung der Tunnelarbeiten angesichts der Arbeiter, des Volkes, der Beamten, der Bohrmaschinen und eines Dynamitwagens hält. Das ist ein großartiges Stück Rhetorik und passt vorzüglich in die Szenerie. Allein unsere Sympathien erringt der arme Narr nicht mehr. Wir haben für ihn nichts mehr als das kalte wissenschaftliche Interesse, das uns jedes pathologische Sujet abnötigt. Poetisch ist es ein schönes Narrenhaus-Idyll im Hochgebirge. Damit ist auch die tragische Luft, welche die ersten Akte durchbraust, immer dünner geworden, und ehe der Vorhang fällt, spürt man nur noch ein melodramatisch-sentimentales Säuseln mit Zither- und Schalmeiklang. „Die Sonne verglüht hinter den Bergen" und aus dem Notizbuche des im Abgrunde zerschmetterten Phantasten und Mord-Ingenieurs werden die somnambulen Weisheitsprüche im Psalmenton vorgetragen: „Herr, Herr, du hast deine Felsen geschichtet, deine Berge hast du aufgebaut. Gewaltiger, sie stürmen in steinernen Schaaren deinen Himmel! Weiß wie die Unschuld zarter Kinder spielen ihre Spitzen tändelnd im blauen Aether der Ferne, sie weben und verschweben wie reine Wellen in den sonnigen Höhen und verschwebend bleiben sie ewig unbewegt."

Der Vorhang fällt.

* * *

Kirchbachs Arbeiten machen oft den Eindruck, als ob er vergeblich ringe, seine reich wogende Gedanken- und Gefühlswelt in künstlerische Formen zu zwingen, des Stoffes vollkommen Meister zu werden. Das Traumrednerische der Diktion, die Mischung von Phantastik und Realistik gewinnen zuweilen geradezu beängstigenden Umfang. Mit seinem sächsischen Landsmann Richard Wagner hat er das gemein, von einfach natürlichen Empfindungen und Gedanken wie durch plötzliche Ueberhitzung aufzuplatzen in fabelhafte Ideen-Lyrismen. Dann giebt es ein Wogen, ein Drehen, ein Bohren, ein Nimmersichgenugtunkönnen in weltentrückter Schwelgerei, dass Einem angst und bange wird. Bei Uebermenschen von göttlicher Ueberkraft — bei Sophokles, Michelangelo, Shakespeare, Sebastian Bach, Goethe (mit Ausnahme gewisser Stellen im zweiten Teile des Faust) habe ich nie Aehnliches empfunden. Natürlich auch nicht bei den schuldressirten Mittelmäßigkeiten, wo das „Unzulängliche" angenehm unterhaltendes „Ereignis" wird.

Ist Hamlets Mutter eine Mörderin?

Noch heute ist die Shakespearelitteratur nicht darüber einig, ob der Dichter in Hamlets Mutter lediglich das wollüstige, ehebrecherische Weib oder auch die Gattenmörderin zeichnen wollte. Es ist interessant zu konstatiren, dass die meisten Schriftsteller, welche die Frage lediglich vom Standpunkte des Aesthetikers erörtern, sich der ersten Auffassung zuneigen, während diejenigen, welche die kriminalistische Seite mehr in Betracht ziehen, das Gegenteil für weitaus richtiger halten. Die Lösung des Problems ist umso schwieriger, weil uns der Dichter nur selten Gelegenheit giebt, einen Blick in das seelische Leben der Gemahlin König Claudios zu werfen. Gertrude ist eine derjenigen Frauengestalten Shakespeares, deren Charakter wir viel mehr aus den Aeußerungen anderer Personen denn aus ihren eignen entnehmen müssen. Selten lässt sie der Dichter auftreten, noch seltener lässt er sie über ihre Gefühle und Gedanken Mitteilung machen und selbst wo dies der Fall ist, da sind es nur flüchtige Blitze, welche einen Augenblick das Dunkel des Lebens der Psyche beleuchten, um alsbald wieder der finstern Nacht Platz zu machen. Sinnlichkeit ist der Grundzug des Charakters Gertrudens, durch sie ist sie auf Abwege geraten, durch sie dem Verbrechen anheimgefallen. Als reife Frau lässt sie sich „durch Witzes Zauber, durch Verrätergaben" von dem Bruder ihres Mannes, „dem Sünder, von Natur durchaus armselig", zum Treubruch verführen. Claudio begehrt aber nicht nur das Weib des Bruders, sondern auch dessen Krone; er ist keiner derjenigen Menschen, welche in der Sinnlichkeit aufgehen, sondern ein kaltblütiger, kühler Verbrecher, welchem jedes Mittel recht ist, wenn es nur zum Ziele führt; er ist einer jener Mörder, bei welchen Sinnlichkeit und Grausamkeit

Hand in Hand gehen. Es ist psychologisch schwer denkbar, dass er den Mordplan nicht im Einverständnis mit seiner ehebrecherischen Geliebten gefasst habe. Gertrude steht dem Einfluss Claudios willenlos gegenüber. Das sinnliche Gefallen, das er ihr einflößt, macht sie zum widerstandsunfähigen Objekte in der Hand des großen Verbrechers; es tödtet in ihr nicht nur alles Gefühl für Anstand und Ehrbarkeit, es erstickt in ihr nicht nur die Bedenken, welche eine Verbindung hervorrufen muss, die nicht nur ehebrecherisch, sondern auch nach damaliger Anschauung blutschänderisch ist, sondern es beeinträchtigt auch ihre Liebe zu ihrem Sohne.

Es ist eine alte kriminalistische Erfahrung, dass die Ermordung eines Mannes durch den Geliebten seiner Frau niemals oder doch nur sehr selten auf eigne Faust ausgeführt wird. Die schuldbefleckte Gattin ist stets bei dem Verbrechen beteiligt, als Mittäter, Anstifter oder Mitwisser. Die Wahrscheinlichkeit spricht also dafür, dass Gertrud um das verruchte Vorhaben ihres Geliebten wusste und wenn wir bedenken, dass sie bereits in vorgerückten Jahren stand, als die vesania amoris sie befiel, so wird die Wahrscheinlichkeit um so größer. Denn die Kriminalpsychologie lehrt, dass ältere Frauen, die einer strafbaren Neigung huldigen, weit verbrecherischer sind als jüngere. Man pflegt nun meistens auf den Dialog zwischen Hamlet und seinem Vater hinzuweisen, in welchem der Geist die furchtbare Anklage lediglich gegen seinen Bruder richtet; allein wenn überhaupt aus den Worten des Geistes etwas für diese Frage entnommen werden kann, so scheint es weit mehr für die Bejahung als die Verneinung der Schuld zu sprechen. Nachdem der Geist das Verbrechen, das an ihm begangen wurde, in seiner ganzen Schwere enthüllt, nachdem er Hamlet zur Rache und zur Beseitigung der blutschänderischen Verbindung zwischen Gertrud und Claudio ermahnt hat, empfiehlt er ihm die Schonung der Mutter:

„Doch wie du immer diese Tat betreibst,
Befloch' dein Herz nicht, dein Gemüt ersinne
Nichts gegen deine Mutter.“

Der Geist stellt also Gertrude bezüglich der Schuld mit Claudio auf eine Linie und er verbietet Hamlet die Bestrafung jener nur, um die Wiederholung der Orestestragödie zu vermeiden. Es will wenig sagen, wenn man sich auf die Worte desselben Dialogs beruft:

„So ward ich schlafend und durch Bruderhand
Um Leben, Kron' und Weib mit eins gebracht.“

Denn hier spricht der Geist nur von dem unmittelbaren Täter, lässt dagegen die Frage nach dem mittelbaren ganz außer Betracht. Auch die Unterredung der Königin mit Hamlet scheint eher für als gegen ihre Schuld zu sprechen. Denn wenn sie auf die donnernde Anklage ihres Sohnes, in welcher die Stimme der erschütterten rechtlichen und sittlichen Ordnung ihren Ausdruck findet, wenn sie auf seine schweren Vorwürfe, in denen das beleidigte Recht und die mit Füßen getretene Sitte zur Geltung gelangt, wenn sie hierauf antwortet:

„Weh, welche Tat brüllt denn so laut und donnert im Verkünden“,

so zeigt dies lediglich das gewöhnliche Auskunftsmittel aller Verbrecher, die Anwendung der alten Maxime „Si fecisti nega“, sie stellt sich unwissend, sie heuchelt Unsträflichkeit und es bedarf erst der Anführung der Einzelheiten seitens Hamlets, um sie zu dem Geständnis zu bewegen, dass sie in sich Flecken sieht, die nicht von Farbe lassen. Auch in diesem Geständnis scheint uns ein Beweis für ihre Schuld zu liegen. Der Ehebruch allein hätte dem sinnlichen Weibe keine solchen Gewissensbisse gemacht, um sie zu diesem Ausruf zu veranlassen; Gertrude musste sich notwendig noch eines zweiten und schwereren Fehltrittes als der Verletzung der Treue schuldig fühlen, wenn sie, als Hamlet mit der rächenden Stimme des öffentlichen Gewissens seine Anklage fortsetzt, ihn bittet, inne zu halten. Der furchtbare Mahnruf weckt das Gewissen in ihr, er ruft das Bild des Gatten hervor, dessen Tod sie mitverschuldet hat und dies kann sie nicht ertragen. Wie fein ist es, dass gerade in diesem Augenblicke der Dichter den Geist auftreten lässt, eine Verkörperung des Vorganges, welcher sich in dem Innern Gertrudens gerade jetzt vollzieht. Hamlet ist offenbar der Ansicht, dass seine Mutter an dem Morde schuldig ist, denn wie sollen sonst seine Worte verstanden werden:

„Ja, gute Mutter, eine blutige Tat,
So schlimm beinah als einen König tödten
Und in die Eh' mit seinem Bruder treten!“

Aus dem Inhalt des Stücks ergiebt sich hiernach die Schuld Gertrudens mit höchster Wahrscheinlichkeit. Man hat nun hiergegen die Psychologie zu Hülfe gerufen und behauptet, sinnliche Verbrecherinnen seien eines Mordes unfähig. Das Gegenteil ist die Wahrheit. Die Annalen der Strafrechtspflege alter, neuer und neuster Zeit beweisen, dass sinnliche, liebestolle Frauen alle nur möglichen Verbrechen verübt haben, um sich des ungestörten Besitzes des Geliebten zu freuen und Gertrude macht hiervon keine Ausnahme. Ihr Hauptfehler ist die Sinnlichkeit und der Mangel an Energie, um dieselbe in den Schranken des Rechts und der Sitte zu halten, durch sie ist sie nicht nur dazu gekommen, dem Bruder des Gatten ihren Leib Preis zu geben, sondern auch sich mit ewiger Schuld an dem Tode ihres Mannes zu beladen, ohne zu ihrer Entlastung einen anderen Umstand anführen zu können, als das klassische Wort des großen Herzenskündigers:

Frailty thy name is wife.

Mainz. Ludwig Fuld.

A History of Agricultur and Prices in England from 1259—1793.

By James E. Thorold Rogers.

Vol. III, IV. 1401—1582. XVIII, 775 und XX, 779 S. 1882. (Oxford.)

Im Jahr des deutschen Krieges 1866 erschienen die zwei ersten Bände des in der Ueberschrift genannten großen Werkes und in No. 30, S. 411 f. von 1867 sind dieselben in diesem Magazin zuerst besprochen worden. Nun liegen seit einigen Jahren zwei weitere Bände desselben vor und es wird auch jetzt noch am Platze sein, hier von ihrem wichtigen und interessanten Inhalt zu berichten, da sie bisher in Deutschland einzig von den Hildebrandschen Jahrbüchern der Nationalökonomie beachtet worden sind.

Jetzt wie damals erhalten wir eine ganz aus gleichzeitigen Berichten geschöpfte Darstellung der Preise und Löhne in England während des im Titel bezeichneten Zeitraums; Band III giebt die bezüglichen Zahlentabellen und in Band IV werden denselben die geordneten Erläuterungen ebenso hinzugefügt, wie damals im Band I die Erläuterungen den Tabellen des Band II vorangingen. Die Inhaltsübersicht dieser Erläuterungen macht den Charakter des Werkes sofort deutlicher. Nach einer allgemeinen Einleitung folgt ein Abschnitt über den englischen Ackerbau im 15. und 16. Jahrhundert (Seite 38—69); dann wird gehandelt von der damaligen Verteilung des Wohlstandes in England (bis Seite 138), vom Handel und den Märkten (bis Seite 156), von den Steuern und Abgaben (bis Seite 185), vom Gelde (bis Seite 201), von den Gewichten und Maßen (bis Seite 210). Es folgt die Angabe und Erläuterung von Preisdurchschnitten (bis Seite 218), darauf die besondere Erörterung über die Preise der Körnerfrüchte (bis Seite 293), diejenigen von Heu und Stroh (bis Seite 302), von Wolle und Häuten (bis Seite 329), von lebendem Vieh (bis Seite 356), von Farmprodukten (bis Seite 388), von den wichtigsten landwirtschaftlichen Gebrauchsartikeln (bis Seite 410), von Geräten und Werkzeugen (bis Seite 432), von Baumaterialien (bis Seite 473), Metallen (bis Seite 488). Der nächste Abschnitt (bis Seite 525) handelt von den Arbeitslöhnen; es reihen sich an (bis Seite 545) die Preise der Fische, (bis Seite 550) die von Ale und Bier, (bis Seite 589) die der Faserstoffe und Kleider, (bis Seite 608), die von Papier, Pergament, Büchern und Tinte; ein Abschnitt über verschiedene besondere Artikel (bis Seite 634), über Wein (bis Seite 652), über fremdländische Produkte (bis Seite 691), über die Preise der Fuhrwerke (bis Seite 713), die durch ihren niedern Stand den Zustand der Straßen und Wege als einen befriedigenden denken lassen. Diesen Abschnitten entsprechen fast durchgängig analoge in Band I. Hier treten noch hinzu die Abschnitte über die Preise zwischen 1401 und 1582 im Allgemeinen (bis Seite 737) über die Erträgnisse des Ackerbaues (bis Seite 749), analog wie in Band I, (Seite 667—681) über die Erträgnisse des Ackerbaues vor und nach der Pest; endlich wieder wie damals (Band I, Seite 682—694) über die Kaufkraft der Löhne (bis Seite 760).

Das Werk giebt uns also einen Reichtum verarbeiteter Materialien zur ökonomischen Geschichte Englands, die gewiss eben so wichtig ist wie die seiner Rechtsaltertümer oder die der diplomatischen Intriguen und der kriegerischen Verwickelungen; ebenso wichtig natürlich für jedes andere Land und nicht nur für England, auf das sich Rogers strenge beschränkt. Für Deutschland fehlen Nachweisungen von ähnlicher Vollständigkeit aus dem Mittelalter bis jetzt und werden wohl auch nicht zu erlangen sein; doch aber hat die deutsche Geschichtsschreibung in unserer Zeit zu ihren zahlreichen unbestrittenen Ruhmestiteln auch den gefügt, den engen Zusammenhang zwischen den ökonomischen und den politischen Fragen und Entwickelungen im Leben der Völker klar erkannt und in einzelnen Fällen dargestellt zu haben. Für das deutsche Mittelalter ist eine solche Klarstellung von K. W. Nitzsch zu seiner Lebensaufgabe gewählt worden und wir haben, Dank der Pietät seines Schülers G. Matthäi, nach seinem allzufrühen Tode im Sommer 1880, aus seinem Nachlass und auf Grund seiner Vorlesungen seine „Geschichte des deutschen Volkes bis zum Augsburger Religionsfrieden" erhalten (3 Bände 1883, 1884 und 1885. Leipzig, Duncker & Humblot); ein hochbedeutendes Werk, welches die den Fortgang der Ereignisse schildernde „Geschichte der deutschen Kaiserzeit" von W. v. Giesebrecht einerseits und die „Deutsche Verfassungsgeschichte" von G. Waitz anderseits wesentlich ergänzt, indem es die hauptsächlichsten Triebkräfte für die Entwickelung der Institutionen aufzeigt, die dort verzeichnet ist. Wir dürfen uns also nicht beklagen; wartet ja doch der Reichtum wirtschaftlicher Nachweisungen des Werkes von Rogers noch des Geschichtsschreibers, der ihn zu einem Gemälde der nationalen Entwickelung Englands im Mittelalter würdig zu verwenden wissen wird. Anderseits war jene Beschränkung auf England nötig und gehört zum wissenschaftlichen Charakter des Werkes; denn es handelt sich um wirtschaftliche Tatsachen, um möglichst verlässliche Beobachtung und richtige Auffassung des Wirtschaftslebens einer entfernten Zeit und diese ist nur durch genaue Kenntnis aller Umstände zu erreichen und darf nicht mit Analogien und Hypothesen vermischt werden. Mit nicht wesentlich mehr Arbeit hätte wohl ein scheinbar umfassenderes, mehr blendendes und glänzendes Werk geschaffen werden können, nur wäre fraglich, ob es ebenso dauernden Wert erhalten hätte. Die metaphysische Methode ist nachgerade auch in ökonomischen Dingen als gefahrbringend erkannt, und die verschleierte Methaphysik, welche eine Ausdehnung der Betrachtung über das genau bekannte Feld der wirklichen Beobachtung hinaus notwendig enthalten würde, muss allen denen schlimmer als die offene erscheinen, welche verlangen, dass ökonomische Schlüsse durch die Evidenz der Tatsachen geprüft werden. Unser Verfasser vertritt die Ansicht, dass eigentliche Fakta wertvoller sind als alle die Schlüsse, welche irgend Jemand daraus zu ziehen vermag.

Das überraschend reiche und sichere Material zu diesen Nachweisungen über die mittelalterliche englische Wirtschaft ist vorzugsweise von der alten Selbstverwaltung des großen Grundbesitzes der Universitäten Oxford und Cambridge geliefert worden; der Umstand, dass sich in den Archiven des Merton-College, das schon Heinrich III. in der ersten Hälfte des 13. Jahrhunderts reich dotirte, die Wirtschaftsrechnungen von 1259 ab in zusammenhängender Folge vorfanden, hat die Entscheidung für den Anfangstermin der ganzen Untersuchung gegeben, das Jahr nach dem Parlamente des großen Freiheitsbriefes von Oxford. In den Rechnungen aus den ersten zwanzig Jahren erscheint da noch die Bezahlung mit Naturalien, die von da ab verschwindet; der Drescher erhielt für den Ausdrusch von Weizen den dreißigsten, von Gerste den vierzigsten, von Hafer den sechzigsten Teil des Ganzen. Und auch für den in den neuen Bänden behandelten Zeitraum hat Merton-Archiv hervorragend beigetragen, unter andern das längste aller benutzten Dokumente, eine Urkunde über den in den Jahren 1448 bis 1450 ausgeführten Bau seines noch stehenden Glockenturmes, welche Rogers zu dem Bemerken führt, dass der Bau jetzt reichlich das Doppelte von dem damaligen in heutigen Wert umgesetzten Betrag kosten würde, weil bei sehr langsamem Bauen weniger Vermittler waren als heute und keinerlei Kampf mit dem Kapital stattfand. Die übrigen Colleges von Oxford: Oriel, Magdalen, Corpus Christi, New College und nicht minder die von Cambridge: Pembroke, Peterhouse, Kings Hall, Kings College trugen auch bei; die zahlreichsten Nachweise lieferte jedoch das Record office. Manches Wertvolle fand sich im British Museum und in der Bodleyanischen Bibliothek; in dieser sind z. B. die Rechnungen eines Clerk Needham von Bauten Heinrich VIII. erhalten, die dieser nach ihrer Prüfung und Anerkennung zurücknahm, mit einer Menge von Nachweisen.

In dem Zeitraum der ersten beiden Bände war der schwarze Tod, die Pest von 1348, das wirtschaftlich einschneidendste Ereignis; durch die Verminderung der Menschenzahl auf die Hälfte und weniger als die Hälfte des vorigen Bestandes ward die Arbeitskraft um eben so viel wertvoller. Die Löhne stiegen, die Geringsten auf das Doppelte, die für die Schnitter um 60—70 Procent, für Zimmerleute und Maurer um 40—60 Procent u. s. w. bei nur ganz geringer Preissteigerung des Getreides. Wir wissen, dass in Folge dessen die Hörigkeit verschwand und dass die Ackerwirtschaft in Folge des Mangels an arbeitenden Händen zum bedeutenden Teil in Viehzucht übergeführt ward, sodass der befreite Arbeiter nicht zum Grundbesitz gelangte und dieser sich in verhältnismäßig wenig Händen vereinigte und im Pacht bewirtschaftet wurde. Es ist eine Folge hiervon, dass der größte Teil der Nachweisungen in den neuen Bänden sich auf Kauf bezieht und nicht wie in den ersten auf Verkauf; die Rechnungen geben nicht mehr die Auskunft über den Verkauf der Farmprodukte, sondern sie sind zumeist Rentenrollen. Nur einige große Kloster-Korporationen bewirtschafteten mit eigenem Kapital Besitztümer, die in unmittelbarer Nachbarschaft ihrer Convente lagen, und die Reihe ihrer Rechnungen ist glücklicherweise für die ganze Zeit der Fortsetzung dieses Verfahrens, d. h. bis zur Mitte der Regierungszeit Eduard IV. erhalten. Dieser großenteils veränderte Charakter der Belege hat die Arbeit des Verfassers erheblich erschwert, die Ergebnisse derselben sind aber von neuem und großen Interesse.

Wir wollen versuchen, sie in Kürze zu erläutern und beginnen mit der Zusammenstellung einiger Preisdurchschnitte aus unserer Periode, die sofort auf das Hauptergebnis führt.

Die Preise von Weizen, Gerste und Hafer liefern für die ganze Periode von 1401 bis 1540 mit nur sehr mäßigen, den Unterschieden im Erntereichtum entsprechenden, Abweichungen das Mittel von 4 sh., noch um $^1/_2$ sh. niedriger als in der Zeit von 1261—1400; während dagegen für die Jahre von 1541—1582 sich das Mittel von $9^1/_4$ sh. ergiebt, eine Aenderung im Verhältnis von 100:239. Und ähnlich für alle anderen Nahrungsmittel: Der Preis von Ochsen, Kälbern und Schafen steht in denselben letzten 42 Jahren 3,4 resp. 3,6 und 3,4 mal so hoch als in den vorangegangenen 140 Jahren; wobei nur in Betreff der außerordentlichen Erhöhung anzumerken ist, dass es sich hier im Gegensatz zu jener Periode um das fette verkaufsbereite Vieh handelt. Butter, Käse, Milch und Eier zeigen das Verhältnis 100:250, die Fische das von 100:162 etc. Die Preise der Textilwaaren stiegen von 100 auf 208, der Kleider auf 212 und der ausländischen Produkte auf 200, Metalle auf 190, Brenn- und Baumaterialien auf 170, Papier u. s. w. auf 150. Also eine plötzliche und allgemeine Preissteigerung aller Lebensbedürfnisse und fügen wir sogleich hinzu, eine dauernde. Denn nur im Herbst 1582 fiel bei reicher Ernte der Preis des Quarter Weizen noch auf 14 sh. $2^1/_3$ d., was vorher nur in Hungersnotzeiten erreicht ward, und nur dreimal im 16. und einmal noch im 17. Jahrhundert war derselbe unter 20 sh. War es nur die Entwertung des Geldes, die das Einströmen des amerikanischen Silbers nach Europa natürlich bedingte, welche diese grosse Preisrevolution verursachte? Wohl kaum, denn der Arbeitslohn hielt mit der Preissteigerung aller Lebensmittel durchaus nicht so Schritt, wie es bei einer so allgemein und stetig wirkenden Ursache erwartet werden müsste. Der Tagelohn der Schreiner, der Maurer und Ziegelstreicher und der der Dachdecker ergiebt für die lange Periode von 1401—1540 das Mittel von 6 resp. 5 und 4 d.; für die Zeit von 1541—1582 aber 10,9 und 9¾ d., was eine durchschnittliche Steigerung Verhältnis von 100 : 165 ist und ebenso hat sich für elf hauptsächliche Arbeitsarten das Verhältnis 100 : 160 ergeben. Wir sehen also in der zweiten Hälfte des 16. Jahrhunderts die Lage des englischen Arbeiters sich schnell und entschieden verschlechtern; nach den angegebenen Zahlen sind die Erträgnisse seiner Arbeit im Verhältnis von 2 : 3 weniger wirksam zur Führung und Ausstattung seines Lebens; wenn vorher selbst noch auf den untersten Stufen eine gewisse Behäbigkeit wenigstens des physischen Daseins möglich war, so musste nun sicher Not und Elend in weiten Kreisen eintreten. Die Zeit des 15. und der ersten Hälfte des 16. Jahrhunderts muss dieser seiner zweiten Hälfte und zugleich der ganzen Folgezeit gegenüber als die glücklichste Zeit, als das goldene Alter der englischen Arbeit bezeichnet werden. Der Arbeiter konnte und wollte reichlich, wenn auch nicht fein, wonach ihm der Sinn nicht stand, essen und trinken. Seine Bildung war gering; wie die Menschen nun einmal sind, entsprang aus der äußerlichen Fülle und Behaglichkeit ein Geist der Streit- und Prozess-Sucht, der einer solchen Menge von Advokaten rief, dass die Parlamente wiederholt ob derselben klagten. Der intellektuelle Fortschritt war aber nur schwach, weil alle höheren Kenntnisse unter dem Banne der Religion standen und der Klerus, der Träger derselben, im höchsten Grade korrumpirt war, sodass selbst Wycliff's Einsicht und Strenge wirkungslos blieb. Die spätere Wiederbelebung der Alten war daher nur für Wenige wirksam, das Häuflein der Humanisten blieb, wie sich an ihren Schicksalen auch bald erwies, in gefährlicher Isolirung. Die mäßigen Verbesserungen dieser ersten Zeit in den Manufakturen bereicherten nur engere Kreise unter Erweiterung ihres Horizontes. Die großen Kriege und steten Fehden, die jene Streitsucht auch mit erklären lassen, störten das äußere Wohlbehagen der arbeitenden Bevölkerung nicht zu sehr, führten aber natürlich auch für sie vielfach zu Zuchtlosigkeit und Verwilderung. Im Uebrigen erschien der Krieg als das natürliche Handwerk der jüngeren Söhne, und der Krieg in Frankreich insbesondere war populär, nicht nur weil man ihn für berechtigt hielt, sondern auch weil man aus Süd-Frankreich billiges Salz bezog und den billigen Wein von Guienne in Massen genoss. Dieser glücklichen Lage entsprechend wurden in der ersten Hälfte des 15. Jahrhunderts von den Gemeinen die Grundlagen gelegt, auf denen die Freiheiten des 17. Jahrhunderts aufgebaut worden sind. Der Successionskrieg in England sodann war wie ein Gewitter, das nur die Kronen brach, aber die Halme bloß beugte; Eduard IV. handelte nach dem Satze: Tödte die Edeln und lass die Gemeinen laufen. Sein Tod zog schwere Folgen nach sich. Aber Heinrich VII., der Begründer des administrativen Despotismus, war haushälterisch bis zum Geiz und füllte den königlichen Schatz; er schloss freilich durch dies Sparen England von der Teilnahme an den geographischen Entdeckungen aus, aber auch das Volk konnte sparen, und er hob die lebendigen Kräfte in Handel und Gewerbe, bereitete auch den Wissenschaften das Feld. Erst Heinrich VIII., der durch fast vierzig Jahre regierte und im Guten und Schlimmen die Folgezeit bestimmte, hat die glückliche Fortentwickelung unheilvoll gehemmt und sie in Bezug auf die Lage der englischen Arbeiter geradezu abgeschnitten. Freilich hat er die Reichspolitik inaugurirt, den Küstenschutz und die Vorteile zur See umsichtig gefördert; er hat auch seiner eigenen gelehrten Erziehung entsprechend, die ihm vorzeitig die überschwänglichste Anschmeichelung der Humanisten eingetragen, Trinity College in Cambridge dotirt. Aber seine Bildung war rein äußerlich geblieben, auf Glanz, Ueppigkeit und sinnlose Verschwendung war sein Sinn gerichtet und sein Gemüt war roh. So leer und äußerlich war ja auch seine Reformation. Er hob die Klöster auf mit einer Härte gegen die Ordensleute, wie sie nirgends sonst ausgeübt worden ist, weil ihr großer Reichtum seine Begehrlichkeit reizte; aber er verschleuderte ihre Schätze und Ländereien, und von dem ganzen unermesslichen Vermögen ward für Kirchen, Schulen und Wohltätigkeitsanstalten nur sehr wenig verwendet, durch die zahlreichen Ausgetriebenen aber Armut und Elend schrecklich vermehrt. 376 Klöster, von denen die Vorsteher allein sich leidlich sicherten, wurden durch das Statut 1535—1536 aufgehoben und bis Ende 1540 waren weitere 600 in des Königs Hand. Und welcher Reichtum! Ein venezianischer Gesandtenbericht giebt die Jahreseinkünfte der englischen Klöster auf 500,000 Dukaten an, während er die des ganzen englischen Adels nur auf 380,000 schätzt.

Am schlimmsten aber und leider auf die Dauer ward die Lage der vom Lohn Lebenden durch die massenhafte Ausprägung von schlechtem Gelde beeinflusst, zu der der gewissenlose König schließlich als zu einem Mittel seiner Bereicherung griff. Der Schillingswert in Münze von 1560 — nach der Wiederherstellung durch Elisabeth also — war im Jahre 1527 noch 16,1 und 1543 noch 13,6; aber er sank 1545 auf 8,1 und 1547 sogar auf 5,4 herab. Und da unter der Unmündigkeit seines Sohnes Eduard VI. die betrügerische Ausmünzung sogar in verstärktem Maße und bis auf ¼ Silber gegen ¾ Legirung fortgesetzt ward, so sank der Wert des Schillings 1551 auf 2,7 herab. Wenn man denselben für 1552 auf 11,8 angegeben findet, so bezieht sich dies nur auf die Finanzoperationen, durch welche Gresham den

Kredit des Königs im Auslande wieder herzustellen suchte. Unter derselben elenden Vormundschaftsregierung wurden zudem noch die Innungsländereien aller englischen Städte außer London konfiszirt, die die Wohltätigkeitsfonds der mittelalterlichen Gesellschaft waren; und die Londoner Innungen blieben nur verschont wegen ihrer gefährlichen Macht, dynastische Revolutionen zu bewirken. Aber ohne den rechtzeitigen Tod Heinrichs VIII. (28. Jan. 1447) wären wohl sogar die englischen Universitäten mit all' ihren Colleges noch seiner Verschwendung zum Opfer gefallen; denn eine bezügliche Bill war bereits passirt und blieb nur durch jenen Todesfall unausgeführt. Davor blieb also England bewahrt. Vielleicht wären damit auch dem Werke von Rogers, das diese Dinge nun nach drei Jahrhunderten so scharf beleuchtet, die Hauptmaterialien entzogen worden, welche ja aus der ungestörten Selbstverwaltung dieser alten großen Stiftungen herkommen.

Die Münzverschlechterung aber hat die Preissteigerung in England gänzlich anomal und zum Schaden der Arbeiter gestaltet.

Und als nach dem traurigsten Jahrzehnt Elisabeth kam (November 1558) und durch ihre Tüchtigkeit, ihr Glück und die Liebe des Volkes das Land wieder emporhob, konnte sie trotz tapferer Bekämpfung der ökonomischen Schwierigkeiten doch das Glück der Arbeiter nicht wieder herstellen. Der Landarbeiter war zu tief herabgedrückt, die Gesetze konnten jetzt, was früher niemals gelungen war, den Lohn fixiren und niedrig halten. Die Nahrungsmittel und Getränke, die man dem Landarbeiter sonst noch außer dem Lohne verabreichte, kamen jetzt ab; die Gemeinrechte der Landleute verschwanden, alles Land ward eingehegt, der Landmann ward ein Knecht ohne jeden Anteil am Land, für drei Jahrhunderte! Und in seiner erniedrigten Lage besteht eine der Hauptschwierigkeiten bei der englischen Ackerkultur bis heute. Dieselbe war Beginn des amerikanischen Unabhängigkeitskrieges noch niedriger als in Elisabeths' Tagen, und die Kontinentalkriege, die demselben folgten, haben wohl Fabrikanten, Kaufleute und Landeigentümer bereichert, den Landarbeiter aber nur tiefer heruntergedrückt. Er wanderte aus und es entstand die Frage nach der Möglichkeit der Bebauung des englischen Bodens und einer Zurückführung des Landbauers zu hoffnungsfreudiger Tätigkeit.

So stetig, meint Rogers, ist eben die wirtschaftliche Entwickelung eines Volkes, so sicher vererben sich die Stärken und Schwächen des sozialen Lebens. Der englische Pauperismus von heute hat in der Güterverschleuderung und in der Geldverschlechterung Heinrichs VIII. seinen Grund.

Ist auch der Beweis für solche Behauptungen nicht absolut zu erbringen, so haben doch die Schlüsse unseres Autors eine reiche objektive Begründung, und Niemand wird sie etwa auf die radikale Parteistellung desselben beziehen dürfen, ohne wesentlich neue Nachweisungen zu liefern.

Zürich. F. H. Willer.

Der russische Nationalgeist in Litteratur und Kunst.

„Ruhm angeln Die, welche geschickt sind.“
Lermontow.

„Ich gebe für Rafael keinen roten Heller.“
Turgenjew, Väter und Söhne.

I.

In einer höchst lesenswerten Broschüre von R. Thorsch („Iwan Turgenjew“, 1886) wird der verstorbene russische Dichter „der Genialste unter den Modernen“ genannt. Darüber ließe sich nun streiten. Es ist zwar ganz richtig, wenn Thorsch den spitzfindigen Ibsen, der aus den Wahnsinnskeimen des „Peer Gynt“ sich in seinen späteren Produkten bis zu einem wahren Delirium naturalistischer Analysirungssucht verlocken ließ, zum Vergleich heranzieht. Allein der aus jungfräulicher Urnatur mit adeliger Reinheit herausgewachsene Urdichter Björnson, wenn er auch jetzt sein Blut durch hartnäckige Aufimpfung der französischen System-Mache etwas vergiftet haben mag, lässt den ebenfalls betonten Vergleich mit dem Russen nicht zu. Wahr allerdings sind Beide, und Thorsch spricht das treffende Wort, dass die Franzosen wahr sein wollen, jene nordischen Dichter aber es sind. Der melancholisch nervösen Stimmungsfeinheit des Russen mangelt jedoch die nervige trotzige Kraft des Germanen so sehr, dass seine Wahrheit eben krankhaft, die des Norwegers gesund erscheint. Der Gesundheitszustand der moskowitischen Halbkultur artet überhaupt schon lange z. B. in Dostojewskij in eine Art Monomanie überreizter Analysirungssucht aus.

Nun mag Turgenjew freilich im spezifisch Dichterischen einem Zola überlegen, ja er mag, weil feiner, auch wahrer sein. Uns will aber scheinen, als ob bei Herabsetzung Zolas vom Standpunkte des ästhetischen Realismus aus dieselbe Einseitigkeit wirksam wäre, auf die ich wiederholt bei geringschätziger Beurteilung Schillers hinwies. Solche Geister müssen nicht bloß ästhetisch, sondern auch gleichsam historisch betrachtet werden, in ihrer Bedeutung für die gesammte geistige Entwickelung. Dabei nehme ich Phrase und rhetorische Uebertreibung gern in den Kauf. „Väter und Söhne“ mag feiner und wahrer sein als „Germinal“, aber der großartige gedankliche Horizont des letzteren und die unendlich größere Kraft der dramatischen Schilderung erhebt das Werk des Franzosen hoch über Turgenjews Stimmungsgemälde. Dieser bleibt ewig nur Lyriker, der in die Tiefe geht; Zolas Wucht aber strebt und reißt uns mit in die Höhe.

Darum wirkt sein Pessimismus in all seiner Trostlosigkeit erhebend und stählend, während der Pessimismus des Russen uns entnervt und niederdrückt. In diesem Sinne sind die Werke der Russen überhaupt fast alle unkünstlerisch, denn sie enden mit einem Gedankenstrich.

Das Märchen von der Notwendigkeit der „poetischen Gerechtigkeit" (von welcher Shakespeare und Byron nichts wussten) hätten wir ja glücklich hinter uns geworfen. Aber eine Art künstlerischer Gerechtigkeit muss bestehen bleiben: der vollausgetragene Abschluss an sich, ob in Disharmonie oder Harmonie, ist gleichgültig.

Die wahren Verehrer Zolas sind darin weit mehr Idealisten, als ihre sie verketzernden Gegner und als die eigentlichen Realisten, welche die Unordnung und Zwecklosigkeit des Weltgetriebes um jeden Preis in die Kunst übertragen wissen möchten. Der große Dichter des Realismus ist Derjenige, welcher die brutale Wirklichkeit wiederspiegelt, aber in die rohen Erscheinungsformen eine höhere Idee hineinzulesen, respektive ein höheres Gesetz zu finden weiß. Die Russen schreiben Skizzen und Studien. — —

Es ist eine fast unbestrittene Hypothese, dass unter den slavischen Rassen die polnische als die feinste und begabteste betrachtet werden müsse. Obgleich nun aber als Maßstab für die geistige Begabung eines Volkes vorzugsweise die Litteratur gelten darf und obwohl die Polen sich auch in ihr glänzend betätigt haben, so wird doch eine unparteiische Vergleichung mit der russischen Litteratur uns zu dem Ergebnis führen, dass die politisch führende slavische Nation auch in geistiger Beziehung den Vorrang verdiene. Bei den Mickiewicz, Krasinski, Malczewski, Kraszewski u. s. w. finden wir zwar eine glühende Phantasie, lebhafte Leidenschaft und blendende Formgewandtheit; aber die soliden Vorzüge der russischen Schriftsteller, diese Tiefe des Gefühls und der Gedanken, diese ehrliche Wahrheit der Empfindung, diese unerbittliche Analyse der Charaktere, müssen einem tiefern Eindringen weit höhere Befriedigung gewähren.

Gleich hier möchte es auch am Platze sein, gegen ein zweites Vorurteil, das beinahe zum Gemeinplatz geworden ist, Front zu machen, gegen die Annahme: dass unser Jahrhundert den frühern in Bezug auf poetisches Verständnis und Schöpfungsvermögen bei Weitem nachstehe. Sicher ist es kein Zufall, dass Frankreich seine größten Dichter und Romanschreiber, Deutschland und Italien ihre größten Lyriker, England seine zwei genialsten Geister (Byron und Shelly) in diesem Jahrhundert hervorgebracht haben. Freilich musste die Verdrängung der „Romantik" und der ästhetischen Aristokratie durch die Herrschaft vulgärer Finanz-Parvenüs in den letzten dreißig Jahren der poetischen Strömung beträchtlichen Eintrag tun, aber nichts desto weniger liegt in dem gellenden Pfiff der Lokomotive und den bleichen, aufgeregten Gesichtern der ab- und zusteigenden Passagiere eines Londoner Underground-Koupees eine strenge und finstere Poesie, für die man Arkadien nicht eintauschen möchte. Das im Stahlharnisch verknöcherte Rittertum, die geschminkte, geschnürte Hyperkultur der Perrücken- und Zopfzeit, konnte zarten und tiefen Empfindungen nie und nimmer einen so geeigneten Spielraum gewähren, wie die zugleich so künstliche und doch nach freier Bewegung strebende Organisation der modernen Gesellschaft.

Es ist leicht begreiflich, dass bei zunehmender Abnahme der ästhetischen Produktionsfähigkeit unter den Kulturvölkern jene Nation in der neuesten Zeit die litterarische Bewegung aufnahm, die sich urplötzlich mit grauenerweckender Machtzunahme in die Reihe der europäischen Völker gedrängt hat — die russische. Diese Mischung asiatischer Barbarei und raffinirter Zivilisation, dieser Gegensatz derbsten Naturburschentums und polirtester Glätte, wie ihn Volk und „upper ten" in Russland darbieten, musste der Entwickelung der poetischen Anschauung höchst förderlich sein.

* * *

„Es läuft hier ein dicker Herr umher, der sich einbildet ein genialer Musiker zu sein. ‚Natürlich,' sagt er, bin ich nur eine Null, weil ich nichts gelernt habe. Aber darum hab' ich doch mehr Ideen im Kopf, als Meyerbeer.' ‚Erstens,' antworte ich, ‚warum hast du denn nichts gelernt?! Und zweitens hat der unbedeutendste deutsche Flötenbläser zwanzigmal mehr Ideen im Kopfe, als sämmtliche Originalrussen. Nur behält dieser Flötenbläser seine Ideen für sich und hütet sich wohl, das Vaterland der Mozart damit zu belästigen . .'"

„In der Malerei wiederholt sich dasselbe Schauspiel. Ich kenne sie, die russische Ohnmacht . . . Haben wir einen einigermaßen bedeutenden Mann, so muss gleich andern Nationen zugerufen werden: Etwas Derartiges habt ihr gar nicht. Und seine erhabensten Produktionen sind doch nur Nachahmung fremder Künstler zweiten Ranges — denn die sind leichter nachzuahmen . . . Freilich macht zwei mal zwei bei uns auch vier, aber wie es scheint, ergibt sich diese ‚Vier' bei uns viel kecker und richtiger . . . ."

„Ich frage den Insassen der ersten besten Hütte: Ist hier ein Sumpf in der Nähe und giebt es in demselben Schnepfen?" ‚Gewiss,' antwortet er eifrig, ‚Sie finden hier einen Sumpf erster Klasse und er wimmelt von Vögeln' . . . Ich entdeckte gar keinen Sumpf — er war nämlich längst ausgetrocknet. Und nun erklären Sie mir doch, warum der Russe in einem fort lügt?! . . . "

„Da nannte ich den Grünschnabel einen Idealisten. Er wäre beinahe in Tränen ausgebrochen. Giebt es eine größere Schande? . . ."

Dies sind beliebige Auszüge aus der herbsten

Satire Turgenjews über das Russentum — „Dunst" betitelt.

Es ist diesem einen russischen Autor, Iwan Turgenjew, gelungen, sich über die Grenzen seiner Heimat hinaus europäische Anerkennung zu sichern, und in neuster Zeit ist dasselbe einem Koryphäen auf einem andern Gebiete geglückt. Aber hat der Maler Wereschagin diese Teilnahme auch auf ganz legalem Wege, nur durch das Gewicht seiner künstlerischen Leistungen an sich erworben? Oder verwechselt man vielleicht das Nationelle mit dem Individuellen und hält für persönliche Originalität, was uns als Fremdartigkeit berührt?

In jedem Falle haben wir eine bedeutungsvolle Erscheinung, wenn ein Künstler in so deutlicher Manier in sich den Typus seiner Abstammung darstellt und den Geist seines Volkes als Mensch und Künstler zu versinnbildlichen versteht. Ob der Hautgoût dieser seltsamen Schöpfungen nicht auf Mauvaisgoût hinaus läuft, möchten wir fürs erste dahin gestellt sein lassen. Jedenfalls versteht erst Derjenige diese künstlerische Manifestation des russischen Nationalcharakters, wer sich mit der geistigen Bewegung und dem charakteristischen Gepräge dieser Rasse vertraut gemacht hat.

Man wirft dem Künstler eine zu große Vorliebe für unästhetische, schaurige Gegenstände vor. Die erhabenen Seiten des Krieges ganz bei Seite setzend, verliert sich seine Auffassung und Beobachtung in einseitiger Anschauung seiner Gräuel. Nun ist dies freilich vortrefflich auf den Geschmack des großen Publikums spekulirt und die damit verbundene tendenziöse Färbung — (noch nie hat eine geistige Schöpfung der Russen dieser bekannten Eselsbrücke entbehren können) — legt ihm scheinbar Vermeidung der Lichtseiten als Pflicht auf. In Wahrheit aber erkennt man aus den misslungenen Versuchen, kriegerische Aktionen darzustellen („Ueberfall durch Turkmenen," „Der Parlamentär") nur, wie sehr er sich von seiner Unfähigkeit in Darstellung großer Ereignisse überzeugen musste. Die Episode, das Kleine und Kleinliche, das Ausmalen des Nebensächlichen, ist Domäne der Russen. Sie besitzen ein Nationalepos in Prosa, „Taras Bulba" von Gogol, das sich in lauter Episoden und Kleinigkeiten verflüchtigt.

Vorliebe für das Episodenhafte und Grässliche ist einfach eine russische, keine speziell Wereschaginsche Eigentümlichkeit. Und dies Grässlich-Episodenhafte wird nicht etwa dämonisch-schaurig, mit brutaler Kraft, sondern mit langweiliger Treue phantasielos wiedergegeben. Die Verlogenheit, welche beim Russen stets neben dem affektirten Streben nach ehrlicher Wahrheit herläuft, manifestirt sich gerade in der einseitigen Vermeidung des Großartig-Heroischen.

In Danileffskis „Potemkin an der Donau" erzählt z. B. ein Offizier den Sturm auf Ismailia, den, wie er erinnert, „der unsterbliche Byron unsterblich gemacht hat". Nun vergleiche man einmal diese beiden Schlachtgemälde. Der realistische Engländer hält sich mit peinlicher Genauigkeit an die militärischen Berichte. Aber der große epische Zug zwingt ihn, unwillkürlich alles Unbedeutende abzustreifen. Nur die packenden Episoden, welche erhebende Momente bieten, heben sich mit plastischer Anschaulichkeit hervor. Der alte Tartar-Khan, der mit seinen fünf Söhnen fällt — der greise Pascha, der in seiner Bastion mit untergeschlagenen Beinen rauchend zwanzig Stürme abweist, bis er sich endlich herablässt zu fragen: „Ob denn die Festung schon genommen sei" — das sind die Bilder, bei denen ein Byron, im „Don Juan" verweilt. Ueber

> The still varying pangs which multiply
> By the infinities of agony . . . .

geht er mit großartigen Strichen hinweg, obwohl diese Schlachtschilderung bekanntlich die furchtbarste und absichtlichste Satire auf den Krieg vorstellt.

Bei dem Russen ist die Schilderung der Schlacht verworren und lückenhaft. Stimmungsvoll dagegen die bange Erwartung vor dem Angriff in den Trancheen, wie ja auch Wereschagin aus der ganzen Iliade von Plewna nur diesen Stoff herauszugreifen wusste. Aber bei den Gräueln der Erstürmung — da wird Danilewski beredt.

„An den Zacken der Pfeiler hingen Leichen. In der Mitte des Platzes ein Scheiterhaufen, über dem verbrannte Leiber ohne Nasen und Ohren emporragten. Einer zuckte noch . . ." „Am Tor lag ein greiser Mönch mit abgehauenen Armen. Darüber hing der hauptlose Rumpf einer Marketenderin. Daneben ein in zwei Stücke gespaltenes Kind."

Und im Lazareth, wo auch Wereschagin so gern verweilt, da ist auch die Phantasie des Schriftstellers zu Haus: „Dem Einen war der Schädel quer gespalten, so dass man das Gehirn zwischen den bluttriefenden Haaren sah. Die zuckende blassrosafarbene Lunge war in der Wundöffnung des Andern sichtbar."

Von den Gepfählten und Geschundenen in „Taras Bulba" wollen wir gar nicht reden. Mit grausamem Vergnügen werden dort die verschiedenen Todesarten in den Schlachten geschildert. Am Schlusse wird der Held lebendig geröstet, nachdem er alle Frauen und Kinder auf die Lanzen spießen und in die Flammen schleudern ließ. Ja, sehr richtig heißt es dort: Er — d. h. der russische Idealheld — fühlte kein Erbarmen.

Aber in dieser russischen Ilias werden noch gar mancherlei andere Eigenschaften der slavischen Rasse hervorgehoben — eine Rasse, von welcher der bescheidene Dichter mit echt russischer Prahlerei behauptet, sie sei im Vergleich zu andern Rassen, was „das tiefe Meer ist im Vergleich zu bescheidenen Flüssen".(!) Man sollte es kaum für möglich halten und doch hört man dort überraschende Wahrheiten, wie die folgende: „Ihr habt fremde Länder gesehen. Auch dort giebt es Menschen. Nein, Brüder, so lieben, wie ein russisches Herz liebt, nicht mit dem Verstande, sondern mit Allem, was an uns ist — ah!“

Aber es hat andere hervorragende Geister unter diesem auserwählten Volke gegeben, welche mit minder verblendeten Augen in das Innere der Volksseele sahen, und was sie uns berichten, ist weniger erfreulich.

* * *

Das bezeichnendste Merkmal des russischen Nationalgeistes ist zuvörderst „ein Uebel, dem Spleen vergleichbar, uns bekannter als russische Melancholie“, wie es in Puschkins „Onegin“ heißt. Anfänglich halten wir denselben für den sogenannten Weltschmerz der Kulturnationen. Doch nur zu bald entdecken wir unter dem schwarzen Domino das abgemergelte Skelett entnervter und blasirter Genussgier. Denn diese ist der Grundzug des slavischen Charakters, womit sich weinerliche Sentimentalität gar wohl vereinen lässt. Diese Schwermut ermannt sich nicht zu entschlossenem Trotz und erbaut im eigenen Wollen eine bessere Welt der Idee, sie versinkt vielmehr in stoische Lethargie und versumpft in einem Fatalismus, der von der tapfern Resignation der Weltüberwindung weit entfernt ist. Das Leben wird nach mechanischen Gesetzen beurteilt und statt heroischer Verneinung des Willens die Möglichkeit des Wollens geleugnet.

„Je siegreicher die Vernunft, um so prägnanter ist die Hülflosigkeit des Menschen.“

(„Die Nonnenklöster“ von Danilewski.)

„Ueberall dasselbe ewige sich Stürzen aus der Leere in das Nichts; dasselbe Wasserstampfen; derselbe halb bewusste, halb unbewusste Selbstbetrug.“

(„Frühlingswogen“ von Turgenjew.)

„Alles in dieser Welt, das Gute wie das Böse, wird dem Menschen gegeben, nicht nach seinem Verdienst, sondern nach einem unbekannten, aber logischen Gesetze . . .“

(„König Lear der Steppe.“)

„Falle ich hier — so war es Vorbestimmung . . .“

(„Pioniere des Ostens“ von Danilewski.)

„ . . . Unter allen Rätseln des Daseins giebt es ein unergründliches: das ist die Liebe.

(„Eine Unglückliche“ von Turgenjew.)

Aber diese geheimnisvolle Stimmung verknüpft sich mit der einen, Alles verschlingenden Leidenschaft der slavischen Seele, mit dem Verständnis für die Natur, mit der innigen Verehrung der leblosen Schöpfung. „Mütterchen“ Natur wird mit rührender Zärtlichkeit, mit vertrauender Hingebung, mit ehrerbietiger Andacht betrachtet und aus ihrem Anschauen neue Lebenskraft gesogen.

„Ist es möglich, dass Liebe, heilige, hingebende Liebe nicht allmächtig sei? Wie rebellisch und sündhaft das Herz auch war, das im Grabe ruht, die Blumen, die darauf blühen, sehen uns friedlich an mit ihren unschuldigen Augen: Sie erzählen uns nicht bloß von ewiger Ruhe, von der erhebenden Ruhe der „gleichgültigen“ Natur (nur ein Russe konnte hier Anführungstriche setzen!), sondern auch von ewiger Versöhnung und einem Leben, das kein Ende hat.“

Diese ergreifenden Schlussworte des vielleicht nach Form und Inhalt vollendetsten Romanes der russischen Litteratur („Väter und Söhne“ von Turgenjew) legen den Nerv des slavischen Seelenlebens bloß. Da ist nichts von dem trotzigen Selbstbewusstsein, mit welchem der denkende Germane sein menschliches Ich dem Transcendentalen gegenübersetzt und auf die Teilnahme der Natur verzichtet.

Mit dieser allgemeinen Naturbegeisterung mischt sich aber noch ein Besonderes, das Vaterlandsgefühl. Diese Empfindung ist geradezu religiös und von einem kalten, entschlossenen Fanatismus gelenkt. „La illah il allah!“ „Der Czar und das heilige Russland!“ Es ist, wie beim Muselmann, weniger das eigene Volk, als der Islam, die Gottesidee.

„Wartet nur, ihr verfluchten Polen, bald wird die Zeit kommen, wo ihr's erfahren werdet, was der wahre russische Glaube zu bedeuten hat! Schon jetzt ahnen es die Völker nah und fern: Ein Czar wird erstehen auf russischer Erde und keine Macht in der Welt wird es geben, die sich ihm nicht unterwürfe!“

(„Taras Bulba“ von Gogol.)

„Drum blühe ewig das Land der Russen!“ heißt dort der Todesseufzer jedes Hetmanns. „Das heilige Russland“ bleibt selbst für den Nihilisten ein unverlierbares Idol. (Siehe am Schluss von Turgenjeffs „Punin und Baburin“, die Szene, wo der sibirische Sträfling auf „das heilige Russland und alle freien Russen“ anstößt.) Das klingt wie Roma aeterna, wie Britons never shall be slaves — wie der stolze Ausdruck einer unwandelbaren Ueberzeugung von der Größe und Mission des Vaterlandes. Immer weiter streckt dieser unersättliche Polyp, die Weltherrschafts-Idee, seine Fangarme aus. Langsam, aber zäh und sicher, dehnen sich von Jahr zu Jahr die Grenzen des Reiches. Durch Kaukasien und Turkestan geht es auf Persien, durch Afghanistan auf Indien, durch die fort und fort erweiterten Grenzen Sibiriens auf China los. Und in Europa marschirt „das griechische Projekt“ seit hundert Jahren durch die Krim, Rumänien, Bulgarien auf Konstantinopel, und der Panslavismus wühlt sich leise und geheimnisvoll durch Böhmen, Galizien, Herzegowina, Montenegro in das germanische Bollwerk ein. Wie bei den Römern heftet sich der Patriotismus weniger an ein hartes und unbehagliches Vaterland, als an die Reichsidee. Das einzelne Individuum, in welchem ja von vornherein durch die bureaukratische Regierung das Selbstgefühl und die Individualität erstickt sind, gilt als wertloses Werkzeug, als leicht ersetzter Stift dieser sich rastlos fortwälzenden Maschine.

„Nicht wir vollbringen die hohe Aufgabe, unsere

Enkel, Urenkel. Die Türken verlassen den Bosporus, sie verlassen ihn", sagte Suvarow.

(„Potemkin an der Donau" von Danilewski.)

Das ist ihm selbstverständlich. Er braucht kein Wenn und Aber.

„Jagst du nicht, Russland, dahin, wie ein flinkes, unerreichbares Dreigespann? ... Wohin? Gieb Antwort. Es ächzt die Luft und wird zum Sturme. Und das Reußenland fliegt an der Erde vorbei und die anderen Völker weichen ihm aus und hemmen nicht seinen Lauf."

Dies ist der Schluss des russischen Nationalbuches „Die todten Seelen", von Gogol, in welchem bei schonungsloser Enthüllung der Gemeinheit, Verlogenheit, Korruption der gesammten Gesellschaft, doch mit wahrhaft verstockter Hartnäckigkeit der Glaube an die große Aufgabe dieses selben Volkes festgehalten wird. Wenn der deutsche Nachbar dergleichen liest, so bemächtigt sich seiner eine dumpfe Erbitterung. Aber dieselbe macht einem heimlichen Grausen Platz, wenn er auf Ausrufe stößt, wie der folgende:

„Der Gedanke verstummt vor deiner Weite. Was prophezeit diese unumfassbare Ausdehnung? Wird hier nicht der grenzenlose Gedanke zur Erscheinung kommen, da du selbst so endlos, wie der Gedanke? ... Fürchterlich ergreift mich die mächtige Ausdehnung: Mit einer unheimlichen Kraft erfüllt sie meine Seele."

Welche schwindelhafte Großprahlerei, welcher lächerliche und zugleich empörende Terrorismus, der bei gründlicher Verachtung der eigenen Rasse dennoch auf die übrigen Nationen hochmütig drohend herabsieht — wie sich denn selbst bei Turgenjew fortwährend boshafte Ausfälle auf seine Freunde, die Franzosen und Deutschen, finden.

Aber in dieser großartigen „Ausdehnung" erfriert man vor Unbehagen. Darum stürzt sich der Russe in orientalische Abenteuer.

„So drückte auf Europas Grenzen
Die Muse ihren Feuerkuss
Und pflückte sich zu duft'gen Kränzen
Den wilden Flor des Kaukasus."
(„Der Gefangene" von Puschkin.)

Es ist charakteristisch genug, dass selbst der unromantische realistisch-praktische Danilewski seinen Ideal-Helden Wetlugin Karawanenzüge in die Bucharei unternehmen lässt. Kosakische Abenteuerlichkeit und Vorliebe für den Orient sind noch jetzt Merkmale des modernen Russen.

* * *

Alle diese Eigentümlichkeiten und Widersprüche treten am markantesten und vollständigsten hervor in dem Meisterwerk des größten russischen Poeten Lermontoff, der Prosadichtung: „Ein Held unserer Zeit." — Es ist dies ein Seitenstück zu de Mussets „Confessions d'un enfant du siècle", der russische „Werther" und „Childe Harold". Aber welch' ein Unterschied! Der Deutsche schildert den Schmerz über die Unmöglichkeit der wahren Liebe, der Brite den Schmerz über die Unmöglichkeit des Glücks überhaupt. Dieser vertieft sich in die Geschichte der Völker, wie Ersterer in die Geschichte der ästhetischen oder Herzensempfindungen. Der Russe schildert einfach die Leiden des Egoismus! Glück ist ihm befriedigte Eitelkeit. Wenn er nicht Reiche zerstören kann, so will er Herzen erobern, um sie zu brechen. Und wie in diesem brutalen Tyrannen-Instinkt, so zeigt sich dieser „Held unserer Zeit" auch in allen andern Qualitäten als Verkörperung des russischen Nationalgeistes.

Da begegnet uns vor Allem die glühende Inbrunst des Naturgenusses, die leidenschaftliche Anbetung der Natur als Begriff und im Ganzen, wie in jeder Erscheinungsform. Was sind all' die teils oberflächlichen und mangelhaften, teils unwahren Landschaften und Stimmungsbilder eines Wereschagin neben dieser vollendeten Meisterschaft der Wortmalerei in Darstellung der kaukasischen Gebirgsszenerie und der öden Steppenufer des schwarzen Meeres?

„Wer, wie ich, das Glück gehabt," sagt der Dichter, „auf einsamen Alpen umher zu irren und die reine, belebende Luft ihrer Schluchten zu atmen, der wird ohne Mühe begreifen, dass ich das Bedürfnis fühle, diese Empfindungen zu schildern, diese großartigen Bilder wieder zu geben."

Dieses Gefühl ist es, welches uns die außerordentliche Fruchtbarkeit des Malers Wereschagin erklären kann. Er hat weder Zeit noch Lust, das Einzelne durchzuführen — so massenhaft sind seine Eindrücke, so leidenschaftlich der Trieb, dieselben zu reproduziren. Er regt sich ein kindisches Behagen, eine kindische Unersättlichkeit, möglichst viele dieser Reminiscenzen, im Fluge erhascht, in skizzirten flüchtigen Umrissen fest zu halten. Vielleicht auch eine gewisse Gleichgültigkeit gegen die regelrechte und akademische Kunst, die im Grunde nur eine menschliche und mit Rücksicht auf menschliche Verhältnisse getragene Fessel ist.

„Denn," fährt Lermontow fort, „wenn man sich aus den gesellschaftlichen Schlingen befreit, um sich der Natur zu nähern, wird man unwillkürlich wieder ein Kind. Die Seele lässt Alles fahren, was künstlich ist, und ist bestrebt, sich zu verjüngen und wieder so zu werden, wie sie ohne Zweifel einst wieder sein wird."

Als „der Held unser Zeit" mit total abgestumpfter Lebensfähigkeit dem wahrscheinlich tödtlichen Duell zuschreitet, da fühlt er lebhafter, als jemals, dass er die Natur liebt — und einzig sie.

„Mit welchem Interesse suchte mein Blick in das Thal zu dringen! Mit welcher Wonne betrachtete ich die Tautropfen an den Rebenblättern, welche Millionen regenbogenfarbiger Strahlen zurückwarfen!"

Es ist höchst charakteristisch, dass selbst die unersättliche Genusssucht und Gier nach seelischer Aufregung sich in Naturbildern ausspricht.

„Ein junges Herz ist wie die Blume, die ihren süßesten Wohlgeruch ausströmt, wenn der erste Sonnenstrahl sie berührt. In diesem Moment muss man sie pflücken und sie dann auf die Straße werfen, wo der erste Beste sie aufheben wird."

Welcher Abgrund von Brutalität öffnet sich in diesen letzten Worten!

„Ich empfinde in mir diesen nicht zu stillenden Durst, dies Bedürfnis, Alles zu schlürfen, was ich auf meinem Wege finde. Fremde Leiden und Freuden betrachte ich nur in ihrer Beziehung zu mir — als eine Speise, die meine Seelenkräfte nährt . . ."

Aus einer solchen Anschauungsweise entwickelt sich dann die raffinirteste psychische Grausamkeit.

„Ich nahm mir fest vor, kein Wort zu sagen, — aus Neugier. Ich war begierig zu sehn, wie sie sich aus dieser schwierigen Lage herausziehen werde."

Diesen edeln Vorsatz fasste Herr Petschorin, nachdem er die leidenschaftliche und reine Fürstin Mary, als wäre er vom Taumel der Gefühle bewältigt, mit innerlichem Hohnlächeln geküsst hatte. Und Alles aus koketter Spielerei!

„Sie wird diese Nacht schlaflos durchweinen. Dieser Gedanke gewährt mir eine eigentümliche Wollust. Ich begreife den Vambyr . . ."

Und doch glaubt Petschorin, und nicht ganz ohne Grund, zu etwas Hohem und Edlem bestimmt zu sein! Aber aus Grundsätzen, wie die folgenden, geht eine so ehrlose Handlungsweise hervor:

„Was ist Glück? Nichts, als befriedigter Stolz... Böses gebiert Böses. Das erste Leiden giebt uns einen Begriff von dem Vergnügen, das man empfindet, wenn man Andere quält. Die Vorstellung des Bösen kann nicht in den Geist eindringen, ohne den Wunsch wachzurufen, Böses zu tun . . ."

Aber bei einer so unerbittlichen Selbst-Analyse kommt die Seele zu einer gewissen Beruhigung; „Sie ergründet die Bedingungen des eigenen Lebens und schmeichelt oder bestraft sich, wie ein verwöhntes Kind. Erst wenn der Mensch zu dieser höchsten Selbstkenntnis gelangt, vermag er die göttliche Gerechtigkeit zu würdigen." Aber nicht ewig dauert dieser eitle Wahn. „Ich verachte mich. Ist das der Grund, dass ich auch Andere verachte? . . ." Gleichgültiger Fatalismus ist das Resultat aufmerksamer Beobachtung. „Wie oft halten wir für Ueberzeugung, was nur ein Irrtum oder Sinnestäuschung ist!"

Mit diesem Mangel an jedem sittlichen Halt, mit dieser Gleichgültigkeit gegen jedes feste Wollen verbindet sich beim Russen ganz logisch eine merkwürdige Schmiegsamkeit des Charakters, „eine Fähigkeit sich die Gewohnheiten jedes Volkes anzueignen, unter welchem er zufällig lebt. Eine klare, gerechte Würdigung der Dinge, die ihn das Böse überall da entschuldigen lässt, wo es weder vermieden noch ausgerottet werden kann."

Woher dann aber bei diesem nonchalanten Pessimismus die nihilistische Rechthaberei, die gegen alles Bestehende Sturm läuft? Aus einem sehr einfachen Grunde: Um Eclat zu machen.

Denn das Geheimnis der russischen Natur ist eine wunderbare Mischung von wahrer Empfindung mit jenem bewussten und unbewussten Selbstbetrug, mit phrasenhafter Verlogenheit, die eine besondere Neigung zum Schwindel und Humbug ausbildet. Ob nun Wert oder Unwert darunter steckt, — die Narrenkappe kann er nicht entbehren, „der schellenlaute Tor", der Moskowite.

Man lese, mit welch' wunderbarer Klarheit Turgenjew im „Neuland" die hülflose Selbsttäuschung und pomphafte Unwahrheit der ganzen nihilistischen Bewegung darlegt. Ja, Alles bleibt beim Alten, Alles wie zuvor, und der gleiche Alp, derselbe, jede männliche Wahrhaftigkeit erstickende Rausch, hält mit ewigem Schlaf die berühmte Gogolsche „Ausdehnung", aus welcher der grenzenlose Gedanke sich gebären sollte, gefangen.

In der Hand
Das Branntweinglas, das Haupt dort an den Pol geschlossen,
Die Füße an den Kaukasus, o Vaterland.
So schläfst du, heiliges Russland, fest und unverdrossen.

(Schluss folgt.)

Charlottenburg. Karl Bleibtreu.

Dem Schiffsjungen.

Siehst du die Inseln, lieber Junge, glimmen,
In Sonnenaufgangs Rosenschleiern schwimmen?
Du nahst dich, und in Mittagssonnenstrahlen
Sind gleich gemischt die Freuden mit den Qualen;
Dein Schiff zieht fort, und wieder schön und rein
Hüllt Abend sie in Purpurmäntel ein.

Du hältst die jungen Augen froh gewandt
Auf deiner Zukunft fernes Mutterland;
Betrittst du es, so wirst du inne werden,
Dass Lust und Mühe nur entspringt auf Erden;
Am Schluss wird Alles wieder schön und jung
Im Zauberspiegel der Erinnerung.

Lothar Auge.

Litterarische Neuigkeiten.

„Wechselnde Lichter", Sylter Skizzen, ein Büchlein für die Sommerfrische von August Sturm (Hamburg, J. F. Richter). Ein recht anregend und nett geschriebenes Büchlein; ein hübsches Gegenstück dazu ist das von Natalie Freiin von Stackelberg edirte Schriftchen „Schloss Hohenburg im Isarthal". (Heidelberg, Universitätsbuchhandlung.)

Die seiner Zeit im Verlage von Carl Konegen in Wien erschienenen Gedichte von J. Tandler liegen uns bereits in zweiter Auflage vor.

Dem Beispiel der Shelley-Gesellschaft folgend, hat jetzt auch die Wordsworth-Society in London ein großes Meeting abgehalten, um feierlich zu erklären, dass Wordsworth der größte englische Dichter nach Shakespeare sei! Die Spitze all dieser neuen Dichter-Religionen zielt, wie denn auch ausdrücklich hervorgehoben wird, immer gegen Lord Byron. Von der Lächerlichkeit dieser Versuche haben offenbar die Betreffenden keine Ahnung. An den Aeußerlichkeiten in Byrons Manier klebend, kaum in den Vorhof eines wirklichen Byron-Verständnisses eingedrungen, glaubt man Tiefe zu entwickeln, wenn man Byrons „Stürmerei“ in Kontrast zu der ruhigen Innerlichkeit eines Wordsworth setzt. Wir schätzen den Dichter von „Tintern Abby“ und „Laodamea“, ausschließlich lyrischer Didaktiker, wie er war, sehr hoch und stimmen der Verachtung, welche Byron und Shelley ihm zollten, nicht zu, obschon wir deren Gründe begreifen. Aber wenn man das äußerlich Blendende des Byronschen Genie-Phänomens für dessen innersten Kern hält, wenn man den still beschaulichen Wordsworth und den visionären Shelley über den größten Dichter des neunzehnten Jahrhunderts setzen möchte, so erweist man dadurch nur die Symptome einer geistigen Epidemie, die in unserer Zeit grassirt und die wir als geistige Nervenschwäche bezeichnen möchten. Man hat eben zu schwache Lungen, um die Meer- und Alpenluft Byrons zu atmen und pflückt lieber Blumen auf der Talwiese oder ergeht sich mit Tennyson „in dem Garten, den er liebt“, wie es in dessen Poem „The Gardeners Daughter“ heißt.

Unter dem Titel „Thomas Rendalen“ ist Björnsons herrlicher Roman „Man flaggt im Hafen und in der Stadt“ von W. Lange übertragen. (Berlin, Stilke.) Auch E. Jonas hat schon vorher eine Uebersetzung mit ebenfalls verändertem Titel „Das Haus Kurt“ erscheinen lassen. Beide Titel sind recht charakteristisch, denn sie legen den Schwerpunkt auf das Aeußerliche, wie man das im deutschen Buchhandel für den süßen Lesemob zuzubereiten pflegt. Der eigentliche Ideenkern liegt in dem Norwegischen Originaltitel und die Fabel selbst ist nur überflüssiges Beiwerk. Wir stehen nicht an, dies neue Werk Björnsons (neu für uns, es erschien schon vor zwei Jahren) als ein Meisterwerk ersten Ranges zu begrüßen. Das köstliche Erdbeeraroma seiner Novellen vereint sich hier mit dem stählenden Hauch einer Hochlandluft, die alles Unreine bei Seite fegt. Der Dichter sieht hier von seinem norwegischen Bergtron aus alle Gebreste und Erbärmlichkeiten unter sich liegen, an der unsere Kulturmenschheit krankt. — Die Charakteristik der einzelnen Figuren ist so unübertrefflich, dass man z. B. wohl fragen mag, ob je mit so virtuoser Meisterschaft das Gemütsleben junger Mädchen bloßgelegt ist, wie in den vier weiblichen Haupttypen dieses Romans. — Eine Empfehlung desselben ist überflüssig.

„Sphinx“, antimaterialistische Monatsschrift, herausgegeben von Dr. Hübbe-Schleiden in Th. Griebens Verlag (L. Fernau) Leipzig. Inhalt des Augustheftes: Die Wünschelrute. Von Edward E. Pease. Wasserfindung durch Rutengänger, Tatsachenmaterial, zusammengestellt von E. Vaughan Jenkins. Der Doppelgänger. Von Carl du Prel. Odlicht, das angebliche Leuchten des Magneten. (Mit Abbildung.) Von W. F. Barret, Professor der Experimental-Physik am Royal College in Dublin. Agrypas Okkultismus, ein Auszug seiner Lehren aus seiner Occulta Philosophia. Zur Geschichte der Bewegungsphänomene (Die Wünschelrute). Von Johann S. Hanssen. Kürzere Bemerkungen: Prophezeiung eines Fakirs. — Hellsehen im Dienste der Heilkunde. — Whewell über Aether- und Nervengeist. — Daniel Dunglas Home. — Du Prel wider die Journalistik. — Noch einmal Materialismus und Moral. Berichtigung, Dr. Robert Friese betreffend. Zum Kerner-Jubiläum.

Von der bei P. J. Tonger in Köln erschienenen „Musikalischen Jugendpost“ liegt uns soeben das zweite Quartal des ersten Jahrgangs vor. Der Herausgeber der in dem gleichen Verlage erscheinenden „Neuen Musikzeitung“ hat dieses Blatt speziell für die Jugend bestimmt und hat den Zweck den Sinn für Musik schon frühzeitig zu wecken und zu fördern. Die Ausstattung wie auch der Inhalt, bestehend aus Erzählungen, Märchen, Spiele, musikalische Beilagen als auch Illustrationen, ist trotz des billigen Preises von 1 Mark pro Quartal eine äußerst gute und wird das Blatt gewiss bald sich immer mehr Freunde unter den kleinen Musikanten zu erwerben wissen.

August Fournier: „Napoleon I. Eine Biographie.“ Erster Band: Von Napoleons Geburt bis zur Begründung seiner Alleinherrschaft über Frankreich. (Wissen der Gegenwart 50. Band.) Leipzig, G. Freytag. — Prag, F. Tempsky. Mit dem Bildnis Napoleons (nach David). Preis 1 Mark. Die Geschichte der Bonapartes auf Korsika, Napoleons Geburt und Lehrjahre, die Revolution, Napoleons korsische Abenteuer, die Belagerung von Toulon und die Verteidigung des Konvents, Josephinens Eingreifen in Napoleons Leben, die italienischen Feldzüge und der Friede von Campo Formio, die Kämpfe in Aegypten, der Staatsstreich und Napoleons Konsulat, das neue Frankreich und dessen Monarch — kurz die inhaltsschwere große Zeit von 1796—1802 wird vom Autor, einem nicht unbedeutenden Geschichtsforscher, in vornehmschlichter Form erschöpfend und dabei doch überall kurz und bündig geschildert. Am Schlusse des vorliegenden ersten Teiles ist in dankenswerter Weise eine Fülle litterarischer Nachweise mitgeteilt, welche den Leser, der sich durch dieses Buch gewiss zu tiefer gehender Beschäftigung mit dem Gegenstande angeregt fühlen wird, auf Werke verweisen, die ihm dabei am zuverlässigsten dienen können. In vielen Fällen schreitet so Fournier, unbeirrt durch die widersprechendsten Ansichten und Forschungen, seinen eigenen Weg, und so bietet das Werk schon in diesem ersten Bande auch für den Historiker von Fach gar viel des Interessanten und Neuen; in hervorragender Weise aber wird es dem Zwecke gerecht, dem es in erster Reihe dienen will und allen denen, welche den Werkplätzen der Wissenschaft fernstehend, ein lebendiges Interesse für einen hochinteressanten, in mustergültiger Form behandelten Stoff hegen, das Verständnis für die weltgeschichtliche Bedeutung eines der größten Männer aller Zeiten und Länder zu vermitteln.

Im 52. Band des „Wissen der Gegenwart“ hat Professor Dr. Otto Krümmel den Ozean in überaus gemeinverständlicher Weise behandelt und dürfte diese Arbeit für Jeden von Interesse sein.

Die „Consular Reminiscences by H. Horstmann“ (Philadelphia 1886) beschäftigen sich zum größten Teil mit Deutschland, speziell mit dem Münchner Verhältnissen. Der Verfasser hat in dem Buch die Erinnerungen an seine langjährige Tätigkeit als Consul der Vereinigten Staaten in München niedergelegt. Das Buch ist für deutsche Leser etwas weitschweifig geschrieben und enthält wenig Neues. Im übrigen urteilt der Verfasser, welcher gegen Deutschland und speziell gegen die Bayern sehr freundlich gesinnt ist, mit vielem Verständnis, namentlich über die Kunst und Verwandtes. Ein ganzes Kapitel ist den Absonderlichkeiten des Königs Ludwig gewidmet, welche seit dessen Tode nur zu sehr ihre volle Bestätigung erhalten haben. Die komischen und seltsamen Zwischenfälle, welche im Berufe eines Konsuls vorkommen, zumal eines amerikanischen — welcher von seinen Landsleuten zu Geschäften und Zwecken aller Art benutzt wird — bilden den hauptsächlichsten Inhalt des munter und witzig erzählenden Buches.

Eine originelle Broschüre ist die unter dem Titel „Tagebuch eines Wahnsinnigen“ im Verlage von W. Foth in München erschienen. Der hochbegabte russische Schriftsteller Gogol analysirt in diesen Erzählungen mit einer solch' beneidenswerten Genialität und Wahrheitstreue die Seelenzustände seines Helden, sodass wir die Tagebuchblätter desselben wie Erlebnisse eines wirklich Wahnsinnigen zu lesen glauben müssen und dem Unglücklichen tiefes Mitgefühl entgegenbringen, dessen anomaler komisch scheinender Gedankengang uns wohl zum Lachen zwingt, aber zugleich mit Thränen der Wehmut vermischt ist.

„Studies in the Literary Relations of England and Germany in the 16th Century“ by Herford, London 1886. In diesen Studien zeigt der Verfasser, welchen Einfluss die englische Litteratur auf die deutsche des 16. Jahrhunderts in Bezug auf Form und Inhalt geübt hat. Obwohl die litterarische Schuld Englands gegen Frankreich während jenes Zeitraumes eine viel größere war, so hat Herford durch seine fleißigen Forschungen doch bewiesen, dass diese Schuld auch gegen Deutschland vorhanden ist und zwar in einem höheren als bisher angenommenen Maße.

Alle für das „Magazin“ bestimmten Sendungen sind zu richten an die Redaktion des „Magazins für die Litteratur des In- und Auslandes“ Leipzig, Georgenstrasse 6.

Für die Redaktion verantwortlich: Karl Bleibtreu in Charlottenburg. — Verlag von Wilhelm Friedrich in Leipzig. — Druck von Emil Herrmann senior in Leipzig.

Dieser Nummer liegt bei ein Prospekt der K. R. Hofbuchhandlung von Wilhelm Friedrich in Leipzig.

Das Magazin

für die Litteratur des In- und Auslandes.

Wochenschrift der Weltlitteratur.

1832 gegründet von Joseph Lehmann.

55. Jahrgang.

Preis Mark 4.– vierteljährlich.

Herausgegeben von Karl Bleibtreu.

Verlag von Wilhelm Friedrich in Leipzig.

No. 36. Leipzig, den 4. September. 1886.

Inhalt:

Der Staat und die Litteratur.*)

Von Conrad Alberti.

Es hieße Neger nach Kamerun schicken, wollte ich beweisen, dass die Litteratur das Stiefkind des modernen Staates und besonders des deutschen ist. Erstünde der Welt heute ein neuer Amru, er brauchte sich wahrhaftig nicht über eine allzugroße Unterstützung der nichtsnutzigen Litteratur seitens des Staates zu ärgern, er möchte an litterarischen, dem deutschen Staat gehörigen Schätzen nicht allzuviel zu verbrennen haben. Kein Unteroffizier im deutschen Lande darf sich beklagen, dass Künstler, Gelehrte, Schriftsteller zu seinem Schaden ungebührlich bevorzugt würden, dass seinen Interessen zu Gunsten derer der letztgenannten Klassen, zu Gunsten dessen, was man so gemeinhin unter dem Begriff „geistiges Leben einer Nation" versteht, von seiten des Staats der geringste Eintrag geschähe. Und gewiss wird Keiner, der sein Vaterland aufrichtig liebt, verlangen, dass dem zur Aufrechterhaltung seiner Größe und Selbständigkeit notwendigen jährlichen Militäretat zu Gunsten der Litteratur und der Kunst so große Summen abgezogen würden, dass das Vaterland darunter leiden könnte. Das Vaterland, die nationale Wehrhaftigkeit Allem voran! Aber niemand wird auch daran zweifeln, dass ein großer Staat, ein Land von 45 Millionen, das gern den Anspruch erhebt, das gebildetste Land von Europa zu sein, die Pflicht hat, neben jener ersten dringendsten Sorge, neben der Erfüllung der großen sozialen Aufgaben unserer Zeit auch ein Weniges zu Gunsten des geistigen Lebens, des geistigen Fortschritts innerhalb seiner Grenzen zu tun. Das ist ein politisches Axiom, so selbstverständlich, so klar, dass dasselbe beweisen wollen das deutsche Volk, die deutschen Staatsmänner beleidigen hieße. Aber während für einzelne Zweige dieses geistigen Lebens ein Weniges, wenn auch zu wenig, seitens des Staats, beziehungsweise seiner Behörden und seines Oberhaupts geschieht, während die Wissenschaft ihre zum Teil reich dotirten Lehranstalten zur Heranbildung von Gelehrten und Beamten besitzt, die bildenden Künste einer Akademie besitzen, junge Künstler Reisestipendien, ältere Staatsaufträge erhalten, alljährlich staatlich unterstützte Kunstausstellungen stattfinden, während wir subventionirte Hoftheater, eine Hochschule

*) Dieser treffliche Artikel schließt sich eng an einige Ausführungen der Brochüre „Revolution der Litteratur" an, mit der Ausnahme, dass Alberti optimistischen Ansichten über die Staatshülfe fröhnt, während wir als eingefleischte Pessimisten nur Aufblühen des Nepotismus und Byzantinismus hinter jeder Staatsprotektion wittern. Der Staat in seiner Hauptvertretung als Militarismus und Bureaukratie ist der natürliche Todfeind der Litteratur, der Erz- und Erbfeind aller freien Geistesentfaltung — ebenso wie Pfaffentum und Professorenschulmeisterei, die das deutsche Bierphilisterium so ungestört salbadern lässt. Mit diesen Mächten giebt es kein Paktiren, man muss von ihnen weder Gerechtigkeit noch Anerkennung verlangen — sondern sie müssen kräftig befehdet, besonders mit juvenalischer Geißel gezüchtigt werden. Zu diesem Behuf der Selbsthülfe (help yourself!) ist es besonders erforderlich, dass die Schriftsteller d. h. die geistig Freien einen Staat im Staate bilden und Schulter an Schulter stehn, um ihren großen Einfluss und ihre bestimmende Macht auch völlig auszunützen. Mögen sie erst bei sich selber anfangen, ehe sie von Publikum und Staat jenen Anstand heischen, den Deutschland im Gegensatz zu englischer, französischer, skandinavischer, ja russischer Litteraturförderung so ganz vermissen lässt. Zuvörderst bezähme man jene litterarische Disziplinlosigkeit, vermöge deren jeder leid-

der Musik besitzen, steht die Litteratur im Staatsleben wie jener überartige Knabe an der reich besetzten Familientafel da, der, von seinen dreisteren Geschwistern stets bei Seite gedrängt, von der Mutter übersehen, zu bescheiden war, sein ihm gebührendes Teil am gemeinsamen Mahl zu fordern und schließlich an ungenügender Ernährung starb. Als trefflichstes Sinnbild der Stellung der Litteratur zumal im preußischen Staat ist mir immer Rauchs vielgerühmtes Denkmal Friedrichs des Großen in Berlin erschienen, auf welchem der Bildhauer alle bedeutenden Männer jener Zeit in Deutschland um ihren ersten Helden vereinigt hat, für die lumpigen Litteraten Lessing und Kant aber keinen andern Platz finden konnte, als den, welcher ihm schließlich übrig blieb — unter dem After des königlichen Rosses, so dass man fürchten muss, dasselbe könnte jeden Augenblick seinen Unrat auf jene beiden Männer entladen. Freilich belehrt uns ja mancher deutsche Litterarhistoriker, dass Friedrich der Große, den wir unwissenden Menschen uns immer der nationalen Litteratur kalt, ja gleichgültig gegenüberstehend gedacht, eigentlich ihr warmer Förderer gewesen sei — nun, es grenzt eben ans Unglaubliche, was heutzutage ein strebsamer Mann tun kann und tun muss, um in Preußen Geheimrat zu werden. Ich bin wirklich gespannt, ob nicht demnächst irgend ein ähnlicher feiner Kopf, den es gelüstet gleichfalls Geheimrat zu werden, die Entdeckung machen wird, dass zu keinen Zeiten die Litteratur von Staatswegen so mächtig gefördert worden sei, als unter der glorreichen Regierung der Hohenzollern und zumal Kaiser Wilhelm des Siegreichen. Aber die Beschränkten sind eben unheilbar, die das nicht einsehen wollen, die sogar ihre „reichsfeindliche" Gesinnung soweit treiben, zu glauben, es wäre für die Ehre unseres Staates und Volkes besser, wenn das Geld, mit dessen Hülfe das Bewusstsein und Gewissen unseres Volkes durch offiziöse Waschzettel, durch eine bestochene Reptilienpresse systematisch vergiftet wird, zu einer löblichen und ehrlichen Unterstützung der deutschen Dichtkunst verwendet würde. Wahrlich, wenn unser heutiger Staat sich mit Not und Mühe dazu hat bewegen lassen, der Litteratur, der Wissenschaft außerordentliche Unterstützung zuzuwenden, so ist dies fast immer auf dem unrichtigsten Wege, in der nutzlosesten Weise geschehen. So las ich neulich von der kostbaren Herausgabe eines alten ägyptischen Papyrus, die mit Unterstützung seitens des Staats geschehen war. Er enthält interessante Aufschlüsse über einzelne noch unbekannte Ausstrahlungen des altägyptischen Lebens. Nun bin ich ein solcher Kezter und frage: „Wie Viele von den 45 Millionen unseres Volkes interessirt der Inhalt dieses alten Papyrus, interessiren jene noch unbekannte Einzelheiten des altägyptischen Lebens?" Und ich antwortete: keine Hundert! — Welchen Wert hat die Herausgabe und Entzifferung jener alten Rolle für die Fortenwickelung unserer Kultur, unserer Bildung, für die moderne Zeit und den Geist, der in ihr lebt? Nicht den Geringsten. Wenn es sich noch um nationale Altertümer handelte! Aber ob wir mit positiver Gewissheit wissen, ob die alten Aegypter um zwölf oder um zwei Uhr zu Mittag gespeist, sich um neun oder um zehn zu Bett gelegt haben, ob jener Gott einen Vogel- oder einen Ochsenkopf getragen und dieser Pharao im Jahre 5340 oder 5341 die Aethiopier besiegt oder nicht besiegt habe — das Eine ist für das Wohl, den Fortschritt, die Kultur der Menschheit so gleichgültig wie das Andere, es hat nicht den geringsten Wert und nur ein stubenhockender, vom wirklichen, leibhaftigen Leben gänzlich abgewendeter Gelehrte kann sich dafür erwärmen. Wir glauben nicht mehr an das Ammenmährchen, dass es eine Wissenschaft gäbe, die um ihrer selbst willen dasei, in die man sich vertiefen könne, ohne im Geringsten auf die zeitgenössische Welt, ihre Interessen, ihre Anschauungen Rücksicht zu nehmen, wir glauben, dass wir mit dem alten, ehrwürdigen Ranke nun diese Anschauung endgiltig zu Grabe getragen, wir können uns keine absolute Wissenschaft in Abwendung vom realen Leben mehr denken, ebenso wenig wie eine solche Litteratur, wir verlangen, dass staatliches und soziales Leben, Kunst, Wissenschaft, Litteratur, Technik — alle Ausstrahlungen des Lebens sich in dem einen großen

---

lich Begabte sich gleich in der Schriftstellerrepublik als Meister vom Stuhl gebärdet. Ist das aber ein Wunder? Muß man nicht sehen, wie jeder kleine Schriftsteller im Kreise der ihm nahe stehenden Presse (besonders glücklich sind bekanntlich hierbei die jüdischen Autoren, vermöge des unter ihren Stammesgenossen herrschenden Korpsgeistes) als Lumen gefeiert wird und dann wieder vielleicht sein Nebenbuhler in den feindlichen Blättern sich einer Berühmtheit erfreut — während zu gleicher Zeit die erlauchtesten Geister, wirkliche Prinzen aus Genieland, besudelt und todtgeschwiegen werden, sobald sie, die Meisterateliers für gegenseitiges Händewaschen anderen litterarischen Akademien überlassend, toll genug sind, die Wahrheit zu reden und den ästhetischen Schlendrian der „idealen" Mittelmässigkeit über Bord zu werfen. Erst räume man in der Litteratur selbst mit allem Unanständigen auf! Man verpöne die Kameraderie-Lobhudelei und die Unterstützung des rohen „Erfolges" der Tageserscheinungen. Jede Zeitung, welche die 50. Jubiläumsauflage der „Buchholzen" von Stinde (Siehe über dies traurige Zeichen der Zeit einen jüngsthin erschienenen Essay der „Deutschen Rundschau") mit Jubelgeschrei ankündigte, hat sich einer Sünde gegen den heiligen Geist schuldig gemacht, hat zur Herabsetzung der Litteratur mit beigetragen. Jede Zeitung, die ein Werk junger Talente todtschwieg oder mit alberner Frechheit beschmutzte, dafür aber irgend ein plattes Machwerk der Impotenzen mit bestochener Dummheit anpries, hat sich mehr an der Litteratur versündigt, als Staat und Publikum. Denn letztere sind in Deutschland gewissermaßen unzurechnungsfähig: sie besitzen nicht die genügende Bildung der Engländer und Franzosen, um die Würde der Litteratur begreifen zu können: „Sie wissen nicht was sie tun." Aber der Pressbengel weiß sehr genau, was er tut, wenn er mit seinen ungewaschenen Fingern den Federhalter umkrampft; er ist von seiner Wichtigkeit und von dem Einfluss seines Geschmiers völlig überzeugt, ebenso wie der „vornehme" Kritikaster, der in seines Nichts durchbohrendem Gefühle über das Bedeutendste wohlwollend aburteilt, als ob er selber überhaupt mitreden dürfte! — Gebt uns erst eine Kritik von Kennern und eine Presse von Gentlemen — dann brauchen wir den „Staat" nicht mehr, sondern können uns selber helfen.

Anmerkung des Herausgebers.

Zwecke vereinigen sollen, der fortwährenden, rastlosen Arbeit an der Fortentwickelung des menschlichen Geschlechts nach allen Richtungen hin und der Feier und Darstellung dieser Fortentwickelung zu dienen, wir erkennen nur dem Existenzberechtigung und Anspruch auf Schutz und Förderung zu, der nach dieser Richtung und mit diesen Absichten unermüdlich tätig ist und wir halten jeden Pfennig, der zur Unterstützung anderer Zwecke und nach andern Zielen Strebender aufgewendet wird, für vergeudet und verschwendet. Während auf Staatskosten die Quellen über die intimsten, gleichgültigsten und wertlosesten Einzelheiten des altägyptischen Lebens und mehrtausendjährige langweilige Kriege, Verträge und Staatsaktionen in prächtiger Ausstattung zum Nutzen und Vergnügen von kaum drei Dutzend Menschen gedruckt werden, müssen unsere jungen Dichter und Schriftsteller, unter denen vielleicht so mancher zehnmal bedeutender ist, als die Verfasser des Todtenbuchs und des Papyrus Ebers, hungern und darben, weil sie keine Verleger für ihre echt modernen Schöpfungen finden können. Das erste Recht hat stets die Gegenwart, für die Zukunft gilt es vorzubauen, den Rest von überschüssiger Kraft und Mitteln, der dann vielleicht noch bleibt, verwende man die Vergangenheit zu durchwühlen, doch nur so weit ihre Kenntnis fördernd auf die Fortentwickelung der Gegenwart und Zukunft einwirken kann.

Dass der Schillerpreis und ähnliche staatliche, behördliche und fürstliche Einrichtungen zu Gunsten der Litteratur in ihrer jetzigen Form wertlos sind und bleiben müssen, ist ganz klar. Erstens erstreckt der Wirkungskreis derselben sich immer nur auf einzelne bestimmte Zweige der Litteratur, also z. B. auf die hohe Tragödie, und es ist ganz natürlich und kein in der Litteraturgeschichte Bewanderter wird das bestreiten, dass oft durch ganze Epochen und Generationen hindurch einzelne Gebiete einer Kunst wenig bedeutende oder nur ganz unbedeutende Vertreter und Schöpfungen hervorbringen, um dann mit einem Male wieder Perle auf Perle zu erzeugen. Ich habe schon früher*) eingehend nachgewiesen, dass und warum in unserer Zeit die Tragödie notwendig hinter dem Roman zurückbleiben muss, dass die letztere Kunstgattung die unserer modernen Kunstanschauung entsprechendste ist, dass demnach die Preiskrönung guter moderner Romane und Novellen weit wichtiger und aussichtsvoller ist als die moderner Tragödien, aber dergleichen sachliche und unwiderlegliche Auseinandersetzungen bleiben nun einmal bei uns ins Wasser geschrieben, der dünkelhafte Hochmut derer, deren Sache es wäre, ihnen praktische Folge zu geben, gestattet es nicht es für möglich zu halten, dass auch einmal ein simpler Schriftsteller, der nicht das Glück hat Professor der Litteraturgeschichte oder Ministerialbeamter zu sein, in Bezug auf Angelegenheiten seines Fachs gute und richtige Gedanken habe. Und wie soll eine Kommission treffende und folgenreiche Urteile über den Wert eines Dramas, eines Theaterstücks abgeben, deren meiste Mitglieder außer jedem Zusammenhange mit der realen, ewig fortschreitenden Entwickelung unserer Litteraturleben, die entweder am alten, längst überwundenen klassischen Zopf hängen, oder in bureaukratischer Regelweisheit erstarrt sind, oder nicht zweimal im Laufe des Jahres überhaupt ein Theater besuchen? Wo sind in der Kommission für die Verteilung des Schillerpreises die Männer der praktischen theatralischen und litterarischen Erfahrungen, die in fortwährender Berührung mit den Erscheinungen der sich ewig fortentwickelnden Litteratur stehen? Wo sind unsere großen, kenntnisreichen Schauspieler, unsere bedeutenden Kritiker, unsere hervorragenden Schriftsteller? Und vor allen Dingen, wo ist die Gewähr, dass alle hervorragenden Erzeugnisse der dramatischen Litteratur zur gewissenhaften Prüfung der Kommission gelangen? Erst gebe man doch ein freies, durch keine polizeilichen Zensurschranken von vornherein gelähmtes und unterdrücktes Theater, auf dem es dem Dichter möglich ist Alles zu sagen, auf dem nicht jeder rohe, ungebildete Zensor ihn von vornherein mundtodt machen kann — wie es bei Bulthaupt, bei Heinrich Hart geschehen ist — erst gebe man uns einen gewissenhaften, in keiner Hinsicht eingeschränkten Leiter einer Staatsbühne, der alle ihm eingereichten Stücke wirklich liest und auf nichts als ihren poetischen und szenischen Wert, nicht auf ihre gute Gesinnung und Harmlosigkeit und den Stand ihres Verfassers hin prüft wie es in Berlin geschieht, und der durch keinerlei kleinliche, politische, religiöse und soziale Bedenken und Intriguen verhindert Alles aufführen lassen darf und muss, was rein poetischen und szenischen Wert besitzt — und dann erst setze man öffentliche Preise aus, dann erst erwarte man wirklichen Segen von ihnen — denn bis dahin werden sie immer nur Farcen bleiben.

Noch ein Beispiel wie man in Preußen von oben her über Schrifttum und Schriftsteller denkt. Wir haben einen litterarischen Sachverständigenverein, welcher in rein litterarischen Dingen fungirt, welcher in streitigen Fällen Gutachten abzugeben hat, ob Nachdruck, unerlaubter Abdruck oder unerlaubte theatralische Aufführung stattgefunden hat. Nun sollte man denken, dass in eine solche rein technische Kommission doch wenigstens nur oder hauptsächlich Schriftsteller berufen sind, in deren Sphäre solche Fragen doch ausschließlich und vollständig fallen. Ei freilich, die ihr das zu glauben naiv genug seid, ihr kennt preußische Zustände nicht! Ein Geheimer Oberpostrat, ein Geheimer Regierungsrat, ein Historiker, drei Juristen, ein Mediziner und fünf Buchhändler bilden jenen Sachverständigenverein! Bureaukraten, Universitätspedanten und Buchhändler

*) Allg. Oesterr. Litteraturztg. 1885, No. 14, 16 und 17.

— die Letzteren leider heut noch in den meisten Fällen die natürlichen Feinde der Schriftsteller und aus eigner Schuld gewöhnt fast stets gegen die Letzteren für ihres Gleichen Partei zu nehmen — sollen Fragen entscheiden, die so tief in das technische Leben der Schriftstellerwelt eingreifen, die nicht durch ein einziges Mitglied vertreten ist, während natürlich der musikalische und künstlerische Sachverständigenverein zum größten Teil aus Musikern und bildenden Künstlern besteht. Geheimräte und Professoren, gänzlich unbekannt mit den Einrichtungen, Sitten und Gepflogenheiten der Bühne, sollen über Erlaubtheit oder Unerlaubtheit theatralischer Aufführungen urteilen, gelehrte Pedanten über den Nachdruck belletristischer Erzeugnisse! Keiner unserer großen und namhaften Schriftsteller wird eines gleich maßgebenden Urteils in derlei Dingen für fähig gehalten wie ein Berliner Buchhändler! In der Tat, ein Schriftsteller, ein Dichter, ein Leiter eines großen Blattes, ein gründlicher, gediegener Journalist, Männer, die sehr oft zehnmal mehr Geist, Einsicht, gründlichere Kenntnis der Welt und im Besondern der Verhältnisse ihres Standes besitzen, als Geheime Regierungsräte und Universitätsprofessoren und Buchhändler, von denen letzteren mit wenigen Ausnahmen noch heut das Wort gilt, mit dem sie einst Lessing charakterisirte, werden „von oben“, „in den maßgebenden Kreisen“ noch immer wie eine Art Bohémiens betrachtet. Dieses eine Beispiel ist so charakteristisch für die Anschauung jener „maßgebenden Kreise“ von den Vertretern der Litteratur, so bezeichnend für den in denselben herrschenden pedantischen und bureaukratischen Dünkel, dass ich darauf verzichten kann, noch weitere beizubringen. Ueberall, wo es sich um das Eingreifen der Behörden in litterarische Angelegenheiten handelt, sind die deutschen Schriftsteller diejenigen, welche gar nicht oder zuallerletzt befragt und zu Rat gezogen werden. Es mag freilich zum Teil daran liegen, dass der deutsche Schriftstellerstand noch keine einheitliche, festgeschlossene Standesverbindung besitzt, keine äußere Vertretung, die ihm ein korporatives Ansehen zu verschaffen wusste, und in dieser Hinsicht erblüht dem neuen, aus der Vereinigung zweier feindlicher Elemente hervorzugehen bestimmten allgemeinen deutschen Schriftstellerverein die große Aufgabe, den Schriftstellerstand als Stand vor der Oeffentlichkeit und den Behörden zur Geltung zu bringen. Aber gewiss ist doch, dass unser Volk und namentlich unsere gebildeten Stände sich auf Schritt und Tritt das Armutszeugnis ausstellen müssen, von dem Beruf, der Tätigkeit, den Interessen, der Bedeutung aller litterarisch Tätigen die seltsamsten Begriffe und bei weitem nicht die gebührende Hochachtung zu besitzen. Es ist schon längere Zeit her, da trat in eine große Berliner Buchhandlung, in der ich mich gerade aufhielt, eine feingekleidete Dame, anscheinend die Gattin eines höheren Beamten oder Offiziers. „Haben Sie die Werke des Herrn von Wildenbruch vorrätig?“ fragte sie einen der Verkäufer. — „Ja wohl, gnädige Frau.“ — „Eh ... so ... sagen Sie, man hat mir mitgeteilt, dieser Herr von Wildenbruch soll Offizier gewesen und jetzt Assessor im auswärtigen Amt sein?“ — „Ich weiß nicht ... aber ich glaube, ja, gnädige Frau!“ — „So ... eh ... nun schicken Sie mir, bitte seine Werke!“ Sie gab dem Verkäufer ihre Adresse. Sie fragte nicht, ob die Schriften das Lob wert seien, dass man ihnen spende, ob dieselben viel gekauft würden, sie fragte nur, ob es wahr sei, dass der Verfasser ehemaliger Offizier und Beamter „unter Bismarck“ sei. Und so wie diese Frau, denkt der größte Teil unserer sogenannten „Gebildeten“ — ihnen gilt ein mittelmäßiger Lieutenant, ein leidlicher Assessor im auswärtigen Amt zehnmal mehr als ein gottbegnadeter Poet. Ist es nicht natürlich, dass solche Anschauung auch im Staatsleben, bei den Behörden, bei Hofe ihre Geltung findet? Und wie soll alsdann die zeitgenössische Litteratur Förderung und Unterstützung von seiten des Staats erwarten dürfen?

Komme Niemand mit dem albernen Einwurf, es sei besser für die Litteratur, wenn sie keine solche Hülfe erhalte, wenn sie frei und unabhängig aus eigener Kraft aufwachse. Zunächst handelt es sich überhaupt um Erfüllung einer großen Anzahl noch unerledigter Pflichten seitens des Staats gegen die Litteratur und den Schriftstellerstand, um Schutz der natürlichen und positiven Rechte derselben, der ihnen nur zu häufig versagt bleibt. Bei seinen Rechte vollständig geschützt zu werden, hat aber wohl noch Niemandem Schaden gebracht. Aber ich vermag auch nicht einzusehen, wie eine tatsächliche Förderung und Unterstützung der Litteratur Schaden bringen, sie im Geringsten in ihrer unabhängigen Entwickelung hindern könnte. Macht die Verleihung staatlicher Reisestipendien den Maler, den Bildhauer, den Musiker, in seinem Schaffen zum Sklaven? Wird er in der Freiheit seines Schaffens behindert, wenn der Staat seine Kunstwerke durch Medaillen auszeichnet, ankauft oder ihm Aufträge erteilt, bei deren Ausführung ihm volle künstlerische Freiheit bleibt? Dass sehr oft nicht die besten Bilder prämiirt werden, weil ihre Stoffe zu freie oder kühne sind, ihre Behandlungsweise über die akademische Formel hinausgeht, dass viel persönliche Gunst und Abneigung, viel Coteriewesen hineinspielt, das sind nun einmal Missstände, die in den Kauf genommen werden müssen, weil es eben nichts Vollkommenes auf Erden giebt. Und am Ende ist die Wahrheit groß und muss siegen, und wir hoffen es noch zu erleben, dass bei öffentlicher Beurteilung eines Kunstwerks nur der künstlerische Wert und die Bedeutung des Werkes in Frage kommt, nicht die Tendenz desselben, nicht die gute Gesinnung des Urhebers und dass vielleicht noch der Sänger atheistischer Lieder oder der Romanzier der sozialen Frage, vorausgesetzt dass die Lieder und die Romane nur künstlerisch vollendet sind, —

zur Hoftafel gezogen und durch staatliche Prämien ausgezeichnet werden. Ein Schriftsteller, ein Dichter, der nicht von Hause aus zum Servilismus, zur Kriecherei angelegt ist, wird durch eine staatliche Unterstützung nimmermehr Schaden an seiner künstlerischen Unabhängigkeit nehmen, sobald nur erst beide, Staat wie Künstler, solche Förderung als reine Sache der Pflicht zu betrachten gelernt haben werden, als eine bloße Kulturaufgabe, die dem Staate nicht das geringste Anrecht an die Gesinnung des Künstlers giebt, dem Künstler nicht das kleinste sacrifizio del in telletto auferlegt.

Wird freilich die Frage aufgeworfen, wer an dieser Zurücksetzung der Litteratur seitens des Staats den größten Teil der Schuld trägt, so kann es nicht zweifelhaft sein, dass dies die deutschen Schriftsteller selbst sind, welche für die Interessen und Rechte ihres Standes kräftig genug einzutreten fast nie Mut und Lust besitzen. Man kann von den deutschen Schriftstellern dreist behaupten, dass bei ihnen das Standesgefühl, das Bewusstsein der Macht, der Rechte und der Ehre ihres Standes beinahe gleich Null ist. Sie jammern sämmtlich über die elenden Zustände in der Litteratur, über die schlimmen Zustände des Urheberrechts, den ungenügenden Schutz ihrer Rechte im In- und im Auslande, den Mangel jeglicher Unterstützung seitens des Staates — aber es fällt ihnen nicht im Traume ein, auch nur einen Versuch zu machen, den Staat, die Behörde zu zwingen, einen Druck auf sie auszuüben, um zu ihrem Rechte zu kommen. Alles Heil und alle Verbesserungen erwarten sie von dem Manne, der die Geschicke Deutschlands lenkt, sie klagen und jammern, dass dieser sich gänzlich von der Litteratur abwende, dass ihm jeglicher Sinn für die Reize und die Notwendigkeit der Poesie in dem Leben einer zivilisirten Gesellschaft fehle, dass er der Kunst und Litteratur gleichgültig gegenüberstehe und ihnen nicht nur seine Unterstützung, den Schutz ihrer Rechte, sondern sogar jenen Zoll äußerer Anerkennung versage, den ihnen selbst der geistig Unbedeutendste, wie von einer Art instinktiver Hochachtung erfüllt, nicht zu verweigern wage — aber sie tun auch nicht das Geringste um diesen in Deutschland allmächtigen Mann zu zwingen, sie anzuerkennen und mit ihnen als einem sozialen, politischen und kulturellen Faktor zu rechnen. Und wie sollte auch ein Mann von einem so mächtigen und selbständigen Geiste nur die geringste Achtung vor Leuten empfinden, deren Stand er tagtäglich durch Nichtbeachtung ihrer begründeten Ansprüche zurücksetzt und beleidigt, und unter denen sich doch noch eine große Anzahl findet, die ihm nichts destoweniger in der Hoffnung eigne persönliche Vorteile erringen, in hündischer, übertriebener Weise schmeicheln und huldigen, ihn zu seinen Geburtstagen und Jubiläen in den schlechtesten Versen ansingen, ein Buch, ein Feuilleton über das Andere in den verzücktesten Ausdrücken schreiben und die Backen zu seinem Ruhme nicht voll genug nehmen können? Muss er einen Stand, in dem sich so viele solcher Leute ohne jedes Gefühl für Standesehre befinden, nicht von Grund des Herzens aus verachten und der Behandlung für völlig wert halten, die er ihm angedeihen lässt? Wie kann er denn nur die geringste Achtung empfinden vor einem Stande, von dem er öffentlich vor dem ganzen Lande erklärt hat, er bestehe aus Leuten, die ihren Beruf verfehlt hätten, und in dem nichts destoweniger sich täglich Hunderte bereit finden, für Geld oder in der Hoffnung auf gnädige Auszeichnung sein Lob, seinen Ruhm aus allen Tonarten zu verkünden? Und handeln in diesem Punkte die bildenden Künstler vielleicht auch nur um ein Kleines standesbewusster und selbstgefühlig trotziger? Gelegentlich der schönsten und erhabensten Feier der bildenden Künste in Deutschland während dieses Jahrhunderts, der Eröffnung der diesjährigen Jubiläumskunstausstellung, wo das Herrscherhaus, die Behörden, die ganze Nation sich zu einer begeisterten Huldigung für die Verkörperung des Schönen auf Erden vereinigte, fehlte der oberste Beamte dès Reichs, der es vorgezogen hatte, zwei Tage vorher einen kleinen Abstecher nach seinem Landschloss zu machen, in dessen Sälen sich bekanntlich nicht ein einziges nur einigermaßen wertvolles Kunstwerk befindet. Etwas Aehnliches wäre in keinem andern Lande der Welt möglich gewesen, als im Lande der „Denker und Dichter", in Oesterreich, in Italien, in Frankreich würde der oberste Beamte des Landes eine ähnliche Verhöhnung der Kunst nie gewagt haben, aus Furcht für einen Barbaren gehalten zu werden, in der wohlgegründeten Besorgnis, dass die Kunst selbst sich ebenso von ihm abwenden würde, wie er von ihr. Unsere Künstler hält aber solche Behandlung nicht ab, immer wieder die Züge und Taten des Mannes in Oel, Marmor und Bronze zu verewigen, als ob es gar keine andern künstlerischen Stoffe in der Welt gäbe, als ob sie völlig einverstanden wären mit der nichtachtenden Behandlung, die ihnen zu Teil würde. Wieder tritt hier jener Byzantinismus, jenes Bücken und Ducken vor der Gewalt, jenes unausgesetzte Blicken nach oben, jenes Strebertum, jener sich mit den Flittern einer erheuchelten Sittlichkeit, eines erlogenen Nationalgefühls bedeckenden Mangel an freiem, männlichem, wahrhaft deutschem Selbstbewusstsein in die Erscheinung, wie er sich auch in unserer Künstlerwelt schon mehrfach gezeigt hat, wie er alle Stände, alle Lebenskreise, unser ganzes Volksleben angefressen und vergiftet hat und unter dessen korrumpirenden Folgen unsere Kinder und Enkel furchtbar zu dulden haben werden.

Man komme mir hier nur nicht mit der albernen Erwiderung, was ich befürworte, sei eine Geschäftsmanipulation auf Gegenseitigkeit: „Unterstützest du mich, so verherrliche ich dich — kümmerst du dich nicht um mich, so mache ich dich auch nicht unsterblich!" Nichts wäre törichter als solcher Einwand.

Seine Arbeit, seine Tätigkeit ist dem Menschen das Höchste, Heiligste, an ihr hängt er mit allen Fasern seines Herzens, die Vereinigung Gleichstrebender, die Berufsgenossenschaft ist nach der idealen eben sowohl wie nach der materiellen Seite hin die erste, natürlichste Verbindung der Menschen, so recht die Säule der Gesellschaft, welche den Tempelbau des Staats trägt. Korpsgeist ist die Kardinaltugend des modernen sozialen Menschen, und wer seine Tätigkeit nicht hoch hält, nicht das lebhafteste Bewusstsein der Zusammengehörigkeit mit den Berufsgenossen, ohne Zwang, aus freier Empfindung heraus, besitzt, wer nicht bemüht ist, seinen Stand, und dadurch auch die eigne Person, in der Achtung der Welt, in seinen Rechten und Vorteilen, in seiner gesammten idealen und materiellen Entwickelung und Wertschätzung immer höher und höher zu bringen, verdient die tiefste Verachtung. Ueber mich und mein persönliches Schaffen denke jeder, was ihm beliebe, wer aber die Art meiner Tätigkeit, meinen Stand, meinen Beruf missachtet, zurücksetzt und in der vollen Erlangung seiner Rechte verhindert, der ist mein und meiner Berufsgenossen Feind, und er möge anderweitige Verdienste haben, so viele und große er wolle, nie werde ich meine besondere Berufstätigkeit, die er zurücksetzt, zu seiner Verherrlichung benutzen, so lange ich nur einen Funken Ehrgefühl besitze, sondern ich werde ihn bekämpfen und durch aktiven wie passiven Widerstand seine Achtung, seine Anerkennung meiner Standesrechte zu erzwingen suchen — er sei so hoch gestellt als er wolle. Ehrlos und der Verachtung seiner und aller andern Berufsgenossenschaften preisgegeben sei der Schriftsteller, der auch nur die Feder ansetzt zur Verherrlichung solcher Männer, die volle Kenntnis von den Rechten seines Standes besitzen, von der Notlage, in die derselbe durch die Verweigerung dieser Rechte gelangt, die die Macht und die Pflicht haben, ihnen zu ihren Rechten zu verhelfen und es nicht nur doch unterlassen, sondern diesem Stande sogar noch durch Tat und Wort und Stillschweigen ihre Missachtung bezeugen. Kein Schriftsteller darf von der Macht seines Standes so gering denken, dass er glaubte, ein Kampf von seiten seines Standes gegen solche Persönlichkeiten sei von vornherein aussichtslos. Die Macht des Schriftstellers ist eine furchtbare Macht. Kein Achill, der seines Homer auf die Dauer entbehren kann und wollen wird. Aber der Schriftsteller gleicht nur zu oft jenem Riesen der Sage, der sich von den Gnomen misshandeln und verhöhnen ließ, weil er sich durchaus nicht glauben machen konnte, dass er stärker sei als jene.

Aber was hat denn nun eigentlich die Litteratur oder richtiger ausgedrückt der Schriftstellerstand seitens des Staates zu beanspruchen? Nicht mehr als jeder andere Stand: Schutz, Achtung, Förderung, die beiden Letzteren nur nach dem Maße des Wertes der Litteratur, des gemeinsamen Produktes des Schriftstellerstandes, für die Kultur, die fortschreitende Entwickelung der Menschheit. Bezüglich des Schutzes steht der Schriftstellerstand nicht höher als der der Kaufleute oder der Metalldreher, denn vom Standpunkte des Rechts ist jede Arbeit gleich, die Achtung und die Förderung aber richtet sich nach dem Nutzen der einzelnen Berufstätigkeit für den Staat und da steht natürlich die nicht bloß materiellen, sondern auch idealen, kulturellen Zielen zustrebende obenan.

(Schluss folgt.)

Das Litteraturdrama.

Von Hermann Conradi.

Eine der ersten und hauptsächlichsten unter den verschiedenen Gattungen der dramatischen Poesie ist das „Litteraturdrama" zwar in keinem einzigen Schrifttum gewesen. Heldenschicksale; Motive aus dem Kriegsleben der Völker haben bis auf den heutiegen Tag den dramatischen Dichtern näher gestanden — aus leicht begreiflichen Gründen. Als dramatisch bewegter, ungestümer, schlagfertiger und darum wirkungsvoller und leichter zündend bei der Menge geben sich diese Stoffe aus der Geschichte allerdings, aus der Arena der Völkerkämpfe — diese Stoffe, die oft genug wohl mit feinem historischen Verständnis und geschichtsphilosophischem Tiefsinn aufgenommen und ausgestattet sind, oft genug auch den Bedürfnissen eines stolzen, edlen Nationalgeistes entsprochen und genügt haben, so manches Mal aber auch in den Dienst der Bestrebungen eines überspannten Chauvinismus gestellt worden sind.

Aus dem gesetzmäßigen Werden und Wachsen, dem kulturgeschichtlichen Lebensprozess, den jedes Volk durchmacht, lässt sich mit ziemlicher Deutlichkeit ersehen und erweisen, warum in den einzelnen Nationen, in den einzelnen Epochen, bestimmte dramatische Motive von den Dichtern aufgenommen und bearbeitet werden. Der aus der Geschichte entlehnte Stoff nimmt an alten Phasen der Entwickelung Teil. Zwar bildet sich das szenische Gefüge erst verhältnismäßig spät heraus — in Jugendtagen der Menschheit, wo Krieg immanentes Entwickelungsgesetz, Bedingung, Regel ist, Frieden aber Ausnahme, lässt sich das Volk, die Menge und vor Allem die kampffähige Menge von den Gesängen der dröhnenden Schlachtenlyrik begeistern . . . Die Dramatik wächst aus religiösen Aufführungen, Mysterienspielen hervor. Erst ganz allmählich gelingt es ihr, diese charakteristische religiöse Seite mehr und mehr abzustreifen und auf den Pulsschlag eines allgemeineren Staats- und Völkerlebens aufmerksam zu achten. Ich will dieses Moment hier nicht weiter ausführen. Das — unsere Tage kennzeichnende — Schlussglied aber dieser Ausführung würde das Ergebnis sein, dass ein historisches Drama schlechterdings nicht mehr an der „Tagesordnung" ist, d. h. dass es zu den instinktiven Bedürfnissen des gesammten Volkes eben als eines organisch Ganzen nicht mehr gehört. Wir leben in einer vorwiegend sozialen Epoche. Und stündlich fast verschärft sich dieser Charakter der Zeit, tritt er klarer, bestimmter und — drohender hervor. Dem Dichter, der, wenn anders er eben ein wahrer und echter ist, wie kein Zweiter auf der Höhe der Zeit steht, die Bildungselemente aller früheren Epochen in sich vereinigt, muss es ja nach wie vor unbenommen bleiben, mit verständnisvollem Sinn für historische Symbolik geschichtliche Motive in den Rahmen seines Schaffens aufzunehmen . . . Der Dichter hat eben das Recht, sich alle Zeiten künstlerisch anzueignen. Ja! diese Fähigkeit ist eines seiner ersten Wesensmomente. Und doch wird er wenig auf die Teilnahme seiner Zeitgenossen, der Mitlebenden, zu hoffen haben, wenn er nicht dem Wort und Form giebt, was sie aus ihrer Zeit heraus im Innersten bewegt! Der echte Dichtergeist wird diese Bedürfnisse unschwer verstehen. Ein Anderes ist es allerdings, ob es ihm möglich ist, sie gerade mit seinem besten Können zu befriedigen.

Historische Dramen werden auch nach wie vor noch geschrieben werden. Aber ihre Wirkungskraft ist abgestumpft. Und naturgemäß mindert sich auch die aufrichtige Teilnahme, die ungekünstelte Aufnahmefähigkeit der „Besten eines Volkes" für sie. Die gewaltigen Wehen der kreißenden Zeit sind eben zu fühlbar . . .

Das „Litteraturdrama" ist ein Stückchen historisches Drama und auch in gewissem Sinne wieder nicht. Es wird von einem gleichen Schicksal ereilt. Was ist uns Hekuba? Und was ist uns das unglückliche Poetenschicksal eines Christian Günther, Tasso, Reinhard Lenz oder Christoph Marlowe? Elementare Lebensfragen, die unmittelbar bis zu dem Mittelpunkt unserer Persönlichkeit hin wichtig und für das Fortbestehen unserer Existenz einschneidend werden, beschäftigen Herz und Hirn ganz anders . . .

Eine sehr interessante Spezialität bedeutet das „Litteraturdrama" aber immerhin. Indem es seine Motive aus dem engeren Stoffkreise der Litteraturgeschichte nimmt, ordnet es sich dem großen, allgemeinen Geschichtsgebiete ein und stellt sich doch zugleich in einen gewissen Gegensatz zu ihm. Seine Keimstätte ist räumlich beschränkter, möchte ich sagen, doch gedanklich weiter, umfangreicher. Denn indem es sich der Enkel angelegen sein lässt, doch zumeist das tragische Schicksal eines altvorderischen „Kollegen in Apoll", beispielsweis eines Günther oder Chatterton, darzustellen, kommt es ihm verhältnismäßig weniger darauf an, den Untergang seines Helden aus dem besonderen Charakter der Zeit, in der er gelebt und zu schaffen gesucht, zu erklären, als vielmehr den Dichter in den Kampf mit jenen Elementen zu führen, die ihm schlechterdings eben immer oder wenigstens doch in der Regel widerstreben werden . . Diese Art von Litteraturdrama baut sich auf allgemeineren Gesichtspunkten auf, berücksichtigt Momente, die schlechthin im Wesen der gesammten Menschheit liegen und in ähnlichen Konstellationen immer wiederkehren . . . Weist auch das Schicksal eines Günther — die jüngste dramatische Ausgestaltung seines Lebens rührt von Max Grube her, dem hochbedeutenden Schauspieler, der auch dichterisch reich beanlagt — eine Fülle von Unterscheidungsmaterial auch dem gegenüber dem eines Chatterton: es ist doch schließlich hier wie dort dasselbe Grundmotto — der Kampf des Unglücklichen mit den einfachsten Verhältnissen des realen Lebens . .

Das Litteraturtrauerspiel wird fast immer Charaktertragödie im strengen Sinne dieses ästhetischen Terminus sein, in den seltensten Fällen Prinzipientragödie. Wenn in dem Wildenbruchschen „Christoph Marlowe" der englische Dichter des „Faust" uud des „Tamerlan" zusammenbricht, weil er an einem höheren — Shakespeare — übertrumpft wird, so ist das zwar keine ausgemachte poetische Inkonsequenz, aber immerhin ein psychologischer Fehler, weil es durchaus nicht im Charakter Marlowes liegt, sich positiv einem Höheren unterzuordnen, wenn er ihn auch noch so sehr als solchen erkannt hat. Im Uebrigen ist „Christoph Marlowe", wie es die Natur des Stoffes erfordert, reinste Charaktertragödie.

Das Motiv „Chatterton" ist am meisten vollendet von Alfred de Vigny bearbeitet worden. Es ist begreiflich — Vigny war ehrgeizig und fand im Ganzen wenig dichterischen Ruhm.

Als Uebergang von weiteren Gebiete des allgemeineren historischen Dramas zum engeren des litteraturhistorischen möchte ich das Luther-Drama bezeichnen. Martin Luther wird zwar in allen dichterischen Bearbeitungen von Zacharias Werners „Weihe der Kraft" — noch heute unübertroffen! — bis auf Lindner, Henzen und Herrig, vorwiegend als Reformator gefeiert. Aber das Moment des geschichtlichen Heros, des Befreiers vom Joche eines despotischen Kirchenregiments, und das des revolutionären Schriftstellers sind in dieser imposanten Gestalt so eng verknüpft, dass man ihre dramatische Ausgestaltung wohl als einen Uebergang vom allgemeinen historischen zum speziellen litteraturhistorischen Stoffgebiete bezeichnen darf . . .

Eine dem Luther-Drama ähnliche Stellung nehmen die Bearbeitungen verwandter historischer Motive ein, z. B. die des Kopernikus, wie sie u. A. von dem Polen Szymanowski in seinem „Die letzten Augenblicke des Kopernikus" aufgefasst ist, oder die Giordano Brunos . . . Am Großartigsten ist diesem Stoffe wohl Adolf Wilbrandt gerecht geworden. Nicht unerwähnt mag hier das Schauspiel „Ambrosius" des dänischen Dichters Molbech bleiben. Indem es zum Helden den unglücklichen dänischen

Poeten Ambrosius Stub nimmt, erinnert es stark an Günther und Chatterton . . .

Eine ganz andere Physiognomie tragen natürlich Litteraturdramen wie Gutzkows „Königslieutenant" oder Laubes „Karlsschüler" oder Meis „Heines junge Leiden" . . . Sie bedeuten meist eine kulturgeschichtliche Paraphrase, eine interessante Spielerei, eine mehr oder weniger pikante Variation zu einem bekannten Thema . . . Sie tragen auch mehr dem durch die Zeit und die Verhältnisse bedingten Sonderkolorit Rechnung . . . Sie atmen in einer weniger allgemeinen Sphäre — ja! erst die peinlich sorgfältige und zugleich liebevoll zärtliche Berücksichtigung kulturgeschichtlich charakteristischer Einzelheiten verleiht ihnen tieferen Gehalt und edlere Wärme, intimeres Leben und feinere Reize. —

Die jüngste Blüte des „Litteraturdramas" bietet uns Karl Bleibtreu in seinen beiden Byrondramen, welche allerdings den Gegensatz des Dichtertums zur realen Welt in neue eigenartige Beleuchtung rücken.

Eine gewaltigere, in alle Tiefen des gesammten Volkslebens hineinwirkende Bedeutung hat das Litteraturdrama nie gehabt, weder das allgemeinere, tragische, die Tragödie großen Stils, noch das besondere, kulturgeschichtlich charakteristische, das geistvoll pointirte Litteraturschauspiel . . . Der Hauptgrund liegt in der inneren Natur der Motive, deren eigentliche, treibende und bewegende Kräfte sich kaum dem Verständnis der meisten, geschweige denn aller Teile eines Volkskörpers erschließen können . . . Das Litteraturdrama bedeutet — wenn ich diesen Ausdruck einmal gebrauchen darf, mit dem ich hier natürlich durchaus kein Moment des Tadels verbunden wissen will — das eigentliche Schauspiel für die Clique, für die Kollegenschaft im weiteren wie im engern Sinne . . . es appellirt in erster Linie an die Instinkte, die feinere Teilnahme der Künstlerwelt selbst, aus deren Sphäre es herausgeboren ist . . .

Und so ist es nur naturgemäß, dass das Litteraturdrama in einer Zeit, wo die Verhältnisse, die Massen immer mehr die Einzelbedeutung und Sonderwirkung des Individuums unterdrücken und einschränken; wo das soziale Moment immer mehr das individuelle in den Hintergrund schiebt, gemach absterben und selbst das winzige Interesse, das ihr engere Kreise bisher noch entgegengebracht, allmählich mehr und mehr verlieren muss — gerade wie die gesammte, in Künstler- und Gelehrtenkreisen spielende Novellistik von Stunde zu Stunde an Reizen einbüßt . . . Den Tag werden wir wohl noch erleben, der uns meinetwegen die Litteraturtragödie „Heinrich von Kleist" bringt, vielleicht auch den, der sie auf irgend eine Hofbühne bringt — aber vergebens wird ihr Dichter bei seinem Volke um eine tiefere Teilnahme für sein Schaffen werben . . . An dem Erzpanzer einer ausschließlichen Herrschaft sozialer Interessen wird sein Ringen um Anerkennung seiner künstlerisch individuellen Bedeutung ohnmächtig abprallen . . .

Wir stehen eben auf dem Uebergang zu der Zeit, wo die naturbedingte „Evolution" der gesellschaftlichen Verhältnisse in das dritte Stadium ihrer Wesensäußerungen tritt: „in die innige Verknüpfung oder Gliederung der besonderen zum Ganzen integrirten Stoff- und Bewegungsmassen." (Schäffle, „Bau und Leben des sozialen Körpers".) In dieser glorreichen Epoche wird die Kunst vielleicht nicht mehr „nach Brot" zu gehen brauchen, einfach deshalb, weil sie in ihrer innersten Natur — vernichtet ist. — Und damit wird sie selbst wieder — zum tragischen Motiv.

Abendstimmung.

I.

(Nach dem Norwegischen des Björnstjerne Björnson.)

Die Königstochter am Söller stand.
Des Knaben Horn durchtönte das Land.
„Was bläsest du, Kleiner? Des Blasens genug!
Es hemmt der Gedanken unendlichen Flug,
Wenn die Sonne sinkt."

Die Königstochter am Söller stand.
Es schwieg das Horn in des Knaben Hand.
„Was schweigst du, Kleiner? Des Schweigens genug!
Dein Horn beschwingt der Gedanken Flug,
Wenn die Sonne sinkt."

Die Königstochter am Söller stand.
Der Knabe nahm wieder sein Horn zur Hand.
Sie aber seufzt in die Abendglut:
„O Gott, was bricht mir den freudigen Mut,
Wenn die Sonne sank?"

II.

(Motiv aus einer längeren „Medidation" von Lamartine.)

Das Leben mir wie eine Wolke
Zum Schatten der Vergangenheit entschwebt.
Das Ewige bleibt, wie aus der Träume flüchtigem Volke
Ein Bild noch dem Erwachten weiterlebt.

Schüttle den Staub von deinen Füßen!
Auf diesem Pfad kehrst nimmer du zurück.
Doch als Vorbote schon des ewigen Friedens grüßen
Wird dich der Ruhe stilles Seelenglück.

Kurz wie des Herbstes düstre Tage
Entschwindet deine Jugend deinem Weh.
Doch wechsellos und treu besänftigt deine Klage
Die gütige Natur, die milde Fee.

Beständig bleibt ihr Licht, ihr Schatten,
Ob alle Erdenträume dir verwehn.
Das Echo der Natur darf Lauschenden gestatten,
Die Sphärenmelodieen zu verstehen.

Charlottenburg. Karl Bleibtreu.

Theatralische Experimente.

Von M. G. Conrad (München).

II.

Wesen und Wille der Tragödie ist Weihe des Einzelnen zu etwas Ueberpersönlichem: zur Heiligung des Lebens durch furchtlosen Tod. Wahrhaft tragisch gesinnt sein heißt mit dem Bibelwort fragen: „Tod wo ist dein Stachel? Hölle wo ist dein Sieg?“ Die veredelnde, also erzieherische Aufgabe des tragischen Kunstwerks auf der Bühne liegt darin, das gemeine Menschentum zu jenem tapferen Heldentum der Gesinnung emporzuläutern, das im Kämpfen, Streben und Untergehen ein siegreich Erhabenes, alle Mühsal und Not des Lebens reichlichst Aufwiegendes zu empfinden vermag.

* * *

Das ästhetisch Lustvolle am tragischen Kunstwerk genießen wir im großen Zug der Leidenschaft, im hinreißenden Rhythmus des Schicksalschrittes und in der wahren Heldenhaftigkeit des Opfers. Mithin kann uns Zeit- und Stoffgebiet der Tragödie vom ästhetischen wie vom pädagogischen Bedürfnis aus gleichgültig sein. Die Forderung absoluter Modernität ist nur insofern zu stellen, als das heute geschaffene Kunstwerk an die höchste Summe unseres heutigen künstlerischen und wissenschaftlichen Erkennens reichen muss, um uns volles Genüge zu bieten. Freilich wäre im Interesse unserer vaterländischen Kunst innigst zu wünschen, die deutschen Dramatiker möchten deutsches Leben — selbstredend ohne kleinlich-patriotische Versimpelung und Vertölpelung zum Gaudium maulaufreißenden Politik-Spießbürgertums — auf die Bühne stellen. Aber — lüstern wie wir einmal sind nach fremden Rassen, fremden Genialitäten und Dummheiten . . . .

* * *

Wilhelm Walloth hat in seinem eben erschienenen Drama „Gräfin Pusterla“ ins vierzehnte Jahrhundert zurückgegriffen und seine Heldin in einem blutigen Kapitel der Mailänder Hofgeschichte gefunden. Es sei gleich gesagt: der Griff ist gut, stark, umfassend. Ex ungue leonem. Das Experimentelle des Stückes sehe ich in dem Bemühen, einen großen poetischen Eindruck ohne die konventionellen poetischen Reizmittel hervorzurufen, das Seelengemälde in dramatisch wuchtigen Zügen darzustellen, ohne lyrisch-sentimentale Verbrämung, und dabei doch über den Zuschauer ein Meer von warmer, lebendiger Empfindung auszugießen, um das Schauerliche und Blutrünstige der tragischen Abschlachtung der Gerechten mit den Ungerechten zu mildern bis zum edel wirkungsvollen Stärkegrad. Das ist zu erreichen nicht bloß durch die unerklärbare individuelle Poetengewalt, sondern zugleich durch ein erklärbares Sprachkunststück und bühnentechnische Berechnung. Die Moral, dass das Weib in Liebe und Rache findiger und zugleich barbarischer ist, als der Mann, ist für die Wirkung ganz ohne Gewicht. Die großen sprachtechnischen Vorzüge der Wallothschen „Gräfin Pusterla“ springen sofort in Auge und Ohr, wenn wir dieses Werk mit Detlev von Liliencrons neuster Bühnendichtung „Trifels und Palermo“ vergleichen.

* * *

Walloth und Liliencron erweisen sich als psychologisch gleich reizbare, feinhäutige und scharfäugige Naturen. Nur arbeitet Liliencron stummer und bühnentechnisch sorgloser, als Walloth. Das Aparte und Herbe, das der Liliencronschen Lyrik so vorzüglich zu statten kommt, beeinträchtigt wesentlich die Wirkung seiner Bühnensprache. Die ist bei ihm mehr für das Auge, als für das Ohr. Sie hat zu wenig schlichten, plötzlichen Naturklang. Man kann sie nicht direkt hören und verstehen und gelten lassen, sondern erst auf lyrischen Umwegen. Wenn z. B. Liliencron seinen Burggrafen Ottnand zum Stallburschen sagen lässt:

Geh' nun und schau' noch einmal nach dem Sattel.
Fehlt einer Schnalle nur der teste Zwirn.
Du weißt, dass dich der Kaiser blenden lässt.
Ich komme selbst dir nach, um letzten Blick
Auf Gurt und Bügel, Mähn' und Huf zu senden —

oder drei Atemzüge später:

Und eh' du just im Springen dort die Buche
Mit hundert leichtem Fußaufschlag erreichst,
Zog mir um's Haupt die Nacht den schwarzen Sack.
Nichts sah ich, nichts — dann war's ein Feuermeer —

so ist das fürs Auge sehr lyrisch-fasslich gemalt und sprachlich originell ausgedrückt, allein das ist im Grunde doch nur pure Litteratur und nicht kurzangebundenes Leben der wirklichen Bühne. Ein solches Litteratur-Drama, und wäre es beim Lesen von höchstem Reiz (und Liliencrons Stück ist es!), wird als Darstellungs-Experiment auf den Brettern immer einen gefährlichen Stand und zweifelhaften Ausgang haben. Es gehört von Seite des Zuschauers und Zuhörers eine sehr starke litterarische Voreingenommenheit dazu, um von der Bühne herab derartige Besonderheiten zu ertragen. Vor einem Parterre von Litteraten könnte man sich allerdings noch Stärkeres erlauben. Einem gesunden Theatermenschen ohne litterarische Eingeweide kann man jedoch ungestraft eine solche Marter nicht antun. Damit fährt auch die beabsichtigte tragische Grundstimmung zum Teufel. Schade um so viel Poesie, die an dieser Stelle wirkungslos verpuffen muss.

* * *

Bei Walloth ist es nicht das Drum und Dran der Sprache, das uns für das Stück einnimmt, sondern die Artung der handelnden und leitenden Person selbst, deren Sprache sich begnügt, das schmucklose, direkte Organ der gequälten Seele zu sein. Wir hören den auftretenden Personen unmittelbar ins Herz hinein, unsere Verbindung mit ihnen und ihrem

Schicksal ist eine blitzartig schnelle und zugleich eine unwandelbar andauernde.

Mit wenigen Einschränkungen kann ich dieses auch von Karl Bleibtreus „Byron“ sagen.

* * *

Es sind zwei Stücke, jedes breit in fünf Akten ausgeführt: „Byrons letzte Liebe“ und „Seine Tochter“. Im ersten Drama will Bleibtreu nach seiner eigenen Bemerkung „das Verhältnis der Liebe sowie der höheren Ideale zum persönlichen Dichtertum“ schildern, im zweiten Drama ein „sogenanntes“ Charakterstück geben, das sich weniger in effektvollen, lärmenden Taten, als in einer Reihe innerer Wandlungen bis zur plötzlich donnerähnlich losbrechenden Katastrophe vollzieht. Im ersten Stücke ist Byron der wirkliche leibhaftige, im zweiten Stück auch der wirkliche, aber nur in seinem unglücklichen Kinde leibhafte Mittelpunkt. „Seine Tochter“ erhält durch dieses Hereinragen und unablässige Hereinwirken eines Abgeschiedenen eine von geheimen Schaudern erfüllte Atmosphäre, so dass selbst die längsten und beim erstmaligen Anhören etwas beiläufig klingenden Konversations-Szenen von Geisterluft umwittert sind. Das ist eine prachtvolle Stimmungs-Wirkung. Es ist wie ein unsichtbares Wagnersches Gespenster-Orchester, das bald näher, bald ferner zu der Salon-Handlung aufspielt . . . In Ibsens „Gespenstern“ empfinden wir stellenweise Aehnliches, aber nicht in solcher Stärke; es ist bei Bleibtreu viel intensiveres Kontrastieren im Kolorit, viel unheimlicheres Leben im Vibrieren des dramatischen Nervs.

* * *

In „Byrons letzte Liebe“ geht neben der machtvoll drängenden, Schritt für Schritt ergreifender sich entwickelnden Handlung — Charakter-Analyse in ganzen Thatsachen-Serien — schon in den vorzüglich gebauten drei ersten Akten viel lyrisches Beiwerk mit, das in den beiden letzten Akten, die überdies durch jähen Ortswechsel zunächst etwas befremdend anmuten, bedenklich überwuchert.

Ich denke, dass bei der Bühnenprobe eine erfahrene Regie manche allzu üppige Ranke, welche die Handlung retardiert, wegschneiden wird. Auch manches „geflügelte“ Wort, das aus unserm Büchmannschen Zitaten-Taubenschlag bis zum Ueberdruss durch unsere moderne Konversation flattert, wird vor der Bühnen-Aufführung eingefangen werden müssen, denn es stört die schöne selbstherrliche Ursprünglichkeit der Bleibtreuschen Diktion. Wer eigenes Gold münzen und auf die Münze sein eigenes Bild prägen kann, hat die abgegriffenen Prägestücke der Andern nicht nötig. Aber das sind im Grunde Kleinigkeiten, die wir unsern kritischen Nörgelfritzchen zur Aufstöberung und persönlichen Nutzbarmachung überlassen wollen. Entscheidend ist für uns, dass das geniale englische Wundertier Lord Byron als große dramatische Charakterstudie durchwegs gelungen ist. Das ist eine Abbreviatur wirklichen Lebens auf der Bühne, ein Problem der vereinfachten Abrechnung mit dem unendlich verwickelten menschlichen Wollen und Handeln eines göttlichen Genies, wie wir's in wenigen Tragödien in solcher Schönheit erleben. Wenn das unsere darstellenden Künstler nicht reizt! In edler Erwartung hat Bleibtreu seinen „Byron“ einem der ersten Schauspieler unserer Zeit gewidmet.

* * *

Ein Prachtkerl, dieser Byron in der Welt der Geschichte wie in der Bleibtreu'schen Dichtung! Wie er da heldenhaft aufstrebt, um bewusste Freiheit der Lebensführung und um höchste Unabhängigkeit des Charakters und Gedankens ringt, dabei die Gewichte der wirklichen und fiktiven Gewalten seiner politischen und sozialen Umgebung mit einer Leichtigkeit in die Hand nimmt, hebt und verschiebt, als handelte sich's um die spaßhaften Produktionen eines Jahrmarkts-Herkules; und wie er dann wieder, der unsterbliche Dichter, der Ewigkeitsmensch, bald nach reiner, überirdischer Größe lechzt, bald wie ein kindsköpfischer, sinnlicher, von einem Phantom berauschter Mensch des Augenblicks handelt und schließlich doch aus allen Wirrsalen und Paradoxien seiner Lage einen titanenhaften Ausgang erkämpft: das ist ein schauerlich großer und entzückender Tragödienstoff. Und dass ihn Bleibtreu so traktirte, dass er auf der wirklichen Bühne aufführbar und zu einem heiligen Mysterium des Liebes-Martyriums wird, das ist wahrlich kein geringes Verdienst. Auch die „Wissenden des Herzens“, die schon in die bösesten Abgründe geblickt und aus wenigen Andeutungen erraten, wie unheilvoll, hülflos, zerstörend die beste und tiefste Liebe ist — auch sie werden von Bleibtreus Byron-Dichtung mit dem Gefühle innigsten tragischen Ergriffenseins scheiden. Ja, vielleicht gerade sie, die wissend und hellsichtig geworden über menschliche Liebe, werden an diesem Drama die Todesfreudigkeit, das heißt: nicht die armselige Lust zu dummem Selbstmord, sondern die entsagungsfrohe Kraft zur Umwertung der Lebensgüter, die Weihe zu etwas Ueberpersönlichem gewinnen, die ich im Eingange dieser Bemerkungen als Wesen und Wille der Tragödie bezeichnet habe. Die guten Unwissenden und Unschuldigen mögen daraus machen was sie können.

Der russische Nationalgeist in Litteratur und Kunst.

II.

Mit dieser Betrachtung des russischen Nationalgeistes ausgerüstet, wird es uns leicht werden, zu der bildlichen Verkörperung desselben in Wereschagins Gemälden Stellung zu nehmen. Mit absoluter Sicherheit erkennen wir jetzt sofort in der Manier des Künstlers die ganze Skala russischer Nationaleigentümlichkeiten wieder, die der Oberflächliche vielleicht der Persönlichkeit des Mannes zuschreiben möchte: Radikale Melancholie, inniges Naturgefühl, Vorliebe für das Krasse und für den Orient — endlich eine Mischung von Nihilismus und Chauvinismus.

Wereschagin reist bekanntlich mit seinen Gemälden wie mit einer Jahrmarktsbude von Ort zu Ort, um den süßen Mob durch elektrische Beleuchtung und elegische Chorgesänge unsichtbarer Geister zu ködern. Da liegt doch noch Musik drin! Jawohl, echtrussische „Musik" — der „Dunst" Turgenjews — wir sagten lieber gleich: „Blauer Dunst"!

Bei seiner jüngsten Berliner Ausstellung hat Wereschagin freilich die Musike weggelassen und sein Katalog zeichnet sich durch bescheidenere Zurückhaltung aus, obwohl dafür die Photographieen seiner erhabenen Person und seine unsterblichen Werke (Wereschagin war auch Schriftsteller) in noch größerer Fülle paradierten.

Vorliegender Essay beschäftigt sich lediglich mit seiner ersten berühmten Ausstellung, die so viel Staub aufwirbelte, während die späteren trotz des Verbots seines „Christusbildes" in Wien ziemlich spurlos vorübergingen. —

Diese Arbeiten teilen sich nach drei Klassen, nach drei verschiedenen Epochen: In die turkestanischen und indischen Genrebilder und in die historischen Episoden aus dem russisch-türkischen Krieg. Ebenso aber nach ihrem Werte: In sehr mittelmäßige, in sehr tüchtige und in sehr auffallende, aber keineswegs vollendete Werke größeren Stils, die trotz ihrer Mangelhaftigkeit seinem Schaffen ein eigentümliches Gepräge geben.

Für's erste muss es Wunder nehmen, dass zur selben Zeit das Ungenügendste und Tüchtigste, das Stümperhafteste und Ausgeführteste nebeneinander entstanden sein soll, wie es uns hier kritiklos beisammen geboten wird. So sind z. B. fast alle kleineren Bilder aus dem Türkenkriege teils unbedeutend und obendrein unwahr, teils unbeschreiblich dilettantisch und geistlos, während die größeren Gemälde bemerkenswerte und an das Bedeutende streifende Leistungen bieten. Und genau umgekehrt sind die kleinen Architekturbilder aus Indien reizend und geschmackvoll, mit großem Können in diesem Genre behandelt, während die Kolossalbilder schwindelhaft in der Technik, unwahr in der Auffassung und im Totaleindruck unmöglich erscheinen. Viele der Landschaften würden bei Tageslicht in der Nähe betrachtet Lächeln erwecken — indess, die elektrische Beleuchtung verklärt das Stümperhafte! Ein wahrhaft unerträgliches Bild ist „Der Prinz von Wales" mit seinem gequälten Farbenvortrag, dem harten abscheulich bunten Ton der Gesammtwirkung und der hölzernen Ungelenkheit der Figuren. Von der scherzhaften Verzeichnung der Menschen und gar der Elephanten schweigt man lieber — daran wird man bei Wereschagin gewöhnt. Aber durch die totale Fremdartigkeit blendet er anfangs selbst gebildete Augen — indem man verblüfft die malerische Unmöglichkeit des Ganzen auf tiefere Absicht und treuen Naturalismus zurückführt.

Mit diesem wohlfeilen Glauben tröstet man sich auch bei den „Höchsten Gipfeln des Himalaya" — zusammengefegten Schneehaufen, die sich von einem tiefblauen Aether abheben! Wie wahrheitsgetreu nach der Natur! Hat doch Wereschagin diese 30000 Fuß hohen Kuppen sicher gründlich in Augenschein genommen!! Er malt ja nur, was er gesehen hat: Er ist ja Realist!

„Der Großmogul" sitzt auf dem großen Gemälde „Das Gebet" in einer Moschee aus weißer Pappe oder besser weiß angestrichenem Holze, das durch einen unglaublichen tiefblauen Himmel sich plastischer hervorheben soll. Und dicht neben diesen wundersamen Produkten hängen drei Bilder aus einer früheren Epoche, aus des Künstlers Aufenthalt in Turkestan, von ganz vorzüglicher Durchbildung und zwar gerade des Architektonischen, die berühmten zwei „Türen" und „Inneres der Moschee". Der Künstler soll eingestanden haben, dass er die Türen nicht gemalt habe. Nun, aber auch die Figuren davor sind ausnahmsweise gut gezeichnet, lebendig und prachtvoll im Ton. Und nun blicke man vis-à-vis in der andern Ecke auf den „Verwundeten-Transport" — und wundere sich, welch ein Abstand im Können zwischen dem fünfundzwanzigjährigen und dem fünfunddreißigjährigen Künstler vorliegt! Wenn es sich um das Wollen handelte, wäre es noch allenfalls erklärlich. Seltsam!

Und auf den großen Kriegsbildern dieselbe sonderbare Verschiedenheit in der Ausführung. „Skobeleff am Schipka" ist persönlich mit seiner Suite ganz vortrefflich, die sich vorn durcheinander wälzenden Leichen sind wiederum verzeichnet, während das Landschaftliche hier geradezu meisterhaft genannt werden kann. Nichtsdestoweniger scheinen es diese sieben Bilder aus dem Türkenkriege, welche dem Künstler nicht ganz mit Unrecht eine so ungemessene Bewunderung von einem Teile des Publikums zu Teil werden ließen. Dieselben sind in der Mehrzahl fein im Ton. „Vor dem Angriff" scheint auf den ersten Blick von packender Wirkung. Aber wenn wir uns dies letztere Gemälde genauer betrachten, so entdecken wir statt des Effekts eine nackte Effekthascherei. Von Perspektive scheint unser Russe nicht viel zu halten. Aber er sollte doch ein ganz klein wenig die Dimensionen berechnen und nicht eine überhängende Erdmauer, ohne Schatten und Einschnitt, mit dem Erdreich und den terrassenförmig in starken Einschnitten aufsteigenden feindlichen Redouten in der Ferne, in einen großen eintönigen Lehmbrei zusammenfließen lassen. Die Gruppe der Generale in der Ecke ist ganz trefflich charakterisirt, aber was soll man zu der sonst so gelungenen Figur des jungen Offiziers sagen, der seinen linken Arm hinter sich auf den Rücken legt, wenn wir entdecken, dass derselbe offenbar keinen Arm im Rockärmel hat? Auch dem einfältigsten Laien muss ja dies einleuchten. Ist das ein Witz des Künstlers auf Kosten der Philister?

Aber lassen wir den künstlerischen Wert dieser Produktionen ganz bei Seite. Wir dürfen es um so mehr, als sich ja Presse und Publikum weit mehr um das Ethische der ganzen Affaire kümmern, als um den spezifischen Wert der Wereschaginschen Kunst.

Abgesehen von seiner durchweg melancholischen Anschauung, die natürlich von vornherein Allem eine düstere und tendenziöse, darum aber auch nur halbwahre Färbung giebt, tritt uns augenscheinlich überall das Bestreben nach peinlich-realistischer Wahrheit entgegen. Wenn jedoch nur eine halbe Wahrheit erreicht wird, was ja dem ernstesten Streben passiren kann — war es denn eine aufrichtige Wahrheitsliebe, die dieses Streben lenkte? Wenn wir näher zusehen, müssen wir bedauern, dass jene Mischung von wahrer Empfindung und Verlogenheit, von prosaischer Nüchternheit und phantastischem Humbug, auf die wir früher als echt-russisch hinweisen mussten, auch bei diesem interessanten Rassen-Typus keineswegs vermisst wird.

Von der absonderlichen Art und Weise, in welcher er die Ausstellung seiner Erzeugnisse anzuordnen beliebte, schweigen wir hier möglichst. Ebenso von der vielfältigen Reklame und der beispiellosen Naivetät, mit welcher eine Biographie dem Katalog dieser Werke vorgesetzt wird, wo Wereschagin ganz einfach „als genialer Russe" als „großer Künstler" bezeichnet und er mit den Meistern des Cinquecento verglichen wird — zugleich ein Künstler und ein Held; wo von der seltenen Einstimmigkeit im Lobe seiner Werke erzählt wird und, um den Spektakel voll zu machen, von seiner „alle äußeren Ehrenzeichen verachtenden" Bravour (für die er jedoch nichts desto weniger den höchsten Orden bekommt und denselben auch auf all seinen von ihm freigebig feilgebotenen Photographien mit rührender Selbstüberwindung auf dem männlichen Busen trägt). Das Alles ist einfach russisch. Wer wollte ihm also die grobe Reklame als Schimpf anrechnen?! Ohne Aufschneiderei und Humbug geht es nun einmal nicht ab.

Woran wir aber nicht so stillschweigend vorüber gehen möchten, das ist die Unwahrhaftigkeit, welche aus jeder Ecke des sogenannten „Katalogs" und in der gesammten Tendenzmacherei erkennbar wird. Ein Katalog ist doch sonst solch ein harmloses mechanisches Stück Schriftstellerei. Aber die russische Originalität und Genialität weiß auch dies geduldige dehnbare Institut ihren Zwecken gefügig zu machen.

Um mit scheinbar gleichgültigen Einzelheiten zu beginnen: Ein Mann von minder umfassendem Wissen würde uns vielleicht die erläuternden Belehrungen erspart haben, welche hier beinah jeder Nummer des Katalogs beigegeben sind:

„Kalmükischer Soldat. Nur wenn er schläft trennt er sich von seiner Pfeife."

„Kirkisischer Reiter. Auf unermüdlichen kleinen Pferdchen. Flink im Rauben und Stehlen. Jähzornig, doch gutmütig und leichtgläubig."

„Kalmüken. Echte Mongolen (folgt eine Schilderung des Aeußeren, die doch wenigstens durch die bildliche Darstellung unnötig gemacht sein sollte). Buddhistische Religion. Mit allen Tugenden und Lastern des Nomaden. Gehorsam, gutmütig, gastfrei, aber dabei Schelme, Diebe, äußerst unsauber."

Wenn man dann noch erfahren hat, dass die Juden in Samarkand 200—300 Prozent Wucherzinsen nehmen und dass das Waarenlager eines Sarthe (Kaufmann) einen Wert von zwei Gulden repräsentirt — so wird man eingestehen, man hat genug fürs Geld. Wir erwarteten Bilder und erhalten ein Konversationslexikon. Es ist erstaunlich, wie weit sich diese populären Vorträge ausdehnen. Dass Derwische Bettelmönche sind, dürfte in weitern Kreisen noch unbekannt sein. Manchmal ist der Katalog auch pikant. „Frau aus Ladak" würde ein gewöhnlicher Künstler sagen, aber hier giebt's noch ein Stückchen Sensation: „welche fünf (fettgedruckte) Männer hat." In Klammern dahinter: „Polyandrie".

Ja, ja, solch ein Gericht schmeckt Einem doch immer besser, wenn man die Abkunft und Zubereitung kennt. Und ist die Suppe schlecht, so nennt man sie getrost: „Potage à la „faim", und hilft sich über die Mängel des Vorgesetzten mit dem schönen Menu hinweg.

„Menschenfresser" heißt auch ein ausgezeichneter Scherz, der sehr sinnig durch zehn Zeilen hin kommentirt wird. Ah, einen Menschenfresser möchte man wohl sehen. Siehe da, es ist ein — Tiger, der einen Menschen erlegt hat! Und zwar (Katalog) „ein alter Tiger, dessen Zähne so stumpf sind, dass er größere Tiere nicht mehr zerkauen kann". Man lernt doch alle Tage Neues hinzu.

Aber auch Altbekanntes, Frischerlebtes kann hier nicht verschwiegen werden, sobald es sich um Sensation handelt. Dass z. B. die Baschi-Bozuks „Kinder aus dem Mutterleibe geschnitten haben" und dass „die Wunden sich mit Würmern füllten", hätte uns wohl erspart werden können. Doch wie kann man von einem Russen verlangen, dass er kein Behagen am Grässlichen nähren und die schöne Gelegenheit, Schauerneugier zu erwecken, vorüber gehen lassen solle?

Aber dies Grässliche führt er ja nur an, um es verächtlich zu machen, höre ich sagen, — etwa nach dem Rezept Zolas, die ekelhaftesten Laster schildern, um davon abzuschrecken. Utile cum dulci. So macht man Geschäfte und verfolgt dabei heilsame Tendenzen.

Wereschagin verabscheut nämlich auch den Krieg und hält denselben für nicht wünschenswert. Er bekräftigt, dass Zahnschmerzen weh tun oder vielmehr, dass den faulen Zahn mit Gewalt entfernen unangenehm ist. Dass man aber nur so die chronischen Zahnschmerzen los wird, ignorirt er großartig. Ja, ja, er ist der „Friedensapostel", wie ein Zeitungsartikel ihn nannte, wo die tiefsinnige Behauptung aufgestellt wird: dass die Kriege um Kreuz und Halbmond noch lange nicht so verächtlich seien, als die Kriege für das sogenannte Nationalitätsprinzip.

Leider aber hat sich unser „Friedens-Apostel" noch keineswegs zu dieser Höhe kosmopolitischer Entnationalisirung aufgeschwungen. Er müsste kein Russe sein, wenn man bei ihm den prahlenden Chauvinismus vermissen sollte.

„Achtzig uralische Kosaken waren (laut Katalog) von zwölftausend (wer hat sie gezählt?!) Asiaten überfallen. Sie legten sich platt auf die Erde, ließen auch ihre Pferde niederlegen und wehrten so zwei Tage den Angriff ab. So oft sie ein Parlamentair aufforderte, erwiderten sie: Geh zum .... Endlich gelang es den Ueberlebenden, sich mit ihren Verwundeten auf den Schultern zu retten."

In der Tat, ein kosakisches Bravourstück comme il faut. Man benutzt also die Pferde als lebendes Bollwerk, ohne zu bedenken, dass achtzig Treffschüsse genügten, diese Brustwehr sich im Todeskampf wälzen zu machen, so dass ihre zuckenden Hufe allein genügend wären, die dahinter Liegenden hors de combat zu setzen, ganz unbeschadet der 12000 Asiaten als Zugabe. Man sieht, der Geist des seligen Münchhausen taucht allerorten wieder auf. Aber damit soll nicht etwa dem Verfasser dieses Katalogs ein Vorwurf gemacht werden: das ist ja bloß russisch.

Ich finde es gar nicht überraschend, sondern lese mit ernsthaften Betrachtungen in Puschkins „Hauptmanns Tochter" die Prahlereien Pugatscheffs, wie er ein kleines Scharmützel eine Schlacht nennt, in welcher vierzig Generale und vier Armeen in seine Gefangenschaft gerieten. Sehr schön fährt er fort: „Sollte Friedrich der Große mir wohl gewachsen sein? Schlage ich doch die russischen Generale aufs Haupt und sind diese nicht stets mit ihm fertig geworden?!" (Bei Zorndorf u. s. w.)

Das famose Bulletin „Am Schipka Alles ruhig" hat Wereschagin natürlich nicht unbenutzt vorbei gehen lassen. An sich ist das ja nur eine Wiederholung der berühmten Verlustlisten aus dem Kaukasus, wo ein Kosak zwei Infanteristen, zwei Kosaken ein Infanterist, anmutig abwechseln, wenn ganze Korps vernichtet sind. Die Schrecken dieser Winterkampagne sind in drei kleinen Bilderchen wiedergegeben, wo auf dem ersten der Wachtposten ziemlich, auf dem zweiten zur Hälfte und auf dem dritten ganz eingeschneit ist. Ein noch anderes, wo die Wachtposten in Schnee-Trancheen kauern, scheint mehr gemütlich als schrecklich — auch in der grenzenlosen Nachlässigkeit bei Behandlung des Schnees. Hic Rhodus hic Salta! Du willst uns gruseln machen — nun, so tue es! Ja, dafür ist ja aber der Katalog da!! ...

Nach dem berüchtigten Napoleonischen Schlussbulletin jener unvergesslichen Winterkampagne: „Der Kaiser hat sich nie wohler befunden" hat auch Wereschagin seine Darstellung Kaiser Alexanders vor Plewna gemodelt. Er hätte den unglücklichen Herrscher nach seinem schrecklichen Ende wohl auch mit dieser Persiflage verschonen können. Der wahrhaft boshafte Text, der ganz offenbar nach verleumderischer Uebertreibung schmeckt, soll wahrscheinlich für die klägliche Unfähigkeit der bildlichen Darstellung als Ersatz eintreten. Es lebe die Tendenz! „Wenn Einer eine Dummheit tut, so nennt er's Ironie" ...

Ebenso wohlfeil als unsinnig ist diese Ironie auch in der Verspottung der Skobeleffschen Ansprache nach dem Sieg: „Brüder, ich danke (fettgedruckt) euch!" Warum nicht? Soll ein Feldherr nicht für die Beweise militärischen Mutes danken?

Wenn es sich noch um das Kouplet Suwaroffs nach dem Gemetzel von Ismailia handelte, das Byron persiflirt:

> „Gott und der Czarin Ruhm!" (wie aber kommen Die Zwei zusammen!) „Ismail ist genommen!" —

Aber den ernsthaften würdigen Ausdruck der Anerkennung missbilligen kann nur Tendenzmacherei à tout prix. Doch freilich, Herr Wereschagin zeigt uns ja deutlich den Grund seines Zornes. Ganz in der Ecke enthüllt er die jubelnden Sieger und vorn die ganze Fläche bedeckend, den schaurig sein sollenden, aber sehr zahm, langweilig und ekelhaft wirkenden Anblick des Schlachtfeldes: Leichen ohne Köpfe oder mit eingeschlagenem Schädel!

Wie gesagt, Wereschagin hält den Krieg für ein großes Uebel und zieht Studienreisen im Orient vor! Jeder wird ihm für einen so originellen Geschmack sein Kompliment machen müssen!

Ist es wohl glaublich, dass ein ernsthafter Mann bei Schilderung eines Sturmes plötzlich Gedankenstriche macht: „— — — Eine Masse Verwundeter suchte Schutz im Thal unter der Festung" und dann wieder Gedankenstriche?! Was soll das heißen? Glaubt er, dass Kartätschlagen Lavendelwasser sind und dass man Festungen ohne Verlust erobert? Begreift er denn nicht, dass er sich selber beschämt, wenn er von den Verwundeten berichtet: „Ohne Jammer wartete Jeder ruhig, bis an ihn die Reihe kam"? Also diese ungebildeten Leute hatten mehr Anstandsgefühl, mehr Begriff von der Unvermeidlichkeit und — Notwendigkeit ihres Leidens, als dieser Tendenzmaler?

„Zur ewigen Erinnerung" nennt er (laut der russischen Ueberschrift) die Grabkreuze am Schipka. Ja wohl, an was denn? Zur Erinnerung daran, dass hier Soldaten ihre verfluchte Schuldigkeit taten und für ihr Vaterland litten? Oder war das ihre

Schuldigkeit etwa nicht wie Wereschagin andeuten möchte? ... Auf beiden Seiten wurde für die höchsten Güter gekämpft. Die Türken fochten für ihre Existenz und Religion, die Russen für eine große Staatsidee, angeblich für die Vertreibung kulturfeindlicher Barbarei aus Europa und zum Schutz unterdrückter Stammesgenossen. Wenn auf beiden Seiten furchtbare Gräuel verübt wurden, so entspricht dies nur der angebornen Bestialität der beiden streitenden Rassen.

„Nationale Schranken durchbrechend, ist er zum Apostel der allgemeinen Menschlichkeit emporgewachsen,“ sagt bescheiden seine Biographie, welche dem Kataloge vorgedruckt ist. Diese ganze Prophetie läuft, wie die Engländer sagen, auf „truism“ hinaus. Wer hat denn je den Krieg als etwas Wünschenswertes an sich erachtet? aber wer wäre so erbärmlich, dass er Aussprüche wie:

> Der Gott, der Eisen wachsen ließ,
> Der wollte keine Knechte

oder

> Und wenn uns nichts mehr übrig blieb,
> So blieb uns doch das Schwert,
> Das zorngemut mit scharfem Hieb;
> Dem Trotz des Fremdlings wehrt —
> So bleibt die Schlacht als letzt Gericht u. s. w.

nicht als unumstößliche Wahrheiten, dass er einen solchen Krieg zu Schutz und Trutz des Vaterlandes nicht als einen heiligen betrachtet? Möge der russische Nihilismus sich nicht schmeicheln, dass wir — „nationale Schranken durchbrechend“ — zur ehrlosen Verbrüderungssympathie mit Baschkiren „emporwachsen“. „Der lange blutige schreckliche Krieg“, den uns Skobeleff prophezeite, wird eben dann auch eine von jenen unabweisbaren historischen Notwendigkeiten sein.

Aber meint Herr Wereschagin es denn überhaupt wirklich so ernst?

Was ist denn das für eine Kriegsverachtung, die überall dahin fliegt, wo irgendwo die Trommel gerührt wird? Was ist das für ein sauberer Nihilismus, der im Gefolge von Skobeleff, Gurko, Strukoff als Gast herumreist, um nachher die ganze Affaire lächerlich zu machen?

Aber wir sind weit entfernt, Herrn Wereschagin damit bewusste absichtliche Unehrenhaftigkeit und Zweideutigkeit vorzuwerfen. Gott bewahre! Er ist Russe — er glaubt an seine momentanen Einfälle und hält für Grundstimmung seines Gedankenganges, was ihm später als eine glücklich kombinirte Spekulation einleuchtet. Ist er doch überhaupt kein Nihilist und ein nur sehr platonischer Kriegsverächter!

Er mokirt sich darüber, dass bei der Siegesfeier des Emirs, wo die Köpfe der Ungläubigen auf Stangen gezeigt werden, versichert wird: „Gott hat es gewollt.“ Nun hat zwar der liebe Herrgott eine eigentümliche Gleichgültigkeit gegen tendenziöse Kritik seiner Handlungen und der Emir hat vielleicht in seiner Unschuld ganz recht zu behaupten: „Gott hat es gewollt.“ Wenn aber der russische rechtgläubige Herrgott gewollt hätte, dass das heilige Russland energisch weiter an der Spitze der Civilisation in Asien hineinmarschire und den rechtmäßigen Landesbesitzern den russischen Fortschritt einbläue, statt eine so bedauerliche Abneigung gegen die humanen Bestrebungen der Reußen zu manifestiren — so hätte ihm unser Maler sicher seine wohlwollende Billigung der sittlichen Weltordnung zu erkennen gegeben. Nach den traurigen Erfahrungen des Türkenkrieges steht er aber mit dem Weltgesetze auf so gespanntem Fuße, dass er eine Schädelpyramide, die er in Turkestan gemalt hat, nachträglich „Apotheose des Krieges“ nennt, „gewidmet allen Siegern der Vergangenheit, Gegenwart und Zukunft.“

Vortrefflich! Die Siege von Marathon und Sedan und die Siege der einheimischen Mongolen-Horden wirft er in einen großen Kirchhofwust zusammen. Dergleichen geht ganz leicht. Man könnte ja auch Wereschagins sämmtliche Werke, gute und schlechte, zu einer großen Pyramide zusammenhäufen als: „Apotheose des Humbugs! Gewidmet allen Schwindlern der Vergangenheit, Gegenwart und Zukunft!“

Charlottenburg. Karl Bleibtreu.

Litterarische Neuigkeiten.

Ein sehr wertvolles Werk von Alexander Baumgartner „Goethe, sein Leben und seine Werke“ (Freiburg, Herdersche Verlagsbuchhandlung) ist soeben komplett geworden. Das Werk umfasst drei starke Bände, von denen der erste die „Jugend, Lehr- und Wanderjahre“, der zweite „Die Revolutionszeit, Goethe und Schiller“ und der dritte „Deutschlands Notjahre, der alte Goethe, Faust“ enthält.

„Im Vaterhause“, Roman aus Livlands jüngster Vergangenheit von Leon Hardt (Dresden, C. C. Meinhold & Söhne). Der Gang der Handlung ist sehr schön durchdacht und gut ausgeführt, der Verfasser zeigt auch darin eine feine Kombinationsgabe, um die ihn Viele beneiden könnten.

„Nordafrika im Lichte der Kulturgeschichte“ in gemeinverständlicher Darstellung von Gustav Diercks (München, G. D. W. Callwey). Gerade jetzt erscheint uns die Herausgabe dieses Werkes mehr als gerechtfertigt, die politischen Verhältnisse sind in Nordafrika in den letzten Jahren derartig geworden, dass es nur eines einmal energischen Anlaufs von bestimmter Seite bedürftig, um das Ganze über den Haufen zu werfen. Dass die momentanen Zustände nicht länger so bleiben können, liegt ja wohl klar auf der Hand, es ist nur eine Frage der Zeit, und die ist sicherlich nicht mehr allzufern. Diercks — in unserer Litteratur bereits ein bekannter Name — giebt uns in seinem Werke einen vollständigen Ueberblick der Geschichte und Entwickelung der nordafrikanischen Länder, er charakterisirt mit festem Blicke die Bevölkerung, ihre Zustände von einst und jetzt und giebt uns zugleich damit ein Mittel, über den Wert und die Bedeutung der in Frage stehenden Länder uns ein Urteil zu bilden und auch die politische und kulturelle Fortentwickelung derselben gebührend zu würdigen. Wir müssen daher dem Verfasser, da ein derartiges Werk bisher in gemeinverständlicher Weise nicht existirte, für die dadurch schon längst fühlbare, nunmehr aber vortrefflich ausgefüllte Lücke gratuliren; das Werk verdient unbedingt gelesen und auch gewürdigt zu werden.

Der bekannte Humorist A. von Winterfeld hat soeben bei Herrmann Costenoble in Jena einen neuen dreibändigen komischen Roman „Der Kegelklub" herausgegeben. Winterfeld, einer unserer gelesensten Schriftsteller, bekundet auch hier wieder einen unverwüstlichen Humor, selbst der gröste Hypochonder, wie auch der verbissenste Pessimist würden hier mit lachen müssen und all den Erdenjammer und sonstige Grillen bei der Lektüre dieses Romans vergessen. Die rührige Verlagshandlung hat übrigens in letzter Zeit unsere Romanlitteratur um ein Bedeutendes von schon hinlänglich genug bekannten und auch gewürdigten Autoren durch die Veröffentlichung folgender Werke bereichert: „Vom Fels zum Meer", historische Erzählung aus dem Leben Friedrichs des Großen von Hans von Zollern (3 Bde.), „Der Nonnensusel", ein Bauernroman aus dem Pfälzer Wasgau von August Becker (3 Bde.), „Ville Miraflor", Roman von Robert Byr und „Wildes Blut", Erzählung von Balduin Möllhausen (3 Bde.)

„Ljodika". Vaterländischer kulturgeschichtlicher Roman in drei Bänden von Ferdinand Pflug. (Rostock, C. Hinstorff.) Aus halb zur Sage verklungener Vergangenheit beschwört der verdiente Dichter eine versunkene Welt herauf. Und diese Welt blühte einst auf jenem weltgeschichtlichen Boden, auf dem jetzt der Schwerpunkt der Weltgeschichte beruht: der Mark Brandenburg. Hier wurzelte einst das gewaltige Wendenreich, dieser Föderativstaat, der nur in dem religiösen Kultus und seinen Haupttempeln seine Verbindung fand, sonst aber an ähnlicher Zerrissenheit krankte, wie die deutschen Stämme. Mit diesen Erb- und Erzfeinden der Wenden währte 5 Jahrhunderte lang einer der blutigsten und schwersten Vernichtungskämpfe, den die Geschichte in ihren Annalen verzeichnet.

Heut ist die Blüte eines einheitlichen Volkstums aus dieser blutgetränkten Erde erwachsen. Es ist der Brandenburgisch-Preußische Stamm, welcher die Eigenart jenes stolzen Slavenvolkes und zugleich die der sächsischen Eroberer in sich vereint.

Die landläufige Tradition will, dass die vollständige Germanisirung der Wendenländer durch eine Masseneinwanderung deutscher Ansiedler bewirkt sei. In Wirklichkeit liegt jedoch nur eine Rückgermanisirung vor, wie die gediegensten neueren Forscher als nahezu unzweifelhaft darstellen. Zur Wendenzeit war die Bevölkerung der Mark eine aus Wenden und Germanen gemischte. Diese Germanen bestanden aus den Resten jener Stämme, welche bei der Völkerwanderung in ihren Wohnsitzen zurückgeblieben waren und sich beim Vorrücken der Wenden diesen unterworfen hatten. Nicht von außen durch Einwanderung und Eroberung wurde daher später die so vollständige Alleinherrschaft des Deutschtums in den wendischen Ländern erwirkt, sondern von innen heraus durch das Wiederaufrichten, das Erstarken und Umsichgreifen der sesshaft verbliebenen alten Germanenbevölkerung.

Die Absicht des Verfassers zielt nun nach nichts Geringerem hin, als in einer Folge von selbstständigen Einzelwerken die Wiedererhebung dieser autochthonen Germanenstämme gegen die Wendenherrschaft bis zum Aufgehen der Wendengebiete in den Bestand des deutschen Reiches zu verfolgen.

In dem vorliegenden ersten Roman der Serie hat Pflug die Ljodika-Sage aufgenommen. — die Sage von der Wendenfürstin, die wider Herkommen und Gesetz in ihrer Frauenhand die Herrschaft festzuhalten versuchte. Die kulturgeschichtliche Unterlage beruht auf den umfassendsten Studien. Nur für das Beiwerk der Handlung ist die Phantasie des Romanciers selbsttätig gewesen.

Das farbenprächtige Gemälde, welches Pflug uns entrollt, zeugt von der ungetrübten Kraft jener unerschöpflich lebendigen Erzählungs- und Fabulirungsgabe, welche besonders die militairischen Skizzen und Novellen dieses lange nicht genug gewürdigten Schriftstellers belebt. Derselbe hat unverkennbar auf die Entwickelung einer hervorstechenden Seite der Bleibtreu'schen Dichtung einen anregenden und bestimmenden Einfluss ausgeübt.

Auf die Charakteristik, wie dies bei historischen und kulturhistorischen Dichtungen meist nicht anders sein kann, ist weniger Wert gelegt, als auf die ungemein spannende, flott und markig hingeschriebene Handlung. Doch mag man Gestalten wie Ljodika und Amalgunda, wie Kizo und Walbek, immerhin als gut und tüchtig gezeichnet betrachten.

Die alte Virtuosität der Kampfschilderung zeigt Pflug in der Darstellung der großen Wendenschlacht gegen Ottos III. Reichsaufgebot.

Die Sprache ist durchaus modern und jedes Archaismus bar. Es mag sich über die Richtigkeit dieser Modernisirung des Stils streiten lassen — oder, gerade heraus, wir halten diese Verletzung jedes Realismus für die Verdammung des historischen Romans überhaupt, der doch nur dann realistisch wirkt, wenn wie bei Willibald Alexis, zugleich die Sprache der Vergangenheit getreu kopirt wird. Doch müßen wir nicht unerwähnt lassen, im Gegensatz sowohl zu den rein episodischen Kostümbildern Freytag's als auch irrlichtelirenden Versuchen angeblicher „Realisten," das uns so fernliegende und interesselose cäsarische Römertum unablässig widerzukäuen, dass Pflugs Werk einen wirklich neuen und interessanten Stoff zum Vorwurf wählte, der uns zugleich patriotische Betrachtungen erweckt, und dass bei ihm ein wirklicher Zug ins Große zu spüren ist. Bei ihm handelt sichs nicht um farbensatte Buenibachanale sondern um „das große gewaltige Schicksal, welches den Menschen erhebt, wenn es den Menschen zermalmt".

Der Stil Pflugs ist flüssig und wohlgepflegt, leidet aber unter einigen Absonderlichkeiten seiner Manier, z. B. der Vorliebe für Partizipien. Ein Beispiel für tausend: . . „Deinen schon von dir unfechtbar gehaltenen Besitz." Ebenso verfällt Pflug manchmal in ein seltsames Zeitungsdeutsch von einer gewissen schwerfälligen Umständlichkeit. Z. B.: „In dieser Nacht konnten alle Naturdämone als entfesselt angenommen werden" für „schienen" oder noch bündiger „waren entfesselt".

„Durch Nacht zum Licht," Bilder aus Deutschlands Vergangenheit. Ein patriotisches Festspiel von A. Pusch, gewidmet dem „Verein deutscher Studenten" zu Berlin zu seinem 5. Stiftungsfest. (Im Selbstverlage des Autors). In einer Reihe von Bildern führt Herr Pusch die deutsche Geschichte an uns vorüber. „Armin" „Heinrich IV. zu Canossa", (wohin wir bekanntlich niemals gehn.) „Hutten", „der große Kurfürst", „Freiheitskampf" veranschaulichen die Entwickelung Deutschlands. Die Arbeit verrät viel guten Willen und poetische Begabung.

Bei H. Hässel in Leipzig erschien: „Aus Herrn Walthers jungen Tagen". Eine Geschichte aus Oesterreichs Vorzeit von Victor Wodiczka.

Kaum haben wir das Erscheinen von mehreren Bändchen der bekannten Reclam'schen Universalbibliothek angezeigt und schon wieder sind wir in der Lage 10 weitere (2161 bis 2170) zu nennen. Dieselben enthalten: „Bojardo's verliebter Roland", deutsch von J. D. Gries, neu herausgegeben von Wilhelm Lange (2161—2168), Wien, neues humoristisches Skizzenbuch von Eduard Pötzl (2169). „Ueber die Kraft" von Björnstjerne Björnson, übersetzt von L. Passarge (2170).

„Realistische Novellen" von Emile Zola. Uebersetzt von P. Heichen. (Leipzig, Unflad.) Das Auffallende in diesem Bande von „realistischen" Novellen besteht darin, dass die rein phantastischen Stücke („Das Blut," „Der Vampyr") und die köstlichen intimen Naturschilderungen bei weitem das Beste von Zola's Können darstellen, während die rein realistischen Stücke entweder wie „das Tanzbüchlein," „Das Fest in Coqueville" sich als harmlos liebenswürdige Farcen geben oder wie „Naïs Micoulin," „Madame Neignon," vor allem „Nantas" nicht an übergroßer Wahrscheinlichkeit leiden. In „Natas" ist das interessante Motiv nirgends vertieft und vor allem fragt man fortwährend verwundert wo die „Folge des Fehltritts," nämlich das erwartete Kind der Baroness Flavie, geblieben ist. Natürlich hätte dasselbe die Lösung des Knotens erheblich beschwert; Daher schweigt sich des Sängers Höflichkeit darüber vollständig aus. Das ist aber nie und nimmer realistisch zu nennen. Die ganze herrliche Schilderungskraft Zolas zeigt hingegen „die Erstürmung der Mühle," eine Episode aus dem Deutsch-französischen Krieg — wie denn überhaupt von der kleinen Gemeinde den wirklichen Kenner gegenüber dem banausischen Gewäsch des Laienpöbels, Zola als Realist anfechtbar erscheint, als Dichter aber über allen Zweifel erhaben ist.

Alle für das „Magazin" bestimmten Sendungen sind zu richten an die Redaktion des „Magazins für die Litteratur des In- und Auslandes" Leipzig, Georgenstrasse 6.

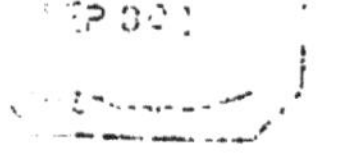

Das Magazin

für die Litteratur des In- und Auslandes.

Wochenschrift der Weltlitteratur.

1882 gegründet von Joseph Lehmann.

55. Jahrgang.

Herausgegeben von Karl Bleibtreu.

Preis Mark 4.— vierteljährlich.

Verlag von Wilhelm Friedrich in Leipzig.

No. 37. Leipzig, den 11. September. 1886.

Inhalt:

Friedrich der Grosse als Philosoph.

Zellers, des berühmten Geschichtsschreibers der Philosophie, Werk über „Friedrich den Großen als Philosoph“*) ist ein Buch, das sich nicht nur an die Fachgenossen wendet, sondern für das ganze gebildete Publikum bestimmt ist. Wir wünschten, dass es jeder Familienbibliothek einverleibt würde. Es ist ein Werk der Liebe; und welcher Geist verdiente es mehr, dass man sich liebevoll in sein Gedankenleben vertiefte, als der des Philosophen von Sanssouci? Die durchsichtige, fesselnde Darstellung, welche das vorliegende erste deutsche Werk über Friedrichs Philosophie auszeichnet, machen dasselbe zu einer höchst erfreulichen Lektüre.

„Friedrich selbst,“ sagt Zeller, „stand die Philosophie im Mittelpunkt seines Bewusstseins; sein Ideal war der Philosoph auf dem Trone; und so weit auch der Herrscher in ihm den Forscher überragt, so wenig lassen sich doch die Dienste verkennen, welche seine Philosophie dem Jüngling wie dem Greise ein langes Leben hindurch geleistet hat.“ Zeller beginnt seine Darstellung mit der Erörterung des Verhältnisses Friedrichs zu gleichzeitigen und früheren Philosophen und spricht sodann über seine Ansichten über Gott, Welt und Unsterblichkeit. Das Dasein eines Gottes hat der große König niemals bezweifelt. Die Zweckmäßigkeit der Welteinrichtung schien ihm ein unwiderleglicher Beweis ihres göttlichen Ursprungs zu sein; dagegen glaubte er nicht an eine auf das Einzelne sich erstreckende Vorsehung, so wenig wie an eine Unsterblichkeit der Seele. Auf diesen letztgenannten Gegenstand kommt „er sehr oft, in Briefen, Gedichten und Gesprächen, und er erklärt sich darüber immer in dem gleichen Sinne. So schließt er z. B. in dem Gedicht an Keith aus der Abhängigkeit unseres Denkens vom körperlichen Organismus, dass es denselben unmöglich überleben könne; und er fügt bei, er sehe dem Ende seines Daseins ruhig entgegen, er werde nach demselben so wenig unglücklich sein, als er dies vor seinem Anfang gewesen sei, und es werde ihm nicht einfallen, über das Naturnotwendige zu murren. Er lässt die Natur in einer schwungvollen Ansprache den Menschen vorhalten, wie wenig sie Grund haben, sich darüber zu beklagen, dass sie eines Tages wieder zurückfordere, was sie ihnen geliehen habe; er macht sie aufmerksam darauf, dass ein längeres Leben nur ein zweifelhafter Gewinn für sie wäre; er erinnert an den Wechsel aller Dinge in der Welt, bei dem die Reihe auch an uns kommen müsse; er fordert uns auf, im Tode das Ende aller Leiden zu sehen; in das Menschenlos, das die Größten nicht verschont habe, uns zu fügen, und ohne Furcht vor Strafe, ohne Aussicht auf Lohn, rein aus Menschenliebe und aus Pflichtgefühl das Rechte zu tun, ohne Klage zu sterben und der Welt unsere guten Taten zurück zu lassen. Von sich bezeugt er, so oft er auch am Rande des Todes gestanden habe, so habe doch die Furcht sich nie seiner bemächtigt; was er in gesunden Tagen als Irrtum anerkannt hatte, sei in kranken für ihn nicht zur Wahrheit geworden, kein Zweifel habe sein Bewusstsein gestört, und er habe den Tod festen Blickes ins Auge gefasst.“

*) Berlin, Weidmann, 1886.

Der Schilderung von Friedrichs Ansichten über Gott, die Natur und die menschliche Seele folgt eine Besprechung seiner Lehren über das sittliche Leben, seine Aufgaben und Gesetze, und über das Staatsleben; sodann wird über Friedrichs Stellung zur Religion und über seine Ansichten über Unterricht und Erziehung gehandelt; ein „Rückblick" beschließt das Werk. Dem königlichen Philosophen zu Folge sind für das Glück der Gesellschaft nicht unsere Meinungen, sondern nur unsere Handlungen von Bedeutung; „einem menschenfreundlichen Manne könne man die ungereimtesten Meinungen verzeihen, während man den orthodoxesten Lehrer verabscheuen müsse, wenn er ein harter und grausamer Mensch sei." „Die Wissenschaften," schreibt Friedrich an Voltaire, „müssen als Mittel betrachtet werden, uns zur Erfüllung unserer Pflichten fähiger zu machen." In einem Gedicht an den Minister von Frankenstein führt er aus, dass Geradheit des Charakters, Reinheit des Herzens und Pflichttreue mehr wert seien, als die glänzendsten Eigenschaften des Geistes. „Wenn Friedrich, bemerkt Zeller, „den Werth der Philosophie an erster Stelle darin sieht, dass sie uns unsere Pflicht zu tun lehre, so stimmen damit alle jene Erklärungen über die Unbedingtheit der sittlichen Verpflichtungen überein, deren lebendiges Beispiel seine Regententätigkeit bis zum letzten Augenblick gewesen ist. ‚Es ist nicht notwendig, dass ich lebe, wohl aber, dass ich meine Pflicht tue.' ‚Ich gehe meines Weges, tue nichts gegen die Stimme des Gewissens und kümmere mich nicht um das Gerede der Menschen.' ‚Mein Körper und mein Geist haben sich ihrer Pflicht zu fügen. Ich muss nicht leben, aber ich muss handeln.' In diesen und ähnlichen Aeußerungen spricht sich der Gedanke der sittlichen Verpflichtung mit einer Strenge und einem Nachdruck aus, zu dem Kants kategorischer Imperativ in der Sache nichts hinzufügen konnte. Der Königsberger Philosoph hat in dieser Beziehung nur formulirt, was ihm in seinem König nicht nur als lebendige Tatsache, sondern auch als bewusster Grundsatz gegeben war."

Berühmt geworden ist Friedrichs Maxime, auf die er immer wieder zurückkommt, dass der Fürst nur „der erste Diener des Staates" sei, oder der erste Beamte, der erste Minister (le premier serviteur de l'État, le premier magistrat, le premier ministre). In seiner Staatsauffassung geht er von der natürlichen Gleichheit und den natürlichen Rechten aller Menschen aus, und er wünscht, dass die Könige zu Menschen und die Fürsten zu Bürgern gemacht werden könnten; und auf den rechtschaffenen Mann hält er viel mehr, als auf den mächtigsten Herrscher. Alle Menschen stehen sich gleich, und ihr sittliches Verhalten sei das Einzige, was einen wirklichen Wertunterschied zwischen ihnen begründet. Von diesem Standpunkte aus, bemerkt Zeller, unterwirft er nicht selten „seine Standesgenossen und ihre Höflinge einer so scharfen und unumwundenen Beurteilung, dass man glauben könnte, man höre nicht ein gekröntes Haupt, sondern einen von jenen Volkstribunen, welche durch ihre Schriften der Revolution die Wege gebahnt haben." In seinem „Codicille" lässt er sich „mit der tiefsten Geringschätzung über die Mehrheit der damaligen europäischen Potentaten, die Könige von Frankreich, Portugal, Spanien, Neapel, Sardinien, Dänemark, Schweden und Polen aus, deren Nichtigkeit zu der Meinung ein Recht gebe, qu'on ne peut être roi sans qu'on soit une bête."

„Nichts," sagt Zeller, „ist Friedrich von der großen Mehrzahl seiner Zeitgenossen mehr verdacht worden, und nichts hat ihn einer Minderheit unter denselben mehr empfohlen, als die Entschiedenheit, mit der er sich im Kampfe der Aufklärung, mit der religiösen Autorität auf die Seite der ersteren stellte." Das Kapitel, in welchem dieser Gegenstand erörtert wird (S. 124—156), wird man mit ganz besonderem Interesse lesen. Es steht so Vieles darin, was gerade heutigen Tages Bedeutung hat.

Berlin. G. v. Gizycki.

A Tale of a lonely Village by F. Marion Crawford.

London, Macmillan und Tauchnitz Edition.

Ein neues Buch von F. M. Crawford ist immer gewissermaßen eine Ueberraschung, weil der Verfasser jedes Mal eine neue Saite anzuschlagen und uns schon allein durch seine Vielseitigkeit zu imponiren weiß.

Auf sein Erstlingswerk, das ihm schnell einen Namen machte, „Mr. Isaacs", diesem wunderbar anziehenden Roman aus dem heutigen Indien, in welchen die Mystik vergangener Jahrhunderte hineinklingt, folgte „Dr. Claudius", eine durchaus moderne internationale Liebesgeschichte, in der die Verhältnisse in einer kleinen deutschen Universitätsstadt, so wie das rasch pulsirende äußerlich glänzende Leben einer amerikanischen Großstadt und des fashionablen Badeortes Newport mit gleicher Gewandtheit geschildert werden; dann „Ein römischer Sänger", mit den unvergleichlichen Szenen römischen Kleinlebens in feinster Miniaturmalerei, — „Mit dem Winde" (To Leeward) ein farbensattes, in die Glut des Südens getauchtes Bild ungezügelter Leidenschaft, welche die Schranken der Sitte durchbricht, ein hinreißend fesselndes Buch, das man nicht aus der Hand legen mag, ehe man das letzte Wort gelesen, dessen höchster Wert mehr noch als in der künstlerischen Gestaltung darin liegt, dass trotz aller Irrungen und Wirrungen der Leidenschaft, der ethische Standpunkt auch nicht einen Augenblick verschoben wird, so dass das Buch, richtig aufgefasst, im besten Sinne des

Wortes moralisch genannt werden muss, obgleich (oder weil) darin nicht moralisirt wird. „Ein amerikanischer Politiker" steht nicht auf gleicher Höhe mit den vorhergehenden Werken, das Buch ermangelt der Einheit und des allgemeinen Interesses, so hübsch einzelne Partien sind. In „Zoroaster" wendet sich Crawford wieder nach dem Orient, man erkennt hier den Verfasser von „Mr. Isaacs" eher wieder, als in irgend einem andern seiner Werke, aber er greift weit zurück in uralte Vergangenheit und in klangvoll bilderreicher Sprache, die für seinen Vorwurf passt, wie der Faltenwurf orientalischer Prachtgewänder für seine Gestalten, erzählt er uns von dem Leben und der geistigen Entwicklung des Stifters der persischen Religion.

Nach mancher Ansicht war Crawford hiermit von Neuem in sein rechtes Fahrwasser eingelenkt; man erwartete wieder eine phantastisch-poetische Erzählung, eine orientalische Dichtung, — statt dessen kommt eine einfache Geschichte aus einem stillen Dorfe in England, in welcher keine der handelnden Personen etwas Außerordentliches oder gar Heroisches an sich hat, keine sich merklich über das allgemeine Niveau erhebt, noch, mit einer Ausnahme, unter ungewöhnlichen Verhältnissen auftritt. Aber mit welcher Meisterschaft sind diese Alltagsmenschen dargestellt, in Sprache und Geberde bis in die feinsten Nuancen individualisirt und uns so nahe gebracht, dass wir für sie Teilnahme empfinden, wie für unsere genauesten Bekannten! Da ist zunächst der treffliche Rev. Augustin Ambrose, der Vicar des kleinen Kirchspiels, der die glänzenden Hoffnungen seiner Jugend längst begraben und sich in dies einförmige Leben eines Landpfarrers gefunden hat, alle vierzehn Tage eine Predigt schreibt und für die übrigen Gelegenheiten eine alte zustutzt, ein treuer Berater seiner Gemeinde und nach Kräften Helfer in allen Bedrängnissen, nicht in bedrückten, aber doch gewissermaßen beschränkten Verhältnissen lebend, die er durch die in England beliebte Aufnahme von Privatschülern in sein Haus zu verbessern weiß, obschon ihm mit den Jahren seine Lehrtätigkeit immer schwerer fällt und Thucydides und Homer, ja sogar sein geliebter Horaz, ihm allmählich langweilig werden. Neben ihm steht seine bessere Hälfte, ohne die er nicht bestehen und vor der er kaum einen Gedanken verbergen kann, Mrs. Ambrose, die sein behagliches Haus musterhaft hält, mit ihm die Freude an seinem selbstangelegten Garten teilt, für das leibliche Wohl seiner Zöglinge ebenso gewissenhaft sorgt, wie er für das geistige, seiner schrankenlosen Großmut gegen die Armen aber gern einen Zügel anlegt und überhaupt stets mit ihrem praktischen und vorsichtigen Rat bei der Hand ist; denn sie ist zwar auch wohlwollend, aber doch nicht so arglos und vertrauensselig wie ihr guter Augustin. Sie ist die echte Engländerin von Kopf bis Fuß, namentlich auch in dem Argwohn, mit dem sie die Fremde betrachtet und wenn ihr etwas bedenklich an ihr erscheint, sofort auf die Vermutung verfällt: „es muss ausländisches Blut in ihr sein".

Diese Fremde, keine Ausländerin, nur aus einer anderen Grafschaft, welche plötzlich im stillen Billingsfield ihre Wohnung nimmt, ist insofern die Heldin des Buches, als sich um ihr Geschick und die Lösung desselben alle übrigen Personen gruppiren und mehr oder minder daran beteiligt werden. Im Uebrigen ist Mrs. Goddard keine Romanheldin im gewöhnlichen Sinne des Wortes, sie ist eine feine, liebenswürdige Frau, über die erste Jugend hinaus; schmerzliche Erfahrungen liegen hinter ihr; sie glaubt mit dem Leben, oder doch mit dem, was man Lebensglück nennt abgeschlossen zu haben und sucht nur Ruhe und ländliche Stille, um sich ganz ihrem Töchterchen widmen zu können. Aber sie hat den Zauber weiblicher Anmut bewahrt und unbewusst zieht sie Herzen an sich, wie sie ebenfalls unbewusst für das kleine Dorf bald der Gegenstand neugierigen Interesses wird. Zuerst bezaubert ihre bloße Erscheinung den jungen John Short, des Vicars besten Schüler und Schützling. Diese jugendliche Schwärmerei, welche den feurigen Studenten zum Abfassen griechischer Oden begeistert, deren Deklamation der heimlich Angebeteten nicht erspart bleibt, und die sich dann im Laufe der Zeit, unausgesprochen, wenn auch durch Ausbrüche kindischer Eifersucht verraten, allmählich abkühlt, als John, der seitdem etwas mehr von der Welt gesehen, bemerkt, dass seine Angebetete doch nicht mehr so ganz jung sei, — diese trotz all ihrer Torheit ideale Jugendneigung ist mit unübertrefflichem Humor dargestellt, und in vollem Gegensatz dazu erscheint die ernste tiefe Zuneigung des gereiften Mannes, Squire Juxon, des Gutsherrn, welche in inniger Teilnahme für die allein dastehende Frau, oder, wie er meint, Wittwe, ihren Anfang nimmt. Dass Mrs. Goddard nicht Wittwe, sondern die schuldlose Gattin eines schuldbeladenen Mannes ist, der um eines Verbrechens aus der menschlichen Gesellschaft ausgestoßen ist, ohne dass darum das Band ihrer unglücklichen Ehe gelöst wäre — das ist der Knotenpunkt, um den sich die Erzählung dreht, die wie ein freundliches Idyll beginnt und sich im Verlauf zum Pathos einer ergreifenden Tragödie steigert. Mehr aber darf nicht verraten werden; der Leser wird selbst mit immer steigendem Interesse die Handlung verfolgen, die sich mit dramatischer Lebendigkeit vor ihm abrollt und wird immer von Neuem auf kleine feine Züge stoßen, welche die auftretenden Personen charakterisiren. Wir lernen sie alle ganz genau kennen und können uns zu ihren Worten fast den Ton der Stimme hinzudenken, so scharf und klar sind sie alle individualisirt. Ein Meisterstück ist die kleine Nellie Goddard, sie greift nicht viel ein in die eigentliche Handlung, aber man ist sich immer der Gegenwart des Kindes bewusst und empfindet den Einfluss mit, den diese reine Nähe des lieben unschuldigen Geschöpfes auf die Anwesenden ausübt — die Kunst, Gestalten Leben zu verleihen, uns ihre Gegenwart empfinden zu lassen, zeigt sich endlich in merkwürdigem Grade in Bezug auf den Hund Stamboul, der fast immer Squire Juxons Begleiter ist, und der schließlich, als Verteidiger seines Herrn, die Katastrophe herbeiführt.

Der Schärfe und Feinheit der Zeichnung der Personen entspricht die Treue und Eigenartigkeit der Lokalfarbe: Billingsfield ist ein englisches Dorf, aber nicht nur das, es ist ein Dorf in Essex im Südosten Englands, mit all seinen Eigentümlichkeiten. Es scheint unglaublich, dass nicht ein echter Engländer dieses Buch geschrieben habe — Mr. Crawford ist bekanntlich amerikanischer Abkunft, in Rom geboren, der den größten Teil seines Lebens in Italien zugebracht hat. Indessen in seiner Jugend war er um seiner Studien willen einige Jahre in England, war Schüler eines Landpfarrers in Essex — und nach Jahren taucht die Erinnerung an diese Zeit, an das stille Dorf und seine Bewohner wieder auf. Der wahre Dichter nimmt seinen Stoff am liebsten aus dem vollen Menschenleben, — seine Phantasie gestaltet ihn plastisch, haucht ihm neues Leben ein, verwebt ihn mit ihren eignen Schöpfungen und erhebt ihn so in das Reich dichterischer Wahrheit.

Es kann nichts einfacher, wahrer und natürlicher sein, als diese Geschichte aus einem stillen Dorfe, und doch ist darin keine Spur von dem, was man in neuerer Zeit Realismus oder Verismus zu nennen beliebt. Es ist der gesunde Realismus der besten englischen Schriftsteller, dem wir hier begegnen und wenn unter diesen an einen besonders, so erinnert uns dieses Buch einigermaßen an George Eliots Erstlingswerk, „Scenes of Clerical Life“, in welchem die berühmte Verfasserin auch schlichte einfache Menschen darstellen wollte, wenn man will Alltagsmenschen, deren Denken und Fühlen sie uns nahe brachte und bei denen uns im Grunde am meisten das rein Menschliche, das Gemüt, fesselt. — Das Gute, was in jeder Menschenseele liegt, ob auch manchmal getrübt und verdunkelt, das ist es, wofür Crawford überall unser Interesse gewinnen will und auch in der Tat gewinnt. Besonders in diesem seinem letzten Werke schlägt er durchweg diesen klaren gesunden Ton an.

Er sagt in einem seiner früheren Werke (An American Politican): „Es ist eine beliebte und charakteristische Ansicht unserer modernen Gesellschaft, Güte mit Langweiligkeit in Verbindung zu bringen und folglich, glaube ich, Schlechtigkeit mit Allem, was lustig, interessant und unterhaltend ist, verbunden zu denken. In der ganzen Geschichte der Welt giebt es nichts Verkehrteres, Abgeschmackteres und Verwerflicheres als diese Ansicht“ — welche, wie wir anerkennend hinzufügen, der geniale Autor selbst glänzend widerlegt hat.

Imola. Therese Hoepfner.

Rückblick.

Eh' mir aus der Scheide schoss
Blitz und blank der Degen,
Ließ noch einmal Mann und Ross
Kurzer Rast ich pflegen.

Und die Hand als Augenschild,
Meine Lider sanken,
Rasch vorbei, ein wechselnd Bild,
Flogen die Gedanken.

Kinderland, du Zauberland,
Haus und Hof und Hecken.
Hinter blauer Wälderwand
Spielt die Welt Verstecken.

Weiter nun in bunten Reih'n
Zog mein wüstes Leben.
Wenig Taten, vieler Schein,
Windige Spinneweben.

Würfel, Weiber, Wein, Gesang,
Jugendrasche Quelle,
Und im wilden Wogendrang
Schwamm' ich mit der Welle . . .

Doch Dragoner glänzen hell,
Dort an jenem Hügel!
An die Pferde! Fertig! Schnell
Klebt der Sporn am Bügel.

Zügel fest, Fanfarenruf,
Donnernd bebt der Rasen.
Bald sind wir mit flücht'gem Huf
An den Feind geblasen.

Hurrah, Fluch und Stoß und Hieb,
Kann den Arm nicht sparen,
Wo mir Helm und Handschuh blieb,
Hab' ich nicht erfahren.

Sattelleere, Sturz und Staub,
Klingenkreuz und Scharten.
Trunken schwenkt die Faust den Raub
Flatternder Standarten.

Täuschend gleicht des Feindes Flucht
Tollgehetzten Hammeln.
Freudig ruft in Wald und Schlucht
Mein Signal zum Sammeln.

Schweiß und Blut an Stirn und Schwert,
Lass es tropfen, tropfen.
Dankbar muss ich meinem Pferd
Hals und Mähne klopfen.

Nächtens dann beim Feuerschein,
Nach des Kampfes Mühe,

Fielen mir Gedanken ein
Aus des Tages Frühe.

Schwamm' ich viele Jahre lang
Steuerlos im Leben,
Hat mir heut der scharfe Gang
Wink und Ziel gegeben.

Kellinghusen.

Detlev Freiherr von Liliencron.

Der Staat und die Litteratur.

Von Conrad Alberti.

(Schluss.)

Die erste Pflicht des Staates in sozialer Hinsicht ist, jeden bei seiner Arbeit zu schützen, ihm den vollen Ertrag derselben im Inlande wie im Auslande durch Beseitigung aller entgegenstehenden Hindernisse zu sichern. Jeder aber, der nur einigermaßen mit den litterarischen Verhältnissen vertraut ist, weiß, dass es in unserem Lande, dem Staate des „Schutzes der nationalen Arbeit", mit der Sicherheit des litterarischen Eigentums noch sehr windig aussieht. Litterarisches Eigentum ist in Deutschland nicht wie jedes andere Eigentum an sich schon gegen Diebstahl und Missbrauch geschützt, sondern muss sich den Schutz der Gesetze durch eine besondere Erklärung des Verfassers in betreff des Nachdrucksverbots erst sichern. Bricht in meiner Abwesenheit Einer in meine Wohnung ein, nimmt einen vollständigen, neuen Anzug aus meinem Kleiderschranke, trägt ihn ein Vierteljahr und schickt ihn mir dann in völlig desolatem Zustande wieder zurück, so wird ein solcher, wenn er erwischt wird, an sich schon bestraft, auch im Fall mein Anzug, als ihn der Spitzbube raubte, nicht an einen angehefteten Zettel die Bemerkung trug: Das unberechtigte Tragen dieses Anzugs ist verboten. Verabsäume ich aber eine für eine Zeitung bestimmte novellistische, wissenschaftliche oder feuilletonistische Arbeit durch die ausdrückliche Klausel: „Nachdruck verboten!" zu schützen, so ist sie vogelfrei. Jedem leuchtet der Widersinn einer solchen Bestimmung ein. Baue ich mir heut ein Haus, so gehört dasselbe mir und meinen Erben, falls ich es nicht vorher verkaufe, oder subhastirt oder exproprirt werde, eigentümlich bis an Ende der Welt und niemals darf irgendwer dasselbe ganz oder teilweise ohne meine oder meiner Erben Einwilligung beziehen und ohne Entschädigung benutzen. Das Erzeugnis des Nachdenkens, einer oft Jahrelang angespannten Geistestätigkeit aber darf dreißig Jahre nach dem Tode des Urhebers jedermann frei nachdrucken oder aufführen und war ich in der Wahl meiner Eltern nicht vorsichtig und habe das Unglück Tobias Schnauzelmeyer oder Jeremias Bandwurm oder Feibusch Lewy zu heißen oder einen mir gleichnamigen völlig talentlosen Vetter oder Onkel zu besitzen, der ebenfalls schriftstellert und mit dem ich nicht gern verwechselt werden möchte, kurz, sehe ich mich aus ästhetischen oder andern Gründen gezwungen auf den Titeln meiner Schriften ein Pseudonym anzunehmen, unter dem mich vielleicht die ganze gebildete Welt kennt, so genießt meine Arbeit gar nur dreißig Jahre lang nach ihrem Erscheinen den Schutz der Gesetze und wird alsdann vogelfrei. Diese Beispiele, denen sich noch viele ähnliche anreihen ließen, beweise schon zur Genüge, dass die Arbeit und das Eigentum des deutschen Schriftstellers seitens des Staats lange nicht so geschützt sind wie jede andere Arbeit, jedes andere Eigentum. In Amerika, Russland, Holland u. a. L. ist deutsches litterarisches Eigentum vollständig vogelfrei, der Plünderung jedes Banditen von Zeitungs- oder Buchverleger preisgegeben und da in Deutschland kaum eine gute Novelle, ein gutes Feuilleton erscheinen kann, ohne sofort von deutsch-amerikanischen oder deutsch-russischen Blättern nachgedruckt und von andern in die Sprache des Landes übersetzt zu werden, und natürlich auch der Nachdruck aus amerikanischen und russischen Blättern den deutschen freisteht, so ist faktisch auch das litterarische Eigentumsrecht in Deutschland selbst in vielen Fällen wenigstens nach der Anschauung unserer Gerichte ein Messer ohne Stil und Klinge. Wenn der deutsche Schriftsteller in seinem Vaterlande die Früchte seiner geistigen Tätigkeit genießen will, so ist er auf den bloßen Zufall angewiesen, dass ein Teil des Auslandes ihn nicht bestehle, denn geschieht dies, so ist auch sein Eigentumsrecht in den meisten Fällen in Deutschland vor unsern deutschen Gerichten selbst kaum mehr aufrecht zu erhalten. Und solch haarsträubende Zustände finden sich im neunzehnten Jahrhundert im ersten Kulturstaat der Welt. Es besteht kein ausdrückliches Gesetz, welches deutschen Zeitungen den Nachdruck von in solchen Ländern, die mit uns nicht in Litterarkonvention stehen, erschienenen litterarischen Erzeugnissen untersagt, deren Verfasser deutsche Bürger sind! In Ländern, in denen Millionen Deutsche wohnen, in denen beinahe mehr deutsche Zeitungen und Bücher gekauft werden, als in Deutschland selbst, ist deutsches litterarisches Eigentum vollständig schutzlos! Die Summen, die deutschen Schriftstellern durch Nachdruck und Uebersetzungen in diesen Ländern verloren gehen, zählen alljährlich nach Hunderttausenden. Und für eine Regierung, die solches ungestraft geschehen lässt, die nicht Alles, ihren stärksten Einfluss aufbietet, auf die Abschaffung solch himmelschreiender Zustände hinzuwirken, sollte der deutsche Schriftsteller Sympathie empfinden, den Männern an ihrer Spitze, die so wenig für die natürlichsten Rechte seines Standes sorgen, dürfte er in Vers und

Prosa huldigen und sich fast zum Speichellecker derselben erniedrigen? Das wäre Selbstmord, das wäre Verrat am Stande! Niemand ist so kindisch zu glauben, dass es der deutschen Reichsregierung und zumal dem allgewaltigen an ihrer Spitze stehenden Manne, wenn er ernstlich wollte und nur das Interesse für einen nach Tausenden zählenden Stand besäße, das dieser zu beanspruchen berechtigt ist, bei ihrem mächtigen politischen Einfluss und zumal bei ihren angeblich engen freundschaftlichen Beziehungen zu Amerika und Russland, nicht ein leichtes wäre dem deutschen Schriftstellerstande zu seinen Rechten zu verhelfen. Auch mit Unkenntnis der tatsächlichen Verhältnisse entschuldige sie sich nicht, denn oft genug sind ihr in Petitionen und öffentlichen Blättern die Letzteren dargelegt worden und überdies kann ein über achttausend Mitglieder zählender Stand wohl verlangen, dass der Staat, in dem er lebt, sich um die Grenzen seiner natürlichen Rechte von selbst bekümmere und sie aus eigenem Antriebe zu befestigen suche. Wenn der deutsche Schriftsteller pünktlich seine Steuern mit zu dem Zweck zahlen muss, dass ein paar Hamburger Handelshäusern durch preußische Beamte und Korvetten ihre Eigentumsrechte an den Küsten Afrikas erhalten bleiben, so ist er auch berechtigt gleichen Schutz für sein Eigentum in allen Ländern zu verlangen, in denen demselben Gefahr droht.

Aber wie darf der deutsche Schriftsteller von seinem Staate und den Lenkern der Geschicke dasselbe Interesse für seinen Beruf voraussetzen, wenn ihm sogar von seiten derselben die Achtung verweigert wird, die zu fordern ihn vielleicht nicht immer seine Person, sicher aber stets sein Beruf berechtigt, die Stellung, welche er zur kulturellen und geistigen Entwicklung seines Landes einnimmt. Wir leben — und wir dürfen sagen Gottlob! — in einem monarchisch regierten Lande und der Grad der Achtung, welchen die Rangordnung des Hofes für jeden einzelnen Bürger bestimmt, ist demnach natürlicherweise maßgebend für den Grad der Achtung, den jeder Bürger als Glied seines Standes im ganzen Lande genießt. Wer fände aber nur ein Wort einer vernünftigen Erklärung dafür, dass bei Hofe der simpelste, beschränkteste Sekondelieutenant bloß um seines zweifarbigen Rockes willen dem verdientesten Dichter, der schon dauernde Meisterwerke geschaffen, vorangeht? Ein Schriftsteller, der sich eine solche Erniedrigung ruhig gefallen lässt, ist zu bedauern. Wie traurig sieht es um ein Land aus, indem es Aufsehen erregt, wenn einmal ein namhafter Dichter bei Hofe empfangen wird oder sich einiger Beziehungen zum Hause des obersten Beamten des Landes erfreuen darf! Als ob dergleichen nicht die Regel, zum mindesten ein Gewohntes sein müsste! Und nur in diesem Falle wird es den deutschen Schriftstellern auch möglich sein, diese Kreise lebenswahr und farbensatt darzustellen, wie es bei unsern vielgeschmähten westlichen Nachbarn schon längst der Fall ist, und nur dann wird die deutsche Litteratur aus ihrer öden, trostlosen, unerträglichen Kleinbürgersphäre und Buchholzenhaftigkeit endlich einmal herauskommen. Es ist Pflicht des Schriftstellerstandes darnach zu streben, seine Vertreter zu allen öffentlichen Akten und Feierlichkeiten offiziell eingeladen und zugezogen zu sehen, als der Dolmetsch der öffentlichen Meinung, als der Darsteller und Schilderer der öffentlichen Verhältnisse des Landes und der Gesellschaft hat er Anspruch darauf. Auch in vielen andern Fällen geschieht dem Schriftstellerstande von seiten des Staats noch lange nicht die Ehre, die ihm gebührt, ich führe nur das schon oft erwähnte Beispiel an, dass in der preußischen Akademie der Wissenschaften nicht ein einziger der namhaften Vertreter des modernen deutschen Schrifttums Platz gefunden hat. Auf Zuerkennung der ihm gebührenden Ehre streng zu halten, den Gelehrtendünkel eines Mommsen und ähnlicher Pedanten, die sich gegen die Aufnahme von Vertretern des deutschen Schrifttums in die Akademie mit Hand und Fuss sträuben, streng und beharrlich zu bekämpfen, ist eine Hauptaufgabe des Schriftstellerstandes.

Wenn es die Pflicht des Staates ist, diejenigen Berufszweige und Stände, welche am meisten für seine Ehre, seinen Ruhm in der gebildeten Welt, seine idealen Reichtümer, für die Fortbildung seines kostbarsten Besitzes, z. B. der Sprache sorgen, kräftig zu unterstützen und zu fördern, wenn man nicht bestreiten kann, dass dies gerade von der Litteratur am meisten gilt, so wird man sich billig über die heutige geringe Förderung derselben durch den Staat wundern müssen. Zum mindestens wird man doch verlangen dürfen, dass die Litteratur, die Poesie den übrigen Künsten gleichgestellt werde und dieselben Vergünstigungen genieße wie diese. Auf die Gründung einer litterarischen Lehranstalt, der Akademie für die bildenden Künste und der Hochschule für Musik entsprechend, wird man freilich verzichten müssen, denn der rein technische Teil der Schriftstellerei ist ja doch nur durch eifriges, unablässiges Privatstudium zu erreichen, und die Grundlage dazu, die vollständige Beherrschung der Sprache, des Stils und aller stilistischen Künste, kann am besten die Schule, die höhere Lehranstalt fördern. Hier muss, nicht nur im Interesse der angehenden Schriftsteller, sondern im Interesse jedes Deutschen, von dem man verlangen darf, dass er seine Muttersprache, ihre Gesetze und ihre Technik vollständig beherrsche, eine vollständige Umgestaltung des deutschen Unterrichts auf unsern Schulen eintreten. Mit verächtlichem Lächeln werden unsre Enkel auf eine Zeit zurück blicken, in der es noch möglich war, dass der Wochenplan der oberen Klasse der höchsten Unterrichtsanstalten, in denen die besten und gescheidtesten Geister der Nation vorgebildet werden sollen, vier- und dreimal so viele Unterrichtsstunden in todten Sprachen als in der

Sprache der eignen Nation enthält, dass der deutsche Schüler mehrere Jahre bevor er zum Studium der litterarischen Meisterwerke seines Landes angeleitet wird, in die einer fremden, todten, Tausende von Jahren zurückliegenden Kultur geführt wurde, dass er freie Arbeiten in einer todten Sprache in möglichster stilistischer Vollendung anzufertigen angehalten ward, während er zu derselben Zeit, als achtzehn- bis zwanzigjähriger Mensch, bei der freien Behandlung der Sprache seines Volkes zumeist die kläglichste Unbeholfenheit zeigte. Unsere Nachkommen werden über solche Beschränktheit die Hände zusammenschlagen. Wenn wir uns endlich zu dem freien Standpunkte aufgeschwungen haben werden, dass die Zahl der deutschen und lateinischen Unterrichtsstunden das dem jetzigen entgegengesetzte Verhältnis angenommen hat, dass vollständige Kenntnis des Charakters und völlige Beherrschung des Stils der nationalen Sprache eine Hauptforderung an den Zögling einer höheren Bildungsstätte sei, dass es genüge, die alten Schriftsteller gerade zu verstehen, dass der kein guter Deutscher sei, der seine Gedanken in seiner Sprache nicht möglichst klar, sprachrein und formvollendet schriftlich wie mündlich ausdrücken könne — das Letztere in unserem Zeitalter der Parlamente und öffentlichen Versammlungen nicht minder wichtig als das Erstere — dass Stilistik, weitgehende Kenntnis der nationalen Litteratur und Litteraturentwickelung, Fremdwörterverdeutschung, Sprach- und Vortragsgewandtheit und Schlagfertigkeit in der Debatte unbedingt in den Unterrichtsplan einer höheren Lehranstalt gehören, wenn wir das begriffen haben werden, so werden sich die wohltätigen Folgen zweifellos auch in unserer Litteratur zeigen, denn es widerspräche dem Naturgesetz, dass die mittlere Durchschnittshöhe der sprachlichen Ausbildung des Volkes sich hebe und die Fortentwicklung der Sprache selbst bei dem hervorragenden Talente damit nicht gleichen Schritt hielte. Dann wird sich unter den Gebildeten unseres Volkes auch eine größere Achtung der Litteratur, der litterarischen Tätigkeit und ihrer Vertreter bemerkbar machen, denn wahrhaft achten kann man doch nur das, was Einem von frühster Jugend an lieb und vertraut geworden.

Wenn an Maler und Bildhauer Reisestipendien verliehen werden, warum nicht auch an Schriftsteller und Dichter? So notwendig und unentbehrlich jenen ein längerer sorgenfreier Aufenthalt an geweihten Stätten der Kunst ist, wo sie die Originale berühmter Werke studiren und den Zauber geheiligter Traditionen, eines fröhlichen Lebens und einer herrlichen Natur genießen, so unentbehrlich ist dem Schriftsteller zu reisen, Welt und Menschen zu studiren. „C'est un philosophe, qui a vu la monde", das war das höchste Lob, welches das Ausland unserem Schopenhauer erteilte, der ohne seine großen Studienreisen sich nie einen so genialen, durchdringenden, selbst die kleinsten Einzelheiten umfassenden Blick für die Welt der Erscheinungen gewonnen hätte. Was wäre Byron ohne seine Reisen? Jeder deutsche Dichter, sagt man mit Recht, müsse zweimal in Weimar gewesen sein, namentlich ein jüngerer, dem sich dort an geheiligter Stätte Mut und Begeisterung kräftig entflammen muss, ein wenigstens vorübergehender Aufenthalt in Italien ist dem Dichter genau so unentbehrlich wie dem Maler oder Bildhauer. Vor allen Dingen aber ist es notwendig, dass der deutsche Dichter, wenn er seinem Volke wahrhaft vollendete, lebenswahre Werke schenken und immer neue, dem Leben abgelauschte Gestalten und Handlungen voll nationalen Geistes schaffen soll, sein Vaterland und dessen Leute aus eigner Anschauung vollständig kenne. Denn wie viele der wundervollsten poetischen Motive, die Anlass zu unsterblichen Werken geben können, sind noch im sozialen Leben der von einander so ganz verschiedenen einzelnen Provinzen und Gebiete des deutschen Vaterlandes verborgen und bleiben nur darum unbeachtet, weil den deutschen Schriftstellern und Dichtern oft genug der Sinn, meist aber die Mittel fehlen, das Volksleben der verschiedenen Teile Deutschlands eingehend zu beobachten und zu studiren. Oberschlesien, Ostfriesland, das bayeriche Hochland! Welche Gegensätze, welche Poesie allein in der Gegenüberstellung und Verbindung solcher Gegensätze! Wie soll ein Dichter jemals den Frohsinn und die Lebenslust mit kräftigen Farben malen, der nie die Mittel besessen, wenigstens kurze Zeit am Rhein zu leben? Nur der einzige Schiller vermochte den „Tell" zu schreiben, ohne je die Alpen gesehen zu haben. Wir besässen nur den halben Heine, wenn seine Mittel ihm nicht einen längeren Aufenthalt an der See erlaubt hätten, und viele der schönsten Perlen in Goethes Werken, z. B. das „Parzenlied" in der Iphigenie wären nie entstanden, wenn Goethe nicht von Hause aus das Vermögen besessen hätte nach Italien zu reisen.

Welch gewaltige Anregungen zu neuen, großen Schöpfungen könnte mancher junge Dichter, der jetzt einsam in seiner Berliner oder weltabgelegenen Klause z. B. der Lüneburger Haide nicht über die gewöhnlichsten Anschauungen hinauskommt, empfangen, wenn er mit einem Reisestipendium und den geeigneten Empfehlungen versehen, in die Lage versetzt würde, die Welt oder wenigstens einen noch unbekannten herrlichen Teil des deutschen Vaterlandes zu sehen! Ich vermag hier durchaus keinen bloßen frommen, unerfüllbaren Wunsch zu sehen — wenn der Staat Geld besitzt junge Maler und Musiker in dieser Weise zu unterstützen, so muss er unter allen Umständen auch Geld genug haben, die Dichter jenen Künstlern gleichzustellen.

Das Gedächtnis eines berühmten und großen Sohnes des Vaterlands zu feiern, ist eine der schönsten patriotischen Ehrenpflichten und der Staat oder die Gemeinde, in welcher derselbe geboren wurde oder lebte, werden sich stets beeilen derselben durch Errichtung einer Bildsäule, Stiftung eines Gemäldes oder dergleichen auf öffentliche Kosten nachzukommen. Die Heldentaten ihrer in unsern großen Kriegen gefallenen Kämpfer beeilt sich jede Gemeinde durch ein Siegesdenkmal zu verewigen. Nur in den allerseltensten Fällen aber kommt es dem Staat oder dem Gemeinden in den Sinn ihren großen Söhnen ein litterarisches, ein poetisches Ehrendenkmal zu stiften, den Lebensgang, die Werke ihrer großen Söhne, die Heldentaten ihrer Regimenter auf öffentliche Kosten durch einen geeigneten Dichter oder Schriftsteller poetisch verherrlichen oder biographisch-historisch in litterarischer Vollendung darstellen zu lassen, obgleich ein Denkmal in Versen und Schriften sowohl dauernder ist als eines in Stein und Erz als auch der Allgemeinheit viel zugänglicher. Große Männer werden oft in kleinen Nestern geboren, ihre dort befindlichen Bildsäulen nur von ein paar hundert fremden Augen erblickt. So wenig aber den Bildhauer, den Maler die „Bestellung" in der Entfaltung seiner eignen künstlerischen Individualität hindert, sondern ihm gestattet, Alles was er will, seine eigne Auffassung, seine eignen Gedanken in das bestellte Werk hineinzulegen, so wenig würden derartige Aufträge mit der gegebenen Figur des Helden den wahrhaft bedeutenden Dichter, den tüchtigen und denkenden biographischen und kulturgeschichtlichen Schriftsteller in der Entfaltung seiner litterarischen Eigenart hindern, vorausgesetzt, dass eben der Staat oder die betreffende Gemeinde nicht so borniert wäre, der Auffassung und Darstellung des Schriftstellers irgendwelche Fesseln anlegen zu wollen. Heut aber überlässt man jedem Schriftsteller, die Bearbeitung derartiger Stoffe aus freien Stücken zu unternehmen und sich selbst Verleger dafür zu suchen.

Man sagt — und nicht ganz mit Unrecht — dass Preisausschreibungen und Preiskrönungen bisher der Litteratur noch wenig Nutzen gebracht hätten. Allein einmal besteht diese Einrichtung bei uns in Deutschland doch nur erst zu kurze Zeit, als dass sich ihre wohltätigen Folgen schon zeigen könnten. Und man wolle bedenken, wie oft auch Musiker und Maler, deren Werke preisgekrönt werden, die durch Staatsaufträge und Stipendien unterstützt werden und zu neuem kräftigen Schaffen angefeuert werden sollen, die in sie gesetzten Erwartungen später tauschen, wie viele als Genies mit dem großen Stipendium nach Italien geschickt werden und dort entweder verbummeln oder heimgekehrt sich als herzliche Mittelmäßigkeiten entpuppen. Dadurch lässt man sich aber vernünftigerweise nicht abschrecken, sondern verleiht die Preise immer wieder, unterstützt junge Talente immer aufs Neue durch Ankäufe und Bestellungen, denn kommt auf zehn verfehlte Versuche ein geglückter, so darf dies schon als glänzendes Resultat gelten. So sollte man sich auch von den litterarischen Preisen durch mehrfache Misserfolge nicht abschrecken lassen. Nur müsste man bedenken, dass, wie ich schon oben nachgewiesen habe, bei einzelnen, z. B. bei dem königlichen Schillerpreise, das Feld viel zu eng gezogen ist und die Auszeichnung von Romanen und Novellen u. A. viel wichtiger ist, und dass die Preisverteilungskommission aus kenntnisreichen, praktischen, von allen Schulvorurteilen freien, jeder Kliquenbeeinflussung unzugänglichen litterarischen Fachmännern bestehen müsste. Dass es an solchen fehlt, ist die Grundwurzel des Uebels, denn welche Kommission würde z. B. den notwendigen Mut haben, einen Roman zu krönen, in dem sozialistische Anklänge durchschimmern, möchte derselbe auch vom rein künstlerischen Standpunkt aus vollendet sein. Dass man bei der offiziellen Beurteilung von Kunstwerken in Deutschland auf die gute Gesinnung, auf die Anschmiegung an die in den oberen Regionen jeweilig herrschenden politischen Strömungen, oder die gänzliche töchterschulenhafte Harmlosigkeit, nicht auf den künstlerischen Wert sieht, wovon wir kürzlich mehrere abschreckende Beispiele gehabt haben, das ist der Umstand, der den Einfluss des Staats aus einem fördernden zu einem lähmenden macht.

Ich halte mit anderen Vorschlägen und Gedanken, diesen Einfluss zu einem fördernden zu gestalten, vorläufig noch zurück, die im Vorangegangenen gegebenen Mittel bieten denen, welche ernstlich auf ein solches Ziel hinarbeiten wollen, ein hinreichend großes Feld. Dass eine Staatsverwaltung wie die unsrige, die in der Sorge für das Heer und die Abwehr der immer schrecklicher hereindrohenden sozialen Gefahr fast völlig aufgeht und der diese beiden Aufgaben heut schon beinah über den Kopf zu wachsen scheinen, nicht den ersten Schritt, ja überhaupt aus freien Stücken nichts dazu tun wird, erscheint klar. Es wird daher Sache des Schriftstellerstandes sein, aus eigner Kraft durch ein geschlossenes energisches Vorgehen dem Staate das abzunötigen, was ihm gebührt. Denn leider muss heutzutage Jeder — namentlich jeder Stand, der sein natürliches Recht in ein staatlich anerkanntes verwandelt sehen will, sich dies erst mit langen, schweren Mühen erkämpfen, freiwillig gewährt der Staat nichts, am wenigsten der unsere, da, so traurig es auch ist es zu sagen, die Teilnahme an der geistigen und zumal der litterarischen Entwicklung auch in den „gebildetsten" Kreisen eine kläglich geringe ist. Es wird Sache der Schriftsteller sein, mit allen Mitteln, durch fortwährende Petitionen an den maßgebenden Stellen, ausführliche öffentliche Darlegungen ihrer verkürzten Rechte und Ansprüche in allen einflussreichen Blättern die Oeffentlichkeit nach und nach immer stärker für ihre Sache zu interessiren, der Umstand, dass das stärkste Mittel auf die öffentliche Meinung zu wirken, die Presse, eben in ihren Händen ist, wird sie dabei unterstützen, aber dieser Umstand muss eben auch weit mehr ausgenützt werden, als es bisher geschah. Die falsche Scham, die falsche Bescheidenheit, so selten als möglich von sich selbst zu reden, die falsche Vornehmheit, seine berechtigten materiellen Ansprüche nicht öffentlich energisch und beharrlich geltend zu machen, alle diese Eigenschaften, die so wenig mehr ins neunzehnte Jahrhundert passen wie die Postkutsche, die aber noch immer im deutschen Schriftstellerstande übermächtig sind, müssen aus demselben verschwinden. Nirgends wird noch so wenig von litterarischen und schriftstellerischen Dingen und Interessen gesprochen, als in der Presse, der deutsche Schriftsteller und Journalist gleicht einem Koch, der für seine Herrschaft die wunderbarsten Delikatessen im Ueberfluss zubereitet und während er am Herde steht und rührt, dabei selbst die fruchtbarsten Hungersschmerzen leidet, weil er kaum selbst wagt, eine Ecke des Herdes für den Topf in Anspruch zu nehmen, in dem er sein Wassersüppchen kocht.

Vor Allem aber ist zur Wahrung und Vertretung der Interessen der Litteratur dem Staate gegenüber ein festes, einiges, geschlossenes Zusammengehen und Zusammenhalten der Vertreter der Litteratur notwendig. Bisher fehlte es an einer mächtigen einheitlichen Berufsgenossenschaft der Litteratur, welche die Energie und die Kraft besaß, allenthalben für die Interessen ihres Standes mit Erfolg einzutreten. Dieser Umstand war es hauptsächlich, der die Zurücksetzung der Litteratur und ihrer Interessen auf allen Gebieten sowohl von seiten des Staates wie der Gesellschaft verschuldete. Unsere Zeit ist nun einmal eine Zeit des korporativen Zusammengehens, nur Glied an Glied mit den Genossen sind für den Einzelnen wie für die Gesammtheit Vorteile zu erreichen, und der Stand, welcher sich dieser Strömung der Zeit widersetzt, muss durch seinen Eigensinn, seinen Dünkel schwer leiden und schließlich materiell und an Ansehen zu Grunde gehen. In allerletzter Zeit scheint sich im Schriftstellerstande diese Erkenntnis denn auch Bahn gebrochen zu haben, immer lebhafter, immer allgemeiner spricht sich das Streben nach einer einheitlichen, großen, festen Vereinigung aus, die sich durch eine Vereinigung der zwei bisher einander feindlichen deutschen Schriftstellerverbindungen und eine stärker auftretende Neigung zur gemeinsamen Arbeit zum Besten des Standes kund giebt.

Möchte diese geplante Vereinigung zustande kommen, möchte dieselbe ihre schwere und große Aufgabe ernst nehmen und zumal eifersüchtig auf Erfüllung der Rechte der Litteratur dem Staat gegenüber dringen und halten, damit endlich wahr werde des Dichters Wort:

„Ruhm und Ehre jedem Fleis!
Ehre jeder Hand voll Schwielen!
Ehre jedem Tropfen Schweis,
Der in Hütten fällt und Mühlen.
Ehre jeder nassen Stirn
Hinterm Pfluge! — Doch auch dessen,
Der mit Schädel und mit Hirn
Hungernd pflügt, sei nicht vergessen! —“

Das Geheimnis der Mumie.

Von August Niemann.

Bielefeld und Leipzig, Velhagen & Klasing.

Schon der Titel des vorliegenden Buches deutet es an, dass wir es in ihm nicht mit einem Roman zu tun haben, der wie die meisten Niemannschen Romane die Zeit seit 1866 mit ihren politischen und sozialen Wandlungen und Kämpfen schildert, sondern er führt uns darin in die fernste Vergangenheit zurück, in die Zeit des Psammetich. Der Sprung dürfte auf den ersten Blick bedenklich erscheinen; denn bei unserm Lesepublikum treten unverkennbare Spuren der Uebersättigung an Romanen aus der antiken Zeit hervor, und wenn auch die Eberschen Meisterwerke ihren klassischen Wert dauernd behaupten und von jedem Gebildeten noch in fernster Zukunft mit Begierde gelesen werden, so ist es doch ganz naturgemäß, dass das Interesse an ihnen in unserer geistig bewegten Zeit, in welcher noch die Roman-Litteratur nach neuer, dem Geist der Gegenwart entsprechenderer Gestaltung ringt, wesentlich gegen früher zurückgetreten ist. Den Epigonen des großen Egyptiologen wird es natürlich noch schwerer werden, sich in der Gunst des Publikums zu behaupten.

Zu diesen darf Niemann aber auch gar nicht gerechnet werden. Dazu ist er ein viel zu selbstständiger Geist, und wenn auch manche seiner Detailschilderungen des egyptischen Lebens an Ebers erinnern, so haben wir es doch in dem vorliegenden Roman mit einer durchaus eigenartigen und unabhängigen Schöpfung zu tun, die sich schon insofern von den Eberschen Romanen wesentlich unterscheidet, als sie nicht für das größere Lesepublikum, sondern für die reifere Jugend geschrieben ist, womit aber nicht gesagt sein soll, dass nicht auch der gebildete erwachsene Leser großen Genuss aus ihrer Lektüre schöpfen könne. Im Gegenteil wird ihr gerade dadurch, dass sie das Interesse des kritischen Lesers von Anfang bis zu Ende fesselt, der Stempel einer sich weit über das Durchschnittsmaß unserer Jugendlitteratur erhebenden Leistung aufgedrückt.

Der Verfasser ist zu seinem Romane durch Theophile Gautier's „Le Roman de la Momie“ angeregt worden und schließt sich in seiner Einleitung an diese Erzählung an; der Roman selbst ist aber inhaltlich ein durchaus anderer, wie der Gautiers.

Der Pharao Psammètich, der Liebling des Ammon Ra, kehrt siegreich nach seiner Hauptstadt Theben zurück und gewahrt in der ihm zujauchzenden Menge einen Jüngling, der ihn an seinen im Kampfe gefallenen erstgeborenen Sohn erinnert. Nachforschungen ergeben, dass es Amasis, ein Schüler der Astronomie und Mathematik im Tempel des Ammon, ist; lange muss er aber vergeblich von den Boten des Pharao gesucht werden, da die Priester ihn versteckt halten. Ueberdrüssig der Hoffart des

Pharao beabsichtigen diese nämlich, Amasis, den Sohn des Hophra aus dem altberühmten Geschlecht der Bubastiden, den sie zu einem Könige in ihrem Sinne erziehen wollen, auf den Tron zu bringen und rechnen dabei auf die Mitwirkung der Heerführer, welche schon lange mit der Bevorzugung der griechischen Söldlinge Seitens des Regenten unzufrieden sind. Als nun aber endlich Amasis von dem Griechen Agesilaos den Priestern mit Gewalt entrissen und an den Hof des Pharao gebracht wird, gelangt er bei diesem wegen seiner Klugheit und kriegerischen Leistungen so in Gunst und wird selbst so sehr von Verehrung für den Herrscher erfüllt, dass die Verräter zu Intriguen und Drohungen ihre Zuflucht nehmen, um den einmal gefassten Plan zur Ausführung zu bringen. Die Schilderung dieser Vorgänge und der Standhaftigkeit des Amasis, welche selbst dann noch unwandelbar bleibt, als das ganze Heer ihm als dem neuen Pharao zujubelt, und welche er endlich durch den Lanzenstich eines fanatischen Priesters büßen muss, bildet den wesentlichen Inhalt des Romanes, der aber namentlich durch die Beschreibung der kriegerischen Taten des jungen Fürstensohnes in dem Kampfe gegen die Skythen, die Paeonts und die Aethiopier das Interesse des Lesers in hohem Grade fesselt. Gerade in der Schilderung von Kriegen und Schlachten ist Niemann ein Meister, der seines Gleichen sucht, da sich in ihm der Dichter mit dem Historiker und dem praktisch geschulten Soldaten in glücklicher Weise verbindet. Daneben lässt sich aber auch der Philosoph in den Gesprächen des greisen Sonchis, des Lehrers unseres jungen Helden Amasis, vernehmen, und diesem selbst legt der Verfasser Worte in den Mund, die wohl als der Ausfluss seiner eigenen, durch das Studium hellenischer und indischer Philosophie gewonnenen Lebensanschauung gelten dürften, und auf den Leser nicht anders als geistig befruchtend wirken können. Farbenreich und dichterisch schön sind auch seine Naturschilderungen, treffend die Charakterzeichnungen, aber das Bestreben, das Leben jener lang vergangenen Zeit dem geistigen Auge des Lesers möglichst klar zu erschließen, scheint den Verfasser zuweilen von dem Boden der historischen Treue haben abweichen lassen. Wenn er z. B. den durch eine glückliche Seeschlacht mit einem indischen Fahrzeuge reich gewordenenen Agesilaos sagen lässt: „Wenn wir zu Lande reisten und eine phönikische Seestadt aufsuchten, so könnte ich dort den Schatz bei einem Bankier niederlegen und mir Wechsel auf ein Handelshaus in Kreta ausstellen lassen", so darf man bei allem Respekt vor der kommerziellen Findigkeit der Phönikier wohl bezweifeln, dass es bei ihnen Bankiers und Wechsel in der diesen Worten zu Grunde liegenden Bedeutung gegeben habe. Ein auf Papyros geschriebener Solawechsel aus dem siebenten Jahrhundert v. Chr. wäre in der That eine merkwürdige kulturhistorische Antiquität, wenn er wirklich existiren sollte.

Doch von derartigen nebensächlichen Ausstellungen abgesehen ist „das Geheimnis der Mumie" eine Jugendschrift ersten Ranges, die sich würdig der von dem demselben Verfasser bereits in zweiter Auflage bei Velhagen & Klasing erschienenen Geschichte „Pieter Maritz, der Bauernsohn von Transvaal", anreiht. Die Ausstattung des Buches ist vorzüglich, und durch die Beigabe von siebzehn sinnig und sauber ausgeführten Tonbildern erhält es für den jugendlichen Leser noch einen ganz besonderen Wert.

Jedenfalls hat uns August Niemann in diesem neuesten Werke seiner Muse gezeigt, ein wie vielseitiges Talent wir an ihm zu schätzen haben; denn nicht Jeder, der sich wie er auf dem Gebiete des gesellschaftlichen Romans die Meisterkrone erworben hat, wird es verstehen, die Jugend an sich zu fesseln und auf sie veredelnd und belehrend einzuwirken, ja, vielleicht auch nicht einmal die Neigung dazu verspüren in der törichten Anschauung, dass er seiner schriftstellerischen Würde gewissermaßen etwas vergäbe, wenn er unter die Jugendschriftsteller ginge. Man vergesse doch nicht, dass der Jugend die Zukunft gehört, und dass es verdienstvoller ist, in ihr feinen ästhetischen Sinn zu entwickeln, als um den Beifall der in ästhetischer Hinsicht oft recht verbildeten Erwachsenen zu buhlen. Hätten unsere größten Dichter und Schriftsteller ihren Beruf immer richtig erkannt, so müsste unsere Jugendlitteratur weit höher entwickelt sein, als sie es tatsächlich ist. Für die Jugend sollte nur das Beste gut sein. Darum Ehre dem, der wie Niemann es nicht verschmäht, sein herrliches Erzählertalent in ihren Dienst zu stellen. Sie wird es ihm sicherlich Dank wissen, selbst wenn sie schon lange der Schulbank entwachsen sein wird.

Leipzig. A. W. Sellin.

Der Bergfrau Zauberlied.*)

Aus dem Isländischen des Grimur Thomsen, mit Beibehaltung der isländischen Alliteration, von Ph. Schweitzer.

Fleming reitet am Felsenrund,
Ferne Klänge ihn leiten:
Bergfrau sitzt im grünen Grund,
Greift in die tönenden Saiten.
Gewaltig wirkt ihr Zauber.

---

*) Der Dichter sagt, er habe das Lied „aus altem Silber gegossen"; dies alte Silber findet sich in dem schwedischen Volksliede Riddaren Tynne (auch in dänischer Tradition vorhanden), dessen Strophen vier bis sieben genau mit den Strophen zwei bis fünf dieses Gedichtes übereinstimmen.
Anmerkung des Uebersetzers.

Als sie schlug den ersten Schlag —
Orgelklänge rauschen —
Der Weide vergisst in Hain und Hag
Die Herde, um zu lauschen.
Gewaltig wirkt ihr Zauber.

Als den zweiten Schlag sie schlug —
Schlicht die Töne klingen —
Hemmt der schnelle Falk den Flug,
Fallen lässt er die Schwingen.
Gewaltig wirkt ihr Zauber.

Als nun drang ihr dritter Schlag
Dröhnend in die Weite:
Fischlein still im Strome lag,
Des starken Klanges Beute.
Gewaltig wirkt ihr Zauber.

Die Knospe grünt, die Blüte bricht,
Den Berg deckt roter Schimmer;
Des Ritters Sporn das Rösslein sticht,
Ruhen mocht' es nimmer.
Gewaltig wirkt ihr Zauber.

Flimmernd vom Berge fluten zu Tal
Flammen der Edelsteine:
Es tat sich auf der Elfen Saal, —
Das Auge erblindet im Scheine.
Gewaltig wirkt ihr Zauber.

Des Ritters Sporn das Rösslein haut,
Er reißt es hinab zum Schlunde:
Da gellt der Bergfrau Lachen so laut,
Lichtmänner gaukeln im Grunde.
Gewaltig wirkte ihr Zauber.

Die Kultur der Alpenvölker in vorrömischer Zeit.

Die prähistorische Wissenschaft als eine der jüngsten Wissenschaften bringt uns Kunde von den Schicksalen und Leben untergegangener und jetzt noch lebender Völker aus Zeiträumen, aus denen keine schriftliche Urkunde sich erhalten hat. Die Wanderungen des **Pfahlbautenvolkes** durch **Ungarn** (Funde aus dem Neusiedler-See, aus der Steinzeit), durch **Krain** (Laibacher Moor, Anfänge der Bronzezeit), **Oberösterreich** (Niederlassungen im Mondsee), **Bayern** (Würmsee), **Schweiz** (Bodensee u. a.), **Oberitalien** (Lago di Garda u. a.), **Mittelitalien** (Terremare, aus terreus murus, d. h. mit einem Erdwall umgebene Pfahlbauten auf ebener Erde) sind jetzt genau bekannt und **Helbigs** Scharfsinn ist es gelungen zu konstatiren, dass Pfahlbauten und Terremare Italiens von den aus dem Norden einwandernden **Italikern** errichtet worden sind. Die Bronzen dieses Volkes zeigen eine auffallende Aehnlichkeit mit denjenigen prähistorischer Nekropolen **Siebenbürgens**, die durch die Forschungen des Fräulein Sophie von **Torma** näher bekannt geworden sind. Diese schließen sich aber direkt an die Funde **Schliemanns** aus der sogenannten dritten Stadt in **Troja** an, deren Vorbilder bestimmt im kulturreichen semitischen **Mesopotamien** zu suchen sind. **Ex Oriente lux!**

Die Pfahlbauten Oesterreichs waren seit Jahrhunderten schon verlassen, als dort eine neue Kultur zu blühen begann, welche die Archäologen als die **Hallstadt-Periode** bezeichnet haben. Unter Hallstadt-Stil versteht man diejenige stilistische Richtung im mittleren Europa, welche in den zahlreichen Gräberfunden in **Hallstadt** in **Oberösterreich** ihren umfassendsten und markantesten Ausdruck gefunden hat, aber über **Hallstadt** hinaus nach dem südwestlichen **Deutschland**, **Schweiz** und **Frankreich** im Westen, nach **Ungarn** und **Mähren** im Osten sich verbreitet hat. Dieselbe stand unzweifelhaft unter dem Einflusse **umbrischer** oder **italischer** Kultur, deren Vorbilder wiederum in **Griechenland** und bei den **Griechen Unter-Italiens** zu suchen sind. Die von den **Griechen** Unter-Italiens entlehnte Schrift verbreiteten die **Etrusker** im Norden, deren Spuren sich bereits zu **Hallstadt** vorfinden.

Der norwegische Archäologe **Ingvald Undset** (Das erste Auftreten des Eisens, Hamburg 1882, Seite 29) ist der Ansicht, dass die Höhe der Hallstadt-Kultur um das Jahr 500 v. Chr. zu setzen sei. **Tischler** setzt das Ende dieser Periode in den Beginn des vierten Jahrhunderts und nimmt ihre Dauer auf circa 500 Jahre an. **A. B. Meyer** (Das Gräberfeld von Hallstadt, Dresden 1885, Hoffmann), sich an **Quetelets** Physique soziale anschließend, wonach im mittleren Europa von circa vierzig Menschen im Jahre einer stirbt, berechnet dass die 3000 Todte (die höchste Zahl) in Hallstadt in ein paar Jahrhunderten zur Erde bestattet worden seien.

Eine gewaltige Revolution in den archäologischen Verhältnissen Mitteleuropas, deren Einfluss sich bis nach Skandinavien ausdehnt, brachte der Einbruch der **Gallier** oder **Kelten** in Oberitalien und in die österreichischen Alpenländer hervor. Mit dem Einbruch der **Gallier** geht die Hallstadt-Periode zu Ende und mit dem Jahre 396 v. Chr. ist der berühmte umbrisch-etruskische Kirchhof von Bologna als abgeschlossen zu betrachten, was darauf folgt, ist alles keltisch. Die **Gallier** haben in ihrer Heimat eine ihnen eigentümliche Kultur in der Eisenzeit ausgebildet, welche die Archäologen die **La Tène-Kultur** nennen. Als Mittelpunkte der gallischen Kultur sind zu betrachten: **Bibracte**, eine einst bedeutende gallische Stadt, welche unter Augustus als **Augustodunum** (jetzt Autun) neu gegründet wurde und **Alesia** (Alise St. Reine, Côte d'or wo im Jahre 52 v. Chr. die gewaltige Entscheidungsschlacht zwischen Caesar und Vercintegetorix stattfand.) Ein sehr wichtiger Fundplatz dieser Periode ist der **Hradischt bei Stradonic** in **Böhmen**, der eine bedeutende Niederlassung der gallischen **Bojer**, von denen ja **Böhmen** noch den Namen trägt, gewesen sein muss, wodurch die vollständige Uebereinstimmung mit gallischen Funden leicht ihre Erklärung findet. Den Uebergang von der Hallstädter Periode zur La Tène-Kultur zeigen am besten die Gräber der **Franche-Comté** und in **Wies** in **Steiermark**. Die La Tène-Kultur fanden die **Römer** in den österreichischen Alpenländern vor, die aber unter ihrer Herrschaft nicht unterging, sondern, von der römischen Kultur vielfach beeinflusst, fortblühte. Die keltische Bevölkerung blieb ja in ihren Sitzen, unterlag nur dem gewaltigen Romanisirungsprozesse. In letzterer Beziehung sind die Forschungen des Herrn Hofrat Dr. A. B. Meyer, Direktor des zoologischen und anthropologischen Museum in Dresden, in **Gurina** in **Kärnten** von besonderem Interesse (vergl. Gurina im Obergailtal in Kärnten von A. B. Mayer. Mit vierzehn Tafeln in Lichtdruck. Dresden 1885, Hoffmanns Verlag).

Der als Naturforscher, Ethnograph und Entdeckungsreisende auf Neu-Guinea berühmte Gelehrte spürte im Jahre 1883 den so seltenen und für die Prähistorie so wichtigen Beilen aus Jadeit im Gailtale in Kärnten nach und entdeckte dabei in **Gurina** eine der wichtigsten Nekropolen der österreichischen Alpenländer. Nur Wenigen ist es gegönnt, ein so umfassendes wissenschaftliches Material zu beherrschen und in einer geradezu mustergültigen Weise zu bearbeiten; dem entsprechend kann dieses Prachtwerk nicht nur als eine Zierde der Bibliotheken, sondern auch als eine dankenswerte Bereicherung der Wissenschaft bezeichnet werden. Die Dauer der prähistorischen Niederlassung in Gurina darf ganz gut auf 800—1000 Jahre berechnet werden. In den Gürtelblechen, welche für die Hallstadt-Kultur mit als charakteristisch zu bezeichnen sind, scheint in **Gurina** eine Parallele vorzuliegen, und man wird wohl nicht fehl gehen, wenn man annimmt, dass die Bewohner Gurinas die Hallstadt-Periode noch erlebt haben, weitere, sicherere **Anhaltspunkte** bieten die Münzen dar. Die keltischen Münzen gehören wahrscheinlich dem vierten oder dritten Jahrhundert, die kyprischen der Mitte des zweiten Jahrhunderts an. Die Münzen des Kaiserreichs gehen in ununterbrochener Folge bis zum Ende des vierten Jahrhunderts. Es ist aber kein Zufall, dass die Münzen mit dem Ende des vierten Jahrhunderts abschließen, denn dieses ist ungefähr die Zeit, in welcher das nicht ferne **Virunum** (s. Zollfeld) durch die **Goten** unterging, dessen Schicksal **Gurina** geteilt haben dürfte. Wahrscheinlich waren es westgotische Schaaren **Alarichs**, die **Gurina** im Jahre 400 zerstört haben.

Gurina — sagt **A. B. Meyer** — hat seine Bedeutung in der Verbreitung der Mittelmeer-Kultur nach Nordeuropa, eines derjenigen Plätze, in denen die südliche Kultur auf ihrer Bewegung nach Norden deutlich Fuß gefasst hat und zeichnet sich vor Allem dadurch, dass die lokale Entwicklung nicht vorzeitig abbrach, sondern in ununterbrochener Folge bis ans Ende des vierten Jahrhunderts überdauerte. Gerade das bis jetzt für **Gurina** charakteristische, die Bronzebleche mit Inschriften, kennzeichnen die Zeit, welche der Hallstädter folgte. Diese im nordetruskischen Alphabet verfassten Inschriften sind, wie ich in meinem früheren Aufsatze erwähnt habe, nicht im keltischen Idiom verfasst, sondern wie **Pauli** gezeigt hat, im illyrischen, dem auch die Sprache der benachbarten **Veneter** angehört hat. Wenn die Ansiedelungen in Hallstadt viel älter als die Einwanderung der **Kelten** ist, wofür auch das Fehlen der keltischen Münzen spricht, so werden wohl die uralten Bewohner Hallstadts gleichfalls dem großen illyrischen Völkerzweige zuzuzählen sein, von dem sich noch die arische Sprache der **Albaneser** erhalten hat, an deren Bearbeitung sich bis jetzt, **Miklosich** ausgenommen, leider keiner unserer hervorragenden Sprachforscher herangewagt hat.

Penzig b. Wien. **C. Fligier.**

Litterarische Neuigkeiten.

Schon mehrmals haben wir unsern Spott über jene „vornehme" Kritik ergossen, welche orakelhaft und tüftelnd mit großen Worten um sich wirft oder unergründlichen Tiefsinn zusammensalbadert — um ihre eigene Beschränktheit und Gestaltungsunfähigkeit zu maskiren, wobei natürlich zum Zwecke eigener Aufblähung das Giftspritzen ohnmächtiger Neidsucht gegen gefürchtete Ueberlegenheit stets nebenherläuft. Ein klassisches Beispiel dieser älteren und jüngeren Aesthetik-Schule bot sich uns im vergangenen Sommer in einer Reihe von Aufsätzen, welche die „**Tägliche Rundschau**" aus der Feder eines in engsten litterarischen Kreisen nicht unbekannten hartleibigen „Idealisten" veröffentlichte, über „Realismus und Idealismus" und viele andere Chosen. Ein solches Gemisch der unerträglichsten Plattheiten — „truisms", wie die Engländer sagen — und hochtönender Phrasen ist uns noch selten vorgekommen. Der gute Herr rennt lauter offene Türen ein und predigt mit warnender Prophetenstimme Selbstverständlichstes. Mit anerkennenswerter Vorsicht schießt er seine stumpfen Pfeile, die auf den schwachen ABC-Schützen harmlos zurückprallen, ohne Namensnennung der Adresse ab: Vorsicht ist die Mutter der Weisheit. Besonders drollig wirkt die Betonung der moralischen Würde. Wir sind freilich schon bei manchem „Idealisten" dieser „Würde" begegnet — „verzeihen Sie das **harte** Wort!" würde Wippchen sagen.

Die schöpferischen Dichter, welche heut ausnahmslose zum „Realismus" schwören, von dem sie natürlich ganz andere Vorstellungen haben, als diese **wissentlichen Fälscher und Betrüger** ihnen unterschieben, und welche ausnahmslose im höchsten Sinne des Wortes „Idealisten" sind (wie denn die Forderung der Realistik bloß eine wesentlich **technische** Frage ist), befinden sich diesen Schwätzern gegenüber in einem großen Nachteil. Sie haben nämlich **keine** Zeit, so viele schwatzhafte Artikel zu fabriziren, wo Seichtigkeit und Oberflächlichkeit als triefende Weisheit predigen. Sie müssen **arbeiten** — und das verschmähen die Herrn Aesthetiker meist.

Eine seltene Probe der köstlichen Frechheit, mit welcher die Anhänger der „alten Schule" (zu deutsch: die nachäffenden Epigonen-Dilettanten) gegen die „Jungen" operiren, fanden wir kürzlich in einer Rezension der „**Kieler Zeitung**" über Karl Bleibtreus „Lieder aus Tirol". Die ganze Besprechung des natürlich anonymen Rhadamantys war nämlich zum Teil wörtlich einem Artikel entlehnt, welchen O. v. Leixner vor Zeiten über das „Lyrische Tagebuch" desselben Autors veröffentlichte, nur dass alles Wohlwollende des Originals weggelassen ist. Drollig wirkt am Schluss das Eingeständnis des Anonymus, die Lieder machten in der That „einen großen Eindruck", aber das sei nur blendend im ersten Augenblick, nicht auf die Dauer fesselnd. Also so eifrig hat der Anonymus die Lieder immer aufs neue gelesen, dass sie ihn nicht „auf die Dauer" zu fesseln vermochten!! — „Worte, Worte, Worte!" seufzt Hamlet über das grässliche Geschwätz der neidischen Impotenz.

Die Bildsäule Lamartines ist kürzlich in Paris enthüllt. Bei dieser Gelegenheit veröffentlicht ein früherer Sekretär Lamartines Erinnerungen im „Figaro", denen wir das klassische Faktum entnehmen, dass Lamartine, als er über den so hoch an Genie wie an Bescheidenheit über ihm stehenden Alfred de Musset alberne und wegwerfende Urteile vom Stapel ließ, nie die Werke des Mannes gelesen hatte, den der eitle Messiasbarde in seinem christlichen Hochmut verdammte. Und als er dann nach Mussets Tode seine Werke endlich las, brach er in ebenso lächerliche Dithyramben aus: „Erhabener unsterblicher Musset! Verzeihe mir in den elysischen Gefilden" u. s. w.! So benahm sich ein bedeutender und ein durchaus edler Mann wie Lamartine — soll man sich da wundern, wenn man täglich unbedeutende und unedle Menschen über Leute aburteilen sieht, denen sie nicht die Schuhriemen zu lösen würdig sind und deren Werke sie gar nicht oder nur unvollkommen kennen? — Lamartines Bedeutung werden wir heute lediglich vom litterarhistorischen Standpunkt aus würdigen können. Dem jüngeren Geschlecht ist er wohl nur noch durch seine „Geschichte der Girondisten" bekannt. Das ist nun gewiss ein glänzendes Werk, indem der Verfasser die ununterbrochene Kette der zahllosen historischen Begebenheiten mit nie ermüdender Lebendigkeit zu schildern und gleichsam dichterisch-novellistisch zu gestalten weiß. Ein richtiges Bild der französischen Revolution entrollt er freilich mit seinem schwungvollen Pathos ebensowenig als die deutschen Werke eines Dahlmann, Sybel, Häusser mit ihrer pragmatischen Trockenheit oder Taine mit seinem Alles zersetzenden Skeptizismus. Es geht hier gerade so wie mit den Darstellungen Napoleons. Lanfrey und seine Schule, die ihn als einen kleinlichen Schurken schildern, befinden sich ebenso auf dem Holzweg, wie die blinden Bewunderer seiner Geistesgröße, die darum den Menschen idealisiren. Erst ein großer (und darum realistischer) Dichter wäre fähig, die Vereinigung des Höchsten und Niedrigsten psychologisch glaubhaft darzustellen. — Im Auge des Idealisten Lamartine (mit stark aristokratischen Neigungen) wird jede der zahllosen Figuren seiner großen Tragödie bedeutend und von idealem Schimmer übergossen. Im Auge eines Taine wird auch der Bedeutendste zu einem mittelmäßigen Schwachkopf und größenwahnsinnigen Tollhäusler. Das ist Beides falsch. Ein großer Dichter würde zeigen, wie unter der ungeheuren Wucht der immanenten Idee, welche dies ganze historische Elementarereignis erzeugte und nährte, auch die Mittelmäßigen weit über sich selbst hinauswachsen und die Gemeinen einen Anflug von Größe erhalten. Er würde aber auch zeigen, wie die echteste Begeisterung und der edelste Opfermut sich paarten der bestialischesten Selbstsucht und bösen Leidenschaft, und wie erst die Verbindung all dieser Stärke-Elemente, so weit sie überhaupt die Stärke des Menschen entfesseln, jene gewaltige Welterschütterung zu Stande brachten. Er würde nichts idealisiren; er würde zeigen, wie Paris und bald auch Frankreich zu einer Hölle wurde, wo im Namen der Vernunft und Freiheit die schauderhafteste Tyrannei ihre Orgien feierte, und wie gerade hierdurch alle besten Kräfte an die Grenzen in die Schlachten getrieben wurden, um unter der Trikolore und beim Sturmgesang der Marseillaise die wahre letzte Freiheit zu finden, deren Ideal man daheim mit Blut besudelte. Er würde aber auch zeigen, wie die französischen Kriegstribunen und Prokonsuln bereits von Anfang an dieselben Prinzipien und dasselbe altrömische System bronzestirniger Phrasenheuchelei und wilder Eroberungsraubgier befolgten, aus dem Napoleon und seine Marschälle herauswuchsen. Er würde überhaupt fortwährend die Revolution aus der späteren Zeit des Empire und das Empire aus der Revolution erklären. — Von alledem ist bei Lamartine keine Spur, keine Spur von tieferem historischen Verständnis, Alles gleichsam melodramatisch zugestutzt. So neuschöpferisch seine Auffassung Robespierres, so scheint es charakteristisch, dass er diesen und St. Just sterben lässt mit der rhetorischen Sensations-Phrase, er habe sein Geheimnis mit ins Grab genommen. Gott bewahre! Robespierre hatte gar kein Geheimnis ins Grab zu nehmen und war überhaupt eine ganz klare Erscheinung — wie denn überhaupt kein Mensch ein Geheimnis ist.

Für uns liegt Lamartines wirkliche unvergängliche Bedeutung immer noch in den „Méditations". Allerdings hat A. Büchner („Franz. Litteraturbilder") vollkommen Recht, wenn er meint, nur die reizend schöne Form Lamartines haben diesem zu seinem enormen Erfolg verholfen. Aber diese Form ist wirklich von einer Zartheit, Lieblichkeit und Sprachmeisterschaft sondergleichen. Wir können auch nicht zugeben, dass nur im „Jocelyn" der Dichter schöne Form mit schönem Inhalt durchweg verbunden habe. Viele der Gedichte in den „Méditationen", sogar in den „Recueillements", sind von einem lyrischen Zauber, der nur in Mussets Poesien erreicht ist. Allerdings ist Letzterer selbst da Lamartine überlegen, wo er dessen eigenste Domäne, das Religiöse, streift wie z. B. in „L'espoir en dieu". Aber es würde doch sehr ungerecht sein, wenn man wie Brandes („Die Reaktion in Frankreich") Gedichte wie „Die Erinnerung", „Die Begeisterung", „Die Verzweiflung" u. s. w. geringschätzig als „Abstraktionen" bezeichnen wollte. Jedoch hat Brandes mit der ihm eigenen Schärfe der kritischen Analyse vortrefflich die Zeitstimmung erkannt, aus welcher Lamartines Dichtertum hervorging. Prächtig verspottet der geistvolle Däne Lamartines platonische Liebe — auf Vorschrift des Arztes. Auch St. Beuves witzige Ausfälle auf den thränenreichen Besinger der gefallenen Engel haben viel Wahres und überhaupt ist Lamartine nicht, wie Musset und selbst Hugo, ein echter gallischer Nationaldichter, sondern ganz von deutsch-englischen Einflüssen durchsättigt. Die banalste Tirade klingt aus den berühmten Apostrophen „A Lord Byron" und der „Dernier chant du Pélerinage de Childe Harold" wirkt burlesk. Aber die Anmut und Farbenfülle seines Stils, welche auch seine Prosadichtungen auszeichnet, sichern Lamartine trotz alledem den festen Platz eines „Klassikers".

Die neue kriminalistische Schule in Italien hat, wie beinahe vorauszusehen war, den Vorteil und den Ruhm, anstatt des Verbrechens die Person des Verbrechers in den Vordergrund des Interesses zu stellen, mit dem Nachteil erkauft, dass sie sich in manchen Fällen gar zu viel zugetraut und trotz eines ungenügenden Beobachtungsmaterials angenommen hat, man könne die Verbrecher anthropologisch klassifiziren. Der Arzt, strenger genommen, der Irrenarzt schien in der Zukunft das Amt des Strafrichters verwalten zu müssen. In einer gedrängten, inhaltsreichen und stellenweise gemütvollen, der Form nach gegen einen Artikel Aristide Gabellis gerichteten Studie hat Settimio Piperno, der bisher mehr als Statistiker und Volkswirt bekannt gewesen, die Verdienste der neuen Schule bezüglich der Errichtung besonderer Irrenhäuser für Verbrecher, der Civil-Entschädigung seitens der Letzteren und eines förmlichen Systems vorbeugender Maßregeln sozialer Hygieine anerkannt, hingegen die Alleingeltendmachung anthropologischer Umstände als unberechtigt und das Strafrecht des Staates als außer Frage stehend nachgewiesen. Populär drückt er sich einmal so aus: Nicht nur in die Rechnungen, die er mit den Behörden abzumachen hat, sondern in all seinen Angelegenheiten trägt der Mensch die positive Verantwortlichkeit seines Thun und Lassens. Wenn auch für diejenigen Denker, welche die Willensfreiheit leugnen, die sittliche Zurechnungsfähigkeit wegfällt, so bleibt doch die politische Zurechnungsfähigkeit bestehen. Die Gewissensbisse (im schuldigen Individuum der Reaction gegen die Verbrechen der Andern entsprechend) und die innere Genugtuung der Seele sind freilich hochbedeutsame psychische Vorgänge, können indessen weder für eine ewig gleichbleibende Moral, noch für die Willensfreiheit ausgedeutet werden. Aus der Leugnung der Letzteren gehe keineswegs der Fatalismus hervor; unter den vielen Faktoren, welche die Handlungen bestimmen, dürfen aber auch der gute Wille, obgleich er sich so wenig als die anderen Motive immer durchsetze, nicht außer Anschlag gelassen werden. Die Ideen, die Gefühle, der Gesammtzustand eines Individuums in einem gegebenen Augenblick sei nicht etwas dem Ich feindisch Gegenüberstehendes, sondern eben das in dem gegebenen Augenblicke bestimmte Ich selbst, es gehorcht darum keiner fremden Macht, deren Aeußerungen erst in die Formen seines Ichs eingehen müssen, bevor sie wirksam werden, sondern sich selbst. Auf diese Weise konstruirt Piperno innerhalb des gesetzmäßigen Naturverlaufs ein Reich der Freiheit mit dem bedeutungsvollen Zusatz, dass die Grenzen desselben um so ausgedehnter sind, je gebildeter das Individuum ist und je zahlreicher, mannigfacher und klarer die Ideen und die Gefühle sind, welche in diese Art physischen Kreislaufs eintreten. Die Schrift enthält wertvolle Aufsätze zur Begründung einer sozialen Moral-Sittenlehre. Wie prächtig sich unser Realist mit der Stimme des gewöhnlichen Bewusstseins abfindet, können wir leider aus Raummangel nicht näher entwickeln. (Settimio Piperno. La nuova scuola de diritto penale in Italia. Studio de scienze sociale. Roma, Löscher & Cie. 1881. 102 S. Lire 1.50.)

„Sappho". Griechische Novelle von Johannes Flach (Leipzig, Reissner.) Der Autorname wäre als Pseudonym sehr glücklich gewählt. Denn die Flachheit der „antiken" Romanschule macht ja seit lange dies Gebiet zu einer Erzstreusandbüchse des heiligen römischen Reiches deutscher Litteratur. Die Erzählung ist zwar einer Dame „zugeeignet", welche wohl sicher keinen Anspruch darauf erhebt, zu den historischen Altertümern gerechnet zu werden und vermutlich der modernsten Sappho-Theeperiode angehört.

Sonst aber erfreut sich jede der ebenso zahlreichen als nichtssagenden Frauenfiguren dieser nur 142 Seiten zählenden „griechischen Novelle" eines überaus klassischen Alters. „Ein heißer Spätsommertag des Jahres 595 vor Christo hatte die Bewohner von Mitylene auf Lesbos in ihren Wohnhäusern festgehalten" — nun, der Verfasser muß es ja wissen. In demselben griechischen Kostüm und höchst modernen Stil geht es weiter. Es ist wirklich eine „griechische Novelle", griechisch zum Rasendwerden. Sogar für das harmlose Wörtchen „Ende" am Schluss des Buches wird — man will seinen Augen nicht trauen! — das griechische „Telos" in griechischen Buchstaben gesetzt! Der Verfasser bestrebt sich offenbar, uns jene ehrwürdigen Gestalten vertraulich näherzurücken. Wir fühlen uns tiefgerührt, wenn die berühmte Dichterin Erinna seufzt: „Er hat meiner Tante geschrieben, dass er auf den ehelichen Bund mit mir verzichte". Mit demselben schlicht herzlichen Ton wird überhaupt so manches in dieser ergreifenden Historie vorgetragen, in welcher gar viele eines unnatürlichen Todes oder auch am gebrochenem Herzen sterben. Die gefährliche Andromeda erhängt sich und „war nach wenigen Minuten eine Leiche." Der Kampf in Mitylene 595 v. Chr. „nahm immer größere Dimensionen an". Andere klassische Reminiscenzen fehlen jedoch, so z. B. die „Lesbische Liebe," durch welche jene edle Insel ihren Namen verewigt hat. Auch „Sappho," an welche man hierbei unwillkührlich denkt, hat wenig mit dieser Geschichte zu thun, die sich vielmehr (wenn überhaupt um etwas!) um einen gewissen Pittakos dreht. Dieser alte Herr soll einst ein bedeutender Staatsmann gewesen sein — 595 v. Chr. zu Mitylene auf Lesbos. Der Titel „Sappho" hat sich ja wieder kürzlich zugkräftig erwiesen, bei Daudet's berühmtem Roman. Aber von J. Flach fürchte man nichts! *Er* giebt uns nicht „toute la lyre," wahrlich nicht. Und der Vers Daudets. . .

„O Sappho, j'ai donné tout le sang de mes veines" wirkt erheiternd in der Erinnerung bei Lectüre dieser blutlosen Erzählung.

Eine im Verlage von R. Schultz & Comp. erschienene Brochüre betitelt sich „Bürger-Gespräch über die Abschaffung der deutschen Sprache bey der Verhandlung der öffentlichen Geschäfte in Straßburg i. E.", gehalten am 23. August 1790. Diese kleine von C. Liper herausgegebene Schrift verdient unbedingt auch in weiteren Kreisen bekannt zu werden und wird das Interesse gewiss auch im verdienten Maße finden.

„Der Hexenwahn vor und nach der Glaubensspaltung in Deutschland" von Johann Diefenbach (Mainz, Fr. Kirchheim.) Das an so vielerlei Wirren und traurigen Begebenheiten so reiche Mittelalter wurde noch durch die beinahe zur Manie gewordene Hexenverfolgung um eine traurige vermehrt. Es gab fast eine Zeit, in der auch nicht der ruhigste Bürger, ja selbst der hohe Adel und sonstige Würdenträger, vor diesen so scheußlichen Nachstellungen, Verleumdungen und grausamen Torturen sicher waren und wo der schiedsrichterliche Spruch mitunter von einem blinden Fanatismus beeinträchtigt, ausgesprochen wurde. Der Verfasser entrollt uns in diesem Werke ein lebenswahres Bild jener Zeit und gewinnt das Werk noch durch die Hinzufügung von Prozessakten, in denen zumeist die Sprachweise und der Stil der damaligen Zeit festgehalten.

„Die Parteigänger der Königin." Historischer Roman aus der Hugenottenzeit. Nach Chr. Buet frei bearbeitet von A. Zingeler. Der historische Roman nahm von jeher das Interesse der deutschen Leser in Anspruch, besonders wenn er auch der kulturgeschichtlichen Seite der geschilderten Zeit gerecht wurde. Das ist bei vorliegendem Buche in hohem Maße der Fall. Dasselbe hat auch noch das besondere Verdienst, den Nachweis einer alten geschichtlichen Lüge in fesselnder Form zu liefern. Die Geschichtsforschung der jüngsten Zeit hat festgestellt, dass Admiral Coligny, das vornehmste Opfer der scheußlichen Bartholomäusnacht, durchaus nicht das unschuldige Lamm war, als welches er bisher vielfach dargestellt wurde, vielmehr ist er der direkte Urheber des Mordes des Herzogs Franz von Guise. Dieser Mord legte den Keim zur „Bartholomäusnacht"; ohne ihn würde eins der düstersten Blätter der Geschichte Frankreichs nicht existiren. Charles Buet hat seine Studien über die Vorgeschichte dieser folgenschweren Ereignisse zu einem fesselnden Roman verarbeitet, der in vollendeter deutscher Bearbeitung hier vorliegt.

„Unglaublich und doch wahr." Historischer Roman von Lady G. Fullerton. Aut. Uebersetzung von Olga Freifrau von Leonrod-Schaezler. Der Roman eines gekrönten Hauptes, — und zwar der Prinzessin Charlotte von Braunschweig-Wolfenbüttel, Frau des Großfürsten Alexis und Mutter des Czaren Peter von Russland. Von ihrem rohen Gemahl zum Tode misshandelt, entging sie demselben nur durch die aufopfernde Energie der befreundeten Gräfin Königsmark. Eine Figur von Holz wurde in den für die Großfürstin hergerichteten prächtigen Sarg gelegt und sie selbst in einer geheimen Kammer des Palastes verborgen, bis sie Kraft genug hatte, aus St. Petersburg zu fliehen. Dies gelang mit Hülfe ihres Kammerherrn und der Gräfin, während alle Höfe Europas um die verstorbene Gemahlin des Czarewitsch Trauer anlegten. Charlotte fand Ruhe in der Wildnis der neuen Welt am Mississippi, geriet dort aber bei einem Indianeraufstand mit ihrem zweiten Manne, einem französischen Oberst d'Auban, in die Gefangenschaft des Natschehs. Durch eine kühne Tat des Obersten befreit, kehrten sie nach Europa zurück. In Paris wurde die Prinzessin auf Veranlassung des russischen Gesandten Fürsten Kurakin verhaftet, als Gefangene in die Conciergeri gebracht und nur durch die Verwendung ihres Jugendfreundes, des Feldmarschalls Grafen Moritz von Sachsen, befreit, der sie zufällig im Tuileriengarten traf und wiedererkannte. Der junge König Ludwig XV. verschaffte dem Obersten d'Auban eine Anstellung auf der fernen Insel Bourbon, wohin die Familie übersiedelte. Dazwischen spielt die Liebe der Tochter der Prinzessin, der Enkelin und Stiefschwester zweier Czaren zu einem jungen Natscheh-Indianer, der ihr bei der Empörung das Leben gerettet hatte. Nach dem Tode ihres Mannes und ihrer Tochter endete die Großfürstin ihr Leben in Brüssel. — Diese Geschichte von geradezu beispiellosen Schicksalen einer Fürstentochter war während der letzten Hälfte des vorigen Jahrhunderts in Europa sehr verbreitet. Die russische Regierung trat derselben in einer offiziellen Erklärung entgegen. Der äußerst interessante Roman wird in seiner durchaus neuen schmucken Gestalt in vierter Auflage wieder viele neue Freunde finden.

Die von der rühmlichst bekannten Verlagsbuchhandlung Félix Alcan in Paris herausgegebene „Bibliothèque de philosophie contemporaine" ist soeben um ein weiteres Bändchen „La criminalité comparée" par G. Tarde vermehrt worden.

Ein merkwürdiges Buch ist soeben bei Cäsar Schmidt in Zürich erschienen, welches den Titel „Das Buch der Geister" trägt. Das Werk enthält die Grundsätze der spiritistischen Lehre über die Unsterblichkeit der Seele, die Natur der Geister und ihre Beziehungen zu den Menschen, die sittlichen Gesetze, das gegenwärtige und das künftige Leben, sowie die Zukunft der Menschheit. Nach dem durch die höheren Geister mit Hülfe verschiedener Medien gegebenen Unterricht gesammelt und geordnet von Alcan Kardec. Anhängern des Spiritismus und denen, die sich für die Sache interessiren, sehr empfehlenswert.

Ein Verzeichnis sämmtlicher bis dato erschienener beachtungswerter Bücher und Zeitschriften der spanischen Litteratur ist von der Buchhandlung von L. Jacobsen & Co. in Buenos-Aires (242,44 Galle Florida) herausgegeben worden. Es führt den Titel „Extracto de catálogo general" per orden alfabético de autores del departamento obras en Español. Freunden spanischer Litteratur wird diese Arbeit, welche äußerst geschickt zusammengestellt ist, sehr willkommen und für jede größere Bibliothek geradezu unentbehrlich sein.

„Aus Süd und Ost", Reisefrüchte aus drei Weltteilen von Mark Strack. Zweite Sammlung. Adria, Bilder aus Palästina und Syrien, Aegypten. Bearbeitet und herausgegeben von Prof. Dr. Herm. L. Strack. (Karlsruhe, H. Reuther.) Bei der Lektüre dieser so eigenartig fesselnd geschilderten Reiseerlebnisse und Länder glaubt der Leser förmlich selbst Alles mit zu erleben und zu sehen und Werden gewiss auch Diejenigen, welche schon selbst diese Länder durchstreift und durchforscht, viel Neues vorfinden.

Eine anmutige Erzählung aus dem überseeischen Leben ist soeben von Arw. Solano unter dem Titel „Kontorrock und Konsulatsmütze" bei Carl Grädener in Hamburg erschienen. Die Erzählung ist unbedingt dem wahren Leben entnommen und bekundet der Verfasser in derselben eine feine Beobachtungsgabe und hat das Ganze auch schön aufgebaut, so dass jeder mit Befriedigung das Buch aus der Hand legen wird.

Der von Carl Knortz in New-York dem Deutschen Geselligwissenschaftlichen Verein in New-York gehaltene Vortrag über Walt Whitman ist in einer Broschüre soeben bei Hermann Bartsch in New-York (54 Beekm. Str.) erschienen.

„Zwei Waisenkinder." Eine Erzählung für junge Mädchen von Adelaide Müller Portius (Hannover, Carl Meyer). Die Verfasserin hat es vortrefflich verstanden, unsere sogenannte „Töchterschulen-Litteratur" um ein Werk zu bereichern, welches voll und ganz unseres Erachtens seinen Zweck erfüllt. Wir finden nichts Ungesundes in demselben, Alles ist vorzüglich erdacht und Alles, welches die leicht erregbaren Gemüter unserer jungen Damen irgendwie beeinflussen könnte, wohlweislich gemieden. Wir können es also für diesen Zweck nur empfehlen.

In unserer schnell lebenden Zeit wird die von dem bekannten Stenographen Dr. J. Knoevenagel verfasste „Neue abgekürzte Kurrentschrift", die erstaunlich leicht in wenigen Stunden zu erlernen ist, und die gegenüber der gewöhnlichen Schrift um etwa zwei Fünftel weniger Zeit erfordert, auf allseitigen Beifall rechnen können. Der Verfasser sagt darüber im Vorwort: „Nachdem ich mich seit fast vierzig Jahren mit der Stenographie und ihrer Verbreitung beschäftigt habe, komme ich immer mehr zu der Ansicht, dass für die große Mehrheit des Volkes der Uebergang von der gewöhnlichen Schrift zur Stenographie kein schroffer unvermittelter sein darf, wie er es tatsächlich bei allen Kurzschriftsystemen ist. Diese Erkenntnis hat mich dazu geführt, eine Zwischenstufe aufzustellen, welche ich vorschlage, „abgekürzte Kurrentschrift" zu nennen. Sie schließt sich — allerdings unter Benutzung einfacher, der Gabelsbergerschen und Stolzeschen Kurzschrift entlehnter Zeichen — an die Kurrentschrift insofern an, als auch bei ihr die Schriftzeichen im Allgemeinen gleichwertig aneinander gereiht werden. Sie befolgt genau die herrschende Rechtschreibung. Ich hoffe ihr dadurch leichteren Eingang in die Schulen zu verschaffen; nur möchte ich wünschen, dass in der vereinfachten Kurrentschrift der Gebrauch der großen Anfangsbuchstaben auf die Satzanfänge, Eigennamen und Fürwörter in der Anrede beschränkt würde." Die elegant ausgestattete Schrift ist bei Carl Meyer (Gustav Prior) in Hannover zum Preise von 75 Pfg. erschienen und durch alle Buchhandlungen zu beziehen.

In den „Sozialen Zeitfragen", Sammlung gemeinverständlicher Abhandlungen, herausgegeben von Ernst Henriet Lehnsmann (Berlin, George und Fiedler) hat Professor Emil Witte im dritten Heft der zweiten Serie „Unser Goldwesen", seine Schäden und seine Verbesserung einer längeren Beleuchtung unterzogen, die für Jedermann von Interesse sein wird. Ebenso gern immer wieder begrüßte zeitgemäße Schriften sind die im Verlage von Karl Habel in Berlin erschienenen „Deutsche Zeit- und Streit-Fragen" herausgegeben von Franz von Holtzendorf und die „Sammlung gemeinverständlicher Vorträge" von demselben Herausgeber und von Rud. Virchow. Von den ersteren liegen uns Heft 5 „Ueber den Einfluss des Waldes auf das Klima" von d. Kaiserl. Oberförster C. E. Ney und Heft 6/7 „Errichtet lateinlose Schulen!" von Direktor D. Gustav Holzmüller, von der letzteren Heft 7 „Die Photographie, ihre Geschichte und Entwicklung" von Apotheker Wilhelm Schmidt und Heft 8 „Altnordisches Kleinleben und die Renaissance", ein höchst lesenswerter Vortrag von Dr. Wilhelm Goetz.

„Deutsche Kultur und Litteratur des 18. Jahrhunderts im Lichte der zeitgenössischen italienischen Kritik" von Dr. Theodor Thiemann, Oppeln, Eugen Francks Buchhandlung (Georg Maske). Mit dieser Arbeit hat der Verfasser, welcher in derselben seiner Aufgabe durchaus gerecht geworden, ein Werk geschaffen, welches von den zahlreichen Kennern der deutschen und den Freunden der italienischen Litteratur geschätzt werden wird.

Im Verlage von C. G. Naumann in Leipzig erschien soeben ein beachtungswertes Werk von Friedrich Nitzsche unter dem Titel „Jenseits von Gut und Böse", Vorspiel einer Philosophie der Zukunft.

Das Augustheft der „Gesellschaft" in München enthält Gedichte von D. v. Liliencron, H. v. Reder, A. v. Puttkamer und Anderen, Artikel von Conrad, Flürscheim, Bleibtreu, eine dramatische Arbeit von Riffert und eine eigenartige Novelle von Walloth. Das Bild des trefflichen Bayernkönigs Ludwig I. ist dem Hefte vorgesetzt.

Die Collection of British Authors (Tauchnitz Edition) Verlag von Bernhard Tauchnitz, enthält in Bd. 2415 „A Fallen Idol" by F. Anstey, author of „Vice versa," „The Giants Robe" etc.

„Natur und Sitte", zwei Novellen von Eugen Löwen (Berlin, Bruer & Co.). In diesen beiden Novellen „Eine Künstlerehe" und „Helene" tritt eine eigenartige Vermischung von Realistik und Romantik zu Tage, zugleich durch die an verschiedenen Stellen sich vorfindenden scharf und präzis gefassten Besprechungen von Fragen, die teils die Menschheit von je, teils unsere Zeit in besonderem Maße bewegen; dieselben berechtigen eine Sonderstellung in der zeitgenössischen Litteratur einzunehmen. Eine ebenfalls beachtenswerte Kriminal-Novelle hat Amanda Block unter dem Titel „Charlotte Oldenstädt" im Verlage von Hermann Costenoble in Jena erscheinen lassen, in der die Autorin geschickt einen mysteriösen Vorgang allmählich zu erhellen weiß und auch den Gang der Handlung in höchst spannender Weise zu Ende führt.

Berichtigung. In Nr. 36 sind unter „Litterarische Neuigkeiten" auf Seite 571 folgende Fehler aus Versehen stehen geblieben: Z. B. heißt der Roman von Pflug nicht „Ljodika", sondern „Hodika" und in Zola's „Realistischen Novellen" muss es am Schluss heißen: „. . . vor der Gemeinde der Kenner, gegenüber . . ." Der arme Zola ist auch kein „Roalist" (warum nicht gar Royalist!). Der Setzerteufel wird witzig.

Erklärung.

Im Auftrage meines verehrten Freundes Björnstjerne Björnson muss ich folgende Bemerkung veröffentlichen. Björnson ist es gewöhnt, dass seine Werke oft in etwas verstümmelter Form, ins Deutsche übertragen werden, ohne dass man es der Mühe wert hält, ihm vorher irgend eine Mitteilung davon zu machen, wie es die Form eigentlich geböte. So hat auch Herr Oberlandesgerichtsrat Passarge in Königsberg ohne des Dichters Wissen das letzte Drama desselben unter dem Titel „Ueber die Kraft" übersetzt und Björnson ohne jede weitere Mitteilung ein Exemplar zugeschickt. Das Stück ist außerdem mit einer Vorrede versehen, die eine durchweg falsche Auffassung desselben voraussetzt. Die Dichtung ist lediglich geschrieben, um den tragischen Ausgang darzulegen, welcher aus der Verblendung erfolgen kann, mit welcher man eine magnetische Kraft für eine übernatürliche Kraft — die Mirakelkraft — hält. Herr Passarge erzählt ferner, das Stück habe trotz der guten Darstellung des Titelhelden in Stockholm keine Bühnenwirkung hervorgebracht. In Wahrheit aber wurde trotz der mangelhaften Darstellung eine „entsetzliche, großartige" Wirkung erreicht, worüber alle Kritiker einverstanden waren.

Im Uebrigen erkennt Björnson die Uebersetzung als wohlgelungen an. Für die deutschen gewiss zahlreichen Leser derselben (sie erschien in der „Reclam'schen Universalbibliothek") dürfte es aber von Interesse sein, von der obigen Erklärung Kenntnis zu nehmen.

Charlottenburg. Karl Bleibtreu.

Alle für das „Magazin" bestimmten Sendungen sind zu richten an die Redaktion des „Magazins für die Litteratur des In- und Auslandes" Leipzig, Georgenstrasse 6.

Für die Redaktion verantwortlich: Karl Bleibtreu in Charlottenburg. Verlag von Wilhelm Friedrich in Leipzig. — Druck von Emil Herrmann senior in Leipzig.

Das Magazin

für die Litteratur des In- und Auslandes.

Wochenschrift der Weltlitteratur.

1832 gegründet von Joseph Lehmann.

55. Jahrgang.

Herausgegeben von Karl Bleibtreu

Preis Mark 4.– vierteljährlich.

Verlag von Wilhelm Friedrich in Leipzig.

No. 38. — Leipzig, den 18. September. — 1886.

Unsern verehrlichen Lesern wird die Notwendigkeit der baldigen Erneuerung des Abonnements in freundliche Erinnerung gebracht.

Leipzig. Die Verlagshandlung des „Magazins".

Inhalt:

Zwei französische Werther-Gestalten.

Von F. Gross (Wien).

I.

Stellino.

Mit Studien über den Einfluss Goethes auf die französische Litteratur beschäftigt, bin ich in der letzteren speziell den Spuren Werthers sehr oft begegnet und habe über diese Begegnungen schon zu verschiedenen Malen öffentlich Bericht erstattet, aber das Material, das sich einem emsig Suchenden auf diesem Felde darbietet, erweist sich als so reichhaltig, fängt in so zahlreicher Vertretung immer wieder von Neuem an, wenn man es schon erschöpft glaubt, dass Derjenige, der sich einmal damit beschäftigt, wohl ab und zu die Aufmerksamkeit des litterarischen Publikums in Anspruch nehmen darf. Wenn Goethe im fünfunddreißigsten Epigramm aus Venedig betont, Deutschland habe ihn nachgeahmt, Frankreich mochte ihn lesen, dann verschweigt er die interessante Tatsache, — oder sollte sie ihm fremd geblieben sein? — dass er, respektive sein Werther nirgends so vielfach nachgeahmt worden ist wie in Frankreich, nachgeahmt und sogar — unbestreitbar ein Zeichen des höchsten Grades von Volkstümlichkeit — parodirt! Wir, die wir miterleben, dass Frankreich unser Schrifttum ignorirt, können uns kaum vorstellen, wie ehemals ein deutsches Buch tatsächlich unter den Gebildeten Frankreichs von Hand zu Hand ging. Der Uebersetzungen, deren erste ein Deutscher, Herr von Seckendorff, lieferte, giebt es etwa ein Dutzend, gute und schlechte, die beste von Aubry, veröffentlicht 1777. Aber weit bezeichnender als diese Uebersetzungen sind die Nachahmungen für den Erfolg, den die Geschichte des unglücklichen Jünglings und seines tragischen Endes in Frankreich gefunden hatte. Eine Reihe französischer Schriftsteller trat in die Fußstapfen Goethes. Die Einen gestanden ganz offen, dass er sie zur Nacheiferung angereizt habe; die Anderen sagen darüber nichts Ausdrückliches, verraten aber unzweideutig, dass sie unter dem Banne von „Werthers Leiden" stehen, und ertragen sie diesen Bann unbewusst, so ist dies ein Zeugnis mehr für die starke Wirkung, welche Goethe auf die französische Litteratur hervorgebracht hat. Manche Kritiker gehen in dem Bestreben, solche Wirkung zu erkennen, vielleicht zu weit. Unter den aus dem Nachlasse Karl Hillebrands herausgegebenen Essays befindet sich eine Studie über die „Werther-Krankheit in Europa", in welcher der geistvolle Autor Werther und Byron in einen Topf wirft und auch Bücher wie „Lélia" von George Sand und „Confessions d'un enfant du siècle" von Alfred de Musset als Aeußerungen der Werther-Krankheit bezeichnet. Byron und Werther sind ganz verschiedene Menschen. Jenen hat der

Genuss blasirt gemacht, Byron ist einer Welt müde, deren Reize er ausgekostet hat. Werther ist zu passiv, um zu genießen, er geht als eine durchaus leidende Natur durch das Leben, und ein einziges Mal rafft er sich zur Aktivität auf: wenn er als Selbstmörder den Lauf der Pistole gegen sich richtet. Trennen wir also den Byronianismus ganz entschieden von dem Wertherismus, so werden wir als Nachahmung von Goethes hier in Rede stehendem Roman nur solche Werke erklären, die eine unleugbare Verwandtschaft mit demselben aufweisen. Unsere kritische Arbeit wird uns dadurch erleichtert, dass die meisten französischen Werther-Imitatoren sich an Goethes Technik halten: Vorbemerkungen eines Herausgebers. Briefe des Helden. Von einem gewissen Wendepunkte der Handlung an ergreift der fiktive Herausgeber wieder das Wort. So weit gehen die Nachahmer in ihrem Affentum, dass sie als Episode in das Ganze eine kleine Geschichte verflechten, welche den Roman in engem Rahmen wiederspiegelt — wie in „Werthers Leiden" die Geschichte des Bauernburschen aus Wohlheim, der Werther jammernd erzählt, seine von ihm über Alles geliebte Hausfrau wolle einen Anderen heiraten, und das überlebe er nicht . . . Und auch in der Handlung tragen diese Werther-Schriften untrügliche Kennzeichen: Wie die Sache gewendet sein mag, der Held der Erzählung ist der Dritte zwischen oder neben zwei Anderen, einem Manne und einem Weibe, deren Bündnis sein Unglück bedeutet. Eine der ältesten Nachahmungen dieser Art ist „Les dernières aventures du jeune d'Olban" (1777) von Ramond de Carbonnières. Hier wird das Geleise des Originals ziemlich genau eingehalten. In „Saint-Alma" (1794) von Gorgy lernen wir einen Werther kennen, der seine Lotte, nachdem sie Wittwe geworden, — heiratet. Aus der beträchtlichen Anzahl der einschlägigen Bücher hebe ich hervor: „Werthérie" von Florian, zwei „Le nouveau Werther" von Marquis de Laugle und Pierre Gerrin, dann aus neurer Zeit „Obermann" von Etienne de Sénancourt, „Adolphe" von Benjamin Constant, „Le peintre de Saltzbourg" von Charles Nodier, „René" von Chateaubriand. Einer der wunderlichsten Auswüchse der Wertherkrankheit ist „Lettres de Charlotte à Caroline, son amie, pendant ses liaisons avec Werther". In diesen, angeblich aus dem Englischen übersetzten, in Wirklichkeit aber sicherlich originalfranzösischen Briefen erzählt nicht Werther, sondern Lotte die Vorgänge, sie erzählt sie mit der Prüderie einer englischen Frömmlerin, und zum Schlusse giebt sie ihrer Entrüstung darüber Ausdruck, dass ein Mensch so gottlos sein könne, sich umzubringen. König Ludwig von Holland, der Vater Napoleon III., hat einen Roman im Werther-Genre veröffentlicht: „Marie, ou la peine des amours." Aber ich kenne ihn nur vom Hörensagen und war bisher nicht im Stande, ihn mir im Buchhandel zu verschaffen — vielleicht findet sich eine mitleidige Bibliophilen-Seele, die mir zu dem seltenen Buche verhilft. Heute will ich aber einige Worte über zwei Werther-Gestalten sagen, welche in ihrer Art recht interessant sind, weil sie eigenartige Reflexbilder einer der deutschesten Gestalten unserer nationalen Dichtung zeigen. Vorerst von dem Titelhelden, von „Stellino, ou le nouveau Werther". (1791). Anstatt des Autornamens steht nach dieser Ueberschrift zu lesen: „Dédié à Madame, belle-sœur du Roi." Diese Schwägerin des Königs ist die Gattin des zukünftigen Ludwig XVIII. Der Verfasser trug den Namen Gourbillon und war Kabinetssekretär von „Madame". In der Vorrede sagt er nicht undeutlich, dass die Franzosen das Werk Goethes nie nach seinem vollen Werte zu würdigen gewusst hätten. „Der Tod des unglücklichen Werther," meint er, „hatte die von Natur aus gefühlvollen Herzen gerührt. Man beweinte das Schicksal des jungen Mannes. Man bewunderte die Lieblichkeit seiner Lotte. Aber die Weisheit, die Schönheit der Beschreibungen, die Feinheit und Originalität des Stils entgingen drei Vierteilen seiner Bewunderer. Daher die Kleider und Hüte à la Charlotte. Man verschlang den Roman, aus welchem die Bertin eine so köstliche Idee geschöpft hatte, und das Buch befand sich alsbald in den Händen des Hofes und der ganzen Gesellschaft. Als die Mode wechselte und man dieser Hüte müde war, da ward man es rasch auch des Buches. O Goethe, könntest du dir denken, dass die verdiente Schätzung deines Werkes zugleich mit jener eines Putzgegenstandes kommen und gehen könne?!"

Gourbillon mag Goethe bis ins Tiefste verstanden haben, aber was er ihm abgeguckt hat, das sind doch nur Aeußerlichkeiten. Er mag sich kleiden wie Goethe — man gewahrt doch rasch, dass in den Gewändern ein Anderer steckt. Natürlich fungirt wieder ein Herausgeber, ja sogar ein Vermittler zwischen diesem, der sich unter dem Pseudonym „Fabius" verbirgt, und dem Verleger und, um die Sache noch zu komplizieren, hat Gourbillon angeblich das Ganze aus dem Italienischen übersetzt. Erst nachdem der Vermittler sich breitspurig ausgesprochen hat, beginnen die Briefe von Stellino an Fabius. Wir haben es mit einem peripatetischen Werther zu tun, denn Stellino zeigt große Lust am Reisen, und der Zufall will es, dass, nachdem der große Seelenschmerz in ihm erstanden ist, er sein Unglück spazieren führen muss. Bevor er mit der Mitteilung von Tatsachen beginnt, liefert er sein Selbstporträt. Er habe, schreibt er, eine Lust, zu sein, wo er nicht sei, diesen unbestimmten und unglücklichen Wunsch, der ihn immer und unaufhörlich quäle und verfolge. „Ich wünsche, Fabius . . . aber was wünsche ich? Ich weiß es nicht. Nur das Reisen gewährt meinem Wahnsinne noch einige Linderung. Und es ist ein Wahnsinn! Zum hundertsten Male versuche ich, in der Abwechslung, welche das Reisen bietet, ein

Gegengift wider die Apathie zu finden, welche die Qual meiner Tage ausmacht und die schönsten Augenblicke meines Lebens ungenießbar macht." Stellino geht von Rom nach Terni, Siena, Bologna, Venedig, während Fabius ruhig in Pivoli sitzt und sich's dort gut sein lässt. Auch von Venedig wollte er weiterziehen, da begegnet er ihr, und nun denkt er an keine Abreise, sondern nur daran, wie er es anstellen solle, sich ihr zu nähern. Ihre Gondeln streiften einander. Er richtete flugs einige Worte an sie, geblendet von ihrer Schönheit. Aber schon war sie verschwunden, und er musste sich mit der Hoffnung begnügen, sie wiederzufinden. Wie er sie voll Entzücken schildert, da sucht er den Ton zu treffen, den Goethes Werther in Momenten hoher Erregtheit anschlägt: „Ich muss dir sagen, dass ich abreisen wollte und dass — ach, Fabius, es schien, dass sie sich für mich interessirte — o Himmel, wenn es wircklich so wäre! — Aber was hilft mir das, wenn ich wieder fort soll — fort will — wehe mir, fort muss!" Er erfährt, wer sie ist, aber trotzdem er sie gebunden weiß — als Gattin von Lord Petersby — fühlt er sich außer Stande, sie zu fliehen. Auf einem Balle bei der Gräfin Porselli lässt er sich ihr offiziell vorstellen. Der Lord, der eifersüchtig ist, bewacht seine Frau wie ein Kettenhund, die Lady beschwört Stellino mit Blicken zur Ruhe. In derselben Nacht noch reist das englische Ehepaar ab — es scheint, dass der Ball den Lord verstimmt hat. Stellino macht sich auf die Suche, Er geht nach Fusina, dann nach Mailand. Die Reisegelegenheiten sind noch etwas primitiv. „Ich habe," berichtet er aus Mailand, „in zwanzig Stunden zwanzig Meilen Weges gemacht." Heute reist man einer Geliebten in schnellerem Tempo nach. Aber Stellino scheut nicht Strapazen noch Kosten. Er begiebt sich nach Bologna, Turin. Nirgends eine Spur von ihr! Endlich eruirt er, der Lord und die Lady hätten die Route nach England eingeschlagen. Das lässt unser Stellino sich gesagt sein. Er eilt nach Paris, von dort nach Calais, und zur Ueberfahrt besteigt er das Schiff, auf welchem Petersbies sich befinden. Er fürchtet, der Lord werde ihn erkennen und eilt in eine Kajüte, wo er sich auf ein Bett hinstreckt. In der Koje über ihm — o Glück eines Liebenden! — liegt die Lady seekrank. Der Lord kommt, sich um ihr Befinden zu erkundigen, erinnert sich nicht, den Mitpassagier bei Gräfin Borselli gesehen zu haben, beachtet ihn nicht weiter und sobald er sich entfernt hat, stürzt Stellino ihr leidenschaftlich zu Füßen — eine Situation, die schrecklich hätte enden können, wenn in diesem Augenblicke die Seekrankheit der Herrlichen sich geäußert haben würde. Rasch erhebt er sich wieder, und, wie die Passagiere auf die Schaluppe übersteigen, hilft er ihr, benützt die Gelegenheit, um sie an sein Herz zu drücken und fühlt sich daher ein wenig beschämt, als Lord Petersby ihm für seine Freundlichkeit dankt. In Dover kehrt er in dasselbe Hotel ein wie die Beiden. Sie reisen ab, ohne dass Stellino es vorher erfahren hat, die Lady lässt ihm einen Brief zurück, in welchem sie ihn beschwört, ihr nicht zu folgen. Er glaubt in diesem Briefe zwischen den Zeilen ihr eigenes, mühsam verhaltenes Feuer zu finden und nun lässt er erst recht nicht von ihr. Er geht nach London. Dort findet er sie in der Oper. Sie sieht ihn zwei Male an, er starrt aber so unverwandt auf sie, dass er außer seiner Herzenswunde auch noch eine — Augenentzündung davonträgt.

Seine Leidenschaft bringt ihn außer Rand und Band. Er besucht einen Freund, trifft ihn nicht zu Hause, sieht aber dessen Pistole liegen, ergreift sie, drückt sie gegen sich ab — sie ist nicht geladen, die Generalprobe für den wirklichen Selbstmord verläuft harmlos. Im Kensington-Garten begegnet er Laura, so heißt die Lady. Er spricht einige Worte mit ihr, sie erlaubt ihm, sich bei ihr einführen zu lassen. Er tut das. Der Lord gewinnt ihn lieb. Er ladet ihn ein, ihn und seine ganze Familie auf einen Landsitz zu begleiten. Stellino sagt zu, aber das Herz blutet ihm, während er die Geliebte so ganz in der Macht eines Andern sieht — frei nach Werther, Lotte, Albert. In Old-Castle lebt er unter dem falschen Namen, den er dem Lord gegenüber angenommen hat — zu welchem Zwecke, hat nie ein Mensch erfahren. Vielleicht nur dazu, damit der im Gefolge des Lord befindliche Mr. North, der Stellino nicht leiden mag, hinter das Geheimnis kommen könne. Stellinos Eifersucht bringt den Unglücklichen dahin, dass er Petersby hasst. Er verabscheut sogar die Jagd, weil der Lord sie gern betreibt. Er muss einmal Zeuge sein, wie der Lord seiner Gattin eine brutale Szene macht. Stellino, wie alle Werther-Gestalten bei den Fransosen, will durchaus nichts arbeiten. Er verargt es Fabius, das dieser ihm rät, irgend eine Stellung anzunehmen; fällt ihm nicht ein! Wie aber Lord Petersby zum Gesandten in Rom ernannt wird, zieht Stellino mit ihm, aber nur als Tourist, während North den Posten eines Gesandtschaftssekretärs erhält und nun nicht mehr Muße hat, die Lady immer zu überwachen.

Fabius hält sich zu dieser Zeit in Malta auf. Der Autor kann ihn nicht in der nächsten Nähe von Stellino brauchen, weil dessen Briefschreiberei sonst unnütz wäre. Stellino fühlt sich in Rom selig, denn er darf jetzt Laura sehen, mit ihr sprechen — in ihrer Unschuld glaubt sie, er bescheide sich damit für immer, er sei von seiner Liebesleidenschaft geheilt. Langsam fängt der Lord, der etwas schwerfällig zu sein scheint, an, gegen ihn Verdacht zu hegen. North scheint ihn aufgeklärt zu haben. Laura bemerkt das und will die Situation retten. Sie befiehlt Stellino, die Briefe, die er von ihr hat — was sie enthalten, wird nicht gesagt — zu verbrennen. Er fügt sich, aber vorher lernt er die Briefe auswendig. Eines Tages sagt Laura ihm, ihr Gatte wünsche, dass er seltener zu Besuch erscheine.

Stellino fragt sich, wie das wäre, wenn Lord Petersby ihm das Haus gänzlich verbieten würde. Dann bliebe ihm nichts übrig als Selbstmord. Er malt sich aus, wie man seine Leiche finden und wie dann Laura um ihn weinen würde. Wirklich tritt das von ihm Gefürchtete ein: Laura bittet ihn, nicht mehr zu kommen. Der Lord betrage sich, versichert sie, gerade wenn Stellino anwesend sei, absichtlich roh gegen sie, um ihn zu reizen. Einen Augenblick lang leuchtet aus einem Briefe Stellinos hervor, dass er die Absicht habe, sich — todtzuhungern. Aber er bekommt Dringenderes zu tun. Nachdem er als sicher erfahren, dass North ihn dem Lord denunzirt hat, fordert er den Gesandtschaftssekretär. North wird im Duell leicht verwundet, Stellino wandert nach Celano, um dort sein Leben zu beenden. In Celano umfängt ihn der Zauber großer Naturschönheiten, vermag aber nicht, ihm Freude am Leben einzuflößen. Zum Schlusse der Korrespondenz offenbart Stellino dem Freunde den Plan, sich in einen Abgrund zu stürzen, in dessen Tiefe ein wildes Wasser dahinrauscht. Da er Niemandem das Wort überlässt, erfahren wir keine Details über seinen Tod. Wir müssen es ihm aufs Wort glauben, dass er sich umbringen werde; er wird sein Versprechen wohl schon deshalb einlösen, weil ihm daran liegt, hinter Werther nicht zurückzubleiben. Er spricht gern von seinem Vorbilde. Im Schatten der römischen Ruinen liest er „Werthers Leiden". Laura hat ihm das Goethesche Buch geschenkt — ein bedenkliches Präsent für einen unglücklichen Liebenden!

Ich habe diesen nur flüchtig skizzirt. Es hat sich mir darum gehandelt eine jener französischen Werthergestalten anzudeuten, welche sich unumwunden zu ihrem deutschen Original bekennen. Als Gegenstück will ich eine andere vorführen, welche sich als selbständig gibt und doch auch nur von den Brosamen lebt, welche von Werthers Tafel abgefallen sind.

Moderne Versuche eines Religionsersatzes.

Unter obigem Titel hat H. Druskowitz einen philosophischen Essay erscheinen lassen,*) den wir der Aufmerksamkeit der Leser dieser Zeitschrift empfehlen möchten. Seine „Voraussetzung" bildet, wie der Verfasser bemerkt, „die jedem Unbefangenen sich aufdrängende Wahrnehmung, dass das Christentum bei den ersten modernen Kulturvölkern mehr und mehr seine Macht über die Gemüter verliert und seiner Auflösung notwendig entgegengeht." Mit der „Loslösung von einer mit dem modernen Geiste vollkommen unverträglichen Religion" ist es nun aber nicht genug, sondern zu den Negationen müssen Positionen hinzutreten. „Nur der hat im Grunde ein volles Recht, Freigeist zu sein," sagt unser Autor, „der, nachdem er den Aberglauben abgestreift, nach einem neuen und zuverlässigeren Gegenstand seines höchsten Vertrauens und Strebens sucht, der Gemüt und Verstand in gleichem Maße befriedigt. Es muss ein Höheres und Vollkommeneres an Stelle der Religion treten." Druskowitz macht es sich nun zur Aufgabe, die Versuche, welche von neueren Denkern gemacht worden sind, jenes Problem zu lösen, „in konziser Weise, mit strenger Vermeidung von langatmigen und schleppenden Ausführungen, darzustellen und einer Kritik zu unterwerfen." Comte, Mill, Feuerbach, Strauß, Lange, Nietzsche, Duboc, Dühring und Salter werden von ihm berücksichtigt. Die drei letztgenannten, sowie Feuerbach, haben, ihm zu Folge, „die Elemente, die ein höherer Religionsersatz enthalten muss, am befriedigendsten dargestellt, ohne dass jedoch einer der genannten Denker diese Bestandteile zusammen ins Auge gefasst und organisch mit einander verbunden hätte." Der „Religionsersatz" hat nach unserm Autor das Gemütsverhältnis des Menschen zum Weltganzen zu bestimmen: das Bewusstsein der Bedingtheit durch das Universum, dass Vertrauen zu dessen innerstem Wesen und die Ehrfurcht vor demselben und das Gefühl, dass wir inmitten eines Geheimnisses stehen, im Menschen zu erwecken; und er hat ferner „ein Ideal für den strebenden und handelnden Menschen aufzustellen," in welchem nicht nur die moralische, sondern auch die intellektuelle und die ästhetische Seite der menschlichen Natur geltend zu machen sei.

Das interessante Büchlein ist ein anerkennenswerter Beitrag zur Beantwortung einer Frage, die ernste Gemüter mehr und mehr beschäftigen wird.

Berlin. G. v. Gizycki.

*) Heidelberg, Georg Weiß, 1886.

Isidore von Lohma.

Epische Dichtung von Jean Bernard (Muschi). Vierte, neue durchgesehene Auflage. Mit dem Bilde des Dichters. Leipzig, Ed. Wartigs Verlag. 1886.

Dieses Buch wirft ein grelles Licht auf unsere — und wir meinen nicht etwa österreichischen, sondern allgemeinen, auch die draußen im Reich herrschenden — litterarischen Zustände, und deswegen halten wir es der Mühe wert, einen Augenblick dabei zu verweilen. Mit einem triumphirenden Vorwort führt der Verfasser, ein kleinstädtischer Journalist im Thüringischen, diese „vierte Auflage" seiner epischen Dichtung ein. Die Tatsache der „vierten Auflage" gilt ihm als ein Beweis dafür, dass denn doch noch die „echte Dichtkunst" in unserer der Poesie abholden Zeit geschätzt werde; diese „vierte Auflage" ist ihm kein persönlicher Erfolg bloß, sondern zugleich ein Zeichen der sich bessernden Zeit, ein tröstliches, verheißungsvolles, Zuversicht erweckendes! Und wohlwollend ruft er den Kollegen in Apoll zu: „Richtet Euer Haupt auf, kleinlaute Dichter, noch giebt es eine Gemeinde, die inmitten der aufs Stoffliche und Aeußere gestimmten Welt am Urbild des Schönen, Wahren und Guten festhält!" Ein guter Mensch fürwahr, der seinen Gewinn nicht für sich allein behalten will, der das Geheimnis seines Erfolgs den anderen „echten Dichtern" selbstlos verrät. Und als ein ganzer „echter Dichter" teilt er auch der Kritik seine Hiebe aus: „Das Beste," sagt er im selben Vorworte, „was man heutigentages über eine Dichtung hören kann, ist weniger ein anerkennendes Urteil, als die Kunde, dass sie gelesen wird; denn die Kunstkritik des 19. Jahrhunderts hat kaum Anspruch auf durchgängige Beachtung und Wertschätzung, natürlich mutatis mutandis." Im Grunde kann man diesem Manne nicht Unrecht geben; die gegenwärtigen kritischen Zustände in Deutschland sind ja in Wahrheit sehr beklagenswert. Jedes Zeitungsblatt und Blättchen in der Großstadt, wie in Krähwinkel, hat seine stolze Rubrik für „Wissenschaft, Kunst und Litteratur"; jedes dieser Zeitungsblätter erhält oder bezieht von den Verlegern „Rezensionsexemplare", und was für Rezensionen kommen dabei zu Tage! Der beste Fall ist noch der, wenn sie eine Art geschäftsmäßiger Quittung sind für den Empfang eines Buches; oder wenn der vielbeschäftigte Redakteur die dem Buche beigelegte Rezension des Verlegers einfach abdruckt, welche Kritik sich natürlich in hohen Tönen ästhetischer Begeisterung ergeht. Im Uebrigen aber: was wird gerade auf litterarisch-kritischem Gebiete an Unehrlichkeit geleistet! wann war der gegenseitige kritische Liebesdienst mehr im Schwange als heutzutage, wo der gute Freund des Autors oder Verlegers die Kritik eines Buches gleich für eine Reihe von verbreiteten „Weltblättern" übernimmt! Und wenn das persönliche Wohlwollen eines Redakteurs mangelt, dann wird dem Autor achselzuckend geantwortet: das Publikum — diese vage, unfassbare Instanz, auf die sich jeder beruft, der nicht den Mut hat, persönlich seine Meinung zu vertreten und daher lieber ein unbekanntes X vorschiebt, sich dahinter zu verbergen — das Pulikum liebt nicht litterarische Artikel, und statt der sachlichen Kritik, die auf das Wollen des Autors ehrlich und gewissenhaft eingeht, erscheint eine nichtssagende Notiz, die weder „Publikum" noch Autor irgendwie befriedigt. Darum ist es begreiflich, dass die Schaffenden nachgerade zur völligsten Gleichgültigkeit, wenn nicht Verachtung der Kritik gelangt sind, jener Kritik, die weder im Lob noch im Tadel den Eindruck der Sachlichkeit und der künstlerischen Einsicht hervorruft, und es ist begreiflich, dass die Dichter als einziges Kriterium ihres Wertes bloß den Erfolg, die Zahl der Auflagen, die ihr Buch erlebt, anerkennen und gelten lassen wollen. Es werden wohl wenige Dichter so naiv sein, diesen ihren Standpunkt offen zu erklären, wie der Autor unserer „vierten Auflage"; aber im Stillen werden sie ihm zumeist wol beistimmen.

Und doch ist das Drolligste bei alledem, dass der Mann, der so ungeschickt aus der Schule geschwatzt und so keck der Kritik den Fehdehandschuh hinwirft, das allergeringste Recht dazu hat, auf seine Dichtung stolz zu sein. Auch er ist, wie viele andere auch, inkonsequent genug, sein Buch zur Rezension an Redaktionen zu verschicken oder versenden zu lassen; wir haben es denn auch mit aller Aufmerksamkeit gelesen und die Meinung gewonnen, dass es von der ersten bis zur letzten Seite an heilloser Geschmacklosigkeit leide. Dem Autor dieser „vierten Auflage" fehlt es an Bildung im eigentlichen Sinne, seine poetische Begabung ist höchst gering.

Die Isidore von Lohma ist eine junge Nonne, in die sich der Herzog Sigmund von Voigtland (1428) mir nichts dir nichts verliebt, als er sie, zufällig am Kloster vorbeireitend, an einem Frühlingsmorgen auf dem Altan erblickt; sie liebt ihn ebenso schnurstracks beim ersten Anblick wieder, und es gelingt ihm, sie zu entführen. Des Herzogs feindliche Brüder benutzten dieses sein kirchliches Vergehn, ihn seiner Güter verlustig zu erklären. Es folgt eine Reihe von Abenteuern, wobei unter Anderm das Mädchen Isidore einen riesigen Räuber niedersticht, als er einen ihr wohlgesinnten Abt angreift. Die entlaufene Nonne bewegt sich immer, als Page verkleidet, im Mannsgewande und wird nie als Weib erkannt. Endlich werden die Liebenden von der weltlichen Macht erreicht, Isidore wird — als entlaufene Nonne — lebendig begraben: eine grässliche Schlusszene, deren Roheit noch dadurch erhöht wird, dass jener Abt bei dieser Einmauerung einen langen liberalen Leitartikel als Protest deklamirt, ohne im Uebrigen eine Hand zu rühren; Sigmund wird wahnsinnig.

Dies Alles wird in — Stanzen erzählt, freilich Verse, die dem Bänkelgesang verzweifelt ähnlich sehen. Von Charakteristik kaum eine Spur; schon die Exposition ist höchst unklar; anstatt des beabsichtigten historischen Kolorits wird in liberalen Phrasen gegen den Glauben jener Zeit perorirt. Am schlimmsten jedoch ist es mit der Sprache in diesem „epischen Gedicht" bestellt: der reinste Schwulst. „Mein Herz ist selgen Jubels Vaterland" (S. 112); „Schon hat die Dämmrung ihren Stab geschwungen" S. 111; Schneeflocken sind „eiskrystallne Spangen" (S. 130); „Wohl schmerzt der Fuß, weil Strauch und Dorn ihn küssen (!)" (S. 33.) — in dieser fürchterlichen Bildersprache, die ebenso wie der Geist des Vorworts an die schlesischen Dichter im Ausgang des 17. und Beginn des 18. Jahrhunderts erinnert, geht es durchs ganze Buch fort.

Und das Allermerkwürdigste ist, dass dieser unfreiwillige Bänkelgesang von einem Dichter wie

Hermann Lingg, wohlwollend beurteilt und dass die offenbare Talentlosigkeit dieses Autors noch unverantwortlicherweise ermuntert wird. Bernard druckt, triumphirend über die böse Kritik des „neunzehnten Jahrhunderts“, Linggs Brief ab, den er über das zugeschickte Manuskript der Dichtung empfangen: „Im Ganzen hat mir Ihre Isidore sehr wohl gefallen, ich habe die ganze Dichtung mit anhaltendem Interesse gelesen“ u. s. w. Wie diese „Isidore von Lohma“ eine vierte (Titel-)Auflage erleben konnte, das können wir uns, bei unserer Bekanntschaft mit den Verlegerkünsten, wohl beiläufig vorstellen; wie aber ein Dichter vom Range Linggs sie loben und empfehlen konnte — das ist uns schlechthin unbegreiflich.

Wien. Moritz Necker.

Goethes Gelegenheitsgedichte.

Von Ernst Koppel.

Den dichterischen Werken Goethes ist ein verschiedenes Geschick geworden. Ein Teil derselben ist aller Welt bekannt und vertraut, dem In- wie dem Auslande, denn der große Dichter ruht auf den Höhen der Weltlitteratur, die er prophetisch verkündet hat. Anderes aber ist nur einer kleinen Gemeinde lieb und wert, weil eben nur auf engere Kreise berechnet, so namentlich manche Dichtung seines Alters und es ist kaum anzunehmen, dass diese sich in Zukunft weitere Geltung verschafft. Goethes Gedichte sind längst Gemeingut aller Gebildeten geworden, aber auch hier sind Unterschiede wahrzunehmen. Hauptsächlich sind es die Balladen, ist es die wundervolle Fülle der Lyrik dieses auch zeitlich gesegneten Dichters, welche Liebe, Bewunderung und Teilnahme fort und fort herausfordern. Andere Abteilungen sind weniger gekannt und geschätzt, selbst der herrliche „West-östliche Divan“ ist nicht eigentlich in das Bewusstsein der Nation übergegangen, was zum Teil wohl in der fremdartigen Fassung, in der diese Perlen sich bieten, beruht. Aber eben nur zum Teil, andere auch tiefergehende Gründe sind vorhanden, die zu erörtern hier zu weit führen dürfte.

Ein ebenfalls von der Masse wenig beachteter Bestandteil Goethe'scher Poesie bilden die Gelegenheitsgedichte, die unter dem Titel: „Alles an Personen und zu festlichen Gelegenheiten Gedichte enthaltend“, zusammengefasst sind. Freilich soll nach Goethes bekanntem Ausspruch jedes Gedicht ein Gelegenheitsgedicht sein, insofern als dasselbe durch ein Aeußerliches oder nur eine Stimmung angeregt, einem mehr oder minder starken Bedürfnis nach Aeußerung, also keiner eigentlichen Zufälligkeit entsprungen sein muss, um als echte Poesie zu wirken. Die erwähnten Gelegenheitsgedichte also sind dies im wahren Sinne, da sie einem bestimmten äußeren Anlass, einem Menschen, einer Feier oder dergleichen ihre Entstehung verdanken, also nicht notwendig einem inneren Bedürfnis entspringen. Aber bei einer großen Menschlichkeit, wie diejenige Goethes, ist es begreiflich, dass auch hier echte Herzenstöne hervorquellen, wenn auch selbstverständlich nicht bei allen Anlässen, bei denen an den vielumworbenen Dichter die Forderung gestellt wurde, sich zu äußern. Die Sammlung dieser Gelegenheitsgedichte umfasst einen weiten Zeitraum, von den Universitätsjahren in Leipzig bis zur Feier seines letzten Geburtstages und zeigt dementsprechend eine ungleiche Physiognomie. Allein mehr noch als durch die Zeit und den Veränderungen, die sie im Fühlen, Denken und Formen jedes Menschen, besonders also einer großen Natur hervorbringt, sind diese Dichtungen von der Stimmung, in der sie entstanden, verschiedenartig beeinflusst, denn ein Teil derselben sind eben echtem Herzensdrang entsprossen, ein anderer Teil wurde dem Dichter von der Mitwelt gleichsam abgenötigt, namentlich als er zu der fürstlichen Familie von Weimar und deren Hof, wie in Folge dessen auch zu anderen fürstlichen und hochgestellten Personen in ein immer engeres Verhältnis trat. Der Dichter, dessen poetische Kraft in die tiefsten Wurzeln alles Menschlichen hinabreichte, konnte für Personen und Ereignisse, die ihn nur mittelbar zum Anteil veranlassten, keine echten Töne übrig haben. Ein bezeichnendes Beispiel dafür ist das Gedicht zur Feier der Geburtsstunde des weimarischen Erbprinzen im Jahr 1783. Hätte es sich nur darum gehandelt, den langerwarteten Sohn und Erben des Freundes, des Menschen Karl August bei seinem Eintritt in die Welt zu begrüßen, so wäre das Ergebnis sicher ein seelisch wie poetisch wertvolleres gewesen, als es im vorliegenden der Fall ist, bei dem es sich vor Allem darum handelte, der großen Menge ein Staatsereignis poetisch zu verklären. Als Beleg des Gesagten möge der inhaltsleere Schlussvers des kleinen Gedichts hier Platz finden. Er lautet (die Zahl Vierzehn zieht sich durch das Ganze):

> Nach vierzehnhundert Jahren wird
> Zwar mancher von uns fehlen,
> Doch soll man dann Karl Friedrichs Glück
> Und Güte noch erzählen.

Das macht kaum mehr Eindruck als eine der frostigen Allegorien, wie sie bei Hofdichtern des achtzehnten Jahrhunderts beliebt waren.

Will man den ungeheuren Abstand von einander ermessen, den die Veranlassung zu dem jeweiligen Gelegenheitsgedichte bei deren Gestaltung hervorbrachte, so hat man nur nötig, sich den Epilog zu Schillers Glocke ins Gedächtnis zurückzurufen. Auch dies ist ein Gelegenheitsgedicht, aber vielleicht das herrlichste, welches je geschrieben worden, einer Symphonie in Form und Inhalt zu vergleichen, einem majestätisch melodischen Strom, geschwellt von Liebe,

Trauer, Verehrung, Verständnis, Bewusstsein des Verlusts und Siegesgefühls über herrlichste Vollendung, eine poetische Todtenfeier ohne Gleichen in der Weltlitteratur. Beide Gedichte stehen in derselben Abteilung, aber bei dem einen war die Seele des Dichters die Bildnerin, bei dem andern die kühle Pflicht.

Sind nun auch nicht alle Gedichte dieser Sammlung als Poesie wertvoll, so sind sie ihres Urhebers wegen dennoch alle von größerer oder geringerer Wichtigkeit, abgesehen von dem dichterischen Wert, der vielen von ihnen innewohnt. Ungemein originell ist es, in ihnen Spuren von Verhältnissen Goethes zu Menschen und Dingen zu finden, von denen man sonst keine Ahnung hat, so sehr das Leben eben dieses Dichters zu Nachgrabungen oft archäologischpeinlicher Art hat herhalten müssen. Aber gerade in dieser Zeit, wo die Veröffentlichungen aus dem endlich eröffneten Goetheschen Haus-Archiv zu Weimar bevorstehen, ist die immer rege Teilnahme der Mitwelt, welche die dankbare und verständnisvolle Nachwelt des Großen bedeutet, nach dieser Seite hin besonders angeregt. Es ist wahrscheinlich, dass sich aus jenen Veröffentlichungen, namentlich aus den Tagebüchern, manche Verbindungen gerade mit den Gelegenheitsgedichten ergeben, von denen einzelne bisher nur einen Ton, aber keine feste Gestalt hervorbringen. Die Vielseitigkeit des Goetheschen Daseins, dieses merkwürdig harmonischen Ganzen, dass trotz aller Harmonie so schwer als Ganzes zu erfassen ist, ergiebt sich auch aus diesen nach außen hin so unscheinbaren Versen und Strophen, wozu noch in vielen Fällen die Meisterschaft der Form kommt, die ihnen, namentlich was die Knappheit des Ausdrucks anlangt, oft mehr als der an sich unbedeutende Inhalt, das Goethesche Siegel aufdrückt.

Der Dichter, der sich bei zunehmendem Weltruf wie den sich unaufhörlich mehrenden Beziehungen immer häufiger dazu genötigt sah, seinen Anteil an Personen und Ereignissen poetisch auszudrücken, hat „der Not gehorchend, nicht dem eignen Trieb“ allmählich ein Mittel ausfindig gemacht, um diesen Verpflichtungen so gut als möglich nachzukommen. Wo ihn eben das Herz nicht drängte, schrieb er meist kurze, zierliche Verse, die unklarer oder allgemeiner gehalten sind, als es gerade bei ihm sonst der Fall ist. Auch beliebte er ungewöhnliche, gezwungene oder gesuchte Ausdrücke, die dem Empfänger bedeutsamer erscheinen mochten, als sie in der Tat sind. Hier zeigt sich der Dichter allerdings als echter Hofmann, der auch Unvollkommenes mit weltmännischem Anstand zu vollbringen weiß. Aber diese Bereitwilligkeit, allen Anforderungen poetisch zu genügen, hat sich in gewisser Weise an dem Meister gerügt. Nicht zu verkennen ist es, dass in seine späteren Dichtungen, zuletzt auch in seine Prosa Etwas von der Art dieser eben charakterisirten Gelegenheitsgedichte übergegangen ist, von denen Vieles die Klarheit und krystallene Durchsichtigkeit seiner früheren Schöpfungen vermissen lässt. In den Gelegenheitsgedichten ist es mehr der Virtuose als der Dichter, den man bewundert.

Unendlich mannigfaltig ist das Register der verbindlichen, höflichen, anmutigen Töne, die hier angeschlagen werden, aber wie es bei Dichtungen zu geschehen pflegt, die nur dem Hirn, nicht dem Herzen entspringen, bildete sich bald eine Manier aus, die sofort erkennen lässt, in welche Kategorie diese zierlichen Poesien gehören, die in Gedanke und Empfindung karg, mehr liebenswürdig als gehaltvoll sind. Der Dichter hat viele derselben nur als Komplimente niedergeschrieben, die ihm, dem Meister der gebundenen Rede, in dieser Form durchaus geläufig waren und ihn so weiterer Aeußerungen oder Urteile über Menschen und Ereignisse, die ihm eigentlich fern standen, enthob, was ihm, dem in einem ungeheuren Kreise Tätigen und Streben, eine Notwendigkeit sein musste, um sich nicht selbst zu verlieren, eine Gefahr, die eine Zeit lang drohend vorhanden war.

Aber obgleich aus der Reihe dieser Gelegenheitsgedichte diejenigen an Frau von Stein, wie an mehrere Jugendgeliebte des Dichters, ebenso das schöne Gedicht: „Ilmenau“ ausgeschieden worden, das die Beziehungen des jungen Goethe zu Karl August so wunderbar wiederspiegelt, finden sich doch auch in dieser Abteilung wahre Herzenstöne, deren Spuren nachzugehen es sich wahrhaft verlohnt und um deretwillen es zu bedauern ist, dass die Sammlung nicht weitere Verbreitung und zahlreichere Freunde gefunden, als es der Fall ist. Vor Allem versteht es sich, dass diejenigen Verse, die der eigenen Familie gewidmet sind, und den Dichter in seiner wahren Gestalt zeigen. Hier ist wunderbarer Weise mit Ausnahme des an August von Goethe Gerichteten alles Konventionelle abgestreift. Aber dieselben sind an Zahl sehr gering, was begreiflich erscheint, wenn man erwägt, dass dem Dichter diese poetischen Apostrophen meist nur Höflichkeitsphrasen waren. An seinen Sohn findet sich nur Weniges, was insofern zu bedauern ist, als das Verhältnis dieses Vaters und dieses Sohnes, dessen Verhängnis ein tragisches war, noch nicht recht aufgeklärt ist. Zudem erscheint dieses wenige merkwürdigerweise ganz bedeutungslos; es sind Stammbuchverse aus den Jahren 1805 und 1825. Dagegen ist das Gedicht an Ottilie, die Schwiegertochter, die treue Pflegerin und Genossin seines Alters, menschlich und rührend. Es ist aus dem Jahre 1820 datirt und lautet:

Ehe wir nun weiter schreiten,
Halte still und sieh dich um:
Denn geschwätzig sind die Zeiten
Und sie sind auch wieder stumm.

Was du mir als Kind gewesen,
Was du mir als Mädchen warst,
Magst in deinem Innern lesen,
Wie du dir es offenbarst.

Deiner Treue sei's zum Lohne
Wenn du diese Lieder singst,
Dass dem Vater in dem Sohne
Tüchtig-schöne Knaben bringst.

Auch an die Enkel Walter und Wolfgang finden sich Verse. Aus dem Wiegenlied an den ersteren aus dem Jahre 1818 sind namentlich die Strophen ergreifend:

„Nun, wie es Vater und Ahn dir erprobt,
Gott und Natur und das All ist gelobt!"

Von der merkwürdig klaren Welt- und Lebensanschauung des Dichters giebt folgender Vers Kunde und zeigt, wie ihm jede Phrase, mochte sie noch so poetisch klingen, zuwider war:

In das Stammbuch meinem lieben Enkel
Walter von Goethe
unter folgenden Worten Jean Pauls:

„Der Mensch hat dritthalb Minuten; eine zu lächeln, eine zu seufzen und eine halbe zu lieben; denn mitten in dieser Minute stirbt er."

Ihrer sechzig hat die Stunde,
Ueber tausend hat der Tag,
Söhnchen, werde dir die Kunde,
Was man alles leisten mag!

Das ist echt Goethisch und selten wohl hat ein Ahn dem Enkel einen beherzigenswertern Lebensrat mit auf den Weg gegeben. Gleichzeitig werfen diese wenigen Verse ein helles Licht auf das Verhalten Goethes zu Jean Paul, in welchem er bekanntlich mit Schiller völlig einig war. Die Hoffnungen und Wünsche, die der Dichter für das Gedeihen seiner Nachkommenschaft gehegt, sind leider nicht zur Wahrheit geworden. Es scheint, als ob er alle Kraft für sich verbraucht und den Seinigen nur wenig davon vererbt hätte. Nachdem der einzige Sohn früh gestorben, schied die Enkelin Alma als eben erblühte Jungfrau und die beiden Enkel sind Zweige der Goetheschen Lebensbaumes, die wenige Blüten und gar keine Frucht getragen, obgleich ihnen ein längeres Dasein zu teil wurde als der Schwester, der Grillparzer in Wien den Nachruf gesungen.

An Christianen, die Geliebte und die Gattin, finden sich keine Gedichte, die mit ihrem Namen bezeichnet wären, aber man weiß längst, zu wie manchen Dichtungen, die in anderen Abteilungen ihren Platz gefunden, die Vielgeschmähte mittelbar oder unmittelbar die Veranlassung gegeben. Die letzte an sie gerichtete ist in seiner Kürze wahrhaft ergreifend; er beweist, dass auch der große Dichter dem tiefsten Schmerz gegenüber, wenigstens zeitweilig verstummet:

„Du versuchst, o Sonne, vergebens
Durch dunkle Wolken zu scheinen,
Der ganze Gewinn meines Lebens
Ist, ihren Verlust zu beweinen."

Unter den an fürstliche Personen gerichteten Versen sind besonders diejenigen an die damalige Prinzessin Auguste von Sachsen-Weimar von Interesse, weil die Empfängerin die Kaiserin von Deutschland ist, deren Jugend bekanntlich unter den Augen des Dichterfürsten verflossen. Sie stammen aus dem Jahr 1820 und sind zum 30. September, dem Geburtstag der Fürstin, verfasst.

Berühmte Namen drängen sich in dieser Sammlung; es ist ein ganzer Todtenzug abgeschiedener Größen, der vor dem geistigen Blick auftaucht, so Byron, Felix-Mendelssohn, Alexander von Humboldt, Henriette Sontag, Madame Catalani u. s. w. Das Geschick Byrons, wie seine dichterische Herrlichkeit haben dem alternden Olympier zwei mal Worte der Theilnahme abgelockt, die, zwar ebenfalls ein wenig konventionell klingen, aber doch den innern Anteil erkennen lassen, der unter der Oberfläche zittert Heißt es doch im Jahr 1820 in der Schlussstrophe des an Byron gerichteten dichterischen Grußes:

„Und wie ich ihn erkannt, mög er sich kennen".

Neben den gotischen Domen und klassischen Tempeln, welche Goethes Dichtung den Deutschen errichtet, nehmen sich die hier besprochenen kleinen Gedichte wie unscheinbare, am Wege versprengte Steinchen aus. Aber wie man auch an sich kaum bedeutende Skizzen von der Hand eines einzig großen Künstlers mit Pietät betrachtet, so ist es auch mit ihnen. Und es ist bei dergleichen Anlässen nicht Pietät allein, denn ein liebevolles Versenken wird hier und da den ganzen Künstler wiederfinden, sei es auch nur in einem Striche, einer Wendung, Lichtblicke die erkennen lassen, dass es trotz allem eine Sonne war, die sie ausgestrahlt, wenn sie auch nur gebrochen zu uns dringen. Auch sie bestätigen das stolze Selbstgefühl des Dichters, der die Nachwelt so allmächtig bannt, dass man sich selbst unscheinbaren Zeugen seines Daseins mit Ehrfurcht nähert:

„Es kann die Spur von meinen Erdentagen
Nicht in Aeonen untergehn."

Zur Reform unseres höheren Unterrichts.

Schmeding: „Die klassische Bildung in der Gegenwart."
Berlin, Gebrüder Bornträger

Frary: „La question du latin."
Paris, Cerf.

Nichts beweist mehr, dass die alten Sprachen als ausschließliche Grundlage der höheren Bildung nicht mehr genügen, und dass die geradezu dogmatische Ueberzeugung von der Unentbehrlichkeit des Klassizismus für unser Kulturleben nachgerade einer unbefangeneren Würdigung seiner Schattenseiten und nachteiligen Wirkungen Platz macht, als die Tatsache, dass die Bewegung gegen den Klassizismus nach und nach zu einer internationalen geworden ist. Nicht der Kampf einer beschränkten Anzahl deutscher Realschuldirektoren und Realschullehrer gegen die Berechtigungen des Gymnasiums liegt, wie die Verteidiger des Alten so gerne behaupten, dieser Bewegung zu Grunde, sondern ein in allen zivilisirten Ländern Europas hervortretendes Bestreben, die Fesseln der Antike, welcher die moderne Kultur in jeder anderen Beziehung längst entwachsen ist, auch in Bezug auf die Schule zu sprengen. In Belgien und in der Schweiz, in Schweden und Norwegen ist die Umgestaltung des höheren Unterrichts in modernem Sinne Gegenstand parlamentarischer Verhandlungen und praktischer Versuche geworden. Dänemark rühmt sich längst einer gesetzlich durchgeführten Zweiteilung der Schulen in eine sprachlich-geschichtliche und eine mathematisch-naturwissenschaftliche Abteilung, deren Abiturienten ohne Griechisch Zutritt zur medizinischen Fakultät haben. In Frankreich hat der Unterrichtsminister Goblet die antiklassischen Tendenzen Paul Berts wieder aufgenommen und sich in Bordeaux in öffentlicher Rede für eine numerische Beschränkung der humanistischen Schulen erklärt. In England endlich sind es Männer wie Bain, Huxley, Herbert Spencer, Lord Salisbury, die ihre gewichtigen Namen für eine Verstärkung und Vermehrung moderner Bildungsmittel und moderner Bildungsanstalten in die Wagschale legen.

Solchem Umfang der pädagogischen Reformbestrebungen entspricht der Umfang der einschlägigen Litteratur. Wenn wir aus derselben die oben bezeichneten Werke zu näherer Betrachtung hervorheben, so leitet uns bei dieser Auswahl neben dem Interesse, über einen wichtigen Gegenstand je einen berufenen Vertreter zweier benachbarter großer Kulturvölker zu hören, der Umstand, dass Schmeding sowohl als Frary ihren Stoff von verschiedenen Ausgangspunkten aus in erschöpfender und jeden gebildeten Leser fesselnder Weise behandeln. Schmeding untersucht den Einfluss und den Wert der klassischen Bildung für die Gegenwart und kommt zu dem Ergebnis, dass dieser Wert ein eingebildeter, dieser Einfluss ein schädlicher ist; selbst praktischer Schulmann und seit Jahren in einem Teil Deutschlands tätig, dessen hervorragende Industrie- und Handelsinteressen den Gegensatz zwischen der klassischen Bildung und dem modernen Leben besonders fühlbar machen, greift Schmeding überall zurück auf das praktische Leben und veranschaulicht und stützt seine Ausführungen durch eine Fülle von Beispielen aus den verschiedensten Berufskreisen. Frary hat sich zur Aufgabe gestellt, Ziel und Inhalt eines den Bedürfnissen unserer Zeit angemessenen höheren Unterrichts zu finden; er verfährt in dem kritischen, die Unzulänglichkeit des alten Systems dartuenden Teil seines Buches — seine positiven Vorschläge über die zukünftige Gestaltung des französischen Unterrichtswesens kommen für uns an dieser Stelle weniger in Betracht — mehr deduktiv, als sein deutscher Gesinnungsgenosse.

Bei näherem Eingehen auf den Inhalt beider Werke ist es interessant zu sehen, wie diesseits und jenseits des Rheins dieselben Gründe und Schlagwörter zu Gunsten der klassischen Sprachen ins Feld geführt und von den Verfassern durch dieselben Gegengründe zurückgewiesen werden. Hüben wie drüben wird die schrankenlose Ueberschätzung der „unersetzlichen verstandesbildenden Kraft der lateinischen Grammatik", die sog. formale Bildung auf ihr richtiges Maß zurückgeführt durch den Nachweis, dass die Beschäftigung mit der Grammatik weder das einzige Mittel bietet, den Geist in der Abstraktion des Allgemeinen aus dem Besonderen zu üben, noch auch geeignet ist, diese für die Ausbildung des Denkens allein in Betracht kommende Denkoperation in Bezug auf andere wissenschaftliche Disziplinen zu erleichtern, dass also das Studium der Grammatik keineswegs eine allseitige und umfassende Uebung des Denkens ermöglicht, und dass das Minimum formaler Bildung, welches ihr ausschließlich zu verdanken ist, nicht nur an der lateinischen, sondern ebensowohl an der Grammatik jeder modernen Kultursprache gewonnen werden kann. Hier wie dort wird gegenüber der behaupteten Unersetzlichkeit der antiken Litteratur für die ethische und ästhetische Bildung betont, dass eine entsprechende Kenntnis der alten Sprachen auf der Schule tatsächlich nicht erreicht wird und nicht erreicht werden kann, dass Erziehungszwecken gute Uebersetzungen vollkommen genügen, da die wirklich unübersetzbaren Eigentümlichkeiten des Originals einerseits pädagogisch bedeutungslos sind, andererseits bei der mangelhaften Beherrschung der fremden Sprache dem Schüler im Urtext unzugänglich bleiben. Hier wie dort wird die angebliche Unentbehrlichkeit des Lateinischen und Griechischen für die Spezialwissenschaften — namentlich Medizin und Jura — durch den Einwand zurückgewiesen, dass der wissenschaftliche Standpunkt der Alten auf keinem Gebiet geistiger Tätigkeit mehr maßgebend ist, dass im Uebrigen der Gedankeninhalt der antiken Litteratur sich vollständig durch die modernen Sprachen ausdrücken lässt, und daher ein stets sich erneuerndes Zurückgehen auf die Quellen selbst für den Juristen*) in Bezug auf das römische Recht unnötig ist.

Besonders lehrreich ist es, zu sehen, dass auch jene bekannte Inanspruchnahme des Hellenismus als eines integrirenden Bestandteils des christlichen Germanentums, die dem deutschen Leser so oft in Gymnasialprogrammen, Festreden, Brochüren entgegentritt, bei unseren westlichen Nachbarn ihr Gegenstück findet. Frary citirt folgenden fulminanten Erguss seines Landmannes Laprade:

*) Eine Ansicht, die noch jüngst durch den Amtsrichter Hartwich-Düsseldorf in der öffentlichen Sitzung der Delegirten-Versammlung des Allgemeinen Deutschen Realschulmänner-vereins in Dortmund bestätigt wurde.

„Frankreich setzt Alles aufs Spiel, wenn es mit der (klassischen) Tradition bricht, deren Apostel es bis jetzt gewesen ist. Wenn es von jeher an der Spitze der Zivilisation marschirte, so dass die Deutschen, trotz ihrer augenblicklichen Triumphe, neben den Franzosen nur ein barbarisches Volk genannt werden können, so verdankt es diesen Vorzug dem Umstande, dass es der christliche Vertreter des Hellenismus gewesen ist u. s. w.“ Frary fertigt diese und ähnliche Tiraden gebührend ab; wir wagen kaum, es zu tun, wenn wir bedenken, dass das Thema von der Kulturmission des hellenisch-christlichen Deutschtums auch bei uns in unverständlichen, oft ins Mystische gesteigerten Phrasen und endlosen Variationen wiederklingt!

Neben der Untersuchung über den Bildungswert der Klassiker, der Schmeding, auf frühere Arbeiten seiner Feder verweisend, nur einen kleinen Raum gönnt, ist es die Stellung der klassischen Bildung zur Gegenwart, womit Frary sich eingehend, Schmeding fast ausschließlich beschäftigt.

Frary knüpft an den Umschwung, der das neunzehnte Jahrhundert namentlich auf ökonomischem Gebiet kennzeichnet und zeigt, dass die klassische Bildung der Gesellschaft des achtzehnten Jahrhunderts zwar angemessen erscheinen mochte, die, nur aus Höflingen, Geistlichen und Beamten bestehend, für die produktive Arbeit keinen Platz hatte, dass sie aber den erweiterten und gesteigerten Anforderungen unserer Tage nicht mehr genügt. Die fortschreitende Eroberung und Zivilisirung der Welt durch die Europäer — so argumentiert Frary — hat allmählich alle Länder der Erde unter einander in Wechselwirkung gesetzt, und die Folge davon ist jene Konkurrenz der Völker auf dem Weltmarkt, jener den zeitweiligen Kampf mit den Waffen an Bedeutung weit überragende ewige „Krieg im Frieden“, der es zur Lebensaufgabe der Staaten macht, neben den äußeren Machtmitteln vor allem den Nationalwohlstand zu mehren und zu pflegen.

Die hieraus sich ergebende Forderung einer möglichst wenig kostspieligen Regierungs- und Verwaltungsmaschinerie, einer möglichst zweckmäßigen, den Schwerpunkt auf die produktive Arbeit und deren vorteilhafteste Verwertung legenden Verteilung der Berufsarten, einer möglichst ausgebreiteten Kenntnis der Wissenschaften und Tatsachen, die zur erfolgreichen Teilnahme an jener lutte pacifique befähigen, steht in direktem Gegensatz zu dem herrschenden Erziehungssystem. Dasselbe führt die Jugend in eine Welt, die zu dem modernen Leben und seinen Anforderungen und Aufgaben in keiner Beziehung steht, und indem es die Söhne der gebildeten Stände vorwiegend zu Beamten heranbildet, hindert es die notwendige Beschränkung eines das tatsächliche Bedürfnis weit überschreitenden Beamtenapparats, ja trägt zur Vergrößerung desselben bei in Folge der moralischen Verpflichtung des Staates, diejenigen zu versorgen, welche er in seinen Unterrichtsanstalten großgezogen, und schafft auf diese Weise eine von oben genährte Ueberschätzung der unproduktiven Arbeit und ein die Allgemeinheit schädigendes Uebergewicht der unproduktiven Berufsklassen.

Die Theorie des Franzosen findet in den Schmedingschen, überall auf tatsächliche deutsche Verhältnisse und Zustände sich gründenden Ausführungen eine vortreffliche Ergänzung und Bestätigung. Den verderblichen Zeit- und Kraftaufwand, welchen die Aneignung der klassischen Bildung auf Kosten von Wissenswerterem fordert, weist Schmeding vor allem an der mangelhaften Vorbildung der Mediziner durch das humanistische Gymnasium nach, wofür er ein umfassendes Beweismaterial beibringt. Für die Erschwerung der richtigen Auffassung des modernen Lebens durch das Einleben in die antike Welt mit ihren den unsrigen entgegengesetzten politischen und sozialen Grundanschauungen, für die Schädigung des Nationalwohlstands durch die nahezu ausschließliche Pflege von Kenntnissen, welche in einer der Hebung des Ackerbaus, der Industrie, des Handels abgewandten Richtung liegen, findet Schmeding eine Menge aus dem Leben gegriffener Beispiele, welche oft recht drastisch dartun, wie seltsam sich die bewegenden Interessen und Fragen der Gegenwart zuweilen in den Köpfen einflussreicher klassisch Gebildeter spiegeln, wie die klassische Bildung jenen unfruchtbaren „Idealismus“ nährt, der in der Verachtung des „materialistischen Treibens der Zeit“, in der Erforschung der richtigen Lesart des Namens Virgilius, in der Aufzählung und Klassifizirung der bei Cäsar oder Thukydides vorkommenden Präpositionen sein Genüge findet, — wie jene Autoritäten des Altertums, welche die körperliche Arbeit als des freien Mannes unwürdig hinstellen, in der Tradition unserer Gymnasien fortleben, deren Schüler in bewusstem und betontem Gegensatz zu dem „banausischen“ Erwerbsleben, im Sinne des Horazischen odi profanum vulgus et arceo, aufgezogen werden, — wie verderblich die Ueberproduktion an Halbgebildeten ist, die die Gymnasien alljährlich als unbrauchbare Mitglieder der menschlichen Gesellschaft dem praktischen Leben wieder zuführen, — wie lächerlich und krankhaft die den Deutschen kennzeichnende Ueberschätzung der Schulbildung und der litterarischen Arbeit.

Einen besonderen Abschnitt widmet Schmeding dem schädlichen Einfluss, welchen die Entwickelung unseres höheren Schulwesens selbst durch die klassische Bildung ausgesetzt ist, insofern sie, zeitgemäßen Reformen prinzipiell abhold und im Besitze ihrer bekannten Privilegien, alle nichthumanistischen Schulen am Emporblühen hindert und den Leitern und Lehrern moderner Bildungsanstalten, namentlich den Lehrern der neueren Sprachen, nicht die richtige und genügende Vorbildung für ihren Beruf ermöglicht. Es folgen zum Schluss beachtenswerte Bemerkungen über die Gefährdung der Wehrhaftigkeit des deutschen Volkes durch das die körperliche Entwickelung hemmende Uebermaß geistiger Arbeit, welches das herrschende Erziehungssystem unserer Jugend zumutet, sowie über das Verhältnis des Klassizismus zur modernen Wissenschaft und Kunst. Wenn Schmeding in letzterer Beziehung dem Klassizismus die Mitschuld beimisst an der frühzeitigen Abstumpfung des Anschauungsvermögens und der geistigen Empfänglichkeit, an der Erstickung der Individualität und Originalität, so hat er darin leider nur zu sehr Recht!

Ludwigslust. A. Lachmund.

Gedichte von Ramon de Campoamor.

Uebersetzt von Edmund Dorer.

Der Himmel.

Was ist der Himmel? — Für den frohen Knaben
Ein Ort, den Vögel, Blumen, Sang beglücken. —
Und für den Jüngling? — Fluren, die entzücken,
Elysium gleich, mit ew'ger Liebe Gaben. —

Und für den Mann? — Die ihn geblendet haben,
Die Tempel sind's, die Ruhm und Ehre schmücken;
Doch einen Alten, den die Sorgen drücken,
Soll er als Ruheport mit Frieden laben.

Zuletzt der Greis, der schwache — ihm verbleicht
Des Himmels Glanz, so licht und morgenrot,
Zum Nichtsein, das noch wen'ger ist als Tod.

Und wie die Kindheit frost'gem Alter weicht,
Zeigt sich der Himmel wechselnden Gesichts
Als Blumen, Liebe, Frieden und als Nichts.

Ungleiches Recht.

Als gewissenlos und schlecht
Seine Frau der Mann betrogen,
Blieb sie dennoch ihm gewogen
Und man sagte: So ist's recht!
Stets gekränkt in ihrem Recht
Fiel die Frau. Mit Edelmut
Hat ihr wohl die sünd'ge Glut
Jener Falsche auch vergeben?
Nein, er brachte sie um's Leben
Und man sagte: So ist's gut.

Carambolage.

Auf einem Maultier führte einst sein Leiter
Durch eine Ortschaft eine Katze weiter;
Schlich sich heran ein Knabe voller Finten
Und kniff die Katze in den Schwanz von hinten.
Verletzt und sehr empfindlich schlug die Katze
Dem Lasttier in das Fleisch die grimme Tatze;
Verwundet, auch empfindlich schlug hinwieder
Der Esel aus und warf den Buben nieder.

Ein Billard scheint mir so die Welt zu sein;
Da rollt des Lebens Ball;
Carambolirend prallt zurück die Pein,
Die Fremden wir bereiten, uns zum Fall.

Litterarische Neuigkeiten.

Wilh. Jensen hat bei Elischer in Leipzig schon wieder einen Roman publizirt „In der Fremde“. In gleichem Verlag wird unser unsterblicher Max Nordau einen „Berliner Roman“ der Welt vermitteln. Der wegen seiner Gründlichkeit so bekannte ungarische Autor soll zu Behuf von Spezialstudien kürzlich 48 Stunden in Berlin zugebracht haben.

Wenn wir ums „tägliche Brot“ bitten, so gestehen wir uns schwerlich, welche raffinirte Ansprüche wir unter dieser bescheidenen Forderung verstecken, ja wir vermeiden es gern, uns Rechenschaft über unsere Lebensbedingungen abzulegen. Zu dieser Rechenschaft führt uns in sinnigster und welterfahrener Weise die freundliche Hand Max von Weißenthurns in dem Buche „Lose Blätter für Haus und Herz“ (Wiesbaden, Bechthold & Comp. 1886) mit jener zwingenden Ueberredung, wie sie aus den besprochenen Verhältnissen und Lebensfragen naturgemäß erwächst. Seelische Schwierigkeiten, wie sie in den kurzen Abhandlungen zur Sprache kommen: „Kinderlose Mütter — Arbeitsfeig — Standesgemäß — Langeweile — Es schickt sich nicht — Vom Wohltun — Emanzipation etc.“ können freilich nicht durchaus Neues bringen, aber doch klärende Lichter in das Gedankenstreben der Betreffenden werfen und demgemäß Segen für das Familienleben bringen. Der Verfasser belehrt nicht, er hilft uns nur denken und zwar in wohltuender und unterhaltender Art und mit großem Zartsinn. Eine hingebende Beobachtung hat jedes Kapitel (46) diktirt und das Studium langer Zeit ist in diesen losen Blättern niedergelegt, deren einige wohl für jedes Frauengemüt, wie auf dem eignen Lebensbaum erwachsen, passen dürften.

In der rührigen Verlagsbuchhandlung von A. G. Liebeskind in Leipzig erschien soeben ein hübsch ausgestattetes Buch unter dem Titel „Liebesmärchen“ von Emil Ertl. Die zwölf Parabeln, mit denen uns der Autor erfreut, sind sehr gut erdacht und zeugen dieselben von einem schöngeistigen, tiefen Gemüt, besonders unsere junge Damenwelt wird an denselben ein großes Gefallen finden.

„Volksausgabe von Stifters Werken“ in 28 Lieferungen zu 50 Pfennige (Berlin, Amelang). Ein verdienstliches Unternehmen.

„Wenn Frauen alt werden?“ Novelle von Karl Wartenburg (Th. Hofmann, Berlin). „Simson“. Novelle von Emil Taubert (Ebenda).

Das bekannte Werk Zolas „Mes haines“ erschien in deutscher Uebersetzung bei A. Unflad unter dem Titel „Was ich nicht leiden mag“ von Paul Heichen.

Von der Serie „Deutsche Dichter der Gegenwart“, die E. Schlömp in Leipzig unternommen hat, ist der III. Band erschienen: „Georg Ebers als Dichter und Forscher“ von Professor R. Gosche. — „Als Dichter“ — ist gut. Wir sind gespannt.

„Die Kunst und die christliche Moral“ von H. Steinhausen (Wittenberg, Herrosé). Diese Schrift des trefflichen Verfassers der „Irmela“ wird sicher Beachtung finden.

„Frankreich, gerichtet durch sich selbst“ von Dr. Rommel. Deutsche autorisirte Ausgabe (Mannheim, A. Bender). Gewiss ein ausgezeichnetes Werk, aus dem die Franzosen viel traurige Wahrheiten lernen können. Aber uns will scheinen, als ob Verfasser doch etwas gar zu erbarmungslos über eine Nation urteile, die noch 1870 in dem Widerstande der Republik nach Vernichtung der gesammten Wehrkaft eine achtunggebietende innere Kraft bewährt hat. Die Statistik ist eine schöne Wissenschaft, aber sie verleitet insofern zu Trugschlüssen, als sie einer rein mechanischen Beurteilung der Dinge sich hingiebt, welche nicht mit den „untoward events“ der intellektuellen und moralischen Entwickelung, den unerwarteten unberechenbaren Faktoren rechnet, welche das Nervenleben des Einzelnen wie der Völker bestimmen.

Vor „L'Allemagne telle quelle est“ (Paris, Ollendorf) von einem pseudonymen Verfasser ist im „Buchhändler-Börsenblatt“ mit Bezugnahme auf die mangelhafte moralische Qualifikation des Autors gewarnt worden. Wir halten es stets für philiströse Unreife, die persönlichen Verhältnisse der Autoren bei Beurteilung ihrer Werke zu berücksichtigen. Uns geht der Autor dieses Buches über Deutschland gar nichts an und es ist uns überaus gleichgültig, ob der Mann ein Lump ist. Seine litterarischen Urteile, die er am Schluss des Werkes zum besten giebt, sind nicht danach angethan, uns persönlich für den Herrn einzunehmen. Aber wir wollen denn doch offen gestehen, dass wir nach so absprechender Warnung durch die Lektüre angenehm enttäuscht sind. Das Buch ist erstens in recht gutem Stil geschrieben und enthält zweitens viel Wahres. Es verbietet sich, hier in Details einzugehen. Litterarischen Denunzianten und byzantinischen Dunkelmännern wird ja in Deutschland leicht Gelegenheit geboten, ihren sogenannten „Patriotismus“ durch Verdächtigungen zu bekunden. Aber diejenigen Deutschen, die über das Buch herfallen, sollten wirklich erst prüfen, ob sie berechtigt sind, als Wissende die „Unwahrheiten“ des Franzosen an den Pranger zu stellen. Wir waren erstaunt, so mancher albernen Klatsch- und Schmähschrift eingedenk, über die mannigfach richtigen Auffassungen und Informationen, die sich zu den mannigfachen Irrtümern des Autors gesellen. Nein, nein, der deutsche Idealismus erprobt sich nur durch strenge Selbsterkenntnis und Wahrheit gegen sich selbst. Wenn wir jedes Spiegelbild, das uns vom Ausland vorgehalten wird und unsern Vorurteilen nicht schmeichelt, von vornherein als Verzerrung hinstellen, sollten wir doch ja nicht über französischen Chauvinismus lachen. — Man weise ab, was unwahr ist, man nehme als Wahrheit hin, was Wahrheit ist.

Lobend sei auch hervorgehoben, dass der vielgeschmähte Tissot sich diesmal in seinem neusten Opus „De Paris à Berlin“ zu einer gewissen Unparteilichkeit aufgeschwungen hat. Wenigstens ist seine Bewunderung für Berlins Aufschwung, das er schon jetzt mit London vergleicht, eine ungeheuchelte. Sehr drollig wirken seine Kenntnisse und Urteile betreffs der neusten deutschen Litteratur. Von geradezu grotesker Komik aber ist das Schlusskapitel, in welchem die Schlacht von Leipzig mit einer dichterischen Phantasie geschildert wird, die unwiderstehlich wirkt. Besonders die Attake der Donischen Kosaken auf die französischen Carrés bei Güldengossa ist großartig. Die armen Franzosen! Dass es sich um die berühmte Reiterattake Murats bei Wachau handelt, welche nahe dem Monarchenhügel durch Flankenangriffe der neumärkischen Dragoner und russischer Kavallerie aufgehalten wurde, davon hat Tissot natürlich keine Ahnung. „Murat weint vor Scham. Der Kaiser, die Zähne zusammengebissen, gleicht einem Gespenst. Die Franzosen fallen wie die Fliegen.“ Das ist doch noch Pathos! — Werden unsre guten Nachbarn nicht wenigstens endlich ihre eigene Kriegsgeschichte lernen? In den meisterhaften Soldatengeschichten von Alfred de Vigny, der obendrein ein gelehrter Offizier war, wird der Ueberfall von Rheims 1814 von einem angeblichen Augenzeugen vollständig falsch geschildert und gegen Russen statt gegen preußische Landwehr ausgeführt. Soll man sich da noch wundern, dass bei Vigny Friedrich der Große in der Schlacht bei Krefeld kommandirt habe!

Dr. Adolf Elsas: „Der Schall“. Eine populäre Darstellung der physikalischen Akustik mit besonderer Berücksichtigung der Musik. (Das Wissen der Gegenwart 51. Bd.) Leipzig: G. Freytag. — Prag: F. Tempsky 1886. Mit 80 in den Text gedruckten Abbildungen und dem Porträt Chladnis. Allen denen, die in dieser Beziehung nicht ermüdende Belehrung suchen, kann das obengenannte Büchlein des Marburger Universitätsdozenten Dr. Adolf Elsas bestens empfohlen werden. Es behandelt die gesammte Schalltheorie in vier Kapiteln, indem es zuerst die allgemeinen Gesetze der Schallbewegung bespricht, dann zu den Schwingungsformen tönender Körper übergeht, hierauf eine Analyse der Klänge bietet und mit der Lehre von deren Zusammenwirken abschließt. Das Tonintervall, Konsonanz und Dissonanz, das natürliche und künstliche Tonsystem, die musikalische Temperatur, die Grenzen der Hörbarkeit, die Resonanz, die Telephonie, das Mikrophon und Phonograph, die Blasinstrumente, die Klangfarbe, die Hülfsmittel der Klanganalyse, die Charakteristik musikalischer Klänge, die Schwebungen der Obertöne, die konsonanten Dreiklänge, die Differenz- und Kombinationstöne — das und noch eine Fülle hochinteressanter und durchaus wissenswerter Themen ist in besonderen Kapiteln klar und fasslich behandelt. Die Resultate der exakten Forschung werden dem Leser in übersichtlicher Darstellung geboten; nirgends verfällt der Verfasser in dem Fehler doktrinärer Auseinandersetzung. Der Gymnasiast, dem das Verständnis der Akustik manche schwere Stunde bereitet, findet in dem Büchlein des Dr. Elsas das Studium dieser Lehre ungemein erleichtert, aber auch der Musiktheoriker, der Kompositeur, der Praktiker und Schüler, mag er welches Instrument immer beherrschen oder beherrschen lernen, wird das Büchlein mit großem Nutzen verwenden können. Zahlreiche vortreffliche Abbildungen erläutern die Worte des Textes; interessante Beigaben sind die Biographien von Chladni und Helmholtz, der beiden auf dem Gebiete der Akustik so hochverdienten Männer; ein sorgfältig ausgearbeitetes, ausführliches Register erleichtert die Benutzung des vorzüglichen Werkes in anerkennenswertester Weise.

Demnächst erscheint bei Th. Thomas in Leipzig der erste Band der von Prof. Dr. Ludwig Büchner (Verfasser von „Kraft und Stoff“) herausgegebenen „Physiologischen Bilder“. Der Verfasser hat in diesem Buche die anziehendsten Themata aus der interessantesten und einflussreichsten der Naturwissenschaften, der Physiologie, ausgewählt, um sie mit seinem großen und anerkannten Talent für populär-wissenschaftliche Darstellung in Form und Bildern dem Leser vorzuführen. Zugleich sind es die neuesten und an überraschenden Resultaten reichen Forschungen auf dem Gebiete, welche hier Erörterung und eine jedem Gebildeten verständliche Darstellung finden. Das Buch gewährt aber auch einen praktischen Nutzen, indem der als tüchtiger Arzt bekannte Herr Verfasser am Schlusse jeder einzelnen Abhandlung seinem Gegenstande eine eingehende Betrachtung vom ärztlichen Standpunkte, und zwar auf Erkrankung, Heilung oder allgemeines diätetisches Verhalten gewidmet hat.

Die Verlagsbuchhandlung von Robert Lutz in Stuttgart beabsichtigt unter dem Titel „Sternbanner-Serie“ die neueren Meisterwerke des amerikanischen Humors und der Novellistik in einzelnen Bändchen von je circa 300 Seiten (jeder Band zum Preise von 2.50 Mk.) in zwangsloser Fortsetzungsweise zur Veröffentlichung gelangen zu lassen. Dieselbe wird eröffnet mit: F. R. Stockton, Ruderheim. „Häusliche Erlebnisse eines jungen Ehepaares“. Autorisirte Uebersetzung von M. Jacobi. Das Original wurde von mir eingehende im November 1885 im „Magazin“ besprochen. Bd. II: Mark Twain, „Unterwegs und Daheim“. Neue Sammlung humoristischer Skizzen. Deutsch von Udo Brachvogel, M. Jacobi, G. Kuhr u. A. Die nachfolgenden Bände werden einen Novellenschatz der amerikanischen Meister der „Short Story“ enthalten. Die genannten Werke erscheinen zum ersten Male in einem deutschen Verlage.

Der sensationelle Erfolg, welchen Fürst Meschtschersky meisterhafter sozialer Roman: „Die Frauen der Petersburger Gesellschaft“ sowohl im russischen Original, wie in der in S. Schottländers Verlag in Breslau erschienenen deutschen Uebertragung in den weitesten Kreisen erzielte, und der sich in mehrfachen Auflagen dokumentirte, hat den berühmten Verfasser veranlasst, die Schicksale zweier Hauptgestalten des Romanes, welche das lebhafteste Interesse erregten und am Schlusse noch große Spannung übrig ließen, weiter zu verfolgen und in einem zweiten Roman: „Fürstin Lisa und Gri-Gri“ darzulegen. Er hat dies in denselben wunderbar packenden Zügen getan, die schon dem ersten Roman einen so großen Zauber verliehen. Fürst Gri-Gri hat auf dem Schlachtfelde in Turkestan den Tod gesucht und nicht gefunden, als „der unglücklichste aller Menschen“ kehrt der verwöhnte Günstling der Frauen mit Lorbeer geschmückt nach Petersburg zurück und gerade die neue Heldenglorie steigert die Zuneigung der vornehmen Frauen für ihn. Auch Fürstin Lisa fühlt sich von dieser Glorie angezogen, sie giebt die Zurückgezogenheit des Landlebens auf und trifft mit dem Helden in der russischen Hauptstadt wieder zusammen. Neue höchst fesselnde Szenen, neue Konflikte und Verwickelungen ergeben sich, mit gewaltiger Kraft und genauester Kenntnis des Lebens der großen Welt zeigt der Verfasser die Gesellschaft, besonders aber die Frauen aller moralischen Schattirungen von immer neuen Seiten. Der Roman wird von Blatt zu Blatt pikanter, reizvoller, spannender und künstlerisch bedeutender. Je lebhafter dabei der Leser unterhalten wird, desto mehr steigert sich sein Interesse an dem merkwürdigen Buche, und wenn am Schlusse Gri-Gri, um den Zauber der schönen Fürstin Lisa, dieses tief angelegten Frauenrätsels, zu überwinden, den Plan fasst, sich zu verheiraten, so fragt sich auch jetzt noch der Leser in nervöser Erregung: Glück oder Leid, wie wird sich das Schicksal dieser imposanten Gestalten noch wenden?

Bei O. Heinrichs (München) erschien: „Berlin und Lessing. Friedrich der Große und die deutsche Litteratur“ von Xanthippus. Der Verlag zeigt an: „In dieser flott geschriebenen Abhandlung wird auf Grund zeitgenössischer Urteile der Märe von einem litterarischen Zeitalter des großen Preußenkönigs gründlich der Garaus gemacht. Das Schriftchen verdankt sein Entstehen dem in wahrhaft erschreckendem Grade immer weiter um sich greifenden Byzantismus, wie er erst jüngst bei Eröffnung der Berliner Jubiläums-Kunstausstellung in auffallender Weise zu Tage trat.“

Edmondo de Amicis hat endlich das Buch „Cuore“ welches bei Treves (Mailand) erscheint beendet. — Die italienische Romanlitteratur hat einen tüchtigen Aufschwung genommen. Wir nennen von erfolgreichen Werken: „Casa Polidori“ e la Montanara“, di A. G. Barrili; „Un matrimonio in provincia“, della Marchesa Colombi; „Sotto la croce“, di Valcarenghi; la „Giacinta“ rifatta dal Capuana, e „Un segreto“ rinnovato dal Farina; le „Novelle Valdostane“, di Giacosa; le „Reminiscenze“, di Castelnuovo; le „Novelle postume“, di Bice Benvenuti; le „Storie d'ogni colore“, di G. De Marchii „Tiranni minimi“, di G. Rovetta; „Il curato d'Orobio“, di G. Visconti-Venosta; „La famiglia Bonifazio“, di A. Caccianiga; „Nina“, del marchese Gavotti; „Il cugino Riccardo“, di O. Grandi; „I legami del matrimonio“, di A. Barattani; „Per la gloria“, della signora Cordelia; „La marchesa d'Arcello“, della signora Memini; „Teresa“, della signora Neera; i „Lancia di Saliceto“, di Ed. Dalandra. . . . Der unerschöpfliche Barrili hat drei Bände im Druck. „Uomini e bestie“, racconti d'estate; — „Arrigo il Savio;“ — „La spada di fuoco;“ Jarro, altri due romanzi a sensazione: „La Valigia del Diavolo e „Un matrimonio in convento“.

„Lichtstrahlen aus Friedrichs des Großen Schriften“ von E. Schröder (Braunschweig, Schwetschke.) Friedrich der Große, — der durch ein Leben von Ruhm und Wunderbare Taten den Beinamen gerechtfertigt hat, welchen seine Zeitgenossen ihm gaben, die Nachwelt einstimmig bestätigte, — erscheint in den hier vorliegenden, aus seinen Original-Schriften in systematischer und chronologischer Ordnung gesammelten Gedanken gleichsam als ein leuchtendes Gestirn, das durch seine Lichtstrahlen die Nacht der Irrtümer und Vorurteile, gegen die der menschliche Geist zu allen Zeiten einen harten Kampf zu bestehen hatte, zu verscheuchen sucht. „Das Zeugnis, einige Wahrheiten entdeckt und einige Irrtümer zerstört zu haben, ist die schönste Trophäe, welche die Nachwelt zum Ruhme eines großen Mannes errichten kann.“ Der große König hat auch diese Trophäe in seinem glorreichen Leben sich errungen durch die in seinen Schriften ausgesprochenen Gedanken, die nicht für ein Zeitalter, die für alle Zeiten eine Lebenskraft in sich tragen, weil sie ewige Wahrheiten verkünden. Es sind Lehren der Weisheit und der Tugend, welche der Menschenfreund auf dem Trone der Mit- und Nachwelt erteilt. Kein Gebiet im Bereiche des menschlichen Lebens, in Kunst und Wissenschaft, worauf nicht ein Lichtstrahl seines weltumfassenden Geistes fiele. Das vorliegende Buch ist das beste zur Einführung in den Geist des großen Philosophen auf dem Königstron.

In den Sommerfrischen und Badeorten sieht man in den Händen der Leute jetzt oft ein Buch mit rotem Einband, welches nicht das Bädekerformat hat, und selten geht man fehl, wenn man unter der roten Decke einen Band von Engelhorns Roman-Bibliotek vermutet. Die rasch gewonnene Beliebtheit dieser Sammlung ist eine wohlverdiente. Der rührige Stuttgarter Verleger hat es verstanden, für wenig Geld viel zu bieten, viel und gut, meist sehr Gutes aus der deutschen, wie in gelungenen Uebertragungen aus der fremdländischen Litteratur, nicht selten Vorzügliches. Der jüngst erschienene Band 23 bringt: „Ein Fürstensohn“ und „Zerline“ von Claire von Glümer. Von den beiden Erzählungen, welche der leichteren Unterhaltungs-Litteratur angehören, geben wir der letzteren den Vorzug, nicht wegen der durchschimmernden sozialistischen Tendenz (Arbeiter- und Kolonialfrage), sondern wegen des hübschen Stückes modernen Lebens, welches sich darin spiegelt, und insbesondere wegen der trefflich geschilderten mannigfaltigen Frauencharaktere, die den engen Rahmen der Erzählung füllen. Das Thema ist eine reiche Erbin, Zerline Müller, welche nach langen Irrfahrten endlich den Rechten findet. Eine köstliche Episodenfigur bildet der Deutsch-Amerikaner White (Weiß). „Ein Fürstensohn“ handelt von einem blinden Herzog, seinem natürlichen Sohne und dessen Liebe mit Hindernissen. Die Handlung ist gut geführt und spannend erzählt. Auch ist die Zeichnung der Frauen eine glückliche, während uns die Männer, mit Ausnahme des „blinden Herzogs“, weniger Interesse abgewinnen.

Im Verlag von Wilhelm Lohauss in Tilsit erschien soeben eine Schrift unter dem Titel „Komm und siehe“. Der Symbolschlüssel und das Lebensgesetz in der Offenbarung Johannes. Herausgegeben von Wilhelm Röckner.

Soeben geht uns die Nr. 4 der „Zeitschrift des allgemeinen deutschen Sprachvereins“ zu. Dieselbe enthält die Fortsetzung des Dunger'schen Aufsatzes „Welche Fremdwörter sind nicht zu bekämpfen?“ — dann eine Schilderung des „Gelehrtendeutsch“ auf Grund französischer Urteile und eines Streites zwischen Julius Duboc und Fräulein Dr. S. Rubinstein, ferner kleine Mitteilungen aus dem öffentlichen Leben und aus den Zeitungen, sowie geschäftliche Nachrichten des Vereins. Der Verein hat sich, wie bekannt, die Aufgabe gestellt, dahin zu wirken, dass die deutsche Sprache möglichst von unnötigen fremden Bestandteilen gesäubert werde, dass der wahre Geist und das echte Wesen derselben gepflegt und dass auf diesem Wege das nationale Bewusstsein im deutschen Volke gekräftigt werde. Die von demselben herausgegebene Zeitschrift ist ausschließlich für die Vereinsmitglieder bestimmt. Man kann ohne Weiteres einem der schon bestehenden Zweigvereine beitreten oder sich auch als unmittelbares Mitglied des Gesammtvereins, unter Einzahlung von 3 Mk. an den Herrn Museumsdirektor Prof. Dr. Riegel in Braunschweig, einschreiben lassen.

Von dem von den beliebten Dichtern Paul Heyse und L. Leister herausgegebenen „Neuer Deutscher Novellenschatz“ sind soeben Bd. 13—15 veröffentlicht worden. Bd. 13 enthält die allerliebste Novelle „Herr im Hause“ von der seiner Zeit auf eine so traurige Weise ums Leben gekommenen Margarethe Bülow „Das Opfer“ von Gottfried Böhm, „Gustav Adolf's Jäger“ von Conrad Ferdinand Meyer, Bd. 14 „Ein Doppelleben“ von Joseph Victor Widmann, „Eine schwarze Kugel von A. Godin“, „Die Danaide“ von Ernst von Wildenbruch, Bd. 15 „Rosi Zurflüh“ von Johannes Scherr und „Trudels Ball“ von Johannes Hopfen. Die Autoren sind fast durchweg gute längst bekannte Namen und hat auch die Verlagsbuchhandlung R. Oldenbourg in München für ein hübsches Gewand Sorge getragen.

Im Verlage von J. Bensheimer in Mannheim veröffentlichte soeben E. Herrmann eine Brochüre über „Das Mannheimer Theater vor hundert Jahren“. Dieselbe wird gewiss in vielen Kreisen, welches sich für das Mannheimer Theater, wie überhaupt für die Geschichte der Theater im Allgemeinen interessiren Aufnahme und Anklang finden.

Bei der immer rührigen Verlagsbuchhandlung Gebrüder Treves in Milano erschien soeben ein weiteres Bändchen der Bibliotheca illustrata del Mondo Piccino unter dem Titel „Pereida Mignon“, il povero vecco, quel che avvenne al signor gaetano la nothe di natale; im gleichen Verlag gelang zur Ausgabe „Le duc gemelle, il salva clanoce, commedie per fanciulli chi Giovanni Salverstri“.

„Vor der Schlacht". Entgegnung aus dem deutschen Lager. Von Wachs. (Hannover, Helwingsche Buchhandlung.) Es sind hier sehr durchschlagende Geschosse angewendet, um das berüchtigte Pamphlet des törichten Strebers Deroulède „Avant la Bataille" zu durchlöchern. Aber so lebhaft uns die kräftige, wenn auch stark rhetorisch gefärbte Sprache und das stolze Nationalgefühl des geschätzten Verfassers erbauten, so bedauern wir doch, dass Major Wachs die Sache gar so grimmig ernst genommen hat. Wir würden Monsieur Deroulède in allen Stücken Recht geben, wie man dies bei Kindern und Wahnsinnigen gerne tut. Wie soll man übrigens Mut und Ehrgefühl einer Nation so überaus hoch anschlagen, in welcher Vorfälle wie die jüngsten mit dem Kriegsoberhaupt Frankreichs möglich sind! Die Herren Boulanger und Lareinty, die sich öffentlich tötlich injuriiren und sich gleichsam ganz Europa zum Zuschauer bei ihrem Duell einladen, um dann unter Versicherung gegenseitiger Hochachtung in die Luft zu schießen, entsprechen den Herrn Boulanger, der fortwährend die Wahrheit ableugnet, und d'Aumale, über welches Letzteren Benehmen die Presse unbegreiflicherweise kein Wort des Tadels einlegt. Jahrelang Briefe eines Subalternen (wer war damals Boulanger!) aufbewahren und sie dann bei Gelegenheit in die Blätter bringen, scheint uns wenig chevaleresk von einem königlichen Prinzen gehandelt. Wir möchten Herrn Herzog von Aumale keine Briefe anvertrauen.

Einige interessante Beiträge zur Geschichte der französischen Litteratur liegen uns vor: a) „Zeittafel zu Victor Hugos Leben und Wirken" von M. Hartmann (Oppeln, Franks Buchhandlung), b) „Ueber La Bruyère und seine Charaktere" von G. Rahstede (Oppeln, Frank) und vor allem „Geschichte des Französischen Romans im XVIII. Jahrhundert" von Dr. Körting (Lieferungen 1—5, Oppeln, Frank) — ein überaus gründliches und umfassendes Werk, das vielleicht abschließend zu nennen ist.

„Heitere Fahrten", Humoresken von A. Kohut (Minden, Bruns). Diese ergötzlichen kleinen Geschichten werden allen Freunden harmlosen Humors willkommen sein. — Derselbe Verfasser hat einen wichtigen und interessanten Beitrag zum 100jährigen Jubiläum des großen Königs geliefert in seiner warm zu empfehlenden Schrift „Friedrich der Große und die Frauen".

„Hie Waibling", Bruchstück aus dem Tagebuche eines fraktionslosen Deutschen (1879—1886). Dem deutschen Offizierkorps gewidmet von Dagobert von Gerhardt. (Berlin und Potsdam, Schleiermachers Verlag).

Ein frischer Hauch durchweht die „Neuen Poetischen Blätter" in Mainz (Herausgeber: B. Westenberger und S. Otto.) In einem trefflichen Aufsatz Westenbergers über Martin Greif bemerkt derselbe: „Karl Bleibtreu erklärte kürzlich, nach seiner Meinung gehöre die eigentliche Liedersingerei nicht mehr in unsere Zeit u. s. w. Wir geben ihm nicht bloß Recht, wir sagen sogar, die „Liedersingerei" gehöre in gar keine Zeit . . hingegen erlauben wir uns das echte Lied für alle Zeiten existenzfähig zu halten." Dagegen haben wir nicht das Geringste einzuwenden und Westenberger giebt ja selbst zu: „Freilich ohne Grund ist die Bleibtreusche Meinung nicht u. s. w." Wir wollen nur einfach die alte abgedroschene Stimmungslyrik, in der jeder Dilettant sich als „Dichter" fühlen kann, verfehmen.

Eine Reihe von Darwinistischen Schriften erscheint in neuer billiger Volksausgabe bei E. Günther in Leipzig. — In Th. Grieben's Verlag (Leipzig) erscheint „Justinus Kerner und die Seherin von Prevorst". Von Dr. phil Carl du Prel. Mit einer Photographie von Justinus Kerner und Zeichnungen aus dem Skizzenbuche von Gabriel Max.

Ein höchst schätzbarer Beitrag zum Unterricht in der französischen Sprache ist die bei R. Oldenbourg in München erschienene „Französische Grammatik für den Schulgebrauch". Wenn es auch schwer fällt bei der Fülle derartiger Bücher der gebührlichen Anerkennung zu Teil zu werden, so zweifeln wir bei diesem Werke nicht, dass es nicht unbeachtet bleiben wird. Alles was zur praktischen Handhabung der heute gültigen Sprachgesetze unter allen Umständen erforderlich, finden wir hier im vollem Maße.

Die so anziehenden „Plaudereien mit der Herzogin von Seeland", welche Hermann Heibergs Ruf zuerst begründeten, sind jetzt aus dem Verlag von J. F. Richter (Hamburg) in den Verlag von W. Friedrich in Leipzig übergegangen.

Soeben erschien „Land und Leute in den Vereinigten Staaten." Von Ernst Hohenwart. (Leipzig, O. Wigand.) Man hat in Europa so verschiedene und irrige Ansichten über die Verhältnisse und das Leben in den Vereinigten Staaten, und das Interesse daran ist so allgemein, dass der Verfasser einem allgemeinen Verlangen entgegenkommt, wenn er diese Skizzen herausgiebt, die sich alle auf persönliche Beobachtungen und Erfahrungen stützen. Sie zeigen das Leben in Amerika wie es jetzt ist, und nicht wie es dem oberflächlichen Beobachter erscheint: es sind nicht die flüchtigen Eindrücke eines Reisenden, auch nicht eine wissenschaftliche Behandlung der politischen und gesellschaftlichen Verhältnisse, — es sind nur Skizzen, die aber das ganze Leben in seinen vielen Beziehungen mit deutlichen, scharfen Strichen dem Leser vorführen.

„Anthologie jungvlämischer Dichtung", von Gustav Dannehl (Wolfenbüttel, Julius Zwissler). Die sorgfältig ausgewählten niederländischen Gedichte, die auch der Herausgeber uns hier in schön metrischer Uebersetzung bietet, ist unseres Wissens die erste vlämische Anthologie im deutschem Gewande, der wir viele Freunde wünschen.

Eine beachtenswerte Brochüre wurde soeben in der Verlagsbuchhandlung von Gebrüder Henniger, Heilbronn, unter dem Titel „Der Sprachunterricht muss umkehren". Ein Beitrag zur Ueberbürdungsfrage von Quousque Tandem (Wilhelm Victor) veröffentlicht, ebendaselbst erschienen: „Phrases de tous les jours", nebst einem Ergänzungshefte par Felix Franke und „Le françe parlé," morceaux choisis a l'usage des étrangers avec la prononciation figurée par Paul Passy.

„In der Geißblattlaube", ein Märchenstrauß im Garten der mütterlichen Freundin Frau Josephine Scheffel gewunden und ergänzt von Alberta Freydorf (Dresden, C. C. Meinhold & Söhne). So schlicht und einfach die Erzählungen sind, so ist doch in allen ein feiner Ton, der überall Anklang finden wird.

Der auf den 17. August gefallene Gedenktag an den Heimgang Friedrich des Großen hat der Verlagsbuchhandlung von Otto Spamer in Leipzig Gelegenheit geboten, ein Volksbuch aus der bewährten Feder Franz Ottos erscheinen zu lassen, welches weitester Vertretung wert ist und dem auch, vermöge seines reichhaltigen Inhalts, seiner echt volkstümlichen Darstellung ein großer Leserkreis sicher sein dürfte. Dasselbe ist mit 67 Textabbildungen und einem Titelbilde geschmückt und führt den Titel „Das Buch vom Alten Fritz", Leben und Taten des großen Preußenkönigs Friedrich II, genannt der Einzige.

Uns liegt ein interessantes Organ vor, das in Rio Janeiro, Brasilien, erscheint: „A Immigraçao, Orgao da sociedade central de Immigraçao."

Nr. 19 des „Litterarischen Merkur" (Herausgeber: G. Moldenhauer) enthält einen vortrefflichen Aufsatz über Martin Greif von Professor M. Koch in Marburg. Nr. 20 bringt einen scharfen Beitrag zu der alten Klage und Frage „Der Dilettantismus in der Litteratur".

Max Kretzer ließ Novellen „Im Sündenbabel" erscheinen, welche, trotz hübscher Einzelheiten und der lobenswürdigen biedern Gesinnung darin, wiederum dartun, dass des genialen Sittenschilderers Kräfte sich im Gebiet der Novelle, wie in spanische Stiefel eingeschnürt, nirgends voll entfalten können. Um so gespannter sehen wir der nächsten größeren Arbeit Kretzers entgegen, welche, wie wir hören, den Kampf des Fabrik-Kapitals mit dem Handwerk zum Sujet haben wird.

„Der Weisse Hirsch-See". Ballade nach einer amerikanischen Sage von H. Riote. (Leipzig, Vieweg.)

Alle für das „Magazin" bestimmten Sendungen sind zu richten an die Redaktion des „Magazins für die Litteratur des In- und Auslandes" Leipzig, Georgenstrasse 6.

Für die Redaktion verantwortlich: Karl Bleibtreu in Charlottenburg. — Verlag von Wilhelm Friedrich in Leipzig. — Druck von Emil Herrmann senior in Leipzig.

Das Magazin

für die Litteratur des In- und Auslandes.

Wochenschrift der Weltlitteratur.

1832 gegründet von Joseph Lehmann.

55. Jahrgang.

Preis Mark 4.— vierteljährlich.

Herausgegeben von Karl Bleibtreu.

Verlag von Wilhelm Friedrich in Leipzig.

No. 39. Leipzig, den 25. September. 1886.

Unsere verehrten Leser werden an die **schleunige** Erneuerung des Abonnements ganz ergebenst erinnert, da sonst Verzögerungen in der Bestellung unvermeidlich sind.

Leipzig. Die Verlagshandlung des „Magazins".

Inhalt:

Justinus Kerner.

Von Adolph Kohut.

Unsere nivellierende Zeit hasst das Original. „Original, fahr hin in deiner Pracht!" ist die Parole des Tages. Wohin seid ihr geflohen, himmlische Zeiten mit den Allonge-Perrücken, den Lorenzodosen, den langen, flatternden Haaren und dem Glauben an Beschwören und Geistersehen? Wir leben in einem Jahrhundert des Antispiritismus. Die Kumberlands sind die Herren des Tages, und wenn du einen Jüngling siehst wie ein Woll-Apostel kostümiert oder einen Herrn mit riesiger Mähne, so kannst du Eins gegen Hundert wetten, dass die spottsüchtige Welt, welche alle Exzentrizitäten verabscheut, hohnlachend ihnen nachblickt und eine pantomimische Bemerkung macht, welche ungefähr bedeutet: „Brustkrank im Oberstübchen." Unsere Großväter und Großmütter waren in dieser Hinsicht viel besser dran. Damals herrschte noch keine — Makadamisierung der Geister und es gab noch Exemplare voll liebenswürdiger Originalität voll erfrischender Waldursprünglichkeit.

Ein solches Original war auch **Justus Kerner**, einer der Begründer der schwäbischen Dichterschule, dessen hundertjährigen Geburtstag am 18. September dieses Jahres Deutschland feiert. Er war kein Lyriker, der die phantastischsten Lieder nur dichtete, sein ganzes Leben hatte etwas Phantastisches und Traumhaftes; er traf nicht allein den humoristischen Volkston in Vers und Prosa, sondern seine Persönlichkeit selbst war ein Gemisch des Gespenstischen und Komischen; er liebte nicht bloß platonisch die „blaue Blume" der Romantik, sondern war in eigener Person die Verkörperung des Romantischen, Uebernatürlichen, Metaphysischen. Er, der praktische Arzt, der Mann der Experimente und der nüchternen Naturwissenschaften, glaubte an Wunder und die Weissagungen einer historischen Persönlichkeit, welche als „Seherin von Prevorst" eine solche Berühmtheit erlangt hat! Ein guter und aufrichtiger Protestant — verschmähte er es nicht, für den Fürsten Hohenlohe Fastenpredigten von fanatischer Frömmigkeit zu schreiben, die ein gut katholisches Andachtsbuch waren. Dabei war dieser „Geisterbanner" Zeit seines Lebens kein Charlatan à la Cagliostro, sondern ein uneigennütziger, edler und humaner Mann, der sich für die Kranken, die Armen und Elenden aufopferte, — er hatte in seinem Wesen nichts von der Düsterheit und dem Schwermut der Magier und Geisterseher, vielmehr entzückte er bis in sein spätestes Alter alle Welt durch seine heiter, joviale Laune, seinen kindlichen Charakter und seine sorglose Offenherzigkeit!

Um diesen seltenen und seltsamen Menschen zu verstehen, können wir nur das Wort anführen, welches Justinus Kerner selbst seinen Liedern „An die Frauen" als Motto beigegeben:

Das Herz, das Herz allein kann sie verstehn,
Derweil sie einzig nur das Herz geschrieben!

Nur das Herz allein versteht das Leben und Dichten Kerners. Im Ersteren spiegelt sich Letzteres wieder. Es ist die Nachtseite der Romantik — wie Eichendorff sagt — wo seine Dichtung weilt, jener melancholische Tiefsinn, das ihn anderwärts zum Somnambulismus und zur Geisterschau geführt hat.

Ueber den schwäbischen Sänger sind nur aus Anlass des hundertjährigen Geburtstages mehrere interessante Schriften*) erschienen; auf Grund deren und aus eigenen Studien sei hier eine flüchtige Skizze des Lebens und Dichtens Kerners gegeben.

Am 18. September 1786 wurde Justinus Kerner in Ludwigslust geboren. Sein Vater, ein Oberamtmann, ein heiterer und launiger Mann, überließ die Erziehung seines Jüngstgeborenen zumeist der Mutter, die einen nachhaltigen Einfluss auf ihn übte. Während seiner ersten Kindheit regierte noch der Herzog Karl Eugen, der in Ludwigsburg seine Sommer-Residenz hatte und um dessentwillen Christian Daniel Schubart 10 Jahre lang in der Fürstengruft schmachten musste. Justinus sollte ursprünglich Konditor werden, „weil er zeichnen, malen und Reime dichten könne“. Der Vermittelung eines väterlichen Freundes, des Dichter Conz, hatte er es zu verdanken, dass er in eine Tuchfabrik in Ludwigsburg kam, um dort die Kaufmannschaft zu erlernen. Da musste er Leinwandsäcke zuschneiden, Tücher darin vernähen, Briefe kopiren, Ballen signiren, aber er verlor seinen guten Humor nicht, dichtete vielmehr dabei; auf der Tuchleiter, wo er den größten Teil des Tages verbrachte, entstand so manches Gedicht, so z. B. ein Lustspiel in Jamben: „Die zwölf betrogenen württembergischen Pastoren“, worin ein Jude, der sich für einen emigrierten Grafen ausgiebt, den Pastoren Geld abschwindelte. Erst nach längeren Kämpfen konnte er es durchsetzen, dass seine Eltern es zugaben, dass er die Tübinger Universität besuchen durfte, um dort Medizin zu studieren. Im Herbst 1804 verabschiedete er sich von Ludwigsburg und seinen Tuchsäcken und Tuchballen. Um jetzt schon das Sparen einzulernen, kehrte er auf dem Wege nach Tübingen, den er per pedes apostolorum unternahm, nirgends ein, sondern labte sich an ein paar Brunnen mit einem frischen Trank zum Weitergehen. Kaum in Tübingen angekommen, passierte ihm das Malheur, dass sein ihm so notwendiger Mantel dem Ofen nahe kam und ein Loch erhielt. Er schrieb sofort seinem Hausschneider Noä nach Ludwigsburg die nachstehenden Knittelverse, die ich zur Kennzeichnung des Galgenhumors des Jünglings hier mitteilen will:

*) „Das Bilderbuch aus meiner Knabenzeit. Erinnerungen aus den Jahren 1786 bis 1804.“ Von Justinus Kerner. Zweiter unveränderter Abdruck. Stuttgart 1886, Karl Krabbe. — „Justinus Kerner und das Kernerhaus zu Weinsberg. Gedenkblätter aus des Dichters Leben.“ Von Aimé Reinhard. Zweite Auflage. Tübingen, Osiandersche Buchhandlung, 1886. — „Justinus Kerner und die Seherin von Prevorst.“ Von Karl du Prel. Leipzig 1886. Th. Griebens Verlag.

Prosit 's neu Jahr!
In welche Gefahr
Ich gekommen schier,
Vernehmen Sie hier:
Ganz ruhig ich saß
Am Ofen und las
In einem Buch:
Wie Gottes Fluch
Und alle Uebel
Ohne Bibel
Durch Laxieren und Speien
Zu heilen seien,
Als plötzlich — O!
Ganz lichterloh
Aus dem Ofenloch
Der Teufel kroch,
Mir mit feurigen Klauen
Den Mantel zu rauben.
Ich nicht dumm,
Dreh mich um,
Schüttel und rüttel
Den brennenden Kittel,
Aber ein Loch
Bleibt doch,
Wie Sie sehen,
Wenn Sie ihn drehen.
Nun bitt ich sehr,
Mein lieber Herr!
Verlassen Sie nicht
Den armen Wicht
Und setzen Sie doch
Einen Plätz fürs Loch,
Aber bald,
Denn es ist kalt.
Vielleicht hat Sprösser
Oder besser
Die Fabrik
Noch ein Stück
Damit feil.
Ihr Kerner (in Eil!)

Auf der Universität widmete er sich mit Eifer der Medizin, vergass aber auch nicht, seiner poetischen Muse zu huldigen. Es fand sich dort ein Kreis gleichgesinnter strebsamer Jünglinge, die in ihrem „Sonntagsblatt“ ihre Dichtungen niederlegten. Mit Ludwig Uhland und später mit Gustav Schwab schloss er intime Freundschaft, die bis in den Tod anhielt. Das Kleinod deutscher Poesie: „Des Knaben Wunderhorn“ von Achim von Arnim und Clemens Brentano, welches damals erschien (Heidelberg 1806 bis 1808, in 3 Bänden), regte ihn zu manchen entzückenden Volksliede an. In jener Zeit entstand z. B. das bekannte Volkslied: „Icarus“, welches mit den Worten beginnt:

Mir träumt, ich flög gar bange
Weit in die Welt hinaus,
Zu Straßburg durch alle Gassen
Bis vor Feinsliebchens Haus.

In diese glückliche Studentenzeit fällt auch Kerners Jugendliebe. Zu Uhlands Geburtstage 1807, auf einem Ausflug auf die Achalm bei Reutlingen fand er seine Herzallerliebste, die Pfarrerstochter Friederike Ehmann, seine „Rikele“, die er in Vers und Prosa so oft besungen.

Im Jahre 1808 in Tübingen zum Doktor promoviert, unternahm er längere Reisen. Zuvörderst ging's nach Hamburg, wo sein Bruder Georg ebenfalls als Arzt lebte; hier schloss er sich besonders an Rosa Maria, die Schwester seines Freundes Varnhagen von Ense, an. Dann reiste er nach Wien, wo er mit Friedrich Schlegel und seiner geistvollen Gattin Dorothea, einer Tochter Moses Mendelssohn, mit Beethoven und dem Dichter Joseph Ludwig Stoll eifrig verkehrte. Diesen Uhland später in seinem bekannten Liede: „An einen verhungerten Dichter" verewigt. Als Kerner 1810 Wien verließ, siedelte er zunächst nach Wildbad als Arzt und später nach Welzheim als Unteramtsarzt über. Bald bekam er durch seine glücklichen Kuren und seine aufopferungsvolle Thätigkeit für die Armen und Kranken einen großen Ruf. Todesfälle in seiner Praxis raubten ihm die Nachtruhe und als er einst gefragt wurde, ob ihm schon Kinder gestorben, erwiderte er seufzend: mehr als hundert! Im Jahre 1819 erhielt er die Stelle eines Oberamtsarztes in dem reizenden Städtchen Weinsberg, am Fuße der berühmten Ruine „Weibertreue". Hier lebte und wirkte er über 4 Jahrzehnte, von seinen Landsleuten allgemein verehrt, fast vergöttert, ein wahrer Apostel der Humanität. Fast einzig steht die glänzende Gastfreundschaft da, die er in seinem Heim, einer Dichterherberge in großartigem Stile, übte. Aus Fern und Nah kamen die Himmlischen alle: Nikolaus Lenau, Friedrich Matthisson, Ludwig Tieck, Uhland, Schwab, David Ed. Strauß, Varnhagen von Ense, Rahel, Gustav IV. von Schweden, Graf Alexander von Württemberg und noch viele andere. Aber auch jeder Wanderbursche und reisende Händler wurde willkommen geheißen; und Kerners Tochter, Marie Niethammer, erzählt gar die köstliche Anekdote, dass eines Tages ein Bandwerksbursche, angesichts der Wagen vor der Tür, des gedeckten Tisches im Garten und der aus- und eingehenden Gäste sich vor einem Wirtshaus glaubte, ganz ungeniert die Treppe hinaufstieg und Frau Dr. Kerner zurief: „Frau Wirtin, einen Schoppen", den das gute Riekele ihm auch brachte und sich lange mit ihm aufs Freundlichste unterhielt. Erst als er sich nach der Zeche erkundigte, erfuhr er seinen Irrtum. Wie „gemischt" manchmal die Gesellschaft bei Körner war, ersieht man daraus, dass einmal neben dem Prinzen Adalbert von Bayern ein Tiroler Handschuhhändler saß. Frau Riekele kochte und backte unermüdlich für Hohe und Niedrige, für Berühmte und Unbekannte, für Arme und Reiche; und als später die Augen Kerners sehr schwach wurden, so dass er in den letzten Jahren seines Lebens fast erblindete, half seine treue Lebensgefährtin ihm auch mit der Feder. Noch im Alter singt der Dichter von ihr:

Und wenn die liebe treue Hand
Sich mir aufs Herz, das bange, legt,
Wird mir der Zauber wohl bekannt,
Den diese Hand still in sich trägt.

Der fürchterlichste Schlag seines Lebens traf ihn durch den Tod seiner Frau, mit der er einundvierzig Jahre in der glücklichsten Ehe gelebt hate. Er folgte ihr in der Nacht vom 21. auf den 22. Februar 1862, wie er sich's so oft in seinen Liedern gewünscht hat. Er ruht auf dem Weinsberger Kirchhofe; eine einfache Platte, welche die Inschrift trägt:

„Friederike Kerner und ihr Justinus"

erinnert an die Ruhestätte des großen Todten.

Zu Weinsberg, der gepries'nen Stadt,
Die von dem Wein den Namen hat,
Wo Lieder klingen schön und neu
Und wo die Burg heist Weibertreu —

wurde vor einundzwanzig Jahren, am 18. Oktober 1865, Justinus Kerner ein schönes Denkmal gesetzt, welches sich auf einer erhöhten sechskantigen Terrasse erhebt. Der Sohn des Verewigten, der Arzt und Dichter Theobald Kerner, hat am Sockel des Denkmals zwei Erztafeln einfügen lassen, wovon die oberste, zwischen den Säulenpostamenten befindliche die Worte enthält, womit die Universität Tübingen im Dezember 1858 zu Kerners fünfzigjährigem Doktorjubiläum den Ruhm des Arztes, Dichters und Sehers zugleich verherrlicht hat:

Aegrotorium solatium, daemonium flagellum,
Musarum deliciae, dulce patriae decus.

Auf der zweiten, dem Hauptstück des Sockels angebrachten Bronzetafel ist ein Gedicht von August Köstlin abgedruckt, welches die Bedeutung Kerners trefflich bezeichnet:

Wer hat, wie du, geliebt den Freund,
Was ihm die Seele so gehoben,
Wer so mit Ernst, dem Scherz vereint,
Ein Zauberband um ihn gewoben!

Wer hat in heit'res Schattenspiel,
Wie du, das Leben umgestaltet,
Und wer, mit tieferem Gefühl,
Die Blätter seines Ernste entfaltet!

Ein lebensfreudiger Prophet
Standst du auf zweier Welten Grenze,
Von Himmelsluft das Haupt umweht,
Und pflückend froh der Erde Kränze.

* * *

Die Worte: „Ein lebensfreudiger Prophet standst du auf zweier Welten Grenze" bezeichnen meines Erachtens besonders glücklich die Individualität Justinus Kerners. Im Typus des lebensfrohen Schwabentums traf er in seinen Liedern ganz wundervoll den Volkston, besang er in Romanzen und Balladen das Ach und Weh des menschlichen Herzens, den Tod, die Vernichtung, — aber dabei hat er noch Muße und Leidenschaft, in die Geisterwelt, die für ihn nicht verschlossen war, geheimnisvolle Blicke zu werfen und den damals noch weniger bekannten Kräften der Natur, wie tierischer Magnetismus und Somnambulismus, ja sogar dem Spiritismus, einen weihevollen Kultus zu widmen. Als David Friedrich Strauß, der unsterbliche Skeptiker, Justinus Kerner zum ersten Male in Weinsberg aufsuchte, um ihn kennen zu lernen, erstaunte er nicht wenig, als er einen großen, starken, robusten Mann, mit einem dicken Bambusstock in der Hand, erblickte. Er frug sich erstaunt: „Es ist nicht möglich! So habe ich mir den Mann nicht gedacht. Ein Geisterseher muss ganz anders aussehen! Schmächtige, abgehärmte Gestalt, hohle Wangen, hervorgetriebene, düster glühende Augen muss er haben; aber diese robuste Figur, dieses runde volle Gesicht, dieses ruhige Auge — das kann Kerner nicht sein!" Dieser Zwiespalt zwischen der äußeren Erscheinung in dem Wesen Kerners ist eben ein eigenartiges Spiel der Natur. Er, der eine vortreffliche Schrift über die Bedeutung Wildbads verfasste, der großartige Beobachtungen über Wurst- und Fettgifte anstellte, glaubte an Geister, an Dämonen und Besessene mit der Naivetät eines Mohammedaners, der nach Mekka pilgert, um am heiligen Grabe des Propheten zu beten.

Im Jahre 1824 gab er ein Buch heraus: „Geschichte zweier Somnambulen, nebst einigen anderen Denkwürdigkeiten aus dem Gebiete der magischen Heilkunde und Psychologie"; hier suchte er zuerst die Aufmerksamkeit auf das innere Leben des Menschen zu lenken. Noch mehr geschah dies in der Schrift: „Seherin von Prevorst", in der er die Krankheitsgeschichte einer Somnambule, Namens Friederike Hauffe, die die letzten drei Jahre ihres Lebens bei Kerner in Weinsberg verbrachte, erzählt. Er giebt hier eine förmliche Theorie des Geisterlebens und Geisterreiches; tolle und schauerliche Spukgeschichten erzählt er mit einer geradezu komischen Gläubigkeit. Er glaubte an die Wahrheit der Geisterwelt und alle wunderlichen Heiligen und alle kirchlichen Reaktionäre drängten sich um ihn und suchten seine Beobachtungen für ihre Interessen auszubeuten.

Die Wissenschaft hat mit diesen Gespenstergeschichten nichts zu tun, aber immerhin bleibt Kerner das Verdienst, dass er auf die Nachtseiten der menschlichen Natur, die früher kaum beachtet wurden, sehr eindringlich hingewiesen und dadurch die Psychologie und Medizin wesentlich bereichert hat. Der Gefühls-, Glaubens- und Naturphilosophie hat er einen wuchtigen Anstoß gegeben. Emma Niendorf sagt treffend von ihm in ihrer Schrift: „Villegiatur in Weinsberg": „Kerner ist eine Erscheinung, die wir in ihrer reinen Ursprünglichkeit nicht fest genug halten können . . . Es können Zeiten kommen, dass man gar nicht mehr glaubt, ein solcher Mann habe einst gelebt und ihn für eine Mythe erklärt."

Was Kerner im Leben nie vermocht hat: die Geister, die er rief, zu bändigen, gelang ihm meisterhaft in der Dichtung durch seinen Humor, seinen volkstümlichen Ton und den Zauber seiner Sprache. Kerner ist ein Romantiker, dem seine Muße aus dem Menschenleben in die Natur, aus der irdischen Fremde in die höhere Heimat, aus dem Leben in den Tod zieht. Und hier sieht er so wunderbare Gestalten, seine Sprache ist von so hinreißendem musikalischem Wohllaut, dass selbst die schauerlichsten Prophezeiungen uns nicht erschrecken, — denn der Genius der wahren Poesie schwebt über dem Abgrund. Hierzu kommt die wunderbare Gabe des Poeten, das wirklich Erlebte, sei es komischer, sei es ernster Art, zu idealisieren. „Er weiß," sagt einmal David Friedrich Strauß von ihm, „den Adern der von ihm aufgenommenen wirklichen Personen, wie der Arzt, denen der gestorbenen Mignon in Wilhelm Meister, jenen Balsam statt des Blutes einzuspritzen, der ihnen für immer ein frisches, jugendliches Ansehen erhält." Kein schwäbischer Dichter, außer Uhland, hat es so vollendet verstanden, den schlichten Volkston anzuschlagen als er. Dass der Grundton dieser Lyriken, wie bei allen Romantiken, ein elegischer ist, versteht sich von selbst. Bezeichnend hierfür ist das folgende Lied:

Wanderer.

Die Straßen, die ich gehe,
So oft ich um mich sehe,
Sie bleiben fremd doch mir.
Herberg', wo ich möcht' weilen,
Ich kann sie nicht ereilen,
Weit, weit ist sie von hier.

So fremd mir anzuschauen
Sind diese Städt' und Auen.
Die Burgen stumm und todt;
Doch fern Gebirge ragen,
Die meine Heimat tragen,
Ein ewig Morgenrot.

Den Schmerz, das Leiden, den Tod besingt Kerner in unzähligen Variationen, aber seine Leier hat für alle Empfindungen des Herzens beredten und ergreifenden Ausdruck. Daher sind seine Lieder eine wahre Fundgrube für die Komposition geworden. Ich nenne nur das berühmte Wanderlied:

Wohlauf! noch getrunken
Den funkelnden Wein!
Ade nun, ihr Lieben,
Geschieden muss sein!

Als Romantiker verherrlicht er natürlich auch die Hohenstaufen, mittelalterliche Ritter und Burgen und besonders gelingen ihm solche Balladen und Romanzen, in welchen, wie in dem reizenden „Geiger von Gmünd", Humor und Glaube sich vereint.

Alle Stoffe der Volkssage haben ihn zu dichterischer Bearbeitung angeregt. Wahre Perlen der Poesie sind z. B. „Kaiser Rudolfs Ritt zum Grabe" und „Der reichste Fürst," unerreicht in ihrer Einfachheit und Naivetät.

Wenn auf einen, so findet auf Justinus Kerner das Wort Anwendung:

„Nehmt Alles nur in Allem, nimmer werdet ihr seines Gleiches schauen!"

Die Poesie in Lyon.

I.

Paris, und immer wieder Paris! Es klingen Einem die Ohren von dem ewigen Paris. Wenn der oder die Deutsche sich die nötige schriftstellerische Fingerfertigkeit holen will, dann geht's nach Paris; von dort wird dann Deutschland mit Feuilletons überschwemmt. Frankreich ist für diese Leute gar nicht da. Nun, es ist ja wahr: die bedeutendsten modernen französischen Romanhelden, A. Daudet und Zola, sind auch aus ihrer Provinz nach Paris gezogen, um von dort, dem Gipfelpunkt der Landesregierung, besser gehört und gesehen zu werden; aber der Föderationsgedanke der Girondisten kommt doch noch einmal zur Geltung. Nicht nur entlehnt die Pariser Litteratur immer häufiger ihre Stoffe aus der Provinz (A. Daudet, Theuriet und Andere), letztere wird auch selbst immer tätiger, immer unabhängiger. „Fern von Paris“ haben wir selbst unsere Sammlung französischer Novellen (Leipzig, E. Peterson) betitelt, weil sie in der Provinz spielen und ihre Verfasser in der Provinz lebten. Paris mag immer das große Stelldichein für alle Landeskinder bleiben; aber charaktervolle Dichter, die ihre Originalität wahren wollen, werden in ihrer Heimat bleiben, wenn sie auch in Paris drucken lassen (A. Lemerre ist der vornehmste Verleger dieser Poeten). Dazu riet schon der Genfer Petit-Senn in seinem Gedichte: „Loin de Paris“, sowie die Genferin Jeanne Mussard in „Les débuts d'un poète“, und dass sie dies nicht beachtet hatte, dafür büßte schmerzlich die geniale Elisa Mercœur aus Nantes, dafür viele Andere, deren Namen meist verschollen sind.

Paris hat nicht immer die erste Rolle gespielt; der erste französische König, Hugo Capet, wurde in Noyon gesalbt, der zweite in Orleans (wie schon die Karolinger Ludwig der Fromme und Karl der Kahle). Unter den ersten Capetingern war Melun als Residenz oft die Nebenbuhlerin von Paris; bei der Selbständigkeit der Provinzen war Letzteres überhaupt nur eine Stadt wie alle andern und weniger populär als die Abtei Saint-Denis, deren Banner (die Oriflamme) das Nationalbanner war. Eine Stadt der Provinz, Orleans, rettete die französische Nationalität, und fast ein Jahrhundert lang residierten die Könige meistens im Loiretal, wo auch das erste echt „französische“ Gedicht, der Roman von der Rose, entstanden war.

Seit der allmählichen Zentralisierung des Landes durch die Bourbons ist Paris mehr als einmal für die nationale Entwickelung bis auf 1870 herab verhängnisvoll gewesen und der etwaige Glanz und Ruhm ist durch die Entkräftung der „Provinz“ zu teuer erkauft worden. Wie die Letztere gegen dieses Aufsaugen der nationalen Lebenskraft reagiert, haben wir schon einmal im „Magazin“ in einem Artikel über die Bretagne geschildert; versetzen wir uns heute nach Lyon.

Als Rom den Grund zur Zivilisation Galliens legte, machte Augustus Lyon (Lugdunum — die Rabenveste) zur Hauptstadt des ganzen Landes und die Wissenschaften blühten hier wie in Griechenland; erst in den folgenden Jahrhunderten erhielt der sumpfige Ort (das bedeutet Lutetia) Paris aus bloß militärischen Rücksichten Bedeutung. Die erste christliche Gemeinschaft auf gallischem Boden bildete sich in Lyon. In den ersten Jahrhunderten der Capetinger lebte Lyon unabhängig von der Geschichte Frankreichs, mit dem es erst 1310 durch Philipp den Schönen verbunden wurde. Für die französische Litteratur des Mittelalters, die der langue d'oil, war es daher ohne Bedeutung geblieben, wurde doch auch in seinem Gebiete eine eigene Sprache gesprochen. Der „dialecte Lyonnais“ hat neben der rein provençalischen Sprache seinen besonderen Charakter (Savinian in seiner „Grammaire provençale“, Avignon 1882, zählt das „Rhodanien“ als einen Unterdialekt des Provençalischen auf); am reinsten ist er in den „Oeuvres de Marguerite d'Oyngt, prieure de Poleteins“ vertreten, die der wohl gründlichste Kenner dieser Mundart, E. Philipon, 1877 bei N. Scheuring in Lyon herausgegeben hat. Die Priorin lebte am Anfang des vierzehnten Jahrhunderts, das Städtchen Oingt, westlich von Polletins im Lyonnais gelegen, gehörte ihrem Vater. Kurz nach ihrem Tode drang nun in Folge der Annexion der sogenannte französische Dialekt, d. h. der der Provinz Ile de France, wo die Könige residierten, in das Lyonnais ein und verdrängte durch seinen offiziellen Charakter die einheimische Sprache in allen öffentlichen Urkunden und in den Sitzungen der Behörden. Im gewöhnlichen Leben bedienten sich die niedrigsten wie die höchsten Klassen noch ferner ihrer volleren Muttersprache. Als im Jahre 1491 Bayard, der Ritter ohne Furcht und Tadel, damals erst achtzehn Jahre alt und noch mager von Ansehen, bei einem Turnier in Lyon seinen ersten Waffengang tat, sich aber sofort glänzend auszeichnete, riefen die vornehmen Damen, die dem Ritterspiel beiwohnten, in ihrem Lyonneser Dialekt: „Vey vo cestou malotru qu'a mieu fa que tos los autros“ (Voyez-vous ce malotru qui a mieux fait que tous les autres). Was für ein Patois! würde man heute ausrufen, wenn man in feiner Gesellschaft diese Laute vernähme. Die pittoreske Sprache der alten Hauptstadt Galliens wurde auch zum Patois neben dem abgeschliffenen, aber auch in klanglicher Hinsicht geschwächten Französisch; wer zu Ehren und Würden kommen wollte, musste nun das Letztere, die Sprache des Hofes, lernen. Natürlich wurde die heimische Sprache nun nicht mehr der Ehre gewürdigt, das Organ der Litteratur zu sein; die Schriftdenkmäler im Patois lyonnais sind daher auch sehr selten. Die ersten findet man in der Mitte des sechzehnten Jahrhunderts: eine kleine Szene während eines Volksfestes 1566 und ein 1594 gedrucktes Lied. Das folgende Jahrhundert weist nur drei Denkmäler auf:

zuerst sind zehn Verse in eine Fastnachtsmaskerade vom 14. Februar 1627 eingeflochten, die von neun Wäscherinnen gesungen werden; dann folgt eine Tragi-Komödie in zwei Teilen, La Bernarda-Buyandiri (die Waschfrau Bernarde), 1658 in Paris gedruckt, von welcher Ausgabe aber nur noch ein Exemplar existiert; den einzigen vollständigen Wiederabdruck davon enthält die „Revue Lyonnaise" vom November und Dezember 1884, für die Kenntnis von Sitten und Sprache ist die litterarisch wenig wertvolle Komödie von Wichtigkeit. Das dritte Dokument, „La ville de Lyon en vers burlesques" eine Art Revue in zwei Tagewerken, zum ersten Mal 1663 in Lyon gedruckt, ist französisch geschrieben, aber die Leute aus dem Volke, die darin auftreten, sprechen ihr Patois; da die weiteren Ausgaben sehr selten und sehr teuer geworden sind, so hat Philipon die Stellen in Patois ebenfalls in der „Revue Lyonnaise" wieder abgedruckt.

Dieser Dialekt ist zwar den eigentlichen Philologen aus der 1872 in Paris begründeten Revue „Romania", in welcher Philipon 1884 Sprachproben u. s. w. mitgeteilt hat, sonst aber gewiss nicht bekannt; von allen südfranzösischen Dialekten ist er wohl am meisten mit dem Savoyer und Genfer Patois verwandt; seit dem Eindringen der „französischen" Mundart neigte er sich mehr zur langue d'oil als zum Provençalischen hin. Man kann ihn in dem von Onofrio verfassten „Essai d'un glossaire des patois de Lyonnais, Forez et Beaujolais, Lyon, 1864" studiren. Die heutige Volkssprache in Lyon hat viele Ausdrücke, die sich aus der „Bernarda" erklären lassen; wenn sich Jemand gut nährt, sagt man daselbst „il ne vit point de mouchons de chandelle" (mouchon = das glimmende Stück am Lichte, das man mit der Lichtputze abschneidet); in La B. B. heißt es im ersten Teil Acte IV: „Elle ne mingeon pa de mouchon de chandaila"; für „waschen gehen" sagt das Volk: aller à la plate (ans Waschschiff), ebendaselbst heißt es Acte VI im zweiten Teil: „Hier elle veny per lava so drapiau, Se meta pres de mey den nontra mesma plata."

Mitten in der Renaissance aber, wo das moderne Französisch seinen Aufschwung nahm, fand dasselbe eine Muse in der ebenso schönen wie geistreichen Louise Cherly, genannt Laba (1526—1566), gleich bewundert wie gelästert, etwas emanzipiert, aber genial, deren Gedächtnis das Volk durch die Benennung ihrer Straße „la rua de la balla Courdiri (Louise war mit einem Seiler verheiratet) geehrt hat. Bald nach dieser glänzenden Dichtererscheinung entwickelte sich in Lyon eine große Regsamkeit für das Theater. Allerdings war Paris damals die einzige Stadt, die ein stehendes Theater besaß, während zwölf bis fünfzehn Wandertruppen das Land durchzogen, und von denselben sagt Chappuzeau in seinem Théâtre français, dass die Schauspieler ihre Lehrzeit in der Provinz durchmachten, um dann nach ihrer Ausbildung in Paris engagiert zu werden, zur Fastenzeit kämen sie oft nach Paris, um hier bei den Künstlern von Talent Unterricht zu nehmen und neue Engagements einzugehen, weil die Wandertruppen sich zur Fastenzeit aufzulösen pflegten. Lyon machte aber, als „die zweite Stadt Frankreichs", Paris einige Konkurrenz; wie dieses für den Norden, so war jenes ein Rekrutirungszentrum für die Truppen, die den Süden durchzogen. Es wurden hier von mehreren Gesellschaften zugleich Vorstellungen gegeben, eine spielte hier seit 1644 unter der Direktion von Abraham Mitalla und ihre Schauspieler nannten sich „Comédiens de Son Altesse Royale" (Gaston duc d'Orléans). „Und wenn auch Lyon kein stehendes Theater besaß wie Paris, so spielte man doch hier zu allen Jahreszeiten, wo es verlangt wurde, und zwar von einer Truppe, die, obgleich sie eine herumziehende ist, so gut ist wie die stehende des Hôtel de Bourgogne" (in Paris). So sagt Chappuzeau in seinem Buche mit dem stolzen Titel „Lyon dans son lustre", das 1656 in dieser Stadt selbst erschien, wie auch sein Théâtre français zum ersten Mal in Lyon 1674 gedruckt wurde; die Rhonestadt muss also doch im Jahrhundert des „Großen Königs" einen litterarischen Ruf genossen haben. (Siehe darüber: Brouchoud, les Origines du théâtre de Lyon. Lyon, Scheuring, 1865.)

Einige Jahre nach Mitallas Ankunft sollte in Lyon das französische Lustspiel von dem größten Genie Frankreichs seine Weihe erhalten, von Molière. So knüpft sich an die Provinzstadt Dijon der unsterbliche Ruhm J. J. Rousseaus, dessen Genie ohne die Preisfrage der dortigen Akademie vielleicht nicht zum Durchbruch gekommen wäre. Molière, der 1646 mit seiner Truppe Paris verlassen hatte, hatte sich im Dezember 1652 auf längere Zeit in Lyon niedergelassen, von wo aus er weitere Streifzüge machte. Hier hatten die Gelosi den Geschmack am italienischen Theater begründet, das ja schon in Paris Einfluss gewonnen hatte, aber das Publikum der großen Stadt Lyon war gebildet und von geistiger Regsamkeit; es regte auch den jungen Dichter an und so schuf hier Molière, allerdings nach einem italienischen Vorbilde, sein Lustspiel l'Etourdi, seinen ersten Wurf in der höheren Komödie. Das Stück wurde im Januar 1653 zum ersten Mal gegeben, der Erfolg war so groß, dass Mitella vor leeren Bänken spielte und mehrere seiner Schauspieler zu Molière übergingen. Die ganze Umgegend wollte das schöne neue Lustspiel sehen; in Vienne im Dauphiné, wohin deshalb Molière mit seiner Truppe ging, kam es darum fast zu einem dramatischen Auftritt.

Noch drei Mal kehrte Molière von seinen Wanderungen im mittäglichen Frankreich nach Lyon zurück, ehe er sich 1658 dauernd in Paris niederließ. In der Provinz hatte er die reiche Menschenkenntnis gesammelt, die er später in seinen Lustspielen niederlegte; in einer anderen Provinzstadt, in

Béziers, wurde im Dezember 1656 zum ersten Mal sein „Dépit amoureux“ gespielt, diese zweite Offenbarung seines Genius, die den erwachenden Meister verriet. Molière war hier glücklich, und noch oft mag er sich in dem fieberhaften, von Neid und Eifersucht getrübten Leben zu Paris und Versailles nach der Provinz, nach der großen Rhonestadt, nach der schönen Provence zurückgesehnt haben. Mit Unrecht schließt man aus seinen „Précieuses ridicules“, er habe sich über die Provinzlerinnen lustig machen wollen. Nur um die hochgestellten Persönlichkeiten in Paris denen seine Satire galt, nicht persönlich anzugreifen, wählte er zwei „pecques de province“ zu Mustern der Zieräfferei; im Hôtel de Rambouillet fühlte man aber wohl, auf wen Molière zielte. Die Provinz hat denn auch mit ihrem verständigen Sinne dem Dichter seinen Spaß nicht nachgetragen.

Das Publikum von Lyon hat seit jener Zeit der dramatischen Kunst immer das regste Interesse bewahrt. Wie gebildet sein Geschmack in Sachen des Theaters im vorigen Jahrhundert war, davon berichtet uns Matthisson in seinen „Reiseerinnerungen“. Kurz darauf empörte sich Lyon gegen Paris, aber wenn es die Zuflucht des Royalismus gegen die Jakobiner wurde, so fanden hier auch 1831 die ersten sozialistischen Aufstände statt; und wenn in neuerer Zeit wieder die katholische Reaktion sich in Lyon konzentriert hat, so hat doch auch eine freiere ideale Anschauung in einem Siebengestirn (la Pléiade lyonnaise) ihre Vertreter gefunden. Der hervorragendste, eigenartigste derselben ist Joséphin Soulary, in welchem die Renaissance des sechzehnten Jahrhunderts wieder erwacht ist, aber stoffreicher und gedankensprühender als zur Zeit der „schönen Seilerin“; ihm wollen wir einen besonderen Artikel widmen.

Leipzig. Herman Semmig.

„Democracy.“ An American Novel.

London, Ward, Lock & Co.

I.

Frau Lightfoot Lee, die wir, nach näherer Bekanntschaft, Madeleine nennen werden, ist eine junge, steinreiche Witwe aus New-York. Vor fünf Jahren verlor sie ihren Gatten, mit dem sie allzu kurzes Glück genossen, eine Woche darauf ihr einziges Kind. Wenn sie jetzt daran denkt, nehmen die Züge der schönen, dreißigjährigen Frau, einen plötzlich starren Ausdruck an. Aber sie spricht nicht leicht von der Vergangenheit. Sie hat Trost und neues Leben gesucht, auf Reisen, im Studium, in tätiger Menschenliebe. Vergeblich. Sie lebt in der großen Welt, wie die Reichen New-Yorks sie darbieten, gleichgültig. Man nennt sie ehrgeizig, unzufrieden, rastlos. Sie ist kaum umworben. „Wenn ein Weib Gatten und Kind verloren, und nicht Mut und Verstand verlieren will, so muss sie sehr weich oder sehr hart werden. Ich bin jetzt zu reinem Stahl geworden. Ihr mögt mit dem Hammer auf mein Herz schlagen: es wird den Hammer zurückwerfen.“ Wer ist das Leben wert? Sie kann sich nicht für den Preis der Staatspapiere und Aktien interessieren, und noch weniger für die Männer, die damit Handel treiben. Sie hat Deutsch studiert. Sie hat deutsche Philosophie gelesen, in der Ursprache noch dazu, „und je mehr sie las, desto mehr ward es ihr schwer ums Herz, dass so viel Bildung zu Nichts führe, zu Garnichts.“ Sie versucht Herbert Spencer: auch dabei kommt nichts heraus. Umgeben von jeder Eleganz des äußern Lebens, wirft sie sich auf die Philantropie. Sie besucht die Gefängnisse, besichtigt die Krankenhäuser, liest die Litteratur des Armenwesens und des Verbrechens, versenkt sich in die Statistik des Lasters „bis ihr Gemüt beinahe das Bild der Tugend aus den Augen verliert“. Auch das wird von ihr als zwecklos erkannt. Sie hat „das Pflichtgefühl verloren“. Ihretwegen mögen nunmehr alle Vagabunden und Verbrecher in New-York „aufstehen in ihrer Majestät“ und sich der gesammten Eisenbahn-Verwaltungen bemächtigen. Kein Mensch interessiert sie; und „warum sollten sie denn eine Million Menschen mehr interessieren, von denen Jeder dem Andern ähnlich?“ So berühren wir das politische Gebiet. Der amerikanische Lehrsatz der Gleichheit ist ihr zuwider, von ihr als falsch und ermüdend erkannt. Auch mit der landläufigen Religion ist sie fertig. Soll sie etwa eine neue stiften? Wozu? Ist doch Niemand da, dessen Leib oder Seele zu retten der Mühe wert wäre!

Soll sie nach Europa gehen? Sie war dort. Sie hält Europa für erschöpft, für ausgelebt. „Amerika, du hast es besser.“ Sie ist wirklich Republikanerin. Sie hat zu viel Geld, die Aermste! Alles Reisen in Europa, alle Ausgaben für den verfeinertsten Lebensgenuss machen es ihr nicht möglich ihre Zinsen durchzubringen. Soll sie damit Gutes tun, mildtätige Anstalten stiften? Ihre nationalökonomischen Bücher haben ihr gezeigt, dass dabei neben dem Guten notwendig auch Uebles erwachse. Und wenn dem auch nicht so wäre, was könnte der Erfolg sein? Doch nur, die Vermehrung und Verewigung eben der Art von Menschenkindern zu begünstigen, die ihr bereits hinlänglich zuwider. Sie kann sich nicht mit Swift's Lehre befreunden, der uns in „Gulliver“ versichert, derjenige sei ein größerer Wohltäter der Menschheit als alle Politiker, der zwei Grasblätter wachsen mache, wo vorher nur eines wuchs. Es wäre ja doch immer wieder Gras. Wenn der gute Philosoph wenigstens verlangt hätte, dass es eine bessere Art Gras wäre! „Aber ich kann das ehrlicher Weise nicht vorgeben, dass es mir Freude machen würde, zwei New-Yorker zu sehen, wo ich jetzt einen sehe; welch komische Idee: anderthalbe wären mir schon zu viel.“

Aber in Boston ist doch ein besserer Ton, eine höhere Auffassung des Lebens als in dem geldmachenden New-York. Auch das Leben dieser Kreise sieht sie sich an und kommt zum Entschluss, dass ihr Geld auf die ihr vorgeschlagene Erweiterung höherer Bildungsanstalten zu verwenden, auch zu nichts führen werde. Im Grunde „seid Ihr wie wir Uebrigen auch. Ihr wachset Alle miteinander bis zur Höhe von sechs Zoll. Dann hört Ihr auf. Warum macht sich nicht Einer von Euch daran in einen Baum zu wachsen, und Schatten zu verbreiten."

„Was will denn das Frauenzimmer?" sagen ihre Freunde. „Ist nichts gut genug für sie? Muss sie die Tuilerien haben oder Marlborough-House?*) Schwindelt ihr? Glaubt sie, sie sei für einen Tron geboren? Warum hält sie nicht Vorträge über die Frauenrechte? Warum geht sie nicht auf die Bühne? Wenn sie nicht zufrieden sein kann, wie andere Leute, was braucht sie denn uns auszuschelten, da sie doch nicht höher gewachsen als wir auch? Was will sie denn mit ihrer scharfen Zunge ausrichten? Was weiß sie denn selbst so arg viel?"

Da wird der blasierten Faust-Natur deutlich, dass sie wirklich nicht viel weiß. Sie ist noch nicht so weit zu sehen

„Dass wir nichts wissen können,"

aber doch will ihr der Zustand „schier das Herz verbrennen". Allerdings hatte sie gierig über Vieles Viele gelesen.

„Ruskin und Taine hatte sie sich durch den Kopf tanzen lassen, Hand in Hand mit Darwin und J. Stuart Mill, mit Gustave Droz und Algernon Swinburne. Sogar mit der Litteratur ihres Vaterlandes hatte sie sich abgeplagt. Sie war vielleicht die einzige Frau in New-York, die etwas von amerikanischer Geschichte wusste. Freilich die Namen der Präsidenten hätte sie nicht in ihrer Reihenfolge aufzählen können, aber es war ihr doch klar, dass die Verfassung die Regierung in ausübende, gesetzgebende und richterliche Gewalt teile; sie wusste, dass der Präsident, der Speaker und der Oberrichter bedeutende Kräfte bezeichneten, und instinktiv war sie begierig, ob diese ihr nicht das Problem des Lebens lösen könnten; ob sie nicht die schattenverleihenden Bäume seien, die sie in ihren Träumen gesehen."

Sie ist nicht sicher, ob es ihr gelinge. Wenn es eben nicht gelingt, muss sie anderwärts wieder anfangen; auch das ist ein Reich. Nicht ins Innerste der Natur will sie eindringen. Es ist ein Geist der Erde, den sie sucht. Wie denn dieses große amerikanische Gesellschaftswesen, dieses ungeheure Festland eigentlich gelenkt werde; was eigentlich das Herz und die Seele des Getriebes sei; welche Macht sich da finden, vielleicht beeinflussen lasse. Kraft, Macht wird gesucht. Dem alten Faust hätte sich das Problem anders gestaltet. Da ihn Alles andere im Stich lässt, ergiebt sich, auch nur bedingungsweise, der deutsche Mann dem Teufel. Die amerikanische Frau Madeleine sucht nach Männern.

*) Den Wohnsitz des Prinzen von Wales in London.

II.

Also trägt sie ihre Laterne nach Washington. Dort wird sie mit offenen Armen aufgenommen. Reichtum, Schönheit und Eleganz ziehen die Herren Politiker an; gerade in dem wichtigen rührigen Augenblicke, da man den Amtsantritt des neuen Präsidenten erwartet, wird Madeleine's Haus der Mittelpunkt der höheren Gesellschaft von Washington. Minister und Gesandte, Advokaten und Senatoren drängen sich um Madeleine — und um Sybil.

Denn unsere Heldin ist nicht allein angelangt. Sie hat ihre jüngere Schwester mitgebracht. Diese ist durchaus reizend, nicht bloß um der Naivetät willen, mit der sie einmal sich wundert, warum die Leute sich so viel aus schönen Frauen machen: *„Men are ever so much nicer."*

Der Verfasser — noch ungenannt; ist es Lord Dufferin? — soll die Schwestern schildern:

Fräulein Sybil Ross war Madeleine Lee's Schwester. Der schärfste Psychologe könnte nicht eine Eigenschaft, nicht einen Zug entdecken, den sie gemeinsam besäßen. Eben deshalb waren sie sich warm ergeben . . . Madeleine war unbeschreiblich, Sybil durchsichtig. Madeleine war mächtig groß, anmutiger Gestalt, schön geformten Kopfes, mit goldbraunem Haar genug um einem ewig wechselnden Gesichtsausdruck als Rahmen zu dienen. Ihre Augen waren nie zwei Stunden lang derselben Farbe, aber öfter blau als grau. Es gab Leute, die sie um ihr Lächeln beneideten: die sagten, sie pflege in ihrem Geiste das humoristische Element, damit sie ihre hübschen Zähne zeichen könne. Vielleicht war das richtig; sicher ist nur, dass die Gewohnheit mit lebhaften Handbewegungen ihre Rede zu begleiten ihr nicht zur andern Natur geworden wäre, hätte sie nicht gewusst, dass ihre Hände nicht nur schön, sondern auch ausdrucksvoll waren. Sie kleidete sich so geschickt, als andere New-Yorker Damen, aber als sie älter wurde, zeigten sich bei ihr Symptome einer gefährlichen Selbständigkeit gegenüber der Tyrannei der Mode . . . das Geheimnis lag darin, dass Frau Lee wirklich Kunstgeschmack hatte, und wenn dem nicht bei Zeiten Einhalt getan wurde, so ließ sich nicht absehen wohin das führen möchte . . . In Sybil war nichts derart. Die Phantasie hatte mit ihrer Erscheinung nichts zu tun. Ihr Weg ging immer geradeaus; ihre Rede ging immer stracks aufs Ziel los. Sie war munter, sympathetisch, oberflächlich, warmen Herzens und durch und durch ein so praktisches Mädchen, wie deren selten auf unserm Planet sich gezeigt. Grabsteine und Reise-Handbücher fanden in ihrem Kopfe keinen Platz. Und hätte sie auch ihre Tage in den Kirchen und ihre Nächte in Grabgewölben zubringen müssen, auf Vergangenheits- oder Zukunftsträume hätte sie sich doch nicht eingelassen. „Dem Himmel sei Dank, ich bin nicht geistreich, wie meine Schwester Madeleine." Madeleine war nicht rechtgläubig: Predigten langweilten sie, und Geistliche reizten ihre Nerven. Sybil war eine einfältig-demütige Anbeterin am Altar der Ritualisten: sie beugte sich fromm vor den Kirchenvätern. Ging sie auf den Ball, so hatte sie immer den besten Tänzer im Saal: sie fand das natürlich, denn sie hatte ja dafür gebetet. Das stärkte sie denn im christlichen Glauben. Ihre Schwester vermied sorgfältig sie drob auszulachen, oder ihre religiösen Ansichten zu stören. „Es wird schon Zeit genug für sie sein, ihre Religion zu vergessen, wenn ihre Religion sie im Stiche lässt." Was den Kirchenbesuch betrifft, so fand Madeleine es nicht schwer, ihre Gewohnheiten in Harmonie zu bringen. Sie selbst hatte seit Jahren keinen Fuß in die Kirche gesetzt; sie sagte der Kirchenbesuch fülle sie mit unchristlichen Gefühlen; aber Sybil hatte eine treffliche Singstimme, trefflich geschult und gepflegt;

Madeleine bestand darauf, dass sie im Chor singe, und durch dieses kleine Manöver fiel der Unterschied in den Gewohnheiten der Beiden weniger auf."

Denn nun konnte ja Niemand erwarten, die beiden Schwestern zusammen in der Kirche zu sehen. Die eine ging in den Chor, und ließ sich bewundern. Die andere blieb zu Hause und bewunderte Nichts und Niemanden.

III.

Soll ich weiter erzählen? Ich glaube kaum. Eigentlich hab' ich auch nicht erzählt, habe nur die zwei weiblichen Hauptcharaktere eingeführt. Aber diese sind wohl anziehend genug, um manchen Leser zu dem Buche selbst zu führen. Und das wird für ihn wahrscheinlich fruchtbringender sein, als die allzuoft beliebte Art des Recensierens, durch welche dem Leser klarer wird, was die Vorurteile des Kritikers, als welches die Vorzüge des Buches.

Es seien nur kurz auch die beiden männlichen Hauptrollen des Stückes angeführt. Natürlich haben wir auch eine Liebesgeschichte im Buche, oder vielmehr Liebesgeschichten. Der Advokat **Carrington**, dessen Familie in dem Bürgerkriege heruntergekommen, liebt Madeleine aufrichtig, hält sich aber zurück, und wird von Sybille geliebt, die ihn, die scheinbar herzlose, dennoch ihrer Schwester zuführen will. Er tritt zurück. „Vor zehn Jahren hätt' ich ihn lieben können," sagt sich Madeleine. Aber sie überredet sich, dass wenn sie die Huldigungen des Staatssekretärs und Präsidentschaftskandidaten **Ratcliffe** annimmt, sie diesen, scheinbar zur Abstellung der bestehenden Missbräuche neigenden, Mann, zum Werkzeuge einer großen, für Amerika nach ihrer tiefsten Ueberzeugung, notwendigen Reform machen kann. Das dauert bis sich unzweifelhaft ergiebt, dass auch er der krebsartig um sich greifenden Korruption erlegen. Er hat daran teil genommen; er ist dadurch gestiegen; er will ihr den Rücken kehren, sich und den Staat zu Edlerem erheben: es ist jetzt zu spät.

Hier eine Scene aus ihrer Trennung. Ratcliffe, der hoffnungsvolle, vielerfahrene Staatsmann, der sich schon auf der Schwelle des Präsidentensitzes glauben darf, der ihm nach vier Jahren zustehen soll, beschwört Madeleine nicht mit ihm zu brechen; ja, mit ihrer Hülfe wird er im Stande sein, für sich und seine Nation eine höhere Stufe zu erklimmen, der allgemeinen Bestechlichkeit ein Ende zu machen; aber sie, Madeleine, ihr Einfluss, ist ihm dazu unentbehrlich. Sie erwidert:

„Ich zweifle nicht an Ihrer Neigung für mich, nicht an Ihrer Aufrichtigkeit, Herr Ratcliffe. Ich zweifle an mir selbst. Sie waren so gütig mir diesen Winter großes Vertrauen zu schenken und wenn ich auch jetzt noch nicht alles über die Politik weiß, so hab' ich doch genug gelernt um zu wissen, dass ich nichts Einfältigeres tun könnte, als mich für fähig zu halten, irgend etwas zu reformieren. Wenn ich das Gegenteil vorgäbe, so wär' ich wirklich das frivole, ehrgeizige Weib, für das man mich hält. Der Gedanke, dass ich die Politik auf einen reineren Standpunkt erheben solle, ist absurd. Es ist mir leid, dass ich so stark mich aussprechen muss; aber dies ist meine Ueberzeugung. Ich mache mir nicht viel aus dem Leben; ich hänge nicht sehr fest daran; aber vor solcher Verwickelung will ich es doch bewahren. Ich will nicht den Gewinn des Lasters teilen. Ich will nicht eine Diebshehlerin werden, oder mich in eine Lage begeben, in der ich für immer zu behaupten gezwungen bin, dass das Laster eine Tugend."

Ratcliffe bezwingt seinen aufflammenden Zorn; er liebt dieses Weib wirklich, so weit ein Mann von seiner Natur lieben kann. Und er hat nicht gelernt, eine Niederlage zu ertragen. Um Madeleine zu besitzen, glaubt er die größten Opfer bringen zu können. Lieber die Kandidatur auf die Präsidentschaft, die ja ohne Korruption nicht zu erreichen war, aufgeben. Ein Mittelweg: er kann der geliebten Frau eine Stellung bieten, die dem weiblichen, gesellschaftlicher Feinheit, geistiger Lebendigkeit bedürfenden Charakter noch glänzender erscheinen muss, als jene höchste Beamtenstelle in der westlichen Republick, von der mancherlei Rauheit und Roheit der demokratischen Berührung doch nicht ferne zu halten ist.

Er beginnt wieder:

„Giebt es keinerlei Versprechen, keinerlei Opfer, das Sie befriedigen könnte? Die Politik ist Ihnen zuwider. Soll ich auf die politische Laufbahn verzichten? Alles Andere eher als Sie aufgeben. Ich kann wahrscheinlich die Ernennung des Gesandten in London entscheidend beeinflussen. Der Präsident würde mich lieber in England sehen als hier. Wenn ich nun die hiesige politische Laufbahn aufgäbe, und die englische Gesandtschaft selbst übernähme, würde dies Opfer ohne Einfluss auf Sie sein? So könnten Sie vier Jahre in London verleben, wo es keine Politik gäbe*) und wo Ihre gesellschaftliche Stellung die beste von der Welt; und dieser Weg würde beinahe ebenso sicher wie der bisherige zur Präsidentschaft führen."

Und dann, da er sieht, er bringe keinen Eindruck hervor, wirft er die künstliche Ruhe weg, und bricht in eine Anrufung aus, deren Heftigkeit eben so künstlich:

„Mrs. Lee! Madeleine! Ich kann ohne Dich nicht leben. Der Laut Deiner Stimme — der Druck Deiner Hand — ja, das Rauschen Deines Kleides — sind mir wie köstlicher Wein des Lebens. Um des großen Gottes willen, verwirf mich nicht."

Aber er gewinnt nichts durch seinen Vorschlag, durch seine Erregung. Das Gespräch setzt sich fort mit Lebendigkeit, mit Kraft; der bisher erfolgreiche Mann scheitert, eben da er sich auf eine reinere Fahrstraße zu retten sucht, indem er eine höhere Natur mit der seinen verknüpfe. Endlich schließt die junge Wittwe:

„Herr Ratcliffe! Ich habe Ihnen mit mehr Geduld und Achtung zugehört, als Sie verdienen. Während einer ganzen Stunde habe ich mich entwürdigt, indem ich die Frage durchsprach, ob ich einen Mann zur Ehe nehmen solle, der zufolge seines eigenen Bekenntnisses das höchste Vertrauen verraten hat, das irgendwie ihm gewährt werden konnte, — der sich als Senator seine Abstimmungen mit Gold bezahlen lässt, und der sich jetzt in hohem Staatsamte befindet, in Folge eines erfolgreichen Betrugs, den er selbst ausgeführt, während, wenn Gerechtigkeit wäre, er in einem Staatsgefängniss sein würde.

---

*) „Keine Politik", — im amerikanischen Sinn des rasenden Parteitreibens und Interessenschachers, die das Wort *a politician* dort, in der höher stehenden Gesellschaft, zu einem Scheltworte gemacht haben. E. O.

Dies Ding muss ein Ende nehmen. Prägen Sie sich denn dies ein, dass auf ewig zwischen Ihrem Leben und meinem ein unübersteigbarer Abgrund. Ich zweifle nicht, dass Sie sich auch zum Präsidenten machen, aber was immer und wo immer Sie sein mögen, wagen Sie niemals mehr mit mir zu sprechen."

Mit diesen letzten Worten entfernt sie sich aus ihrem Zimmer; nach einer Minute der Zögerung stürzt er aus dem Hause, trifft an der Schwelle den „bulgarischen" Gesandten Baron Jakobi, längst seinen Gegenpart, der dem Aufgeregten boshaft Glück zu seinem „offenbaren Erfolg" wünscht; fällt den Beleidiger an, sucht ihn wegzuschleudern, erfährt von dem ältlichen Herrn starke Stockprügel.

Madeleine verlässt Washington — auf immer, — geht nach Aegypten.

„Die Demokratie hat meine Nerven zerrüttet," — mit den Schatten eines Lächelns — „oh welche Ruhe würde das sein, wenn man in der Kammer der großen Pyramide leben könnte, auf ewig nach dem Nordstern ausschauend."

Als Epilog dient ein Brief Sybils an Carrington, den sie liebt, der ihre Schwester liebt. Die Geschicke aller Personen des Dramas werden darin in einem Stile überblickt, der an unsere Philine erinnert.

Eine andere Lösung als die bisherige wird als nicht unmöglich angedeutet.

IV.

Und nun hab' ich dennoch erzählt. „Aber was sind Hoffnungen, was sind Entwürfe? die der Mensch, der vergängliche, baut?" Die Feder eilt bisweilen mit dem Vergänglichen davon. Und doch' hab ich nicht Alles erzählt, bei Weitem nicht Alles. Auch lange nicht alle die Puppen dieses Theaters vorgeführt. Nicht die verschiedenen Kongressmitglieder, nicht die Diplomaten, von denen einige interessant und unterhaltend sind; nicht die geldprotzige Familie Schneidekoupon; nicht die liebenswürdige kecke Coquette Victoria Dare, deren Vater durch zweifelhafte Spekulation ein großes Vermögen zusammengeschwindelt, und die sich nun mit ihrer reizenden Keckheit einen verarmten irischen Lord und den Titel Gräfin erheiratet, der dem demokratischen Herzen so wohl tut. Ihr vorläufiges Ende wird von Sybil-Philine ganz nett, inmitten der Tragik Madeleine's, unter andern Neuigkeiten erzählt:

„Und wer denken Sie ist verlobt? Victoria Dare, mit einer Grafenkrone und einem Torfmoor, wozu Lord Dunbeg gehört. Victoria sagt, sie sei glücklicher als je zuvor bei irgend einer anderen ihrer Verlobungen, und sie ist sicher, diesmal hat sie das Richtige getroffen. Sie sagt, dass sie dreißigtausend Dollars jährlich hat, die von den Armen Amerikas herkommen, und warum sollen sie nicht den Armen in Irland zu Gute gereichen!"

V.

Es sind sehr anziehende Episoden in dem Buche: ein Ausflug nach Mount Vernon, dem Heim Georg Washington's, der von der neu-amerikanischen offiziellen Welt gar sonderbar beurteilt wird; — ein Ball, der von der englischen Gesandtschaft zu Ehren einer deutschen Prinzessin gegeben wird, die mit Königin Victoria verwandt, wobei sich die republikanische Andacht für Titel gar herrlich offenbart; ein Empfang beim Präsidenten, wobei die Langweiligkeit und die Behauptung allgemeiner Gleichheit sich zu eintöniger Geistlosigkeit gestalten, und unserer Heldin, die sich wie unter einem Alpdruck befindet, diese Worte entreißen, mit der sie auf die Zukunft blickt, die schon halb Gegenwart geworden:

„Ja! ich sehe endlich wo das Ziel liegt. Wir werden Alle zu Wachsfiguren werden, und unser Gespräch wird sein wie das Quäken unserer Kunstpuppen. Wir werden alle umherwandern, rund um die Welt, und wir werden Alle Jedermann die Hand schütteln. Niemand wird irgend einen hohen Zweck in dieser Welt haben, und eine andere Welt wird es nicht geben. Es ist ja schlimmer als irgendwas in Dante's Hölle. Was für ein schauerlicher Blick in die Zukunft!"

Und dennoch liebt sie Amerika, möchte sie es lieben, verteidigt sie es gegen Andere. Es erinnert an Heinrich Heine, der sich auch für einen Demokraten hielt, und dazu kam zu schreiben:

„Wir sind jetzt, Gott erbarm' sich unser, Alle gleich! Das ist die Konsequenz jener demokratischen Prinzipien, die ich selber all mein Lebtag verfochten . . ."*)

Hier wäre nun noch allerlei anzufügen, auf Manches das bisher kaum berührt, näher einzugehen, wäre dies ein politischer Aufsatz für eine politische Zeitschrift. Und so sei es hier genügend, zu sagen, dass dies Buch auch lehrhaft sein soll: es soll uns das Ungebührliche des amerikanischen Regierungswesens dargestellt werden, der Demokratie, wie sie sich in Amerika entwickelt hat, namentlich die arge Bestechlichkeit, und es geschieht dies auch gründlich, während die guten Seiten des Systems im Schatten bleiben. Als politische Streitschrift ist das Buch kräftig; als Beweisschrift einseitig, als Roman glänzend.

London. Eug. Oswald.

Vater und Kind.

Bei seinem Märchenbuche sitzt
Der Knabe mit erglühten Wangen.
Ihm pocht das Herz, sein Auge blitzt,
Die Königstochter liegt gefangen.
Doch sieghaft naht der Retter jetzt,
Der blonde Held in Goldgewaffen;
Sein Schwert im Riesenblut sich letzt,
Hei, wie die tiefen Wunden klaffen!

„O Vater, Vater, sie ist frei!
Den Riesen hat der Prinz bezwungen!"
Es blickt von seiner Bücherei
Der Vater auf den blonden Jungen.

*) Cauterets, den 7. Julius 1841; bei Steinmann, Heine, Denkwürdigkeiten. 1857. — S. 259.

Als wie ein neuer Stern erglüht,
Den Gottes Engel angezündet,
So hat das kindliche Gemüt
Dem Vaterherzen sich verkündet.

„Ein Held, o Vater, möcht' ich sein
Und alle Riesen wollt' ich schlagen,
Und Alle wollt' ich kühn befrein,
Die unterm Zauberbanne klagen!" —
Der Knabe ruft's, der Vater presst
Aufs Herz die Hände voll Entzücken:
„Vielleicht, dass Gott ihn werden lässt,
Was nimmermehr mir mochte glücken!"

Er träumt sich in die Zukunft fern,
Da strahlt's von grünen Lorbeerkränzen;
Er sieht sein Kind, ein heller Stern,
Hoch an des Ruhmes Himmel glänzen. —
Doch plötzlich sieht als Meteor
Den Stern er in das Nichts entschweben...
Vor seiner Seele taucht empor,
Sein eignes, sein verfehltes Leben. —

Breslau. Paul Barsch.

Ein anglisirter Italiener über Italien.

Unter den Publizisten von europäischem Ruf nimmt Gallenga eine der ersten Stellen ein. In seiner Jugend in eine mazzinianische Verschwörung verwickelt, später Abgeordneter sowohl der piemontesischen als der italienischen Kammer, hat er seit beinahe drei Jahrzehnten der Times in fast allen Ländern der Welt gedient. Vor dem, was er in englischer Sprache unter dem Pseudonym L. Marcotti und unter seinem eigenen Namen veröffentlicht, tritt das Wenige zurück, was er italienisch geschrieben und gedichtet hat; vom Jahre 1837 finden wir nämlich in dem Inhaltsverzeichnis seiner Werke die „Gesänge eines Pilgers". Sein letztes, vor wenig Wochen herausgekommenes Werk*) führt fast den nämlichen Titel wie sein frühstes englisches**) das 1848 eine zweite Auflage erlebte und ins deutsche übertragen wurde. Nach einem wiederholten, dieses Mal zehnjährigen Aufenthalt in der Fremde hat Gallenga in der Heimat ein Buch über „Das gegenwärtige und zukünftige Italien" geschrieben und unter seiner Aufsicht ins Italienische übersetzen lassen. Dass der Verfasser seine alte Heimat liebt, versichert er mehrmals und ergiebt sich aus vielen Stellen des Buches, das er dem siebenjährigen Knaben seines frühverstorbenen Sohnes widmet. Aber ein so scharfes Auge für die Gebrechen des Vaterlandes hat außer geborenen Satirikern gewiss kein anderer Italiener gezeigt. Uebrigens liest sich das für die Italiener beabsichtigte, ihnen Mäßigung und Bescheidenheit predigende Buch viele Seiten lang, wie wenn der Verfasser einem gewählten englischen Publikum auseinandersetzte, was Italien tatsächlich geleistet hat und was man andrerseits von demselben gar nicht erwarten könne. Daher der häufige Vergleich mit England und der beständige Rückblick nicht nur auf den französischen Volkscharakter, sondern auch auf das, was Frankreich in der letzten Zeit zum Missvergnügen Englands getan hat.

Gallenga ist ein entschiedener Gegner der Demokratie, namentlich der französischen Formen derselben, darum wünscht er heiß, „dass die Grenze der Alpen hoch und unwirtlich genug sei, um den Büchern, den Zeitungen, den Ideen und den Moden und Allem, was aus Frankreich kommt, den Zugang zur Halbinsel zu verwehren", Gallenga ist der Meinung, dass die Italiener es sich nicht verdriegen lassen dürfen, bei Engländern und Deutschen in die Schule zu gehen; er verspottet den Hang seiner alten Landsleute, sich ewig an dem Ruhme der Vergangenheit zu sonnen, wobei er vielleicht übersieht, dass das Missbehagen an dem gegenwärtigen Zustand für die meisten Italiener ein Hauptgrund ist, immer wieder auf die vergangene Größe zurückzukommen, da es ihnen fast unabweisliches Bedürfnis geworden, sich geräuschvoll über nationale Leistungen zu freuen. Gerne hätten wir gesehen, dass er diejenigen etwas ausführlicher abfertigte, die pathetisch von einer „dritten italienischen Zivilisation" reden, während noch so viel daran fehlt, dass die Italiener an der bereits bestehenden europäischen Bildung der anderen Kulturvölker vollen Anteil nehmen. Allein das ganze Buch Gallengas sucht in der bezeichneten Richtung zu wirken. Die nach guten Quellen bearbeiteten Kapitel „Heer, Flotte, Diplomatie, Landwirtschaft, Handel, Kolonien, Politik, Finanzen" sagen wiederholt, dass eine „heruntergekommene Rasse" eine „Nation nicht von Freien, sondern von Freigelassenen", wie er die Italiener unerbittlich nennt, viel mehr arbeiten müsse, als sie zu arbeiten gewohnt ist, viel weiter zurück sei, als sie glaube. Für unsere Leser ist es zunächst von Belang, was der Verfasser über den geistigen und sittlichen Zustand des gegenwärtigen Italiens vorbringt. Wer sich darüber im Original unterrichten will, darf sich nicht darauf beschränken, die Kapitel: „Kirche, Unterricht, Berufsarten, Poesie und Drama, Romane und Geschichte, Kunst und Wissenschaft, Erziehung, Gesellschaft und Sitten" durchzulesen. Sowohl im Schlusskapitel, welches u. A. behauptet, dass die Italiener im Grunde des Herzens nicht demokratisch gesinnt seien, wird die merkwürdige Tatsache angeführt, dass die Bevölkerung fast immer einen vermögenden Mann, wenn möglich einen aus dem Adel, zum Bürgermeister wählt,

*) L' Italia Presente e Futura Di Antonio Gallenga. Con Note di Statistica Generale. Firenze, G. Barbera, editore 1886.
**) Italy Past and Present by L. Mariotta. 2 Bde. 1841.

als in der Einleitung, welche sich gelegentlich über die vielen müßigen würdelosen Priester, über die Bettler und den Schmutz und das schreckliche Glockengeläute bei Tag und bei Nacht, über das Fehlen jedes Pflichtgefühls bei den Italienern beklagt, und selbst an vielen Stellen des ganzen Buches die in erster Linie von materiellen Dingen handeln, sind anziehende und belehrende Aeußerungen über italienische Volkszustände zu finden.

Gallengas Beschreibung des alten verarmten Provinzadeligen würde sich in der besten Novelle gut ausnehmen. Mit wohlmeinendem Scherze bevorwortet er, neben den machtlosen Tierschutzvereinen, die Gründung einer Gesellschaft zum Schutze der Bäume, da Italien unter den Nationen der Schlemihl ohne Schatten sei. Aus seiner Verspottung der künstlichen Wiederbelebung des Karnevals scheint hervorzugehen, dass er es war, der seiner Zeit in der Times den Ausdruck carnival nation gegen die Italiener geschleudert. Hübsch ist die Schilderung der Konsulate in den muhamedanischen Ländern zur Zeit, als sogar Oesterreich als Erbe der handeltreibenden Venetianer sich des Italienischen als offizieller Sprache bediente; gelungen die Darstellung, wie die weitverzweigte Büreaukratie sich zu den Beschwerdeführenden und überhaupt zu dem Publikum stellt; treffend der Hinweis, wie neue Stellen geschaffen werden, um Günstlinge unterzubringen. Nur drei verstorbene Italiener nennt er unter den Afrikareisenden unserer Tage und zwei lebende, die für Frankreich und die Vereinigten Staaten Nordamerikas tätig sind. Er verkennt nicht die Tüchtigkeit und Sparsamkeit der italienischen Arbeiter, von denen eine große Anzahl ins Ausland gehen müsse, so lange nicht die vielen unwirtlichen Landstrecken Italiens unter den Pflug genommen seien, meint aber, wenn er auf den Wohlstand der italienischen Kolonien in Südamerika zu sprechen kommt, im Lande der Blinden sei der Einäugige König. Nachdem er schon 1846 über die von ihren Eltern an Spekulanten verkauften jugendlichen Musikanten geschrieben, ereifert er sich mit Recht über die Fortdauer jener italienischen Auswanderung von Knaben, welche im Dienste von Unternehmern die Drehorgel spielen oder Gipsfiguren verkaufen und über den Handel mit minderjährigen, zumeist aus den Südprovinzen stammenden Mädchen, über die auch im italienischen Parlament vor dem ganzen Lande Klage geführt worden ist. Zwei Drittel wenigstens der katholischen Priester und alle Bettelmönche, die auch nach den Klosteraufhebungsgesetzen fortbestehen, sich der Gunst des Landvolks erfreuen und den Städtern für das herkömmliche Almosen Salat bringen, seien durch die wirkliche Not gezwungen, auch aus der Blindgläubigkeit und dem Aberglauben der modernen Klassen Nutzen zu ziehen. Den Bettelmönchen mutet man häufig zu, gute Nummern für die Lotterie zu geben.

Während Gallenga so gut wie jeder andere Beobachter weiß, dass die zahlreichen italienischen Schulprüfungen größtenteils nicht ernst gemeint sind, vertritt er die Ansicht, dass in den höheren und mittleren Klassen der Gesellschaft ein übermäßiger Unterricht nicht nur die physische, sondern auch die geistige Entwickelung der Individuen hindere. Er ist gegen die vom Munizipalgeist durchgesetzte Beibehaltung der vielen Universitäten und Universitätchen des Landes, statt deren er die Gründung einiger weniger wissenschaftlichen Mittelpunkte empfiehlt.

Was nun die Litteratur anbelangt, so sagt es Gallenga klar heraus, dass die Fremden gar kein Interesse haben, dieselbe ungünstiger zu beurteilen, als sie es verdient, der geistige Fortschritt der Italiener, die ein paar Jahrzehnte lang ihre beste Kraft der Politik zugewandt haben, sei eben nicht auf der Höhe der materiellen Entwickelung geblieben. Er beruft sich auf die Jahresberichte, welche früher Angelo de Gubernatis und in diesem Jahr Ruggero Bonghi für das Londoner Athenäum geschrieben. Wenig mehr als sechs Seiten widmet er der Dichtung Carduccis, Rapisardis und Stecchettis, mehr als vorübergehend erwähnt werden außerdem Erminia Fuà-Fusinato. Pietro Cossa, Felice Cavallotti, Paolo Ferrari und Gherardi del Testa. Auch nennt er einige andere Theaterdichter, die sich dem weiteren Umgreifen des französischen Theaters widersetzen. Dabei erörtert er eine Schwierigkeit, betreffs deren das entsprechende Kapitel in Luigi Morandis gehaltreichem Buche: „Le correzioni di Promessi Sposi 3. Auflage Parma 1879“ mit Vorteil nachzulesen ist. Die italienischen Lust- und Schauspieldichter sind genötigt, sich in ihrem Dialoge einer Schriftsprache zu bedienen, da die Zuhörer an den meisten Orten den Dialekt, dessen sich die Bühnenfiguren in der Wirklichkeit zu bedienen hätten, gar nicht verstehen würden. Nur aus diesem Grunde sei das unterhaltende Charakter-Lustspiel Monsù Travet von V. Bersezio auf verschiedenen Theatern der Halbinsel durchgefallen, als es italienisch gespielt wurde, nachdem es vorher auf denselben Theatern trotz des schwerverständlichen piemontesischen Dialekts großen Beifall gefunden hatte. Selbst den Gerichts- und Kammerreden merke man an, dass sie, so zu sagen, aus rohen, wenn auch ausdrucksvollen Mundarten, auf deren Gebrauch die Italiener nicht verzichten wollen, in ein weniger mundgerechtes Italienisch übersetzt sind.

Das Kapitel: Roman und Geschichte, ist eines derjenigen, die am meisten den englischen Standpunkt des Verfassers verraten. Zunächst wird uns erklärt, dass die Italiener schon der Gesellschaft wegen lieber ins Theater gehen, als Romane lesen, sodann hervorgehoben, dass die französische Produktion und die soeben berührte Schwierigkeit, im Dialog („seit den Zeiten Walter Scotts die Seele der Handlung“) eine allgemein verständliche Sprache zu schreiben, der Verbreitung italienischer Originalwerke im Wege stehen. Vielleicht hätte darauf hingewiesen werden dürfen, dass die relative Mittellosigkeit der gebildeten

Berufsklassen die Anschaffung von Büchern fast unmöglich macht. Wie könne man hoffen, fragt Gallenga, dass man in England italienische Romane lese oder übersetze, wenn 1885 daselbst 470 Originalromane erschienen sind? Bemerkenswert ist die Aeußerung, dass seit den Tagen Bottas kein Italiener die Geschichte eines fremden Landes dargestellt habe; eine Anmerkung des Verlegers erinnert an die vor Kurzem veröffentlichte Geschichte „Der englischen Eroberung Indiens" von General Corte.

Wir halten das letzte Buch des Nestors der Berichterstatter weder in politischer noch in anderer Beziehung für ein Evangelium und wären gar nicht verwundert, wenn der schrankenlose Freimut desselben die Folge hätte, dass man es in Italien, trotz des großen Ansehens des Verfassers, nach Kräften todt zu schweigen versucht. Wie dem auch sei, wer im Ausland jene Zustände, auf denen die italienische Litteratur beruht, kennen lernen will, darf es nicht ungelesen lassen.

Rom Josef Schuhmann.

Nun grübele!

Blick' auf zum Hehrsten, was wir kennen,
Blick auf zur ewigen Sternenschar!
Nie wird sie dir die Lösung nennen
Des Rätsels, das von Anfang war.
Du fühlst erbebend, Erdentstammter,
Dein Leib, er lebt, du denkst, du bist —:
Nun grübele, Wissensdurst-Entflammter,
Ob deine Seele sterblich ist!

Nun poche du an deine Stirne,
Nun schleudre hoch ans Himmelszelt
Die Frage: Wann dem Menschenhirne
Die Lösung dieses Rätsels fällt?
Du fühlst es trotzig, Erdentstammter,
Dein Leib, er lebt, du denkst, du bist —:
Nun grübele, Wissensdurst-Entflammter,
Ob deine Seele sterblich ist!

Still wandelt jede Sternwelt einsam,
Von keiner tönt dir Antwort zu
Und alle Welten zieh'n gemeinsam
Durch eine Welt in heiliger Ruh' . . .
Du fühlst in Demut, Erdentstammter,
Dein Leib, er lebt, du denkst, du bist —:
Nun grübele, Wissensdurst-Entflammter,
Ob deine Seele sterblich ist!

Frankfurt a. d. O. Paul Fritsche.

Litterarische Neuigkeiten.

„El Teatro." Colleción de orbas Dramaticas y Lyricas, Literaria y de Education, de Florencio Fiscowich (Madrid).

„Rettungen des Alkibiades" von A. Forke. (Emden, Haynel.) Eine sehr lehrreiche und anregende Studie.

„Erlebtes, Erdachtes, in Reime Gebrachtes" von O. Krause. (Düsseldorf, Voss.) Gedichte von entschiedener Begabung.

„Hartenek." Trauerspiel in fünf Akten von M. Albert. (Wien, Gräser.) Der verdiente siebenbürgische Dichter hat hier ein wichtiges Stück der Sachsengeschichte mit Geschick zu gestalten gewusst. Der Herausgeber dieses Blattes denkt mit Vergnügen an die Aufführung des „Flandrer am Alt" (bei Gelegenheit der großen Jubiläumsfeier in Hermannstadt) zurück, in welcher er selber mitwirkte und den durchaus theatralisch gelungenen lebendigen Bühneneindruck jener Dichtung mitempfand. Hoffen wir, dass auch diese neue Gabe des sächsischen Dramatikers in ähnlicher Weise zur Geltung gelange.

Von der ebenso interessanten als patriotisch empfundenen Erzählung Wolfgang Schilds „Auf treuer deutscher Wacht" (Leipzig, Leiner) ist die 6—8. Lieferung erschienen. (Preis jeder Lieferung 40 Pfennig). Wir wünschen diesem gerade jetzt wichtigen Dokument deutsch-böhmischen Volkslebens den besten Erfolg.

„Die Weltbühne", Deutsche Pariser Zeitung (Herausgeber E. Löwenthal), schreibt in der Nummer vom 15. August:

Heidelberger Nachklänge.

„Von den Bergen blinket hell des Morgens Strahl, Geist der Freiheit winket hoch herab ins Thal."

So heißt es in dem „Hymnus auf das deutsche Reich", den der Lyriker Julius Wolff aus Anlass des Heidelberger Jubiläums zum Besten gab.

Herr Wolff würde die Mitwelt zu großem Danke verpflichten, wenn er näher angeben wollte, wo und bei welchem Anlasse er im deutschen Reiche den „Geist der Freiheit" entdeckt hat. Doch nicht etwa in der Reichs-Bastille am Plötzensee oder in einer der Städte, über welche der kleine Belagerungszustand verhängt ist?!

Der Reichs-Dichter scheint Dinge mit bloßem Auge zu sehen, die Andere nicht einmal mit dem Mikroskop entdecken können.

Was man im heutigen Deutschland eher entdecken kann, das ist der Geist der Gewalttätigkeit. Denn während der deutsche Kronprinz an den Geist des Freimuts und der Friedfertigkeit appelliert, knebelt die Reichspolizei das freie Wort und säen die Reichslenker Hass und Zwietracht unter Klassen und Konfessionen. Nicht einmal bei der Heidelberger Jubelfeier selbst machte der Geist der Freiheit sich bemerklich. Die Wiener „Neue freie Presse" hat ganz Recht, wenn sie sagt: „Nicht der Geist der freien Forschung, nicht der Wetteifer der Geister im Auffinden der Wahrheit beherrscht das heranwachsende Geschlecht, sondern ein Geist des Sektirertums, der Verketzerung, der Aechtung Andersdenkender, um was es sich auch handle."

Wenn sodann Prorektor Becker in seiner Rede bemerkte, dass die Gelehrten aller Welt nicht getrennt von einander zu denken seien, da sie zusammen einen Stand bilden, der einst eine Freundschaft unter den Völkern herbeiführen werde, so haben wir leider noch nicht bemerkt, dass die modernen Gelehrten in dieser Hinsicht eine besondere Tätigkeit entwickeln. Sollte aber die Heidelberger Jubelfeier in dieser Hinsicht eine fördernde Anregung gegeben haben, derart, dass die Gelehrten aller Nationen künftig mit Entschiedenheit ihre Stimme gegen die Völkerduelle und gegen die ganze moderne Militärwirtschaft erheben, dann werden auch wir sicher mit unserem Beifall und unserer Mitwirkung nicht zurück halten. Die Pariser Universität ist durch Entsendung ihrer Deputation mit gutem Beispiel vorangegangen.

„Drei Lieder", komponiert von Richard Wagner. (Leipzig). Zu zwei Liedern von Albert Träger und einem von Karl Bleibtreu sind hier reizvolle Melodien gefunden.

„Welt und Wille." Gedichte von Karl Bleibtreu. Dessau, Baumannsche Hofbuchhandlung. — 241 Seiten. Broschürt. 4 Mark.

„Die Litteratur des In- und Auslandes über Friedrich den Großen." Anlässlich des 100jährigen Todestages des großen Königs zusammengestellt von Dr. Max Baumgart. Berlin, R. v. Deckers Verlag. G. Schenck. 17¼ Bogen Lex. 8°. 5,50 M. Das vorliegende, Sr. Königlichen Hoheit dem Prinzen Wilhelm von Preußen gewidmete Werk nimmt, um seines litterarhistorischen Wertes willen, eine hervorragende Stellung ein unter den bei Gelegenheit des so hochwichtigen patriotischen Gedenktages erschienenen Schriften. Die Litteratur über Friedrich den Großen ist vom Herausgeber in zwanzig Rubriken geteilt, oder vielmehr nach eben so viel Gesichtspunkten gesondert, und zwar: Geschichtswerke über Friedrich den Großen und seine Zeit. Lebensbeschreibungen und Charakterzüge des grossen Königs, Denkwürdigkeiten, Anekdoten und dergleichen; Schriften, welche sich auf die Jugendzeit des großen Königs bis zu seiner Tronbesteigung beziehen; Schriften, welche die drei schlesischen Kriege insgesammt behandeln; Schriften, welche die beiden ersten schlesischen Kriege umfassen; Schriften über den ersten schlesischen Krieg; Schriften über den zweiten schlesischen Krieg; Schriften über den dritten schlesischen oder siebenjährigen Krieg (die einzelnen Kriegsjahre sind ausführlich besonders behandelt); Schriften über den bayerischen Erbfolgekrieg; Schriften über die Stiftung des deutschen Fürstenbundes; der König als Feldherr, Staatsmann, Landesvater u. s. w.; der König in seinen Beziehungen zu Religion und Christentum; der König als Schriftsteller, Gelehrter, Künstler u. s. w.; Lobreden, Hymnen, Oden auf den König u. dergl.; Reden zur Geburtstagsfeier des Königs gehalten; Schriften, welche sich auf den Tod des Königs beziehen, Gedächtnis-, Trauer-Reden, Cantaten u. dergl.; Schriften verschiedenen Inhalts; Nachtrag; Schriften, welche von einigen Zeitgenossen des Königs handeln. — Es ist eine derartige Zusammenstellung unseres Wissens zum ersten Male versucht worden und staunt man über die Unzahl von Schriftstellern, die sich mit den Werken und Taten des großen Monarchen befasst haben. Gleichzeitig ist aber das Buch ein überaus wertvoller Beitrag zur Litteraturgeschichte, deshalb für Litteraturfreunde, Sammler, Historiker und Antiquare von großem Wert. Die Ausstattung ist sehr elegant und würdig.

Sphinx, Monatsschrift, herausgegeben von Dr. Hübbe-Schleiden in Th. Griebens Verlag (L. Fernau) Leipzig. Inhalt des Septemberheftes: Justinus Kerner und die Seherin von Prevorst. (Mit einer photographischen Aufnahme Kerners). Von Dr. Carl du Prel. — Kerners Weltanschauung nach seiner eigenen Darstellung in sieben Gedichten. — Zeichnungen aus dem Skizzenbuch von Gabriel Max. (Mit 6 Seiten Abbildungen.) — Der Begriff des Wunders. Von Max Dessoir. — Uebersinnliche Willens-Uebertragung mit und ohne Hypnose-Experimente, angestellt und mitgeteilt von Albert von Notzing. — Agrippas Lehre vom Jenseits, zusammengestellt nach seiner Occulta Philosophie. — Seltsames und Mystisches aus der englischen Dichterwelt. Von Arthur Peregrinus Brunn. — Kürzere Bemerkungen: Weltseele und Menschenseele. Rudolf Leydel, Carl du Prel und Eduard von Hartmann. — Die vierte Dimension. Das Wesen der im „Mediumismus" wirkenden Kräfte. Gutbarlet über den Spiritismus. — Jesus Christus und die Essener. — Dantes Seelenlehre. — Der böse Blick. Unglücksfälle oder übersinnliche Causalität? — Wahrträume. — Die Symobolik des Traumes. — Unser Herbst-Vierteljahr. — Schriften Kerners, welche übersinnliche Tatsachen darstellen.

„Zum fünfzigjährigen Dienstjubiläum des Generals der Infanterie von Obernitz, Kommandirender des XIV. Armee-Korps." Von Fritz Hönig. (Berlin, Luckhardt.) Der geschätzte Verfasser hat selbst unter dem ebenso durch geistige als Charaktervorzüge ausgezeichneten Jubilar gedient. Das erklärt die große Wärme seiner auf gründlicher Verwertung des authentischen Materials fußenden und, wie man es von Hönig erwarten darf, in klarem knappem Stil gehaltenen Broschüre. Freilich sollte man bei unseren Militär-Broschüren glauben, sie redeten von wirklich bedeutenden Geistern, während es sich doch bloß um preußische Generale handelt.

„Bietigheim oder der Krieg von 1890-91." Aus dem Amerikanischen übersetzt. (Zürich, Schabelitz). Wir erwähnen dies entschieden talentvolle Sensationsprodukt nochmals, um darauf hinzuweisen, wie bedeutungsvoll, allen Wahnwitz der Prämissen und alle lächerliche amerikanische Rennomage abgerechnet, die Schrift für die Auffassung deutscher Verhältnisse im Auslande ist. Man wirft unser System stets mit dem russischen zusammen.

„Die Zeit", soziale Wochenschrift, Herausgeber Max F. Sebald, Berlin SW. 12, trägt in ihrem Programm der herrschenden Strömung Rechnung, die vielfach vorgeschlagenen Wege und Bestrebungen zur „Lösung der sozialen Frage" parteiloser, rein objektiver Weise zu besprechen und auf ihren Wert zu prüfen. Die uns vorliegende Probenummer bespricht unter „Zeitfragen" die augenblicklich auf der Tagesordnung stehende, von der „Land-Liga" angeregte, Frage der Bodenverstaatlichung, und bringt unter „Zeitbilder" eine dem Leben getreu nachempfundene Novelle. Der Preis der neuen Wochenschrift ist nur 1 Mark vierteljährlich frei ins Haus.

In Bologna erschien bei Nicola Zanichelli: „Tenuia" von Gaetano Sartori Borotto — eine Sammlung formschöner und gedankenreicher Gedichte. In eleganter Ausstattung publizirte Guiseppe Galli in Mailand den Roman „La Marchesa d'Arcelli" von Memini, auf den wir noch zurückkommen werden.

„Drei Gedichte" aus der lyrischen Sammlung „Adlerflug und Blicke" von Ph. A. Oekonomidas. Erste Abteilung. — (Athen.) Ein wohlgelungener Versuch eines Ausländers, in deutscher Sprache zugleich mit der griechischen Muttersprache den Pegasus zu bereiten.

In vorzüglicher Ausstattung ist bei G. Liebeskind (Leipzig) ein „dramatisches Gedicht in drei Teilen" von Max Haushofer erschienen, betitelt „Der ewige Jude", das nach Inhalt wie Umfang (500 Seiten!) entschieden zu den bedeutendsten und umfassendsten metaphysisch-allegorischen Dichtungen, die in neuester Zeit wieder kräftig gedeihen, gehört. Wir können für die Entwickelung der Kunst darin wenig Förderliches entdecken. Doch wollen wir dem edeln Idealismus solcher leider fürs heutige Publikum ohnehin unfruchtbaren Versuche unsre Hochachtung nicht versagen.

Der Schotte Carnegie, der längere Zeit in den Vereinigten Staaten lebte, hat unter den Titel: „Triumphant Democracy" eine feurige Lobrede auf die Sache der Demokratie geschrieben. Das Werk hat in England und Amerika Aufsehen erregt und mehrere Auflagen erlebt. Wie nun eine amerikanische Litteraturzeitung berichtet, erscheint der „Triumph der Demokratie" in einer deutschen, französischen und spanischen Ausgabe. Für die deutsche Ausgabe habe aber kein Verleger in Deutschland gefunden werden können, da die deutschen Verleger befürchteten, dass es verboten werde. Es wird nunmehr in Zürich bei Orell, Füssli & Co. erscheinen.

Randglosse des Herausgebers zur Kritik und Produktion.

Wir erwähnten in letzter Nummer das „Sündenbabel" von Kretzer. Dies giebt uns Anlass, einige Bemerkungen pro domo einzuflechten. Bei allen Besprechungen eines Kretzerschen Werkes in letzter Zeit wird unsere Person mit hineingezogen und wir gleichsam für alles Herrn Kretzer Betreffende verantwortlich gemacht.

Herr v. Leixner vermöbelt „Drei Weiber" in der „Romanzeitung" und weist am Schluss ohne Namensnennung auf jene Leute hin, die den „Deutschen Zola" anpreisen. Selbstverständlich passiert ihm dabei das peinliche Versehen, dass alle seine Ausstellungen sich genau mit denselben decken, welche wir in unserer Besprechung jenes Romans hervorhoben. Nur besitzen wir jene vorurteilslose Objektivität, welche durch äußerliche Schlacken hindurch das wirklich Geniale in Kretzers Wirken zu erkennen weiß. Es wäre unbillig, solche Reife von „reifen" Altmeistern zu verlangen.

In einem anderen Blatte heißt es: „Mir wurde die Bekanntschaft mit Kretzer durch Karl Bleibtreus Brochüre „Revolution der Litteratur" vermittelt. Hier liest man u. s. w. . ." „Dann wird Kretzers Roman „Die Verkommenen" in begeisterten Worten gepriesen. Dies überschwängliche Lob musste uns einigermaßen neugierig machen, die Dichtungen dieses „Deutschen Zola" kennen zu lernen. Die vorliegenden Berliner Geschichten „Im Riesennest" stellen Bleibtreue ästhetischem Urteilsvermögen ein übles Zeugnis aus. Diese Arbeiten eines Anfängers u. s. w."

Nun, „Im Riesennest" enthält doch manches Hübsche und steht entschieden über der neuen Sammlung „Im Sündenbabel", welche in Folge des sensationellen Titels, — vielleicht auch ein wenig in Folge unserer unablässigen Bemühungen, die Aufmerksamkeit des Publikums für Kretzer zu erregen, — stark gekauft worden ist und manchem Käufer eine gewisse Enttäuschung bereitet haben mag. Sehr richtig fragt „Über Land und Meer", wer denn in diesem Dutzend-Buche etwas besonders Realistisches und Bedeutendes entdecken könne. Durch Veröffentlichung solcher Bücher setzt uns der Dichter in Verlegenheit. Sei also hiermit ausdrücklich betont, dass unsere rückhaltlose Anerkennung Kretzers lediglich auf seinem Roman „Die Verkommenen" und teilweise auch auf „Drei Weiber" basiert.

In einem anderen von uns geschätzten Blatte wird der Brochüre „Revolution der Litteratur" ein langes Feuilleton gewidmet, welches trotz gründlich divergierender Ansichten uns mit großem Wohlwollen gerecht wird, worin es jedoch unter Anderem heißt:

„Was Bleibtreu über viele moderne Litteraturgrößen sagt, ist oft sehr schön, scharf und korrekt. Wenn er aber Kretzer fast ungemessenes Lob erteilt, so schießt er damit bei einem Schriftsteller, der außer einer scharfen Beobachtungsgabe gar keine Vorzüge besitzt, weder äußere noch innere, weder Formvollendung noch Originalität, in lächerlicher Weise über das Ziel hinaus u. s. w. Er mag noch so laut der Herold von Kretzers Ruhm sein, dieser gute Mann wird bald vergessen sein, so lange Poesie Poesie und nicht bloß soziale Studie sein will."

Diesem herben Verdammungsurteil gegenüber und betreffs meines „Heroldsamtes für Kretzers Ruhm", muss ich eine nicht-litterarische Erklärung einflechten, beziehentlich meines persönlichen Verhältnisses zu Herrn Max Kretzer. In wieder einem andern Blatte hieß es bei einer Bemängelung desselben: „Der Freund des Dichters, Karl Bleibtreu" . . . Ich musste energisch gegen diese Insinuation Protest einlegen und betonen, dass ich seit mehr als eineinhalb Jahren nicht die Ehre hatte, den Dichter auch nur zu sehen, geschweige denn zu sprechen. Jede weitere Ausführung dieser Erklärung wäre unstatthaft. Diene dies nur zur Belehrung und Erbauung all jener verständnisvollen Seelen, die hinter Lob und Tadel allezeit persönliche Beweggründe wittern! Es mag der durchschnittlichen Litteratenplebs allerdings märchenhaft erscheinen, dass man für seinen Rivalen begeisterte Propaganda machen kann — und zwar für Jemanden, der ohne allen Einfluss und der Bestgehassten Einer ist, der selbst weder schaden noch nützen und Einem nur als einzigen Dank den Hass seiner zahlreichen Gegner auf den Hals laden kann.

Nur hüte sich der soziale Romanzier, dessen gewaltige Ursprünglichkeit durch etwas engen Bildungs- und Ideenkreis ein wenig beschränkt ist, vor dem Wahn, als ob wir in ihm sozusagen unseren Messias, unser Ideal erblickten. Für uns sind Balzac und Zola, welchen sich Kretzer in mancher Beziehung würdig anreiht, noch keineswegs die höchsten Ideale. Wir stellen Kretzers Genialität so hoch, wie irgend möglich; und nie hat Jemand ihn gewürdigt wie wir, selten Jemand sich für einen Andern so engagiert, wie wir, den schwersten Unannehmlichkeiten zum Trotz, für Kretzer. Wir sind ferner der Ansicht, dass in diesem Augenblick der soziale Roman, d. h. also Kretzer das wichtigste Moment der litterarischen Entwickelung bildet. Gleichwohl aber verwahren wir uns hiermit feierlich dagegen, dass man unserer Kretzer-Bewunderung nun noch eine ins Maßlose verzerrte Deutung unterschiebe.

Verschiedenartig prägt der Realismus sich aus. Realistisch sind die Werke Heibergs und Conrads, welche sich wesentlich um Erotisches drehen; realistisch die Werke Suttners und G. Allans, welche Ethnographisches mit Erotischem verbinden; realistisch auch die Novellen Wildenbruchs; realistisch „Harte Köpfe" von F. Lange, und „Die Reichsgrafen von Walbek" von E. Peschkau — ein hochbedeutsames Werk, das wir zu unserm größten Bedauern in unserer Brochüre, weil es uns noch nicht bekannt war, übergingen, obschon grade dies Werk mit seinem sozial-psychologischen Gedankengang und seiner Stände-Charakteristik unsern Auffassungen und Wünschen am nächsten kommt. Realistisch ist die Lyrik Liliencrons, realistisch sind unsere sämmtlichen früheren Werke, ebensogut wie „Schlechte Gesellschaft", an das sich oberflächliche Unwissenheit klammert, als ob wir erst mit diesem Opus auf der Bildfläche erschienen!

Und obschon Kretzer selbst uns brieflich versichert hat, er finde dies Werk „großartig", sowohl „psychologisch" als auch (was bei Kretzer Wunder nehmen muss), weil „die edelsten Blüten erschütternder Lyrik" darin enthalten seien, so sind wir uns doch völlig darüber klar, dass wir in unsern Zielen wie unserer Vortragsweise, in unsern Fehlern wie in unsern Vorzügen mit diesem von uns höchstgestellten Zeitgenossen nicht die geringste Aehnlichkeit besitzen. Es ist uns dies gerade bezüglich jenes Werkes auch wiederholt von Kennern versichert worden.

Nicht ohne Widerstreben berühren wir hier noch einen allgemeineren Punkt. W. Walloth ist so freundlich gewesen, seine „Gräfin Pusterla", ein Jambendrama aus dem italienischen Mittelalter, uns zu widmen. Daran schließt sich eine Vorrede, in welcher darauf hingewiesen wird, dass man „die Erbärmlichkeit des Menschengeschlechts, die Schleichwege des Neids und die Brutalität der Verständnislosigkeit" nirgends so kennen lerne, als in der Litteratur! — Das ist außerordentlich wahr. Ich möchte mit Scarron fragen:

Cette sentence est vrai et belle,
Mais dans enfer, de quoi sert elle?

Es giebt zwei Arten von Selbstgefühl. Die eine beruht auf einem männlichen Bewusstsein des Wertes, welches sich ganz naturgemäß mit der wärmsten Anerkennung fremden Verdienstes paart; die andere auf jenem kleinlichen Größenwahn, der immer nur sich und nichts anderes sieht und gelten lässt. Schreibt der Eine Romane aus dem Altertum — flugs hat nur dies Genre Berechtigung. Scheibt der Andere soziale Romane — flugs ist jedes andre Genre lebensunfähig. Ist man Lyriker, verachtet man die Prosa; ist man Romanzier, schimpft man auf Versmacher und Stubendramatiker; ist man moderner Theaterschreiber oder pflegt das „klassische" Drama, schaut man auf die gesammte Drucklitteratur herab.

Da scheint es uns denn doch erfreulich, dass wir, in allen Gattungen der Poesie und auf allen Stoffgebieten tätig, gleichsam — mit aller Bescheidenheit sei es gesagt — eine Centraljury vorstellen, welche mit strengster Objektivität alle Bestrebungen würdigt und Jedem sein Recht angedeihen lässt.

„Die Schleichwege des Neides und die Brutalität der Verständnislosigkeit" sind uns aus eigener Erfahrung am besten bekannt, vor allem die krasse Undankbarkeit, mit welcher man erst die Hülfe Anderer erschmeichelt und hinterher alle uneigennützigen Bemühungen als verdammte Pflicht und Schuldigkeit auffasst. Wenn nun wohlmeinende Kollegen uns übergroße Begeisterung für nicht genug gewürdigte Talente vorwerfen, so müssen wir freilich von diesem argen Fehler die „vornehme unparteiliche" Kritik im Allgemeinen sowohl als sonderlich uns gegenüber freisprechen. Wenn daher die „Kölnische Zeitung" sich jüngsthin erdreistet, von der „dreisten selbstverherrlichenden Art der Herrn Bleibtreu und Genossen" zu reden, so stellen wir dem dreisten Gesellen, der dies geschrieben, folgende Fragen:

1. Ist die „Kölnische Zeitung" nicht jenes amüsante Blatt, welches die französische Ausgabe unseres „Dies Irae" als authentisches gallisches Produkt in drei Riesenspalten anpries?

2. Ist dies aber nicht dasselbe Blatt, welches sonst alle unsere Werke todtschwieg und noch jüngsthin eine Besprechung meiner Brochüre ablehnte?

3. Ist in ihren Augen die „Kölnische Zeitung" nicht sicher ein Weltblatt, dessen „Verherrlichung" jedem Autor ein Ziel sein müsste, „aufs innigste zu wünschen"? Kann sie sich also wundern, wenn man, verzweifelt über den Mangel an „Verherrlichung" seitens dieses maßgebenden Weltblattes, sich „selbstverherrlicht"?

Wir wollen dem geschätzten Blatte in ehrlichem Deutsch auf diese logischen Dilemmas die Lösung geben. Ja, die „Kölnische Zeitung" ist eines jener ehrenwerten Organe oder besser, ein Typus der deutschen Presse überhaupt, die teils aus bösem Willen, teils aus Faulheit, teils aus Dummheit und Unwissenheit den bedeutendsten Werken tödtliche Gleichgültigkeit entgegensetzt — die aber bereit wäre, dieselben, sobald sie in französischem Gewande erschienen, mit lautem Hosianna zu begrüßen. Wir haben ja die Probe aufs Exempel. Ehe ein Pressbandur, der derlei Notizen gedankenlos hinschmiert, uns nicht bewiesen hat, erstens, dass er sämmtliche oder auch nur die Hauptwerke des „selbstverherrlichenden" Autors gelesen und seiner Presseverherrlichung unwürdig befunden hat, zweitens, dass er überhaupt urteilsfähig und urteilsberechtigt ist, — ehe dies Wunder nicht geschehen ist, erklären wir hiermit all solche hämischen „Niemand und Genossen" für Vorbilder einer edeln Dreistigkeit.

Alle für das „Magazin" bestimmten Sendungen sind zu richten an die Redaktion des „Magazins für die Litteratur des In- und Auslandes" Leipzig, Georgenstrasse 6.

Für die Redaktion verantwortlich: Karl Bleibtreu in Charlottenburg. — Verlag von Wilhelm Friedrich in Leipzig. — Druck von Emil Herrmann senior in Leipzig.

Das Magazin

für die Litteratur des In- und Auslandes.

Wochenschrift der Weltlitteratur.

1832 gegründet von Joseph Lehmann. | 55. Jahrgang. | Herausgegeben von Karl Bleibtreu.

Preis Mark 4.— vierteljährlich.

Verlag von Wilhelm Friedrich in Leipzig.

No. 40. — Leipzig, den 2. Oktober. — 1886.

Inhalt:

Zum Kapitel der Ausweisungen.

Von Oscar Justinus.

Nulla dies sine linea. Kein Tag ohne Ausweisungen. Man sucht nach ihnen in der Morgenzeitung bereits mit derselben Sicherheit, wie nach den Ausweisungen aus dem Leben — den Todesanzeigen. Und ich muss gestehen, dass sie mich mit dem gleichen Schmerz erfüllen, wie diese. Ja eigentlich mit noch viel größerem. Dort handelt es sich um eine Einrichtung seit dem ersten Tage der Schöpfung. Wem ein Raum in diesem Jammertale angewiesen wurde, dem war es nicht unbekannt, dass einst für ihn der Tag der Ausweisung kommen würde. Oft, wenn er sich grade wohl zu fühlen angefangen hatte, meistens nach einer ihm zur Ordnung seiner Angelegenheiten bewilligten mehrjährigen Frist. Die Leute aber, die nach der neuen Handhabung, sich urplötzlich von ihrem Heerde, von der Stätte ihrer Arbeit und ihrer Herzensbeziehungen vertrieben sehen, waren nicht darauf vorbereitet. Sie konnten es so wenig sein, wie die Bewohner von Herculaneum und Pompeji darauf, dass der Vesuv, der sich seit Menschengedenken friedlich und gemütlich gezeigt und gastfrei seine breiten Abhänge den Besiedlungen heiterer und emsiger Völker dargeboten, eines Tages sich „auf sich selbst besinnen", sich ungefüge dehnen und strecken und mit heißem vernichtendem Gluthauch über all das ortsfremde Volk, welches sich vertrauensvoll hier eine Heimat geschaffen, herfallen würde. Seit jenen Tagen bleibt alles Fremde dem kulturfeindlichen launenhaften Herrn vom Leibe und lässt ihn allein inmitten seines ortsangehörigen Steingerölles und todten Lavamoores.

Doch ich verstehe nichts von Politik und überlasse Berufeneren, bei diesem modernsten Ritt ins romantische Land des dunkelsten Mittelalters — die Hände in den Taschen zu halten. Mich beschäftigt hier eine mit großer Gelehrsamkeit und noch mehr Eifer betriebenen Ausweisung, die mir, trotz ihrer großen Schutzpatrone, doch etwas — komisch, pardon ridicule — lächerlich erscheint. Es ist die in Szene gesetzte Jagd auf Fremdwörter und ihre gewaltsame Vertreibung aus dem deutschen Sprachschatze, in welchem bereits ihre Urahnen Bürgerrecht erworben hatten.

Es liegt mir fern, dem Ueberwuchern des geselligen und sozialen Lebens mit fremden Elementen das Wort reden zu wollen. Man braucht noch grade kein heißblütiger Patriot zu sein, wie es die alten, Jahrhunderte hindurch mit Feuereifer gegen die Sitten und den Kultus der Nachbarvölker wetternden Propheten der Hebräer waren, um an der Verquickung des nationalen mit dem ausländischen Leben keinen besonderen Gefallen zu finden. Aber so lange die Erde sich dreht und die zu verschiedenartiger Entwickelung gelangten Stämme sich liebend oder hassend, im friedlichen Handel oder auf blutigem Schlachtfelde berühren, hat unbewusst und gegen den Willen der Vaterlandsfreunde ein Austausch in Ideen, Gütern und Lebensformen stattgefunden — eine Einwanderung und Auswanderung, wie sie sich zwischen zwei Pflanzenzellen vollzieht, deren Gefäßwandungen sich berühren — ein Kompromiss des freiwilligen Aufgebens und freudigen Gebens von beiden Seiten, wie er in jeder guten Ehe bestehen muss. Und so wenig in dieser der Mann von seiner verbrieften Oberherrlichkeit für den Alltagsgebrauch profitieren kann und die zarte untergebene Gattin — suaviter in modo, fortiter in re — in diesem liebenswürdigen Wettstreit häufiger die Palme schwingt, als der Hausherr, so sind auch bei dieser gegenseitigen Aneignung und Anempfindung unter den Völkern die Besiegten öfter die Sieger gewesen, als umgekehrt. Nachdem Griechenland unterworfen und zu einer römischen Provinz degradiert worden war, wurde an dem Tiber Alles modern und galt für Chic, was von der Halbinsel herüberkam. „Denn läppischer," klagt Juvenal:

„Kann kaum was sein, als dass kein einzig Weib
Für schön sich hält, wofern es Griechin nicht
Aus einer Tuscerin geworden ist.
Da drücken Alles sie
Auf Griechisch aus, obschon es Schande mehr
Doch bringt für unsre Frauenzimmerwelt,
Wenn sie nicht taktfest im Lateinischen ist.
In jener Sprache fürchten sie. In ihr
Gießt Zorn und Freude, Liebeskümmernis
Und sonstige Heimlichkeiten insgesammt
Man aus! Ja, was noch mehr, als dies: man liegt
Auf Griechisch gar zu Tische."

Und später, als die Welt sich vor Roms Legionen nicht mehr zu fürchten brauchte, reisten seine Baumeister in die nordischen Städte und ihre Schüler bauten Münster und Paläste, wie es ihnen die „welschen Mäurer" gelehrt hatten. Und die lateinische Sprache und das römische Recht wanderte über die Alpen und wenn man Shakespeares und Molières urkomischen Gerichtsszenen und Aerztekonsilien Glauben schenken darf, so hatte ein Mensch, der nicht lateinisch zu denken und zu reden gelernt, gar nicht mitzusprechen.

Soll er das nun behalten?" sagt ein Advokat in Ludwig Holbergs Politischem Kannengießer. „Heißt es nicht: Nemo alterius damno debet locupletari? Hier will sich ja sein Klient bereichern auf meines Klienten Kosten, was doch aparte streitet wider aequitatem naturalem; ist's nicht so, Herr Bürgermeister?"

Bremenfeld: Ja das ist unbillig, das muss Niemand verlangen, Ihr habt Recht, Monsieur.

Zweiter Advokat: Aber Justinian sagt ja ausdrücklich libro secundo Institutionum, titulo primo, de alluvione.

Bremenfeld: Was Henker schert das mich, was Justitianus oder Alexander Magnus sagt? Die haben vielleicht ein paar Tausend Jahre früher gelebt, bevor Hamburg gebaut ist, wie können die über Dinge urteilen, die zu ihrer Zeit noch gar nicht vorhanden waren?!

Wie sich hier der geniale Lustspieldichter über die Herrschaft des Lateinischen lustig macht, so tut er es in einer späteren Komödie Jean de France über das französische Wesen, welches die jungen reichen Leute, die zu ihrer höhern Bildung eine Zeit in Paris zugebracht hatten, heimzubringen pflegten. Dieser Jean, der auf der Straße in Kopenhagen einem Nachbar französisch antwortet: Je m'appelle Jean de France, à Votre très humble service, der sich schämt, seine Muttersprache zu sprechen und in der komischsten Weise alle Eigenheiten der Franzosen sklavisch nachzuäffen sich bemüht, wird zuletzt etwas derb, aber wirkungsvoll geheilt, und aus dem Jean de France wieder ein dänischer Hans Franzen. Ueber das Fremdländischtun lässt der Dichter Jeronimus von den jungen Herren sagen:

„Wollten sie nur wenigstens Eines Volkes Narrheiten mit bringen, so möchte es ja noch angehen. Aber da kommen sie nach Hause, zusammengeflickt aus allen Tollheiten die sich in England, Deutschland, Frankreich und Italien finden. Ich will nicht aufschneiden, Nachbar, aber das ist so ungefähr die Lebensweise unserer jungen Kavaliere, wenn sie nach Hause kommen: Morgens müssen sie ihren Thee oder ihre Chokolade haben, sie sagen, das wäre auf Holländisch; Nachmittags ihren Kaffee, das ist so auf Englisch; Abends spielen sie l'hombre bei einer Maitresse, das ist so auf Französisch; haben sie einen Gang in die Stadt, muss ihnen ein Lakai nachtreten, das ist so auf Berlinisch oder Leipzigisch; wollen sie in die Kirche gehen, so fragen sie erst, ob da Musik ist, das ist auf Italienisch. Alles was ausländisch ist, dünkt ihnen schön und vornehm, selbst wenn sie Schulden halber ins Gefängnis geschmissen werden."

Wie bei uns zwei Jahrhunderte hindurch das Französische die Sprache der Gebildeten durchsetzt hat, ist bekannt. Wir haben erst in den letzten Tagen wieder gesehen, wie der deutscheste Fürst seine dem Sinne nach so urdeutsche kernige Rede, seine Deklarationen und Marginalien mit der Sprache des esprit und guten Geschmackes untermengte. Das ist nicht zu verwundern, wenn man bedenkt, dass alles Schöne und Glänzende, alles Pathetische und Sensationelle von jenseits des Rheines herüber wanderte, dass die vornehme Welt vom Gouverneur erzogen wurde und für die meisten Dinge der höheren Lebensbedingungen den Ausdruck im Deutschen nicht so handlich oder noch gar nicht vorfand. Als die feinere Kultur wuchs und immer größere Schichten ergriff, fanden sich unter der Hand für einen großen Teil der Begriffe auch in der heimischen Sprache Bezeichnungen vor und so verzichtete man ganz von selbst auf deren Entlehnung aus der Fremde. Das scheint mir ein ganz ähnlicher Prozess, wie er sich in der Industrie unter unsern Augen tagtäglich in jenen Ländern vollzieht, die sich ihre Selbständigkeit erkämpfen. Vor einem ganzen Menschenalter noch war Russland fast für Alles williger Abnehmer, was in einer deutschen Manufaktur erzeugt wurde: nach und nach hat es sich vom Auslande emanzipiert und das fremde Produkt wurde durch das inländische ersetzt. Das ist ein natürlicher Vorgang: aber durch Beschlüsse und Verfügungen lässt sich das Fremde nicht tödten — am allerwenigsten das fremde Wort.

Hat sich doch schon in der ersten Hälfte des 17. Jahrhunderts in Hamburg eine „Deutsch gesinnte Gesellschaft“ mit der Devise:

Unter den Rosen
Ist lieblich Losen

vergeblich zusammengetan, die unter der Führung des Dichters Philipp von Zesen mit dem Beinamen Zesen der Färtige gegen die Fremdwörter einen patriotischen Krieg begann. Derselbe suchte (siehe Scheres Litteraturgeschichte) die mythologischen Namen mit denen Opitz z. B. einen großen Luxus trieb, durch deutsche zu ersetzen: Pallas sollte Kluginne, Venus Lustinne, Jupiter Erzgott, Vulkan Glutfang heißen. Für Natur sagte er Zeugemutter, statt Fenster Tageleuchter, statt Kloster Jungfernzwinger, statt Kabinet Beizimmer. Er gab seinen Romanfiguren deutsche Namen, wie Rosemund, Adelmund, Markhold.

Aber so wenig jemals eine ästhetische Abhandlung oder eine Kleiderordnung, eine Mode aus der Welt geschafft hat — eine Mode kann nur durch eine andre Mode beseitigt werden — so wenig hatte jene mit großer Begeisterung von einer Anzahl begabter Schriftsteller ins Werk gesetzte Sprachreinigung einen dauernden Erfolg und — so wenig werden die augenblicklichen Fremdwort-Ausweisungen eine große Veränderung hervorrufen. Ich finde es auch gar nicht für so notwendig. Die deutsche Sprache ist seit Jahrhunderten nicht so rein gewesen, als heut; das Gefühl ist ziemlich allgemein unter den Schreibenden vorhanden, dass der Gebrauch eines Fremdwortes, wo ein gutes deutsches geläufig ist, nicht von Geschmack zeugt: aber wenn man Jemanden nach der Oper frägt „wie haben Sie sich amüsiert?“ anstatt „wie haben Sie sich erlustigt“ so sehe ich darin absolut kein Unglück. „Amüsieren“ und „ennuyieren“ sind eben Begriffe, die einst von Frankreich so eingeführt wurden, wie in unseren Tagen der „Chic“, wie der „Strike“ und „Sport“ von England, der „Ukas“ von den Russen und der „Ferman“ von den Türken. Die Völker denken eben sehr unbefangen und nehmen in ihren Sprachschatz was ihnen aus fremden Sprachen „nützlich, nötig oder angenehm“ erscheint: sie gestatten jenen ein gleiches Recht und freuen sich über dessen ausgiebige Benutzung; sie lassen aber auch ohne Umstände den fremden Ausdruck fallen, wenn der Begriff, den er zu decken bestimmt war, abhanden gekommen oder wenn sich ein anderes Wort zur rechten Zeit für jenes einstellte. Diese Sprachreinigung mit künstlichen Surrogaten zu fördern oder gar zu dekretieren, ist immer ein heikles Unternehmen. Wenn das Objekt gleich beim ersten Auftauchen einen deutschen Namen trägt, ist er uns gewiss hochwillkommen; hat sich für dasselbe schon ein Fremdwort eingefunden, wird das neue schwer oder niemals Wurzel fassen. „Die Rohrpost“, „die Pferdebahn“ wurden uns geläufig, während man diese Begriffe in Wien durch „die pneumatische Post“ und „die Tramway“ (wai zu sprechen) deckt. Dagegen wird sich „das Telephon“ schwer durch „den Fernsprecher“ ersetzen lassen und wenn mir ein Postsekretär von „Umschlägen“ spricht, so meine ich heute noch, er habe eine geschwollene Backe und vergesse vollständig daran, dass er damit „Kouverts“ bezeichnen will.

Ich bekam jüngst die Speisekarte eines hiesigen Restaurants zu Gesicht, in welcher mir wunderbare Gerüchte geboten wurden: Die „Rindslenden, abgeschwitzt mit Tafelpilzen“ konnten meinen Appetit nicht sonderlich reizen, dafür war der „Lachs mit Kräutertunke“ „die Kalbszunge mit Kräuterbeiguss“, „das mittlere Voressen“ und „die kalten Nebengerichte“ kulinarische Genüsse, besonders, nachdem der Herr Wirt die Freundlichkeit gehabt hatte, mir diese Ausdrücke — zu verdeutschen! Ob wir aber „Kräutertunke“ oder „Remouladensauce“, „abgeschwitzte Rindslenden“ oder — „sauté filet aux champignons“ sagen, französisch ist das Gericht doch. Unsere Küche ist encyklisch und das Gefühl der Dankbarkeit sollte uns schon davon zurückhalten, den ungarischen Gulasch, den polnischen Zrazy, das englische Beefsteak von unserer Speisekarte — ausweisen zu wollen. Das tut ja nicht einmal der Franzose, der sein „bier“ und „chop“ und noch viel hundert andere deutsche Namen in seinen Gebrauch genommen hat, ohne darum der Reinheit seiner Sprache im geringsten zu schaden.

Der Sport, das Maschinenwesen, ein großer Teil der Technik, das Parlament sind aus England herübergekommen. Mit den Dingen selbst, ganz untrennbar, wie eine Handelsmarke, kam ihr Name. Ist es da recht und billig, diesen zu vernichten, auszukratzen, durch einen Andern zu überkleben? Außerdem, ist es denn nützlich? Das Bedürfnis einer Verständigung unter Berufsgenossen überklettert alle Schranken und mag sie der grübelnde Verstand noch so hoch zwischen ihnen aufgerichtet haben. Die Mediziner, die Botaniker haben ihre Verständigung in der Lateinischen Sprache. Mag doch das Französische, Englische, Deutsche u. s. f. immerhin auch auf den Gebieten einen Verständigungsmodus geben, in welchen sie gerade Besonders leisten. Eine Weltsprache giebt es ja noch nicht: Die Universalität des Volapük besteht bis jetzt nur darin, dass es von Keinem in der Welt gesprochen und von noch weniger Menschen verstanden wird. Was verschlägt es denn, wenn wir das andante, furioso, agitato der Italiener in der Musik, die wir ja doch ihnen verdanken, beibehalten? Das war doch ein Ausdruck, den jeder Geiger der Welt verstand. Wenn man früher in einem anderssprechenden Lande sich befand, so freute man sich immer darauf, ein bekanntes Wort d. h. ein Weltwort: ein „Billet“, ein „poste restante“, einen „Tarif“, eine „Szene“ herauszuhören oder herauszulesen. Jetzt hat das aufgehört. Im böhmischen übrigens großartigen Theater zu Prag verstand ich jüngst nicht nur kein Wort von dem Stücke, sondern auch keines von dem Zettel. Die Herren sind nämlich auch dort von einer fanatischen Reinlichkeit — bezüglich ihrer Sprache wenigstens und merzen jeden Anklang an ein deutsches oder romanisches Idiom aus. Das Nationaltheater wird zum Národni divadlo, Graf Alba zum Vévoda und was die Namen der Plätze bedeuten, gelang mir nur mit höchster Anstrengung zu entziffern. Ein Glück, dass Regie, Spiel und Ausstattung so vorzüglich waren. Die Kunst bleibt wenigstens international und auch im fremdesten Idiom verständlich, die Kunst und die Liebe.

Und die Diplomatie. v. Giers mit dem deutschen Namen vertritt Russland, Robinaut mit dem französischen Italien, der Herzog v. Broglie mit dem italienischen und Graf Walewski mit dem polnischen Frankreich, Rieger mit dem deutschen die Slaven und Chlumecki mit dem slavischen die deutschen Interessen. Dieses Spiel, das man ad infinitum fortsetzen kann, zeigt so recht, wie sich die Völker grade in ihren höheren Schichten vermischen.

Wie jeder der Besitzer der drei Ringe hält ein jedes Volk seine Sprache für die alleinseligmachende. Dass es die deutsche ist, hat ein deutscher Chauvinist — und es soll deren hin und wieder, trotz des üblichen allgemeinen Selbstlobes der Bescheidenheit, 'geben — augenfällig bewiesen, indem er ein Stück Brot in die Hand nahm und daran explizierte: „Dies nennt der Franzose: du pain, der Engländer breath, der Pole chleb, der Italiener pane, der Deutsche sagt: Brot und es ist doch auch wirklich Brot."

Nun, wenn einst der Tag kommen wird, da Jeder in der Welt davon überzeugt sein wird, dass Brot auch wirklich Brot ist, dann wird das Deutsche sich zur Weltsprache herausgebildet haben. Bis dahin aber meine ich, etwas Geduld und mehr laisser aller bezüglich der fremden Ausdrücke, die sich in der heimischen Sprache noch erhalten. Diese ist wie eine kochende Flüssigkeit. Sie scheidet ganz von selbst, in ihrer eigenen Lebensfähigkeit, alle die Stoffe aus, welche ihrem innersten Wesen widerstreben und wenn die Vornehmsten unter den Schreibkundigen durch das eigne Beispiel und das Publikum durch Betonung seines Geschmackes unnötige Anhäufung fremder Ausdrücke fernhält und brandmarkt, so geschieht eben, was im Interesse der Sprachreinigung geschehen kann. Was aber die Sprache behält, das hat sie verdaut, das hat sie sich zu eigen gemacht und das kann ihr in Wirklichkeit nicht mehr schaden.

„Dass Gazetten nicht genirt werden dürfen" klingt trotz der Fremdworte viel anmutender, als wenn man heutzutage täglich von einer „neu erhobenen Anklage wider eine Zeitung" liest und gegen die „Frontattaken" der französischen „Armee" durch unsere „Corps", die „Cernirung" von Sedan, die erzwungenen „Kapitulationen" und all die Großtaten unserer „Generale" und „Divisionschefs" hat noch der fanatisierteste Franzosenfresser nichts einzuwenden gehabt.

Konrad Deubler.

Tagebücher, Biographie und Briefwechsel des österreichischen Bauernphilosophen, herausgegeben von Prof. Arnold Dodel-Port. Zwei Teile in zwei Bänden. — Leipzig, B. Elischer.

Unzugänglich und als unwirtlich ängstlich gemieden sind die Alpen schon längst nicht mehr. Das Eisenbahnnetz verzweigt sich in ihnen zusehends, der Telegraphendraht spannt sich über die alten Saumpfade, dem Touristen ist kaum eine Gletscherspitze mehr „jungfräulich" genug und der Sommerfrischler dringt in die hintersten lauschigen Winkel vor. Diese neugebahnten und gewiesenen Wege führen nicht nur in die Berge hinein, sondern auch von den entlegensten Tälern heraus, d. h. dem Aelpler ist an mehr Seiten als je zuvor die Welt aufgetan. Dazu kommt, dass sich die Bildungsstätten vermehren und vermannigfachen; viele sind nahegerückt und selbst die fernsten scheinen nicht mehr unerreichbar. Es muss demnach den begabten Söhnen des Alpenvolkes immer leichter werden, mit ihrem dunklen Drang nach Wissen, Forschen und Schaffen da oder dort auf einen lichten, geordneten Weg zu geraten und sonach zu den offenen Pforten in den Tempel der Bildung und der Kunst einzutreten.

Gleichwohl wird es auch fortan Erscheinungen geben, wie beispielsweise Hans Gasser, der lange den Hirtenstab führen musste, ehe er sich mit dem Meißel des Bildhauers vertraut machen konnte, oder wie Defregger, welcher erst, nachdem er sesshafter Bauer gewesen, den schulgerechten Zeichenstift zu ergreifen in die Lage kam, oder wie Rosegger, der von der Nadel des Handwerkers zur Feder des Dichters und Volksschriftstellers aufstieg. Meister wie die Genannten kamen, wenn auch spät, so doch schließlich noch ins richtige Fahrwasser. Andere tüchtige Köpfe dagegen bleiben zeitlebens Autodidakten, wenn der ungeordnete Wissensdrang sie nicht gar zu wunderlichen „Sinnirern", religiösen Schwärmern und Mystikern, fingerfertigen „Basslern", Wunderdoktoren, Schatzgräbern, Hexenmeistern und dergleichen macht, aus welchen mehr oder minder das merkwürdige Völklein der Sonderlinge in der Alpenwelt besteht. Wer sich darüber verwundern wollte, dass das Geistesleben in den Bergen noch jetzt solches Krummholz aufweist und daran wohl auch in Zukunft keinen Mangel haben wird, der möge bedenken, dass selbst in den volks- und bildungsreichsten Städten der Autodidakt und der geistige

Sonderling keine Seltenheit sind; und wenigstens auf den Ersteren sieht nur ein Pedant oder ein Bildungsphilister geringschätzig herab, denn ein Gutteil der Pfadfinder in Wissenschaft und Kunst sind Autodidakten gewesen.

Als kein müßiger Sonderling mit einem geistigen Sparren im Kopf, auch nicht als flacher Dilettant, sondern als vollwichtiger Autodidakt ist nun der Aelpler Konrad Deubler zu nehmen, zu dessen Würdigung der Züricher Universitätsprofessor in zwei Bänden ein überaus reiches Material aufbietet. Zu den produktiven, schaffenden Geistern zählt Deubler allerdings nicht. Seiner geistigen Anlage nach ist er vornehmlich ein kritischer, rezeptiver Kopf; ihm ist Laune und Witz eigen, aber nicht auch der runde, erquickende und versöhnende Humor. Für eine geschichtliche Auffassung der Welt hat er wenig Sinn, desto mehr aber für die Zurückführung der Erscheinungen auf ein philosophisches Prinzip. Wie der Bauer in den Alpen von Haus aus Konkretist ist, also die Welt nimmt, wie sie ist, so lag dem grübelnden Deubler naturgemäß die Entwickelungstheorie, der wissenschaftliche Materialismus am Nächsten — werden doch selbst auch die Künstler, welche aus den Alpen hervorgehen, zum größten Teile Realisten! Ins philosophische Lager führt allerdings nicht ein einziger, kühner Sprung. Deubler hatte erst den überkommenen Kirchenglauben — er war Protestant — zu überwinden; diese Emanzipation kostete ihm die meiste Gedankenarbeit. Der Zweifler griff nach den Büchern der kritischen Theologenschule; von H. Zschokkes „Stunden der Andacht" ging er über zu D. Strauß und vornehmlich zu L. Feuerbach; Rossmäßler, Vogt und Moleschott aber bildeten die Brücke hinüber zu Häckel. Für Kant hatte er nie ein rechtes Verständnis und der grundhältige Pessimismus eines Schopenhauer ging ihm wider den Strich, denn er fühlte sich glücklich und wollte das Glück in der Natur der Dinge begründet wissen.

Einen regelmäßigen philosophischen Kursus hat also Deubler mit nichten durchgemacht; sein philosophisches Bedürfnis war hauptsächlich Temperamentssache und dieser Hunger trieb ihn im Ganzen auf die ihm zusagende Weide. Um Wissen und Erkenntnis war es ihm redlicher Ernst; die Wissensfreude machte ihn mitunter sogar bildungseitel, vorlaut und trotz angeborener Klugheit unvorsichtig — diese Seite seines Charakters war es auch hauptsächlich, welche ihn vors Gericht und in den Kerker brachte. Nach litterarischen Bekanntschaften blickte er mit wahrer Herzenslust aus; war ihm ein Buch lieb, so galt ihm die Annäherung an den Autor völlig für einen Lebensgewinn. Er übte und verstand sich auf Freundschaft und trieb mit deren Aeußerungen und Zeugnissen einen förmlichen Kult. Heroenkult, aber nicht Herrendienst: das ist eine wesentliche Seite unseres philosophischen Bauers. Aus seinen Ansichten machte Deubler dort, wo er auf Verständnis und Widerhall rechnen konnte, kein Hehl; als rücksichtslos mutiger Bekenner aufzutreten, ließ er sich weniger gelüsten, nachdem er schon einmal empfindlich gewitzigt worden. Schreiber dieses zählt nicht zu den persönlichen Bekannten Deublers, dessen Anziehungskraft selbst auf starke Geister eine ungewöhnlich große gewesen sein muss. Wenn mich bedünken will, dass Dodel-Port seinen Helden uns denn doch einigermaßen „stilisiert" und als zu mustergiltig vorführe, so urteile ich lediglich nach dem vorliegenden biographischen Material. Deubler bedarf keines Heiligenscheins und kann auch den seitens der Freidenker entbehren; er bleibt als heller Kopf, der sich von der Dorfschule auf zu einer wissenschaftlichen Ansicht durchgekämpft hat, als Bildungsfreund, als Genosse so vieler bedeutender Geister, als tätiger Volksmann, als Bauer und Denker eine hervorragende alpine Erscheinung, wenn man ihn auch nicht als förmliches Paradigma ausspielt. Und nun betrachten wir des Mannes merkwürdigen Lebenslauf etwas genauer.

Deubler wurde am 26. November 1814 im Dorfe Goisern als erstes und einziges Kind von Bergarbeitersleuten geboren, die zugleich ein kleines Anwesen besaßen. Das Dorf ist paritätisch und Deublers Eltern gehörten der lutherischen Gemeinde an, in welcher von Verfolgungen, verbotenen Büchern und dem ehemaligen konfessionellen Krypto- und Zwitterwesen noch manche Erinnerung lebendig sein mochte. Der Fleck Erde ist schön und des Heimwehs wert, das sich an die Ferse des Fortziehenden heftet; die Traun fließt vorüber, zur Linken ist der Hallstätter See, zur Rechten Ischl und drüben das stille Gosau-Tal nahe. Die Bevölkerung ist bajuwarischen Stammes, mag aber auch noch manchen Tropfen keltischen Blutes überkommen haben. Mit sechzehn Jahren kam Deubler als Lehrling in die Weißenbach-Mühle; ein Jahr später kauften ihm die Eltern, damit er nicht zum Militär käme, die Brunnleit-Mühle bei Ischl, mit achtzehn Jahren heiratete er! Zwei Jahre später, 1835, tat er seine erste Reise und zwar Donau-abwärts nach Wien.

Einige Aeußerungen aus seinen eigenen Aufzeichnungen mögen dartun, über welches Urteil der junge Müller bereits gebot. So bemerkt er auf der Donaufahrt: „Je mehr wir uns dem gefürchteten und berüchtigten Donau-Strudel näherten, desto stiller ward es auf dem Schiffe, und als ein dumpfes Brausen uns seine drohende Nähe verkündete, da falteten einige Frauen andächtig die Hände und beteten ihren Rosenkranz. Ehe wir an den Wirbel selbst gelangten, schwammen mehrere Kähne von den Ufern auf uns zu, deren Inhaber — gar nicht übel spekulirend — die Reisenden um ein Almosen baten. Und in der Tat: die Angst und der Glaube, sich durch solch fromme Gabe in dem gefährlichen Augenblick den Himmel wohlgefällig zu machen, öffnete manches

Herz und manchen Beutel, die sonst auch dem rührendsten Flehen verschlossen geblieben wären. Je näher wir der gefürchteten Stelle kamen, desto mehr engten herrliche Felsenmassen von beiden Ufern das Strombett ein, und brausend und zischend wälzte sich der Strom über die unter dem Wasser hoch aufstrebenden Felsspitzen und steinigen Rücken dahin. Dennoch schien die Gefahr in der Nähe bei Weitem nicht so groß, als ich gefürchtet. Wir segelten leicht und ruhig über den Strudel dahin, der sich kurz darauf an einem mitten aus dem Fluss hervorragenden, von einem alten Turm überkrönten Felsen bricht, um von ihm zurückgeworfen und vom Strome abermals erfasst zu werden, seine Wirbel verdoppelnd. Hier hatte das Wasser schon manche Schiffe in seinen verderblichen Abgrund gezogen; darum hat die fromme Andacht auf einem nahen Felsen ein Kruzifix errichtet und dem Schutzpatron der Schiffe, dem heiligen Nikolaus, eine kleine Kapelle geweiht, welche viele Reisende, sich bekreuzigend, begrüßten. Als wir auch diese gefährliche Stelle passiert hatten, ruderten abermals einige Kähne auf uns zu, um ähnlich wie die früheren um ein Almosen zu bitten für den Schutz, den uns der heilige Nikolaus oder vielmehr der Himmel erwiesen. Aber diesmal waren die Gaben kleiner und seltener als vorher, also dass es sich hier bewährte, wie das Gefühl der Furcht mehr über den Menschen vermag als das Gefühl der Dankbarkeit." — Diese Schilderung ist lebendig und anschaulich; der bäuerliche Beobachter fühlt sich auch sichtlich den unterschiedlichen Betern überlegen. Die eingeflochtenen Reflexionen sind die eines jungen Rationalisten. Mittlerweile ist der geschilderte Strudel bis auf geringe Spuren um seine Romantik und seine Schrecken gekommen.

1836 tauscht Deubler die Hallstätter Mühle ein. Am 30. September 1837 findet sich folgende Tagebuch-Eintragung: „Ich stehe in der Fülle meiner Gesundheit, noch in meinem dreiundzwanzigsten Jahre, ein liebes Weib an meiner Seite und was das Beste ist — — kein Kind! Dagegen ein Kasten voll Bücher! etc." Uebrigens ist der Kinderfeind noch gläubig, schwärmerisch sogar und stellt, wenn sich seine Sachen krumm anlassen, Betrachtungen über den Selbstmord an.

(Fortsetzung folgt.)

Wien. Hans Grasberger.

„Deutsche Wassersuppen."

Gelegentliche Randglossen von Emil Peschkau.

In Nummer 33 des „Magazins" macht Herr Bernard Lebel in Paris seinem Unmut über die „Wassersuppenproduktion" der deutschen Belletristen Luft, ein Unternehmen, für welches man ihm nur Beifall spenden könnte, wendete er sich dabei nicht an eine durchaus falsche Adresse — an die deutschen Autoren. — „Deutsche Autoren! In eurem Namen, im Namen des deutschen Geistes lasst die schaalen Wassersuppen fahren, der gesunde deutsche Magen verträgt Kraftsuppen!" ruft er begeistert aus und ich glaube, dass ihm neun Zehntel aller deutschen Autoren willig folgen würden, hätten sie den deutschen Magen nicht etwas gründlicher kennen gelernt. „Es wäre Zeit," sagt er an einer anderen Stelle, „dass alle Männer, denen das Wohl der deutschen Litteratur am Herzen liegt, diesem gegebenen Beispiele folgen, damit durch fortwährenden Tadel den modernen Autoren in Erinnerung gebracht werde, dass sie ihrer Würde und der des lesenden Publikums Hohn sprechen, wenn sie ihren Eifer daran setzen, fade, abgeschmackte Erzeugnisse zur Welt zu bringen unter dem mehr als blöden Vorwande, dass sie hiemit dem Geschmacke des Lesepublikums Rechnung tragen wollen. Diese letztere Behauptung ist eine schwere Beleidigung der deutschen Lesewelt, wofür sie bittere Rache nimmt, indem sie, die deutschen Romane verschmähend, zu den französischen greift und somit auf klare Weise zu verstehen giebt, dass sie das Gute vom Schlechten zu unterscheiden wisse." — Lieber Herr Lebel — ich drücke Ihnen die Hand für den kräftigen Geist, der aus Ihren Zeilen weht, aber das deutsche Lesepublikum kennen Sie nicht und von der Tragödie, die das Leben eines deutschen Autors ist, haben Sie keine Ahnung. Glauben Sie denn wirklich, dass ein Mann, der seine Bücher mehr oder weniger mit dem Herzen schreibt — und von den Lesefutterfabrikanten kann doch nicht die Rede sein — nicht das Bedürfnis fühlt, sich Alles von der Seele zu schreiben — und nicht bloß harmlose Liebesaffairen? Sehen Sie sich doch die älteren unserer Schriftsteller an, wie sie erst tapfer nach allen Seiten ausholten und erst allmählich in die Wassersuppenküche gerieten, sehen Sie sich andere von ihnen an, die in der glücklichen Lage sind, auf Erfolge bis zu einem gewissen Maße verzichten zu können, und die deshalb nicht aufhören, zwischen Liebesgeschichten andere Geschichten zu schreiben — nur dass man von diesen Geschichten eben nicht spricht, weshalb sie wohl auch nicht bis zu Ihnen nach Paris gedrungen sind — nur dass sie (fragen Sie doch einmal einen Leihbibliothekar darüber) sich mit solchen Seitensprüngen eine Zeit lang die Gunst der Leser verscherzen, die von ihrem Lieblinge immer und immer wieder dieselbe Schablone wollen. Gewiss giebt es in Deutschland noch ein paar hundert Männer gleich Ihnen, Herr Lebel, die Kraftsuppen wollen. Aber unter diesen paar hundert Männern sind vielleicht nur je fünfzig, die Bücher kaufen können und unter diesen nur je fünf, die wirklich Bücher kaufen. Von den übrigen paar Millionen deutschen Männern liest die überwiegende Mehrzahl überhaupt keine Belletristik, weil man entweder keine Zeit dazu hat, oder als echt moderner Geist nur Respekt besitzt vor den

Phantastereien der Naturforscher, aber nicht vor denen der Dichter. Der Rest der Männer aber begnügt sich, an der von Zeitschriften für die Familie angerichteten Wassersuppentafel mitzuessen, oder, wie Sie sehr richtig sagen — französische Romane zu lesen. Von diesem Punkt wollen wir später sprechen. Zunächst nur die Bemerkung, dass ich das deutsche Lesepublikum von vier verschiedenen Seiten aus kennen gelernt habe — als Redakteur von Blättern, die für die gebildete Welt bestimmt waren, als Autor und endlich als „Beobachter aus Neigung" — wenn ich so sagen darf — als Beobachter der Schriftsteller und als Beobachter der Leser. Das Resultat meiner Wahrnehmungen aber ist das folgende.

Das große deutsche Lesepublikum — von dem Lesepöbel, der nur Sensation verlangt, ganz abgesehen — kann es nicht vertragen, seine Lebensverhältnisse objektiv geschildert zu sehen. Der Durchschnittsdeutsche ist ein Philister durch und durch, der immer in der Angst lebt, man will ihn an den Pranger stellen. Einige Autoren kommen darüber hinweg, indem sie diese Verhältnisse nur ganz diskret andeuten oder gar beschönigen, andere, indem sie in die Lodenjacke schlüpfen oder Geschichten aus möglichst entfernten Ländern erzählen, und wieder andere, indem sie sich eben in der Hauptsache auf die Wiederholung jener Geschichte beschränken, die immer gern gelesen wird und Niemandem weh tut, auf die Erzählung jener Geschichte, die man ein Hindernisrennen nach der Heirat nennen könnte. Diese schwierige Lage, in der sich der deutsche Autor von heutzutage befindet, wird aber noch wesentlich erhöht durch die „Marktverhältnisse", wie sie gegenwärtig herrschen. Bücher haben nur in ganz seltenen Ausnahmsfällen nennenswerten materiellen Erfolg — der Autor ist auf die Zeitungen angewiesen. Die Zeitungen aber sind für einen sehr großen Leserkreis bestimmt und trachten danach, alle diese zahlreichen Leser zu befriedigen und — nicht zu verletzen. Wenn ein deutscher Schlossermeister in einer Erzählung als schlechter Kerl geschildert wird, dann fühlen sich sämmtliche Schlossermeister unter den Lesern beleidigt — und unter meinen hunderttausend Lesern, denkt der Redakteur, sind gewiss auch ein paar Schlossermeister. So ist der Autor, will er darauf rechnen, seine Arbeit unterzubringen, gezwungen, möglichst „allgemein" und harmlos zu bleiben und natürlich in erster Linie Alles bei Seite zu lassen, was zu Meinungsverschiedenheiten Anlass geben könnte, also politische, soziale, religiöse, wissenschaftliche Fragen und dergleichen. Wo aber je eine Zeitschrift auftauchte, die sich von dieser Zwangsjacke emanzipierte, da kam das Ende immer gar bald, Herr Lebel.

Aber — wird vielleicht gar Mancher entgegnen — der Autor soll sich nicht beugen, er soll Trotz bieten, wider den Strom schwimmen. Sie, Herr Lebel, können das nicht entgegnen, weil Sie ja behaupten, die Deutschen wären Kraftsuppenleute und die Schriftsteller hätten nur mit dem Strom zu schwimmen. Indes mag doch auch darauf gleich die Antwort gegeben werden. Der deutsche Autor ist sozusagen auch ein Mensch, der, wenn er auch nicht daran denken darf, Landhäuser zu besitzen und Champagner zu trinken, wie sein französischer Kollege, doch den Verhungerungsprozess möglichst umgehen will, und der, wenn er vielleicht auch am liebsten zum Teufel führe, doch vielleicht durch ein paar arme liebe Kinderaugen zurückgehalten wird. So lange er die Welt noch nicht kennt, glaubt er siegen zu können, hat er sie kennen gelernt und bedarf er ihrer, weil ihn die Not des Lebens drängt, dann beschränkt er sich darauf, ihr das zu geben, was sie will, und wenn in seiner Seele ein neues Gebilde emporkeimt, von dem er sich sagen muss, es wird einem verehrlichen Publikum nicht gefallen, dann weist er es zurück. Eine schwere Kunst, dieses Zurückweisen, aber man lernt sie mit den Jahren immer besser. Trotzdem lässt sich manchmal so ein eigensinniges Ding nicht zurückweisen, dann wird eine Geschichte daraus, die keinen Erfolg hat, oder die man gar im Schranke liegen lässt. Erst vor wenig Monaten habe ich in der Fieberhitze des inneren Gestaltens, trotz dem qualvollen Bewusstsein, für die Schublade zu arbeiten, so ein Ding vollendet und es dann nur schnell verschlossen, um wenigstens kein Porto zum Fenster hinauszuwerfen. Dass es aber kein ganz Talentloser ist, der also tut, beweist der Umstand, dass meine harmlose Belletristik — heitere Lebensbilder, Familiengeschichten, Liebesnovellen und dergleichen — von den Zeitschriften lebhaft begehrt wird.

Wer Geld hat, oder wem das Glück oder gute Beziehungen — die ja in dieser besten aller Welten überall die Hauptsache sind — zu einer günstigen Lebensstellung verholfen haben, ist besser daran, aber auch sein Schaffen wird durch die geschilderten Verhältnisse beeinträchtigt und oft ganz gehemmt. Nur wer selber schafft, weiß, was es heißt, so ein Stück Leben aufs Papier zu bannen, welcher heiße Wille, welche Kraft und Ausdauer, welche Entsagungsfähigkeit und welcher Opfermut zur Ausgestaltung eines solchen Werkes gehören. Den Genuss des Schaffens, den die Salontänzler und Austernvertilger so gern auf den Lippen führen, bringt nur die Empfängnis, der Traum, das Werden im Hirn. Das Weitere aber ist Arbeit, Arbeit, gegen welche jede andere Arbeit eine Erholung ist, denn diese Arbeit lässt dich nicht los, sie erfüllt dich mit immer heftigerem Fieber, sie kennt keinen Sonntag, keine Ruhepause, oft keine Nacht. Und nun denke man, was für ein Wundergeschöpf es sein müsste, das diese Arbeit in seiner Musezeit vollbringt und sie immer und immer wieder vollbringt, ohne einen Lohn, ohne Anerkennung, ohne die sichtbaren Beweise, verstanden zu werden; das zum Dank für

Alles vielleicht noch hämische Angriffe erfährt und zusehen muss, wie daneben klägliche Gesellen dank ihrer einflussreichen Verbindungen der gläubigen Masse als Genies angepriesen werden. Auch die stärkste Schaffenskraft wird solchen Verhältnissen gegenüber in den meisten Fällen erlahmen und dann entweder ganz verstummen oder sich von dem Genre zurückziehen, dass Herr Lebel den deutschen Autoren so warm empfiehlt. Unausbleiblich aber ist es, dass die Verbitterung und Vereinsamung des Autors, das Fehlen der lebendigen Wechselwirkung zwischen Schriftsteller und Publikum die Arbeit des Schaffenden übel beeinflusst.

Man wird dem Allen vielleicht noch entgegenhalten, dass vor so und so viel Jahren doch ganz andere litterarische Taten die Welt in Staunen setzten, und die Litteraturgeschichtsschreiber sind meist sehr rasch mit dem Spruche bei der Hand: Unsere Zeit hat keine Talente mehr. Kein Publikum für sie hat sie und keine Mäcene, das ist es! Man lebe sich doch einmal ein in die Zeit Schillers, Goethes, Jean Pauls. Was für ganz andere Menschen waren das, welche herzliche Teilnahme an litterarischen Dingen, welche Schwärmerei für Großes, Kühnes, Edles, was für begeisterte Briefe und was für Einfälle, die heute belächelt werden, die aber den Beweis dafür liefern, wie hoch man damals dachte und wie hoch man diese Menschen stellte, die von der Muse begnadet worden. Die heutige Welt ist fast das Gegenbild der Welt jener Tage. Die Fürsten stehen der Litteratur gleichgültig gegenüber, die reichen Leute züchten, wenn sie sich zu Mäcenen berufen fühlen, hohe C's und dergleichen und die überwiegende Majorität des Publikums will von dem Schriftsteller nichts als Unterhaltung — eine Unterhaltung, die aber nicht einmal besonders „goutiert" wird. Erst kommen Theater, Konzertsaal, der Klatsch, die Zeitungsneuigkeiten, die Bilderchen der Journale, dann kommt lange Nichts und dann kommt erst die Litteratur. Dem entsprechend spielt auch der Schriftsteller keine Rolle in der Gesellschaft, er wird schlecht bezahlt, und wenn ich heute den Vorschlag machen würde, Gottfried Keller mit Lorbeer zu bekränzen, so würde man darüber nur lachen. „Man" ist derselbe „man", der einem mittelmäßigen Koulissenreißer bei jeder einigermaßen günstigen Gelegenheit Dutzende von Lorbeerkränzen vor die Füße wirft.

Und nun wieder zu Ihnen, Herr Lebel, der Sie noch immer die Worte auf der Zunge haben werden: „Die Deutschen lesen lieber französische Romane, weil sie das Gute vom Schlechten zu unterscheiden wissen." Da wäre zuerst zu beweisen, dass die Deutschen die guten französischen Romane lieber lesen als die schlechten. Wer sich aber nur ein wenig umgesehen hat, wird leicht das Gegenteil nachweisen können. Zola und Daudet haben allerdings großen Erfolg in Deutschland errungen, aber dieser Erfolg wird, nach jüngst durch die Zeitungen gegangenen statistischen Angaben durch die Erfolge Ohnets weit, weit übertroffen. Und die Wassersuppen Ohnets — stehen diese wirklich höher als die deutschen Wassersuppen? Sie sehen, wenn der Durchschnitts-Deutsche Wassersuppen findet, dann freut er sich selbst dort, wo ihm Alles mundet, mag es Kraftbrühe, Wassersuppe oder Spülwasser sein — nämlich im Ausland.

Und damit, Herr Lebel, bin ich bei der Ursache des Erfolges der französischen Romane in Deutschland angelangt — bei der Ausländerei. Diese Eigenschaft sitzt dem Deutschen im Blute; wenn er vor etwas Respekt haben soll, muss es von auswärts kommen, und wenn Sie sich in unseren Geschäften umsehen, dann werden sie staunen, was Alles aus Paris bezogen wird oder — in den meisten Fällen — angeblich von dort kommt. Diese Charakter-Eigenschaft der Nation erfährt aber in Beziehung auf die Litteratur durch andere Dinge noch sehr wesentliche Unterstützung. Einmal haben die Romane der Ausländer auch das Ausland zum Schauplatz, und wie ich schon oben bemerkte, juckt es uns nicht, wenn das Fell der Franzosen oder Russen gekitzelt wird. Im Gegenteil — wir wenden die Augen gegen den Himmel, drehen einen Daumen um den andern und sagen: Gott sei Dank, dass wir nicht sind wie jene. Zum zweiten sind speziell Französisch und Englisch unsere Modesprachen Die Kinder der wohlhabenden Klasse können meist früher „bon jour" sagen ehe sie das „Guten Morgen" zu Stande bringen, die französische oder englische Gouvernante gehört zu der besser situierten deutschen Familie wie eine Klystierspritze zur Hebamme, und das Prunken mit diesen Sprachen wird schon den Kindern eingeimpft. Wird aus dem Backfisch die Modedame und aus dem Jungen der Dandy, dann geht der Spektakel erst recht los. Sie sagt es Jedem, dass sie nur französische Bücher liest, und er ist nicht bloß Engländer von den den Schuhen bis zum Halskragen, er schwört auch auf die Tauchnitz-Edition, sofern er überhaupt ein Buch in die Hand nimmt. Zu dem Allen kommt endlich die kolossale Unterstützung, welche die ausländische Litteratur durch die Zeitungen erfährt. Ein ganzes Regiment von Journalisten und Litteraten lebt vom Uebersetzen, vom Ausschlachten fremdländischer Bücher und und vom Kritisieren derselben. Der Einfluss, den das Geschäft des Uebersetzens und Ausschlachtens übt, wird Sie nicht Wunder nehmen, aber vielleicht wundert Sie das Kritisieren. Ist es nicht merkwürdig, dass man gegen die einheimischen Autoren so zurückhaltend und gegen die Ausländer so freigiebig ist? Wenn ein neues Buch unserer guten Schriftsteller erscheint, dann kommt man in den meisten Fällen mit ein paar Worten darüber weg oder man schweigt es auch ganz todt. Französische Feuilletonisten untersten Ranges aber werden in deutschen Zeitungen in viele Spalten langen Feuilletons gefeiert, man schreibt über ein Dutzend ihrer leichten Plaudereien mehr, als man über die Gesamttätigkeit eines Deutschen je geschrieben hat, und während man diesem gegenüber mit Vorliebe bei seinen Mängeln verweilt, sieht man an dem Franzosen, dem Russen, dem Skandinavier nur Lichtseiten — die noch dazu oft gar nicht vorhanden sind. Das ist merkwürdig und doch nicht merkwürdig — oder kennen sie den Neid nicht, den gelben hirnzerfressenden Neid? Jeder Franzose, der in den Himmel gehoben wird, ist ein Trumpf dem Kerl gegenüber, der es gewagt hat, etwas zu vollbringen, was wir auch gern vollbringen möchten, aber nicht können. Endlich sind auch „wir" Deutsche und als solche imponiert uns natürlich ein Herr Catulle oder ein Herr Guy ganz anders, als ein simpler deutscher Michel, und auch unsern Lesern imponiert es ganz anders, wenn wir ihnen über unsere französischen Lesefrüchte berichten, als wenn wir über Bücher schrieben, die ja jede Dienstmagd und jeder Hausknecht lesen kann.

So also sieht es mit dem großen deutschen Lesepublikum aus und so mit der Vorliebe für französische Romane. Das große deutsche Lesepublikum will Wassersuppen, Herr Lebel, und trotz seiner Ausländerei wollen ihm auch ausländische Kraftsuppen nicht sonderlich schmecken. Es hat nur den Anschein, als ob diese Kraftsuppen Verehrer finden, weil man das ausländische eben immer rühmt. Stark gelesen werden aber weder die Skandinavier noch — Turgenjew ausgenommen — die Russen, und von den Franzosen bevorzugt man ganz entschieden die Wassersuppenverfertiger. Zola — nun ja — Zola kocht sehr kräftig und er hat große Erfolge auch in Deutschland erzielt; aber soweit ich zu beobachten vermochte, ist das Publikum, das er gefunden hat (der kleine Kreis der ernsten Litteraturfreunde kommt bei diesen Zeilen überhaupt nicht in Betracht) genau dasselbe Publikum, das einst Paul de Kock fand. Dieses Publikum ist nicht nach der Kraftsuppe lüstern, Herr Lebel, sondern nach den Ferkelchen, die darin umherschwimmen.

Und wenn wir endlich, um zum Schlusse zu kommen, uns noch fragen, ob denn diese französische Belletristik der deutschen wirklich gar so sehr überlegen ist — ich finde es nicht. Lassen wir die Alten aufmarschiren, so tritt das Beste unserer Besten hinter Zola und Daudet durchaus nicht zurück, Herr Ohnet aber schrumpft daneben kläglich zusammen. Und die neue Schriftsteller-Reihe, die in den letzten zehn Jahren in die Arena getreten ist, hat trotz aller Kämpfe und Entmutigungen doch bereits manches Werk in die Welt geschickt, das Kraftsuppen-Liebhabern zu empfehlen wäre. Aber diese Kraftsuppen-Liebhaber teilen eben die Eigenschaft aller Deutschen. Sie kaufen lieber hundert Bände Daudet, ehe sie einen von Müller oder Schulze kaufen. Und dann gehen sie hin und jammern über den Mangel an Talenten in Deutschland oder schimpfen über die deutschen Autoren! —

Macedo-rumänische Volkslieder.

Uebersetzt von M. Hârsu.

I.

Dort am schatt'gen Brünnelein
Hab' ich mich gewaschen rein.
Arme wusch ich, auch Gesicht,
Dass sie glänzen klar und licht.
Als ich dabei aufgeschaut,
Sah ich einen Jüngling traut,
Ringelein an seiner Hand.
„Jüngling, sei mir zugewandt!
Rühmen hört' ich deine Kunst,
Bitte dich um eine Gunst:
Diesen Dinar geb' ich dir,
Mache daraus ein Ringlein mir,
Ganz wie deiner seh' er aus.
Geht dann noch Etwas heraus,
Mache mir ein Heftelband."
„Mädchen, sei mir zugewandt!
Rühmen hört' ich deine Kunst,
Bitte dich um eine Gunst:
Einen Hanfflock geb' ich dir,
Spinne draus ein Hemde mir.
Geht dann noch Etwas heraus,
Mache mir ein Schweißtuch draus."

II.

„Ach, wie lang doch war der Sommer!
Jetzt erst, Hirt, so spät erst kommst du?
Hast nicht einmal dich erkundigt
Nach den Kindern, nach dem Weibe?"
Armes Weib! Wie konnt' ich kommen,
Hatt' doch Gras nicht für die Pferde;
Mühte mich und war verkümmert,
Und so sang ich solches Lied mir:
„Not vertrieb uns Serkaener,
Hieß uns nach Morea wandern.
Wer ist Schuld, dass wir verarmen?
Chita ist's, der arge Räuber.
Hört, Gesellen, was ich sage:
Fasset Chita, packt ihn furchtlos,
Stoßt ein Messer in die Brust ihm.
Werft hinab ihn von der Brücke,
Dass im Fluss er untergehe
Und von Strafgeld wir dann frei sind —
Sind doch arme, arme Leute!"

III.

Nach dir haschend, greif' ich dich,
Kleine Blaue!*)
Hab' dich jetzt, und küsse dich,
Blaue Kleine!
Sieh, die Lippe ward mir blau,

*) Mädchen, die einen kleinen blauen Fleck an der Stirn haben, werden als besonders schön gefunden und „Blaue" genannt.

Kleine Blaue!
Mit dem Tuche reib' sie ab,
Blaue Kleine!
Auch das Tuch ist worden blau,
Kleine Blaue!
Dort im Bache spül' ich's rein,
Blaue Kleine!
Nun ist auch das Wasser blau,
Kleine Blaue!
Paschas Pferd, das trinkt daraus,
Blaue Kleine!
Traun, nun ist das Pferd gar blau,
Kleine Blaue!

Zwei französische Werther-Gestalten.

Von F. Gross (Wien).

II.

Delorme.

Die zweite Werther-Gestalt, deren hier Erwähnung geschehen soll, rührt von einem Autor her, der nicht, wie Gourbillon, erst einer Einführung bei dem Leser bedarf: von Sainte-Beuve (1804—1869), dem kritischen „Lundisten", der sich ein Menschenleben hindurch mit der ganzen bunten Musterkarte der Weltlitteratur beschäftigt hat. Sainte-Beuve war zu universell gebildet, als dass er sich gegen den deutschen Geist und dessen Emanationen hätte ablehnend oder auch nur kühl verhalten sollen. Er horchte prüfenden Ohres nach allen Kulturländern hin und kam zu der Erkenntnis, dass man an Deutschlands Litteratur nicht gleichgiltig vorübergehen dürfe. Speziell mit Goethe hat er sich liebevoll beschäftigt; als eine französische Uebersetzung von „Goethes Gesprächen mit Eckermann" erschien, widmete er ihr drei ausführliche „Lundis". Aber gerade weil er eindringlich auf die Bekanntschaft mit unserem größten Dichter losging, erkannte er klarer als irgend ein Franzose, welche Kluft den deutschen Genius vom französischen trenne und wie schwer es für diesen sei, Goethe in sich aufzunehmen. Auf Grund seiner tüchtigen Goethe-Kenntnis erklärte er, Goethe sei für die Franzosen immer ein Fremder, eine „Art majestätischen Rätsels", und alle Versuche, ihn bei den Landsleuten Voltaires zu popularisieren, würden immer vergeblich bleiben. Weil aber Sainte-Beuve für seine Person tief eingedrungen war in Goethes Wesenheit, entstand in ihm der Wunsch, sich dichterisch als Jünger des Meisters von Weimar zu zeigen. Es genügte ihm nicht, ihn betrachtend behandelt zu haben, er wollte ihm auch produktiv nacheifern, so weit seine Kräfte es gestatteten. In seinen guten Stunden betätigte Sainte-Beuve, der bloßen Kritik müde, sich gern als schaffender Dichter. Mit einzelnen seiner poetischen Hervorbringungen, wie z. B. mit „Volupté", hat er entschiedenen Erfolg gefunden, wenn auch seine kritische Tätigkeit weit höher zu stellen ist als seine dichterische. Seine Liebe zu Goethe hat ihn dazu veranlasst, sich einen neuen Werther, einen ganz und gar französischen, zu konstruieren. Diesmal erscheint der unglückliche Jüngling in der Verkleidung als Poet. Sainte-Beuve bleibt in seiner ihm natürlichen Rolle als Kritiker und Herausgeber, wenn er die hinterlassenen Schriften des — wie alle Werther-Gestalten — früh verstorbenen Josef Delorme der Oeffentlichkeit übergiebt und sie mit einem Vorworte versieht. Dieses Vorwort ist ein verkappter Roman, und hinter der Maske Josef Delorme's guckt das Antlitz Sainte-Beuves hervor. Letzterer beginnt seine Mitteilungen über den Dahingeschiedenen: Delorme habe ihm seine Tagebücher vermacht und mit diesen die Verse, in denen sein persönliches Leiden, die Geschichte seines ganz und gar innerlichen Lebens erzählt sei. Josef wurde zu Beginn dieses Jahrhunderts in einem großen Marktflecken in der Nähe von Amiens geboren. Als einziger Sohn verlor er früh den Vater und wurde von seiner Mutter und einer Tante mit vieler Sorgfalt erzogen. Aus gutem Hause, war er doch arm. Frühzeitig von guten Grundsätzen erfüllt und zur Arbeitsamkeit erzogen, machte er sich durch seinen Fleiß und durch anhaltenden Erfolg in den Studien bemerkbar. Bei alledem war er immer verträumt. Die Erziehung von Frauenhand mochte seinen Charakter verweichlicht haben. Er schwankte zwischen Extremen hin und her. Nachdem er sehr fromm gewesen, verfiel er in Unglauben. Nachdem er seine ersten poetischen Versuche beseitigt hatte, nahm er später die Dichtkunst wieder auf, und so findet sich bald nach den „Adieux à la poésie" ein „Retour à la poésie". Im Alter von vierzehn Jahren kam er nach Paris, wo er vier Jahre lang (etwas früh!) Philosophie studierte. Für irgend einen Beruf konnte er sich nicht entscheiden. Er fühlte ein unerklärliches Missbehagen und hielt sich für eine verfehlte Existenz, ohne eigentlich zu wissen: warum. Er wollte sich nach langem Widerstreben ins Joch fügen und Medizin studieren, aber seiner mimosenhaften Natur widerstrebte sogar die Protektion, die man ihm wollte angedeihen lassen. Ueber seine religiöse Wandlung wird berichtet: „Er schwor die einfache Gläubigkeit seiner christlichen Erziehung ab, vertiefte sich in den kühnen Unglauben des vorigen Jahrhunderts oder vielmehr in die düstere, mystische Anbetung der Natur, welche bei Diderot und Holbach fast einer Religion ähnlich sieht. Die wohlwollende Moral von d'Alembert regelte sein Leben. Er hätte sich ein Gewissen daraus gemacht, eine Kirche zu betreten, aber wenn er Sonntag Abends heimkehrte, würde er nötigenfalls eine Meile gegangen sein, um, was er während der Woche erspart, einem Bettler in den Hut werfen zu können. Eine unendliche Liebe für die leidende Menschheit und ein unversöhnlicher Hass gegen die Mächtigen der Erde wohnten in seinem Herzen. Die Ungerechtigkeit erstickte ihn, brachte sein Blut zum Sieden." Wie bei Goethes Werther der verletzte Ehrgeiz, so ist hier die machtlose Liebe zu den Armen und Elenden das Nebenmotiv, das die Wirkungen einer unglücklichen Liebe verstärkt. Während Delorme sich vereinsamt und verlassen fühlte, hatte er jene Begegnung, die, wie gesagt, in keiner Werther-Imitation fehlt. An einem Frühlingssonntag irrte er im Gehölze von Meudon umher. Da begegnete er zwei Liebenden, von deren Lippen das Glück lächelte. „Dieser Anblick erdrückte Josef. Er hatte Niemanden, welchem er hätte sagen können, der Frühling sei schön, das Wandern im Monat April etwas Köstliches!“ Er lebte sozusagen einen langsamen Selbstmord. Er war wie ein Baum, von dem täglich Blätter abfallen. Den regelrechten Studien hatte er entsagt. Er schloss sich tagsüber in sein Zimmer ein, das er nur zur Nachtzeit verließ. Die Dichtkunst lockte ihn manchmal als Trösterin. „In seinem Elende lächelte ihm freundlich und erhebend der Gedanke, sich jenen auserwählten Wesen beizugesellen, welche ihren Kummer in Gesängen ausströmen und nach ihrem Beispiel melodisch zu klagen.“ Leidenschaftlich trieb er Lektüre. Eines seiner Lieblingsbücher war „Die Leiden des jungen Werthers“. Erst nachdem wir seinen ganzen Seelenzustand kennen gelernt, empfangen wir einige Andeutungen über eine unglückliche Liebe, die in sein Leben hineinspielt. Das übliche Werther-Terzett taucht vor uns auf, wenn wir auf einem seiner Tagebuchblätter lesen: „Was soll ich tun? Wozu mich entschließen? Soll ich sie einen Anderen heiraten lassen? Ich glaube, dass sie mich vorzieht. Sie errötete jeden Augenblick und betrachtete mich mit dem schmachtenden Blicke jungfräulicher Liebe, als ihre Mutter mich zu einer Erklärung drängen wollte und mir erzählte, ein Freier habe sich gefunden. Ihr Blick schien mir klagend zuzurufen: Du, den ich erwartete, wirst du mich dir vor deinen Augen rauben lassen, während ein Wort aus deinem Munde es verhindern könnte?“ Und weiter beweist Josef sich selbst, dass er für das Eheglück nicht gemacht sei. Freilich, es läge etwas Verlockendes darin, das reizende Wesen zu besitzen. „Ihr junges Blut würde das meinige vielleicht auffrischen; ihre liebevollen Umarmungen würden mich an die Erde fesseln; ich würde eine neue Existenz beginnen, arbeiten, mich plagen, ein Mann sein!“ Aber nein. Er kennt sein Bedürfnis nach Stille, Einsamkeit und Träumerei, er fürchtet die Ernüchterung, die Armut. Er kommt zu der Einsicht, dass es kein Glück für ihn gebe. Die Geliebte werde, schreibt er die Trennung überwinden. „Acht Tage lang wird sie vor Bedauern und Unwillen weinen; bei meinem Namen wird sie rot und bleich werden; bei der ersten Nachricht von meinem Tode wird sie wider Willen sogar seufzen. Aber dann wird sie sich freuen, einen Mann geheiratet zu haben, welcher lebt; jedes neue Kind wird sie mit ihrer neuen Lage enger verknüpfen; sie wird glücklich sein; im Alter, Abends Kindheitserinnerungen erzählend, wird sie sich zufällig meiner erinnern als eines Menschen, den sie einmal gekannt hat . . .“ Er zog sich in ein Dörfchen bei Meudon zurück. Seine Selbstmordpläne brauchte er nicht auszuführen, die Natur nahm ihm diese Mühe ab. Im Herbst starb er an der Schwindsucht . . . Sainte-Beuve schlägt der Kritik oft ins Genick. Anstatt einfach und naiv zu erzählen, legt er das Hauptgewicht auf die Bemerkungen über Delormes Talent. Die Liebesgeschichte, welche doch das entscheidende Moment auch im Leben dieses Werther ist, huscht nur schemenhaft im Hintergrunde vorüber, und über die Albert-Figur erfahren wir absolut nichts. Zum Schlusse seiner Mitteilungen verfällt Sainte-Beuve ganz und gar in den kritischen Ton und sagt: „Durch Neigung, Studien und Freundschaften gehörte Josef mit Herz und Geist jener jungen poetischen Schule an, welche André Chénier am Fuße des Schaffots dem neunzehnten Jahrhundert vermachte, eine glorreiche Erbschaft, die von Lamartine, Alfred de Vigny, Victor Hugo, Emile Deschamps und zehn Anderen nach ihnen aufgegriffen, verschönert und vergrößert wurde.“ Schließlich drückt Sainte-Beuve die Hoffnung aus, der Name Delormes werde nicht gänzlich untergehen — eine Wendung, die etwas stark nach einer Supplik pro domo riecht.

Blättern wir nun in den Gedichten, so begegnen wir zunächst der richtigen Werther-Stimmung.

Schon die Motti, welche vorangehen, sprechen deutlich genug. Aus dem heiligen Augustin: „Sic ego eram illo tempore, et flebam amarissime et requiescebam in amaritudine“. Aus Sénancours „Obermann“ die Stelle: „Je l'ai vu, je l'ai plaint; je le respectais; il était malheureux et bon. Il n'a pas eu des malheurs éclatants; mais, en entrant dans la vie, il s'est trouvé sur une longue trace de dégoût et d'ennuis; il y est resté, il y a vécu, il y a vielli avant l'âge, il s'y est éteint.“

Melancholische Nebel breiten sich über Delormes Verse; enthusiastische Laute entringen sich der Brust des Sängers nur dort, wo er einem großen Dichter für dessen Gaben dankt und preist. Wir finden schwungvolle Poeme, welche das Lob von Victor Hugo, Musset und Lamartine verkünden. Einmal huldigt er Lamartine und sagt dabei unter Anderem: „Weißt du, dass im Thale, tief unten, ein leidendes Herz weilt, eine verschleierte, weinende Seele, welche durch dein Erscheinen getröstet wurde und die dich begreift, ohne zu sprechen? Ich liebe deinen Gesang, ewige Harfe! Ich liebe deinen brüderlichen Schimmer, göttlicher Stern, so teuer dem Unglück!“ Um eine Probe von Delormes Eigenart in extenso zu geben, lasse ich das Gedicht „Premier amour“ in möglichst getreuer Uebersetzung folgen:

„Was soll, o Frühling, dieses Lächeln sein,
Was soll dies frohe Knospen und dies Blühen,
Was soll dies Seufzen, das da spricht im Hain,
Was soll der jungen Sonne sanftes Glühen?

Du bist so schön und machst mich doch versagt.
Von längst Verlor'nem sprichst du meinem Innern,
Und ob du künft'ges Glück versprechen magst,
Mich kannst nur an Vergangnes du erinnern.

Ein einz'ges Wesen wohnte mir im All,
Aus seinen Augen schöpft' ich Mut und Leben
Und sah bei seiner Stimme süßem Schall
Sich meine Jugend täglich frisch erheben.

Ich liebte sie, doch schwieg ich drüber ganz,
Ich schwieg, mit meinem Atem zu verschonen
Auf ihrer Stirn den unberührten Glanz,
Auf ihrem Mund der Unschuld glücklich Tronen.

Ich hoffte manchmal, denn sie war so gut,
Sie gab mir Trost, wenn tief ich Klage führte,
Einmal schoss in die Wangen ihr das Blut,
Als ihre Hand die meine kurz berührte.

Wie oft, wenn sie erschien in neuer Tracht,
Sucht' fragend sie mein Auge, das entzückte.
Sie freute sich der eignen Schönheit Macht,
Im Haar das Band, das mich zumeist entzückte.

Des Künstlers Pinsel hatte leicht und fein
Die Reize dieser Züge eingefangen,
Der Blumen Duft, der Jugend Widerschein,
Die dunklen Brauen und den Sammt der Wangen.

Sie selber hat das Kunstwerk mir gezeigt,
Befrug mich, ob es mir behagte,
Und lauschte, Stirne gegen Stirn geneigt,
Was ich von ihrem Ebenbild ihr sagte.

Ich fand sie eines Abends bleich und blass,
Sie träumte wie vor einem Scheiden;
Von stummen Tränen war ihr Auge nass,
Ihr Lächeln kündete geheimes Leiden.

Dann sang sie. Ach, es war ein Abschiedssang,
Als wollte singend sie um Mitleid werben.
In Schluchzen löste sich die Stimme bang,
Und mir im Herzen ging die Hoffnung sterben.

Nun wünsch' ich, deinen Zauber täglich neu
Erinnernd zu genießen jetzt und immer,
Dich weinend zu beschwören, unverbrüchlich treu,
Wie einen Engel, einen Mondesschimmer.

Verschwiegen denk' ich dein an jedem Tag,
Wenn Schwäche mich und Leid umfangen.
Dem Bruder nach der ältern Schwester mag,
So mag der Waise nach der Mutter bangen.

Mit Vorliebe beschäftigen Delormes Gedichte sich mit dem Gedanken an Selbstmord. In einem Tale, wo er sich ergeht, sieht er einen geeigneten Ort für Einen, der sich ertränken will, und malt sich mit der Wollust der Selbstquälerei die Auffindung seiner eigenen Leiche aus. In „Le suicide“ führt er einen Verzweifelten Namens Charles vor. Ein Schüler Platos konnte einst das große „Vielleicht“ in des Meisters Lehre nicht ertragen und stürzte sich von einem Felsen herab, um in die Unsterblichkeit unterzutauchen. Charles, des Lebens müde, will dieses Beispiel nachahmen. Nichts hat ihm Freude bereitet. Nur jetzt, in der Erinnerung, sieht Manches milder und versöhnlicher aus. Er fasst den Entschluss, sich bei Sonnenuntergang zu tödten. „Das wird die Stunde sein ... Wenn zur Zeit der Flut eine sanfte Strömung die Schiffenden wiegend heimtragen wird zur festen Erde, dann werden die Frohen denjenigen nicht mehr erblicken, dem sie des Morgens als einem Einsamen begegneten“ ... Der Herbst erscheint ihm einmal so frisch und schön, dass er an den Frühling glauben möchte. Biete das Leben einmal eine solche Stunde, so solle man sie nicht ungenossen vorübergehen lassen. Delorme empfindet einen verzehrenden Durst nach Glück, aber er kann ihn nicht löschen. Aus „Dévouement“ leuchtet der Wunsch hervor, seinem Leben irgend einen Inhalt zu geben und für einen großen oder schönen Zweck wenigstens zu sterben. Für eine reine Jungfrau, für seine Freunde möchte er das Dasein opfern. „Oh warum kann ich nicht mit meinem Tode irgend einer Sache dienen! In jenen unheilvollen Tagen, als die blutigen Henker einander schlachteten, wäre ich an meinem Platze gewesen. Der Gerechte protestiert durch seinen Tod und verschwindet. Wie stolz hätte ich damals nach Roland, Charlotte und dem Poeten André (Chenier) wie zum Martyrium mein glückstrahlendes Haupt auf das heilige Blutgerüst getragen!“ Delorme leiht nicht nur seinem Fühlen Ausdruck, er verdolmetscht auch fremdsprachige Dichter. Er übersetzt Einzelnes von Schiller, Wordsworth, Kirk White u. s. w. In den „Pensées“ spricht er sich in ungebundener Rede über litterarische Stoffe aus. Sainte-Beuve ladet ein gut Teil seines poetischen Gepäckes auf Delorme's Schultern. Immer erkennt man den Schriftsteller von Geist. Aber an Goethe's Schöpfung reicht dieser Delorme ebenso wenig heran wie irgend eine andere französische Werther-Gestalt. Je mehr wir von den Werther-Nachahmungen kennen lernen, mit um so größerem Stolze nennen wir das herrliche Original unser nationales Eigentum. Werther ist nicht zufällig in deutscher Sprache geschrieben worden. Nur ein Deutscher hat ihn erfinden können, ein Deutscher, wie Goethe.

Uebersinnliche Weltanschauung auf monistischer Grundlage.

Die Naturwissenschaften haben in unserer Zeit überraschende Fortschritte gemacht und immer größere Gebiete, die früher der Hypothese oder dem Aberglauben zum Tummelplatze dienten, der sichern Erkenntnis erschlossen. So erfreulich und segenverheißend dies nun für die Entwicklung unserer Kultur ist, so lässt sich doch nicht verkennen, dass das vermehrte Licht auch um so kräftigere Schlagschatten bewirkt und dass manch ein vivisezierender und mikroskopierender Forscher, der als beschränkter Stückarbeiter den Ueberblick über die Gesammtheit der Erscheinungen eingebüßt oder nie besessen hat, einem gewissen Größenwahn und einer Art materialistischen Taumels verfallen ist. Mit Pauken und Trompeten wird uns von mancher Seite verkündet, dass jetzt die Zeit des wahren Heils und der völlig irrtumsfreien Erkenntnis angebrochen sei: die letzten Phantome des Supernaturalismus, zu denen auch die Seele des Menschen gehöre, würden nun endlich in das Bereich der mechanischen Erklärung gezogen werden, und die Darstellung der Mechanik des Denkens würde den Schlussstein des materialistischen Wunderbaues bilden.

Die so siegessicheren Herren haben, meiner bescheidenen Ansicht nach, zur unrechten Zeit geschwiegen und erheben jetzt, wieder zur unrechten Zeit, ihr Triumphgeschrei. Als der Spiritualismus in deutschen Landen auch die Kreise der leicht bestochenen Viertelbildung erfasste, da hüllten sich die Männer, die berufen gewesen wären, ein aufklärendes Wort zu sprechen, in den Mantel unverbrüchlichen Schweigens und sahen mit überlegener Verachtung auf die allerdings oft recht kläglichen und albernen Possen reisender Medien herab; nur der arme Professor Zöllner verfiel mit Haut und Haar den geschickten Manipulationen eines amerikanischen Prestidigitateurs und verrannte sich mit seiner Gelehrsamkeit, die einer besseren Sache würdig gewesen wäre, in das Pandämonium seiner vierten Dimension. Jenes Schweigen war aber eine Sünde, insoweit es nicht das unfreiwillige Zugeständnis der eigenen Unkenntnis war; in grober Missdeutung einzelner Erscheinungen des organischen Lebens schüttete man das Kind mit dem Bade aus und erklärte alles Rätselhafte kühnlich für Schwindel und Betrug, bis tiefer Blickende ein neues Naturgesetz als Erklärung des Rätselhaften aufzudecken vermochten. Man erinnere sich beispielsweise nur an die Lehre vom Hypnotismus, die manchem schnellfertigen Ankläger und hartnäckigen Zweifler plötzlich den geistigen Staar stach und helles Licht über ein Gebiet verbreitete, das man bisher mit unverletztem Gewissen als die Domäne des plumpesten Betruges verschrieen hatte.

Im Allgemeinen dürfen wir gewiss stolz darauf sein, dass, gegenüber dem ungeheuren Wachstum des spiritualistischen Unfugs in England und Amerika, die kritische Veranlagung und strenge Wissenschaftlichkeit des deutschen Geistes diesem Unfuge bei uns verhältnismäßig recht enge Grenzen gezogen hat; aber indem wir das eine Extrem glücklich vermieden, fielen wir in das andere, und von allen Ecken und Enden mussten wir uns die Verkündigung von der alleinseligmachenden mechanischen Erklärung des Weltalls in die Ohren rufen lassen. Der naturalistische Hexensabbath feierte wahrhafte Orgien und übertäubte jeden bescheidenen Einwand, bis endlich aus dem Munde eines jüngeren Denkergeschlechtes das erlösende Wort ertönte, das den todtgehetzten Schlagwörtern „Monismus" und „Darwinismus" eine erweiterte, ins Transcendentale reichende Bedeutung zu geben versucht.

Heute gewinnt es den Anschein, als ob die stolzen Deklamationen des Materialismus, die pomphaften Verkündigungen von der Mechanik des Geistes bald verstummen und nur noch als überwundener Haltepunkt auf der Bahn des Erkenntnisstrebens ihren geschichtlichen Wert behalten sollten; die arg verketzerte Philosophie steigt wieder auf die Rednertribüne und weist die naturwissenschaftlichen Stückarbeiter in ihre Schranken. In der Tat, die Königin aller Wissenschaften, die von gewissen Empirikern zweiten und dritten Ranges schon mitleidig über die Achseln angesehen wurde, lässt sich nimmer aufs Altenteil setzen; sie erhebt wieder ihr vornehmes Haupt und erbringt den Beweis, dass Alles, was der mühsam sammelnde Einzelnforscher aufstapelt, so lange wertloses Material bleibt, bis sie, die Königin, die Handlanger vom Schmelztigel und Mikroskop in Tagelohn nimmt und aus den von ihnen gewonnenen Steinen erst einen einheitlichen, sicher gegründeten und nirgends Risse und Sprünge zeigenden Gedankenbau aufführt.

Unter diesen jüngeren bahnbrechenden Denkern, die unsere heutige Welt vom materialistischen Rausche zu ernüchtern berufen scheinen, ist Dr. Freiherr Karl du Prel einer der schärfsten und schneidigsten. Er wagt es, wieder von einer Seele zu sprechen; er sucht die bisher so anrüchige Mystik als kerngesunde und für uns unentbehrliche Disziplin des exakten Denkens zu rehabilitieren und gewinnt sich den Begriff der Seele, ohne in den alten, abgetanen Dualismus zurückzufallen und die monistische Erklärung von Natur und Geist im Menschen aufzugeben. Bei seinen Untersuchungen fußt er auf zwei epochemachende Entdeckungen, die wir der glücklichen Sehschärfe Kapps und Zeisings verdanken. Kapp hat in seiner „Philosophie der Technik" (Braunschweig, Westermann, 1877) nachgewiesen, „dass der Mensch in seinen technischen Erfindungen unbewusster Weise Teile seines eigenen Organismus derart nachahmt, als wären sie sein Vorbild gewesen, so dass sogar erst die technische Kopie uns das Verständnis für das organische Vorbild und dessen Funktionen eröffnet, z. B. die camera obscura das Verständnis des Auges." Du Prel verwertet diese Tatsache der „Organprojektion" nebst der andern, Zeisingschen Entdeckung, „dass unsere höchsten Kunstprodukte der Architektur, Malerei u. s. w. nach dem Formalprinzip des goldenenen Schnittes gebildet sind, nach welchem aber auch unser ganzer Organismus und dessen einzelne Teile geformt sind." Er fügt zu diesen Entdeckungen den eigenen Nachweis hinzu, „dass die Produkte der Natur, Technik und Kunst auch in Bezug auf das Wie ihres Werdens auf eine gemeinschaftliche Ursprungsquelle weisen, indem sie nach dem Prinzip des kleinsten Kraftmaßes zu Stande kommen." Aus diesen Sätzen gelangt nun der Verfasser der „Philosophie der Mystik" zu einem Schlusse, den er folgendermaßen gliedert: „Wenn wir sehen, dass die Funktionen des Herzens nicht besser verstanden werden können, als wenn man dieses mit einer Pumpe vergleicht, wie das Ohr mit einem Klavier, die Lunge mit einer Orgel, das Auge mit einem optischen Apparat; wenn wir sehen, dass die griechischen Tempel und die gotischen Dome dasselbe Formalprinzip aufweisen, wie der menschliche Organismus; dass endlich die wissenschaftlichen Hypothesen wie die Kunstprodukte des Dichters sich nach dem kleinsten Kraftmaß bilden, — dann ergeben sich mit größter Evidenz zwei Sätze:

1. Das Gestaltungsprinzip unseres Organismus ist identisch mit dem Gestaltungsprinzip unserer Mechanismen;

2. dieses gemeinschaftliche Gestaltungsprinzip ist wiederum identisch mit dem Unbewussten im menschlichen Geiste."

Mit diesen beiden Sätzen will der Philosoph die Grundlage für eine **monistische Seelenlehre** gewonnen haben, und wir dürfen in der Tat auf Alles gespannt sein, was er fernerhin zur weiteren Begründung und zum festeren Ausbau dieser außerordentlich bedeutenden Lehre noch beibringen wird. Natur und Geist im Menschen sollen endlich zu ihrem Rechte kommen, und zwar sollen sie, da sie monistisch zu erklären sind, aus einem gemeinschaftlichen Dritten abgeleitet werden. Von diesem Dritten wissen wir zunächst nur, dass es sowohl organisierend, als denkend ist; aber daraus ergiebt sich, nach du Prels Versicherung, schon ein sehr klares Verhältnis seiner bezüglichen Anschauung zu der des Materialismus und Darwinismus. Der Materialismus leiste für das Problem der organischen Formen so viel wie gar nichts. Der Darwinismus erkläre die organische Form als das Erzeugnis **äußerer** Faktoren, welche den Zwang zur Anpassung auf die Organismen ausüben, aber auch diese Erklärung überhebe uns nicht der Frage nach dem organisierenden Prinzip; trotz der unbestreitbaren Verdienste Darwins sei diese Frage nicht überflüssig. Der Monist müsse aus der Uebereinstimmung von Naturerzeugnissen und Geisteserzeugnissen auf ein identisches Gestaltungsprinzip schließen; dieses sei bei Geisteserzeugnissen tatsächlich ein **innerliches**, weil ein äußerer Anpassungsfaktor hier gänzlich fehle, und da aus den Analogien der Produkte die Identität des Gestaltungsprinzips folge, so müsse auch **für die Naturorganismen das Gestaltungsprinzip ein innerliches sein**. Die formale Uebereinstimmung zwischen Natur- und Geistesprodukt (z. B. das ästhetische Einteilungsprinzip des Organismus nach dem goldenen Schnitt und das im unbewussten Denken des Künstlers wurzelnde (selbige Prinzip) zwinge uns zur Annahme eines identischen Gestaltungsprinzips für beide. Aus der bloßen naturwissenschaftlichen Analyse der Organismen könne überhaupt die Anpassungsursache niemals gefunden werden, der du Prelschen Ansicht lasse sich daher die Darwinistische gar nicht entgegenstellen; es beruhe vielmehr nur auf einem Missverständnis, wenn man meine, der Darwinismus könnte jemals die Existenz eines organisierenden Prinzips widerlegen.

Schlagend bemerkt du Prel, dass ja auch selbst der extremste Darwinist ohne ein innerliches Gestaltungsprinzip gar nicht auskomme, denn bei der Bildung des Fötus im Mutterleibe fehle doch jeder Kampf ums Dasein und jede äußere Anpassung; und wenn man auch hier das Bildungsprinzip als Resultat der Vererbung wollte gelten lassen (die aber gerade das unerklärte Rätsel des Darwinismus und seine Voraussetzung sei), so gestände man doch eben dadurch zu, dass wenigstens die Vererbung ein innerliches Bildungsprinzip sei.

Den Nachweis, dass außer den organischen Gründen, die uns zur Annahme eines **transcendentalen** Hintergrundes in uns zwingen, auch noch psychische bestehen, hat du Prel in seiner „Philosophie der Mystik" zu erbringen versucht; aus den Phänomenen des Somnambulismus folgert er, dass das den Organismus gestaltende und erhaltende Prinzip seine Funktionen nicht vorstellungslos — wie Schopenhauer meint — und nicht in unbewusster Vorstellung — wie Hartmann meint — vollziehe. Ein metaphysisches Gestaltungsprinzip aber, dem Wille und bewusste Vorstellung zugesprochen werden müssen, nötige uns, den Schritt vom Pantheismus zum Individualismus zu machen. Bei dieser Gelegenheit wirft er den Physiologen, wie uns scheint, mit Recht, vor, dass sie noch immer das Studium des Somnambulismus für entbehrlich halten, und dass nur diese Lückenhaftigkeit ihres Wissens es erklären könne, dass sie noch immer von unbewussten Funktionen des Organismus reden.

(Schluss folgt.)

Potsdam. Gerhard von Amyntor.

Litterarische Neuigkeiten.

„Der Kriegsgedanke und die Volkserziehung" von B. Kiessling, k. b. Lieutenant (Berlin, Luckhardt). Diese Schrift zeugt von eigener Gedankentätigkeit und bedeutendem Wissen in vielen Materien. Aber der Verfasser geht in seinem heiligen Eifer für seinen Beruf denn doch ein wenig über die notwendig gesteckten Grenzen hinaus. Der Offizierstand ist ein ehrenvoller Stand und leider ein notwendiger Stand, obschon es natürlich nicht gerade zu den Glücksidealen der Menschheit gehört, stehende Heere zu unterhalten. Aber den Kriegerberuf gleichsam als das Naturnotwendige hinstellen und glorifizieren — das will modernen Menschen nicht recht plausibel erscheinen.

„Hieroglyphen" von Anatole Rembe (Leipzig, W. Friedrich). Eine geistvolle Nachahmung der „Gedichte in Prosa" („Senilia") von Turgenjew, nur manchmal etwas stark an das Vorbild gemahnend. So entspricht „Christus" (S. 16) doch allzu deutlich dem gleichnamigen Prosagedicht des Russen. Aber es sei gern bekannt, dass „Rembe" eine neue frische Erscheinung ist, die wir mit lebhafter Sympathie begrüßen.

Das treffliche Mingrelische Sittenbild „Daredjan" von G. v. Suttner ist von der russischen Censur **verboten**. Eine französische Uebersetzung desselben ist unter der Presse.

Der „Schalk-Kalender für das Jahr 1887“ ist im Verlage von Fr. Thiel in Friedenau bei Berlin erschienen. Das elegant ausgestattete Büchlein ist reich illustrirt. Obwohl die Illustratoren ihrer Neigung zur Karrikatur und zur Uebertreibung etwas die Zügel haben schießen lassen, ist doch meist eine drastische Wirkung erzielt, die manchem Geschmack zusagen wird. Auch im Text fehlt es nicht an packenden Humoresken und glücklich gelungenen Scherzen. Die patriotische Tendenz des Kalenders ist ganz besonders und rühmend hervorzuheben.

„Siegfried. Zeitschrift für volkstümliche Dichtung und Wissenschaft“ ist in die redaktionelle Leitung des bewährten Dr. Adolf Kohut übergegangen. Die Redaktion befindet sich: Dresden Gutzkowstraße 16.

„Durch die Kalahari-Wüste“, Streif- und Jagdzüge nach dem Nyami-See in Südafrika von G. A. Farini (Leipzig, F. A. Brockhaus.) Die Reise des Amerikaners Farini durch die Kalahari-Wüste bereichert in außerordentlichem Maße unsere Kenntnis der ausgedehnten Landstriche im südwestlichem Teile des Innern Südafrikas. Die Ergebnisse der Reise sind für uns um so wichtiger, als wir dadurch authentische Kunde erhalten über das Hinterland unsers deutschen Küstenstrichs von Südwestafrika, Angra Pequena. Das Werk übt aber auch durch die lebendige Schilderung der vielfachen Erlebnisse und Abenteuer auf Löwen-, Giraffen- und Straußenjagden einen besondern Reiz aus und wird daher in weiten Kreisen lebhaft interessieren. Farinis Name ist übrigens in neuester Zeit bekannt geworden, da die durch ihn von dieser Reise nach Europa gebrachten „Erdmenschen“, Vertreter einer der afrikanischen Zwergrassen, in den größern Städten Deutschlands zur Ausstellung gelangt sind.

Im gleichen Verlage wurde veröffentlicht: „Durch das Britische Reich“ von A. Freiherrn von Hübner. Die Schilderung einer neuen Weltreise des bekannten, durch seinen „Spaziergang um die Welt“ auch als Schriftsteller vielgenannten österreichischen Diplomaten. Die Reise erstreckte sich auf Südafrika, Neu-Seeland, Australien, Indien, Ozeanien (die Insel Norfolk, die Fidschi- und Samoa-Inseln) und Nordamerika.

Bei Cotta in Stuttgart erscheint eine „Bibliothek deutscher Geschichte“ unter Mitwirkung hervorragender Gelehrter. Diese „Bibliothek deutscher Geschichte“ hat die Bestimmung, in einer zusammenhängenden Reihe selbständiger Werke jedem Gebildeten die Kenntnis der Geschichte unseres Volkes im Ganzen und in seinen Teilen zu vermitteln, wie sie auf Grund der bis jetzt gewonnenen Forschungsergebnisse erreicht werden kann. Dieselbe umfasst folgende Werke: I. Deutsche Geschichte von der Urzeit bis zu den Karolingern. Von Dr. Oskar Gutsche, Gymnasialprofessor (Danzig). II. Deutsche Geschichte unter den Karolingern. Von Dr. Engelbert Mühlbacher, Universitätsprofessor (Wien). III. Deutsche Geschichte unter den sächsischen und salischen Kaisern. Von Dr. M. Manitius (Dresden). IV. Deutsche Geschichte unter den Hohenstaufen. Von Professor Dr. J. Jastrow, Privatdozent (Berlin). V. Deutsche Geschichte unter den Habsburgern und Luxemburgern (1273 bis 1437). Von Dr. Theodor Lindner, Universitätsprofessor (Münster). VI. Deutsche Geschichte im Ausgange des Mittelalters. Von Gymnasialprofessor Dr. Victor v. Kraus (Wien). VII. Deutsche Geschichte im Zeitalter der Reformation. Von Dr. Gottlob Egelhaaf, Gymnasialprofessor (Stuttgart). VIII. Deutsche Geschichte im Zeitalter der Gegenreformation und des dreißigjährigen Krieges. Von Dr. Moritz Ritter, Universitätsprofessor (Bonn). IX. Deutsche Geschichte im Zeitraum der Gründung des preußischen Königtums. Von Dr. H. v. Zwiedineck-Südenhorst, Universitätsprofessor und Landesbibliothekar (Graz). X. Friedrich der Große. Von Dr. Reinhold Koser, Universitätsprofessor (Berlin). XI. Deutsche Geschichte vom Tode Friedrichs des Großen bis zum Ausgange des achtzehnten Jahrhunderts. Von Dr. K. Th. Heigel, Universitätsprofessor (München). XII. Deutsche Geschichte im Zeitalter Napoleons I. Von Dr. August Fournier, Universitätsprofessor (Prag). XIII. Der deutsche Bund und das neue Reich. Von Dr. H. v. Zwiedineck-Südenhorst. XIV. Uebersicht der deutschen Geschichte nach Landschaften. Hauptregister.

Im Verlage von Hermann Risel & Komp. in Hagen i. W. erschien: „Ilse“. Ein Lebensbild von Antonie v. Olten. Preis 1,20 Mk. Es ist eine kurze Liebesgeschichte, die in dem kleinen Buche erzählt wird. Ein adeliger, reicher Gutsbesitzer liebt die Gouvernante im Hause seiner Schwester, die Mutter will die Heirat nicht zugeben, aber schließlich wird doch geheiratet und bei der Geburt des ersten Enkels läßt sich auch die adelsstolze Großmutter versöhnen. Der junge Baron sieht, liebt und verlobt sich schnell. Die Heldin des Romans, die schöne Ilse, hat zuvor einem Professor einen Korb gegeben, dieser aber tröstete sich schnell und heiratet die Schwester der Geliebten. Die Geschichte hat den Vorzug, dass sie sich bei dem anzuerkennenden guten und gewandten Stil angenehm liest.

Ein „Handbuch amerikanischer Schriftsteller“ befindet sich gegenwärtig unter der Feder eines amerikanischen Gelehrten. Dasselbe wird ca. 1500 Namen und die dazu gehörigen biographischen Notizen enthalten.

„Das Buch berühmter Buchhändler“ von Karl Fr. Pfau. II. Teil. (Leipzig, K. Fr. Pfau). Der Verfasser hat ebenso wie dem ersten Bande, welcher sich ausschließlich mit den deutschen Koryphäen des Buchhandels beschäftigt, auch dem neuerschienenen viele Sorgfalt gewidmet. In diesem macht er uns teilweise auch mit den ausländischen „Vertretern der Kunst und Wissenschaft“ bekannt und dürfte das Werk nunmehr für jeden Fachgenossen wie auch für den Laien ein Gegenstand größerer Beachtung sein.

Der englische Reisende und Berichterstatter Sala veröffentlicht demnächst seine Lebenserinnerungen. Dieselben umfassen einen Zeitraum von über fünfzig Jahren, während deren er die Bekanntschaft mit den meisten litterarischen, künstlerischen und politischen Berühmtheiten der englischen Hauptstadt gemacht hat.

Von Kollars „Slávydcera“ (Die Tochter der Slavia), dem Hauptwerke der böhmischen Litteratur aus dem Anfange dieses Jahrhunderts, sind zwei neue Ausgaben erschienen; von der Svobodas (bei Kober erschienen) beweist Backovský in den „Rozhledy liter.“, dass sie nicht den Text des Dichters biete, sondern denselben zu verbessern sich getraue. Leider läßt sich auch Backovský eigener Ausgabe (in Borovýs Verlage) nichts besseres nachrühmen. Sie ist zwar mit textkritischen Anmerkungen überladen, jedoch der Text aus allen fünf Ausgaben in ganz unkritischer und willkürlicher Weise kompiliert, so dass jeder Freund dieser interessanten Sonettendichtung nach wie vor an die alten Ausgaben sich wird halten müssen.

„Die Religion im Lichte der Darwin'schen Lehre“ von M. J. Savage, in deutscher Uebersetzung von Dr. R. Schramm. (Leipzig, Otto Wigand.) In dem vorliegenden Buche hat der Verfasser sich die Frage gestellt und zu lösen versucht: „Was wird aus der Religion, wenn die Darwin'sche Entwicklungslehre mit allen ihren Konsequenzen Recht hat?“ Die Art, wie er sie beantwortet, verdient gewiss nicht bloß unter Theologen, sondern auch vom Standpunkte des Kulturhistorikers die vollste Beachtung.

Neue Erscheinungen.

Bei H. Minden (Dresden) erschien: „Durch scharfe Gläser“, Satiren von G. Schwarzkopf.

Bei Schmorl & Seefeld (Hannover): „Georg Ramstedt“, Roman von O. v. Monteton.

„Die Amerikanerin“, Roman von S. Junghans (Leipzig, Reißner). „Heinrich von Plauen“ von Ernst Wichert. Vierte Auflage. (Ebenda.)

„König Phantasus“ von E. M. Vakano. (Mannheim, Bensheimer.)

„Der Kampf einer Frau“ von Schmidt-Weißenfels. (Karlsruhe, Pollmann.)

„Schlichte Weisen“, Gedichte von A. Rückert. (Leipzig, Brauns.)

„Feldblumen“, Gedichte von J. Bojanowski. (Wolfenbüttel, Zwissler.)

„Grundzüge moderner Humanitätsbildung.“ Ideale und Normen von R. Biese. (Leipzig, Wilhelm Friedrich.)

„Aide-mémoire de la conjugaison des verbes français“ par Dr. A. Ricard. (Prag, Neugebauer.)

„Moderne Geister“ von G. Brandes. Zweite vermehrte Auflage. (Frankfurt a. M., Rütten & Lönig.)

Alle für das „Magazin“ bestimmten Sendungen sind zu richten an die Redaktion des „Magazins für die Litteratur des In- und Auslandes“ Leipzig, Georgenstrasse 6.

Für die Redaktion verantwortlich: Karl Bleibtreu in Charlottenburg. — Verlag von Wilhelm Friedrich in Leipzig. — Druck von Emil Herrmann senior in Leipzig.

Das Magazin

für die Litteratur des In- und Auslandes.

Wochenschrift der Weltlitteratur.

1832 gegründet von Joseph Lehmann

55. Jahrgang.

Preis Mark 4.– vierteljährlich.

Herausgegeben von Karl Bleibtreu.

Verlag von Wilhelm Friedrich in Leipzig.

No. 41. — Leipzig, den 9. Oktober. — 1886.

Inhalt:

Wiener Autoren.

Von Ernst Wechsler.

III.

Carl von Thaler.

Der Träger des Namens, der an der Spitze dieses Artikels steht, ist seinem Berufe nach Journalist und zwar Wiener Journalist. Die Eingeweihten wissen, dass die soziale Stellung der Journalisten in Wien im Großen und Ganzen eine erschütterte ist, dass das Publikum dortselbst bei aller oft an Ueberschätzung grenzenden Hochachtung von der geistigen Bedeutung der Journalisten bereits großes Misstrauen zu hegen beginnt gegen deren bürgerliche Eigenschaften. Man muss zugestehen, dass Wien eine hervorragende Blütestätte moderner Journalistik mit all ihren Tugenden und — gelinde gesagt — Untugenden geworden ist; die Kaiserstadt an der Donau beherbergt Journalisten — Namen zu nennen wäre überflüssig und auch etwas umständlich — deren Ruf weit die Marken ihres engeren Vaterlandes überschritten, deren Wort eine Art Diktatur über das Urteil der Menge ausübt und so einen Einfluss besitzt, dessen sich ihre Kollegen vom Reich durchaus nicht rühmen dürfen. Aber man muss auch sagen, dass kaum in einer anderen Stadt der journalistische Mob so sehr sein Unwesen treibt als in Wien und dass der es allzumeist verschuldet hat, wenn sich bereits gegen den ganzen Stand ein hässliches Vorurteil zu bilden im Begriffe ist, unter dem selbst die vornehmsten und moralisch unanfechtbarsten Publizisten zu leiden haben.

Dr. Carl von Thaler ist einer jener Journalisten, von denen wir oben sagten, dass sie Kraft ihrer glänzenden Feder die Richtung Tausender bestimmen, er ist aber nicht nur als Journalist sondern auch als persönlicher Charakter, als Dichter und wegen seiner unentwegten nationalen Gesinnung eine der interessantesten und bemerkenswertesten Erscheinungen der journalistischen Welt.

Wohl mag seine Mutter,*) eine in jeder Beziehung hochachtbare und geistig bedeutsame Frau viel dazu beigetragen haben, dass in Thaler jene Grundsätze und Anschauungen mächtig Wurzeln fassen konnten, um derentwillen er in der Achtung der Welt steht. Unserer Gepflogenheit getreu wollen wir auch diesmal der litterarischen Skizze einige biographische Original-Daten voranschicken.**)

Carl von Thaler wurde am 30. September 1836 in Wien geboren, seine Jugendzeit verbrachte er aber in Tirol; seine Gymnasialbildung erlangte er in Innsbruck und Brixen; in Innsbruck, Heidelberg und Bonn betrieb er germanische, klassische und orientalische Studien, im Januar 1857 erwarb er in Heidelberg das Doktorat. Seine Absicht, sich als Privatdozent

*) Anna von Thaler, Verfasserin des Romans: „Ein seltsames Vermächtnis" und einer zweibändigen Novellensammlung.

Bibliographie. „Sturmvögel". (Geharnischte Sonette.) 1860. — „Michels Versucher." (Eine Zeitkomödie in Versen.) 1860. Diese Dichtung konnte ich mir zu meinem größten Bedauern nicht beschaffen. — „Aus alten Tagen." (Gedichte.) 1869. Außerdem zahlreiche formell mustergiltige Uebersetzungen aus dem Italienischen. Die italienische Litteratur erfreut sich an Thaler eines feingestimmten Interpretators. Wir haben vor einigen Monaten im „Magazin" einen Vortrag „über die moderne italienische Lyrik" angezeigt, den Thaler im Wiener Verein für Litteraturfreunde gehalten hat.

für deutsche Philologie und Litteraturgeschichte zu habilitieren, scheiterte (1859), im Herbst des darauf folgenden Jahres kam er nach Wien und sprang in die Journalistik ein. Zuerst war er Mitarbeiter an den unter Dr. Kolatscheks Leitung stehenden „Stimmen der Zeit", einer früher in Leipzig, später in Wien veröffentlichten Halbmonatsschrift; im Frühling 1862 trat er in die Redaktion des neugegründeten „Botschafter", dessen politischer Leiter Julius Fröbel war, und blieb dort bis zum seligen Ende des Blattes im Juli 1865. Unterdessen war die „Neue freie Presse" — Juni 1864 — gegründet worden; Thaler schrieb für das junge Organ zahlreiche litterarische und politische Artikel, Feuilletons und leitete dessen „Litteraturblatt"; nach seiner Rückkehr aus dem Orient (Juni 1868) trat er in die Redaktion als Leitartikler für auswärtige Politik ein. Neujahr 1871 verließ er die Redaktion wegen entstandener politischen Differenzen zwischen ihm und Etienne und fand bald in der „Presse" Anstellung. Dort blieb Thaler bis zum Dezember 1871, bis zur Gründung der „Deutschen Zeitung", die er als nationales Organ mit Jubel begrüßte und an deren Spitze er mit J. H. Wehle und Joseph Regnier vom Oktober 1872 bis Mai 1873 als Herausgeber stand. Im Juni 1873 kehrte er zur „Neuen freien Presse" zurück, wo er nun wieder seit beinahe dreizehn Jahren Feuilletons und Leitartikel über auswärtige Politik schreibt.

Wie man sieht, hat Thaler eine reiche und ehrenvolle Vergangenheit hinter sich; in allen Handlungen seines Lebens ist er stets seinen Grundsätzen treu geblieben, er hat nie seine Feder in den Sold einer Partei gestellt, deren Tendenzen und Bestrebungen er nicht geteilt, er hat stets in mannhaftem und opferfreudigem Mute für die deutsche Sache gekämpft. Es giebt in dem von nationalem Hader und Parteigetriebe verwüsteten Wien gar wenig Journalisten, von dênen man das Gleiche sagen kann.

Wie sich Thaler in seinen Leitartikeln und — was wir noch später betonen werden — in seinen Gedichten für die deutsche Sache kraftvoll bewährte, so verleugnet sich der Mensch in keinem seiner Feuilletons. Eine wohltuende Wärme des Gefühls, eine weise Milde des Urteils durchweht alle seine Arbeiten, man sieht, ein gemütvoller Mann waltet hier seines Amtes, und das Gemüt wird leider bei den Journalisten ein seltenes Ding. Schillernder Geistreichtum, blendende Thesen, ätzende Ironie sind die Kriterien des „Wiener Feuilletonstils", der mehr berückt als erhebt, mehr glänzt als wärmt. Thalers Schreibweise hebt sich dagegen eigentümlich schön ab. Ein lyrischer Zug geht durch jedes seiner Worte, eine herzensedle Toleranz, die Alles begreift und Alles verzeiht, nimmt den Leser gefangen. Zu diesen trefflichen Eigenschaften gesellt sich eine vielseitige Bildung, welche den Inhalt seiner Feuilletons geistig verdichtet, und eine nur Wenigen verliehene Kunst der harmonisch-reinen Abtönung und Abrundung.

Dass Thaler unter den bedeutenden und glänzenden Feuilletonisten Wiens einen hohen Rang einnimmt, ist eine allgemein bekannte Tatsache; dass aber Thaler ein entschieden hervorragender Lyriker ist, der an Formsicherheit und Gefühlstiefe Dutzende von unseren Mode-Versifexen turmhoch überragt, das wissen verhältnismäßig Wenige. Allerdings trägt daran der Umstand Schuld, dass Thaler nur mit einer ganz geringen Anzahl von Schöpfungen hervorgetreten ist, und man wird schier versucht, mit ihm herbe zu rechten, dass er in vornehmer Ruhe bei sich eine große Anzahl herrlicher, oft berückend-schöner Poesien verwahrt, indes eine Schaar Halbtalente alljährlich Bände auf den Markt wirft und sich so einen gewissen Namen als „Poeten" erringt. Wie kraftstrotzend sind seine „Sturmvögel"! Wie sinnvoll ist sein Buch „Aus alten Tagen". Der erste Teil „Germania" gehört zu den bedeutendsten dichterischen Hervorbringungen, die Deutschland preisen; in Form eines Märchens erzählt der Dichter Deutschlands Geschichte, mit großer Gewandtheit vermeidet er jede direkte historische Anspielung, um nicht den Ton des Märchens zu stören und entrollt dennoch all das Leid, die Schmach, den Stolz — alle Schicksale, welche unser Vaterland betroffen haben. Nicht minder schön ist der zweite Teil: „Die Fahrt nach Canossa". Es sprüht und saust oft in diesen Versen voll ungeberdiger feuriger Kraft. Zeigte der Politiker stets seine nationale Gesinnung, so weiß auch der Dichter Thaler die Herzen im Schwunge nationaler Begeisterung mitzureißen.

Wir lassen hier — einem ungedruckten Cyklus entstammend — drei Gedichte folgen; diese in ungekünstelter Einfachheit und Schlichtheit glänzenden Verse mögen den Beweis liefern, dass die Ansicht, der Dichter müsse im Journalismus untergehen, auch einige Ausnahmen gelten lassen darf.

I.

Es schlief mein Herz durch lange, bange Jahre,
Im Banne der Erinn'rung und der Pflicht;
Mich mahnten schon die reifversengten Haare:
Vergiss uns nicht!

Nur leise, wie im Traume, zog ein Sehnen
Nach Sonnenschein, nach neuer Liebeslust,
Der Wunsch, ein teures Haupt an meins zu lehnen,
Durch meine Brust.

Doch zweifelnd fragt' ich: Darf ich denn noch hoffen,
Der reife Mann, dem längst die Jugend schwand?
Zeigt mir den Weg des Glücks noch einmal offen
Des Schicksals Hand?

Da fand ich dich, — aus deinen dunklen Sternen
Flammt' in die Seele mir ein Feuerstrahl.
Bist du, was ich gesucht in allen Fernen,
Mein Ideal?

Vielleicht! — denn hell seh' ich das Leben winken.
Die Jugend kehrt auf's Neue mir zurück,
Darf ich von deinen süßen Lippen trinken
Mein letztes Glück!

II.

Was sprichst du mir von Sitte und Pflicht,
Im Auge den feuchten Glanz?
Sei mein, Geliebte, und sträube dich nicht,
Ergieb dich mir voll und ganz.

Nicht nur die Seele schenkt das Weib
In wahrer Liebe Bann, —
Es schenkt mit Freuden auch den Leib
Dem auserwählten Mann.

Es sagt und zweifelt nicht, es glaubt,
Was die Liebe flüstert ins Ohr:
Wer eine Minute des Glücks sich raubt,
Weiß nicht, was er verlor!

Drum lächle Gewährung, roter Mund
Und Trost mir ins Herz hinein;
Die Sehnsucht macht es krank und wund, —
Sei mein, Geliebte, sei mein!

III.

Du blickst mich an mit stummer Klage
So vorwurfsvoll, mein teures Lieb;
In deinen Augen steht die Frage:
Ob dir mein Herz auch treu verblieb?

Wie bist du töricht, dich zu quälen!
Kennst du mich nicht bis auf den Grund?
Ich hätte Lust, dich hart zu schmälen,
Doch küss' ich lieber deinen Mund.

Komm an mein Herz! Sein lautes Pochen
Scheuch deine Zweifel schnell zurück:
Du weißt, mein Wort ward nie gebrochen,
Ich sage dir: du bist mein Glück!

Du bist der Quell, der milde labend
Mit langer Irrfahrt mich versöhnt;
Du bist die Sonne, die den Abend
Des Lebens leuchtend mir verschönt!

Ich müsste ohne dich verschmachten,
In Finsternis versunken sein;
Wie könnt' nach andrer Lieb' ich trachten,
Da du mit Leib und Seele mein?

Lass mich an deinen Lippen hangen
Und glaub': Wenn dich umschlossen hält
Mein Arm in seligem Umfangen,
Versinkt für mich die ganze Welt!

Und mir bliebe nun nichts anderes mehr übrig, als zu sagen, dass der Mensch Thaler sich mit dem gesinnungstreuen Politiker, dem feinsinnigen Feuilletonisten und gemütstiefen Lyriker vollkommen deckt. Allerdings könnte man entgegnen, was hat diese Bemerkung in einem litterarischen Aufsatz zu tun? Ja wohl, sie hat eine Berechtigung, wenn wir den Leser an den Anfang unserer Zeilen verweisen. Thaler ist Journalist und bei einem solchen spielt der persönliche Charakter eine viel größere Rolle, als man glauben mag. Die Leute, welche die öffentliche Meinung aussprechen, ja oft bilden, müssen persönlich unanfechtbar und makellos sein. Bei dem Dichter ist es für die Welt gleichgültig, ob sein Charakter sich mit dem seiner Werke identifiziert oder nicht, und der Satz, dass die Autoren das Gegenteil von ihren Büchern seien, ist auf den Journalisten angewendet, geradezu beleidigend. Ich betone es nochmals, C. von Thaler ist ein vornehmer, hochherziger Charakter, eine edle, feingeistige Natur, die sich im Trubel der Welt ihre Reinheit bewahrt hat. Diejenigen, denen es vergönnt war, mit ihm näher zu verkehren, wissen sehr wohl, dass ich nicht zu viel gesagt habe.

Im Interesse unserer heutigen Journalistik ist es eine Notwendigkeit, auf solche Persönlichkeiten hinzuweisen und hierdurch dem Publikum Anlass zu geben, glänzenden Ausnahmen zu Liebe sein Vorurteil gegen den **ganzen** Stand zurückzunehmen oder wenigstens zu mildern und über unwürdige Elemente einfach hinwegzusehen.

Uebersinnliche Weltanschauung auf monistischer Grundlage.

(Schluss.)

Wir müssen es uns im Hinblick auf die nötige Knappheit dieses Artikels versagen, dem weiteren Gedankengange du Prels hier zu folgen, verweisen aber Jeden, der an diesen hochwichtigen, die ganze Zukunft unserer geistigen Entwicklung beeinflussenden Fragen Anteil nimmt, auf die bezügliche Abhandlung du Prels: „Monistische Seelenlehre", in deren erstem Abschnitt „Das organisierende Prinzip" die oben flüchtig skizzierten Sätze eingehender erörtert sind. Trotzdem möchten wir für Alle, die sich durch die verfrühten Siegesrufe eines die Welt zu einer gedankenlosen Stoffmasse verflachenden Materialismus in ihren trostreichsten Ueberzeugungen und beglückendsten Hoffnungen gestört und beunruhigt gefühlt haben, doch noch gern ein paar Stellen aus jener Abhandlung mitteilen, die das Interesse an der bezeichneten Quelle wesentlich steigern und einen Ausblick auf die fernen und hohen Ziele eröffnen dürften, denen die monistische Seelenlehre zustrebt.

„Wenn das organisierende Prinzip transscendentaler Natur ist, wenn es unserer irdischen Erscheinungsform vorhergeht und der Leib nur sein Produkt ist, so muss es auch den Tod des Leibes überdauern. Das Produkt, der Leib, zerfällt im Tode; der Produzent aber, das Organisationsprinzip, die Individualkraft, bleibt. Nicht Zeit und Raum sind, wie Schopenhauer meint, principia individuationis, wodurch unsere individuelle Existenz auf das irdische Dasein beschränkt wäre, und wir unmittelbar in der Weltsubstanz wurzeln müssen; sondern das transscendentale Subjekt ist principium individuationis. Darum muss dieses zwischen uns und die Weltsubstanz eingeschoben werden, und unsere individuelle Existenz überdauert den Tod. Das transscendentale Subjekt lässt im Tode nur seine irdische Erscheinungsform fallen, kann aber damit nicht selbst verschwinden. Wir müssen also dasselbe den realen Wesen beizählen, wie die Atome. Die Seele, organisierend und denkend, fällt ausserhalb der Erscheinungswelt, welche ja nur das Produkt ihres sinnlichen Bewusstseins ist. Aus der Existenz eines organisierenden Prinzips folgt also nicht nur Präexistenz, sondern auch Unsterblichkeit."

Jeder bewusst lebende, durch das Rätsel seines Selbst immer wieder zum Grübeln und Staunen, zu Furcht und Hoffnung, hingezogene Mensch wird mit hochgesteigerter Erwartung einer Untersuchung folgen, die so helle und vielversprechende Schlaglichter auf die Möglichkeit einer von Vielen belächelten und in gewissen Stunden des Lebens doch von Allen herbeigesehnten Versöhnung von Wissen und Glauben wirft, und diese Untersuchung muss an Bedeutung gewinnen, wenn sie, wie es den Anschein hat, uns zur Bloßlegung der allen metaphysischen Richtungen gemeinsamen, und in den dunklen Schacht des Unbewussten verlaufenden Wurzeln hinleitet, denn in dem Satze von der Präexistenz und Fortdauer des organisierenden Prinzips, wenn er anders einwandsfrei bewiesen werden kann, vermittelt sich das christliche, ohne Annahme einer Präexistenz logisch hinfällige Dogma von der Unsterblichkeit mit der altägyptischen und altindischen Metempsychose, welche, eine eigentliche Meteusomatose, die Wanderung der Menschenseele sogar durch alle Tierkörper lehrte.

„Nach Darwin ist die organische Form das Produkt äußerer Verhältnisse, nach der transscendentalen Philosophie ist sie das Produkt eines inneren Bildungsprinzips. Diese beiden Anschauungen sind nur versöhnbar, wenn wir einen t r a n s s c e n d e n t a l e n D a r w i n i s m u s annehmen."

Auch mit diesem Satze legt du Prel eine weite Bresche in die chinesische Mauer, die unser ins Unendliche strebendes Denken bisher auf eine unleidliche Weise zu bezirken und einzuengen drohte. Schon Hellenbach hat die naturwissenschaftlichen biologischen Theorien in seinem „Individualismus" einer eingehenden kritischen Würdigung unterzogen und hinter jedem Organismus einen „Metaorganismus" gefunden; nun tritt du Prel auf und behauptet, dass der physische Darwinismus allerdings eine Wahrheit, aber dass es nur möglich sei, wenn es zugleich einen metaphysischen Darwinismus gebe. „Das transscendentale Wesen wird durch jede seiner irdischen Existenzen modifiziert, im guten oder schlimmen Sinne, im Sinne der Entwicklung oder der Rückbildung, und diese modifizierte Beschaffenheit muss in seiner nächsten Wiederverkörperung (Incarnation) zur äußeren Darstellung kommen."

Wer sich durch solche Sätze bewogen fühlen sollte, nähere Fühlung mit dem betreffenden Gegenstande zu suchen, dem dürfte eine neu erschienene Monatsschrift „Sphinx" vielleicht gute Dienste leisten. Die „Sphinx" (Griebens Verlag, Leipzig, I, 1. Heft 1886) stellt sich die geschichtliche und experimentale Begründung der übersinnlichen Weltanschauung auf monistischer Grundlage zur Aufgabe; sie wird von Hübbe-Schleiden, Dr. J. U. und Verfasser mehrerer kolonisationspolitischer Schriften, herausgegeben und hat außer du Prel, Wallace und Barrett, auch den amerikanischen Professor der Biologie Elliott Coues und die beiden indischen Brahminen Chatterdji (Calcutta) und Dharbagiri Stath (Madras) zu ständigen Mitarbeitern gewonnen. Wenn auch diese Mitarbeiterschaft von Vertretern des orientalischen Occultismus der Monatsschrift einen besonderen Reiz verleihen dürfte, so verkennen wir andererseits doch nicht eine gewisse Gefahr, die die Beteiligung indischer Gelehrten an unserer nüchternen Forschung zu enthalten scheint. Wir wünschen von Herzen, dass sich die Monatsschrift immer auf der Höhe strenger Wissenschaftlichkeit halten und dass sie bei ihren Untersuchungen der Gedanken-Uebertragung, des Hellsehens, der Wahrträume, des Biomagnetismus und anderer übersinnlicher Erscheinungen streng nach den Regeln der experimentalen und der juristischen Praxis verfahren und sich niemals in die „vierte Dimension" verirren möge. Wenn der Herausgeber bemerkt, dass sich im Gebiete der Mystik heute Betrug und Täuschung in einer Weise ausgebreitet haben, dass, wenn nicht jetzt eine wissenschaftliche Behandlung dieser Aufgaben vorgenommen wird, eine wirkliche Gefahr für das geistige Leben weiter Kreise unseres Volkes daraus erwachsen könne — so unterschreiben wir diesen Satz aus voller Ueberzeugung. Diese Gefahr ist in der Tat nicht minder bedrohlich, als andererseits die Versumpfung im sinnlichen und praktischen Materialismus. Möge es dem neuen Unternehmen nur gelingen, allen Täuschungen, die sich auch in seine eigenen Spalten keck einzudrängen suchen werden, einen kräftigen Damm der Abwehr entgegenzusetzen und am Baume der übersinnlichen Weltanschauung nur reife und gesunde Früchte zu zeitigen.

Mit dem Programm der Sphinx, die i r r t ü m l i c h e n Vorstellungen über den Menschen und seine Stellung in der Welt, als Quelle einer ganz einseitigen Verstandesbildung und tiefgehender sittlicher Schäden unseres Volkslebens, zu beseitigen, wird sich jeder Einsichtsvolle nur einverstanden erklären können, und gerechtfertigt erscheint es auch, wenn sie von der wahren Kultur behauptet: „Sie muss das Uebersinnliche im Menschen mit umfassen; — um zu tun, was er soll, muss der Mensch wissen, was er ist. Die sozialen Aufgaben, welche sich jetzt mehr und mehr in den Vordergrund drängen, können nicht durch gesetzliche Bestimmungen und polizeiliche Maßregeln gegen die Symptome gährender Bewegung gelöst werden; dazu muss vielmehr zunächst dem Menschen eine vollständige Weltanschauung gegeben und auch das transscendentale Wesen der Natur und unserer selbst zum Bewusstsein gebracht werden."

Wir erkennen auch hier nur die Bestätigung der alten Wahrheit, dass jede Zeit soviel wert ist als ihre Philosophie. Nicht nur die Uebervölkerung, das wachsende Konkurrenzgetümmel und der zeitweise Hunger sind die Faktoren wahnsinnig-verzwei-

feindlicher Umsturzdoktrinen; auch von oben her sickert das gährende Gift krankhafter Moderichtungen des Geistes in die unteren Massen, und was als Miserabilismus und Materialismus sich im Salon in blasirtem oder cynischem Plauderton selbstgefällig spreizt, das wird in Hütte und Werkstatt zum unbegriffenen Motor, der Stürme und schlagende Wetter auf der blutgedüngten Gasse entfesselt. Eine zum Zweifel erwachte, sittlich haltlos gewordene Menge lässt sich aber nicht mehr durch das Zaubermittel dogmatischer, dem Geiste der Kritik trotzender Sätze besänftigen; das, was ihr und uns allen not tut, ist eine mit den Ergebnissen der mächtig voranschreitenden Naturwissenschaft in Uebereinstimmung gebrachte Ethik. Die Verwandlung des Glaubens an eine Seele und deren Unzerstörbarkeit durch den leiblichen Tod in ein Wissen erscheint uns heute freilich noch immer als ein frommer, kindlicher, vielleicht kindischer Traum; sollte es aber je der Philosophie gelingen, diesem Traume auch nur eine Ahnung von Wahrheit und Wesenhaftigkeit einzuhauchen, so würde sie sich einer Leistung rühmen dürfen, die mehr als alle Telephone und dynamoelektrischen Maschinen zu unserer wirklichen kulturellen Erlösung beitragen würde.

Potsdam. Gerhard von Amyntor.

Bemerkungen über Byrons Poesie.

I.

Walter Scott hat einmal gesagt, zwei Menschen würden der Welt Stoff zu immer neuen Betrachtungen geben: Napoleon und Byron. Es ist auch gewiss bemerkenswert, dass neuerdings das schon geschwundene Interesse an diesen beiden Phänomenen sich lebhaft aufgefrischt hat. Gleichwohl steht es außer Frage, dass bisher noch keine abschließende Darstellung Beider geboten wurde, da ihre Bewunderer die Lichtseiten, die Uebelwollenden die Schattenseiten dieser Geistesriesen einseitig hervorheben.

So müssen wir denn gestehen, dass die erste Arbeit, in welcher Byrons Genius richtig aufgefasst und gewürdigt scheint, uns in der „Einleitung" (drei enggedruckte Bogen) entgegentritt, welche W. Kirchbach zu der neuen Ausgabe Byrons in Cottas „Bibliothek der Weltlitteratur" beigesteuert hat.

Was der Verfasser freilich gleich anfangs über eine Art Verwandtschaft Byrons mit Lorenz Sterne herausspintisiert, indem er den „Don Juan" aus dem lebenslustigen denklustigen Virtuosentum, welchem „Tristram Shandy" seine Entstehung verdankt, hervorgehen lässt, scheint uns ziemlich künstlich ausgeklügelt. Indess finden wir die Auffassung Kirchbachs, betreffs des „Don Juan" an sich, am Schlusse der Abhandlung ebenso geistvoll als richtig. Nicht ein skeptisch-weltschmerzliches Zerrissenheitsbild, sondern ein siegreiches Spielen mit dem Skeptizismus haben wir in diesem humoristischen Hauptwerk der Neuzeit zu bewundern. Die großartige Genialität des Byronschen Plans, Don Juan d. h. den Skeptizismus des 18. Jahrhunderts in der Französischen Revolution untergehen zu lassen, hätte Kirchbach sogar noch viel wärmer betonen können. Mit den beredtesten treffendsten Worten weiß der als Aesthetiker wirklich hervorragend beanlagte Autor hingegen die unvergleichliche Tiefe und Erhabenheit des „Kain" anschaulich zu machen, sein Lieblingswerk wie es scheint, worin wir mit ihm völlig übereinstimmen. Er erkennt hier den graden Gegensatz melancholischer Zerrissenheit: eine titanische Freiheit, welche mit staunender gesunder Unmittelbarkeit und naivem Kainssinn sich gleichsam ganz neu als Urmensch mit dem Welträtsel abzufinden sucht.

Unbedingtes Lob können wir auch Kirchbachs Zergliederung des „Childe Harold" zollen, wenn er darin den Kampf rein poetischer und äußerlich rhetorischer Elemente zu erkennen glaubt. Aber er irrt offenbar, hier nach der Byron günstigen Seite hin, wenn er meint: „Der psychologische Kunstgriff ist meisterhaft" — nämlich, dass uns Byron einen blasierten Menschen vorführt, der an chronischem „Ueberdruss" leidet und nicht zu schätzen weiß, wofür uns der Dichter begeistern will, indem wir so diese Dinge (nämlich Natur, Heldentum, Tugend, Schönheit) erst recht mit gesteigerten Organen anschauen. Hier wird dem jungen Lord ein Kunstgriff untergeschoben, der durchaus unbeabsichtigt war. Junker Byron glaubte ehrlich und naiv, dass er „blasiert" und „zerrissen" sei, und war es wohl auch in der Tat, als er mit seinem Childe Harold-Phantom die Pilgerfahrt begann. Er selbst wurde sich an seiner Dichtung erst seiner selbst bewusst. Childe Harold war ein Tagebuch, weiter nichts, und künstlerische Anordnung irgend welcher Art lag ihm, dem Dilettanten, der allmählich sein Dichtertum inne werden musste, ganz fern. Sehr richtig urteilt Kirchbach auch, dass die Zeitgenossen eine praktische Poesie lebendigen Lebens an diesem Reisetagebuch erlebten, welche für die Nachwelt nicht mehr besteht. Sie besteht nur noch für den intimen Byronkenner, der, mit allen historischen Details vertraut, sich in die Zeit der Childe Harold-Reise zurückzuversetzen mag. Den wunderbaren psychologischen Reiz, der darin beruht, dass der junge Lord-Dilettant den latenten Strom der Gestaltungskraft an den geschauten Gegenständen „frei" macht und der Leser gleichsam mit ihm bei der Lektüre ähnlich zum Dichter wird, hat Kirchbach mit gewohntem Scharfsinn ausgespürt. Gerade die große Unreife dieser Jünglings-Gesänge des Childe Harold, zu welchen die reifen Schlussgesänge des Mannes die logische Fortsetzung bilden, wirkt noch heute auf den Verständnisvollen bezaubernd.

Wenn nun aber unser Autor häufig das Wort „Unreife" betreffs des Menschen Byron anwendet, so möchten wir behaupten, dass eine gewisse Unreife — vom weltlichen Standpunkt aus — eine unerlässliche Bedingung des Genies (nicht des Talentes) bildet, aber wohl nur eine äußerliche scheinbare Unreife, hervorgegangen aus dem psychologischen Prozess, dass dem Genie stets eine höhere als die reale Wahrheit als innere Erscheinung vorschwebt. Knabenhaftigkeit des Gebahrens („baby" „boyish" wurde Byron oft genannt) hängt wohl mit jener genialen Kindlichkeit eng zusammen, welche in letzter Entwickelung zu so großartiger Naturwüchsigkeit wie im „Kain" gelangt.

Erschöpfend fasst Kirchbach am Schluss noch einmal das Wesen der Byronischen Dichtungsarbeit zusammen. „Dämonisch wie die Natur selbst dämonisch ist im Ueberschuss ihrer Kräfte" nennt er sie. Damit ist schon von selbst die lächerlich schiefe Auffassung zurückgewiesen, die den Byronismus in blasiertem Ueberdrusse sucht und in dem „entschlossenen Engländer, der in gesammelter Lebenskraft herkulische Dichterarbeit bewältigt und im Reichtum seiner Kräfte eine ungeheure Lebenslust rücksichtslos austobt" einen Poeten der Zerissenheit feiert. Allein Kirchbach scheint uns denn doch hier wiederum weit über das Ziel hinauszuschießen. Er will auch keinen Weltdichter des Weltschmerzes in Byron sehn. Der Pessimismus, der sich im „König Lear" u. s. w. entladet, übertreffe weit alles Aehnliche, was Byron an Pessimismus gewagt. In „Manfred" u. s. w. stecke nur eine sehr gesunde Sprache des Gewissens, die mit „Zerrissenheit" nichts zu tun habe. Vollkommen einverstanden. Wenn in den „Scherben" von Richard Voss in einer Novelle ausgeführt wird, wie Jemand in Folge der Lektüre des „Kain" seinen Bruder totschlägt, so kann dieses krankhafte Missverständnis eigner Zerrissenheit nur Gelächter erregen. Aber von dieser ungesunden Krampfhaftigkeit zerrütteter Naturen bis zu dem wahren mannhaften Pessimismus, der in sich schon eine Ueberwindung des Lebens bedeutet, ist es ein weiter Weg. Dieser echte ungelogene Weltschmerz, der sich aus dem tiefen Ichschmerz emporringt, hat aber — nur ein Blinder kann dies leugnen — in Byron einen Propheten gefunden wie nie zuvor. Allerdings bricht der Jammer des Daseins in manchen Schöpfungen Shakespeares, auch Goethes, viel intensiver hervor. Hier bei Byron aber ist die gesammte Geistesentwickelung und ethische Auslebung auf dieser Grundlage eines systematischen Pessimismus aufgebaut, wenn wir sinnlose Neuwortbildungen wie „Zerrissenheit" und „Pessimismus" denn einmal gebrauchen müssen. Einen solchen Ueberschuss ethischer Kräfte findet Kirchbach in Byrons Werken, dass dem Dichter fürs Leben keine ethische Kraft mehr übrig geblieben sei!! Nun, ein solcher Ueberschuss konnte sich ja nur erproben durch andauerndes gewaltiges Ringen mit dem Schmerz.

Die Poesie des Gewissens könnte man Byrons Poesie schlechtweg nennen. Eine gewaltige Nemesis durchatmet diese titanischen Schöpfungen, welche aber, wie bei Shakespeare mehr nach außen, hier durchweg nach innen wirkt. Die Sünde; wenn sie vollendet ist, gebieret sie den Tod. Es ist etwas Alttestamentarisches in diesem düsteren Ernst, welcher zugleich an gewisse Züge der Edda, an Byrons normännische Abkunft gemahnt. Das Motto des ganzen „Byronismus" suchen wir in den Worten Manfreds:

„Die Seele, die unsterblich ist, vergilt
Sich selbst, was Gutes sie gedacht und Böses
. . . Versenkt in Leiden oder Freuden, die
Erzeugt aus der Erkenntnis ihres Wertes."

und in der Mahnung Lucifers:

Duldet und Denkt! Schafft eine innere Welt
Im Herzen, wenn die Außenwelt versagt.
So kommt der geistigen Natur ihr näher
Und siegt im Kampf mit eurer irdischen."

Diese echt moderne Weltanschauung, welcher auch die Gefühle Childe Harolds auf den Ruinen Roms („Vergebung ist mein Fluch") und am Ozean im Angesicht der Ewigkeit entsprechen, stempelt Byron als den wahren Hauptdichter des 19. Jahrhunderts.

Allen, etwas sophistischen Bemerkungen Kirchbachs wird es nicht gelingen abzustreiten, dass der vorherrschende Grundzug dieser unerschöpflich reichen Geistesarbeit ein herber harter Pessimismus bleibt, den wir am liebsten mit dem alten Puritanismus in Verbindung setzen möchten. Der Schmerz, „unser tiefstes Fühlen" wie Lenau ihn nennt, ist der Pol, zu welchem mit unwandelbarer Sicherheit Byrons Geist magnetisch sich hingezogen fühlt. Und das Dämonische in ihm offenbart sich nicht zum geringsten in der trotzigen Beharrlichkeit, mit welcher er überall den finsteren Abgründen des Lebens nachgeht. Aber nicht „melancholisch" blickt die Natur ihn an, sondern „still wie verhaltener Hass". (Childe Harold IV). Im wilden Sturm der Elemente sieht er das einzige Spiegelbild seiner Seele. — Wir wollen z. B. die von Kirchbach hochgeschätzten „hebräischen Melodien" herausgreifen, um unsere Behauptung zu erhärten, dass Byron sich stets allein in das Peinvolle einer Materie zu versenken wusste.

Im Winter 1814—1815 bat Douglas Kinnaird den Modedichter, zur Musik von Braham und Nathan Verse zu komponieren, welche einen althebräischen Melodien angepassten Sinn enthielten, also im Genre der „Irischen Melodien" Moores. Sie wurden im Januar 1815 publiziert und natürlich mit ungeheurem Beifall aufgenommen — Byron hatte den „Lara" und die „Ode auf Napoleon" veröffentlicht und stand auf der Höhe seiner Löwenschaft. Obwohl nun der Dichter selbst so wenig mit seiner Leistung zufrieden war, dass er bei der Erwähnung der „Hebräischen Näseleien," die er nur in Folge seiner „grenzenlosen Gefälligkeit" geschrieben habe, außer sich geriet, so musste doch selbst der oberste kritische Gerichtshof, damals durch die Edinburgh Review repräsentiert, durch den Mund des kritischen Lordoberrichters Jeffrey die Sentenz verkünden: Wenn auch inferior den übrigen Werken Byrons, beweise diese Lyrik doch eine Kunst der Form und Meisterschaft der Diktion, die jeden Andern auf den Gipfel der Auszeichnung erheben würden.

Was uns jedoch für unsern Zweck interessieren muss, ist die Frage, welche poetischen Motive Byron zu der hebräischen Musik gefunden haben mag. Wenn der Ire Th. Moore zu alten irischen Volksmelodien unsterbliche Lieder schrieb, so kann das nicht Wunder nehmen. War er doch ganz und voll ein Sohn seines Landes! Er, der ja selbst in Iran nur Erin zu schildern verstand, konnte die romantische Sinnlichkeit seiner Rasse vortrefflich verkörpern, konnte der Klage über englische Willkür erschütternde Laute verleihen. Wie aber konnte sich Byron in die hebräische Volksseele versenken, welche seiner Poesie analogen und sympatischen Elemente zur dichterischen Verwertung darin vorfinden?

Er hat einmal gesagt er könne nie etwas schaffen, wenn ein äußerer Antrieb ihn dazu sporne — in diesem Fall kam der äußere Antrieb seinem innern Drange entgegen. Oft hat er versichert, dass das alte Testament für ihn eine Fundgrube von Poesie und Schönheit sei und, wie es seine liebste Lektüre war, so nahm er mit Vorliebe seine Gleichnisse aus der erhabenen Symbolik der Propheten und Apokryphen. Als Manfred dem Staubbach gegenüber steht, scheinen ihm die hin und her flatternden Lichtfäden „die Mähne des bleichen Rosses, des Riesenrenners, den der Tod besteigen wird, wie die Apokalypse singt;" die Hexe von Endor ist seine besondre Favoritin und in „Kain" und „Himmel und Erde" ist grade der biblische Ton mit höchster Treue innegehalten. — Gleichwohl scheinen einige der „Hebräischen Melodien" aufs äußerste unbiblisch-unhebräisch, und einfach hinzugedichtet, weil sie dem musikalischen Rhythmus und Motiv angemessen erschienen. — Gleich das erste Gedicht „Sie wandelt in Schönheit" ist aus einer höchst persönlichen Empfindung hervorgegangen. Der Dichter sah auf einem Ball Lady Wilmot, die Gattin seines Verwandten, des Gouverneurs von Ceylon, in einem mit Sternen und Spangen durchwobenen und geschmückten Trauergewand. Vom Ball zurückkehrend, eröffnete er die „Hebräischen Melodien" mit dieser Schilderung ihrer Anmut, die zufällig dem ernsten und schwermütigen Charakter einer israelitischen Frauenschönheit entsprach.

„Die Harfe, die der König schlug" beginnt das zweite Gedicht. Es ist selbstverständlich, dass der König-Dichter David vor allem zu poetischer Verherrlichung herausfordert. Dem Gedicht gesellt sich wieder ein interessanter Vorfall. Lord Byron brachte dem Komponisten das Manuskript, welches damals mit der Zeile endete: „Der Ton flog himmelan und kam nicht wieder." Die Melodie verlangte jedoch einen Vers mehr. „Wie?" lachte Byron. „Ich habe sie bis zum Himmel geschickt — weiter zu gehn dürfte schwierig sein." — Hier zog ein andrer Besuch die Aufmerksamkeit des Musikers ab und nach einigen Minuten rief der Dichter aus: „So, Nathan, jetzt hab' ich sie wieder heruntergeholt." Er hatte sofort die wundervollen Schlusszeilen hinzugefügt:

„Nie hört sie mehr ein Menschenohr,
Die Lieb' und Andacht aber schwingt
Noch heut ihr sehnend Herz empor,
Wenn Wohllaut wie von droben klingt
In Träumen, die kein Tagesglanz bezwingt."

Die Gedichte Nummer 3, 9, 10, 15 sind einfach Byronische Träumereien, 3 und 15 erhabene Phantasien über das Leben nach dem Tode, besonders das Letztere von ergreifendem Schwung. An 9 knüpft sich eine Anekdote. Man berichtete Byron einst, dass ein Gerücht umgehe über seine zeitweilige Geistesgestörtheit, was ihn höchlich ergötzte. „So will ich mal versuchen, wie ein Verrückter zu schreiben!" rief er aus, starrte einen Moment wild und majestätisch ins Leere und schrieb, ohne ein Wort zu ändern, durch Inspiration die berühmten Verse: „My soul is dark.." Man sieht, dass dies Lied ohne jede innere Nötigung in den Cyklus eingefügt ist, da es aus einer rein subjektiven momentanen Empfindung geboren wurde. In 10 vergisst sich der Dichter so weit, ein blaues Auge anzusingen, was inmitten dieser orientalischen Atmosphäre zum Lächeln reizt. Echt orientalische Frauenschönheit feiert jedoch das köstliche Lied 4 „Die Wildgazell' auf Judas Höhn" und alttestamentarische weibliche Hochherzigkeit Lied 7 „Jephtas Tochter". Das darauf folgende Klagelied 8 „Du in der Schönheit Lenz gepflückt" klingt wieder höchst unmosaisch; ein bekanntes Motiv Byrons — es scheint auf die Gräber seiner Jugendliebe Margarethe Parker oder der mystischen Thyrza gedichtet, aber nur nicht auf Jephtas Tochter. Ganz wundervoll ist jedoch der jüdisch-biblische Ton in 5 und 6 getroffen, zwei eben so kurzen als hinreißenden Weh- und Zorngesängen über den Fall Israels. Ebenso die drei den Fall Sauls behandelnden schönen Gedichte 11, 12, 13, wovon 11 „Thy days are done, thy fame begun" recht wohl als Todtenlied des Dichters in Missolunghi gelten könnte. Die Szene bei der Hexe von Endor ist von großer Kraft, und dass Byron dies Motiv wählte, natürlich. Er sagte noch 1823 in Cephalonia: „Ich hielt die Szene in der Höhle von Endor stets für die schönste und ausgeführteste Hexenszene, die je geschrieben ward u. s. w. Nur Goethes Mephisto," fügt er hinzu, „kommt ihr nahe, was Schilderung übersinnlicher Gestalten anbelangt." Noch selbstverständlicher dürfte es erscheinen, dass der Spruch „Alles ist eitel" das Motiv des folgenden

Liedes (14) bildet: es würde Wunder nehmen, wenn Byron die Selbstverleugnung besessen hätte an der ersten byronisch angehauchten Geschichtsfigur (Saul) und dem ersten byronisierenden Dichterlord (Salomo) vorbeizugehen. Diese ruhig ernsten Verse, welche die Weisheit des Predigers in schlichter Sprache zusammendrängen, und das erschütternde kleine Lied „Sun of the sleepless“ sind die Perlen der Sammlung.

Auch die „Vision Belsazzars“ (16) erwartet jeder Kenner der Byronischen Muse, da er schon früher dies Bild heraufbeschworen hatte — „Belsazzar, wende dich vom Schmaus!“ — in der Apostrophe an den elenden Prinzregenten. Hier ist es nur gerecht anzuerkennen, dass Heine in seinem kurzen Gedicht einige Vorzüge vor Byron voraus hat.

Drei tief rührende Lieder 18, 20, 21 schildern den völligen Untergang des jüdischen Reiches und das Zerstreuen des Volkes in alle Winde. Trefflich ist es dem Dichter in dem Klagelied der babylonischen Gefangenen „An Babylons Wassern wir saßen“ gelungen, den vollen Ton und die reine Klangfarbe der Prophetenbücher wiederzugeben. — 22 „Der Untergang des Sennacherib“ bietet eine Schilderung von großartiger Anschaulichkeit in der zusammengedrängten Kraft der Bilder. — Aus dem Buch Hiob ist nur ein Motiv geschöpft, obwohl grade dies dem Byronischen Genius so verwandte Anklänge enthält — „Ein Geist erschien mir“ (23). Aus der späteren Geschichte Israels endlich hat Byron nur eine Episode behandelt, den Schmerz des Herodes um Mariamne.

Um das Ergebnis dieser Aufzählung zusammenzufassen, was hat in diesen wirklich hebräische Stimmung atmenden Liedern den Dichter angeregt, welche Stoffe hat er in dem Wesen des jüdischen Volkes gefunden?

Zuerst musste den glühenden Schilderer der Frauenschönheit der orientalische Frauentypus anziehen. Zum andern war die wehvolle Erinnerung an einstiges Glück und vergangene Größe ihm in der Geschichte dieser Rasse anziehend. Es korrespondierte mit seiner eignen Verzweiflung an den bestehenden Verhältnissen, der ziel- und hoffnungslosen Sehnsucht nach einer besseren Zukunft, mit dem Jammer über die Vergänglichkeit und Nichtigkeit des Irdischen in seiner eignen Seele.

So musste ihm, dem ewig Suchenden und Irrenden, der Wehruf der müden, irrenden, über die Welt zerstreuten Juden mit selbstgefühlter Wahrheit entquellen. Es nimmt Wunder, dass er nicht das Symbol des ewigen Juden erläutert und plastisch vor Augen gestellt hat. Endlich musste der Weltschmerz von Salomo und Hiob ihn persönlich ansprechen.

Damit scheint aber auch das Sympathische an der ihm gestellten Aufgabe für ihn erschöpft, denn die glorreichsten Momente der jüdischen Geschichte lässt er unbenutzt. An Gestalten, wie Moses, Josua, Simson, Deborah, Mirjam, geht er gleichgültig vorüber, ja selbst das Leben Davids und Salomos vermag ihn nicht zu begeistern. Aus der Historie von „Saul“ benutzt er nur das Ende und die Hexenszene — und zwar ohne besondere Wärme. Aus der ganzen späteren Epoche greift er sich den Despoten Herodes heraus, um an ihm wieder einmal die Qualen der Reue zu demonstrieren. Mit einem Wort, wenn er sich überhaupt an die gegebene Lokalfärbung anschließt, so sucht er doch überall mit feinem Instinkt und Eigensinn seine eigenste Domäne und vernachlässigt die einladendsten Stoffe, weil sie nicht in sein poetisches System passen. — Wie konnte ihm Moses zusagen, der unaufhaltsam durch die endlose Wüste dem Stern seines Ideals zusteuert, ihm, dem damals ideallos Umherirrenden! Seltsam bleibt es aber, dass Byron den Simson nicht bearbeitet hat, da wir doch die Wut des von Delilah Verratenen für eine so recht Byrons Eigenart herausfordernde Situation halten müssen.

Immer aber sind es düstere Gemälde, die er entwirft; nur der Sehnsucht, der Reue, der Entsagung, der Verzweiflung sucht er gerne Ausdruck zu verleihen. Kurz, es will scheinen, als ob er, sobald ihm die Aufgabe vorgelegt war, mit einem einzigen Blick überschaut und erkannt habe, wo in der langen wechselnden Geschichte des jüdischen Reiches seine dichterische Ernte lag: In der babylonischen Gefangenschaft. Nicht Ruhm und Glanz, nicht Heldentum und Seelengröße reizen ihn zur Darstellung; es ist immer wieder der Sturz, die Vernichtung, der Fluch, die Träne, die er auszudrücken gewillt ist. Die „Hebräischen Melodien“ sind ein Beweis künstlerischer Selbsterkenntnis — er kannte sich als den größten Dichter des Schmerzes in all seinen tausend Spielarten, aber auch nur des Schmerzes. Sie sind vor allem ein interessanter Beweis der Geschicklichkeit, mit der ein Genie aus dem fernabliegensten Gegenstand, dem willkürlichst ihm vorgelegten und von ihm ergriffenen Stoff die ihm verwandten Elemente abzusondern und die für seine eigentümliche Vortragsmanier geeignetsten Motive auszuscheiden vermag.

Charlottenburg. Karl Bleibtreu.

Frankreich und Deutschland.

„Ein bekannter deutscher Schriftsteller, welcher die zwei großen Kulturvölker diesseits und jenseits des Rheines mit gleicher Liebe umfasste, hat vor einem halben Jahrhundert Deutschland die Zukunft Frankreichs genannt.“ Mit diesen Worten beginnt das jüngst erschienene Werk „Geschichte des deutschen Kultureinflusses auf Frankreich, mit besonderer Berücksichtigung der litterarischen Einwirkung. Von Professor Dr. Th. Süpfle. Erster Band. Von den ältesten germanischen Einflüssen bis auf die Zeit Klopstocks. Gotha. E. F. Thienemann. 1886." Zu diesen Worten ist als Anmerkung hinzugefügt: „Börne drückt sich in der Einleitung zu seiner in Paris im Jahre 1836 erschienenen ‚Balance, revue allemande et française' folgendermaßen aus: ‚La France devrait enfin apprendre à connaître l'Allemagne, cette source de son avenir; elle devrait enfin se persuader qu'elle ne se suffit pas et qu'elle n'est pas seule maîtresse de son sort'."

Den Schlusssatz dieses Werkes aber bilden die Worte des französischen Dichters Dorat (1734 bis 1780): „O Germanie, nos beaux jours sont évanouis les tiens commencent-u renfermes dans ton sein tout ce qui élève un peuple au-dessus des autres, des mœurs, des talents et des vertus: ta simplicité se défend encore contre l'invasion du luxe, et notre frivolité dédaigneuse est forcée de rendre hommage aux grands hommes que tu produis."

Man darf gespannt darauf sein, welchen Eindruck ein sich so charakterisierendes Werk in Frankreich machen wird, zumal in jetziger Zeit. Hat doch vor nicht zu langer Zeit ein Franzose selbst gesagt: „Von fremden Werken liest man bei uns nur diejenigen, die uns schmeicheln." Anderseits darf man sich aber wundern, dass ein solches Werk nicht schon längst geschrieben worden ist. Seit dem „tollen Jahr" 1819, aus dessen Hexenküche die Karlsbader Beschlüsse hervorgingen und dem das Jahr 1848 durch die Erklärung der Grundrechte des deutschen Volkes die gebührende Antwort gab, sind doch so viel gebildete deutsche Jünglinge, die vor der finsteren Reaktion in Deutschland nach Frankreich flohen und dort meist als Lehrer der deutschen Sprache wirkten, so tief in das französische Leben eingedrungen und haben die wechselseitigen Beziehungen beider Länder so innig auf sich selbst einwirken gefühlt, dass man längst von einem derselben ein Werk, wie das von Süpfle, hätte erwarten können. Einer dieser Flüchtlinge, Adler-Mesnard aus Berlin, der nach dem Frankfurter Aufstand von 1833 ein Asyl in Frankreich fand und als Professor der Normalschule in Paris starb, hat in seinen französischen Werken über die deutsche Sprache die Franzosen vielfach auf diesen Kultureinfluss hingewiesen und seine Belehrungen sind nicht immer auf unfruchtbaren Boden gefallen. Schreiber dieses, den das Jahr 1849 nach Frankreich geführt hatte, hatte den Plan zu einer solchen Darstellung, zum Teil durch Adler-Mesnards Studien veranlasst, ernstlich gefasst und vor zwanzig Jahren im „Magazin" noch unter Lehmanns Redaktion, sowie in dem „Deutschen Museum" und in Gutzkows Blättern in einzelnen Skizzen angedeutet, andere Studien lenkten ihn davon ab. Um so freudiger begrüßt er das Süpflesche Buch als eine vortreffliche Leistung, eine gehaltreiche, zu weiterem Nachdenken anregende Frucht andauernden ernsten Fleißes, den man nach Verdienst erst würdigen lernt, wenn man die 603 Anmerkungen überliest, die auf 125 Seiten dem 219 Seiten umfassenden Texte angehängt sind. Vielleicht begünstigte den Verfasser bei seiner Arbeit sein Aufenthalt im Reichslande (er war lange Zeit Professor am Gymnasium zu Metz); wieviel Bemerkungen hätte derselbe noch hinzufügen können, wenn er seine Studien im Lande selbst hätte machen können! Was für freudige Ueberraschungen hat nicht Schreiber dieses oft in allerlei Provinzstädten gehabt! Im keltischen Quimper in der Bretagne kündigte ein Kaufmannsladen „Jouets d'Allemagne" an; auf der Stadtbibliothek in Nantes fiel ihm, außer verschiedenen, von Süpfle angegebenen Werken eine „Grammaire de la langue franque" aus dem vorigen Jahrhundert in die Hände, deren Verfasser im Vorwort sagt: es müsse die Franzosen doch interessieren, die Sprache ihrer Vorfahren zu kennen; erstaunlich ist die Menge älterer deutscher Bücher, die ich bald im deutschen Text, bald in französischer Uebersetzung bei den Antiquaren überall im Innern antraf, in Tours, in dem Sevennenstädtchen Le Puy, in Orleans (eine von Süpfle nicht erwähnte Uebersetzung des Romans „Sophiens Reise von Memel nach Sachsen") u. s. w.

Wir üben keine Kritik an dem Werke, das dem Publikum und der Gelehrtenwelt so viel Neues bietet und dessen größere Hälfte, die Schilderung der wissenschaftlichen und litterarischen Einwirkung, ohne Zweifel von künftigen Litterarhistorikern hüben wie drüben benutzt werden wird; es ist vortrefflich. Nur ergänzen wollen wir durch einige Notizen.

S. 4 wird gesagt, durch die Franken sei das sich selbst verleugnende Gefühl der Treue nach Gallien verpflanzt worden; wir meinen, dass hier doch auch an die gallischen Soldurier zu erinnern gewesen wäre (Caesar, de b. gall. III, 22). In Anmerkung 49 wird nur Eine Uebersetzung des Nibelungenliedes erwähnt, wir weisen auf eine andere hin, die von Prof. E. de Laveleye in Lüttich, welche in Paris erschienen ist. — Der wilde Jäger, d. h. Wodan (S. 14) ist auch jenseits der Loire beim Schlosse Chambord bekannt (siehe unser Werk „Rhein, Rön und Loire").

Französische Chauvinisten könnten entgegnen, Süpfle habe sich nur auf französische Dichter dritten Ranges, z. B. Dorat gestützt, wenn er die Anerkennung betont, welche unsere Sprache und Dichtung in Frankreich gefunden hat; wir vermissen darum bei Süpfle den Brief, welchen Racine am 24. März 1698 an seinen Sohn schrieb: „Je n'ajoute qu'un mot à la lettre de votre mère, pour vous dire que j'approuve au dernier point le conseil qu'on vous à donné d'apprendre l'allemand, et les raisons solides dont M. l'ambassadeur s'est servi pour vous le persuader. J'en ai dit un mot à M. de Torcy, qui vous y exhorte de son côté, et qui croit que cela vous sera extrêmement utile." Dieses Wort ist um so erfreulicher, als es in jene Zeit fällt, von der Süpfle S. 106 sagt: „Erst mit dem unseligen, dreißigjährigen Kriege begann das erhebende Bewusstsein, welches wir den

Fremden gegenüber zeigten, inmitten der Verbreitung ausländischer Sitten und Sprachen zu verschwinden. Was nun insbesondere Letztere betrifft, so vermochten damals selbst die Bemühungen eines Leibniz nicht, der Sprachmengerei in Deutschland zu steuern. Ein Volk aber, welches seine Sprache nicht wert hält, darf sich nicht wundern, wenn dieselbe von anderen Völkern nicht geachtet wird. Nicht ohne Unrecht sagte daher Rivarol (1784): „C'est des Allemands que l'Europe apprit à négliger la langue allemande."

Von diesem Gedanken ausgehend, haben wir schon vor dreißig Jahren getadelt, dass unser gelehrter Zeuß seine keltische Grammatik lateinisch geschrieben hat. Wir waren damals in der Bretagne und machten die dortigen bretonischen Sprachforscher darauf aufmerksam. „Das Buch sollten Sie ins Französische übersetzen," sagte ein Gelehrter darauf zu mir. Zeuß hatte geglaubt, in einer universellen Sprache geschrieben zu haben. Als ob unsere deutsche Sprache mit ihrer Weltlitteratur nicht Anspruch darauf machen dürfte, ebenfalls zu einer Weltsprache erhoben zu werden! Süpfle sagt S. 106: „Auch das im fünfzehnten Jahrhundert aufgekommene Sprüchwort, dass wir, wie auch die Lombarden, leicht etwas hochmütig seien („les Allemands et les Lombards sont volontiers un peu hautains") kann gewissermaßen als eine Art Lob angesehen werden. Jedenfalls entspricht es dem Selbstgefühl und der stolzen Haltung, welche unserm Volke im Bewusstsein seiner Kraft damals noch eigen war." Nun, wir denken, dass die Umkehr zum Bessern bei uns eingetreten ist. Bei aller absichtlich innegehaltenen Objektivität ist auch Süpfles Buch von diesem Selbstgefühl durchdrungen. Dabei erstaunt man aber über die Menge von Lobsprüchen, die von französischen Schriftstellern selbst über deutsches Wesen gefällt worden sind, von Voltaire, J. J. Ampère, Prosper Mérimée u. s. w., und die alle in dem Buche angeführt werden. Wird uns von so hervorragenden Geistern solche Anerkennung zu Teil, so darf unser nationales Selbstgefühl gewiss nicht als Hochmut gedeutet werden.

Professor Süpfle hat sich unstreitig ein großes Verdienst um die gegenseitige Verständigung der beiden „feindlichen Brüder" erworben. Wir begnügen uns hier mit dieser Anerkennung, denn wir würden eine Abhandlung schreiben müssen, wollten wir all die Gedanken niederlegen, die uns bei der Lektüre des Buches aufsteigen. Es wird gelesen werden und seine zivilisatorische Wirkung nicht verfehlen.

Leipzig. Herman Semmig.

Konrad Deubler.

(Fortsetzung.)

Ins Jahr 1840 fällt Deublers Reise nach Graz, Triest und Venedig. An der Schwelle Italiens „betet er ehrfurchtsvoll, mit entblößtem Haupte und mit einer Freudenträne im Auge, den großen Geist an". Auf dem tiefblauen Meer vermeint er einzelne Silberwölklein „wie weidende Lämmerherden zu schauen, die auf dem unermesslichen Wiesengrunde der Welten dahinwanderten." Angesichts des Canal grande ergeht sich der fahrende Bauer in folgenden Betrachtungen: „Die Sonne beleuchtete die Marmorgebäude und enthüllte deren Schwächen, mit mitleidslosem Finger auf die vernagelten Fenster, auf die verwitternde Pracht weisend und auf die Gemächer der Armut deutend, in denen achthundert Personen aus den edelsten Geschlechtern Venedigs das dürftige Gnadenbrot der österreichischen Regierung genießen, während gleichzeitig fast die Hälfte der gesammten Stadtbevölkerung in Findel-, Kranken-, Arbeits- und Narrenhäusern untergebracht ist. Ja, diese ehemalige Königin der Meere ist zum Bettelweib geworden: wer würde beim Anblick all dieser sinkenden Pracht ahnen können, dass diese Stadt nicht weniger als 52443 Personen beherbergt, welche aus milden Stiftungen Unterstützung erhalten oder durch öffentliche Almosen ernährt werden!" — Das Heimweh des Mannes äußert sich frei nach Goethe:

„Kennst du das Land, wo die Kartoffeln blüh'n?
Wo labend nur der Sonne Strahlen glüh'n?
Ein frischer Wind die Flut der Saaten weht,
Wo stolz der Ahorn, schlank die Tanne steht?
Kennst du es wohl? —
Dahin möcht' ich mit dir, Geliebte, zieh'n!

Kennst du den Berg und seinen steilen Weg?
Zu einer kleinen Mühle führt der Treppensteg.
Kennst du ihn wohl? — Dahin
Dahin möcht' ich mit dir, Geliebte, zieh'n!"

Nicht übel, belesener Müllermeister! Deine Orthographie mag wunderlich genug sein, aber die Sprache ist dir zu Händen und unversehends gewinnst Du ihr selbst poetische Accente ab.

In diese Zeit fällt der Beginn der Freundschaft Deublers mit dem Landschaftsmaler Robert Kummer aus Dresden, eine Jugendfreundschaft, die sich fast ein halb Jahrhundert hindurch in Leid und Freud' bewähren sollte. Professor Kummer selbst schreibt darüber: „Kurz nach Deublers erster Verheiratung lernte ich denselben in Hallstadt kennen; er besaß dort die obere Mühle. Bei einem furchtbar schlechten Wetter kam Deubler in den Gasthof zum Stadler; er schmauchte aus einer Pfeife mit Porzellankopf, was mir ungewöhnlich erschien. Auf meine Frage, wer darauf gemalt sei, sagte er, ich würde doch wohl Napoleon kennen. Auf eine zweite Frage, ob er mir nicht sagen könnte, wo ich hier etwas zu lesen bekommen würde, meinte er, ich sollte mich zu ihm bemühen, er habe Bücher. Ohne große Hoffnung, Etwas zu finden, stieg ich zu Deublers Mühle hinauf. Erfreut empfing er mich und fragte sogleich, was ich lesen wolle? Ob den Thomas Paine oder Klassiker? Ich sagte: „Wie kommst Du denn zu Thomas Paine?“ Da meinte er: „Das ist ja der Mann, der in Amerika die Erhebung hervorbrachte.“ — In kurzer Zeit wurden wir vertrauter; ich musste zu ihm auf die Mühle ziehen . . . Er begleitete mich auf die Gebirge; da tat sich gewöhnlich sein ganzes Herz auf; sein Geist sprudelte förmlich von schönen Gedanken. Die Alpenflora war ihm sehr bekannt, sammelte er ja wissenschaftlich. Am Himmel kannte er die Sternbilder sehr gut: kurz, es gab für uns keine Minute Langeweile. Später, nachdem er sich in Goisern angekauft hatte, besuchte ich ihn ebenfalls öfters . . . Auch in Dresden besuchte er mich, um mein Familienleben kennen zu lernen, blieb aber nie lange. Wer von Dresden nach Salzburg reiste, erhielt von mir Empfehlungen an Deubler; die Rückkehrenden waren alle des Lobes über Deubler voll.“

Auf seiner ersten Dresdner Fahrt 1843 trifft Deubler in **Budweis** mit einem Polizeibeamten zusammen, welcher einem reisenden Sachsen gegenüber sich zu ganz merkwürdigen Enthüllungen über das damalige geistige Prohibitivsystem in Oesterreich versteigt. Die Sache liest sich wie eine vorbedachte gelungene Persiflage und ist doch nur ein schlichtes Tagebuchfragment; hier das Wesentliche davon.

Polizeibeamter: Unser Verfahren ist ein sehr einfaches. Vorerst dulden wir nicht den geringsten Anflug von Pressfreiheit. Alle uns unbequemen Bücher und Schriften werden weggenommen. Denn die Pressfreiheit ist der schlimmste Feind des Absolutismus und Alles dessen, was mit und durch letztern lebt. Alle Zeitschriften und Bücher unterliegen daher der Zensur und diese hat dafür zu sorgen, dass Nichts gedruckt und Nichts verbreitet wird, was unserm System entgegen ist. Unsere Zeitungen dürfen nichts enthalten als etwa: Nachrichten von Reisen großer Herren, deren Heirats-, Tauf- und Sterbeangelegenheiten, Beförderungen im Staatsdienst, Ordensverleihungen, Bau- und Kunstnachrichten, Beschreibungen von Festlichkeiten, Schilderungen von Unglücksfällen, Rätsel, Anekdoten, hauptsächlich aber so breit als möglich gehaltene Theaternachrichten. Wir sehen es gern, dass das Volk recht viel Geschmack an solchen Spielereien bekommt; denn dadurch wird seine Aufmerksamkeit von ernsthaften Gegenständen, von seinen Lebensfragen abgelenkt. Es bildet sich ein und wird stolz darauf, dass es sich damit auf einen höhern Stand der Kultur erhebe — und wir haben die Freude zu sehen, dass das Volk seine Bühnenhelden und -Heldinnen, seine Sänger und Sängerinnen, seine Tänzer und Tänzerinnen vergöttert.

Sachse: Dann ist es allerdings mit den Oesterreichern schon weit gekommen. Aber sagen Sie mir, finden die Zeitungen solchen Inhalts bei Ihnen Leser und Verleger?

Polizeibeamter: Warum nicht? Das Volk will lesen und gewöhnt sich nach und nach an den schlechtesten Stoff von der Welt. Man muss nur dafür sorgen, dass es Besseres nicht haben kann.

Sachse: Giebt es denn aber in Oesterreich Schriftsteller, die einen so geistleeren Stoff behandeln mögen?

Polizeibeamter: Für Geld finden wir hungernde Subjekte genug, die jeden Stoff unter die Feder nehmen. Und will Geld allein nicht ziehen, so haben wir noch andere Köder, als: Titel, Orden und dergleichen Mittelchen mehr, durch welche man sich ein Heer von Menschen schafft, das im Stande ist, öffentliche Meinung zu machen und aufkeimende Regungen unbequemer Natur im ersten Anfang zu ersticken. Um das Volk zu verhindern, dass es an eine konstitutionelle Verfassung denkt, haben wir dafür Sorge zu tragen, dass es überhaupt nicht an höhere Dinge als an die materiellen Interessen und die Befriedigung seiner Sinne denkt. Dazu nehmen wir unsere Pastoren, Pfarrer und Kapläne zu Hülfe, die all um so freudiger die Hände dazu bieten, als sie selbst keine Lust daran und keinen Nutzen davon haben, wenn das Volk viel denken lernt. Diesen Leuten übergeben wir die ganze Schul- und Seelsorge, zugleich auch, wie sich von selbst versteht, unumschränkte Gewalt über die Schullehrer — und man muss bekennen, dass sie meisterlich verfahren. Die Schuljugend muss auswendig lernen, dass die jungen Köpfe summen; sie muss singen und beten, schreiben und rechnen, Geographie und Sprachlehre und viele andere Dinge treiben, bis ihr Verstand nicht etwa stillsteht, sondern eher davonläuft. Dabei wird die Hauptsache nie aus den Augen gelassen: der unbedingte Gehorsam gegenüber allen Personen, welche zur Obrigkeit gehören, vom Kaiser an abwärts bis auf den Nachtwächter im kleinsten Dorf draußen. Auch in den höheren Lehranstalten setzen wir dieses System fort; denn auch in diesen sind Religionslehren, todte Sprachen, Singen und Beten und vor Allem nur wieder der blinde Gehorsam die Hauptgegenstände des Unterrichts. Mit Einem Wort: fromm, dumm und gehorsam muss unser Volk sein und bleiben, und so haben wir Ordnung und Ruhe.

Sachse: Aber wenn in Oesterreich, wie Sie eben gesagt haben, in den Schulen Geschichte, Geographie, Sprachlehre u. s. w. getrieben wird, so muss doch notwendig damit auch das Denken angeregt und die Urteilskraft geschärft werden. Und Leute, die verständig urteilen, sind doch wohl nicht dumm?

Polizeibeamter: So viel Zeit lassen wir den Schülern nicht, dass sie zum Urteilen über das gelangen könnten, was ihnen vorgetragen wird. Sie sollen alles nur im Fluge anschauen, wie die Reisenden auf der Eisenbahn, so dass ihnen nur dunkle, verworrene Erinnerungen davon im Gedächtnis hängen bleiben. Jene einzelnen Köpfe aber, deren Verstand so eminent ist, dass er dem Hochdruck einer solchen

Schulpraxis nicht erliegt, werden in die Ehrenlegion der Beamten und Priester eingereiht, und wehe ihnen, wenn sie von unserem Systeme abweichen!

„Hier wurde unser Polizeibeamter unterbrochen und dieses für mich so interessante Gespräch hatte ein Ende." So giebt sich also dieser politische Dialog für ein einfaches Tagebuchblatt. Er nimmt sich aber im Buche wie ein erratischer Block aus, weidlich danach angetan, den Leser der Aufzeichnungen unseres bäuerlichen Denkers zu mystifizieren.

Noch in den Vormärz fällt die briefliche Annäherung Deublers an Heinrich Zschokke und an D. F. Strauß. Dem Ersteren stellt er sich als „ehrlicher Bergmann" vor, „der seine freien Stunden immer einer guten, Herz und Geist bildenden Lektüre gewidmet"; er habe die „Stunden der Andacht" gelesen, sich die „Ausgewählten Novellen und Dichtungen" gekauft, „wo die Geschichte von Alamontade einem Freund von mir die verlorene Ruhe und den Glauben an Gott wieder gab", und er meldet, dass das Buch „Die Branntweinpest" in der Hallstätter Gegend allein an hundert Käufer gefunden. Schließlich bittet er den „edlen Menschenfreund" um ein Schreiben als „Andenken von einem Manne, den ich so sehr achte und liebe". Zschokke antwortete salbungsvoll, auf die unsichtbare Hand Gottes hinweisend, „die wir im Leben bald Zufall, bald Schicksal nennen", und sich selbst nur den guten Willen, dem empfänglichen Leser aber das Vollbringen zuteilend, von welchem Seelenruhe, Gleichmut und das Bewusstsein, nach Kräften nützlich zu sein, abhänge.

Deublers Brief an Strauß hat sich nicht erhalten, wohl aber liegt uns des Letzteren bedeutsame Antwort, Ludwigsburg, den 8. September 1846, vor, darin es unter Anderm heißt: „Freilich gerade eine solche Aeußerung, wie die Ihrige, zu verdienen, muss ich mir gestehen, sehr wenig getan zu haben; und Ihr Vorwurf, dass wir Männer des Fortschritts unter den Gelehrten das Volk zu wenig berücksichtigen ist wenigstens gegen mich ganz gerecht. Nur müssen Sie bedenken, dass es damals, als ich mein Leben Jesu schrieb, noch ganz anders bei uns aussah. Hätte ich es populär geschrieben, so wäre es gewiss verboten worden; nur unter dem Schutze seiner gelehrten Form konnte es sich ungestört verbreiten ... Die Theologen in Masse verschmähten, was ich und andere Gleichgesinnte ihnen boten, weil sie für ihre Existenz als Geistliche fürchteten, dagegen wandte sich das Volk — im Deutschkatholizismus, in den Vereinen der protestantischen Lichtfreunde — der neuen Richtung zu, und wenn je das Unternehmen einer neuen Kirchenreinigung in Deutschland gelingen wird, so wird dies nur trotz, nicht durch die Theologen geschehen u. s. w." Erwägen wir, dass der Empfänger dieses Briefes vor wenigen Jahren in der Kirche zu Kremsmünster noch in katholischer Andacht zerfloss und nahe daran war, der Alleinseligmachenden sich zu überantworten, so gewinnen wir einen Maßstab für seine rasche Entwickelung.

Im Jahre 1848 trieb gefährliche Neugierde unseren Müller nach Wien, um die Revolution mit anzusehen. Er entkam noch rechtzeitig mit heiler Haut. 1849 wurde der Müller Gastwirt mitten in seinem Heimatsorte Goisern — „Wartburg" nannte sich später diese seine Wirtschaft. Eine Zeit lang trug sich Deubler mit den Gedanken, nach Amerika auszuwandern; dass er mit vielen Schiffsbrüchigen in lebhafter Korrespondenz stand, deren Manchen beherbergte, Manchem auch die freie Schweiz gewinnen half, lässt sich aus einigen vorhandenen Flüchtlingsbriefen noch jetzt verweisen.

Im Mai 1853 wurde Deubler mit vielen Gesinnungsgenossen verhaftet, im Juli 1854 von den Grazer Geschwornen freigesprochen, im August aber neuerdigs festgenommen und Iglau abgeführt. Vom 7. Dezember 1854 bis November 1856 saß Deubler im Brünner Strafhause; von da wurde er auf unbestimmte Zeit nach Olmütz interniert, wo er endlich am 24. März 1857 durch Begnadigung in Freiheit gesetzt und nach vierjähriger Haft den Seinen wiedergegeben wurde.

Wie so dies Alles kam? Deubler selbst erzählt in einem der „Gartenlaube" zugedachten Tagebuch: „Ich ließ meinem Hass gegen allen Aberglauben und Pietistenkram unverhüllt freien Lauf. Ich unterhielt mit verschiedenen aufgeklärten Naturforschern einen regen Briefwechsel und verbreitete Rossmäßlers Buch „Der Mensch im Spiegel der Natur", Zschokkes „Branntweinpest" und und andere damals aufklärende Bücher in großer Menge. Den katholischen und evangelischen Geistlichen war ich ein Dorn im Auge — ich wurde mit bezahlten Schergen und Spähern umstellt, ohne eine Ahnung davon zu haben. An einem regnerischen und stürmischen Abend kam ganz durchnässt ein fremder Tourist in mein Wirtshaus und blieb bei mir über Nacht. Den andern Tag regnete es noch ärger und da kein Wagen im Dorfe aufzutreiben war, so blieb er noch ein paar Tage in meinem Hause. Er ließ sich, um sich die Zeit zu vertreiben, mit mir in ein Gespräch ein und ich eitler, dummer Mensch kramte mit ungeheurer Schwatzhaftigkeit, um einem so gelehrten Herrn gegenüber mit meinem Wissen glänzen zu können, über Alles, was er mich fragte, meine Ansicht aus. Ich zeigte ihm meine Pflanzenbücher und Steinsammlung, meine Briefe von H. Zschokke, D. Strauß, Leop. Schefer u. s. w. Mehrere Briefe nahm er mit nach Ischl, wo er sich als Badegast aufhielt. Er konnte sich vor Staunen und Verwundern über diesen Autodidakten, wie er mich nannte, kaum erholen . . ."

Dieser aushorchende Tourist war M. G. Saphir, der Wortwitz-Virtuos, der verhätschelte Vorleser, der gefürchtete, weil frivolste Humorist jener Tage. Er schrotete seine neue Bekanntschaft in seinem „Humoristen" in „dummen Briefen über meine Reise vom Ausnahmszustande in das Innere des Naturzustandes" aus, und was er da zum Besten gab, gestaltete sich für Deubler zu einem wahren Steckbrief. Das Saphir denunzieren wollte, ist nicht erwiesen; indiskret und taktlos handelte er jedenfalls. Auch konnte Saphir die Tragweite seiner Enthüllungen unschwer ermessen, bezieht er sich in seinen „dummen Briefen" doch ausdrücklich auf den „Ausnahmszustand". Das traurige Schicksal seines Gastfreundes hat ihn überdies, soviel man weiß, völlig unangefochten gelassen. Wie hier an Saphir, geriet Deubler auch in der Folge noch mehrmals an mindere Geister und unlautere Gesellen — auch täuschen ja Bücher sogut wie Menschen.

(Fortsetzung folgt.)

Wien. Hans Grasberger.

Eine Sommerschlacht.

Von Detlev Freiherr von Liliencron.
Leipzig, Wilhelm Friedrich.

Die urwüchsige Kraft und Frische realistischer Schilderung, welche Liliencrons „Adjutantenritte" auszeichnen, sind auch vorliegender Sammlung von Prosaskizzen eigen. Der Verfasser beweist von Neuem, dass er vortrefflich zu erzählen versteht. Seine Muse gleicht keiner mit Brillanten prunkenden Kokette, die uns in der Schwüle des Ballsaals perlenden Schaumwein kredenzt, sondern einem mit Haideröslein und Erica bekranzten anmutigen Hirtenmädchen, das den durstigen Wanderer aus frischem Waldquell labt. An Unterhaltungsstoff mangelt es ihm nicht. Neben einem reichen Schatz von Erinnerungen, neben dem Zauber der Poesie, der dürre Blätter in Gold verwandelt, erfüllt sein Gemüt eine innige Liebe zu Wald und Feld, zu Wolken und Weiher, zu Spinne und Fliege, zu Katze und Hund — zur ganzen Natur. Dieser Liebe entspringt die Eigenschaft, natürlich zu sein. Er spricht wie ihm der Schnabel gewachsen. Ein Vorzug, der bei dem jetzt herrschenden Nachahmungstriebe nicht hoch genug anzuschlagen ist. Der Ton seiner Erzählungen verrät, dass der Erfindung stets die warme Empfindung voranging. Wir finden weder verwickelte Romanschicksale noch spannende Probleme, sondern nur einfache, in kräftigen Zügen skizzierte Geschichten und von der Glut elementarer Leidenschaft belebte Gestalten. Die Charakter-, wie die Landschafts- und Naturbilder lassen den scharfblickenden Beobachter und gewandten Zeichner erkennen.

Ist auch der Grundton größtenteils ein elegischer, so hält er sich doch frei von den anderen weltschmerzlichen Dissonanzen. Das eintönigste Grau des Alltagslebens wird vom Dichter oft durch einen einzigen Sonnenstrahl vergoldet. Nur ein kurzes Beispiel. (Im Nachbarstädtchen): „Der Abend sinkt mehr und mehr. Da entdecke ich von meinem Tisch aus in der Ferne auf einem Acker eine Arbeiterfrau; sie jätet Unkraut aus ihren Kartoffeln. Das arme Weib! Wie hat sie sich den ganzen Tag plagen müssen. Und nun noch so spät! Die Kinder sind ins Bett gebracht; sie selbst hat noch keine Ruhe. Die furchtbaren Widersprüche des Lebens fühlt auch sie wie jeder Mensch; aber ihr fehlt die Zeit darüber nachzudenken. Beneidenswertes Weib . . . In der Abendröte über ihr sah ich einen Engel stehen, der die Arme ausbreitet: Weib, ist deine Zeit erfüllt, trag ich dich sanft zu Gott, und, dich segnend, legt der Herr liebevoll die Hand auf deine Stirn: du bist treu erfunden." Auch taucht zuweilen ein köstlicher Humor zwischen den Zeilen auf, z. B. „Im Redder." Besonders dankbar sind wir ihm für „Aus dem Tagebuch meines Freundes". In den Tagen des Rassen- und Klassenhasses sollten folgende Worte unter andern groß gedruckt werden: „Das ewige Geschimpfe auf Pfaffen und Junker zeigt von wenig Bildung und Menschenkenntnis. Es giebt doch unter den Eckenstehern auch einige, die keine Engel genannt werden können. Seien wir gerecht: Schweinehunde giebt es in jedem Stande und zwar nicht wenige." Den reichen Inhalt in dürren Worten anzugeben, hieße einen Blumenstrauß zerpflücken. Er weist in angenehmster Abwechselung siebzehn Skizzen auf, die durchweg mindestens eigenartig sind. Die Schlussskizze „Eine Sommerschlacht" giebt dem Ganzen den Titel. Liliencron schildert darin das Gefecht bei Nachod. Als Mitkämpfer ist es ihm gelungen, einzelne Hauptmomente des Tages: den heldenmütigen Widerstand der Siebenunddreißiger im Wäldchen, den Kampf der Sechsundvierziger um die Wenzelskirche und die Reiterattacke unserer Dragoner und Ulanen zu einem eben so wahren als anschaulichen Gesammtbilde zu vereinen.

Die Figuren sind nach dem Leben gezeichnet. Ihre Vorbilder wird jeder Augenzeuge des Kampfes leicht erkennen. Wie treu verkörpert Sergeant Cziczan die altpreußische Treue und Pflichterfüllung, die uns so oft zum Siege geführt haben! Zum Schluss noch eine Probe der packenden, militärisch knappen Schreibweise (Der Sturm auf die Wenzelskirche wird geschildert): „Grausig sieht's drinnen aus. Es wird gekämpft hier bis zum Aeußersten fast um jeden Stuhl. Ein österreichischer Infanterist hat im Todesschmerz die halb herabgeschleuderte Madonna umfasst. Er ist längst todt. Ueber und über sind er und das Muttergottesbild mit Blut gebadet. Cziczan ist es gelungen, auf die Kanzel zu klettern. Von hier giebt er sicher Schuss auf Schuss in den Knäuel. Vom Altar sind Decke und Gefäße herunter gerissen; sie rollen hin und her zwischen den Kämpfenden. Die Orgelpfeifen, der Erbarmer, die Fenster, Alles ist durchlöchert von Kugeln. Vergebens suche ich in die brennende Kirche zu kommen; sie muss endlich unser werden. Da gelingt's mir fast, aber schon bin ich im Strudel wieder draußen. Einer packt mich von hinten an der Schulter, eisern. Ich dreh den Kopf. Ein graubärtiger Stabsoffizier, mit blutunterlaufenen Augen, will mich herunterreißen. Ich nehme alle Kraft zusammen, zerre mich los und drücke ihn auf ein kleines schiefes Kreuz. Er macht ein Gesicht wie eine scheußliche Maske . . . Schindeln fliegen vom Dach. Und im Pulverdampf, im Dunst, im Qualm ist nichts, nichts mehr zu sehen. Einer meiner Rekruten von vorigem Winter ist immer neben mir geblieben. Jetzt seh' ich ihm nach . . . wo . . wo . . Alles Rauch, Flammen, Schaum, Wut . . . Da hör' ich durch all den Lärm seine gellende Stimme: Herr Leutnant, Herr Leutnant! . . . Wo, wo bist du? — Wehrkens, Wehrkens wo bist du? — Einer umklammert meine linke Hand, fest, schraubenartig. Ich beuge mich zu ihm. Es ist mein kleiner Rekrut, der mich hält. Ein Schuss von der Seite hat ihm beide Augen fortgenommen. Aber schon lösen sich seine Hände. Die Finger lassen ab, werden starr, bleiben gekrümmt . . . und er sinkt in den Blutsee. Der Kirchhof ist unser! Hurrah! Hurrah!" Das ist nackte Wahrheit, das ist mit Blut geschriebene Handlung, das ist der Krieg.

Berlin. Th. Nöthig.

Epigramme.

Mit vielem Stolz erzählt er mir's,
Er sei sehr viel zu Ball geladen!
Schriftstellert denn in heut'ger Zeit
In Deutschland man mit seinen Waden?

———

Beginnt der Weg, dann können Alle wandern
Und mancher Schwächling schreitet schnell voran;
Doch wenn schon lange müde sind die Andern,
Geht vorwärts noch allein der rechte Mann.

Crefeld. Eugen Löwen.

Sprechsaal.

Kurze Randbemerkung.

Mit Recht betont der Herr Herausgeber dieser Zeitschrift in einer Note zu dem Artikel „Der Staat und die Litteratur" (Nr. 36 und 37), von C. Alberti, dass die Schriftsteller bei sich selber anfangen mögen, „ehe sie vom Publikum und Staat jenen Anstand heischen, den Deutschland im Gegensatz zu englischer, französischer, skandinavischer, ja russischer Litteraturförderung so ganz vermissen lässt." Um so empfindlicher wirkt dann die Wahrnehmung, dass dieser Anstand in dem betreffenden, sonst sachlich tüchtigen Artikel, gröblich verletzt wird. — Kein Schriftsteller der oben angeführten Nationen würde es wagen, einen als bedeutend anerkannten Landsmann öffentlich anders als mit Achtung zu nennen, und hier heißt es von dem Manne, der nach dem Urteil maßgebender Kreise seit dem Verlust von Ranke widerspruchslos als der Hervorragendste der lebenden deutschen Historiker hoch gehalten wird: „Gelehrtendünkel eines Mommsen und ähnlicher Pedanten." Solche Ausdrücke einem Manne gegenüber, zu dem nicht allein Deutschland, sondern die ganze gebildete Welt mit der bewundernden Achtung emporblickt, die der rastlosen, von glänzenden Ergebnissen gekrönten Arbeit eines langen Lebens gebührt. Schwerlich wird Mommsen diesen Artikel lesen, und sollte er es doch, dann wird er so ruhig und unberührt davon bleiben, wie vor alten Zeiten der Mond einem unberechtigten Ausfall gegenüber geblieben.

Der Herr Verfasser des betreffenden Artikels betont darin vor Allem, dass geistiger Arbeit Achtung gebühre, höhere Achtung als ihr dem Schriftstellerstande gegenüber erwiesen wird. Wer Achtung fordert, sollte sie stets dem zollen, dem sie gebührt. In Deutschland müssen wir uns mit Achtung begnügen, andere Nationen besitzen solchen Männern gegenüber, wenn sie den Vorzug haben, sie zu den Ihrigen zu zählen, neben der Achtung noch etwas Höheres: Pietät.

M. Benfey.

Wir bemerken hierzu, ohne unseren verehrten Mitarbeiter mit einer besonderen Erwiderung zu behelligen, dass derselbe offenbar nicht Mommsens Bedeutung hat angreifen wollen, sondern eben nur dessen Gelehrtendünkel. Nun, wenn wir recht berichtet sind, war es Mommsen, der bei der Aufnahme des Geheimrats Professor Scherer, welcher eine Litteraturgeschichte geschrieben und germanistische Studien getrieben hat, in der Berliner Akademie die geflügelten Worte sprach: Dass kein „Belletrist" würdig befunden sei, dieser illustren Körperschaft anzugehören, und man daher als Vertreter der schönen Litteratur einen Goetheschen Waschzettelforscher zu stiften geruhe. Wie mag Herrn Dubois-Raymonds Majestät, dessen Naturforscher-Unfehlbarkeit jetzt sogar Excellenz von Goethes „Faust" in der berüchtigten Rektoratsrede zu korrigieren sich vermaß, dazu mit dem päpstlichen Haupte genickt haben! Freilich vertritt Herr Mommsen, der in seiner Jugend einem „on dit" zu Folge sich selbst schwer an den Musen versündigt haben soll, mit dieser spaßhaften Aeußerung nur den allgemeinen Standpunkt des deutschen Bierphilisters und Schulmeisters! Ist es nicht bezeichnend, dass Maler und Musiker eine „Akademie der Künste" besitzen, aber kein Mensch je an eine Akademie „des belles lettres" gedacht hat? Was würde wohl die „L'Académie Française", nach deren Muster doch die Berliner gegründet, dazu sagen? — Ehe nicht der große Kenner Roms nachgewiesen hat, dass er die moderne Belletristik kennt (das überlässt der tiefangelegte Geist gewiss den weiblichen Mitgliedern seiner Familie!), dürfen wir Albertis Bemerkung vom „Pedanten" und „Gelehrten-Dünkel" nicht nur nicht beanstanden, sondern müssen obendrein die „Gründlichkeit" des großen Inschriften- und Münzforschers in dieser Beziehung stark anzweifeln.

Freilich, selbst wenn der bedeutende Gelehrte der zeitgenössischen Poesie seine Huld zuwendete, wäre dies im Grunde sehr gleichgültig. Man kann mit Fleiß und Scharfsinn die gediegenen Lorbeeren der Wissenschaft erringen — aber in das Reich der höheren Geistestaten, der Poesie und Philosophie, dringt man nicht so leicht, um rasch darüber ein maßgebendes Urteil zu erwerben. „Wenn ihr's nicht fühlt, ihr werdet's nicht erjagen." Die Litteratur lächelt höchstens über die Antipathie der deutschen Gelehrsamkeit — sogar deren Sympathie könnte man ohne besonderen Schaden vertragen. Gefährlich wird Letztere erst, wenn sie sich zur Poesie herablässt — wie im Falle des Professorenromans.

Litterarische Neuigkeiten.

„Dichtungen" von John Henry Makay. (München, O. Heinrichs.) Wir meinten kürzlich, bei Beleuchtung der Thüringer Lieder des jugendlichen Poeten, dass seine Begabung nicht gerade in die Höhen und Tiefen dringe. In diesem umfangreichen Bande von Gedichten zeigt er jedoch, dass er redlich bemüht ist, wenigstens in die Höhen und Tiefen seines eigenen werdenden Jugendlebens einzudringen. Freilich ist auch er ein richtiger Typus des sogenannten „Jungdeutschland", da er oft in unklarer Sehnsucht nach etwas Zukünftigem und in pomphafter Rhetorik schwelgt. Höchst bezeichnend ist in dieser Hinsicht eine Apostrophe an einen ungenannten vorkämpfenden Dichter, die mit den Worten schließt:

„Und wenn den Blick du niedersenktest
In göttlicher uns fremder Huld,
Wir stünden da, von Glück durchzittert,
Und dennoch namenlos erbittert,
Weil jeder Blick, den du uns schenktest,
Uns unser Heil nahm: die Geduld."

Jawohl, an „Geduld“ fehlt es Jungdeutschland sehr. Dass aber Makay auch ehrlicher Begeisterung für wahrhafte Größe fähig ist, zeigt das merkwürdige Gedicht „Da kam die Stunde“.

Auf deiner hohen Stirne haben
Die Schmerzen, die dich einst durchwühlt,
Ihr scharfes Zeichen eingegraben.
Dein Auge zeigt, was du gefühlt,
Wenn du in Nächten, einsam stillen,
Mit heißer Stirne grübelnd sannst,
Und dann durch deinen starken Willen
Den Frieden dir zurückgewannst.
Ich fühlte hin zu dir gezogen
Mein Sein, doch war es Liebe nicht.
Auch du warst freundlich mir gewogen,
Wie mit dem Kind der Vater spricht.
Da kam die Stunde . . für das Rechte
Voll einzutreten da es galt.
Wie bog im Staub sich da das Schlechte
Vor deines Auges Zorngewalt!
Berauschend floss von deinem Munde
Der Rede Strom, und bahnte sich
Den Weg zum Recht — seit dieser Stunde,
Seit dieser Stunde — lieb ich dich! — —

Diesen „Weg zum Recht“ sucht Makay auch in vielen seiner poetischen Anläufe zu finden. Und nicht ohne Glück. Allerdings zeigt sich der junge Poet auch in den Einleitungsversen seiner Sammlung „namenlos erbittert“ und meint:

„Ja, hätte das Schicksal in andere Kreise
Die strebenden Kräfte der Jugend gestellt!“

Nun, was wäre dann gewesen?! Das ist eben eine billige Ausrede seit den Tagen des seligen Reinhold Lenz, der seinen verbissenen Neid gegen Goethe, seinen Gönner und Freund, fortwährend an der Betrachtung nährte, dass dieser nur seinen günstigeren äußeren Verhältnissen seine reichere dichterische Entfaltung verdanke. Nun hatte Goethe allerdings abnorm günstige Verhältnisse, wie sie noch nie ein Dichter gehabt hat. Aber zuguterletzt giebt doch immer nur das Genie selbst den Ausschlag und das Frondieren der „Stürmer und Dränger“ gegen den wohlwollenden Goethe, der sie nach Kräften protegierte, zeugt einfach von gemeinem Neid. — Herr Makay scheint übrigens keineswegs in so ungünstige Verhältnisse gestellt, wie man nach solchem Gejammer annehmen sollte. Er hat sich ferner durchaus nicht über die Welt zu beklagen, die ihn eher verwöhnt hat. Seine anmutige kleine Dichtung „Kinder des Hochlands“ ist von Jedermann freundlich bewillkommnet. Zu unserem Staunen ersehen wir sogar aus einem diesen Dichtungen anhängenden Rezensions-Prospekt, dass zwei bedeutende Hamburger Blätter sein mittelmäßiges Stück „Anna Hermsdorff“ mit der übertriebendsten Aufmunterung beehrt haben*), obschon dasselbe verfehlt und, viel schlimmer, poesielos ist.

Diese Aufmunterung verdient Makay gewiss, wenn wir ihn auch ernstlich darauf hinweisen, dass unendlich bedeutendere Jugendleistungen als seine hübschen Versuche früher mit viel geringerem Wohlwollen aufgenommen wurden — und zwar aus dem einfachen Grunde, weil die namhaften Bahnbrecher einer älteren Generation heut uneigennützig ihre jungen Nachfolger fördern, während sie selbst ihrer Zeit mit ihren Jugendwerken gar keine Stütze bei einer Kritik fanden, die ja immer nur von persönlichen Motiven geleitet wird.

Dem ersten Abschnitt „Von Gestern und Heute“ steht als Motto vor: „Lyrika sind Tagebücher in aphoristischer Form, Hieroglyphen für unendliche Begriffe. Karl Bleibtreu.“ Die Befolgung dieser These ist aber nur in den Nummern 3 und 7 zu spüren. Die anderen Ergüsse sind rhetorisch, oder im Stil der jungdeutschen Liederfabrik trivial und immer rein persönlich, — was man nur bei einer großen Persönlichkeit gern in den Kauf nimmt.

Ob in dem Abschnitt „Liebe“ Alles selbstgefühlt ist, möchten wir dahingestellt sein lassen. Wenn der junge Poet im Uebermaß seines Schmerzes paradiert: „Jetzt, da gebleicht mein Haar!“, so wünschen wir ihm Glück, dass dies nur eine poetische Lizenz. Dennoch trifft man unter den trivialen zweistrophigen Liedchen einige erschütternd wahre Töne, so die Nummern 20 und 24.

*) Festnagelung: Warum schreiben denn die „Hamburger Nachrichten“ (ein sonst wegen seiner lebhaften Anteilnahme von uns hochgeschätztes Blatt) kürzlich bezüglich gewisser Dramen: „Getreu unserem Prinzip enthalten wir uns jedes Urteils vor der Bühnenaufführung“?! Seltsam!

Die famosen „Freien Rhythmen“, eine Spezialität des jungdeutschen Poesieschwindels, haben Makay auch nicht ruhig schlafen lassen. „Das Leben. Ein Fragment“ (alles jungdeutsche Schule, auch die „Fragment“-Unart) ist die reinste Prosa.

Bei weitem das Beste in der Sammlung enthalten die „Reflexe und Gebilde.“ Sie zeigen die zwei Gaben Makays: Die Sprachgewalt und die koloristische Wärme der Anschauung. Welch ein kräftiges echtes Pathos in „Die Reue“, „Tägliches Sterben“, „Weihnachtszauber“. Ja, hier gelingen ihm sogar zwei Gedichte von wirklicher Tiefe, von ergreifender Schmerzensfähigkeit: „Zwei einsame Menschen“ und „Fraß“.

Auch „Moderne Jugend“ ist ein bedeutsamer Cyklus, der, gewandt in der Form, inhaltlich wohl meist das Richtige trifft und als „Dokument“ für den berechtigten Zorn, mit dem die heutige Jugend die ihr überkommene deutsche Kulturbarberei betrachtet, bleibenden Wert beanspruchen mag. — Für den Rest des Buches gilt das früher Gesagte sowohl in Tadel wie in Lob. Alles in Allem, sind diese „Dichtungen“ das Zeugnis einer lauteren Gesinnung, einer vornehmen Natur, einer tiefen dichterischen Empfindung (wenn auch die Anempfindung nicht immer ausgeschlossen ist). Ueber die wirkliche höhere Begabung eines Schriftstellers urteilen wir grundsätzlich erst nach Vollendung einer größeren Arbeit desselben und nach lyrischen Gedichten ein für allemal nicht — es sei denn, dass sich eine geradezu geniale lyrische Anlage darin zeige, was nun hier bei aller Anerkennung doch nicht gesagt werden kann.

„Unterwegs und Daheim“, eine Sammlung humoristischer Skizzen von Mark Twain, Deutsch von Udo Brachvogel, M. Jacobi, G. Kuhr u. A. (11. Bändchen der von Robert Lutz in Stuttgart herausgegebenen Sternbanner-Serie). Unter obigem Titel ist hier eine grössere Anzahl humoristischer Skizzen Mark Twains zum ersten Male in deutscher Uebersetzung vereinigt. Sowohl das Vorzüglichste, was in dem neuesten Skizzenbuche Mark Twains (unter dem Titel „The stolen white elefant“ erschienen) enthalten ist, als auch die Kabinetstücke seiner humoristischen Laune, welche in seinen Wanderschilderungen „A tramp abroad“ und „Life on the Mississippi“ zerstreut liegen, haben in diesem Buche eine gruppierte Zusammenstellung gefunden. Bildet einerseits der ausgelassene Reisehumor, welcher Mark Twain bei seinen Fahrten in der Schweiz, Deutschland und Frankreich begleitete, den Inhalt der „Unterwegs“, so fällt andererseits unter das Sammelwort „Daheim“ eine Anzahl von ergötzlichsten Humoresken und Charakteristiken, welche nach ihrer ganzen Entstehung zumeist dem Boden der neuen Welt recht eigentümlich angehören.

„Die Ereignisse in Bulgarien, Heldentum und Diplomatie“ betitelt sich eine bei C. Bartels in Berlin anonym erschienene Brochüre, welche in klarer Uebersicht die so traurigen dortigen Zustände beleuchtet und bei dem gegenwärtigen Stand der Dinge Jedem zu lesen anzuraten ist.

„Jugendlieder“ von Ernst Rethwisch (Norden, Fischers Nachfolger) und „Feldblumen“, Gedichte von Julius Bojanowski (Wolfenbüttel, Julius Zwissler).

Die Verlagsbuchhandlung von Ph. Reclam jun. in Leipzig hat die von ihr herausgegebene „Universalbibliothek“ um weitere zehn Bändchen (2181—90) vermehrt; dieselben enthalten: „Der Jude“, Deutsches Sittengemälde aus der ersten Hälfte des fünfzehnten Jahrhunderts von C. Spindler (2181—86); „Der Spion von Rheinsberg“, Lustspiel in fünf Aufzügen von Rudolf von Gottschall (2187); „Kindermund“, Aussprüche und Szenen aus dem Kinderleben, gesammelt von Paul von Schönthan (2188); „Aus England“, Bilder und Skizzen von Leopold Katscher (2189) und „Alexandra“, Drama in 4 Aufzügen von Richard Voss (2190).

Nr. 33 der „Deutsche Akademische Zeitschrift“ enthält einen hübschen Artikel „Zur Revolution und Reform der Litteratur“ aus der Feder eines jungen Anfängers, E. Wolff; es fällt da manches treffende Wort. Angesprochen hat uns auch ein Gedicht von Hermann Conradi mit dem Schlussvers: „Ich habe doch gesiegt, weil ich gelebt.“

Alle für das „Magazin“ bestimmten Sendungen sind zu richten an die Redaktion des „Magazins für die Litteratur des In- und Auslandes“ Leipzig, Georgenstrasse 6.

Im Verlage der K. R. Hofbuchhandlung von WILHELM FRIEDRICH in LEIPZIG wurde soeben veröffentlicht:

Geschichte der russischen Litteratur

von ihren Anfängen bis auf die neueste (1886) Zeit

von

Alexander von Reinholdt.

Preis broch. M. 13.50, in elegantem Original-Einband M. 15.—

Es existierte bisher noch kein Werk, welches die geistigen Bestrebungen unseres grossen Nachbarvolkes erschöpfend und mit gediegener Gründlichkeit parteilos darzustellen bestimmt war; denn was bis jetzt über den Gegenstand geschrieben wurde, ist so schülerhaft, dass an Geschichte oder Kritik dabei gar nicht zu denken ist.

Der Verfasser ist ein Deutschrusse, Russland ist seine Heimat, und er hat von Jugend auf der russischen Poesie und dem russischen Nationalcharakter die wärmste Liebe und jenes ernste Interesse und lebendige Studium entgegengebracht, die allein befähigen, den Geist eines Volkes sich zu eigen zu machen und dessen Schaffen mit wirklichem Verständnis zu beurtheilen.

Die traditionelle Volkspoesie, die Litteratur und geistliche volksthümliche Dichtung des Mittelalters, die alte russische Belletristik, die neue und neueste Zeit, die neue Belletristik, Poesie, Theater, Wissenschaft und Journalistik werden in grösster Vollständigkeit behandelt und es giebt nicht einmal ein russisches Werk, welches in systematischer Zusammenstellung eine Charakterisierung aller geistigen Bestrebungen dieses grossen Reiches bis zur neusten Zeit bietet.

Das Correspondenzblatt der Westdeutschen Zeitschrift für Geschichte und Kunst, redigiert von Direktor Dr. Hettner und Professor Dr. Lamprecht, erscheint pro 1886 zugleich als Organ der historisch-antiquarischen Vereine zu Backnang, Düsseldorf, Frankfurt a. M., Karlsruhe, Mainz, Mannheim, Mengen, Neuss, Strassburg, Stuttgart und Worms, sowie des anthropologischen Vereins zu Stuttgart. Durch seine Auflage von 3400 Exemplaren ist das Correspondenzblatt ein wichtiges Insertionsorgan für Geschichts- und Alterthumsfreunde, Antiquitätenhändler etc. Abonnementspreis 15 Mark für letzeres allein 5 Mark. Probenummern gratis u. franko. Inserate die 2 gespaltene Petitzeile 25 Pfg.

Fr. Lintz'sche Verlagshandlung in Trier.

Klassische Bildhauerwerke

von Marmor, Elfenbeinmasse und Gips zum Schmuck des Hauses und der Schule und für Unterrichtszwecke.

Neu! Siegesbote von Marathon, Mädchen von Lille, Tanagrafiguren, Akropolis von Athen neu ergänzt etc.

Vollständiger Preis-Catalog gratis.

Album mit Photographien 2 Mark.

G. EICHLER, Berlin W., Behrenstr. 28.

Bildhauer-Werkstatt und Kunstgiesserei.

Im Verlage der K. R. Hofbuchhandlung von Wilhelm Friedrich in Leipzig ist erschienen:

Plautus.

Spätere Bearbeitungen plautinischer Lustspiele.

Ein Beitrag zur vergleichenden Litteraturgeschichte

von

Carl von Reinhardstoettner.

Ein starker Band. Preis broch. M. 18.—

Der kritische Versuch, den direkten Einfluss der klassischen Litteratur auf die moderne Schritt für Schritt und an den einzelnen Autoren nachzuweisen, ist noch nicht gemacht worden. Materielle Opfer aller Art, Benutzung aller grossen Bibliotheken, thätige Beihülfe der hervorragendsten Litterarhistoriker, genaue Kenntnis der gesammten europäischen Sprachen und jahrelanger Fleiss befähigten den Herausgeber, mit Plautus den ersten Versuch zu wagen, der an mühevoller Arbeit seinesgleichen sucht. Nach Umfang und Inhalt, nach all dem was hier eingehendst benützt, nicht etwa nur angedeutet, sondern bis ins Detail durchgeführt erscheint, darf man dieses Werk als eine Förderung ersten Ranges des litterarhistorischen Quellenmaterials ansehen, das nicht nur neben unseren Kompendien gebraucht werden wird, sondern, da es dieselben vielfach ergänzt und berichtigt, in allen Bibliotheken zu den unentbehrlichsten litterarischen Hülfsmitteln zählen wird; ein Werk, das für Litterarhistoriker aller Völker von gleichem Werthe ist und die Philologen aller Zweige gleichmässig interessieren wird und muss.

Zu beziehen durch jede Buchhandlung.

Mainländer, Ph. Die Philosophie der Erlösung. I. Band. Preis 10 M. — II. Band. Zwölf philosophische Essays. Preis 12 M. Hieraus apart: „Kritik der Hartmann'schen Philosophie des Unbewussten". Preis 3 M. Frankfurt a. M. C. Koenitzers Verlag. (Hervorragende Besprechungen in den philosophischen Blättern des In- und Auslandes.

EMMER-PIANINOS

von 440 M. an (kreuzsaitig), Abzahlungen gestattet. Bei Baarzahlung Rabatt u. Frankolieferung. Preisliste gratis. Harmoniums von 120 M.

Wilh. Emmer, Magdeburg.

Auszeichn.: Hof-Diplome, Orden, Staats-Medaillen, Ausstellungs-Patente.

Ueberall vorräthig:

Revolution der Litteratur

von

Karl Bleibtreu.

Preis broch. M. 1.50.

Verlag von With. Friedrich, Leipzig.

Für die Redaktion verantwortlich: Karl Bleibtreu in Charlottenburg. — Verlag von Wilhelm Friedrich in Leipzig. — Druck von Emil Herrmann senior in Leipzig.

Dieser Nummer liegt bei ein Prospect von J. Engelhorn Verlagsbuchhandlung, Stuttgart.

Das Magazin

für die Litteratur des In- und Auslandes.

Wochenschrift der Weltlitteratur.

1832 gegründet von Joseph Lehmann.

56. Jahrgang.

Preis Mark 4.— vierteljährlich.

Herausgegeben von Karl Bleibtreu.

Verlag von Wilhelm Friedrich in Leipzig.

No. 42. Leipzig, den 16. Oktober. 1886.

Inhalt:

Die internationale Litteratur-Konvention.

Eines der wichtigsten Ereignisse in der geschichtlichen Entwickelung des Rechtes der Schriftsteller, Komponisten und Künstler an den Werken ihres geistigen und künstlerischen Schaffens hat sich am **9. September** in der Hauptstadt der Schweizer Eidgenossenschaft vollzogen, wir meinen die Unterzeichnung des Protokolles seitens der Vertreter von fünfhundert Millionen, durch welches ein **Weltverein zum Schutze des litterarischen und artistischen Eigentums** geschaffen wird. Mit dieser neuesten Schöpfung auf dem Gebiete der internationalen Verhältnisse beginnt eine neue Aera für die wohlbegründeten Rechte der Schriftsteller. Die Zeiten sind vorüber, in welchen das Recht des Schriftstellers an dem Produkte seiner Tätigkeit von Gesetzgebung und Rechtswissenschaft als hülf- und rechtloses Aschenbrödel betrachtet wurde, die Zeiten sind vorüber, in welchen der deutsche Autor in England und anderen Staaten in einer Weise geplündert und gebrandschatzt werden konnte, die lebhaft an die Kunststückchen der Flibustier und ähnlichen Raubgesindels erinnerte. Durch den Vertrag vom **9. September**, welchem bereits die wichtigsten Staaten Europas mit Ausnahme der nordischen beigetreten sind, wird ein aus sämmtlichen Vertragsstaaten bestehender Verein ins Leben gerufen, welcher sich mit dem Schutze der Urheberrechte an litterarischen und artistischen Werken beschäftigt. Jeder Schriftsteller — und hiermit ist der große Grundsatz der Rechtsgleichheit zwischen in- und ausländischen Schriftstellern endlich einmal zur Anerkennung gelangt — welcher einem der Staaten dieser litterarischen Weltunion angehört, genießt in jedem Staate derselben alle Rechte, welche die Gesetze desselben den eignen Untertanen gewähren, mit dem einzigen Vorbehalte, dass er niemals größere Rechte in Anspruch nehmen kann, als ihm in seinem Heimatsstaate zustehen. Dieser wichtige Grundsatz findet auch auf die Werke eines Schriftstellers Anwendung, welche in einem der Unionsstaaten erschienen sind auch wenn der Autor einem Staate angehört, der sich der Union nicht angeschlossen hat. Jeder Schriftsteller aus einem Unionsstaate genießt in jedem andern Unionsstaate das Recht, innerhalb einer Frist von zehn Jahren seit dem Erscheinen seines Werkes eine Uebersetzung zu veranstalten, welche ebenso wie das ursprüngliche Werk geschützt wird. Der internationale Schutz erstreckt sich aber nicht nur auf Werke, sondern auch auf Aufsätze in Zeitungen und Zeitschriften, sofern der Nachdruck untersagt ist. In derselben Weise sind musikalische und dramatische, sowie dramatisch-musikalische Werke gegen die Aufführung in einem der Unionsstaaten geschützt und der Vertrag verbietet nicht nur die Aufführung einer Komposition dann, wenn sie unverändert erfolgt, sondern auch in dem Falle, wenn das Motiv derselben zu einem Arrangement benützt wurde. Zur Ausführung dieses Vertrages wird ein **Internationales Büreau zum Schutze der litterarischen und artistischen Werke** mit dem Sitze in Bern ins Leben gerufen. Die Kosten desselben werden von ben Unionsstaaten gemeinsam getragen; es steht unter dem besonderen Schutze der Schweizer Eidgenossenschaft wie das internationale Postbüreau und hat die Aufgabe, alle Erfahrungen, welche auf dem Gebiete des Schutzes litterarischer und artistischer Werke gemacht werden, zu sammeln und zu veröffentlichen, den Regierungen der Unionsstaaten jede gewünschte Auskunft zu erteilen, Studien über die Verbesserung des Autorrechts anzustellen und die diplomatischen Konferenzen der Regierungen vorzubereiten. Zur Erfüllung seiner Aufgabe veröffentlicht es eine Zeitschrift in französischer Sprache, in welcher, unter Unterstützung der Regierungen, wichtige Fragen aus dem Gebiete des Autorrechts wissenschaftlich behandelt und bearbeitet werden.

Im Wesentlichen ist dies der Inhalt der internationalen Litteratur-Konvention, welche wir zu den schönsten Errungenschaften unserer Zeit rechnen müssen. Wir brauchen in diesen Blättern, in welchen schon so oft und so beredt über die relative Rechts- und Schutzlosigkeit des Schriftstellers geklagt wurde, auf den bedeutenden Wert dieser neuesten Phase der Rechtsbildung im Autorrechte nicht besonders aufmerksam zu machen; derselbe ergiebt sich in schlagender Weise, wenn wir beispielsweise das Verhältnis eines in München lebenden Autors zu dem litterarischen Freibeuterunwesen ins Auge fassen, das, in England bis in die allerjüngste Zeit gegenüber einer sehr großen Zahl deutscher Schriftsteller an der Tagesordnung und auch ohne jedes rechtliche Hindernis möglich war. Vor dem in diesem Sommer zwischen dem deutschen Reiche und England vereinbarten Staatsvertrage über den wechselseitigen Schutz der Autorrechte bestand zwischen Bayern und Großbritannien keinerlei sich hierauf beziehende Vereinbarung. Der in Bayern ansässige Autor konnte in England an seinen litterarischen Rechten begaunert, bestohlen und beraubt werden, John Bull kümmerte sich nicht um den Schaden und er rühmte sich wohl gar noch seiner Un—verfrorenheit. Hunderttausende und Millionen gingen hierdurch dem deutschen Schriftsteller-, Künstler- und Komponistentum verloren und wir wollen nur darauf aufmerksam machen, dass R. Wagners Opern längere Zeit ganz gemütlich in London — sogar von einem deutschen Unternehmer — aufgeführt wurden, ohne dass man sich um den Dichterkomponisten einen Pfifferling gekümmert hätte, bis es dem Rechtsnachfolger Wagners, K. W. Batz in Mainz, nach unendlichen Bemühungen gelang, ein Abkommen zu schließen, das in Anbetracht des skandalösen Rechtszustandes als ein überaus befriedigendes bezeichnet werden musste. Nachdem nun England sich an dem internationalen Vertrage beteiligt hat, würde der bisher anstandslos geübte Unfug aufhören, auch wenn zwischen dem deutschen Reiche und dem britischen Reiche kein spezieller Staatsvertrag zum Abschluss gelangt wäre.

Der internationale Vertrag vom 9. September bezeichnet in der Rechtsbildung einen höheren Standpunkt, als der spezielle Staatsvertrag von Staat zu Staat.

Er geht davon aus, dass das Autorrecht zu jenen Rechtsgütern — man sagt neuerdings in glücklicher Weise Weltrechtsgütern gehört — an deren Schutz alle Kulturnationen beteiligt sind, er geht davon aus, dass der unberechtigte Eingriff in diese Rechte eine strafbare Handlung enthält, welche bei allen Kulturvölkern gemissbilligt und bestraft werden muss, ohne Rücksicht darauf, dass der Geschädigte einem andern Staate und einem andern Volke angehört, als derjenige, welcher gegen ihn eine Beschädigung verübt hat. Hätten sich nicht auf dem Gebiete des Autorrechts während langer Zeiten und bis in die Mitte unseres Jahrhunderts herein Zustände erhalten, die wahrhaft barbarisch genannt zu werden verdienen, so müsste man die Anerkennung dieser großen Prinzipien einfach als selbstverständlich und keiner besondern Belobigung bedürftig bezeichnen. Denn so gut in London und New-York derjenige Eingeborene, welcher einem Deutschen die Uhr abzwickt oder den Paletot mitgehen heißt wegen Diebstahls bestraft wird, ohne Rücksicht darauf, dass der Bestohlene nicht auf den weißen Klippen, oder im Lande der „Freiheit" das Licht der Welt erblickte, ebenso, sollte man denken, müsste der, welcher einen Hillernschen Roman oder ein Lindausches Schauspiel unbefugt nachdruckt, verbreitet oder aufführt, schlechtweg gestraft werden, ohne dem Umstand Gewicht beizulegen, dass Hillern und Lindau das deutsche Indigenat besitzen. So fordert es wenigstens das natürliche Recht und der gesunde Menschenverstand, so auch ein gesundes Rechtsgefühl. Allein dass das positive Recht in Amerika und England hiermit nicht harmonierte, haben unsere Schriftsteller, Komponisten und Künstler zu ihrem Schaden oft genug und öfter als ihnen lieb war erfahren und mit Rücksicht auf diese wirklich schändlichen Zustände, für deren Charakterisierung kein Wort zu schwer und kein Vorwurf zu bitter ist, muss man die Vereinbarung des Vertrags vom 9. September als einen ganz außerordentlichen Fortschritt bezeichnen, welcher unsern Schriftstellern den Genuss der Früchte ihres Geistes und ihrer Kunst in den weitesten Gebieten sichert. Der Nordamerikanische Freistaat hat sich freilich noch nicht dazu entschließen können, dieser Vereinigung, welche eine Zierde des letzten Viertels unseres Jahrhunderts bildet, beizutreten. Wer die Ansichten der Nordamerikanischen Staatsmänner über völkerrechtliche Verhältnisse kennt, dürfte von dieser Haltung der Republik kaum erstaunt sein. Hält doch die Nordamerikanische Staatengemeinschaft allein von allen Kulturstaaten daran fest, das Recht zur Ausstellung von Kaperbriefen nicht aufzugeben, also die schmachvolle Uebung noch aufrecht zu erhalten, über welche die Zivilisation und das internationale Recht längst ihr Verdammungsurteil ausgesprochen haben. Unter solchen Verhältnissen erscheint es begreiflich, wenn man in Nordamerika auf die bisherige Ausplünderung fremder Autoren nicht verzichten will, es erscheint aber auch das Urteil eines bedeutenden Rechtsgelehrten gerechtfertigt, welches derselbe dahin formulierte, dass Nordamerika in völkerrechtlicher Beziehung nur zu den halbzivilisierten Staaten gezählt werden könne.

Das größte Verdienst um das Zustandekommen des Vertrags vom 9. September darf die Association littéraire et artistique internationale für sich in Anspruch nehmen. Auf ihrem Kongress zu Rom im Jahre 1882 hatte dieselbe sich zuerst mit der Verwirklichung des Gedankens der Schaffung eines Weltvereins zum Schutze der Autorenrechte näher befasst und es war insbesondere der Präsident der Assoziation, Louis Ulbach, welcher den größten Eifer hierfür entwickelte. Im September 1883 versammelte sich eine vorbereitende Konferenz zu Bern unter dem Vorsitze des schweizerischen Bundesrats-mitgliedes Numa Droz. Dieselbe verfasste den Entwurf zu einer Internationalen Konvention und beauftragte den Schweizer Bundesrat, denselben auf diplomatischem Wege den Regierungen mitzuteilen und sie zu einer Konferenz darüber einzuladen. Der Bundesrat unterzog sich diesem Auftrage und fand bei den Staaten bereitwilliges Gehör. Auf Grund dieser Verhandlungen fand im September 1884 zu Bern eine Konferenz statt, welche einen neuen Entwurf redigierte und denselben der Genehmigung der Regierungen unterbreitete. Im September 1885 wurde demnächst eine neue Konferenz zu Bern abgehalten, auf welcher Deutschland, Spanien, Frankreich, England, Haiti, Honduras, Italien, Niederlande, Schweden, Norwegen, die Schweiz und Tunis durch Bevollmächtigte vertreten waren, die Delegierten Deutschland waren Dambach, Meyer und Reichardt. Hier wurde der Vertrag endgültig festgestellt, und in der nunmehr am 9. September abgehaltenen Konferenz zu Bern erfolgten die definitiven Beitrittserklärungen.

Hoffentlich schließen sich in der allernächsten Zeit auch diejenigen Staaten, welche sich bis jetzt noch nicht an der Union beteiligt haben, dem neugeschaffenen Weltverein an, welcher den ersten Ansatz bietet, um das zu schaffen, was vor einem Menschenalter noch als Utopie verlacht und verhöhnt worden wäre, eine Weltrechtsordnung zum Schutze des Autorrechts.

Mainz. Ludwig Fuld.

Bemerkungen über Byrons Poesie.

II.

Die unauslöschliche Flammenspur, welche kometenhafte Lichtkörper auf ihrer Bahn hinter sich zurücklassen, wird bleicher und bleicher mit der Zeit, bis das blöde Auge spätester Nachkommen sie kaum mehr zu unterscheiden vermag. Der Einfluss, den die beiden großen Männer dieses Jahrhunderts, welche, an der Schwelle desselben auftretend, es wie ein Atlas hoch gen Himmel hoben, die beiden N. B., Napoleon Bonaparte und Noël Byron, ausübten, die weltbestimmende Wirkung ihrer Taten und Gedanken und ihres gesammten Auftretens, welche ihre Zeitgenossen bereitwillig anerkannten, wird heut angezweifelt, bekrittelt und häufig ins Lächerliche gezogen. Dass die französische Romantik, diese in die Politik genau so tief wie in die Litteratur einschneidende Bewegung; dass die italienische und spanische Poesie, ebenso wie die aktiven Freiheitsbestrebungen in Italien, Spanien und Hellas; dass die ganze jungdeutsche und die gesammte slavische Litteratur rundweg von Byron nicht etwa beeinflusst, sondern erzeugt sind, — bedarf zwar kaum eines Beweises. Aber man glaubt heut eben nicht mehr, dass die Worte der Dichter und Gedanken der Philosophen das eigentlich Aufbauende und Bestimmende in der Geschichte der Völker bedeuten — heut wird Alles mit Blut und Eisen „gemacht". Aber wenn auch der Goethesche Faust zur Abwechselung das Axiom bekräftigt: „Im Anfang war die Tat," so wird's im Allgemeinen wohl doch beim Alten bleiben und „Logos" das „Wort" bedeuten. Im Anfang ist das Wort und dieses wird dann erst Fleisch d. h. Tat. Und zwar wird das Wort wohl immer die Tat gebären, doch nicht immer umgekehrt die Tat das Wort. Die Litteratur bestimmt die Geschichte, aber die Geschichte nicht immer die Litteratur. So bleibt denn die rohe matter-of-fact-Weisheit, die stupide Tatenseligkeit sehr häufig unfruchtbar, wie man das vielleicht an einer uns naheliegenden Epoche bemerken wird, da sie eben das einzig Weiterzeugende, den Logos, nicht aus sich zu gebären vermag. Nein, Byron hat keine Schlachten gewonnen, erst am Schluss seiner Laufbahn nahm er aktiven Anteil an dem Kampf gegen die Reaktion — aber seiner Zeit galten Childe Harold, Don Juan, Kain als vollötige „Taten". Ist doch jede große Schöpfung, wie die göttliche Komödie, das verlorne Paradies, Lear, Hamlet, Faust, die Sixtina, die Fresken Michel Angelos, eine weltbewegende Tat des Menschengeistes, in seiner Allgemeinheit aufgefasst (denn die Stimmung und das Streben der ganzen Zeit hat im Geheimen daran mitgewirkt), eine ewige Wahrheit, eine neue wunderbare Entdeckung und ein neuer überraschender Beweis menschlicher Geistesgröße wie nur irgend eine Entdeckung von Newton und Kopernikus. Ja, Byron brauchte es gar nicht bildlich aufzufassen, wenn er sich scherzhaft den „großen

Napoleon im Poetenreich" betitelt und spottend fortfährt:

„Doch Juan scheint mein Moskau und Faliero
Mein Leipzig und mein Waterloo scheint Kain."

Diese dichterischen Produktionen sind ganz wörtlich verstanden Schlachten, die das Genie der Heiligen Allianz aller Zeitvorurteile liefert, freilich mit dem Unterschied, dass die einmal verlorenen Schlachten der Waffen für immer geschlagen sind, während die Schlachten der Idee selbst noch in letzter Instanz gewonnen werden.

Wie solche Gedanken und Stimmungen, die ein Genie seinen Zeitgenossen überliefert hat, noch nach seinem Tode zur Herrschaft gelangen, davon betrachte ich eben ein ergötzliches Zeugnis. — Bekanntlich ist der Einfluss Byrons auf sein Vaterland stets als der geringste geschildert. Dass aber trotz alledem der Byronismus unauslöschliche Wurzeln schlug, erhellt deutlich aus einem Buch aus dem Jahre 1832, acht Jahre nach dem Tode des Lords.

Ich weiß nicht mehr, wie das Bändchen in meinen Besitz gekommen ist, ich vermute dunkel, dass ich es auf einer Bücherauktion in Brompton Road aufgabelte. Es ist in rosa Seide gebunden, erheblich verschlissen und auf der Titelvignette — einer prachtvollen Urne auf einem Sockel — mit der Inschrift geziert:

„Als Zeichen schwesterlicher Zuneigung an Emilie S... von Amalia Miss G..." All diese drohenden Anzeichen verrieten mir, als ich das Buch gestern zufällig in die Hand bekam, dass ich es mit einem Keepsake zu tun hatte, jenen Londoner Almanachs, in denen Lords und Ladies ihre Poesie abladen und die als Müll — sagen wir, Rosenpfühl dienen für alle dichterischen Absonderungen der englischen Aristokratie.

Da steht gleich die Liste der diesjährigen Mitarbeiter. Pompös! Unter einem „right honourable" tut es der Herausgeber nicht. Lords, Marquis, Earls, Baronets „sehr ehrenwerte" Herren, vornehme Geistliche, Gräfinnen, Ladies aller Rangabstufungen — endlich auch ein paar plebejische Berühmtheiten nebenbei. Da ist Theodore Hook, der pikante Klatsch- und Anekdotenerzähler des High Life, mit einer mittelmäßigen Novelle vertreten. Desgleichen sind da Sheridan Knowles und „der Autor von Frankenstein", die geniale Gattin des großen Verkannten Shelley, die bekanntlich in Genf mit Byron um die Wette Geistergeschichten schrieb, deren Ergebnis ihr „Frankenstein" und sein Fragment „Vampyr" waren, welches letztere von dem Charlatan Polidori weiter ausgeführt und betrüglicherweise unter dem Namen Byrons publiziert ist. Endlich kommt da auch ein gewisser Walter Scott vor, ganz hinten auf Seite 293, gewissenhaft aufgeführt und betitelt als „Sir Walter Scott, Baronet". Ja, der Keepsake giebt Jedem die ihm gebührende Ehre! — Nun aber bleibt nachdem wir fürs erste den Inhalt von diesen plebejischen Ingredienzien gereinigt haben, die Betrachtung der eigentlichen Hauptmasse in ihrer Gesammtleistung ein imposanter und anregender Anblick. Den eigentlichen Kern bildet ein Essay von Erzdiacon Spencer über die „Moral in Byrons Schriften" und obwohl der ehrwürdige Herr die bekannten verbrauchten Phrasen mit seltener Beharrlichkeit wieder in Kommission nimmt, so wäre es ein Segen vom Himmel, wenn Einer unsrer Orthodoxen im Stande wäre, eine ähnlich stil- und maßvolle Abhandlung zu liefern. Obwohl der Erzdiacon sich zu der kräftigen Sentenz aufschwingt, Byrons Lorbeer sei der Kranz eines „heidnischen Wüstlings, der im Hochmut des Genies auf den Blumen der Tugend herumtrample, um einen vorübergehenden Wohlgeruch hervorzulocken", hat der geistliche Herr dennoch auch einen Blick dafür, dass Byrons Schilderung der Leidenschaften schrecklich wahr und seine Gemälde der Tugend wunderschön seien. Ja er giebt zu, dass aus seiner schwarzen Seele fast jede Minute ein Meteor aufsteigt, noch glänzender durch die Finsternis, aus der es geboren ward, und dass es Momente gebe, wo alle Wolken zu weichen schienen und die volle Sonne zum Durchbruch komme. Der ganze Aufsatz zeigt deutlich, ein wie lebendiges Interesse man noch damals den Schriften und dem Leben des Dichterlords entgegen brachte. Wie tief gewurzelt der Einfluss seiner Poesie noch damals war, erhellt aber am deutlichsten aus den Versen, die hier von Lords und Ladies verbrochen werden. Da ist Lord John Russell, der à la Don Juan „London im September" beschreibt; da teilt uns ein „honourable" Berkeley Stanzen mit, die mit der üblich „bittern Träne" enden; da ist ein Anonymus, der mit rührender Treue ein Jugendgedicht Byrons kopiert: „weil eine Lady von dem Autor ein paar Verse wünschte". Einen höhern Flug nimmt schon der Honourable H. Cradock, welcher über den Ruinen Granadas 1820 sich in Betrachtungen ergeht, die eine wunderbare Aehnlichkeit mit gewissen Versen in Childe Harold und andern geringfügigen Passagen in „Corsar" und „Giaur" aufweisen. Der Dichter gesteht auch selbst, wie oft er „gestöhnt habe, die Tiefe des Elends von Griechenland zu sehn", unstreitig eine sehr selbständige Begeisterung nach Byrons griechischen Ephyllien. Freilich zweifelt der treffliche Beobachter, ob Hellas „wirklich groß und frei gewesen sei, das Albion jenes Archipels" — eine scharfsinnige Skepsis, die in der unverfrorenen Umstülpung der möglichen Vergleichsobjekte jene harmlose Selbstbefriedigung eines echten Briten atmet, wie sie einem Sohn dieser glücklichen Inseln gebührt.

Lord Holland, der alte Freund Byrons, liefert ein paar hübsche Sonnette, Lord Mahon ein Byronisches „Todtenlied" und ein Mr. Bernal, M. P., beschreibt im Genre der biblischen Poesie Byrons „Die Buße von Niniveh". Höchst komisch macht sich ein Epigramm von Lord Ashtown auf das Grab seiner Lieblingsdogge, eine Nachäffung der bekannten Liebhaberei Byrons für Hunde und speziell seiner

Inschrift auf das Grab seines Neufoundländers Boatswain. Lord Morpeth fühlt am Abend die durch Byron Mode gewordene, nicht mehr ungewöhnliche Schwermut, seufzt aber am Ende schwindsüchtig nach den „Gefilden da droben" — welche poetische Modesehnsucht auch Lord Dover als Schlusswendung benutzt. Dieser junge Edelmann verbricht nämlich ein langes Gedicht „Das menschliche Leben", dessen Inhalt mit anmutender Pietät frei nach Byron gestohlen ist. Aber nein, das ist falsch! Die Untersuchungen, die er anstellt, sind ja entschieden originell, schon durch die naive Kindlichkeit der Behandlung. Der würdige Poet hat nämlich erfahren, dass das Ende von allem „enttäuschte Hoffnung nebst Elend" sei. Der Krieger fällt auf dem Schlachtfeld, was man bekanntlich (nach Byron) „das Grab des Ruhmes" schimpft. Dem Seemann geht's nicht besser, der Staatsmann hat mit Neid zu schaffen oder dem Fluch des Volkes. Der Jurist stirbt, ehe er ein Vermögen gemacht hat — ein merkwürdiger Umstand, der ja auch nur Juristen begegnet. Aber der eigentliche Kummer ist das Schicksal des flammenden Poeten, „zu welchem Ruhm kommt gar nicht — oder, wenn er kommt, zu spät" (wörtlich der sinnigen Diktion nachgebildet)! Ebenso geht's dann noch laut Lord Dover dem Kaufmann, dem Gelehrten u. s. w., welche offenbar selbst gemachten Erfahrungen er mit altklugem Ernst zum Besten giebt. Ansprechend ist jedoch die Idee, dass auch der Müssigänger dem allgemeinen Loos nicht entgehen kann, da er die nutzlosen Tage, die vergeudeten Jahre bedenkt. Hier folgt der edle Herr entschieden der Lehre des Dichterlords, nur zu schildern, was man selbst erfahren hat. — — Ehre, dem Ehre gebührt! So viel auch Byron über die „Blues", die Blaustrümpfe, gespottet hat, er würde angesichts dieses Keepsakes gestehn, dass von seinen zwei bestverachteten Klassen, den „Blues" und „Bores", doch Bores wie Lord Dover die schlimmeren sind. Nur die schriftstellernden Damen retten die Ehre der Musen in diesem Almanach noch zur Not. Da ist L. E. L., hinter welchen Initialen ich Lätitia Emily Landon, die zweitberühmteste Lyrikerin Englands, in diesen schüchternen Erstlingsversuchen vermute; da ist eine satirische Gräfin Morley, die mit vielem Humor eine Wasserpartie beschreibt, und da ist gar Byrons eigene alte Freundin, die durch die „Conversations with Lord Byron" bekannt gewordene Gräfin Blessington. Sie steuert hier zwei Gedichte bei, die aufs bedenklichste Byronisch angehaucht sind. Lady Emmeline Stuart Wortley widmet sich mit Eifer Byronischen Reminiszenzen nach der Seite des Orientalischen hin.

So rührend alle diese Nachempfindungen Byronischer Stimmungen und Ausbrüche nachgeäffter Schmerzen erscheinen mögen, so bleibt es doch dankenswert, dass diese fashionable Spielerei ankündigt, wie innig jeder Dandy und jede Salondame die herrschende Nachempfindung adoptiert hatte. Jedenfalls ist dies arglose Büchlein ein notorischer Beweis von dem tiefen und nachhaltigen Einfluss der Byronischen Poesie.

Charlottenburg. Karl Bleibtreu.

Dem Herrscher.

Wann wird der Mensch einst, würdig des Namens:
Mensch!
Des knabenhaft geregelten Waffenspiels
Längst überdrüssig, Jenem fluchen,
Welcher zuerst mit des Hammers Schlagkraft

Dem Uebermut mordheischende Schwerter schuf?
Wann wird der Bluthund, welcher zusammenruft
Elendes Volk, damit er's lehre,
Nur noch im Bruder zu sehn den Todfeind,

Nicht mehr (von Klios Griffel gepriesen, als)
Held sich ertrotzen frech die Unsterblichkeit —
Wann wird die Menschheit lernen friedlich
Ihren so ärmlichen Ball bewohnen.

Entgeht dem Grab denn irgend ein Atmender?
Drückt denn des Schicksals ewig gespanntes Joch
Nicht tief genug den blut'gen Stachel
Schon in die Herzen? Giebt's weder Stürmen

Auf wildempörtem Meere zu widerstehen,
Noch Feuerbergen kühn zu entreißen, was
In ihren Lavaklauen zuckte?
Klopft nicht die Krankheit, des Hungers Schwester,

An Hütten tückisch wie an Paläste an?
Braucht's erst des Schwertes Wunden zu schlagen, die
Niemals vernarben? Schärft nicht Liebe,
Ehre und Wissen die bittern Pfeile?

Du aber sei mir, friedlicher Held, gegrüßt,
Der jetzt schon anstrebt jenes erhabne Ziel,
Der du nur Waffen trägst, der Waffen
Blutige Fordrung zur Ruh zu zwingen.

Du tauchst in Schatten mit deines Namens Glanz
Den, der am Kreuze litt für der Menschheit Wohl,
Dir, seines schlichten Worts Vollstrecker,
Flechte die Liebe den Kranz, der höher

Als jener strahlt, welchen am Siegsgespann
Viktoria hochhält über des Cäsars Haupt,
Und wird ein Mensch verehrt in Tempeln,
Möge dir Weihrauch dein Bild umschweben.

Darmstadt. Wilhelm Walloth.

Konrad Deubler.

(Fortsetzung.)

Die Anklage gegen Deubler und Genossen lautete auf Hochverrat und Religonsstörung. Die Verhandlung währte vier Wochen. Vierzehn Personen waren mitverhaftet. Drei davon starben während der über ein Jahr dauernden Untersuchungshaft; ein Bergarbeiter, Vater von fünf Kindern, erhenkte sich in einem Anfalle von Verzweiflung am Fenstergitter im Gefängnis; ein Holzknecht, ebenfalls verheiratet, wurde wahnsinnig und starb dann am Typhus — sein Verbrechen bestand darin, dass er im Besitz von einem ganzen Jahrgang der Zeitschrift „Die Wartburg" gewesen war.

Gegen Deubler wurde namentlich ein Brief an seinen evangelischen Pfarrer aufgeboten, welches Schreiben aber nicht an seine Adresse abgeschickt worden war, sondern sich nur im Entwurfe vorfand. Als Bekenntnisakt ist dieses Schriftstück immerhin merkwürdig; es heißt darin: „Ich glaube keinen Himmel der Belohnung und keine Hölle der Bestrafung, sondern nur das Gute an und für sich selbst, als Naturgemäßes . . . Denn eben weil der Mensch seinen Tod voraussieht und voraus weiß, so unterscheidet er sich, ob er gleich ebenso gut stirbt wie das Tier, dadurch von dem Tiere, dass er den Tod zu einem Gegenstand selbst seines Willens erheben kann . . . Dann erst, wenn der Mensch allüberall Mensch ist und als Mensch sich weiß, wenn er nicht mehr sein will, als was er ist, sein kann und sein soll; wenn er sich nicht mehr ein seiner Natur, seiner Bestimmung widersprechendes, folglich unerreichbares, phantastisches Ziel setzt, das Ziel nämlich, ein Gott, ein Wesen ohne Körper, ohne Fleisch und Blut, ohne sinnliche Triebe und Bedürfnisse zu werden: dann erst ist er vollendet, dann erst ein vollkommener Mensch; dann wohl ist keine Lücke mehr in ihm, worinnen das Jenseits sich einnisten könnte . . . Glauben Sie mir, der Mensch würde ohne Gottesglauben keineswegs zum Tiere herabsinken, sondern seinen Vorzug noch höher entwickeln als vorher u. s. w."

Die Anklage vertrat ein junger, ehrgeiziger Staatsanwalt, der ersichtlich die herrschende reaktionäre Strömung sich zu Nutze machen wollte. v. Waser ist sein Name und in der Folge zählte er im Schmerlingschen Parlamente zu den wortgewandten freisinnigen Leuten. Tempora mutantur! Der Staatsanwalt muss den Angeklagten selbst das Zeugnis ausstellen, „dass aus der abgeführten Untersuchung ein förmliches und auf bestimmte staatsgefährliche Unternehmungen abzielendes Komplott sich nicht erweisen lässt," sondern nur eine „Genossenschaft in den Gesinnungen." Und deswegen Acht und Kerker? Aber hören wir weiter: „Zu was braucht ein Mensch in dieser untersten Volksklasse von solchen Sachen zu wissen? Der Staat braucht nicht die Köpfe dieser Leute, sondern ihre Hände. Man muss ein Exempel statuieren, um den gemeinen Leuten solch unnützes Zeug aus den Köpfen zu vertreiben . . ." So ließ sich nach dem Zeugnisse Deublers selbst der künftige Volksmann v. Waser, ein geistiges Helotentum für Ungezählte proklamierend, in öffentlicher Verhandlung vernehmen! Die Angeklagten wurden trotzdem zum größten Teile freigesprochen, aber der Staatsanwalt blieb rührig und mit welchem Erfolg für Deubler, ist bereits angedeutet worden.

Deubler erwies sich im Kerker und in der Verbannung nicht völlig als den mutigen Märtyrer und Bekenner, als welchen ihn sein Biograph so gern aufs Piedestall stellen möchte. Er versteht sich dazu, gewisser Erleichterungen wegen zu den Katholiken gezählt zu werden und um da der Beichte auszuweichen, zeitweilig sich der jüdischen Abteilung beigesellen zu lassen. „In Augenblicken krankhafter Erregung" stöhnt er, wie Dodel-Port beschönigend sagt, über seine „Missetaten", knirscht er „Reue", fleht um „Gnade", faltet seine Hände zum „Sternenhimmel", gelobt „Besserung" und schwört sogar die Lektüre ab — lauter Gräuel in den Augen eines Materialisten! Wir urteilen milder und humaner; wir wollen Deubler lieber für weniger fest als für zu schlau halten, wenn wir in Briefen an die Seinen Stellen begegnen, wie: „Bete fleißig und vertraue auf Gott! . . . Gott dem Allmächtigen sei Dank! . . . Ein Mensch, der wie ich fest von Gott und Unsterblichkeit überzeugt ist u. s. w." Diese Briefe hatten allerdings die Augen der „wachthabenden Polizei" zu passieren, aber er hatte ja nicht menschenfeindliche Peiniger um sich, sondern durfte sich, wie er selbst dankbar anerkennt, vieler freundlicher Rücksichten erfreuen. Wir verstehen, wenn er murrt:

„Verträum' die Zeit, verlern' das Denken
Und mache stets ein Schafsgesicht!
Lass dich von jedem Ochsen lenken
Und stößt er dich, so muckse nicht" —

oder noch grimmiger:

„Gebt ganz mich auf, ihr himmlischen Gewalten,
Da doch die Macht euch fehlt, mich gänzlich zu erhalten!
Wenn Gott und Teufel eine Seele spalten,
Hat Keiner, was der Mühe lohnt."

Aber wir begreifen auch seine gläubigen „Rückfälle" . .

Als Deubler nach endlicher Begnadigung, die keineswegs auf den ersten Ruck erfolgt war, nach Goisern zurückkehrte, fand er seine Wirtschaft nichts weniger als verödet. Seinen Feinden war die Aechtung seines Hauses als das des „Verbrechers" und „Gestraften" keineswegs gelungen; im Gegenteil, Kirchweih und Fastnachtsanlässe fanden in diesem Hause die meisten Teilnahme. Deublers Weib hatte sich als gute Wirtin erwiesen und behauptete auch hinfort, mehr als dem Manne lieb war, das Regiment. Den Pfaffen ging Deubler fortan vorsichtig aus dem Wege, den Laien trug er nichts nach, gewisse geschichtliche Zustände und Notwendigkeiten erkannte er nun unschwer und „Alles begreifen heißt Alles verzeihen“ wurde eines seiner Lieblingssprüchlein. Sein Geist, den er gebrochen glaubte, lebte wieder auf und dem Ideal, das er zertrümmert wähnte, strebte er von Neuem zu. Er kaufte wieder Bücher, doch verhielt er sich in seinen Aeußerungen über politische und religiöse Dinge von jetzt ab zurückhaltend.

1858 ist unserem Goiserer Gastwirt, der mittlerweile auch ein Bauerngut an sich gebracht hat, noch Moleschott „der wichtigste Zeitgenosse“. Von Rossmäßler erfährt er um diese Zeit, dass dieser an eine Fortsetzung seines „Mensch im Spiegel der Natur“ nicht denken könne; „denn in demselben Tone darf man jetzt nicht mehr schreiben und in einem anderen mag ich nicht schreiben.“ Mehr und mehr geriet der Gedanken- und Bildungsmensch Deubler aber in den geistigen Bann Ludwig Feuerbachs. Von 1862 ab verkehrten Deubler und Feuerbach lebhaft und freundschaftlich zehn Jahre lang und weitere zwölf Jahre bewahrte der Ueberlebende das Gedächtnis des Andern, des vergötterten Freundes, Liebe und Freundschaft dessen Hinterbliebenen in ihrer wehmütigen Einsamkeit bezeugend. Feuerbach in Rechenberg bei Nürnberg aufzusuchen, war ein Hauptzweck von Deublers deutscher Reise 1862 und da er den Gesuchten nicht traf, schrieb er demselben bald von Goisern aus, 23. Oktober: „Großer Mann! Verzeihen Sie einem Manne aus den untersten Schichten der menschlichen Gesellschaft, der es wagt, Sie mit einem Schreiben zu belästigen... Der freundliche Empfang Ihrer Frau und Tochter hat unendlich wohltuend auf mich einfachen Naturmenschen eingewirkt... Da ich zu weit von einer Buchhandlung entfernt bin, so bitte ich Sie, das in Zukunft erscheinende Buch von Ihnen, das mir Ihre Tochter versprochen hat, ja gewiss zu schicken. Obgleich ich arm bin, so habe ich zum Ankauf eines wahrhaft guten Buches immer Geld. Meine Bücher, worunter Ihr Werk „Wesen des Christentums“, wurden mir 1853 konfisziert; seit vier Jahren habe ich mir Vogt, Ule, Moleschott, Buckles Geschichte der englischen Zivilisation angeschafft. Diese Lektüre hat meinen Gaumen ganz verwöhnt. Besonders hat Buckle auf mich einen großen Eindruck gemacht; schade, dass der Tod an der Ausführung und Vollendung dieses großen Werkes ihn verhindert hat. Wie wäre es, wenn Sie es fortsetzten oder wenigstens eine Geschichte Deutschlands in diesem Sinne schrieben?...“

Man beachte den demütigen Eingang des Schreibens. Deubler liebte es, bei ähnlichen Gelegenheiten, den schlichten, armen Mann aus den untersten Schichten, der nicht einmal recht schreiben gelernt, auszuspielen, so dass diese Art, sich einzuführen, bei ihm fast zur stehenden Formel wurde. Im Nu aber hatte er auch schon ein Ansinnen zur Hand, das den gelehrten Adressaten stutzig zu machen geeignet war. So hatte denn auch gleich Feuerbachs Antwort sachlichen Inhalt. Der Philosph erwidert dem Bauer, dass er einen volkstümlichen Auszug aus seinen sämmtlichen Schriften plane; „ich will es mir einprägen, auch diese Aufgabe als eine Schuld an Sie, an das Volk überhaupt, zu betrachten, dann werde ich sie auch gewiss lösen. Wie sollte es mich freuen, wenn ich mit dem Händedruck persönlicher Freundschaft zugleich den volkstümlichen Gesammtauszug und Ausdruck meines Geistes Ihnen einhändigen könnte!“ — Das Verhältnis ließ sich sonach allsogleich ebenso innig als gegenständlich wichtig an.

Im Sommer 1863 unternahm Deubler einen Ausflug in die Schweiz. Um diese Zeit oder wenige Jahre später erklärte sich ein Freund Deublers, der Welser Bürger Franz Aschinger offen als konfessionslos, ein Schritt, den der „schlaue“ Goiserer ungetan ließ, der im Jahre 1864 auf dem Primesberg das später so berühmt gewordene Alpenhäuschen sammt dem grünen und schattigen Zubehör kaufte. Das alte Haus daselbst ward zur Burg „Malepartus“ umgewandelt, in welche der Fuchs seine Sommergäste einlogierte, bis er selbst dort Wohnung nahm. Später baute er ein „Atelier“ dazu, errichtete dort nach Feuerbachs Tode den Manen desselben ein Denkmal und schuf ein ganzes Museum für Kunst und Wissenschaft.

Im September 1866 war Deubler wieder in Rechenberg, wofür sich der Philosoph im darauffolgenden Sommer zu einem Besuch und zu mehrwöchentlicher Einlagerung auf der Burg Malepartus verstand. 1868 war Deubler Sprecher einer heimatlichen Deputation vor dem — Kaiser! Mehrere Ehrenämter folgten nun für den ehemaligen Häftling rasch aufeinander; er wurde in die Grundsteuer-Regulierungs-Kommission gewählt, wurde Bürgermeister von Goisern und Vorsitzender des Ortsschulrates, als welch Letzterer er insbesondere die Verschmelzung der beiden konfessionellen Ortsschulen in eine gemeinsame konfessionslose durchsetzte.

Deubler war bisher „wegen der Leute“ alle Jahre am Charfreitag zur Kommunion gegangen; er fühlte ob dieser „Heuchelei“ einen Gewissenswurm und ging daher Feuerbach um Rat an. Dieser antworte ihm, 28. Februar 1870: „Die Religion, wenigstens die offizielle, die gottesdienstliche, die kirchliche, ist entmarkt oder entseelt und kreditlos, so dass es an sich ganz gleichgültig ist, ob man ihre Gebräuche mitmacht... so dass es sich wahrlich nicht der Mühe lohnt, wegen eines Glaubens, der längst keine Berge mehr versetzt, seine lieben Berge zu verlassen.“ Diese Antwort ist mehr geistreich als schlicht, aber dem Goiserer Freigeist kam sie offenbar gelegen. Deubler besuchte den Philosophen noch 1868, 1870 und zum letzten Mal den 20. Februar

1872. Eleonore Feuerbach berichtet über dieses letzte Wiedersehen: „Mein Vater hatte damals seit Wochen zu Bette gelegen; als wir ihm aber mitteilten, Deubler wäre angekommen, da erhob er sich rasch vom Lager und schon nach wenigen Minuten trat er ins Wohnzimmer, wo Deubler seiner wartete, und mit Freudentränen umarmten sich die Freunde. Es war wohl die letzte Lebensfreude, welche Ludwig Feuerbach empfunden hat . . ."

Nach Feuerbachs Tode war für unseren bäuerlichen Denker das leitende Gestirn Ernst Häckel. Dodel-Port deutet an, dass Deubler bei diesem Uebergange zur Darwinistischen Litteratur immer noch Feuerbach zu Rate gezogen habe. Uns ist im bezüglichen Briefwechsel kein deutlicher Beleg dafür aufgestoßen und der Umstand, dass Feuerbach direkt ins materialistische Lager hinüber gewiesen habe, nimmt uns überhaupt Wunder. Der Rechenberger Religionsphilosoph, wie die Häupter der kritischen Theologenschule insgesammt waren, und blieben Idealisten und mochten als solche sich nur schwer mit dem wissenschaftlichen Materialismus befreunden Strauß verlegt den „neuen Glauben" in der Tat auch weit mehr in die idealen Güter und Errungenschaften von Poesie, Musik und Kunst als in das Prinzip der natürlichen Entwickelungslehre. Auch versetzt sich weitaus leichter ein bloß anempfindendes, rezeptives Talent in neue, fremde Gedankencentren als selbstherrliche, schaffende Geister. . Doch wie dem auch sei, die Tatsache ist richtig, dass Deubler fortan der Gemeinde Darwins angehörte und zwar mit einem Eifer, der die neue wissenschaftliche Erkenntnis förmlich zu einer Sekten-Angelegenheit machte.

Unter eigentümlichen Umständen machte sich Deubler zunächst litterarisch mit Häckel bekannt. Er hatte sich im Walde beim Holzspalten mit der Axt in den Knöchel gehauen und musste Wochen lang das Zimmer büten. In solch schmerzlicher Muße las er Häckels „Natürliche Schöpfungsgeschichte" und fühlte sich bald angeregt, dem Naturforscher die übliche Huldigung darzubringen. Und Bauer und Forscher wechselten bald bedeutsame Artigkeiten. Ersterer schreibt: „Was einem wahrhaft frommen Christen sein Katechismus-Gott und seine Heiligen sind, das sind Sie mir. Feuerbach ist mir gestorben, ‚denn auch Götter müssen sterben', und er war mehr. Jetzt müssen Sie mir meinen dahin geschiedenen Lehrer und Freund ersetzen" — und an anderer Stelle: „Leben Sie wohl, großer Mann, Oberpriester im Tempel der Wahrheit, und behalten Sie mich im Andenken, der Sie so hoch achtet und liebt. Ihr dankbarer Lehrling K. Deubler." Und Häckel äußert sich, nachdem auch eine persönliche Begegnung stattgefunden: „Und wie habe ich mich gefreut, endlich einmal in Ihnen, lieber Freund, einen wahren Menschen zu finden, das seltenste und wertvollste unter allen Wirbeltieren, die auf unserem kuriosen Planeten umherlaufen! Wenn Diogenes, nach Menschen suchend, Sie gefunden hätte, würde er seine Laterne ausgelöscht haben."

Im Sommer 1874 war Häckel, wie andere namhafte Leute, Deublers Gast auf dem Primesberg. In demselben Sommer, welche unserem Bauernphilosophen Schreitmüllers Broncebüste nach der Todtenmaske Feuerbachs brachte.

Im November 1875 verlor Deubler nach zweiundvierzigjähriger Ehe seine Frau Eleonora — „ein treuer guter Kamerad, ein echt deutsches Weib." Aus der Nacht, da ihn dieser Verlust traf, rühren die Verse her:

„Dem schlimmsten Feinde wünsch' ich nicht den Fluch,
Dass, wenn sein Aug' in letzter Träne schwimmt,
Ein Weichlings-Ohr den letzten Atemzug,
Sein letztes Wort vernimmt."

Im Frühjahr 1876 baute Deubler seine Feuerbach-Villa im Schweizerstil, und während dieses Werk gedieh, heiratete er, nun ein Sechziger, zum zweiten Male und zwar, wie bemerkt zu werden verdient, mit kirchlicher Trauung. Im nächstjährigen September eilte er Bäckel zu Lieb' zum fünfzigsten Naturforscher-Tag nach München und lernte bei dieser Gelegenheit seinen künftigen Biographen kennen. „Die berüchtigte reaktionäre Rede Virchows, welche dieser zum großen Hosiannah der Finsterlinge jeglicher Art in München vom Stapel laufen ließ, lernte Deubler erst später aus dem Abdruck derselben kennen. Er gab seiner Entrüstung über jenen Reflex staatsprofessorlicher Weisheit in mehreren Briefen mit drastischen Wendungen Ausdruck." So der gedachte Biograph, der sich gelegentlich selbst „den furchtlosen" nennt.

(Schluss folgt.)

Wien. Hans Grasberger.

Aus der Halbwelt des Geistes.

Bemerkungen von M. G. Conrad.

I.

Er war ein Pöbelmann, ein Plebejer, wie man gebildet sagt. Nach dem Zwang der Vererbung hatte er alle kennzeichnenden Eigenschaften und Hänge und Instinkte seiner Vorfahren im Leibe, dazu die ganze Sklavenmoral seiner gläubigen Altvordern. Die Tartüfferie der Bildung, die ihm auf erprobten Schulen angezüchtet wurde, gab ihm die Kraft, sich eine Staffel zu erheben — vornehm zu werden und einflussreich in der Halbwelt des Geistes.

* * *

Nachdem er es bis zum rezensierenden Zubehör eines Redaktionstisches und Zeitungsverlags gebracht, begann seine Rolle in dem großen unheimlichen Kulturschwindelreich — genannt moderne Presse. Der Pöbelmann wusste sich nicht zu fassen vor Machtgefühl, das seinen dekorationslüsternen Busen schwellte. Einer zu sein von dem großen Geheimbund der öffentlichen Meinungsmacher, von der berühmten sechsten oder siebenten europäischen Großmacht!

* * *

Dass diese Reihenfolge der großen europäischen Mächte nur dann stimmt, wenn man als Nummer eins die Großmacht Dummheit, als Nummer zwei die Großmacht Gemeinheit setzt u. s. f., kam dem vornehmen Pöbelmann in seiner Halbwelt des Geistes natürlich nicht zum Bewusstsein.

* * *

Sein Fach war die schöne Litteratur. Da waren die Gelegenheiten reich und prachtvoll, an den Werken der wahrhaft feinen, seltnen, eigenartig schöpferischen Geister, die sich abseits halten von Herde, Gemeinheit und Modegeschmack, aus seiner öden Neidhöhle heraus Rache zu nehmen, die Roheit seines Gewissens in den Mantel des Idealisten zu drapieren und mit anmaßlichen Sprüchen die Schätzung der ehrlichen, realistischen Künstler herunterzudrücken bis zum Gespötte des Volks.

* * *

Bald war er einer der gewiegtesten Falschmünzer in der Halbwelt des Geistes. Die litterarischen Werttafeln verwandelten sich unter seinen Händen wie durch spiritistischen Zauber, je nach dem Vorteile der herrschenden Bande, in deren Sold er stand und von welcher er sein Schicksal abhängig wusste.

* * *

Und die Großen und Mächtigen im Lande freuten sich seiner emsigen Hantierung und seiner Willfährigkeit, seiner Gelehrsamkeit und seines Witzes. Wie nützlich war, wenn er die Freien und Unabhängigen mit Skorpionen züchtigte, die Hochfliegenden und der Regel Spottenden aus dem Sumpfe seiner knechtischen Gemeinheit anspie — und der gefälligen und anstelligen Mittelmässigkeit dicke Kränze flocht!

* * *

Die schönen Damen erstickten ihn fast mit ihrer Liebe und Dankbarkeit, zumal jene, welche gleichfalls Tinte an den Fingern und verwertungsuchende Manuskripte in der Mappe hatten. Er war ihr Führer, er war ihr Heiland — der großmächtige Richter im Reiche der edeln, der bildenden Familienblätter-Litteratur . . .

Schottische Altertümer.

Die Blüte Schottlands beginnt erst, als seine Selbständigkeit aufhört. Vorher kann man es kaum einen Kulturstaat nennen. Ein schöner Anfang zur Begründung eines solchen im 12. Jahrhundert hatte keine Folgen gehabt. Der gelehrte Franzose Francisque Michel eröffnet sein hervorragendes Werk über die Schotten in Frankreich mit Anführungen, aus welchen die geringe Stellung hervorgeht, welche Schottland in den Augen der continentalen Welt des Mittelalters einnahm. Wir ersehen daraus, wie die schottische Armut so sprüchwörtlich war, dass im „*Roman de la Rose*" der Wohnsitz des Hungers dorthin verlegt werden konnte. Es galt ferner für die Residenz des Teufels und „*sauvage*" war ein geläufiges Beiwort für Land und Leute. Und hierin besserten vier Jahrhunderte wenig. Ein neuerer schottischer Geschichtsschreiber, David Chambers, citiert in seiner „*Domestic History of Scotland*" eine Aeußerung Lord Clarendons, dass vor 1637, dem Jahre des religiösen Aufstandes gegen Karl I., „man in England sowohl bei Hofe als im Volk sich so wenig um Schottland bekümmert habe, dass, während Jedermann mit Neugier die Vorgänge in Deutschland und Polen verfolgte, Niemand fragte, was in Schottland vorginge." Wie hätte auch das kleine Volk von 709,000 Menschen, welche in permanentem Kriegszustande lebten, einem Engländer Interesse einflößen können! Seit dem Ende des 13. Jahrhunderts hatte sich die Bevölkerung in Gruppen aufgelöst, welche sich unter einander beraubten und bekämpften. Selbst der Name Bürger- oder Rassenkrieg ist für diese Kämpfe noch zu edel. Es handelte sich um Mein und Dein. Zwar standen die gälischen Hochländer im Gegensatz zu den sächsischen Südländern und die Kämpfe beider Rassen waren nationale. Aber die Stämme und Häuptlinge innerhalb derselben vernichteten sich eben so schonungslos und deckten sich dabei mit irgend einem politischen Vorwande. Ein schottisches Volkstum existierte nicht. Erst die Reformation rief ein solches im Süden hervor. Es erstarkte in den Kämpfen für den Presbyterianismus, der ihm teuer geworden, bot im Jahre 1637 zuerst den Plänen des Hauses Stuart die Spitze und griff sehr entscheidend in den englischen Verfassungskampf ein. Da aber keine Energie, außer der des Glaubens bei den Schotten entwickelt ist, sinken sie gleich nachher in provinzielles Dunkel zurück, bis sie einsehen, dass sie eigentlich zu England gehören, und mit diesem verschmelzen. Beide Nationen treten in ein höchst merkwürdiges Wechselverhältnis. Schottland bleibt in Gesetz, in der Kirche und in Sitten sich selbst getreu, empfängt aber allen materiellen Segen durch die seine Energie erst fruchtbar machende Hülfe Englands. Dafür liefert es diesem ausgezeichnete Krieger, Staatsmänner und imprägniert es vor Allem mit den Spekulationen seiner National-Oekonomen, welche den Lauf der materiellen Entwickelung Englands regulieren. In gerechtem Selbstgefühl solcher Leistungen fühlen sich die Schotten nicht als Provinzialen Grossbritanniens, sondern noch heute als Nation und legen ihrer Geschichte einen Wert bei*),

*) Besonders hat Walter Scott alles Mögliche getan, jedes einzelne Faktum in ein möglichst grandioses Licht zu setzen. So erschien z. B. die Schlacht bei Killiecrankie (1689)

welchen sie erst durch den letzten glänzenden Teil, durch das Auftreten ausgezeichneter wissenschaftlicher Geister, für uns wenigstens erhält.

Doch eine Merkwürdigkeit dokumentiert sich in der schottischen Geschichte. Ist die Neuzeit in derselben von solcher Wichtigkeit, so nicht minder der Anfang derselben, weil sie so viel Rätselhaftes darbietet, das sich in den sogenannten „Altertümern" zeigt, in den Ueberbleibseln aus einer Periode, von der wir keine Aufzeichnungen, kaum dürftige Traditionen haben, und aus einem Zeitabschnitt, der jünger ist, — Rätselhaftes, das noch einer endgültigen Erklärung harrt, obwohl schon viele Theorien in dieser Hinsicht aufgestellt sind. Diese unenträtselten Reste der vorgeschichtlichen Zeit und des frühen Mittelalters sind die Felshöhlen, die alten Lager, die Druidentempel oder Kreise, die Steinhügel, die Erdhügel, die Rundtürme oder Piktenhäuser, die verglasten Steinwälle und die stehenden, durch eingemeißelte Ornamente verzierten Steine.

Die Felshöhlen, deren Wände von Menschenhand bearbeitet sind, oder Erdstollen, durch eine Steinbekleidung vor dem Einsturz gesichert und bisweilen in ein Netz von Galerien verzweigt, trifft man im Osten des Landes. So besonders die Ersteren zu Hawthornden in Midlothian, zu Ancrum am Teviot; die Letzteren zu Airlie in Angus und auf den Orkaden. Uralte Ruinen von Festungen der piktischen Zeit finden sich bei Hatherton im Tale von Strathmoore; eine am besten erhaltene, der „Barmekyn", auf einem Hügel in der Schlucht von Echt in der Grafschaft Aberdeen. Er ist ein 50 Meter im Durchmesser breiter Raum, von fünf Wällen umgeben, deren drei von Erde, zwei von Steinen sind. Sie bedecken zusammen 10 Meter. Ihre Eingangsöffnungen sind vollkommen unsymmetrisch angebracht.

Die Druidentempel (*druidical circles*) sind konzentrische Ringe, gebildet aus aufrecht stehenden Felsstücken, welche gegen 6 Meter hoch, ein oder zwei Meter breit und nur etwa 30 Centimeter dick sind. Von der Ferne gesehen, sind sie einer menschlichen Gestalt ähnlich, weshalb sie von den Eingeborenen „*fir breigh*" oder „falsche Menschen" genannt werden. Im äußeren Kreise stehen sie lotrecht entweder einzeln durch einen schrittbreiten Zwischenraum von einander getrennt, oder paarweise und dann ziemlich genau nach der Himmelsgegend einander gegenüber gestellt. Der innere Kreis wird gebildet durch kleinere, dichter aneinander gereihte, nach innen gerichtete; die größeren im Westen, die kleineren im Osten plaziert. Im äußeren Kreise stehen im Westen ein oder zwei große Pfeiler, vor denen ein kleiner Steinaltar liegt; oft entspricht im Osten ein kleiner Pfeiler. Stets liegt die Oeffnung des innern Ringes diesen Pfeilern gegenüber. Zu einzelnen Druidentempeln führen Steinalleen von doppelter Mannesbreite, die bald gerade, bald in Windungen verlaufen. Die Steinhügel (*cairns*) unterscheiden sich von den bei der Kultivirung des Bodens angehäuften Feldsteinmassen durch ihre immer kegelförmige Gestalt und durch einen sie an der Basis umgebenden Kreis aufrechter Steinpfeiler. Oft findet sich ein solcher auch an der Spitze und so eine Höhlung erzeugend. In einem Falle umgiebt das Ganze noch ein zweiter, mehrere Meter entfernter Kranz von Pfeilern. Alter und Bedeutung dieser Steingruppirungen sind bis heute unklar geblieben. Einige Cairns sind unzweifelhaft über Gräbern errichtete Monumente. Daher das schottische, höchste Freundschaft ausdrückende Sprüchwort: „Ich werde Deinem Cairn einen Stein hinzufügen." Die Druidentempel mögen dem keltischen Kultus, vielleicht aber auch dem Dienste des Odin geweiht gewesen sein. Für das Letztere spricht ihr ausschließliches Vorkommen in den Teilen des Hochlandes und den Inseln, welche von Skandinaviern als Eroberern betreten wurden. Auch steht der vollkommenste Druidentempel, die „stehenden Steine von Stennis" genannt, auf der rein skandinavischen Insel Mainland. Zu einem System verbunden, erscheinen Druidentempel, Steinalleen und Cairns in dem friedlichen Tale von Clava am Flusse Nairn, unweit Culloden. Ihr Zusammenhang mit uralten religiösen Kulten erhellt aus dem noch bestehenden Gebrauche der Nachbarschaft, die vor der Taufe gestorbenen Kinder hier zu begraben.

Die Erdhügel (*barrows* oder *moathills*) sind sehr sorgfältig als „lange", „kegelförmige", „druidische" etc. klassifiziert, und da man Gräber in ihnen gefunden hat, als Monumente gedeutet worden. Doch hat die Geologie sie wahrscheinlich richtiger als Diluvial-Formationen erkannt, die sich als natürliche Grabdenkmäler zu jenem Zwecke empfahlen. In der historischen Zeit hatten die aufgebotenen Clans bei ihnen ihr Rendezvous. Der größte zu Pelly bei Inverneß hat an der Basis 47, an der Spitze 38 Meter Breite bei 13 Meter Höhe. Die Rundtürme oder Piktenhäuser der schottischen Schlösser (*dunes*) sind runde, kreisförmige, ohne Mörtel errichtete, dachlose Steingebäude von etwa 16 Meter Durchmesser, ausgezeichnet durch ihre glockenförmige Gestalt. Eine nur dem Kriechenden zugängliche, bis 5 Meter lange Oeffnung, wie bei Eskimohäusern, führt zu einem kreisrunden, dachlosen Mittelraume. Seine Wände sind überall von drei bis vier lotrechten neben einanderstehenden Reihen von Oeffnungen von ungleicher Zahl nach Art der Taubenhausluken durchbrochen. Sie entsprechen Zimmern von fast Manneshöhe, zu denen in der Dicke der Mauer verlaufende Treppen hinführen. Von ähnlichen Bauten in Wales und Frankreich unterscheiden sie sich durch den Mangel des *cromlech* oder querliegenden *thrilithon* über dem Eingange. Ihr ebenfalls ausschließliches Vorkommen in ursprünglich skandinavischen oder früh von Skandina-

als eine grosse Ruhmestat schottischer Tapferkeit, während sie von gaelischen Hochländern gegen mit Engländern vereinigte Niederländer erfochten wurde.

viern eroberten Bezirken, wie im Westen von Argyll, auf Man, auf Isla und nördlich vom großen Glen, so wie ihr Uebereinstimmen mit Bauten in Norwegen lassen kaum einen Zweifel übrig, wer sie erbaut hat. Der Zweck war wohl Sicherung der Einwohner der von räuberischen Dänen bedrohten Dörfer.

Die verglasten Steinwälle (*vitrified forts*) kommen nur auf dem schottischen Festlande vor Aus Granit oder Sandstein umgeben sie einzeln oder bis zu dreien auf einander folgend die zugänglichen Stellen kegelförmiger Hügel und sind oft mit Gräben eingefasst. Sie werden teilweise überzogen, oft auch durchdrungen von einer schlackenartigen Glasmasse, die bald zu basaltartigen Prismen geformt ist, bald opal- oder porzellanähnlich erscheint. Ihre Zahl beträgt im Ganzen 49, die sich von Argyll die Seenkette hinauf, dann die Ostküste hinunter bis zum Tay vorfinden und streckenweise in Sicht von einander stehen. Daher die Vermutung, welche auch die Verglasung erklären würde, dass es Leuchttürme gegen dänische oder orkadische Seeräuber gewesen seien. Die ornamentirten Steine endlich sind vielleicht neuer, als alle vorhin genannten Reste, und wohl gewiss skandinavischen Ursprungs. Da sie aber runenlos sind und ein unenträtseltes Symbol zeigen, lassen sie ebenfalls ihre Bestimmung nur ahnen. Sie finden sich am häufigsten im Norden und Osten, nicht weit von der Küste entfernt, einige auch südlicher in Aberdeen, auf den Hebriden und in Argyll. Die nicht ohne Eleganz eingemeißelten Szenen versinnlichen Festzüge, ländliche Beschäftigungen, Kämpfe, Hinrichtungen. Sehr gewöhnlich sind zwei gekreuzte Szepter, die Sonne, der Mond, Kämme, Spiegel, Drachen, auf einem einzigen auch ein Wagen; das immer wiederkehrende, nur auf dem schönen Steine von Forres, dem sogenannten Pfeiler des Sueno, vermisste, nicht deutbare Symbol stellt ein elephantenartiges Wesen dar, über dem mitunter ein Rabe und ein Adler schweben. Auf der nicht verzierten Seite befindet sich mitunter ein Kreuz, das vielleicht erst in der christlichen Aera eingemeißelt ist. Diese Steine sind wahrscheinlich von Skandinaviern zu Erinnerung an wichtige Vorgänge errichtet worden.

A. Berghaus.

Ueber das Zeitungswesen in Deutschland und Frankreich.

Jedes Land hat die Zeitungen, die es verdient. Wir nehmen hier einerseits das Wort „Zeitung" im weitesten Sinne, wir begreifen darunter ebensowohl die täglich erscheinenden, als die wöchentlichen und monatlichen Zeitschriften, andererseits schließen wir aber diejenigen aus, die wie Eintagsfliegen kaum geboren dahinsiechen, oder die eines längeren Daseins sich erfreuend wie Schmeißfliegen, unter dem Deckmantel der Presse, unsauberen Geschäften obliegen.

Dies vorausgeschickt, können wir gleich zur Sache schreiten.

In den Zeitungen spiegeln sich der Charakter und besondere Eigentümlichkeiten eines Volkes wieder. Ein Individuum, seine Tugenden und Schwächen, kurz sein ganzes Ich kann man aus seinem Tagebuche kennen lernen und die Zeitungen sind die Tagebücher eines ganzen Volkes. Aus ihnen werden die künftigen Geschichtsschreiber Licht und Aufklärung schöpfen, in ihnen werden sie die getreuen Abdrücke der Bewegungen und Revolutionen finden, die jedem Fortschritte der Menschheit vorangehen und folgen.

Das deutsche und französische Volk, von keinem noch so schmalen Raume getrennt, unterscheiden sich dennoch tief von einander, was Leben, Sitten, Charakter, Geistesrichtung und Institutionen anbetrifft. Diese Verschiedenheiten und Abweichungen müssen natürlicherweise in ihrem Zeitungswesen am klarsten zu Tage treten und darum ist das Studium desselben ebenso interessant als lehrreich. Ich werde diesen Gegenstand nicht so weitläufig behandeln wie ich es wollte, — der Raum ist leider knapp zugemessen —, ich werde mich bestreben, die hauptsächlichsten Punkte hervorzuheben, die Details herauszufinden kann ich getrost dem Scharfsinn des Lesers überlassen.

Werfen wir vor Allem einen Gesammtblick auf das Zeitungswesen in Deutschland und Frankreich und wir werden eine äußerst interessante Wahrnehmung machen.

Die deutschen Blätter, insbesondere die täglich erscheinenden, tragen ein streng realistisches Gepräge. Der Deutsche, der in der belletristischen Litteratur seiner Phantasie die Zügel schießen lässt, huldigt in der Presse der Wahrheit und Wirklichkeit. Diejenigen Journalisten, die mit vollem Munde auf Realismus, Naturalismus etc. schimpfen, sind am Ende, ohne es zu wollen, deren erste und beste Vertreter. Der Realismus der deutschen Presse ist so tief begründet, dass sogar die meisten Romanfeuilletons, die täglich dem Leser schnittweise aufgetischt werden, sich von den anderen deutschen Romanen durch einen stark naturalistischen Zug unterscheiden. In jeder Fortsetzung finden wir haarsträubende Tatsachen bis in die kleinsten Details geschildert und wir können rundweg behaupten, dass man mit Unrecht Zola einen Naturalisten u. s. w. schilt, sind doch seine Werke voll reinen Idealismus im Vergleiche zu diesen hyperwirklichkeitsstrotzenden Erzeugnissen.

Die französische Presse hingegen würzt die Tagesereignisse mit einer großen Dosis Phantasie. In Frankreich, dem klassischen Boden der naturalistischen Schule, wird den wirklichen Tatsachen, den täglich vorkommenden Begebenheiten ein poetischer

Anstrich verliehen. Um sich davon zu überzeugen genügt es, die Pariser Zeitungen zu durchblättern. In allen finden wir die wichtigsten Tagesereignisse unter der Form von Chroniken.

Was ist eine Pariser Chronik? Es wäre vergebene Mühe und eitles Streben, eine Definition derselben geben zu wollen. Sie ist eine Art Flasche, die Alles enthalten kann, Arzenei und Gift, Süßes und Saures, Mischungen von allerlei möglichen Dingen. Es giebt nichts Denkbares, das unter diesem Titel nicht dargeboten werden könnte. Woran also erkennt man eine Chronik? Es giebt nur ein Kennzeichen, das untrüglich ist und einer jeden Chronik unverwischbar anhaftet, nämlich ein unfassbares Etwas, das der Franzose „esprit" und wir Deutsche „Geist" nennen wollen. Dieser Esprit besteht in der Fähigkeit, über alles Mögliche zu schreiben, und zwar in einer Art, dass jeder Leser von einem besonders wohltuenden Gefühl eingenommen wird. Der Inhalt spielt eine winzige Rolle, die Hauptsache ist die Form, die demselban gegeben wird, und darin sind die Franzosen Meister. Sie verstehen es Similidiamanten in echtes Gold zu fassen und denselben den Glanz und den Farbenschimmer wahrer Edelsteine zu verleihen. In der Chronik spielt die Phantasie die Hauptrolle, Wahrheit und Wirklichkeit werden in den Hintergrund geschoben. Der Zweck, den man erreichen will, ist die augenblickliche Befriedigung des Lesers. Darum müssen Chroniken kurz sein. Sie sind Blitze, die leuchten, aber keine Sonnen, die wärmen.

Fassen wir das oben Gesagte kurz zusammen. In Deutschland sehen wir in der Belletristik Hang zum Idealismus, in der Presse strengen Realismus; ein neuer Beweis, dass die Extreme sich oft berühren. In Frankreich finden wir die Dichter stets bestrebt, der Wirklichkeit ihre Geheimnisse abzulauschen, dagegen wird die Wirklichkeit in ein poetisches Gewand gehüllt.

Wir ziehen ohne Zaudern die realistisch-poetische Bücherlitteratur Frankreichs der idealistisch-gehaltlosen Deutschlands vor, aber können wir mit ebensolcher Sicherheit entscheiden, welchem Zeitungswesen, dem deutschen oder französischen, der Vorzug zu geben sei? Nein, beide sind aus dem Innern des Volkslebens herausgewachsen, beide haben ihre Vorzüge und Mängel — Vorzüge und Mängel der Nation, der sie angehören.

In einem Punkte jedoch steht die französische Presse weit über der deutschen und zwar im Betreff der Kritik. Ich will hiermit nicht behaupten, dass es in Deutschland keine ehrlichen, gewissenhaften Kritiker giebt. Tägliche Beispiele würden mich Lügen strafen, aber neben dieser rechtmäßigen, wohltätigen Kritik giebt es eine andere, die, im Verborgenen wirkend, sich eines großen Ansehens erfreut, die sogenannte anonyme Kritik. Es scheint, dass sich seit langen Jahren eine geheime Gesellschaft gebildet hat, die sich zur Aufgabe gesetzt, alle guten, strebsamen Kräfte im Keime zu ersticken. Ihre Anhänger sind fest überzeugt, dass Kritik und Anschwärzung Synonyme sind. Wahrscheinlich sind sie von der Ehrenhaftigkeit ihres Strebens nicht so tief durchdrungen, da sie ihre Namen in wohlweisliches Dunkel hüllen. Sie sind unsichtbar und untastbar, wahre Gespenster, die sich nur in der düstern Nacht wohl fühlen.

Wir würden uns mit diesen unbekannten Größen nicht beschäftigen, wenn nicht bedeutende Blätter ihren ungesunden Erzeugnissen Obdach gewährten. Wir sind somit zu unserem Leidwesen gezwungen, ihrem Treiben Beachtung zu schenken.

Alle diese Krittler in ihrer Kritiker- oder besser kritischen Würde glauben sich selbst nahe zu treten, wenn sie nicht alle litterarischen Werke angreifen und in den Staub ziehen. Kommt es zufälligerweise vor, dass sie ein Werk gut finden — was übrigens nicht viel besagt — so können sie, sogar in diesem Falle, den Ausbruch ihrer Galle nicht verhindern; sie gleichen dann gewissen Tierchen, die, obwohl vergnügt, dennoch grunzen müssen.

Es ist unglaublich, mit welcher Scharfsichtigkeit sie die kleinsten Blößen eines Werkes aufdecken und mit welcher Blindheit sie geschlagen sind, so oft es gilt, etwaige Schönheiten anzuerkennen. Man kann von ihnen sagen, dass sie an einem Achilles nur die Ferse sehen.*)

Was ihr Wirken überaus schädlich macht, ist, dass sie sich an die anerkannten Tagesgrößen nicht heranwagen — so weit geht ihr Mut nicht — dafür aber geberden sie sich eifrig, wenn es gilt einem jungen emporstrebenden Talente Hindernisse in den Weg zu rollen. Die jüngste Dichtergeneration Deutschlands hatte und hat noch viel davon zu leiden. Was haben sie nicht Alles erduldet der tiefbeobachtende Kretzer, der geistreiche Conrad, der kraftvolle Bleibtreu? Wenn ich beispielsweise diese Männer aufzähle, so will ich sie nicht hiermit ohne Fehl und Makel erklären. Sie haben Mängel und Schwächen, dieselben hervorzuheben, ist Pflicht jedes Ehrenmannes, aber ist es auch nicht andererseits, deren Verdienste und Talente anzuerkennen?

Pseudokritiker! Erinnert euch der Schillerschen Verse:

> Dem Verdienste seine Kronen,
> Untergang der Lügenbrut.

„Dem Verdienste seine Kronen", möge dieser Spruch euch immer vorschweben und möget ihr ihn oft beherzigen, sonst werden wir gezwungen sein,

---

*) Vielleicht werden wir demnächst Gelegenheit nehmen, eines der wohlbekanntesten Prachtexemplare dieser Sippe, einen Herrn, der sich mit seiner vornehmen Unparteilichkeit etwas weiß, während bodenlose Pedanteneitelkeit seine Urteile inspiriert, gründlich zu sezieren — indem wir eine eigene poetische Hervorbringung dieses Herrn in seinem eigenen Stil und mit seinen eigenen Waffen anpacken.

Die Redaktion.

gegen eure ebenso kleinliche als vorlaute Zunft, unter dem Feldgeschrei „Untergang der Lügenbrut", Sturm zu laufen. Bis dahin wünsche ich Eines. Möge euch der Himmel verdammen gute, gediegene Werke zu schreiben, unter der Bedingung nur, dass ihr an euren Werken eure Kritik üben sollt.

Ich habe so lange bei diesem Krebsschaden der deutschen Presse verweilt in der Hoffnung, dass es meinen Worten vielleicht gelingen könnte einen dieser Kritiker auf den rechten Weg zu leiten, ihm klar zu machen, dass er ein großes, namenloses Verbrechen begeht eines der edelsten und mächtigsten Instrumente der Zivilisation auf so schändliche Weise zu missbrauchen.*)

Ja! man darf und soll es nicht verhehlen, die Presse ist eine Macht, die täglich an Umfang und Bedeutung zunimmt. Die großen, weltberühmten „Bretter, die die Welt bedeuten", sind längst aus ihren Fugen gegangen, auf ihren morschen Ruinen erheben sich stolz und gebieterisch die vielzüngigen „Blätter, die die Welt bedeuten"..

Paris. Bernard Lebel.

*) Was für ein Optimist doch unser freundlicher Mitarbeiter sein muss.

Gleichfalls zum Geschichtsunterricht an höheren Schulen!

In einer der letzten Nummern des Magazin für die Litteratur war ein Artikel von Conrad Alberti zu lesen über die Forderungen, welche vom Standpunkt der Gegenwart an den Geschichtsunterricht zu stellen wären. Die hier gegebenen Ausführungen über das, was eigentlich an der Geschichte das Wichtige und Interessante, werden mit vollem Recht vielseitige Anerkennung finden. Und mancher Andere wird wie ich am Schlusse den Stoßseufzer getan haben, wenn man das nur auch an die richtige Adresse bringen könnte! Denn nach dieser Hinsicht scheint der Artikel mir keine Fortsetzung zu ertragen und zu fordern. Es hängt ja doch nur teilweise von der Einsicht und dem Wollen der Geschichtslehrer an unseren höheren Schulen ab, eine Besserung anzustreben oder etwa durch Abfassung von Lehrbüchern in weiteren Kreisen Anstoß zu geben. So viel vollwiegende Namen zu nennen wären, welche den Staatsaktionen eine bescheidenere Stelle zugemessen haben — so viel fehlt doch noch, dass die Entwickelungsgeschichte der Völker von den zünftigen Geschichtsprofessoren als Universitätswissenschaft anerkannt wäre. Hat es doch eines Ranke bedurft, um auch nur die Universalgeschichte nicht ganz der Geringschätzung anheimfallen zu sehen. Wer könnte leugnen, dass heute auf unseren Universitäten nur die Methode und Kritik hinsichtlich der Quellen, Urkunden u. s. w. getrieben wird? Dies ist gewiss notwendig und nützlich als formale Schulung und die kleinsten Beiträge zur geschichtlichen Wirklichkeit, wie sie in den zahllosen Dissertationen Jahr aus Jahr ein aus den historischen Seminarien hervorgehen — sind eine Betätigung wissenschaftlichen Arbeitens. Aber ob darin der Kern der historischen Bildung beschlossen ist für diejenigen, welche dann doch größtenteils als Lehrer an mittleren und höheren Unterrichtsanstalten nicht nur die paar Jahrhunderte vom IX. bis XII. oder XIV. Jahrhundert kennen gelernt haben sollten — das ist doch die Frage. Der Trieb zur historischen Produktion — oder sollen wir sagen zum Druckenlassen — ist ja ungemein rege, so hoch die Berge von Quellen, von Heiligenleben und Urkunden, Reichstagsakten und Briefwechseln aufgetürmt sind, bleibt doch in den Archiven und Bibliotheken noch Handschriftliches genug, das in Druckmassen verwandelt eine Treppe zur Universitätsprofessur*) aufbauen kann. Und je mehr dann einer hat drucken lassen, ein desto wissenschaftlicherer Historiker ist er dann, besonders wenn er sich in einem engen Kreis bis auf den Grund eingebohrt hat.

Von der Tiefe dieses Ameisentrichters kann man dann mit Hohn auf einen Geschichtsforscher wie etwa Buckle**) blicken, der bei der Wanderung durch durch ein so ausgedehntes Feld natürlich über bloße Belesenheit nicht hinauskommt, dessen freisinnige Grundanschauungen von vorn herein über die Wissenschaft des Wirklichen und Geschehenen hinausgehen. Also trotz Voltaires geistreichem Siècle, trotz Herders Forderung, dass die Geschichte des Mittelalters aus einer Pathologie des Kopfes zu einer Physiologie des ganzen Körpers erweitert werden müsse, trotz Makaulays und Buckles Riesenbruchstücken, wahrscheinlich auch trotz Rankes Ideengeschichte wird der Lehramtskandidat am Besten tun dem Gängelband des Meisters zu folgen, statt nach der Kenntnis etwa der Meister der Geschichtschreibung aller Völker und Zeiten trachtend der Oberflächlichkeit anheimzufallen oder gar über der sogenannten Kulturgeschichte die so bequem lehr- und lernbaren Quellenverzeichnisse zu vernachlässigen. Das ist der

*) Und das ist ja die höchste Staffel menschlicher Vollkommenheit und Geisteskultur — wie ja bekanntlich der Maulwurf seine Maulwurfshügel für die Alpen des Universums hält. Nur wer die schamlose Unverschämtheit, mit welcher der deutsche sogenannte „Gelehrte" auf alle wirklichen Betätigungen höherer Geisteskraft herunterglotzt, und die gedankenlose Borniertheit des deutschen Bierphilisteriums, welcher ein solches beschränktes Maulwurftum als das wahrhaft Gediegene gegenüber allen unzünftigen Geistestaten aus eigener Initiative vorschwebt — nur wer diese allmächtigen Faktoren so recht aus dem Volke kennt, kann die Bitterkeit dieses trefflichen Artikels würdigen.

Anmerkung des Herausgebers.

**) Wer ist Buckle! Er war nicht mal Professor! Wir würden ihm nicht das Zeugnis der Reife ausstellen! Anmerkung deutscher Wissenschaft (dem Herausgeber durch die Leuchte der Gelehrsamkeit, Professor Wälzer, den weltberühmten Keilschriftforscher und Entdecker des „Pappros Wälzer", auf welchem sein Name unsterblich fortwirkt, huldreichst übermittelt).

Uebergang vom Studenten und Kandidaten zum Lehrer der Geschichte an einer höhern Schule; wenn es nicht gelingt als Privatdozent die Anwartschaft auf eine Pfründe zu gewinnen, so gelangt er nun als junger Mann unter die Fittiche wohlbestallter Vorgesetzter, die es sich verbitten müssen, dass ihre vielleicht vor einem Menschenalter ersessene Gelehrsamkeit durch kecke Neuerungen angetastet werden sollte. Er findet also im Wesentlichen vorgeschrieben, was und wie er Geschichte zu lehren hat und diese Forderungen, ein gehöriges Pack Namen von Regenten, Jahrzahlen von Kriegen und Schlachten, sind nun zuerst zu erledigen, bevor durch besondere Anstrengung von Lehrer und Schüler etwas Weiteres gelehrt und gelernt werden dürfte. Und wenn nun vollends der ganze Lehrgang einer Schulanstalt auf das Rennfest seines Abgangsexamens eingerichtet ist, wobei die Zungengeläufigkeit der schlagendste Beweis der geistigen Bildung ist — und wobei der Lehrer nach Strebsamkeit d. h. Unterwürfigkeit und Wohlgesinntheit taxiert wird — so wird der unbefangene Leser zugeben müssen, dass das unbefugte Treiben von Privatliebhabereien der offizielle Namen für die Bestrebungen solcher werden könnte, die in der Kulturgeschichte mehr Wert suchen als in der Drohnenhistorie, wie man ebenso treffend als unloyal die politische Geschichte genannt hat. Zum Mindesten würde er scheel angesehen werden, wenn er sich auf solche Weise herausnehmen wollte, gescheiter zu sein als seine Vorgesetzten.

Das sind also zunächst einige wichtige Schranken, die eine solche Reform unseres geschichtlichen Unterrichts zu fürchten hat: Die Autorität der zünftigen Geschichtswissenschaft, die auf die Kulturgeschichte wenigstens meistenteils wie auf Dilettantismus heruntersieht und die Macht des Bestehenden in den Schuleinrichtungen. Ich gehe zunächst von bayrischen Schulzuständen aus, wo der Lehrer nur als Beamter in Frage kommt — bekanntlich ist die Gleichstellung mit den Richtern erster Instanz in Bayern längst vorhanden — und seine erste Pflicht Subordination ist. Ueber alle Fragen der Schulleitung entscheiden die juristischen Oberbehörden, also auch über neue Lehrbücher. Ein derartiges, wie es Alberti verlangt, ist nun so ziemlich die deutsche Geschichte von Biedermann, Honorarprofessor in Leipzig. Aber bei den jetzt wohl in ganz Deutschland herrschenden Bestimmungen hängt dessen Genehmigung von der Einsicht und dem Willen der Kreis- und Provinzialregierungen oder Ministerien ab. Zu einer Wirkung auf dessen Entschließungen ist aber bei der büreaukratischen Regelung der Unterrichtsfragen der einzelne Lehrer weniger geeignet als irgend Jemand aus dem großen Publikum. Und darin liegt nun der Kern: Wirkliche Reformen können gegenwärtig nicht von den Schulen oder den Lehrerkollegien ausgehen, welche zu Ausführungsorganen von Schulplänen geworden sind, wie dies Paulsen in der Geschichte der Pädagogik zur Genüge hervorhebt. Wo also wäre, wenn die öffentliche Meinung in dieser Frage wirklich zur Klarheit gelangt, der Hebel zu einer solchen Reform anzusetzen? Und damit zugleich die Möglichkeit zu sonstigen Verbesserungen! Wahrscheinlich eben doch in der größeren Selbständigkeit derer, welche solche Reformen, auch wenn sie ihnen befohlen würden, mit eigenen Kräften, nach eigenem Erwägen der Wege und Mittel durchführen müssten. Vorderhand schließt das Bekenntnis zu solcher Auffassung der treibenden Kräfte in der Geschichte eine stärkere Portion Freidenkertums und Loslösung von den autoritären Mächten und Ständen in sich — als für die soziale und offizielle Stellung des Einzelnen vorteilhaft ist. Wer etwa die ultramontanen Geschichtspunkte in Fragen des Unterrichts aus persönlicher Erfahrung kennt — der wird, auch wenn er über das Ob sich klar ist, doch an das Wie noch seine Klauseln hängen. Die Freiheit der Meinungsäußerung müsste ähnlich wie bei einem Richter gesichert sein, zum mindesten gegen Versetzung in einen weltabgelegenen Ort oder andere Bekundungen höheren Wohlwollens, wenn der Mut der Ueberzeugungstreue im Kampf gegen überwiegende Ansichten und festgerostete Einrichtungen nicht zu einem noch dazu nutzlosen Martyrium führen können dürfte.

München. G. Schultheiß.

Sprechsaal.

Vom 18. bis 25. September fand in Genf der neunte Kongress der Association littéraire et artistique internationale statt, auf welchem aus Deutschland Dr. Friedmann aus Wien als Vertreter der „Konkordia" und Karl W. Batz aus Mainz anwesend waren. Die Versammlung beschäftigte sich mit der Erörterung des Internationalen Litterarvertrags vom 9. September, mit der Regelung des Autorrechts an Briefen, mit dem Verhältnis zwischen Verleger und Autor, mit dem Rechte des Autors an den Titeln und endlich mit der Naturempfindung in Rousseaus Werken. Es wurden Resolutionen gefasst, die im Interesse der Rechte der Schriftsteller sehr erfreulich sind. Man nahm den Grundsatz an, dass dem Verfasser eines Briefes in Ansehung desselben ein Autorrecht zustehe, welches inhaltlich dem an jedem andern litterarischen Werke bestehendem Autorrechte gleich sei und dem Verfasser ein Prohibitivrecht gegen die Publikation gebe, was Fürst Alexander nicht ohne Interesse vernehmen wird. Sodann wurde ausgesprochen, dass der Verleger, ohne Zustimmung des Autors weder an dem Titel noch dem Inhalte des Werkes eine Veränderung vornehmen dürfe, sowie dass er auch bezüglich der Herstellung neuer Auflagen an die Zustimmung des Autors gebunden sei, lauter Sätze, die sich zum großen Teile bereits in dem schweizerischen Obligationsgesetze ausgesprochen finden, auf das darum der deutsche Schriftsteller mit einem gewissen Neide zu blicken berechtigt ist. Wann wird uns das deutsche Zivilgesetzbuch die so überaus erforderliche Regelung des Verlagsvertrags bringen! Auch die Rechtsverhältnisse an Uebersetzungen und Reproduktionen fanden Erörterung und wir müssen es dankend anerkennen, dass der Kongress bei seinen Debatten und Beschlüssen mit überwiegender Mehrheit stets bemüht war, die Rechte der Schriftsteller, Künstler und Komponisten zu erweitern. Merkwürdig ist es, dass ein freier Schweizer sich während des Kongress bemüssigt fand, in einer Zeitung gegen die exklusiven Bestrebungen der Autoren im Namen der Humanität zu protestieren. Dem Stier von Uri wäre das allenfalls zuzutrauen gewesen, aber dem erleuchteten Genf! O sancta simplicitas.

Litterarische Neuigkeiten.

Preis-Ausschreiben.

Der Verlag des „Universum" (E. Friese) in Dresden eröffnet eine Konkurrenz für litterarische Arbeiten zum Abdruck in seiner illustrierten Zeitschrift „Universum" und ladet alle deutschen Schriftsteller und Schriftstellerinnen zu reger Beteiligung ein: 1. Preis: 4000 Mark für die beste Novelle, deren Stoff dem deutschen Familienleben entlehnt ist, jedoch eine geschichtliche Begebenheit oder Person als Hintergrund hat, im Umfange von mindestens 45 bis höchstens 60 Seiten des „Universum". 2. Preis: 2000 Mark für die beste Novelle ohne Beschränkung des Stoffes im Umfange von 24—30 Seiten des „Universum". 3. Preis: 1000 Mark für die beste Humoreske im Umfange von 6—12 Seiten des „Universum".

Das Preisrichteramt haben Professor Dr. Georg Ebers, Dr. Ernst Eckstein und die Redaktion des „Universum".

Alle Einsendungen müssen bis zum 1. Februar 1887, Abends 7 Uhr bei der Redaktion des „Universum", Dresden, Pillnitzerstraße 53 eingegangen sein.

Alles Nähere, sowie die Regeln für die Beteiligung an der Konkurrenz enthält das soeben erschienene erste Heft des „Universum", welches von jeder Buchhandlung und direkt vom Verlag des „Universum" in Dresden zur Ansicht frei ins Haus geliefert wird.

Georg Brandes war in Kopenhagen wieder Gegenstand eines litterarischen Skandals. Wie so oft schon, hat er sich in rätselhaft unkluger Weise mit fremden Federn geschmückt. Seine neue Arbeit über den Aladdin-Typus war zum wichtigsten Teil einer älteren Arbeit unseres verehrten Mitarbeiters Dr. Rudolf Schmidt entlehnt und ist ihm dies Plagiat mit schlagender überführender Beweiskraft von Dr. Rosenberg im Kopenhagener „Dagbladet" nachgewiesen worden. Wir haben die betreffenden Artikel nicht ohne Bedauern gelesen, da Brandes immerhin ein geistreicher Kopf ist und als Sauerteig der neuesten dänischen Litteraturentwickelung gewirkt hat.

Im Verlage von O. Schmidt (Leipzig) erschien: „Bei verschlossenen Türen", Roman von Benicsky-Bajza. Einzig autorisierte Uebersetzung aus dem Ungarischen von Dr. Adolf Kohut. Der vorliegende Roman der berühmten ungarischen Romanschriftstellerin ist ein höchst spannender, fesselnder und reizend geschriebener Gesellschaftsroman aus dem high life Oesterreich-Ungarns. Der Roman geißelt die Heuchelei und Scheinheiligkeit, die in gewissen Kreisen der oberen Zehntausend herrscht, als man über jeden Verstoß gegen die Etikette, jeden Skandal die Hände ringt, „bei verschlossenen Türen" aber Alles für erlaubt hält. Die moderne höhere Gesellschaft in Cis- und Transleithanien tritt hier mit all ihren Eigentümlichkeiten, all ihren Fehlern und Schwächen, all ihren Sym- und Antipathien in den Vordergrund der Erzählung. Im Mittelpunkt des Romans, der überall Aufsehen erregen wird, steht eine überaus lebenswahr gezeichnete, jugendliche, weibliche Gestalt aus der höchsten Aristokratie, die sich aus eigener Kraft den gesellschaftlichen Vorurteilen und dem feindseligen Geschrei zum Trotz durch Nacht zum Licht emporarbeitet und deren Ringen und Kämpfen, Leiden und Lieben unser lebhaftes Interesse vom Anfang bis zum Ende gefangen nimmt und wach erhält. Dieser Kultur- und Gesellschaftsroman ersten Ranges ist von dem bekannten Schriftsteller und trefflichen Kenner Ungarns und seiner Litteratur, Dr. Adolf Kohut übersetzt und für das deutsche Publikum bearbeitet. Die Uebersetzung ließt sich wie Original.

„Aus dem Reiche der Karpathen", Ungarische Landschafts-, Sitten-, Litteratur- und Kunstbilder von Adolf Kohut (Stuttgart, G. J. Göschensche Verlagshandlung). Der Verfasser, welcher das Land und seine Bewohner aus eigner Anschauung kennt, greift aus der Fülle der Erscheinungen und Gestaltungen das Bezeichnendste und Eigenartigste heraus. Die Landschafts-, Sitten-, Litteratur- und Kulturbilder sind scharf und anziehend genug, um den Leser nicht allein für den Augenblick zu unterhalten, sondern ihm auch einen nachhaltigen Eindruck von dem schönen Ungarland und seinen Bewohnern zu hinterlassen.

Zum Kerner-Jubiläum am 18. September dieses Jahres ist in Th. Griebens Verlag (L. Fernau) in Leipzig eine Festschrift erschienen, welche Justinus Kerner nicht als Dichter feiert, sondern — als Geisterseher, wie dies schon der Titel: „Justinus Kerner und die Seherin von Prevorst" andeutet. Ist nun dieser Gesichtspunkt an sich heutzutage schon ein höchst ungewöhnlicher, so wird dieser Eindruck noch erhöht durch die Namen, welche der Titel trägt, — Carl du Prel und Gabriel Max. Das Gebotene entspricht solchen Erwartungen. Freiherr du Prel giebt in seiner geistreichen und gemütvollen Weise eine Darstellung der tieferen Seiten Kerners und besonders desjenigen Bildes, welches dieser von jener Kranken (einer Frau Hauffe) entworfen hat, die er zwei Jahre lang behandelte und welche er als „Seherin von Prevorst" verewigt hat. Diesem Aufsatze schließt sich eine Auswahl von Gedichten Kerners an, welche die gleiche Richtung in Kerners eigener Darstellung veranschaulichen. Zu dem Ganzen aber hat Professor Gabriel Max, der bekanntlich ein warmer Verehrer der mystischen Richtung Kerners ist, eine Reihe von „Zeichnungen aus seinem Skizzenbuche" geliefert, welche Porträts Landschaften und eine Komposition des Gesammteindrucks der „Seherin" darstellen. Für Interessenten dieser Richtung werden diese Zeichnungen ebenso sehr sachlichen wie künstlerischen Wert haben.

Prinz Carl von Schweden hat vor einigen Jahren eine Reise nach Indien gemacht. Aus dem während derselben geführten Tagebuch veröffentlicht nun der Prinz die Geschichte einer Tigerjagd; dieselbe ist soeben in einer englischen Uebersetzung im „19th Century" erschienen. Sein Bruder, Prinz Eugen, wird demnächst mit der Veröffentlichung eines Berichts über seinen Aufenthalt bei den Drusen des Libanon nachfolgen.

Die königl. Hofbuchhandlung von Wilhelm Friedrich in Leipzig veröffentlicht nachstehende zwei Werke: „Grundzüge moderner Humanitätsbildung" von Dr. Rudolf Biese. Das Buch ist ein Symbolum humaner Bildung, indem es den vorhandenen Bildungsschatz philosophisch-wissenschaftlicher Erkenntnisse hebt, die Ideale und Normen modernen Denkens und Wissens zu allgemeinem Bewusstsein, zu einem Gemeingut höherer allgemeiner Bildung macht. Während es so das Niveau intellektuellen Geisteslebens im Allgemeinen zu erhöhen strebt, wird es im Besondern an den Lichtstrahlen moderner Wissenschaft den göttlichen Funken aufstrebender Begeisterung für alles Wahre und Edle in den Seelen unserer studierenden Jugend entzünden, die berufen ist, dereinst die geistige Führung unseres Volkes zu übernehmen.

„Germanische Göttersagen." Gesammelt und herausgegeben von Georg von Schulpe. Mit einer Einleitung von Felix Dahn. Der Herausgeber vereinigt in den „Germanischen Göttersagen" alle Lieder, welche hervorragende Schriftsteller, namentlich jetzt lebende, über das Thema veröffentlicht haben. Das Buch ist gediegen ausgestattet und eignet sich gleich günstig als Schulprämie wie zum Geschenk für die heranwachsende Jugend, umsomehr, als ein gleiches Werk unsere Litteratur noch nicht besitzt.

Bei Fr. Andr. Perthes in Gotha sind soeben zwei Romane erschienen, von denen der eine von Th. Goll unter dem Titel: „Die Freunde", der zweite „Thankmar" von Margarethe von Dieskau publiziert worden; im gleichen Verlage erschien von Hermann Dederich eine Biographie von „Ludwig Uhland als Dichter und Patriot".

Die beiden ersten Bände des dritten Jahrgangs der „Engelhornschen allgemeinen Romanbibliothek" enthalten einen vortrefflichen Roman von Remin, betitelt „Die Versaillerin". Wie fast alle die Erzählungen, Romane etc. dieser Bibliothek den Geschmack des Publikums finden, so ist auch dieser Roman mit seiner scharfen Charakterzeichnung und elegantem Stil eine gute Acquisition, dem es an Freunden nicht fehlen wird.

Otto Weddigen: „Von der roten Erde." Westfälische Dorfgeschichten und andere Erzählungen (Verlag von Bartholomäus, Erfurt). Ferner ist von demselben Verfasser in Vorbereitung die dritte Auflage seiner „Neuen Märchen und Fabeln". München, Callwey.

„Nouveaux cours de langues modernes d'après la méthode naturelle (sans grammaire et sans traduire)." Tome I. François par Arthur Zapp (Berlin, Siegfr. Cronbach).

Alle für das „Magazin" bestimmten Sendungen sind zu richten an die Redaktion des „Magazins für die Litteratur des In- und Auslandes" Leipzig, Georgenstrasse 6.

Für die Redaktion verantwortlich: Karl Bleibtreu in Charlottenburg. — Verlag von Wilhelm Friedrich in Leipzig. — Druck von Emil Herrmann senior in Leipzig.

Dieser Nummer liegen bei zwei Prospecte: Bernhard Tauchnitz in Leipzig und Wilhelm Friedrich in Leipzig.

Das Magazin

für die Litteratur des In- und Auslandes.

Wochenschrift der Weltlitteratur.

1832 gegründet von Joseph Lehmann.

55. Jahrgang.

Herausgegeben von Karl Bleibtreu.

Preis Mark 4.— vierteljährlich.

Verlag von Wilhelm Friedrich in Leipzig.

No. 43. — Leipzig, den 23. Oktober. — 1886.

Inhalt:

Ein Kapitel vom modernen Roman.

Von Emil Peschkau.

— — — — — — — — — — — —

Alfred von Clermont war Attaché. Schlank, blass, kurzgeschnittener schwarzer Vollbart, glühende Augen, schwermütig-ironischer Zug um den Mund, sehr chic.

Auch Helene von Löwen war sehr chic. Mit Vorliebe pflegte sie die feingantierte Hand auf die Brüstung der Loge zu legen und diese Hand — sie trug Nummer fünfeinhalb — war es, in die sich Alfred verliebte. Ihre Toiletten bezog sie aus Paris, ihr Parfüm war Iris de florence gemischt mit Heliotrop. Ueber ihrem zarten, schmalen, ein wenig nervösen Gesicht lagerte etwas wie ein Geheimnis. Man gab „Carmen“.

In dem Augenblicke, als Alfred durch sein Opernglas konstatierte, dass ihr Haar von jenem eigentümlich chicken Blond war, über dessen Gold ein sanfter silberner Hauch zu liegen scheint, überreichte ihr ein Diener ein Telegramm. Sie öffnete es hastig und verließ die Loge, in die sie nicht mehr zurückkehrte.

Zwanzig Jahre vor dem Beginne unserer Erzählung hatte Alfreds Vater ein Duell mit dem Grafen Heinrich Berneck. Alfreds Vater fiel und der Graf musste flüchten. In der Eile vergaß er ein Päckchen Briefe, das in einem geheimen Fach seines Schreibtisches verborgen war, und diese Briefe fielen ein Jahr später der Ballettänzerin Gilda Loretti in die Hände, die nach dem Grafen das anmutige Logis in der *.*.* Straße bezog.

Gilda Loretti war die Schwester des Magnetiseurs und Taschenspielers Professor Angelo Franconi. Loretti war ihr Theatername, ihr wahrer Name war Löwen, denn sie war die erste Gemahlin des bekannten Bankier Löwen. Von diesem hatte sie sich nach kurzer Ehe wieder getrennt, denn sie war sehr chic und Löwen konnte seine Herkunft aus dem Prager Ghetto nie verläugnen, was ihn indes nicht verhinderte, bald ein anderes weibliches Herz zu gewinnen.

Als Alfred von Clermont an jenem Abend das Theater verließ, schickte er seinen Wagen fort und ging zu Fuße durch die herrliche Mainacht, obwohl er sonst kein Fußgänger war. Er war Reiter, Tänzer, Ruderer, er kutschirte und hatte wie Lord Byron den Hellespont durchschwommen, aber Fußgehen war ihm zu wenig chic. Er war heute etwas melancholisch, ohne zu wissen warum, und vor seinen Augen zogen in langer Reihe die Bilder seiner Geliebten vorüber: die miniaturfüßige Te-ko-ho aus Peking, die flammenäugige Rafaella aus Trastevere und endlich Miss Luking mit den zwei Schönpflästerchen — eines rechts auf der Oberlippe, das zweite links auf dem weißen Busenstreif, den das sittig geschlossene Kleid noch frei ließ. Alfred war übrigens Gentleman vom Scheitel bis zu seinen spitzen Schuhen à la Prinz von Wales und er hätte Helenen jeden Augenblick schwören können, dass sie seine erste wahre Liebe sei, ohne dass er sich eines Meineides schuldig gemacht hätte.

Ach die Liebe! Was für ein wunderseliges Gefühl, dieses süße Pochen der Herzen, diese heiligen Schauer, die das Blut hüpfen machen vor Lust und

Wonne! Nur wer selbst einmal diese köstliche Empfindung mitgemacht hat, wird unsern Helden verstehen, der heute ganz vergaß, zum Souper zu gehen, so mächtig hatte die göttliche Flamme in seinem Herzen gezündet!

Der Glückliche saß auf einer Bank des Stadtparks, in tiefes Sinnen verloren. Der Mond stand hinter einer Wolke. Plötzlich leise Tritte, ein geheimnisvolles Rascheln, näherkommende Stimmen, ein eigentümlicher Duft. Kein Zweifel, es war Iris de florence vermischt mit Heliotrop, das chicste was es gab. Sollte jene junge Dame, an die er gerade gedacht, sollte die Besitzerin jener feingantierten Hand . . . .

Da hörte er eine Männerstimme und wurde noch bleicher, als er gewöhnlich war.

„Und es sind alle Briefe?“ fragte darauf ein weibliches Stimmchen — ein Stimmchen so voll süßen, zitternden Reizes, dass ihm das Herz in der Brust zu zerspringen drohte.

„Das Päckchen ist unversehrt,“ erwiderte der Mann.

„Dann geh — ich möchte nicht, dass ich hier gesehen werde. Adieu!“

„Keinen Kuss?“ —

Alfred sah und hörte nichts mehr, es war Nacht vor seinen Augen und Ohren. Als er wieder zum Bewusstsein kam, sprang er wütend auf und durchsuchte das Gebüsch, aber Niemand war mehr zu sehen. Der Mond war hinter den Wolken hervorgetreten.

Am Abend des folgenden Tages eilte die gesammte Elite der Residenz nach dem Museumssaale. Der berühmte Antispiritist Professor Angelo Franconi gab seine erste Soiree. Der Zufall fügte es, dass Alfred von Clermont in der nächsten Nähe von Helene von Löwen saß, und man kann sich vorstellen, wie ihm zu Mute war, als er die Entdeckung machte, dass sie wirklich Iris de florence mit Heliotrop benutzte. Sie trug ein sehr chickes Kleid aus milchchokoladefarbigem Seidenstoff mit einem Gewebe aus mattblauen, mattrötlichen und stumpfgelben Spitzen darüber, und in der feingantierten Hand hielt sie einen Fächer aus Straußfedern.

— — — — — — — — — — — — —

Und so weiter, und so weiter, lieber Leser! Ich habe es versucht, eine Karrikatur jener Romane zu entwerfen, wie sie unbegreiflicher Weise noch immer „beliebt werden“, und ich bitte nur um Entschuldigung, wenn der Stil nicht schlecht genug und das Ganze nur skizziert ist. In einem wahrhaftigen dreibändigen Romane hätte ja jeder einzelne Absatz meiner Skizze mindestens ein Kapitel gegeben. Aber ich wollte nicht die Ausführung dieser Romane treffen — wenn ich auch eine und die andere Besonderheit der Detailmalerei gelegentlich mit beleuchtete. Was ich heute einer Untersuchung unterziehen will, ist das Wesentliche der Erzählung, ihr Gerippe, ihre „Handlung“. Und dabei haben wir es mit einem der wichtigsten Punkte für die litterarische Bewegung unserer Tage zu tun.

Das Ziel dieser Bewegung ist meines Erachtens nichts anderes als Wiedereroberung der dem Handwerk verfallenen Welt für die Kunst. Einige Propheten haben gewisse Schlagworte wie „Naturalismus“, „Realismus“ u. s. w. ausgegeben und diese Worte haben zu vielfachen Missverständnissen geführt, sie werden missverstanden vom Publikum, von Kritikern und vor Allem auch von Produzierenden. Für mich giebt es nur zweierlei Poeten: gute und schlechte, die guten aber sind zu allen Zeiten zugleich Idealisten und Realisten gewesen. Ihre Brust war stets erfüllt von einem Ideal, an dem sie die Welt gemessen haben, und als Darsteller waren sie stets Realisten, weil ihr Idealistentum sie zwang, wahr zu sein. Ein Unterschied ergab sich nur dadurch, dass der Eine, seiner Art entsprechend, nur die wirkliche Welt realistisch schilderte (aber vom Standpunkt des Idealisten aus, also nicht beschönigend, sondern nackt, hüllenlos oder in satirischem, humoristischem Lichte), während der Andere seine Ideale realistisch zu veranschaulichen suchte, sie mitten in die wirkliche Welt hineinversetzte, sie in Gestalten verkörperte und diese das „Wirkliche“ bekämpfen ließ. Auch die Dichter der Gegenwart und Zukunft können nichts anderes sein als jene der Vergangenheit, und es handelt sich nicht darum, einer „neuen Richtung“ die Bahn zu brechen, sondern der alten Richtung die Bahn wieder frei zu machen, die in einer fast nur dem Broterwerb und Amüsement nachgehenden Zeit sich mit Gestrüpp und Unkraut füllte. Das am üppigsten wuchernde Unkraut aber gehört der Gattung des Romans an und der Kampf, der da zu bestehen ist, wird um so schwieriger, als es gerade die Form des Romans ist, in der gegenwärtig und in Zukunft allein das Höchste geleistet werden kann und muss. Ich glaube nicht, dass ein Goethesches Lied, dass Shakespeares „Lear“, dass die Nibelungendichtung zu übertreffen ist. Der Roman aber ist erst noch in seiner Entwickelung begriffen, der Gipfelpunkt dieser Entwickelung ist noch lange nicht erreicht. Andererseits ist der Roman die einzige poetische Form, welche das moderne Leben in seiner Tiefe und Weite voll zu fassen vermag, die einzige Form, in welcher der neue Inhalt der neuen Zeit allseitig zum Ausdruck gelangen kann. Deshalb streben die Dichter immer energischer, sich dieser Form zu bemächtigen, und sie haben dabei einerseits mit der Form selbst, andererseits mit dem in Bezug auf sie herrschenden Vorurteil zu kämpfen.

Der Roman ist ein Emporkömmling. Ein illegitimes Kind der Poesie, das lange verachtet war und sich als Clown sein Brot erwerben musste. Wie lange noch ist es her, dass der Romanschreiber nur als Halbbruder des Dichters bezeichnet wurde, und heute noch sieht man ihn vielfach nicht ganz als

„voll“ an. Und doch hat er sich bereits mit wunderbarer Kraft aufgeschwungen und wenn wir die wirklich bedeutenden Dichtungen der letzten Jahrzehnte aufzählen, dann finden wir fast nur Romane und Novellen, die das gleichzeitige Versegeklimper weit unter sich lassen. Aber selbst diese Romane und Novellen beugen sich zum großen Teil noch ängstlich unter jenes Vorurteil: Zweck des Romans ist Unterhaltung. Sie wollen unterhalten und zwängen ihr Gedanken- und Gefühlsleben in die alte überkommene Form. „Der Romandichter spannt“, schreibt einer unserer namhaftesten Dichter und Kritiker, „indem er an einer fesselnden Stelle der Handlung abbricht und den Leser mit einer künstlich erzeugten Unbefriedigung entlässt. Dies Geheimnis der Technik ist für den Romandichter wesentlich. Er wandert von einer der verschiedenen Gruppen des Romans zur andern und wählt gerade den Moment, in welchem die eine in eine spannende, noch ungelöste Situation versetzt ist, um sie zu verlassen und zur andern fortzuschreiten.“ Ein ernsthafter Aesthetiker stellt also ein Muster auf, wie ich es im Eingang dieser Zeilen karrikiert habe, und das typisch ist für jene Flut belletristischer Erzeugnisse, die unsern Bücher- und Zeitungsmarkt überschwemmt.

Jenes Vorurteil erschwert aber nicht bloß den Kampf gegen die Welt, sondern auch den Kampf mit der Form selbst. Die Weiterentwickelung dieser Form geht ganz erschreckend langsam vor sich, während inhaltlich, stofflich der Roman schon bedeutende Gipfelpunkte erreicht hat. Aber dieser bedeutende Inhalt wurde einfach in die alte Form gepfropft, so dass es aussieht, als ob ein Riese in ein Zwergenkostüme gesteckt worden wäre und nun an allen Seiten die nackten Körperteile herausragen (Wilhelm Meister, die Romane Balzacs), oder er wurde ganz formlos, als Skizze oder Studie wieder gegeben (Turgenjew). Auch die Romane Zolas und Daudets sind solche Studien, die aber zum Teile wenigstens schon darüber hinausgehen, sich der Idealform des Romanes mehr oder weniger nähern.

Wie kommen wir nun zu dieser Idealform? Die Antwort auf diese Frage wird sich aus Folgendem ergeben.

Gegenstand des Romans resp. der Novelle ist ein menschlicher Konflikt. Dieser Konflikt ist so vorzubereiten und so zu lösen, das wir den Eindruck des Lebens empfangen. Die Idee des Konflikts wird wirklich und aus dem dargestellten Stück Leben strahlt sie uns wieder entgegen. Ein Konflikt kann aber nur lebendig werden durch Handlung; die Gestalten müssen wirken, ihre Leidenschaften müssen aufeinander platzen, ihre Gedanken müssen zur sichtbaren Erscheinung kommen. Deshalb dürfen wir nicht bloß analysieren, beschreiben, reflektieren, Silhouetten zeichnen, wir müssen Handlungen schaffen. Diese Handlungen aber haben nicht den Zweck der Handlungen des alten Romans, durch allerlei seltsame Sprünge zu spannen, zu überraschen, zu unterhalten, sie haben einzig und allein den Zweck, die „Konflikte“ zu lebensvoller Darstellung zu bringen. Sind diese Konflikte rein innerliche oder doch nach außen hin beschränkte, so ergeben sich Novellen. Geht der Konflikt in die Weite, handelt es sich nicht um die Lebensinteressen von Individuen, sondern um solche der ganzen Gesellschaft oder einzelner Teile derselben, so ergeben sich Romane. Für die Novelle mit ihrer diskreten Behandlung des Details wird sich neben der Prosa auch der Vers eignen, während dem Roman mit seinen komplizierteren Verhältnissen nur die Prosa genügen kann.

Der Roman ist also Darstellung, nicht Schilderung und Analyse. Er ist nicht Darstellung irgend eines beliebigen Ausschnitts aus dem Leben, nicht Genremalerei, er ist Darstellung eines von einer Idee durchstrahlten ein Gesellschaftsproblem verkörpernden Lebensausschnittes. Er ist nicht die Erzählung einer Kette von Abenteuern, von die Neugierde weckenden und rege haltenden Begebenheiten mit einem überraschenden und „befriedigenden“ Schluss, er ist eine Dichtung mit einem bedeutsamen und lebendig gewordenen Inhalt wie das Epos; er ist kein mehr oder weniger abenteuerlich gestalteter Haufe von Blättern, sondern ein Baum mit einer in die Tiefe gegründeten Wurzel und einem in majestätischer Krone gipfelnden Stamm. Und derjenige Roman wird das Meistergedicht der Zukunft sein, der mit kräftigen Wurzeln in der Zeit fußt und daraus die Nahrung saugt für das reich sich entfaltende Leben, für das in die Weite und Runde strebende Blattwerk und für den sich zum Himmel, zum Allgemeinen und Ewigen erhebenden Stamm. Hoffen wir, dass er nicht mehr allzulange auf sich warten lässt, und jäten wir inzwischen fleißig das Unkraut und Gestrüpp. Vor Allem aber gewöhnen wir uns daran, den Roman einmal ernst zu nehmen und die Abenteuer Herrn Alfred von Clermonts, des chicken Attachés, dorthin zu verweisen, wohin sie gehören. Und so viel ich weiß, benamst man diesen Ort nirgends „Litteratur“ . . . .

Konrad Deubler.

(Schluss.)

Auch die schöne Litteratur war, namentlich in Deublers letzten Jahren, mitunter zu Gast auf dem Primesberg. Anzengruber war Deublers „Leibpoet“. „Als ich im größten Jammer und furchtbarsten Elend im Zuchthaus zu Brünn war, ohne Gott, ohne Glauben an die Unsterblichkeit der menschlichen Seele, da tröstete ich mich ungefähr mit denselben Worten wie der „Steinklopferhans“. Also doch nur ungefähr? Begreiflich, denn des „Steinklopferhans" berühmter Stoßseufzer. „Es kann dir nix gescheh'n u. s. w." lässt unserer Auffassung nach eher eine pantheistische als eine materialistische Auffassung zu. Gern führte Deubler, „Steinklopferhans der II.", auch Anzengrubers Schnaderhüpfel im Munde:

„I fürcht' nit den Teufel,
I fürcht' nit die Höll;
I bleib' mir stets glei
Und kimmt, was da wöll!"

Für **Rosegger** war Deubler trotz alledem und alledem ein „Gottsucher". An Deubler selbst schreibt Rosegger: „Sie sind wohl viel hin und her gezerrt worden von der leidenschaftlichen Proselytenmacherei der religiösen und philosophischen Systeme, bis Sie gelernt haben werden, dass in keinem der Systeme die Wahrheit ganz ist, aber dass an jeden etwas Wahres ist. Das Leben, Lernen und Leiden hat Sie objektiv gemacht und damit haben Sie die Höhe des wahren Philosophen erreicht." Und an Dodel-Port richtet Rosegger die folgenden Worte einer abweichenden Meinung: „Sehr überrascht mich, dass Sie in Deubler einen festgeschlossenen Materialisten finden. Ich habe ihn als **Pantheisten** kennen gelernt, als einen auf den Sieg der Gerechtigkeit Hoffenden; denn sonst wäre mir ja dieser Mann mit seinen Schicksalen und seinem Ringen nach Höherem ganz unverständlich gewesen. **Ein materialistischer Bauer hätte keinen Wert für die Sache des Fortschrittes.** Er war eine **tief ethische** Natur. Er glaubte an den Geist Gottes in der Menschheit. Sie werden die Spuren davon finden."

In Friedrich **Schlögel** erblickte der Primesberger Denker wie in Rosegger, Anzengruber u. A. „einen h. Apostel der Kultur, deren jeder in seiner Sphäre bemüht ist, Humanität und Aufklärung zu verbreiten". Auch scheint es, dass der gedankliche Bauer mit diesen klassischen Zeugen des Wiener Volktums eine wesentliche Seite der Laune und des Witzes gemein hatte. In Joh. **Nordmanns** „Römerfahrt" aber fand Deubler sein und seiner Genossen Leidensgeschichte zum ersten Male poetisch verklärt. Und so fanden sich in Deublers Wesen auch Anknüpfungs- und Berührungspunkte mit noch anderen Poeten und Volksschriftstellern.

„Die Judenhetze ist wirklich eine sehr traurige Erscheinung in unserer reaktionären Zeit" — urteilt Deubler kontra **Dühring**. Von Ceylon zurückgekehrt, war **Häckel** ein zweites Mal zu Besuch auf dem Primesberg. Deublers letzte Reise im September 1883 galt seinem künftigen Biographen in **Zürich**. Dem Luther-Jubiläum gegenüber nahm Deubler mit folgenden Worten Stellung: „**Luther** hat uns das Recht erkämpft, frei in der Bibel zu forschen; aber die neuere Wissenschaft hat sich das Recht erobert, frei **über** die Bibel zu forschen."

Wenige Stunden vor seinem Tode erklärte Deubler drei anwesenden Freunden und Zeugen gegenüber: „Sollte vielleicht durch längere Krankheit mein Geist geschwächt werden und ein allfälliger Versuch von kirchlicher Seite, mich in letzter Stunde noch zu bekehren, mich etwa willig finden, dem Drängen nachzugeben, so mache ich Euch, meine hier anwesenden Freunde, für diesen Fall jetzt, zu dieser Stunde, verantwortlich. Ihr sollt Zeugnis ablegen, dass ich meine Anschauungen bis zu dieser Stunde nicht im Geringsten geändert habe und dass ich auch jetzt noch gewillt bin, dabei zu bleiben, so lange ich die Kraft habe, Etwas zu wollen."

Als **Grabschrift** wünschte sich Deubler Folgendes auf den einfachen Stein:

„Der Geist ist eine Eigenschaft des Stoffes;
Er entsteht und vergeht mit ihm!
Nun lebe wohl, du schöne Welt,
Du liebe Sonne und ihr ewigen Sterne!
Meine Augen sehen euch nie wieder!"
Niedergeschrieben am Weihnachtstag 1883.

Natürlich fand dieser **monistische** Grabstein auf dem kirchlichen Friedhof keine gastliche Stätte; er steht auf dem Primesberg.

Gestorben ist der Freidenker, der „Materialist aus Ueberzeugung" am 31. März 1884 und am 1. April Nachmittags wurde sein Leib der Erde übergeben. „Aber leider, leider muss gesagt werden," — seufzt Dodel-Port — „dass selbst dieser Menschentragödie das Zerrbild eines Satyrspiels zum Schluss nicht erspart blieb: die ganze Beerdigungs-Feier hatte den Charakter des — **Kirchlichen** an sich." Wie schrecklich! Und wo blieben denn die drei protestierenden Freunde? Wie aber, allen Ernstes, wenn Deubler sich nur die Pfaffheit vom Halse gehalten wissen, was Volkstum und überkommene Sitte heischte, jedoch willig über sich ergehen lassen wollte? Und konnte nicht auch noch Feuerbachs vorsichtiger Rat bei dieser Gelegenheit nachwirken? Und wenn dem eifrigen Denker die anhängliche Gemeinde trotz alledem und alledem in der herkömmlichen Weise das letzte Geleite gab — ist dies eine Farçe zu nennen? Ja, aber der wissenschaftliche Standpunkt! Allen Respekt vor ihm; wenn jedoch auch er sektisch, dogmatisch unduldsam und formelhaft wird, was hat er denn dann vor den vermeintlichen Aberglauben voraus? —

Deublers Bibliothek umfasst 1413 Nummern — sie ist ein Volksgut. Die Schule wurde von ihm mit einem ansehnlichen Legat bedacht. In einem Konsumverein, der zugleich Arbeitsabsatz-Platz für die Genossen ist, waltet sein volksfreundlicher Geist fort. Als höchst originelle und bedeutsame Volksfigur, als freier Streber und Denker, als Bauer, der auf dem Primesberg geistigen Hof hielt, als nicht unebenbürtiger Zeitgenosse vieler der Geistesmächtigsten, als Mann der schweren Handarbeit, der in den Mußestunden den edelsten und höchsten Vergnügen nachging, als schlichter Mann, der für Bildung, Wissenschaft und Litteratur mehr tat denn ein Millionär oder ein Fideicommissgutsbesitzer verdient Deubler im Andenken der Menschen eine dankbare und ehrende Stelle.

„Kann ich als ein Licht der Welt
Nicht für Viele glänzen;
Hab ich doch den Raum erhellt
Meiner engen Grenzen.“

Die eigentlich schaffende Triebkraft war dem sonst so hoch begabten Manne — voll kritischen Verstandes und treffenden Witzes, von großem Sprachgefühl, von aphoristischem Geiste und gedanklicher Lyrik — versagt. Insofern war ein anderer Bauer, der sich als Dichter und Volksmann einen Namen gemacht und ein bleibendes Denkmal gesetzt, glücklicher daran. Es ist dies Franz Michael Felder aus dem Bregenzerwalde, also alemannischen Volktums, 1839—1869. Dieser Bauer, welcher es kaum zu dreißig Jahren brachte, hat im „Nümmermüller“, in den „Sonderlingen“, im „Liebeszeichen“ und in „Reich und Arm“ erzählende Schriften hinterlassen, welche J. V. Scheffel schon bei ihrem ersten Erscheinen als „echt, recht und gut“ anerkannte. „Von den mit starker Reflexion künstlich komponierten Dorfgeschichten Auerbachs unterscheidet sich Felders Standpunkt dadurch vorteilhaft, dass er ein naiver ist und den Bauer mit seiner bäuerlichen Welt nicht benutzt, um als vorteilhaft wirkende Staffage die modern geschulten Kulturmenschen, die in den Mittelpunkt der Bilder gestellt sind, zu umgeben.“ Mit ungleich mehr geschichtlichem Sinn ausgestattet, hat Felder den Kampf gegen reaktionäre Gesinnung und pfäffische Unduldsamkeit leichter bestanden als Deubler und durfte dabei selbst, nicht vergeblich, den Schutz der Regierung in Anspruch nehmen. Volksfreundliche Schöpfungen aber hat Felder in dem „Käshandlungsverein für den Bregenzerwald“, in der „Schoppernauer Viehversicherungs-Gesellschaft“, in einer Volksbibliothek, einem Lese- und einem landwirtschaftlichen Zweig-Verein hinterlassen. Dieser Seitenblick auf den alemannischen Bauer, der in der „Sennhütte der Oberdörfler“ Hof hielt, ist vielleicht nicht uneben und überflüssig — wenigstens dient er dazu, die Erwägung anzuregen, um wie viel ein schaffender Geist besser daran als ein vorwiegend denkender, philosophisch abstrahierender. (Siehe „Das Leben Felders“ von Hermann Sander, Innsbruck, II. Aufl. 1876.)

Der zweite Band der Dodel-Portschen Biographie enthält Deublers Briefwechsel, wenn nicht vollständig, so doch reichhaltig; die Hauptzeugen kommen unverkürzt zu Worte, während von einigen Minderen des Guten vielleicht zu viel geboten wird.

Der Briefwechsel hat zeit- und kulturgeschichtliche Bedeutung, ist von besonderer Wichtigkeit bezüglich der philosophischen Strömungen während des letzten halben Jahrhunderts und lässt auch den Würdiger der schönen Litteratur nicht leer ausgehen. Vom Umfang und der geistigen Vornehmheit des Deublerschen Verkehrs gewinnt man erst aus dem Briefwechsel die richtige Vorstellung und die Lebensskizze schöpft daraus die feineren und intimeren Züge für die Persönlichkeit des Bauernphilosophen. Manches aus diesem schriftlichen Verkehr ist bereits für die obige Charakteristik vorweg genommen worden; Anderes aus dem reichen Material verdient zum Mindesten eine flüchtige Andeutung.

Die Briefe von und an Robert Kummer atmen die lauterste Freundschaft; der Künstler ruft dem Denker gelegentlich zu: „Sei vorsichtig mit Deinen Aeußerungen!“ und erkennt dessen Wert mit den schlichten Worten an: „Unter Deinem einfachen Rocke schlägt ein gutes edles Herz; ich muss es Dir sagen, ohne Dir schmeicheln zu wollen.“ — Feuerbach berührt in seinen Briefen u. A. auch die sechsundsechsziger Ereignisse und das vatikanische Konzil. — Maler Josef Winkler berichtet als Augenzeuge über den Aufstand der Griechen auf Kreta 1866. — Josef Brucker schreibt aus Amerika, Milwaukee 15. Juli 1875, anlässlich eines Deubler und dessen Heim besprechenden Artikels in der „Gartenlaube“: „Deiner Wirksamkeit im Volke, Deiner helfenden Hand für diejenigen, denen Europa zu eng geworden und die deshalb fortzogen in ferne Länder — dieser braven und bravsten Hand wurde nicht gedacht und dennoch wiegt das Alles so schwer, mein Lieber, und hundert brave Menschenherzen denken Deiner mit Liebe, Achtung und Verehrung.“

Ernst Häckel schildert dem Freunde sein erstes, kurzes eheliches Glück, teilt ihm seine Besuche bei Darwin mit und wie dieser schon aus seinen Briefen ihn, den Goiserer Philosophen, kenne; erzählt ihm, wie er um das versprochene Humboldt-Stipendium gekommen, desgleichen von seiner Eisenacher Rede und dem darin anbezogenen „irreligiösen“ Briefe von Darwin und klagt dem Aelpler, dass er für sein Ceylon-Werk weder in Deutschland noch in England einen Verleger habe finden können, trotzdem er kein Honorar beanspruche.

Einem Briefe an Johannes Nordmann legt Deubler „Eleonoras Abschied von ihrem Manne,“ geschrieben am Sterbebette, den 13. November 1875, Nachts um 12 Uhr, bei — es ist dies ein gedankliches Gedicht von zehn achtzeiligen Strophen, ein Bekenntnisakt Deublers, der längste seiner lyrischen Ergüsse. — An Julius Duboc meldet Deubler unter dem 11. Juni 1877: „Ihnen habe ich es zu verdanken, dass ich diesen Winter unter die Vegetarianer gegangen bin.“ An denselben ist auch, 25. Dezember 1880, folgender Stoßseufzer Deublers gerichtet: „Bei uns ist wegen zu großer Steuerlast und ungleicher Verteilung derselben fast ein Bauernaufstand zu befürchten. Das Deutschtum wird von Polen und Czechen in den Staub getreten; der Rassenkampf wird auf den Kanzeln gepredigt — in Deutschland die Judenhetze! Wir sind jetzt in einem großen Narrenhause — ganz ins Unsichere geraten. Alles strebt nur nach rohesten Sinnengenüssen; Einer betrügt und beschwindelt den Andern."

Von Eugen Dühring wird unserem begeisterten Anhänger der Entwickelungstheorie unter dem 7. Oktober 1877 ein unerwarteter Hieb versetzt; Dühring schreibt nämlich: „Feuerbach hatte hauptsächlich die Religion aufs Korn genommen; diese Etappe ist längst überschritten; ich habe es mit den Fälschern der Wissenschaft und namentlich mit denen der Naturwissenschaft zu tun. Diese knechtischen Naturwissenschaften vergiften jetzt das Volksbewusstsein mehr, als es je die Pfaffen getan haben." Solch ein Vogel hatte sich bisher wohl noch kaum auf dem Primesberg vernehmen lassen. Seltsam, was Alles an den Bauernschädel Deublers pochte!

Paul Heyse schreibt 1880 dem Primesberger: „Ich glaube, dass wir in unsern Ueberzeugungen noch vielfach getrennte Wege wandeln, doch nahe genug benachbart, um uns über den Graben, der uns trennt, mit der Hand erreichen zu können."

Wichtig ist der, schon nahe an das Lebensende Deublers hinausgerückte Briefwechsel mit B. Carneri. Die ganze wissenschaftliche Glaubensseligkeit — ich wähle dieses Wort mit Bedacht — unseres Bauernphilosophen spricht sich rührend in den folgenden Zeilen aus dem März 1883 aus: „Ihrer Aufforderung zu folgen, mich urteilend über Spinoza zu äußern, wird mir recht schwer. Spinoza war ein großer Denker, wenn auch noch Pantheist; er war aber noch mehr edler Mensch als ein großer Denker, daher sehr schätzenswert. Und wenn ich die Abhandlungen der neueren Kritik über ihn lese, so kommt es mir vor, als wenn man den neuen Most: sowohl die Sittlichkeitslehre Spinozas als auch die neuere, vom Glauben unabhängige Sittlichkeit in den alten Schlauch des Spinozistischen Pantheismus oder Glaubens gießen wollte. Da gefällt mir Ihr gediegenes, so herrlich geschriebenes Buch „Sittlichkeit und Darwinismus" und auch Häckels Schriften am Besten. Welch ein ungeheurer Fortschritt ist seit Spinoza und Kant gemacht worden! Man denke an Darwins „Natürliche Zuchtwahl", an Häckel, an Robert Mayer, den Galilei des 19. Jahrhunderts! Man sehe die Stellung der Wissenschaft zu jener großen Frage: „Wie konnte ohne Gott die Welt entstehen, wie kann ein planvolles Gebäude sich selbst aufbauen ohne Bauplan und ohne Baumeister? wie können zweckmäßig eingerichtete Formen der Organisation ohne Hülfe eines zweckmäßig handelnden Gottes entstehen? Das ist doch eine Frage aller Fragen, worüber schon manche Häupter gegrübelt, Häupter in Hieroglyphen-Mützen, Häupter im Turban, Häupter in schwarzem Barett, Perücken-Häupter und tausend andere arme, schwitzende Menschenhäupter." Jahrtausende konnten keine vernünftigen, keine mit Tatsachen bewiesenen Antworten geben. „Die Wogen murmelten eben ihr ewiges Gemurmel, der Wind wehte, die Wolken flogen und die Sterne blickten gleichgültig und kalt. — Ein Narr wartete auf Antwort." So sagte noch H. Heine, der Kantianer. Unser Jahrhundert hat aber doch alle diese Fragen, die selbst Kant für unlösbar erklärte, durch die Naturwissenschaft beantwortet."

Doch genug, zu viel wohl schon! Die Ausdehnung der Studie bedarf schier eine Entschuldigung. Aber ein philosophischer Bauer ist ja eine Seltenheit; ihn sich bloß von Außen besehen zu haben, würde wenig frommen; vom Geistesleben in den Alpen dringt zudem nicht zu häufig etwas in die Weite und ein Alpenblumenstrauß gerät erfahrungsmäßig zu groß und ungefüge, als dass man ihn in ein Knopfloch stecken könnte.

Wien. Hans Grasberger.

Raimund und Grabbe.

Ein Gedächtnisblatt von Josef Lewinsky.

Der Monat September 1886 mahnte das deutsche Volk, zweier Männer zu gedenken, welche nicht nur im Leben seine wahren Repräsentanten gewesen, sondern auch ihre innere Kraft und Genialität dramatisch so zu gestalten wussten, dass ihnen mit Recht ein reformatorisches Verdienst, wenn auch auf zwei getrennten Gebieten des deutschen Schauspiels beigemessen wird.

Am 6. und 12. September dieses Jahres war grade ein halbes Jahrhundert verflossen, dass Ferdinand Raimund und Chr. Dietrich Grabbe, Beide ein frühes und gleich tragisches Ende gefunden. Beiden gemeinsam war die tiefe Erkenntnis dessen, was das innerste Gemüt des deutschen Volkes erheischte, sowie in ihnen auch am prägnantesten zum Vorschein kam, was als Charakteristikon der deutschen Nation ewig gelten wird, der heftige Kampf zwischen den realen Bedingungen des Lebens und seinen ideellen Zielen. Dramatisch aber suchten sie diesen geistigen Kampf, von welchem Beide ausgingen, auf verschiedene Weise zu lösen. Raimund durch Wiederbelebung des echten und wahren Volksschauspiels, Grabbe durch ernsthaften Hinweis auf eine notwendig gewordene Reform des historischen Dramas und der Tragödie. Mit unermüdlichem Fleiße hatte Raimund das poetische Leben seines Volkes studiert und durchdrungen, und mit seltenem Geschick in plastischer Anschaulichkeit und Einheit dargestellt, was das Leben des Volkes charakterisiert, die Freude an der Wirklichkeit, wenn sie sich im Gewande des Märchenhaften und Abstrakten zeigt. Dem Reinen und Harmlosen des wahren Humors verhalf er wieder zur Herrschaft über das Banale der Alltäglichkeit, welches seine demoralisierenden Wirkungen in den zwanziger Jahren von der Bühne herab zum Nachteil der untern Stände nur allzunachdrücklich geltend machte. Gewiss war es ein reines Gefühl, welches Raimund in der Neugestaltung des Volksschauspiels seine höchste Lebensaufgabe erblicken ließ, ein Gefühl welches allein die dichterische Gestaltungsgabe zu solcher Vollkommenheit zu entwickeln vermag, wie es bei dem Dichter der Fall gewesen.

Dieselbe Genialität und Originalität, dieselbe Lebhaftigkeit der Phantasie, hätten Christian Dietrich Grabbe zum auserwählten Nachfolger des Altmeisters Goethe gemacht, wenn nicht durch das Uebermaß des Empfindens und den Mangel an innerer Ruhe die einheitliche Entwickelung des Dichters gehemmt worden wäre. Während Raimund durch seinen kritischen Scharfblick, durch seltene Gabe der Komposition und Charakteristik vielen seiner Stücke eine langdauernde Bühnenherrschaft gesichert, vermochte es Grabbe nicht, bei aller Großartigkeit der Auffassung und Tiefe des Gefühls, auch nur eines seiner Dramen bühnenfähig zu machen, wodurch diese ihrer besten Bühnenwirkung beraubt wurden. Ein allzuschwärmerischer Sinn, eine gewisse Unstetigkeit des Schaffens, welche zeitweise Bizarrerie und Cynismus erzeugte, vernichteten die zarten lyrischen Triebe, die dem jungen Dichtergeiste in reicher Fülle entsprossen. Und dennoch beginnt mit ihm eine neue Epoche für das dramatische Leben. Er hatte es wieder lebenskräftig gemacht, er hatte ihm neuen Schwung verliehen und den Weg gewiesen, auf welchem durch Vereinigung des Antiken und Uebersinnlichen mit dem Leben der Gegenwart Drama und Tragödie das wirken könnten, was Lessing, den er sich übrigens vielfach zum Muster genommen, angedeutet, — wenn er die Erregung der menschlichen Leidenschaft als Mittel hinstellte, um den Menschen vom Uebel der Leidenschaft zu befreien. Grabbe konnte leider diese Aufgabe welche er sehr erfasst hatte, nicht vollenden, sein Leben war ein zerrissenes und, mit der Welt wie mit sich selbst zerfallen, war sein Inneres selbst von Leidenschaften zu sehr beherrscht, als dass er von der Bühne herab die Geister seiner Zeitgenossen zu lenken vermocht hätte.

Diese Ungleichheit des Erfolges bei zwei Männern, welche von denselben Gesichtspunkten ausgehend, gleiche Ideale verfolgten, erklärt sich freilich am besten aus ihren Lebensgeschicken.

Ferdinand Raimund, geboren zu Wien am 1. Juni 1790, war zwar der Sohn eines nur wenig bemittelten Drechslermeisters, genoss aber dennoch einen für seine Verhältnisse guten Unterricht. Was dem Knaben Justinus Kerner als drohendes Gespenst vorschwebte, wurde bei ihm zur Wirklichkeit. Er musste Konditorlehrling werden. Aber der aufgeweckte Knabe, frühzeitig getrieben von einer Leidenschaft für Darstellungen des menschlichen Charakters, entledigte sich schon 1808 der Fesseln seines Berufs und eilte zu einer Wandertruppe nach Pressburg. Trotz vielfach vorangegangener Misserfolge wurde er 1813 an das Theater der Josephstadt nach Wien berufen, von welchem er 1817 zum Theater der Leopoldstadt überging, das ihm viel zu verdanken hatte. Es wurde durch ihn eine Musterbühne und nur die vielfachen Schwierigkeiten, welche die Unzufriedenheit der Schauspieler seinen hohen Anforderungen entgegensetzte, bewog ihn 1830 die Bühne zu verlassen, um ganz seiner Neigung als Volksbühnendichter zu leben, welche sich schon 1823 in seinem Erstlingsstück „Der Barometermacher auf der Zauberinsel“ und 1824 im „Diamant des Geisterkönigs“ mit viel Glück offenbart hatte. Durchgreifenden Erfolg hatte sein „Bauer als Millionär“, diese herrliche Mischung von Humor und Elegie, gleich packend durch Gemütstiefe wie durch die Neuheit eines vollkommen harmonischen Zusammenspiels der Mimen. Nicht minder machte sein „Alpenkönig und Menschenfeind“ Furore, sowie „Die unheilbringende Zauberkrone“, dieses Muster tragikomischer Dichtung. Am populärsten ist dasjenige Stück geworden, welches auch den Abschluss seiner bühnenschriftstellerischen Tätigkeit bildet, „Der Verschwender“, das so lange auf deutschen Bühnen leben wird, wie die wahre Darstellung des Volksgemüts und Charakters Freunde haben wird.

Diese schriftstellerische Produktivität hinderte ihn jedoch nicht, größere Kunstreisen zu unternehmen, welche ihm Ruhm und Vermögen einbrachten. Letzteres gestattete ihm den Ankauf des schönen Landgutes Gutenstein, in dessen Besitz er leider durch Kränklichkeit und Hypochondrie nicht froh werden konnte, noch dazu, da ihn eine unsägliche Angst quälte, dass ein Haushund, welcher ihn gebissen, toll gewesen sein könnte. Er eilte nach Wien um ärztliche Hülfe zu suchen, wurde aber auf dem Wege von einem Unwetter überfallen, welches ihn zwang in Pottenstein zu übernachten. Hier ergriff ihn eine so jammervolle Verzweiflung, dass er sich mit dem Terzerol in den Mund schoss. Nachdem er noch eine ganze Woche unsägliche Schmerzen erduldet, erlöste ihn der Tod am 6. September 1836 von seinen Leiden.

Viel unharmonischer und trauriger verlief das Dasein Christian Dietrich Grabbes, welcher am 14. September 1801 zu Detmold geboren, als Sohn eines Zuchthausverwalters, ohne Erziehung und Unterricht eine trübe Jugendzeit verlebte. Es ist bekannt, dass ihn seine eigene Mutter schon frühe zum Trunke angehalten haben soll. Als man ihn dennoch auf das Gymnasium zu Detmold brachte, entwickelte er neben rastlosem Fleiß eine innige Neigung zu den alten und neueren Dichtern. Er studierte von 1820 an in Leipzig und Berlin die Rechte, vernachlässigte jedoch das Studium zu Gunsten der Dichtkunst, in deren Verehrung er durch Heine, Uechtritz und andere Freunde von gleicher Leidenschaftlichkeit wie er selbst bestärkt wurde. Nachdem er das Studium ganz aufgegeben, wandte er sich an Tieck nach Dresden, um Theaterdichter werden zu können. Andauernde

Misserfolge in diesen Streben entwickelten in ihm einen abstoßenden Cynismus welcher noch verstärkt wurde, als sein Versuch Schauspieler zu werden gleichfalls misslang. In seine Heimat zurückgekehrt, warf er sich wieder auf sein früheres Studium, aber die Erfolge, welche er in demselben errang, und die Liebe zu seiner Frau vermochten den in allen seinen Neigungen wetterwendischen Poeten vom Untergange nicht zu erretten. Ein wüstes Tavernenleben vernichtete den Rest der Kräfte seines ohnehin schon aufgelösten Körpers. Die Zerrissenheit seines Lebens spiegelt sich bereits in seinem Jugendwerk „Herzog Theodor von Gothland" wieder, in welchem die wahrhaft geniale Anlage des Stückes der Maßlosigkeit der Phantasie zum Opfer fällt. Auch in anderen Stücken wie „Scherz, Satire, Ironie und tiefere Bedeutung", vermag weder der feine Witz noch die kraftvolle Darstellung das Ungenügende der Komposition zu verdecken. Sein schönstes Unternehmen, in seinem „Don Juan und Faust", zwei gewaltige und beliebte Stoffe in eins zu verschmelzen unterlag seinem Mangel an Ruhe und Besonnenheit. Aber selbst die Trümmer dieses Fragments künden die Größe und Hoheit des Gedankens, welcher den Dichter beherrscht. Sein „Hohenstaufen", „Napoleon oder die hundert Tage", „Hannibal", „die Hermannschlacht" etc., alle leiden an demselben Fehler der Maßlosigkeit. So kam es, dass er nur „anregend" nicht leitend wirkte.

Von seinem Weibe geschieden, geistig und körperlich zerrüttet, folgte er einer Einladung Immermanns nach Düsseldorf. Hier machte er die verderbliche Bekanntschaft des genialen Musikers Bergmüller, durch dessen Einwirkung seine traurigen Neigungen befestigt wurden. Der Tod des Letzteren ergriff ihn derartig, dass er 1836 zu seiner mit ihm wiederum versöhnten Gattin nach Detmold zurückkehrte, woselbst er am 12. September desselben Jahres, kaum 35 Jahre alt, verstarb.

So schieden innerhalb weniger Tage zwei Dichter aus einem Leben und einer Zeit, welche sie so trefflich zu erfassen gewusst, ohne sich selbst in sie finden zu können.

An die Gebrüder.

(Aus „Kunterbunt" von W. Arent.)

Fast jedes Wort in jedem Satze
Beweist mir, dass ihr Jesuiten.
Man kennt euch, fort die Heuchlerfratze,
Ihr litterarischen Banditen!

Lebensdevise.

Von Karl Bleibtreu.

Nur in der Ruhe zeigt sich Größe groß,
Nicht in der Kräfte hastigem Ueberschwung.
Die starke Hand, die fest geführt den Stoß,
Schreibt sich ein Selbstgesetz der Mäßigung.

In dieses Lebens wirrsaltoller Brandung
Ein Leuchtturm strahlt, vor jedem Sturm gefeit:
Dort in der Weisheit Seheringewandung
Tront wahrheitspendend die Gerechtigkeit.
Das Richterschwert in ihrer sichern Rechten,
Mit eherner Wage messend was geschehn.
Die unter ihrem Weiheblicke fechten,
Die siegen stets, auch wenn sie untergehn.

Die litterarische Bewegung der Provinzen in Spanien.

Nach dem Spanischen des Don Orlando
von Alexander Braun.

Mehr als einmal haben wir im Gespräch mit Litteraten der Provinzen Klagen darüber gehört, dass die in Madrid Lebenden und Wirkenden all die Erzeugnisse des menschlichen Geistes und Talentes, welche in den übrigen Teilen der Halbinsel erschienen, so wenig beachten und noch weniger anerkennen. So ist es in der Tat. Alle Tage finden wir in Monatsheften und Zeitungen Urteile oder Besprechungen dramatischer Neuheiten, Novellen und Gedichtsammlungen und nur selten begegnen wir einem Werke, dessen Verfasser nicht in der Hauptstadt lebte oder doch zum Mindesten dafür gesorgt hätte, dass es hier gedruckt und zuerst veröffentlicht werde. Ganz einfach jedoch lässt sich erklären, warum die Provinzen zu einer so wenig schmeichelhaften Rolle verurteilt sind. Sei es nun der allverschlingende Einfluss der politischen Zentralisation oder weil jeder Schriftsteller, der in sich Mut und Kraft fühlt, im Bewusstsein des eigenen Wertes von dem höchstgebildeten Publikum beurteilt werden und einen Platz unter den Ersten erringen will, augenscheinlich ist, dass in Madrid fast alle hervorragenden oder irgendwie ausgezeichneten Geister der ganzen Nation zusammenströmen. Mit vollem Recht also wendet Madrid der geistigen Bewegung außerhalb nur geringe Aufmerksamkeit zu; denn, indem es den aus gemeinsamen Kräften in seinem eigenen Schooße erwachsenden Geistesleben angehört, nimmt es zugleich Teil an demjenigen der übrigen Provinzen.

Allerdings giebt es einige Gebiete, für welche das nicht gilt, weil dort der Lokalpatriotismus, dank besonderen geschichtlichen und gesellschaftlichen Bedingungen und Charaktereigentümlichkeiten eine selbständige, von der nationalen verschiedene Sprache aufrecht erhält. Das Publikum aber, dem ja das dem heimischen Boden Entsprossene allzeit das Liebste zu sein pflegt, begünstigt die Entwicklung einer unabhängigen Litteratur, so dass die Dichter am Orte selbst, wo sie geboren und erzogen, Begeisterung zum edlen Wettkampf schöpfen, die Palme des Sieges erlangen und all ihren Ehrgeiz befriedigt sehen. Diese in solcher Absonderung oder vielmehr Abgeschiedenheit lebenden Autoren der Provinzen nun werden von Madrid nicht im Verhältnisse zu ihrer oft sehr großen Bedeutung gewürdigt, wenn nicht ihre Werke in die Landessprache übersetzt und ganz vorzüglich sind. So ergeht es außer vielen und sehr schätzbaren Dichtern der nordwestlichen Küste auch einem ausgezeichneten des Ostens, wie erst kürzlich, gelegentlich eines Berichtes über das „Llibret de versos" von Teodoro Llorente ein Schriftsteller bemerkt hat, indem er ungeachtet einiger Vorliebe für den Landsmann beklagt, dass so schöne Dichtungen nicht in kastilischer Zunge verfasst seien, damit alle sie genießen könnten. Erst jüngst wieder hat sich dieselbe bedauerliche Tatsache gezeigt, beim Tode einer in ihrer Heimat hochgefeierten, bei uns aber nicht nach Gebühr geschätzten Dichterin, nämlich der Doña Rosalia Castro de Murgias.

Nicht viele unserer lyrischen Dichter können neben diese Dichterin gestellt werden, und dennoch wiederhallt ganz Spanien von dem Ruhme jeder neuen Schöpfung eines Velarde, Grilo und Ferari, deren Namen allen vertraut sind, während es eines Prologs von Castelar zur Einleitung des besten Werkes der Doña Rosalía und der Kunde von ihrem Tode bedurfte, um Madrid daran zu erinnern, dass in jenem Winkel einer der erlesensten Geister gelebt hat und ein Buch geschrieben worden, so zart und innig empfunden, wie nur wenige der in den letzten Jahren in unserem Lande veröffentlichten: die Follas novas. Die Ursache davon ist, dass jene Dichter die Mundart ihres Volkes reden, die von dem seit vielen Jahrhunderten als Nationalsprache anerkannten Kastilianisch, dem heutigen Spanisch, sehr verschieden ist. Da diese Dialekte jedoch fast sämmtlichen Spaniern unverständlich sind, bleiben die in ihnen verfassten Werke der Mehrzahl verschlossen, wie das auch ein katalonischer Litterat und Akademiker, der mit am Meisten zur Wiedergeburt einer solchen Provinzlitteratur beigetragen, erfahren musste. Man entgegne uns nicht, dass wir, gleichwie wir bemüht sind, die Litteratur fremder Völker kennen zu lernen, uns auch und zwar mit weit mehr Grund dem Studium derjenigen widmen sollten, welche, der unsrigen nahe verwandt, innerhalb des eigenen Landes sich entfaltet. Dort handelt es sich um Völker, die weitab von uns, zielbewusst und unabhängig sicheren Schrittes ihren Lebensweg verfolgen; hier dagegen haben wir es mit Teilen eines einzigen wohleingerichteten Ganzen zu tun, mit Provinzen, die einst alle, unausweichlichen Gesetzen instinktiv gehorchend, unter Aufgabe ihrer Sonderart zusammenwirkten, ein gemeinsames, mit allen Abzeichen der Macht und Würde ausgestattetes Vaterland zu schaffen. Spanien also bleibt dieser Litteratur gegenüber taub und unempfindlich, ob sie sich auch da und dort noch so laut und kräftig äußere; nicht aber aus Furcht und Widerwillen, wie einige vermuten, sondern weil es all diese Bestrebungen für zwecklos hält. Niemand wird, abgesehen von der viel umstrittenen Frage, ob von Anbeginn eine einzige Ursprache, zwei oder mehrere vorhanden gewesen, in Zweifel ziehen, dass die heute in Europa herrschenden Idiome andern und diese wieder früheren entsprossen sind, so dass man, von dem gemeinsamen Stamm, zu welchem uns die philologischen Forschungen zurückführen, ausgehend, eine eigentliche Genealogie der Sprachen aufstellen könnte. Nicht selbständig aber entwickeln sich die Sprachen, sondern unauflöslich an das Schicksal der Gesellschaft, der sie zum Ausdruck dienen, gebunden, steigen und sinken sie mit ihr. Das lehrt uns zuerst die Geschichte Roms, beweisen uns dann die Nationen, welche ihr Reich auf den Trümmern der römischen Weltherrschaft gründeten.

Auch in Spanien entstehen mehrere Sprachen, ehe aber eine von ihnen zur Reife gelangt, hemmt das Uebergewicht des waffengewaltigen, über mehrere christliche Königreiche gebietenden Kastilien ihre Entwicklung und verdammt sie dazu, Dialekte des Kastilianischen zu bleiben, das rasch auf der ganzen Halbinsel sich ausbreitend, eine reiche und mannigfaltige Litteratur erzeugt.

Muss daher von Anfang an den Dialekten das Recht der Existenz zugestanden werden, weil sie zur Bildung und Ausgestaltung der gemeinsamen Sprache beigetragen haben, indem sie ihr wichtige Bestandteile zuführten, so kann ihnen dasselbe auch in der Folge nicht abgesprochen werden, so lange sie als bescheidene Hülfstruppen, zinspflichtige Untergebene, ohne irgend welche weitere Ansprüche sich damit begnügen, die Landessprache, welche gleich allen Idiomen lebt, fortschreitet und sich unaufhörlich bewegt, mit neuen, ihr nötigen Wörtern zu versehen und in richtiger Erkenntnis ihres Looses sich darein ergeben, mehr und mehr zurückzutreten, bis sie endlich zum ländlichen „Patois" herabsinken.

Wir wenden uns also nicht gegen die oft scharf ausgeprägte mundartliche Redeweise und Aussprache, die ja nicht allein auf dem Verfall der Stammessprache überhaupt beruht, sondern tief im innersten Wesen des Einzelnen wurzelt. Dieser ererbt eine bestimmte Sprache; da aber Jeder eine besondere, je nach Erziehung, Anschauungs- und Empfindungsweise verschiedene Persönlichkeit besitzt, trägt auch Jeder ein wenig zur Veränderung der überlieferten Sprache bei. Diese Einflüsse, anfänglich kaum wahrnehmbar, bringen gleichwohl alle vereint, zusammen mit der Einwirkung der allgemeinen Umgebung eine immerhin merkliche Variante hervor, wie das Andalusische, das Arragonesische und auch das Asturianische beweisen. Wenn es dabei bliebe, könnte man die Sache völlig unbeachtet lassen, seit einiger Zeit jedoch betätigen die Schriftsteller der verschiedenen Provinzen einen solchen Feuereifer für die Wiederherstellung der alten lokalen Sprachen, dass unsere Aufmerksamkeit auf diese Bestrebungen gelenkt wird, welche hier vom litterarischen Standpunkte aus altertümelnd und unzeitgemäß, dort im Hinblick auf die Triebfeder, die sie bewegt und das Ziel, dem sie zusteuern, bedenklich scheinen.

Vor etwa einem halben Jahrhundert kümmerte sich kaum Jemand in Spanien um unsere Dialekte, die doch zum Teil den Rang wirklicher Sprachen einnahmen, und Niemanden fiel es ein, Werke in ihnen zu schreiben und drucken zu lassen; heute dagegen ist man daran gewöhnt, in Akademien eingehend ihre Bedeutung zu erörtern, in Büchern weitläufig ihre Fortschritte auseinander zu setzen und Berichte von Gesellschaften und Vereinigungen aller Klassen zu empfangen, welche sich einzig und allein zur Förderung der litterarischen Bewegung der Provinzen gründen. Mehr als dreißig Autoren umfasst eine im Jahre 1882 zu Pontevedra veröffentlichte Sammlung galizischer Poesien und trotzdem enthält sie nicht alle zeitgenössischen Dichter dieser Mundart; über zwanzig huldigen in dem Cancionero de Manterola den Musen in euskarischer Sprache; Sammlungen asturischer Schriftsteller werden hervorgeholt, Namen solcher, die sich einst dieses Dialekts bedienten, wieder ans Licht gezogen, um auch ihm neues Leben einzuhauchen; Valencia, das unberührt von der Bewegung schien, erwacht gleichfalls im Jahre 1878 und von Begeisterung für seine Geschichte, seine früheren Einrichtungen, seinen limosinisch-valencianischen Dialekt erfasst, gründet es den „Rat-Penat" und Katalonien, oh Katalonien! das katalonisch ist vor Allem, hat es dahin gebracht, eine Sprache ausschließlich für seinen eigenen Gebrauch zu erlangen und ganz und gar katalonisch zu denken und zu schreiben. Es giebt, wenn wir einem seiner Lieblingssöhne glauben dürfen, zur Zeit mehr als fünfhundert katalonische Schriftsteller. Epik und Lyrik jeder Gattung, das Theater in all seinen Zweigen von der hohen Tragödie bis zu Stücken in ungebundener Rede, die blitzschnell wieder verschwindend über die Bühne hingleiten, der Roman, die Tagespresse, litterarische und wissenschaftliche Zeitschriften, streng gelehrte Studien von Geschichte und Theologie bis herab zu solchen über Handel und Gewerbe, kurz alle Gedanken, alle Gefühle, welche des vermittelnden Wortes bedürfen, kommen am liebsten in dem vorzüglich begünstigten Katalonisch zum Ausdruck.

Noch bleibt die Frage offen, ob dieses Wiederaufleben fast völlig erloschener Sprachen durch ein biologisches Gesetz bedingt wird, oder ob es nur ein Faktor, ein ergänzender Bestandteil, ein Mittel zur Ausbreitung anderer Bestrebungen ist? Das Letztere ist weit wahrscheinlicher und nur in diesem Sinne lässt sich die Erscheinung, von der wir reden, erklären. Während der Periode strengen Absolutismus, die mit dem Haus Oesterreich beginnt und zu Anfang unseres Jahrhunderts endigt, verlieren Städte und Provinzen ihre Freiheit; ihre Initiative erstickt unter dem gewaltigen Drucke der Zentralisation, welche den Staat in der Person des Monarchen verkörpert; ausgetilgt wird jeder Zug eines selbständigen Charakters und ohne eigenes Leben geben sie unter im Ganzen. Mit diesem Jahrhundert aber erwacht im Menschen das Bewusstsein seines Rechtes; die Organismen, welche den zweiten Rang im Staatsleben bekleiden, erwerben jene Befugnisse, die sie unbeschadet der Einheit des Staates zu ihrem eigenen und des ganzen Landes Besten ausüben können und müssen. Dann wendet der Mensch, gemäß einem allen Wesen eingeborenen Gesetz von zärtlichster Liebe für die Stätte seiner Geburt erfüllt, stets freudig bereit, zu rühmen, was ihm teuer ist, dessen Verdienste zu preisen, den Blick in die Vergangenheit, um die glorreichen Taten der Söhne seines Landes zu zeigen; er erforscht seine alten Einrichtungen und lehrt sie uns kennen; durchstöbert Archive und Bibliotheken in der Absicht, seiner Heimat eine ihr ganz zu eigen gehörige Litteratur zu schaffen; sammelt den in Feld und Flur zerstreuten Dialekt, flößt ihm aufs Neue Kraft und Frische der Jugend ein, leibt ihm Glätte und Anmut und erhebt ihn zur Würde einer Litteratursprache, zum Medium des allgemeinen Verkehrs. All das scheint in den Augen der Eigenliebe ganz vorzüglich und ausgebildet steht der Provinzialgeist vor uns.

(Schluss folgt.)

Bericht über den Genfer Kongress.*)

Von Alfred Friedmann.

Verehrte Versammlung.

Es ist mir die ehrenvolle Aufgabe zu Teil geworden, Ihnen über den Verlauf des Kongresses zu berichten, welcher vom 18. bis 25. September zu Genf tagte. Die „Konkordia" in Wien und der allgemeine Deutsche Schriftstellerverband zu Leipzig haben mich als ihren Delegierten, ihren Vertrauensmann dahin entsendet, um, im gegebenen Falle, die Interessen des deutschen Schriftstellers zu vertreten. Indem ich meiner mir auferlegten Pflicht dort nachkam und hier nachkomme, spreche ich meinen Dank und mein Bedauern aus. Meinen Dank für das mir gespendete Vertrauen, mein Bedauern darüber, dass man das Amt keinem Würdigeren, keinen dazu Befähigteren übertragen.

Man hat das siebzehnte Jahrhundert nach Ludwig XIV., Molière, Racine, Corneille, das große, das achtzehnte nach Voltaire das skeptische genannt. Vielleicht giebt man dem neunzehnten nach der Tendenz seiner letzten Jahrzehnte den Namen des spöttischen, des zersetzenden, des nihilistischen. Und doch

*) Rede am 11. Oktober d. J. auf dem Schriftstellertage zu Eisenach gehalten.

würde dies ungerecht sein, wenn man seine wissenschaftlichen Errungenschaften, seine Erfindungen und Entdeckungen in Betracht zieht.

Aber es ist eine Tatsache, dass wir heutzutage Alles belächeln, verspotten, verlachen. Man hat auch die — allzuhäufigen — Kongresse belacht und den litterarischen vorgeworfen, dass sich die Großen fernhalten, und die Kleinen kommen. Aber sollte man den Vorwurf nicht lieber an die Adresse der Großen, statt an die der Kongresse richten, und kann man den Kleinen einen Vorwurf daraus machen, dass sie sich nicht auch fernhalten.

Unsere modernen Koryphäen behaupten, dass sie Besseres zu tun haben. Folglich muss die Arbeit von denen verrichtet werden, welche Zeit, Sinn, Lust, Laune, Arbeitskraft für eine Saat erübrigen können, deren Früchte am Ende grade von dem Großen, Angekommenen geerntet wird. Wenn Goethe und Schiller heute keine Muße haben, so müssen eben die Lenz und Klinger gehen. Aber Schiller und Goethe fanden Zeit für eine Menge Dinge neben den Stunden, die dem Faust und dem Wallenstein gewidmet waren.

So hat man auch die „Association litteraire et internationale" im Anfange bekrittelt, obwohl sie unter den Auspicien des Größten, den Frankreich eben besaß, unter dem Protektorat Viktor Hugos ins Leben trat. Dieser internationale Schriftstellerverband hat sich aber nicht beirren lassen. Er war ein Verband und deshalb keine Entzweiung. Was hat es den Männern ausgemacht, wenn man von ihnen sagte: „Comment, lui, du talent? Je l'ai connu tout petit! Was, der Kerl soll Talent haben, den habe ich ja gekannt, als er ein ganz kleiner Junge war!" Die Kleinen sind mit ihrem großen Zwecke gewachsen, sie haben ohne unheilige Mittel ihre gemeinnützigen Zwecke ausdauernd verfolgt, sie sind wie Apostel von Stadt zu Stadt gezogen, das einfache, und fast nirgends noch gekannte oder gar anerkannte Evangelium predigend:

Das litterarische Eigentum ist ein Eigentum.

Nicht, wie man gescherzt hat, war es ihre Beschäftigung, an diesem Orte auszuklügeln, wo man im nächsten Jahre tage und wenn man ihnen Feste gegeben, so waren diese die beste, zwangloseste Gelegenheit zu nützlichem Ideenaustausche, zur Bekämpfung leider sehr stark verbreiteter nationaler und persönlicher Vorurteile. Und so gering Sie, meine verehrten Anwesenden, mit Recht von meinem Können und meiner Macht denken mögen, so schmeichle ich mir doch, grade unter den romanischen Delegirten, unter den Franzosen, so manches Vorurteil, so manches schiefe Urteil wankend gemacht zu haben und das ist mein größter Stolz. Manches Missverständnis wurde aufgeklärt, man hat Bücher ausgetauscht und zwar nicht zum Zwecke gegenseitiger Besprechung, denn die Franzosen besprechen unsere Bücher aus einem höchst einfachen Grunde nicht. Nicht, weil sie die Deutschen noch immer hassen, was leider der Fall, sondern weil sie in den meisten Fällen das Deutsche nicht verstehen.

In den letzten Jahren ist das nun besser geworden und dass es zum Teil durch den internationalen Verband besser geworden, beweist die Tatsache, dass in Folge meines öffentlichen Vorwurfs im Jahre 1880 zu Lissabon, im selben Jahre in Paris, deutsche Vorträge, Conférences, gehalten worden sind und noch heute gehalten werden.

Die internationale Association hat in Paris, in London, in Lissabon, in Wien, in Brüssel, in Rom, in Bern, in Amsterdam, in Genf getagt, und — „was hat sie schließlich erreicht?" werden Sie mich fragen, verehrte Anwesende!

Als sie zum ersten Male zusammentrat, war der Begriff vom litterarischen Eigentum noch ein sehr vager, unbestimmter, trotz so mancher bestehender Gesetze, Verträge und Verordnungen. Seit dem Jahre 1878 aber haben sich die Parlamente, die gesetzgebenden Körperschaften mit der Frage beschäftigt und jedes Jahr kam ein Vertrag zwischen Staat und Staat zu Stande.

In der schönen Schweiz, dem Lande der Freiheit, zu Füßen jener unbeweglich scheinenden Gletscher, welche aber wie alles Seiende den allgemeinen Gesetzen, auch denen der Bewegung, und ich möchte fast sagen, des Fortschritts, unterliegen, ist nun endlich eine Litterar-Konvention von internationaler Bedeutung abgeschlossen worden, welche schon ihre Geschichte hat.

Ich kenne, verehrte Anwesende, die Geduld, oder vielmehr die Ungeduld einer Versammlung, wie die unsre, welche, bei so überwiegenden Vorteilen doch den Nachteil für den Redner hat, dass sie Alles schon weiß, dass man ihr nichts mehr Neues sagen kann, dass der Schlussruf auf aller Lippen schwebt, sobald der Vortragende kaum beginnt.

Ich werde daher Ihre Nachsicht und Geduld nicht in Anspruch nehmen, indem ich Ihnen den Inhalt der Konferenzen, von neun Jahren, oder gar den der Zusammenkünfte von Bern mitteile. Selbst mein Mandat, über die achttägigen Redeschlachten zwischen den gewiegtesten Pariser Advokaten, wie die Herren Pouillet und Doumerc, zu berichten, muss ich aufs Aeusserste, die Nennung der Resultate, beschränken. Der Hauptinhalt der Berner Konvention ist folgender:

Die unterzeichende Uebereinkunft zum Schutze des litterarischen und künstlerischen Eigentums sichert den Urhebern litterarischer und künstlerischer Werke in sämmtlichen Staaten, welche derselben beitreten, den gleichen Schutz und die gleichen Rechte zu, welche die eignen Landesangehörigen genießen. Indessen sind dabei die Förmlichkeiten zu erfüllen, welche im Ursprungslande des Werkes zu jenem Zwecke vorgeschrieben sind. In den Verhandlungen ist ausdrücklich hervorgehoben worden, dass die auf Geographie, Topographie und

Architektur bezüglichen Karten, Pläne und Skizzen einen wissenschaftlichen oder künstlerischen Wert haben müssen, um auf den Schutz Anspruch machen zu können. Die Uebereinkunft enthält eingehende Bestimmungen betreffend das Uebersetzungsrecht. Dasselbe wird dem Verfasser oder seinem Rechtsnachfolger auf die Dauer von zehn Jahren, vom Tage der Veröffentlichung an gerechnet, zugesichert. Zeitungsartikel und periodische Zusammenstellungen, welche in einem der Uebereinkunft beigetretenen Staate veröffentlicht werden, dürfen in den andern Vertragsstaaten in der Urschrift oder in Uebersetzung wiedergegeben werden, es sei denn, dass der Verfasser oder Verleger dies ausdrücklich untersagt hätte. Dieses Verbot darf sich aber in keinem Fall auf politische Abhandlungen oder auf die Wiedergabe von Tagesneuigkeiten und „vermischte Nachrichten" beziehen. Was die Befugnis betrifft, aus litterarischen oder künstlerischen Werken für Veröffentlichungen, die für den Unterricht bestimmt sind oder einen wissenschaftlichen Charakter haben, oder für Sammelwerke zu entlehnen, so sind hierfür die Gesetzgebung der Staaten der Uebereinkunft sowie besondere internationale Uebereinkommen vorbehalten. Jedes widerrechtlich nachgemachte Werk kann bei der Einführung mit Beschlag belegt werden. Die Uebereinkunft lässt den Staatsregierungen das Recht ungeschmälert, den Vertrieb jedes Werkes zu überwachen und zu untersagen, sofern die Gesetzgebung der Behörde ein solches Recht eingeräumt hat. Es wird ein internationales Amt geschaffen und dem schweizerischen Bundesrate unterstellt. Bern wird der Amtssitz desselben sein. Die französische Sprache ist die amtliche Sprache des Amtes. An der Spitze desselben steht ein Direktor, dem das nötige Hülfspersonal beigegeben wird. Im Wesentlichen hat das Amt folgende Aufgabe: Es sammelt alle auf den Schutz der Rechte bezüglichen Angaben, stellt sie zusammen und veröffentlicht sie. Es prüft die auf den Schutz litterarischer und künstlerischer Werke bezüglichen, die Staaten der Uebereinkunft angehenden Fragen und giebt in französischer Sprache eine Zeitschrift über dieses Gebiet heraus. Den Regierungen der Vertragsstaaten bleibt das Recht vorbehalten, das Amt zu ermächtigen, die Zeitschrift in einer oder in mehrern andern Sprachen erscheinen zu lassen, wenn die Erfahrung zeigt, dass hierfür das Bedürfnis vorhanden ist. Das Amt ist verpflichtet, jederzeit den Vertragsstaaten über Fragen, die sich auf den Schutz litterarischer oder künstlerischer Werke beziehen, auf Verlangen Auskunft zu erteilen."

Das Hauptresultat, verehrte Anwesende, aber ist, dass in Folge der Anregung des Kongresses zu Rom 1882, der Beschlüsse zu Bern 1883, 1884, 1885: Deutschland, Belgien, Spanien, Frankreich, Großbritannien, Italien, die Schweiz, Haiti, Liberia und Tunesien, die Konvention zum Schutze unseres Eigentums unterzeichnet haben. Sie mögen lächeln bei Nennung der Namen der letzten drei Staaten, aber sie der Zivilisation gewonnen zu haben, erscheint als ein umso größeres Verdienst, wenn man bedenkt, dass das große Nordamerika, Holland, Schweden und Norwegen, Südamerika, Japan und Oesterreich-Ungarn sich noch wegen ihres Beitritts bedenken. Oesterreich-Ungarn besitzt leider noch nicht einmal eine Litterar-Konvention für seine beiden Reichshälften, obwohl der Reichsrat die Regierung zum Abschlusse einer solchen ermächtigte. Das gegenwärtig dort herrschende Gesetz ist gänzlich veraltet, datiert aus dem Jahre 1846 und steht weder auf der Höhe der Verordnungen anderer Staaten, noch ist es im Einklange mit den Ansichten unsrer Zeit. Ich habe mit Vergnügen auf dem Kongresse berichten können, dass die Schaffung eines der modernen Entwickelung entsprechenden Gesetzes in nächster Zeit ein fait accompli sein wird.

In der Eröffnungssitzung vom siebzehnten Mai tadelte der bekannte Vorsitzende, Louis Ulbach, sehr scharf die Haltung der Slaven in dem Kampfe für die Rechte des Schriftstellers. Er sagte, trotzdem sich unter den Franzosen eine sehr starke russenfreundliche Stimmung geltend machte, dass das große nordische Reich gegen sich selbst und seine Litteratur fehler, indem es beim Appell der Zivilisation zum Streit gegen die unverschämte Piraterie fehle. Es gestatte dadurch die Sättigung seiner nationalen Litteratur mit fremder Litteratur, es gestatte, wie den eigenen Despotismus, so den Despotismus fremder Nationen, in Hinsicht auf sein Schrifttum. Er schloss: „Die Sklaven fliehen sich wie die Verräter, die zivilisierten Völker schließen sich aneinander an."

Die Eröffnung des Kongresses in der Aula der Genfer Universität entbehrte keineswegs eines feierlichen Anstriches. Vom Schweizer Bundesrat waren die Herren Gavard und Numa Droz, den man den Vater der Berner Konvention nennen kann, anwesend. Spanien hatte den Grafen de la Alamina, seinen bevollmächtigten Minister zu Bern, Norwegen Herrn Baetzmann, Frankreich Herrn François Arago, den Enkel des berühmten Trägers dieses Namens, entsendet. England schickte seinen Minister, Mr. Adams, der gleichfalls in Bern residiert. Mr. Adams teilte mit, dass England sich dem Vertrage angeschlossen habe, dass es nunmehr aber einiger Frist bedürfe, um die Kodifizierung seines Urheberrechtes vorzunehmen und dass es einstweilen an weiteren Forderungen und an einer Fortbildung des Vertrages nicht partizipieren könne.

Deshalb bemerkte später der Advokat Pouillet: Wir haben die weitgehendsten Forderungen gestellt, um ein Minimum des Erreichbaren zu erhalten. Herr Baetzmann erklärte, dass der Beitritt Schwedens und Norwegens nach Anpassung der inneren Gesetzgebung an den internationalen Vertrag im Jahre 1887 erfolgen könne.

Italien entsendete den Kommandeur Felix Carotti, welcher allein über die Sache des litterarischen Eigentums sechs Brochüren veröffentlichte.

Herr Carl W. Batz aus Wiesbaden vertrat die Interessen Deutscher Musiker und Dramatiker und — Haiti hatte ein prachtvolles Exemplar der schwarzen Rasse entboten, Herrn Janvier, der durch Geist und Beredsamkeit sogar manchen Franzosen schlug.

Herr Court, Präsident des Conseil administratif der Schweiz begrüßte die Versammlung und Herr Droz dankte den diplomatischen Vertretern der beigetretenen Nationen, deren versöhnlicher Geist den Abschluss der Konvention ermöglichte.

Einen geteilten Eindruck machte das Erscheinen des körperlich ganz gebrochenen Vertreters der Polen, Herrn Kraszewskis, im Augenblick, als man das Fernbleiben der slavischen Rasse so entschieden tadelte.

Sehr applaudiert wurden die Worte des Herrn Droz; der die moralische und juridische Wichtigkeit der neuen internationalen Union für den Schutz des litterarischen und artistischen Eigentums neben derjenigen für das industrielle Eigentum betonte. Die beiden Konventionen erheben sich hoch über die alten Grenzen internationaler Verträge, sie reichen an die höchsten Spitzen der Domänen des Rechtes hinan.

Die Manen Voltaires, Rousseau, Calvins, Clement Marots wurden angerufen und wenn jene Männer Anlass zu Kampf und Streit auf Schweizer Gebiet gewesen, so versicherte man hier, dass unsere Aufgabe eine eminent friedliche sei.

Die Herren Friedrich von Bodenstedt und der greise Cesare Cantù, der Autor von Marguerita Pusterla, zeigten dem Kongress schriftlich ihr Bedauern an, demselben diesmal nicht beiwohnen zu können.

In der zweiten Sitzung begrüßten die verschiedenen Delegierten den Kongress im Namen ihrer Sender. Es entspann sich sodann eine mehrtägige Schlacht zwischen den Pariser Advokaten, weil Herr Donmerc behauptete, die internationale Konvention von 1885 sei ein Rückschritt gegen die Landesgesetzgebung der Schweiz aus früheren Epochen und es lasse sich mit Zuhülfenahme der Paragraphen ein Autor ganz gut aus seinem Besitztum expropriieren. Nachdem auch der Schweizer Rechtsgelehrte Stoutz in die Plaidoyers eingegriffen, beschloss die Versammlung den Wunsch auszusprechen (d'émettre le voeu), „dass die der Konvention beigetretenen oder noch beitretenden Nationen ihre innere Gesetzgebung nach den Dispositionen der Berner Konvention vom 6. September 1886 richten möchten“. Einen sehr interessanten Teil der Beratungen bildeten die Diskussionen über die Frage: „darf man Briefe, Sendschreiben veröffentlichen, und wem gehören sie, dem Autor und Sender oder dem Empfänger. Ein veröffentlichter Brief kann Einem die Ehre rauben und wiedergeben, er kann Jemandem einen litterarischen Namen machen oder nehmen. Die Franzosen führten die merkwürdigsten Beispiele pro und contra an, der Sanskritprofessor Jules Oppert erinnerte an Fälle, wie der des Cardanus, welcher als Erfinder einer sehr wichtigen algebraischen Regel gilt, während er durch List und Eid die Formeln der Auflösung jener Gleichungen dem Tartaglia entlockt und sie 1545 zum Gegenstand einer eigenen Schrift gemacht.

Ich weise auf Gerstäcker hin, der fünf Jahre in den Pampas Amerikas lebte und seiner Mutter beschreibende Briefe schickte. Auf dem Schiffe, das ihn heimbrachte, fragte man ihn, ob er jener bekannte Schriftsteller Gerstäcker sei, von dem — er nichts wusste. Seine Mutter hatte die Briefe Keil gegeben, und dieser einen Autor gemacht, von dessen Existenz der Träger des Namens allein keine Kenntnis besaß.

Herr Ocampo meint, die Frage setzen, heiße, sie entscheiden. Ein Brief sei und bleibe Eigentum des Verfassers. Man kommt schließlich überein, die Tribunale in jedem gegebenen Falle urteilen zu lassen und fasst die Resolution:

„Nachdem das Sendschreiben unter die allgemeine Rubrik „Schriften“ fällt, so erachtet der Kongress, dass keine Veranlassung sei, in einem Gesetz über das litterarische Eigentum, sich speziell mit ihm, dem Briefe zu befassen.“

Als dritter Gegenstand des Programms figurierten die Beziehungen zwischen Autor und Verleger, ein Gegenstand, der besonders in Deutschland, wo selbst ein angekommener Autor gar oft Spielball seines Verlegers ist, von Interesse sein dürfte.

Wie die vorangegangenen Diskussionen, so waren auch diese durchaus nicht trockener und rein juristischer Natur.

Die Autoren, besonders L. Ulbach, gaben treffende Beispiele aus ihrer eigenen Lebensführung, die oft wahre Lachsalven und dann wieder ehrliche Entrüstung bewirkten. Die endlichen Beschlüsse lauteten:

„Der Verleger, welcher ein Werk erwirbt, ist gezwungen, es, in einem gewissen Zeitraume, zu veröffentlichen.“

„Der Verleger kann ohne Einverständnis mit dem Autor keinerlei Veränderung an dem erworbenen Werke vornehmen.“

„Der Autor kann den Vertrieb des verkauften Werkes nicht verhindern und darf keine die Interessen des Verlegers schädigenden Veränderungen vornehmen.“

Im Uebrigen verlas Herr Lermina die wirklich idealen Gesetzesparagraphen des Code suisse, das Verhältnis zwischen Autor und Verleger betreffend, und empfahl sie allen Staaten als gutes, als unübertreffliches Muster.

Da es vorgekommen ist, dass ein Verleger aus einem spiritischen Werke eines Autors ein materialistisches gemacht hat, so beschloss man noch Folgendes:

„Im Falle, dass ein Verleger sich das Recht der Veränderungen vorbehalten hat, so entfällt sein Recht, den Namen des Autors beizubehalten, sobald die Aenderungen das Werk in seinem Charakter schädigen."

Nach einer langen Diskussion über das Recht, den Titel betreffend, nahm man die Resolution an, dass der Titel kein litterarisches Eigentum sei.

Ein sehr animierter Abend, an welchem die Herren Ulbach, Grand-Carteret, Ocampo, Eschenauer, Louis Thomas über Jean Jacques Rousseau konferierten, beschloss den Kongress in würdiger Weise. Es wurde gezeigt, wie das von den Alten wohl schon gekannte, im düsteren, oder mit Kämpfen beschäftigten Mittelalter aber verloren gegangene Naturgefühl von Rousseau wieder erweckt wurde. Er schuf eine Art Renaissance der Natur. Es fiel dabei das schöne Wort: „Die Natur, nach ihrem Durchgange durch die Seele des Menschen, wird Kunst." Diese Art, ein Thema von allen Seiten durch geistreiche Männer beleuchten zu lassen, ist sehr zur Nachahmung bei uns zu empfehlen.

Ich spreche nicht von den Festen, von den herrlichen, gemeinsamen Ausflügen auf den blauen Wogen des alten Leman, von den Fahrten nach Fernay, dem einstmaligen Wohnsitze Voltaires, von dem Gastmahl in Glion auf dem Rhigi Vaudois, von dem Besuch des durch das Genie Byrons verherrlichten einsamen Felsenschlosses Chillon, von den Ausflügen nach Frankreich und Savoyen, von den Schätzen des nach Florentiner Palastmustern erbauten Musée Revilliod, das ein sechzigjähriger Junggeselle dem Andenken seiner Mutter widmete und mit seiner einzigen Kollektion von Fayence, Porzellan und Bildern der Stadt Genf schenkte, damit man zu ihr, wie zu der Farnesina und dem Pallazzo Pitti wandre. Man wirft uns diese Feste vor, aber mit Unrecht. In vino veritas. Beim Glase Wein erst taut oft die Zunge auf und spricht die ersten, so nötigen Worte der Verbrüderung, der Gemeinsamkeit ideeller Interessen und dann schließt sich der leider bei uns so selten gewordene aufrichtige und wahre Bund der Jahre überdauernden Freundschaft.

Mich aber erfüllt es mit Wehmut, wenn ich bedenke, was jene „internationalen" Männer erredet und gewirkt haben, indem ich es mit unseren Erfolgen vergleiche.

Unsere Vereinigungen repräsentieren noch das zerfahrene und zerrissene Deutschland vor 1866. Möge auch uns durch einiges Zusammengehen ein litterarisches 1870 erstehen, wie ein politisch großes, geachtetes einiges Deutschland erstanden.

Litterarische Neuigkeiten.

„Deutschlands westlicher Nachbar", ein zeitgeschichtlicher Beitrag zur Kenntnis und Kritik der deutsch-feindlichen Strömungen und Revanchegelüste in Frankreich von Dr. Felix Boh. (Leipzig, Rengersche Buchhandlung.) Das Werk giebt in vollendeter Darstellung ein wohl abgerundetes, historisch-treues Bild von dem immer unerfreulicher werdenden Verhältnisse, in welches sich die französische Republik zum Deutschen Reiche setzt, und es zeigt, wie die Gefahr einer neuen unbesonnenen Herausforderung Deutschlands von seiten Frankreichs täglich eine bedrohlichere Gestalt annimmt. Wir möchten das Buch eine patriotische Tat nennen, denn es macht die deutschen Volksgenossen nicht nur auf diese Gefahr und auf die für uns daraus erwachsenden Pflichten aufmerksam, sondern es beleuchtet und umgrenzt auch in kritischer Würdigung deren eigentliche Tragweite und führt sie auf das eigentliche Maß ihrer wirklichen Bedeutung zurück; es zeigt den Gegner in markigen Zügen die Vollkraft, Machtfülle, Widerstandsfähigkeit, sowie die erstaunlichen ideellen und materiellen Verteidigungsmittel des deutschen Kaiserreiches in paralleler Vergleichung mit der Zerrissenheit, der Anarchie, dem geistigen und materiellen Niedergange Frankreichs und warnt unsern westlichen Nachbar vor dem frivolen Versuche, seine ungesunden chauvinistischen Ideen in Taten umzusetzen, das dieses Frankreich auf eine noch niedrigere Macht- und Rangstufe herunterdrücken müsse.

In dem gleichen Verlage wurden veröffentlicht: „Die Ziele des Russentums" von Ewald Paul. Die unverkennbar in der Gesammtpolitik des russischen Reiches zum Ausdruck gelangenden Absichten, welche das Streben nach der Weltherrschaft, nach der Schaffung eines neubyzantinischen Weltreiches zum Ziele haben, sind in kurzer, spannender und prägnanter Sprache in obiger Broschüre sachlich und klar dargelegt.

Die Verlagsbuchhandlung von Bernhard Tauchnitz in Leipzig brachte Band 2419—2423 der bekannten „Collection of british authors" auf den Markt. Band 2419/20 enthält einen Roman, betitelt: „Matcolam" von Laurence Oliphant, dem Verfasser von „Altiora Peto". Band 2421/22 eine sehr ansprechende Erzählung von W. Collins unter dem Titel: „The Evil Genius" und Band 2423: „A Playwrigth's daughter and Bertie Griffithi" von Mrs. Annie Edwardes.

Das Jubiläum in Heidelberg hat auch in der auswärtigen Zeitschriftenpresse Veranlassung zur Veröffentlichung von Berichten gegeben. Einen der besten Berichte dieser Art liefert das amerikanische „Century" in der Augustnummer. Der Aufsatz ist mit siebzehn Illustrationen nach Photographien etc. geschmückt.

Nr. 12 der „Neuen Poetischen Blätter" in Mainz enthält einen interessanten und gediegenen Aufsatz von S. Wollerner: „Einiges über den Reim". Derselbe berührt darin auch einige von uns gelegentlich betonte Punkte der Reimbehandlung. „Daher die von Bleibtreu mit Verwunderung konstatierte Tatsache, dass die Süddeutschen in Bezug auf Reinheit der Reime eine größere Nachlässigkeit bekunden, als die norddeutschen Stämme. Da die Lyrik nicht für einzelne Stämme, sondern für Alldeutschland bestimmt ist, da ferner durch Vermeidung derartiger Reime der Süddeutsche nicht geschädigt, der Norddeutsche jedoch befriedigt wird, so dürfen Reime wie ‚bangen — schwanken', ‚glauben — Raupen', ‚gnädig — erbötig' nicht länger geduldet werden. Desgleichen Reime wie ‚Eiche — Zweige', ‚Rose — Scholle' u. s. w." Dagegen will Wollerner Reime wie ‚lieben — betrüben', ‚Leiche — Gesträuche', ‚Lied — Gemüt' gelten lassen. Offen gestanden scheint uns dies doch noch sehr schonend. — Die Nummer enthält übrigens unter Anderen auch zwei Gedichte unseres jugendlichen Dichtertenoristen W. Arent, in welchen uns derselbe „seiner Lieb' verschwiegene Wonnen" mitteilt, von unläugbar bestrickendem Wohllaut musikalischer Sprachflüssigkeit.

Eine kleine, recht lesbare Brochüre hat Ewald Paul unter dem Titel „Die russischen Intriguen gegen den Fürsten Alexander und die Zukunft Bulgariens", ein Mahnwort an unsere Zeit, in Leipzig bei der Rengerschen Buchhandlung erscheinen lassen, in welcher er mit rücksichtsloser und offener Weise uns auf die durch dieselben immer drohender sich gestaltenden Gefahren nicht mit Unrecht aufmerksam macht.

„Geschichte der Griechischen Litteratur", von ihren ersten Anfängen bis auf die Zeit der Ptolemäer, von Dr. Ferdinand Bender (Leipzig, Wilhelm Friedrich). Die Geschichte der altgriechischen Litteratur hat seit lange in Deutschland eine liebevolle Pflege gefunden, aber es fehlte seither an einem Buch, welches die Hauptergebnisse der Forschung, so wie sie uns heute vorliegen, mit Genauigkeit aber ohne Vordrängen des gelehrten Materials, in verständlicher Form und zusammenhängender Darstellung wiedergab.

Auf die Darstellung der Entwickelung der griechischen Litteratur und ihrer einzelnen Gattungen ist besondere Sorgfalt verwandt und, soweit dies im Rahmen eines Bandes tunlich war, auch der Einfluss einzelner Schriftsteller und Werke auf die Entwickelung der Weltlitteratur nachgewiesen worden. Der innere Zusammenhang mit anderen Kulturerscheinungen wurde nachdrücklicher betont, als dies seither wohl irgendwo geschehen. Mit besonderer Ausführlichkeit ist das Drama behandelt, nicht nur, weil es an sich den Gipfelpunkt der altgriechischen Litteratur bildet, und wegen seines unbestreitbaren Einflusses auf den Ausbau des modernen Dramas, sondern auch, weil neuerdings mehrfache Versuche strebsamer Theaterleitungen, einzelne dieser Werke wieder auf der Bühne heimisch zu machen, ein erhöhtes Interesse für das antike Theater in weiteren Kreisen gweckt haben. Das Buch wird auch angehenden Philologen zur Einführung in einen der schönsten Teile ihrer Wissenschaft, wie strebsamen Schülern oberer Gymnasialklassen zur Abrundung ihrer litterargeschichtlichen Kenntnisse dienen.

„Abälard und Heloise", eine Geschichte aus dem zwölften Jahrhundert von Ludwig Schabinger (Karlsruhe, J. J. Reiff). Schabinger hat uns eine harmonisch vollendete Erzählung in Abälard und Heloise gegeben, die entschieden der Beachtung wert; die Charaktere sind mitunter vortrefflich geschildert und macht das Ganze ein mehr als befriedigenden Eindruck.

Vom „Neuen deutschen Novellenschatz", herausgegeben von P. Heyse und L. Laistner, liegt uns Bd. 16 vor, der vier kleinere, sehr nette Novellen enthält; besonders sprechen uns die von Paul Lindau „In Folge einer Wette" und „Elysium in Leipzig" von Wolfgang Kirchbach an, letztere ist einer grösseren Sammlung entnommen, welche unter dem Titel „Nord und Süd" bei Wilhelm Friedrich in Leipzig erschienen.

Bei Heinsius in Bremen erschien: „Heriman der Westphale. Eine epische Dichtung aus der Zeit Karls des Großen." Von Jul. Thikötter. Dies Epos schildert in zwölf Gesängen die Bekehrung eines sächsischen Edeln zum Christentum aus rein religiös-ethischen Gründen. Jeder der Gesänge bildet ein abgerundetes kulturhistorisches Bild. Die Regierungszeit des großen Kaisers wird hier im Gewand der Dichtung, aber auf Grund eingehender historischer Quellenstudien dem Leser anschaulich vorgeführt und Parallelen mit unserer Gegenwart nahe gelegt.

„Johannes Hus." Historisches Drama in fünf Akten von Nicolai (Dr. Henrik Scharling), deutsch aus dem Dänischen von P. J. Willatsen.

„Zur Neujahrszeit im Pastorat zu Nöddebo." Eine Erzählung von Nicolai. Deutsch von P. J. Willatzen.

„Meine Frau und ich." Eine Erzählung von Nicolai. Deutsch von P. J. Willatzen.

„Dämmerung und Nacht in Italien." Frei nach dem Englischen von A. Steen. Bevorwortet von Adolf Stöcker, Hof- und Domprediger.

„Grammatik der spanischen Sprache, nebst einem Uebungsbuche, für den Gebrauch in Schulen, wie auch für den Selbstunterricht." Von Dr. F. Hoyermann. An spanischen Grammatiken ist kein Mangel. — Die vorstehend angezeigte neue unterscheidet sich von ihren Vorgängerinnen aber ganz wesentlich durch klare übersichtliche Anordnung des Stoffes, Kürze der Regeln, und eine derartige typographische Behandlung, dass Lehrenden wie Lernenden der Unterricht bedeutend erleichtert wird. Die rege Teilnahme, deren sich das Werk des mehr als fünfundzwanzig Jahre im Fache des spanischen Unterrichts tätigen Verfassers erfreut, zeigte sich namentlich auch darin, dass namhafte Kenner der Sprache sich der Mühe der Durchsicht des Manuskripts unterzogen.

Aus Zeitschriften.

In dem sonst eben so reichhaltigen als gediegenen Septemberheft der Münchener „Gesellschaft" hat der freimütige Herausgeber Georg Conrad leider eine Art Inhumanität begangen. Er veröffentlicht nämlich eine geradezu mörderische Satire von J. Bohne „Die Mansardenheiligen", über deren Modelle jeder Zweifel ausgeschlossen sein dürfte. Man denkt hier unwillkürlich an die Verse Heines

Und da Keiner wollte leiden,
Dass der Andre für ihn zahle,
Zahlte Keiner von den Beiden.

Das unglückliche Paar „idealer" Waffenbrüder, dessen eigenartige Künste hier mit so ätzendem Hohn anschaulich und lebenswahr beleuchtet werden, muss diesen Mangel an jeder kollegialen Schonung bitter empfinden. Bei lebendigem Leibe zum geschundenen Raubritter umgeformt zu werden, gehört ja nicht zu den Annehmlichkeiten des Erdendaseins. Doch mögen sich ja freilich so unirdische Geister darüber emporschwingen, — wahrhafte Idealisten, welche in großherziger Vielseitigkeit nicht nur hienieden bei den Menschenwürmern, sondern sogar auch bei der Unsterblichkeit auf Pump leben.

In der „Deutschen Schriftstellerzeitung" hat letzthin Herr J. Hart die naive These aufgestellt: Ein Kritiker dürfe persönlich ein sehr angreifbarer Charakter sein, aber er müsse seine Kritik gerecht und objektiv begründen. Wir wissen nicht, ob ein Teil dieses Satzes pro domo gelten soll; der zweite aber dürfte sich wohl gegen ihn selber wenden.

Ein aus der „Gegenwart" an langsamer Auszehrung in die Vergangenheit hinüberschwindendes Organ pflegte ab und zu noch in der pietätvollen Erinnerung an einen großen litterarischen Todten, den früheren Herausgeber, einige Abonnenten zu kapern. Doch auch dies will kaum mehr verfangen und so reifte denn in dem jetzigen Herausgeber und zugleich Eigentümer des Blattes — einem unter Kosmetikern wegen der bahnbrechenden Technik seiner Frisur geschätzten Klassiker und gründlichen Kenner aller Geheimnisse von Paris — der Gedanke, bei unserm schneidigen Waffengänger J. Hart ein Artikelchen „Der Zolaismus in Deutschland" zu bestellen. Der als Naturalist epochemachende Verfasser des „Sumpf" (siehe Nr. 25 des „Magazin") weihte dieser Aufgabe mit liebevollem Eifer seine ganze ideale Kraft. Es war in der Tat ein Meisterstreich der Taktik. Denn obschon in genanntem Essay über alle Realisten ein strammes Verdammungsurteil aus dem Handgelenk hingeschleudert wird, so wird doch dem Herausgeber dieses (Konkurrenz-)Blattes eine ganz eigenartige Aufmerksamkeit gewidmet. Aus dem markigen Fuhrmannston des unparteilichen, aber strengen Richters könnten die „Wissenden" mancherlei Argwohn schöpfen. Doch wenn die Welt, boshaft wie immer, eine bis zur Raserei gesteigerte Neidwut darin zu erkennen glaubt, so weisen wir diesen skeptischen Pessimismus mit Berufung auf den herben, wir möchten sagen, antiken Charakter des allverehrten jungen Cato zurück. Wir bedauern tief, dass wir des Wohlwollens der tapfern Waffenbrüder verlustig gingen, welches sie uns schriftlich und mündlich so oft verkündigten. Gern anerkennen wir auch, dass sie in ihrer völligen Verkennung anderer „Realisten", z. B. Max Kretzers, sich stets gleich blieben und ihre olympische Geringschätzung desselben, unsrer neidlosen Wärme gegenüber stets mit rühmlicher Konsequenz betonten. Um so mehr muss es auffallen, dass in dem fraglichen Artikel unser unparteilicher Kato zwar Kretzer alles Dichtertalent abspricht, ihn aber als sittenschildernden „Feuilletonisten" (?!) preist, — um nur ja künstlich allen Schatten auf eine andere Person zu werfen. Das spärliche Lob für Kretzer würde uns erfreuen als ein Zeugnis, dass unablässige Propaganda doch selbst auf Feinde nachhaltig wirkt, wenn diese späte einigermaßen heuchlerische Liebe nur nicht lediglich vom Hass gegen einen Andern inspiriert wäre.

So schwer wir uns von der knotigen Keule des großen Julius zermalmt fühlen, so bedauern wir doch gegen seine Behauptungen, welche er natürlich entgegen seinem oben citierten Ausspruch ganz unbegründet lässt und welche in jedem Satze irgend eine grobe Unwahrheit oder Wahrheitsverdrehung enthalten, einen klassischen Zeugen anrufen zu müssen, nämlich ihn selbst.

Alle für das „Magazin" bestimmten Sendungen sind zu richten an die Redaktion des „Magazins für die Litteratur des In- und Auslandes" Leipzig, Georgenstrasse 6.

Soeben erschien in zweiter Auflage:

Raskolnikow, Roman von Dostojewskij.

Nach der 5. Auflage des russischen Originals übersetzt von *Wilhelm Henckel.*

3 Bände. 12 Mark. geb. 15 Mark.

Von **Paul Heyse, Georg Ebers, Fr. v. Bodenstedt, G. Brandes, Jul. Grosse, Rob. Waldmüller, Hieronym. Lorm, E. A. König, R. Döhn, L. Laistner** u. A. als ein höchst bedeutendes Werk anerkannt.

Georg Ebers schreibt: „Dieser Roman ist eine furchtbar schöne, gewaltige Dichtung. . . . Ich habe kaum etwas Ergreifenderes gelesen, als dieses furchtbare Buch, welches sich auf gemeinen Mord gründet, der doch nicht gemein ist, welches uns das Herzensbündnis eines Räubers mit einem gefallenen Mädchen vorführt, welches uns anmuthet wie eine reine, durch Hagelschlag beschädigte weisse Blume. Mit fliegender Hand habe ich Seite um Seite gewendet, und als ich fertig war, athmete ich auf wie nach einer Wanderung über gähnende Abgründe. Dieses Werk, dieser Dichter sind gross und werth, dass man sie kennen lernt." **Paul Heyse** sagt: „Nun erst kann ich Ihnen danken, dass Sie mir dazu verholfen haben, dieses höchst merkwürdige Buch kennen zu lernen, das in seiner Art vielleicht unerreicht dasteht, von einer psychologischen Kraft und Tiefe, wie sie selbst unter den Landsleuten des Verfassers sich selten finden wird." **Georg Brandes:** „Das Buch muss als ein Quellenwerk ersten Ranges für die Entstehungsgeschichte des modernen Russland betrachtet werden."
(N. fr. Pr.)

Aehnliche Urtheile fällten die obengenannten Dichter und Schriftsteller.

Verlag von Wilhelm Friedrich in Leipzig.

Emmer-Pianinos

von **440 M.** an (kreuzsaitig), **Abzahlungen** gestattet. Bei Baarzahlung Rabatt und Frankolieferung. Preisliste gratis.

Harmoniums von 120 M.

Wilh. Emmer, Magdeburg.

Auszeichnungen: Hof-Diplome, Orden, Staats-Medaillen, Ausstellungs-Patente.

Im Verlage der K. R. Hofbuchhandlung, **Wilhelm Friedrich** in **Leipzig** erschien soeben:

Lord Byron.

Lord Byrons letzte Liebe, Drama in fünf Acten

Seine Tochter, Drama in fünf Acten

von

Karl Bleibtreu.

Preis brochiert Mark 3.—

„Berliner Fremdenblatt" schreibt u. A.: „Sie werden sich die Augen noch verderben, wenn Sie so lange im Dunkeln weiterlesen!" Diese Worte charakterisieren zur Genüge die Spannung, mit welcher vorliegendes Buch gelesen worden ist . . . Bleibtreus Verdienst besteht darin, die Vorgänge aus Byrons Leben, die alle Welt auch heut noch interessieren, nunmehr plastisch belebt und unserm geistigen Auge näher gerückt zu haben . . . . . Psychologisch von grösstem Interesse ist das Drama „Seine Tochter" . . . Das ist frisch, anschaulich, fesselnd, ergreifend geschrieben . . . . Es erübrigt noch zu berichten, dass die Scenen im Garten des Palastes der Gambas in Ravenna, die österreichische Spionriecherei und der verschmitzte Muth der Carbonari ganz brillant, wie dass endlich Byron selbst so geschildert ist, wie er nach dem vorhandenen Material geschildert werden musste."

Das **„Frankfurter Journal"** schreibt u. A.: „Solche Versuche verlangen ein hohes Ausmass dichterischen Talents und Karl Bleibtreu ward ein solches nicht versagt . . . Auf Bleibtreu erfährt der Satz: „In magnis voluisse sat est" volle Anwendung. Er hat gezeigt, was er gewollt und gekonnt hat . . . Die Exposition ist eines französischen Meisters würdig, die Steigerung geschickt und die dramatische Spannung wächst bis zum Schlusse. Die Dramen sind in hohem Grade lesenswerth."

„Bleibtreu, als grosser Byronverehrer bekannt, hat uns in diesen Stücken die Person des Dichters sehr nahe gerückt. Die Tochter Byrons ist eine von echt Byron'schem Geist erfüllte, sehr fein gezeichnete Gestalt, die sicher von der Bühne herab sehr interessieren wird." **„Bohemia".**

. . . Beide Dramen bestätigen in erster Linie Bleibtreus anerkannte Stellung als ersten Byronkenner der Jetztzeit . . . Jene Geistesverwandtschaft ist von Bleibtreu mit einer Kunst wiedergegeben, deren diesem Stoffe gegenüber wohl nur er fähig gewesen wäre . . . **„Schalk".**

Zu beziehen durch jede Buchhandlung des In- und Auslandes.

Soeben erschienen u. durch alle Buchhdlgn. zu beziehen:

Alois Brandl, Prof. a. d. Univ. Prag.
Samuel Taylor Coleridge
und die englische Romantik.
8. 23½ Bogen. geh. M. 7,50. geb. M. 8,50

Karl Elze, Prof. a. d. Univ. Halle,
Lord Byron.
Dritte verbesserte Auflage.
gr. 8. 31½ Bogen. geh. M. 7,00. geb. M. 8,50.

Früher erschienen: **Brandes,** Holberg M. 4,50. **Druskowitz,** Shelley. M. 6,00 — **Druskowitz,** Drei englische Dichterinnen M. 4,00. — **Laun,** Wash. Irving. M. 7,00. — **Schipper,** Dunbar. M. 7,00. Litteraturgeschichten englische von ten Brink. Bd. I. M. 8,00. — Italienische von Gaspary Bd. I. M. 9,00. — Jüdische von Karpeles. 2 Bde. M. 18,50.

Karl Hillebrand, Culturgeschichtliches. Aus dem Nachlasse. (Zeiten, Völker und Menschen. Bd. VII.) Mit Bildniss d. Verf. 8. 22 Bogen. geh. M. 6,00. geb. M. 7,00.

Gustav Meyer, Prof. (Graz). **Essays und Studien zur Sprachgeschichte u. Volkskunde.** 8. 26½ Bogen. geh. M. 7,00 geb. M. 8,00.

Hugo Schuchardt, Prof. a. d. Univ. Graz,
Romanisches und Keltisches.
Gesammelte Aufsätze.
8. 28 Bogen. geh. M. 7,50. geb. M. 8,50.

Verlag von Robert Oppenheim in Berlin.

Mainländer, Ph. Die Philosophie der Erlösung. I. Band. Preis 10 M. — II. Band. Zwölf philosophische Essays. Preis 12 M. Hieraus apart: „Kritik der Hartmann'schen Philosophie des Unbewussten". Preis 3 M. Frankfurt a. M. C. Koenitzers Verlag. Hervorragende Besprechungen in den philosophischen Blättern des In- und Auslandes.

Ueberall vorräthig:

Revolution der Litteratur

von

Karl Bleibtreu.

Zweite vermehrte Auflage.

Preis broch. M. 1.50.

Verlag von Wilh. Friedrich, Leipzig.

Für Autographen- und Portrait-Sammler.

Soeben ***Portrait-Katalog VIII.*** erschienen:
Maler, Baumeister, Bildhauer, Kupferstecher u. s. w. ca. 2000 Nummern. October 1886. Preis 50 Pf. in Briefmarken jeden Landes. Die früher ausgegebenen Portraitkataloge
V. **Dichter, Componisten, Schauspieler, Sänger** etc. ca. 3000 Nummern. 1879
VI. **Mediziner, Naturforscher, Mathematiker** u. s. w. ca. 2500 Nummern. 1879.
VII. **Theologen, Philologen, Historiker, Rechtslehrer** etc. ca. 2500 Nrn. 1880.
bleiben fortdauernd in Gültigkeit. Preis eines jeden Katalogs 50 Pf. in Briefmarken jeden Landes.

Das Spezialgeschäft für Porträts von
E. H. Schroeder, Berlin SW., Möckernstr. 137.

Durch alle Buchhandlungen zu beziehen:

Ringkämpfe

von

Ernst Eckstein.

broch. Mark 3.—, eleg. geb. M. 4.—.

Zeitglossen

von **Emil Peschkau.**

broch. Mark 3.—, eleg. geb. Mark 4.—.

Verlag von Wilh. Friedrich,
K. R. Hofbuchhandlung, Leipzig.

Für die Redaktion verantwortlich: Karl Bleibtreu in Charlottenburg. — Verlag von Wilhelm Friedrich in Leipzig. — Druck von Emil Herrmann senior in Leipzig.

Dieser Nummer liegt bei ein Prospect von Wilhelm Friedrich in Leipzig über Amyntor, Bleibtreu, Conrad, Heiberg, Liliencron u. Walloth.

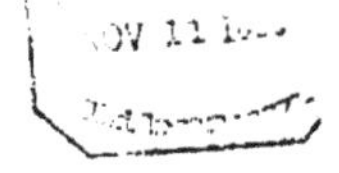

Das Magazin

für die Litteratur des In- und Auslandes.

Wochenschrift der Weltlitteratur.

1832 gegründet von Joseph Lehmann. | 55. Jahrgang. | Herausgegeben von Karl Bleibtreu.

Preis Mark 4.— vierteljährlich.

Verlag von Wilhelm Friedrich in Leipzig.

No. 44. — Leipzig, den 30. Oktober. — **1886.**

Inhalt:

Ueber Poesie und Poeten.

Von Adolf Schafheitlin.

Max Nordaus Buch „Die konventionellen Lügen der Kulturmenschheit" ist nun auch in das Italienische übersetzt, und wurde kürzlich zu Rom in einer Konferenz junger italienischer Literaten eifrig besprochen. Dies gab mir Veranlassung, noch einmal das Buch durchzulesen, wobei ich meine frühere Ansicht bestätigt fand: wie wenig wirklich Neues die Schrift enthält. Hat doch unter Anderen Dühring bereits vor einem Jahrzehnt dieselben Ansichten viel schärfer und logischer entwickelt. Wenn trotzdem das Buch in Deutschland so viele Auflagen erlebt, beweist dies einerseits, dass die darin gerügten Schäden unserer Gesellschaft wirklich vorhanden, und zeigt sodann, welchen Verbesserungsträumen unsere Leser, die jene Schrift immer wieder kaufen, sich hingeben. In diesen Plänen aber wird der Freund der Poesie von Pfeilen getroffen, die auf seine geliebte Kunst gezielt worden.

Wie Dühring die religiösen Empfindungen der Menschheit einfach als Mystizismus abtut und unberücksichtigt lässt in seiner Gesellschaftsverfassung der Zukunft, ebenso nach ihm Nordau. Da nun das Göttliche der wahre Lebenshauch der Poesie — (und spricht nicht auch aus der Liebe zu uns die Stimme des Göttlichen?) — so wird mit der Beseitigung jenes auch ihre Wirksamkeit so unterbunden, ja erstickt, dass nur ein Popanz übrig bleibt, der allem Andern eher ähnlich sieht, als der Muse. Und unser Publikum liest das, duldet das, lässt sich stillschweigend den edelsten seiner Genüsse vergiften. Giebt es damit nicht zu erkennen, dass es selber diese Entwürdigung der Poesie billigt? Wo suchen wir die geheime Ursache jener befremdlichen Geringschätzung des dichterischen Waltens?

Es ist gewiss überraschend, dass bei dem ungeheuern Aufschwung, den unser deutsches Leben in Wort und Tat nach dem Kriege genommen, ein Gebiet vernachlässigt blieb, und zwar ein Gebiet, das sonst von den Völkern am eifersüchtigsten gehütet worden: die Poesie. Während die Nation auf den Schlachtfeldern Frankreichs sich bewiesen stark wie Riesen, hat ihre Dichtung seither eine entschiedene Neigung zum Niedlichen, Winzigen, um nicht zu sagen Zimperlichen, genommen. Nie waren die Diminutiva so überwuchernd in der Dichtkunst, wie jetzt, gleich als wollten sie die Behauptung neuerer Historiker und Philosophen bestätigen, dass die Poesie, als überflüssige Spielerei, abgetan sei für unsere Zukunft ernster Kulturarbeit. Hand in Hand hiermit geht eine übermäßige Bevorzugung der realen Wissenschaften, die Zurückdrängung des lateinischen und griechischen Sprachunterrichts — (dieser wahren Bildungsschule eines edlen Stils!) — und die Preisgebung der religiösen Affekte, als unnütze Störung des einzig triumphwürdigen Herrschers, des Verstandes.

Die überschätzende Lobpreisung des Spinozismus, resp. des Pantheismus, welcher die Persönlichkeit in der Natur verflüchtigt in unbildliche Kräfte und Begriffe, sie ist wohl die tiefste Ursache, welche die Poesie so hat sinken lassen in der Achtung der Menge. Der Persönlichkeit kann die Poesie nicht entbehren und der erhabensten Persönlichkeit am allerwenigsten. Freilich sagte einst Laplace: „Ich habe in allen Sternenräumen keine Spur eines Gottes entdeckt." Als ob das Auge das Organ par excellence wäre, Gott zu erkennen! Uns ist das Göttliche erreichbar, nicht in einer Form, sondern in unzähligen, von denen aber keine das ganze Bild des Ewigen spiegelt. Statt dass der Mensch dies erkennte und des ewigen Systembauens überdrüssig, sich bescheiden auf jenes Gebiet wendete, das ihm zu beherrschen gestattet: das Reich der menschlichen Handlungsweise und ihrer Schätzung d. i. der Moral — (dort, wo der echte Ruhm Spinozas für alle Zeit blüht!) — sucht er noch immer dilettantenhaft in Sphären einzudringen, von denen er einzig die Nebelzüge der Grenzen erschauen, nie aber sie selbst betreten darf. Kurzsichtig hält man nun den formlosen Pantheismus, dieses Feigenblatt des Atheismus, für erwiesene Wahrheit; da er doch dem Wissenden nur eine Hypothese ist, eine Methode der Forschung. Mit dem gestaltungsfähigen Göttlichen aber schwindet auch der Pulsschlag aller großen Poesie, und es bleibt einerseits nur die in Verse gebrachte Wissenschaft — (dies todtgeborne Zwitterding!) — oder jene poetischen Nippsachen, die mit ihren Brüdern von Thon die Eigenschaft teilen, hohl zu sein.

Welchen Einfluss auf die Handlungsweise der Menschen könnte die Poesie erringen, so bald man sie in ihre ganze Würde einsetzt?

Die Poesie ist die Tochter der Einbildung. Nehmt diese der Welt, ihr nur die rechnende Tätigkeit des Verstandes lassend — und ihr treibt alle milden Affekte, die Sänftiger der Leidenschaften von dannen, ihr öffnet den wilden Dämonen des Egoismus die Tore und teilt die Welt in die beiden feindlichen Heerlager des Despotismus und der Anarchie. Gönnet ihr aber der Einbildung eine Stätte an euerm Herzen; sehet, wie sie die Augen euch entschleiert, wie sie den Blick klar macht für die Leiden alles Lebenden, wie sie euch hilft, das eigne Weh zu tragen und euch lehret, dass Freude und Schmerz die Handlungen unsrer Brüder bestimmt, nicht ein blinder oder ein böser Wille. Aber noch ein lieblicher Wunder wirket sie. Wird nicht unser Leiden selbst durch das Samenkorn der Phantasie gewandelt zum Frühlingsfelde tröstlich erhabener Gedanken? Welche geheime Wollust blüht aus dem Schmerz, welche Seligkeit aus der Wehmut! Und sind nicht die sanftesten Melodien umflort von stiller Melancholie?

Nie ist der Flügel der Poesie wünschenswerter, als dann, wenn wir in der Fülle wissenschaftlicher Fakta und in dem Meere mechanischer Hülfsmittel zu ersticken drohen. Da haben wir uns einengend gepanzert mit stahlfestem Harnisch; aber es fehlt der kräftige Hauch warmen Lebens, der diese ungeheure Last spielend erhebt und bewegt zur Harmonie. Und ist die Phantasie nicht der Ozean, in den die Wogen aller andern Tätigkeit ausströmen, wie der Born zugleich, aus dem jede Erfindung leuchtend entquillt? Wehe, wenn ihr diesen Springquell hemmt oder vergiftet! Gelangt der nächtliche Eulenflug der Wissenschaft je, wohin die Hufe der Sonnenrosse tragen?

Die Poesie ist wahrlich göttlichen Ursprungs. Denn sie ist nicht dem Menschenwillen unterworfen. Und so ist fromm im besten Sinne jeder Poet. Nie ist eine tiefere Wahrheit der Welt verkündet worden, als das christliche Dogma von der Gnade. Und wie hat ein wahrer Dichter diesen Juwel des Gedankens in die Goldspange edler Form gefasst:

„Weil ich bescheiden und still mich selbst für viel zu gering hielt,
Staunt' ich in meinem Gemüt über den göttlichen Gast".
(Platen.)

Dem Dichter gebührt unbeschränkte Freiheit für sein Wirken. Nur so kann er verkünden, was ihm wonne- und wehvoll den Busen durchklingt. Ach, er weiß ja zu wohl: was der Poet wirklich der Welt geben kann, es ist nur ein Dämmernachglanz jenes himmlischen Lichtes, das in der Begeisterung ihn umflammte. Wie kann aber wohl ein Kritikus die Prinzipien des Dichtens ihm vorschreiben wollen, er, der nie den unaussprechlichen Wonnetaumel dichterischer Begeisterung empfunden? Doch fürchtet nicht den Uebermut des Dichters! Weil er nie selbst weiß, wie die Muse ihm die lieblichen Spenden erteilt, fühlt er sie tief als Gnade, nicht als sein eigen Verdienst. Nur wahrhaft fromme Herzen sind im Stande, wirkliche Kunstwerke zu vollenden. Denn nur in ihnen wird jener Funke der Pietät geschirmt, der zur Flamme hoher Begeisterung emporlodert.

Nun entscheidet selbst: wie könnte der Künstler in einem ganz dem Göttlichen entfremdeten Geschlecht jenen geheimnisvollen Fremdling erblicken, den Herold einer vollkommenen Welt, dessen Munde er seine Träume tröstlicher Poesie entlauscht? Wer, der von Gram, von Schmerzen gepeinigt, auf sein Kissen sank, das nächtliche Lager mit Tränen benetzend — wenn dann aus der Tiefe der Dunkelheit die göttliche Vision jenes Fremdlings ihm leuchtend entgegentrat, süße Melodie von den ambrosischen Lippen strömend: wer, der sich dieses Momentes weihevoller, schmerzenfreier Erhebung bewusst ist, o wer zweifelt noch an der göttlichen Heimat aller wahren Poesie? In solchen Momenten wie fühlt sich das Herz so klein, so nichtig vor der seligen Ueberschwänglichkeit seiner Erscheinung! Aber hinausgetreten aus diesem Kreise magischer Verzückung, erscheint uns die Welt noch, wie wir vorher sie erblickten? Gleich dem bläulichen Duft über den Hügelfernen, webt nun über Allem der Schleier der Harmonie, dessen Säuseln unsere Stirn berührt. Da giebt es nichts wertlos mehr, nichts verächtlich. Denn Alles ist gleicherweise umstrahlt von dem kosmischen Lichte, dem es einst quellend entblüht.

So wird der Poet der wahre Erlöser von allem Weh, das dem Vergänglichen anhaftet. Denn er geleitet uns in jenes Reich freier und edlerer Bewegung das sich ihm erschlossen. Er ist der weiseste aller Lehrer. Denn er zeigt uns, wie jene Schwingen zu erhalten, die uns entführen aus den Banden des Alltäglichen und Trivialen. Er ist der edelste aller Tröster. Denn die göttliche Ruhe, jene Firnenblume, die er glühend gefunden, er bringt sie uns fromm hernieder, unsere Stirn damit zu schmücken. Was immer seine Magierhand berührt, es wandelt sich vor dem staunenden Aug' und leuchtet auf in rythmischen Formen; ja, was unbelebt, was todt, es tönt, es spricht zu uns in nie geahnten Melodien und eröffnet Blicke in die Unendlichkeit, die uns auf jedem Schritte umgiebt.

Freilich empfindet der Poet schmerzlicher die Leere nach der Vision, als Jene, denen er ihren Glanz offenbart. Sein Herz fühlt so tief: nichts kann die Welt ihm geben, das jenem holden Fremdling gebiete, wieder ihm zu erscheinen. So wird er gleichgültig und kalt gegen die konventionellen Vorschriften des Lebens und erregt, ohne es zu wollen, Anstoß bei furchtsamen Gemütern und all Jenen, die keiner souveränen Gedankenrichtung fähig. Zudem ist er stets berauscht von dem stolzen Bewusstsein, dass seine Kunst, dass die Poesie ihre eignen Weltgesetze hat. Sie allein steht glorreich erhaben über dem gewaltigsten aller Gesetze: der Gravitation. Und so hat der Poet nur das schweigende Lächeln des Siegers, wenn ihm die Kurzsichtigkeit sein „dünkelhaftes Erhabensein über die astronomische Weltordnung" vorwirft. Ja, was für alle Andern ein Fehl, für ihn wird es zum Vorzug. Sein klarer Blick durchschaut das Unzulängliche alles menschlichen Wissens; aber weit entfernt dadurch niedergebeugt zu werden — das mit dem Unzulänglichen Unvereinbare, die Schöpferkraft, er fühlt sie jubelnd seine Brust durchglühen. Und darum ist er auch der wahre Philosoph. Denn wer das größte aller Rätsel in seiner Brust sich ereignen fühlt: die Schöpfung, ihm müssen auch Wahrheiten divinatorisch sich erschließen, die Andere auf dem Wege mühseliger Schlussfolgerung kaum erringen. Wenn er wahrhaft er selbst ist, in der Begeisterung, irrt er nicht. Die echte Poesie hat nichts zu widerrufen, noch die wahre Kunst etwas zu bereuen. In jenen Stunden der Weihe umfasst der Poet alle Charaktere. Seiner Brust entspringen Könige, Helden und Weise in voller Wahrheit, doch umhaucht von dem Zauberduft der Schönheit; und ihnen schließt sich die ganze Kette der Geschöpfe an. Ueberschauend den Wandel und das Ziel alles Lebenden, schwebt er furchtlos und beruhigt über jeglichem Erdenloos. Nichts kann ihn niederbeugen, und nichts beugt er nieder. Sittlich darum im edelsten Sinne ist Poetenwort. Der Flügel der Poesie ist vom Himmelsthau des Aethers gestreift worden und dorthin nur trägt sein Flug, wo er sich Stärke und Leben schöpft: zum Licht!

Wie dankbar, wie fromm — (denn was ist Frömmigkeit anders, als Dankbarkeit?) — wie huldigt der Poet seiner Göttin, der Phantasie! Was die Muse ihm gnädig geschenkt, nicht allein ideale Bedeutung hat es: für ihn ist es vom Gotte erfüllt und also lieblichste Wirklichkeit. Wie Phydias vor dem eben vollendeten Bilde seines Zeus sich auf die Knie warf, seinen Segen erflehend; so erhofft der Poet von **seinen** Schöpfungen, was die lebendigste Realität nicht zu geben vermag: verklärende, reinigende Lichtstrahlung über sein ganzes fürderes Sinnen und Schaffen. Spottet nicht ob einer solch' scheinbaren Umkehrung von Traum und Wirklichkeit! Immerdar, ob wir im Staube der Verzweiflung jammern, oder zu den sonnigen Höhen des Jubels uns aufschwingen: die Phantasie ist es, zu der wir bittend die Hände erheben. Darum Ehre den Poeten, den gottglühenden Priestern dieser Macht!

Die heiligste aller Sorgen, die Mission der Zukunft, an den Busen der Poesie ist sie gelegt. Mit Recht heißt es, dass für uns die Dogmen der Religion ausgelebt sind. Aber fern davon, uns des göttlichen Feuers, das in uns lohet, zu entäußern: mit frommer Hand ergreift die Poesie die Weihefackel und rettet sie hinüber in ihr stilles Heiligtum, den Menschen zu Trost und Erleuchtung durch alle Aeonen.

Freilich klagen wir darüber, dass von Versen unverhältnismäßig, ja, zu viel gedruckt werde. Aber wo birgt sich die Ursache des Uebels? Wenn die Ahnung von dem hohen Berufe der Poesie in unserem Volke wahrhaft Wurzel gefasst, gewiss hätte sie wenigstens Eins gezeitigt: die weithin sichtbare Standarte der Kritik, einen allgemein anerkannten höchsten Gerichtshof für die Leistungen der Dichtkunst. Wahrlich, wüsste ein Jeder, der sich anschickt, Verse drucken zu lassen, dass er wird berufen werden vor die unbeeinflusslichen Richter jener höchsten Versammlung — fünfzig, hundert Mal würde er seine Strophen prüfen, bevor er sie würdig erachtete, hinauszutreten vor jene Schranken. So lange aber aus der Kritik ein Geschäft gemacht wird — (eine Schändung der hohen Würde solchen Amtes!) — so lange Bestechlichkeit, Neid und Eitelkeit mit ihren giftigen Ranken die wenigen Blüten echter Kritik überwuchern: so lange wird der Geschmacklosigkeit, der Vielschreiberei freie Bahn gewährt. Ja, bedauerlicher noch: die talentvolle junge Kraft wird irre geführt, wenn sie gekrönt sieht, was ihrem reinen Gefühl als Lüge und Manier erscheinen muss. Wehe über solche Stunde des Zweifels, des Schwankendwerdens an sich selbst! Wie Viele lassen da betäubt das Steuer der Hand entfahren und treiben unrettbar hinab in die klippenstarrende Brandung der Unnatur, der Gespreiztheit! Wenn aber wirklich der junge Künstler unentwegt seinem reinen Herzen folgt, welches Loos harret seiner? Vielleicht blicken die Augen einer ganzen Familie erwartend auf ihn, der er nur nach schwerem Kampfe die Billigung seiner Laufbahn abgerungen. Sie glühen, von dem Urteil der Kritik zu hören, ob jene wogende Stimme der jungen Brust nicht Selbsttäuschung war. Vielleicht klammert sich das Lebensende einer besorgten Mutter an jenes endlich erscheinende Wort des Kritikers. Und wenn dieses nun leicht hingeschrieben — (vielleicht drängte der Druck des Journals, oder der Rezensent denkt an ganz andere Geschäfte, als daran, dass er mit seinem Federstriche das verhängnisvolle Steinchen wirft in die Schicksalswage eines Menschenlebens) — oder wenn gar ein herzloses Uebersehen, ein tödtliches Schweigen der jungen Hoffnung den Lebensatem erstickt — was dann? Doch halten wir inne! Fern sei uns, dieses Nachtbild zu enthüllen! Drängt es wohl den Poeten, alle höchste Freude in den Armen seiner Brüder zu teilen; sein tiefstes Seelenleid verschließt er in sich. Eine dunkle Scheu hält ihn ab, solches Weh entheiligend den Menschen zu offenbaren. Denn wahrlich, der Schmerz ist etwas Heiliges, wie die Alten so schön geahnt. Weinend wird er in Einsamkeit sich werfen vor die Füße jener Macht, die unsere neusten Weisen beweisend ausweisen möchten aus der Welt, doch die der Poet so tief empfindet, wie Niemand. Wenn sie ihm tröstlich lächelt, ja, wenn sie ihn bestärkt auf dem erwählten Pfade; still wird er — (an Hoffnung wohl weniger reich, aber auch an Zweifel, an Schmerz) — seine Straße wandeln, das Auge sehnend gewendet nach jenen Höhen des Lichts, von wo ein Strahl ihn verklärt.

Die deutsche Aesthetik seit Kant.

Carl Dunckers Verlag in Berlin hat eine wohlfeile Ausgabe „ausgewählter Werke“ Eduard von Hartmanns begonnen. Der erste Band dieser Lieferungs-Ausgabe enthält die „kritische Grundlegung des transcendentalen Realismus,“ der zweite „Das sittliche Bewusstsein.“ Gegenwärtig liegt die erste Lieferung des dritten Bandes vor: „Aesthetik“ und zwar deren „erster, historisch-kritischer Teil“.

Zunächst möchte ich auf einen nicht unwichtigen Umstand hindeuten. Die „kritische Grundlegung des transcendentalen Realismus“, die früher einen Ladenpreis von vier Mark hatte, kostet in der wohlfeilen Ausgabe eine Mark; der Preis des Werkes über das „sittliche Bewusstsein“ ist von sechzehn Mark auf sechs Mark in erwähnter Ausgabe zurückgegangen. Allen denen, die noch nicht im Besitze der von Hartmannschen Werke sind, dieselben anzuschaffen aber Neigung oder zwingende Veranlassung haben, dürfte sonach diese „wohlfeile Ausgabe“ vielleicht recht willkommen sein.

Wenn ich schon heute dem Erscheinen der von Hartmannschen Aesthetik eine kurze kritische Anzeige widme, so bin ich mir bewusst, dass sich über ein Werk, das noch nicht vollständig vorliegt, auch noch kein zusammenfassendes endgültiges Urteil abgeben lässt. Trotzdem möchte ich auf die schon jetzt erkennbare hohe Bedeutung dieser neusten Veröffentlichung eines unserer schärfsten und einflussreichsten Denker aufmerksam machen, zumal sein knappes Vorwort zur Aesthetik und sein längeres Vorwort zu deren erstem, kritisch-historischem Teil über die Art und Weise, wie von Hartmann die philosophische Wissenschaft vom Schönen zu behandeln gedenkt, ein helles und interessantes Licht verbreiten. Der Philosoph des Unbewussten baut seine metaphysischen und ästhetischen Ansichten, ganz unabhängig von einander, auf rein empirischer Basis induktiv auf, und deshalb behauptet er mit Recht, dass auch die Gegner seiner Metaphysik (zu denen ich mich selbst in mancher Hinsicht rechnen muss) seiner Aesthetik Beachtung werden schenken müssen, da das Bedürfnis nach einer möglichst erschöpfenden phänomenologischen Durcharbeitung dieses wichtigen Erfahrungsgebietes wohl von allen Seiten anerkannt wird. In glücklicher Weise gliedert er seinen Stoff in zwei Teile, indem er im ersten Teile durch die an seinen Vorgängern geübte Kritik sowohl für das Prinzip als für die Spezialprobleme die historische Rechtfertigung seines Standpunktes zu erbringen bestrebt ist, während er die systematische Bearbeitung des Gegenstandes für den zweiten Teil in Aussicht stellt. Wenn auch jeder Teil für sich ein selbständiges Werk bildet, so wird doch, wie gesagt, die philosophische Kritik beide erst im Zusammenhange betrachten und endgültig abschätzen dürfen.

In dem eingehenderen Vorwort zu dem vorliegenden Bruchstück des ersten Teiles legt der Verfasser die Gründe dar, die ihn davon abgehalten haben, die Aesthetik der Alten, welche von Ed. Müller, Zimmermann und Schasler schon in ausgiebigem Maße bearbeitet sei, in den Kreis seiner Betrachtungen hereinzuziehen. Für diese Beschränkung des Gebietes wissen wir ihm aufrichtig Dank, denn sehr begründet erscheint uns seine Befürchtung, dass die an unsern Universitäten noch immer überwiegenden historischen und philologischen Interessen einer Ueberschätzung des Wertes der alten Aesthetik im Vergleich zur modernen Vorschub leisten, und wenn er auch mit Recht betont, dass die frühesten Entwickelungsstufen einer Disziplin, rein geschichtlich betrachtet, meist die interessantesten sind, so will es uns doch bedünken, dass die philosophische Wissenschaft vom Schönen überhaupt erst vom Ende des vorigen Jahrhunderts datiert, und dass Alles, was Platon und Aristoteles über diesen Gegenstand vorgebracht haben, an einem starken Beigeschmack dilettantischer Unklarheit leidet. Das ist ja das Merkwürdige und für die auf ihre intellektuelle Kraft stolze Menschheit recht eigentlich Demütigende, dass oft Jahrtausende angestrengter Gedankenarbeit nötig waren um Begriffe, mit denen wir heut spielend operieren und die wir für einen gewissermaßen natürlichen Besitz zu halten geneigt sind, überhaupt erst aus dem Urbrei der Gedankenkonfusion mit dem Netze mühsamer Schlussfolgerungen herauszufischen und für unsern täglichen Bedarf handlich zu gestalten.

So hat denn v. Hartmann nicht nur die Aesthetik der Alten, sondern auch die ersten Anläufe zur ästhetischen Selbstbesinnung aus dem vorigen Jahrhundert mit Stillschweigen übergangen, und nur dem Kampfe gegen den ästhetischen Sensualismus und gegen den Wolff-Baumgartenschen (ästhetischen) Rationalismus widmet er die ersten sieben Seiten seines Werkes. In treffender Kürze legt er die Gründe dar, warum die Leistungen der sogenannten Popularästhetiker im Allgemeinen überschätzt werden: „erstens weil man die berechtigte Pietät vor großen Namen, wie Winkelmann, Lessing, Herder, Goethe, Schiller, W. v. Humboldt, Jean Paul, auch auf ihre ästhetischen Auslassungen überträgt, zweitens weil man den noch heute mächtig fortwirkenden kulturgeschichtlichen Einfluss dieser Populärästhetiker mit ihrer prinzipiellen Bedeutung für die Fortschritte der ästhetischen Wissenschaft verwechselt, und drittens weil so viele Leute über Aesthetik schreiben, welche zwar unter der Macht dieses kulturgeschichtlichen Einflusses stehen, aber in die wissenschaftlichen Prinzipien der Aesthetik eben nicht allzutief eingedrungen sind."

Zufolge dieser Beschränkung bringt der Verfasser eine Ergänzung der Werke von Zimmermann, Lotze und Schasler in Bezug auf diejenigen Aesthetiker, welche in jenen Werken keine Berücksichtigung gefunden haben, und er behandelt nicht nur Ast, Trahndorff, Deutinger, Oersted, Zeising, Carriere, Richard Wagner, Lotze, Kirchmann, Wiener, Horwicz, Köstlin, Zimmermann, Lazarus, Schasler, Fechner, Gustav Engel u. a. m., sondern auch Schopenhauer und Schleiermacher, die von Schasler falsch rubriziert und von Lotze übergangen wurden, und ebenso Krause, den Lotze gleichfalls vergessen hat. Auch für Vischer gewann er neue Gesichtspunkte, so wie er auch ein tieferes Verständnis der Intentionen Schellings und Hegels anzubahnen sich gezwungen fühlte. Durch die Revision aller dieser Aesthetiker (und diese staunenswert sorgfältige und fleißige Arbeit allein gewinnt uns schon die höchste Achtung ab!) wurde der Verfasser dahin geführt, auf Kant zurückzugreifen und diesen „als den Begründer der eigentlich wissenschaftlichen Aesthetik an die Spitze seiner Untersuchungen zu stellen". Dieser so gewonnene Ausgangspunkt gab nun dem Werke sowohl seinen Titel: „Die deutsche Aesthetik seit Kant,"*) als auch seine Originalität, denn bei weitem die größere Hälfte desselben tritt mit keinem bereits vorhandenen Werke über Geschichte der Aesthetik in Konkurrenz, dient vielmehr jedem derselben als Ergänzung.

Wenn schon durch diesen einen Umstand das Hartmannsche Werk einem wirklichen Bedürfnis entgegenkommt, so stellt es sich auch durch die grundlegende Gliederung der Aesthetiker in „Idealisten" und „Formalisten", und jeder dieser Gruppen in „abstrakte" und „konkrete", wesentlich anders dar, als die bezüglichen Werke aller Hartmannschen Vorgänger. Von einem Manne wie E. von Hartmann durfte man auf etwas Eigenartiges gefasst sein, und wenn er uns versichert, dass durch diese Anordnung manches scheinbar Bekannte in eine neue Beleuchtung rückt, manches bisher Unbeachtete in den Vordergrund tritt und manches gangbare Urteil über die relative Bedeutung der verschiedenen Aesthetiker verschoben wird, so beweist schon die vorliegende erste Lieferung die Wahrheit dieser Versicherung.

Die prinzipielle Erörterung der verschiedenen Standpunkte von der geschichtlichen Entwickelung der wichtigsten ästhetischen Spezialprobleme zu entlasten, war ein sehr glücklicher Gedanke; diese Spezialprobleme sind in besonderen Abschnitten behandelt; die Uebersicht über das Gesamtergebnis wird durch diese sondernde Anordnung wesentlich erleichtert, zumal die innegehaltene chronologische Reihenfolge und ein in Aussicht gestelltes alphabetisches Register es Jedem, der das Werk in historischem Interesse in die Hand nimmt, möglich machen werden, alle über denselben Autor handelnden Stellen hinter einander im Zusammenhange zu lesen.

Dass des Werkes erstes Buch, in welchem bei Erörterung des Grundprinzips der Aesthetik auch benachbarte Gebiete gestreift werden mussten, nicht ganz unwichtige Beiträge zur Geschichte der neuesten Metaphysik liefert, dürfte bei dem Zusammenhange zwischen Aesthetik und Metaphysik von selbst erhellen; in diesen philosophischen Hors-d'oeuvres wird für Jeden ein großer Reiz liegen, der sich von der rätselhaften Sphinxnatur aller Metaphysik angezogen fühlt, denn wenn wir auch die praktische Bedeutung der Philosophie und ihren Zusammenhang mit dem öffentlichen Leben für Jahrhunderte hinaus nur nach der Seite der Ethik hin erkennen (der Ethik, die berufen ist, die Menschheit vom Dogmenglauben und allerlei superstitiösen Wahnvorstellungen zu erlösen), so lässt sich andererseits doch nicht in Abrede stellen, dass gerade die vornehmsten Geister, die hinter der Welt der Erscheinungen einen intelligibeln Kosmos ahnen, sich immer wieder mit Vorliebe an der Enthüllung metaphysischer Mysterien, wenn auch wohl erfolglos, versuchen werden.

Wir begnügen uns mit dieser kurzen Anzeige des jedenfalls epochemachenden Werkes und überlassen getrost einer berufeneren Feder, sobald die Hartmannsche Aesthetik vollständig erschienen sein

*) Berlin. Carl Dunckers Verlag (C. Heymons). 1886. (Jedes für sich abgeschlossene Werk einzeln verkäuflich.)

wird, dieselbe in ihrer Gesammtheit und eingehender zu würdigen. Möge es uns nur noch an dieser Stelle vergönnt sein, unserm Danke und unserer Verehrung für einen Denker Ausdruck zu geben, der, er möge auf einzelnen Gebieten noch so weit von unsern Anschauungen abweichen, uns doch immer und überall durch vielseitiges Wissen, weiten spekulativen Blick, gewissenhaftestes Streben und einen Fleiß ohne Gleichen zur ehrlichsten Bewunderung hinreißt.

Potsdam. Gerhard von Amyntor.

Ein moderner Dramatiker.

Von H. Freistett.

Am 17. Oktober, dem Jahrestag der Schlacht bei Leipzig, werden einige Liebhaber Gelegenheit gehabt haben, den Geburtstag eines Dichters zu feiern, den die Nation kaum kennt. Er hieß G. Büchner. Warum wir mit diesen Zeilen dazu beitragen wollen, das Gedächtnis dieses Jünglings zu erneuern, der in unseren Litteraturgeschichten meist nur so nebenhin Erwähnung zu finden pflegt, dieses Jünglings, der außer zwei Dramen seiner Nation nur ein paar Fragmente hinterließ? Nun! Weil ihn diese wenigen Werke als einen der genialsten Dramatiker kennzeichnen, die uns in der Geschichte unserer dramatischen Litteratur begegnen, und nicht nur das: weil uns seine dichterischen Leistungen eine Prophezeiung, eine bedeutsame Vorahnung des deutschen Dramas, des deutschen Dramas der Zukunft zu sein dünken. Dieser dreiundzwanzigjährige Jüngling schien vom Schicksal bestimmt, der deutsche Shakespeare zu werden.

Georg Büchner*) wurde Sonntag, den 17. Oktober 1813, an dem Tage, wo die ungeheure Völkerschlacht Atem schöpfte zum letzten, entscheidenden Ringen, zu Hoddelau, einem Dörfchen bei Darmstadt, dem Distriktsarzt Dr. Ernst Büchner geboren.

Zwei entgegengesetzte Einflüsse waren es, die seinen Charakter von zartester Kindheit an zu einem echt, von Grund aus modernen formten. Vom Vater erbte er eine eiserne Willenskraft, einen unerbittlichen Trotz, einen fast beispiellosen Fleiß, einen klaren, unbestechlichen Verstand und — seine religiöse Skepsis: von der Mutter — Karoline Büchner — sein Vermögen dichterischen Anschauens der Natur, ein „leidenschaftliches Mitleid“ mit allen Unterdrückten, Notbeladenen, das ihn später zu einem fast tollkühnen Kämpfer für die Freiheit seines weiteren und engeren Vaterlandes machte.

*) Die folgenden biographischen Daten stützen sich meist auf die Biographie, die C. E. Franzos seiner bei Sauerländer in Frankfurt a/M. 1879 erschienenen Ausgabe der hinterlassenen Schriften G. Büchners vorausschickte.

Von seinem zehnten Jahre an besuchte er das Gymnasium zu Darmstadt, wohin sein Vater drei Jahre nach der Geburt Georgs zu einem erweiterten Wirkungskreis berufen war. Nie wohl besuchte ein eigenartigerer Knabe jene Anstalt! Sein scharfer Verstand geriet gar bald in Kollision mit den beispiellosen Verkehrtheiten des damaligen Lehrplanes. Der todte Formelkram der klassischen Bildung, mit dem man damals in ganz unglaublicher Weise überladen wurde, erweckte ihm einen kräftigen Widerwillen, und er wandte seinen ganzen Eifer den Realien, namentlich den Naturwissenschaften zu. Sie wurden freilich auf der Schule überaus stiefmütterlich behandelt: doch bildete sich der Knabe an der Hand geeigneter Lehrbücher selbst hierin weiter, auch mochte der Einfluss der Studien seines Vaters ihm förderlich sein. Aeußerst interessant ist es zu beobachten, wie der Knabe an den oben erwähnten Verkehrtheiten des Lehrplanes ungescheute Kritik übt. Er bringt dieselbe meist in Gestalt von Mariginalglossen in seinen Schulheften an. Da schreibt er z. B.: „Von dem Nutzen der Münzkunde (die damals in einem respektablen Umfange dem Lehrplane eingefügt war). Sie bringt Langeweile und Abspannung hervor, und schon diese Symptome sind ja in den Augen jedes echten, tiefer in den Geist der Alten eingedrungenen Philologen der schlagende Beweis für den Nutzen dieses Studiums. O Herr Doktor! Was sind Verstand, Scharfsinn, gesunde Vernunft? Leere Namen! — Ein Düngerhaufen todter Gelehrsamkeit — dies ist das allein würdige Ziel menschlichen Strebens!“

„O Trödel, der mit tausendfachem Tand
In dieser Mottenwelt mich dränget!“

setzt er diesem Hefte als Motto vor.

Trotz dieser tiefgewurzelten, energischen Abneigung genügte er aber doch den Anforderungen soweit, dass er zu den besten Schülern gezählt wurde.

Schon in diesen Jahren lassen sich auch Spuren einer religiösen Skepsis bei Büchner beobachten, die ja der Knabe leicht im elterlichen Hause aufnehmen konnte, da sein Vater trotz der Loyalität seiner politischen Ansichten in religiösen Dingen völlig vorurteilslos dachte. In seinen Religionsheften versieht er z. B. den Satz: „Mit der Ehrfurcht vor Gott ist die Demut verbunden“ mit einer Reihe von Fragezeichen. Wie überhaupt gegen jede Autorität, so wendete er sich auch gegen die der Kirche und und die des Staates. In größerer Bestimmtheit freilich gegen letztere erst in den letzten Jahren seines Aufenthaltes auf der Schule. Seine Ansichten hatten sich aber damals bereits in ganz erstaunlicher Weise geprägt und befestigt, so dass der Jüngling Anschauungen hatte, die mancher Mann mit ihm teilt und besonders damals mit ihm teilte. Der jugendliche Politiker wendet einen glühenden Hass gegen alle

Unterdrücker und schwärmt für Revolution und Republik.

In dieser Zeit gewann Büchner auch erst die ausgesprochene Neigung, sich ästhetisch an den Werken großer Dichter zu bilden, welche ihm bisher fast ganz gefehlt hatte. Sein Geschmack neigte sich vorwiegend der poetischen Verwertung realer Lebenszustände zu; so verschlang er „Des Knaben Wunderhorn", „Herders „Stimmen der Völker", zogen Goethe, Shakespeare, Homer ihn mächtig an. Hingegen hatte er einen Widerwillen gegen den Idealismus und die Rhetorik Schillers. Auch die französische Litteratur beschäftigte ihn sehr. Bei alledem brachte er es damals aber noch nicht zu eigenen Produktionen. Niemand ahnte in dem Jünglinge den künftigen genialen Dichter; man traute ihm höchstens zu, dass er einmal ein tüchtiger Naturwissenschaftler werden würde.

Im September 1831 verließ er das Gymnasium, um in den ersten Tagen des Oktober nach Straßburg abzureisen und dort das Studium der Medizin, besonders der Naturwissenschaften, aufzunehmen.

Die Fakultät war damals vortrefflich besetzt und so warf sich Büchner mit vollem Eifer auf seine Studien, nicht ohne daneben neuere Sprachen, besonders Italienisch, autodidaktisch sich anzueignen, sowie auch litterarisch-ästhetische Studien zu treiben. Auch die französische Litteratur studierte er damals eingehender und las sich eifrig in Viktor Hugos und Alfred de Mussets Schriften hinein.

Aber die Wogen der Zeit gingen zu hoch, dass sie nicht einen so lebendigen Geist, wie Büchner, aus der stillen Zurückgezogenheit dieser Studien mit in ihre Strudel gerissen hätten, ihn, dessen Lebensmotor, nach dem Ausspruch seines Biographen, stets der politische Enthusiasmus war. Erst ein Jahr war seit der Pariser Julirevolution vergangen, als Büchner nach Straßburg kam und überall waren noch ihre nächsten Folgen zu spüren; eine allgemeine Spannung beherrschte die Gemüter; überall träumte man von Freiheit und Menschenrechten. Namentlich in den Rheingegenden und besonders in Straßburg. Hier empörte man sich gegen das juste milieu; hier war es kurz vor Büchners Ankunft zu blutigen Revolten gegen das Kabinet Périer gekommen. Dazu: In Belgien, Polen heller Aufruhr; in Deutschland überall Unruhen.

Der achtzehnjährige Jüngling nahm an allen diesen Ereignissen lebhaftesten Anteil und bekam Gelegenheit, seinen politischen Ansichten ein bestimmtes Parteigepräge zu geben. Seine republikanischen Ideen und Grundsätze verschärften sich bis zum schonungslosesten Radikalismus. Aber doch sah dieser Jüngling klarer als die meisten Männer, die damals für Pressfreiheit, Menschenrechte und dergleichen schwärmten. Sein scharfer Verstand ließ ihn die Unmöglichkeit, die Ueberspanntheit so vieler damaliger Forderungen, die Inopportunität einer Revolution klar und deutlich erkennen. Die Schwärmereien, die pomphaften, öffentlichen Kundgebungen, mit denen man damals sehr freigebig war, bespöttelte er als Komödie. Er sah tiefer als die meisten Patrioten jener Tage und erkannte den Geist des Jahrhunderts der Revolutionen, erkannte die soziale Notlage, bezw. die „Magenfrage" als den innersten Motor derselben. Büchner war hierin Sozialdemokrat. Freilich war er weit entfernt von den überspannten sozialistischen Träumen dieser Partei, welcher er das Recht der individuellen Freiheit stets ihren utopistischen Zentralisationsgelüsten, einen vernünftigen Patriotismus ihren vagen kosmopolitischen Träumereien entgegensetzte. Ueberhaupt: Ueberall tritt er uns als unerbittlicher Realist und Positivist entgegen.

Bei dieser regen Anteilnahme an den politischen Tagesereignissen fand er aber doch auch Zeit der schönen Natur des Elsasses gleich dem jungen Goethe ihr Recht widerfahren zu lassen, und sie gründlich mit einem zahlreichen Freundeskreise, dem die Gebrüder Stöber z. B. angehörten, zu genießen. Und wie jenem die Liebe zu Friederike Brion den Genuss jener herrlichen Natur erhöhte und vertiefte, so unserem Büchner die Liebe zu Wilhelmine, der Tochter des Pastors Janglé, bei dem er Wohnung genommen hatte und der heimlich für deutsche Interessen in dem völlig französisierten Elsass Propaganda machte. Der eigenartige Briefwechsel,*) den er später von Gießen aus mit ihr unterhielt, wirft ein bedeutsames Streiflicht auf den Charakter dieses eigentümlichen Mädchens. Er muss der energischen, kräftigen Art Büchners ähnlich gewesen sein. War sie doch fähig, die Seelenkämpfe des Geliebten während seiner Gießener Zeit mitzutragen, mit ihm durchzukämpfen. Nicht lange noch, nachdem sich die beiden gefunden, war es ihm indes vergönnt in der Nähe der Geliebten zu weilen. Nach den Landesgesetzen musste er, wenn er auf eine spätere Anstellung rechnen wollte, seine Studien nun auf der Landesuniversität Gießen zu Ende führen. So bezog er denn dieselbe nach zweijährigen Aufenthalt in Straßburg in den ersten Tagen des Oktobers 1833.

Von hier an hat sein Biograph eine fast gänzliche Aenderung seiner, namentlich politischen, Gesinnungsweise, zu konstatieren. War er nämlich bisher zu den demokratischen und revolutionären Bewegungen in Deutschland nicht in engere Beziehung getreten, hatte er sogar über sie gespottet, so sehen wir, wie er sich jetzt mit einer fast leidenschaftlichen Tollkühnheit in sie stürzt. „Nur selten ist es wohl eines Biographen Pflicht gewesen, eine so radikale Wandlung seines Helden binnen gleich kurzer Frist festzustellen und zu erläutern, als mir hier zur Aufgabe wird. Der Jüngling, der am Rhein stolzfröhlich im Glück der Liebe und der Freundschaft, in der Freude an seinen Studien, im Zauber der

*) Man vergleiche die Briefe Büchners an seine Braut in der oben citierten Ausgabe von Franzos.

Natur geschwelgt, der mit so ungemeiner Entschiedenheit auch eine ungemeine Klarheit der politischen Anschauungen verbunden, und sich so schroff von „revolutionären Kinderstreichen" abkehrte, derselbe Jüngling stürzt sich in Gießen, ein einsamer, verbitterter Mensch, mit sich und der Welt zerfallen, kopfüber in dieselbe Bewegung, die er schon aus der Ferne so richtig taxiert, und obwohl ihm die Nähe nur handgreiflich gelehrt, was er in der Ferne geahnt," sagt Franzos.

Dass er sich jetzt auf Veranlassung seines Vaters ganz der Medizin zuwenden musste, die ihn durchaus abstieß, dass er untreu gegen seine Neigung, diesem Studium alle seine Kräfte widmen musste, war wohl die äußere Veranlassung zu dieser Seelenstimmung. Hierzu kamen wohl noch als innere Gründe die trostlose, soziale Lage, die damaligen politischen Wirren, die sein scharfer, klarer Verstand so richtig auffasste, um seine bisherige Weltanschauung zu trüben. In einem hastigen, oberflächlichen Studium der Geschichte und der Philosophie fand sein quälender Pessimismus statt Beruhigung nur Belege für seine trübe Weltanschauung. Die Briefe, die er damals an seine Braut richtete, geben von seinem Seelenzustande erschütternde Beweise. In einem dieser Briefe heißt es: „Ich fühle mich wie vernichtet unter dem grässlichen Fatalismus der Geschichte. Ich finde in der Menschennatur eine entsetzliche Gleichheit, in den menschlichen Verhältnissen eine unabwendbare Gewalt, Allen und Keinem verliehen. Der Einzelne nur Schaum auf der Welle; die Größe, ein bloßer Zufall, die Herrschaft des Genies ein Puppenspiel, ein lächerliches Ringen gegen ein ehernes Gesetz, es zu erkennen, das Höchste, es zu beherrschen, unmöglich. Es fällt mir nicht mehr ein, vor den Paradegäulen und Eckenstehern der Geschichte mich zu bücken."

So lässt es sich wohl erklären, wenn ihn gleichsam eine Begier sich zu betäuben, seine innere Verzweiflung durch irgend eine aufregende Tätigkeit zu ersticken, der politischen Bewegung in die Arme trieb. Es war die Zeit kurz vor dem Frankfurter Tumulte. Der Butzbacher Rektor Weidig und Andere unterhalten überall in Hessen eine rege Agitation und bereiteten jenen tragikomischen Frankfurter Krawall vor. Als Büchner mit diesen Männern in Berührung kam, kostete es ihm einige Mühe sich mit ihnen, die für ein christlich-protestantisches Kaisertum schwärmten, zu verständigen, dennoch kam ein Kompromiss zu Stande. Vor allem drang Büchner bei seinem praktischen Sinn, auf eine straffere Organisation der revolutionären Bewegung, und sie wurde auch bis zu einem gewissen Grade erreicht. Ueberall gründete man auf seine Anregung hin geheime „Gesellschaften der Menschenrechte", die fortwährend eine enge Fühlung mit einander hatten. Büchner selbst suchte durch Flugschriften die Idee der Revolution in immer weitere Kreise zu tragen. So entstand damals die erste sozialdemokratische Flugschrift in Deutschland, welche die hessische Landbevölkerung, die sich in den letztvergangenen Jahren mehrfach gegen den unerhörten Steuerdruck, der auf ihr lastete, in blutigen Aufständen gewehrt hatte, gewinnen sollte. „Der hessische Landbote" hieß jenes Pamphlet. Es ist in der Ausgabe von Franzos abgedruckt, freilich in der von Weidig im christlich-protestantischen Sinne verstümmelten Form. Immerhin tritt die Eigenart seines Verfassers auch so noch genugsam zu Tage. Es interessiert durch eine eiserne Logik, durch den klaren, praktischen Verstand Büchners, welcher hier der sozialen Frage bis auf den Grund geht, durch die Wucht ihrer knappen Perioden, durch die kluge Berechnung, mit der sich der Verfasser seinem Publikum verständlich zu machen weiß.

(Schluss folgt.)

Daniele Cortis.

Roman von Antonio Fogazzaro.
Turin, F. Casanova.

Französischen Vorbildern folgend, finden wir in den meisten neuern italienischen Romanen eine Verherrlichung der Leidenschaft, die jedem Pflichtgefühl Hohn spricht oder ein solches überhaupt ignoriert; wird es etwa mit dem Konflikt zwischen Pflicht und Leidenschaft einmal Ernst genommen, so weiß der Romanschriftsteller in der Regel keinen andern Ausweg, als seinen Helden, oder häufiger die Heldin, daran zu Grunde gehen zu lassen, sei es durch freiwillig gewählten, sei es durch die Macht der Umstände herbeigeführten Tod, — eine ebenso bequeme, als häufig vorkommende Lösung, wenn sie überhaupt diesen Namen verdient. Abgesehen von den gewagten Situationen, in welchen manche unserer Schriftsteller sich gefallen, ist die Verwirrung der sittlichen Begriffe, die Verrückung des moralischen Standpunktes zu Gunsten dessen, was ihnen (und oft nur ihnen selbst) als der künstlerisch-ästhetische erscheint, meistens in hohem Grade verletzend.

Es ist darum doppelt erfreulich, in dem obengenannten Romane einem Buche zu begegnen, welches dieser Vorwurf in keiner Weise trifft, das im Gegenteil bestrebt ist, einen schmerzlichen Konflikt im höchsten und reinsten Sinne zum Austrag zu bringen, indem die beiden Hauptpersonen ihre Neigung, ihr Lebensglück dem strengen Gebote der Pflicht, wie es ihnen ihr eigenes Gewissen vorschreibt, mit blutendem Herzen, aber aus vollster und reinster Ueberzeugung zum Opfer bringen.

Die handelnden Personen werden sehr geschickt eingeführt; wir begegnen den meisten, die im Laufe der Erzählung auftreten, gleich im ersten Kapitel, auf der Villa der Gräfin Tarquinia Carrè in einer

Abendgesellschaft, deren Schilderung uns mit photographischer Treue ein lebendiges Bild eines italienischen Salons giebt, mit dem bewegten Durcheinander der leichten Unterhaltung, in welche das Rollen der Billardbälle und von der anderen Seite das Geschwätz der Priester, die sich regelmäßig zu ihrem Partiechen tresette im gräflichen Hause einfinden, hineinklingt. Aus der Masse der Alltagsgestalten heben sich bald zwei Personen ab, die tieferes Interesse einflößen, Elena, die Tochter der Gräfin Carrè, mit dem bedeutend ältern Senator di Santa Giulia vermählt, und Daniele Cortis, ihr Vetter, der bei der nächsten Parlamentswahl zum Kandidaten aufgestellt wird und für den seine Freunde in diesem Kreise nach Kräften werben. Es fallen hierbei interessante Streiflichter auf die politischen Verhältnisse Italiens, besonders auf das Verhalten der Priester. Cortis selbst legt sein politisches Glaubensbekenntnis in einem Briefe an einen Freund ab, welchen Brief er noch in später Nacht auf seiner nahe gelegenen Villa einem Bekannten diktiert, der besonderen Eifer für die Wahlbewegung entwickelt, ohne irgend welch' Verständnis für den tiefen Ernst zu haben, mit dem Cortis seine Aufgabe erfasst. Dieser ist, wenn man so sagen dürfte, ein praktischer Idealist, der, allmählich wenigstens, seine Ideale auf religiösem und politischem Gebiete zu verwirklichen hofft, vorläufig sich den vorhandenen Verhältnissen bis zu einem gewissen Grade anzubequemen gewillt ist, oder es wenigstens zu können glaubt, ohne seinen Grundsätzen untreu zu werden. Er ist gläubiger Christ, was für ihn mit dem Begriff Katholik zusammenfällt, obschon er die Schäden der Kirche oder die bedenklichen Mängel des Klerus anerkennt, im Gegensatze zu den Meisten in seiner Umgebung, die nur durch die Beobachtung äußerer Formen im Zusammenhang mit der Kirche bleiben. — Wie sich übrigens ein Mensch von echter Religiosität zu der römischen Kirche, so wie sie in der Tat ist und wahrscheinlich bleiben wird, in ein klares Verhältnis stellen kann, das ist eine Frage, die der Verfasser sich selbst nicht deutlich gemacht zu haben scheint, auf die er uns jedenfalls die Antwort schuldig bleibt. Dagegen fühlen wir deutlich, dass die religiösen Grundsätze Danieles ihm bei all seinem Tun und Treiben maßgebend sind, ohne dass er je dogmatisiert, oder sie auch nur betont und zur Schau trägt. Er ist ein ganzer Mann, voll tiefer warmer Empfindung, voll Zartheit des Gefühls, wie sie kräftigen Naturen eigen ist, großmütig bis zur Selbstverleugnung. Die gediegene Bildung seines Charakters verdankt er vor Allem seinem vortrefflichen Vater, denn die Mutter hat er früh verloren. Er hat sie todt geglaubt, bis zu jenem Abend, wo die Erzählung beginnt; da erfährt er durch einen Brief, dass diese Mutter, welche um ihrer Untreue willen von seinem Vater verstoßen worden, noch lebt und nach dem Sohne verlangt. Es ist ihm das Natürlichste, dieses schwere Geheimnis seiner Cousine Elena mitzuteilen, und aus dem rückhaltlosen Vertrauen, dem völligen Verständnis zwischen den Beiden, erraten wir, was sie sich selbst nimmer gestanden haben, nämlich dass sie einander Alles in Allem sind. Die reine Seele Elenas sieht in der schuldbeladenen Frau nur die Unglückliche, von Reue Gequälte; „tröste sie! was muss sie gelitten haben!" „Und wenn sie nicht gelitten hätte?" erwidert der welterfahrene Mann. „O unmöglich." Cortis ist überwältigt von dem Kontrast zwischen diesen beiden Frauen, von denen die eine tief gesunkene seine Mutter ist, die er achten möchte und nicht kann, die andere, so unschuldig und rein, dass sie von einem solchen Falle und von der Verderbtheit einer solchen Natur gar keine Ahnung hat. Dieser Kontrast, der hier nur flüchtig angedeutet, ist folgenschwer für die Entwickelung der Handlung. Wir haben bei Beurteilung des Buches sagen hören: „Diese Mutter ist eine höchst unangenehme Figur, die besser weggeblieben wäre. Die Geschichte könnte auch ohne sie bestehen. Es ist so etwas Peinliches, Widerwärtiges in dem Verhältnis." Das ist das Urteil höchst oberflächlicher Leser. Jawohl, moralisch hässlich, widerwärtig ist diese Frau, die gern die Folgen ihrer Sünde los sein möchte, diese alternde, noch immer eitle, jeder sittlichen Erhebung unfähige Person, der die Lüge zur zweiten Natur geworden, so dass ihr Sohn selbst nie weiß, ob und wann sie die Wahrheit spricht, dieses falsche Weib, das an keine makellose Reinheit glauben kann und durch ihren Argwohn und Neid nur Unheil stiftet, aber psychologisch richtig ist jeder Zug an ihr, es ist ein Meisterstück der Charakteristik, und überflüssig ist sie keineswegs, weniger darum, dass sie in die Handlung eingreift und durch die Enthüllung, dass Elenas unwürdiger Gatte ihr Verführer gewesen, ihrem Sohne das Opfer, diesen Elenden zu retten fast übermenschlich schwer macht, sondern darum, dass sie für Elenas Wesen die dunkle Folie bildet, dass unausgesprochen, fast unbewusst, Cortis immerfort empfindet: nichts dürfen diese beiden Frauen mit einandergemein haben — nie darf auch nur der Schatten solcher Schuld auf Elena fallen! Das steht nirgends so geschrieben, aber das fühlt der denkende und empfindende Leser, und bewundert die psychologische Feinheit der Darstellung.

Elena ist eine Gestalt von unsäglicher Anmut und Liebenswürdigkeit, welche die tiefste Teilnahme einflößt. Sie hat den Senator di Santa Giulia zwar auf den Wunsch ihrer Mutter, doch keineswegs gezwungen, geheiratet; sie wünschte, von der Mutter fortzukommen, deren frivoles Treiben ihr nicht gefiel, und glaubte einen ernsten achtungswerten Mann zu heiraten. Ihre Würde hält seine gemeine Natur gewissermaßen im Zaum; nach außenhin ist ihr Stolz ihr Ehrenschild. Nie gestattet sie eine abfällige Aeußerung über ihren Mann, nie möchte sie ihm auch nur durch ein Wort Grund zur Klage geben. Es fällt kein solches Wort zwischen ihr und Cortis in dem kurzen erregten Gespräch, das seiner Reise nach Lugano zu seiner Mutter vorhergeht; aber in ihrem letzten Blicke liest er ihre ganze Seele, sie ist sich dessen bewusst und denkt daran, eine Schranke zwischen ihnen aufzurichten. Sie will ihm nicht zur Versuchung werden, er soll nicht durch sie leiden, sondern seine volle ungebrochene Kraft an die vor ihm liegende hohe Aufgabe auf politischem Gebiete setzen.

Der Senator, ein leidenschaftlicher Spieler, steckt wieder einmal in Schulden und hat seine Frau beauftragt, ihrem Onkel, dem Haupte der Familie, 15000 Lire zur Deckung derselben abzuschmeicheln, tut sie das nicht, so wird er sie nach Cefalù, einem Städtchen auf Sizilien in Verbannung schicken. Elena ist der Liebling ihres Onkels, eines höchst originellen, prächtig individualisierten alten Herren. Ihr Zartgefühl sträubt sich dagegen, ihre Macht über ihn auszunützen, der Gedanke nach Cefalù verbannt zu werden, schreckt sie nicht, scheint ihr vielmehr ein willkommenes Auskunftsmittel. Indessen geht sie diplomatisch zu Werke (und hierin zeigt sich selbst in dieser reinen edlen Natur die Schlauheit der Italienerin), sie sagt, nachdem sie eine lange Unterredung mit ihrem Onkel gehabt und sogar dessen Anerbieten, ihr Geld zur Verfügung zu stellen, abgelehnt hat, zu ihrer Mutter wie zu ihrem Manne: „die Sache ist abgemacht" und bittet alle Beteiligten, nicht mehr davon zu sprechen. Erst auf dem Wege nach Rom sagt sie auf immer dringendere Fragen ihres Gatten, dass sie kein Geld erbeten, sondern die andere Alternative — Cefalù erwählt habe. — Sie weiß nicht, dass ihr Mann anvertraute Gelder angegriffen hat, und dass für ihn so zu sagen Alles auf dem Spiele steht, wenn er sie nicht erstatten kann. Er greift zum verzweifelten Mittel, noch einmal sein Glück am Spieltische zu versuchen und es gelingt ihm, die notwendige Summe zusammen zu bekommen. In brutalster Weise teilt er das seiner Frau mit, die in Folge heftiger Gemütsbewegungen in der heißen Jahreszeit am römischen Fieber erkrankt ist und ernstlich darauf besteht, nach Sizilien zu gehen. Die innerlich längst vollzogene Trennung der Gatten erfolgte somit auch äußerlich.

Cortis ist unterdessen zum Deputierten erwählt, wozu Elena ihm in abgemessenen Worten, als seine ihm freundschaftlich ergebene Cousine Glück gewünscht hat.

Falls der Verfasser beabsichtigt hat, den Leser für Cortis politische Laufbahn ebenso sehr zu interessieren, wie für sein Verhältnis zu Elena, so ist ihm das, unserer Ansicht nach, nicht ganz gelungen; die rein menschliche Teilnahme an den beiden mit ihrer Leidenschaft ringenden Seelen überwiegt bei weitem das Interesse, welches wir an den politischen Vorgängen, den Wahlkämpfen und Reden Cortis nehmen, so bedeutend auch seine Ansprache an die Wähler, namentlich in Bezug auf seine Stellung zum Klerus sein mag, die übrigens auch hier nicht völlig klar wird.

Cortis schreibt mehrmals an Elena, die ihm nur kurz antwortet und ernstlich bestrebt ist, ihn auch in seinen Briefen in den Schranken der Freundschaft zu halten. Nicht an ihn, sondern an einen alten Freund, Clenezzi wendet sie sich in ihrer Angst, um ihren Mann zu retten, der sich von Neuem in entsetzlicher Geldverlegenheit befindet und der voll Trotz und Hass erklärt hat, sich lieber das Leben zu nehmen, als den Verwandten seiner Frau Hülfe zu verdanken. Der alte Senator Clenezzi ist, von der Gicht geplagt, unfähig, Schritte in der Sache zu tun, Elena hatte ihm ihre ganze Habe zur Verfügung gestellt, er zieht ohne weiteres Cortis ins Vertrauen. So erfährt dieser durch den mit der Angelegenheit betrauten Advokaten die Sachlage und ist zu den größten Opfern bereit, um den unwürdigen Gatten Elenas vor dem Untergang zu retten, der übrigens bei dem Glauben belassen wird, die Regierung zahle für ihn, um die Ehre eines Senators zu schirmen. Dass die Mutter Danieles, welche, ganz ihrem Wesen entsprechend, an der Tür gehorcht hat, ihren Sohn im entscheidenden Augenblicke am Unterschreiben des Zahlungsscheines verhindern will, indem sie ihm ihr entsetzliches Geheimnis preisgiebt, treibt die furchtbare Tragik der Szene aufs Aeußerste. Cortis ist im Begriff, sein Wort zurückzuziehen, „da blitzte in ihm ein schrecklicher Gedanke auf, das ganze Zimmer schien ihm von den Worten erfüllt: Di Santa Giulia hat sich das Leben genommen! und er hatte ihn durch seine Weigerung getödtet, und so Elena die Freiheit gegeben. Gewissensangst presste sein Herz zusammen, und damit mischte sich eine dumpfe Furcht, eine Bangigkeit, dass er nicht mehr seine gewohnte Ruhe, seine eiserne Entschlossenheit habe." Er unterschreibt, geht dann ins Parlament und bricht am Anfang seiner Rede ohnmächtig zusammen. Elena, welche nach langer Krankheit mit ihrer Mutter von Cefalù nach Rom zurückgekehrt ist, hat der Sitzung beigewohnt und eilt zu den Kranken, der leblos hinausgetragen wird. Elenas Teilnahme für den Leidenden, ihre treue verständige Pflege erregen die Eifersucht seiner elenden Mutter, deren Gegenwart ihn jedes Mal schmerzlich erregt und die deshalb von den Aerzten fern gehalten wird; aus erbärmlicher Rachsucht schreibt sie an den Baron di Santa Giulia einen anonymen Anklagebrief, und charakteristisch ist es, dass er zwar keinen Augenblick der Verdächtigung Glauben schenkt, sie aber doch in brutaler Weise seiner Frau vorhält, die ihn eines Abends in seiner Wohnung aufsucht, um eine Verständigung herbeizuführen.

Er droht von Neuem mit Selbstmord, denn auf die Bedingung, welche an die Tilgung all seiner Schulden und völlige Ordnung seiner Verhältnisse geknüpft ist: nämlich dass er sich für immer nach

Amerika begebe, will er nicht eingehen. Er tut, als erwiese er eine Gnade, wenn er überhaupt Hülfe annähme, bezweifelt jedes Wort seiner Frau, meint, sie würde wohl glücklich sein, wenn er fortginge und fragt sie endlich mit boshaft forschendem Blicke: Sage doch, du treue Gattin, wenn ich ginge, würdest du mitkommen? Für Elena ist das Wort ein Todesstoß. „Du schweigst?" — „Du hast ja schon erklärt, dass du den Vorschlag nicht annimmst." — „Ja, ich soll aber erst morgen die entscheidende Antwort geben und kann mich anders besinnen." — Kurz, es bleibt schließlich dabei: er will gehen, wenn sie mitkommt, und die unglückliche Frau giebt ihm mündlich und später in einem Briefe auch schriftlich das Versprechen, sie werde kommen, wenn er sie rufe. Weder ihre Mutter, noch ihr alter Onkel, der enorme Geldopfer bringt, um die Ehre der Familie zu retten und wie er meint, seine geliebte Nichte von ihrem unwürdigen Manne zu befreien (was dieser seinetwegen auch auf kürzerem und absoluterem Wege hätte mit eigener Hand tun können) ahnen etwas von diesem Versprechen, das wie ein Alp auf dem armen jungen Herzen liegt. Elena geht mit den Ihren auf die Villa in Venetien, Cortis ebenfalls; ihm entdeckt sie sich endlich und es kommt zwischen beiden zu völliger Aussprache. Elena hofft, es werde noch ein Ausweg, eine Rettung erscheinen; das: muss ich gehen? quält sie Tag und Nacht. Cortis selbst weist sie auf den Weg der Pflicht, stählt ihren Entschluss, ermahnt sie zum Gebet. Endlich kommt der gefürchtete Brief, dessen cynischer Ton geradezu empörend ist. Der Baron geht nach Yokohama, wo er entfernte Verwandte hat und besteht auf der Erfüllung ihres Versprechens. Einen Augenblick denkt Cortis daran, ihn zu fordern, um der alten schweren Verschuldung gegen die Ehre seines Vaters; immer aber tritt der Gedanke dazwischen: nicht durch seine Hand darf Elena frei werden. — Der alte Onkel, welcher Elena über Alles liebt, hat die wachsende Vertrautheit zwischen ihr und ihrem Vetter mit Unruhe bemerkt und warnt sie väterlich in zartester rührendster Weise. „Ich habe mir auch nicht einen Gedanken vorzuwerfen und er ist so edel." „Ich glaub's," sagt der Alte, „ich verstehe, was du sagen willst, aber bei Menschen wie ihr, fängt die Sache immer so an und endet dann gerade wie bei andern, die nicht so edel sind. Männer sind Männer, dieser ist besser als viele andere, aber auch von Fleisch und Blut. Ich glaube weder an Engel, noch an Heilige. Ja, wenn wir die Scheidung hätten! — aber die giebt's nicht, und das Andere hast du nicht gewollt — das war die Dummheit. Genug, sprechen wir nicht mehr davon, jetzt müssen wir an deine und der Familie Ehre denken." „Die ist in meinen Händen und also in guten Händen," sagte sie stolz, wird aber nachher dem geliebten Onkel gegenüber weich.

Ohne von ihm oder von ihrer Mutter Abschied zu nehmen, reist sie ab, unter dem Vorwande, in der Stadt Besorgungen zu machen.

„Es war ihr schmerzlich, so ohne Abschied, mit einer Täuschung zu gehen, aber es war nicht anders möglich." Ihr Abschied von Cortis ist erschütternd. Beide zeigen sich in ihrem tiefen Schmerze und in ihrer Standhaftigkeit einander würdig. Als Antwort auf sein Gebet ist's ihm als spräche Gott: „Du hast ihre Seele; im künftigen Leben wird sie dein sein. Ich wollte diese Frucht von der Liebe, die ich euch einflößte. Jetzt lass sie gehen und du, im Feuer der Trübsal geläutert, gehe hin und kämpfe, leide weiter, sei unter den Menschen ein edles Werkzeug der Wahrheit und Gerechtigkeit." Die letzte Scheideszene ist von unsäglich ergreifender Einfachheit und Natürlichkeit in all ihrer kleinen Zügen, — sie sind nicht allein und müssen sich zusammennehmen. Als sie fort ist, öffnet er das Blatt, welches sie ihm noch zuletzt gereicht; es enthält nur die Worte: „Im Frühling und im Sommer, nah und fern, so lange ich lebe und darüber hinaus", die Inschrift auf einer alten Säule in seinem Garten, die sie oft miteinander gelesen. Dann sagt er sich: Und wenn sie einst nach Jahren wiederkehrte? Das liebe Gesicht durch die Zeit und den Schmerz entstellt, nur für ihn noch schön, holder als in der Jugend; er dachte sich ihre Hand noch immer weich und zart, die Stimme noch sanft, die müden ruhigen Augen, die ihm noch immer fast schüchtern sagten: „So lange ich lebe und darüber hinaus!" Und dann dachte er an seine Zukunft! Kämpfe mit der Feder und mit dem Worte, in der Presse und in der Kammer, in den Vereinen, für seine Ideen, gegen die Gleichgültigkeit der Menge, Spott von den sogenannten Liberalen, Schändlichkeiten von den sogenannten Katholiken; unerschütterliche Standhaftigkeit, Gnade Gottes in seinem Geiste und im Gange der Ereignisse; angstvolle Krisen, einen breiten Weg geöffnet für die soziale Reform im christlichen und demokratischen Sinne und auf diesem Wege Italien Allen voran."

So stellt er sich von Neuem seinen Freunden zur Verfügung und nimmt den Kampf mit dem Leben auf.

Der gewöhnliche Romanleser wird einwerfen, dass das eigentlich kein Schluss sei. Allerdings nicht die Lebensgeschichte der Beiden, wohl aber die Entscheidung ihres Geschickes ist zum Abschluss gebracht. Fast bis zum letzten Augenblicke bleibt der Leser in Spannung, wie diese Entscheidung ausfallen würde; nicht die absolute Notwendigkeit, so oder so zu handeln, liegt vor — es fragt sich sogar, ob Elena nicht berechtigt war, sich von ihrem unwürdigen Gatten zu trennen, ihr Onkel, ihre Mutter und mit ihnen hundert Andere, würden diese Frage unbedingt bejahen, aber nach dem Begriffe von Pflicht, wie er in Cortis Seele lebendig war und in der ihren durch ihn bestärkt wurde, musste sie so und nicht anders handeln, und darum ist der Schluss ein berechtigter selbst wenn er nicht absolut befriedigt.

Zu den vielen Vorzügen der Darstellung, welche durchweg lebendig und natürlich ist, gehören namentlich die stimmungsvollen Bilder der die handelnden Personen umgebenden Natur, welche überall den richtigen Hintergrund für die Handlung abgeben und wesentlich dazu beitragen, dem Leser den Eindruck des wirklich Erlebten mitzuteilen.

Vallombrosa. Th. Hoepfner.

Geh, wenn dein Herz voll Leid und Gram.

Geh, wenn dein Herz voll Leid und Gram,
Dich tief im Walde auszuweinen —
Und ob die Welt dir alles nahm,
Der Wald lässt ungetröstet Keinen.

Von ernsten Tannen ein Gefild
In Tälern, Höhen, Felsenschroffen,
In ew'ger Schönheit rauh und wild
Liegt hier der Schöpfung Buch dir offen.

Bis hierher dringt kein Ungemach,
Sieh, ewig gleich weht's in den Kronen:
So herrlich wie am ersten Tag
Ist diese Schöpfung seit Aeonen!

Wernigerode. Hermann Kiehne.

Die litterarische Bewegung der Provinzen in Spanien.

Nach dem Spanischen des Don Orlando
von Alexander Braun.

(Schluss.)

Diese Wiedergeburt besitzt alle Eigentümlichkeiten einer historischen Reaktion zu Gunsten des Lokalpatriotismus und muss deshalb, gleich jeder Reaktion, in dem Maße schwächer werden, als die Einwohner jener Gebiete sich überzeugen, dass die allgemeine Stimmung der modernen Politik der provinzialen Autonomie geneigt ist. Nicht in jeder Hinsicht aber, noch überall hält sich diese Bewegung innerhalb der gebührenden Schranken, sondern, hingerissen von den aufgereizten Leidenschaften, artet sie aus, erzeugt ungesunde Zustände, übertriebene unzeitgemäße Ansprüche.

Galizien, Asturien, Valencia gefallen sich darin, mittelst der Geschichte ihren vergangenen Ruhm und ihre alten erinnerungsverklärten Einrichtungen fortzupflanzen, ihre Sagen und Ueberlieferungen wie jede Art litterarischer, in ihrer Ursprache niedergeschriebener Denkmäler zu sammeln, dem Volke seine trautesten, jenem unlöslichen seelischen Zusammenhang zwischen Menschen und Heimat entsprungenen Gefühle in seiner eigensten Redeweise zu bieten. So steigen jene ihnen so teueren Zeiten, in denen sie sich zu unabhängigen Nationalitäten aufgeschwungen, neu empor, wächst und erstarkt die Liebe zum Vaterlande. Daran ist nichts zu tadeln, denn ohne jeden partikularistischen Nebengedanken beabsichtigen diese Provinzen weder einen Protest, noch eine Opposition gegen die übrigen Landesteile, sondern wollen sich nur ein Genügen rein innerlicher Natur verschaffen, das ihnen keineswegs verbietet, gute Bürger eines einheitlichen Staates und treue Anhänger seiner Einrichtungen, Gesetze, Sitten und Sprache zu sein.

Weniger harmlos stellt sich diese Renaissance in anderen Gegenden, wie in Biscaya und Katalonien dar. Lassen wir Biscaya bei Seite, weil noch in Aller Gedächtnis die Erinnerung jener blutigen Taten lebt, mit denen es uns kund getan, welcher Art seine Bestrebungen sind, und reden wir ein Paar Worte über Katalonien. Dieses fruchtbare, gewerbfleißige, gut bevölkerte Gebiet, dessen Einwohner von Natur aus freisinnig, ihren Reichtum zu mehren und zu sichern, lieber auf die eigene Tatkraft und Arbeitsamkeit sich stützen, als der Einwirkung und Hülfe des Staates vertrauen, hat seinem Hang zur Selbstständigkeit bereits in bedenklichem Grade nachgegeben. Seiner alten Sprache sich bedienend, als des geeignetsten Mittels zur Wiederbelebung seiner fast erstorbenen Nationalität, beginnt es im Jahre 1814 seine Propaganda, indem es in enge Beziehungen zur Provence tritt.

Als dann einmal Geschichte und Poesie, Bühne und Presse echt katalonisch waren, fing es an, Wünsche zu offenbaren und Grundsätze zu behaupten, welche, von Tag zu Tag radikaler und verwegener, auf die völlige Lostrennung vom gemeinsamen Vaterlande abzielten. Es glaubt sich im Stande, eine eigene Nationalität zu bilden und ist der Ansicht, dass, wenn das übrige Spanien seiner bedarf, es für seinen Teil sich selbst genüge. Daher rühmt es mit prahlerischem Hochmut Alles, was ihm gehört, während es mit Geringschätzung, beinahe Verachtung, auf das übrige Land, auf das sogenannte „Kastilien“ und all den von dort kommenden „Kastilianismus“ herabblickt.

Bei dieser Manie, Spanien, das es zuweilen in Madrid symbolisirt, als eine Macht gleichen Ranges zu behandeln, kann ihm manch empfindliche Zurechtweisung nicht erspart bleiben; denn die Nation darf keiner Provinz gestatten, sich eine derartige Stellung anzumaßen. Dadurch gekränkt, klagt Katalonien laut über die Tyrannei „Kastiliens“, erhöht die Spannung der Gemüter, betont überall den Partikularismus scharf, um eine vollständige politische Emanzipation durchzuführen, welche jedoch in jeder Hinsicht illusorisch ist. Sein Hass gegen das „Kastilianische“ bringt es zu den wunderlichsten Behauptungen. So bestreitet einer seiner Schrifsteller, dass das Kastilianische die Nationalsprache sei. Eine Zeitung erdreistet sich, zu verlangen, die Landstände sollten sich, da sie katalonisch seien, bei Beratungen und Beschlüssen des Katalonischen bedienen. Ein Anderer sieht mit Bedauern, wie die Kinder ihre schönsten Jahre damit verlieren, Auseinandersetzungen in einer ihnen unverständlichen Sprache, dem Spanischen nämlich, anzuhören. Es ist eine Akademie offiziellen Charakters geschaffen worden, deren Sprache katalonisch ist. Vor einiger Zeit hat man die Gründung von zwei weiteren Akademien, einer für katalonische Geschichte und einer anderen für katalonisches Recht eifrig betrieben. Auf dem im Jahre 1880 stattgehabten katalonischen Kongresse endlich wurden so abenteuerliche Theorien aufgestellt, so übertriebene Forderungen gemacht, so Vieles absichtlich übergangen, dass gar Mancher bedenklich wurde, ja einzelne Gruppen sich sogar lossagten, weil sie die schweren Folgen, zu denen der eingeschlagene Weg sie führen würde, voraussahen.

Aber wenn der Provinzialismus in Bezug auf seine geschichtliche und gesellschaftliche Stellung auch nur an einigen Orten seine naturgemäßen Grenzen überschreitet, so weicht er doch nach unserer Meinüng überall da von der rechten Bahn ab, wo er die vorübergehende Reaktion zu Gunsten seiner Mundart in einen dauernden Zustand verwandeln will, indem er eine Provinziallitteratur mit einer besonderen Sprache ins Leben ruft. Verschiedene Gründe führen die Vertreter dieser Bewegung an, um zu beweisen, dass der „sermo rusticus“ in den „sermo urbanus“ übergeben muss und ihre Litteratur vollberechtigt ist. So ist, hören wir sagen, das Euskarische ältesten Ursprungs und bestand lange vor den übrigen Sprachen der Halbinsel; ging das Galizische dem Kastilianischen voraus und gab dem Portugiesischen seine Entstehung; hatte sich das Limosinische, Katalonische oder Provenzalische, die ja von Anfang eins sind, bereits zu einer hohen Litteraturblüte entfaltet, als das von ihnen so mächtig beeinflusste Kastilianisch noch unausgebildet war. Folglich ist das Wiederauftauchen der Dialekte keine neue Erscheinung und wir dürfen uns nicht wundern, wenn sie wiederum zu dem werden, was sie einst gewesen. Außerdem, fügt man hinzu, muss jede Sprache innerhalb ihrer Einheit Fülle und Mannigfaltigkeit besitzen, um Jedwedem einen deckenden Ausdruck für seinen besonderen Gedanken bieten zu können. Darum also ist die Litteratur der Provinzen ein Zeichen des großen Sprachschatzes unseres Stammes und zugleich eine Quelle der Bereicherung, weil sie uns mit neuen Wörtern und Redewendungen versieht, welche wir wohl sonst vom Auslande leihen müssten.

Aber selbst wenn man den erwähnten Provinzen das Vorrecht der Erstgeburt zugesteht, ist zu der heute beabsichtigten Neubelebung doch noch kein ausreichender Grund vorhanden und zwar um so weniger, je anspruchsvoller und feindseliger die hier da und dort gemachten Versuche erscheinen. Sollte irgend eine Religion, weil Unzählige ihr einst gläubig ergeben, ein Philosophiesystem, weil vor Zeiten Viele ihm angehangen, eine Regierungsform, weil sie ehedem die Geschicke eines Volkes trefflich gelenkt, noch heute von uns anerkannt und an die Stelle der jetzt herrschenden gehoben werden, so wäre das ein Zeichen, dass wir umsonst gelebt, nichts gelernt und nichts geleistet haben; denn der Fortschritt, an den wir unerbrüchlich festhalten, bringt andere Bedürfnisse mit sich, verlangt, dass wir das Alte aufgeben um das Bessere, dass Gedanken und Dinge in stetem Wechsel sich erneuern. Diese wie jene leben und herrschen so lange die Kraft ausreicht, den Sieg zu erringen und sinken dahin oder weichen zurück, wenn Andere Gewaltigere sich nahen zum Kampf um das Reich. Auch die Sprachen sind diesem allgemeingültigen Gesetze unterworfen, kraft dessen der Letzte stets der Tüchtigste ist. Betrachten wir den Kampf zwischen den Sprachen der verschiedenen Königreiche, in welche ehemals das Land zerfiel, so sehen wir, wie das Kastilianische, weil es Gefühl und Bildung der modernen Zivilisation am besten zum Ausdruck brachte, Herr und Meister blieb nicht nur in Spanien, sondern auch im grössten Teile von Amerika und wie heute keine Rivalität mehr möglich ist zwischen ihm und seinen einstigen Gegnern.

Insofern man jene Vervielfältigung eher für wohltätig als nachteilig hält, ein Mittel zur Hebung und Förderung der besonderen Geistesart jedes Gebietes in ihr erblickt, glauben wir, dass man Schein und Wesen verwechselt, das äußere Gewand für die Sache selbst nimmt. Ort und Umgebung drücken ihr Gepräge dem Gemüt und Charakter, den Gedanken und Empfindungen, welche den Inhalt der Litteratur bilden, unauslöschlich auf. Deshalb kann eine ausschließlich in der allgemeinen Landessprache verfasste Litteratur den ganzen Reiz des Lokalkolorits besitzen, weil sie Leben und Charakter der Einwohner offenbart, während eine andere, deren Schriftsteller alle sich des Dialektes befleißigen, schaal und farblos bleibt. So zum Beispiel giebt es eine sevillanische Dichterschule, tragen die Werke der montañesischen Schriftsteller einen eigenartigen Stempel, obwohl man an beiden Orten nur das Kastilianische gebraucht. Andern dagegen muss alle innere Selbstständigkeit abgesprochen werden, wie ja auch einer der bedeutendsten katalonischen Autoren Sr. Mañe y Flaquer behauptet, eine eigentlich katalonische Litteratur existire gar nicht, sondern nur eine beliebige in katalonische Tracht vermummte.

Es mögen also die Schriftsteller, denen die Hebung der Provinziallitteratur wirklich am Herzen liegt, auf die Wiederherstellung des Dialekts und seine Verwandlung in eine Litteratursprache verzichten, denn für die Volkstümlichkeit einer Litteratur ist es völlig nebensächlich, ob sie in der betreffenden Mundart geschrieben oder nicht. Der Gebrauch des Dialekts aber beraubt Spanien ganz vorzüglicher Schriftsteller, diese des verdienten Ansehens. Wollen sie daher die Nationallitteratur nicht schädigen, nicht selbst vergessen oder doch nur von wenigen Gelehrten gekannt sein, müssen sie wieder zur gemeinsamen Landessprache zurückkehren. Jene künstliche Wiederbelebung wird ohne Halt und Folge sein, denn ihr Untergang ist unvermeidlich gemäß dem allgemeinen Gesetz, dass der Kulturgrad eines Volkes im umgekehrten Verhältniss zur Anzahl seiner Dialekte steht. In Asien, in Afrika, in Amerika, besonders aber auf den polynesischen Inseln giebt es eine Menge Dialekte, man bemerkt jedoch überall, dass in dem Maße, als größere Gruppen sich zusammenschließen, die Verbindungen zwischen den Einzelnen enger werden, die Dialekte mehr und mehr mit einander verschmelzen bis sie endlich bei denjenigen Völkern welche an der Spitze der Zivilisation schreiten, zu einer einheitlichen Nationalsprache, dem natürlichen Ausdruck ihrer staatlichen Einheit, geworden sind.

Litterarische Neuigkeiten.

Von den von der Verlagshandlung Carl Habel in Berlin herausgegebenen „Deutschen Zeit- und Streitfragen" liegt uns Heft 8 vor, welches einen trefflichen Artikel von J. Weiss über „Die Wirkungen der Gleichheitsideen und der Lehre vom Vertragsstaat auf das moderne Staatsleben" enthält, ebenda kamen von der „Sammlung gemeinwissenschaftlicher Vorträge" (unter der Redaktion von Rud. Virchow und Fried. Holtzendorff) Heft 9 und 10 heraus, im letzteren finden wir eine gewiss jeden Gebildeten interessierende Beleuchtung der „Todtschlagsühne des deutschen Mittelalters", von Landgerichtsrat P. Frauenstädt, und im neuen schildert Dr. B. Neubauss die so prächtig gelegenen und fruchtbaren Hawaii-Inseln, über die übrigens ein größeres Werk von Aurep-Elmpt im Verlage von Wilh. Friedrich in Leipzig erschienen ist.

„Sphinx', anti-materialistische Monatsschrift, herausgegeben von Dr. Hübbe-Schleiden in Th. Griebens Verlag (L. Fernau). Leipzig. Inhalt des Oktoberheftes: Von Ludwig Feuerbach bis auf die Gegenwart. Von Julius Duboc. — Wirklichkeit eingebildeter Krankheiten. Von Andreas Jackson Davis. — Ueber Zauberei. Nachträge zum Zauberspiegel. Von Ferdinand Maack. — Die psychischen Ursachen der Doppelgängerei. Von Carl du Prel. — Experimentale Untersuchung. (Mit Abbildungen.) Von Max Dessoir. — Paracelsus, Philipp Aureolus Bombash von Hohenheim. (Mit Abbildung.) Von Carl Kiesewetter. — Kürzere Bemerkungen: Freiheit. — Der Fluch. — Luther und der Mediumismus. — Märchen und Wissenschaft. — Die allegorische Auslegung von Shakespeares Hamlet. — Revue de l'Hypnotisme. Frankreich als Kulturpionier. — Mesmerismus im Dienste der Heilkunde. — Innere Gefahren und äußere Gefährdung des Mesmerismus. — Macheal Eugen Chevreul. — Hand in Hand. — Allan Kardecs Buch der Geister.

Von der von Alwin Kraus, Professor der Kunstgeschichte an der deutschen Universität Prag bei G. Freytag in Leipzig veröffentlichten „Einführung in das Studium der neueren Kunstgeschichte", welche in circa fünfzehn Lieferungen erscheinen soll, liegen uns Heft 5—7 vor, ebenda erscheint die von Alfred Kirchhoff unter Mitwirkung bedeutender Geographen herausgegebene „Länderkunde des Erdteils Europa" wovon soeben Lieferung 10—12 herausgegebene wurde, wir werden später noch einmal darauf eingehend zurückkommen.

Max Nordau als Dichter!! Wir glauben, unserm Leserkreise etwas ganz Neues zu bieten, indem wir sie mit der Tatsache bekannt machen, dass der große Ungarisch-Parisische Frauenarzt, welcher bekanntlich den Dichtern insgemein das „Genie" abspricht, sich auch als Lyriker versucht. Und als was für ein Lyriker! Wir wollten unsern Augen nicht trauen, als wir in dem trefflichen Wiener Unterhaltungsblatt „An der schönen blauen Donau" (herausgegeben von dem bekannten geistvollen Feuilletonisten Dr. Mamroth) den nachfolgenden ultrasentimentalen Gedichten mit der Facsimile-Unterschrift des gefeierten Anti-Ideologen begegneten. Wir glaubten es anfänglich mit einer unbeholfenen Parodie zu tun zu haben, bis sich uns die Ueberzeugung aufdrängte, dass das Alles in schaurigem Ernst gemeint war. Wir bringen das klassische Opus ohne Kommentar.

Nach einer Liebes-Episode.

I.

Sei gesegnet, teure Stadt,
Die so treu gehegt uns hat,
Sei gesegnet, Dom und Rhein,
Und gesegnet jeder Stein!

Ein hold singend Vöglein nist',
Wo sie hingetreten ist,
Eine Rose blüh' und duft',
Wo sie atmete die Luft.

Sang und Duft verkünde weit
In das Land und in die Zeit: (!)
„Heilig ist der Ort! Es war
Glücklich hier ein liebend Paar."

II.

Jungfreudig war ich noch eben,
Urplötzlich ward ich ein Greis. (!)
Es flutet Dir nach mein Leben,
Dir nach mein Herzblut heiß.

Ich kann nicht lange so leiden. (!)
Am liebsten wollt ich hier
Leise hinüber scheiden,
Im Sterben träumend von Dir.

III.

Ich bin ein Echo und klinge
Von Deiner Stimme Schall;
Doch regt kein Laut seine Schwinge,
Schweigt auch der Widerhall. (?)

Ich bin ein Spiegel und funkel'
Im Strahle Deines Lichts
Doch ist es um ihn dunkel,
Zeigt auch der Spiegel nichts.

Mit vielem Geschick sind von Adolf Silberstein die von Ludwig v. Bartók veröffentlichten „Karpathenlieder", Erinnerung an die ungarischen Alpen, vom Magyarischen ins Deutsche übertragen, auch hat die Verlagsanstalt des Franklin-Vereins in Budapest dieselben mit mehreren kleinen Illustrationen geschmückt. Drei andere Dichtungen „Visionäre" von A. Schafheitlin (Zürich, Verlagsmagazin), „Verse" von Lenel Thaler (Leipzig, Gustav Wolf) und „Arma parata fero", ein soziales Gedicht von John Mackay (Zürich, J. Schabelitz) zeugen auch von nicht unbedeutender Begabung, hauptsächlich müssen wir dies dem letzteren von H. Mackay nachsagen.

In einem sehr kleinen, wenig umfangreichen Gewande hat soeben Armin di Miranda-Theissen einen historischen Roman unter dem Titel „In Rosenketten", aus dem sechszehnjährigen Aufenthalte des Freiherrn Friedrich von der Trenck in den Rheinlanden, bei Greiner & Caro, litter. Institut in Berlin, erscheinen lassen. Die mit vielem Geschick zusammengestellte Erzählung des unglücklichen Freiherrn, dessen „Leiden", man könnte fast auch sagen: „und Freuden" nicht nur jedem Deutschen, sondern fast der ganzen gebildeten Welt bekannt, ist der Gegenstand desselben, und dürfte gewiss auch das Interesse Aller erwecken.

G. v. Suttner hat Monsieur Auguste Lavallé die Autorisation zur Uebersetzung seines neuen Romans „Der Azzaour" erteilt.

„Darstellung unseres Militär-Gerichtswesens nebst einer Studie über die Notwendigkeit einer Reform unserer Militär-Gerichts-Ordnung von A. v. Hoff und „Die Kavallerie des Deutschen Reiches" von R. von Haber (Rathenow, Max Babenzien). Zwei Broschüren, die besonders in militärischen Kreisen viel Anklang finden dürften.

Die amerikanischen Gesellschaften und Zeitschriften-Redaktionen setzen verhältnismäßig die höchsten Preise für litterarische Aufgaben aus. Soeben hat die „American Sunday school Union of Philadelphia" einen Preis von 1000 Dollars (= 4500 Mark) für die beste Abhandlung über die „Pflicht eines Christen" zur Arbeit" ausgeschrieben. Die Schrift muss bis zum 1. November 1887 eingereicht werden und soll einen Umfang von ca. 60—100 000 Worten haben.

Eine sachliche Bemerkung des Herausgebers.

Bezüglich meines Dramas „Seine Tochter" sind mir so vielfache Beweise von Interesse zugegangen, dass ich bei dieser Gelegenheit ein Geständnis machen muss, welches den Stoff dieses Dramas betrifft. Derselbe (das romantische Ende von Byrons Tochter Adah) wird nämlich allgemein für authentische Wahrheit genommen und in der Tat besteht auch in England der Glaube an diese Mythe. Ich selbst aber, obgleich ich es selbstverständlich für erlaubt hielt, meine Dichtung darauf zu gründen, wurde schon vor Jahren in London darüber aufgeklärt, wie haltlos die ganze Fabel sei. Daher das Folgende zur Steuer der Wahrheit!

Jeder kennt die ergreifenden Schlussverse des dritten Haroldgesanges, in denen der Dichter seiner Vaterliebe Worte verleiht, die um so weniger übertrieben klingen, als wir von Medwin und Anderen hören, wie seine Tochter stets in seinen Gedanken einen vorherrschenden Platz einnahm. Ihr Bild hing über seinem Bette und er erklärte, es sei eine seiner süßesten Hoffnungen, sich auszumalen, wie sie ihn später durch seine Werke lieben lernen werde.

„Und werde Hass dir auch als Pflicht gelehrt,
Du wirst mich lieben."

Ja, in Rücksicht auf dieses Moment der Zukunft, die jungfräuliche Reinheit seines Kindes, ließ er eine Zeit lang vom Arbeiten am „Don Juan" ab. Die Sage berichtet nun, Lady Byron habe in ihrer Eigenliebe und Borniertheit die Tochter ohne alle Kenntnis des Vaters aufwachsen lassen und jede Erwähnung desselben als ein peinliches Thema vermieden, ja ihren geschiedenen Gatten andeutungsweise als einen Roué hingestellt, den man vor unschuldigen Gemütern nicht nennen dürfe. Später aber, als glückliche Gattin, habe Adah ein Bild ihres Vaters erblickt und sei von der übernatürlichen Schönheit desselben so ergriffen worden, dass sie weitere Aufklärungen verlangt und endlich erfahren habe, dass ihr berüchtigter Vater vielmehr der berühmteste Mann seiner Zeit gewesen sei. Dann habe sie sich in seine Werke vertieft und sei am gebrochenen Herzen gestorben. Selbst der so scharfspürende Elze berichtet diese Sensationsgeschichte. Disraeli hat sogar seinen ganzen Roman „Venetia" darauf gebaut. Diese Historie, falsch von Anfang bis Ende, stützt sich von vornherein auf die allgemeine irrtümliche Ansicht von Lady Byrons Charakter.

Bei Byrons Lebzeiten als „verfolgte Märtyrerin" in allen Ländern gepriesen (siehe darüber ein sehr amüsantes Kapitel in Sallets Roman „Kontraste und Paradoxen"), gilt sie jetzt bei der Majorität für eine bigotte Närrin, bei Andern für eine boshafte und vom Cant total verdorbene „Salonschlange"; bei den Wissenden in England endlich wird sie, die gegen Byron wegen „insanity" einschreiten ließ, selbst als von Monomanie behaftet hingestellt. In Wahrheit war Lady Byron eine hochgebildete femme savante, ohne aber trotz Byrons poetischem Grimm über ihre Mathematikstudien („Don Juan", „Beppo") als kritische naseweise Geschmacksrichterin lästig zu werden. Gervinus' Erfindung, sie habe einige der „hebräischen Melodien" verfasst, ist beiläufig ganz unbegründet, obwohl ihr Byron gesagt haben soll: „Du könntest so gut eine Poetin sein wie Mrs. Hemans", deren Formvollendung Byron sehr hochschätzte. Die alberne Anekdote, sie habe ihn gefragt „wann er die schlechte Angewohnheit des Reimens aufgeben werde", wird durch die Tatsache genügend widerlegt, dass sie die „Belagerung von Korinth" und „Parisina" für ihn kopierte und quasi seinen Sekretär abgab. Uebrigens sind diese beiden Meisterwerke hinreichende Belege dafür, dass Byrons Ehe eher fördernd als störend auf seinen Genius eingewirkt hat. Nicht ohne Rührung vermögen wir uns den Seelenzustand der getrennten Gattin zu vergegenwärtigen, wenn sie das selbst von Bischof Heber als wahrhaft erschütternd gepriesene Zwiegespräch der geschiedenen Gattin Zarina mit dem Alter Ego des Dichters im „Sardanapal" las. „My gentle wrong'd Zarina!" Das war sie nicht. Sie war selbstgerecht und eingebildet, wie ihre nächsten Verwandten zugaben. Uebrigens war sie hübsch, obwohl ihre Züge (nach einer von ihr selbst verfertigten Silhouette) unregelmäßig und ihr Ausdruck (nach einer vorzüglichen Zeichnung) unerträglich hochmütig erscheinen. Selbstbewusstsein durchweht auch ihr (unpubliziertes) Tagebuch, in welchem sie ihr Interesse an Byron und seiner „Bekehrung" (einmal will sie ihn bei dem Namen „Gott" schaudern gesehen haben!) ausspricht. Bekanntlich fing sie alsbald mit dem zu Reformierenden*) eine heimliche Korrespondenz an, mit anderen Worten sie verliebte sich in ihn. Er machte sich anfangs lustig (in einem unpublizierten Brief an Lady Melbourne), fasste aber später eine entschiedene Zuneigung, und die Ehe wurde beiderseitig mehr oder minder aus Liebe geschlossen. In des amerikanischen Historikers Tiknor Selbstbiographie wird geradezu bestätigt, dass Byron der galanteste Ehemann gewesen sei. Sie selbst erklärte, er habe alle Eigenschaften eines guten Ehemanns besessen, und selbst ihre religiösen Ansichten (Byron war bekanntlich ein Calvinist und glaubte an die Erbsünde!) stimmten überein. Trotz nicht unberechtigter Eifersucht auf ihrer Seite war die Ehe überhaupt eine glückliche. Auch Byrons Verhältnis zu ihrer Mutter ließ anfangs nichts zu wünschen übrig. Dieselbe, unstreitig eine Personifikation des Cant, scheint uns entschieden das Model der Doña Inez, und wahrlich nicht ihre Tochter, deren Porträt wir in Adeline Amundeville entdecken möchten. Dass sie ihre Tochter zur Scheidung zwang, ist sicher.

Eine köstliche Anekdote können wir hier nicht unterdrücken. Ihr Mann Sir Ralph (der Vorname ist erblich und auch auf Lord Wentworth, den Enkel Byrons, übergegangen) Milbanke sah einst auf dem Feld eine Menge Kohlenkarren kommen. „Für wen?" „Für Lady Noel." Nur der Letzte meinte: „Für Sir Ralph!" „Gott sei Dank! So sind mir doch noch etwas Kohlen gelassen!"

Jedenfalls, um auf den Zweck dieser Zeilen zurückzukommen, war Lady Byrons Erziehungsmethode so weit von der ihr zugeschriebenen Unnatur entfernt, dass sie im Gegenteil einst mit Vergnügen einer Freundin erzählte: „Adah sei nun auch zur Poesie bekehrt." Auf die Frage wodurch, lautete die naive Antwort: „Welche Poesien liegen ihr denn näher, als die ihres Vaters?"

„Das Kind der Liebe" — Lady Byron selbst hat ihren großen Gatten bis zuletzt im Herzen getragen —, von der es heißt:

„Born in bitterness
And nurtured in convulsion! Of thy Sire
These were the elements and thine no less,
As yet such are around thee. But thy fire
Shall be more tempered and thy hope far higher!"

erfüllte letzteren Wunsch keineswegs und war leider eine echt „byronische Natur". Ihre Ehe mit dem noch lebenden, Viscount Okham, Earl of Lovelace**) war nicht allzu glücklich. In Forsters „Life of Dickens" erfahren wir mit Genugtuung, dass „Byrons Adah" eine glühende Enthusiastin für den großen Romancier und ein häufiger Gast seines Hauses war. Sie starb, auffallender Weise in gleichem Alter wie ihr Vater, 37 Jahre alt, an ganz gewöhnlichem Fieber. Dass sie Newstead Abbey mehrmals aus Interesse besucht hat, wurde uns einmal von der Gutsnachbarin in Annesley, Mrs. Musters (einer Schwiegertochter von Byrons Jugendliebe) bestätigt.

---

*) Sie machte zwar in Robinson's Diary, wo erklärt wird, sie habe ihn aus Bekehrungseifer angenommen, die Randglosse: „Lady Noel Byron hat nie solche Absicht gehabt, weil sie keine Sünde ahnte." Grober Widerspruch! Quien sabe!

**) Auf den Disraeli als seinen Reisegenossen in Byrons Albanien in seinem Speech als Vorsitzender des Byron-Denkmal-Komitees Bezug nahm. — Wir erwähnen hier, dass die salbungtriefende Schwester des Reverend Beecher-Stowe in ihrem famosen Pamphlet den braven Herrn frischweg als Wüstling schilderte, weil sie, wie der geistreiche Paget in einer Studie über das Thema vermutet, offenbar mit transatlantischer Bildung den Richardsonschen Lovelace im Sinne hatte!

Alle für das „Magazin" bestimmten Sendungen sind zu richten an die Redaktion des „Magazins für die Litteratur des In- und Auslandes" Leipzig, Georgenstrasse 6.

Für die Redaktion verantwortlich: Karl Bleibtreu in Charlottenburg. — Verlag von Wilhelm Friedrich in Leipzig. — Druck von Emil Herrmann senior in Leipzig.

Dieser Nummer liegt bei ein Prospect von S. Hirzel in Leipzig.

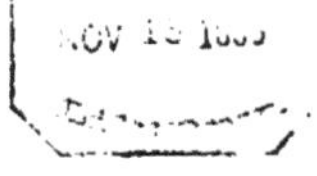

Das Magazin

für die Litteratur des In- und Auslandes.

Wochenschrift der Weltlitteratur.

1832 gegründet von Joseph Lehmann.

55. Jahrgang.

Preis Mark 4.— vierteljährlich.

Herausgegeben von Karl Bleibtreu.

Verlag von Wilhelm Friedrich in Leipzig.

No. 45. — Leipzig, den 6. November. — 1886.

Inhalt:

Der Humor.

Das ursprüngliche lateinische Wort *humor*, welches eigentlich Feuchtigkeit bedeutet, wurde von Galen zur Bezeichnung der Körpersäfte (*humores*) gebraucht. Da man aus der verschiedenen Beschaffenheit derselben die Verschiedenheit der menschlichen Temperamente ableitete, erhielt das Wort hiervon seine geistige Bedeutung, welche zuerst von den Engländern gegen das Ende des sechzehnten Jahrhunderts weiter ausgebildet worden ist. Ein Bild von der großen Verwirrung, welche in Bezug auf den Gebrauch des Wortes damals herrschte, giebt Shakespeare in den um 1598 verfassten „Lustigen Weibern von Windsor" in der Redeweise des „Corporal Nym", der dasselbe ununterbrochen im Munde führt. „Der rechte Humor ist, im wahren Moment zu stehlen." — „Er wurde im Trunk erzeugt: ist das nicht ein eingefleischter Humor?" — „Ich will keinen schofeln Humor ausspielen; da nehmt den Humorsbrief wieder" — „Dies ist wahr; der Humor des Lügens ist mir zuwider. Er hat mich in gewissen Humoren beleidigt: ich habe einen Degen und der muss die Zähne zeigen, wenn's Not tut. — Ich hasse den Humor von Brod und Käse und das ist der Humor davon" etc. lässt sich dieser dort vernehmen und Fluth ruft ihm beim Weggehen nach: „Der Humor davon! Ei! das ist mir ein Bursch, der unser Englisch aus allem Verstande herausschreckt."

Tieck in der Anmerkung zu dieser Stelle sagt darüber: „Dies Wort, welches erst seit wenigen Jahren, seit 1596 etwa, Mode geworden war, wurde von den Unwissenden auf alle Art gemissbraucht. Viele Dichter selbst brauchten es für Charakter, Gesinnung, selbst Angewöhnung. Im Anfange wurde es auch oft für lustige Zufälle gebraucht, für Spaß, der sich entwickelt. Aus jener Anarchie, in welcher sich um 1600 und später dies Wort umtrieb, ist es späterhin, erst von den Engländern, sodann von Deutschen noch mehr, geadelt worden, um eine Gattung Witz und Scherz, eine Gattung von Kunstproduktionen zu bezeichnen. S. J. Pauls Aesthetik, wo Humor am heitersten, und Solgers Erwin, wo es am gründlichsten erklärt wird."

Den ersten Versuch, die Bedeutung des Wortes festzustellen, machte Ben Jonson, der es bekanntlich auch in den Titeln zweier seiner Lustspiele „*Every Man in his Humour*" und „*Every Man out of his Humour*", Jedermann in seiner Laune und Jedermann außer seiner Laune, wie man sie gewöhnlich übersetzt, angewendet hat. In dem letzteren derselben, welches er 1599 schrieb, sagt er: „Dasjenige, was feucht und flüssig ist und folglich keine Konsistenz hat, ist Humor. Das Cholerische, das Melancholische, das Phlegma im menschlichen Körper wird also genannt und so kann man durch eine Metapher auch der menschlichen Seele Humor beilegen." „*As when*", führt er dann fort:

> *„As when some one peculiar quality*
> *doth so possess a man, that it doth draw*
> *all his affects, his spirits and his powers*
> *in their constructions all to run one way*
> *this may be truly said to be a humour."*

(Wie wenn irgend eine eigentümliche Eigenschaft einen Menschen so in Besitz nimmt, dass sie alle seine Gefühle, Empfindungen und Kräfte in ihren Zusammensetzungen einen Weg zu nehmen zwingt, dies mag in Wahrheit ein Humor genannt werden.) Der Dichter bezeichnet danach also mit Humor dasselbe, was der ausgezeichnetste der englischen Humoristen, Lorenz Sterne, später „gar anmutig, das Menschliche im Menschen auf das Zarteste entdeckend", wie Goethe sagt, *a ruling passion*, „eine herrschende Leidenschaft" genannt hat. Es sind damit jene Eigenheiten gemeint, welche, wie Goethe fortfährt, „den Menschen nach einer gewissen Seite hintreiben, in einem folgerechten Gleise weiter schieben und, ohne dass es Nachdenken, Ueberzeugung, Vorsatz oder Willenskraft bedürfte, immerfort in Leben und Bewegung erhalten." — „Sie sind irrtümlich nach außen, wahrhaft nach innen und, recht betrachtet, psychologisch höchst wichtig. Sie sind das, was das Individuum konstituiert, das Allgemeine wird dadurch spezifiziert, und in dem Allerwunderlichsten blickt immer noch etwas Verstand, Vernunft und Wohlwollen hindurch, das uns anzieht und fesselt."

Später, namentlich in Deutschland, hat man sich nun gewöhnt, nicht jene geistigen Eigentümlichkeiten selbst, sondern die Auffassung des Menschen als eines von solchen Eigenheiten oder Sonderbarkeiten beherrschten mit dem Worte Humor und diejenigen Schriftsteller, deren Darstellungen eine solche Auffassung durchführen, als humoristische zu bezeichnen. Der Humor hat es danach nicht eigentlich mit den Torheiten der Menschen zu tun, welche, insofern sie unsittlich sind, die Satire, und insofern sie durch ihre Prätensionen lächerlich werden, die Komödie geißelt, sondern er fasst den Menschen in seinen besonderen Neigungen, in seinen Bedürfnissen, Gewohnheiten, Leidenschaften und Bedrängnissen überhaupt auf, die durchaus an sich unschuldig sind, ja die dem Menschen wie von einer höheren Notwendigkeit auferlegt und anerschaffen erscheinen, die aber doch durch den Kontrast zu der höheren Idee, welche jeder einzelne Mensch erfüllen soll, und von welcher aus der Humorist ihn unwillkürlich betrachtet, lächerlich oder auch traurig erscheinen. Daher jener Wechsel von Lust und Rührung in der humoristischen Darstellung. Der Humorist nimmt innigen Anteil an der Lage des Menschen nach allen ihren besonderen Zufälligkeiten und Eigentümlichkeiten; er freut sich über seine Regsamkeit und Emsigkeit in seinem besonderen Elemente, und doch reizt ihn die Beschränktheit desselben zum Lachen. Ihn rühren alle die Bedrängnisse, in die der Mensch dadurch gerät, und doch ist es nicht jene Wehmut des Elegikers, den seine Leiden und Verluste niederdrücken, weil sie ihm unersetzlich scheinen, und auch nicht der Schmerz des Tragikers, welcher das Individuum in jenen seinen Bedrängnissen völlig zu Grunde gehen sieht. Der Humorist sieht gleichsam über den sich mühenden und gequälten Erdensohn wie in freundlichen, tröstenden Irisfarben eine höhere, ideale Welt schweben, in der sich alle seine Kümmernisse auflösen und alle seine gutgemeinten, aber oft so lächerlich mangelhaften Bestrebungen ihre höhere Vollendung erreichen werden.

„Wir haben," sagt Jean Paul, dessen Bestimmungen über den Humor wir am meisten beipflichten, abgesehen auch davon, dass er sie uns nicht in jener abstrusen Ausdrucksweise wie Vischer (in seiner „Aesthetik") giebt, im siebenten Programm seiner Vorschule der Aesthetik: „der romantischen Poesie im Gegensatz der plastischen die Unendlichkeit des Subjekts zum Spielraum gegeben, worin die Objektenwelt wie in einem Mondlichte ihre Grenzen verliert. Wie soll aber das Komische romantisch werden, da es bloß im Konstrastieren des Endlichen mit dem Unendlichen besteht und keine Unendlichkeit zulassen kann? Der Verstand und die Objektenwelt kennen nur Endlichkeit. Hier finden wir nun jenen unendlichen Kontrast zwischen den Ideen (der Vernunft) und der ganzen Endlichkeit selber. Wie aber, wenn man eben diese Endlichkeit als subjektiven Kontrast jetzt der Idee (Unendlichkeit) als objektiven unterschöbe und diese statt des Erhabenen als eines angewandten Unendlichen, jetzt ein auf das Unendliche angewandte Endliche, also bloß Unendlichkeit des Kontrastes gebäre, d. h. eine negative? Dann hätten wir den *humour* oder das romantische Komische."

Dass eine wesentliche Seite des Humors die sinnliche Auffassungsweise des Lebens sein müsse, d. h. dass er mit möglichst lebhaften und individuellen Farben wirkliche Zustände und wirkliche Erfahrungen seiner Darstellung zu Grunde legen müsse, ergiebt sich schon aus dieser Begriffsbestimmung, und Jean Paul hebt dies in seinen weiteren Erörterungen auch ausdrücklich hervor. „Da es ohne Sinnlichkeit überhaupt kein Komisches giebt", sagt er, „so kann sie bei dem Humor als ein Exponent der angewandten Endlichkeit nie zu farbig werden". Und ferner: „Bei jedem Humoristen spielt das Ich die erste Rolle; wo er kann, zieht er sogar seine persönlichen Verhältnisse auf sein komisches Theater, wiewohl nur um sie poetisch zu vernichten". Es war daher gerade kein glücklicher Gedanke von Gervinus in seiner Behandlung des humoristischen Romans und der humoristischen Romanschriftsteller gerade diese Stelle hervorzusuchen, um den vollen Strahl seiner Raisonnements dagegen zu richten.

Aus den oben gegebenen Begriffsbestimmungen ergiebt es sich zugleich, weshalb der Humor dem Altertume im Ganzen fremd sein musste. „Die Alten," sagt Jean Paul, „waren zu lebenslustig zur humoristischen Lebensverachtung." Es fehlte ihnen eben die Aussicht auf eine, diese humoristische Lebensverachtung bedingende Ewigkeit und Unendlichkeit. Den gewöhnlich als Hauptbeispiel des antiken Humors angeführten Aristophanes möchten wir streng genommen nicht einmal dafür gelten lassen. Wenigstens ist er nur ein Vertreter dessen, was man im gewöhnlichen Leben bitteren Humor nennt und in der Kunst der Komödie oder Satire zuweist; er empfindet zugleich eine tiefe sittliche Entrüstung über das, was er belacht. Eher finden sich Beispiele echten eigentlichen Humors bei Horaz, wie z. B. die neunte Satire des ersten Buches ein solches ist. Die eigentlichen Humoristen hat erst die christliche Zeit hervorgebracht, und zwar dasjenige Jahrhundert derselben, in welchem jene weltsiegende Idee des Christentums, dass alles irdische und äußerliche Wesen eitel und nichtig sei einer ewigen und unendlichen Welt gegenüber, so vollkommen die Herrschaft erlangt hatte und so sicher in dem Besitze derselben war, dass nun mit der wissenschaftlichen Auferstehung der antiken Welt gewissermaßen auch die Freude und Lust derselben an jenen irdischen Dingen in geläuterter Weise wieder gestattet werden und neu erwachen konnte. Denn bis dahin, das Mittelalter hindurch, war der Kampf des Christentums mit diesem seinen Gegner noch ein zu ernster gewesen, als dass jener tiefe und teilnehmende Sinn für die irdische Welt, wie er dem Humor eben so notwendig ist, als der Hinblick auf die unendliche, recht hervortreten und gestattet hätte werden können. Erst mit dem fröhlichen sechzehnten Jahrhundert trat in Frankreich Rabelais mit seinem „Gargantua" und in Deutschland der geniale Bearbeiter und Umdichter desselben, Fischart, hervor. In diesem Werke, einem unerschöpflichen Born echten Humors, werden in einem Riesengeschlechte die Bedürfnisse und Beschränkungen der menschlichen Natur gleichsam wie in einem Hohlspiegel vergrößert dargestellt, um durch den Kontrast eine desto komischere Wirkung hervorzubringen. Diesem Inhalte des Buches entspricht die alles Maß überschreitende Ungebundenheit seines Stils, in dem die ungeheuer gehäuften und aufs Wundersamste gebildeten Epitheta gleichsam eben so komisch mit den üblichen Sprachgesetzen ringen, wie die Helden desselben mit den natürlichen Bedingungen des Lebens. Diese humoristische Neigung der ganzen Zeit trat auch in anderen Künsten, namentlich der Malerei, hervor, wovon sich in den Schöpfungen eines Kranach, Dürer und Holbein genug Beweise finden. Namentlich sind des Letzteren Randzeichnungen zu des Erasmus „*Laus stultitiae*" ein Beispiel dafür, wie denn auch selbst in den Holzschnitten zu Fischarts „Gargantua" bei aller Roheit oft eine wahrhaft humoristische Auffassung sich zeigt; so z. B. in dem zu der „Trunkenen Litanei", jenem Kapitel, in welchem ein wahrer Sturm von Wein- und Sangeslust daherbraust, wo die Gäste neben ihren gewaltigen Humpen doch so tief melancholische Gesichter machen. Entgegengesetzt der Auffassung der Genannten hebt der Haupthumorist der Engländer, Lorenz Sterne (indem wir Swift mehr zu den Satirikern rechnen), in seinem „Tristram Shandy" und in „Yoriks empfindsamer Reise" alle irdischen Verhältnisse durch eine bis ins einzelnste Detail eingehende wahrhaft mikroskopische Darstellung hervor, in welcher ihm die hauptsächlichsten deutschen Humoristen, wie Hippel, Jean Paul, Hoffmann, Chamisso u. s. w., zum Teil gefolgt sind.

Berlin. Dr. A. Berghaus.

Pia de Telomei.

Il n'y a pas que les oiseaux, qui volent avec des plumes. Alph Karr.

Herr Dr. Ernst Eckstein ersteigt gelassen und stetig eine Ruhmessprosse nach der andern. Er ist Lyriker, Novellist, Humorist, Romancier; die gelesensten Blätter schlagen sich um seine Mitarbeiterschaft; und nennt man die höchsten Zeitungshonorare, so werden auch die seinen genannt. Das Alles ist erklärlich. Er verfügt über eine glänzende Form, sowohl in gereimter, wie in ungereimter Sprache; der Strom seiner Erzählung fließt breit, stolz und behaglich, gleich den majestätischen Wogen des „Mechasebe", wie ihn Chateaubriand buchstabiert. Er ist ein großer Gelahrter vor dem Herrn; Hellas und Rom haben keine eleusinischen, noch anderweitigen Mysterien für ihn und wer seine Anmerkungen auswendig lernt, hat die Weisheit eines Niebuhr, Böttiger, Böckh, Oncken, Mommsen, und — sogar Beckers und Friedländers in sich gesogen.

Obwohl er ein Bewohner von Leipzig und Dresden, sind seine Hexameter (siehe des deutschen Professors und seiner Frau Eklogen und Idyllen) mustergültig; trotzdem es so nahe liegt, hält er sich doch den Sechsfüßlern fern, von denen es heißen könnte:

„Zu Weimar und zu Jena macht man Hexameter wie diese,
Aber die Pentameter sind noch viel abscheulicher!"

Auch ein wackerer Kämpe und Streiter ist er, wenn es gilt, gegen Missbräuche in der Schriftsteller- und Menschenwelt zu kämpfen. Nicht ohne Bedacht setze ich den Schriftsteller über den Menschen. Herr Ernst Eckstein toastet gegen Georg Ebers, und schreibt die „Claudier" und „Prusias", und wenn ein holdselig Mägdlein in Elb-Athen oder -Florenz arglos von einem Roman sagt: „Ach, wie jämmerlich, gräulich, langweilig", flugs zieht er in „Ueber Land und Meer" gegen dieses typische Kind zu Felde, nicht ohne zu bemerken, dass von Spielhagens „Uhlenhans" und nicht etwa von den „Prusiern" oder „Claudius" die Rede war.

Herr Eckstein hat auch Aehnlichkeit mit Molière und Shakespeare. Der Erstere schrieb bekanntlich auf sein noch immer hochwallendes Panier: Je prends mon bien où je le trouve; der andere Bruder in Apoll hat den ganzen Bandello ausgeraubt und Lustspiele, wie Dramen daraus gemacht.

„Der Stoff bedingt ein Kunstwerk nicht.
Es fragt sich, was daraus gemacht wird?
Es sei nicht Form nur ein Gedicht,
In der nichts Geistiges gedacht wird!"

Herr Dr. Ernst Eckstein hat einen „Stummen von Sevilla" geschrieben, dessen Hauptinhalt der Novelle „Filiberto" des bereits von Shakespeare so hart mitgenommenen Bandello (1480—1562) entlehnt ist. Dabei wäre nun nichts zu bemerken, denn warum sollte nicht Jovi erlaubt sein, was man — bovi erlaubt und nachgesehen hat. Aber man müsste doch in diesen Tagen des litterarischen Eigentums den Talmud befolgen, der da sagt: „Wer ein Wort, einen Gedanken im Namen seines Urhebers vorbringt, der bringt die Erlösung über die Welt!"

Indessen, es ist nicht zu verlangen, dass Herr Dr. Ernst Eckstein, der in Rom, Hellas und Numidien trotz Flaubert zu Hause, auch noch seine Zeit an Talmudstudien verschwende.

Einmal hat das Berliner Tageblatt Herrn Eckstein auf das Schonvorhandensein eines von ihm neubehandelten Stoffes aufmerksam gemacht, auch in den Carcergeschichten sollen Figuren vorkommen, die bereits in England verstorben, und zu denen er sein Mächtiges: „Steh' auf und wandle!" gesprochen.

Ich gestehe, dass mich die fremdartigen Stoffe, welche die Dichterwünschelrute Herrn Dr. Ernst Ecksteins so glücklich aufzufinden wusste, hie und da ein wenig beunruhigten. Wem begegnet es nicht, dass er auf der Straße einen Menschen an sich vorüberschreiten sieht, dessen Namen er gewusst, auf den er sich aber nun und nimmer besinnen kann. Er grübelt, quält sich, macht sich schlaflose Nächte: — ausgelöscht auf der Tafel seines Gedächtnisses ist das verhängnisvolle Wort. Wie ein Schwert — des Damokles hängt es über ihm. Wenn nun nicht Jemand eintritt und den Damokles nennt, wie in G. v. Putlitz's Posse, so ist es wohl das Klügste, man geht zu dem guten Unbekannten hin, falls man ihn wieder trifft und fragt: „Wie heißen Sie, mein Herr!"

Das tat ich denn auch, als ich jüngst Dr. Ernst Ecksteins „Pia de Tolomei" in „Ueber Land und Meer", reich und schön illustriert gelesen hatte. Mir kam die Dame so bekannt vor, nur wusste ich nicht, wie sie ursprünglich geheißen! Da schrieb ich denn einen bescheidenen Schreibebrief an Herrn Dr. Ernst Eckstein nach Dresden und bat ihn, mir zu sagen, auf welchen geschichtlichen Daten die schöne Erzählung beruhe. Ich hätte in Dino Compagni's „Cronaca fiorentina" geforscht, welche diese Zeit behandle, aber nicht einen der Namen der Novelle daselbst gefunden. Bekannt sei mir, wie jedem nicht ganz Ungebildeten, die Dantesche Terzine:

Io son la Pia.
Siena mi fé, disfecemi Maremma
Salsi colui che' nannellata pria .
Disposando m' avea con la sua gemma.

Darauf allein lasse sich aber eine so komplizierte Geschichte nicht bauen und ich würde ihm dankbar sein, wenn er sich herablassen wolle, mir seine Quelle zu nennen. Darauf erhielt ich von dem Romancier und Familienvater Zeilen ungefähr folgenden Inhalts: „Geehrter Herr! Ich bin verreist und weiß nicht, wo ich mich momentan befinde!" — Sapienti satis.

Rücksicht ist eine schöne Sache, doch zu Zeiten sind geboten goldene Rücksichtslosigkeiten.

Monate sind verstrichen. In Ueber Land und Meer erschien Pia als Novelle von Ernst Eckstein, ohne irgendwelchen Zusatz. Hat mein Brief den Verfasser stutzig gemacht, oder walten sonstige Umstände ob, jetzt geht eine Notiz durch die Blätter: Der Roman des Dichters der „Claudier" beruhe diesmal **nicht** ganz auf freier Erfindung, sondern es liege ihm Geschichtliches zu Grunde. Das finde ich seltsam. Liegen den Claudiern, Prusias etc. etc. keine geschichtlichen Daten zu Grunde? Sind die römischen Kaiser etwa Herrn Dr. Ernst Ecksteins freie Erfindung?

Die Sache verhält sich einfach so:

Pia de Tolomei, Novelle von Ernst Eckstein*), ist eine genaue Wiedergabe eines gleichnamigen Dramas

Pia des Tolomei.
Tragédie
en cinq actes, en vers de Charles Marenco.
représentée a Paris, le 31 Juillet 1855, sur le théatre imperial
par la Compagnie Dramatique
au service de S. M. le Roi de Sardaigne.
Distribution de la Pièce.

Renaud de la Pietra, mari de Pia	M. M. Rossi.
Tolomei, père de Pia	Tessero.
Hugues	Boccomini.
Un Châtelain	Borghi.
Un Soldat	Mancini.
Pia des Tolomei	Mde A. Ristori.
Une jeune fille	Elfrida.
Une villageoise	A. Borghi.

Six Châtelains.
L'action se passe à Sienne et dans les Maremmes.
Paris.
Michel Levy frères. Rue Vivienne 2 Bis
1855.

Dies ist der Theaterzettel. Das Stück enthielt eine Glanzrolle der Ristori und liegt mir in französischer, wie italienischer Sprache vor.

Ein Vergleich der beiden Handlungen nun wird mich jeder weiteren Kritik entheben. Es ist möglich, aber nach der ganzen Anlage der — glänzend geschriebenen — Ecksteinschen Novelle glaube ich es nicht, dass eine ältere Redaktion vorliegt, aus welcher sowohl der deutsche, wie der italienische Autor geschöpft hat. Wenn eine solche existiert, warum zögerte Herr E., mir, der ich ihm kein Fremder war, auf meinen höflichen Brief zu antworten.

*) Leipzig, Verlag von C. Reißner.

Hier folgt die Analyse beider Arbeiten:

Marenco.	Eckstein.
Akt I. Szene I. Rinaldo, vor seinem Freunde Hugues (Ugo), versammelt die Kastellane seiner sieben Maremmenschlösser. Siena marschiert aufs Neue gegen Florenz, in alter Fehde, und bedroht die Wälle von Colle. Rinaldo ist Sienas Führer. Er empfiehlt seine Burgen der Hut seiner Wächter. Niemand darf ohne seinen Geleitsbrief eingelassen werden. Er setzt Ugo mit allen Vollmachten als seinen Stellvertreter ein. Die Kastellane schwören Treue. Renaud erinnert an die glorreichen Tage von Montaperti, wo das stolze Haupt der Florentiner den Staub küsste und ruft den Herrn der Heerscharen an. Szene II. Renaud. Hugues. Hugues hofft, dass den Lorbeern von Montaperti sich die von Colle anschließen werden. Renaud glaubt das Gegenteil, und den Ausgleich des Glücks von damals durch die Niederlage von morgen. Es ist ein Bruderkrieg, kein gerechter Kampf. Die Kämpfer haben gleiche Kleidung, gleiche Waffen, gleiche Sprache. Viel lieber würde er die beiden Heere zu einer glorreichen, gerechten, siegreichen Sache führen.	In der zweiten Hälfte des 13. Jahrhundert herrscht Fehde zwischen Siena und Florenz. Der leidenschaftliche Leone della Pietra ist Capitano der ersteren Stadt. Er besitzt eine Reihe von Burgen und Schlössern. Sein herrlichstes Kleinod ist Pia. Er sieht ein, dass die Kämpfe für den Besiegten, wie den Sieger Unheil bedeuten. Seit dem Siege von Montaperto ist Siena stolz. Aber die Adelsfamilien beider Städte sind durch zahlreiche Familienbande verknüpft. Der Vater und Bruder Pias, Gregorio und Piero sind Guellen und daher Feinde Leones, ihres Gatten! Den Palazzo Tolomei hatten die siegreichen Florentiner niedergebrannt. — Nun stehen die Florentiner wieder bei Colle. Leone will ihnen entgegen. Er verhandelt indessen erst mit Ugo de Falconari, den er als Schirmherrn der Stadt und Verwalter zurückläßt. Diesmal wird man nicht so günstigen Kaufes davon kommen, wie bei Montaperti. Aber Leone ist auch eifersüchtig auf Pia. Er war früher ein lebenslustiger Kavalier, der die Frauen Toskanas nicht von der besten Seite kennen gelernt. Daher sein Argwohn. Auch die Beziehungen Pias zu ihrem Vater und Bruder ließen die Furcht vor Pia fast zu einer fixen Idee werden. Jede Ehrenbezeugung für den Gatten scheint ihm als eine Kränkung für Pia. Er beschließt, sich seinem Waffengefährten Hugo anzuvertrauen.
Erinnerst du dich, Hugues, des Kerkers von Karl von Anjou. Du warst dem Beile verfallen, denn du konntest nicht das Lösegeld bieten, das unendliche, das er forderte. Da kam ich, der Diktator von Siena, breitete ein schwarzes Tuch auf die Erde und bat mit flehender Stimme alle Bürger um ein Almosen. Sie wurden gerührt und ein Haufe Goldes erhob sich auf dem düstern Tuch. Nun verlange ich für deine Rettung den Dank; wache während meiner Abwesenheit über meine Ehre.	„Hugo", beginnt er, „ich muss dich heute zum ersten Male, seit du's gegeben, an ein Versprechen gemahnen. Damals, wie mir's gelang, dein teures Haupt, das schon den Henkern verfallen war, aus den Fesseln Karls von Anjou zu lösen, damals schwurst du mir Treue bis in den Tod." — Und er teilt ihm mit, dass er mit Zittern und Zagen in den Krieg ziehe, wenn der Jugendgenosse nicht über Ehre, Leben und Treiben Pias wache.
Hugues. Bist du nicht der glückliche Gatte des keuschesten Weibes. Du, und Verdacht... Rinaldo. Ja, Ich entehre sie durch den Verdacht. Aber ich bin eifersüchtig. Ich kenne die Frauen. Selbst an Pia zweifle ich. — Sie beweint ihren Vater, ihren Bruder, die wie alle Tolomei von Siena verbannt sind. Ihr Haus liegt in rauchenden Trümmern. Das sind die traurigen Folgen der feindseligen Parteien. Vielleicht klagt sie euch an, hasst den Gemahl, der nicht zur Partei des Vaters, des Bruders gehört.	Ich weiß, was du sagen willst; Pia ist rein wie ein Engel. Ich habe kein Recht an ihrer Tugend zu zweifeln — aber ich misstraue ihr.
Ugo freut sich dieser Möglichkeit im Stillen, sucht aber den Freund zu beruhigen.	Ugo schlug seltsam ergriffen ein, nickte und murmelte etwas Unverständliches in den Bart.
Szene III. Pia bringt dem scheidenden Rinaldo eine von ihr gestickte Degenschärpe und bittet ihn im Schlachtgewühl zu bedenken, dass auch die Besiegten Gattinnen haben. Sie empfiehlt ihm besonders, die Ihrigen, Vater und Bruder im feindlichen Lager zu schonen.	Pia will in den Speisesaal, wo ihr Gatte gerüstet steht. Sie weint nur um den, der sie zur Wittwe machen kann und sieht ihn im Kampfe. Doch Vater und Bruder treten ihr momentan zurück.
Er beklagt, dass, wo immer der Sieg sein würde, sie Besiegte zu beklagen haben wird. Für wen soll sie beten? Für den Triumph von Florenz oder Siena; für den Gatten, oder den Vater? Sie betet um Frieden; will aber Gott den Krieg, so wünscht sie den Gatten siegreich, Milde den Besiegten. Er sagt: Nicht ich habe das erste Signal zum Bürgerkrieg gegeben. Sie scheiden in langem Abschiedskusse.	Er sagt: du weinst, du zitterst für die Tolomei, für deinen Vater, deinen Bruder. Nicht wahr, als du heute früh drunten in der Kapelle kniestest, da erflehtest du von Gott den Sieg für die Florentiner? Gott ist mein Zeuge, aber du bist mein Ein und mein Alles! Bin ich noch eine Tolomei!? Er. Was ich vermochte, um diese Fehde zu hintertreiben, ist geschehen. Komm. Noch einmal muss ich dich küssen!
Szene IV. Ugo. Allein. Er liebte Pia im Stillen. Während ich im Gefängnisse schmachtete, flogst du, Rinaldo, in ihre Arme. Als meine Gefangenschaft dir nichts mehr nützte, befreitest du mich. Soll ich dir für das Leben danken, wo du mir den Frieden raubtest. Ich kostete dich nur Gold; du kostest mich mein Herzblut, die teuersten Gedanken meiner Seele. Ach, er ward zu meinem Unglück geboren. Die höchsten Ehren, die kriegerischen Triumphe, das Lächeln dieser himmlischen Schönheit, alles ist für ihn. Er hat mir alles genommen, nur nicht das Leben. Ich hasse ihn deshalb und muss stets Zeuge seines Glückes sein. Kann ich dir nicht Szepter und Lorbeer entreißen, so doch vielleicht den Gegenstand meiner Leidenschaft. Aber, wenn, wie er ahnt, irgend ein Groll in ihrem Herzen gegen ihn schlummerte?	Ugo de Falconari auf dem Söller. Er bedenkt sein ganzes Leben. Leone hat ihm überall den Rang abgelaufen. Er hatte sich, um die schöne Pia zu gewinnen, dem leichtlebigen, sorg- und arglosen Piero Tolomei angeschlossen. Bei einem Turnier kämpft auch er, Ugo, und da er in den Sand geschleudert ward, stößt Pia einen Angstruf aus. Deshalb und weil er in den Palazzo Tolomei zur Heilung getragen wird, glaubt er sich geliebt. Er gerät in Gefangenschaft. Durch Leones Vermittelung kommt die unerschwingliche Riesensumme, die Karl von Anjou beansprucht, zusammen! War's nicht besser, er wäre damals umgekommen? Sie wäre jetzt mein, hätte Leone nicht die Zeit meiner Haft benutzt, das Weib zu erobern, das von Rechtswegen mir gehörte! Aber, wär's nicht möglich, dass Pias Herz sich von Leone gewendet, dass sie Reue empfände? Er geht zu ihr.
Szene V. Ugo. Pia. Pia ist in Tränen. Er tröstet sie und beneidet den, für den sie fließen. Wie hat der ein solches Loos verdient? Er würde an ihrer Seite den Tyrannen, die Volkswut, den	Pia sitzt am Bogenfenster, Ermenegilda, ihre Tochter ist bei ihr. Er ist verwirrt. Es fällt ihm bei, dass sich heute ein neuer Knecht für den Marstall gemeldet. (Der Soldat

Neid, das Unglück, den Tod selbst, nicht fürchten.“

Er würde sie anbeten, den Saum ihres Kleides küssen.

Sie sagt, sie sei zufrieden mit der Liebe ihres Gatten, der sie liebt, so sehr er kann. Er erniedrige sich nie zum feilen Schmeichler.

Möge er nie zu Zweifel und Misstrauen gelangen! Und doch musste er, grade er Vertrauen zu einer Unvergleichlichen wie sie haben. Aber die Frauen hätten ihn in seiner Jugend zu sehr verdorben, er habe nur das Laster gekannt und nun glaube er nicht mehr an die Tugend.

Sie verteidigt ihren Gemal und begreift nicht, wie so er ihn, grade ihn, zum Mitwisser seiner Zweifel, zum Vertrauensmann mache?

Er beklagt sich, dass seine geheimen Leidensstunden kein Zeichen von Mitleid von ihr erlangen konnten! Wie lange brenne ich schon für dich. Wie verzehrt mich die Qual, dich in den Armen desjenigen zu wissen, der mir alles geraubt. Warst du damals nicht weniger grausam, bei jenem Turnier, als die Lanze meines Gegners mich verwundete, und ein Schrei sich deinem Munde entwand. Die Rosen deines schönen Antlitzes erblassten! Sie verwünscht ihr unzeitiges Mitleid und bedauert, dass eine ehrbare Frau es nicht ungestraft zeigen könne; dass er so Freundschaft mit Trug vergelte!

„Ist denn dein Hass so stark?“

„Mein Hass? Ich kann nur lieben oder verachten.“

„Du beleidigst mich.“

„Auch du mich. Wer mich verführen will durch Schmeichelworte, beleidigt.“

„Du hast mich schwach gesehen, fürchte einst meine unerbittliche Rache. Ich werde die Augen in Tränen ertränken, die mir jetzt so unheilbringend sind, dein Stolz wird im Unglück untergehen. Ich werde dich zwingen, noch der Tugend zu fluchen!“

„Das kannst du nicht!“

„Dir die Liebe deines Gatten rauben!“

„Elender! Wer aber raubt ihm die Meine!“

„Dich in seinen Augen strafbar zeigen!“

„In Gottes Augen werde ich schuldlos sein!“

„Fürchtest du nicht die Unehre?“

„Ich fürchte die Schuld!“

Akt II.

Hugues. Rinaldo.

Hugues gehorcht der Dankbarkeit und verrät dem Rinaldo, dass Pia strafbar sei. Dieser kann es nicht glauben und wünscht, Hugues sei bisher ein Lügner gewesen, damit er ihm nun nicht im Bewusstsein von dessen Treue glauben müsse. Hugues bittet ihn, „seinen eigenen Augen, nicht seinen Worten zu vertrauen. Wäre es nicht besser blind zu sein?“ sagt Rinaldo.

„Ich traute meinen eigenen Augen kaum.“ Einst wird sie dir ablügen mit Schmeichelworten, was du gesehen hast. Dann wirst du, wird sie alle Schuld und alle Strafe auf den treuen Freund fallen lassen.“

„Und hast du dich nicht getäuscht. Hat wirklich Pia, mein Weib, nächtlicherweile einen Mann geheimnisvoll in ihr Schlafgemach geleitet?“

„Ich sah. Der Mond schien. Der Himmel war heiter!“

„O glücklich, die bei Colle Gefallenen, die unser Unglück nicht sehen. Der Ruhm von Montaperti ist in Rauch aufgegangen. Und ich lebe noch in der allgemeinen Schmach und der meinen.“

Mitten in der Feldschlacht, mitten in unserer Flucht gedachte ich ihrer, Pia's, floh, um sie nicht in ewiger Wittwenschaft zu lassen. O, dass ich gefallen wäre!“ —

„Beruhige dich, schwöre mir, nie ihren Verräter zu verraten. Schwöre mir auch, sie still zu beobachten, ohne dein Schwert zu ziehen. Du liessest mir die Sorge um deine Ehre, lass mir die deiner Rache.“

Sie verstecken sich hinter den Ruinen des Hauses der Tolomei.

Pia, allein. Hier erwart' ich dich, Bruder, der du mich zu sprechen wünschtest. Ich gehorche dir, obwohl du, weil du exilirt bist: Was sind mir die vergänglichen Gesetze Siena's gegen die ewigen meines Herzens. O komm, eile dich; ich erwarte dich mit Ungeduld. Mein Gatte ist fern, ich brenne vor Begierde, von dir die Entscheidung der Schlacht zu hören. Unheimliche Gerüchte .....“

(Zwei Degenschläge gegen einen Helm.) „Es ist das Signal!“

Ein Soldat, ganz gewaffnet, in einem Mantel.

„Pia!“

„Gauthier!“ Er eilt ihr entgegen, sie küssen sich.

Pia, argwöhnisch: „Ich sehe dich nach fünf Jahren wieder, gewaffnet, vermummt, stelle mir schlecht meinen Bruder vor.“

Er sagt ihr, dass seine Partei gesiegt habe, ihr Mann bald Verbannter sein wird, sie solle ihm zu ihrem Vater folgen.“

„Grausamer. Das nennst du Liebe!“

„Komm!“

bei Marenco.) Er will ihn anstellen. Er spricht mit Pia und der Kleinen. Der Stallknecht ist mit bei der Schlacht bei Colle gewesen. Ugo sagt Pia, er sei von Leone zum Aufseher ernannt; aber ein Mann, der an einem solchen Weibe zweifle, entehre diese Frau.

Pia sagt, so könne Leone nicht von ihr geredet haben.

Madonna, ihr wusstet, dass ich euch liebte, über alle Beschreibung. Ihr liebtet mich wieder und reichtet dennoch dem glänzenderen Capitano die Hand.

Ihr seid von Sinnen.

Entsinnt euch jenes Turniers, wie ihr aufschriet, als mich die Lanze traf.

Ihr sprecht im Fieber. Wenn ich den Freund Leones blutüberströmt am Boden sah, durfte das Mitleid nicht zum Worte kommen? Wie schlecht lohnt ihr ihm seine Freundschaft.

Er beschimpft den abwesenden Krieger und Gemahl.

„Schweigt!“ ruft Pia. „Sonst hasse ich euch wie die Pest!“

„Ihr werdet mein, Pia, oder das Unheil schlingt euch hinab. Eine Rache ersinne ich, schrecklicher als alle Qualen der Hölle.“

„Ich raube euch seine Liebe! Und den Rest des Glaubens an euch!

Der Hass ist erfinderisch!“

(Er stürzt ab.)

Hugo macht inzwischen aus dem von Colle retirierten Stallknecht, dessen Stimme Aehnlichkeit mit der Pias hat, einen Bruder, Piero, Pias. Hugo verfasst einen Brief in der Handschrift Pieros, der Pia veranlasst, Nachts in den Garten ihres Palazzos zu kommen, um den teuren, langentbehrten Bruder noch einmal zu sehen.

Der Capitano von Siena kommt unterdessen auf seinem Rückzuge in die Nähe der Stadt. Ugo reitet ihm entgegen. Er sagt, es sei ein unglücklicher Tag gewesen, der, an dem er den Spion zu spielen übernahm.

Also gesehen! Mit eigenen Augen gesehen! Ich will mit dem Schwert in der Faust . .

Nein .... Schwöre mir dich ruhig zu verhalten, beim Stamme des Kreuzes.

Wie ein duftiges Netz, von Silber und Schnee gesponnen, glänzte es über den Dächern.

Nun naht Pia an der Palastmauer und harrt des vermeintlichen Bruders Piero.

„Wie hab' ich diese Pia geliebt!“ seufzt Leone. „So lohnt sie meine Liebe!“

Unwillkürlich tastet er mit der zitternden Hand nach dem Schwert, so dass ihn Ugo erschrocken an seinen Schwur gemahnt.

Er sieht, wie die Seitenpforte aufgeht, klirrt, wie sich Pia an den Hals des — Rivalen wirft. Sie flüstern, sie drängen sich aneinander.

Hernach wandte sich der Vermummte dem Ausgange zu.

„Lass mich. (Im Hintergrunde sieht man Hugues und Rinaldo, diesen die Hand am Degen.)

Pia bedauert, dass, wer in Siena immer siege, ihr das Exil die Teuersten nehme.

Renaud und Hugues.

„O, ihr sollt euch niemals wiedersehen!" (Die Hand am Degen.)

„Du hast dein Schwert im Blut der Tapfern geweiht, willst du es jetzt besudeln? Lass einer dunkeln Hand die Rache."

„Ja, ich will mich rächen! O, wie sie aufgeregt war. Wie sie ihn erwartete. Wenn sie ihn nicht zu sich eingeführt, so war es nicht Scham, nein Furcht! Vieles hab' ich nicht gehört. Sahst du, wie sie ihm bald Vorwürfe machte, bald ihn zurückstieß?"

„Vorwürfe und Streit ist der Liebenden ganzes Leben!"

„Wie oft wollt' ich mein Schwert ziehen und blitzend auf sie niederfahren. Mehr als dein Arm, hielt mich mein Schwur zurück und mehr noch eine geheime, dumme Furcht."

„So glaub nun deinen Augen. Komm, lass uns eine Rache aussinnen!"

Sah ich's denn wirklich, was ich nicht hörend glauben wollte. Bin ich nicht der Spielball einer Illusion. Wurde denn dem Menschen ein treueres Instrument, als seine Sinne, um die Wahrheit zu ergründen. Und trügt uns die Natur, so ist die ganze Welt nur Lüge. Hat mich die Hölle irrgeführt? oder ein Verräter? du!" Hugues!

„Ich wusst' es ja!" —

III. Akt.

Ein altes Maremmenschloss.

Rinaldo hat Pia in diese Einöde geführt.

Pia. „Du verbirgst mir eine nagende Sorge. Du giebst mir nur kurze, unterbrochene Antworten. Und der Himmel ist mir doch süß mit dir und die Luft heiter, welche du an meiner Seite atmest. Und doch quält auch mich der Gram um das verlorene Vaterland.

Du weißt doch, dass uns die Konsuln die Hoffnung eines ehrenhaften Vertrags gegeben?

Was ist der Grund deines Unmuts?"

„Pia," sagt der Gemahl. „Ich liebte dich wahnsinnig, seit deiner Kindheit. Alles war nur eine lange Illusion. Du hast mich verraten. Hier, in der Einsamkeit des Maremmenkastells, sollst du büßen ....."

Pia: „Diese Eifersucht, die-

Leone ist verzweifelt. Hätte er ahnen können, hätte ihm ein guter Engel zugeraunt: Pia de Tolomei weint um Dich, um die Niederlage des Heeres, um das Schicksal der Republik. Endlich geht der Soldat ab.

Der Capitano ächzt auf. Der Freund zwingt ihm abermals äußere Gelassenheit auf: „Heute noch sollst du erfahren, was ich als Strafe des Frevels mir ausgedacht."

(Bei Eckstein wird hier der falsche Piero, der Stallknecht, von Ugo mit zweihundert Scudi über die Grenze befördert.)

Die gute Pia folgt ihrem Gatten willig, Ermenegilda zurücklassend, in ein trauriges Kloster.

Pia: „Du scheinst recht sehr in Gedanken, Leone. Stört es dich, wenn ich versuche, dich aufzuheitern? Ich weiß ja, das Missgeschick deiner Heimat liegt dir bang auf der Seele! Sieh, der Tag ist so schön und leuchtet so frühlingsklar!"

(Der Vertrag mit Florenz und somit der Friedensschluss ward in der nämlichen Woche unterzeichnet.)

„Hab' ich dich unwissentlich gekränkt?"

„Pia," sagt Leone, der die arme Pia nun auf ein ödes und höchst ungesundes Maremmenschloss gebracht: „Die Komödie geht nun zu Ende. Deine Schuld ist enthüllt. Du wirst dies ver-

sen Wahnsinn, flößt dir Hugo ein ...."

„Du fürchtest seine Freundschaft, weil sie nicht treulos wie deine Liebe war. Mit wem hattest du jenes Zwiegespräch in der Nacht!"

„Gauthier war's, mein Bruder!"

Renaud (ironisch): „Dein Bruder fiel bei Colle, bei dem ersten Angriff!"

Pia, sinkt vernichtet auf einen Sessel. Sie beschwört ihn bei ihrer einstigen Liebe. „Du wagst sie heraufzurufen. Keine Spur soll von ihr bleiben!" (Er will ihr den Trauring entreißen.)

„Schone wenigstens, was dich mehr an mich kettet!"

„Was denn?"

„Unsre Tochter!"

„Ich trenne die Unschuldige auf ewig von dir!"

Pia. Er hat mich verstoßen. (Horchend.) Schon trägt ihn sein Zelter weit. Wer soll mich hören in dieser Stille!?

ödete Schloss nicht wieder verlassen.

Freunde haben mir angedeutet, was in meiner Abwesenheit vorging. Ich habe gesehen, wie schurkisch du mich verrätst."

„Du bist das Opfer eines schnöden Betrugs. Der Mann, den du bezeichnest war — mein Bruder, Piero, der vor Sehnsucht verging, nach so unendlicher Trennung mich wiederzusehen!"

„Gut erfunden!" rief er mit verzweifeltem Hohn. „Piero, der so in aller Unschuld sein teures Schwesterchen herzte, war schon beim ersten Zusammenstoß am Tage zuvor gefallen!"

Pia fühlte, wie ihr aller Halt entschwand. Seit langen Jahren hatten sie doch in seligster Herzensgemeinschaft gelebt!

Sie umklammert ihn mit zitternden Armen.

Ächzend glitt sie zu Boden.

„Mein Kind, Ermenegilda, soll ich sie auch nicht wiedersehen?"

„Sei unbesorgt! Ich werde sie hüten, damit sie dereinst ihrer Mutter nicht ähnlich werde!"

So sprechend überschritt er die Schwelle. Langsam schob er den wuchtigen Riegel vor.

Hiernach bestieg Leone seine Burrasca.

Sie betet: Rette mich, Herr!

Nun tritt durch eine Seitentür Ugo ein.

„Ich!" sagt Hugues. „Den du für deinen Bruder nahmst, war ein elender Söldling. Ich habe ihn stumm gemacht. Ich bin bereit, selbst mein Werk zu zerstören und dich mit deinem Gatten auszusöhnen." Sie solle ihm folgen — aus dem Schlosse ziehen . . . Sie will seine Lügen nicht: könntest du mich auf den höchsten Ehrenthron der häuslichen Tugend wieder einsetzen und eine Lüge wäre dabei, so wollte ich nicht!

Es ist im Himmel ein Auge, welches des Lebens düstre Abgründe durchdringt und eines Tages Licht und Wahrheit bringt.

„Der Retter ist nahe!" sagt Hugo. Er zeigt ihr einen Brief von sich an Leone: „Deine Gemahlin ist schuldlos. Jener Unbekannte war von mir gedungen. Er hat Toscana verlassen. Ich fliehe nach Palästina etc."

Dieser Brief soll Pias Unschuld beweisen, wenn — sie sich ihm einmal hingiebt.

„Meint ihr, das Glück ließe sich durch die Schande erkaufen.

Und endlich, endlich wird Gott dem Betrogenen die Augen öffnen."

Nach ziemlich gleichartigen Pourparlers dringt Ugo und Hugues auf Pia ein. Diese schwingt sich auf einen Söller.

„Du hast keine Macht über meine Seele! Ich kann noch diese arme Hülle zerbrechen!"

Hugo tritt bestürzt zurück: Tugend, du bist doch kein leerer Name!

Akt IV.

Rinaldo. Ein Mädchen.

„Mein Kind! Du bleibst mir allein!"

„Mon père! Padre!"

Die Schönheit des Kindes erinnert den Vater an Pia.

Nun kommt der alte Tolomei.

„Einen Schritt noch und ich finde hier den Weg in die Freiheit!"

Er verlässt das Zimmer. So mächtig sind die Regungen selbst in der Brust des Gewissenlosen.

Der Capitano war all die Zeit mit Ermenegilda allein gewesen.

„Vater!" flüsterte Ermengilda, sich heranwagend.

Das war der nämliche Duft, der ihm so oft aus Pias Blondhaar entgegen gestiegen.

Er will sehen, ob er nur den Tod seines auf dem Schlachtfelde gefallenen Sohnes, oder auch das ungekannte Grab einer geopferten Tochter zu beweinen habe?

Renaud sagt, er solle sein verbrecherisches Blut verfluchen und jenen Instinkt, der die Bösen veranlasst, ihre Rasse zu verewigen, wodurch die Erde zu eng für die Guten werde.

Pia sei eine Ehebrecherin.

Es scheint ihm, als ob Hugues noch seinen Arm zurückhalte, wie damals.

„O Hugo, wo bist du!“ ruft Rinaldo aus. „Dass ich deinen treuen Mund nicht hören kann!“ (Man hört ein Wimmern und Ächzen.)

„Und ist dein Freund so treu?“ fragt Gregorio.

„Er hat mir sichtbare Proben gegeben;“

„Und doch irrt er umher, wie von Gewissensbissen gepeinigt, in die dunkelsten Wälder sich verkriechend, scheu, wenn ihm jemand naht. Wo der Apenin sein zerklüftet Haupt erhebt, am Rande der Abgründe, weilt er, unstät ...“

„Sagst du die Wahrheit?“

„Man hat ihn im bärenen Gewande gesehen. Ich begegnete ihm einst im Thale von Arbia, er erbleichte, sank in die Kniee, er zerriss sein Wams, erschien im eisernen Kriegergewand und schrie „Gottesgericht!“

„Ich kämpfte mit ihm und Gott gab dem alten und schwachen Unschuldigen Kraft. Doch was rede ich: lies!“ —

Renaud: „Unseliger! Was thut ich?! O Verrat! Mein Weib unschuldig! Wie war ich hart und grausam!“

Auf Befehl Gregorio's wird Hugo verwundet hereingetragen. Er fürchtet nicht mehr die Menschen, er, der vor seinem Richter steht! Die Schande war größer als seine Reue.

Renaud stürzt sich auf ihn. „Diese Wunde ist zu langsam, dein Verbrechen zu sühnen.“

Hugo: „Ich komme dir zuvor ... Ah, meine Reue stirbt nicht in meinem Blute!“

Renaud: „Ich fliege zu dir, o mein Weib.“

Tolomei: „Wenn wir nur nicht zu spät kommen!“

Akt V.

Pia, von den Maremmendünsten schon halb verzehrt, lässt sich vom Kastellan ins Freie geleiten. Er sagt, er nehme den Himmel zum Zeugen, dass er nicht für das Henkeramt geschaffen sei. Er will nach Siena gehen und dem Herrn sagen, er sei Soldat, und es sei eine Schmach ihn zu dem

Leone findet an der Piazza ein Dutzend fiebernder Landleute, die sich anschickten, am Brunnenrande zu übernachten. Er wird weich, denkt an Pia, lässt einen Arzt holen und ihnen ein Nachtlager verschaffen.

Der alte Gregorio schreibt, er habe von Pia nur Unbestimmtes und Rätselhaftes vernommen. Er will wissen, was mit ihr vorgeht. Die politische Lage ist nun geklärt; doch seit dem Tode Piero's ist seine Sehnsucht nach Pia noch mächtiger.

Leone überlegt: Nein! Das Weib, das ihn entehrt, getäuscht, soll von der Erde hinweggetilgt werden, wie ein giftiges Kraut.

Er beobachtet noch einen an der Malaria Erkrankten und begiebt sich dann auf die Jagd, einen mythischen Keiler zu erlegen! Nachdem der erymantische Eber von Monte Cespino getötet ist, vernimmt Leones Ohr plötzlich einen seltsam gepressten Laut, den verlöschenden Klang einer menschlichen Stimme, die stöhnend um Hülfe ruft. Und der Ruf tönt dreimal.

Der suchende Leone findet den mit Blut überströmten Ugo di Falconari. Der Keiler hatte ihm den Leib aufgeschlitzt.

„Fort!“ schreit Ugo. „Rühr' mich nicht an. Du entweihst deine Hand. Du entehrst dich! Ich! Dein Freund? Dein Mörder bin ich, der Mörder Pia's, den Gottes gerechter Zorn jetzt gefällt hat.

Ich fälschte einen Brief.

Der Unbekannte — sie hielt ihn für Piero. —

Dein Weib ist unschuldig. —

Ugo verlässt eilig die Jagdgesellschaft, um nach dem Maremmenschloss zu reiten. Ser Grimaldo, der Schlossvogt, ist bei Pia. Sie ist im Verlöschen. Der Vogt hat dem Herrn schon einen Brief geschrieben: Er könne das Elend nicht länger mit ansehen, sie sei keine Frevlerin, sondern

grausamen Dienst zu gebrauchen. —

Sie sieht in der Ferne eine Bäuerin, die an einem Grabe kniet. Sie lässt sie kommen, als Genossin ihres Elends. Sie erzählt, dass ihr Mann hier den Boden bearbeitet um Brot zu verdienen und dass ihn die Fieber-Ausdünstungen getödtet. (Genau so beschrieben wird der arme Kranke bei Eckstein. Leone sieht ihn an, denkt an Pia und sendet ihn den Arzt.)

Pia will die Verwünschungen der Armen auf ihr Haupt nehmen. Sie schenkt der Frau ihre letzten Schmuckgegenstände.

Sie klagt dann wild und feierlich und beteuert ihre reine Unschuld. Die Lüge hat sie vernichtet und ihre reine Frauenehre.

Rache! O gerechter Gott.

Nein. Sie verzeiht. Sie nimmt Abschied von der traurigen Stätte. Wenn die Bäuerin nächstes Jahr hier kniet, erinnere sie sich ihrer.

Ricorditi di me, che son la Pia. Siena mi fe'; disfecemi, tu'l vedi Questa fatal Maremma.

eine Heilige. Sie schleiche herum wie ein Schatten, er kenne die Malaria und wie man ihre Anfälle bezwinge, wisse er. Aber bald würde es zu spät sein. Er solle kommen.

Renaud-Leone kommt, doch Pia stirbt in seinen Armen.

Ich habe dieser vergleichenden Zergliederung nichts hinzuzufügen. Sollte ich mich geirrt haben und eine „geschichtliche Ueberlieferung“, eine „ältere Redaktion“ zu Tage gefördert werden, so will ich es machen wie die frommen Väter, die der katholischen Kirche das etwa gegen sie in ihren Schriften Gesagte demütigst abbitten.

Sonst aber halte ich dafür, dass, wenn man eine Geschichte der „Vie parisienne“ für eine „Pariser Geschichte“ benutzt, man eben so sehr verpflichtet ist, das Werk im Namen seines Autors und Urhebers vorzubringen, als bei einer zwar schon Domaine public gewordenen 30—40 Jahre alten Tragödie. Besonders wenn man am Tag nach einer zu Aller Schutz, Nutz und Frommen abgeschlossenen Weltrechtsgesetzgebung für litterarisches Eigentum lebt. Diese Weltrechtsordnung dürfen wir umso weniger verletzen, je geringer unser Anteil an der eigentlichen Initiative war. Ich halte dafür, dass auch nicht viel damit getan ist, wenn man, wie unsere Dutzendbelletristinnen für Feuilleton-Romane, sagte: „Nach einer älteren Idee“ oder „nach dem Französischen, dem Englischen“, ohne Namensangabe! Der heute unbekannte und vergessene Charles Marenco hat so gut nach einem Zweige unsterblich machenden Lorbeers gestrebt, als Herr Eckstein und wir Alle; sein Drama ist voll hoher und herrlicher Ideen und Aussprüche, und Alfieri könnte diese Sprache ganz wohl zeichnen.

Ich glaube, dass das Stück recht aufführbar ist und würde es sofort übersetzen, wenn sich vorher ein Bühnendirektor meldete, der sich verpflichtet, es zu geben.

Ich bin auch nicht der Ansicht des frommen Herrn A. de Pontmartin, der in seinen „Memoires de seconde jeunesse“ sagt, die Rivalin der Rachel, die Ristori, habe in erbärmlichen Stücken, dans des pièces éxécrables, wie unser Stück, gespielt! Es schien doch gut genug, um noch eine recht — erfolgreiche Novelle abzugeben. Das Drama war die kunstreich gefügte Melodie, die man mit gelehrten Fiorituren verschnörkelte. Das Drama war das festgefügte Haus, das man mit etwas Arabeskenkram und mittelalterlicher Stuckarbeit bekleidete.

Es wäre schön gewesen, durch Nennung des Namens des Urhebers, des Komponisten oder Architekten, die „Erlösung über die Welt“ zu bringen.

Berlin. Alfred Friedmann.

Ein moderner Dramatiker.

Von H. Freistett.

(Schluss.)

In Offenbach, demselben Offenbach, in dem der junge Goethe so heitere Tage verlebte in schönster Geselligkeit (cf. Wahrheit und Dichtung. 17. Buch), wurde jenes Pamphlet in einer geheimen Offizin gedruckt und von da aus überall im Lande verbreitet. Das Unternehmen sollte, nicht nur für viele seiner Freunde, sondern auch für Büchner selbst, verhängnisvoll werden. Ein schurkischer Denunziant brachte das Geheimnis aus und zwei Freunde Büchners wurden gefangen gesetzt. Dieser selbst wurde in eine Untersuchung verwickelt, doch ging er, da man nichts Kompromittierendes bei ihm fand, frei aus. Immerhin fanden es seine Eltern, die von alle dem, wenn auch durchaus ungenügende, Kunde hatten, für geraten, ihn nach Darmstadt zu berufen. Im September 1834 leistete er ihrer Aufforderung Folge. In Darmstadt angekommen, begründete er daselbst sofort eine „Gesellschaft der Menschenrechte“. Aber von vornherein fühlte er sich hier nicht sicher. Zudem war er seinem Vater gegenüber, welcher von den politischen Neigungen und Bestrebungen Büchners eine Ahnung haben mochte, in ein schiefes Verhältnis gekommen. So dachte er daran, sich aus dieser unerquicklichen peinlichen Lage so bald als möglich zu befreien. Er warf sich daher mit Eifer, mit fieberhafter Aufregung auf seine naturwissenschaftlichen Studien. Die Hauptarbeit jener unruhigen Tage aber, ihre bedeutsamste, großartige Frucht war sein Drama „Dantons Tod“, für das auch die naiv-lakonische Vorrede zu seinem späteren Lustspiel „Leonce und Lena“ Geltung hatte. Sie heißt: Alfieri: „e la fama?“ Gozzi: „e la fame?“ — Er wollte mit diesem Werke Mittel gewinnen, sich aus seiner unausstehlichen Lage zu befreien. — An Gutzkow schrieb er später: „Für Danton sind die Darmstädter Polizeidiener meine Musen gewesen.“ Eine eigenartige Spezies von Musen, aber nicht unmodern! — In der Tat: Büchner wurde damals fortwährend von der Polizei beobachtet. Durch die obenerwähnten Denunzianten war auch er der Regierung verdächtig gemacht worden. Wenn er zum Fenster seines Arbeitszimmers hinaus blickte, konnte er unten die Polizei auf- und abspazieren sehen. Unter diesen Verhältnissen, die durch beständige Nachrichten von Verhaftungen seiner Freunde ins Unerträgliche gesteigert wurden, kam nun sein Drama zu Stande. Tag und Nacht kam er nicht vom Schreibtische hinweg. Kaum dass er sich Zeit zum Essen gönnte. Am 24. Februar 1835 lag das Werk endlich vollendet vor ihm. Sein Bruder Wilhelm brachte es zur Post. Auf dem Titelblatt stand nichts als: „Dantons Tod! Ein Drama.“ Seinen Namen hatte er gänzlich verschwiegen. Er hatte die Sendung mit einem Begleitschreiben, das uns ein erschütterndes Zeugnis seiner damaligen Lage giebt, an Karl Gutzkow addressiert. Dieser nahm es begeistert auf und ließ es in Gemeinschaft mit E. Duller, der das Werk in einer unverantwortlichen Weise verstümmelte und mit einem höchst geschmacklosen Titel versah, bei J. D. Sauerländer in Frankfurt a/M. erscheinen. Gutzkow führte es außerdem mit einer glänzenden Kritik in die litterarische Welt ein.*)

Unterdes war in dem peinlichen Zustand Büchners eine entscheidende Wendung eingetreten. Am 27. Februar wurde er vor das Untersuchungsgericht im Darmstädter Arresthause geladen. Er wusste, was dies zu bedeuten hatte. Durch die Geistesgegenwart seines Bruders Wilhelm, der für ihn der Vorladung Folge leistete, sowie durch die wohlwollende Nachsicht des betreffenden Beamten, gewann er einigen Aufschub, den er benutzte, um seine Flucht ins Werk zu setzen. Nur Wilhelm und seine Mutter wussten von Georgs Vorhaben und unterstützten es. Der Vater sagte sich in Folge der letzten Ereignisse von ihm los. Büchner sollte seine Familie nicht wieder sehen.

Zunächst wandte er sich nach Straßburg, wo er mehrere Gesinnungsgenossen, die gleich ihm geflohen waren, antraf. Ende März empfing er von Sauerländer hundert Gulden Honorar, die ihm mit den heimlichen Sendungen seiner Mutter den Aufenthalt in Straßburg ermöglichten.

Allmählich erholte er sich hier nun von den furchtbaren, fast übermenschlichen Aufregungen des letzten Darmstädter Aufenthalts. Alte Freunde fand er wieder. Vor allem fühlte er sich glücklich im Familienkreise des Pastor Jaeglé. Mit Minna hatte er sich im Laufe der letzten Zeit verlobt. Eine Sicherheitskarte, die man ihm vom Präfekten verschaffte, gewährleistete ihn den Schutz der Regierung gegen Verfolgung. So fand er Ruhe und Sammlung

*) Phönix, Frühlingszeitung für Deutschland. Nr. 162, Seite 645—646.

zu neuer Arbeit. Zunächst warf er sich mit vollem Eifer auf die naturwissenschaftlichen Studien unter Anleitung von Duvernoy und Lauth, denen er schon bei seinem ersten Straßburger Aufenthalt viel zu verdanken hatte. Auch die Philosophie betrieb er; eingehender jetzt, als damals in Gießen. Er beabsichtigte sich in Zürich als Privatdozent der Naturwissenschaften und Philosophie niederzulassen. Nebenbei beschäftigten ihn Uebersetzungen und andere kleinere litterarische Arbeiten. Außerdem fand er Zeit sich das Englische anzueignen. In der „Deutschen Revue“, dem Organe des „Jungen Deutschland“ erschien damals auch seine Novelle „Lenz“,*) die in diesen Tagen entstanden war.

Im März 1836 war seine Dissertation fertig gestellt. Es war eine Abhandlung „sur le système nerveux du barbeau“. Die Straßburger gelehrte Gesellschaft für Naturwissenschaften, bei der sie hohen Beifall fand, nahm sie in ihre Annalen auf.

Außerdem präparierte er sich auf eine Vorlesung über „die philosophischen Systeme der Deutschen seit Cartesius und Spinoza“. Auch entstand in diesem Sommer außer anderen dramatischen Arbeiten, das mehrfach erwähnte Lustspiel „Leonce und Lena“.

Auf seine Abhandlung hin, die er nach Zürich geschickt hatte, empfing er im September das Doktordiplom der philosophischen Fakultät und reiste am 18. Oktober 1836 nach Zürich ab. Seine Probevorlesung „Ueber Schädelnerven“ fand allgemeinen Beifall. Oken und Arnold fällten das günstigste Urteil über sie und nahmen sich eifrig des jungen Dozenten an.

Ueber seine litterarisch-ästhetische Tätigkeit in Zürich lässt sich weiter nichts mit Bestimmtheit sagen, als dass er „Leonce und Lena“ mit zwei anderen unbekannt gebliebenen Dramen herausgeben wollte. In seinem Nachlass fand sich außer „Leonce und Lena“ und dem Bruchstück eines bürgerlichen Trauerspiels „Vozzeck“ nichts Dramatisches weiter vor. Ein weiteres Drama, dessen er einmal Erwähnung tut, wird wohl das Schicksal des Florentiners Pietro Aretino behandelt haben. Seine litterarischen Pläne sollten aber nicht mehr zur Ausführung kommen. Die ungemeinen Anstrengungen der letzten Zeit riefen ein Nervenfieber hervor, mit dem er vom 2. Februar 1837 bis zum 19. Februar rang. Der sorgsamen Pflege seiner Freunde gelang es nicht ihn zu retten. Am 21. Februar, sechs Tage nach der Beerdigung L. Börnes, wurde Georg Büchner in Zürich unter der „Deutschen Linde“ auf dem Zürichberge beerdigt und ihm daselbst ein Denkmal errichtet. Büchner starb in einem Alter von dreiundzwanzig und einem halb Jahren.

Hier in allergröbsten Umrissen der Lebenslauf eines deutschen Dichters dieses Jahrhunderts, dem, wie viele andere ihm congeniale Geister die Schmach seines Vaterlandes in der Blüte seiner Kraft hinwegraffte. Ferner aber: wer fühlt nicht, wenn er auch nur einen Hauch modernen Geistes in sich spürt, wie ihm das Herz schlägt angesichts der Entwickelung dieses Jünglings? In der Tat! Ein echt moderner Dichter! — Man giebt sich jetzt in unserer Litteratur so viel mit der methode expérimentale ab: wollte man sich doch den großen Genien unserer letzten Litteraturepoche, diesen zerschmetterten Titanen des modernen Gedankens liebevoll zuwenden! Wollte man sich den Geist eines Hebbel, Grabbe, Ludwig, Kleist, eines Büchner in Fleisch und Blut übergeben lassen, wollte man hier erkennen, wie deutscher Geist die Konflikte der Zeit und ihre Probleme erfasst, durchkämpft, künstlerisch verarbeitet und gestaltet! Nichts ist törichter, als eine neue Litteraturepoche nach Analogien heraufzuführen! Geschieht es namentlich seitens schöpferischer Geister, so ist das ein Zeichen von Impotenz.

Aber doch möchte man sagen: Büchner ist geradezu typisch mit seiner Entwickelung, seinem Schaffen für einen modern deutschen dramatischen Dichter. Das sagt uns nicht der kalt wägende Verstand: das predigen seine Werke unseren Herzen mit feurigen Zungen! Will man sehen, wie ohne kokettes Hinschielen nach allerlei Autoritäten ein Genius autochthonisch aus eigener Kraft, nur und ganz von den Entwickelungsfaktoren der gegenwärtigsten Zeitzustände bedingt, sich entfaltet: so studiere man den Lebenslauf dieses Jünglings. Hier ist moderne Skepsis.

„Man darf sagen,“ heißt es in der oben erwähnten Kritik Gutzkows, „dass in Büchners Drama mehr Leben als Handlung herrsche“. In der Tat, es handelt ich hier mehr um ein echt deutsches: psychologisches Durchdringen und Erfassen der Zustände; was man so eigentlich im bühnentechnischen Sinne Handlung nennt, ist so gut wie nicht vorhanden. Das religiöse Element der großen französischen Revolution verdrängt das ästhetisch-humane, griechisch-eudämonistische, welches seinerseits das rhetorisch-pathetische, römische der Girondisten verdrängt hatte: Robespierre stürzt Danton. — Das ist die Handlung, die uns vorgeführt wird: Danton auf dem Wege zur Guillotine. Eine bestimmte ausgeprägte Intrigue ist eigentlich nicht vorhanden. Aber doch: überall erfasst uns das Leben in diesem wunderbaren Werke in seiner bedeutsamen Zuständlichkeit mit zwingender Gewalt.

Hierzu tritt uns eine echt moderne Eigentümlichkeit entgegen: dass nämlich die Individualität hinter der Masse zurücktritt, oder doch sich ihr mithandelnd einreiht. Ueberall spüren wir den engsten Zusammenhang zwischen Person und Masse, so dass wir in jener eigentlich nur die bis zu festem und bestimmtem gestaltete Bewusstsein-Idee gewahren, welche wir die Masse bewegen sehen. So bietet sich

*) Dieselbe findet sich auch mit Szenen aus dem Lustspiel „Leonce und Lena“ abgedruckt in: „Mosaik. Novellen und Skizzen von Karl Gutzkow. Vermischte Schriften. 3. Bd.“ Leipzig 1842 bei J. J. Weber.

uns hier nicht sowohl der Antagonismus von Danton und Robespierre, sondern der zweier idealer Strömungen der Revolution. Dabei finden wir aber doch überall eine scharfe, feine, echt geniale Abgrenzung der Individualitäten, gehen dieselben nicht farblos in der Menge auf. Vielmehr: selbst die geringste Person, die nur zwei Worte zu sprechen hat, charakterisiert sich mit diesen in bestimmtester Weise, hat Fleisch und Blut. Durchaus modern ist dieses einzige Werk auch darin, dass wir hier eine physische Menschheit haben in dem Sinne Zolas und doch nicht in dessen verkehrter experimentell-analitischer Objektivität gegeben, sondern nach den intimsten höchsten Kunstgesetzen. Hier ist Natur wie bei Shakespeare, aber doch wieder ganz eigenartige Natur, nicht nach der Shakespeareschen Schablone. Hier ist bedeutsamere, weitere Natur als in Goethes „Götz", hier bewegen sich in Fleisch und Blut echt moderne Menschen, packen und erschüttern uns die sozialen Zeitkonflikte in innerster Seele. Hier ist der Naturalismus des Genies; kein zwitterhaftes Experiment mit der Menschennatur, das nicht Kunst, nicht Wissenschaft ist.

Den Anforderungen der Bühnentechnik der dramatischen Mache hat der Verfasser freilich ins Gesicht geschlagen.*) Scheinbar haben wir hier eine Anzahl lose aneinander gereihter Szenen, oft solche, über deren „Notwendigkeit" man in Zweifel kommen könnte. Freilich: wenn dies angesichts der genialen Gestaltungskraft des Verfassers möglich wäre. Aber was tut das Alles? Es hat einzig den Vorzug, dass man die leidige Mache, den poetischen Handwerksapparat nicht gewahrt, der selbst den Gestalten eines ausgezeichneten Kunstwerkes oft etwas Marionettenhaftes geben kann. Das Haupterfordernis dramatischer Wirkung, das dem Genie innere, unumgängliche Naturwendigkeit ist: die gewaltige Logik der Tatsachen und Zustände, die innere Notwendigkeit der Entwickelung, die psychologische Wahrheit ist hier im reichsten Maße vorhanden. Was tut es, wenn z. B. die Exposition nicht in musterhafter pedantisch-sauberer Ordnung in die Handlung, in die Sachlage einführt? Wenn wir selber diese Arbeit des Ordnens besorgen müssen wie im — Leben? Wenn sich die Sachlage selbst interpretiert? Dennoch fehlt kein wesentlicher Teil, kein Teilchen: kein Teilchen: überall sind wir hier orientiert wie durch das Leben selbst, das auch Jeder kennt, versteht, der — mit ihm zu tun hat, der wahrhaft lebendig ist, und — je nachdem er damit zu tun hat. — Da entbehren wir leichtlich die orientierende Zudringlichkeit des Expositeurs. Und: ob das Leben hier auch überall in herrlichster Fülle die Mache überwuchert, nie vermissen wir die Nabelschnur, den kosmischen Zusammenhang zwischen dem schaffenden Künstlergeist und dem Leben. Das ist hier Alles tief, geist-ideenreich, rührend, brutal, cynisch, wie das gesunde, kraftstrotzende, lebendigste Leben! Ueberall empfinden wir bei jeder Zeile, jedem Wort, dass die Nation in diesem Jünglinge einen Genius ersten Ranges verlor.

*) Es früge sich übrigens an dieser Stelle, ob nicht die Anforderungen, welche diese an den dramatischen Dichter stellt, mit denen sie manchen schöpferischen Kopf beengt, nicht einzuschränken wären, ob hier unsere so ungemein fortgeschrittene Bühnentechnik dem Dramatiker nicht eine größere Freiheit gestattet. Wollte man diese Frage einmal recht ernstlich und gründlich in Erwägung ziehen, man würde auf dem Gebiete unserer „dramatischen Frage" ein gut Stück im Praktischen vorwärts kommen.

Wie viele neue Kräfte sehen wir in seinen Spuren? Es sind ihrer Wenige! — Sie führen aufwärts, diese Spuren zu dem nationalen Drama der Deutschen, dem litterarischen Ziele des Jahrhunderts. Der aber, der sie wandelte, giebt uns, indem er alle wirklich schöpferischen Kräfte frei lässt, durch sein Leben und Schaffen zu bedenken: dass das Wesen des Genius darin besteht: im ernsten, schweren Abfindungsprozess mit der Zeit, dem Leben sich zum Charakter zu bilden und durchlebtes Leben frei, in ernster, sorgsamer Arbeit, selbstherrlich nach eigenen, inneren Gesetzen einer gefügten, bedeutsamen Persönlichkeit, ohne ängstlich-sklavisches Hinblicken nach irgendwelcher Autorität zu gestalten.

Conglomerate von Szenen und Bildern notdürftig aneinanderflicken in zügelloser Willkür, das heißt nicht ein geniales Kunstwerk schaffen; einem solchen Machwerk fehlt die höchste, innere Form so gut wie der dramatischen Drechselarbeit saubersten poliertester Mache: jene Form, die höher ist als aller Formalismus, die sich mit einem großen, reichen Charakter, gleichsam mit einer kosmischen Verknüpfung zwischen Leben und Künstlerpsyche von selbst ergiebt, wenn sie sich des Lebensstoffes gestaltend bemächtigt. Hier ist moderner heller Verstand, scharfe, schonungslose Kritik, unbestechliche Logik. Hier eiserner Charakter; Fehlen jeglicher schönfärbender Illusion, moderne Humanität; hier ein echt moderner Blick, ein unfehlbarer Instinkt für reale Lebenszustände. Dabei nirgends der bornierte Horizont eines philiströsen Patriotismus: überall ist Büchner, bei einer gesunden Vaterlandsliebe, Bürger seiner Zeit; überall geht er von den idealistischen Schwärmereien jener Zeit zur Tagesordnung über, geht er auf die Kern- und Kardinalfragen der Zeit los und dringt ihren Problemen mit genialer Spürkraft bis auf den Grund.

Sein „Dantons Tod" bestätigt dies nur: dieser Danton ist bis zu einem gewissen Grade Büchner selbst. Wir wüssten nicht, welches dramatische Werk der deutschen Litteratur dieses Jahrhunderts uns so unmittelbar ergriffen hätte, wie dieses durchaus geniale Werk!

Es ist wahr, was Gutzkow in seiner trefflichen Kritik desselben sagt: es trägt die Spuren der erregten Tage seiner Abfassung, „es ist wie auf der Flucht geschrieben“, in der hastigen, atemlosen Aufeinanderfolge der Szenen und Bilder glaubt man die Nervosität des Verfassers und seines damaligen Zustandes zu erkennen: doch das Alles schwindet gegen die höchsten Vorzüge, die es zeigt.

Der jüngst verstorbene Wilhelm Scherer pflegte es als eine Eigentümlichkeit des deutschen Charakters hinzustellen, dass er auf ästhetisch-litterarischem Gebiete revolutionär sei. Kein Wunder! Die Zähigkeit, mit der wir an verbrauchten ästhetischen Formen festhalten, beschwört notwendig derartige Revolutionen herauf und, in der Tat! Man könnte heute namentlich unserer dramatischen Notlage gegenüber fast nichts Besseres tun, als ein solches Chaos heraufbeschwören, empor wünschen, wie dieser „Dantons Tod“ eines ist.

Brunhilds Tod.*)

Leichenhungrige Vögel flogen
Schreiend im Nachtsturm, da Sigurds Gebein
Ward auf den Scheiter gebahrt; eh es dämmert,
Soll es die Flamme sengen zu Staub.
Harrend stehn Herrscher und Heervolk, denn Brunhild
Hatte geboten: „Mit eigener Hand
Geb' ich das Zeichen, die Brandburg zu zünden.“
Horch! da verkündet der Herold ihr Nah'n. —
Purpurgewandet, in blitzender Brünne,
Adlergeflügelten Helm auf dem Haupt,
Schreitet sie stolz in Wehrgurt und Waffen,
Wieder Walküre, kein leidvolles Weib.
Heldengebietend hebt sie die Blicke
Schaurig und schön, und Alles verstummt.
„Bindet die Blumen, breitet die Schätze,
Knechten und Mägden geb' ich mein Gut.
Führet zur Brandstatt Habicht und Hunde,
Legt auf die Scheite Schlachtschwert und Schild,
Gurt und Gewand und Hüfthorn des Helden,
Köstlich Geschmeid', wie es Königen ziemt.
Führt auch das Schlachtross zum Scheitergerüste,
Goldengezügelt und silbergehuft.
Nimmer zur Walstatt trägt Sigurd es wieder,
Nie mehr zu Schlachtkampf und jauchzendem Sieg.
Brandmal für Brunhild wär's länger zu leben,
Buße und Bluttod heischet der Mord.
Wähne mir Keiner den Willen zu beugen,
Eh' könnt Ihr splittern Demanten zu Staub;
Seid Ihr doch selber dem Mordstahl verfallen,
Gunnars Geschlecht ist der Rache geweiht.
Richtende Nornen höre ich rufen,
Zürnende Klage klingt an mein Ohr:
‚Sigurd erschlugt Ihr!‘ — Ich selber gebot es,
Aber Euch lockte des Heersiegers Hort.
‚Meineidig seid Ihr!‘ — Nicht Bluteide achtend,
Mir brach er Treue, die Euch er bewahrt.
‚Brunhild betrogt Ihr!‘ — Täuschend uns Beide,
Ihn durch den Trank und durch Trugworte mich.
‚Sterben befiehlt er!‘ — Ich folge ihm gerne,
Hindarfialls Helden umfang' ich im Tod.
Ja! wenn mich Schuld zur Sühne nicht zwänge,
Schlaflose Sehnsucht doch zög' mich zu ihm!
Unholden Herzens weilt' ich beim Gatten,
Tränenlos wend' ich mich, Gunar, von Dir.
Todesbraut Sigurds nun zünd' ich den Scheiter,
Dass er als Hochzeitsfackel erglüh',
Todesbraut Sigurds schleudr' ich die Brände,
Opfer für Odin, Opfer für ihn!
Seht! wie die Funken fliegen gen Himmel,
Leuchtende Lohe rötet den Rhein!
Einst kam durch Flammen der Held mir geschritten,
Feuer trägt heut' uns zur Walhall empor!“

Dresden. Günther Walling.

*) Wir entnehmen dieses Gedicht der Gedichtsammlung von Günther-Walling, die unter dem Titel „Von Lenz zu Herbst“ soeben in zweiter sehr veränderter Auflage bei W. Friedrich in Leipzig erscheint. Dass die Wallingschen Dichtungen in unserer der Poesie nicht gerade günstigen Zeit in noch nicht zwei Jahren eine neue Auflage erleben konnten, spricht wohl genügend für das Ungewöhnliche des hier Gebotenen; und in der Tat ungewöhnlich in Bezug auf Inhalt wie auf Formenschönheit sind alle diese Gedichte, von denen wir die lyrisch-gemütvollen Lieder und die farbenprächtigen, leidenschaftlichen spanischen Balladen „aus der Maurenzeit“ ganz besonders hervorheben. Der kleinen Gemeinde von Verehrern echter und wahrer Poesie empfehlen wir das Buch aufs wärmste.

Ist der Zar allmächtig?

Nach russischer Sprachweisheit beantwortet
von Dr. Leonhard Freund.

Die russische Sprachweisheit übertreibt schon die Bedeutung des Reichtums; ihre Vorstellung von der Omnipotenz der Herrscher grenzt aber wirklich geradezu an das Abgöttische. Man lese nur z. B. folgende Sprüche:

„Ein blinder Zar hat Augen in den Händen.“

„Wenn der Zar fischt, fängt er Störe im Karpfenweiher.“

„Wenn des Zaren Kuh auch nur ein Euter hat, so hat sie doch fünf Zitzen.“

„Einer Zarin Wange bedarf der Schminke nicht.“

Die „Philosophie der Gasse“ beruht jedoch glücklicher Weise auf keinem einheitlichen und unveränderlichen System; sie braucht darum gar nicht auf formelle Konsequenz erpicht zu sein. Das erleichtert unter Umständen ihre Rückkehr zum gesunden Menschenverstand, wenn sie einmal den richtigen Weg zur Wahrheit verfehlt hat. So begegnen wir korrigierenden Beobachtungen, welche die oben erwähnte Hyperloyalität ziemlich drastisch auf das richtige Maß zurückführen:

„Der Fürst trinkt Wein, wie der Fürst und giebt Wasser von sich wie der Bauer."

„Auch auf des Kaisers Tisch kommt der Kaviar unvergoldet."

„Man sucht auch an der Fürstin Busen die dritte Brust umsonst."

„Der Fürstin Hemd deckt nicht mehr Blöße, als der Bäuerin ihres."

„Es waren auch nur Bauernhände, die den Flachs zu der Fürstin Hemd gesäet haben."

„Es ist auch kein Gold, was des Hetmanns Gaul fallen lässt."

In solcher Weise gleicht die Natur jene künstlichen Unterschiede aus, welche die Menschen aus purer Devotion schufen und die Spruchweisheit kann nicht umhin, diese Tatsache doch anzuerkennen. Mag sie auch mitunter zeitweilig, vom Loyalitätsdusel berauscht, anderer Meinung gewesen sein, — ernüchtert giebt sie schließlich immer der Wahrheit die Ehre.

Litterarische Neuigkeiten.

„Deutschland über Alles!" Populäre Kulturgeschichte des deutschen Volkes von Friedrich Nonnemann. Verlag von Reinhold Werther in Leipzig. Dieselbe ist ein Volksbuch im edelsten Sinne des Wortes; darum ist sie, obwohl auf gelehrten Forschungen fussend, durchaus populär geschrieben. Sie ist weiter ein nationales Buch, das sich von jedem Pessimismus ebenso fern hält, wie von urteilsloser Schönfärberei, das deutschen Sinn und deutsches Fühlen weckt, für deutsches Wesen begeistert, aber auch zeigt, durch welche Fehler und Schwächen der Deutsche oft sich selbst geschadet hat. Sie sucht sich schließlich nicht durch prahlerischen Reichtum an Illustrationen Eingang zu verschaffen, sondern will sich durch gediegenen Text, gesunde Auffassung, ferner durch handliches Format und einfach noble Ausstattung als Hausbuch in allen Kreisen des deutschen Volkes einbürgern. Das Werk erscheint in ungefähr 10 Lieferungen von je 5 Bogen, wovon die erste soeben herausgekommen ist.

Die holländische Verlagsbuchhandlung von C. H. E. Beijer in Utrecht veröffentlicht soeben „De saga van Thorwald Kodransson den Bereisde, eene bladzyde uit de Geschiedenes der Christelijke Zending in tiende eeuw."

„Die Laut- und Flexions-Verhältnisse der alt-, mittel- und neuhochdeutschen Sprache in ihren Grundzügen" dargestellt von Ad. Jos. Cüppers, (Düsseldorf, L. Schwannsche Verlagsbuchhandlung). Diese Arbeit behandelt in übersichtlicher Darstellung und gemeinverständlicher Sprache die Laut- und und Flexions-Verhältnisse der deutschen Sprache in den drei Hauptperioden ihrer Geschichte und ist vortrefflich geeignet, in das Wesen der heutigen Sprachformen einzuführen und deren Gesetze zum rechten Verständnis zu bringen. Wir empfehlen deshalb diese Schrift angelegentlichst Allen, welche sich für unsere Muttersprache interessieren, besonders aber der Lehrerwelt.

„Das Süßwasser-Aquarium und das Leben im Süßwasser" von K. G. Lutz, mit 16 Tafeln fein kolorirter Abbildungen und 40 in den Text gedruckten Holzschnitten. Preis eleg. geb. 4 M. Stuttgart, E. Hänselmanns Verlag. Das Süßwasser-Aquarium ist wohl eines der beachtenswertesten Mittel, um in der Natur, „unserer gemeinsamen Heimat", bekannt zu werden. Es ist demselben darum auch in neuerer Zeit große Aufmerksamkeit zu teil geworden, und die Zahl der über diesen Gegenstand erschienenen Schriften ist eine beträchtliche. Diese aber sind entweder zu teuer, als dass sie auch der Unbemittelte anschaffen könnte, oder zu ungenügend in Wort und Bild, so dass sie dem Besitzer eines Aquariums nicht die Dienste erweisen, deren er bei Einrichtung und Pflege desselben bedarf, oder berücksichtigen sie endlich in einer Zeit, in der man ohnehin kein Auge und kein Herz für die heimatliche Natur hat, ausländische Naturgegenstände mehr als wünschenswert und berechtigt ist. Allen aber fehlen kolorirte Abbildungen. Nur mit Hülfe solcher, wird der Naturfreund, der nicht zugleich Naturgeschichte studirt, in den Stand gesetzt, die hierhergehörigen Naturgegenstände selbst sammeln und „bestimmen" zu können; nur in diesem Falle wird aber auch das Aquarium bei ihm seinen vollen Wert erlangen: er wird die Natur zwar auch zu Hause studiren, sie aber, wenn er ausgeht, auch zu finden wissen." Das vorliegende Buch können jedoch, wie der Verfasser am Schluss der Vorrede sagt, „nicht nur Besitzer von Aquarien, sondern auch der Naturfreund überhaupt, der Naturaliensammler, sowie Lehrer und Schüler, vorausgesetzt, dass sie sich mit dem Studium der Natur nicht in der hergebrachten trockenen und fruchtlosen Weise abgeben wollen, als ein gutes Hülfsmittel mit Erfolg gebrauchen." Die Verlagshandlung hat durch elegante gediegene Ausstattung des Buches gegenüber einem billigen Preise das ihrige getan, das schöne Werk zu einer hervorragenden naturwissenschaftlichen Novität zu gestalten, welche wohl würdig ist, eine gute Aufnahme zu finden.

Ein interessantes Buch, welches einer allgemeinen Beachtung und Prüfung zu empfehlen ist, hat Professor Dr. Wilhelm Löwenthal unter dem Titel „Grundzüge einer Hygiene des Unterrichts" bei J. F. Bergmann in Wiesbaden erscheinen lassen. Wir können es jedem Pädagogen anraten, sich das Werk anzuschaffen, denn dass unser Schulwesen auch in dieser Hinsicht noch einer großen Verbesserung bedarf, liegt klar auf der Hand; möge diese Schrift dazu beitragen etwas wenigstens dazu zu thun.

Unter dem Titel „Scanderbeg" ist soeben in Rom ein kleineres Geschichtswerk von Professor Giuseppe Chiaroni veröffentlicht worden („Scanderbeg" (poema profano) preceduto da una lettera del professor Giuseppe Chiaroni, Roma, stabilimento tipografico della tribuna).

„Die letzte Herzogin von Celle, Eleonore Desmier d'Olbreuze 1665—1725" von Vicomte Horric de Beaucaire, ins Deutsche übertragen von Freiherr Emmo Grote, Hannover, Helwingsche Verlagsbuchhandlung. Die Beschäftigung mit der Geschichte seiner Familie, welche in einer durch acht Jahrhunderte schreitenden Gemeinsamkeit mit der des fürstlichen Hauses Braunschweig-Lüneburg eng verwachsen ist, führte den Leser auf die vorliegende Arbeit, durch welche der Verfasser uns mit dem Leben dieser soviel verleumdeten Frau und ihrer Tochter Sophie Dorothea näher bekannt macht.

„Ungarn im Zeitalter der Türkenherrschaft" von Franz Salomon ist von Gustav Jurány in einer guten Uebersetzung ins Deutsche übertragen, die Schrift bei H. Haessel in Leipzig erschienen, ist jetzt gerade gewiss von wirklichem Werte und verdient wirklich gelesen zu werden.

In der Wiener Zeitschrift „Deutsche Worte", Monatshefte, herausgegeben von Engelbert Pernerstorfer (August-Septemberheft) finden wir einen bedeutsamen Essay von Hermann Bahr „Das transcendente Korelat der Weltanschauungen" Auf allen Gebieten ringt der Geist nach neuem Ausdruck. Ueberall sprosst Leben. Nur in der Philosophie werden gerade die grundlegenden Fragen, mit denen sonst jeder geschichtliche Umschwung begann, vernachlässigt. Und doch hat sich bereits aus dem Hegelschen System und französischem Materialismus aus einer merkwürdigen Verbindung von altheraklitischer Dialektik und modernstem Darwinismus eine vollständig neue Philosophie gebildet. Schon tritt dieselbe auf in gelegentlichen Aeußerungen bei Marx und Engels und ist die geistige Grundlage in Sempers Arbeiten. Die neue Erkenntnistheorie, auf der diese neue Philosophie sich aufbaut, hat Bahr nun in diesem Aufsatz dargelegt. Schon hat diese Auffassung als sogenannte „materialistische Geschichtsauffassung" die weitesten Kreise der Nationalökonomen und Sozialpolitiker, auch viele Geschichtsforscher erfasst; sie macht sich in der modernen Kunstgeschichte geltend. Nun zieht Bahr sie in den Kreis der philosophischen Diskussion.

Vor uns liegt das Probeheft eines neuen Unternehmens, welches unter dem Titel „Deutsche Dichtung" die rühmlich bekannte Firma Adolf Bonz & Co. in Stuttgart soeben ins Leben rief. — Die Ausstattung ist eine wahrhaft gediegene, der Name des Herausgebers ein glänzender. Es ist kein Geringerer als Karl Emil Franzos, ein Schriftsteller, den wir als Romancier ungemein schätzen. Ob derselbe freilich eine maßgebende Autorität für Hervorbringungen der eigentlichen Poesie sei, das ist eine ganz andere Frage.

Das Heft beginnt mit einer Novelle von Theodor Storm. Sie ist, soweit wir bis jetzt urteilen können, wie alles von Storm — nämlich vortrefflich, aber ohne tieferen Gehalt. An größeren Beiträgen findet sich eine elegante Nichtigkeit „Von Angesicht zu Angesicht" von Adolf Wilbrandt, ferner eine formvollendete Nippsache von Otto Roquette „Cesario". Die Lyrik ist vertreten durch zwei frische Juchzer von Karl Stieler, durch ein reizvolles Stimmungsbild von Lingg, einen tiefen Herzenslaut in meisterlicher Form von Hamerling und ein vortreffliches Gedicht von W. Hertz. „Radolfzell" aus dem Nachlass von Scheffel ist nicht übel, in der bekannten malerischen Manier des Verblichenen. Das eigenartige Gedicht „Gulbrandsdal" von Theodor Fontane berührte uns sonderbar. Meint der verehrte Dichter vielleicht „Gudbrandsdal" — ja offenbar! „Der Snöhattan blickt auf Gulbrandsdal." Da der Herausgeber dieser Blätter nun in diesem Tale selbst manche glückliche Stunde verlebt hat und Gudbrandsdal (nicht „Gulbrandsdal") sehr genau kennt, so kann er diese wohl vom Hörensagen herrührende Schilderung, die ans Mythische grenzt, nicht recht verdauen. Einen sehr gemischten Eindruck macht das Gedicht vom Altmeister Vischer „Im See" mit dem Reime „Blick — Glück" und der leidlich prosaischen Versifikation der allbekannten Starnberger Tagesaffäre. Auch das Gedicht von Conrad Ferdinand Meyer „Kaiser Siegmunds Ende" konnten wir nicht ganz ohne Befremden lesen. „Lacht er voll Vergnügen" — diese poetische Wendung will uns nicht recht behagen.

In der „Korrespondenz der Redaktion" finden wir folgende Notiz an „Paul F. (Fritsche)": „Ein stolzer Meister der Gesänge", wie Sie sich in einem Ihrer Lieder selbst nennen, sind Sie freilich nicht, aber möglich ist es immerhin, dass Sie nach gründlichst überstandener Sturm- und Drangzeit auch gute Gedichte schreiben. Weitere Einsendungen können Sie gelegentlich immerhin versuchen." Das lässt an Bosheit nichts zu wünschen übrig. Nun, es ist bekannt, dass wir die übertriebenen Anmaßungen des sogenannten „Jungdeutschland" keineswegs freundlich betrachten und das dreiste Gleichstellen und Einrangieren älterer Vorkämpfer in ihre junge Kohorte mit gehörigem Nachdruck zurechtwiesen. Aber das schließt nicht aus, dass wir mit derselben gemessenen Ruhe die Unarten der „Alten" gegenüber den berechtigten Ansprüchen Jungdeutschlands züchtigen. In dieser Beziehung werden die hochbegabten jungen Dichter an uns stets den festesten Rückhalt besitzen, und immer deutlicher erkennen, dass wir stets unentwegt die schmale Fährte der absoluten Unparteilichkeit und Gerechtigkeit wandeln. Also, verehrter Kollege Franzos, dass wir es nur deutlich sagen: Ein Gedicht Fritsche's, wie das neulich von uns in Nr. 39 abgedruckte, steht doch sicherlich in keiner Weise hinter vier Fünfteln der Beiträge zurück, welche die „Deutsche Dichtung" mit solcher Emphase vorführt. Aber freilich, das sind „Meister", das sind „Namen"!

Bei genauerem Zusehen erkannten wir, dass eine Reihe namhafter Autoren der jüngeren Richtung im Prospekte fehlten, von welchen wir genau wussten, dass die Redaktion sie ebenfalls um die „Ehre ihrer Mitarbeiterschaft" ersucht hatte. Wir erkannten also sofort, dass es sich hier um ein Prinzip handele. Herr Franzos meint offenbar, dass diese Namen dem Publikum noch nicht so geläufig seien, wie die von Max Kalbeck, Emil Rittershaus u. s. w. Oder fürchtet er vielleicht, dass die Nennung dieser Namen als Mitarbeiter ihm schaden könne?! Das ist eine Erwägung, die sich hören ließe. Dann aber, verehrter Kollege Franzos, müssen Sie auch nicht den Anschein erwecken, als ob Sie den Jungen wie den Alten gleichmäßig Ihre gütige Protektion angedeihen lassen wollten.

Bald genug werden Sie freilich, zumal in der Lyrik, zu Ihren heimlichen und verschwiegenen Mitarbeitern greifen müssen, wenn die Gedichte der „Alten" auf dem Niveau verharren bleiben wie in Ihrem ersten Heft.

* * *

Bei Breitkopf & Härtel in Leipzig ist soeben ein hochbedeutendes Werk von H. Ludwig erschienen: „Johann Georg Kastner, ein elsässischer Tondichter, Theoretiker und Musikforscher", mit einer Porträtradierung J. G. Kastners, zwei Abbildungen in Lichtdruck, mit Briefen und anderen Beigaben in Nachbildungen der Handschrift, zahlreichen Verzierungen nach den besten Meistern der Renaissance und einer Notenbeilage. Der Verfasser hat sich mit einem unermüdlichen Fleiße und Quellenstudium ein Werk geschaffen, welches voll und ganz verdient, von Allen gewürdigt zu werden. Wir können nur Jedem dasselbe zum Ankauf empfehlen und wird es jeder Bibliothek geradezu unentbehrlich und zugleich eine Zierde derselben sein.

Das dreizehnte Bändchen der „Kabinetsbibliothek" (Prag, Simáček) enthält ein Drama von J. Zeyer: „Legenda z Erinu", welches seinen Stoff aus den keltischen Sagen schöpft, Ossian auftreten lässt, und in welchem der Dichter seiner reichen Phantasie völlig freien Lauf lässt. Die schöne Prosa des Dialogs täuscht auch darüber hinweg, dass der ganze Stoff und die Behandlung eigentlich undramatisch sind.

Der „Světozor" (Weltschau), die älteste der jetzt erscheinenden böhmischen illustrierten Zeitschriften, ist bei seiner tausendsten Nummer angelangt und hat diese als Festnummer mit Beiträgen sämmtlicher bedeutenden böhmischen Schriftsteller herausgegeben.

Dr. Anton Radó, von dem bereits drei Bände Uebersetzungen lateinischer, griechischer und italienischer Dichter erschienen sind, hat nun auch Petrarcas Sonette ins Ungarische übertragen. Das Werk, welches von der litterarischen Gesellschaft „Kisfaludy-Társaság" verlegt wird, hat bereits die Presse verlassen.

Der Verlag von G. D. W. Callwey in München kündigt von den „Genrebildern aus dem Seeleben" von H. Pichler soeben eine dritte Auflage an. Wir haben dem Buche bei seinem ersten Erscheinen warmes Lob und Anerkennung gezollt (in einer längeren Kritik von Gerhard v. Amyntor) und freuen uns, dass es auch beim Publikum Beifall gefunden hat, wie die rasch einander folgenden neuen Auflagen beweisen. Gleichzeitig soll ein neues Werk derselben talentierten Verfasserin unter dem Titel „Aus der Brandung des Lebens" zur Ausgabe gelangen.

Im Verlage der Carl Winterschen Universitätsbuchhandlung in Heidelberg ist soeben die am 4. August d. J. in der Heiliggeistkirche zu Heidelberg von Professor Kuno Fischer gehaltene Festrede zur fünfhundertjährigen Jubelfeier der Ruprechts-Karls-Hochschule in Form einer Brochüre veröffentlicht worden.

Von derselben Verlagshandlung liegt uns Heft 9 des XV. Bandes der von W. Frommel und Friedrich Pfaff edierten Sammlung von Vorträgen vor; dasselbe enthält eine wertvolle Abhandlung über Romantik und Germanische Philologie von Dr. Friedrich Pfaff.

Von der in zweiter Auflage bei Wilhelm Engelmann in Leipzig erscheinenden „Allgemeinen Weltgeschichte" von Georg Weber liegen uns weitere vier Lieferungen (76/79) vor. Dieselben behandeln die Geschichte der Gegenreformation und Religionskriege(ebenso ist soeben wieder eine Lieferung (29) der „Denkmäler des klassischen Altertums", herausgegeben von A. Baumeister erschienen (R. Oldenbourg in München). Die beigegebenen Illustrationen sind vorzüglich, wie auch der Text von einem großen Quellenstudium und Fleiße zeugt.

Von der bei W. Spemann in Stuttgart erscheinenden „Deutschen National-Litteratur", herausgegeben von Joseph Kürschner, liegen uns weitere zehn Bände (335/344) vor. Dieselben enthalten: „Theatralische Bibliothek" von R. Boxberger (335/37), „Aesthetik" (338/42), „Medizin" (343), „Briefe antiquarischen Inhalts" (344).

Das in der Rengerschen Buchhandlung in Leipzig erschienene, von Julius Wengoly herausgegebene „Lehrbuch der kaufmännischen Arithmetik" ist soeben in zweiter Auflage erschienen.

Ein anmutiges Gedichtsbüchlein ist soeben unter dem Titel „Zwischen Hell und Dunkel", Dichtungen von Viktor Herzenskron, bei Fr. Bartholomäus in Erfurt verlegt worden.

Zum Justinus Kerner-Jubiläum verdient noch erwähnt zu werden, dass auch ein Mitarbeiter des „Magazins", Prof. Semmig in Leipzig, sich daran beteiligt hat. Vor längerer Zeit hatte derselbe in zwei Gedichten Die sächsische „Weibertreu", Schloss Kriebstein an der Zschopau bei Waldheim, verherrlicht und einen Zweifel an der Geschichte der schwäbischen „Weibertreu" darin eingeflochten. Justinus Kerner, dem er seine Lieder zugeschickt hatte, hat ihn in einem längeren Briefe über die geschichtliche Wahrheit der That seiner Landsmänninnen belehrt, worauf Prof. Semmig, um vor den Weinsbergerinnen Abbitte zu thun, den Brief nebst seinen beiden Gedichten in seinem Buche „Das Frauenherz. Lebensbilder und Dichtungen. Leipzig, E. Kempe" veröffentlichte. Zum Kerner-Jubiläum hat nun H. Semmig ein Exemplar dieses Buches, sowie ein Exemplar eines andern seiner Bücher: „Evas Töchter. Jena, Fr. Mauke's Verlag", das die Geschichte der Weiblichkeit behandelt, jedes mit einer auf Kerner bezüglichen Widmung versehen, nach Weinsberg geschickt, um als Jubiläumsgabe an dortige Frauen geschenkt zu werden. H. Semmig glaubte, dem verewigten Kerner dieses Zeichen der Teilnahme schon darum schuldig zu sein, weil er zu seinem ersten gedruckten Gedichte „Goethes Geburtstag 1828" (siehe „das Frauenherz") durch die „Blätter von Prevorst" angeregt worden war.

Auf dem jüngsten internationalen Schriftstellerkongress zu Genf erschien unerwartet auch der Senior der Slavischen Litteratur, Altmeister Kraszewski. Man mag über seine Variationen zu der Melodie „Polen ist noch nicht verloren" denken wie man will, — man wird dem rastlosen Streben des Dichtergreises seine Anerkennung nicht versagen können. Für sein Haupt- und Meisterwerk haben wir stets gehalten den Roman „Morituri". Er schildert darin den polnischen Adel. Teilweise echt vornehme Typen, im Grunde treffliche Menschen, aber zu nichts tüchtig, in albernen Vorurteilen befangen, Vertreter überwundener Doktrinen und voll instinktivem Abscheu vor der Arbeit. Sie fallen würdig und stolz, aber fallen müssen sie. Denn selbst ihre gerühmte Bildung ist im Grunde höchst oberflächlich — es ist charakteristisch, dass Fürst Robert den Homer und Gil-Blas im selben Atem liest. — Ihr Ruin wird herbeigeführt durch einen früheren Laquaien, der wegen einer ungerechten Misshandlung vom alten Branski dessen Dienst verlässt und sein Leben nur der Rache weiht. Er muss sie erreichen, er muss die Branskis stürzen, denn er — arbeitet ja. Es ist nicht etwa eine kleinliche persönliche Rache, sondern das Gefühl, die allgemeine Unbill und die Unterdrückung des Volkes an diesen hochmütigen Junkern zu ahnden. — Unter den Nebenfiguren sind besonders gelungen der verbauerte tief vulgäre und unvornehme Edelmann Moscinski und der Branskische Güterdirektor Gosdowki, der wie ein Schwamm das ihn umgebende Leben in sich gesaugt hat und das vornehme Air seiner verehrten Herrschaft nachäfft.

Die Poesie in Lyon. Soeben erfahre ich aus der letzten Nummer der Revue félibrienne, dass binnen Kurzem eine Sammlung der Volkslieder des Lyonnais und der angrenzenden Provinzen erscheinen wird. Herausgeber ist Felix Laurent-Rollandez, ein Schriftsteller, in welchem sich gründliche Bildung mit künstlerischem Sinn vereinigt; die Académie des sciences, belles-lettres et arts zu Lyon hat denselben schon durch einen Preis ausgezeichnet. Die genannte Revue sagt, dass dieses Werk seinen Platz sowohl in der Bibliothek der Gelehrten wie auf den Tischen der Salons finden wird. Die Revue félibrienne, dirigiert von dem als (französischer) Dichter rühmlichst bekannten Paul Mariéton, einem modernen Troubadour, ist bekanntlich das Organ der neuprovençalischen Litteratur; über dieses anmutige Wiedererwachen der Minnesinger der Langue d'oc werden wir hier im nächsten Jahre berichten.

Erschienene Neuigkeiten.

„Leitfaden der französischen Sprache für höhere Mädchenschulen." Nach der analytischen Methode bearbeitet von Therese von Schmitz-Aurbach. (IV. Schuljahr). — Karlsruhe, A. Bielefelds Verlag.

„Elias Regenwurm", eine moralische Geschichte für Große von H. d'Altona. — Annaberg, J. van Groningen.

„Harmlose Humoresken" von Dr. J. Mayerhofer. — Kempten, Jos. Koselsche Buchhandlung.

Zum litterarischen Schutzzoll.

In der Nr. 40 der „Deutschen Schriftstellerzeitung" wendet sich zum Schluss eines sehr beachtenswerten Artikels „Unser Kampf ums Recht" der geschätzte Kollege, Herr A. H. von Suttner gegen meine Ausführungen über „Manchestertum oder Schutzzoll in der Litteratur", die kürzlich in den Spalten jenes Blattes zum Abdruck gelangten.

Er sagte daselbst: „Nicht Schutzzoll ist es, der, wie neulich in diesen Spalten behauptet worden, uns aufhelfen kann, denn die traurige Folge eines solchen deutsch-litterarischen Monopols wäre die aller anderen hohen Zölle, welche zu Gunsten der inländischen Produktionen erlassen werden; Verschlechterung und schließlich totaler Niedergang der deutschen Litteratur."

Ich möchte dagegen einwenden, dass diese jeden Schutzzoll als ein absolutes Uebel hinstellende Behauptung doch immer erst eines Beweises bedürfte, ehe sie als so allgemein gültige Wahrheit anerkannt würde. Zweitens möchte ich aber darauf hinweisen, dass der geschätzte Herr Kollege sich des kleinen Versehens schuldig macht, Schutzzoll und Monopol so ohne Weiteres als identisch mit einander zu verquicken, so dass es hiernach den Glauben erwecken könnte, ich habe in jenem Artikel dem deutschlitterarischen Monopol das Wort geredet, während ich doch gerade schon am Eingang desselben ausdrücklich hervorhebe, dass eine solche von Gerhardt von Amyntor als möglicherweise notwendig hingestellte Forderung mir als zu weitgehend erschiene. Schließlich hebe ich in jenen Erörterungen noch ganz besonders hervor, dass es sich nicht um eine chinesische Mauer, wie sie eben ein Monopol bildet, handelt, wodurch alles Fremde ausgeschlossen würde, sondern nur um einen derartigen litterarischen Schutzzoll, der, die den Deutschen eigene Auslandssucht, die Ueberschätzung des Fremden treffend, die Blicke etwas mehr auf die nationale Produktion richtet.

Ich hebe also gerade den Unterschied zwischen Schutzzoll und Monopol hervor, den Herr A. G. von Suttner so ohne Weiteres verwischt.

Man blicke doch, um nur ein Beispiel anzuführen, auf die in den Feuilletons der Zeitungen veröffentlichten Romane. Von zehn Zeitungen sind es sicher neun, die ihr Publikum fast ausschließlich mit übersetzten Romanen abfüttern.

Man hat ja versucht, dies auf den geringeren Wert der deutschen Produktion zurückzuführen, ich kann mich dieser Meinung indes nicht völlig anschließen, und erblicke darin eben nur die bekannte Ueberschätzung des Fremden und Unterschätzung der heimischen litterarischen Produktion.

Aber sei dem wie ihm auch wolle, der litterarische Wert oder Unwert eines Romans tritt hierbei überhaupt gar nicht als bestimmender Faktor auf; denn es ist einzig und allein die Frage nach dem Preis, die den Zeitungsbesitzer bestimmt, die Uebersetzungen ausländischer Romane vor den deutschen Produktionen zu bevorzugen, da er dieselben für ein solches Spottgeld erwerben kann, dass sich wohl kaum ein Autor findet, der eine Originalarbeit dafür hingiebt. Und gerade weil hier nicht der litterarische Wert, sondern nur die Preisfrage bestimmend ist, so scheint es mir auch durchaus gerechtfertigt, durch einen derartigen Schutzzoll, den Preis regulierend, einzugreifen.

Also nur eine solche Regulierung des Preises ist es, die ich befürwortet habe, das deutschlitterarische Monopol, das mir untergeschoben werden soll, habe ich in jenen Artikel ausdrücklich verworfen, und muss, um Irrtum zu vermeiden, dies heute nochmals hier betonen.

Es ist übrigens von mehreren Kollegen gerade diese von mir aufgeworfene Frage als äußerst erwägungswert und diskutable erklärt worden, und würde ich mich im Interesse der Sache und der Wahrheit daher nur gefreut haben, wenn Herr A. G. von Suttner mir das Irrtümliche meiner Ausführungen bewiesen, nicht aber nur durch eine einfache Behauptung dieselben für falsch erklärt hätte, um den Beweis dafür schuldig zu bleiben.

Berlin.

Richard von Hartwig.

Alle für das „Magazin" bestimmten Sendungen sind zu richten an die Redaktion des „Magazins für die Litteratur des In- und Auslandes" Leipzig, Georgenstrasse 6.

Für die Redaktion verantwortlich: Karl Bleibtreu in Charlottenburg. — Verlag von Wilhelm Friedrich in Leipzig. — Druck von Emil Herrmann senior in Leipzig.

Dieser Nummer liegt bei ein Prospect der Rieger'schen Verlagsbuchhandlung in Stuttgart, betr. A. Stern, Geschichte der Weltlitteratur in übersichtlicher Darstellung.

Das Magazin

für die Litteratur des In- und Auslandes.

Wochenschrift der Weltlitteratur.

1832 gegründet von Joseph Lehmann.

55. Jahrgang.

Herausgegeben von Karl Bleibtreu.

Preis Mark 4.– vierteljährlich.

Verlag von Wilhelm Friedrich in Leipzig.

No. 46. Leipzig, den 13. November. 1886.

Inhalt:

Die Geschichte der französischen Presse.

Von G. Glass.

Neugier, die Erbsünde, welche gewöhnlich dem weiblichen Geschlechte zugeschrieben wird, scheint auch den Völkern, die Bismarck die weiblichen nennt, am meisten inne zu wohnen, und unter denselben sind es hauptsächlich die Franzosen, die sich für Neuigkeiten von Alters her besonders interessiert haben. Cäsar erwähnt schon in seinen Kommentaren, dass die Gallier, wenn sie einen Fremden erblickten, ihm nachliefen, um zu hören, ob er etwas Neues zu berichten hätte. Dieser Gebrauch wurde mit der Zeit zu einem solchen Uebelstand, da die lächerlichsten Gerüchte auf diese Weise Glauben erhielten, dass es unter einzelnen Stämmen zum Gesetz gemacht wurde, Fremde stets zuerst vor den Häuptling zu bringen, der dann entschied, ob eine Nachricht verbreitet werden sollte oder nicht. Im Mittelalter waren besonders die Troubadoure die Träger von Neuigkeiten, und den Nimbus, welcher dieselben umgiebt, hat zum größten Teil die spätere Zeit gewoben, die über Alles, was sich damals zutrug, einen Schleier von Poesie und Romantik gebreitet. Man ist durchaus im Irrtum, wenn man glaubt, dass es sein liederreicher Mund war, der dem Troubadour seine Popularität errang. Er war in Palast und Hütte ein gern gesehener Gast, weil er von weit herkommend, viel erfahren und gesehen und erst nachdem er die Neugier befriedigt, erfreute man sich an seinem Gesang. Er erfüllte oft die Funktionen eines Leitartikel-Schreibers des neunzehnten Jahrhunderts, denn er reizte die Männer zum Kampf an und viele der Aufstände gegen allzu große Bedrückung seitens der Fürsten verdankten ihm ihr Entstehen und ihre Verbreitung, indem er von Stadt zu Stadt die Kunde davon trug und sie in glühender Sprache besang.

Die erste gedruckte Zeitung in Frankreich, die im Jahre 1631 erschien, war die „Gazette de France“; doch war die Idee keine neue, denn in England existierte damals schon die „Weekly News“ und im Jahre 1568 wurde bereits von den Fuggern in Augsburg ein Handelsblatt gegründet, das, obgleich es bis zum Jahre 1600 nur als Manuskript herauskam, sich einer weiten Verbreitung erfreute und sich nur wenig von den heutigen kommerziellen Zeitungen unterschied. Ja es heißt sogar, dass die Venetianer noch Deutschland darin zuvorgekommen und das Wort Gazette soll seinen Ursprung in der kleinen Münze haben, die für die Neuigkeits-Bülletins bezahlt wurde, welche der Rat der Zehn während der Kriege Venedigs gegen die Türken veröffentlichen liess. Andere leiten gazette von gazza, der Elster, ab und noch andere von dem hebräischen Worte izgard, Bote, was die Vermutung nahe legen würde, dass Zeitungen in irgend einer Form schon den Kindern Israels zu einer Zeit bekannt waren, ehe noch die „Acta Diurna“ der Römer, die „Ephemeridae“ der Athener oder die „Täglichen Berichte“ der Babylonier existierten, mit deren Hülfe, wie es heißt, Berosius seine „Geschichte von Chaldaea“ geschrieben.

Die Gazette de France wurde von einem Doktor Namens Théophraste Rénaudot in Paris gegründet. Dieser, ein intimer Freund des berühmten Geneologen d'Hozier, hatte oft Gelegenheit Briefe, die derselbe aus allen Weltteilen empfing, zu lesen und zwar bereitete ihm diese Lektüre soviel Vergnügen, dass er mit d'Hoziers Erlaubnis viele dieser Briefe kopierte, um sie seinen Patienten mitzuteilen; wahrscheinlich in der weisen Voraussetzung, dass Medizin besser wirkt, wenn der Kranke angeregt und auf andere Gedanken gebracht wird. Es scheint, dass dieses System von Erfolg begleitet war, und Renaudot verfiel nun auf die Idee, die Briefe drucken zu lassen, um sie auch Anderen als seinen Kranken zugänglich zu machen. Er wandte sich an Richelieu, dem er schon längst als geistreicher und tüchtiger Mann bekannt war, und bat um die Erlaubnis, eine gedruckte Zeitung unter königlicher Protektion gründen zu dürfen. Der schlaue Kardinal begriff sofort, von welch' außerordentlichem Vorteil ein Organ für ihn werden könnte, das Nachrichten, wie sie ihm passten und in der Form, die ihm am geeignetsten erschien, unter das Publikum verbreiten würde, und er erfüllte daher Rénaudots Wunsch mit Vergnügen, ja er tat mehr, indem er selbst ein eifriger aber natürlich geheimer Mitarbeiter des Blattes wurde, für das selbst Ludwig XIII. von Zeit zu Zeit Artikel geliefert haben soll.

Die erste Nummer der Gazette de France erschien im Mai 1631 und enthielt zwei sehr eigentümliche Vorreden. Die erste ist ein Brief an den König und in den devotesten und loyalsten Ausdrücken gehalten. Ludwig XIII. wird als „ruhmreicher denn alle seine dreiundsechzig Vorgänger“ gepriesen und Rénaudot setzt hinzu, dass sein ganzer Ehrgeiz darin bestehen soll, den Namen eines so guten und glorreichen Monarchen in der ganzen Welt bekannt zu machen (!) „Dieses Journal,“ so schließt er, „soll das Journal der Könige werden, Alles wird nur diese angehen und sich auf sie beziehen, Anderer jedoch nur in soweit Erwähnung geschehen als sie für das Wohl und zum Ruhm der Monarchen beigetragen haben“. Dieses Programm besaß natürlich die größte Elastizität, denn vom General, der dem König eine Schlacht gewonnen bis herab zum Koch, der sein Diner bereitet, haben sie Alle direkt oder indirekt zu seinem Wohl oder Ruhm beigetragen. Selbst der Dieb, der die Gewalt und Majestät der königlichen Justiz anzuerkennen gezwungen ist, indem er sich unter ihr beugen muss, trägt so sein Scherflein zur Macht seines Herrschers bei.

Die Vorrede an das Publikum ist in einem anderen Ton gehalten, höflich, aber selbstbewusst. Nachdem Rénaudot sich darüber verbreitet, welch' außerordentlicher Vorteil es für Briefschreiber sein muss, eine Zeitung zu halten, die sie mit allen möglichen Neuigkeiten bekannt macht, so dass sie immer im Stande sein würden, ihren Freunden etwas Interessantes mitzuteilen ohne wie bisher, erfinden zu müssen, spricht er von der Mühe und Arbeit, die ein solches Journal für den Herausgeber mit sich bringt. Doch fährt er fort: „Man muss nicht glauben, dass ich dies Alles erwähne, um mein Unternehmen in ein besseres Licht zu setzen. Diejenigen, die mich kennen, wissen und können es den Anderen mitteilen, dass ich noch andere ehrenvolle Beschäftigungen habe außer Neuigkeiten zusammenzutragen. Ich spreche nur davon, um mich im Voraus zu entschuldigen, wenn mein Stil nicht immer allen Anforderungen entsprechen sollte. Es ist unmöglich, es Allen recht zu machen: Soldaten würden wahrscheinlich wünschen, in diesen Blättern weiter nichts, als Beschreibungen von Schlachten zu finden, diejenigen, die gern Prozesse führen, Nachrichten über solche; die Frommen werden erwarten, darin die Namen von würdigen Predigern oder guten Beichtigern genannt zu sehen, die, welche von den Vorgängen am Hofe nichts wissen, werden Aufklärung darüber verlangen, und jeder, der nur ein Packet sicher und unbeschädigt nach dem Louvre, eine Kompagnie von einem Dorf nach dem andern geführt, oder seine Steuern pünktlich bezahlt hat, wird es mir verübeln, wenn der König nicht durch meine Zeitung davon unterrichtet wird. Der Leser muss also mit mir Geduld haben. Aus Furcht, ihre Zeitgenossen zu verletzen, haben viele bedeutende Autoren lieber davon abgesehen, des Zeitalters, in welchem sie lebten, Erwähnung zu tun, mit welchen Schwierigkeiten habe ich also zu kämpfen, der ich nicht die Geschichte unseres Jahrhunderts, sondern die der letzten Wochen, des heutigen Tages zu schreiben gedenke.“

Nach dieser Vorrede folgte weder ein Leitartikel noch sonst eine selbständige Meinungsäußerung der Redaktion, sondern sofort Neuigkeiten aus neunzehn fremden Städten oder Ländern, aber seltsamer Weise nicht eine Zeile über französische Vorkommnisse. Folgendes war das Arrangement des Inhalts:

Nachrichten von Konstantinopel, den . April 1631; Rom, den 26. April — unter dieser Rubrik wurden auch Mitteilungen aus Spanien und Portugal gegeben — Nord-Deutschland, den 30. April; Freistadt in Schlesien, den 1. Mai; Venedig, den 2. Mai; Wien, den 3. Mai; Stettin und Lübeck, den 4. Mai; Frankfurt a. d. O., Prag, Hamburg und Leipzig, den 5. Mai; Mainz, den 6. Mai; Nieder-Sachsen, den 9. Mai; Frankfurt a. M., den 14. Mai, Amsterdam, den 17. Mai und Antwerpen, den 24. Mai.

Die Zeitung hatte einen außerordentlichen Erfolg. Sie erschien wöchentlich, aber das Material erwies sich als so bedeutend, dass Rénaudot bald gezwungen war, der letzten Nummer jedes Monats ein Supplement beizufügen. Die Größe des Blattes war vier Quartseiten, der Preis stellte sich auf ein sol parisis, d. h. ungefähr fünfzehn Pfennige unseres Geldes. Fünfhundert Abzüge der ersten Nummer wurden in einem Tage hergestellt und verkauft — keine geringe Leistung, wenn man bedenkt, wie langsam und mühevoll das Drucken mit den alten hölzernen Handmaschinen war.

Lange Zeit blieb die „Gazette de France“, die einzige französische Zeitung. Nach dem Tode des Doktors wurde sie von seinen Söhnen fortgesetzt und die Familie besaß das ausschließliche Recht, ein Journal herauszugeben zu dürfen, viele Jahre. Die „Gazette de France“ besteht noch und zur Ehre des Blattes möge hier bemerkt werden, dass es vielleicht das einzige der Welt ist, das nie seine Farbe gewechselt; es ist heute, was es vor der Revolution war, treu den Bourbons und dem klerikal-legitimistischen Prinzip.

Es scheint, dass Rénaudot die „Gazette" eine Zeit lang ganz allein redigierte, doch wurde ihm schließlich die Arbeit zu groß, besonders da er seine Praxis beibehielt und er sah sich genötigt, ein vollständiges Redaktionspersonal anzustellen, wobei ihn Richelieu unterstützt. Doch war es keinem der einzelnen Mitarbeiter gestattet, ihre eigene oder überhaupt eine Meinung in dem Blatte zum Ausdruck zu bringen, ihre Aufgabe war es nur, die verschiedenen auswärtigen Korrespondenzen in gutes Französisch zu übertragen und sie entledigten sich derselben so gut, dass die „Gazette" für über 150 Jahre lang als die best geschriebene Zeitung Frankreichs galt. Das Personal der Wochenschrift wurde nicht von Rénaudot, sondern von der Regierung bezahlt und erhielten die Hervorragendsten ungefähr 1500 Kronen jährlich (3600 Rm., was in Rücksicht auf den damaligen viel höheren Wert des Geldes heute etwa 10000 Rm. repräsentieren würde). Die „Gazette" kann unter Rénaudot nie einen Ueberschuss erbracht, ja kaum die Ausgaben gedeckt haben, dazu waren die Supplemente zu zahlreich und der Preis, wenn man die Größe des Blattes in Anschlag bringt, zu niedrig. Außerdem wurde es auch sofort von schamlosen, litterarischen Freibeutern ausgenutzt. Verleger in der Provinz druckten es nach, fügten einige lokale Nachrichten hinzu, um es anziehender zu machen, und verkauften es dann unter einem anderen Namen. Rénaudot sah sich gezwungen, gerichtlich gegen diese Presspiraten vorzugehen und traf schließlich ein Arrangement dahin, dass es bestimmten Verlegern in Avignon, Lyon, Rouen, Aix und Bordeaux gegen eine jährliche Zahlung gestattet sein sollte, die Zeitung nachzudrucken. Kaum hatte er und nicht ohne großen Verdruss und Mühe diesen Vergleich herbeigeführt, als mehrere Pariser Verleger dem Beispiel ihrer würdigen Kollegen in der Provinz zu folgen begannen. Man hatte damals nur sehr geringes Verständnis für den Schutz des geistigen Eigentums und Rénaudot selbst war sich darüber nicht ganz klar und gründete sein Recht hauptsächlich auf das königliche Monopol, das er erhalten, wonach es Niemand außer ihm gestattet war, eine Zeitung herauszugeben. Ludwig XIII. erließ denn auch mehrere Verordnungen, worin er Diejenigen, die nicht sofort diese Freibeuterei einstellten, mit strengster Verfolgung bedrohte; das Pariser Parlament gab ebenfalls sein Urteil in diesem Sinne ab und Rénaudot erhielt nochmals die Bestätigung seines Privilegiums für sich und seine Erben.

Die Zeitung blieb in seiner Familie, bis dieselbe mit einem Enkel Rénaudots, der Geistlicher geworden und daher keine Nachkommen hinterließ, ausstarb und fiel dann an die Regierung. Louvois, damals Minister, stellte nacheinander mehrere Hofbeamte als Chefredakteure an und der Zeitung, die sich im Lauf der Zeit schon zu acht Seiten vergrößert, wurden noch weitere vier hinzugefügt. Im Jahre 1762 wurde die „Gazette" dem Ministerium des Auswärtigen überwiesen und erschien zum ersten Male mit dem königlichen Wappen. Die Anzahl der Seiten wurde wieder auf vier reduziert, die Zeitung jedoch dafür zweimal wöchentlich, Montag und Freitag, veröffentlicht und der Abonnementspreis von 18 auf 12 Francs jährlich herabgesetzt. Die „Gazette" bezahlte sich jetzt sehr gut und den Redakteuren, die den Ueberschuss mit dem auswärtigen Amte teilten, verblieb ein ungefähres jährliches Einkommen von 20000 Francs. Im Jahre 1787 bot der Verleger, Pancouke, der sich bemühte, sich ein Zeitungsmonopol zu verschaffen, indem er alle vorhandenen Journale an sich brachte, 60000 Francs jährlich für die „Gazette" zu zahlen, wenn ihm dieselbe überlassen würde, welchen Vorschlag die Regierung annahm, sich das Recht der Ueberwachung vorbehaltend.

So lange die loyale „Gazette de France" das einzige Journal Frankreichs war, dachte Niemand daran, ein Pressgesetz zu erlassen, aber während der aufgeregten Zeiten, die dem Tode Ludwigs XIII. folgten, erstanden plötzlich mehrere Zeitungen und manche derselben befleißigten sich einer so kecken Sprache, dass die Regierung es für geraten hielt, einzuschreiten. Einige der Unverschämtesten wurden auf Befehl Mazarins durchgeprügelt, während das Parlament Anderen dasselbe Schicksal bereitete, die Ersteren, weil sie den Hof angegriffen, die Letzteren, weil sie ihn verteidigt hatten. Im Allgemeinen war es in diesen Tagen das Beste, seine Tinte eintrocknen zu lassen. Nur ein Journal, die „Gazette de Loret" (nach ihrem Herausgeber so genannt), erfreute sich während zweier Jahre einer ziemlich ungetrübten Existenz, welche es allerdings hauptsächlich seiner mächtigen Protektorin, der Herzogin von Longueville, Schwester des großen Condé, verdankte. Diese amüsante, kleine Wochenschrift war ganz in Versen geschrieben und verbreitete sich über alle politischen und sozialen Zustände Frankreichs. Sie erschien immer in der Form eines Briefes an „Madame la Duchesse, soeur de Monsieur le Prince" und Loret gestand es ganz offen, dass er von dieser großmütigen Dame ein Jahresgehalt von 14000 Francs erhielt. Schließlich fand aber das Parlament, dass die „Gazette de Loret" sich zu große Freiheiten erlaubte, und so verbot es dem Herausgeber, über Politik und Kirche überhaupt zu sprechen, was dem Journal den Todesstoß gab.

(Fortsetzung folgt.)

Wilhelm Jensen's „In der Fremde".

„Die Armseligkeit der zeitgenössischen deutschen Litteratur ist äußerst kläglich und bringt die Kritik fast in Verlegenheit. Die Poesie taugt so wenig wie die Prosa, die Prosa so wenig wie die Poesie. Man kann da nicht einmal von Mittelmäßigem, von Schlechtem sprechen, es ist einfach das Nichts."

Wenn so eines der angesehensten, auch in Deutschland viel gelesenen französischen Tagesblätter schreiben kann, wie ein neulicher Artikel der Berliner Wochenschrift: „Die Gegenwart" mitgeteilt hat, so erklärt sich dies gewiss vor Allem und hauptsächlich aus französischer Voreingenommenheit, Unverfrorenheit und blinder Wut. Aber doch nicht ausschließlich. Zu einem guten Teil sind an solchen geringschätzigen Urteilen, nicht nur Frankreichs, sondern auch anderer europäischer Stimmen unsere eigenen Verhältnisse schuld. Nicht als ob wir an der uns vorgeworfenen Armut, die dem „Temps" sofort zum reinen Nichts wird, uns zu stoßen brauchten. Wenn wir auch von vornherein 95 Prozent des in Deutschland auf dem Gebiet der Novelle und des Romans Produzierten als ganz unwertig verwerfen, sind wir noch reich im Vergleich zu den Franzosen und dies nicht nur durch eine viel größere Zahl wahrer Poeten in Prosa, sondern noch mehr durch die Natur und den Charakter unserer dichterischen Erzeugnisse, unserer „Werke der Einbildungskraft".

Drei Umstände sind es, die uns dem Ausland gegenüber unendlich schaden: das ist zunächst unsere famose deutsche Tugend, alles Fremde würdigen, in uns aufnehmen, oder in ihm aufgeben zu können, welche berühmte und von uns in allen Tonarten gerühmte Tugend auch eine Kehrseite hat und dann als ein rechtes Laster erscheint. Wahrlich, wenn ein Engländer oder Franzose sieht, wie wir nachgerade Alles übersetzen, was in europäischen und außereuropäischen, flektierenden, agglutinierenden und isolierenden Sprachen an „Werken der Einbildungskraft" hervorgebracht wird, und dann denkt, eine solche Nation kann unmöglich selbst etwas haben, da braucht man gar nicht erst näher nachzusehen: wer kann ihm dies übelnehmen?

Der zweite Selbstanklagepunkt, den ich im Auge habe, besteht darin, dass während wir zwar im Allgemeinen gar keine geringe Meinung von uns haben und von unserer Mission in dem geistigen und politischen Europa der Zukunft so emphatisch reden können, als nur die Franzosen selber, wir doch immer im gegebenen konkreten Fall uns nie gerecht werden, besonders wenn der Fall noch dazu ein gegenwärtiger ist. (So machen wir aus Zola viel mehr Wesens, als dessen eigene Landsleute, die es doch wahrhaftig verstehen, ihre bedeutenden Männer zur Geltung zu bringen.) Wie würde es dagegen dem Antipoden Viktor Hugos gehen, wenn er ein Deutscher wäre, wie wollten wir ihn klein kriegen!

Das dritte und schlimmste Uebel von allen ist unsere Zerfahrenheit und Zerrissenheit, unsere litterarische Kleinstaaterei, viel fataler noch als unsere politische, unser Mangel an einer festgegründeten, großen, einheitlichen Litteraturgemeinde. Wir haben wirklich nichts von alledem. Wenn wir es hätten, könnte nicht fortwährend neben dem Reichtum von wahrhaft Gutem und Großem das Mittelmäßige, bis zum lächerlich Schlechten herunter, ungehindert in Ueberfülle gedeihen, wuchern und dem Erstern Luft und Raum wegnehmen. Ein ausgesprochenes schriftstellerisches Talent tritt in Frankreich sofort auf eine dem ganzen Volke bemerkbare Weise in eine Linie mit dem Ersten, Größten und Verehrungswürdigsten der Nation, sein Name wird sozusagen mit weitleuchtender Schrift in die nationale Ruhmeshalle eingeschrieben.

Dieses Verhalten der französischen Nation, diese hohe Diszipliniertheit in litterarischen Dingen ist mit ein Grund, warum französische Litteraturgrößen auch immer europäische sind. Aber wie ist es damit in Deutschland bestellt, und wie soll das Ausland unsere Talente anerkennen, wenn dieselben nicht einmal im eigenen Volk deutlich sichtbare Gipfelpunkte des geistigen Lebens der Nation sind? Da hat jener bekannte „Revolutionär" nicht ganz unrecht, der neben viel Anderem auch behauptet, die deutsche Nation sei die litterarisch ungebildetste Europas. Und das berühmte Wort Goethes über die Deutschen gilt noch heute in seinem vollen Umfang, wenigstens in litterarischer Beziehung. Ich frage, ist es denkbar, dass in England, Frankreich, Italien, Russland, Ungarn, kurz, wo es sei, ein Buch erschiene, von so gewaltigem Kaliber wie Wilhelm Jensens „Nirvana", mit solcher Fülle eigenartiger dichterischer Gestaltungen großen Wurfs, mit solchen Schlaglichtern der höchsten Poesie, die wie Blitze des Weltgerichtes durch die Dichtung zucken, mit seiner furchtbaren Wucht des Gedankens, seinen wahrhaft dantesken Perspektiven in eine neue moralische Welt der Zukunft — und dann so unbeachtet vorüber ginge, nur einer verhältnismäßig kleinen Gemeinde bekannt würde?

Unnötig darüber zu streiten, ob diese Reflexionen übertrieben und hier unberechtigt seien oder nicht. Mir drängten sie sich gewaltsam auf, als ich mich anschickte, über das in der Aufschrift erwähnte Buch*) meine Gedanken niederzuschreiben.

In Jensens dichterischer Persönlichkeit treten zwei Grundkräfte deutlich hervor, sind seine Stärke und geben ihm seine Physiognomie. Ihm wohnt in höchstem Grade das Vermögen, oder sagen wir noch lieber die Notwendigkeit inne, an den Dingen und um sie her jenes Etwas mitzusehen und mit darzustellen, wodurch die Dinge, die an sich weder poe-

*) In der Fremde, Roman in zwei Büchern von Wilhelm Jensen. Leipzig 1886. B. Elischer.

tisch noch unpoetisch sind, poetisch wirken, mit andern Worten, über die von ihm dargestellte Welt jenes geheimnisvolle Etwas auszuströmen, das wir Stimmung nennen und welche bewirkt, dass wir durch jedes wahre Dichtwerk uns wie in eine andere Welt versetzt fühlen, auch wenn die Gegenstände und Geschehnisse darin noch so sehr der gemeinen Welt angehören — ohne welches Vermögen es überhaupt keine Kunst giebt. Jensen besitzt dasselbe so intensiv als nur je ein Dichter und ist deshalb auch ein Lyriker hohen Ranges. Vielleicht noch wesentlicher und charakteristischer für Jensen ist seine andere dichterische Eigentümlichkeit. Sie besteht darin, dass der Dichter in seinen Werken mit der ganzen Schärfe des Satyrikers doch nicht mit Rede und Worten, sondern durch lebendige Gestaltung und Handlung den Menschen sagt: „Seht hin, erkennt euch, diese Fassnagel (um Gestalten des vorliegenden Buches zu nennen), diese Hornickel, diese Doktor Dümichen, diese Apothekerinnen Lonicerus, diese Kammerrätinnen Thiele, diese Justizrätinnen Fittbogen, ferner diese Ertruden von Felsenstein, diese Excellenzen, Präsidentinnen, Komtessen, diese von Dilpflug, diese von Dornblüth, das seid ihr, ihr Alle, die ihr wie die Genannten über Heloise die Nase rümpft und an die Lichtgestalten meiner Dichtungen auch im höhern künstlerischen Sinn des Wortes nicht glaubt, weil ihr sie nicht begreift und auch den Dichter nicht, dessen Gehirn sie entsprungen, dessen Geist und Seele in ihnen lebt."

Durch Jensens größere Dichtungen schreitet gleichsam der beleidigte, erzürnte Geist des höhern Sittlichkeitsgesetzes. Es sind nicht bloße Evolutionen, aus der Lust zu fabuliren, zu gestalten, entsprungen, es sind gewaltige Weltsatyren, die mit Unerbittlichkeit jede kirchliche, staatliche, wissenschaftliche und soziale Lüge, Halbheit und Heuchelei entlarven, jeden schwärenden Wundfleck an der Menschheit aufdecken, ohne dabei in unerquicklicher Negation stecken zu bleiben, oder besser ausgedrückt, in der Darstellung des Gemeinen, woraus sogar nach Schiller der Mensch gemacht ist, allein aufzugeben. Die beiden konstatierten Darstellungseigentümlichkeiten, die sich fast zu widersprechen scheinen, sind in ein und demselben Dichtercharakter in so hoher*) Intensität vielleicht sehr selten verbunden aufgetreten, und auch bei Jensen in keinem frühern Werke, weder zu schönerer wirkungsvollerer Harmonie, noch je in größerem umfassenderem Weltbild zum Ausdruck gelangt, als in dessen letztem großen Werk: „In der Fremde."

Fragen wir uns nun, was in dem Buch erzählt wird, welche psychologischen, religiösen, sozialen u. s. w. Probleme in dem Erzählten geboten und wie dieselben gelöst werden.

*) Verfasser scheint die mit Recht gerügte deutsche Krittelei durch die Uebertreibung des Gegenteils ausgleichen zu wollen. Die Red.

In dem ersten Teile dieses Buches wird von einer Pfarrerstochter berichtet, die mit einem Predigerskanditaten und Pfarrerssohn verlobt ist und deren beide Eltern benachbart und befreundet sind. Ein schöner Graf kommt, verliebt sich in die Pfarrerstochter und Braut des Kanditaten, entführt sie am feierlich begangenen Polterabend, d. h. in der Nacht vor der geplanten Hochzeit mit dem Pfarrerssohn, und heiratet sie. Aber wozu denn ein zweiter Teil, wenn sie sich am Ende des ersten schon „kriegen"? Darum, weil diese, von mir hier mit absichtlicher Kahlheit herausgeschälte Fabel nicht die Formel für die althergebrachte deutsche Romanschablone ist, wonach A und B sich heiraten sollen, weil es die gewaltigen X, Y, Z, und so weiter wollen, gebieten, während A doch C und B, um die Sache recht zu verwickeln, vielleicht D liebt und heiraten will, wodurch dann ein Kampf auf Leben und Tod entbrennt zwischen A B C D einerseits und X Y Z u. s. w. anderseits, mit dessen glücklichem Ende d. h. mit dem „Sichkriegen" von A und C und B und D das Interesse an der ganzen Geschichte und diese also selber aufhören muss. Dass es sich in dem Jensenschen Buche um so etwas handeln könne, müsste gewiss Jedermann unglaublich erscheinen, und trotz obiger verdächtiger Inhaltsangabe, hatte es sicher Niemand angenommen. Die Sache liegt vielmehr so: Heloise, die Heldin, welche den Kanditaten Lorenz Rollenhagen, ihren Jugendfreund und Spielkameraden heiraten soll, lässt sich von dem Grafen Rivarol entführen, nicht weil sie sonst aus Liebe zu ihm sterben müsste, sondern trotzdem sie ihn gar nicht liebt, wenigstens nicht so, wie sie sich selber die Liebe vorgestellt hatte. Doch meint sie, ihn zu lieben und muss sich von ihm geliebt glauben. Sie ist nicht gezwungenermaßen Lorenz Rollenhagens Braut, sondern ganz freiwillig und hat denselben von Jugend auf mit der ganzen Kraft ihrer außerordentlichen Seele geliebt. Aber sie war lange von ihm getrennt und als sie sich wiedersahen und der auf dem silbernen Hochzeitstag der Eltern festgesetzte eigene Hochzeitstag gar nicht mehr ferne ist, sind die Umstände so, dass Heloise sich in ihrem Bräutigam getäuscht glauben, in ihm einen ganz Andern sehen und erkennen muss, als der ihr in der Seele gestanden, den sie geliebt. Je näher der Hochzeitstag rückt, desto gewisser wird ihr dies, in desto größerer seelischer Niedrigkeit, Oedheit und Armseligkeit sieht sie ihren Bräutigam, desto weiter, unausfüllbarer die Kluft zwischen ihrem beiderseitigen Denken und Empfinden, desto deutlicher sieht sie in der Gemeinschaft mit ihm lebenslängliches innerliches Elend. So führt das Dazwischentreten Edgars von Rivarol, der, nicht zwar in Wahrheit aber noch für ganz andere als die durch Angst, Zweifel und Verzweiflung nicht mehr klaren Augen Heloises innerlich und äußerlich das Gegenteil von Lorenz Rollenhagen ist, die Katastrophe herbei.

Der Dichter musste in seiner Heldin, wie Jeder einsieht, ein außerordentliches seelisches Wesen schaffen, uns in Tiefen ihres Geistes und Gemütes blicken lassen, die abgrundartig, fast dämonisch erschreckend wirken und dies in einer Welt von solcher geistiger Engheit, solcher Kleinlichkeit der Interessen, solcher Dürre und Leerheit des Herzens bei unendlich viel Heuchelei, Schufterei und Niederträchtigkeit. Selbst in der von Herzlichkeit und Gemüt durchsonnten, aber geistig beschränkten Lebensatmosphäre des Vaterhauses muss nach des Lesers Empfindung sich eine Heloise fremd, einsam, verlassen fühlen, mit einem sich immer steigernden unendlichen Heimweh in der Seele, welches durch die fernlockende Heimat, die der Geliebte ihr einst sein wird, noch riesenhafter anwächst. Wenn aber diese längst winkende Heimat wie ein Trugbild plötzlich versinkt, muss jenes Heimweh zur Verzweiflung werden, und entweder nach dem Tod, oder einem sich darbietenden wahren oder illusorischen Ausweg greifen. Nur wenn wir durch die Zaubergewalt der dichterischen Darstellung diese Empfindung bekommen, werden wir Heloisens Schritt verstehen können. Ja, wir werden bei demselben, der alle Begriffe von Moral und Sitte in jener umgebenden Welt auf den Kopf stellt und die heiligsten Gefühle nach landläufiger Betrachtung ins Gesicht zu schlagen scheint, unwillkürlich innerlich ausrufen: Glück zu! Wenn wir auch schon im nächsten Augenblick über unsern eigenen Ausruf erschrecken. Selbstverständlich hat der Leser dann auch die feste Ueberzeugung, dass Heloise den Rivarol nicht heiratet, weil, sondern trotzdem er ein Graf ist. Nicht der leiseste Zweifel daran kann in ihm aufsteigen. Mit welchen immensen poetischen Mitteln der Dichter dies erreicht hat, möge Jeder selber nachsehen.

Das folgende Heinesche Gedicht:

> Entflieh mit mir und sei mein Weib
> Und ruh' an meinem Herzen aus.
> **Fern in der Fremde sei mein Herz**
> **Dein Vaterland und Vaterhaus.**
>
> Gehst du nicht mit, so sterb' ich hier,
> Und du bist einsam und allein;
> **Und bleibst du auch im Vaterhaus,**
> **Wirst doch wie in der Fremde sein,**

dem der Titel des Buches entnommen scheint, deutet an, mit welcher eigenartigen Vertiefung der Verfasser das Liebesproblem als Lebensproblem behandelt hat. Nebenbei bemerkt kann man in Jensens Dichtungen folgende Beobachtung machen: Während bei anderen Dichtern die Liebe meistens als eine in ihrem Entstehen unerklärte, in ihrem Wesen unbegriffene dunkle Macht erscheint, mit der dann als mit etwas Gegebenen operiert wird, ist es Jensen wesentlich darum zu tun, erkennen zu lassen, was die Liebe ist und wie es kommt, dass Zwei einander begreifen und lieben müssen, ohne welchen Umstand sie gar nicht sie selber wären.

Der Faden der Handlung spinnt sich im ersten Buch, möchte ich sagen, durch drei geistige Welten; sie heißen: Kleinstadt-Honorationen, Frederkingsches und Rollenhagensches Pfarrhaus in einem Städtchen von Schleswig-Holstein.

Aber trotz dieses Gemeinsamen sind wieder drei Sphären scharf voneinander abgestuft, die erste von den beiden anderen durch gröbere, äußere, die letzteren unter sich durch feinere, innerliche Lebenserscheinungen. Beides mit bewunderungswürdiger Kunst, mit seltener poetischer Feinfühligkeit in der Beobachtung. Die sich damit beschäftigenden Partien gehören mit zum Besten des ganzen Buches. Dazu muss auch die Gestalt Edgar Rivarols gerechnet werden. Dieser junge Graf, von eben so großer körperlicher wie feiner geistiger Bildung und Gewandtheit, perfekter Weltmann, ganzer Kavalier und das, man kann wohl sagen, im besten Sinne, ist eine blendende, imponierende Erscheinung. Und doch sieht der Tieferblickende, aber auch nur dieser, dass der glänzende Graf, wie sehr er in gewöhnlichen Menschen- und Lebenskreisen und besonders in seinen eigenen, an Liebenswürdigkeit, Großmut und „nobler“ Gesinnung Alles übertreffen mag, dass derselbe gerade den wesentlichsten Wert jenes Weibes, welches er mit der ganzen Heftigkeit seiner leidenschaftlichen Natur und zuletzt mit gänzlicher Hintenansetzung aller Rücksichten zu gewinnen strebt, nicht schätzt, ja nicht ahnt, derselben also im letzten Grund unwürdig ist. Wie nun, wenn Heloise dies erkennt und in allen seinen für ihre hochgespannte Natur tragischen Konsequenzen täglich empfindet? Und wie, wenn nun noch die Umstände mit blitzartiger Erleuchtung es ihr zur Gewissheit werden lassen, dass sie sich in ihrem ehemaligen Bräutigam Lorenz Rollenhagen, nicht das erste Mal, als sie ihn liebte, sondern das zweite Mal, als sie ihn verabscheute, getäuscht hat? Damit sind die Elemente der Entwickelung der Geschichte im zweiten Buche gegeben.

Nur noch ein Wort über Heloisens weiteren entscheidenden Schritt, der die Katastrophe des zweiten Buches, die eigentliche tragische, und dies im großen Sinne des Wortes, herbeiführt. Nicht diesen Schritt zu erzählen ist meine Absicht. Nur das sage ich, dass er im Sinne der Welt, in welcher die Heldin lebt, die Ungeheuerlichkeit des ersten noch überbietet. Oder ist dies im Sinne auch der Welt gesprochen, in der wir leben, wir Lebenden und Lesenden?

Da „In der Fremde“, welches jetzt als Buch vorliegt, in einem der verbreitetsten Blätter Deutschlands bereits vor mehreren Monaten erschienen ist, konnte man wohl diesbezügliche Aeußerungen hören. In Wahrheit, es gab viel Kopfschütteln. Und was tut Heloise, worüber zwei Welten sich entsetzen, die im Roman dargestellte und die den Roman lesende? Sie tut etwas, wodurch sie in den Augen aller

Menschen, natürlich mit Ausnahme derer, die an sie glauben, als verworfenste Kreatur erscheint, während ihr Handeln das einzig mögliche war, um die Reinheit und das stützende Stolzgefühl ihres eigenen moralischen Bewusstseins zu bewahren, um einer Welt zu entrinnen, die ihr tiefstes moralisches Entsetzen einflößt, in der ihr eigenes Leben eine fortgesetzte ungeheuerliche Lüge wäre. Aus dieser Hölle, und Dantes Phantasie hat keine grauenhaftere geschildert, führt ein Weg, ein einziger, und Heloise, deren Seele und innerliches Wesen nur mit „der Kraft, dem Ungestüm und der furchtlosen Verwegenheit einer Naturgewalt“ bezeichnet werden kann, sollte zögern, ihn zu gehen, weil er kein alltäglicher ist, sollte dies tun im Moment fieberhafter, bereits bis zur Krankheit gesteigerter Nervenaufregung?!

Die solche Forderungen stellen, werden dieselben wohl begreifen; freilich verlangen sie dies nun auch vom Dichter, und wenn derselbe keine der ihrigen gleiche Begriffsfähigkeit zeigt, haben sie gar keine hohe Meinung von ihm. Wer kann ihnen das übelnehmen? So sind die Menschen, sie lesen Romeo und Julia (oder auch nicht) und können nicht Worte genug der staunenden Bewunderung finden; denn: das hat ja der große Shakespeare gedichtet. Lasst ihnen im Leben, wenn es möglich ist, diese Geschichte, diese Julia begegnen; Pfui! werden sie sagen.

Die Welt, in welche wir die Heldin im zweiten Buch versetzt sehen, könnte von den drei im ersten Teil namhaft gemachten kaum durch eine größere Kluft getrennt sein, wenigstens äußerlich. An die Stelle der Engheit, Kleinheit, Armseligkeit und Werktäglichkeit, mit einem Wort, spießbürgerlichen Kleinstadtelends tritt mit einem Schlag weites, reiches äußerliches Leben, großer Stil, Luxus und höchster Glanz, Befreitsein von den kleinen, gemeinen Sorgen des Lebens. Es ist, kurz gesagt, die Welt, welche sich charakteristisch genug die Welt schlechtweg nennt, wahrscheinlich um anzudeuten, dass es über sie hinaus nichts mehr giebt, wenigstens nichts interessantes. Es sind die höchsten aristokratischen Gesellschaftskreise einer Großstadt. Aber diese Welt ist im Kern ..... Nun, ich denke mir einen Herrn von Dornblüth, der das erste Buch mit unendlichem Seelengaudium liest und wiederholt „bravo!“ ruft und „trefflich“ und „ja, so sind sie, so schäbig, so muffig, genau so, diese Heringsverkäufer, diese Aktenwürmer, diese guten Haus- oder besser Küchenfrauen, diese Pfarrerstöchter, kurz diese kleinen Menschen, diese Bürgerlichen!“ Ich möchte ihn bei gewissen Seiten des zweiten Buches sehen, wie er ein ellenlanges Gesicht macht oder wie er in gerechter Entrüstung seinen Leihbibliotheksband von sich wirft und nachher von seinem Diener fortschaffen lässt, in hoheitsvoller Pose, stolz, selbstbewusst ....

Möge es mir zum Schluss vergönnt sein, eine etwas längere Stelle aus dem besprochenen Buch anzuführen. Dieselbe wirft ein interessantes Licht der Reflexion aus dem dichterischen Geist heraus auf den Charakter und das Wesen der Heldin und ist zugleich eine charakteristische glänzende Probe vom Reichtum und poetischen Stimmungszauber des Jensenschen Stils:

„Einige Wochen des ungewöhnlich mild verbleibenden Winters gingen wieder weiter, und ein Vorfrühling, von dem man freilich drunten im Gewühl der Straßen nicht viel ahnte, lag schon in den ersten Märztagen über den Dächern der (Groß-) Stadt. Er tauchte noch nicht zu den Bel-Etagen des Ranges und Reichtums hinunter, sondern räumte, in seltener Laune des Lebenslottospiels, den hohen Stockwerken der gesellschaftlichen Niedrigkeit und der Armut einen Vorzug ein, indem er dort oben bereits gestattete, gegen Mittag hin die nach Süden belegenen Fenster zu öffnen und linde Wärme, blaues Licht und goldene Wellen hereinfließen zu lassen.

Einer jener Tage war's, die zwischen den alten und neuen, den roten, braunen und verblichenen Ziegeldeckeln solcher Riesen-Steingrube, dem bröckelnden weißen Mörtel, den Kappen und Rinnen, den Firsten und Rauchfängen ein junges Herz plötzlich mit einem schauernd sehnsüchtigen Gefühl anpacken können. So seltsam, dass vielleicht vor einem mageren Knabengesicht, das aus einem dieser armseligen obersten Giebelfensterchen hinauslugt, auf einmal ein winziger, zwischen die todten Ziegelsteine verirrter Grashalm, in der Sonne flimmernd, zu einem nie gesehenen rauschenden Urwald emporwächst, zu einer windwogenden Prärie, zu leuchtenden Wunderbäumen einer tropischen Märchenwelt. Und auf diese Schöpfungen einer rätselvollen Einbildungs- oder Bildungskraft blicken die großen, unbewegt haftenden Augen hinaus, ahnungslos, dass in diesem Augenblick durch sie ein geheimnisvoller, übermächtiger Strahl in die Seele hineinfällt, der sie bis zur letzten Stunde nie mehr lassen wird. Ein Strahl, der an sich nicht bös und nicht gut ist, doch den Augen eine neue Erkenntnis leiht, sie ihnen als Eigenschaft und Erkenntnis aufzwingt, Alles hinfort von einem andern Licht umflossen zu sehen als bisher, von Aetherwellen durchzittert, für deren Schwingungen nur ihre Netzhaut empfänglich geworden, so dass die Leute, und nicht nur die klügelnden Vernünftler, sondern auch manche verständig wohlwollende unter ihnen, sagen werden, er sei ein Poet, ein Träumer, nicht brauchbar für die Tatsächlichkeit des Lebens und nicht berechtigt, sich zu beklagen, wenn er darin zu keinem Glück und keiner Befriedigung gelange.

Von solchen Augen hatten diejenigen Heloises manches, wie sie so durch das offene Fenster ihrer hohen Dachwohnung auf die sonnig überrieselten Ziegelberge und -Täler draußen hinausschaute .....“

Die Augen ihrer Seele hatten es nicht nur in diesem Augenblick, sie hatten es immer.

Freiburg i. B. Benno Rüttenauer.

Skandinavische Litteraturbriefe.

Von Rudolf Schmidt (Kopenhagen).

III.

Es geht durch die neueste skandinavische Litteratur ein unverkennbarer nihilistischer Zug, den zu verfolgen und dessen Verzweigungen durch die drei eng verbundenen Sonderlitteraturen: die dänische norwegische und schwedische, aufzudecken ich in meiner Eigenschaft als Berichterstatter einem ausländischen Publikum gegenüber für geboten halte, wenn auch die meisten der hierher gehörenden litterarischen Leistungen ihrem eigentlichen Werte nach auf die Aufmerksamkeit des Auslandes durchaus keinen Anspruch machen können. Der berühmte dogmatische Unterschied: „Dieses ist“ und „Dieses bedeutet“ macht sich auch, freilich auf sehr modifizierte Weise, im geistigen Lebenslaufe einer bestimmten Epoche geltend: Bücher, die an und für sich blutwenig sind, können als Minutenzeiger geistiger Regungen sehr wohl etwas bedeuten.

Den Ausgangspunkt bietet auch in dieser Hinsicht Henrik Ibsen. Aus der jüngst bei Ph. Reclam in Leipzig erschienenen, von Herrn L. Passarge besorgten Uebersetzung seiner „Gedichte“*) führe ich hier seine kurze Apostrophe „An meinen Freund, den Revolutionsredner“ an:

„Sei unter die Konservativen gegangen —?
War immer derselbe, sei ohne Bangen!
Ich halte nicht mit, wo man eifrig Schach spielt.
Werf' um das Brett, dass man doch 'nen Krach fühlt.
Von der Revolution kenn' ich nur eine,
Die nicht bald verpfuscht war, eine feine;
Sie hat vor den spätern des Alters Glorie:
Ich meine natürlich die Sündflutshistorie.
Doch damals schon war der Teufel betrogen,
Weil Noah im Kasten sich durchgelogen.
Was meinst', wir machen sie besser, als Kenner: —
Und dazu bedarf's der Redner und Männer.
Ihr sorgt für das Wasser, wie laut man auch schnarche;
Ich leg' 'nen Torpedo unter die Arche.“

Dieselbe Auffassung, dass die Vorzeit für die Zukunft gänzlich ohne Bedeutung sei und in der Gegenwart die Nachwirkungen einer vermoderten Lebensansicht nur als Schatten ohne Mark und Recht umherwandeln lässt — dieselbe Auffassung hat der Dichter noch deutlicher in seinem Drama „Gespenster“ zu Worte kommen lassen. Ohne daran zu denken, hat, beiläufig gesprochen, Emile Zola in „La joie de vivre“ gerade über das Epigramm des norwegischen Dichters eine schneidige epigrammatische Beleuchtung geworfen, indem er ein bischen höhnisch von „ces farceurs de pessimistes“ spricht, die bereit sind, durch eine Petarde die Welt in die Luft zu sprengen, sich aber hartnäckig weigern, „den Tanz mitzumachen“. Schon im Jahre 1871 machte übrigens ich selbst Herrn Henrik Ibsen auf den Umstand aufmerksam, dass auch diesmal der Teufel betrogen sein würde, weil ja der Dichter des Epigramms nach vollendeter Weltsprengung zurückbliebe, um selbst die früher durch Noah bewerkstelligte Neubildung zu übernehmen, was vielleicht doch immerhin genierend sein dürfte.

Die soziale Neubildung, von der sich H. Ibsen selbst immer vorsichtig zurückhielt, hat eine ganze Heerschaar jüngerer skandinavischer Autoren, wenigstens auf dem Papier, zu unternehmen versucht. Die nordländischen Bazaroffs (vergl. „Väter und Söhne“ von Turgénjew) haben sich nicht damit begnügt, auf die alte, vermoderte Gesellschaft nach Kräften loszuschlagen in einer Prosa, die zum antiken: „Facit indignatio versus“ das Gegenstück bilden würde, wenn nur die Echtheit der Indignation nicht ein bischen verdächtig wäre, sie haben auch ihr litterarisches „Neuland“ nach bestem Vermögen abzubilden die ersten Schritte getan. Dass sie durchaus keine Aussicht haben würden, wenn das menschliche Dasein bisher wirklich aller Wahrheit entblößt war, ein von echtester Wahrheit erfülltes Dasein zu realisieren, ist ein geringfügiger Umstand, der sie gar nicht abschreckt. Ohne Furcht erklären sie die Gegenwart durch eine klaffende Tiefe vom bisherigen Leben der Menschheit getrennt und fangen von diesem Ausgangspunkte vertrauensvoll an, nach Anweisung des norwegischen Dichters, „die Gespenster“ zu bekämpfen und dichterische Abbilder eines besseren „modernen“ Zustandes zu entwerfen.

Dies Mal werde ich mich an die Schweden halten.

„Erik Grane, Upsalaroman“, von Gustaf af Geyerstam ist ein schlecht aufgebautes, aber teilweise wohlgeschriebenes Buch, abstoßend und bisweilen doch voll regsten Interesse. Der Strom der Erzählung wird auf die unbeholfenste Weise getrübt, die Begebenheiten mischen sich in wirren Affensprüngen durcheinander, die Darstellung ist aber manchmal von wirklicher Energie, und die subjektive Wahrheit dieser vor Wut schnaubenden Schilderung des akademischen Lebens der alten schwedischen Universitätsstadt ist nicht zu bezweifeln. Dieses ganze Leben: die besonderen schwedischen Studententypen, sowie die vom seltsamsten Dünkel erfüllten Adepten der bis jüngst in Schweden alleinherrschenden Boströmischen Philosophie, die der Verfasser einen seiner Helden „den letzten falschen Wechsel des alten Upsala“ nennen lässt — alles Dieses liegt deutschen Lesern so fern, dass von einer eindringlichen Besprechung die Rede gar nicht sein kann, und doch kann das Buch nicht übergangen werden, wenn eine Hauptrichtung der gegenwärtigen skandinavischen Litteraturbewegung einigermaßen vollständig angedeutet werden soll.

Die sehr kühne Schilderung des erwachenden Geschlechtstriebes der Hauptperson, seine Kämpfe dagegen und die endlich erfolgende Nachgiebigkeit gegen denselben sind im Vaterlande des Verfassers sehr stark gerügt worden, und in der Tat sind sie von beinahe unfasslicher Brutalität, ohne durch männlichen Ernst und echtkünstlerische Darstellungskraft sich auch nur im entferntesten Grade zu rechtfertigen. Die Bitterkeit der genannten Rügen dürften jedoch zum Teil davon herrühren, dass der Verfasser in seiner drastischen Schilderung des ganzen Upsalensischen Treibens den gewöhnlichen Lobhudlern desselben nicht selten sehr herbe Wahrheiten sagt. Allerdings kenne ich das genannte Treiben aus eigener

*) Die Uebersetzung des Herrn Passarge erreicht die höchsten Spitzen der gegenwärtigen Uebersetzungskunst nicht, ist aber ein Werk wirklicher Liebe zu der Aufgabe, für die ihm jeder Skandinavier Dank sagen muss. In den von größter Sorgfalt zeugenden Noten habe ich nur S. 119 in der „Poetischen Epistel an die berühmte Schauspielerin Frau J. L. Heiberg“ den einzigen kleinen Fehler gefunden, dass die ungeschichtliche Ranhild im „Svend Dyrings Hus“ von Henrik Hertz mit der geschichtlichen norwegischen Königin desselben Namens verwechselt worden ist.

Anschauung nur sehr wenig glaube jedoch für die Uebereinstimmung mit der Wirklichkeit sehr vieler der dargebotenen Typen einstehen zu können. Dieser theologische Professor z. B., der Sonntag Abend kleine Thees für einen auserlesenen Kreis veranstaltet, mit breitester Selbstgefälligkeit von den Auserwählten Gottes erzählt und sich dabei umsieht, als behauptete er selbst nur ein ganz gewöhnlicher Mensch zu sein, was seine Zuhörer nur um so mehr anregt, ihn für einen Auserwählten zu halten — dieser würdige Verkündiger der höchsten Wahrheiten ist offenbar dem Leben mit entschiedener dichterischer Fassungskraft entlehnt. Die eigentliche wirksame Kraft des Buches ist jedoch, wie bereits angedeutet, das subjektive, lyrische Element: die Erbitterung gegen eine mit Schimmel überzogene, unwandelbare Tradition und das begleitende Gefühl einer wirklichen geistigen Neubelebung. „Es war, als ob hundert Pflüge auf einmal nebeneinander in die Erde gesetzt würden" — von diesem Mittelpunkte aus fällt ein heller Sonnenstrahl über Alles, was im Buche des Herrn Geyerstam geraten ist. Die Mängel desselben rühren davon her, dass die Geistesbildung des Verfassers viel zu unbedeutend ist, um den seelischen Kämpfen der Hauptperson ein wirkliches Interesse zu verleihen. Die Bedenklichkeiten, die in ihm das theologische Studium wach ruft, sind die alten, flachen, hundert mal abgedroschenen, wohlbekannten, die für das Wesen der Religion durchaus keine „Fühlung" verraten. Dass der Held als verheirateter Landmann, der von der Universität längst Abschied genommen, Darwin und Herbert Spencer studiert, ist eine in den skandinavischen Litteraturen grassierende Mode, die nun ein für alle Mal auf dieselbe Weise von einem neuen geistigen Leben Kennzeichen giebt, wie das mit Kreide geschriebene „Dieses soll Troja sein!" in Holbergs „Ulysses von Ithaca" das Merkmal des alten Ilion ist. Die Art und Weise, auf welche die Geyerstamschen und Schandorphschen Helden ihr Studium betreiben, macht es nur allzuklar, dass weder sie noch die Herren Autoren selbst darin sonderlich befestigt sind.

August Strindberg war bis jüngst als das Haupt der neuesten schwedischen Litteratur offiziell anerkannt, wurde aber vor anderthalb Jahren durch gleichzeitige Manifeste von Seiten zweier oder dreier seiner früheren Anhänger ebenso offiziell seiner Würde entsetzt, so weit mir bekannt, eines allzu weit getriebenen Despoten-Dünkels wegen. Dieser Vorgänge zufolge hält sich Herr Strindberg selbst für ein von heimatlichen Spürhunden gehetztes Wild, verheimlichte in Briefen, die im Frühling in einer **dänischen** Zeitung erschienen, seinen französischen Aufenthaltsort und sprach geheimnisvoll von bösen Einflüssen, die auch sein litterarisches Emporkommen auf deutschem Boden nach Kräften zu beeinträchtigen suchten. Ich bin mir bewusst, dem Herrn Strindberg nicht in entferntester Weise übel zu wollen; um so mehr leid tut es mir **gegen** seine Autorschaft, sofern mir dieselbe bekannt, sehr nachdrücklich in die Schranke treten zu müssen. Ich nehme keinen Anstand, seine Sammlung von Abhandlungen „**Likt ok Olikt**" einen wahren Hexensabbat der verworrensten Halbgedanken zu nennen, wo nur einzelne farbige Bilder sich dem Gedächtnis einprägen, ohne die mit der Durchlesung verbundene Empfindung beginnender Seekrankheit auch nur einigermaßen zu mildern. So wie es ist, bildet aber das Buch eine schlagende Illustration zum Ibsenschen Gedanken: das absolut Nichts von dem, was uns von der Vorzeit überliefert wurde, Gültigkeit hat, dass Alles falsch ist, weil vererbt, und das krankhafte Tasten des Verfassers auch an ganz schlichte Wahrheiten, gegen welche der gesunde Verstand nie Einsprüche erhoben hat, noch erheben wird, eignet sich gar nicht dazu, für die in Aussicht gestellte neugebildete Welt ein gutes Omen abzugeben. Dasselbe gilt von der Strindbergschen Schilderung des Stockholmer Lebens „**Röda Rummet**" („Das rote Zimmer"). Von dänischen Rezensenten, denen Herr Strindberg in sozialer und litterarischer Hinsicht zu radikal war, sind die dichterischen Vorzüge dieses Sittenromans sehr stark hervorgehoben worden; eine ganz entschiedene Irrung, die nur einer missverstandenen Gerechtigkeitsliebe entsprungen! Nicht nur sind die Schilderungen von administrativen und bürgerlichen Uebelständen der schwedischen Hauptstadt bis zum Fratzenhaften verzerrt; sondern auch beinahe sämmtliche handelnde Personen sind aller menschlichen Wahrheit entblößt und nur als Puppen anzusehen, welche der gesellschaftsstürmende Verfasser einem von ihm selbst erfundenen Tollhauskankan mit zahllosen Gliederverrenkungen tanzen lässt. Dagegen bietet das Buch eine ganze Menge charakteristischer Proben dieser seltsamen Neigung, Alles zwischen Himmel und Erde auf den Kopf zu stellen, die in Herrn Strindberg ihren ausgeprägten Repräsentanten gefunden. Ein einziges Beispiel! Der Räsonneur des Buches, offenbar das **alter ergo** des Verfassers, durchläuft in einer kleinen Provinzstadt das Reglement eines herumreisenden Theaterdirektors und findet einen Paragraphen, dessen Sinn ist, dass das Schauspiel als moralische Institution auch von seinen Dienern einen moralischen Lebenswandel verlangen muss. Augenblicklich fängt er an, sich in den albernsten Pseudo-Ueberlegungen zu ergehen: eben eine moralische Institution hätte kein Bedürfnis, von seinen Jüngern Moralität zu verlangen, einer unmoralischen Institution wäre eine solche Forderung mehr angemessen u. s. w. Hier ist die bei uns in den siebziger Jahren so beliebte Forderung an die Litteratur: „Probleme unter Debatte zu setzen" geradezu in ihre eigene Karikatur umgeschlagen!

Ist nun „**Röda Rummet**" als das dichterische Abbild einer verfaulenden Wirklichkeit zu betrachten, die sich nur dazu eignet, durch ein Ibsensches Torpedo in die Luft gesprengt zu werden, so hat der schwedische Dichter es unternommen, als Seitenstück dazu mit kühner Hand den Entwurf einer funkelneuen und verbesserten Welt zu liefern. „Utopier i Verklikheten“ nennt er den Versuch. Es ist mir eine wahre Befriedigung, einräumen zu können, dass dieses Buch wirkliche dichterische Vorzüge aufzuweisen hat und sich namentlich durch viele prachtvolle Naturbeschreibungen und keck dahin geworfene Genrebilder auszeichnet. „Ueber den Wolken“ giebt noch obendrein etwas mehr. Diese Erzählung schildert das Zusammentreffen zweier französischer Schriftsteller, die lange verfeindet waren und von welchen der Eine durch das lockere Wesen des zweiten Kaisertums auf Kosten des Anderen über Verdienst emporgehoben wurde. Erst spät hat sich dieser Andere geltend machen können. Jetzt begegnen sie sich ganz unerwartet in einem hochliegenden Luftbadeorte — beide durch dasselbe Leiden einem bald bevorstehenden Tode heimgefallen. Die Abrechnung, welche die beiden Sterbenden mit einander halten, ist von wahrhaft erschütternder Wirkung. Auch der siegreiche Kämpfer spricht es unumwunden aus: er so gut wie sein Gegner hat im „culte du succès“ sein Leben gehabt, der Litteratur als Luxuspflanze, glänzende Ueberflüssigkeit, wohlgeratener Spielerei müssiger Gedanken nur gedient, sie aber keineswegs als das nahrhafte Lebensbrot, den stärkenden Wein eines in wirklicher Entwickelung begriffenen Volkes betrachtet. Hier ist Herr Strindberg ein, im besten Sinne des Wortes, „moderner“ Dichter! Man wittert in diesen Worten einen neuen und gesunderen Maßstab für litterarische Erzeugnisse als den, nicht nur in Frankreich, sondern in allen Kulturländern, und namentlich in Dänemark, bisher üblichen. An und für sich ist der Gedanke freilich alt genug: Fichte hat ihn zuerst in grandioser Unbeholfenheit ausgesprochen, Rasmus Nielsen hat ihn vertieft und weiter ausgebildet; Herrn Strindberg gebührt aber die Ehre, ihm eine gebührende dichterische Reproduktion gegeben zu haben, die hoffentlich Spuren nach sich ziehen wird. Ueber diesen Punkt hinaus ist es mir aber beim besten Willen unmöglich, die poetischen Leistungen des Herrn Strindberg anzuerkennen. Ich muss steif und fest behaupten, dass die alte wohlbekannte mangelhafte Welt weit höher zu schätzen ist als die projektierte Strindbergsche, sei sie auch hier und da mit wirklichem dichterischen Farbenzauber geschildert. Im „Rückfall“, dessen Hauptperson, Paul Petrowitsch, mit einer jungen russischen Dame vornehmer Abstammung in einer „freien“ Ehe lebt, kommt folgender Auftritt vor. „Hole dem Vater einen Stuhl!“ befahl die Mutter ihrem ältesten fünfjährigen Mädchen. — „Nein, Annischka,“ sagte Paul. „Vera soll nicht zur Sklavin gemacht werden.“ — „Ich will nicht,“ hatte Vera bereits geantwortet. — „Darf man auf diese Weise antworten?“ sagte die Mutter. — „Eben so soll man antworten,“ erwiderte Paul. „Wer nicht das Wollen und aus seinem eigenen freien Willen hinaus zu handeln in der Jugend lernt, der wird im erwachsenen Alter ein willenloser Tropf oder ein Lügner — —“ „Du hast Recht, Paul Petrowitsch,“ sagte die Mutter, „es ist mir nicht immer möglich, die Sache von den neuen Gesichtspunkten aus zu sehen.“)

Ich bekenne ganz offen, dass die „von den neuen Gesichtspunkten“ aus vollzogene Erziehung der jungen Dame mich gar nicht in Bezug auf ihre künftige Willenskraft beruhigt. Etliche altväterische Rutenschläge wären, meines Erachtens, vorzuziehen gewesen.

Herbstabend.

Ich kehrt' aus engen Gassen
Mich durch das alte Tor.
Waldpfade — wie verlassen!
Grauweise Dünste schweben,
Und die Gedanken geben
Sich dem, was ich verlor . . .

Welch wundersames Feiern —
Wie still am Waldessaum!
Umhüllt von grünen Schleiern
Entschwebt mir das Leben
Just wie ein sanfter Traum —
Und ich beklag' es kaum . . .

Und was in Aengsten ich verlor:
Hin nimmts zum andern Male
Beim letzten Abendstrahle
Der stumme Schattenchor . . . .

Leipzig. Hermann Conradi.

Ueber die Memoiren des Generals U. S. Grant.

Unter den in den Vereinigten Staaten von Nordamerika in letzterer Zeit erschienenen Büchern hat wohl keines ein solches Aufsehen erregt oder vielmehr eine solche Teilnahme in den verschiedensten Klassen der Bevölkerung der Union gefunden, als die „Memoiren des Generals U. S. Grant“ (aus dem Englischen übersetzt von H. von Wobeser, 2 Bände, Leipzig, F. A. Brockhaus).*) Wie amerikanische Blätter melden, hoffen die Verleger des Originals, dass die Witwe Grants aus dem ganzen Werke in runder Summe wenigstens eine Million Dollars ziehen wird. Wenn nun auch die genannten Memoiren in Europa lange nicht eine solche Sensation erregen werden, wie in dem Lande, welches den Schauplatz

*) Der Titel des Originals lautet: „Personal Memoirs of U. S. Grant, 2 vols. Sampson Low & Co. New-York, 1886.

von Grants tiefgreifender soldatischer Tätigkeit bildete, so dürfte doch kaum ein Zweifel darüber bestehen, dass auch in Deutschland die Herausgabe seiner Selbstbiographie, die er, wie er im Vorworte ausdrücklich hervorhebt, nur unter den schwersten körperlichen Leiden und mit Hülfe seines ältesten Sohnes, F. D. Grant, vollenden konnte, mehrfach großen Anklang finden wird.

Das ganze Werk umfasst außer dem Anhange, welcher den offiziellen Bericht Grants über die Armeen der Vereinigten Staaten seit seiner Ernennung zum Oberbefehlshaber der gesammten Unionsheere (1864 bis 1865) enthält, siebzig Kapitel, in welchen er zunächst seine Jugendzeit schildert, um dann, vom dritten Kapitel an, seinen Eintritt in die Armee, den Krieg mit Mexiko, seine Erfahrungen in Kalifornien und den länger als vier Jahre dauernden Bürgerkrieg in seinen Hauptzügen treu und sachgemäß darzustellen. Grants Darstellungsweise ist ruhig und klar, er hält sich frei von jeder Ueberschwenglichkeit und übergeht, ohne sich ins Breite zu verlieren, keine wichtige Einzelheit. Wie er seine Ruhe und Selbstbeherrschung niemals auf dem Schlachtfelde und in den entscheidendsten Augenblicken verlor, so ist er bei der Beurteilung der einzelnen Kämpfe und leitenden Persönlichkeiten, gleichgültig ob Feind oder Freund, stets billig und gerecht. Trotz seiner großen Erfolge überhebt er sich niemals, sondern lässt seinen Untergebenen und, wo es begründet ist, seinen Gegnern gern den ihnen gebührenden Lorbeer. Grants Arbeit ist nicht nur für den Geschichtsforscher, sondern namentlich auch für strebsame Militärpersonen von hoher Wichtigkeit. Als Präsident und erster Civilbeamter der großen nordamerikanischen Republik war Grant nicht ohne Schwächen und Fehler, die zumeist seiner Gutmütigkeit und Nachgiebigkeit gegen seine Freunde entsprangen, als Feldherr und Oberbefehlshaber der gesammten Kriegsmacht der Union übertrafen dagegen seine Fähigkeiten und Leistungen weitaus seine Mängel und Missgriffe sowohl in dem Entwerfen von Plänen, wie in der Ausführung derselben. Wir übergehen hier seine Tätigkeit im mexikanischen Kriege als eine zu untergeordnete und seine spätere bürgerliche Wirksamkeit, heben aber doch hervor, dass seine Darstellung jenes Krieges und namentlich seine Charakteristik der beiden leitenden Feldherren Scott und Taylor viel des Interessanten und Beachtenswerten darbieten, da sie von Sachkenntnis und gesundem Urteil zeugen.

Vom siebzehnten bis zum vierzigsten Kapitel berichtet Grant zunächst über den Ausbruch der Rebellion, seinen Eintritt in die Bundesarmee als Oberst des 21. Illinois-Regiments am 15. Juni 1861, seine Tätigkeit im Staate Missouri und die Schlacht bei Belmont, in welcher er sich als ein ebenso tapferer wie umsichtiger Krieger bewährte. Zum Brigadegeneral ernannt, erhielt er im Winter 1862 den Oberbefehl in dem Distrikt Cairo und eroberte hier in kurzer Folge im Februar die festen Plätze Fort Henry und Fort Donelson, das erste am Tennessee-, das andere am Cumberlandflusse gelegen. Um diese Zeit wurde Grant infolge gewisser Intriguen, denen sein Vorgesetzter, der General Halleck, nicht fern stand, für kurze Zeit des Kommandos entsetzt; doch bald siegte die bessere Einsicht, Grant wurde zum Generalmajor der Freiwilligen ernannt und nun folgten die blutigen Schlachten bei Shiloh und Corinth, welche zur Belagerung von Vicksburg und nach wiederholten Kämpfen zur Einnahme dieser starken Feste führten. Der Fall von Vicksburg, welcher am 4. Juli, dem Nationalfesttage der Union, stattfand, war in der Tat von großen Folgen begleitet: die südliche Konföderation wurde gewissermaßen in zwei Teile getrennt und die Schifffahrt auf dem Mississippistrom war wieder frei. An demselben Tage wurde auch die Schlacht bei Gettysburg gewonnen. Im Uebrigen mag bemerkt werden, dass bei der Belagerung von Vicksburg, welche vom 18. Mai bis 4. Juli 1863 währte, die Mississippiflotte des Admirals Porter ganz vorzügliche Dienste leistete; dies geht u. A. aus dem offiziellen Berichte, den Grant nach Washington sandte, deutlich hervor. „Ich kann meinen Bericht nicht schließen,“ heißt es dort, „ohne meinen herzlichsten Dank für die Beihülfe auszusprechen, welche mir durch das bereitwillige und energische Mitwirken eines Offiziers von der Marine überall, wo es zum Siege unserer Waffen notwendig war, zuteil ward. Admiral Porter und seine Offiziere waren auf dem Platze, wo ihre Schiffe und deren Mannschaft zum gemeinsamen Siege mithelfen konnten. Ohne ihren schnellen und eifrigen Beistand würden meine Operationen oft erschwert, wenn nicht ganz unmöglich gemacht worden sein.“ Wir ersehen hieraus den neidlosen Sinn Grants, welcher stets bereit war, fremde Verdienste in vollem Maße anzuerkennen.

Im zweiten Bande seiner „Memoiren“ schildert Grant vom 40. Kapitel an, wie er den Oberbefehl über die Militärdivision des Mississippi erhielt und Ende November 1863 die schweren Schlachten beim Lookoutberge und bei Chattanooga schlug, in denen er den südlichen General Bragg, der sehr talentvoll, aber äußerst zanksüchtig war, besiegte. In Bezug auf die Schlacht von Chattanooga heißt es in den „Memoiren“: „Der Sieg von Chattanooga wurde in Anbetracht der vorteilhaften Stellungen des Feindes gegen eine große Uebermacht gewonnen und leichter errungen, als wir erwartet hatten, weil Bragg mehrere grobe Fehler begangen hatte: erstens, indem er seinen fähigsten Korpskommandanten (den General Longstreet) mit mehr als 20,000 Mann fortschickte; zweitens, indem er eine Divission am Vorabend der Schlacht fortsandte; drittens, indem er eine große Macht auf der Ebene vor seiner uneinnehmbaren Position aufstellte.“ Bei dieser Gelegenheit bemerkt Grant, Jefferson Davis, der Präsident der südlichen

Konföderation, habe „eine übertriebene Meinung von seinem eigenen militärischen Genie gehabt"; er, Davis, sei wahrscheinlich die Ursache gewesen, dass Longstreet verhindert worden sei, an der Schlacht von Chattanooga teilzunehmen, wie er denn überhaupt nicht selten während des Bürgerkrieges „vermittelst seines größern militärischen Genies" der Union und nicht der Konföderation gute Dienste geleistet habe. Solche sarkastische Bemerkungen finden sich nur äußerst selten in den „Memoiren".

Politische und militärische Gründe ließen im Anfang des Jahres 1864 den Wunsch immer reger werden, den Oberbefehl über sämmtliche Streitkräfte der Union in die Hand eines Mannes zu legen, der sich durch seine Talente und Verdienste im Felde am meisten ausgezeichnet und dadurch im Heere und im Volke sich das meiste Vertrauen erworben hatte. Mit dem 4. März 1865 ging die vierjährige Amtszeit Lincolns zu Ende; da aber schon im November 1864 die Präsidentenwahl vor sich ging, so war es wünschenswert, dass die unionistisch-republikanische Partei alle Anstrengungen machte, um durch militärische Erfolge die Wiedererwählung Lincolns möglichst zu sichern. Der Gegenkandidat war der General George B. Mac Clellan; ihn unterstützten alle diejenigen, welche mit den südlichen Sklavenhaltern sympathisierten und den Frieden um jeden Preis herbeiführen wollten. Auch gab es eine extrem-radikale Partei, der sich alle überspannten Köpfe, zu denen auch mehrere Deutsche zählten, anschlossen; diese Partei erhob Herrn John C. Fremont als ihren Präsidentschaftskandidaten auf den Schild. Während also auf der einen Seite die wichtigsten politischen Gründe dafür sprachen, mit Aufbietung aller Kräfte im Felde günstige und entscheidende Erfolge zu erzielen, hatten auf der anderen Seite die verflossenen Kriegsjahre zur Genüge bewiesen, dass der beständige Wechsel der Generale und die oft damit zusammenhängende Zersplitterung der Streitkräfte nicht dazu geeignet waren, die Ueberlegenheit des Nordens tatsächlich zur Geltung zu bringen und das ersehnte Ende des Krieges herbeizuführen. Es war daher vollständig im Sinne des loyalen Volkes der Union gehandelt, als einige Repräsentanten im Kongresse darauf antrugen, Ulysses S. Grant zum Generalissimus (Leutnant-General) und Oberfeldherrn sämmtlicher Bundesheere zu ernennen. Dieser Antrag ging mit 117 gegen 19 Stimmen im Hause der Repräsentanten am 29. Februar 1864 durch; Präsident Lincoln ernannte gern am 1. März Grant zum Leutnant-General und Oberbefehlshaber aller Unionsheere, und der Bundessenat bestätigte diese Ernennung am 2. März. Demzufolge eilte Grant nach Washington, um mit rastloser Energie von den Befugnissen seiner neuen Stellung Gebrauch zu machen und dem Präsidenten die Pläne der kommenden Operationen vorzulegen. Lincoln seinerseits tat ebenfalls, was in seiner Macht stand, um Grants Wünschen entgegenzukommen und den glücklichen Erfolg des neuen Feldzugs zu sichern. Dies wird ausdrücklich in den „Memoiren" anerkannt.

Der Feldzugsplan Grants ging nun in der Hauptsache dahin, alle Operationen auf den kleineren und verhältnismäßig unwichtigen Krigsschauplätzen auf das niedrigste Maß zu beschränken, an den wichtigsten Punkten aber möglichst starke Streitkräfte zu konzentrieren. Dann tat er Alles, um den Feind zu verhindern, dieselbe Truppenmacht zu verschiedenen Zeiten und an verschiedenen Orten mit Blitzesschnelle auf die zerstreuten Heeresabteilungen des Nordens zu werfen; er ließ den Rebellen keine Zeit, sich auszuruhen und in Muße Verstärkungen und andere Hülfsmittel zum Kampfe an sich zu ziehen, vielmehr beschloss er, um seinen eigenen Ausdruck zu gebrauchen, fortwährend auf die bewaffnete Macht der Konföderierten und auf deren Hülfsquellen „loszuhämmern", bis sie durch vollständige Aufreibung, wenn kein anderes Mittel anschlüge, zur Unterwerfung und zur Anerkennung der Konstitution und der Gesetze der einigen Republik gezwungen wären. Seine Hauptschläge richtete Grant demgemäß gegen die zwei stärksten Armeen des Südens, von denen die eine unter Robert E. Lee am Rapidan und Potomac zum Schutze Richmonds, der Hauptstadt der Rebellen, stand, während die andere unter J. Johnston bei Dalton in Georgien eine feste Position genommen hatte und das in militärischer Hinsicht sehr wichtige Atlanta deckte. Den Feldzug gegen Johnston übertrug er dem General Sherman, welchem er möglichst freie Hand lassen durfte, doch so, dass dessen Unternehmungen niemals störend auf den allgemeinen Plan einwirkten, denselben vielmehr nur förderten. Gegen Lee wandte er sich selbst. Shermans Aufgabe war, seinen Gegner überall hin zu verfolgen und den ganzen Süden östlich vom Mississippi, namentlich aber Georgien und die beiden Carolina, mit Krieg zu überziehen; Lee dagegen wollte er selbst am Potomacflusse festhalten und bis zur Vernichtung bekämpfen. Eine Vereinigung von Lee und Johnson sollte unter allen Umständen verhindert werden; denn wenn es gelang, sie einzeln zu schlagen und zu vernichten, dann war die Unterdrückung der Rebellion unausbleiblich und die staatliche Existenz der Rebellenmacht eine Unmöglichkeit geworden. Im äußersten Süden, von Neworleans aus, musste Banks, später Canby, operieren und Shermans rechte Flanke decken, während eine andere Macht unter Sigel, später unter Hunter, in Westvirginien stand, um ein Hervorbrechen des Feindes zwischen Grants und Shermans Armeen zu verhindern. Sheridan, der kühne Reitergeneral, wirkte im Shenandoah-Tal und bei Winchester mit bestem Erfolge. Den linken Flügel der Grantschen Armee, am Jamesflusse, deckte der General Butler. Auf der westlichen Seite des Mississippi endlich wurden die dortigen Streitkräfte des Südens durch die Generale Steele in Arkansas und Rosecranz in Missouri im Zaume gehalten.

Der Raum verbietet uns, näher auf die vielen einzelnen Schlachten und Gefechte einzugehen. Wir verweisen nur auf die wütenden Kämpfe in der sogenannten „Wilderneß", bei Cold-Harbor und Spottsylvania Court-House; sie zählen zu den blutigsten im ganzen Sezessionskriege, führten aber endlich zur Eroberung von Richmond und zur Uebergabe Lees im April 1864. Im Mai wurde Jefferson Davis gefangen genommen und bald darauf folgte das Ende der südlichen Konförderation.

Zum Schlusse unserer Besprechung der „Memoiren" erlauben wir uns noch kurz auf zwei Punkte hinzuweisen, die von allgemeinerem Interesse sein dürften und zur richtigeren Beurteilung Grants beitragen. Er äußert sich im siebzigsten, dem letzten Kapitel seiner Arbeit, über den Präsidenten Lincoln, den er sehr hoch schätzte, und den Kriegsminister Stanton u. A. also: „Man nahm gewöhnlich an, dass diese beiden Beamten sich gegenseitig ergänzten. Der Minister sollte verhindern, dass der Präsident hintergangen wurde. Der Präsident sollte in der allerverantwortlichsten Stellung darauf achten, dass Andern keine Ungerechtigkeit geschah. Ich weiß nicht, ob diese Ansicht von den beiden Männern von der Mehrheit der Bevölkerung noch jetzt geteilt wird. Meiner Ansicht nach ist sie jedoch keine richtige. Herr Lincoln bedurfte keines Vormundes zu seiner Unterstützung bei der Erfüllung seiner öffentlichen Pflichten. Herr Lincoln war nicht furchtsam, aber geneigt, seinen Generalen soweit zu vertrauen, dass sie ihre Pläne selbst entwarfen und ausführten. Der Minister war sehr furchtsam, aber es war ihm unmöglich, sich nicht in die Angelegenheiten der die Hauptstadt (Washington) deckenden Armeen zu mischen, als man sie durch eine Offensivbewegung gegen die die Hauptstadt der Konföderierten (Richmond) schützende Armee zu verteidigen suchte. Er konnte unsere Schwäche sehen, aber nicht bemerken, dass der Feind in Gefahr. Der Feind wäre nicht in Gefahr gewesen, wenn Herr Stanton sich im Felde befunden hätte."

Der zweite Punkt betrifft Napoleons III. Versuch, auf den Trümmern der mexikanischen Republik eine Monarchie zu errichten. In dieser Beziehung sagt Grant: „Das war der Plan eines Mannes, der ein Nachahmer ohne Genie und Verdienst war. Es war ihm gelungen, die Regierung seines Landes zu rauben und gegen die Wünsche und Neigung der Bevölkerung eine Aenderung vorzunehmen. Er versuchte, Napoleon I. zu spielen ohne die Fähigkeit, diese Rolle durchzuführen. Er suchte sein Kaiserreich und seinen Ruhm durch neue Eroberungen zu vergrößern, aber das gänzliche Fehlschlagen seines Eroberungsplans war der Vorläufer seines eigenen Sturzes. Wie der Krieg zwischen den Vereinigten Staaten war der französisch-deutsche kostspielig, aber es ist Frankreich alles das wert, was er der Bevölkerung gekostet hat. Er war die Vollendung des Sturzes Napoleons III. Begonnen wurde derselbe, als er Truppen auf diesem Kontinente (Amerika) landen ließ, um einen österreichischen Prinzen auf den Tron von Mexiko zu setzen, ohne alle Rücksicht auf die Rechte und Ansprüche Mexikos, als unabhängige Republik behandelt zu werden. Als ihm dies Unternehmen fehlschlug, war das Prestige seines Namens — ein weiteres Prestige hat er nie gehabt — verloren. Er musste einen Erfolg erzielen oder fallen. Er versuchte seinen Nachbar, Preußen, zu schlagen — und stürzte. Ich habe nie den Charakter Napoleons I. bewundert, erkenne aber sein großes Genie an; Napoleon III. kann nicht den Anspruch erheben, eine gute oder gerechte Tat getan zu haben."

Dresden. Rudolf Doehn.

Litterarische Neuigkeiten.

„Ueber den Vortrag epischer und lyrischer Dichtungen" von Gustav Humperdinck. (Köln, Dumont-Schauberg.) Ein sehr eigenartiger und beachtenswerter Versuch, durch Gestaltung chorischer Vorträge und Aufführungen die Epik und Lyrik in geselligen Kreisen einzubürgern. Auch die ästhetischen Erörterungen des Verfassers über Gehalt und Form der Poesie — über reine Buchpoesie und solche, die zum Vortrag geschaffen — sind anregend und zeugen von feinfühligem Eindringen in das Wesen der Dichtkunst.

„König Ottokars Glück und Ende." Unter diesem Titel veröffentlicht der treffliche Dramaturg Alfred Klaar eine Untersuchung über die Quellen jener Grillparzerschen Tragödie. (Leipzig, G. Freytag.) Eine Arbeit von gründlicher Gelehrsamkeit, von ebenso liebevoller Quellenforschung als Versenkung in den Geist des Dichters. Klaar hat sich die Aufgabe gestellt, uns einen Einblick in all die Quellen und Anregungen zu gewähren, denen ein Meisterwerk der österreichischen Litteratur seine Entstehung und Durchbildung verdankt. Wir sehen, wie die Fäden von allen Seiten zusammenschießen, um sich später zum feingewobenen Faden der Handlung zu verdichten. Alle historischen Anhaltspunkte, die ungeheure Fülle des Quellenstoffes, den der emsige Dichter benutzte, alle tieferen Motivierungen für die technische Behandlung der Historie in diesem markigen historischen Drama werden uns festgestellt und entrollt. Gewiss sind folgerichtiges unmittelbares Ineinandergreifen von Ursache und Wirkung, anschauliche Gegenständlichkeit in Vorführung szenischer Vorzüge, Grillparzer auch in diesem merkwürdigen Werke nicht abzusprechen.

„Kleine Menschen". Aus dem Kinderleben von Sarah Hutzler (Berlin, J. J. Heines Verlag). Die Verfasserin, welche bereits durch ihre früheren Bücher „Jung Amerika" und „Junge Herzen" dem Publikum nicht mehr unbekannt, tischt uns hier wieder eine hübsche Anzahl kleiner Geschichten auf, die, ebenso wie die früheren, Anerkennung finden werden. Ihre Erzählungen haben einen Wert, der sie vor den meisten Erzeugnissen weiblicher Federhelden auszeichnet: sie behandelt nur Stoffe, die sie als Frau vollständig beherrscht, und das ist eine weise Selbstbeschränkung, welche ihre Rivalinnen nur bestrebt sein müssten, sich zum Exempel zu nehmen.

Die beste und billigste Volksbibliothek, welche diesen Namen tatsächlich mit Recht verdient, ist unstreitig die im Verlage von Otto Hendel in Halle a. S. erscheinende „Bibliothek der Gesamtlitteratur des In- und Auslandes. 25-Pfennig-Ausgabe". In eleg. stattlichem Oktavformat mit schönem deutlichen Druck und gutem Papier bietet diese Bibliothek die Werke in- und ausländischer Geistesheroen in Einzelausgaben zu dem erstaunlich billigen Preise von 25 Pfennig pro Nummer, welche circa 150 bis 200 Seiten umfasst. Neuerdings sind erschienen: Nr. 27. Lessing, Nathan der Weise. Nr. 28. Hauff, Bettlerin vom Pont des Arts. Nr. 29—31. Lenau, Gedichte. Nr. 32. Hauff, Phantasien im Bremer Ratskeller. Nr. 33. Lessing, Emilia Galotti. Nr. 34. Chamisso, Peter Schlemihl. Nr. 35—37. Goethe, Gedichte. Nr. 38. Herder, Cid. Nr 39. 40. Hebel, Schatzkästlein. Nr. 41. Schiller, Maria Stuart. Goethes Gedichte sind außerdem mit einem Bildnis des Verfassers geziert. Kurze biographische und bibliographische Einleitungen sind jeder Nummer beigegeben. Vollständiges Verzeichnis sendet die Verlagsbuchhandlung gratis und franko. — Diese Bibliothek ermöglicht es auch dem Minderbemittelten, sich eine geist- und wertvolle Hausbibliothek successive anzuschaffen.

Mit der demnächst erscheinenden V. Abteilung wird das hochbedeutende Werk „Einleitung in ein ägyptisch-semitisch-indoeuropäisches Wurzelwörterbuch“ von Dr. phil. Carl Abel komplett (Leipzig, Wilh. Friedrich). Abels „Einleitung“ giebt eine ägyptische Laut- und Stammwandlungslehre als Grundlage sowohl des Aegyptischen, wie der indogermanischen und semitischen Etymologie, in welchen letzteren das Obwalten der gleichen Gesetze in vorhistorischer Zeit an der Hand des Aegyptischen nachzuweisen ist und im Wörterbuch eingehend belegt werden soll. Philologen, Theologen, Historiker, Ethnologen werden dem hochbedeutsamen Werke, welches der Urgeschichte der Menschheit neue psychologische und ethnographische Tatsachen erschließt, ihre Beachtung schenken müssen und jede größere Bibliothek wird es anzuschaffen genötigt sein.

Von Conrad Alberti erschienen zwei Novellen: „Wir Riesen“ und „Verbotene Liebe“ unter dem Titel „Riesen und Zwerge.“ Beide Erzählungen sind scharf umrissene Bilder aus der Berliner Finanz-, Kunst- und litterarischen Welt in scharfer, rücksichtsloser Zeichnung der Menschen.

Von Daniel Sanders, einem unserer größten Koryphäen auf dem lexikographischen und deutsch-grammatikalischen Gebiete erscheinen demnächst zwei Werke, die von den Interessenten schon mit Spannung erwartet werden. „Deutsches Stil-Musterbuch, mit Erläuterungen und Anmerkungen“ (Berlin, H. W. Müller) und „Fürs deutsche Haus“, Blütenlese aus der Bibel und den mustergültigen griechischen und römischen Schriftstellern, als der Grundlage unserer Volks- und gelehrten Bildung betiteln sich die beiden Schriften, auf die wir nach Erscheinen nochmals zurückkommen werden.

Bei A. Bonz (Stuttgart) erschien: „Ein neues Novellenbuch“ von Hans Arnold. „Der Edelweißkönig.“ Eine Hochlandsgeschichte von Ludwig Ganghofer, „Das Büchlein von der schwarzen Kunst.“ Skizzenblätter aus der Welt der Tinte und der Druckerschwärze von Edwin Bormann. „Auf der Sonnenseite.“ Ein Geschichtenbuch von Ludwig Hevesi. „Dämmerungen. Eine Dichtung von Otto von Leixner. „Heimkehr.“ Zwei Novellen und eine Reise-Erinnerung von Karl Weitbrecht.

„Die Entstehung des Wahnsinns in der Phantasie vom Standpunkte der Psychologie aus betrachtet, im Anschlusse an die Untersuchung des normalen Wesens der Phantasie“ von Georg Friedrich (München, Georg Friedrichsche Buchhandlung). Der Verfasser, welcher uns schon durch seine im vorigen Jahre erschienene Broschüre über „Die Krankheiten des Willens“ bekannt ist, behandelt in dieser Abhandlung die Phantasie sowohl in Bezug auf ihr normales Wesen, als besonders in Hinsicht auf ihre abnorme Tätigkeit. Den Hauptgegenstand derselben bildet die Entstehung des Wahnsinnes, deren Betrachtung vom Standpunkte der Psychologie aus besonders wegen der Art und Weise, wie die Entstehung dieser Geisteskrankheit durch die Phantasie ermittelt wird, von Interesse ist.

Von der von Professor Jos. Kürschner herausgegebenen „Deutschen National-Litteratur“ liegen uns weitere 5 Bändchen 330—334 vor; dieselben enthalten Lessing, „Briefe antiquarischen Inhalts“ 330—331, „Kleinere philosophische Schriften“ 332—333 und Band 334 „Mehrere Briefe über die ästhetische Erziehung des Menschen“.

Unter dem Titel: „Einzelbeiträge zur allgemeinen und vergleichenden Sprachwissenschaft“ beabsichtigt die Verlagshandlung von Wilhelm Friedrich in Leipzig eine Serie Schriften von kleinerem und mittlerem Umfang aus dem umfassenden Gebiet der allgemeinen und vergleichenden Sprachforschung zu veröffentlichen. In Fachkreisen ist es längst mit Bedauern empfunden worden, dass Manuskripte, die auch nur einigermaßen über die gewöhnliche Länge von Zeitschriftartikeln hinausgehen, wegen Raummangel häufig nicht gedruckt werden können, oder, wenn sie endlich zum Druck gelangen, veraltet und obenein schwer käuflich sind, weil sie im Gesammtheft der Zeitschrift zu teuer werden. Manches Wertvolle büßt dadurch rechtzeitige Veröffentlichung, Beachtung und Verbreitung ein, oder kömmt überhaupt nicht zum Druck. Diesen Mängeln hofft die Verlagshandlung durch die Sonderhefte ihrer Einzelbeiträge zur allgemeinen und vergleichenden Sprachwissenschaft entsprechend zu begegnen. Eröffnet wird die Serie durch eine Arbeit des berühmten Nestors der Sprachwissenschaft, Geheimen Regierungsrat Professor Dr. A. F. Pott in Halle, welche unter dem Titel: „Allgemeine Sprachwissenschaft und Carl Abels Aegyptische Sprachstudien“ die bekannten Untersuchungen Dr. Abels auf dem Gebiete der psychologischen Philologie und vergleichenden Etymologie einer höchst anerkennenden Würdigung unterzieht und weitere Fortschritte von dieser Richtung, deren schwierige Punkte gleichzeitig kritisch beleuchtet werden, erwartet.

„Eine Familiengeschichte“ von Hugh Conway. Aus dem Englischen übersetzt von Natalie Rümelin, Roman in zwei Bänden (Band 25/26 der Engelhornschen Romanbibliothek, Stuttgart). Der interessante und vortrefflich geschriebene Roman zeichnet sich durch eine lebenswahre Charakterschilderung aus und verdient jedenfalls eine allgemeine Beachtung. Das Gleiche können wir von den im Verlage von L. Voß & Co. in Berlin erschienenen „Novellen“ von Ernst Barre sagen, auch ist die Ausstattung bei den Letzteren eine sehr gefällige.

„Die Lautveränderungen der neugriechischen Volkssprache und Dialekte nach ihrer Entwickelung aus dem Altgriechischen“ dargestellt von Ino Everett Bradi (Göttingen, Univ.-Buchdruckerei von E. A. Huth). In dem kleinen Werke sind die Lautveränderungen der neugriechischen Volkssprache mit Berücksichtigung auf das Altgriechische dargestellt und ist darin zugleich der Versuch gemacht worden, durch Analogieen und Parallelen aus den romanischen Sprachen zu erläutern und deutlich zu vergegenwärtigen, in dem der Verfasser das Verhältnis des Neugriechischen zum Altgriechischen einerseits und das der romanischen Sprachen zum Lateinischen anderseits vor Augen gehabt hat.

Gustav Freitags „Gesammelte Werke“ werden nunmehr von der Verlagsbuchhandlung S. Hirzel in Leipzig lieferungsweise herausgegeben, und werden dadurch die Werke des geistvollen Verfassers von „Soll und Haben“, „Die Ahnen“ etc. auch dem weniger bemittelten Publikum zugänglich gemacht, da der Preis der Lieferung nur auf M. 1,50 gesetzt ist,

---

„Kunst und Kunstgewerbe im Stifte St. Florian von den ältesten Zeiten bis zur Gegenwart“, von Albin Czerny (Linz, Ebenhöchsche Buchhandlung). Der Verfasser schildert uns in der vorliegenden Arbeit nach den archivalischen Quellen des Stiftes die verdienstvollen Werke, die seit der Einführung der Chorherren in St. Florian (1071) auf dem Gebiete der Baukunst, Malerei, Skulptur, Musik und des Kunstgewerbes daselbst geschehen. Im Anhang werden im kulturhistorischen Interesse der alte Reliquienschatz, die ehemalige Rüstkammer, die Prälatur vor dreihundert Jahren, das Bilder-, Kupferstich- und Antiquitäten-Kabinet des Stiftes besprochen; für Kunstliebhaber ein sehr empfehlenswertes Buch.

„Die deutschen und französischen Heldengedichte des Mittelalters“ als Quelle für die Kulturgeschichte, aus dem handschriftlichen Nachlass von Julius von Mörner. Nachdem die deutschen und französischen Heldengedichte des Mittelalters bisher in unserer wissenschaftlichen Litteratur fast ausschließlich vom philologischen und litterarhistorischen Gesichtspunkte behandelt worden sind, stellt sich dieses Werk die Aufgabe, das reiche kulturgeschichtliche Material, welches in denselben enthalten ist, zu beleuchten und an der Hand der einzelnen Dichtungen die Sitten und die sozialen Zustände jener Zeit eingehender zu schildern.

Adolf Pichler sendet uns aus Innsbruck folgende poetische Zeilen:

Dante und Byron.

Kannst du von Beatrices Aug' dich wenden,
Das dir den Himmel spiegelt hoch im Himmel? —
O, Dante, schau' hinab zur tiefsten Hölle,
Dort steht ein Mann verloren im Gewimmel.

Vor seinem Blicke zittern selbst die Teufel —
Zu lieben wusst' er so, wie du zu hassen;
Reich' ihm die Hand und zieh ihn aus dem Abgrund,
Nicht darfst du Byron in der Hölle lassen.

„Mosaik", eine Nachlese zu den gesammelten Werken von Alfred Meissner, herausgegeben von Robert Byr (Berlin, Gebrüder Pätel). Welch' tiefen und bestimmenden Einfluss Alfred Meissner auf die deutschen Litteraturströmungen während den letzten Dezennien ausgeübt, ersah man deutlich gelegentlich seines Hinscheidens im vergangenen Jahre. In den mannigfaltigen Nachrufen, welche ihm gewidmet wurden, fand sich wiederholt der Wunsch geäußert, dass auch die verschiedenen kleinen Arbeiten Alfred Meissners, welche er bereits selbst als zu seinen reifsten Früchten zählend ausgewählt hatte, nun auch in Buchausgabe erscheinen. Diesen Anforderungen kommt das obige Werk nach, welches uns den Dichter des „Ziska" von seiner schätzenswertesten Seite zeigt. Es ist ein buntfarbiger, anziehender und fesselnder Inhalt, den die beiden starken Bände bergen und in welchem uns Alfred Meissners ganze schriftstellerische und poetische Bedeutung von Neuem recht vor Augen geführt wird.

Die norwegische Schriftstellerin Clara Tschudi arbeitet gegenwärtig an einer Uebersetzung der Schriften Emil Peschkaus. Zuerst soll die Uebertragung von „Herr und Frau Pieps" erscheinen, bekanntlich das letzte Werk, das der Autor veröffentlichte (bei Pierson in Dresden).

Von der im Verlage von Richard Eckstein's Nachfolger in Berlin herausgegebenen „Ecksteins Reisebibliothek" liegen uns drei Bändchen vor, von denen uns Nr. 13 unter dem Titel „Coeur sticht!" von Aemil Kindt am meisten zusagt, jedoch auch Nr. 5 „Heitere Geschichten für heitere Leute" von L. von Haustein, wie auch Nr. 6 „In Liebesbanden" von E. von Wald-Zedtwitz sind recht ansprechend geschriebene Erzählungen, strotzend von froher Laune und Lebensfreudigkeit und werden ihren Zweck, uns in heitere, angeregte Stimmung zu versetzen, nicht verfehlen. In dem gleichen Verlage hat ferner der letzgenannte beliebte Autor einen Roman unter dem Titel „Das Mädchen von Santi Quaranta" ediert, welcher sich durch lebenswahre Charakterisierung der handelnden Personen, sowie auch durch vortreffliche Schilderung des Landes (der Roman spielt in Griechenland) auszeichnet.

Skandinavische Zeitschriften.

Nordisk Tidskrift (1886. Heft 1—4.) An bemerkenswerten Aufsätzen enthalten diese Hefte außer der regelmäßigen Litteraturübersicht drei sehr interessante Artikel von dem Schweden Leonhard Holmström „über die nordische Volkshochschule, ihre Entstehung, Idee und Wirksamkeit" von denen je einer die dänische, norwegische und schwedische Volkshochschule behandelt. — G. Cederschiöld, einer der tüchtigsten skandinavischen Arbeiter auf dem Gebiete der nordgermanischen Philologie, bringt eine sehr fesselnde Geschichte der isländischen Handschriften unter dem Titel: „Wie die alte isländische Litteratur zu uns kam". Maria Solter endlich hat einen geistvollen Essay über George Eliots ethische Bedeutung beigesteuert. — Tilskueren (der Zuschauer), eine dänische Monatsschrift, enthält in den Heften 1—7 u. A. hübsche novellistische Beiträge von Iver Iversen, Oscar Levertin (aus dem Schwedischen), Henrik Pontoppidan, Frau Erna Juel-Hansen, dem Norweger Arne Garborg, dem Maler Knud Söeborg, Frau Amalie Skram und Fräulein A. Prydz; dann sehr lesenswerte ökonomische Studien von Prof. V. Falbe-Hansen, höchst interessante Mitteilungen über den Aberglauben bei der bäuerischen Bevölkerung der Gegenwart von dem Arzte W. Dreyer und einen flotten Artikel von dem bekannten schwedischen Poeten August Strindberg über „die litterarische Reaktion in Schweden nach 1865." Eine charakteristische Bemerkung über den gegenwärtigen Stand der dänischen Litteratur, namentlich in ihrem Gegensatze zur norwegischen, findet sich in einem Aufsatze von E. Skram: „Etwas dänische und russische Litteratur". Es heißt daselbst (Heft 5, S. 421): „Wie lange ist es nicht schon her, seit in Dänemark ein litterarischer Fortschritt von Bedeutung geschehen ist? .. Man bekommt einen besonders starken Eindruck davon, wenn man sieht, wie in Norwegen beständig neue Werke hervorgebracht werden. Dort ist man nie in einer einmal errungenen Stellung ruhig liegen geblieben. Ibsen, Björnson Lie und Kielland sind ohne Aufenthalt von jeder Station aufs Neue weiter vorgerückt, und nach ihnen sind Garborg und Amalie Skram gekommen; seit dem „Durchbruch" ist kaum ein Jahr vorübergegangen, ohne durch eine wichtige litterarische Begebenheit bezeichnet worden zu sein. Die Menge der Ideeen und die Ursprünglichkeit der Anschauungsweisen sind es, welche die Norweger vorwärts treiben, bei uns daheim meint man, das Seinige im Trocknen zu haben, wenn nur jedes Jahr etwas Neues über dasselbe gesagt wird, was schon im vorigen Jahr besprochen wurde. — Es fehlt an Männern in der Litteratur wie überall sonst in unserem „jämmerlich zugerichteten, dummen, kleinen Lande." — Der kräftige Pulsschlag des frischen litterarischen Lebens in Norwegen ist auch in der norwegischen belletristischen Monatsschrift „Nyt Tidsskrift" (redigiert von J. G. Sars und Olaf Skavlan) fühlbar, obschon „die Großen" darin — wie wir schon einmal zu bemerken Gelegenheit hatten — nur sehr selten und auch dann nicht immer mit ausgesuchten Beiträgen zu finden sind. In Norwegen schreiben aber auch die litterarischen „dei minorum gentium" fast immer interessant; in den vorliegenden Heften 1—8 des Jahrgangs 1886 ist übrigens die eigentlich „schöne Litteratur" diesmal nur sehr spärlich vertreten, was die ausländischen Freunde der gediegenen Zeitschrift wohl bedauern dürften. Wir führen von dem Inhalte derselben als besonders bemerkenswert an: die Fortsetzung der schon einmal besprochenen „Eindrücke und Erinnerungen" von der verstorbenen Marie Colban, eine „Übersicht über den Studienkreis für Aufklärung unserer mittelalterlichen Baukultur" von Herm. M. Schirmer, eine Novellette „Mit voller Musik" von Kristian Glöersen, einen Essay über Henrik Wergelands Verhältnis zu seiner Jugendliebe Stella von dem bekannten Litterarhistoriker Henrik Jäger. — „Ny svensk Tidskrift" enthält in ihrem neuen Jahrgange (Heft 1—6) hübsche novellistische Arbeiten von Helena Nyblom, Mathilda Roos, Georg Nordensvan und Cecilia Holmberg-Bååth, dann Gedichte von Carl Snoilsky, Johann Nordling, Hel. Nyblom und A. Stjernstedt und vieler Anderer. Ein Extraheft ist ganz der interessanten, jedoch schwedisch-internen Frage über die schwedische Rechtschreibung gewidmet und von Esaias Tegnér beigesteuert. — Von „Ur dagens krönika" liegen uns nur die drei ersten Hefte des neuen Jahrgangs vor, aus deren reichhaltigem Inhalt wir die reizende Erzählung „Papa" von Ernst Arpi als besonders beachtenswert hervorheben möchten. — Die in Finland in schwedischer Sprache erscheinende „Finsk Tidskrift" bietet ihrem gewählten Leserkreis im Jahrgang 1886 (Januar—September) wie immer ausgesuchte litterarische Kost aus den verschiedensten Gebieten. Wir führen als allgemein interessant nur an: einen Essay von O. Grotenfelt über die neueste finische Novellistik, „Nekrasoff", ein russisches Dichterporträt von Alfr. Jensen, eine „kleine Statistik über Männer der Wissenschaft" von M. Gadd, „Uyemons Söhne", einen japanischen Roman, sehr wertvolle „Kalevala-Studien" von J. Krohn und einen sehr befriedigenden, lebhaft geschriebenen Aufsatz über die „litterarischen Verhältnisse in Rom zur Kaiserzeit" von F. Gustavsson (bildet ein Ergänzungs- und Seitenstück zu desselben Autors früher erschienen Aufsatz: „Litterarische Vorträge und litterarisches Leben zur Zeit der römischen Kaiser"; es scheint jedoch Gustavsson auch diesmal Poestion's „Aus Hellas, Rom und Thule" unbekannt geblieben zu sein.) — Aus „Valvoja" (1886, Heft 1—8): „Bilder aus Ostkarelen" von A. O. Fortström, „Augenblicksphotographieen von Helsingfors" (Gedichte von A. O.), eine Übersicht über die in finischer Sprache erschienene Litteratur im Jahre 1885 von K. F. R., finische Sprachforschung von K. N. Setälä, „textkritische Untersuchungen an der Kalevala" von J. Krohn, Novellistisches von Matti Kurikka und Andere. Sehr lehrreich für den Fremden sind die zahlreichen Berichte über die neuen Erscheinungen der einheimischen (finischen) Litteratur. — Über die isländischen Zeitschriften soll an anderer Stelle berichtet werden.

Alle für das „Magazin" bestimmten Sendungen sind zu richten an die Redaktion des „Magazins für die Litteratur des In- und Auslandes" Leipzig, Georgenstrasse 6.

Für die Redaktion verantwortlich: Karl Bleibtreu in Charlottenburg. - Verlag von Wilhelm Friedrich in Leipzig. — Druck von Emil Herrmann senior in Leipzig.

Das Magazin

für die Litteratur des In- und Auslandes.

Wochenschrift der Weltlitteratur.

1832 gegründet von Joseph Lehmann.

55. Jahrgang.

Preis Mark 4.– vierteljährlich.

Herausgegeben von Karl Bleibtreu.

Verlag von Wilhelm Friedrich in Leipzig.

No. 47. Leipzig, den 20. November. 1886.

Inhalt:

Auf Seitenpfaden.

Von Gustav Karpelès.

I.

Es ist bekanntlich nicht Jedermanns Sache, Seitenpfade einzuschlagen. Namentlich in der Litteratur sind die makadamisierten und wohlgepflegten Hauptstraßen allezeit besonders beliebt gewesen. Unter litterarischen Seitenstraßen verstehe ich nämlich die Beschäftigung mit Fragen, die nicht eben populär sind, die der allgemein geltenden, landesüblichen entgegengesetzte Schätzung eines schriftstellerischen Charakters, und am Ende auch noch die Besprechung von Büchern, über die der Tagessturm der Kritik bereits hinweg geweht ist. Eine Schrift, die zum hundertjährigen Jubiläum erschienen, vier oder fünf Monate später zu besprechen, oder auch nur zu — lesen, ist heutzutage ja auch eine kritische Todsünde, die höchstens von solchen Sonderlingen noch begangen werden kann, die eben jene unwegsamen Seitenpfade den asphaltierten Hauptstraßen vorziehen. Gern bekenne ich mich zu dieser Abart litterarischer Sonderlinge. Ja, ich meine, dass man eine solche Jubiläums-Schrift und einen jeden Jubiläums-Charakter — sit venia verbo! — erst dann richtig beurteilen kann, wenn die Hochflut der Jubelartikel sich einigermaßen verlaufen und das Terrain wieder so frei ist, dass eine unbefangene Kritik sich hervorwagen darf.

Und so auch meine ich, dass man erst heute frei und unbefangen zu einem abschließenden Urteil über Ludwig Börne gelangen kann. Aus Furcht, allzu panegyrisch zu werden, sind fast sämmtliche Jubiläumsreden — meiner Meinung nach — einseitig gewesen. So hat sich das Seltsame begeben, dass Börne, nicht wie sonstige Jubiläumshelden, überschätzt, sondern an seinem Ehrentage vielfach unterschätzt wurde! Um nur den politischen Charakter so hoch wie möglich zu stellen, hat man seinen dichterischen Charakter so tief wie möglich herabgedrückt. Einzelne haben ihm diesen frischweg ganz abgesprochen. Fast musste man glauben, dass die Zeit noch nicht gekommen sei, Börne unbefangen zu würdigen. Die Konservativen sahen in ihm nur den „frechen liberalen Juden“, die Liberalen den demokratischen Helden, Keiner aber wollte etwas von dem Dichter, von dem Schriftsteller Ludwig Börne wissen.

Und doch! Er war ein Dichter, ein Schriftsteller, wie wir deren in unserer Litteratur nicht allzuviele haben. Er hatte die Poesie des Zornes zu eigen, und in der Litteratur der Freiheit ist er ein leuchtender Führer. Es ist falsch zu sagen, dass er kein geschlossenes Kunstwerk geschaffen. Sein „Esskünstler“ und seine „Monographie der Postschnecke“ sind aber volle Kunstwerke. Und seine „Denkrede auf Jean Paul“ ist in ihrer Art auch ein Kunstwerk der deutschen Sprache. Ja, ich möchte sogar behaupten: Auch seine „Pariser Briefe“ sind ein Kunstwerk der politischen Litteratur so gut wie die „Juniusbriefe“ und ähnliche Werke der Weltlitteratur. Die falsche Beurteilung Börnes in unserer Litteratur datiert seit Heines unseligem Angriff auf ihn. Dieser Angriff mochte persönlich berechtigt sein oder nicht, in der Hauptsache war er verfehlt: Börne war nicht nur ein Charakter, sondern auch ein Talent. Mochten immerhin seine politischen Anschauungen sein litterarisches Schaffen ungünstig beeinflussen, mochte er auch in seinem Hass wie in seiner Liebe über das Ziel hinausschreiten — wir müssen heute das Vergängliche, Zeitliche von dem Bleibenden und Dauernden scheiden und willig anerkennen, dass Börne für unsere Litteratur nach zwei Richtungen hin einen tiefern Einfluss geübt hat, als man bisher anzuerkennen geneigt war. Es ist nicht nur die Gesinnung, wie man in allen Litteraturgeschichten lesen kann, sondern auch die Begabung, die das charakteristische Gepräge Börnes ist. Diese eigenartige Begabung findet sich in dem Humor und in dem Stil Börnes. Und das sind eben jene beiden Richtungen, durch die Börne dauernden Einfluss und bleibende Geltung in der deutschen Litteratur haben wird.

In beiden Richtungen war er ein Schüler Jean Pauls, der aber die Fehler seines Meisters zu vermeiden wusste. Ich glaube, es war Ludolf Wienbarg, der einmal Heine mit Goethe, Börne mit Jean Paul sehr treffend verglichen hat. Börnes Humor ist aber freier und weiter, sein Stil künstlerischer und besser als der Jean Pauls. Er war in der Art zu schreiben, ein Künstler so gut wie Heine und Goethe, nur dass ihm die Kunst nicht Selbstzweck, sondern eine ursprüngliche Begabung und ein Mittel zur Freiheit war. Sein Stil aber ist — trotz Treitschke — musterhaft und bildend. Ich sage: trotz Treitschke, und könnte ebenso gut sagen: nach Treitschke — denn Treitschke so gut wie wir Alle, ja noch besser als wir Alle, ist, bewusst oder unbewusst, von Börnes Darstellungsweise beeinflusst, die ein Grundferment unserer neueren Litteratur geworden ist, die ich bei allen Neuern nachzuweisen mich getrauen würde und die vielleicht denen am Meisten in Fleisch und Blut übergegangen ist, die Börne am Eifrigsten bekämpfen. Dass sie dabei die Waffen aus der Rüstkammer seines Humors und seines Stils entliehen, kann uns nicht täuschen noch wundern. Wer in der Litteraturgeschichte einigermaßen zu Hause ist, der kennt das. In der Litteratur, sagt Heine irgendwo, werden die Väter von den Söhnen umgebracht und so fort mit oder ohne Grazie bis ins Unendliche!

Das sind so meine Gedanken über Börne, die wohl sehr post festum kommen, die ich aber doch nicht verschweigen wollte, weil sie das Resumee meiner Empfindungen über die litterarischen Jubiläumsgaben zu Ehren Börnes sind. Nur eine, die bedeutendste vielleicht, nehme ich aus; sie hat mich eben in diesen Gedankenkreis geführt. Es ist die biographisch-litterarische Studie von Conrad Alberti über Ludwig Börne,*) von der ich sehr wünschte, dass sie mit dem Festjubel nicht von der Bildfläche verschwinden möge. Auch Alberti ist ein Schüler Börnes; es ist sehr anständig von ihm, dass er darauf verzichtet, seinen Schulmeister durchzuprügeln, wie das so heute Mode zu sein pflegt, dass er ihm vielmehr die gebührenden Ehren erweist. Noch mehr zu würdigen aber ist es, dass er auch in diesen Ehrenbezeugungen Maß zu halten versteht. Schon darum ragt sein Buch weit über den Rahmen einer Festschrift hinaus. Mit voller Objektivität tritt Alberti an seinen Helden heran, dessen Leben und Schaffen er mit Ruhe und Klarheit bespricht. Diese wohltuende Objektivität ist aber nicht gleichbedeutend mit der erstarrenden Kälte, wie sie seit den Tagen der historischen Schule in deutschen biographischen Werken vorwaltet; vielmehr ist unser Biograph von inniger Wärme für seinen Helden erfüllt, ohne dass er darum dessen Fehler zu verschweigen, dessen Vorzüge zu übertreiben versuchen wollte. Sein Buch hätte sicher einen abschließenden Charakter gehabt, wenn er den litterarhistorischen Kleinkram nicht gar zu sehr verschmäht und uns etwas mehr aus Börnes Leben gegeben hätte. Aber Alberti ist eben einer von den „Neu'sten", die sich „erdreusten" über die Goethe-Philologen zu spotten, und die bei solchem vielfach berechtigten Spott nur übersehen, dass dieser litterarhistorische Kleinkram für sich allein nicht ausreicht, um ein Kunstwerk zu erklären, um einen Dichter zu schildern, dass er aber in Verbindung mit den ästhetischen und anderen Motiven so notwendig ist, wie der Mörtel beim Bau eines neuen Hauses, wenn derselbe zusammenhalten soll.

Was mir aber am Besten an dieser Schrift Albertis gefällt, das ist der jugendfrische, energische und kräftige Ton, der sie durchweht. Ein solcher Ton passt zu einer Charakteristik Börnes ganz besonders gut. Ich hätte ihn als eine der ersten Forderungen aufgestellt, wenn man mich um die Eigenschaften befragt hätte, die ein Biograph des Mannes mitbringen müsse, „der im stürmischen Debattenkampfe nicht jedes Wort ängstlich auf die Goldwage legte, dessen Worte aber allezeit rein und echt waren wie Gold, der zwar manches ängstliche und zimperliche Herz durch einen kühnen und freien Ausdruck verletzte, aber auch viele entmutigte und gebrochene Herzen durch seine warmen und kernigen Worte zu neuem Mut, neuer Begeisterung wieder aufrichtete, der sich schwer überwand einen vielleicht nicht immer ganz passenden Witz zu unterdrücken, wenn er ihm gerade auf den Lippen schwebte, der aber auch keinen Frevel, kein Verbrechen an den heiligsten Gütern der Menschen, wenn er von demselben Kunde erhielt, ungebrandmarkt ließ, der nicht immer fähig war, das Beste zu leisten, aber unfähig, das Schlechte auch nur zu denken."

*) Leipzig, Otto Wiegand, 1886.

Holländische Litteratur und Deutschtum.

Von E. Trauttwein von Belle.

Auf keinem Felde der menschlichen Denktätigkeit hat gewohnheitsmäßiges Nachsprechen einen so gewaltigen Einfluss als in der Litteraturgeschichte, zumal in den Jahrbüchern der schönen Litteratur! Es giebt gewisse Merkzeichen, welche den einzelnen Dichtern, wie ganzen Gruppen von solchen, den Persönlichkeiten selbst, wie den Dichterschulen aufgeheftet werden: man muss doch Menschen und Dinge in althergebrachte Kategorien, in Kisten und Kasten unterbringen und sind sie einmal gar zu spröde, so zwängt man sie ins Prokrustesbett, dass wenigstens der allergrößte Teil ihres Torso sich ins Unvermeidliche fügen muss! Schillers Subjektivität im Gegensatz zu Goethes Objektivität ist längst eine verbrauchte Schulphrase, aber sie wird immer wieder in bieder treuherzigen Lehrbüchern wiederholt, Graf August Platen-Hallermund war nolens volens ein Weltschmerzdichter, obschon die Welt seines Schmerzes eine rein nationale gewesen ist, von Freiheitsbegeisterung überfließend, und der große hellenisierende Idealist seinen Herabwürdigern mit kernigster Deutlichkeit zur Erklärung seines abstrakt-ästhetisierenden Gebahrens die Worte zurief:

„Weil der Sonnenstrahl der Freiheit seine Tage nicht erhellt,
Giebt er statt des Weltenbildes nur ein Bild des Bilds der Welt!“

Aber, was nützt es, dass die Dichter in ihren eigenen Werken sich selbst verdolmetschen? Man braucht diese Werke einfach nicht zu lesen und man ist über jedes Bedenken erhaben, auch die kühnste Auslegung hat nichts Abschreckendes mehr. So ist es auch der holländischen Litteratur besonders gründlich ergangen. Man liest in Nord- wie in Süddeutschland blutwenig Holländisch: da kann man denn die Verwälschung der niederdeutschen Zunge immer frischweg behaupten: wer beweist denn das Gegenteil? Es geht eben so wie es dem braven Duttlinger Handwerksburschen in Amsterdam ergangen ist, von welchem Hebel in seinem Schatzkästlein so hübsch erzählt, wie er das Holländische auch ohne Erlernung zu verstehen glaubte und dabei überall auf einen Allerweltseigentümer stieß: Namens Kan niet verstaan!

Man weiß das Holländische nicht zu lesen, aber den Charakter des Holländischen, die ganze Eigentümlichkeit der niederländischen Litteratur, die kennt man ganz genau! Es soll eben eine Krämerlitteratur sein, denn die Niederländer sind ein Handelsvolk! Indessen, verehrte Ausleger, sind denn die Engländer nicht ein viel größeres Handelsvolk und wo steckt denn von Shakespeare bis Byron das Krämerhafte in der englischen Litteratur? Ich kann es mit der schärfsten Lupe nicht herauserkennen, ja es giebt wohl kaum eine Litteratur, in welcher der Krämergeist der Geldprotzen so fürchterliche Züchtigung empfangen, als in der englischen! Dem volksbeliebten Garrick hat es nicht im Mindesten geschadet, dass er in seinem hochkomischen Lustspiel: „The clandestine marriage“ den Großhändler Sterling die gewaltige Wahrheit gegen seinen ungeahnten Eidam hervorsprudeln lässt: „What signifies your birth, and education, and titles! — Money, money! — that the stuff that makes the great men in this country.“

Freilich, die Holländer sind ein viel kleineres Volk, als die Engländer, der holländische Sondergeist wird höhnisch bekrittelt, als wenn die Holländer an ihrer sprachlichen Abgeschiedenheit die geringste Schuld trügen. Im Mittelalter ward von Dünkirchen bis zum finnischen Meerbusen dieselbe niederdeutsche Sprache gesprochen und geschrieben; was konnten die Holländer dafür, dass ihre niederdeutschen Stammgenossen in Nord- und Nordostdeutschland seit der Reformation die hochdeutsche Schriftsprache annahmen, wovon die einfache Folge war, dass das Plattdeutsche überhaupt aufhörte Schriftsprache zu sein (mit wenigen sehr vereinzelten Ausnahmen!) und die hartnäckigen Holländer, denen man die Bibel hatte ins Niederdeutsche übersetzen müssen, nun mit ihrer Aufrechthaltung als Schriftsprache, neben ihren vlämischen gleichgesinnten Brüdern, ganz vereinzelt dastanden? Die Schuld lag lediglich an der litterarischen Schwäche des plattdeutschen Idioms in Norddeutschland, nicht an den Leuten, die schon im Mittelalter eine klassische niederdeutsche Litteratur hervorgebracht hatten. Der deutsche Minnesänger und Epiker Heinrich von Veldecke, mit welchem die klassische Litteratur des deutschen Mittelalters anhebt, war ein Niederländer und in niederdeutscher Sprache ursprünglich hat er seine herrlichsten Lieder gedichtet! Jacob van Maerlant, an der Schwelle des vierzehnten Jahrhunderts, gehört nicht nur der niederdeutschen, er gehört der Weltlitteratur an!

Dass die Menschen in einem kleinen Lande, dem Meere jeden Zoll breit Boden abringend, umgeben von den mächtigsten Nebenbuhlern, ihre Eigentümlichkeit wie Unabhängigkeit mit stoischem Trotz behauptet haben, macht ihnen im Sinne aller freigesinnten Männer wahrlich nur Ehre: das können nur diejenigen leugnen, denen auch die Schlachten von Morgarten und Sempach ein Dorn im Auge sind, so gut wie die von Yorktown und der Sieg Washingtons in der Neuen Welt! Mit den Nachtgespenstern der Vergangenheit, mit dem Centralisations- und Uniformitätsverfahren des spanischen und französischen Despotismus und seiner Nachahmer hat der Geist der Niederländer wie der Schweizer allerdings nichts gemein. Die Holländer sind sehr unwillig französische Präfekturuntergebene und Departementseingesessene (1795—1813) geworden; schon vor dem Erscheinen der Preußen und Engländer ertönte überall in Niederlands Städten das „Oranje boven", ein würdiger Chor am Schlusse des großen Befreiungsjahres 1813!

Wer die Sprache und Litteratur Niederlands etwas näher ins Auge fasst, sieht überall das äußerste Gegenteil von Verwälschung oder „Französierung". Da werden freilich große Sprachkenner mir entgegenhalten: „Aber zum Beispiel die Satzkonstruktion: na te hebben, die wörtliche Wiedergabe der französischen Wendung: après avoir!" Inzwischen fragt sich doch nur, ob diese Sprechweise wirklich lateinischen Ursprungs ist, was allein das Entscheidende wäre, weil das Französische nur Tochtersprache ist. Und im Lateinischen kann man doch diese Art von Infinitivkonstruktion (etwa mit „post" in Szene gesetzt!) nicht nachweisen wollen, sie ist eben germanischen Ursprungs, ganz gemäß dem germanischen Zuge zur freiesten Bildung des Verbalsubstantivs bis hin zur reinen Verwendung der Verbalform als Substantiv selbst! — Das Französische zeigt dem aufmerksamen Beobachter mannigfache Spuren des fränkisch-niederdeutschen Einflusses der einstigen germanischen Eroberer Galliens, die Salfranken als Niederdeutsche hatten mit den Niederländern an der Rhein- und der Schelde-Mündung den Grundstock ihres Sprachwesens gemein, daher so mancher Einklang des Holländischen mit dem Nordfranzösischen, ohne dass an einen Durchgang durch die Form des romanischen Idiomes irgend zu denken ist.

Die germanische Reinheit der holländischen und vlämischen Sprache ist für Jeden, der sich auch nur die geringste Mühe einer lexikalischen Untersuchung giebt, über allen Zweifel erhaben. Während das Hochdeutsche in der ganzen Welt der Abstracta sich mit Fremdworten überwuchert zeigt, besitzt keine Sprache Europas eine so eigenartige, selbstständige Wiedergabe der höchsten Kulturbegriffe durch Mittel des volkstümlichen Wortschatzes. Nur der Holländer weiß „Idee" durch das schöne Wort: denkbeeld (Denkbild) zu übersetzen, nur der Holländer weiß für „System": stelsel, für „Thesen": stellingen, für „Politik": staatkunde (für „politisch" immmer: staatkundig) zu sagen, nur der Holländer wie der Vläming haben für jeden ausländischen Namen einer Wissenschaft oder eines Kulturzweiges ein einheimisches deutsches Wort, wie z. B. für Chemie: scheikunde, für Botanik: kruidkunde, für Astronomie: sterrekunde, für Philosophie: wijsbegeerte, für Mathematik: wiskunde, für Industrie: nijverheid, für Medizin: geneeskunde, für Geographie: aardrijkskunde u. s. w. u. s. w. Die Fülle der Auskunftsmittel des Niederländers, einen vom klassischen Altertum herrührenden abstrakten Begriff durch ein modernes germanisches Wort auszudrücken, ist wahrhaft erstaunlich und kommt dies auch dem Hochdeutschen zuweilen etwas ungeschickt oder allzu prosaisch vor, so ist das Bestreben selbst immerhin sehr anerkennenswert. Es zeigt die scharfe, mächtige Schneidigkeit des niederländischen Sprachgeistes, der vor keiner Aufgabe der Umprägung des Ausheimischen zurückschreckt, vielmehr überall den klaren Stempel seiner niederdeutschen Eigenart aufdrückt. Bedenkt man, wie oft die Franzosen und vor ihnen die Spanier, vor diesen die französisierenden Burgunder, Nord- und Südniederland mit ihren Heeresmassen überschwemmt haben, so muss man alle Achtung vor der Stärke eines nationalen Typus empfinden, der auf seiner eigensten Landscholle sich das übermächtige Wälschtum, die aus den romanischen Teil Belgiens immer wieder hervorquellenden Romanisierungsversuche, die nach Norden vordrängen, nie hat über den Kopf wachsen lassen, sondern des Fremdartigen sich stets so mannhaft und erfolgreich erwehrt hat! Jedes holländische oder vlämische Buch, mag es die verwickelsten Begriffe der Wissenschaft, der Kunst oder der gewerblichen Technik behandeln, ist unendlich viel reicher an urgermanischen Formen als jedes beliebige hochdeutsche Buch über denselben Gegenstand. Das verdanken wir Hochdeutsche dem maßlos begünstigten Einflusse der romanistischen Philologie, der einseitigen Pflege des römischen Rechts, der Abgötterei mit veralteten Formen der Antike, kurz jenem Zopfstile, welcher die Gelehrsamkeit der Deutschen des sechzehnten bis achtzehnten Jahrhunderts über die Gauen des Heiligen Römischen Reiches Deutscher Nation ausgebreitet hat! Die unklare Verquickung des Römertums mit dem Deutschtum hat auch auf sprachlichem und litterarischem Gebiete unsäglich viel Unheil gestiftet.

Dem gegenüber wird kein Vernünftiger den hohen Wert der klassischen Studien, der Altertumsforschung, die ästhetische Bedeutung der Antike für alle Hervorbringungen des modernen Genius ableugnen wollen. Holland hat namentlich auf dem Boden der klassischen Philologie, Dank den Namen Hugo Grotius, Lipsius, Grevius, Wyttenbach und unzähligen anderen, wahrhaft Großartiges geleistet, aber es ist eben der Geist der freien Aneignung der Antike, der Selbstreproduktion, der kulturhistorisch den Ausschlag giebt und in dieser Hinsicht ist es eben merkwürdig genug, dass die größte moderne Tat auf dem Gebiete der Staats- und Rechtswissenschaft, das „Jus belli et pacis" des Holländers Hugo Grotius, die Grundlegung des Völkerrechts gewesen ist, dessen Sicherstellung gegen die Willkür der „Mächte" Niemandem mehr am Herzen liegen muss; als einem kleinen, nur durch das natürliche Bollwerk seines „waterstaat" einigermaßen wider Ueberfälle geschirmten Gemeinwesens. Der unverhältnismäßige Anteil des kleinen Hollands an der „geistigen Wiedergeburt", die man mit unvermeidlichem Gallizismus „Renaissance" genannt hat, rührt sehr wesentlich von der richtigen Bahn her, die man hier in Bezug auf die Würdigung der Antike einschlug, es war allerdings vorzugsweise der praktische Sinn dieses kleinen Volkes, der es hinderte, in theoretische

Träumereien sich zu verlieren, dem Einfluss der antiken Klassiker ein Maß setzte, das Römische Recht nicht (wie leider in Innerdeutschland!) zur Alleinherrschaft gelangen ließ; es war der Kampf ums Dasein, der die Holländer trieb, in Mathematik und Naturwissenschaften, in Technologie und Handelskunde gegen die wiederaufgefrischte Idealwelt des Altertums ein modern reales Gegengewicht zu schaffen, es war der breite Blick auf die See, die Beschäftigung mit den überseeischen, großartig internationalen Angelegenheiten, welche Niederlands Söhne auf ihren schwanken Fahrzeugen über die Einseitigkeiten und Kleinlichkeiten, welchen der reichsstädtische Handelsgeist Innerdeutschlands im siebzehnten und achtzehnten Jahrhundert erlag, sehr wohltätig hinweggesetzt hat! Die überseeischen Ansiedelungen, vulgo „Kolonien“ genannt, haben dereinst für die kleine niederdeutsche Republik einen gewaltig belebenden und ermunternden Einfluss gehabt, nämlich in dem Zeitalter der Kolonialmächte, welches mit der Befreiung Amerikas von Englands und Spaniens Herrschaft sein Ende gefunden hat. Man darf die Holländer nicht anklagen, dass ihr Sondergeist sie auf diesem Gebiete zu Monopolisten gestempelt hat. Der Alleinhandel mit geistigen wie mit materiellen Gütern ist auch heute noch kein überwundener Standpunkt, mag es Anastasius Grün (Anton Alexander von Auersperg) für die Zeit um 1830 noch so kräftig und schön behauptet haben, alle Welt war im sechzehnten und siebzehnten, die große Mehrzahl noch im achtzehnten Jahrhundert monopolistisch gesinnt; aber der Alleinhandel mit geistigen Gütern wenigstens hat die praktischen Köpfe der Niederländer nicht umspinnen können, die Nebeleien und Schwebeleien vom „geistigen Nationalwall“ haben ein Volk nicht zu bemeistern vermocht, dass sehr klar sich bewusst, wie nur allein auf der großen Straße des Weltverkehrs sein Bestand und sein Heil sich entwickeln könne! Der Einfluss der französischen, der englischen, der neudeutschen, d. h. der modernen hochdeutschen Litteratur, ist an den Geisteswerken der Holländer seit der Reformation unverkennbar und wirft nicht im Geringsten ein fragwürdiges Licht auf die Selbsteigenheit des niederländischen Geistes. Diejenigen sind nirgends die besten Köpfe, die sogenannten Autodidakten, die rein aus sich selbst geschöpft haben wollen, was in 99 Fällen unter hundert überdies die allerärgste Selbsttäuschung ist: jede nationale Litteratur hat überhaupt nur Daseinsrecht als Moment in der Weltlitteratur, und dass in dieser Hinsicht die Niederländer zwischen England, Frankreich und Deutschland eine vermittelnde Stellung einnehmen, gewährt ihren Schöpfungen gerade einen besonders ansehnlichen Eigenwert. Der große Uebergang vom klassischen Zopfstil des achtzehnten Jahrhunderts zur modernen Romantik, ist in Holland nicht lediglich nach englischen, noch weniger bloß nach französischem, noch etwa nur nach dem deutschen Schlegel-Tieckschen Muster vollzogen worden; die litterarische Revolution, die gleich der politischen um 1789 und ein Vierteljahrhundert darnach sich durchkämpfte, hat auch das kleine Holland rüstig auf dem Kampfplatze geschaut, und, wenn es wahr ist, dass diese Umwälzung wesentlich keinen romanischen, sondern im Gegenteil einen gar sehr germanistischen Charakter an sich getragen, darf ohne Umschweif anerkannt werden, dass die niederländische Litteratur auf der Schwelle des neunzehnten Jahrhunderts als eine insofern echt deutsche sich erprobt hat! Denn echt deutsch, von rein litterarischen Voraussetzungen aus, hat sie sich entwickelt! Wie bei den Innerdeutschen haben auch bei den Holländern die großen dramatischen Vorbilder Shakespeare und Calderon den Einfluss der französischen Klassizität zu brechen begonnen; Walter Scotts Romane, Lord Byrons epische und dramatische Dichtungen haben auch bei den nüchternen Söhnen Nordniederlands ihren Wiederhall gefunden, die Erstern ebenso stark wie in Deutschland, die Letztern natürlich minder stark, weil die ganze Naturanlage des behäbigen Holländers dem phantastischen Feuerstrom des englischen „Barden“, seiner Genialität und Ueberspanntheit, auf die Dauer nicht zu folgen vermag. Was Nicolaas Beets bald nach 1830 in Byrons Richtung geleistet, fiel bald wieder zusammen aus Mangel an Anklang im Volk, und charakteristisch genug, derselbe Nicolaas Beets ist bald darnach der eigentliche Stifter des realistischen Romans unter den modernen Holländern geworden: seine „Camera obscura“ hat all seine Byronianischen Versuche überlebt.

Im Anschluss an die unsterblichen Vorbilder Walter Scotts, des Meisters einer auf realem, geschichtlichem Boden einherschreitenden Romantik, hat der Dichter Jakob van Lennep aus Amsterdam in seinen „Nederlandsche Legenden in rijm gebracht“, (Deel 1—8. Amsterdam 1828—1847), zumal in „Jacoba van Baieren“, in „De strijd met Vlaanderen“ und in dem „Eduard van Gelse“ den vaterländischen Ton vollkräftig angeschlagen, während er in seinen Romanen, die er seit 1834, dem Erscheinungsjahr seines „Pleegzoon“, veröffentlicht, zumal in „Ferdinand Huyck“ und „De Roos van Dekema“, so recht den volkstümlichen Ton getroffen hatte; Geertruida Toussaint aus Alkmaar (Frau Bosboom-Toussaint), ein ihm gleichstrebender Geist, in ihren patriotischen Romanen den Kampf der Niederländer gegen das katholische Spanien verherrlichend, hat als Schildhalterin des Protestantismus den vorwiegend calvinischen Charakter der Großtaten Hollands hervorgehoben und in romantischer Form zu zeigen versucht, dass es die Reformation gewesen ist, welcher Holland sein Eintreten in die Reihe der unabhängigen Staaten verdankt.

Aber niemals würde die holländische Litteratur,

lediglich auf ästhetische Reformbestrebungen gestützt, den vaterländischen Geist so schön und gehaltvoll zur Geltung gebracht haben, wenn nicht schon im achtzehnten Jahrhundert Männer wie Hieronymus van Alphen mit packendem Beispiel vorangegangen wären. Was H. van Alphen so sehr auszeichnet, was ihn als Bahnbrecher für die nationale Poesie Nordniederlands hinstellt, das ist die glückliche Verschmelzung des geschichtlich erzählenden mit dem volkstümlichen Element, wie er denn solchergestalt dem Vlaminger Hendrik Conscience auf dem Boden des populären Romans, dem flandrischen Lyriker Emanuel Hiel mit seinen bis in die neueste Zeit wiederaufgelegten (und öfters ins Hochdeutsche übersetzten) Kinderliedern unfehlbar zur Leuchte gedient hat. Van Alphens „Nederlandsche Gezangen" (Amsterdam 1779) sind ein Prototyp ihrer Zeit, das Erwachen dessen kundgebend, was man den „nationalen Gedanken Nordniederlands" nennen könnte, den der kernige Autor in Vers und Prosa gleich energisch zum Ausdruck brachte. Eine Gesammtausgabe seiner Werke, von J. J. Nepveu veranstaltet, ist noch 1838 in drei Bänden zu Utrecht erschienen, seine Kinderlieder hat unter Andern der Berliner Sprachgelehrte Dr. Carl Abel (Berlin 1856) übersetzt. Wenn Johan Le Francq van Berkhey, der Verfasser der „Zuispelende gedichtjes" (Poetischer Anspielungen) den spielenden Geist der französirenden Muse in patriotischem Aufschwung überwinden konnte, indem er in seinem „Zeetriumph" (1783) die Schlacht an der Doggersbank zu besingen unternahm, so ist dieser Autor ein merkwürdiges Zeugnis des gewaltigen Eindruckes, den van Alphens Muse auf die Gemüter seiner Landsleute gemacht. Die Spur des Umschwungs in der neueren Litteratur vom Zopfstil der Klassizität zur Idee der modernen dichterischen Freiheit führt überall, so auch in Holland, bis tief in die Mitte des achtzehnten Jahrhunderts zurück.

Und dieser Wahrnehmung stehen die „Romantiker aus Prinzip", jene bei den Hochdeutschen durch Friedrich David Strauß so furchtbar kritisch zerschmetterte Richtung, keineswegesentgegen. Gleichwie der naiv in der alten Weise fortdichtende van Tollens (der zu Rotterdam 1780 geboren, erst 1856 zu Ryswyk gestorben ist) steht der romantische Feuergeist Isaac da Costa ganz auf dem Boden, welchen Hollands nationalgesinnte Dichter des achtzehnten Jahrhunderts ihren Nachfolgern geebnet. Das hat zunächst schon seine „Politieke Poëzij" klar genug dargetan; ein orthodox calvinischer Mystiker ist Isaac da Costa, der Vertreter einer den biblischen Protestantismus mit niederländischer Vaterlandsliebe durchwebenden Schule; seine nicht politische „Poëzij" (2. Druk, Deel 1. 2 te Haarlem 1847), seine „Zangen uit verscheidenen leeftijd" (desgl.) und seine „Hesperiden" zeigen denselben Charakter, der stark an die deutsche Romantik der ersten Jahrzehnte dieses Jahrhunderts erinnert. Da Costa hat zu den beliebtesten Dichtern Hollands gehört, seine „Kompleete Dichtwerken" sind noch in den Jahren 1870 und 1871 von dem ihm gleichgesinnten Dichter J. P. Hasebroek (in vier Deelen) zu Arnheim herausgegeben worden.

Das katholisch-niederländische Seitenstück zu Isaac da Costa ist der 1820 zu Amsterdam geborene Dichter und Tagesschriftsteller Joseph Albert Alberdingk Thijm, der als Vorkämpfer der katholischen Bewegung in Holland auf allen Gebieten der schönen und strengeren Litteratur, die sein Geist zu umspannen vermochte, sich im Sinne seiner Konfession energisch hervortat. Unter König Wilhelm II., dessen Sympathien für Belgien ihm die volle Gleichberechtigung der Katholiken mit den Protestanten nahe gelegt, war der geniale Alberdingk Thijm der richtige Mann der Epoche, welche die Mitte des neunzehnten Jahrhunderts für Holland kennzeichnet, er hat an dem Siege der klerikalen Forderungen einen ungeheueren Anteil gehabt und dieses vor Allem durch das große litterarische Geschick, mit welchem er der protestantischen Gegnerschaft Achtung einzuflößen verstand. Was Friedrich Schlegel, Graf Friedrich von Stolberg, Clemens Brentano in Deutschland vergeblich erstrebt, hat Alberdingk Thijm in Holland auszufechten vermocht, die katholische Litteratur hat bei den Holländern, zunächst auf die Massen in Nordbrabant und Limburg gestützt, einen sehr wesentlichen Einfluss auf die Geistesbildung des Volkes errungen, der im Kampfe mit der calvinischen Ueberlieferung von Staat und Gesellschaft noch schwere Krisen für die geistige wie politische Entwickelung Hollands herbeiführen kann. Für die schöne Litteratur ist in dieser Beziehung jene historisch-archäologische Richtung des Romans, welche W. J. Hofdijk in seinen vorchristlich-germanischen Romanen „Aeddon" und „Helene" und in dem christlich-mittelalterlichen Roman „Het Kennemerland" erfolgreich eingeschlagen, geradezu entscheidend gewesen: hier hat Alberdingk Thijm seinen Hebel eingesetzt und den Vorläufer bedeutsam übertroffen. Die zuweilen starre Gemütlosigkeit und Nüchternheit der streng calvinischen Lebensauffassung hat ihm höchst wirksam zur Folie gedient und seine Verherrlichung des Mittelalters durch die dichterische Verwertung der altniederländischen Sagenwelt einen volkstümlichen Rückhalt gewonnen, den seine Lyrik allein sicher nicht gewonnen haben würde! Bis in die neueste Zeit erstreckt sich die Wirkung seines Schaffens; an einem G. Jonckbloet (Direktor des Gymnasiums zu Sittard), dem tief und reich empfindenden Lyriker, ist Strophe für Strophe der Geist von Alberdingk Thijms Denkungsart offenbar. — Wird diese Schule, deren relative Berechtigung kein aufmerksamer Betrachter holländischen Wesens bestreiten kann, eine glückliche Verschmelzung mit dem Grundstock protestantischer Weltanschauung, der im

Lande der Oranier vorherrscht, jemals herbeizuführen vermögen? Das ist eine **Gewissensfrage für Hollands geistige Zukunft.** Die Zeit wird, vielleicht in wenigen Jahrzehnten, uns lehren, ob der nordniederländische Geist sich neu wiederauf- und zusammenraffen kann, oder ob er in die Formen des **Mittelalters,** einer **abgestorbenen Vergangenheit** zurücksinkt.

Wer das mannhafte Ringen dieses kleinen Volkes um Aufrechterhaltung seiner Eigenart durch drei Jahrhunderte betrachtet, wer als **unparteiischer Denker** im Hinblick auf die Kulturgeschichte der Menschheit an dem Siege der **Geistesfreiheit** nie verzweifelt, der wird die Frage dahin beantworten, dass die germanische Welt **Vertrauen** setzen darf in den Volksgeist der Niederländer, welcher sich immer wieder selbst finden wird, wo es gilt, **Duldung** und **Glaubensfreiheit** mit den unwandelbaren Leitsternen der **freien Forschung,** des **gesetzlichen Fortschritts,** der **Versöhnung aller sozialen Elemente** in Einklang zu bringen. Dass dies gelingt, ist für die Kulturinteressen von **ganz Europa nicht gleichgültig!**

Zum Kapitel von den Redensarten.

Von Gerhard von Amyntor.

Eine der nichtssagendsten, gedankenloesesten Redensarten, der wir aber fast in jeder Zeitung, in jedem Litteratur- und Geschichtswerke begegnen, ist die Behauptung, dass wir in einer Zeit des **Ueberganges** leben. Besonders durch deutsche Autoren wird diese merkwürdige Entdeckung immer und immer wieder dem lieben Publikum bekannt gegeben, denn gerade der Deutsche hat einen ausgeprägten Hang zum Schematisieren; er kann sich einer Sache nur dann völlig bemeistern, wenn er sie erst einteilt, und so zerlegt er sich auch die geschichtlichen Erscheinungen gern in allerlei Perioden und Abschnitte. Ist er nun ein flacher Kopf, so macht er gewöhnlich die Entdeckung, dass heut nicht mehr Alles so ist, wie es vor zehn oder fünfzehn oder zwanzig Jahren war; da er aber diese letzten zehn oder fünfzehn oder zwanzig Jahren unter der Kollektivbezeichnung „Geschichte der Gegenwart“ zu begreifen gelehrt worden ist, so geht ihm eine Ahnung auf, dass in weiteren zehn oder zwanzig Jahren eine neue historische Periode beginnen dürfte, und flugs gewinnt er die frohe Ueberzeugung, dass wir in einer Zeit des **Ueberganges** leben. Diesen kostbaren Fund giebt er dann mit dem Bewusstsein besonders glücklicher geistiger Spürkraft der Welt zum Besten, und so treffen wir diese Phrase in jedem Artikel an, der sich mit irgend welchen Erscheinungen unseres augenblicklichen Lebens befasst. Dass die Behauptung, „wir stehen in einer Uebergangsperiode“, eine Plattheit, eine Trivialität ist, das fällt selbst manchem gelehrten Herrn nicht ein, der vor lauter Weisheit übersieht, dass jedes Jahr, jeder Tag, jede Minute unserer Erdenzeit seit Anbeginn ein Uebergang gewesen ist und dass wir uns keinen einzigen Moment auf dieser Lehmkugel denken können, der nicht ein Uebergang vom Gewordenen zum Werdenden gewesen wäre. Die menschlichen Anschauungsformen der Zeit und Kausalität stellen sich selbst als die alles beherrschenden Faktoren eines ewigen Wechsels dar; in keiner Sekunde steht das Rad der Zeit still, jedes Zeitatom ist ein Uebergang aus der Vergangenheit in die Zukunft; und das Gesetz der Kausalität lässt jede menschliche Handlung als Motor erscheinen, der etwas Bestehendes verändert und zu irgend einem Werdenden den Anstoß giebt, daher so lange als Menschen atmen, denken und wirken werden, ein ununterbrochener Uebergang aus dem Geschehenen (Geschichtlichen) in das Werdende (Geschichte der Zukunft) stattfinden wird.

Wer uns da also heut verkündet, dass wir in einer Zeit des Ueberganges leben, der sagt uns in der Tat nichts Neues, denn diese Bezeichnung passt auf jeden Augenblick der ganzen historischen Vorzeit und der ganzen, momentweise in das Licht der Geschichte rückenden Zukunft. Es gehört keine tiefe Einsicht dazu, um eine so widerspruchslose Wahrheit zu begreifen, und ich muss gestehen, ich habe kein besonderes Vertrauen zu dem Beruf eines der Erforschung unserer Gegenwart zugewandten Mannes, wenn er uns diese ewig gültige Wahrheit als etwas Neues darbringt. Das niederrheinische Volkswort: „'T is man 'n Oewergang! säd de Voß, dôr treckten se em dat Fell af,“ enthält unendlich viel mehr Witz, als jener Gemeinplatz manches wichtig tuenden Historikers oder Leitartikelschreibers.

Der Hirsch.

Aus dem Schwedischen des C. Snoilsky, übersetzt von Ulrich Klein.

Keuchend durch Gestrüpp und Tannen
Fliegt der Hirsch, zum Tode wund;
Von dem Halse tropft es blutig
Auf den herbstlich gelben Grund.

Durch der Schützen blinke Reihen
Bricht er jäh, der schnell behuft.
Fern erstirbt Gebell der Meute
In der klaren Morgenluft.

Ob ihm in der Brust, der breiten,
Auch das Blei des Todes sitzt,
Sinken soll des Waldes König
Nicht vom Jägerstahl geschlitzt.

Wo sich dicht die Wipfel wölben,
Sucht er Ruhstatt seinem Weh.
Sonnenlicht um Wasserrosen
Zittert auf dem nahen See.

Grüßen will er noch die Aue,
Wo im Frühlingssonnenstrahl
Er in wildem Kampf gestritten*)
Um die Hindin seiner Wahl.

Wo den Buhlen er bezwungen,
Wo erscholl sein brünst'ger Schrei,
Kund zu tun der bangen Schönen,
Dass sie Braut des Starken sei.

Träumend von erstritt'nen Siegen
Blinzt er todessiechen Blicks
Auf die altgewohnten Stätten,
Zeugen des verwich'nen Glücks.

Weich ins Moos, am Strand des Sees,
Streckt er sich auf seine Statt;
Seines Lieblings Bett zu decken,
Schenkt der Wald sein letztes Blatt.

Wilhelm Walloths Roman „Seelenrätsel".

Mit diesem Romane tritt Walloth in die Reihe der **modernen** Schriftsteller — mit diesem Romane, der mir, offen herausgesagt, als ein **vorzüglich gelungener** Wurf auf dem Gebiete der epischen Prosadichtung erscheint.

Und um ein weiteres Geständnis sogleich anzuknüpfen: Ich hätte Walloth diese Meisterschaft in der **psychologischen** Vertiefung nicht zugetraut.

Bleibtreu hat ganz Recht, wenn er (in der „Revolution der Litteratur") Walloths Gedichte einen Nachhall der Romantik nennt. Das sind sie in der Tat, wenigstens bis auf die „Starnberger Elegie'n", die dafür aber wieder stark an Goethe erinnern. Besonders eigenartig war Walloth vorläufig als Lyriker noch nicht, wenn ich ihm auch gern eine — an Heinrich von Reder erinnernde — Natursymbolik und eine mystisch-naive Lenausche Naturinterpretation zugestehe.

Walloths erstem historisch-ägyptischen Roman „Das Schatzhaus des Königs" rühmt man eine sehr gute Plastik in der Gegenüberstellung des ägyptischen und jüdischen Nationalcharakters, dargestellt durch Menes und Myrah, nach. „**Octavia**" hat Szenen großen Stils, Blut, Feuer, Kolorit, und verrät ein tiefes Verständnis für geschichtsphilosophische Weltbetrachtung. „**Paris der Mime**" endlich interessiert zumeist durch sein psychologisches Problem, durch die Charakteranalyse einer merkwürpigen Individualität, die so ungefähr eine „problematische Natur" darstellt. Die **historische Szene**, möchte ich sagen, hat sich mehr zur **momentanen Situation** zusammengeschoben. Aber es ist ja die **Enge** gerade, welche die feinsten Nervenfäden der psychischen Struktur freilegt.

Und so bildet denn dieser Paris-Roman für den, der tiefer gehen will, der tiefer einzudringen vermag, den natürlichen Uebergang zu Walloths letzter Schöpfung, den „Seelenrätseln".

Ich habe das Gefühl, als ob diesem Werke das Moment einer gewissen, nicht näher definierbaren Neutralität anhaftete. Das sehr wenig „aktuelle", auf den ersten Blick hin wahrhaftig nicht besonders „modern" schmeckende Motiv — die Liebestragikomödie zwischen einer Gräfin und einem Maler! — ruft diesen Eindruck hervor. Und doch ist es gerade dieser Roman, in dem ein heißeres, intimeres Leben zuckt und zittert, so schlicht und einfach, so wenig „sensationell" und individuell-eigenartig, so keusch und reserviert er auch geschrieben ist. Man verspürt es trotzdem, dass hier Walloth zum guten Teil an — sich selbst ein vortreffliches Modell besessen hat.

Der Liebesverhältnisse zwischen einem Maler, der ein „Sohn aus dem Volke", und irgend einer sehr hochwohlgeborenen Dame sind schon eine schwere Menge in die liebe Gotteswelt hinausposaunt worden. In der Regel sah der — Macher — setzen wir dieses ehrliche deutsche Wort einmal für das fremde „Poet!" — sein Heil darin, eine respektable Sippschaft greller, „**spannender**" Szenen zusammenzuhäufen. Der Unterschied der „Stände", die Kluft zwischen den beiden bewussten „Welten" wurde mit rührender Eintönigkeit zu einer erschrecklichen Menge von Vorkommnissen ausgemünzt. Allerlei Dummgeheimnisvolles spukte überdies hinein. Ganz anders Walloth. **Er** legt das Hauptgewicht auf die **psychologische Analyse**.

Ja! Die „**Kunst**" ist eine furchtbare Egoistin. Sie, die aus dem Leben herausblüht, **entfremdet** wiederum diesem Leben. Sie macht taub, blind, hart, gleichgültig. Erschütternd hat Zola in seinem „L'œuvre" diesen tragischen Konflikt dargestellt. Claudius wird von seiner Kunst — auch er ist Maler — geradezu ausgehöhlt, zernagt, aufgezehrt. Die Kunst hat etwas dämonisch Zwingendes. Sie fordert den **ganzen** Menschen. Sie ist Fanatikerin. Sie ist empörend seelendurstig.

„Muss ich nicht in dem sein, was meines Vaters ist? . ."

Der Maler **Enger** spürt, wie die Kunst ihn seinen Eltern entfremdet hat. Die Szenen, die sich um diesen Punkt herum zwischen Vater, Mutter und Sohn abspielen, sind **wahr**. Ich kenne kein Wort, das meine unbedingte Anerkennung wesenhafter und inhaltsreicher wiedergäbe.

*) Wir ändern grundsätzlich **nicht** in acceptierten Beiträgen, mussten aber diese Zeile der sonst wohlgelungenen Uebertragung verbessern. D. R.

Sodann: wie in psychologischer Beziehung fein und klar und überraschend natürlich ist das Verhältnis Engers zur Gräfin Isabella bis in die zartesten Nüancen und Details hinein herausgearbeitet! Das künstlerische Selbstbewusstsein, die bewusst-unbewusste, naiv-kokette Ungebundenheit des Künstlers treten bezeichnend als Reaktionen der Welt auf die engere Geistesheimat des Künstlers, die in sich dennoch so weit und tief und allumfassend, hervor. Und nun das gesammte Zusammenspiel und Gegenspiel in den seelischen Beziehungen der beiden „Helden"! Dieses Auf und Nieder! Engers Vater ist Förster. Er verliert seine Stellung, wenn Enger Isabella heiratet. Aber er kann ohne seinen Wald nicht leben. So sprosst denn zwischen Vater und Sohn ein neuer Konflikt in die Höhe. Der Sohn verzichtet. Er bringt ein Opfer — und doch im Grunde auch nicht. Denn er liebt das Weib, das fanatisch an ihm hängt, nicht — er kann es nicht lieben. Er kann nur noch seine Kunst lieben. Alles andere Gefühl hat ihm der Höllenstein dieser Kunst hinweggebrannt. Ergreifend ist die Szene, wo er am Wege einmal auf das Elend, das in Lumpen mit Fetzen durch die Welt krückt, trifft und doch noch ein warmes Mitleidsgefühl in der Brust aufsteigen zu fühlen — glaubt. Und solcher psychologischen Schärfen und Feinheiten finden sich in diesem Roman noch viele. Der Schluss ist überraschend wahr. Er konnte bei diesen Voraussetzungen wirklich nicht anders sein.

Die meisten Leser werden über das, was gerade den Roman so hoch stellt, was ihn zumeist wertet, verständnislos hinweggehen. Habeant sibi! Der Stil ist sauber, korrekt, ohne besondere Eigenart. Walloth ist nicht epigrammatischer Epiker, wie z. B. Turgenjeff. Walloth verarbeitet weniger allgemeine Lebensresultate. Er vereinseitigt sich ganz. Aber in dieser Einseitigkeit ist er bedeutend. Er verlangt vom Leser in erster Linie Teilnahme, Gehorsam, Vertrauen, Geduld, Kameradschaft. Weniger Mitschaffen, weniger eigenes Nachschaffen, aus individuellem Borne Ergänzen.

„Seelenrätsel?" Meinetwegen — so allgemein der Titel eigentlich auch ist. Er hat für dieses Buch doch eine starke Berechtigung. Gipfelt doch die Ausführung des Motivs in dem Versuche, diese Seelenrätsel zu entwirren. Eine Grenze bleibt immer. Das Schlusswort ist eben dazu da, dass es nicht ausgesprochen wird — weil es seinem Wesen nach nicht ausgesprochen werden kann. Denn wenn der Vorhang erst mitten in zwei Stücke reißt, hat auch das Leben seinen letzten Reiz verloren.

Ich beglückwünsche Walloth aufrichtig zu diesem Wurf. Der Roman verdient Beachtung und Anerkennung. —

Leipzig. Hermann Conradi.

Die Geschichte der französischen Presse.

Von G. Glass.

(Fortsetzung.)

Drei Jahre nach Mazarins Tode sah sich der König veranlasst, da trotz aller Mühe das unerlaubte Publizieren von Zeitungen nicht zu unterdrücken war, die schärfsten Maßregeln in Anwendung zu bringen. Ein Mann wurde z. B. dabei betroffen, als er vor dem Büreau der Gazette de France ein Blatt feilbot, das auf der ersten Seite ein genauer Nachdruck derselben war, aber dessen übriger Inhalt in Skandalgeschichten über verschiedene Damen des Hofes bestand und besonders die Herzogin von Bouillon scharf mitnahm. Der Gemahl derselben sandte in grösster Wut vier seiner Diener nach dem Büreau der Gazette, um Isaac Rénaudot, den zeitigen Herausgeber, auf die handgreiflichste Weise bestrafen zu lassen. Derselbe setzte sich, unterstützt von dem Redaktionspersonal zur Wehr und es entwickelte sich eine reguläre Schlacht, bis die Polizei erschien und den wahren Schuldigen, Collet mit Namen, ergriff, der inzwischen seine Zeitung zu hohem Preise abgesetzt hatte. Isaak Rénaudot konnte leicht nachweisen, dass er für die Schmähschrift nicht verantwortlich war, Collet wurde also ins Gefängnis gebracht und auf besonderen Befehl des Königs der Tortur unterworfen, da er seine Mitschuldigen nicht verraten wollte. Unter den Qualen der Folter nannte er den Namen dessen, der ihm den Verkauf der Zeitung übertragen. Der Genannte wurde herbeigeholt, ebenfalls gefoltert und gestand, dass ein Herr des Hofes ihn mit dem Material für das Journal versehen, sowie mit Geld, um dasselbe zu veröffentlichen. Der Name des Edelmanns ist nie bekannt geworden, da der König es nicht wünschte; aber Collet und sein bürgerlicher Mitschuldiger wurden zur Galeerenstrafe verurteilt. Es wurde dann eine Zählung aller Druckerpressen von Paris veranstaltet und dabei gefunden, dass deren 123 vorhanden waren, d. h. 103 mehr als konzessioniert. Die überschüssigen wurden sämtlich mit Beschlag belegt und die Besitzer mit Gefängnis bestraft. Trotzdem ist es nicht anzunehmen, dass wirklich alle Druckmaschinen in Paris entdeckt wurden, denn die hölzernen Handpressen der damaligen Zeit waren leicht zu verbergen, ausserdem besassen auch eine Menge Edelleute solche und die Polizei durfte die Häuser derselben nicht untersuchen. Aber die Strenge des Königs hatte allgemeinen Schrecken verbreitet und wenn unkonzessionierte Zeitungen auch immer wieder auftauchten, so waren doch die Verkäufer ungemein vorsichtig im Anbieten derselben und hielten sich stets in der Nähe des Tempels und der Abtei, die als geheiligte Stätten, ihnen eine Freistatt im Falle der Verfolgung gewährten. Gewöhnlich wurden diese Zeitungen auf Veranlassung irgend eines Höflings herausgegeben, der sich auf diese Weise an einem Kollegen rächen wollte, aber diese Herren versteckten sich stets hinter einem Untergebenen und ließen denselben auch höchst ritterlich gewöhnlich die Folgen tragen, die meistens in Rutenstreichen bestanden.

Ludwig XIV. Absicht war es aber keineswegs, der Journalistik überhaupt einen Stein in den Weg zu legen. Er liebte es sogar, gute Verse, geistreiche Kritiken und besonders witzige Epigramme gegen seine Feinde in den Zeitungen zu finden, und nur solche, die es sich erlaubten, das Privatleben seiner Günstlinge und besonders seiner Favoritinnen ans Licht zu ziehen oder über die Vorgänge am Versailler Hofe mehr drastische als schmeichelhafte Berichte zu bringen, waren ihm ein Dorn im Auge. Er gab daher gern seine Erlaubnis zur Gründung zweier Zeitungen, deren eine in demselben Sinne wie die Gazette de France mit politischen, sich mit litterarischen Tagesereignissen zu befassen gedachte, während die andere, soziale Vorkommnisse in diskretem und loyalem Sinne zu besprechen, zu ihrer Aufgabe machte. So entstanden das „Journal des Savants" und der „Mercure". Das erstere von Denis Sallo, einem hochgelehrten und eleganten Schriftsteller, gegründet, erfreute sich der besonderen Protektion Colberts. Der Name für die Zeitung war nicht glücklich gewählt, und schreckte anfangs Viele ab, bald erwarb aber die furchtlose und interessante Art, in der sie geschrieben, ihr eine große Anzahl Abonnenten und — Feinde. Sallo hatte das Kritisieren von Büchern und dramatischen Werken zu seiner Hauptaufgabe gemacht und der Ansturm der damaligen Schriftsteller gegen ihn wurde bald so groß, dass Colbert nicht im Stande war ihn zu halten, und Sallo sich gezwungen sah, das Blatt andern Händen zu überlassen, nachdem er es in den zwei Jahren, durch welche er es geleitet, zu großer Bedeutung erhoben. Nach seinem Rücktritt änderte es seinen Charakter vollständig und obgleich es jetzt des Beifalls der Schriftsteller sich erfreute, verlor es doch außerordentlich an Popularität und der „Mercure" fing an, sich den Platz zu erobern.

Dieses amüsante Journal, ein Vorläufer des „Figaro", hielt sich trotz vieler Anfeindungen und trotzdem es gleich dem „Journal de Savantes" eine zwar nicht unparteiische, jedoch furchtlose Kritik übte und selbst Autoren wie Balzac, Boileau und La Bruyère, nicht schonte. Die Einkünfte des Herausgebers wurden schließlich so bedeutend, dass die Regierung, welche, wie es scheint, der Meinung war, durch die Erlaubnis zur Gründung einer Zeitung eine Art Eigentumsrecht daran zu erwerben, die Einnahmen konfiszierte und dem Redakteur nur ein Gehalt von 10 000 Franks jährlich bewilligte. Doch vergrößerte sich sein Einkommen bedeutend durch Gelder, die der Zeitung von Personen zuflossen, welche in dem Blatte lobend erwähnt zu werden wünschten, was damals als durchaus legitim und ehrenwert betrachtet wurde. Der „Mercure" erschien ohne Unterbrechung bis zum Ausbruch der Revolution und Männer wie z. B. Voltaire lieferten Artikel für denselben, doch hatte er schon lange von seiner allgemeinen Bedeutung verloren, da hunderte von Zeitungen und Journalen, in derselben Art geleitet, erschienen, trotzdem bis zur Enttronung Ludwigs XVI. nur drei Journale „offiziell" anerkannt waren, die „Gazette de France" für Politik, das „Journal de Savants" für Wissenschaft und Litteratur und der „Mercure" für Politik, Litteratur und gesellschaftliches Leben. Natürlich ließen die Herausgeber dieser drei Journale kein Mittel unversucht, um sich ihr Monopol zu erhalten und Ludwig XIV., viel zu autokratisch, um nicht jedes selbständige Auftreten nach Kräften zu unterdrücken, setzte sogar Galeerenstrafe auf jedes Vergehen gegen das Pressgesetz, ohne jedoch das fortwährende Erscheinen neuer Zeitungen verhindern zu können. Die Franzosen gingen nach England, Holland oder Genf, gründeten dort Journale in französischer Sprache und schmuggelten dieselben in Paris ein. Solche waren die „Gazette d'Amsterdam", die „Gazette de Leyde", „Nouvelles Ordinaires de Londres", „Journal de l'Europe", „Courier de Bas-Rhin" und viele Andere. Infolgedessen kam der König auf die Idee, in Paris Zeitungen herausgeben zu lassen, die die Namen: Gazette d'Amsterdam, Gazette de Leyde u. s. w. führten, in der Hoffnung, dass das Publikum dieselben kaufen würde, glaubend, verbotene Journale zu erhalten. Aber das Experiment hatte den entgegengesetzten Erfolg. Die Pariser prüften genau, ehe sie Zeitungen erstanden und konnten nicht einmal bestraft werden, wenn sie mit den verbotenen betroffen wurden, indem sie vorgaben, der Meinung gewesen zu sein, die loyalen Blätter zu kaufen.

Da es vorgekommen war, dass der „Mercure" zwei ganze Jahre überhaupt nicht erschien, weil sein Gründer, Visé, durch Krankheit gezwungen, Paris zu verlassen, dasselbe anderen Händen nicht überlassen wollte, wurde endlich ein Uebereinkommen mit einzelnen Journalen getroffen. Dieselben durften erscheinen, hatten aber eine bestimmte Summe jährlich an die drei autorisierten Blätter zu zahlen. Anfangs wurde diese Bedingung gehalten, sehr bald aber lief dieser Tribut unpünktlich ein und hörte schließlich ganz auf. Die drei privilegierten Journale kämpften noch eine Zeitlang für ihr Monopol, konnten aber nicht viel ausrichten und die Regierung erlaubte endlich den nicht autorisierten Blättern eine prekäre Existenz, indem sie das eigentliche Erscheinen nicht hinderte, sie aber oft ohne scheinbaren Grund konfiszierte.

Während der Zeit, da Law's schwindelhafte Unternehmungen allen Franzosen die Köpfe verdrehten, erschienen natürlich eine Unmenge von Finanzblättern, die allerdings meistens, obgleich sie alle vorgaben reguläre Zeitungen zu sein, nur Reklamen waren. Sensationelle Ueberschriften lockten das Publikum an, wie z. B. „Eine Liste der Bettler, die durch M. Laws Aktien zu reichen Leuten geworden sind." „Bericht wie Marie Boutrau plötzlich zu großem Vermögen gelangt. Dieselbe war Köchin bei Madam Begon und fährt nun, Dank M. Law, in ihrem eigenen Wagen." In den meisten Fällen sind dies jedenfalls Publikationen gewesen, die Law selbst veranlasste, denn dieser unternehmende Schotte war seinem Zeitalter in Bezug auf Charlatanerie weit voraus. Doch lag es jedenfalls in seiner Absicht, ein täglich erscheinendes Blatt zu begründen, das Alles dagewesene überflügeln sollte. Der „Daily Courant" war 1702 in London erschienen und Law, großartig in allen seinen Plänen, gedachte eine Aktiengesellschaft ins Leben zu rufen, die ein Journal fünfmal so groß als der „Courant" herausgeben sollte. Er hätte diesen Vorsatz jedenfalls ausgeführt, wäre nicht inzwischen der Ruin über ihn hereingebrochen.

1717 versuchte ein Journalist, namens St. Gelais, eine täglich erscheinende Zeitung zu begründen, abèr nur zwei Nummern kamen heraus, da der „Mercure" und die „Gazette de France" sofort gegen das Blatt Stellung nahmen und sein weiteres Erscheinen verhinderten. Erst im Jahre 1777 mit dem „Journal de Paris" wurde eine Lücke ausgefüllt, die in andern Ländern längst aufgehört zu existieren. Bis dahin waren Zeitungen nur ein- oder zweimal in der Woche erschienen. Die „Gazette de France" gab allerdings Supplemente heraus, deren Zahl öfter bis auf sechs oder sieben innerhalb vierzehn Tagen stieg, doch waren dies mehr Listen über Beförderungen und sonstige offizielle Akte als Berichte über Vorkommnisse. Was das Herausgeben täglicher Zeitungen so lange verhinderte, war die Unsicherheit des Besitzes derselben. Irgend eine Hofdame, Favoritin oder ein höherer Beamter konnten, um einer kleinlichen Rache zu genügen, die Existenz eines Blattes vernichten und es wollte daher Niemand Geld an ein Unternehmen wagen, das auf so schwankendem Boden stand.

Die Pressverhältnisse änderten sich nicht viel bis zur ersten Hälfte von Ludwig XV. Regierung; doch begannen schon aufgeklärtere Ideen Platz zu greifen. Voltaire, Rousseau, d'Alembert etc. erweckten das Volk durch ihre kühnen und neuen Theorien zu selbständigen Gedanken; die Encyklopädie erschien und gegen 1750 fing die Presse an ihrer Macht sich bewusst zu werden. Zwar wagte sie noch nicht den König und die Minister anzugreifen, wandte sich aber dafür um so schärfer gegen die Jesuiten, wobei sie vom Parlament unterstützt wurden, das diese Gesellschaft, die eine so große Gewalt besaß, hasste. Nach und nach wurden die Zeitungen indes kühner. Sie griffen zuerst die Generalpächter an, die die niederen Klassen aussaugten, dann die bestechlichen Beamten, die bartlosen Generäle, wie z. B. den Prinzen von Soubise, und schließlich richteten sie ihren beißenden Witz gegen jugendliche Prälaten, wie den Kardinal von Rohan, die ihren Gemeinden so sonderbare Beispiele eines gottgefälligen Lebens gaben.

Alles dies durfte die Presse ungestraft wagen, denn Ludwig XV. war viel zu egoistisch, um sich darum zu bekümmern, so lange man nur ihn und seine augenblickliche Favoritin unbelästigt ließ. Die Angriffe auf die Beamten und Geistlichen amüsierten ihn im Gegenteil höchlich und es ist bekannt, dass er dem Bischof von Mirepoix, der sich über Voltaires satirische Ausfälle gegen die Kirche beklagte, antwortete: er fände, die Kirche sei alt genug, um sich selbst verteidigen zu können. Doch die Presse, durch diese Duldung ermutigt, fing nun an auch ihre Pfeile gegen den König, die Maitressenwirtschaft und die Minister zu richten. Ludwig XV. fühlte jetzt keine Neigung mehr, darüber zu lachen, und der Herzog von Choiseul erhielt den Befehl, sofort scharf vorzugehen. Ein Mann, namens Boctoy, der zwei Pamphlets „Le Royaume des Femmes" und „Les Troubles de la France" veröffentlicht, wurde zu lebenslänglicher Gefängnisstrafe, ein Anderer, René Lecuyer, zu zehn Jahren für einen Artikel im „Journal des Rieurs" „Reine Cotillon" (Madam de Pompadour) verurteilt, drei fernere Unglückliche, die den König selbst angegriffen, gehängt, während die Zeitungen, in welchen ihre Artikel erschienen, vom Henker verbrannt wurden. Auch kam ein Erlass heraus, der die Pressgesetze, die nach und nach in Vergessenheit geraten waren, dem Publikum wieder ins Gedächtnis rief und noch verschärfte. Ein Buch, eine Zeitung oder Pamphlet zu drucken, ohne sie vorher der Zensur unterworfen zu haben, wurde als ein Verbrechen angesehen, auf welchem Todesstrafe stand, die Zahl der autorisierten Druckereien auf dreißig reduziert und die Verleger mit ihrem Leben und Vermögen für das, was sie veröffentlichten, verantwortlich gemacht. Diese übetriebene Strenge hatte aber durchaus nicht den gewünschten Erfolg. Das Uebel in einer Richtung niedergehalten, brach auf der anderen mit doppelter Gewalt aus, aufrührerische Lieder erschienen täglich neu und wurden überall gesungen, ohne dass man wusste, woher sie kamen. Oft wurde zwar ein solch' unglücklicher Barde der ausgesetzten hohen Belohnung wegen verraten und dann ohne Gnade gehängt, doch war das nie von nachhaltigem Eindruck; die Ueberlebenden wurden nur vorsichtiger, und neue Sänger nahmen die Stelle der Todten ein.

Die Periode der Regierung Ludwig XVI. ist die bedeutendste, die in der Geschichte der Presse eines Volkes zu verzeichnen, und zu keiner Zeit und in keinem Lande hat die Journalistik je einen solchen Einfluss ausgeübt. Im Anfang allerdings lasen sich die Zeitungen von Paris wie ein Chorus von Hymnen. Es war den Franzosen so neu, dass ein König und seine Minister sich um das Wohl und Wehe des Volkes kümmerten. Der Abstand gegen die vorangegangene Regierung, die in den letzten Jahren das Land auf die tiefste Stufe der Erniedrigung gebracht, so groß, dass die Journale gar nicht genug Worte finden konnten, um ihrem Enthusiasmus Luft zu machen. Die Ausdrücke „angebeteter Monarch“, „Sohn des heiligen Ludwig“, „Vater des Volkes“ kehrten täglich wieder und der junge Herrscher wurde mit all' den großen und guten Wesen, deren die Geschichte oder Sage erwähnt, verglichen.

(Fortsetzung folgt.)

Priester Augustins letzter Kampf.

Novelle von Salvatore Farina. — Milano, A. Brigola & Co.

Die zweite Novelle aus dem Cyclus „Si muore“ dessen erste, „Caporal Silvestro“, ich die Freude hatte, zur Zeit hier zu besprechen.*) Die gleiche wehmütige Grundstimmung, wie in jener, durchzieht auch diese Arbeit, die mit der ganzen Freiheit liebevoller Detailmalerei ausgeführt ist, welche wir ja mehr und mehr bewundern bei dem italienischen Dichter, der die lachende Träne im Wappen führt. Diese fein angelegte Schilderung des Alltagslebens von Alltagswesen birgt jedoch einen tiefen Kern: der letzte Kampf des alten Priesters ist im Ringen um die höchsten Güter seines Glaubens, um die innere Wahrheit seines Lebens. — Ein Unglücklicher, dem die Zweifel moderner Wissenschaft die bisher festgehaltene Hoffnung auf Unsterblichkeit durch Leugnung des freien Willens erschüttern, wendet sich in dem Seelenringen darum, dass ihm „fosse lasciato viva almeno la morte, almeno la speranza“, an eigener Kraft verzagend, um Beistand an den Diener Gottes. Doch dieser, durch den dringenden Hülferuf aufgeschreckt aus einer Art Quietismus, in dem er beinahe unbewusst dahin lebte, fühlt sich plötzlich selbst ratlos, und obwohl es ihm gelingt, dies dem Bittenden zu verbergen, und ihm mit einem frommen Wort wohl zu tun, peinigt der spät entfachte Kampf sein eigen Herz desto schwerer. Doch nicht weiter! Der Genuss, die poetische Lösung, die der Dichter — seiner Individualität angemessen — für die große Rätselfrage giebt, mit ihm selbst zu finden, bleibe dem Leser unverkümmert.

Neben dem Inhalt von Gedanken, neben der zarten, in aller Feinheit so naturwahren Darstellung des Menschlichen, übt diese Novelle noch einen besonderen Reiz aus durch das Persönliche, das so mannigfach hindurchschimmert. In der sympathischen Gestalt des Professors, der schwere Leiden von Herz und Geist allmählich überwindet, ergreift jeder Zug besonders tief, denn hier fühlen wir den Dichter selbst hinter seiner Dichtung. Wie tief bewegend ist, was er über sein vereinsamtes Leben ausspricht (S. 66). Gleich der Biene, die sogar aus Bitterem süßes Labsal zu bereiten vermag, hat er das schwere Leiden, das ihn heimgesucht, zum Studium der eigentümlichen Erscheinungen dieser Krankheit benutzt, sie psychologisch und dichterisch verwertet.

Wie aus Allem, das Salvatore Farina uns bescheerte, spricht auch aus dieser neuen Gabe die edle Anmut einer vornehmen Natur.

Berlin. M. Benfey.

*) 1885, Nr. 2.

Litterarische Neuigkeiten.

Bei dem vollständigen Fehlen einer litterarischen Konvention mit Russland treibt der illegitime Nachdruck deutscher Werke in den Blättern der deutsch-russischen Ostseeprovinzen die üppigsten Blüten. Kaum ist ein halbwegs bedeutenderes Werk bei uns erschienen, so kann der deutsche Autor mit ziemlicher Bestimmtheit darauf rechnen, dass sein Buch bald in einer deutschen Zeitung Russlands abgedruckt wird. Auf seine bescheidenen Einwendungen erhält er meistens gar keine Antwort, und nur in den allerseltensten Fällen wird ihm von besonders zartfühlenden Redaktionen ein kleiner Betrag eingeschickt, der jedoch mehr in Form eines Almosens als eines Honorars gereicht wird. Es wäre wirklich an der Zeit, dass diesem unwürdigen Treiben, das immer größere Dimensionen annimmt, ein Ende gemacht wird; leider haben wir hierbei auf irgendwelche Unterstützung unserer Regierung wohl kaum zu hoffen, es bleibt uns also nur noch der Weg der Selbsthülfe übrig, der, wenn mit Energie verfolgt, auch zum Ziele führen wird. Wie wäre es denn z. B., wenn sich eine möglichst große Anzahl von deutschen Schriftstellern und Verlegern verbände und einer geeigneten Persönlichkeit in Russland das Eigentumsrecht ihrer resp. litterarischen Produkte für Russland übertrüge? Als Eigentümer könnte der russische Vertreter dann stets den unberechtigten Nachdruck inhibieren und seine Rechte, d. h. diejenigen des deutschen Schriftstellers resp. Verlegers mit Nachdruck vertreten. Wir denken, dass dieser Vorschlag die vollste Aufmerksamkeit der beteiligten Kreise verdient.

Bei der drohenden Gefahr von dem unheimlichen Gaste, der Cholera, einen nicht sehr willkommenen Besuch zu erhalten, dürfte die soeben bei Otto Dreyer in Berlin erschienene kleinere Schrift „Die Cholera, deren Abwehr, Behandlung und Heilung“, populär dargestellt von W. Bernhardi, einer allgemeinen Verbreitung nur zu empfehlen sein.

„Aus dem Tagebuche eines wandernden Musikanten“ von Hermann Starcke betitelt sich ein bei J. G. Seeling in Dresden erschienenes Werkchen, das sowohl durch den reichen Inhalt, als auch durch die frische Erzählungsweise verdient gelesen zu werden.

„Deutsch-schweizerische Dichter und das moderne Naturgefühl“ betitelt sich eine von Wilhelm Götz zur Feier der hundertjährigen Kultur der Schweizerreisen bei Schröter & Meyer in Stuttgart erschienene kleine Broschüre, die auch den Anklang finden wird, der ihr zukommt.

„Auf der Sonnenseite.“ Ein Geschichtenbuch von Ludwig Hevesi (Stuttgart, Adolf Bonz & Komp.) Hevesi giebt uns hier eine Reihe von Erzählungen, die uns fast alle ohne Ausnahme angesprochen haben; wir sind überzeugt, dass sie auch überall Anklang finden werden.

„Auf dem Trone.“ Roman in zwei Bänden von Clarissa Lohde. (Stuttgart, J. B. Metzlersche Buchhandlung.) Die Verfasserin bekundet ein anerkennenswertes Talent und liest sich das Ganze leicht und wird gewiss jeden nicht allzu sehr verwöhnten Leser auch befriedigen.

Unter dem Titel „Berliner Bunte Mappe“ hat die rühmlichst bekannte Münchener Verlagsanstalt (vormals F. Bruckmann) ein Prachtwerk ersten Ranges erscheinen lassen. Eine auserwählte Eliteschaar der hervorragendsten Künstler und Schriftsteller fanden sich zusammen, um von dem künstlerischen und litterarischen Berlin in würdiger Weise ein erschöpfendes Bild zu bieten. Unter den Künstlern finden wir A. Menzel, L. Knaus, W. Gentz, O. Knille, G. Bleibtreu, A. von Werner u. A. Die Schriftsteller schillern in den verschiedensten Richtungen; F. Spielhagen neben J. Stinde, J. Wolff neben H. Heiberg, R. Schmidt-Cabanis neben K. Bleibtreu u. s. w. — Die Ausstattung des Werkes in Papier, Druck, Einband und vor Allem Reproduktion der künstlerischen Beiträge ist eine wahrhaft glänzende.

„Die Kämpfe der Deutschen in Oesterreich um ihre nationale Existenz“ von Karl Pröll. (Dresden, E Pierson.) Diese Schrift verdient die allerweiteste Verbreitung und die Empfehlung jedes Gutgesinnten. Nicht nur ihres gemeinnützigen Zweckes wegen (der Reingewinn wird dem Deutschen Schulverein in Dresden überwiesen), sondern wegen ihrer eigenen litterarischen Vortrefflichkeit. Der geschätzte Verfasser erwirbt sich durch seine unablässigen Bemühungen für die im nationalen Existenzkampf ringenden Stammesbrüder in Oesterreich ein bleibendes Verdienst und den Dank jedes Deutschen, der für sein Volkstum fühlt. Ganz ausgezeichnet sind die „Einleitung“ und „Kurze Vorgeschichte“, lichtvoll die Darstellung der „Deutschen Volks- und Staatsrevolution“ im Verhältnis zu Oesterreich in der bedeutungsschweren Epoche 1848–1866. Sehr richtig bemerkt Pröll, als er die Gründung des „Deutschen Schulvereins“ in Wien (1880) und des „Allgemeinen Deutschen Schulvereins“ in Berlin (1881) hervorhebt: „Die segensreiche Wirkung solcher, den höchsten Zwecken der Nation dienenden Genossenschaften muss noch wesentlich gesteigert, ihre Anhängerschaft bedeutend vermehrt werden, wenn wir beweisen wollen, dass der große Moment der Wiedergeburt eines nationalen Staatslebens nicht ein kleines Geschlecht gefunden.“ Und so können wir uns nur dem Wunsche Prölls anschließen, mit dem seine treffliche Broschüre endet: „Wem aber ein warmes Herz in der Brust schlägt, der schließe sich dem „Allgemeinen Deutschen Schulverein“ an, dem Mittelpunkt aller Derjenigen, welche triebkräftige nationale Sympathien offenbaren wollen.“ Derselbe wirkt bekanntlich in Berlin unter der Leitung des trefflichen Afrikareisenden Oberstabsarzt Dr. Falkenstein. Der Vorstand besteht aus den Professoren Bökh, Brunner, Bleibtreu, von Kuny u. s. w.

„Mirjam“ von F. Dieterici. (Leipzig, W. Friedrich.) Auch dieser dreibändige Roman ist von einem deutschen Professor geschrieben, aber zur Gattung der berüchtigten Professorenromane gehört er nicht. Der Verfasser, ein wohlbekannter Orientalist, schildert Selbstgeschautes und Selbsterfahrenes. Es ist nicht das Aegypten der Pharaonen, sondern der Zustand der heutigen Beduinenwüste, den er uns in farbigen Bildern entrollt. Das Wagestück einer solchen Schilderung durfte er versuchen, da er selbst Sprache und Sitten der Orientalen aus genauer eigener Anschauung kennt. Die Naturschilderungen sind oft von markiger Kraft. Man höre z. B. den Anfang von Kapitel III: „Der Frühstrahl des Morgens ist im Gebirg wie ein Cherub mit funkelndem Schwert. So erscheint es, wenn in einem wilden Bergkessel der Morgen mit seinem Glutrot den oberen Rand der Felsen umsäumt; klingt es doch in der ältesten Urkunde „es werde Licht und es ward Licht“. Noch ists in der Tiefe dunkel, doch in der Höhe herrscht schon das Licht. Gilt das nicht auch von unserm Leben, das in das rollende Rad des ewigen Werdens hineingeflochten ist, nimmer aber auf der Höhe ewigen Seins schweben kann? Dem herrlichen Heerzuge des Lichts dort in der Höhe steht hier im Trümmerfeld das träge Leben der erwachenden Karawane gegenüber.“ Die pedantische Beziehung auf die „älteste Urkunde“ und das hier ganz belanglose Citat ist freilich für den kritischen Analytiker nicht ohne ein gewisses charakteristisches Gepräge. Auch im Uebrigen wird entsetzlich viel Orientalistentum in dem Roman verzapft, endlose Debatten über philosophische und Naturforscher-Probleme ermüden und hemmen die Handlung. Diese selbst ist leider sehr „spannend“, wie es nur die Leihbibliothek verlangen kann und die Gestalten sind zwar frisch und flott, aber in grober Holzschnittmanier gefertigt, wenn auch hier und da ein Streben nach psychologischer Vertiefung hervortritt. Insofern erhebt sich „Mirjam“ nicht über die Fabrikwaare eines X. und Konsorten. Gleichwohl stellen wir diesen merkwürdigen Gelehrtenroman hoch darüber, weil ein ehrliches Streben nach realistischer Weltschilderung nicht zu verkennen ist. Es ist ein Bild der modernen Gegenwart, das uns Dieterici bietet; politische und soziale Fragen, die unsere Zeit bewegen, werden in den Kreis der Betrachtung gezogen. Die Idee des Werkes ist eine edle, von ernster Sittlichkeit getragene. — So können wir denn trotz alledem das Buch warm empfehlen.

Auch der „Täglichen Rundschau“ ist endlich über die Goethepfafferei die Geduld gerissen. So schreibt denn der rüstige Leiter des Blattes, Friedrich Lange:

„Freude herrscht unter den Goethe-Priestern. Der Wiener Goethe-Verein veröffentlicht in der ersten Nummer der von ihm herausgegebenen „Chronik“ eine noch ungedruckte Strophe von Goethes Hand, die ihm vom Professor Dr. K. v. Lützow zur Verfügung gestellt wurde. Es ist ein Stammbuchvers, von Goethe der Mutter des Professor von Lützow gewidmet, als dieselbe (eine geborene von Loder) zehn Jahre alt war. Er lautet:

Wie die Blüten heute dringen
Aus den aufgeschloss'nen Zweigen,
Wie die Vögel heute singen
Aus durchsichtigen Gesträuchen,
So begleitet reis' und lebe
Und so freundlich nimm und gebe.

Jena, d. 13. May 1809. Goethe.

Ein Stammbuchvers, wie eben Stammbuchverse zu sein pflegen, und wie sie eben so gut und eben so konventionell der Dichter in späteren Jahren öfter gemacht hat! Heutzutage würde freilich der Reim: Zweigen — Gesträuchen Einem, der sich Dichter nennt, selbst im Stammbuch nicht verziehen werden. Doch das ist ja unerheblich; gleichgültig ist es auch, dass ein „Goethe-Verein“ über jeden Schnitzel von des Meisters Händen in Ekstase gerät und zu gleicher Zeit wohl für die litterarischen Regungen unserer Zeit weder Verständnis noch Aufmerksamkeit übrig hat, ja vielleicht (wie das auch vorkommen soll) für Schiller gar keine Begeisterung übrig behält, da er ja auf Goethe eingeschworen ist. Doch das ist nun einmal Sport, und Sport pflegt man nicht nach Vernunftgründen zu beurteilen. Bemerkenswert erscheint es uns aber, dass ein Berliner Blatt dem obigen netten Verse folgende Kritik widmet: „Bis auf die Freiheit, die sich der Dichter nimmt, indem er die schwache Form „gebe“ für „gieb“ gebraucht, was bei ihm nicht selten vorkommt, atmet jede Silbe den großen Stil Goethes und die liebevolle Innigkeit seiner Seele.“ Wenn Ihr's nicht fühlt, Ihr werdet's nie begreifen! Zu solcher Bewusstlosigkeit dringt eben nur ein echter Priester durch. Uebrigens ist es uns, wie wir bei dieser Gelegenheit erwähnen möchten, immer bedauerlich erschienen, dass die Goethe-Vereine sich so manchen guten Fang entgehen lassen. Warum z B. ist es noch keinem Mitgliede dieser ehrbaren Gilde eingefallen, in Padua nach dem Grabe des Herrn Schwertlein zu forschen, obgleich doch seine Frau Marthe im „Faust“ ganz klar und deutlich sagt: „Zu Padua liegt er begraben“.*) Das wäre doch eine Aufgabe, des Schweißes der Edlen wert!“

Natürlich! Einer unserer größten Goethologen aus der Scherer'schen Schule ist zum Professor durch begeisterte Akklamation berufen, sintemalen er ein Büchlein über — Leopold Wagner, den obscuren Jugendgenossen Goethes, zusammen gestellt hat. Wir beantragen hiermit, den jungen W. Arent wegen seines unläugbar wertvollen „Reinhold Lenz. Aus dem Nachlass“ zum Professor der Lenzologie zu ernennen. Das wäre einfach logisch.

Wir wollen gegen die hohe Selbstschätzung der deutschen Litteraturhistoriker nichts einwenden. Wir wollen es geduldig hinnehmen, dass sie immer und immer wieder Goethen und die Sturm- und Drangzeit wiederkäuen. Aber dann dürfen wir wohl auch wirklich gründliches Wissen in dieser Materie beanspruchen. Für den Litteraturpsychologen und -Analytiker ist nämlich jene Zeit nur verständlich durch eine genaue Kenntnis der englischen Litteraturentwickelung und speziell der damaligen Litteraturzustände in England. Wie sehr bedauern wir, dass wir bei unsern quellenforschenden Spezialisten diese Gründlichkeit fast immer schmerzlich vermissten!

---

*) Es ist hier Herrn Lange ein ziemlich belangloses Versehen im Citat passiert, insofern nämlich Mephisto diese Worte spricht. Natürlich hat sich das „Berliner Blatt“ in einer fulminanten Erwiderung an diese absolut nicht zur Sache gehörige Kleinigkeit geklammert.

„Der Treppenwitz in der Weltgeschichte“ von M. L. Hertslet. Dritte, vollständig umgearbeitete und bedeutend vermehrte Auflage. Berlin, Haude- und Spenersche Buchhandlung (F. Weidling). — Ein ganz ausgezeichnetes Werk, dem wir neben dem staunenswerten Fleiß und Wissen des Autors sogar eine achtunggebietende Tendenz nachrühmen können. So heißt es z. B. Seite 12: „Ebenso haben die Menschen das Bedürfnis nachzuweisen, dass Derjenige, welcher in einem Kampfe den Sieg davon getragen, auch immer Derjenige wäre, dem man den Sieg hätte wünschen müssen. Sie stellen sich somit bei der Lehre vom „survival of the fittest“, dem Ueberleben des Passendsten, auf den sittlichen Standpunkt. Die Zahl der Verdrehungen und Fälschungen, welche aus dieser Quelle in die Geschichte eingedrungen sind, ist Legion. Die wohlwollenden und edlen Menschen haben aber nicht die Wahrscheinlichkeit des Sieges für sich! . . In Schulbüchern steht es gewöhnlich umgekehrt.“ Viele liebgewordene Illusionen zerstört er. Der biedere „Gefangene von Chillon“ hat sich nach seiner Freilassung noch vier Mal verheiratet und führte einen liederlichen Lebenswandel; die mitgefangenen Brüder hat Byron einfach hinzu erfunden. — — „L'état c'est moi!“ „La mort sans phrase“, „Je prends mon bien. où je le trouve“ (Molière hat umgekehrt gesagt: „On reprend son bien, où on le trouve“, als man ihn plagiirte), das Gastmahl der Girondisten, Napoleonlegenden, Talleyrands Bonmots, „Honni soit qui mal y pense“, die Magna Charta, Sagen über Richard III. und Elisabeth von England, Nelson, Malborough, Karl XII., Mazeppa, Columbus, Rafaels Fornarina, Galileis „E pur' si muove“, Cid — Alles wird über den Haufen geworfen und die Auffassung der Persönlichkeiten von Grund aus umgeändert. Die Bemerkungen über die Bacon-Theorie in Sachen der Shakespeare-Dramen hätte sich Verfasser jedoch unserer Ansicht nach sparen können.

Unter dem Titel „Credo“ veröffentlicht Fritz Mauthner in J. J. Heines Verlag in Berlin eine Reihe von gesammelten Aufsätzen, von denen uns einige wohl angesprochen haben.

„Briefwechsel der Königin Katharina und des Königs Jerôme von Westphalen, sowie des Kaiser Napoleon I. mit dem Könige Friedrich von Württemberg“, herausgegeben von Dr. Aug. von Schlossberger. Bd. I. (Stuttgart, W. Kohlhammer.) Das von großem Quellenstudium zeugende Werk entrollt uns ein Bild von den Tagen des Glücks und von solchen des Leids dieser edlen Königin Katharina, Gattin des Königs Jerôme, eine Tochter des Königs von Württemberg und seiner Gemahlin Augusta, geborenen Prinzessin von Braunschweig. Bei dem hochinteressanten Inhalte dürfte demselben eine freundliche allgemeine Aufnahme zu Teil werden.

Die von dem ungarischen Dichter Josef Kiss herausgegebenen Gedichte sind in einer vortrefflichen Uebersetzung von Josef Steinbach ins Deutsche übertragen worden. Dieselben sind Sr. K. K. Hoheit dem Kronprinz von Oesterreich gewidmet, welcher geruht hat, diese Widmung anzunehmen. (Wien, Georg Szelinski, k. k. Universitäts-Buchhandlung.)

Virgilio Barbieri hat bei G. Amosso in Biella ein Bändchen lyrischer Gedichte herausgegeben, die es verdienen, von allen Freunden italienischer Poesie gelesen zu werden. „Come detta il core“ versi di Virgilio Barbieri.

„Französisches Elementarbuch“ von Hermann Breymann & Hermann Moeller (München, R. Oldenbourg). Die uns vorliegende zweite Auflage hat wesentliche Verbesserungen aufzuweisen und ist das Buch zum Schul- wie zum Selbstunterricht zu empfehlen.

Bei Robert Oppenheim in Berlin erschien bereits in dritter Auflage eine Biographie über „Lord Byron“ von dem verdienten Litteraturhistoriker Karl Elze. Schon bei der ersten Auflage haben wir bekennen müssen, dass Karl Elze, einer der gründlichsten Kenner der englischen Poesie, unsere Litteratur durch eine übersichtliche, auf sorgfältigsten Quellenstudium beruhende, leidlich unparteiische Biographie Byrons bereichert hat. Die neue Auflage ist noch um vieles Quellen-Material aufs Neue vermehrt.

Von den „Biographisch-litterarischen Charakterbildern“ wird soeben der dritte Band veröffentlicht, welcher eine Biographie von Georg Ebers aus der bewährten Hand von Richard Gosche enthält. Der Verfasser stellt uns Georg Ebers als Forscher und als Dichter dar und wird diese Arbeit über den jetzt allgemein beliebten Schriftsteller von allen Damen mit Freude begrüßt werden.

„Pandaemonium“, Kriminal- und Sittengeschichten aus drei Jahrhunderten von Karl Braun-Wiesbaden, 2 Bde. (Hamburg, J. F. Richter). Der sowohl als Parlamentarier als auch als Schriftsteller bekannte Verfasser giebt uns in den uns vorliegenden beiden Bänden ein Gesammtbild der verschiedenen Rechts- und Sittenzustände, wie sich solche während der letzten drei Jahrhunderte entwickelt haben. Dieselben sind höchst interessant und fließend und werden nicht verfehlen, die Aufmerksamkeit des Publikums auf sich zu richten.

„Die Familie Buchholz“ von Julius Stinde ist nunmehr auch den Engländern durch eine autorisierte Übersetzung von L. Dora Schmitz zugänglich gemacht worden (Hamburg, J. F. Richter).

Der Verlag von Emil Sommermeyer in Baden-Baden veröffentlichte soeben ein Bändchen „Gedichte“ von Gottfried Kratt, die nicht ohne Begabung geschrieben sind.

Von „Engelhorns allgemeiner Romanbibliothek“ liegen bereits Band 3 und 4 des dritten Jahrganges vor. Ersterer enthält eine sehr ansprechende Erzählung der dänischen Dichterin Johanne Schjörring „Die Tochter des Meeres“, welche von L. Fehr ins Deutsche übertragen ist, Letzterer eine gelungene Uebersetzung des Romans „In Acht und Bann“ von M. E. Braddon. (Stuttgart, J. Engelhorn).

Die im vorigen Jahre im „Magazin für die Litteratur des In- und Auslandes“ veröffentlichte kritische Studie „Wer schrieb das ‚Novum organum‘ von Francis Bacon?“ ist soeben vom Verfasser Eugen Reichel bei Adolf Bonz & Comp. in Stuttgart in Form einer Broschüre herausgegeben werden.

Ferdinand von Saar hat soeben ein Volksdrama in vier Akten, betitelt „eine Wohlthat“ bei Georg Weiß in Heidelberg verlegt, im gleichen Verlage ist eine sehr beachtenswerte Brochüre „Wie ist Verantwortung und Zurechnung ohne Annahme der Willensfreiheit möglich?“ von Dr. H. Druskowitz erschienen.

J. G. Rönnefahrt hat es sich zur Aufgabe gemacht. „Schillers Wallenstein“ aus dessen eignem Inhalte und objektivem Bestande zu erklären und ist derselben unseres Erachtens nach vollständig gewachsen gewesen. Das Werk ist unter dem Titel „Schillers dramatisches Gedicht Wallenstein“ in der Dykschen Buchhandlung in Leipzig erschienen.

Von den im Verlage von J. J. Weber in Leipzig in dritter Auflage erschienenen „Dramatischen Werken“ von Peter Lohmann liegt uns der vierte Band, enthaltend Gesangsdramen, vor.

Ein heiteres Büchlein ist das unter dem Titel erschienene „Zur Naturgeschichte des Medicus“. Kurzweilige Schattenrisse nach der Natur gezeichnet von Dr. Risorius Santorini, illustriert von Dr. Corrugator Supercilii (Leipzig, Karl Garte).

Die immer eifrige Verlagsbuchhandlung Ph. Reclam jun. in Leipzig hat die von ihr herausgegebene Universalbibliothek bereits wieder um zehn weitere Bändchen (2171—2180) vermehrt; dieselben enthalten: „Wanda“, Roman von Ouida, autorisierte Uebersetzung von Arthur Roehl (2171—2174); „Der Kernpunkt“, Schwank in vier Aufzügen von E. Labiche übersetzt von Adolf Gerstmann (2175); Ausgewählte Novellen von Edgar Allan Poe, Deutsch von J. Möllendorf (2176) und Band 2177 bis 2180, „Der theologisch-politische Traktat“ von B. Spinoza, neu übersetzt und mit biographischem Vorwort versehen von J. Stern.

„Ueber Wilhelm Busch und seine Bedeutung“, eine lustige Streitschrift von E. Daelen mit bisher ungedruckten Dichtungen, Illustrationen und Briefen von W. Busch, ist soeben im Verlage von Fel. Bagel in Düsseldorf erschienen, und werden gewiss alle Freunde des durch seine humorvollen Schriften bekannten Autors Käufer des würzig und launig geschriebenen Werkchens sein.

Aus Briefen von Levin Schücking an Fr. von Hohenhausen.

Verehrte Freundin! Soeben bringt Major Marcart die Kreuz-Zeitung, worin mich Ihre freundliche Anzeige, die mich zuerst dem Publikum dieser Blätter vorstellt, sehr erfreute. Ich sage Ihnen den herzlichsten Dank dafür, will aber jetzt Ihre Güte nicht weiter in Anspruch nehmen. Ich habe sehr wohlwollende und warm empfehlende Anzeigen in der Kölner, Aachener, Elberfelder, dem Vaterland, dem Westfälischen Merkur u. s. w. gefunden und nun wird es mir so zu Mute, als würde ich schamrot, wenn noch mehrere kämen. Ich hatte in den ersten Jahren meiner Schriftstellerei Besprechungen sehr gern, aber bald empfand ich eine halb jungfräuliche, halb aristokratische Scheu davor, die jetzt so stark ist, dass ich es vermeide, Anzeigen meiner Produkte zu lesen, und doch ist es so notwendig, dass ein guter Freund das Klappern übernimmt, welches zum Handwerk gehört. Sehr wahr ist Alles, was Sie über die neueste Romanlitteratur sagen — Spielhagen ist allerdings der bedeutendste, nur ist er ein Nihilist, ein Mensch ohne Wärme und ohne Liebe, er wird deshalb auch nichts Großes mehr schaffen — (wie unrichtig — Spielhagens neuestes Buch „Was will das werden", ist ein Meisterwerk). Fanny Lewald halte ich auch für sehr bedeutend, nur dass sie eine rote verbissene Tendenz verfolgt (?). Und wie finden Sie das Preisgeben ihrer Herzensgeschichte? Das ist doch sehr unweiblich . . . Ich habe kürzlich manches von der Vorleserin Elise Schmidt gehört und möchte mehr von ihr wissen; bitte sagen Sie es mir, was Sie über sie erfahren haben; sie scheint mir eine zweite Bornstedt zu sein. Letztere muss doch verstanden haben, Gutzkow zu beschmeicheln, so dass er sie als Lucinde darstellen konnte! Ich wollte, ich könnte die ganze Schriftstellerei an den Nagel hängen und auf meinem Sassenberg Kohl bauen. Ich habe seit Jahren zu viel mit dem Kopf und dem Herzen gelebt, ich möchte meinen Lebensrest im Nichtstun zubringen. —

Ihr Buch „Schöne Geister und schöne Seelen oder berühmte Freundschaften" hat mir sehr gefallen; ich bilde mir ein, dass wir Beide in derselben Schule des guten Stiles gewesen sind, nämlich Sternbergs, der ein Meister darin war . . . wissen Sie, dass Sie mir eine große Gefälligkeit erzeigen könnten, wenn Sie den Prinzen Georg von Preußen auf mich aufmerksam machen wollten. Zeigen Sie ihm doch gelegentlich die Artikel über mich im Brockhaus, auch in der Revue de deux Mondes vom 15. November 1859 steht etwas Lobendes über meine Schriften . . . Ihrer Nichte küsse ich beide Hände für ihr günstiges Urteil, so etwas tut einem armen Teufel, wie ich, wohl, der in Münster sitzt und sehr wenig davon hat, dass man in der litterarischen Welt viel von ihm redet. Wir fieberhaften Schreibnaturen bedürfen alle doch des Chinins, des tonischen Mittels für uns, der Anerkennung von Mund zu Munde . . . Sie sollten bei einer neuen Auflage Ihres Buches mein Verhältnis zur Droste etwas ausführlicher schildern. Es giebt so viele Stellen in den Gedichten derselben, die nur ich oder auch Sie zu erklären vermögen. Vergessen Sie auch nicht zu erzählen, dass ich in Meersburg meinen ersten Roman schrieb „Eine dunkle Tat" und dass die Droste mehrere Kapitel dazu lieferte, namentlich die Schilderung eines adeligen Damenstiftes. Ich stand mit der Droste wohl auf ganz gleicher Stufe des Schaffens, wenn sie auch geistig reifer und bedeutend älter war als ich. Sie ließ sich meinen Tadel stets gern gefallen, verfuhr aber auch gegen mich mit scharfer Kritik. Es hat kein ähnliches Bündnis zwischen Mann und Weib jemals existiert, man hat uns mit Rousseau und der Warens vergleichen wollen, aber wie grundfalsch ist das . . .

„Zur Naturgeschichte der Menschen" von Dr. Hermann Frerichs (Norden, Dietrich Soltaus Verlag). Der Verfasser, welcher uns schon durch seine Schriften „Geist und Herz", „Der Mensch", „Das Spiel" etc. hinlänglich bekannt, zeigt auch hier wieder seinen eminenten Forschungstrieb. Das Werk ist von hoher Bedeutung.

Nachdem wir nunmehr wieder in die „Saison" eingetreten sind, beginnt es auch auf dem Büchermarkt lebhafter zu werden. Das wichtigste Ereignis der diesjährigen litterarischen Saison dürfte zweifellos das demnächstige Erscheinen eines neuen Romans von De Amicis sein. Der Titel dieses mit Spannung erwarteten Buches ist „Il Cuore", und alle bedeutenderen Zeitungen überbieten einander in Angaben über den Inhalt, die Tendenz etc. des Werkes. Gleichzeitig mit diesem Roman erscheinen bei Treves in Mailand: „Diana ricattatrice" von L. A. Vassallo, „La Pollaia del Diavolo" von Jarro (Giulio Piccini) und „Maria Dolores" von Luigi Capranica; wenn wir schliesslich noch erwähnen, dass Giacinto Gallina eine Buchausgabe seines auf der Bühne so beifällig aufgenommenen Lustspiels: „Baruffe in famiglia" vorbereitet, glauben wir auf die hervorragendsten der diesjährigen belletristischen Novitäten aufmerksam gemacht zu haben.

Crome-Schwiening, der schon als Humorist hinlänglich bekannt, hat im Verlags-Magazin (R. F. Bierey in Leipzig) vier Bändchen kleine humoristische Erzählungen unter dem Titel „Humoresken aus dem Soldatenleben im Frieden" herausgegeben. In allen diesen Erzählungen weht uns ein wirklich guter, ungekünstelter Humor entgegen, und glauben wir keinen Vorwurf uns machen lassen zu können, wenn wir den jungen talentvollen Autor als kräftigen Rivalen von Winterfeldt hinstellen.

„Der Götterhimmel der Germanen" von Ferdinand Schmidt (Wittenberg, R. Herrosé). Der Autor führt uns in dieser kleinen Schrift in eine Zeit zurück, in der in den Urwäldern Germaniens noch Wodan und andere Gottheiten angebetet wurden. Sie gewährt uns einen Blick in das religiöse Leben unserer Ahnen und zeigt, zu welchen Vorstellungen ihr Suchen und Sehnen nach Erkenntnis des Göttlichen sie geführt hat. Besonders für unsere heranwachsende Jugend sehr empfehlenswert.

Alexander Weill veröffentlicht im Verlagsmagazin von J. Schabelitz in Zürich ein Büchlein, betitelt „Strassenreime meiner Jugendliebe". Der Verfasser sagt in seiner Vorrede: Ich habe diese Würfe nach meinen empfundenen Gefühlen, aufs Geradewohl skizziert, je nachdem ich verliebt war oder mich geliebt oder verschmäht glaubte, je nach meiner Täuschung oder Verzweiflung, je nach der idealen Wonne oder der materiellen Wollust, freilich in der Hoffnung, sie später mit kalter Vernunft, der grammatikalischen Prosodie gemäß, zuzustutzen, hier zu verlängern, dort zu verkürzen, um sie wenigstens anständig aufgeputzt und mit Strohbouquets in den Markt auslaufen zu lassen.

Von Paul Mantegazza, dem großen italienischen Gelehrten, der sich einen wohlverdienten Weltruf insbesondere in Deutschland durch seine Physiologie der Liebe zahlreiche Freunde erworben hat, ist soeben im Verlage von Hermann Costenoble in Jena eine Uebersetzung seines hochbedeutsamen neuesten Werkes „Anthropologisch-kulturhistorische Studien über die Geschlechtsverhältnisse der Menschen" erschienen. Das Werk vervollständigt die Trilogie der Liebe, von der die beiden schon veröffentlichten Werke, die „Physiologie der Liebe" und die „Hygieine der Liebe" einen Teil bilden; es behandelt eine der wichtigsten Seiten der menschlichen Psychologie und zwar in ganz gemeinverständlicher Weise, so dass wir wohl nicht mit Unrecht behaupten können, dass das Werk der Gegenstand einer vielseitigen Beachtung sein wird.

„Aus der Werkstatt des Schauspielers", dramatische Aufsätze von Eduard Ferd. Frey (Leipzig, Edwin Schloemp.) Der Verfasser, selbst dem Schauspielerstande angehörig, hat seine gesammelten langjährigen Erfahrungen auf der Bühnenwelt zum Nutz und Frommen der Kunst in diesem Werkchen niedergeschrieben. Die Arbeit verrät eine sehr feine Beobachtungsgabe und auch gutes kritisches Urteil; er macht uns in derselben mit allen guten und schwachen Seiten der Schauspielkunst bekannt und wird dasselbe gewiss sowohl in Fachkreisen, wie auch bei jedem Kunstfreunde Anklang finden.

Das „Litterarische Institut von Greiner & Caro in Berlin, Unter den Linden 40, teilt uns mit, dass das Urteil über das von ihm erlassene Preisausschreiben für humoristische Feuilletons, welches durch die grosse Menge der eingelaufenen Arbeiten nicht zu dem ursprünglich festgesetzten Termine gefällt werden konnte, definitiv am 1. Dezember verkündet werden wird.

Dementsprechend ist der Einlieferungs-Termin für die humoristische Novelle bis zum 15. Dezember cr. verlängert worden.

Alle für das „Magazin" bestimmten Sendungen sind zu richten an die Redaktion des „Magazins für die Litteratur des In- und Auslandes" Leipzig, Georgenstrasse 6.

Für die Redaktion verantwortlich: Karl Bleibtreu in Charlottenburg. — Verlag von Wilhelm Friedrich in Leipzig. — Druck von Emil Herrmann senior in Leipzig.

Das Magazin

für die Litteratur des In- und Auslandes.

Wochenschrift der Weltlitteratur.

1832 gegründet von Joseph Lehmann.

55. Jahrgang.

Herausgegeben von Karl Bleibtreu

Preis Mark 4.– vierteljährlich.

Verlag von Wilhelm Friedrich in Leipzig.

No. 48. Leipzig, den 27. November. 1886.

Inhalt:

Aus dem bayrischen Deutschland.

Von Ernst Eckstein.

Dass Kraftgedanken sich oft an unbedeutende Alltagserlebnisse knüpfen, hat bereits Ludwig Uhland in jenem Liede behauptet, wo er „von Schweinen singt".

Newton kam auf das weltbeherrschende Prinzip der Gravitation, da er einst zufällig einen sehr indifferenten Kronleuchter hin und her pendeln sah.

Die ofterwähnte dürftige Zeitungsnotiz war die Quelle, aus welcher Goethe die Anregung zu „Hermann und Dorothea" schöpfte.

Das Urbild der Dampfmaschine entstand in der Seele des genialen James Watt, als er den hüpfenden Deckel eines qualmenden Theekessels beobachtete.

Wollte ich mir länger den Kopf zerbrechen, so könnte ich diese Beispiele ums Zwanzigfache vermehren.

Die Tatsache ist allgemein anerkannt; Ludwig Uhland hat ihr in dem oben citierten Schlachtfest-Hymnus die endgültige, klassische Fassung gegeben.

Ganz ebenso fest aber steht eine andere Tatsache, die ihres klassischen Doppelverses bis zur Stunde noch leider entbehrt, die Tatsache nämlich, dass die herrlichsten Stimmungen, die idealsten Verzückungen durch unerwartete Eindrücke ganz unscheinbarer Natur zerstört werden können.

Wer hätte nicht diesen Absturz aus allen Himmeln hundertfältig erlebt? Die Begeisterung gleicht einem schlüpfrigen Saumpfad: die geringste Störung des Gleichgewichtes reicht aus, um uns kopfüber in die Tiefe zu schleudern.

Es ist das wirklich ein Missgeschick der allerpeinlichsten Art.

Die Fülle Faustscher Gesichte ist vor uns aufgeblüht: da fährt uns der trockne Famulus in Gestalt einer törichten Bagatelle dazwischen, — und aus ist's mit der gesammten olympischen Herrlichkeit. Wehe den Illusionen des Zuschauers, wenn der tragische Held im Augenblick der Entscheidung stolpert! Der Effekt der Tragödie, die uns bis dahin bewegt und geläutert hat, pufft, wie eine zerplatzende Leuchtkugel, erbärmlich ins Weite. Und was war die Ursache dieser Wandlung? Eine Splitterung der Diele, ein kopfloser Nagel, der sich tückisch gehoben hat!

Das Schmerzhafte dieses Vorgangs erlebte ich jüngst auf dem Gebiete patriotischer Hochgefühle.

Es war an Kaisers Geburtstag, als ich unaufschieblicher Dinge wegen von Leipzig nach München reiste.

Wie ich so durch die festlich geschmückten Straßen fuhr, und allenthalben das lang hinwallende Schwarz-Weiß-Rot gewahrte, das freundlich-ernste Symbol unserer Einheit und Größe, da entrollte sich mir wie im Auszuge der stolze Entwickelungsgang der deutschen Geschichte während der letzten glorreichen zwanzig Jahre. Ich gedachte der gewaltigen Männer, die mit herrlicher Zielbewusstheit die funkelnden Träume vergangner Jahrzehnte verwirklicht hatten. Dabei ergriff mich, neben der egoistischen Freude des Staatsbürgers, ein künstlerisches Behagen, wie etwa beim Anblick eines wohlgegliederten Prachtbaues, oder beim Lesen einer meisterhaften Erzählung: so harmonisch bedünkte mich der Verlauf dieser welthistorischen Epopöe, so klar die Gliederung, so korrekt die Komposition, so wenig störend die retardierenden Elemente, so befriedigend ihr erhabener Abschluss.

Kaisers Geburtstag! Wer das vor zwanzig Jahren so mit dem Ausdrucke selbstverständlicher Einfachheit über die Lippen gebracht hätte, — dem wäre der Skeptizismus der Schwarzsichtigen mitleidig in die Parade gefahren! „Wir erleben es nicht“ — das war damals die stehende Redensart allen patriotischen Hoffnungen gegenüber, — und jetzt? Welch eine Erstarkung des nationalen Bewusstseins, welche Verbrüderung zwischen denen, die Jahrhunderte lang getrennt waren . . .! Am Gestade der Ostsee, wie in den Tälern des süddeutschen Hochlandes — allenthalben hebt man die Hände zu der Einen großen Mutter empor, deren gigantisches Erzbild von der Höhe des Niederwalds weit hinaus in die Lande glänzt! Preußen selbst, die stolze, trotzige Großmacht, ist aufgegangen im neuen Reiche; — es huldigt heute in erster Linie dem lorbeergeschmückten Kaiser!

Jetzt gedachte ich auch der vorjährigen Feier im fernen San Remo . . . Der Generalfeldmarschall Moltke präsidierte damals dem prunkvollen Jubeldiner im Westendhotel. Die Journale San Remos begrüßten den Festtag mit sprühenden Leitartikeln, sie glorifizierten in unsrem Heldenkaiser den „*creatore dell' unità tedesca*“ — den Schöpfer der deutschen Einheit — in Moltke und Bismarck seine ruhmreichen Paladine, würdig, Hand in Hand mit ihm die Walhalla der Unsterblichen zu betreten . . .

L' unità! Die Einheit! Wahrlich ein großer Gedanke, ein Zauberwort, bei dem das Herz des Deutschen, wie des Italieners, in freudige Wallung gerät! Wie lange haben wir um dies Kleinod gerungen, — und nun besitzen wir's ganz und voll endlich, endlich, nach so viel Jahren der Sehnsucht und des vergeblichen Trachtens!

So stiegen wir ins Coupé.

Der Eilzug führt etwa in dreizehn Stunden nach München.

Eine Weile noch verbleiben wir auf sächsischem Boden. Dann aber charakterisieren zahlreiche Hopfenstangen und Heiligenbilder die Landschaft des bayrischen Vaterlandes.

„Bamberg!“ riefen die Kondukteure.

Da lag sie vor uns, die alt-ehrwürdige Stadt mit ihrem prächtigen Dom und ihrer prunkvollen Bahnhofshalle. Da wir fünfundzwanzig Minuten Zeit hatten, so verließen wir unser Coupé, und bestellten uns Jeder ein Seidel.

Unglücklicher Weise kam ich jetzt auf die Idee, einen Gruß in die Heimat zu senden. Ich trat ans Büffet, und acquirierte dort eine Postkarte.

Die bayrische Postkarte! Das war der kopflose Nagel, an dem die himmelhoch jauchzende Stimmung plötzlich ins Straucheln geriet!

Bamberg, — das klingt doch so voll, so germanisch, so ur-mitteldeutsch, wie irgend ein Städtename des neu-geeinigten Vaterlandes, — und nun taucht da mitten im Bamberger Weichbild eine Postkarte auf, die ganz ebenso fremd berührt, wie die kaiserlich-königlich-österreichische in Tetschen, oder die schweizerische in Rorschach oder in Romanshorn!

„Ach ja,“ so denkt man mit einem Seufzer, „wir sind ja hier überraschender Weise in einem Spezial-Deutschland, das die gemeinsame Norm kühl von der Hand weist, und in vornehm-stiller Verschlossenheit unbekümmert um das postalische Treiben der Reichshauptstadt und ihrer Gefolgschaft, nur sich und seiner eignen Briefmarke lebt! Wir sind ja in Bayern!“

. . . Der Setzer setze mir ja nicht Baiern, denn das „y“ ist offiziell, und die bayrische Eigenart darf, wie die Briefmarke zeigt, selbst der eiserne Kanzler nicht antasten.

Das Herz eines unverkünstelten Alt-Bajuvaren muss höher schlagen bei dem Gedanken an diese bevorzugte Stellung.

Seine Zehnpfennig-Quadrate leckend, darf er sich frei in die Brust werfen; er darf sich des schönen Faktums getrösten, dass er gleichsam das *enfant gâté* in der deutschen Familie, der Liebling der großen, ährenblonden Mama ist, die ihm die Bonbons extra in Separat-Umschläge mit aparter Vergoldung einwickelt.

Ja, ja, es war nur ein kopfloser Nagel, nur eine Kleinigkeit, — aber ich stolperte! Das Bankett von San Remo und die wallenden Fahnen von Leipzig, der Tag von Sedan und die Krönungsfeier im Palais zu Versailles, — Alles das zerfloss mir in seltsamer Unklarheit. Die patriotischen Glutgedanken waren mir eingefroren, das Herz schlug mit einem Mal in gemäßigtem Tempo, und ich fühlte etwas wie vom Hauche des alten, selig entschlafenen Bundestags . . . Freilich, es war ja meine Schuld, dass ich mich so in törichte Träume gewiegt hatte! Ich wusste ja ganz genau, dass die Karten der deutschen Reichspost zwar in Angra Pequeña und Bimbia Gültigkeit haben, dass aber Bayern nicht Angra Pequeña ist.

Dennoch, es überraschte mich!

Der Deutsche kann in dem deutschen Bamberg deutsche Postwertzeichen, die er in Deutschland für deutsches Baargeld erworben, nicht zur Frankierung verwenden!

Es ist so! Man müsste es eigentlich drei Mal sagen, um es für möglich zu halten!

Seht Ihr, Kinder, ich bescheide mich gern, — aber in meinem politisch unreifen Laienverstande bin ich der Meinung, als sei diese Tatsache für jeden Deutschen nicht-bayrischer Herkunft geradezu niederschmetternd.

Wodurch haben wir unglückseligen Nichtbayern diese Demütigung verdient? Es ist doch kein Frevel, nicht in Pasig und Passau das süddeutsche Licht der Welt erblickt zu haben, eben so wenig wie's eine Schande ist, Mainzer, Dresdner oder Berliner zu sein!

Scherz bei Seite! Ich wiederhole es: Selbst das Kleine ist wichtig, wo es störend in unsere Stimmungen eingreift. Der Patriotismus aber lässt sich nicht dekretieren: er ist Gemütssache.

Ueberlegt nur einmal! Mitten im deutschen Reich werden deutsche Post-Wertzeichen als ungültig refüsiert!

Bedeutet das nicht eine Kränkung der nationalen Idee? Schädigt das nicht das endlich erstarkte Gefühl der Zusammengehörigkeit, das die Vaterlandsfreunde um so eifriger hegen und pflegen sollten, als der brüder-trennende Partikularismus noch immer zahlreiche Partisanen zählt, trotz der Errungenschaften der letzten Dezennien?

Hiervon abgesehen, schädigt die bayrische Briefmarke das Interesse des korrespondierenden Publikums.

Der Zehnte denkt nicht daran, dass seine heimische Postkarte im bayrischen Separatlande ungültig wird; dass die Post sie **gar nicht befördert**, sondern einfach *ad acta* legt! Unkenntnis schützt allerdings nicht vor Schaden; aber da man den Deutschen nun einmal gesagt hat, es existiere ein **deutsches Reich** und eine von diesem Reiche geleitete deutsche **Reichspost**, so verdient dieser Mangel an Kenntnis oder Besonnenheit eher eine Belohnung, als eine Strafe, — zumal diese Strafe unter Umständen geradezu verhängnisvoll wird! Was, um Himmelswillen, kann nicht Alles von dem richtigen Empfang einer Nachricht abhängen, einer Nachricht, die der Absender hoffnungsfroh einer reichsdeutschen Postkarte anvertraut, ohne zu ahnen, dass man sie, kraft der besonderen Privilegien des bayrischen Separatlandes, kühl in den großen Papierkorb legt!

Ja, und sähe man nur bei der ganzen Affaire einen tieferen national-ökonomischen oder politischen Zweck ein! Man lässt sich ja gern belehren! Man nimmt sogar im Notfall eine tönende Redensart für einen logischen Grund an: aber halbwegs muss sie doch tönen. Was Hessen nicht schändet und Sachsen nicht aus den Angeln hebt, das wird auch Bayern vertragen können. Beansprucht doch sogar das mächtige Preußen keine Vergünstigung vor Mecklenburg oder Reuß-Greiz! Muss denn da Bayern absolut was voraus haben, um existieren zu können?

Mich will es bedünken, das süddeutsche Element würde sogar einen **größeren** Einfluss auf die Gesammt-Physiognomie des Reiches erlangen, wenn es sich rückhaltslos und auf allen Gebieten des Lebens wie des Empfindens der Reichsidee hingäbe und alle Schranken in Trümmer schlüge.

So aber, mit dieser leidenschaftlichen Liebe für eigene Postkarten-Dessins etc. stellt es sich selber abseits, und charakterisiert sich als eine Art Neben-Deutschland. Ach, und wir wissen doch Alle, wie sehr der Norddeutsche in seiner philosophischen Nüchternheit den Süddeutschen nötig hat, wie erst die Beiden zusammen das gerechte und vollkommene Deutschtum ausgiebig repräsentieren!

Ich weiß nicht, warum ich an diesem Tage so schwach von Gemüt war, aber die bayrischen Postkarten wollten mir mit loreleyartiger Hartnäckigkeit nicht aus dem Sinn.

Es überkam mich eine Art von politischem Kleinmut, und ich legte mir, in Erinnerung an das bernliche Kaiser-Fest in San Remo, die Frage vor, was das neue Italien wohl sagen würde, wenn z. B. Venetien, das doch schon unter Oesterreich allerhand Privilegien genoss, jetzt im geeinigten Vaterlande Etwas beanspruchen wollte, was diesen Postkarten gliche! *Corpo di Bacco!*

Zur Litteraturfähigkeit der modernen Bühnenproduktion.

„Ich halte auch allerdings davor, dass die Gelehrsamkeit ein Recht auf die Schaubühne habe." Mit diesen Worten leitete Johann Friedrich May 1734 die Uebersetzung einer dramaturgischen Arbeit ein. In der Tat ist es die Zeit Gottscheds gewesen, die zuerst eine Verbindung zwischen dem deutschen Theater und der litterarischen Forschung herstellte. Erst auf den Schultern Gottscheds war es einem Lessing möglich, die Reformation des deutschen Theaters von festen ästhetischen Gesetzen aus zu vollziehen. Und wiederum allein neben und nach Lessing war es dem Sturm und Drang möglich, die ästhetischen Grenzen zu erweitern, und die Revolution der Stürmer war nur darum so unendlich segensreich, weil da, wo sie berechtigte Schranken brach, die gesetzmäßige Reformation Lessings jeder Verwirrung vorgebeugt hatte. So standen in der Blütezeit unserer neuern deutschen Dichtung Theater und Litteratur in engster Verbindung.

Seitdem ist es anders geworden. Auf dem Gebiete der Tragödie ist die Bezeichnung „Litteraturdrama" oder „Lesedrama" zum verächtlichen Schimpfnamen geworden, und was die Komödie betrifft, so hat sich dieselbe nach der nationalen Tat Lessings in der „Minna" und nach den — leider und aber leider! — unfruchtbar gebliebenen großen Ansätzen der Stürmer und Dränger immer mehr von den Gesetzen litterarischer Schaffung emanzipiert, wesentlich unterstützt von den tonangebenden Tagesrezensenten, welche ihrem Bildungsgrade entsprechend, von Anlegung eines kunstkritischen Maßstabes absahen, um sich in allgemeinen Redensarten mit dem herrschenden Geschmack abzufinden. Will man das Verhältnis zwischen Theater und Litteratur von heutzutage treffend kennzeichnen, so darf man nahezu sagen: Die Litteratur, die Poesie ist in die Bücher geflüchtet, — auf unserer Bühne erhält nur noch die Technik das Wort. Ein Beweis statt vieler: Die Muse Ernst Wildenbruchs, trotz vieler Mängel eines der wenigen ernst zu nehmenden Dramatiker, muss in der deutschen Reichshauptstadt nach dem entlegensten Vorstadt-Theater wandern, während Gustav von Moser und mancher seiner Genossen sich allmählich auf den „vornehmsten" Bühnen einnistet.

Aus der Schaar der Theaterschriftsteller ragt nun seit einigen Jahren ein Mann hervor, dem man das Verdienst nicht absprechen darf, dass er ein Typus seiner Gattung ist. Jedes neue Stück dieses Autors wird von der Begeisterung des Premièren-Publikums jubelnd in Empfang genommen, um durch die an Idolatrie grenzende Verzückung der Tageskritiker auf jenen ebenen Weg geleitet zu werden, der es im Sturmschritt über alle deutschen Bühnen führt. In der Tat, dieser Mann vereinigt alle Eigenschaften einer typischen Persönlichkeit in sich: Seine Stücke verkörpern den Geschmack des Theater-Publikums, sind die Leibspeise (des Geldbeutels) der Theater-Direktoren und versinnbildlichen vollendet die Ansprüche, die ein moderner Theater-Rezensent durchschnittlich an ein Bühnenstück stellt. Wollen wir darum unserer Theater-Periode einen Namen geben, so nennen wir sie mit dem Namen dieses Mannes: Blumenthal.

Oskar Blumenthals theatralische Karrière begann mit einer ausgezischten Posse, um auf dem Wege über das, was man heute Lustspiel nennt, in das Schauspiel mit „tragischen" Allüren zu münden. So lange dieser Gipfel nicht erreicht war, konnte man den genannten Autor ruhig schreiben lassen, denn keinem Menschen fällt es heutzutage ein, in unsern Bühnen-Komödien irgend welchen bleibenden litterarischen Wert zu suchen. Aber nachdem Blumenthal sich an immer ernstere Probleme heranwagt und deshalb von der Tageskritik wirklich immer ernster genommen wird, ist es die Pflicht des Litterarhistorikers, die geistigen Erzeugnisse des Tageshelden auf ihren litterarischen Wert zu prüfen. Wo ein solcher anzuerkennen sein sollte, wird freudig auf dieses hoffnungsvolle Zeichen verwiesen werden müssen, andernfalls hat der wahre Kunstkritiker die heilige Pflicht, die Tagesschöpfung in ihrer schalen Nichtigkeit zu erweisen.

„Ein Drama von echt nationalem Gehalt ist uns geboren!" „Das moderne deutsche Konversationsstück ist gestern geboren!" So und unendlich viel Rühmenswertes mehr verkündeten dem Autor persönlich nahestehende Blätter einen Tag nach der ersten Aufführung von Blumenthals Schauspiel „Ein Tropfen Gift". Und doch ist das Ergebnis einer unerbittlichen kunstkritischen Betrachtung dieses Stückes fast durchaus negativ.*) Ein im Grunde bedeutsamer, moderner, nationaler, allerdings auf vollkommen unmöglichen Voraussetzungen beruhender Stoff ist in einem prickelnd französisch stilisierten Dialog vorgeführt, dessen teils vornehme Haltung durch ebenso alte wie schlechte Wortwitze gestört ist. Jener gewichtige Stoff ist ferner an der bedeutungslosesten Stelle erfasst, alles Große ins Zwergenhafte hinabgezerrt. Von einer wirklichen dramatischen Handlung ist nicht die Rede. Tragischer sowohl wie wirklich komischer Gehalt fehlt. Statt der Charakterzeichnung teils nur flüchtige Skizzierung, teils — und zwar bei Hauptpersonen — Mangel jeder Charakterentfaltung. Von einem tiefern Gehalt schließlich ist in diesem Werk der raffinierten Mache keine Spur zu entdecken. — —

Der „Tropfen Gift" wirkte fort. Lubliner mischte ihn in den Theekessel seiner Muse, — und wie Aphrodite aus dem Meeresschaum so tauchte aus den Fluten dieses Gebräus die „Gräfin Lambach".

Was aber wird heute geboren worden sein? fragte ich mich ernstlich, als ich in diesen Tagen nun das Allerneueste von Blumenthal auf seinem seelenverwandten „Deutschen Theater" als Première gesehen hatte. Ein „nationales" Drama, das „erste deutsche Konversationsstück" hatte Blumenthals Muse für seinen Familienkreis vor einem Jahre geboren; und heute? Was will das werden? — — Als der liebe Gott den modernen Menschen schuf, begabte er denselben mit dem köstlichsten Gute zu seiner Bequemlichkeit: — mit einer Zeitung, die für ihn denkt! — So blickte ich andern Tags in das liebwerte „Berliner Tageblatt" und richtig, da stand die neueste Geburtsanzeige unter den fröhlichen Familiennachrichten jenes Blattes, und ich war belehrt: „Blumenthal hat mit diesem Schauspiel als dramatischer Schriftsteller einen bedeutenden Schritt nach vorwärts getan. Er giebt uns nicht mehr lustige Blender, die im Grunde nur als Feuilleton-Figuren (also doch!) gelten können, sondern Menschen von Fleisch und Bein." Beschämt legte ich das Zeitungsblatt bei Seite. Ich entsann mich zwar, dass ich während der Aufführung vor Langeweile dem Einschlafen nahe war, aber so ganz sollten mir die Augen zugefallen sein, dass ich die „Menschen von Fleisch und Bein" vollständig übersehen hätte?

So machte ich mich alsbald ans eigene Nachdenken und fragte mich: Welcher litterarische Wert steckt in Blumenthals Schauspiel „Der schwarze Schleier", dieser neuesten Bühnenproduktion?

Den Inhalt zu wiederholen kann ich mir ersparen; es genügt festzustellen, dass in demselben vier Tagesereignisse zusammengearbeitet sind: der Process Gräf, das Duell Hellwig-Sachs, der Selbstmord des Professor zu Putlitz und die Affaire Schweninger.

*) Man vgl. meine Besprechung in der „Deutschen akademischen Zeitschrift", III. Jahrg. Nr. 14.

Wir stehen hier vor der ersten Unterfrage: Inwieweit muss der Dichter aktuell sein und inwieweit darf er es sein? Die Litteraturgeschichte hat recht prägnant ihr Urteil gesprochen, als sie Gustav Freytags „Fabier“ eine feine poetische „Studie“ nannte. Wir verlangen, dass wir von den dichterischen Schöpfungen und besonders den dramatischen sagen können: Das ist Geist von unserm Geist! Die großen Fragen der Gegenwart, die Elemente der modernen Weltanschauung sollen bewältigt zu poetischer Gestaltung gelangen. So weit muss jeder wahre Dichter unserer Zeit modern sein, und darum wird die Geschichtschreibung von so unendlich vielen Tagesgrößen sprechen, dass sie den tiefern Geist ihrer Zeit nicht verstanden, und wird sie zu den Todten werfen. Drängt doch die modernste Poesie immer mehr zu der Regel: Nicht jeder Verseschmied, sondern nur der geistige Held und Prophet ist der wahre Dichter! Aber heißt das den tiefern Geist des Jahrhunderts verstehen und gestalten, wenn man ein paar beliebige Skandalgeschichten des Tages beim Schopfe fasst und die betreffenden Zeitungsberichte in theatralischen Dialog bringt? Darf der Dichter überhaupt wagen, an einzelne Tagesereignisse anzuknüpfen? Ja und nein. Er darf es, wenn diese Ereignisse die Bedeutung eines Siebenjährigen Krieges („Minna von Barnhelm“) oder eines aus der Revolution entspringenden Regime-Wechsels („Die Journalisten“) haben oder wenn der Dichter die geniale Größe eines Aristophanes oder Goethe („Werther“) besitzt, welche das Einzelne zum Allgemeinen, das Zeitliche zum Ewigen zu erheben fähig sind. Jene vier Ereignisse sind aber durchaus nicht von irgend auch nur der geringsten Bedeutung für unsere Kulturentwickelung, und noch viel weniger besitzt Oskar Blumenthal auch nur ein Atom von jener prophetischen Größe, welche aus dem Allgemeinen den einzelnen Typus herausfindet und im Zeitlichen das Ewige ahnt. Dass unser Blumenthal aber die Voraussetzung des Effektes zu berechnen versteht, jedoch seine Erkenntnis rein äußerlich auffasst und verwertet, — das zeigt mir so recht unumstößlich: Ich kenne dich, Spiegelberg! Die raffinierte Berechnung des Journalisten beim Aufnehmen, die ernstlose, leichtliche, obenhin hüpfende Eleganz des Journalisten beim Ausführen, — enfin, Oskar Blumenthal ist ein trefflicher Journalist!

Dass bei solcher Arbeitsweise von einer eigentlichen dramatischen Handlung nicht die Rede ist, kann Niemand Wunder nehmen. Im 1. Akt wird von dem vollzogenen Duell zwischen dem Helden und dem Gemahl der Heldin erzählt. Ferner erzählt diese, dass ihr Vater ihrem — inzwischen verstorbenen — Gemahl gesagt habe, sie, die trauernde Heldin mit dem „schwarzen Schleier“, hätte früher Jemand anders geliebt. Natürlich ist dieser Geliebte mit dem Helden unseres Dramas identisch, und darum sagt ein Dritter, das Heldenpaar dürfe sich nie heiraten, ohne sich den Vorwurf der Moralverletzung zuzuziehen. Im 2. Akt erzählt man von den Erfolgen des Helden in seinem sozialpolitischen Beruf und ferner erzählt man vom Fenster aus, dass sich Held und Heldin vor der Tür begegnen, Gott sei Dank! ohne sich einander zu nähern. Während des 3. Aktes wird uns sodann erzählt, dass die Kammern aus jener Liebe und jenem Duell eine Handhabe zum moralischen Sturz des Helden meißeln wollen. Da endlich angesichts der drohenden Katastrophe rafft sich der Held zu einer Tat auf, zur ersten und — einzigen, — — aber sie ist auch danach: diese Tat ist eine energische, willensstarke Tatenlosigkeit, — er entsagt jenem mit ihm der öffentlichen Schande preisgegebenen Weib und entflieht feige von Westfalen bis nach Schottland!!! Sapienti sat! Der 4. Akt, ein unberechtigter Aufsatz, lässt die Heldin dem Helden einen Brief nach Schottland überbringen, in welchem der Vater ihres todten Gatten schreibt, er segne ihre Ehe mit dem Helden, — wozu erst das lächerliche Kunststück angewandt werden muss, den Tod des ersten Gemahls aus erblichem Jähzorn zu erklären.

Aber bietet denn das Stück nichts als dies langweilige ewige Erzählen, Erzählen, Sagen, Meinen und Schreiben? nichts was ein gespanntes Interesse rechtfertigen könnte? Allerdings, die Pikanterie des Stoffes. Wie windig es mit der Bedeutsamkeit desselben aussieht, haben wir bereits erfahren; jetzt aber ist noch zu kennzeichnen, wie sich Blumenthal nicht einmal auf der Höhe dieser für den Geist der Zeit doch vollkommen gleichgültigen Elemente seines Stoffes zu halten vermochte. Im Prozess Gräf handelte es sich bekanntlich um die gewaltige Frage, ob ein in höchst geachteter sozialer Stellung befindlicher Mann wegen entehrender Verbrechen zu vielleicht zehnjähriger Zuchthausstrafe verurteilt oder ob er freigesprochen würde; unseres Blumenthal Prozess dreht sich darum, ob der Held wegen Zweikampfs ohne oder mit tödtlichem Ausgang zu einigen Monaten Festungshaft mehr oder weniger verurteilt wird. In den drei andern benutzten Tagesereignissen liegt bekanntlich durchgehends eine schwere Schuld vor, unser Blumenthal macht alle seine Menschen unschuldig! Welch paradiesische Backfisch-Unschuld!

So müssen wir uns ernstlich fragen, ob in dem „Schwarzen Schleier“ überhaupt ein geistiger Gehalt, eine tiefere Bedeutung stecke. Und wir müssen zu dem Ergebnis gelangen: Zwar ist mit spekulierendem Raffinement an allerhand Ereignissen gerührt, welche das Jahr lebhaft bewegten, aber sie sind aller Bedeutung entkleidet, oberflach ist mit dem Ernstesten gespielt.

Allen ernsten Konflikten ist der Autor ängstlich ausgewichen, seine Arbeit zeigt keine Spur tragischer Größe; — die ist ja eben nur dem Dichter erreichbar, dessen Charakter selbst von Größe durchdrungen ist, und Oscar Blumenthal ist gewiss ein ehrenwerter Mann, aber groß — nein! Au contraire

Forschen wir nach den andern tragischen Postulaten! Furcht: Wir fürchten höchstens, dass der Zufall Held und Heldin zum Schaden ihres moralischen Ansehens zusammenführt; sonst jagt uns der barmherzige Autor weiter keine Furcht ein. — Mitleid: Durch des Helden Feigheit stellt sich unser Mitleid so, wie man eben Mitleid mit der armseligen Kreatur fühlt. — Rührung: Die wahre tragische Rührung entsteht, wenn der große Mensch dem größeren Schicksal unterliegt. Bei Blumenthal unterliegt der kleine Mensch dem — noch kleineren Schicksal (denn was ist die Acht der Gesellschaft gegen das Bewusstsein der Unschuld?).

Aber ja, wenn nicht die tragische Seite des Schauspiels gelungen ist, — das moderne Schauspiel ist ja solch Zwitterding, das auch eine komische Wirkungsfähigkeit haben kann. Hier sei von vornherein unserm Autor zugestanden, dass er auf heimischerem Boden steht als auf tragischem Gebiete. Ich nehme nicht Anstand, Oscar Blumenthal Begabung für einen speziellen Zweig der komischen Bühnenwerke zuzusprechen; für welchen, wird sich sogleich erweisen. Vier Personen ist im „Schwarzen Schleier" vornehmlich eine komische Rolle zugeteilt: Da ist zunächst ein reisender Typus-Engländer, ein Schablonen-Backfisch und ein renommierender Durchschnitts-Kouleurstudent, — alles Erzeugnisse der Kopiermaschine. Dagegen ist der Abgeordnete eine originelle und, wenn auch etwas karrikierte, doch der Lebenswahrheit nicht entbehrende Figur. Wodurch wird nun die „große komische Wirkung" des Stückes erzielt? Durch Witzworte wie die folgenden (langschlafender Schotte zu seinem Diener): „Wie lange habe ich geruht zu ruhen?" Oder nur noch ein Beispiel von vielen (Backfisch zu ihrem Studenten, der sich zum Bestehen jeder Liebesprüfung erbietet): „Das wäre das erste Examen, das du bestehst!" Und dies ist anerkanntermaßen der beste „Witz" im ganzen Stück! Nun wissen wir, dass Oscar Blumenthals Gebiet der Schwank Moserschen Genres ist.

Direkt peinlich berührt dieser „Witz" in der düstern Gerichtszene (welche den ganzen ersten Akt einnimmt). Hier löst überhaupt eine Pein die andere ab, denn peinlich muss jedes feine Gefühl die — gelinde gesagt — Taktlosigkeit empfinden, mit welcher hier der Zeitungsbericht über den Prozess Gräf in Dialog gebracht ist einschließlich des poetischen Tagebuches, der Verteidigungsreden und des Aufschreies eines gemarterten Angeklagten! — Und was der Dialog sonst bietet, ist ein purzelbaumartiges Durcheinander von gespreizten schiefen Bildern und falsches sentimentales Pathos, das tief unter Paul Lindau steht, — und das will viel sagen.

Die Hauptperson des Stückes ist eben ein schwächlich sentimentaler Phrasenheld, der so wenig zeigt, was er will, dass man fast behaupten darf, der Autor wisse es selbst nicht. Und die Heldin liebt entsagungsvoll und tut weiter nicht viel mehr. Dazu die vier gekennzeichneten komischen Figuren, — das ist Blumenthals „Charakterzeichnung".

Das Stück ist zu Ende; wir haben es in alle seine Teile zergliedert und — nichts, nichts gefunden. Wir ersehen: Der Gipfel unserer heutigen Bühnenproduktion entbehrt gänzlich der Littteraturfähigkeit!

Was aber sagt das Publikum, was die Kritik dazu? Das Publikum sieht in Blumenthal seinen Mann, ja seinen Abgott; denn was er bietet, ist ja wahrhaft „sensationell". Aus dem Gerichts-Akt des „Schwarzen Schleiers" tönte es mir unwillkürlich in die Ohren: „Immer heran, immer heran! Hier ist zu sehen und zu hören der berühmte Prozess Gräf, für die Augen und Ohren unserer lieben Backfische und keuscher alten Jungfern beiderlei Geschlechts zurecht gemacht! Immer heran, meine Herrschaften!"

Aber die Kritik! Wie hätte sie hier die Pflicht aufzuklären und zurecht zu leiten! Und wie erfüllt sie mit wenigen ehrenvollen Ausnahmen ihre Pflicht? Ich brauche nur die Urteile über den „Schwarzen Schleier" zu citieren und habe kaum nötig, ein Wort hinzuzufügen. Berliner Tageblatt: „Der erste Akt bedeutet einen rauschenden Sieg (kühnes Bild! ein Sieg rauscht? höchstens doch der Beifall!), einen vollen Erfolg... Pulsschlag der Gegenwart in höchst diskreter (?) und feinfühliger (??) Weise durch das filigranartige (!) Gewebe des Schauspiels auch für den unmedizinischen (!!) Theaterfreund mühelos fühlbar... Ich verrate absichtlich nichts vom Gange der Handlung — denn ganz Berlin wird dieses Drama sehen wollen."

(Ich weiß nicht, was soll es bedeuten:
Hör' ich „die große Glocke" läuten?)

Berliner Zeitung: „Der schwarze Schleier darf für die fernere Entwickelung der dramatischen Produktion als bedeutsam angesehen werden. Den Bühnenschriftstellern, welche darüber klagen, dass die Gegenwart arm an solchen Stoffen sei, an denen der Dichter seine Phantasie erproben und befruchten könne, hat Oscar Blumenthal gezeigt, wie man es machen muss, um sich ein wirksames Thema für ein Schauspiel herbeizuholen." (Hierüber schweigt des Sängers Höflichkeit.)

Berliner Börsen-Courier: „Blumenthal hat diesmal einen ernsten Stoff mit Ernst behandelt... In der Charakterzeichnung ist der Verfasser diesmal zumeist sehr glücklich gewesen ... Reich an geistvollen (!!!) Einfällen, witzigen Pointen, namentlich in der Gerichtsszene (!) reihen sich die glücklichen Gedanken und Wendungen dicht aneinander."

Berliner Börsen-Zeitung: „Der erste Akt, der an effektvoller, klarer und übersichtlicher Inszenesetzung in der Exposition doch kaum etwas zu wünschen übrig ließ ... Geistreiche (!!), treffende und graziöse Pointen ... Mit dem Ernst des echten Dichters (!) durchgeführte dramatische Situationen, die von scharfsinnigen Sentenzen, **vornehmen Lebensanschauungen** (ja da hört Alles auf!!!) und poetischen Wendungen überströmende (!), in feinsten Stilformen ciselierte Sprache . . . Der äußerlichen Mache fast gar keine Konzessionen und schreitet auf den geraden und ehrlichen Wegen der Kunst." —

Lassen wir dem „Kritiker", welcher den „Schwarzen Schleier" für Blumenthals „bestes Stück" erklärt, seine Verzückung und citieren wir schließlich aus einem Nicht-Börsen-Blatt: **Berliner Fremden-Blatt** schreibt: „Jener prickelnde, geistreiche (!) Humor, der dem Dichter so reichlich zur Verfügung steht und mit welchem er selbst Alltagsfiguren einen gewissen poetischen (!) Reiz zu geben weiß."

Und nun genug! Von der **Tageskritik** wird keine Heilung kommen, denn sie ist selbst **am meisten krank**. Wohl aber hat da der Litterarhistoriker, der wahre Kunstkritiker die doppelt heilige Pflicht, einzugreifen, um vorerst zu zerstören und sodann aufzubauen. Und wenn uns kein zweiter Goethe, kein zweiter Schiller erstehen wird, vielleicht bringt uns die Zukunft einen würdigen Nachfolger unseres großen und einzigen Lessing!

Berlin. Eugen Wolff.

An Oskar Blumenthal.

Einstmals befahlen die Fürsten die Narren zur Tafel —
Beim Theateragenten speist heute der witzige Clown.

„Ein Tropfen Gift."

Lachend beim Witze des großen dramatischen Machers,
Vernahmst du die Mär von Lindners herbem Geschick:
Schmach über dich, du Volk der Dichter und Denker,
Dass deine Adler verenden, während der Maulwurf gedeiht!

Berlin. Max Kretzer.

Die Geschichte der französischen Presse.

Von G. Glass.

(Fortsetzung.)

Bis zur Zeit des Konsulats im Jahre 1799 waren Zeitungen in Frankreich steuerfrei, sie konnten also zu niedrigen Preisen verkauft werden und selbst ein Sou per Exemplar ließ noch oft einen bedeutenden Nutzen zu. Beim Regierungsantritte Ludwig XVI. existierten achtundzwanzig Journale in Paris, doch wurden noch ungefähr zwanzig zum Zweck der Verbreitung in Frankreich im Auslande gedruckt. Diese erschienen gewöhnlich zweimal wöchentlich, und da sie eine kühnere Sprache als die Pariser führten, fanden sie besseren Absatz. Ludwig XVI. hob das Gebot gegen ihre Einführung auf und statt im Geheimen gelesen zu werden, wurden sie nun in den Cafés und all den Plätzen gehalten, wo das litterarische Paris sich zusammenfand. Die Zeitungen beschäftigten sich um diese Zeit viel mit den Reformen, die der König am Hofe einzuführen sich bestrebte und es gefiel ihnen besonders, dass er gegen die hohen Haarfrisuren war, gegen die sie selbst schon oft geeifert. Unter den Auspizien der Königin hatten dieselben eine unglaubliche Höhe erreicht. Marie Antoinette erschien z. B. 1775 auf einem Ball, ihr Haar zwei Fuss hoch aufgetürmt. Den nächsten Morgen sandte Ludwig ihr eine prachtvolle Diamantagraffe mit der Bitte ihm zu Liebe „diesen einfachen Schmuck zu tragen, obgleich sie einsehen würde, dass es keiner Kunst bedarf, um sie schön zu machen, könnte sie sich nur sehen, wie andere sie sehen". Trotz aller Bemühungen gelang es dem König aber nicht gegen die Mode zu siegen, die sich noch immer stärker als alle ihre Gegner erwiesen.

Aber Ludwig XVI. Eifer ließ bald nach, kein Fürst begann besser als er, doch eine stärkere Natur wäre nötig gewesen, um die Schwierigkeiten zu überwinden, die sich ihm überall in den Weg stellten. Die Zeitungen begannen einen andern Ton anzuschlagen und wenn sie auch den König und die Königin noch nicht angriffen, so sprachen sie sich doch in sehr offener Weise über die Fehler der Regierung aus. Man wird in den damaligen Blättern keinen langen Leitartikel finden, sie waren angefüllt mit den kurzen, witzigen Notizen, die die Franzosen so gut zu schreiben verstehen, und die Personen und Dinge so geschickt der Lächerlichkeit preisgeben. Tag für Tag brachte die Presse diese Epigramme und Anekdoten, die sehr oft unwahr waren, aber darum nicht weniger dazu beitrugen, die Angegriffenen zu verwunden. Nachdem die Zeitungen eine Zeitlang ihren Witz gegen Missbräuche und geringere Beamte gerichtet, fingen sie auch an die Minister selbst anzugreifen und besonders den Premier M. de Maurepas. Dieser glaubte, nur einer vorübergehenden Torheit der Journalistik begegnen zu müssen und hielt das Mittel, das sich zur Zeit, da er als junger Mann im Amte gewesen, so wirksam erwiesen, für das geeigneste. Er unterbreitete dem König eine Vorlage, wonach siebenzig Zensoren angestellt werden sollten, die alle Bücher und Zeitungen einer Revision zu unterwerfen hätten, ehe sie publiziert werden durften und wonach Beschlag auf alle ausländischen Journale gelegt werden konnte, wenn sie die Freiheit, die den inländischen Blättern gewährt, überschreiten sollten. Ludwig XVI. unterzeichnete das Gesetz bereitwillig. Er fand, dass das französische Volk sich undankbar gegen ihn erwies, nachdem er so viel — wie ihm seine Höflinge immer versicherten — für dasselbe getan und er sehnte sich nach Ruhe. Aber das Gesetz hatte nicht das erwünschte Resultat. Es wurde mit Spott und Hohn aufgenommen und einfach umgangen; es hätte dies dem Hof eine Warnung sein sollen, dass Paris nicht mehr von der zahmen Heerde bevölkert sei, die sich früher so geduldig zur Schlachtbank führen ließ. Vor allem erwies es sich als unmöglich siebenzig respektable Zensoren zu finden; das Amt wurde von der öffentlichen Meinung in die Acht erklärt und die „Sechs Dutzend minus Zwei", wie man diese Behörde nannte, waren aus ärmlichen unbedeutenden Skribblern zusammengesetzt, denen die Zeitungsbesitzer alle möglichen Streiche spielten. Das „Journal de Verdun" und drei andere Zeitschriften, die einen gemeinsamen Zensor besaßen, machten denselben am ersten Tage seines Amtsantrittes betrunken und zwangen ihn eine Erklärung zu unterzeichnen, dass er ein Narr sei, welche Erklärung dann in großen Lettern auf der ersten Seite jedes dieser vier Journale am nächsten Tage erschien. Die Zeitungen konnten nicht länger in Schranken gehalten werden, jeden Tag entstanden neue und wenn ein Journalist nach der Bastille gesandt wurde, so schienen zwanzig Andere dafür aus der Erde emporzuschießen, um seinen Platz einzunehmen und laut nach seiner Befreiung zu verlangen.

Inzwischen sah sich der König genötigt, die Generalstaaten zu berufen und vom Tage an, da sie zusammentraten, nahm die Presse eine direkt angreifende Haltung an. Die Zeit für Theorien war vorüber; die Debatten des Parlaments wurden genau den Lesern mitgeteilt und kritisiert. Die Deputierten des dritten Standes mussten angefeuert und ermutigt, denen des Adels und der Geistlichkeit Vorstellungen gemacht und Drohungen zugerufen werden. Täglich und stündlich wurde das Parlament daran erinnert, dass es nicht nur eine Aenderung in den Steuerverhältnissen war, was die Nation verlangte, sondern durchgreifende Reformen und vor allem eine Konstitution.

Der Bedeutendste unter den damaligen Journalisten sowohl als parlamentarischen Rednern war unstreitig Mirabeau. Derselbe besaß nur sehr geringe Kenntnisse, aber eine mächtige Einbildungskraft, ein Temperament, dessen normale Wärme Fieberhitze war, und einen unbeugsamen Mut. Seine Umgangsformen waren die gefälligsten und sein Wesen flößte Vertrauen ein, so dass viele Deputierte, tiefe Denker, aber denen die Gabe der fließenden Sprache nicht gegeben war, ihm ihre geschriebenen Reden brachten, die Mirabeau auswendig lernte und mit dem Feuer eines Fanatikers und den Gesten eines Schauspielers zum Vortrag brachte. Mirabeau hatte, bevor er Deputierter wurde, hintereinander zwei Journale gegründet „le Conservateur" und „l'Analyse des Papiers Anglais". Das Erstere, eine Zusammenstellung politischer Auszüge aus alten und neuen Schriftstellern, ging bald aus Mangel an Abonnenten ein, während er das Zweite nicht für vornehm genug hielt, nachdem er der Erwählte des Volkes geworden. So gab er denn die „États Généraux" heraus, deren erste Nummer drei Tage vor der Eröffnung des Parlaments erschien. Es war das erste französische Journal, das lange Leitartikel zu geben beabsichtigte, die bis dahin nur ausnahmsweise vorgekommen, da den Franzosen die kurzen Notizen so sehr zusagten. Die „États Généraux" brachten es aber nur auf zwei Nummern, denn die erste enthielt ein in so maßloser Sprache geschriebenes Programm der Reformen, die die Nation fordern müsse, dass die Regierung es für geraten fand, das Blatt sofort zu unterdrücken. Das rief aber einen gewaltigen Sturm hervor. Die Deputierten des dritten Standes unterbrachen ihre Geschäfte und verfassten einen Protest „im Namen der Freiheit des Gedankens und der Rede", die Aristokratie brachte einen Andern ein, worin sie des Grafen von Mirabeau „Heftigkeit der Sprache" tadelte aber bemerkte, dass Freiheit der Presse „eine der Notwendigkeiten der Zeit zu sein scheine". Der Klerus sah zwar davon ab, einen Protest gegen das ministerielle Gebot einzulegen, da er kein Recht hätte einen gesetzlichen Akt zu kritisieren, aber meinte doch, es wäre ratsam, den Deputierten in Zukunft größere Freiheit zu gewähren, selbst die, „unbesonnen zu schreiben". Das Verbot der Zeitung war ein ungeheurer Fehler von Seiten des Ministeriums gewesen und nur ein Beweis der Furcht, die es empfand, als es einsah, dass der dritte Stand fest entschlossen war, nicht auseinanderzugehen, bis er die Konstitution geschaffen. Mirabeau zeigte sich aber klug genug in der Form nachzugeben. Er ließ die „États Généraux" aufhören, jedoch nur um sofort ein neues Journal unter dem Titel „Lettres du comte de Mirabeau à ses constituents" an seine Stelle treten zu lassen, welches Journal nach sechs Wochen noch einmal seinen Namen änderte und sich in den so berühmt gewordenen „Courrier de Provence" verwandelte. Das Ministerium wagte nicht noch einmal einzuschreiten und so war denn die Freiheit der Presse erstritten. Der „Courrier" sollte dreimal wöchentlich erscheinen und aus acht Oktavseiten bestehen; aber dem Herausgeber war so sehr daran gelegen seine Reden, Amendements u. s. w. aufs Ausführlichste gedruckt zu sehen und lange Erklärungen dazu und Besprechungen zu geben, dass er die Zeitung bald ums Doppelte vergrösserte. Obgleich der „Courrier" nur zwei Jahre lang bestand, bilden doch seine dreihundertfünfzig Nummern eine Kollektion von siebenzehn Bänden, deren jeder sechshundert Seiten enthält. Der „Courrier" hatte nie weniger als 20,000 Abonnenten und giebt die getrennten Berichte über die Debatten der Nationalversammlung und die bedeutungsvollen Ereignisse der ersten Periode der Revolution.

Nach dem Tode Mirabeaus nahm Marats Journal „L'Ami du Peuple" die Stelle ein, die bis dahin vom

„Courrier“ ausgefüllt, wurde aber in seinen Forderungen viel maßloser als dieses und verlangte bald laut nach Abschaffung des Königtums.

Nachdem die Aristokratie und der Klerus sich geweigert, mit dem dritten Stande gemeinsam zu sitzen und zu stimmen, hatten sich die Deputierten des Letzteren als „Nationalversammlung“ konstituiert und Ludwig XVI., wohl einsehend, dass er nicht dagegen ankämpfen könne, befahl den beiden anderen Ständen, sich der Nationalversammlung anzuschließen. Von da an ging das Werk der Gesetzgebung mit Riesenschritten vorwärts. Am 26. August 1789 wurde die Freiheit der Presse förmlich anerkannt, am 17. März 1791 das Druckergewerbe freigegeben, am 14. September desselben Jahres bestätigte die konstituierende Versammlung den Beschluss vom 26. August 1789 mit den Worten „Freiheit der Rede sei des Menschen angeborenes Recht und Jedem stände es frei, ohne Einschränkung und Hindernis seinen Gedanken mündlich und schriftlich Worte zu leihen.“ Jeder wird wohl mit dem Sinne dieser Erklärung einverstanden sein müssen, aber sie kam verfrüht. Die Franzosen waren nicht reif für diese schrankenlose Freiheit und die vielen Journale, die um diese Zeit ins Leben traten, zeigen dies nur zu deutlich.

Unter der Schreckensherrschaft erfreute sich die Presse auch nur einer sehr zweifelhaften Freiheit obgleich sie dieselbe im Prinzip besaß. Camille Desmoulins wurde nur wegen eines Artikels im „Vieux Cordelier“ hingerichtet und zahllose andere Journalisten aus gleichen Gründen. Im Jahre 1795 kam zwar ein neues Gesetz zu Gunsten der Presse heraus, doch zwei Jahre später bei Gelegenheit des Staatsstreiches am 4. September 1797 wurde sie wieder unter Polizeiaufsicht gestellt. Der maßlose Ton der Zeitungen hatte inzwischen bedeutend abgenommen, ihre Macht aber dadurch nur gewonnen und das Direktorium, das sich zu keiner Zeit durch große Festigkeit ausgezeichnet, wurde in Furcht gejagt durch den Lärm, den die Presse wegen der Entziehung ihrer Freiheiten anstimmte. Ein neues Dekret hob all diese beschränkenden Gesetze wieder auf und für eine kurze Zeit war es den Journalen von Neuem gestattet, zu sprechen, wie es ihnen beliebte. Auch Napoleon, der am 9. November 1799 dem Direktorium ein Ende gemacht, schmälerte anfangs die Rechte der Presse nicht, wahrscheinlich, weil die Zeitungen alle mehr oder weniger laut in ihrer Bewunderung für ihn waren, als diese jedoch bald Klagen über seine Tyrannei Platz machte, erließ er, zornig darüber, ein Edikt, nach welchem alle Zeitungen in Paris bis auf dreizehn zu unterdrücken waren. Eins dieser dreizehn, „L'Ami des Lois“, teilte bald dieses Schicksal, weil es über das Konsulat unehrerbietig sich geäußert.

Von dieser Zeit an bis zum Ende des ersten Kaiserreiches im Jahre 1814 war die Presse vollständig der Willkür der Polizei überlassen. Wegen eines unbedachten Wortes wurde eine Zeitung sofort unterdrückt und diejenigen Journalisten, die verdächtig waren, die Sache der Royalisten oder Republikaner zu begünstigen, ohne Gnade ins Gefängnis geworfen, um dort so lange über ihre unpraktischen Gesinnungen nachzudenken, bis es M. Fouché oder M. Savary gefiel, sie wieder in Freiheit zu setzen. Das Gesetz vom 1. August 1799, welches der Presse alle Rechte zurückgab, war nie widerrufen worden, doch diente das nur umsomehr dazu, sie zu knechten. „Wir können euch nicht helfen“, meinten die Richter, „das Gesetz erklärt euch für frei, wenn also die Regierung euch knebelt, so ist das ungesetzlich und ihr müsst euch beim Kaiser beschweren.“ Napoleon seinerseits pflegte seine Meinung dahin abzugeben, dass die Presse frei sei wie ein Vogel in der Luft. Einige Wochen nach dem Siege bei Austerlitz ließ er folgenden Paragraph in den „Moniteur“ setzen. „In Frankreich giebt es keine Zensur. Das wäre ein schöner Zustand, könnte ein gewöhnlicher Beamter die Herausgabe eines Buches verhindern oder den Autor zwingen, Aenderungen damit vorzunehmen. Der Gedanke darf bei uns frei in Worte umgesetzt werden.“ Trotz dieser schönen Versicherungen wurde am 5. Febr. 1810 das Amt der Zensoren, wie sie unter Ludwig XVI. existierten, durch ein Gesetz wieder eingeführt, und am 3. August desselben Jahres unterdrückte ein kaiserlicher Befehl mehrere hundert Zeitungen auf einen Schlag, indem angeordnet wurde, dass in Zukunft in jedem Departement, ausgenommen dem der Seine, nur eine Zeitung gestattet sein, und diese der Autorität des Präfekten unterstehen sollte. Der Zweck dieses Erlasses war klar; er hinderte jede offene Meinungsäußerung, und von diesem Augenblicke wurde die Presse unschädlich. Napoleon wurde von Tag zu Tag willkürlicher in seinen Handlungen, je mehr das Glück ihn begünstigte und achtete in den letzten Jahren seiner Regierung weder Gesetz noch Recht. Frankreich gewann mehr durch seinen Fall, als je durch seine Siege; Austerlitz brachte ihm Ruhm, aber Waterloo gab ihm seine Selbständigkeit wieder.

Von 1815—1830 wechselte der Zustand der französischen Presse zwischen teilweiser Freiheit und teilweisem Despotismus, aber im Ganzen erfreute sie sich ziemlicher Unabhängigkeit. Ludwig XVIII. nahm das Leben leicht, war ein Feind aller strengen Maßregeln und auch wohl der Meinung, es sei sicherer, seine Gegner sich offen aussprechen zu lassen, als dass sie im Geheimen konspirierten. Karl X., bigot und despotisch, versuchte während seiner kurzen Regierung die Presse wieder auf den Standpunkt früherer Zeiten zurückzubringen, er führte also von Neuem die Zensur ein und zwei Jahre später, 1830, unterzeichnete er auf den Rat seines Premierministers Polignac die berühmten Juliordonnanzen. Die Presse, auf diesen Angriff auf ihre Freiheiten vorbereitet, begegnete ihm sofort, und der längst geplante Staatsstreich war die unmittelbare Folge. Am Morgen des 27. Juli 1830 versammelten sich alle Zeitungsredakteure von Paris im Hause des Deputierten Casimir Perrier und beschlossen, sich zu widersetzen. Dieser Beschluss wurde sofort bekannt, das Volk griff zu den Waffen, in drei Tagen waren die Bourbonen aus Frankreich vertrieben und der Thron von einem Liberalen, dem Herzog von Orleans, eingenommen.

(Schluss folgt.)

Theatralische Experimente.

Von M. G. Conrad. (München.)

III.

Als Herausgeber einer litterarisch-künstlerischen Zeitschrift bin ich mehr und mehr in Fühlung gekommen mit den dramatischen Schriftstellern jugendlicheren Alters. Das junge Geschlecht entwickelt auch auf diesem Gebiete eine Tätigkeit, die ans Fabelhafte grenzt. Wir leben in der Tat im Zeitalter der Arbeit — weniger der Arbeit, welche in edler Muße ihre schöpferische Stunde erwartet, die Stunde des begeisterten Ueberschwangs, des Ueberflutens der bildnerischen Kraft, sondern der Arbeit aus gewalttätigem Vorsatz oder nervöser Unrast, der Arbeit aus blindemsigem Handwerkstrieb oder verzweiflungsvollem Erwerbssinn. Ich möchte sagen: der plebejischen Arbeit, da ihr fast durchweg jenes Auszeichnende fehlt, welches wir im Aristokratischen, Vornehmen zu erblicken erzogen und gewöhnt worden sind. Wer im Arbeiten an sich, im Ausrasen einer blinden Tätigkeitsleidenschaft etwas Befreiendes und Befriedigendes oder gar etwas zu höherer Menschheitskultur Leitendes erblickt, mag an diesem Schauspiel wohl seine Freude haben. Ich gestehe, dass ich aus mancherlei Ursach nicht zu diesen Vergnüglingen gehöre.

Fast jede Woche bringt mir einen Pack neuer Bühnenwerke bisher unbekannter, noch nirgends gespielter Autoren. Darunter auch Werke ganz resoluter Experimentier-Dramatiker, welche in einem ernsthaften Begleitschreiben versichern, dass sie gar kein Verlangen trügen, überhaupt jemals gespielt zu werden. Manche treiben die Heldenhaftigkeit der Abneigung gegen alles Landesübliche so weit, dass sie sich für ihr Manuskript sogar die Druckerschwärze verbitten! Es genüge ihm, schwört Einer, sich die „Geschichte vom Leibe geschrieben“ zu haben und sich einen „einzigen verständigen (dreimal unterstrichen!) Menschen als mitempfindenden Leser“ zu wissen . . . Ich hingegen weiß nicht, was ich verbrochen habe, dass nun gerade ich dieser dreimal unterstrichene Einzige, Verständige und Mitempfindende sein soll!

* * *

Zur Kennzeichnung jener eigentümlichen, wirklich talentvollen Gattung von Buchdramatikern neuesten Stils, welche bewusst und grundsätzlich der Bühnenaufführung entgegenarbeiten, will ich die Vorrede mitteilen, mit der ein junger Schriftsteller die Einsendung seines handschriftlichen Trauerspiels „Thomas Münzer“ begleitet hat.

„Vorliegendes Trauerspiel ist nicht für die Bühne geschrieben. Schon der sozialrevolutionäre Inhalt desselben ist unter den jetzigen Verhältnissen unvereinbar mit einer öffentlichen Aufführung. Dass auch das sogenannte Buchdrama Existenzberechtigung hat, ist praktisch bewiesen durch die Werke Kleists, Grabbes, Büchners, Gutzkows u. A., die eine Zierde der deutschen Litteratur bilden. Der theoretische Beweis wäre noch leichter zu führen, gehört aber nicht hierher.

„Aus der Absicht des Verfassers, von vornherein auf die öffentliche Darstellung zu verzichten, ergab sich, dass, unter teilweiser Beiseitelassung der üblichen ‚theatralischen‘ Technik, einzig und allein die dramatische Wirkung ins Auge gefasst werden musste. Das ästhetische Glaubensbekenntnis des Verfassers ist der Realismus. Dieser schließt natürlich die höchsten idealen Probleme nicht aus, sondern bezieht sich lediglich auf die Form. Bauern dürfen nicht wie Könige, Soldaten nicht wie Zeremonienmeister sprechen. Es kann dies in Deutschland, wo des großen Schiller kleine Nachahmer eine wahre Jambensintflut hervorgerufen haben, nicht oft genug betont werden. Die Zeit, in welche das vorliegende Drama einführen will, war eine gott- und noch mehr teufelgläubige. Das Christentum war noch wesentlicher Bildungs- und Lebensinhalt. Selbst Münzer, der faktisch das Christentum schon überwunden hatte, bekämpft dasselbe aus dem Christentum heraus. Es wäre mit allen Forderungen der realistischen Kunst unvereinbar gewesen, wenn der Verfasser diesen religiösen Untergrund nicht beibehalten hätte . . . Man wird das Stück ein Tendenzdrama nennen. Der Verfasser hat keine Angst vor Worten; nur ist er der Meinung, dass der Kunst nichts Menschliches fremd bleiben solle. So gut das Problem des Cäsarenwahnsinns in einem Nero verkörpert werden darf, ebenso ist die soziale Frage, die ihr Medusenhaupt drohender denn je erhebt, der Darstellung würdig. Das Ende des vorigen Jahrhunderts war beherrscht von der individuellen Freiheitsidee. Diese fand ihren entsprechenden Ausdruck in der damaligen Litteratur (von Lenz' Hofmeister bis zu Goethes Faust). Unser Jahrhundert steht vor der sozialen Frage. Die Litteratur hat noch wenig Kenntnis von derselben genommen — vielleicht aus Scheu, aus Angst. Indes, ehe unser Jahrhundert zur Neige gegangen, werden selbst den blödesten Optimisten die Augen furchtbar aufgehen" . . .

Der geneigte Leser merkt aus dieser Bevorwortung gleich, was für Wind in dem Stücke weht. Diesen Wind verträgt selbstverständlich weder das Hof-, noch (sozialistisch zu reden) das Bourgeois-Stadttheater der Gegenwart. Das Experiment mit dem Buchdrama ist für den jugendlichen Verfasser, der versichert, dass er das Stück mit seinem „Herzblut" geschrieben, also eigentlich ein notgedrungenes — und wir wollen nichts dagegen sagen, wenn er den Tatbestand edel verschleiert und aus der Not sich eine Tugend macht. Sein Talent ist fraglos.

* * *

Das verehrliche deutsche Publikum hat sich gewöhnt, unter Buchdrama sich ein Ding vorzustellen, das lediglich seiner Formfehler wegen nicht aufführbar sei. Das ist zum allergrößten Teil ein Irrtum. Nur eine ganz verschwindende Zahl von Buchdramen wäre vom Standpunkt der Theatertechnik, der vielberufenen „Mache", von der bühnenmäßigen Aufführung auszuschließen. Zudem schlagen sich heutzutage unsere Theatertechniker und Dramaturgen um die Ehre, berühmte Buchdramen „bühnenmäßig" herzurichten. Was also einem Shakespeare, Goethe, Kleist u. s. w. widerfährt, könnte man unseren späteren und spätesten Buchdramatikern auch recht wohl und auf verhältnismäßig billige Weise angedeihen lassen. Mit den Geheimnissen der Mache ist übrigens lange Zeit ein rechter Unfug getrieben worden. Besonders von der „brillanten Mache der Franzosen" hat man in blödem Bewunderungsdrang die lächerlichsten Bücklinge gemacht. Die Mache! Als ob Papa Lessings Stücke, Goethes Clavigo und einige hundert deutsche Repertoirstücke nicht ganz brillant gemacht wären! Kotzebue, Raupach und Benedix verstanden die Mache eben so gut wie irgend ein Lindau, Blumenthal oder sonst ein nachahmender Franzosenfax von gestern und heute. Wenn es bei einem dramendichtenden Neuling in der Szenenführung, am Aktschluss oder bei einem Abgang ein wenig hapert, da vermag der Wink eines kundigen Regisseurs rasch Rat zu schaffen. Summa: Die Kunst der Mache ist mit einem bischen Formtalent, und theatralischer Erfahrung leicht erlernt, und wer sich für zu gut hält, sein Formtalent anzuspannen und technische Erfahrungen zu sammeln und zu nützen, der mag eben das Theaterschreiben bleiben lassen.

* * *

Wir sehen aber nicht selten heute Folgendes: Stücke, die ein gutes Formtalent, hinlängliche Bildung und Geschmack im Dialog bekunden, werden aufgeführt — obgleich die Handlung in ihrer Voraussetzung wie in ihrer Entwickelung jeder Natürlichkeit, Schlichtheit und Wahrhaftigkeit ins Gesicht schlägt — während formvollendete, dichterisch hochbedeutende Werke verschlossene Türen finden. Während z. B. Philippis „Daniela", ein durch und durch unnatürliches Machwerk, das dichterisch und litterarisch ohne jede Bedeutung, am königlichen Schauspielhaus in Berlin mit Eifer gegeben wird, muss ein wirklich berufener, kraftvoller Dramendichter vom schriftstellerischen Range eines Wildenbruch mit seinem „Neuen Gebot" hinauswandern zur Stadtgrenze ins — Ostend-Theater, um in der Hauptstadt des deutschen Reiches und der deutschen Zivilisation überhaupt eine Aufführung zu erleben!

Ein dringendes Experiment scheint mir dies: wie die ersten Schaubühnen des deutschen Reiches, welche heute von bloßen Machern und Formtalenten beherrscht werden, dahin zu bringen wären, wirklich berufenen Dichtern deutscher Nation den gebührenden Vorrang zu sichern. Dass hier Gefahr im Verzuge, ist nicht zu bezweifeln. Denn es kann nicht ausbleiben, dass durch die Herrschaft der M a c h e r das Theaterpublikum für die D i c h t e r nach und nach vollständig verdorben wird.

Zusatz des Herausgebers.

Es sei mir gestattet, einige Bemerkungen hieran zu knüpfen. Gewiss sind die geschäftsmäßigen oder höfischen Rücksichten der Intendanten und der rohe Geschmack des Publikums die schwersten Hemmnisse eines deutschen Dramatikers. Aber auch die t r o s t l o s e U n r e i f e und U n w i s s e n h e i t der K r i t i k trägt ihr Teil dazu bei. Ich selbst habe besonders bei meinem Drama „Schicksal" (als Manuskript gedruckt) die drolligsten Erfahrungen dieser Art gemacht. Vorausgeschickt sei, dass alle maßgebenden Beurteiler dies Werk für meine bedeutendste Leistung erklärten. Nun handelt es sich in demselben um das Emporsteigen des Bonaparteschen Meteors aus dunkler Verborgenheit; Josephine Beauharnais und der junge Kartätschengeneral bilden die Hauptfiguren. Was Wunder also, wenn ein weiser Thebaner eiligst an — Grabbes „Hundert Tage" denkt und bei allem Lobe folgert, dies Drama sei ebenso bühnenunmöglich wie jenes! Dass „Schicksal" in seiner französischen Technik, seiner Rücksicht auf jede Bühnenmöglichkeit, seiner geschlossenen Komposition und der Einheit der Akt-Szenerie schlechterdings eher an Sardous „Vaterland" oder an Schillers „Wallenstein" (siehe unten) erinnern dürfte, als an die grotesk-geniale Unbeholfenheit Grabbes — daran denkt die ästhetische Bildung des Herrn natürlich nicht! In den „Hundert Tagen" kommt der alte Kaiser Napoleon vor, bei mir der junge General Bonaparte — und die Paralelle ist fertig! Aber wie soll ich mich darüber wundern, wenn sogar der große Kritiker Julius Hart, der mir freilich wohlwollend „e l e m e n t a r i s c h e D i c h t e r k r a f t" zugesteht (siehe als Pendant Nr. 40 der „Gegenwart"), über dies Drama, als er leider Farbe bekennen musste, das gewichtige Urteil gab: Es sei gleichwertig mit den Produkten von Grabbe, Büchner, Griepenkerl!! Warum, da doch ein einziger Blick genügt, den Nonsens dieser Schätzung kundzutun? Ei, weil mein Stück zur Zeit der französischen Revolution spielt, wie Büchners „Danton" und Griepenkerls „Robespierre"! O sancta simplicitas! — Der erlauchte Aesthetiker des Idealismus, Heinrich Hart, schrieb jedoch über dies von „gewaltigem Odem" durchwehte Stück: Es sei in seiner Art so vollkommen, wie Goethes „Clavigo"!! Hier lässt mein schlichter Verstand mich im Stich — Clavigo und der General Bonaparte!

Ein wirklich geistvoller Kritiker endlich verstieg sich zu der Behauptung, dass in gewissem Sinne „Wallenstein" und „Macbeth" hier übertroffen seien —, um sich dann wieder an eine technische Kleinigkeit, nämlich das Beiseitereden Talleyrands in einer Szene, festzunagen. Worin aber das technisch Bahnbrechende eigentlich besteht, das hat bis heut noch keiner dieser Weisen herausgefunden.

Ich schließe hieran eine Erklärung. Man wundert sich vielleicht, warum ich das Jambendrama Wildenbruchs „Das neue Gebot" nicht bespreche. Das hat aber seinen triftigen Grund. Noch nie hat Herr v. Wildenbruch die Stimme der Wahrheit vernommen. Wenn ein Mann wie Theodor Fontane Wildenbruchs Dramatik mit einem Kourierzug, der auf schiefgestellten Weichen ins Verderben rast und die

Hundswut seiner unreifen Verehrer mit den Masern und anderen Kinderkrankheiten vergleicht, so scheint uns dies eine schwere Ungerechtigkeit. Wenn aber jetzo auf dem Umschlag von „Das neue Gebot“ zu lesen steht, dass „gewaltige kühne Konzeption und poetische Kraft Wildenbruch eigen wie keinem Zweiten“, so muss ich diese lächerliche Ueberhebung verdammen. Als alle Welt über „Christoter Marlowe“ herfiel und Oskar Blumenthal an dieser „lärmenden Rethorik“ seinen Witz übte*), habe ich damals schriftlich und mündlich für dies geistreiche Drama eine ritterliche Lanze gebrochen, woran der Dichter sich auch recht wohl erinnert. Trotz des trefflichen theatralischen Aufbaus von „Das neue Gebot“ stellen wir das vorige Drama weit darüber, weil Wildenbruch dort zum ersten Mal einen Versuch zum höchsten, zum Charakterdrama gemacht hat. „Das neue Gebot“ ist ein Situationsdrama, wie seine übrigen Stücke. Die scheinbare Aktualität des darin geschilderten anti-päpstlichen Conflikts sowie das Verbot der Aufführung auf den Hofbühnen dürfen den Löwenanteil an dem Erfolg beim Publikum beanspruchen. Der Dichter leistete freilich wieder ein Meisterwerk des szenischen Aufbaus. Der dramatische Nerv vibriert auch hier wie in allen Dramen Wildenbruchs mit fortreißender Lebendigkeit. Nicht äußerlich blendende koloristische Wirkungen wie andere neuere Dramatiker erzielt er, sondern erfüllt die erste Vorbedingung des Dramas: Wahl einer einheitlichen Handlung und straffe Spannung des konkentrirten und konzentrischen Konflikts. Der echt dramatische Impuls bleibt Wildenbruch nie auch nur einen Augenblick versagt. Als Theatraliker scheint er mir Schiller ebenbürtig. Aber dieser Sicherheit der Technik entspricht die eigentlich dichterische Bedeutung nur in bedingtem und eingeschränktem Maße. Dass dies nimmermehr das historische Drama großen Stils sein könne, habe ich in meiner Brochüre ausgeführt. Doch lege ich auf den Mangel an Ideen keinen besonderen Wert, wenn nur wenigstens etwas von Psychologie und Charakteristik zu spüren wäre. Von Shakespeare, dem Gründer und Großmeister des Charakterdramas, hat Wildenbruch schlechterdings nichts gelernt, als die Schnörkel der angeblich „poetischen Diktion“, welche uns Wildenbruchs Jambenskelette in Ritterrüstungen vorrasseln. Nach der Ideen- wie der Charakterseite hin steht Wildenbruchs Dramatik ziemlich tief.

Als mir vorgeworfen wurde, ich hätte Wildenbruch in meiner Brochüre überschätzt, empfand ich dies unwillig als eine Ungerechtigkeit. Nein, als ein Wissender und Eingeweihter der dramatischen Technik stelle ich Wildenbruch in den oben betonten Vorzügen immerhin sehr hoch. Aber obschon ich in meiner Brochüre das Verbot des „Neuen Gebots“ auf den Hoftheatern zornig beklagte, möchte ich dem heuchlerischen Mode-Gejammer darüber doch ernstlich mit der Erwägung Halt gebieten, dass vielleicht bedeutendere Dramen, als die Wildenbruchs es sind, überhaupt nicht aufgeführt werden. Wie manches Drama bleibt im Archiv verschlossen, weil es dem Herrn Intendanten einfach nicht beliebt, ohne zwingende Konnexionsgründe einen jüngeren Dichter mit seiner Huld zu beglücken!! Und dann wundert sich diese Gesellschaft noch, ja beschwert sich, wenn man öffentlich seine Verachtung ausspricht! — Warum werden die ganz verfehlten Stücke von Paul Heyse und gar die krankhaften Missgeburten geringerer Talente überall aufgeführt, obschon sie doch nie wie moderne Lustspiele einen Kassenerfolg verbürgen? Pah, où est la femme! Wo ist die Katz! Pack an, Clique und Claque!

Also, ihr Dichter, schreibt Buchdramen, wie Shakespeare, Marlowe, Webster, Massinger Buchdramen schreiben würden, wenn sie heute lebten! Denn ob ihr auch noch so „bühnengerecht“ schriebet, die Bühne bleibt euch verschlossen, falls ihr wahre Dichter seid!

„Ihr Hundeseelen, deren Hauch ich hasse,
Wie unbegrab'ner Männer todtes Aas,
Das mir die Luft verseucht — ich hasse euch!“

Koriolan.

*) Auch hier zeigt sich wieder die trostlose Unreife unserer sogenannten „Kritik“. Grade dies Stück zeichnet sich nämlich gegenüber dem Euphuismus-Schwulst, der sonst in Wildenbruch's Dramen überwuchert, durch stilistische Vollendung aus.

Martin Greif.*)

„Oder was hat euch anders gereizt zur vergeblichen Arbeit,
Als der vermessene Wunsch, allen ein Muster zu sein?
Nur dem gefälligen Mann, der Gleiches mit Gleichem belohnet,
Gönnt ihr aus klugem Respekt einen besonderen Platz.
Schamlos stellt ihr euch an, als bestehe für euch nicht ein Dichter,
Den ihr mit neidischer Furcht täglich und stündlich verfolgt?“

Also donnert Martin Greif „auf gewisse Anthologie-Fabrikanten“ in der „Vierten stark vermehrten Auflage“ seiner Gedichte (Stuttgart, Cotta). Wer je einen Blick in die vielbeleumdete Anthologie „Moderne Dichtercharaktere“ warf, versteht jede Anspielung. Wohl dürfte nicht zu leugnen sein, dass dieser entrüstete Stoßseufzer unseres lyrischen Altmeisters nicht ganz frei ist von einer gewissen rührenden Komik. Greif glaubt sich allen Ernstes von der jüngeren Dichterschaft „verfolgt“, während doch gerade er mit erschrecklichem Grimm aus heiler Haut über Jungdeutschland herfiel. Nun, ich bin wirklich ein „gefälliger Mann“, der Gleiches nicht mit Gleichem vergilt, und muss vor Allem Greif aus dem Wahne reißen, als ob ich gegen sein Dichtertum jemals hätte Front machen wollen. Seine beiden Apostel, Kirchbach und Avenarius, könnten mir bezeugen, dass ich deren kritische Lobpsalmen auf Greif anfangs mit lebhafter Teilnahme entgegennahm und mich gern zu dem Verständnis des früher von mir unterschätzten Meisters hinleiten ließ. Aber die fanatische Uebertreibung der Greif-Verehrer, welche in ihm sozusagen das Absolute, den lyrischen Stein der Weisen, entdecken, macht jeden Vorurteilslosen stutzig und verstimmt. Es ist das alte Märlein von den Ammen Jupiters, die ein grosses Geräusch verursachten, um die Stimme ihres Gottes zu übertönen.

Nicht Greif sondern die Greifianer sind schuld, dass ich kein rechtes Verhältnis zu dieser merkwürdigen Erscheinung zu gewinnen vermochte. Gleichwohl muss mit Hochachtung bedauert werden, dass die aufrichtige Begeisterung eines Kirchbach und Avenarius für Greifs Dichtungen dieselben nur schweren Unannehmlichkeiten aussetzte. Kirchbach verwahrt sich in seinem „Lebensbuch“ ausdrücklich gegen Carrière, welcher sich in seiner Reclame-Macherei für Freund P. Heyse bis zu Angriffen auf die sittliche Beschaffenheit der Kirchbachschen Greif-Verehrung verirrt hatte. Avenarius erließ sogar einmal eine fulminante Erklärung gegen die Greif-Verächter, an deren Spitze Paul Schönfeld prangt, welche jede Hochschätzung Greifs geradezu mit Injurien beantworten. — Nun ist es immer bemerkenswert, wenn Ansichten über einen Schaffenden sich so schroff gegenüberstehen wie in diesem Falle. Hingegen drängt sich uns die Erwägung auf, dass zwischen überschwänglicher Anerkennung und krasser Verkennung ein Mittleres liegen müsse, worin so gewaltige Unterschiede sich ausgleichen und ergänzen und wechselseitig erklären. Sollte das Vermittelnde vielleicht am Ende — die Wahrheit sein?

„Wer heute klüger ist als gestern und es mit offener Stirn bekennt,
Den werden die Biedermänner lästern und sagen, er sei — inkonsequent.“

Dieses Heysesche Epigramm soll mir als Richtschnur dienen, wenn ich ehrlich bekenne, dass ich mich im Prinzip durchaus zu Meister Greif bekehrt habe. Die anspruchslose Reife, die klare Tiefe dieser Naturnachbildung duftet eine „Blume“ aus, wie alter edler Wein, der auch nicht aufdringlich glitzert und schäumt. Ein Johannisberger, um im Bilde zu bleiben, ist es freilich nicht!

Nirgend verschwimmt diese Poesie in unplastische Traumseligkeit. Aber des Dichters müde Seele weiß sich nur sehnsüchtig in den Schoß der großen Mutter zu betten. Stets flüchtet er in die Natur und nicht durch lebenskräftige, frischfreifromme Teilnahme am tätigen Leben heilt sich sein Geist, welcher mit der stets ins alte Gefüge zurückschnellenden Stahlklinge nur die Sprödigkeit, nicht die Biegsamkeit gemein hat.

Unter den zahlreichen dörflichen Genrebildern lässt sich kaum je übermütige Schelmerei wahrnehmen. Selten werden die weichen Adagio-Noten von erotischen Scherzos unterbrochen. Dafür brechen aber ergreifende Naturlaute treuer

*) Der nachfolgende Aufsatz ist in Petit gesetzt, wie die Aeußerungen unter „Sprechsaal“ und „Litterarischen Neuigkeiten“, weil er sich im Anfang auf persönliche litterarische Verhältnisse bezieht.

Hingebung oder unglücklicher Liebe hervor. Durch berauschendste Sommernachtsträume flutet dem Dichter ein Hauch entsagender Wehmut, ein Hauch des Grabes, ein Hauch aus anderen Welten. Ihm trägt die Natur wie Lenau einen tiefen Schmerz entgegen, der aber von allem Krankhaften frei. Der alte Fluch, dass der Mensch in die gesättigte Ruhe der Schöpfung seine Unrast hineinträgt, kommt zu zartester Aussprache in „des Jägers Reue".

Misslungen scheinen mir hingegen die Balladen. Das sind teils Geschichten ohne Pointe, teils mit einer so geringfügigen Moral, dass es der weitschweifigen, umständlichen Maschinerie wahrlich nicht verlohnte. Sowohl an Uhlands Balladen als an Heines „Romanzero" gemessen, können diese Versuche keinen vollgültigen Wert beanspruchen. Sobald sich bei Greif das Geschichtliche als Naturstimmung gestalten kann, gewinnt er zwar die alte Kraft. So in dem bedeutsamen Gedenkblatt „Auf dem Schlachtfeld von Waterloo". Und wenn die Ballade zur Romanze, als blosses knappes Gestaltenbild „im Kostüm" allgemeinen Inhalts, wird, da gelingt manches Bild von hoher Vortrefflichkeit wie „Morgentrunk" (S. 278), eine Haideszene mit gespenstigen Reutern à la Werner Schuch, oder „Im Kerkerloch", das an Burns' unheimliche Galgen-Fiedelei „Macphersons Abschied" erinnert. Gar erst die Idyllen aus dem bäuerlichen Leben (Seite 251—81) zeigen deutliche Verwandtschaft mit dessen Kirmess- und Kirchfahrtsschilderungen, ohne dass etwa direkte Anklänge an den Schotten zu verspüren wären. Ueberhaupt ist Greif immer er selbst und lehnt sich niemals an Gewesenes an, wie ich denn hiermit meinen früheren Ausspruch betreffs seines „Kopieren eines missverstandenen Goethe" feierlich widerrufen will, wenigstens in dem Sinne, wie Oberflächliche es mit Behagen aufgeschnappt und nachgelallt haben. Allerdings wächst Greifs Lyrik aus der Goetheschen hervor, oder richtiger aus dem Volkslied auf dem Umweg über Goethe — jedoch in durchaus eigenartiger Weiterbildung.

Auf die häufig saloppe und manchmal geschraubte Form und Wortstellung, die man bei Greif getadelt hat, lege ich kein Gewicht.*) Auch braucht der Meister von mir nicht zu erwarten, dass ich ihm seine falschen Reime vorzähle. Denn da hätte man viel zu thun. Uebrigens hat Kirchbach ganz Recht, wenn er in seinem Essay über Greif meint, viele wegen ihrer Formkunst gerühmte Poeten machten es nicht besser. Die Hauptsache bleibt die innere Melodie, die sprachflüssige Rythmik. In wie hohem Grade aber Greif diese besitzt, das bezeugen wohllautgesättigte Gedichte wie „An der Lethe" und die meisterhaften, wenn auch ein wenig archaistisch gezierten, Traumgesichte „Das klagende Lied" und „Zöllners Töchterlein". —

Unter den Naturliedern und Landschaftsskizzen, Greifs eigentlicher Domäne, findet sich oft überraschend Triviales. Wie kann man Gedichte drucken wie „Auf der Eisenbahn" oder „Späte Veilchen":

> Noch einmal ein Blumenstrauß
> In so spätem Monde.
> Liebe, Liebe, halte aus,
> Früh im Lenz belohnte!

Und damit ist es aus. Freilich dicht daneben sauber durchgeführte Momentphotographieen wie „Mailied" und innig nachzitternde Naturempfindungen wie „Nachgefühl", „Nächtliche Trauer", „Sonnenuntergang". Hierin liegt wirklich etwas Elementares, während die von Kirchbach angezogenen angeblichen Meisterwerke in ihrer übergroßen Schlichtheit nicht der Absichtlichkeit ermangeln. Ein seltsamer Zauber umspinnt „An Milady", (S. 60), obschon auch hier die schmucklose Natürlichkeit etwas nach Ausklügelei schmeckt. Unmittelbarer packt der gedankenschöne Cyklus „Der Zweifler". — Manchmal genügt sich Greif mit einfachem Abmalen der Landschaftskonturen, als ob dies schon in sich dichtende Gestaltung wäre. Nie aber verlockt ihn dies zum Spielen mit Worten, zu verschwommener Dudelei. Alles ist kernig und kraftvoll angeschaut und angepackt, jede, auch die unbestimmt nervöseste, Stimmung mit einer Bestimmtheit des sprachlichen Ausdrucks bewältigt, die gleichsam zu den Tiefen der Sprachwurzeln zurückzugreifen scheint. Für jedes Gefühl und jeden Gedanken, für jede Gestalt und jedes Bild stellt sich mühelos das rechte Wort ein.

Auf diese Eigentümlichkeit der Greifschen Dichtung hingewiesen zu haben, scheint mir Kirchbachs bleibendes Verdienst. Aber so Manches, was er hierbei nebenher herausspintisiert (ähnlich bei Hermann Lingg), dürfte übertrieben oder falsch gegriffen sein. So z. B. seine Heranziehung der Sprache Byrons im „Traum" und „Kain", (er hätte noch die „Darkness" hinzunennen können), die meiner Ansicht nach aus ganz anderen Quellen der sprachlichen Anschauung fließt, als die Goethes und Greifs, und von welcher der Erstere teilweise im zweiten Teil des Faust als von etwas ganz Neuem sich befruchten ließ. Auch kommt Byron hierbei der Geist der englischen Grammatik zu Statten, welcher ein knappes Zusammendrängen der Begriffe gestattet, weit über das Vermögen des deutschen Sprachgenius. Worte, wie sie Kain für die ätherische Erscheinung Lucifers und den unermesslichen Raum findet, oder wenn Manfred das Kolosseum „a noble wreck in ruinous perfection .. in indistinct decay" und den Staubbach „foaming light" nennt, oder wenn es im „Traum" heißt, ein Gedanke sei „capable of years and curdles a long life into one hour", — sind völlig abliegend von jener griechischen Wortbilderei, mit der Kirchbach die treffende Ausdrucksfähigkeit Greifs vergleicht. Aehnlich wenn Macbeth im Mordmonolog von seinem „Whereabout" redet oder das stumme dunkle Grauen mordschwangerer Stunden in wundersame Bildersprache umprägt:

> „— — Eh die Fledermaus
> Geendet ihren klösterlichen Flug,
> Eh auf den Ruf der dunkeln Hekate
> Der hornbeschwingte Käfer schläfrig summend
> Die nächtige Schlummerglocke hat geläutet,
> Ist eine Tat geschehn furchtbarer Art."

Wir sind nicht sicher, ob die Adepten der Vischerschen Aesthetik dies nicht mit dem vieldeutig dehnbaren Begriff „Rhetorik" begaben. Jedenfalls hat Greifs Sprache mit dieser englischen Schule naturalistischer Naturbetrachtung nicht die entfernteste Aehnlichkeit. Um so mehr mit einem britischen Barden, der gleich ihm voll elegischer Entsagungsweihe sich in das Anschauen der Natur versenkte. Wir meinen keinen Geringeren als Ossian — den heut von der unreifen Philologenästhetik weit unterschätzten Macphersonschen Pseudon-Ossian. Wir wissen nicht, ob Greif sich mit diesem echten Geweihten unmittelbaren Naturgefühls näher beschäftigt hat. Jedenfalls wird er dort Töne finden, die seinen bedeutenderen Ansätzen eines durch Schmerzüberwindung gesteigerten Lebensgefühls entsprechen.

Werfen wir einen Gesammtblick auf Greifs Dichtertum. Sprudelnde Lebenskraft wird vermißt. Selten labt überströmender Humor, von feuchtfroher Kneipfidelität bis zu dämonischer Lustberauschung oder sonniger blumiger Heiterkeit. Nirgends schmetternde Drometenstöße,*) nur schmelzende Flötentöne. Nirgends süddeutsche „Gemütlichkeit", nur ein virtuoses weihevolles Pflegen des „Gemüts".**)

Aber wie leuchtet Alles in seinem Innern mit, wenn der Dichter die Natur begrüßt, und mit welch sinnlicher Begreiflichkeit, welch echtem Naturalismus betont er die Wechselbeziehungen zwischen Mensch und Natur! Hier schimmert oft eine unmittelbare Frische in jedem Wort, wie Tau auf dem Haidekraut. In warmer unerschöpflicher Fülle fließt melodische Musik aus des sinnenden Hartners Brust, unter monderhellten Wäldern und unter sternenklarem Himmel. Jede Pflanze möchte mit ihm reden, ihm ihr Geheimnis anvertrauen. So plaudert der Dichter mit der Schöpfung und zwar in einer wortmalenden Sprache von klarer Bündigkeit.

Allerdings wird diese von den Greif-Priestern so übermäßig gepriesene Wortmalerei durch gar enge Schranken begrenzt. Greifs Sprache ist biegsam und symmetrisch — lebendig und nervig ist sie nicht. Seine Form liebt knappes Zusammendrängen, prägnante Kürze. Aber selten oder nie entrollt er mit eins die seelische Situation, wie die Kunst der großen Lyriker dies halb bewusst halb unbewusst versteht in den

---

*) Mehr auf die prosaischen Wendungen, von denen es wimmelt — eine natürliche Folge des Strebens nach Einfachheit. Ein treffliches Gedicht beginnt: „O Feld, durch einen Tag berühmt geworden!" Ein anderes endet pathetisch: „Von Stund an bessert' er sich!" In „Schauer der Einsamkeit" (S. 60) heisst es: „Das Herz darüber eher Schreck verspürt!" — Das nennen die Herren dann anti-rhetorisch. — Für Norddeutsche klingt auch manches befremdend, so z. B. „Der Himmel fabelhaft erglüht" — wie bei uns ein Lieutenant oder Kommis sagen könnte.

*) Charakteristisch ist „Auf dem Schlachtfeld von Wörth" (S. 301). Welch mattes Geklage!

**) Nicht ohne verhaltene Leidenschaft. Siehe z. B. „Sunnwendnacht" (S. 263).

meisterhaften Lied-Introduktionen, welche in der Lyrik der dramatischen Exposition entsprechen. „Aus alten Märchen winkt es hervor mit weißer Hand“, „Ich weiß nicht, was soll es bedeuten“ und vieles Aehnliche von Heine, Goethe, Burns wird dem Verständnisvollen den Schlüssel dieser Andeutung liefern. Die unergründliche Zaubertiefe, welche die Greifianer in Versen wie:

„Auch Du bist wirkendes Licht,
Prangender Mond“

suchen und finden — eine Zaubertiefe, in welche oft ihr gesunder Menschenverstand klaftertief zu versinken scheint — vermag uns für den Mangel an Schwung, inhaltlich wie formell, bei Greif nicht zu entschädigen.

Dass die Sangesquelle bei ihm spontan hervorsprudelt, darüber darf kein Zweifel obwalten. Dennoch möchten wir nicht auf den äußerlich oberflächlichen Eindruck hin behaupten, dass er singe, wie der Vogel singt, der in den Zweigen wohnet. Greif ist ein sehr bewusster Kunstlyriker*) und dem Unbewussten seiner echt dichterischen Anschauung haftet etwas Gekünsteltes an, das nach Manier und Schablone schmeckt. Goethe gelangte bekanntlich durch Anlehnung an das Volkslied zur Meisterschaft. Seither glaubt man sich künstlich den naivherzlichen Volksliedton anquälen zu müssen.

Von dem an sich richtigen Grundsatz ausgehend, dass das Einfache das Schöne und dass die Sprache der heiligen Einfalt auch die der Naturwahrheit sei, begeistert sich Greif für alles Primitive. Seite 331 kopiert er „Walther von der Vogelweide“ und die „Geisterstimme“ dieses Mittelhochdeutschen klingt für ein aufmerksames Ohr nicht selten in diese moderne Naturlyrik hinein. Seite 208 finden wir gar ein Lied der „Kreuzfahrer auf der Donau“, das in seiner plumpen Simpelhaftigkeit wahrhaftig wie die getreue Uebersetzung eines authentischen Liedes jener Zeit wirkt.

Greif ist Lyriker im eigentlichsten Sinne des Wortes, ein Lied-Sänger von Gottes Gnaden. Somit in enge Formen gebannt, der Auslebung höherer dichterischer Aufgaben verschlossen, zu ausreichenderer Motivierung in Epik und Drama sich nicht erhebend. Trotz der üppigen Fülle seines Liederreichtums fehlt es an Vielseitigkeit. Man kann nicht sagen, dass Greifs Herz eine Harfe sei, auf welcher alle Saiten des menschlichen Gefühls zugleich ertönen. Wohl ist er geschützt davor, dass vom Erhabenen bis zum Lächerlichen bei ihm nur ein Schritt sei, weil er Beides überhaupt nicht umfasst; nur ein Gebiet beherrscht er mit vollendeter Meisterschaft und in allen Variationen: Das Elegische. Und so liegt denn die Summe dieses feinen Empfindungslebens, überreich in all seiner Einseitigkeit, verborgen in jenen „Elegieen“ (S. 339—44), in welchen der Schmerz um eine geliebte Todte sich zur Verklärung durchringt.

Die Wolke, die über die bayrische Berghalde zieht, birgt erfrischenden Regen, dessen Tropfen aus Wiesengrün und Blumenflor einen erhöhten Balsam entlocken. Das ist Martin Greifs Poesie.

Aber sie birgt auch den Blitz, der über die blauen Gipfel zuckt und majestätischen Donner hinrollt über die zitternden Täler. Und dieser Blitz, dieser Donner ist jenes Einzige und Höchste, was Greifs Dichtertum von der Natur versagt blieb.

*) Der selbst Heinesche Lazzis nicht verschmäht. Siehe das bekannte „Es wackeln drei weiße Gänse“ und das manierierte „An der Eisspitz“.

Charlottenburg. Karl Bleibtreu.

Sprechsaal.

Dresden, den 13. November 1886.

Löbliche Redaktion!

Ich ersuche Sie um gefällige Aufnahme der nachstehenden Berichtigung.

Der Artikel, den Ihr Herr Mitarbeiter Alfred Friedmann in Nr. 45 Ihres geschätzten Blattes unter dem Titel „Pia de Tolomei“ veröffentlicht, enthält eine Reihe unzutreffender Angaben.

1. Ich habe niemals gegen Georg Ebers getoastet.

2. Was Herr Friedmann bezüglich seines „bescheidenen Briefes“ bemerkt, verhält sich durchaus anders. Ich war verreist; die Antwort, dass er sich bis zu meiner Rückkehr gedulden möge, empfing er von meinem Sekretär oder sonst einer mich vertretenden Persönlichkeit, die autorisiert war, die an mich gelangenden Zuschriften zu eröffnen.

3. In der Vorrede zu „Pia“ heißt es wörtlich: „Die Fabel der vorliegenden Erzählung beruht in ihren Grundzügen auf historischer Ueberlieferung, nicht auf freier Erfindung.“ Diese Vorrede jedoch war schon im Juli 1886 gedruckt. Eine Zeitungsnotiz, der zufolge mein neuestes Werk nicht auf freier Erfindung beruhe, kann daher nicht von dem mir später — („jüngst“) — zugegangenen Briefe des Herrn Alfred Friedmann influiert worden sein. — In illustrierten Blättern sind Vorreden zu Novellen nicht üblich.

4. Herr Friedmann irrt sich, wenn er behauptet, dass in meinen Karzergeschichten Figuren vorkommen, „die bereits in England verstorben sind“.

5. Das Gleiche gilt von seiner Behauptung: die Vers-Tragödie von Charles Marenco habe mir als Quelle gedient. Vielmehr habe ich das französische Trauerspiel nicht zu Gesicht bekommen. Die von ihm eruierten Aehnlichkeiten erklären sich ganz natürlich aus der Identität des Stoffes. — Die Familie der Tolomei ist eine alttoskanische; Prunkgeräte, mit ihrem Namen versehen, zeigt man noch heute; so die kostbare Sänfte im Florentiner National-Museum.

Hochachtungsvollst
Dr. Ernst Eckstein.

Litterarische Neuigkeiten.

Eine treffliche Uebersetzung ins Holländische des Romans „Astra“ (Dito und Idem), durch den Herausgeber des litterarischen Blattes „Nederland“, Dr. F. Smit Kleine, erschien in zwei Bänden in Amsterdam bei P. N. van Kampe & Zoon, 1886. Smit Kleine hat die Werke und den Geist Carmen Sylvas zu seinem Lieblingsstudium gemacht und auch poetische Werke von ihr mit tiefem Verständnis übersetzt. Das „Nederland“ brachte in Nr. 3, 1886, eine gedankenvolle und fesselnde Charakteristik der hohen Schriftstellerin.

„Wie gefällt Ihnen meine Frau?“ Novellen und Causerien von Conimor (Berlin, Richard Eckstein's Nachfolger). Der Autor bringt hier fünf Erzählungen in recht spannender Darstellung.

„Londonismen.“ Slang und Cant, alphabetisch geordnete Sammlung der eigenartigen Ausdrucksweise der Londoner Volkssprache, sowie der üblichen Gauner-, Matrosen-, Sport- und Zunft-Ausdrücke, mit einer geschichtlichen Einleitung und Musterstücken. Ein Supplement zu allen englisch-deutschen Wörterbüchern von Heinrich Baumann. Dieses im Verlage der Langenscheidtschen Verlagsbuchhandlung in Berlin erschienene Werk ist für jeden Philologen fast unentbehrlich, auch dürfte es zur weiteren Ausbildung sehr zu empfehlen sein.

„Illusionen und Ideale. Ein Vortrag von Karl Gerok.“ 5. Aufl. Verlag von Karl Krabbe in Stuttgart. — Wenn einer berufen ist, über Ideale zu dem deutschen Volke zu sprechen, so ist es Karl Gerok, der begeisterte Gottesgelehrte und Dichter, der ein langes Leben in den Dienst der höchsten Ideale der Menschheit gestellt hat. Kein Ideal ohne Glauben, kein glücklicherer Idealist als der gläubige Christ, ist die Grundanschauung, von welcher Gerok über Ideale und deren Gegensatz, Illusionen spricht, von welchen aus er die Ideale des Glaubens, der Kunst, der Gesellschaft, des Staates hinstellt. „Die Illusion ist der schöne Schein, der eine unerfreuliche Wahrheit uns trügerisch verhüllt, das Ideal ist die beseligende Wahrheit, hinter dem trüben Schattenspiel der Erscheinungen, die Ideale sind die Sterne, die in wandellosem Glanz auf die Geschlechter herniederleuchten und als Zeugen einer höhern Welt unsere Erdennächte erhellen.“ Das ist der Schlussakkord, in welchen der geistvolle und erhebende Vortrag ausklingt. Niemand wird das kleine Büchlein aus der Hand legen, ohne Geist und Herz durch seine Lektüre erfrischt und erquickt zu haben.

„Schillers Jungfrau von Orleans“, neu erklärt von Dr. G. Fr. Eysell. — Hannover, Carl Meyer.

Alle für das „Magazin“ bestimmten Sendungen sind zu richten an die Redaktion des „Magazins für die Litteratur des In- und Auslandes“ Leipzig, Georgenstrasse 6.

Für die Redaktion verantwortlich: Karl Bleibtreu in Charlottenburg. - Verlag von Wilhelm Friedrich in Leipzig. — Druck von Hesse Herrmann senior in Leipzig.

Das Magazin

für die Litteratur des In- und Auslandes.

Wochenschrift der Weltlitteratur.

1832 gegründet von Joseph Lehmann.

55. Jahrgang.

Herausgegeben von Karl Bleibtreu.

Preis Mark 4.— vierteljährlich.

Verlag von Wilhelm Friedrich in Leipzig.

No. 49. — Leipzig, den 4. Dezember. — 1886.

Inhalt:

Poetische Anschaulichkeit.

Von Otto Ernst.

„Es war ein freundlicher Sommertag; die Sonne sandte ihre goldenen Strahlen auf den breiten Fußweg, der sich zwischen den Bergen von X. und dem Walde von Y. hinzog u. s. w. u. s. w.“ — wer kennt sie nicht, die ewig gleichen Anfangskapitel der unzähligen männlichen und weiblichen Gänseliesel-Romane! Beschrieben wird Alles: Feld, Wald, Wiese, Fluss, Schloss, Dorf, Stadt; aber der Leser sieht — nichts von alle dem! Wenn er den Wald beschrieben liest, so hat er längst das angrenzende Feld aus dem Bewusstsein verloren; hört er von der Wiese, so sieht er vor lauter Wiese den Wald nicht mehr. Ist er mit der unvermeidlichen Beschreibung zu Ende, so hat er ein wüstes Durcheinander von Einzelbildern im Kopfe; ist er ein verständiger Leser, so müht er sich noch eine Zeit lang mit ihnen ab, wirft sie hierhin und dorthin, um sie zu einer fasslichen und behaltbaren Gesammtanschauung zusammenzufügen und wendet sich endlich, nachdem er die mehr oder minder große Erfolglosigkeit seiner Selbstdichtungsversuche eingesehen hat, missmutig zu der Handlung des Romans. Das habe ich selbst erfahren und mir von Anderen als ihre Erfahrung mitteilen lassen. Die genaueste Einzelbeschreibung ist völlig wertlos ohne eine Zusammenfassung, welche das Wesentliche aller Einzelerscheinungen zu einer Gesammtanschauung gruppiert. Eine lange und ausführliche Beschreibung ist nicht an sich schon nutzlos und verwerflich; aber je länger und ausführlicher sie ist, desto schwerer wird jene notwendige Zusammenfassung, und Anschaulichkeit mit Kürze vereint wirkt am eindringlichsten. So meint denn auch Lessing, dass Ariost besser getan hätte, aus den fünf gelehrten Stanzen, in denen er Alcinde beschreibt, das wirklich Schildernde zu zwei poetischen Stanzen zusammenzuziehen. Wer „aus dem Vollen schöpfen“ kann (eine meistens unverstanden gebrauchte Redensart!), der kann schildern.

Die Forderung Lessings, dass der Dichter dem Maler nicht ins Handwerk pfuschen, dass er vielmehr das Nebeneinander in ein Nacheinander auflösen und außerdem die todte Ursache in der lebendigen Wirkung zeigen, also die Schilderung gewissermaßen zur Erzählung umwandeln solle — diese Forderung wird wohl so ziemlich von aller Welt als richtig erkannt und vertreten. Gleichwohl scheinen viele Dichter und viele Leser sich noch nicht der festruhenden seelischen Begründung dieser Forderung und damit auch noch nicht der unumgänglichen Notwendigkeit, sie zu erfüllen, bewusst geworden zu sein. Die unüberbrückbare Kluft zwischen Malerei und Dichtung ist zum Teil dieselbe, welche zwischen sinnlicher Wahrnehmung und bloßer Vorstellung liegt. Unsere Vorstellungen erreichen nun und nimmer die Klarheit und Bestimmtheit der sinnlichen Wahrnehmung. Betrachte ich in diesem Augenblicke ein Pferd, und wende ich mich im nächsten Augenblick ab, um es mir vorzustellen, so werde ich bei möglichst treuer Vorstellungskraft doch nur ein Bild von ungefähr derjenigen Deutlichkeit haben, die mein Spiegelbild im Wasser, die Finger meiner Hand hinter trübem Glase oder hinter einem Stück Seidenpapier aufweisen. Die Vorstellung ist die Fata Morgana, welche aus dem Gebiete des Sinnlich-Fassbaren in die Luftregionen des Seelischen reflektiert wird. Nicht eine armselige Stalltür kann ich mir so vorstellen, wie ich sie sehe. Das heißt: kein Dichter kann als solcher wirklich malen. Wenn er sich dennoch darauf erpicht, die Deutlichkeit des Gemalten erreichen zu wollen, wenn er dem Leser unaufhörlich mit beschreibendem Detail zusetzt, so verlangt er von diesem eine nachschaffende Tätigkeit, deren ein Mensch einfach unfähig ist, und der im Schweiße seines Angesichts sich abmühende Leser, der die eine bestimmte Vorstellung im wahrsten Sinne des Wortes „krampfhaft" festhält (eine ohnehin sehr anstrengende Tätigkeit!) und den Einzelzügen der Beschreibung gehorsam nachzugehen sucht, empfindet diese Beschäftigung bald als eine höchst peinliche und — langweilige.

Aber es kommt für die poetische Beschreibung noch ein weit erschwerenderer Umstand hinzu, und dieser besteht darin, dass wir mit relativ vollkommener Klarheit immer nur eine Vorstellung zur Zeit im Bewusstsein tragen können. Es ist bekannt, dass gleiche Vorstellungen einander verstärken, wie eine Farbe intensiver wird, wenn man sie doppelt oder dreifach aufträgt, und dass entgegengesetzte Vorstellungen, wegen ihres verschiedenartigen Inhalts einander widerstreiten und, weil sie nicht zugleich mit voller Klarheit im Bewusstsein ruhen können, sich gegenseitig verdunkeln. Jeder weiß, dass er, wenn er einen Hund als Ganzes betrachtet, weder den Schwanz, noch die Beine, noch den Rumpf, noch den Kopf in voller Deutlichkeit sieht, ja, dass ihm selbst, wenn er nur den Kopf als Ganzes betrachtet, weder das Auge, noch die Schnauze, noch das Ohr, noch sonst irgend ein Teil desselben als vollständig klare sinnliche Wahrnehmung zum Bewusstsein kommt. Will er die Wahrnehmung, z. B. der Schnauze, zu vollkommener Deutlichkeit erheben, so muss er von allem Anderen absehen, das Gesammtbild des Hundes, sowie die Wahrnehmung aller anderen einzelnen Teile versinkt ganz oder fast ganz „unter die Schwelle des Bewusstseins". In noch höherem Grade gilt dies von der bloßen Vorstellung. Die völlige Klarheit einer Vorstellung schließt jede gleichzeitige völlige Klarheit einer anderen Vorstellung aus, und das Vorhandensein mehrerer Vorstellungen im Bewusstsein zu gleicher Zeit (also auch das Vorhandensein z. B. der Vorstellungskomplexe Hund, Tisch, Landschaft, Gemälde) schließt überhaupt die völlige Klarheit einer einzelnen von diesen Vorstellungen aus. Daraus erhellt, dass das bloße beschreibende Detail dem Leser nur „die Teile in seine Hand" giebt und ihn ohne das „geistige Band" lässt, das doch eben erst die Anschaulichkeit des Geschilderten bewirken soll. Denn „die gleichzeitige Auffassung der Teile eines Bildes kennzeichnet das Anschauliche". (Matth. A. Drbal, Lehrbuch der empirischen Psychologie.) Es ist mir völlig gleichgültig, ob ich die Gemüsebeete oder die Fasanerie oder den Marstall des Grafen Sonndso im Einzelnen genau kenne, wenn ich nicht einen Rundblick auf seinen ganzen Wohnsitz bekomme. Ich will ihn per Luftballon besuchen und aus der Vogelperspektive mit einem Blick das ganze Stück Erde sehen, auf dem der gnädige Herr nistet. Wie oben gesagt, widerstreiten und verdunkeln aber die Teilvorstellungen eines Bildes einander, wenn sie entgegengesetzt sind. Das Grün des Baumes in dieser Landschaft streitet mit dem Blau des Himmels um den Platz in meinem Bewusstsein; ich kann das Grün nicht in vollster Klarheit vorstellen, weil sich mir gleichzeitig das Blau aufdrängt und umgekehrt. Weil ich aber beide, und vielleicht noch viele andere Vorstellungen mehr gleichzeitig in mich aufnehmen will, resp. muss, so können sie nur mit gedämpfter Lebhaftigkeit in mir leuchten. Ihr Gegensatz, durch einmaligen Kampf schon verringert (weil ihre charakteristische Deutlichkeit verringert ist) führt gleichwohl immer wieder zu neuem Kampfe, und dieser, mit der Stärke des Gegensatzes in gleicher Progression an Energie abnehmend wie die beiden Stücke des von dem Affen als Schiedsrichter geteilten Käses, kann naturgemäss nie ganz erlöschen. Deshalb ist bei einer Summe gleichzeitiger Vorstellungen nur ein annäherndes, ein relatives, nicht aber ein absolutes Gleichgewicht erreichbar. Darum ist unsere Seele, wenigstens im Wachen, nie vollkommen ruhig, sondern ihre Vorstellungsmassen sind, auch bei der ruhigsten Anschauung, mindestens in einem beständigen Schweben und Schwanken begriffen wie die um den Gleichgewichtspunkt spielende Zunge an der Wage. Wäre aber jenes relative Gleichgewicht nicht erreichbar, so würde es, wenigstens in künstlerischem Sinne, keine Anschauung geben, wie es denn eine Anschauung im strengsten Sinne des Wortes (ein gleichmäßig und vollständig klares Wahrnehmen des Ganzen und jedes Einzelnen in ihm zu gleicher Zeit) für Menschen überhaupt nicht giebt.

In besonders kurzer Zeit wird nun jenes relative Gleichgewicht, das die Perzeption des Vorstellungskomplexes als Anschauung kennzeichnet, erreicht bei unmittelbarer sinnlicher Wahrnehmung. Jeder wird sich davon überzeugen, wenn er den Versuch, sich eine Landschaft, ein Gemälde, ein Bauwerk, ein ausgestattetes Zimmer selbständig, oder nach den Angaben eines Dichters, oder selbst nach eigener, früher gehabter Wahrnehmung im Geiste zu konstruieren, in Vergleich stellt mit dem seelischen Vorgange beim wirklichen, augenblicklichen Sehen der genannten Gegenstände. In letzterem Falle tritt alles Anzuschauende mit einem Schlage groß und breit vor das Auge des Leibes wie vor das der Seele, und Alles, was die weite Pupille jenes Auges vielumfassend aufnimmt, das muss auch die „enge Pupille des Seelenauges" mit einem Blicke bewältigen. Der Akt des Wahrnehmens vollzieht sich als ein einziger, ungeteilter; der Kampf der entgegengesetzten Vorstellungen entbrennt auf allen Punkten zugleich, und eben deshalb ist er so bald beendigt, eben deshalb wird die Wahrnehmung so schnell zur wirklichen Anschauung eingestimmt. Anders in den vorher erwähnten Fällen. Dort kommt das leibliche Auge mit seinem weiten Sehfelde nicht zu Hülfe, sondern alles Vorzustellende ist auf die beschränkte Sphäre des geistigen Auges angewiesen; darum muss sich der eine, ungeteilte Akt des Wahrnehmens in ein stückweises Nacheinander auflösen; der Kampf der Einzelvorstellungen wird zu lauter Zweikämpfen und Scharmützeln zersprengt, und es kommt schwer oder gar nicht zu einer Gesammtanschauung vor zu starker Bewegung der einzelnen Momente derselben. So werde ich mir bei einer inneren Reproduktion der sixtinischen Madonna bald die Madonna, bald das Kind, bald den Sixtus u. s. w. vorstellen, schwer aber das ganze Gemälde zu malerischer Totalwirkung in mir aufstellen können. Wie schon gesagt, stößt die selbsttätig sich Anschauungen bildende Vorstellungskraft des Menschen auch dann auf diese Schwierigkeiten, wenn sie nach Angaben des Dichters schafft, vorausgesetzt, dass dieser Dichter nicht eben jenes Schilderungstalent besitzt, welches wir weiter unten von einem echten Dichter fordern zu müssen glauben. Nach den Worten einer Dichtung soll man sich aber nicht allenfalls mit Angst und Schweiß eine Anschauung aufbauen können; diese soll vielmehr mit zwingender und überzeugender Klarheit aus jenen dichterischen Worten ungerufen hervortreten. Nach seinen Gedanken mag uns der Dichter, wenn sie von dunkler Tiefe sind, suchen lassen, nicht aber nach Anschauungen. Diese sollen uns ungesucht überraschen, überrumpeln und überwältigen. Wenn man das nicht vom Dichter verlangen dürfte, so würden jene Pensions-Backfische beinahe vernünftig gesprochen haben, die da sagten: „Wir lesen in der Pension keine Dichter; wir dichten selbst."

Die von dem Dichter zu lösende Aufgabe würde nach dem Gesagten darin bestehen, dass er jene gleichzeitige Auffassung der Teile eines Bildes, die das Anschauliche kennzeichnet, auf irgend eine Weise im Leser bewirke. Alle Einzelheiten einer Anschauung bieten sich aber dem Dichter zusammengerafft in der **Wirkung** des Ganzen dar, in der **Stimmung**, die das Angeschaute nach der subjektiven Anlage des Anschauenden notwendig in ihm erzeugt. In diesem Einen, in der Wirkung, laufen alle Fäden der Einzelbetrachtung zusammen. Diese Wirkung soll er dem Leser treu übermitteln, ebenso abgerundet und geschlossen, ebenso blitzschnell und doch so vollständig, wie er sie selbst in sich aufgenommen, und darin besteht die große Schwierigkeit seiner Kunst, wenn er schildert. Hier tritt die Berechtigung jener Phrase ein: „aus dem Vollen schöpfen". Das ganze Bild, welches der Geist des Dichters in **einem** Zuge eingeatmet hat, soll er im nächsten Augenblick (wenn auch subjektiv gefärbt) mit **einer** Bewegung wieder ausstoßen, wie die Charybdis das Wasser der Meerenge mit allem, was darin lebt und webt, einschlürft und wieder ausspeit. Kann der Schildernde **seinen Gesammteindruck** schnell und überzeugungskräftig in ein anderes Gehirn verpflanzen, so vermag er anschaulich zu schildern; denn der Lesende muss alsdann dieser Wirkung ein nach Stimmung und Charakter dem Urbilde ähnliches Bild substituieren, und wenn der Dichter Sorge trägt, das Bild im Leser möchte von dem seinen in den Einzelheiten allzu sehr abweichen, so mag er der Wiedergabe in toto eine Detailschilderung voraufgehen oder folgen lassen; hier wird sie ihre Dienste tun. Keineswegs aber ist das Detail immer nötig. Wenn Schiller sagt:

> „— ein harmonisch hoher Geist spricht uns
> Aus dieser edlen Säulenordnung an —"

so malt sich meine weihevoll gestimmte Phantasie einen erhabenen Säulenbau, mit dem der Dichter zufrieden sein kann, und betreffs dessen es ihm ziemlich gleichgültig sein kann, ob ich mir die Säulen dorisch, ionisch oder korinthisch denke. Wissen wir doch alle aus tausendfacher Erfahrung, dass auch nicht zwei einem dichterischen Urbilde nachgeschaffene Anschauungen photographisch genau übereinstimmen. Jedes selbstgeschaffene Bild hat eine für den Schaffenden gerade anheimelnde und reizvolle Subjektivität; ich **will** mir eben das Bild des Dichters nach meiner individuellen Veranlagung gestalten (ohne natürlich die Absicht des Dichters zu verletzen), und in der Verhinderung dieses Selbstschaffens von Bildern mit individueller Würze liegt außer in anderem die riesengroße Dummheit der Illustrationswut.

Eine Schilderung wie die geforderte beruht, wie Nordau in seinem „Paris unter der dritten Republik" sehr richtig bemerkt, auf „anthropomorphischer Belebung des Todten," sie setzt eine „Metaphysik der leblosen Dinge" voraus, und der Dichter muss als anschaulich Schildernder — diesen Ausdruck gebraucht Nordau mit Bezug auf Zola — ein „Psycholog der unbelebten Welt" sein. Was als seelischer Abglanz der Dinge in ihm wirksam ist, das legt er dem Dinge an sich als ureigenstes Attribut bei. Das ist die Stelle, wo der große Dichter sterblich ist für den kleinen Kritiker, namentlich wenn jener die Vermessenheit hat, als Anfänger und mit nie gehörtem Namen schon bedeutend zu sein. Hier entstürzen dem voll quellenden Geiste des Genies jene Kühnheiten, die der engbrüstige Nörgler Stück für Stück mit großer Bravour ins Lächerliche ziehen kann, weil er selbst ein ästhetischer Hanswurst ist. Die Verquickung der Wirkung, der Tätigkeit mit ihrem Substrat: das ist die Fähigkeit des großen deskriptiven Talents. Der unbegabte Beschreiber schleppt mit rührender Ameisengeschäftigkeit einen Berg herbei, pflanzt ein Schloss darauf, pappt links einen Sturzbach, rechts eine Matte, vorn ein Stück

Wald und hinten sonst noch etwas daran und — siehst du wohl? Das Bild ist fertig! Das ist der Vorgang bei seinen geistigen Geburten auf dem Gebiete der Schilderung, „das ist die Art, wie er sich soulagiert". Die Furcht vor etwaiger subjektiver Beimischung wäre grundlos. Die aufgestellten Dinge nehmen sich so verdammt objektiv und nüchtern aus, dass sie für leibhaftige „Dinge an sich" gelten könnten. Ein Beispiel aus dem Erstlingswerke eines jungen Dichters, das mir augenblicklich zur Besprechung vorliegt. Der „Dichter" beschreibt eine Burg auf einem Felsen.

„Wohl an die hundertfünfzig Ellen
Hebt ob der Bächlein Silberwellen,
Die froh umspielen seinen Fuß,
Der Hügel sich in schroffem Schuss
Zweiseitig auf zur Höhe.
Die andern Seiten flach sich senken
Und mit dem Bromsberg sich verschränken,
Dess' wilden Waldes dicht Geäst
Dem Lichtstrahl kaum den Durchgang lässt,
Geschweige Feindes Völkern.
Ums Felshaupt zieht nun gleich 'nem Kranze
Sich wohlgefügt die Pfahlwerkschanze,
Dahinter ragt der Wall im Rund,
Dann — senkrecht ab in Grabes Grund
Auf fünfzehn Ellen Tiefe u. s. w."

Wer bei dieser klaren, sachlichen Auseinanderlegung ein Bild im Kopfe hat, bezahlt einen Taler! Was dagegen ein Vollblutdichter mit wenig Worten zu malen vermag, das hat noch vor Kurzem G. Cristaller in diesen Blättern an einem Gedichte von Reinhold Lenz gezeigt. Auch Goethes „Ueber allen Wipfeln" wurde dort erwähnt. Goethe (der noch nicht „klassisch" gewordene) erscheint mir unter den Deutschen als der zaubermächtigste Schilderer. Der erste Teil des „Faust" bietet (u. A. auch in besonders hohem Maße die „Walpurgisnacht") eine geradezu üppige Fülle von Anschauungen. Vischer weist in seinem Kommentar u. a. auf die großartige Doppelzeile hin:

„Wie traurig steigt die unvollkommne Scheibe
Des roten Monds in später Glut heran,"

eine Stelle, die nur als eine unter vielen gleichwertigen dasteht. Wer läse nicht mit schauerndem Entzücken die Schilderung von den Wirkungen der Windsbraut in der „Walpurgisnacht", die Worte Fausts über das Spiel der Beleuchtung in den Klüften und an den Wänden des Berges; wer konnte uns den ganzen tollen Zauberspuk des Hexensabbats, das mystische Halbdunkel vieler Partieen des Faust-Stoffes so luftig-greifbar, so schattenhaft-körperlich, so gespenstisch-natürlich vors Auge rücken, ohne uns im Einzelnen etwas Genaues zu sehen und zu verstehen zu geben — wer so wie Goethe! Unter seinen Händen gerinnt selbst das Uebernatürliche zu Schauenslust nährender Körperlichkeit, zu packender visionärer Augenweide; so in den Worten des Erdgeistes, so auch im Gesang der Erzengel. Und wieder braucht er seinen Faust im Zimmer Gretchens nur sprechen zu lassen:

„Ich fühl, o Mädchen, deinen Geist
Der Ruh und Ordnung um mich säuseln,
Der mütterlich dich täglich unterweist,
Den Teppich auf den Tisch dich reinlich breiten heißt,
Sogar den Sand zu deinen Füssen kräuseln."

so umweht derselbe Geist der Ruhe und Ordnung auch uns, und vor uns steht das wundersam heilige Paradies, das eine Frauenhand aus einer engen Kammer geschaffen. Auch mit Einzelheiten!

Es kann nicht in meiner Absicht liegen, an dieser Stelle ellenlang weiter zu citieren oder gar die Wunderwerke wahrhaft anschaulicher Poesie analytisch zu zernagen. Dieser Artikel ist nicht so vermessen, Professor Beyerschen Unterricht in Poesie geben zu wollen. Es war mir nur darum zu tun, die poetische Beschreibung psychologisch zu beleuchten, eine feststehende und grundlegende Forderung für dieselbe zu finden und namentlich die falschen Wege zu kennzeichnen, die bei deskriptiven Versuchen immer und immer wieder breitspurig betreten werden. Die Theorie des Schrifttums und überhaupt die Aesthetik hat ihre größte Stärke und ihren größten Nutzen in negativen, vorbeugenden Erörterungen. Soll ich aber die Absicht dieses Artikels einreihen in den Schlagwörterkampf der Gegenwart, so bemerke ich, dass ich in der geforderten Manier des dichterischen Schaffens ein Kennzeichen des echten Realismus erblicke, der kein Gegner, sondern ein wahrer, ehrlicher Freund, ein natürlicher Bruder des Idealismus ist, weil er die poetiche Wahrheit nicht lächerlicherweise in den Dingen selbst, sondern in der Art unserer Beziehung zu den Dingen sucht.

Siamesische Märchen und Sagen.

Nach den Erzählungen eines Siamesen wiedergegeben von J. Isenbeck.

Die Veröffentlichung einiger siamesischer Märchen und Lieder in dem Feuilleton eines hervorragenden deutschen Blattes, die mir durch langjährigen Verkehr mit jungen Leuten aus dem Reiche des weißen Elephanten ermöglicht wurde, hat in weiteren Kreisen Interesse erregt. Es hält schwer, die misstrauischen, dem Europäer gegenüber so sehr scheuen Söhne jenes fernen Landes zum sich Aussprechen über ihre Kindheit zu bringen. Und dort, wie ja auch bei uns, lebt das Märchen, die Sage, besonders in der Kinderstube. Durch Schrift und Druck ist aus dem reichen Vorrat siamesischer Ueberlieferung erst wenig bekannt geworden; um eine Sammlung der litterarischen Denkmale seines Volkes hat sich Prabaht Somdetch Pra Paramendr Mahah Chulahlong-Korn Klow, der jetzige König von Siam, selbst ein Dichter von Talent und Empfindung, während seiner Regierung (seit 1868) besonders verdient gemacht.

Von den Mären und Sagen, die mir erzählt wurden, versuche ich hier noch ein und das andere wieder zu geben und beginne mit der

Sage von dem Todtenkopf.

Im Jahre 889 der Chula Aera (1528 nach Christo) wurde Pra Yant Fah auf den ersten Tron von Siam gesetzt. Damals wusste man von dem goldenen Bangkok noch nichts; in Ajuthia, das jetzt in Trümmern liegt, wohnten die Könige und die Großen. Pra Yant Fah war erst elf Jahre alt, aber klug und verständig wie ein Mann. Sein Vater Somdetch Pra Chai Rahch'ah, von dem er das Reich erbte, war getötet und ihm selbst trachteten auch die Mörder nach dem Leben von seinem ersten Tage an. Kun Warawongsah-tiraht, ein tapferer Heerführer, sagte, dass er den jungen König beschützen wolle und zog deshalb mit allen seinen Frauen und Kindern, mit seinen Dienern und Elephanten in den Palast des Herrschers. Aber Kun Wara war ein böser Mann mit einer schwarzen Seele. Er dachte nur daran, wie er den jungen König bei Seite schaffen und selbst König werden könne. Er würde den Mord schon früher ausgeführt haben, wenn seine Lieblingsfrau, die fromm und gottesfürchtig war, nicht alle seine Anschläge immer vereitelt und den Herrscher auf dem Tron beschützt hätte, wie ihr eigen Kind. Zwei Jahre lang hatte Kun Wara so die Macht gehabt und vergeblich nach den königlichen Ehren getrachtet, als er eines Tages auf die Jagd ausritt. Kühn und mutig war er wie kein Anderer und auch bei jenem Jagdzuge verfolgte er einen Tiger — diese Bestien mit dem feurigen Blick waren damals häufiger als heute — ganz allein, um ihn zu töten. Als er seine Beute erlegt hatte und das mächtige Tier überwunden zu seinen Füßen, das gelbe Fell vom Blute rot, sah, da bemerkte er erst, dass von seinen Gefährten und Dienern Niemand mehr in der Nähe war. Nun suchte er einen schattigen Platz, um zu schlafen, denn die Sonne stand brennend und heiß am Himmel. Ohne Furcht schlief Kun Wara allein in der Wildnis, den Kopf auf den toten Tiger gelegt, so ruhig wie ein klein Kind in seinem Schaukelbett in der Hütte der Mutter.

Als er dann wieder erwachte, da sah er vor sich ein junges schönes Weib, das zu seinen Füßen kniete. Nur wenige Lumpen verhüllten den Leib, der schlank und fest war wie ein Bambus und doch schmiegsam, wie eine Blumenranke. Auf der Haut lag ein Schimmer wie von Elfenbein, das Haar war lang und dicht und fiel auf den Rücken wie ein schwarzer Schleier. Wie eine Lotosblume, wenn die Knospe aufbrechen will, so glänzten ihre Lippen rosig und schön.

„Wer bist du? — Was willst du?“ fragte Kun Wara, als er sich von seinem Erstaunen wieder gesammelt hatte.

„Ich bin ein armes Mädchen, ich habe nicht Vater noch Mutter und kein Haus, keine Wohnung. Aber ich bete dich an und küsse deine Füße, denn du bist der Große, der Mächtige, den Gott gesandt, dass du dich meiner annimmst in der Not!“

Und Kun Wara nahm sich der Schönen an; er führte sie in des Königs Palast und gab ihr ein Panung von Seide, mit Gold reich gewirkt, und ein rotes Pahan, dass sie sich kleide. Da wurde die Arme noch schöner und sie leuchtete wie ein Licht vor einem Spiegel mit all den Goldketten und edlen Steinen, die ihr Kun Wara gab. Nach wenigen Monden war Kananda, so hatte Kun Wara die Geliebte genannt, die erste unter seinen Frauen; die Anderen mussten vor ihr zurückstehen und ihr dienen, obgleich sie Alle aus edlem Geschlecht waren. Dadurch wurde Kananda immer stolzer und wenn Kun Wara sie bisher um ihrer Schönheit willen geliebt hatte, so liebte er sie jetzt noch heißer, noch glühender um ihres Stolzes willen.

An einem Abend saß Kun Wara mit Kananda am Ufer des Me-nam und labte sich an der erquickenden Kühle. Wie trunken sah er in ihre Augen, die ihm schöner und glänzender leuchteten wie der Spiegel des Stromes, der des Mondes Licht silbern widerstrahlte; ihre Schönheit dünkte ihm herrlicher, denn die der Pfauen, die vor ihnen ihr farbiges Gefieder entfalteten. Beide schwiegen. Aber während Kun Wara nur an die Schöne dachte, überlegte Kananda, wie sie zu immer größeren Ehren gelangen könne. Da flog ein Reiher auf, höher und höher zum sternfunkelnden Himmel und dann mit schnellem Stoß wieder nieder auf eine Holztaube, die sich auf ihrem Wege zum Nest verspätet hatte. Kananda klatschte in die Hände und rief: „Glück und Heil dem Kühnen, der sich nimmt, was er haben kann, der nicht umher kriecht in Staub und Moder, sondern seine Schwingen gebraucht und so hoch steigt, wie sie ihn tragen!“

Da stand Kun Wara auch auf und sprach: „Dem Vogel hast du zugerufen, aber mich hast du gemeint. Ich will dir zeigen, dass ich nicht weniger wert bin, denn ein Reiher!“

Noch lange sprachen die Beiden an dem Abend; aber zwischen das Liebesgeflüster tönten grause Worte von Königsmord.

Und dann kam eine Nacht, in der Kun Wara und Kananda an das Lager des schlafenden Königs Pra Yant Fah schlichen. Das Weib reichte dem Manne einen langen spitzen Dolch, den stieß er tief hinein in das geschlossene Auge des Königs, dass die junge Seele mit einem lauten Seufzer dem Munde entfloh. Am nächsten Morgen hieß es, Pra Yant Fah sei an einer bösen Krankheit gestorben. Kun Wara ließ ein Pramene*) mit einem Pra Bentscha**)

*) Gebäude von Holz, in und mit dem die königliche Leiche verbrannt wird!

**) Der eigentliche Katafalk, auf dem der zu verbrennende Körper eines verstorbenen Königs ruht.

erbauen, wie man es vorher nie gesehen. Viele, viele tausend Tikals*) Wert ließ er an Gold und Silberplatten am Pramene und Pra Bentscha anbringen. So wollte er zeigen, wie ein toter König geehrt werden muss, damit man ihn, den lebenden König, um so mehr ehre. Denn er, Kun Wara, war nun König an Pra Yant Fahs Stelle und er tat nur das, was Kananda wollte. Aber Kananda liebte ihn nicht mehr. Sie hatte Pirena-t'ep gesehen und ihn schöner und kräftiger gefunden, als ihren Herrn und Gatten, den König. Da sprach sie zu Pirena-t'ep: „Du sollst der Herr sein über Siam und über Kananda. Ich will dir helfen, dass du Kun Wara tust, wie er selbst Pra Yant Fah getan hat!" Pirena-t'ep hörte nun, wie der König im Schlafe ermordet sei und er rief alle seine Freunde zusammen, damit sie den Mord rächten. Und Kun Wara wurde gefangen genommen, wenn er sich auch verteidigte wie ein Löwe. Blutend aus vielen Wunden, alle groß und tief, erhielt er endlich den Todesstoß von Pirena-t'eps Hand. Alles Volk jubelte dem strafenden Sieger zu und Niemand hätte ihm widersprochen, wenn dieser sich jetzt die Krone auf das Haupt gesetzt hätte.

Aber Pirena-t'ep war nicht nur schöner und kräftiger, sondern auch edler und besser, denn Kun Wara. Er nahm die Krone nicht, sondern gab sie dem Pra Tean Rahchah, einem Vetter des ermordeten Königs Pra Yant Fah.

Kun Wara war nur fünf Monate König gewesen. Sein Name wird in der Reihe der glorreichen Herrscher Siams nicht genannt. Vergessen soll er sein, ruhelos soll seine Seele umherwandern.

Und Kananda? Alle Diener im königlichen Palast und alles Volk in Ajuthia suchte sie. Wer sie gefunden, der hätte sie gewiss getödtet, denn da war nicht Einer, der sie nicht wegen ihres Stolzes und wegen ihres Hochmuts hasste. Aber Kananda war geflohen, mitten in der Nacht, als Kun Wara die gerechte Strafe fand. Nur ein altes schwarzes Panung hatte sie mit sich genommen, sonst kein Kleid, keine Schuhe und kein Geld. So lief sie fort und immer weiter und weiter durch Wälder und Sümpfe, bei Tag und bei Nacht, in Sonnenglut und in Sturm und Regen. Sie fühlte nicht, dass ihre Haut in Hitze und Kälte rauh und hart wurde, dass ihre Haare wirr, wie die eines wilden Tieres, von ihrem Kopfe herabhingen — sie fühlte nicht, dass ihre Füße wund und blutig wurden, dass die Dornen ihren Leib zerfleischten. Immer weiter und schneller musste sie laufen. Und wenn ihre Beine zusammenbrechen wollten, wenn ihre Brust kaum noch einen Atemzug tun konnte, dann fand sie doch keine Ruhe. Ihren Hunger stillte sie, indem sie laufend Beeren und Kräuter abstreifte und verschlang, ihren Durst löschte sie, indem sie laufend mit der hohlen Hand aus Flüssen oder Seen Wasser schöpfte und dann ihre brennenden Lippen netzte. Wer sie so sah, der glaubte einen bösen Geist zu sehen und eilte in seine Hütte, die Tür fest verschließend. So ist Kananda gelaufen viele, viele Jahre lang. Ihr Haar wurde weiß und ihr Leib welk und alt, Niemand sah noch eine Spur von ihrer früheren Schöne.

Wie oft Kananda die Sonne schon hatte auf- und untergehen sehen, seit sie aus Ajuthia geflohen war, wissen wir nicht. Aber eines Tages kam sie mitten in der Wildnis an einen halbzerfallenen Tempel, vor dessen Tor ein alter Priester saß. Als der das Weib erblickte, sprach er einen heiligen Spruch und bannte damit Kananda, dass sie stehen bleiben musste. Aber anschauen konnte sie den frommen Mann nicht, ihre Augen blickten starr zu Boden.

„Was suchst du, o Weib?" fragte der Priester.

„Siehst du da den Todtenkopf? Den muss ich haben!" antwortete Kananda. „Er rollt immer vor mir her und ich kann ihn nicht fassen. Je schneller ich laufe, um so schneller rollt er. Das eine Auge ist ausgestochen und das andere muss ich auch ausstechen!"

Da merkte der Priester, dass das Weib zur Buße für eine schwere Schuld rastlos umherziehen musste, dass die Geister der Rache sie trieben und ihr den Todtenkopf, den keines anderen Sterblichen Auge sehen konnte, vorhielten. Er sprach ein Gebet für die Verdammte und ging in den Tempel um zu opfern. Sobald Kananda wieder allein war, hatten die Geister wieder volle Gewalt über sie. Sie stieß einen schrillen Schrei aus und lief weiter; nicht Berge noch Sümpfe konnten ihren Lauf hemmen. Sie musste dem Todtenkopf folgen, bis ihre Buße vollendet war.

So ist Kananda gelaufen viele, viele Jahre lang.

Einst wurde vor den Toren der Stadt Ajuthia ein Mörder hingerichtet. Der Verbrecher saß auf der Erde, die sein Blut trinken sollte, sein Haar war abgeschnitten, sein Leib war an die Pfähle gebunden. Nun trat der Henker zu ihm und verstopfte ihm die Ohren und die Nase. Als das scharfe Schwert in der Sonne blitzte und funkelte, da kam ein nacktes, altes Weib durch die Menge des zuschauenden Volkes und schrie ohne Aufhören: „Der Todtenkopf — der Todtenkopf!" Jeder fürchtete sich vor diesem Weibe, Alle traten bei Seite. So konnte die schreiende Alte, deren Körper nur noch aus Knochen, Sehnen und Haut bestand, wie durch eine Gasse bis dicht vor den Richtplatz laufen. Jetzt trennte der Henker mit einem Hieb das Haupt des Verurteilten vom Rumpfe und der Kopf rollte bis vor die Füße des alten, nackten Weibes. Hoch auf jubelte das Weib, fasste den Kopf und bohrte seinen Finger tief in das eine Auge desselben, dann sank es um und war todt.

Kanandas Buße war zu Ende — sie hatte den Todtenkopf erfassen können.

*) 1 Tikal = ca. 3 Mark.

Jakob.

Es stand ein Mann allein am Jabboksufer,
Noch war die Flut bewegt zu seinen Füßen
Vom Huf der Herde, die das Wasser trübte, —
Der Mann hieß Jakob! Spähend flog sein Auge
Weit in die Ferne: Jener helle Streif,
War's noch der weiße Mantel seiner Reiter,
Der im Entschwinden flatternd ihn noch grüßte?
Er trog sich wohl, es war des Nebels Schein,
Der jenseits wogend aus der Heide stieg,
Verhallt war längst der Stimmen bunt Gewirr.
— Er war allein — und leise senkte sich
Das Dunkel nieder, leise stieg's herauf
Und nahte sich im feuchten Nebelschleier!

„Was stehst du, Jakob, zagend an der Grenze?
Was zögert noch dein Fuß? Winkt nicht das Land,
Das Land der Väter dir in Segensfülle?"
— Lautlose Nacht, du redest eine Sprache,
Sternleere Nacht, du lösest uns den Blick —
Zurück und vorwärts sieht er und erschrickt!
„Es steht dein Bruder lauernd an der Grenze.
Dein Gut, dein Weib, du selber bist gefährdet!
Gefährdet? Heb' die Hände zum Gebet,
Zu Gott hier flehe um Errettung!"
Er beugt die Kniee, küsst den Ufersand
Und blickt empor zum sternenlosen Himmel.
„„Du großer Lohn und Schild des Abraham,
Du Trost und Licht des blinden Isaak,
Jehova, Gott der Väter, hilf mir auf!
Doch welche Stimme raunt im tiefsten Herzen
In mein Gebet ein zweifelndes Warum?
Warum soll Gott mir helfen? Steigt ihr auf,
Ihr Bilder der Vergangenheit? O lasst mich,
Verschwindet, denn ich kenne eure Macht!
Ihr bleibet doch und schenkt mir keinen Frevel:
Das Recht der Erstgeburt, erkauft, erlistet,
Der Segen, abgelogen einst den armen,
Den nächt'gen Augen meines alten Vaters,
Und der Betrug in Labans Haus, und dann
Das wilde Sehnen hier in meiner Brust,
Den eignen Weg zu wandeln, ich allein
Mein Lenker nur und ich allein mein Gott!
Bild, das in Zügen sündiger Entartung
Mich grausend anstarrt, sage mir, bin ich's?
O Qual der stummen und beredten Antwort,
Ich bin's, ich bin's!"" — „Du bist's!" Und wie er sich
Zur Seite wandte, war er nicht allein.
Es war ein Mann, nicht mehr erschien er ihm,
Der ihm das Wort entgegenhielt: du bist's!
Und wie ihn Jakob staunend, fragend maß,
Da blitzte ihm mit richterlichem Ernst,
Mit Strafgewalt des Klägers Aug' entgegen,
Dass ihm das Herz in Schreckensangst erbebte
Und jede Fiber schrie doch auch nach Kampf,
Das Urteil, das verdammende, zu beugen;
Er maß den Andern, warf sich ihm entgegen
Und bange schwüle Nacht war um sie her!

Es war ein Ringen wunderlicher Art!
Kraft gegen Kraft, um Leben oder Tod,
Die Glieder rangen und die Pulse flogen
Und fieberisch erglühten Jakobs Wangen;
Und wie sein Leben in der tiefsten Wurzel
Erschüttert wurde, wog auch seine Seele
Gleichwie der Sterbende im Todeskampfe.
Und wie erbarmungslos die Meeresflut
Dem müden Fischer folgt von Riff zu Riff
Und brausend auch die letzte Scholle raubt,
So raubte ihm die Sünde, seine Sünde
Den letzten Grund und ließ ihn ganz allein,
Allein, ein Nichts dem Feinde gegenüber.
Da ward's ihm klar: der Andre war sein Gott,
Der eifrige, der Gott des Rächerzorns,
Und doch sein Gott, es bot sein Gott ihm selber
In der Verzweiflung Angst den Rettungsanker!
Sein Gott — und fern am Himmel zuckt' es auf
Mit hellem Schimmer —, doch geheimnisvoll
Schien in dem Ringen ihm die Kraft zu wechseln!

„„Und dennoch, dennoch"", schrie es tief im Herzen;
„„Trotz allem Frevel, der mich von dir trennt,
Der mir den Weg ins Vaterland verwehrt,
Trotz meiner Sünden, die gen Himmel schrei'n,
Trotz deinem Namen Heilig, Zornig, Stark,
Mein Gott, mein Gott, du Abgrund des Erbarmens,
Trotz Allem lass' ich dich, ich lass' dich nicht,
Ich gebe mich, gieb du dich, in mir schreit es
Nach deiner Gnade und nach deinem Frieden;
Ich lass dich nicht, du segnetest mich denn!""

Und Gott ergab sich, seine Gnade strömte
Ins sturmbewegte Herz des Gotteskämpfers,
Und Gott ergab sich — hier verstummt das Wort!

Doch an dem Himmel hob sichs morgenrot
Und scheuchte weit die Nacht der Finsternisse,
Und tauig dehnte sich im Frührotschein
Das heil'ge Land in der Verheißung Segen.
Der Gotteskämpfer aber, Israel,
Sah weit dem Mantelsaum des Ew'gen nach
Und sank auf seine Knie und weinte dann
Und Alles atmete und lebte Gnade!

Orleans.

Jeanne Bertha Semmig.

Harriet Martineau.

Lange bevor Frau Gottsched schrieb und Luise Karschin dichtete, gab es im nebeligen Albion Frauen, die sich ausschließlich mit der Litteratur beschäftigten und durch ihr Lob und ihren Tadel anregend auf die Männer einwirkten. Blaue Strümpfe haben diese Damen nie getragen, nur weil ein Herr ein Mal in ihrem Kreise in dieser Fussbekleidung erschien, gab man ihren Zusammenkünften eine solche Benennung, die sich dann, bis auf den heutigen Tag, auf alle gelehrten Frauen erstreckt hat.

Wenn England das Land der Blaustrümpfe genannt wird, so geschieht es, weil dort die Frau an den geistigen Arbeiten des Mannes Teil zu nehmen bemüht ist. Auf jedem Gebiete des Wissens, in allen sozialen Fragen, wird ihre Stimme vernehmbar sein, und gehört werden. Où est la femme? fragt man in Frankreich, und weit mehr dort, wenn auch in anderem Sinne.

Unter den vielen bedeutenden englischen Schriftstellerinnen ist Harriet Martineau eine ganz eigenartige Erscheinung, weil sie sich vorzugsweise mit Staatswissenschaft beschäftigt hat, ein Fach, das vor ihr noch keine Frau kultivierte. Sie gehörte einer Bürgerfamilie an, die, als Ludwig XIV. das Edikt von Nantes zurückrief, aus Frankreich herüberkam und sich in Norwich niederließ. Harriets Vater betrieb dort eine Weberei von Bombazin. Er hatte sich mit der Tochter eines Zuckerfabrikanten in Newcastle on Tyne verheiratet und lebte mit dieser in einfacher Behaglichkeit, bis der Tod ihn abrief, und die Wittwe aus dem Geschäfte zu scheiden nötigte.

Harriet war das sechste, war ein kränkliches Kind, dessen Erziehung keine besondere Pflege erfuhr. Was sie lernte, lernte sie aus Büchern, die sie sich mühsam verschaffte. Ihre Mutter sah ihre Beschäftigung damit nicht gern, sie hielt auf das Nützliche, ihre Tage gehörten der Arbeit, zumeist mit der Nadel. Ihr Jugendleben war ein sehr ernstes. Der Kampf um das Dasein trat früh an sie heran, und fand sie in keiner Art dafür vorbereitet. Das hochaufgeschossene, schmächtige, nicht gerade unschöne Mädchen trug nichts von jener Jugendfrische an sich, die man mit la beauté du Diable bezeichnet und war außerdem schwerhörig, ja, man kann sagen taub. Damit auf den Markt des Lebens hintreten und sagen „Gebt mir Arbeit", schien gewagt. Dennoch tat sie es, als harte Notwendigkeit sie dazu trieb.

Ihre Schwestern suchten und fanden ein Unterkommen, als Gehülfinnen der Hausfrau, als Erzieherin, Lehrerin, Bonne, aber sie? — Welchen Posten hätte man ihr anvertrauen können, da sie nicht hörte? — Dass auch der Geruchsinn ihr abging, hätte sich verbergen lassen; aber das Gehör blieb unersetzlich.

Ihre Kränklichkeit hatte sie früh gewöhnt, den Verkehr mit Büchern jedem anderen vorzuziehen. Sie las, was ihr in die Hände fiel. Miltons verlorenes Paradies entzückte sie schon als siebenjähriges Kind. Man hielt das bleiche, stille Mädchen übrigens für wenig begabt und ließ sie unbeachtet gewähren. Ihr liebster Austausch war mit ihrem zwei Jahre jüngeren Bruder James, dem späteren berühmten unitarischen Kanzelredner. Sie hatte ihr zwanzigstes Jahr zurückgelegt, als sie, um den Kummer über seine Abreise zu beschwichtigen, sich in ihrem Stübchen einschloss, und einen Artikel schrieb, der die vernachlässigte Erziehung behandelte. Sie sandte ihn an das „Monthly Repository" und unterzeichnete ihn Discipulus. Er ward angenommen, und sie wurde aufgefordert, weitere Beiträge zu senden.

Damit war der erste Schritt getan und — il n'y a que le premier pas, qui coûte.

Ein Jahr darauf gab sie ein Bändchen heraus, „Devotional Exercises" betitelt, das mancherlei Betrachtungen enthielt, die ein junges Gemüt erbauen und erheben können. Der Grundgedanke darin war, die beste Religion sei die, welche zu tätiger Nächstenliebe führt, eine Ansicht, der sie während ihres ganzen Lebens treu geblieben ist. Die Unitarier, deren Kirche die Martineaus angehörten, erklärten sich mit dieser Ansicht einverstanden.

Von da an versuchte sie sich auf den verschiedensten Gebieten, auch in Erzählungen; aber ohne bedeutenden Erfolg. Doch lernte sie dabei, ihr Stil bildete sich, sie wurde Herrin der Form. Die erste längere Novelle nannte sie „Principle and Practice." Sie behandelte darin die Lage eines jungen Mannes, der das Unglück hat lahm zu werden. Vielleicht dass ihre Taubheit ihr dies Thema zugeflüstert, genug, die Schilderung war so ergreifend, dass der Verleger sie aufforderte, in der Weise mehr zu schreiben. Zugleich lieferte sie für ein Journal, „The Repository" betitelt, das der berühmte unitarische Kanzelredner W. J. Fox herausgab, eine ganze Reihefolge von Artikeln. Fox gab ihr an, worüber sie schreiben sollte. Er war ein sehr geistreicher Mann und ein vorzüglicher Lehrer. Seine Unterweisung förderte sie ungemein. Er sagte, dass sie, wenn sie so fortschreite, eine der ersten litterarischen Koryphäen des Jahrhunderts werden würde.

Sie zählte damals 26 Jahre, ein immer noch jugendliches Alter, ihr Fleiß kannte dabei keine Grenzen und durch nichts ließ sie sich abhalten, ihre Arbeit mit ganzem Eifer zu verrichten.

Die Gesellschaft für die Verbreitung nützlicher Kenntnisse, an deren Spitze Lord Brougham stand, bot ihr dreißig Pfund Sterling, wenn sie eine Biographie von Howard für sie schreiben wollte. Sie tat das freudig. Als die Arbeit vollendet, wurde das Manuskript entwendet, und sie verlor ihren Lohn. Das war sehr hart für sie, aber es schlug sie nicht nieder.

W. Fox machte ihr dann den Vorschlag ihre Gedanken über Religion, Philosophie und Moral in das Gewand der Erzählung zu hüllen, wodurch sie dem großem Publikum zugänglicher würden. Sie ging darauf ein, und studierte in Folge dessen Politische Oekonomie von Adam Smith, um sein System in ihren Erzählungen zu erläutern. Das geschah mit solchem Erfolg, dass sie, von dem Augenblicke des Erscheinens an, eine gesuchte und berühmte Persönlichkeit war. Hatte sie vorher vergeblich an die Türen der Verleger geklopft, so drängten dieselben sich jetzt an sie. Jede Post brachte ihr eine Menge von Anerbietungen und Zuschriften aller Art. Sie, die bis dahin arm und unbekannt gelebt, musste plötzlich ihre Türe der Zudringlichkeit verschließen. Der Postmeister des Ortes ließ ihr sagen, er würde einen Karren bestellen, weil kein Bote zu tragen im Stande, was für sie einlaufe.

Das glich dem Schicksal eines Dornröschens. Dieser eine Erfolg, wurde die Grundlage ihres Ruhmes. Sie siedelte nach London über, nahm ihre Mutter zu sich, ließ von dieser ihren kleinen Haushalt führen, und mischte sich in das geistige Leben der Hauptstadt. Urplötzlich gehörte sie zu den Löwinnen des Tages. Jeder wollte sie kennen, wollte sie in seine Gesellschaften ziehen. Sie machte täglich neue und oft sehr interessante Bekanntschaften. Einladung folgte auf Einladung. Man sandte ihr die Equipage sie abzuholen und sie wieder nach Hause zu bringen. Es war ein anstrengendes, aufreibendes Leben, das sie führte; denn sie arbeitete dabei fortgesetzt und nutzte jede Stunde sorgfältig aus. An einem einzigen Tage in der Woche war sie in ihrer eigenen Wohnung für Fremde sichtbar, und dieser sogenannte Empfangstag war dermaßen besucht, dass Thomas Carlyle, der zu jener Zeit nach London kam, in seinen Reminiscenzen sagt, die Leute hätten gedrängt bis auf die Straße hinaus gestanden und er selbst verzichte in der Weise bei ihr einzudringen.

Fünf bis sechs Stunden Schlaf mussten ihr genügen. Politische Oekonomie, was wir jetzt Volkswirtschaft nennen, war eine neue Wissenschaft, Adam Smith, Malthus, Ricardo hatten darüber geschrieben, dem Volke selbst waren diese Grundwahrheiten noch neu, in einem Lande, wo Jeder seine Stimme bei der Auflage neuer Steuern geltend machen kann, schien es von Wichtigkeit Aufklärung über die Maßnahmen der Regierung zu verbreiten. Allgemein war nun das ihr gezollte Lob, die ersten Staatsmänner drückten ihr ihren Beifall aus.

Sie hatte für jeden Monat eine Erzählung zu liefern versprochen, die eine der Zeitfragen behandelte. Das erforderte ernste Arbeit Sie hielt dabei an dem Grundsatze fest, dass die Regierung die beste sei, die möglichst Vielen eine angenehme Existenz verschaffe, was nur eine Demokratie leisten könne. In Frankreich und Russland wurden diese Erzählungen in Folge dessen verboten.

Nach Beendigung dieser zwölf Erzählungen unternahm sie eine Reise nach Amerika, wo sie mit offenen Armen empfangen wurde. Sie verweilte dort zwei Jahre, schrieb dann ein Buch über Amerika, um das sich die Verleger stritten, Saunder & Otley erhielten den Vorzug und zahlten 900 Pfund Sterling dafür, also 18 000 Mark nach unserem Gelde.

Sie war gegen die Sklaverei. — Sie sah in dem Neger einen Menschen und wollte ihm, als solchem, zu seinem Rechte verholfen wissen. Ein Roman „The hour and the man“ betitelt, behandelte das Thema. Der Held, Toussaint L'ouverture, stellt sich an die Spitze der Neger von Domingo.

Carlyle empfahl mir das Buch und ich übersetzte es unter dem Titel „Der Neger von St. Domingo“. Das führte zu meiner Bekanntschaft mit Harriet Martineau. Ich wurde zum Mittagsessen nach St. Johns Lodge geladen, der schönen Besitzung Sir Jsaac Goldsmids, die in einem der herrlichsten Parks Londons liegt. Dort traf ich sie, überreichte ihr ein Exemplar meiner Uebersetzung und unterhielt mich lange mit ihr. Sie gebrauchte dabei eine Trompete mit einem Gummischlauche, was die Konversation sehr erschwerte. Schlank und bleich, in dunkler Kleidung, einfach ohne jegliche Hervorhebung ihrer selbst, machte sie einen gewinnenden Eindruck.

Sie übte einen außerordentlichen Einfluss aus, man lauschte ihren Worten. Als Orakel bewundert, angestaunt werden, hat stets seine Gefahr. Wenn sie dieser nicht ganz zu entgehen vermochte, wen kann es Wunder nehmen? Der Weihrauch, den man für sie abgebrannt, war zu stark, um nicht betäubend nachzuwirken. Eine gewisse Unfehlbarkeit machte sich nach und nach bemerkbar, die mitunter ihre Verdienste schmälerte, wenn gleich diese unleugbar blieben.

Eine lange Laufbahn lag noch vor ihr, und was sie geleistet hat, übertrifft das Denkbare. Sie war kränklich, war oft sehr leidend; aber ihre Arbeitskraft verließ sie nie. Die Königin bot ihr eine Pension an, die sie ablehnte, und ebenso die vom Ministerium; denn was aus der Kasse des Volkes fließe, könne auch nur das Volk ihr geben; ohne dessen Zustimmung wolle sie dessen Geld nicht verzehren. So wurde denn eine Sammlung organisiert, per Kopf ein Pence, daran konnte der Aermste sich beteiligen. Mit dem Ertrag kaufte sie ein Grundstück im nördlichen England, auf dem sie die letzten fünfundzwanzig Jahre ihres Lebens verbrachte. Auch von da aus war sie unablässig tätig für das allgemeine Wohl und keine Zeitfrage ließ sie unberührt. Als Dickens seine „Household words“ begründete, gehörte sie zu seinen eifrigsten Mitarbeitern, für die Zeitung „Daily News“ hat sie 1642 Artikel geliefert, Leitartikel, die der höheren Politik zum Teil angehörten. Außerdem schrieb sie für die „Edinburgh Review“ und verschiedene andere Blätter.

Auf dem Felde des Romans hat sie sich nur einmal versucht und nicht mit Glück. „Deerbrook“ nannte Thomas Carlyle a very poor novel und ohne

Zweifel ist dem so. Sie war viel zu didaktisch in ihrer Auffassung des Lebens, um die Leiden der Welt unter dem Rosenmantel der Phantasie verstecken zu können. Sie starb am 27. Juni 1876, in ihrem vierundsiebzigsten Jahre. Die Frauen Bostons haben ihr vor zwei Jahren ein Monument errichtet, und ehren sie, als eine Zierde des Geschlechtes. Bei uns kennt man sie wenig; doch ist ihr Leben beispielvoll.

Wiesbaden. Amely Bölte.

Die Geschichte der französischen Presse.

Von G. Glass.

(Schluss.)

Durch ein Gesetz, welches vom Parlament entworfen und von Louis Philippe beschworen wurde, erhielt die Presse wieder ihre Freiheiten, doch mussten die Begründer politischer Zeitungen 40,000 Francs Kaution hinterlegen, als Bürgschaft für ihr Wohlverhalten und unterstanden dem allgemeinen Gesetz für Vergehen gegen die Konstitution oder Artikel aufrührischen oder unmoralischen Inhalts. Diese Beschränkungen wurden indeß bald für nicht genügend befunden und 1835 nach Fieschis Attentat auf den König brachte Thiers, damals Minister des Innern die Vorlagen ein, die als „Lois de Septembre“ bekannt geworden, wonach die Kaution von 40,000 auf 100,000 Francs erhöht sowie jede Besprechung der fundamentalen Prinzipien der Konstitution untersagt wurde. Ueber diese letztere Klausel setzte man sich jedoch sofort hinweg, die Pariser Zeitungen ließen sich das Recht der freien Diskussion, über das, was das Volk am meisten anging, nicht nehmen und die liberalen Richter sprachen sie von daraufhin erhobenen Anklagen fast stets frei. Wie nachsichtig überhaupt Louis Philippes Regiment war, geht wohl am besten daraus hervor, dass es Napoleon III., während er als Gefangener in Hamm saß, gestattet war, Artikel zu schreiben, die die Zustände Frankreichs und die Handlungen der Minister kritisierten, und dieselben ungehindert in den Zeitungen des Pas de de Calais zu veröffentlichen. Das ist ein Akt der Duldsamkeit wie er wohl noch in keinem Lande und unter keiner Regierung zu verzeichnen ist.

Das Jahr 1848 brachte Louis Philippe um den Thron und die Gegner der Pressfreiheit haben es immer als ein Argument gegen dieselbe ins Feld geführt, dass die französischen Zeitungen keinen besseren Gebrauch von ihrer Unabhängigkeit zu machen wussten, als einen der besten Könige, den je das Land besessen, fortwährend anzugreifen und schließlich zum Falle zu bringen. Wenn dies eine Schuld war, so büßten sie bald dafür, denn mit der Thronbesteigung Napoleon III. wurde ihnen ein großer Theil ihrer Rechte wieder entzogen. Nach dem Gesetz vom Februar 1852 durfte Niemand ohne die Erlaubnis des Ministers des Innern eine politische Zeitung gründen, und derselbe konnte diese Bewilligung ertheilen oder verweigern, ohne Gründe anzugeben. 50,000 Francs mussten eingezahlt werden, als eine Sicherheit für eventuelle Geldstrafen. Jedes politische Blatt hatte eine Steuer von 6 Centimes per Exemplar zu zahlen, was es natürlich unmöglich machte, dasselbe für weniger als 15 Centimes zu verkaufen; ein sehr hoher Preis, wenn man den geringen Umfang der französischen Zeitungen im Betracht zieht. Für Angriffe auf den Herrscher, die Minister, die Geistlichkeit oder irgend einen Angestellten, für die Verbreitung falscher Nachrichten, für zu scharfe Kritik einer offiziellen Verfügung, kurz für Alles, was dem Minister des Innern missfiel, erhielt eine Zeitung eine Verwarnung, nach zwei Verwarnungen konnte diedieselbe auf zwei Monate suspendiert und bei abermaligem Vergehen vollständig unterdrückt werden. Es gab keine Appellation dagegen, der Wille des Ministers war Gesetz. Doch konnte die Regierung, falls sie es vorzog, auch auf andere Weise als Verwarnungen bestrafen, indem sie den Redakteur, den Besitzer einer Zeitung oder den Verfasser eines missfälligen Artikels kriminalrechtlich verfolgte. Die Beschuldigung lautete gewöhnlich, dass der Betreffende „die Bevölkerung zu Hass und Verachtung gegen die Regierung aufgereizt habe.“ Es konnte dafür eine Geldstrafe von 50—10,000 Francs oder Gefängnishaft von sieben Tagen bis zu zwei Jahren auferlegt werden. Während der Regierungszeit Napoleon III. sind gegen 300 Journalisten wegen allzu kühner Sprache verfolgt worden und auch nicht ein einziger wurde jemals freigesprochen. Ein litterarisches Blatt, das auch nur zufälliger Weise politischer Zustände erwähnte, und darunter verstand man auch alles, was sich auf Steuern, Zoll etc. bezog, wurde sofort unterdrückt. Nur politischen Zeitungen war es gestattet, Annoncen zu bringen; ein Vergehen gegen dieses Gesetz hatte die augenblickliche Suspendierung des Journals und eine Freiheits- und Geldstrafe für den Herausgeber zur Folge. Kein Artikel durfte in einem politischen Blatte ohne die Unterschrift des Verfassers veröffentlicht werden, der für denselben voll verantwortlich war. Bei nicht politischen Zeitungen war es der Redakteur, der eventuell dafür zu büßen hatte, und so wurde z. B. das „Evènement“ im Oktober 1866 unterdrückt, weil es eine volkswirtschaftliche Frage berührt und sein Chefredakteur, Villemessant, zu einem Monat Gefängnis verurteilt, trotzdem es nachgewiesen wurde, dass er zur Zeit fern von Paris gewesen und der betreffende Artikel von Alphonse Duchesne geschrieben worden war. Endlich erlaubte das Gesetz von 1852 dem Minister des Innern ein Blatt mit Beschlag zu belegen und dessen Straßenverkauf für eine beliebige Zeit zu untersagen, es also vollständig zu ruinieren.

Diese strengen Vorschriften blieben fünfzehn Jahre lang in Kraft, dann fand es jedoch Napoleon III. für ratsam, andere Seiten aufzuziehen. Er fühlte sich auf seinem Tron nicht mehr sicher und glaubte durch liberalere Maßregeln das verlorene Vertrauen wiederzugewinnen. Es wurde deshalb ein neues Pressgesetz erlassen, welches es ermöglichte ein Journal ohne ministerielle Erlaubnis zu begründen; der Zeitungsstempel von sechs auf fünf Centimes ermäßigt, die Verwarnungen abgeschafft, sowie Journalisten nicht mehr mit Gefängnis sondern mit Geldbußen und Entziehung der politischen Rechte bestraft; letzteres durfte nicht über fünf Jahre ausgedehnt werden. Trotz dieser Milderungen war aber die Stellung der französischen Zeitungen doch noch immer nichts weniger als beneidenswert, und erst die Republik hat etwas bessere Zustände geschaffen.

Im Allgemeinen muss man zu dem Schluss kommen, dass die französischen Zeitungen nicht auf dem würdigen und einflussreichen Standpunkt stehen, den die Tageslitteratur in Deutschland, England, Oesterreich und Amerika einnimmt, trotzdem durch so viele Perioden die Geschicke der Welt von Paris aus geleitet wurden. Ein Wechsel von Freiheit und Unterdrückung das ist die Signatur der Geschichte der französischen Presse; keine allmähliche Entwickelung zur Selbständigkeit und Würde, kein Bewusstsein ihrer Verantwortlichkeit ist darin zu finden. Die Geschichte des französischen Journalismus besteht in der Tat in der verschiedener Journalisten, von denen Einzelne sich durch hervorragendes Talent und bedeutende Charaktereigenschaften auszeichneten, die aber trotz aller Anstrengungen gegen die Masse Unwissender und Unredlicher stets wenig ausrichten konnten. Und das ist jetzt noch genau so, wie es vor zweihundert Jahren war.

Der heutige französische Journalist ist durchschnittlich weder besser unterrichtet, noch verständiger oder vorurteilsfreier als sein Kollege zur Zeit Ludwig XIV. Wenn man bedenkt wieviel mehr Gelegenheit und Leichtigkeit sich ihm bietet, sein Wissen zu berreichern, muss man im Gegenteil sagen, dass er degeneriert ist. Die ersten Herausgeber der „Gazette de France“, des „Mercure“, Journal des Savants“ und „Journal de Paris“ wussten über die Politik und Litteratur fremder Länder besser Bescheid und schrieben ein eleganteres und korrekteres Französisch als neun Zehntel der heutigen Pariser Journalisten. Es ist auch erstaunlich, wie wenig sich die französischen Zeitungen trotz Eisenbahnen und Telegraphen in Bezug auf Zuverlässigkeit und Wahrhaftigkeit geändert. Wenn man z. B. die erste Nummer der „Vossischen Zeitung“ mit einer unserer Tage vergleicht, so zeigt sich, was für einen bedeutenden Fortschritt die deutsche Presse selbst seit damals gemacht, aber eine Vergleichung eines modernen französischen Blattes mit einem alten ruft gerade den umgekehrten Eindruck hervor. Die ersten französischen Journalisten bemühten sich nach Kräften authentische Mitteilungen zu erlangen und schrieben amüsant und belehrend. Die Neuigkeiten, die sie brachten, waren allerdings trotzdem oft falsch, aber es war damals ungeheuer schwer, zuverlässige Nachrichten zu erhalten und manchmal gefährlich sie zu drucken, wenn man sie bekommen. Diese Entschuldigungen kann die heutige französische Presse nicht anführen, der ein unerschöpflicher Vorrat von Nachrichten stets zu Gebote stehen könnte, wollte sie nur die richtigen Mittel anwenden, sie zu erlangen. Aber die gewöhnliche Art ist, ein paar ausländische Telegramme ohne jeden Kommentar abzudrucken, und da es kostspielig, viele Reporter zu bezahlen, die sich genau über die heimatlichen Vorgänge informieren, wird das Blatt im Uebrigen durch erfundene Nachrichten oder Gerüchte ausgefüllt. Der Leser glaubt auch nie an diese parlamentarischen Anekdoten, wissenschaftlichen Entdeckungen, entsetzlichen Morde oder diplomatischen Intriguen, die gewöhnlich ohne nähere Bezeichnung von Zeit, Ort oder Namen gegeben werden.

In Bezug auf fremde Nationen waren französische Journalisten, bis zur Zeit des letzten Krieges mit Deutschland, nicht im geringsten informiert; sie hielten es für unnötig eine andere als die französische Sprache zu kennen, Paris war ihrer Meinung nach der Mittelpunkt der Welt und wenn Deutschland oder England bei den Antipoden gelegen, hätten sie sich nicht weniger um die Vorgänge daselbst bekümmern können. Das ist in den letzten fünfzehn Jahren allerdings etwas anders geworden, aber auch jetzt sind die Nachrichten, die besonders über Deutschland durch die Presse verbreitet werden, im höchsten Grade entstellt oder ganz und gar erfunden. Eine rühmliche Ausnahme macht das „Journal des Debats“, dasselbe ist zuverlässig, gut geleitet und geschrieben, aber auch dieses hat sich nie zu einer bedeutenden Macht aufschwingen können, da die Pressgesetze in Frankreich, die den Besitz einer Zeitung so unsicher machen, Jeden von vornherein zurückschrecken, ein großes Kapital an eine solche zu wagen.

Sprechsaal.

Berlin, 27. November 1886.

Löbliche Redaktion!

Als ich den Artikel „Pia de Tolomei“ schrieb, war ich mir der Konsequenzen wohl bewusst. Wenn Herr Eckstein nicht Marenco gelesen hat, so wird er wohl Sistini oder ein Volksbuch gelesen haben; ich bin bereit, mich dem Urteil jedes litterarischen Schiedsgerichtes zu unterwerfen. Uebrigens kann man die Entscheidung ruhig dem lesenden Publikum überlassen. Herr Eckstein hat nicht gegen Ebers getoastet, sondern getjostet, wie in meinem Manuskript stand. Auf die wichtigsten Punkte geht er nicht ein.

Hochachtungsvoll

Dr. Alfred Friedmann.

Litterarische Neuigkeiten.

Bei Gebrüder Dumolard in Milano veröffentlicht A. M. Todeschini ein für Litteraturfreunde beachtenswertes Buch „Un poète lyrique à la cour de France sous Henri IV et Louis XIII“; einige Kapitel „François de Malherbe“ (1552 bis 1628). „Oedipe; étude comparative entre la pièce de Corneille et celle de Voltaire“, „le médecin malgré lui de Molière, et le fabliau du Vilain Mire“ mögen genügen den Leser mit dem Inhalte bekannt zu machen.

Von dem allgemein anerkannten grossen Geschichtswerke von Johannes Janssen „Geschichte des deutschen Volkes seit dem Ausgang des Mittelalters“ ist in diesen Tagen der fünfte Band veröffentlicht worden. Derselbe umfasst die politisch-kirchliche Revolution und ihre Bekämpfung seit der Verkündigung der Konkordienformel im Jahre 1580 bis zum Beginne des dreißigjährigen Krieges im Jahre 1618. Der Verfasser hat einen ungeheuren Fleiß und Quellenstudium dem Werke angedeihen lassen und können wir dasselbe dem eines Rankes würdig zur Seite stellen.

Die Verlagsbuchhandlung von Giuseppe Galli in Milano veröffentlicht soeben drei Romane „Legami del matrimonio“ von Augusto Barattani, „Teresa“ von Neera und „Fidelia“ von Arturo Colautti, die nach jeder Seite hin mit unserer neueren besseren Roman-Litteratur konkurrieren können; in allen drei Erzählungen sind die Charaktere mit einer ausgezeichneten Sicherheit geschildert und wirkt das Ganze auch ungemein fesselnd.

„Vom Dorf und aus der Stadt“, Sätze und Aufsätze, Sprüche und kleine Geschichten von E. Epp. Kleinere, teilweise in Heidelberg spielende, geschickt zusammengestellte Erzählungen, die besonders für Schülerbibliotheken sehr zu empfehlen wären.

Zwei Bände Lyrik wirft uns die ungarische Muse zu; der eine stark und elegant, nennt sich prätentiös „In Glanz und Dunkel“ und sein Papa unterfertigt sich mit dem Y des Adels: Julius Rudnyánszky; der andere ist mager und schlicht, legt sich keinerlei hochtrabenden Namen bei und sein bürgerlicher Vater heißt Heinrich Lenkei. Müssen wir uns dort durch das Gestrüpp und Krüppelwerk von mehr als 200 Gedichten winden, um endlich ein paar wohlriechende Blümchen zu pflücken, so empfangen wir hier ein kleines reizendes Blütenbeet. Beide Poeten haben entschiedene Begabung; Rudnyánszky hätte sie jedoch entschiedener und kräftiger hervortreten lassen, wenn er weniger, Lenkei aber, wenn er mehr bieten würde.

Die von Dr. Bela Váli verfasste „Geschichte der ungarischen Schauspielkunst“, welche die ungarische Akademie der Wissenschaft preisgekrönt hat, erscheint demnächst im Verlage von Ludwig Aigner in Budapest.

„Höhenfeuer.“ Neue Geschichten aus den Alpen. Von P. K. Rosegger. (Wien, A. Hartlebens Verlag.) Unter dem Titel „Höhenfeuer“ bietet Rosegger eine neue Sammlung von Novellen, welche alle Vorzüge dieses Autors in verschiedenen Farbengluten leuchten lassen. Die menschlichen Leidenschaften, von der heißen Liebe bis zum wilden Hass, lodern in diesen „Höhenfeuern“, wie wir es bei Rosegger so gewaltig bisher noch nicht erfahren haben. In den Novellen: „'s Hascherl“, „'s Gaderl“ finden wir die ganze Herzinnigkeit des Autors, in der „Ehestandspredigt“, dem „Windwachelbuben und seiner Liebsten“, der „Nottaufe“ in „Zi zii-zi zii“ den urwüchsigen Roseggerschen Humor in vollster Blüte, während „Das zu Grunde gegangene Dorf“ und besonders die „Christvesper“ in ihrer nachgerade dämonischen Wildheit den Leser berücken. In dem „Ereignis in der Schrun“ ist der zeitgemäße Stoff von einem verunglückten jungen Touristen erschütternd behandelt, während das „Zwieäugl“ für Freunde feiner Seelenmalerei zu hohem Genuss wird.

„Ein wenig Philosophie“, Sophismen und Paradoxe, anlässlich der religiös-philosophischen Schriften des Grafen L. N. Tolstoi von J. Notowitsch. Nach der zweiten Auflage aus dem Russischen übersetzt von Friedrich Fiedler. — Berlin, Richard Wilhelmi.

„Zur Reform des neusprachlichen Unterrichts auf höheren Lehranstalten“ von F. Hornemann. (II. Heft.) — Hannover, Karl Meyer.

„In Sachen des Spiritismus und einer naturwissenschaftlichen Psychologie“ von A. Bastian (Berlin, Nicolaische Buchhandlung). Bei den vielen Schriften, die in jüngster Zeit über den Spiritismus erschienen sind, ist es wirklich schwer, die eine der andern vorzuziehen, fast jede bringt neue Thesen und jedes verdient auch bei dem hohen Interesse dieser brennenden Frage gelesen zu werden, und so auch diese.

Als Sonderabdruck aus „Acta Societatis Scientiarum Fennicae“ (Tom. XVI) erschien in Helsingfors soeben eine hochinteressante Abhandlung von Dr. Eliel Aspelin, welche den Titel führt: „Lamottes Afhandlingar om Tragedia, granskade och jemförta med Lessing“. Lamottes kritische Abhandlungen über die dramatische Poesie sind bisher entschieden unterschätzt worden, auch von den Franzosen selbst — hat doch Tallien, der dieselben im Jahre 1859 separat edierte, ihnen den gemeinschaftlichen Titel: „Les Paradoxes littéraires de Lamotte“ geben zu sollen vermeint. Dr. Aspelin macht nun mit viel Geist aufmerksam, dass Lamotte schon vor Voltaire und Lessing und im gleichen Sinne wie diese — namentlich aber wie der letztere — auf die Mängel der französischen Tragödie hingewiesen hat. Bei einer Vergleichung der Abhandlungen Lamottes mit den einschlägigen Stellen von Lessings „Hamburger Dramaturgie“ findet man in der Tat, dass in den meisten und wichtigsten Punkten eine merkwürdige Uebereinstimmung herrscht, so unter andern in der Frage bezüglich des Verhältnisses der Dichtung zur Geschichte, in den Einheitsregeln, in der Bedeutung des Interesses, der Charakterzeichnung und der Handlung für das Drama u. s. w. „Beinahe Alles,“ schreibt Dr. Aspelin mit vollem Rechte, „was bei dem französischen Kritiker eine befriedigende Erörterung erhielt, findet sich bei dem deutschen wieder — allerdings niemals in der Form von Citaten und selten in ähnlicher Wortfügung, aber nichtsdestoweniger im Grunde übereinstimmend. Bei Lessing wie bisweilen bei Voltaire in den „Commentaires sur Corneille“ zeigt es sich, dass ihm die Lehren Lamottes nicht unbekannt geblieben waren. Voltaires Schuld an Lamotte ist zweifelsohne direkter, denn Lessings Einsicht beruhte auf unvergleichlich tieferem und umfassenderem Studium; aber deshalb lassen sich seine Verpflichtungen Lamotte gegenüber doch nicht verläugnen. Nachdem Lamotte einmal einen allgemein gültigen und klaren Ausdruck für die Lösung vieler dramatischer Fragen gefunden, kann ja Lessing unmöglich als der erste Beantworter dieser Fragen erscheinen oder sich gefühlt haben. Wie geistreich auch Lessing als Kritiker war, so kann sein Verdienst doch nur darin liegen, dass er — das Haltbare in Lamottes Kritik aufnehmend — mit erweitertem Blick weiter ging. Ja, ohne in Lessings Selbständigkeit Zweifel setzen oder seinen kritischen Scharfsinn in Frage ziehen zu wollen, kann man in Bezug auf das Verhältnis zwischen ihm und Lamotte an seine eigenen Worte (H. Dr., 82) erinnern: „es ist doch gemeiniglich ein Franzose, der den Ausländern über die Fehler eines Franzosen die Augen öffnet.“ Denn wenn Lamotte auch Lessing nicht „die Augen geöffnet“, so hat er doch zuerst und lange vor ihm die Fehler der französischen Tragödie nachgewiesen. Unseren Litterarhistorikern wird wohl nichts Anderes übrig bleiben, als diese Tatsache zu bestätigen. Indessen empfehlen wir Dr. Aspelins geistvolle und lehrreiche Abhandlung unseren geehrten Lesern auf das Angelegentlichste zur Lektüre und zum Studium.

Von Helene Pichler, der talentvollen Verfasserin der „Genrebilder aus dem Seeleben“, welches uns bereis in dritter Auflage vorliegt, ist soeben ein neues Buch unter dem Titel „Aus der Brandung des Lebens, Fahrten zu Wasser und zu Lande“ bei G. D. W. Callwey in München erschienen; dasselbe enthält einige recht gut geschriebene Erzählungen, worunter „Die letzte Fahrt“ uns sehr angesprochen hat. Auch die anderen bezeugen ein großes Erzählungstalent. Im gleichen Verlage ist eine neue Novelle „Peregrine“ von Ottomar Beta, welche ebenso wie oben genannten Erzählungen von Helene Pichler Anspruch macht, gelesen zu werden.

„Die weiße Frau von Leutschau." Roman in zwei Bänden von Maurus Jókai. (Budapest, Gebrüder Révai). Dem neuesten Romane des berühmten Romanciers dürfte vom deutschen Lesepublikum schon aus dem Grunde ein gesteigertes Interesse entgegengebracht werden, da derselbe die Herrlichkeit des deutschen Bürgerwesens im Anfange des achtzehnten Jahrhunderts in der Zips (in Oberungarn) mit den sympathischesten und lebhaftesten Farben schildert. Es ist dies überhaupt das erste belletrische Werk, das sich mit den in Ungarn eingewanderten und hier Jahrhundertelang ansässigen Deutschen beschäftigt und den Einfluss des deutschen Bürgerwesens auf Handel, Gewerbe, Kunst und Wissenschaft in hohem Maße würdigt. Das Sujet des Romans — die tragische Geschichte der weißen Frau, der ersten und einzigen Frauengestalt in der ganzen ungarischen Geschichte, die ihre Nation verraten hat, die einmal für einen Kuss ein Reich hinwirft, ein andersmal wieder den eigenen schönen Kopf für die Rettung der Nation aufopfert — ist eines der spannendsten, von Jókai mit unnachahmlicher Virtuosität bearbeitet.

Am 1. Dezember d. J. erscheint im Verlage von Konegen (Wien) eine neue Zeitschrift unter dem Titel: „Der Frauenfeind." Eine Monatsschrift, herausgegeben von Ferdinand Groß. Durch Eigenartigkeit des Planes wird dieses neue Unternehmen sich auszeichnen und keinerlei Konkurrenz mit den bestehenden Revuen und litterarischen Erscheinungen aufnehmen. Ein Kreis hervorragender Männer, fast alle Schriftsteller ersten Ranges, haben dem „Frauenfeind" ihre Mitwirkung zugesichert, die besten Geister Deutschlands haben den Grundplan gutgeheißen und dem Herausgeber ihr Vertrauen ausgedrückt. Der „Frauenfeind" unternimmt es, entgegen der Tendenz der meisten Familienblätter, die Wahrheit über die Frauen zu sagen und damit einem bisher unbefriedigten Bedürfnisse des wahrhaft gebildeten Publikums entgegen zu kommen. Der „Frauenfeind" wird seine Mission durch Veröffentlichung von Novellen, Essays, Plaudereien, Humoresken, Gedichten, tatsächlichen Mitteilungen u. s. w. zu erfüllen suchen und auch alle praktischen Fragen in seinen Bereich ziehen. Das neue Unternehmen darf trotz seiner speciellen Richtung gerade der Elite der Damenwelt empfohlen werden, denn indem es dem verlogenen Frauenkultus entgegentritt, bietet es die Hand denjenigen vernünftigen Frauen, welche es vertragen, ein aufrichtiges Wort der Kritik zu hören. — Kein Witz- und Schmähblatt also, sondern ein sehr ernstes Organ soll hierdurch angekündigt werden.

„Sedan", ein Heldenlied in drei Gesängen von Ernst von Wildenbruch ist soeben in zweiter Auflage bei B. Waldmann erschienen, im gleichen Verlage ist eine anmutige Dichtung, betitelt „Ventida", von Ludwig Anders ediert worden, beide Werkchen können wir unseren Lesern nur empfehlen, dasselbe müssen wir von einem dritten Opus „Gudrun", dramatisches Gedicht in fünf Akten von August Linde sagen, welches bei E. Liessner und I. Romalm in Moskau erschienen ist.

Bei Adalbert Stuber in Würzburg erschien soeben von Professor Christ. Eidam „Phonetik in der Schule?" Ein Beitrag zum Anfangsunterricht im Französischen und Englischen. Vorliegende Schrift behandelt eine gegenwärtig viel besprochene Frage. So sehr der Herr Verfasser auch einerseits betont, dass man beim Anfangsunterricht der neueren Sprachen vom Laut und nicht wie früher vom Buchstaben ausgehen müsse, so weist er doch andrerseits die übertriebenen Forderungen der Phonetiker als für die Schule unpassend zurück und zeigt in zwei Beilagen, wie die Aussprachlehre durch Musterwörter praktisch und zugleich anregend gestaltet werden kann. Die Beilagen sind auch apart unter dem Titel: „Musterwörter zur Einleitung der französischen Laute" und „Musterwörter zur Einleitung der englischen Laute" erschienen und kartonniert zum Preise von je 40 Pf. zu beziehen.

Dr. Otto Behaghel: „Die deutsche Sprache." (Wissen der Gegenwart 54. Band). Leipzig, G. Freytag. — Prag: F. Tempsky. Der Verfasser, der rühmlichst bekannte Baseler Universitätsprofessor Dr. Otto Behaghel, beginnt mit einem allgemeinen Teile, in dem er, von der vorgermanischen Zeit ausgehend, das Germanische und seine Unterabteilungen, sowie die althochdeutsche, mittelhochdeutsche und neuhochdeutsche Zeit — letzters natürlich am ausführlichsten — behandelt. Sehr interessant ist unter Anderem dasjenige, was in dem zweiten Abschnitt über Volks-Etymologie, über die poetische und die Studentensprache, über den Bedeutungswandel und die Neuschöpfung von Wörtern gesagt wird. Ein dritter Abschnitt prüft die Einwirkung fremder Sprachen auf das Deutsche. In dem zweiten, besonderen Teile wird zumeist die Frage der neuhochdeutschen Orthographie erörtert. Dann kommt die Lehre von der Betonung, Flexion und Syntax sowie die Lautlehre des Neuhochdeutschen zur Sprache. Ungemein interessant und unterrichtend ist der sechste Abschnitt, der sich mit den Eigennamen beschäftigt. Vermöge seiner ganzen Tendenz ist es für alle Klassen und Berufsarten bestimmt.

Bei Le Monier in Firenze ist der erste Band eines für Bibliotheken besonders höchst bedeutenden Werkes herausgekommen, „Lettere e Documenti del Barone Bettino" publicati per cura di Marco Tabarini e Aurelio Gotti. Volume I (2 maggio 1829 — 28 maggio 1849). Dieser erste Band des Briefwechsels beginnt mit dem Jahre 1829 und endigt mit einem Briefe Ricasolis an seinen Bruder Vincenz vom 28. Mai 1849, worin er denselben von dem am 25. desselben Monats stattgefundenen Einmarsche der österreichischen Truppen in Florenz benachrichtigt. Das Werk ist für die Zeitgeschichte von großem Interesse.

Die erste Nummer des vierten Bandes des Prager „Athenaeums" enthält eine Anzeige von Bleibtreus „Revolution der Litteratur, der wir den Schluss entnehmen: „Eben weil wir Realisten sind, seien wir uns bewusst, dass auch Bleibtreu und seine Genossen einseitig sind, und beurteilen wir sein Buch vom Standpunkte der Weltlitteratur, dann müssen wir ihm, mit vielen Vorbehalten, volle Berechtigung zuerkennen. Ja, alle europäischen Litteraturen (vielleicht die russische zum Teil ausgenommen) befinden sich im Stadium des Verfalles, und dabei ist es traurig, dass sich nicht einmal jede z. B. mit einem G. Keller ausweisen kann. Dass man überall sehr viel produziert, bedeutet nichts, denn es wäre traurig, wenn bei der gegenwärtiger Ausbildung der europäischen Sprachen und Dichtungsformen, von einem halbwegs begabten und fleißigen Dichterling nicht ein wenigstens formell angehendes Gedicht verfertigt werden könnte. Dazu fliegen in der Welt so viele Phrasen herum z. B. pantheistische und pessimistische, dass um einen passenden „Gedanken" nie Not ist. Aber das, was im Busen unserer Denker und Staatsmänner gährt, das finden wir bei keinem zeitgenössischen Dichter, ausgenommen vielleicht einige russische Dichter (Turgenjew, Tolstoi u. a.); — bei H. E. Amiel allein, der freilich kein Dichter war, finden wir unser Jahrhundert tiefer aufgefasst, als bei allen formell vollendeten Phänomenen — H. Ibsen vielleicht noch ausgenommen. Ein europäisches Volk nach dem andern befreit sich, einigt sich, die Wissenschaft und Technik vollführt wahre Wunder, ernsthafte unendlich weitgreifende Versuche einer gerechten Regelung der Gesellschaftsordnung werden gemacht — und die Poesie? Als Frankreich aufs Tiefste gedemütigt war, fand sich nicht ein Dichter, der diesen historischen Moment begriffen hätte, oder sollen wir Déroulèdes Pamphlete zur Poesie rechnen? Die Einigung Italiens, Deutschlands erweckte nicht einen großen Sänger, der sich über die Phraseologie der offiziösen und nicht offiziösen Blätter aufgeschwungen hätte. Und wo sind die Propheten, welche in die Zukunft blicken, es versuchten, z. B. die Frage zu lösen: Was wird aus uns Čechen werden? Betrachten wir etwa die Frage des Panslavismus: haben wir auch nur ein Gedicht, in dem diese Frage praezisiert und beantwortet wurde. Bloßer Allegorien, und wären sie noch so fein, haben wir wahrlich schon genug; ehe wir nicht einen panslavistischen Dichter bekommen, der ein lebender und wirkender Panslavist ist, nicht ein pathetischer Enthusiast, der seine Gedanken aus der — deutschen Litteratur holt, so lange werden wir nur reden und wieder reden zur Verkürzung der eigenen und fremden Langeweile. Wir wünschen Bleibtreus Buche viele Leser, es ist sehr interessant und anregend; der Referent wenigstens hat bei der Lektüre statt der fremden Namen heimische substituiert, und bekam so eine gehobene und reinigende Kritik unserer Heyse, Lindau etc." —. — — — Der weitere Inhalt des Blattes umfasst eine Uebersetzung von Taines „Psychologie de Jacobinismus," sowie Polemiken in Betreff der Königinhofer Handschrift, wobei der ruhige, würdige Ton sehr zu rühmen ist. Namentlich haben Goll und Gebauer das Mittel gefunden, eine persönliche Polemik durch weitere Ausblicke für die Wissenschaft fruchtbar zu machen. In einer weitern Rezension erfährt Bečkovsky's complicierte und plagiierte Geschichte der böhmischen Litteratur die verdiente Verurteilung.

„Blicke in das Menschenleben", Leidenschaften, Laster und Verbrechen, deren Entstehung, Heilung und Verhütung von Dr. med. Eduard Reich (Fr. Rothermel & Co., Schaffhausen). Ein interessantes Buch, vollständig neu in Auffassung und Inhalt; der Verfasser, welchem in seiner Eigenschaft als Arzt es wohl nie an Gelegenheit fehlt, die menschlichen Schwächen zu beobachten, führt uns in demselben dieselben in hellem Lichte vor, er kämpft in dem Buche gegen Irrtum, böse Absicht und Lüge, er sucht überall die Wahrheit zu Ehren zu bringen und dem echten Humanismus Bahn zu brechen, damit derselbe alle Einrichtungen und Einsetzungen auf das Innigste durchdringe und die Menschheit befähige emporzusteigen und allen ihren Mitgliedern den Genuss der höchsten Güter zu gewähren.

„Neuphilologische Beiträge", herausgegeben vom Verein für neue Sprachen in Hannover in Veranlassung des ersten allgemeinen Philologentages am 4., 5. und 6. Oktober 1886. — Hannover, Carl Meyer.

Die nicht geringe Litteratur über Hypatia, die durch ihr edles Leben und Wirken wie durch ihr tragisches Ende berühmte Philosophin von Alexandria, hat durch ein Schriftchen: „Hypatia von Alexandria. Ein Beitrag zur Geschichte des Neuplatonismus" von Wolfgang Alexander Meyer (Verlag von Georg Weiß, Heidelberg, 1886) eine dankenswerte Bereicherung erfahren. Durch die scharfsinnigen „Quellenuntersuchen" von Ludwig Jeep, war der Autor in den Stand gesetzt, bei der Benutzung des Quellenmaterials mit strenger Kritik vorgehen zu können. Dadurch gelang es ihm denn auch, in die dunklen Schicksale der wunderbaren Frau etwas mehr Licht zu bringen, als dies bisher möglich gewesen war. Der Schwerpunkt dieser Abhandlung liegt indessen darin, dass Meyer „auch eine bisher stets übergangene philosophische Würdigung Hypatias versucht" hat. Wenn aber als neues Resultat aus den kritischen Betrachtung des vorhandenen äußerst dürftigen Materials über die Lehre der Hypatia die Sätze aufgestellt werden, dass H. als Vorsteherin der neuplatonischen Schule in Alexandria, jedenfalls auch eine eklektische Richtung in der Philosophie vertreten haben wird, ihr Eklektizismus aber kritischer und genialer war als der ihrer Vorgänger und Nachfolger; dass sie tiefer auf die beiden Hauptphilosophen der Schule, auf Plato und Arristoteles, einging und sich von dem magisch-schwärmerischen Bombast, der den Jamblich und seine Schule kennzeichnet, fernhielt; so muss doch darauf aufmerksam gemacht werden, dass bereits J. C Poestion in seinen „Griechischen Philosophinnen" (1882) S. 276—277 schreibt: „Als öffentliche Lehrerin der Philosophie und Vorsteherin der neuplatonischen Schule trug Hypatia die Systeme des Plotin und Aristoteles vor, welche sie mit einander zu vereinigen suchte. Doch ist nicht ersichtlich, welche Modifikationen sie an denselben etwa vornahm, noch wie weit sie auch dem so verbreiteten System des Theurgen Jamblichos huldigte. Jedenfalls war Hypatia weniger Schwärmerin als die anderen Anhänger der neuplatonisch-mystischen Richtung, namentlich auch als die gleichzeitige athenische Philosophin Asklepigeneia. Für ihren scharfen, in den positiven Wissenschaften geschulten Geist mussten solcherlei Phantastereien und Aberglauben nur geringen Werth besitzen. Wie aus der Bemerkung auf S. 5, die jüngste Bearbeitung unseres Themas sei die Abhandlung von St. Wolf (erschienen 1879), dann aus dem Litteraturverzeichnis hervorgeht, ist Herrn Meyer sowohl das genannte Buch Poestions wie auch das vorzügliche Werk J. Kopallik's „Cyrillus von Alexandrien" (1881), dessen drittes Kapitel sich ziemlich ausführlich mit Hypatia beschäftigt, unbekannt geblieben. Auch J. Scherrs Essay über Hypatia (in „Menschliche Tragikomödie") scheint übersehen worden zu sein.

„Zur Geschichte des Liebhabertheaters." Ein kulturhistorischer Beitrag von Rob. Falck. — Berlin, Brachvogel & Boas.

Von Ed. von Hartmanns ausgewählten Werken hat der Verleger Carl Duncker in Berlin eine wohlfeile Ausgabe in Heften à M. 1.00 veranstaltet, wovon 1—7 herausgekommen sind. Die uns vorliegenden letzten fünf Hefte enthalten „Das sittliche Bewusstsein", eine Entwickelung seiner mannigfachen Gestalten in ihrem inneren Zusammenhange mit besonderer Rücksicht auf brennende soziale und kirchliche Fragen der Gegenwart.

Vor der bekannten holländischen Raublust an litterarischem Eigentum ist fast kein einziges bei uns zu Lande erscheinendes gutes Buch sicher. Kaum dass die holländischen Verleger das Erscheinen des betreffenden Werkes in Erfahrung gebracht und schon stürzen sie mit förmlichem Heißhunger über die so billige wertvolle Beute. Die neuerdings bei Wilhelm Friedrich in Leipzig erschienene dramatische Dichtung „Die Tragödie des Menschen" von Emerich Madach, deutsch von A. Fischer und der neueste Roman „Seelenrätsel" von Wilhelm Walloth (gleichfalls bei Wilhelm Friedrich in Leipzig erschienen) sind diesmal ganz zum Opfer gefallen. Hoffentlich wird diesen litterarischen Diebereien endlich durch ein schon projektiertes internationales Schutzgesetz vor geistigem Eigentum ein Ende gemacht. Zeit genug wäre es wirklich!

Selten hat wohl ein Buch mehr Aufsehen erregt, als das neueste Drama von Ernest Renan, welches soeben unter dem Titel „L'abbesse de Jouarre" bei Calman Levy, Paris, erschienen ist. So wenig wie sein früher veröffentlichtes Drama „Der Priester von Nemi" kann auch die vorliegende Schöpfung des berühmten Verfassers des „Lebens Jesu" eigentlich auf den Namen „Drama" Anspruch machen, mit dem sie nur die Form des Dialogs gemein hat. Die „Aebtissin von Jouarre", ist eine philosophische dialogisierte Abhandlung, in der Renan die von ihm in der Vorrede aufgestellte These: „Was in der Todesstunde den Charakter absoluter Aufrichtigkeit trägt, ist — die Liebe u. s. w." zu beweisen sucht. Es versteht sich im übrigen bei einem Werke Renans von selbst, dass auch die „Aebtissin von Jouarre" eine Fülle von neuen Gedanken enthält, die auf den Leser in hohem Grade anregend und befruchtend einwirken, ganz besonders sind die eingestreuten goldreichen Sentenzen zu erwähnen, die schon allein verdienen, dass das Buch gelesen wird.

Von Philipp Reclams Universalbibliothek (Verlag von Ph. Reclam jun. in Leipzig) sind weitere zehn Bändchen (2191 2200) erschienen, mit folgendem Inhalt: 2181 2192 Milton, Das verlorene Paradies. Deutsch von Adolf Böttger. 2193 Vic. Sardou, Marguerite. (Les Ganaches.) Komödie in vier Aufzügen. Deutsch von J. Bettelheim. Einrichtung des Residenz-Theaters in Berlin. 2194 2195 de Foe. Robinson Crusoe. Aus dem Englischen übersetzt von A. Tuhten. 2196 Rob. Hertwig, Goldhärchen. Zaubermärchen mit Gesang und Tanz in vier Aufzügen und sieben Bilden. 2197—2199, Turgenjeff, Memoiren eines Jägers. Aus dem Russischen übersetzt von Hans Moser. 2200, Karl von Heigel, Mosaik. Kleine Erzählungen in Prosa und Versen.

„Irländische Märchen wiedererzählt von Karl Knortz Zürich 1886, Verlags-Magazin)". Die Freunde der Märchenlitteratur werden dem fleißigen Autor für diese neue Gabe ohne Zweifel Dank wissen. Diese irländischen Märchen bilden eine wertvolle Ergänzung zu den irischen Elfenmärchen der Brüder Grimm, von denen wir übrigens etwa ein Dutzend, zum Teil in anderer Fassung, bei Knortz wieder finden. Der volkstümliche Ton ist in der Uebersetzung glücklich gewahrt. Schade, dass Knortz seiner Sammlung weder eine über die Quellen orientierende Einleitung, noch Anmerkungen mit Hinweisen auf verwandte Märchen anderer Völker beigegeben hat, wie er es doch bei seiner reichen Kenntnis dieses Litteraturzweiges leicht hätte tun können.

„Zitherklänge." Gedichte von Bruno Wolff Beckh. — Hagen, Hermann Risel & Komp.

„Goethes Faust" I. Teil ist in einer trefflichen englischen Uebersetzung von Frank Claudy bei H. Morrison in Washinghton herausgegeben worden.

Konrad von Bolanden hat bei Franz Kirchheim in Mainz einen neuen historischen Roman „Wider Kaiser und Reich" veröffentlicht. Derselbe spielt im sechzehnten Jahrhundert und die Schilderungen wie auch die Charakterzeichnung sind fast überall vorzüglich zu nennen.

Alle für das „Magazin" bestimmten Sendungen sind zu richten an die Redaktion des „Magazins für die Litteratur des In- und Auslandes" Leipzig, Georgenstrasse 6.

Für die Redaktion verantwortlich: Karl Bleibtreu in Charlottenburg. — Verlag von Wilhelm Friedrich in Leipzig. — Druck von Emil Herrmann senior in Leipzig.
Dieser Nummer liegen bei 3 Prospecte von Fr. Maukes Verlag in Jena, Wilh. Friedrich in Leipzig und der Deutschen Post.

Das Magazin

für die Litteratur des In- und Auslandes.

Wochenschrift der Weltlitteratur.

1832 gegründet von Joseph Lehmann.

55. Jahrgang.

Herausgegeben von Karl Bleibtreu.

Preis Mark 4.— vierteljährlich.

Verlag von Wilhelm Friedrich in Leipzig.

No. 50. — Leipzig, den 11. Dezember. — 1886.

Inhalt:

Ein Ketzer in Weimar.

Von Conrad Alberti.

Im Sommer dieses Jahres war's; ich kehrte aus den herrlichen Wäldern des Spessart über Thüringen nach Hause zurück. Pietätvoll, wie es sich für einen Epigonen geziemt, hatte ich unterwegs alle geschichtlich geheiligten Stätten aufgesucht und dort, der großen Männer gedenkend, die vordem daselbst gelebt, mich in meiner modernen Nichtigkeit gefühlt und aus den erwachenden Erinnerungen Begeisterung gesogen. So war ich natürlich auch die Wartburg hinaufgeklettert, hatte verwundert den Kopf geschüttelt, dass noch kein spekulativer Kopf darauf verfallen war, eine Zahnradbahn auf den Berggipfel hinauf anzulegen zu Nutz und Frommen aller hysterischen Weiber und wackligen Greise, wie beim Niederwalddenkmal, Drachenfels und bald auch beim Heidelberger Schloss, und dampfte jetzt fröhlich gen Weimar. Mein Herz schlug schon unbändig in Erwartung der gewaltigen, erhebenden Eindrücke, die mir dort die unzähligen geweihten Stätten bereiten sollten, und namentlich das neueröffnete Goethemuseum spannte meine Erwartung, von dessen Wundern ich schon so viel vernommen und gelesen und welches ja dem allgemeinen Urteil nach das größte Nationalheiligtum des Vaterlandes, das Deutsche Delos, werden sollte.

Von Eisenach ab war es noch ziemlich leer im Wagen, in Fröttstedt füllte sich der Schlag jedoch bedenklich, eine große Zahl Badegäste und Vergnügungszügler war von Friedrichroda herangekommen und wollte wie ich in die Heimat zurück. Ich betrachtete mir den Gesichtsausdruck meiner Reisegefährten. Die Meisten verrieten deutlich einen bedenklichen Mangel an Geist, sie reisten, ich sah es und hörte es aus ihren Gesprächen, nur zu ihrem Vergnügen, ohne die geringste Absicht, dabei auch ein wenig ihren Geist und ihr Gemüt zu bilden, sie wollten nur „Natur kneipen,“ für die Werke der Kunst, die historischen Reminiscenzen, die ihnen am Wege lagen, fehlte ihnen der Sinn, sie beachteten sie nicht einmal, sie reisten, wie Gaudys Schneidergeselle reiste. Ich versuchte auch erst gar nicht mich mit diesen Banausen in ein Gespräch einzulassen und ging auf ihre Anzapfungen nicht ein, ich wusste doch, dass wir uns nie würden verstehen können.

Nur mein Nachbar linker Hand schien eine Ausnahme zu machen. Mit Vergnügen schaute ich in ein intelligentes, feines Gesicht, dem eine Falte um die Mundwinkel den Ausdruck leiser Ironie verlieh. Hinter den Gläsern des Zwickers blickten zwei graue, ein wenig zusammengekniffene Augen scharf prüfend hervor, und ein ganz leichter, die Oberlippe bedeckender blonder Flaum begann sich fast widerspenstig zu kräuseln. Ich weiß nicht, woher es kam — aber das Gesicht interessierte mich, und kaum dass ich einige Worte mit seinem Besitzer gewechselt hatte, — auch der Mensch. Wir tauschten unsere Reiseeindrücke aus, und wenn ich auch mit vielen seiner Aeußerungen nicht übereinstimmte, so konnte ich seinen Ansichten doch auch nicht ihre Berechtigung absprechen, und ihr Widerstreit mit den meinen fesselte mich gerade am Meisten. Ich, der überzeugte glühende Idealist, der Alles mit der größten Begeisterung auffaste, er ein feiner, geistreicher Spötter, dem nichts heilig schien. Und je stürmischer ich wurde, desto ruhiger blieb er, ohne eine Bewegung, nur ab und zu ein leichtes Zucken um die Mundecken, und den leisen, feinen, hohen und doch bestimmten Ton des Organs keinen Augenblick erhebend. Ich pries die idyllische Ruhe dieser kleinen Residenzen Mitteldeutschlands, den vornehmen Charakter, den sie alle zur Schau trügen, mein Gefährte erging sich in beißenden Epigrammen über die daselbst herrschende Langeweile und sagte, er habe seit Jahren nicht so herzlich gelacht, als wie ihm bei seinem Eintritt in die Stadt Gotha, wo er ein paar Tage zuvor gewesen, am Eingang der vom Bahnhof in die Stadt führenden Straße, gleich als herrschte daselbst ein Weltverkehr, eine große Tafel mit der Aufforderung „Rechts gehen!" aufgefallen sei, während die Straße in ihrer ganzen Länge nicht von sechs Menschen begangen wurde, welche sich mit höchster Verwunderung nach ihm umblickten, als er trotz des Verbotes links zu gehen wagte, weil gerade über der rechten Seite glühender Sonnenbrand lagerte.

Als ich meinem Gefährten mitteilte, dass und warum ich nach Weimar ginge, zuckte es zuerst wieder bedenklich um seinen Mund, dann aber sagte er: „Weimar ist auch mein Reiseziel, ich gedenke mich einen Tag daselbst aufzuhalten, wollen wir die Sehenswürdigkeiten gemeinsam besichtigen?" Ich nahm natürlich den Vorschlag mit Freude an.

In der heiligen Stadt angekommen, bliesen wir, wie es sich gebührt, den profanen Thüringer Staub von unsern Schuhen und zogen alsbald hinein durch die neuen Stadtteile am Museum vorüber nach der Altstadt. Vor dem Theater machten wir den ersten Halt. Goethes und Schillers Standbild wurde bewundert und dann konnte ich meinen Blick gar nicht abwenden von der einfachen, schlichten, schmucklosen Stätte, in der die meisten Meisterwerke unserer Klassiker zum ersten Mal das Licht der Lampen erblickten. In solchem unschönen Holzbau also, dachte ich, sind Don Carlos, Egmont, Wallenstein, die Braut von Messina unter der eigenen Leitung der Dichter über die Bretter gegangen, hier haben die Jagemann, P. A. Wolff, die durch Goethe unsterblich gemachte Christiane Neumann gespielt! Und ist es auch nicht mehr dasselbe Haus, in welchem jene Ereignisse, Merksteine in der Geschichte der deutschen Kunst, vor sich gegangen, so ist es doch dieselbe Stätte und nicht minder heilig! Da weckte mich aus meiner weihevollen Stimmung das scharfe, hohe Organ meines Begleiters: „Wie lange wollen Sie denn noch hier stehen und sich den langweiligen alten Kasten betrachten? Das Ding sieht ja mehr wie ein Kuhstall denn wie ein Hoftheater aus. Dergleichen rührt noch aus der Zeit in den ersten Dezennien unseres Jahrhunderts her, wo man kahle, weiße Nüchternheit für Vornehmheit sich aufreden ließ! Gott bewahre uns davor. Ich kann das Gebäude nicht betrachten ohne mich zu langweilen. Man sollte es lieber niederreißen und ein modernes, anständiges Haus an seine Stelle bauen." Und als ich ihm seine Pietätlosigkeit vorwarf, fuhr er fort: „Was kümmert mich die Vergangenheit? Weil ein Mensch, eine Institution, ein Haus einmal seine tüchtigen Dienste geleistet hat, sollen sie ewig gefeiert und gerühmt bleiben, auch wenn sie später noch so sehr hinter ihrer Zeit zurückbleiben? Torheit! Die wahre Größe und Tüchtigkeit besteht darin, immer auf der Höhe seiner Zeit zu stehen und sich stets darauf zu erhalten. Wer zurückbleibt, muss, er habe in der Vergangenheit Verdienste so viele er wolle, untergehen, verdient seinen Untergang, man vernichte ihn mit aller ausgesuchten Höflichkeit, aber man vernichte ihn! Pietät, Schonung, Ehre einem Menschen oder einem Dinge, weil sie 'mal früher was gekonnt, was geleistet haben, heut jedoch nicht mehr? Albernheit! Was sich nicht auf der Höhe der zeitgenössischen Entwickelung halten kann, Mensch oder Sache, ist wert, dass es zu Grunde geht. Die prächtigen, modernen Wohnhäuser draußen an der Sophienstraße, am Eingang vom Bahnhof in die Stadt, mit ihrer reichen Architektur, ihren zweckmäßigen Einrichtungen, obwohl ohne historische Vergangenheit, ziehe ich diesen alten Baracken, trotz ihrer Ruhmesgeschichte, weit vor. Das bloße Alter, der Ruf, einstmals auf der Höhe der Zeit gestanden zu haben, giebt keinem Menschen und keinem Dinge den geringsten Anspruch auf Höherschätzung. Ist ein Mensch oder eine Sache alt und doch schön und gut und auf der Höhe unserer Zeit stehend — z. B. die Skulpturen des Phidias, die Bilder Raphaels — alle Hochachtung . . . aber sind sie nur alt und einmal schön oder gut gewesen, es aber für uns nicht mehr, — z. B. der Berliner Mühlendamm oder der größte Teil der Bilder von Lukas Kranach . . . alsdann in den Lumpenschuppen damit, denn sie hindern durch ihre Anwesenheit, durch den Raum, den sie fortnehmen, durch die Beachtung, die man ihnen schenkt, nur die Entwickelung des Zeitgenössischen, Guten, Vollkommenen. Und so auch das „hochberühmte" Weimarer Hoftheater!"

„Sie sind ja im höchsten Grade pietätlos," entgegnete ich erregt, „und ich habe keine Lust, mir durch Ihre ungerechtfertigten Einwürfe meine poetische Stimmung verderben zu lassen. Ueberdies wollen wir uns Weimar ansehen aber nicht philosophieren. Schweigen wir also davon und gehen wir weiter." Aber ich hatte gut reden, jetzt merkte ich erst, welch gefährlichen Begleiter ich mir angeworben hatte: Wenn dessen Zunge erst einmal in Bewegung geraten war, so hielt sie so bald nicht an. Wir standen jetzt gerade vor dem Wohnhause Schillers und mein Begleiter fuhr fort, beinah mehr zu sich selbst als zu mir sprechend: „Das Haus ließe ich auch niederreißen, wenn ich hier was zu sagen hätte. Das und alle jene Baracken, welche als „Schillerhäuser" der gebildeten Welt zu weihevoller Stimmung erhalten werden, wie die elende Hütte in Gohlis und anderwärts. Ist es nicht ein Jammer um den schönen Bauplatz in dieser wertvollen Gegend der Stadt? Hier könnte ein prächtiges, neues, vierstöckiges, mit den modernsten Einrichtungen versehenes Wohngebäude geschaffen werden, das zwanzig Familien gesunden, bequemen, wohlfeilen Aufenthalt gewährte! Was hab' ich davon, was drüben vom Goethehause, wenn ich gar weiß: in diesen Räumen hat Schiller, hat Goethe, einst gehaust, das war sein Schlaf-, das sein Musikzimmer, auf jenem Platz ist diese Tragödie entstanden u. s. w. — ich bitte, welchen geistigen oder materiellen Gewinn ziehe ich davon? Erweitert sich mein Wissen, meine künstlerische Anschauung dadurch nur um einen Centimeter? Und zu wissen: so war die Einrichtung des Zimmers zu damaligen Zeiten — nun das könnte mir eine gute Photographie oder Beschreibung ebenso gut sagen, jeder normal angelegte Mensch besitzt genug Phantasie, sich darnach ein plastisches Bild zu machen. Elende Pietätsduselei, nichts weiter! Reden Sie mir nicht von poetischer Stimmung, in die man versetzt würde, oder dergleichen. Ich sehe nichts als ein paar schlecht möblirte, enge, niedrige, ungesunde Zimmer, wo soll da die Stimmung herkommen, hier so gut wie im Lutherzimmer auf der Wartburg oder an ähnlich eingeweihten Orten, die nichts Anderes geweiht hat als — die blanke Neugier. Poetische Stimmung — es ist alles Heuchelei!"

Je länger wir uns in Weimar aufhielten, desto rabbiater wurde mein Begleiter, er kam aus dem Schimpfen gar nicht mehr heraus. Unterwegs ärgerte er sich darüber, dass man den Straßen die Namen der großen Dichter gegeben, die Weimar unsterblich machten. „Wollte man schon einmal Alles so lassen, wie es zur sogenannten klassischen Zeit gewesen, das heißt, ein vollständiges Bild von dem damaligen Weimar geben, so musste man auch den Straßen und Plätzen dieselben Namen belassen, die sie damals geführt, als die Klassiker nach Weimar kamen und die uns Allen aus Biographien und Schilderungen bekannt sind. Schillerstraße — Goetheplatz — wie albern das gerade hier an diesem Orte klingt!"

Nichts war dem Menschen recht und heilig, an Allem hatte er zu kritteln und zu nörgeln. Selbst die eine Mark erregte seinen Unwillen, die er beim Eintritt in das Goethenationalmuseum erlegen musste. „Ist dies Haus wirklich, wie ihr behauptet, eine heilige, nationale Stätte, dann muss sie auch frei und Jedermann zugänglich sein. Ihr nennt ja Goethe den Dichter des ganzen Volkes, wie könnt ihr das Volk durch den hohen Eintrittspreis (denn eine Mark ist hoch für den gemeinen Mann) vom Besuche seines Wohnhauses ausschließen." Ich behaupte, es war nur der Geiz, der aus ihm sprach. Am meisten aber ärgerte er sich über die an den Wänden und in Glaskästen ausgestellten Gegenstände, zumeist Sachen aus Goethes Privatbesitz. „Was soll ich mit diesen Sammlungen von Majolikatellern? Will ich dergleichen sehen, so finde ich im Berliner Kunstgewerbemuseum zehn Mal mehr und hundert Mal schönere. Was hat dergleichen überhaupt mit Goethe zu tun? Dass sie ihm zufällig gehörten? Unterscheidet sie dies nur im Geringsten von anderen Majolikatellern? Werden sie dadurch kunstvoller, schöner, wertvoller? Oder umgekehrt, würden sie, besäßen sie wirklich hohen Kunstwert, denselben im Geringsten einbüßen, wenn es sich plötzlich zufällig herausstellte, dass sie Goethe nicht gehört hätten? Und dafür eine Mark Eintrittsgeld, darum Räuber und Mörder und Nationalheiligtum? Oder vielleicht hier das Nadelbüchslein der Frau Rat? Ist es nicht eine Nadelbüchse wie hundert andere aus der Roccocozeit? Der Wert einer Sache besteht doch nur in ihrem sachlichen Wert, nicht in der Bedeutung ihrer einstmaligen Besitzer, die ihr Wesen nicht im Geringsten geändert. Komme mir nur Keiner damit, dass durch dergleichen Alfanzereien die Liebe zum Dichter gekräftigt würde. Ich trage meinen Goethe hier im Herzen, und er und seine Werke leben inniger und kräftiger in mir als in den Hunderten, die all dies Zeug mit begeisterten Augen betrachten. Ich begreife ihn, ich weiß mich im Geiste eins mit seinem Geiste — und darauf kommt's an. Aber habe ich das Bedürfnis, mich ihm wieder einmal zu nähern, meiner Liebe zu ihm neue Kraft zuzuführen, wieder einmal geistig in ihm aufzugeben, so nehme ich seinen Götz, seinen Werther, seinen Faust zur Hand und versenke mich dahinein, so tief, dass ich die Außenwelt um mich vergesse. Goethes eigene Werke, Bernays, Lewes Biographien, Scherers Studien, Humboldts „Ueber Hermann und Dorothea", die bilden das wahre Goethenationalmuseum. Hier unter all diesem erbärmlichen, wurmstichigen Gerümpel, umringt von diesen schwatzenden, dahlenden Engländern und Engländerinnen mit ihrer breiten, unästhetischen Mundart, ihren kurzen Haaren und großen Füßen wollen Sie poetische Stimmung empfinden, sich im Geiste Goethe nähern? Ach, gehen Sie mir doch! Elender Reliquiendienst ist das Alles, nichts weiter, und mich wundert nur, dass noch Niemand einen so kostbaren Schatz entdeckt und aufgestellt hat, wie Goethes Nachttopf. Es ist das Einzige, was ich hier noch vermisse."

„Wenn Sie denn schon ein solcher Materialist sind", sagte ich, „so will ich Sie mit ihren eigenen Waffen schlagen. Diese klassischen Stätten und Erinnerungen ziehen alljährlich Tausende von Fremden hierher, der Stadt fließt dadurch eine Menge Gewinn zu ....“

„Ein Gewinn, der auf Verlogenheit und Albernheit basiert, ist unredlicher Gewinn und verdient, aufzuhören! ....“

„... Zahlreiche Menschen, wie diese Diener und Aufseher hier finden lohnende Beschäftigung ...“

„Die Müßiggänger, die Faullenzer? Sie sollten sich lieber ihr Brot im Schweiße ihres Angesichts verdienen, statt hier herumzulungern!“

„Ach, mit Ihnen ist nicht zu streiten —“

„Nein, in dem Punkte nicht! Ich will Ihnen etwas sagen. Lebten Goethe, Schiller, Herder noch — ja, dann wäre es ein löblich Beginnen hierher zu wallfahrten, in der Hoffnung sie zu sprechen, mit ihnen diese Räume zu durchwandeln, und vielleicht in einer Stunde im persönlichen Verkehr mit diesen Riesengeistern wahre Anregungen, nachhaltigere Eindrücke zu empfangen, als uns Dutzendmenschen sonst wohl in Jahrzehnten beschieden sind. Ich hatte das Glück vor wenigen Tagen einen Nachmittag hier in Thüringen, bei Gotha, im Hause des ersten deutschen Poeten der Gegenwart zuzubringen, mit ihm selbst Ansicht um Ansicht einzutauschen über die schwierigsten Fragen der Politik, des sozialen und Kulturlebens, der Kunst, die das Herz eines guten Patrioten und Kunstfreundes bewegen. Das waren weihevolle, genussfrohe Stunden, die ich nie vergessen werde, und sollte ich an Jahren ein Methusalem werden. Aber hier, dieses todte, starre Gerümpel, das kein anderes Verdienst besitzt, als dass es einmal Goethes Eigentum gewesen, diese nackten Mauern, die nur das für sich anführen können, dass ein großer Dichter zwischen ihnen gehaust — diese sollen mich weihevoll stimmen, meinen Geist, mein Gemüt fördern? Torheit! Zum Geist zu sprechen, vermag nur der Geist, zum Herzen zu dringen nur das Herz, und auf den Menschen einwirken, kann nur die Natur oder der Mensch, beziehentlich das Beste vom Menschen, sein Werk, nicht aber Majolikateller, die er einst besessen, Zimmerwände, zwischen denen er einst gehaust.“

„Aber Eins müssen Sie doch gelten lassen“, sagte ich. „— diese Räume bergen eine Anzahl der wertvollsten historischen Porträts, nicht bloß des Dichterfürsten, sondern vieler bedeutender Frauen und Männer, die mit seinem Leben und Dichten untrennbar zusammenhängen. Sie werden doch nicht bestreiten, dass diese vermögen, die Erinnerung an ihn und jene großen Zeiten in weihevolle Stimmung zu verwandeln.“

„Ich würde es ohne Weiteres zugeben,“ entgegnete mein Begleiter, „wenn diesen Bildern selbst nur der geringste Wert beizulegen wäre. Aber es ist mehr oder minder Alles geschmeicheltes, idealisiertes, willkürlich verändertes Zeug, kein einziges kann auf Treue und darum auch nicht auf Glauben Anspruch machen. Denn betrachten Sie sich doch nur einmal alle diese vierzig Porträts Goethes, oder wie viele es sind — man sollte meinen, sie stellten eben so viele verschiedene, gar nicht miteinander verwandte Menschen dar; dass es ein und derselbe Mensch auf allen ist, erscheint geradezu unglaublich. Nicht einmal in den physiognomischen Grundlinien, die sich nie verändern, stimmen sie überein. Die Maler haben gezeichnet, was ihnen gerade im Kopfe steckte, der eine einen typischen Apollo, der andere einen beliebigen typischen Geheimrat, aber kein einziger einen wahren Goethe. Und mit den andern Porträts steht's nicht besser — wer wollte in diesen beiden, an Form, Aussehen, Charakter so grundverschiedenen jugendlichen Frauenköpfen die Christiane Vulpius erkennen? Ich gebe Ihnen mein Wort, dass mir eine gute Photographie (hätte es deren damals schon gegeben) lieber wäre als diese ganze Porträtgalerie, denn dann wüsste ich wenigstens, wie die Leute ausgesehen haben.“

Offen gesagt, mein Begleiter verleidete mir das Goethemuseum, verleidete mir mein ganzes geliebtes Weimar. Aber wie hätte ich ihn abschütteln sollen, ohne die Grenzen des gesellschaftlich Erlaubten zu überschreiten? So beschloss ich denn, alle Sehenswürdigkeiten diesmal schnell durchzupreschen, abzureisen und so bald als möglich zurück zu kehren, um sie dann mit Muße zu genießen, aber allein. Ich wanderte daher schnell nach der Bibliothek hinüber. Hier verhielt sich mein Begleiter auffälligerweise ziemlich ruhig, der wissenschaftliche Ernst, die Bedeutung des Ortes mochten ihm doch imponieren. Nur als wir mit anderen Besuchern an die große, aus dem Stamme eines einzigen Riesenbaumes geschnitzte Wendeltreppe kamen und staunend die mühevolle Arbeit und die kaum fassbare Geschicklichkeit des unglücklichen Verfertigers bewunderten, konnte er sich nicht enthalten, auszurufen: „Aber das ist eine Barberei ohne Gleichen, den herrlichen lebendigen Baum zu tödten, um einer elenden Spielerei willen! Denn nichts Anderes ist das Ganze. Welch ein Wunderbaum muss das gewesen sein! Er könnte heute noch stehen, noch Generationen Schatten spenden und durch den Anblick seines grünen Blätterhauses erquicken und Tausenden von lebenden Wesen Schutz und Freude gewähren! Als Xerxes, der Barbar, der Länderverwüster, auf seinem Zuge zur Zerstörung von Hellas in Thrakien an einem durch seine Größe und Schönheit besonders auffallenden Baum vorüber kam, befahl er, vor demselben eine Wache aufzustellen, um ihn gegen alle Angriffe und Bosheiten zu schützen, denn er verehrte und achtete die kolossale, sich in ihm verkörpernde Naturkraft. So handelte und dachte ein Barbar. Der aber diesen Baum umhauen und zerschnitzeln ließ, hatte nicht die mindeste Liebe zur Natur, war schlimmer als jener berüchtigte Perser.“ Ich hielt es nicht der Mühe wert, darauf etwas zu erwidern, sondern schritt weiter fürbass nach dem letzten Ziel meiner Weimaraner Wanderung, der Fürstengruft.

Es war eigentlich noch nicht die Zeit zur Besichtigung, aber des Oberaufsehers nettes Dienstmädchen holte den Schlüssel und ließ uns eintreten. Heiliger Schauer ergriff mich, als ich mich hier in dem engen, düsteren Raume befand, vor den Särgen Karl Augusts, Goethes und Schillers. Hier schien mir jedes Fleckchen des Bodens geweiht und jene Särge das kostbarste ideale Besitztum unseres Volkes. Hässlich wie die Stimme eines Mephisto klang wieder das Wort meines Begleiters: „Und was nun hier? Eine Gruft wie jede andere. Welchen materiellen, geistigen oder gemütlichen Gewinn ziehen Sie nur von dem Anblick dieser beiden langen Holzkisten? Was nun weiter, wenn Sie selbst wissen, dass in ihnen die zerfressenen Gebeine der großen Poeten ruhen? Werden Sie dadurch reicher, klüger, besser? Gefühlsduselei ist wieder das Alles, nichts weiter. Wenn ich den „Werther“ lese und mich ganz hinein versenke, so empfinde ich größeren Genuss als hier in dieser Stickluft. Welchen Zweck hat die ganze Komödie? Reklamesüchtigen Mimen Gelegenheit zu geben, durch Niederlegen von Kränzen mit riesigen Schleifen ihre Namen dem Publikum wieder mal ins Gedächtnis zu bringen. Sehen Sie nur hier das Lorbeerwagenrad mit der goldglänzenden Devise: Ernesto Rossi, l'umile interprete dei grandi poëti u. s. w. — echt komödiantenhafte Marktschreierei! Für solche Leute sind derartige „Weihestätten“ da, aber nicht für die, welche es ehrlich meinen mit der Kunst, welche sie im Herzen tragen! Die bedürfen weder Reliquien-, noch Lokalverehrung!“

Ich hörte schon gar nicht mehr auf das Gerede des Menschen, ganz versunken in meine wehmutsvollen Träume, in mein Sinnen über den Untergang auch des Höchsten und Edelsten im Erdenleben war ich am Sarge Goethes in die Kniee gesunken, barg mein Haupt in den Händen, lehnte es dann an den Sarg und — ja, ich weiß nicht mehr, ob ich weinte, betete oder was ich sonst tat. Mein Geist aber war oben auf des Olympos seligen Höhen und sah die Dichterheroen am Tische der Götter sitzen und das Mahl der Unsterblichen teilen. Ich entsinne mich nicht mehr, wie lange ich so lag und träumte. Plötzlich fuhr ich auf. Es war Zeit zu gehen. Ich blickte um mich, mein Begleiter war verschwunden. Ich trat hinaus aus der düstern Gruft in den lachenden, hellen Sonnenschein. Draußen grünten die Linden und die Rose hauchte süße Düfte aus. Mein Auge begann zu tränen. Aus der großen Allee, die zum Eingang führt, trat mir mein Reisegefährte entgegen. Sein Antlitz war gerötet, sein Haar etwas verwirrt, um seine Augen lagen zwei blaue Ringe, sein Anzug schien mir ein wenig zerdrückt. „Wo waren Sie bis jetzt?“ rief er mir zu. „Drinnen,“ erwiderte ich, „ich habe in süßen Träumen geschwelgt — das war eine herrliche Stunde! Und Sie — wo waren Sie?“

„Da drinnen,“ entgegnete er und zeigte auf das Haus des Oberaufsehers. „Das Dienstmädchen war allein ... Das hübsche Ding, das uns hierher führte, wissen Sie noch? . . . Das war auch eine selige Stunde!“ Er lachte auf, ich wandte mich voll sittlicher Entrüstung ab. „Pharisäer!“ wagte er mir zuzurufen. „Sie sind entrüstet — weil Sie mich beneiden! Weil ich der Klügere war, der das bessere Teil erwählt, der die Todten in der Gruft gelassen und das lebendige Leben umarmt hatte!“

„Das ist mir denn doch zu bunt“, rief ich ergrimmt. „Mein Herr, ich verabschiede mich. Reisen Sie in Gottes Namen allein weiter, wir sind kein Umgang für einander. Gehen Sie zu Ihren Freunden, den Nihilisten, zu denen Sie gehören. Auf Nichtwiedersehen!“ Und im Vollbewusstsein der Höhe meines sittlichen Idealismus ging ich stolz von dannen. —

Les Femmes Collantes (die zudringlichen Frauen)

ist der Titel eines Mitte Oktober im Théâtre Déjazet zu Paris aufgeführten Lustspiels in fünf Akten, über das die französische Kritik sich sehr lobend ausspricht, und in dessen Verfasser, den erst zwanzigjährigen Gandillot, selbst der sonst fast überstrenge Francisque Sarcey einen neuen Stern der Lustspieldichtung begrüßen zu können glaubt, der jetzt schon dem Verfasser der Cagnotte und Labiche zur Seite gestellt wird. Der Inhalt der „Femmes Collantes“ ist etwa folgender:

Maître Badinois ist etwa vierzig Jahre alt und vertritt den Stand der jungen, unverheirateten Pariser Advokaten, welche ihre Zeit zwischen Arbeit und Vergnügen teilen und nur darauf bedacht sind, dass Letzteres nicht zu kurz kommt. Wir finden den Lebemann nach einer durchbrausten Nacht in seinem Zimmer, sich umkleidend, Betrachtungen über seine schlechte Lebensweise anstellend und den oft gefassten Entschluss, sich zu verheiraten, erneuernd. Ja, wenn die Frauen nicht wären! Irma de Saint-Manille, seine Geliebte, tritt unangemeldet ein, und als Badinois nichts von ihr wissen will, sagt sie, er solle ihr 2000 Fr. aufbewahren. Kaum hat sie die Quittung, als sie dem schwachen Freund 500 Fr. abborgt und ihn, bevor sie geht, zu einem Stelldichein auf dem Ball der großen Oper zum Abend bewegt. — In diesem Augenblicke kommt zu dem neue Heiratspläne Schmiedenden Herr Mourillon, der den Heiratsvertrag zwischen seiner Tochter und Paul Dumont aufsetzen lassen will. Die reiche Erbin, das wäre etwas für unseren Advokaten! Der Gedanke kommt ihm auch, und er weiß die Verhandlungen so geschickt zu drehen, dass dieselben abgebrochen werden, weil Herr Mourillon nicht die hartnäckig verlangten 150 000 Fr. Mitgift gewähren will. Kaum ist Dumont fort, als der Ex-

Schwiegervater dem Sachwalter gesteht, er habe schon Wohnung und Einrichtung für seine Tochter besorgt, die sich nun unbedingt verheiraten müsse. Da bietet Badinois sich an, sagt, er wolle gar keine Mitgift, dreht und wendet aber das Gespräch so geschickt, dass Mourillon ihm, ohne zu merken, wie ihm die Summe abgelockt wird, schließlich 200 000 Fr. Heiratsgut verspricht. Alles ist abgemacht; unser Notar ist selig; eine Heirat wird seinem wilden Leben ein Ende machen. Aber — da erscheint Mme Héloise Plumard, eine hübsche junge Wittwe in einer Erbschaftsangelegenheit. Sie verdreht dem Unverbesserlichen den Kopf, der verspricht, die Liebenswürdige zu besuchen. Erneute Selbstvorwürfe; erneuter Rückfall mit einer hübschen Kammerzofe, welche den mit sich selbst Kämpfenden überrumpelt, wie ihre beiden Vorgängerinnen es taten.

Um nun den sich fast von selbst ergebenden Fortgang des Stückes originell zu gestalten, ist als Drehpunkt für die ganze folgende Handlung die Person des einer Erbschaft Nachjagenden Campluchard erfunden, der, von Badinois beständig abgewiesen und vertröstet, diesem auf Schritt und Tritt folgt, immer über seine Erbschaft in Ungewissheit bleibt, und die Ursache einer Menge von urkomischen Verwickelungen wird.

Im 2. Akte kommt Badinois zu seiner Zukünftigen. Mourillon ist ein gegen die menschlichen Schwächen nachsichtiger Lebemann, der aber vor seiner zänkischen und eifersüchtigen Frau zittert. Mit dem Bräutigam kommt Campluchard an, der für einen erwarteten, neueintretenden Diener gehalten wird (!). In zehn Minuten ist der Kontrakt beschlossen, Mourillon nimmt seinen Schwiegersohn beiseite, fragt ihn, ob er Liebschaften habe, und als er die mit Irma gesteht, verlangt Mourillon, dass der junge Bräutigam am Abend in seiner Gegenwart mit ihr breche. Widerstrebend willigt Badinois, der den Abend gern noch genossen hätte, ein. Mme Mourillon hat Lunte gerochen, hat erfahren, dass ihr Gatte und Badinois zu einer Cocotte gehen; sie eilt auch dahin, Campluchard natürlich ebenfalls.

Im 3. Akte erfährt Letzterer durch einen Zufall, dass er 3 Millionen geerbt hat. Badinois ist ein Gedanke gekommen; er will ihm Irma aufhängen, was ihm auch gelingt; Badinois sieht mit Bedauern die Beiden auf den Ball gehen.

Im 4. Akte finden wir den um eine Geliebte Erleichterten bei Mme Héloise. Er hat Geschäfte regeln wollen und ist, ohne es zu wollen, ein Opfer seiner unüberwindlichen Schwäche gegen die Damen geworden. Die sich hieraus entwickelnden Szenen sind von hinreißender Komik. Mme Plumard will sich nun durchaus mit Badinois verheiraten. Schwiegervater Mourillon, dem Badinois beichtet, findet den Ausweg; Campluchard bietet der schönen Wittwe alles, worauf es dieser allein ankommt, ein ansehnliches Vermögen; beide werden verkuppelt.

Der 5. Akt spielt auf der Mairie. Die Ehe zwischen Badinois und Mlle Mourillon soll vollzogen werden; da erscheint Rose, die Kammerzofe des ersten Aktes, welche Badinois Vitriol ins Gesicht zu gießen droht, wenn er sie sitzen ließe. Campluchard hilf! Richtig, der Aermste kommt gerade zur rechten Zeit, um sich, nach einigem Widerstreben, die gefällige Zofe aufschwatzen zu lassen. Er muss aber erst die Sache zu Hause in Richtigkeit bringen; das nimmt geraume Zeit in Anspruch, und während derselben begeben sich auf der Mairie so urkomische Dinge, dass man aus dem Lachen einfach nicht herauskommt. Endlich kommt Campluchard an, meldet, dass alles in Ordnung ist, und nun wird die oft unterbrochene Feierlichkeit vollendet.

Die Stärke des Stückes ist der hinreißende Dialog und der Umstand, dass auch da, wo die Phantasie des Verfassers die seltsamsten Sprünge macht, doch ein gewisser Hintergrund nicht fehlt. Wir erwähnen nur die Szene als die Ehe zwischen Mlle Mourillon und Badinois besprochen wird, wo der Verfasser treffend den oberflächlichen Leichtsinn zeichnet, mit dem tatsächlich jetzt viele Ehen geschlossen werden.

Wismar. Dr. Léon Wespy.

Reisebilder.

I.

Reminiscenz.

Das ist die alte Stätte wieder,
Wo ich geträumt den ersten Traum,
Gesungen meine ersten Lieder
Im Blütenmond am Waldessaum.

Das sind der Heimat Buchenhallen,
Die ich durchstürmt in Lust und Leid,
Die bunten Blätter seh' ich fallen, —
O Jugendtraum, wie weit, — wie weit!

Die Zeit ward ehern und gerüstet
Zum Geisteskampf schreit' ich einher,
Nach Ehren hat es mich gelüstet,
Nun trag' ich Wunden, tief und schwer.

Und hege doch kein töricht Sehnen
Nach Tagen, die vergangen sind,
Und möchte mich nicht glücklich wähnen,
Würd' ich zum andern Mal ein Kind.

Denn nur beim hellen Klang der Waffen
Wird echte Manneskraft gefeit,
Nur was ich selber mir geschaffen,
Ist mein in alle Ewigkeit!

II.

Auf dem Niederwald.

Wie ragst du hoch in deiner erznen Pracht,
Ein Denkmal deutscher Herrlichkeit und Macht,
Ein Zeugnis unsrer Ehren, unsrer Siege!
Ein Zeugnis, wie wir rangen heldengleich,
Bis unsres Kampfes Frucht, das neue Reich,
Errichtet ward nach blut'gem Völkerkriege.

Und doch, heb ich den Blick zu dir hinau,
Ein Schauer fasst mich übermächtig an,
Und eine bange Frage hör' ich schallen:
Wo blieb die Frucht, die uns verheißen ward?
Noch drückt ein Joch die Geister schwer und hart,
Noch sind die Ketten alle nicht gefallen.

Gewaltig, wie des Rheines stolze Flut,
Ergoss sich unsres Volkes Löwenmut,
Und mächtig schwang der Geist die Adlerflügel;
Nun seh' ich Damm und Schranke ringsumher,
Nun hör' ich Seufzer, Klagen bang und schwer,
Und finster senkt es sich auf Tal und Hügel.

Nicht also sollt' es sein! — Wir sahen kühn
Aus unserm Blut den Freiheitsbaum erblüh'n,
Wir jauchzten auf im Süden und im Norden, —
Da traf ein gift'ger Hauch die Blüten all,
Da wurde still der laute Freudenschall,
Was wir erhofft, noch ist's nicht wahr geworden!

Pforzheim. Johann v. Wildenradt.

Carlyle — Goethe — Froude.

Von Eugen Oswald.

I.

Die folgenden Briefe, welche ich hier in treuer Uebersetzung gebe, mögen sich zur Veröffentlichung im „Magazin" eignen. Sie dienen dazu zwei Dinge festzustellen, oder vor irriger Auffassung zu bewahren: das freundliche Verhältnis Goethes zu Carlyle, und die Sorgfalt, mit welcher stellenweise des Letzteren Leben von Herrn Froude behandelt worden. Sie durften nicht früher zum Abdruck kommen, weil die Lösung des zweifelhaften Punktes erst jetzt möglich war. Diese, welche ich unter IV gebe, überhebt mich jedes weiteren Kommentars.

II.

An Herrn J. A. Froude.

6. Januar, 83.

Geehrter Herr,

Im zweiten Bande Ihres „Carlyle" stoße ich auf die folgende Stelle:

„Auch Carlyle fand sich von den St. Simonisten angezogen. Er hatte selbst in einem Briefe an Goethe einiges Interesse an ihnen, einige Hoffnung auf sie ausgesprochen; und der weise Greis hatte ihn vor der gefährlichen Illusion gewarnt. ‚Von der Société St. Simonien bitte Dich fern zu halten' hatte Goethe gesagt. From the Society of the St. Simonians I entreat you to hold yourself clear.*)

und die Note:

„Nur dieser Satz bleibt uns aus Goethes Brief bei dieser Veranlassung; er findet sich angezogen in einem von Carlyle's eigenen Briefen",

und Ihre Seiten-Ueberschrift weist, als annäherndes Datum, auf das Jahr 1830.

Vielleicht bin ich nicht der einzige Ihrer zahlreichen und — erlauben Sie mir das bei dieser Gelegenheit zu sagen — dankbaren Leser, der bedauert, dass Sie nicht Carlyle's eigenen Brief mitteilen, auf welchen Sie sich hier beziehen, oder mindestens den Teil desselben, in welchem die fragliche Stelle vorkommt. Wenn, wie ich hoffe, der Brief Ihnen noch zur Verfügung steht, würden Sie wohl geneigt sein, das genaue Datum zu geben, und zu sagen, an wen er gerichtet, und würden Sie bei dieser Gelegenheit denselben mit kritischem Auge durchlesen, um sich ganz genau zu versichern, dass Carlyle die Worte wirklich als Goethes eigene Ausdrücke anführt? Was den französischen Sprachschnitzer betrifft, so ist der von weniger Bedeutung. Weder Carlyle, noch Goethe, ob sie wohl beide Kenner des Französischen, waren ganz unfähig eines solchen kleinen Uebersehens. Aber was erstaunlicher, ist das Dich. Nirgendwo in Goethes Mitteilungen an Carlyle habe ich das Fürwort Du oder seine Fälle gefunden.

Vielleicht, als Ersatz für die Mühe, welche ich Ihnen durch die Antwort auf das Gegenwärtige verursache, darf ich Sie auf eine Stelle aus Eckermann aufmerksam machen, die ich in meinem Aufsatze: „Goethe und Carlyle" — Magazin für die Litteratur, 1882, pp. 385/86 anführe und welche Sie übersehen zu haben scheinen, mit Bezug auf ein Geschenk, welches Goethe die Absicht hatte, Carlyle zu machen. Und ich kann nun anfügen, dass ich mir die Gewissheit verschafft, dass dies Geschenk wirklich gemacht worden, und sich noch heute in des Verstorbenen Bücherei befindet.**)

Ich bin, geehrter Herr,

Ihr hochachtungsvoll ergebener

Eug. Oswald.

NS. Wäre es nicht geeignet gewesen, auf dem Geschenk und der Zuschrift zu ruhen, welche Carlyle und seine Freunde an Goethes letztem Geburtstage ihm verehrten? Miscellaneous Essays; popular edition, vol. IV, p. 173/75 und Lewes: Goethe, 2. ed., p. 552; mein Büchlein, p. 26/28. — Eine Anspielung darauf scheint sich in dem Briefe an Frau Carlyle zu finden, in Ihrem Band II, p. 167.

III.

5 Onslow Gardens S. W.
8. Jan.

Geehrter Herr,

Der Brief, welcher den Auszug aus Goethe enthielt, war an John Carlyle gerichtet. Es war einer aus einer sehr großen Anzahl, welche ich unmöglich alle drucken konnte. Ich machte daraus eine Auswahl, wie sie mir genügend schien.

Die Briefe, welche ich benützte, sind nicht mehr in meinem Besitz; auch kann ich, aus Gründen, auf welche einzugehen unnötig, nicht verlangen, dass sie mir wieder zugestellt werden. Höchst wahrscheinlich werden sie künftighin vollständig veröffentlicht werden, und dann werden Sie zu Ihrer Zufriedenheit, jegliche Ungewissheit aufklären können, die Sie jetzt etwa fühlen.

Ich bedaure, dass ich die Belehrung vermisst habe, welche ich aus Ihrem Aufsatz hätte entnehmen mögen, aber Sie werden einsehen, dass dies nicht aus Unachtsamkeit geschehen, wenn ich Ihnen sage, dass meine Bände schon vor mehreren Jahren geschrieben waren***), und dass ich also keine Gelegenheit hatte, denselben zu Rate zu ziehen.

Ihr ergebener Diener J. A. Froude.

IV.

Nunmehr, die Urschrift von Goethes Brief in der Hand haltend, lese ich darin, in sehr deutlichen Zügen:

*) Dies Herrn Froude's Uebersetzung ins Englische.

**) Es sind die Zeichnungen Neureuthers.

***) Also, im Wesentlichen, vor dem Tode des Mannes, dessen Leben darin erzählt wird.

„Von der Société St. Simonienne bitte Sich fern zu halten. Auch hierüber gelegentlich das Nähere.

Treulichst

J. W. Goethe.

Weimar, den 17. Oct. 1830.“

Die Emanzipation der Frauen und der Dichter Calderon.

Von Edmund Dorer.

Nicht unbedeutend ist die Zahl der spanischen Frauen, die sich sowohl in der Geschichte, als auch in der Litteratur ihres Landes einen ungewöhnlichen Ruhm errangen. Wir wollen nur einige Namen nennen. Unter den Herrscherinnen, die sich durch Verstand und Charaktereigenschaften auszeichneten, strahlt Isabella I., welche die Einigkeit und den Ruhm Spaniens vollendete und die Entdeckung Amerikas durch Columbus ermöglichte, hervor; aber nicht wenige andere Fürstinnen Spaniens werden mit Anerkennung genannt. Unter den Schriftstellern der religiösen Mystik und Poesie nimmt Teresa de Jesus eine der ersten Stellen ein und ward ebenso berühmt durch ihren frommtätigen Lebenswandel, wie durch ihre Bücher. Ines de la Cruz schrieb Dramen und Gedichte, die ihr den Namen der kastilianischen Muse erwarben. Maria de Zayas ist die Verfasserin vortrefflicher Novellen, die neben denen des Cervantes genannt zu werden verdienen. Andere zahlreiche Dichterinnen wetteiferten mit ihren männlichen Kollegen auf allen Gebieten der Dichtkunst. Auch auf dem Felde der Gelehrsamkeit waren die spanischen Frauen mit Erfolg tätig. An mehreren Hochschulen waren für die Lehrstühle der Sprachwissenschaften, sowie anderer Fächer Frauen angestellt. Unter diesen gelehrten Frauen ist besonders Oliva de Sambuco zu erwähnen. Sie schrieb in jungen Jahren ein noch jetzt geschätztes Werk: „Die neue Philosophie der Natur der Menschen“, eine Art Encyklopädie, eine umfassende Diätetik der Seele und des Geistes. Sie legt darin Lehren über den Ackerbau, die Staatswirtschaft und die Politik dar, vor Allem aber behandelt sie medizinische Gegenstände mit großem Scharfsinn. Ihre Forschungen über die Nerven und über den Einfluss der Leidenschaften auf den menschlichen Organismus erwarben ihr den größten Ruhm. Mit höchstem Selbstbewusstsein übergab sie ihr Werk dem König Philipp II. mit einer Widmung, in der sie unter Anderem sagt: „Ich übergebe dem Schutze Ew. Majestät dieses mein Geisteskind. Der Dienst, den ich Ihnen hiermit erweise, ist größer, als alle Diensterweisungen, welche Sie von Männern empfangen haben. Mein Buch wird die Welt verbessern und wenn Ew. Majestät meine Ratschläge wegen Ueberhäufung mit anderen Geschäften nicht ausführt, wird die Zukunft es tun und großen Gewinnst davon haben. Dieses Buch fehlte der Welt, die so viele überflüssige Bücher besitzt. Vor Allem sollen die wahren Aerzte, welche mehr das Interesse des Publikums als ihr eigenes im Auge haben, meine Naturanschauungen beachten; sie werden sehen, dass die Wahrheiten meiner Philosophie wie die Sterne am Himmel und die Johanniskäfer auf der Erde durch das Dunkel leuchten.“

Mit dieser gewiss nicht ängstlichen Selbstkritik übergab die Verfasserin das Buch ihrem König und der Welt. Es wurde mit großem Beifall aufgenommen.

Bei den vielen Verdiensten und Auszeichnungen, deren sich die spanischen Frauen rühmen konnten und einige derselben mit Stolz bewusst waren, ist es wohl begreiflich, dass in ihrer Mitte der Gedanke auftauchte, die Stellung der Frauen im Staate und Leben entspreche durchaus nicht ihren berechtigten Ansprüchen und ihren Anlagen; es müsse ihnen eine größere Freiheit gewährt werden. Als eifrigste Verfechterin solcher Ideen trat die schon erwähnte geistreiche Dichterin Maria de Zayas auf. In den Einleitungen zu ihren Novellen (erschienen 1635) eröffnete sie die heftigste Polemik gegen die Männer, die sie als feige Tyrannen und ziemlich erbärmliche Gesellen darstellt. Sie meint, dass die Männer aus Neid und Furcht den Frauen die natürlichen Rechte vorenthalten und absichtlich deren körperliche und geistige Ausbildung vernachlässigen. Sie verlangte, dass die Frauen von der schmählichen Unterdrückung befreit werden, indem man ihnen den Weg zu einer gelehrten Bildung und zugleich zur Uebung und Kenntnisnahme der Kriegs- und Waffenkunst offen lasse. Sie beschwört ihre Schwestern, sich von ihrem weichlichen Leben und dem nichtigen Gesellschaftstreiben zu ernsteren Dingen zu erheben und sich nicht durch die Liebe und eigensüchtigen Galanterien der Männer trügen und einschläfern zu lassen. Sie mahnt sie, zu studieren, zu fechten, den Leib und den Geist zu stärken, um den Kampf mit den Männern aufzunehmen und mit Erfolg durchzuführen. Ihre Mahnung an die weibliche Welt schließt mit dem Kriegsruf: Zu den Büchern, zu den Waffen!

Die revolutionären Gedanken der Doña Maria de Zayas und ihr kriegerischer Aufruf an die Frauen machten auf ihren jungen Zeitgenossen, den berühmten Dichter Calderon, einen bemerkenswerten Eindruck, der ihm bis in das Alter verblieb, da er noch in späteren Dramen Anspielungen auf die Worte der Dame macht. Gleich nach dem Erscheinen der Novellen der Dichterin brachte Calderon die Aeußerungen derselben auf die Bühne, indem er sie in dem mythologischen Stücke: „Ueber allen Zauber Liebe" der Circe in den Mund legt. Die Zauberin sagt nämlich zu Ulysses:

Circe.
„Ich wuchs als Medeas Muhme
In Thessalien auf: wir beide
Wurden aller Künste mächtig,
Aller Wissenschaften Meister.
Oft ja sah man, dass den Frauen,
Wenn sie sich mit Ernst befleißen,
Auf Gelehrtheit oder Waffen,
Selbst die Männer mussten weichen;
Sie daher, von Neid getrieben,
Sehend unsere kühnen Geister,
Sehend unsern feinen Sinn,
Damit wir uns nicht bemeistern
Aller Herrschaft, haben Degen,
Haben Bücher uns verweigert."

Das Thema, welches in der Stelle des genannten Dramas nur vorübergehend berührt ist, machte Calderon zum Inhalt eines späteren Schauspiels, das: „Hass und Liebe" betitelt ist, und in welchem die Emanzipationsfrage in romantisch-ritterlicher Weise behandelt wird. Die Hauptheldin der Dichtung ist die Königin Christina von Schweden, — freilich nicht die historische Trägerin dieses Namens, sondern eine romanhafte Amazone, der vom Dichter nur einige Züge der Ersteren geliehen wurden. In dem Schauspiele ist die junge und schöne Königin Christina, die nach ihres Vaters Tod den Tron Schwedens besteigt, eine kriegerische, waffengewandte und zugleich gelehrte Fürstin, von der es heißt:

Keinen Fürsten hat der Norden,
Der die Schöne nicht vergöttert.
Keinen Fürsten auch, der nicht
Ihren schnöden Stolz empfindet,
Denn sie sagt, sie werde tilgen
Aus der Welt den argen Missbrauch,
Dass die Weiber aus Gewohnheit
Sind des Mannes Dienerinnen,
Und sie werde sie nun setzen
In die unbeschränkte Herrschaft
So des Degens, wie der Feder.

Die letzten Verse enthalten das Regierungsprogramm der nordischen Herrscherin. Sie hält es für eine ihrer Lebensaufgaben, die Emanzipation der Frauen in ihrem Staate durchzuführen. Während sie als Feldherrin, umgeben von einem Stabe mutiger Hofdamen, die schwedischen Heere in den Kampf führt, denkt sie zugleich an die Frauenfrage und benutzt die freien Augenblicke, um die Gesetze zu Gunsten der weiblichen Untertanen festzusetzen, was die folgende Szene schildert, in der unter dem Schalle von Pauken und Trompeten Lesbia und die übrigen Hofdamen Christinas in kriegerischer Kleidung auftreten, zuletzt Christina mit dem Feldherrnstabe erscheint.*)

Christina.
Bis den Durchzug zu erzwingen
Der Verliebte Sigismund
Kommet, den durch meine Staaten
Just die Staatsklugheit verweigert,
Will zu zeigen ich beginnen,
Ob das Weib hat, oder nicht,
Geistesfähigkeit zum Lernen,
Kraft des Urteils zum Regieren,
Festigkeit des Muts zum Streiten.
Darum, dass nicht Schweden meine,
Diese höchste Wissenschaft
Wisse nicht, wer sie verkündet,
Soll es mich ergreifen sehen
Bald das Schwert, und bald die Feder.
Also Lesbia, lies mir vor,
Während sich die Truppen nicht
Weiter wälzen, die ich drüben
Hinter jenem Berge sehe,
Die Gesetze, die ich meinem
Staate Willens bin zu geben.
(Lesbia nimmt ein Buch.)
Lesbia (liest).
„Die Gesetze, die Christina,
Schwedens Königin, gebietet
Kund zu tun in ihrem Lande."
Christina.
Lies, ob ich zu bessern finde.
Lesbia (liest).
„Erstlich, ob zwar heut' in Schweden
Nicht das salische Gesetz
Wird gehalten, das bestimmte,
Grausam mit den Frau'n verfahrend,
Dass die Frau'n nicht erben sollen
Reiche, wenn auch einz'ge Kinder:
Dennoch, dass man nie in ihrem
Lande sich darauf berufe,
Dass es einstens angenommen
Und gehalten werden konnte,
Soll man es nicht nur verlöschen
Aus den Büchern und den Tafeln,
Sondern auch durch Heroldsruf,
Bei dem Schalle der Trompeten,
Als Verräter an der ganzen
Menschlichen Natur erklären
Den, der es zuerst gegeben,
Und den Leib, der ihn getragen,
Also hasste, dass er wollte
Ihm die größte Ehre rauben."
Christina.
Wohl verdient ein Undankbarer
Die Verwerfung seiner Lehre;
Undankbar sein, und gerecht
Sind zwei große Gegensätze. —
Weiter lies!
Lesbia (liest).
„Und dass die Männer
Sehn, dass wenn die Frauen ihnen
Stehen nach an Tapferkeit
Und an Geist, sie das verschulden,
Da sie ja aus Furcht die Bücher
Und die Waffen ihnen nehmen,
So bestimmt sie, dass dem Weibe,
Die aus Neigung ihren Fleiß
Auf die Wissenschaften wendet,
Oder auf der Waffen Führung,
Offen stehn im Staat die Aemter,
Und sie fähig sei in ihrem
Land der Ehre, die im Frieden
Und im Krieg den Mann erhöhet."
Christina.
Wenn Belohnung das Verdienst
Geben soll, und dies sich findet
Bei dem Weibe, soll ihr rauben,
Dass sie Weib ist, ihr Verdienst?
Sah nicht Rom in seinen Sälen,
Griechenland in seinen Feldern
Angeführt von Frau'n Gesetze,
Und von Frau'n gewonnen Schlachten?
Also kämpfen sie und lernen:
Denn was tapfer ist und weise,
Ist die Seele, und es ist
Weder Mann noch Weib die Seele.
Lies! —
Lesbia (liest).
„Auch erklärt sie,
Dass es nicht in Allem scheine,
Als ob sie das Weib bevorzugt,
Dass die aus Verliebtheit sich

*) Schauspiele von Calderon. Uebersetzt von A. Martin. Bd. III. Leipzig.

Unter ihrem Stand verehlicht,
Zur Beschimpfung ihres Blutes,
Ihrer Ehr' und ihres Namens,
Soll die Todesstrafe treffen,
Ohne dass ihr helfe, töricht
Sich mit Liebe zu entschuld'gen."

Christina.

Dies Gesetz gräbt ein in Erz,
Dass man wissen soll, die Liebe
Kann für Nichts Entschuld'gung sein
Denn was ist sie? Etwa mehr,
Als nur blinde, leere Grille,
Die da sieget, weil ich will
Dass sie siege? —

Die projektierten Gesetze der Königin sind für den Zweck einer Frauenherrschaft gut ersonnen und ganz im Geiste der Doña Maria de Zayas verfasst; aber die „blinde, leere Grille" zeigt sich mächtiger, als alle guten Pläne und Vorsätze. Die Liebe siegt in der Brust der Frau über den Hass und über den Groll gegen die Männer. Christina wird von der Neigung zu dem ihr huldigenden Fürsten von Russland überwältigt; sie schenkt ihm Herz und Hand, wobei sie ihrer früheren Kriegsgefährtin Lesbia bemerkt:

„Da sich nun mein eitler Wahn
Zur Ergebung fügt, so kannst du
Die Befreiungen in jenem
Buche, Lesbia, wieder löschen.
Sei die Welt, wie sie gewesen;
Wisse man, die Frauen werden
Untertan dem Mann geboren;
Denn in ihrem Herzen immer,
Wenn sich Hass und Liebe streiten,
Ist's die Liebe, welche sieget."

Es bleibt also im Königreiche Schweden beim Alten und die Frauenemanzipation wird von ihrer Vorkämpferin auf dem Altare der Liebe zum Opfer dargebracht, was nach des Dichters Meinung das Beste ist und im wahren Sinne keine Niederlage der Heldin bedeutet, sondern einen doppelten Sieg — einen Sieg über sich selbst und einen Sieg über den Mann durch Schönheit und Milde.

(Schluss folgt.)

Kulturbilder aus dem Osten.

Von Ferdinand Schifkorn.

Leipzig, Verlag von Eugen Peterson, 1887.

Der Osten — Ungarn, Rumänien und die Balkanstaaten, die „befreiten" sowohl wie die noch unter dem türkischen Regime seufzenden — bietet so viel des Interessanten und Originellen dar, dass ein scharfsinniger, geistvoller Beobachter bloß ins volle Menschenleben hineinzugreifen braucht, um aus der Fülle der Erscheinungen wechselvolle und bunte Bilder heraus zu holen. Der Verfasser des obigen Buches hat als Militärgeograph Jahre hindurch die von ihm beschriebenen Länder durchzogen, er hat ohne Sym- und Antipathien beobachtet, und so bieten denn seine Aufzeichnungen den Reiz des frischen Unmittelbaren, des Persönlichen und Pikanten. Es liegt freilich in der Natur der Sache, dass der Autor, der an die ungarische und rumänische Kultur den deutschen Maßstab anlegt, hier und da grau in grau malt, aber da ihn überall die Wahrheitsliebe leitet, wird man begreiflicher Weise nicht mit ihm rechten. Einige der Skizzen sind allerliebste Genrebilder, welche von der poetischen Begabung des Autors Zeugnis ablegen; um so unangenehmer berührten mich gewisse gar zu kraftgenialische Ausdrücke des Verfassers. Z. B. (S. 2) „Völkergesindel" und dergleichen. Direkt unwahr ist es, wenn Schifkorn behauptet, dass noch jetzt die Mehrheit der Magyaren des Lesens unkundig sei — nachdem schon seit zwei Jahrzehnten durch die Minister Eötvös und Trefort so viel für den Volksunterricht geschehen ist. Vor solchen Uebertreibungen muss sich ein Kulturhistoriker besonders hüten! Das sonst trefflich geschriebene Buch enthält Bezeichnungen, die man in Oesterreich vielleicht kennt, nicht aber in Deutschland. Was heißt z. B. (auf S. 20) „Reuschler"? Es wäre erwünscht gewesen, dass die magyarischen und rumänischen Brocken ins Deutsche übersetzt worden wären, denn alle Welt kennt eben nicht die ungarische und rumänische Sprache. — Doch das sind Kleinigkeiten, die sich bei einer zweiten Auflage leicht ändern lassen. Im Allgemeinen ein ebenso lehrreiches wie unterhaltendes Buch, welches ich allen denjenigen, denen der Osten noch eine terra incognita ist, nur bestens empfehlen kann.

Dresden. Aldolph Kohut.

Georgische Volkslieder.

Uebersetzt von Arthur Leist.

II.

Einen Stein hob ich mit Mühe auf,
Doch zum Tragen war er mir zu schwer.
Sag mir doch, du liebe, holde Maid,
Wie es kommt, dass ich so hin und her
Ohne Mühe schlepp' die Liebe mein,
Die doch schwerer ist als jener Stein.

Es sprach die junge Ehefrau:
Im Herbste hatt' ich einen Traum,
In Glut zerrann des Himmels Blau
Und Blitze zuckten durch den Raum.
Zur Erde stürzte Stein auf Stein,
Zertrümmernd meines Mannes Haus,
Zur Türe flog der Sturm herein
Und löschte meine Lampe aus,
Im Garten brach er um mit Wut
Den Baum, den nie ein Sturm gerührt.

O wer spricht's aus, wie weh es tut,
Wenn man den lieben Mann verliert!

Woher kommst du, o liebe Maid,
Du wunderschöne Aufgangssonne?
O der, dem du einst zugehört,
Wird schier vergeh'n vor Liebeswonne.

„O Schöne, sag, wer gab dir diese Wangen,
Die lilienweiß und rosenfarbig prangen?
O den beneid' ich, der an deiner Brust
Genießen darf der Liebe süße Lust,
Der küssen darf dein Antlitz in die Runde,
Vom Auge angefangen bis zum Munde!"

„O Jüngling, sag, wo warst du zu der Zeit,
Da ich noch trug das bunte Jungfernkleid?
Jetzt hab' ich einen Mann,
Der's aufnimmt ohne Müh
Mit fünfzehn deiner Art,
Drum hüte dich und flieh!"

Wie ein bei Nacht gestohl'nes Pferd
Verberge stets die Liebe dein,
Und wird den Leuten sie bekannt,
Wie eine Tote sie bewein!

In Kartalinien sind die Aecker breit
Und schöner Weizen reichlich dort gedeiht,
Doch sei sein Mehl auch noch so gut und wert,
Es doch dem reichen Gutsherrn nur gehört.

III.

Mit gesenktem Köpfchen
Geht sie still vorbei,
Als wär ihr im Leben
Alles einerlei.

Harmlos schaut sie immer
Nur zur Seite hin,
Doch aus ihren Blicken
Heiße Funken sprüh'n.

Fragst du dann, warum sie
Dir so weh getan,
Sagt sie dir mit Lächeln:
„Bin nicht schuld daran!"

Ach, du Schalk, wer Funken
Spielend um sich weht,
Ist doch schuld am Brande,
Der daraus entsteht.

Litterarische Neuigkeiten.

„Odin und sein Reich. Die Götterwelt der Germanen" von Werner Hahn. (Berlin, L. Simion.) Es war die Absicht des gelehrten Verfassers, welcher in diesem Gebiete als Autorität gelten darf, die mythischen Ueberlieferungen in moderner leicht fasslicher Form zu bieten. Dies ist ihm durchaus gelungen. Seine Darstellungsweise schmiegt sich bequem dem Stoffe an. Der Stil gründet sich auf urwüchsige Einfachheit, steigert sich aber bei besonderem Anlass zu poetischem Schwunge. Noch verdienstlicher erscheint es, dass sowohl eine Menge innerer Beziehungen, in Anordnung der Edda-Bruchstücke, als auch der Zusammenhang der Einzelheiten klarer aufgedeckt wurde. Bei der wachsenden Teilnahme für unsre alten Mythen dürfte dies Werk in weite Schichten zu dringen berufen sein.

Die bei Felix Alcan in Paris, 108 Boulevard Saint Germain, erscheinende „Bibliothèque de philosophie contemporaine" ist um einen weiteren Band „L'irréligion de l'avenir", étude de sociologie par M. Guyau vermehrt worden, ebenso die im gleichen Verlage von demselben Verleger edierte „Bibliothèque utile", wovon uns das 93. Bändchen „Premiers principes des beaux-arts" par John Collier und Bd. 94 „L'agriculture française" par Albert Larbalétrier vorliegt. Der Preis des einzelnen Bändchens beträgt nur 50 Pfennige und dürfte daher Jedem erschwinglich sein, zumal die Bibliothek gewiss wert, auch im Auslande gelesen zu werden.

Die zwölfte Lieferung des „Hausbuch" (Herausgeber: Hermann Kiehne) enthält: Nemesis. Gedicht von Karl Bleibtreu. Verloren und gefunden, Novelle von R. Siegemund. — Nummer 1 des neuen Jahrgangs dieser tüchtigen Monatsschrift ist geschmückt mit dem Bildnis von Hermann Lingg, einem Gedicht desselben, sowie eines Geleitwortes dazu von Euphemia Gräfin Ballestrem. Es folgt eine Novelle von Friedrich Friedrich. Sowie Gedichte von Martin Greif, Oskar Linke, W. Arent, O. Ernst und Anderen. Der vorliegende Jahrgang des „Hausbuch" lässt wirklich das Beste hoffen und bietet eine erquickende Lektüre. Die Redaktion zeigt sich redlich bemüht, ihr Unternehmen zu fördern, ein „Hausbuch" im edelsten Sinne herzustellen.

Soeben erschien im Verlage der Weidmannschen Buchhandlung (Berlin) eine Monographie über Karl Gotthelf Lessing, dem jüngsten Bruder des großen litterarischen Reformators, von Dr. Eugen Wolff. — Während man alle Gestalten, die nur irgendwie mit Goethe in Beziehung gestanden, längst der oft nur zu berechtigten Vergessenheit wieder entrissen hat, ist darüber das Schiller- und Lessing-Studium arg vernachlässigt worden. Am schlimmsten ist hierdurch K. G. Lessing fortgekommen, der, abgesehen davon, dass er selbst hohe litterarische Verdienste gehabt und auch ein gar nicht unbedeutendes Ansehen in seiner Zeit genoss, schon deshalb eine gründliche litterarhistorische Betrachtung verdiente, weil er, wie kaum ein zweiter, seinem „großen Bruder" nahe gestanden. — Das Buch ist in streng wissenschaftlichem Geiste verfasst, ruhig und sicher in der Beweisführung, objektiv in der Behandlung der einzelnen in Rede stehenden wissenschaftlichen oder litterarischen Fragen, sowie gerecht in der Beurteilung seines Helden und der von ihm geschaffenen Werke.

Von dem bekannten Romancier Friedrich Friedrich befindet sich ein neuer Roman „Die Frau des Arbeiters" unter der Presse, welcher bei Wilhelm Friedrich in Leipzig erscheinen wird. Der Verfasser greift in demselben tief in die große und alle Kulturnationen bewegende soziale Frage. Mit scharfem Auge überblickt er die Verhältnisse der Gegenwart, reiht mit wirklicher Meisterschaft Faden an Faden und hat so in diesem Roman ein wirkliches Kulturbild geschaffen, welches von dauerndem Werte sein wird. Dieser Roman, der von der ersten bis zur letzten Seite den Leser in Spannung erhält, der in fein psychologischer Weise das Leben eines Frauenherzens zeichnet, tief erschütternde Konflikte schildert und dabei doch den versöhnenden Hauch echter Poesie über das Ganze hin weben lässt, wird sicherlich Aufsehen erregen und die Anerkennung finden, welche er in so hervorragender Weise verdient.

Von Georg Webers „Allgemeiner Weltgeschichte“ liegen uns Lieferung 80/81 vor. Dieselben enthalten: Geschichte der Gegenreformation und Religionskriege. — Leipzig, Wilhelm Engelmann.

A. W. Wereschtschagin: „In der Heimat und im Kriege.“ Erinnerungen und Skizzen eines russischen Edelmanns aus der Zeit vor und nach der Aufhebung der Leibeigenschaft 1853 bis 1881. Teil I: In der Heimat. Teil II: Im Kriege. Skizzen aus dem russisch-türkischen Kriege von 1877—78. Teil III: Erinnerungen aus der Expedition gegen die Teketurkmenen unter Skowelew 1880—1881. Deutsch von A. von Drygalski. (Berlin, R. Eisenschmidt.) Der nichts verschleiernde, sein Russentum kennzeichnende Realismus Wereschtschagius, ein Bruder des berühmten Malers, kommt in dem Werke zur vollen Geltung, ohne jedoch auch nur im Geringsten zu verletzen. Wie sein Bruder ausgezeichnet den Pinsel führt, so führt er die Feder, und müssen wir gestehen, dass Alexander Wereschtschagins Feder dem Pinsel seines Bruders Wassili an Kraft und Ausdrucksvermögen nichts nachgiebt. Das Buch giebt uns treffliche Bilder sowohl aus dem russischen Familienleben als auch ausgezeichnete Kriegsbilder, die wohl verdienen, gewürdigt zu werden.

„Geschichte der französischen Litteratur“ von den ältesten Zeiten bis zum Ende des zweiten Kaiserreichs von Prof. Dr. G. Bornhak (Berlin, Nicolaische Verlagsbuchhandlung.) Der Verfasser giebt uns in dem Werke eine zusammenhängende Uebersicht über den Anfang, die stufenmäßige Entwickelung und den Verlauf der französischen Litteratur von den ältesten Zeiten bis zum Sturze des zweiten Kaiserreiches, und betrachtet die Dichter und Schriftsteller im Lichte ihrer Zeit. Der Verfasser hat entschieden ein jahrelanges Studium zu dem uns vorliegenden Werke gebraucht und wird dasselbe ein nicht zu unterschätzender Beitrag zur Anregung des Studiums sein.

„Der deutsche Protestantismus in seinem Verhältnis zum Papsttum in Rom.“ Vortrag, gehalten auf dem sechzehnten deutschen Protestantentag zu Wiesbaden am 13. Oktober 1886 von Prediger Richter aus Mariendorf bei Berlin. (Bremen, C. F. Roussels Verlag.) Im gleichen Verlage hat Hermann Manchot, Pastor an der Gertrud-Kirche zu Hamburg, in einer hochst interessanten Broschüre „Martin Crugot, der ältere Dichter der unüberwindlichen Flotte Schillers“ nachgewiesen, dass Martin Crugot, fürstlich Carolath'scher Hofprediger von 1754—1790, der ältere Dichter ist. Die kleine Brochüre, welche noch durch ein Bildnis Martin Crugots geschmückt ist, wird gewiss in vielen Kreisen Aufsehen erregen.

Otto Erich: „Studenten-Tagebuch. 1885—86.“ (Zürich, Verlags-Magazin.) Dieses kleine Buch scheint geschrieben zu sein, um die Behauptung zu widerlegen, dass unsere Lyrik farblos sei. Es hat allerdings Farbe, vielleicht — zu viel. Aber jedenfalls ist es die Farbe des frischen Lebens! Uns scheint zwar, dass der Verfasser etwas mit dem Naturalismus kokettiert und dass ihn die Lorbeeren Grisebachs nicht schlafen lassen, aber wir sehen auch nicht ein, warum es nur eine Lyrik für — Damen geben soll. Der Verfasser hat das Buch den „deutschen Studenten“ gewidmet. Wir glauben indess darin eine gewisse Ironie erblicken zu müssen, wie denn überhaupt ein ironischer Grundton in dem Buche vorherrscht.

Die durch eine größere Anzahl von Romanen bekannte Baronin Elisabeth von Grotthuß hat soeben wiederum ein neues Opus bei der Schmidtschen Buchhandlung in Augsburg herausgegeben. „Wilhelm Hort“ betitelt sich der soziale Roman, in welchem die Verfasserin mit gewohnter Trefflichkeit die Charaktere scharf zeichnet und die Erzählung stets spannend bis zum Ende zu halten weiß.

Collection of British Authors, Tauchnitz edition, enthält in Bd. 2424 „My friend Jim“ by W. E. Norris; Bd. 1425 eine Novelle „As in a looking glas“ by F. C. Philips und Bd. 2496 eine Erzählung von Ouida „A house party“. — Leipzig, Bernhard Tauchnitz.

„Kleine Bildermappe.“ Federzeichnungen von Elise Polko (Karlsruhe, Gebrüder Pollman. Die bekannte Verfasserin giebt uns in dem auch geschmackvoll ausgestatteten Buche eine Reihe von kleineren Erzählungen, welche all dem Leben abgelauscht sind. Das Gleiche müssen wir von einem zweiten, ebendaselbst erschienenen Büchlein veröffentlicht von Leone von Kleist sagen, dasselbe betitelt sich „O lieb, so lang du lieben kannst!“ Eine Weihnachtsgabe für die Jugend mit vier Illustrationen in Holzschnitt. Beide Werkchen werden gewiss viele Freunde finden. Ferner bringt derselbe Verleger noch mehrere kleinere Novellen „Keine Rose ohne Sonnenschein“ von C. Alt; „Der Heiratsantrag“ von C. Buchwald und „Antike Novellen“ von Hermann Sentier, die Jeden über die Langeweile hinweghelfen werden.

„Novellen“ von W. Hildebrandt. (Berlin, L. Rosenbaum.) Die Novellen dieses Autors, die zum größten Teil mit einem köstlichen, gesunden Humor geschrieben sind, zeichnen sich besonders durch ihren eleganten Stil und durch ihre frische Natürlichkeit aus, welche denn auch wohl überall Anklang finden dürften.

„Zwischen Donau und Kaukasus“. Land- und Seefahrten im Bereiche des schwarzen Meeres. Von A. v. Schweiger-Lerchenfeld. Wien, Pest, Leipzig; A. Hartlebens Verlag. Ausgegeben Lieferung 1 bis 12. In den soeben erschienenen Lieferungen 7 bis 12 dieses ebenso zeitgemäßen als hübsch ausgestatteten Werkes gelangen die Schilderungen über die Krim zum Abschlusse. Den Kern derselben bildet die Erstürmung von Sewastopol mit interessanten Mitteilungen über das allmähliche Wiedererstehen dieses einst so berühmten Bollwerkes. Mit den weiteren Abschnitten treten wir so recht eigentlich in den von der Außenwelt wenig berührten Teil des östlichen und südöstlichen Russland. Was uns hier besonders fesselt, sind die ausführlichen Mitteilungen über die Don'schen Kosaken und ihr Land und das russische Sektiererwesen mit seinen unglaublichen Ausschreitungen und Verirrungen. Selbst Dostojewskis berühmter Roman „Raskolnikow“, welcher in zweiter Auflage in der Königlichen Hofbuchhandlung von Wilhelm Friedrich in Leipzig erschienen ist, tritt in den Kreis der Betrachtungen des Verfassers, der es versteht, mit Heranziehung dieses ergreifenden Seelengemäldes unser Interesse für die abenteuerlichen Gestaltungen eines religiösen Lebens, das seinesgleichen nicht hat, rege zu erhalten. Alsdann durchwandern wir die großartigen Landschaften an der Wolga und lernen, immer durch farbige Schilderungen und treffliche Illustrationen unterstützt, das Leben in den unermesslichen Steppen kennen — Bild an Bild gereiht in den mannigfaltigen Erscheinungen, die der Wechsel der Jahreszeiten in jenem Gebiete bedingt. Ganz besonders entsprechend aber scheinen uns die geographischen Schilderungen und Lebensbilder aus der Kaukasus-Region. Die Illustrationen, welche durchwegs nach neuen photographischen Aufnahmen hergestellt wurden, sind namentlich in Bezug auf die figuralen Motive, die seltsamen Trachten und merkwürdigen Typen sehr instruktiv.

„Die Hiebfechtkunst. Eine Anleitung zum Lehren und Erlernen des Hiebfechtens aus der verhangenen steilen Auslage mit Berücksichtigung des akad. Komments. 100 nach photographischen Aufnahmen hergestellte Tondruckbilder veranschaulichen die Auslage, die einzelnen Hiebe und die Tempohiebe“, von Ludwig Caesar Roux (Jena, Hermann Pohle). Da die Fechtkunst, wie alle in der richtigen Weise betriebenen gymnastischen Uebungen, die harmonische Ausbildung des Menschen bezweckt, so fördert sie nicht bloß den Körper nach seiner Entwickelung, seinen Kräften und seinem Ebenmaße, sondern sie übt auch die geistigen Kräfte, indem sie zur Besonnenheit, zur Geistesgegenwart, zum Mut, zur Tapferkeit und zur Ausdauer erzieht. Um dieses hohen Zieles willen hat die Fechtkunst von je her von verschiedenen Seiten Anerkennung gefunden. Ganz besonders aber ist die Zahl ihrer Freunde und Förderer in den letzten Dezennien gewachsen. So ist es erfreulich zu sehen, dass der Fechtkunst auch von Seiten des Militärs gegenwärtig größere Beachtung zu teil wird, wovon die vielen Fechtgesellschaften unter Offizieren zeugen, die alle Zweige der Fechtkunst pflegen, und dann bekunden dies auch die aus militärischen Kreisen hervorgegangenen Schriften, in denen der Wert der Fechtkunst als Leibesübung und als Mittel zur Belebung des kriegerischen Geistes in der Armee in der ausführlichsten Weise beleuchtet wird. Mit der Anerkennung des vorliegenden Werkes verbinden wir den sicherlich in Erfüllung gehenden Wunsch, dass das Erscheinen desselben unter allseitiger Zustimmung begrüßt wird und überall da seinen Eingang findet, wo Säbel, Schwert und Spieß zum Heile des Vaterlandes in der kernigen Faust gehandhabt werden.

Franz Pulszky, dessen politische Vergangenheit allein genügen würde, ihn zu den interessantesten Männern der Gegenwart zu reihen, hat als Mann der Wissenschaft und der Feder, als Archäolog, Historiker, politischer und belletristischer Schriftsteller einen Namen von hellem Klang. Kürzlich wurden es fünfzig Jahre, seit Pulszky, der, frischen Geistes und in rüstiger Körperlichkeit, noch den Brennpunkt des gesellschaftlichen Lebens und kulturellen Strebens der ungarischen Hauptstadt bildet, mit einer wissenschaftlichen Arbeit seine schriftstellerische Laufbahn eröffnete. Dieses halbe Jahrhundert, reich an Ereignissen bedeutungsvollster Art, gedenkt nun Pulszky in einem Memoirenwerke zu schildern, welches eine Ergänzung und Erweiterung seiner unter dem Titel „Mein Leben und meine Zeit“ erschienenen sensationellen Schriften sein und in einer interessanten Parallele die Lebensgeschichte Garibaldis und Napoleon III., ferner die Charakterbilder berühmter ungarischer Staatsmänner, die Reiseerfahrungen des Verfassers und mancherlei Anderes noch enthalten soll. Das in Heften der „National-Bibliothek“ bei Ludwig Aigner in Budapest erscheinende Werk betitelt sich „Phantasie und Wirklichkeit“ und scheint somit ein groß angelegtes politisches Gegenstück zu Goethes Selbstbiographie „Dichtung und Wahrheit“ werden zu wollen.

Die kleinen Orientländer beschäftigen jetzt die Weltpolitik, und es darf daher ein Werkchen, das sich in anziehender, liebenswürdiger Weise mit ihrer Schilderung befasst, auf allgemeines Interesse rechnen. Jaques Jägers „Reise-Momente. Skizzen aus dem Orient“, welche textlich erweitert und mit prächtigen Illustrationen versehen kürzlich in zweiter Auflage erschienen sind (Wien, Halm und Goldmann), führen uns in prächtigen, plastischen Dioramenbildern Land und Leute der südöstlichen europäischen Landstriche vor und bekunden ihren Zeichner als einen scharfsichtigen und unparteiischen Beobachter.

„Die Bevölkerung der griechisch-römischen Welt“ von Prof. Dr. Julius Bloch I. Teil (Leipzig, Duncker und Humblot). Noch nie ist der Versuch gemacht worden, die Bevölkerungsbewegung auf einem ausgedehnten Gebiete und während eines längeren Zeitraumes auf Grund systematischer Sammlung und kritischer Sichtung des gesammten vorhandenen Materials zur Darstellung zu bringen. Der Verfasser unternimmt im vorliegendem Bande diese Aufgabe für den Kulturkreis der griechisch-römischen Welt, wenn auch nicht zu lösen, so doch der Lösung näher zu bringen. Wenn wir bedenken, wie schwierig eine solche Arbeit und welch ein Quellenstudium dazu erforderlich; dann müssen wir dem Autor nur ein frohes Glückauf zurufen. Es wird sich mancher sogenannter Bücherwurm anfangs nicht recht hineinfinden können und an verschiedenen Ausführungen Zweifel hegen, jedoch auch dieses wird wohl schwinden, und wird das hochbedeutende Werk für jede Bibliothek unentbehrlich sein.

Dr. J. J. Egli: „Die Schweiz.“ (Wissen der Gegenwart 53. Band). Leipzig: G. Freytag. — Prag: F. Tempsky. 1886. Mit 18 landschaftlichen Abbildungen. Ein herrliches Stück Erde wird uns in dem obengenannten Büchlein vorzüglich geschildert. An der Hand des Züricher Universitätsprofessor Dr. Egli durchwandern wir die Schweiz von Ost nach West, von Nord nach Süd; die gewaltigen Alpenlandschaften mit der imposanten Großartigkeit ihrer Naturschönheiten treten lebendig vor unser Auge. Neben Berg und Thal, See, Strom und Fluss lernen wir das kräftige Volk der Schweizer kennen und lieben; seine Sitten und Gebräuche, sein Denken und Fühlen, sein Leben und Streben wird uns klar und deutlich kund. Das Wort wird treu vom Bilde begleitet: eine große Zahl von Illustrationen — Gletscher und Seen, Thäler und Städte, Straßen und Bauten — alles zumeist nach Original-Photographien — bildet einen schönen, zweckentsprechenden Bilderschmuck des Büchleins. Jeder, der die Schweiz besucht, wird es mit Vorteil als bequemen und zuverlässigen Reisebegleiter benützen können.

Die Verlagshandlung Gebrüder Paetel in Berlin hat soeben einen stärkeren Band Novellen, betitelt „Vor Zeiten“, von Theodor Storm veröffentlicht. Es ist in dem Bande eine treffliche Auswahl seiner Novellen enthalten. Wie üblich bei allen „Namen“, werden dieselben gewiss viele Freunde und Käufer finden.

„Die deutschen und französischen Heldengedichte des Mittelalters“ als Quelle für die Kulturgeschichte. Aus dem handschriftlichen Nachlass von Julius von Mörner. Leipzig, Otto Wigand. Es sind in den letzten Jahren eine ganze Reihe von Schriften über die in Rede stehenden deutschen und französischen Dichtungen erschienen; die Verfasser haben aber alle ohne Ausnahme wohl bis jetzt dieselben vom philosophischen Standpunkte aus behandelt, und zwar Sprache, Versbau und Reime berücksichtigt, jedoch den darin geschilderten Sitten und sozialen Zustände allzu wenig Beachtung geschenkt, der Verfasser hat hierauf für die Zwecke der Kulturgeschichte speziell sein Augenmerk darauf gerichtet und wird das Werk auch durch die reiche Fülle anziehenden Stoffes, welche es uns aus den verschiedenen Dichtungen vorführt, überall gewiss eine günstige Aufnahme finden.

„Der letzte Schultheiss von Bardowick“ historische Erzählung aus der Zeit der Zerstörung von Bardowick von H. Grube. (Karlsruhe, Gebrüder Pollmann.) Der Verfasser schildert uns in Form einer recht spannenden Erzählung eine große historische Tragödie, nämlich die vollständige Vernichtung der bedeutenden Metropole des mittelalterlich nordischen Handels durch den gewaltigen Herzog Heinrich den Löwen von Sachsen. Er führt uns auf Grund selbst gemachter Studien die Situation des gewaltigen Trauerspieles, die Helden, welche dasselbe teils durch Schuld, teils durch Tatendrang herbeigeführt, sehr lebhaft vor Augen, dass wir uns in die volle reale Wirklichkeit der entsetzlichen Katastrophe versetzt glauben.

„Rabengesänge“ betitelt sich ein von Ferdinand Illeck erschienenes Gedichtsbüchlein, welches durch die Fr. Grosse-sche Buchhandlung in Olmütz zu beziehen ist.

„Der große Kurfürst in Preußen“, Roman von Ernst Wichert (Leipzig, Karl Reißner). Wir waren eigentlich nach der Lektüre dieses neuen Romanes von Ernst Wichert, verwöhnt durch seinen historischen Roman „Heinrich von Plaue“, welche für eine Zierde jeder Bibliothek gelten muss, etwas enttäuscht, jedoch müssen wir zugestehen, dass er weit über das Mittelmaß der zeitgenössischen Romanlitteratur herausragt.

„Fredegundis“ von Felix Dahn (Kleine Romane aus der Völkerwanderung Bd. V) Leipzig, Breitkopf und Härtel. Ein neuer Roman von Felix Dahn wird immer mit Spannung begrüßt und so auch dieser; der Verfasser hat in demselben die unerklärbaren Handlungen der berüchtigten Königsfrau vortrefflich beleuchtet und erklärt, derselbe ist in bekannter Weise geschrieben und wird bei allen Leihbibliotheken Anklang finden.

„König Phantasus“, Roman eines Unglücklichen von E. M. Vacano-Freiberg (Mannheim, J. Bensheimer). Dieses neueste, das Leben und tragische Ende des Königs Ludwig II. von Bayern behandelnde und ungemein fesselnd geschriebene Werk eines unserer bekanntesten und beliebtesten Romanschriftsteller der Gegenwart wird überall das lebhafteste Interesse erwecken und die Aufmerksamkeit der weitesten Kreise auf sich lenken.

Eine für jeden Bibliophilen sehr beachtenswerte Brochüre hat soeben Alwin Weise bei Le Soudier in Paris und Leipzig erscheinen lassen, dieselbe trägt den Titel „Bibliotheca Germanica 1880—1885“, ein Verzeichnis aller auf Deutschland und Deutsch-Oesterreich bezüglichen Originalwerke, sowie der bemerkenswerten Artikel, welche in den hervorragenden periodischen Schriften in den Jahren 1880—1885 im gesammten Auslande erschienen sind. Ein anderes gleichfalls empfehlenswertes Schriftchen ist das von Joseph Jarreiter über Ludwig Aurbacher (1784—1847). Ein Beitrag zur deutschen Litteraturgeschichte (München, Lindauersche Buchhandlung).

Französische Neuigkeiten:

„Trois mois à la cour de Frédéric“, lettres inédites de d'Alembert publiées et annotées par Gaston Maugras (Paris, Calman Lévy).

„Le cogitantisme ou la religion scientifique basée sur le positivisme spiritualiste par Edouard Loewenthal (Paris, A. Lanier).

Bei Gebrüder Treves in Milano wurde vor Kurzem veröffentlicht: „Cuore“ Libro per i Ragazzi di Edmondo de Amicis. Un volume in-18 di 350 pagine.

„Bachems Novellen-Sammlung“. 2. Reihe, Bd. 21—40. Vor uns liegt ein elegant in lichtgelb Calico mit Schwarzpressung gebundenes, 220 Seiten starkes Buch, welches den ersten Band (21) der neuen Reihe vorgenannter Sammlung bildet, — ein Unternehmen, dem seiner Eigenart wegen das ganze Interesse unserer Leser sicher ist. Der auf dem Gebiete der schönen Litteratur wohlerfahrene Verleger J. P. Bachem in Köln hatte es bekanntlich unternommen, eine Auswahl der besten Novellen von namhaften Autoren neuerer Zeit in gleichartigen, fertig gebundenen und elegant ausgestatteten Bänden herauszugeben und zwar jeden Band zu dem erstaunlich niedrigen Preise von 1 Mark. Hierdurch wurde die Verbreitung guter Litteratur in würdiger Ausstattung auch in solchen minderbemittelten Volkskreisen ermöglicht, in denen dies wegen der sonst üblichen höhern Bücherpreise bisher unmöglich war. Wir begrüßten daher damals die Erste Reihe von „Bachems Novellen-Sammlung“ um so lieber, als das Hauptgewicht bei der Auswahl auf Gediegenheit, fesselnde Gestaltung, sittliche Reinheit und Schönheit der Form gelegt und zugleich nach reichem Wechsel der Stoffe und der Szenerie gestrebt war. In den erschienenen 20 Bänden der I. Reihe vereinigt sich die Gediegenheit des Inhalts mit den Vorzügen der Ausstattung und dem außerordentlich wohlfeilen Preise — Abonnenten erhielten sogar den 20. Band gratis — um eine allen Anforderungen entsprechende belletristische Hausbibliothek zu schaffen, die auch der herangewachsenen Jugend unbedenklich in die Hand gegeben werden kann, somit eine Familien-Bibliothek, ein Hausschatz im eigensten Sinne des Wortes. Wir freuen uns daher, an dem Erscheinen des 21. Bandes zu sehen, dass der Beifall des noch auf gute Sitte und christlichen Sinn haltenden deutschen Publikums dem Verleger ermöglichte, eine zweite Reihe von 20 Bänden (Band 21 bis 40) zu beginnen. Glück auf dazu! Der vorliege 21. Band, in neuem freundlichem Gewande und neuer Ausstattung, enthält an erster Stelle eine reizende Novelle „Papillon“ der allbeliebten Erzählerin Elise Polko; alsdann eine fesselnde Hochlandsgeschichte „Des Achmüllers Recht“ von Th. Messerer — eine schon durch den Gegensatz außerordentlich glückliche Zusammenstellung. Wir enthalten uns daher auch einer Andeutung des Inhalts: die Namen der Autoren sprechen für sich selbst. Band 22 soll im August erscheinen und Novellen von E. von Dincklage, S. von Follenius und A. Haupt bringen. Alles in Allem dürfen wir die II. Reihe von „Bachem's Novellen-Sammlung“ mit vollem Recht als eine der bedeutendsten Erscheinungen des diesjährigen Büchermarkts bezeichnen. Wir empfehlen unsern Lesern ein Abonnement auf dieselbe, weil alsdann Band 40 gratis geliefert wird. Die Bände erscheinen monatlich.

„Auf Irrwegen“. Novelle von Kurt von Walfeld. (Stuttgart, Deutsche Verlags-Anstalt, vormals Ed. Hallberger.) „Auf Irrwegen“ ist eine Geschichte aus der großen Welt, in welcher der Verfasser das Leben der Hofgesellschaften in einzelnen, mit Porträtschärfe gezeichneten Typen zu schildern unternommen hat. „Auf Irrwegen“ befindet sich ein junges Mädchen, das in dem leeren, inhaltlosen Treiben der vornehmen Gesellschaft den innern Halt verloren hat und bei ihren Eltern und nächsten Verwandten keine Stütze und Leitung zu höheren Lebenszielen findet. Ihre bessere und edlere Natur erwacht wieder, als sie einem Jugendfreunde aus ihrer Kindheit begegnet, der nach jahrelangen Reisen durch die Welt wieder an den Hof und in die Gesellschaft zurückkehrt. Intriguen in wechselvoller Verschlingung verfolgen sich, um mit diabolischer List und Tücke die Herzen der Jugendgespielen, die sich zu einander wenden, wieder zu trennen, bis endlich die Wahrheit der Liebe und der stolze Edelsinn einer Kunstreiterin, die halb unbewusst zu einem Werkzeug der Intrigue gemacht ist, die Fäden des verhängnisvollen Gewebes zerreißen. Die Novelle dürfte darum ein ganz besonderes Interesse erregen, weil man in der Schilderung der Personen und Verhältnisse einen großen Hof hat erkennen wollen, der sich unter Maske der Gesellschaft in einer großherzoglichen Residenz verbirgt. Diejenigen Leser, welche in den Kreisen der Hofgesellschaft vertraut sind, werden deshalb der Novelle ein um so lebhafteres Interesse entgegenbringen und die charakteristischen Zeichnungen erkennen, welche sich unter diskreter Umhüllung verbergen.

„Blinde Liebe.“ Roman von Hugo Klein. (Stuttgart, Deutsche Verlags-Anstalt, vormals Eduard Hallberger.) In dem vorliegenden Romane begrüßen wir eine hervorragende Erscheinung auf dem Gebiete der erzählenden Litteratur. Das Werk fesselt vor Allem durch die Originalität seiner Motive — es ist der „Roman des Blindeninstituts“. Zwei Blinde, die sich nie gesehen und nie gesprochen, die nie mit einander verkehrt haben, werden durch das Band der Liebe verknüpft — gewiss ein seltsames Problem, das jedoch seine natürliche Lösung findet, wenn wir wahrnehmen, dass der Gesang die Annäherung vermittelt und dass sich die jungen Herzen an Liedern berauschen. Wie diese merkwürdige Liebe entsteht, sich entwickelt und zur vollen Entfaltung gelangt, das ist mit großer psychologischer Feinheit geschildert und durchgeführt und fesselt den Leser in ganz außerordentlichem Maße. Der Roman spielt in Wien und die hohen Mauern des Blindeninstituts schließen die Anstalt von der Außenwelt nicht ab. Was uns diesen Roman besonders wert macht, ist seine künstlerische Ausführung, welche Menschen und Dinge mit gleicher Sorgfalt umfasst, die wirklich plastische Darstellung, welche eine Meisterhand verrät. Der Roman ist dabei spannend vom Anfang bis zum Ende, und es dürfte wenige Leserinnen geben, die ihn aus der Hand legen könnten, bevor sie bei dem letzten Worte des Buches angelangt sind.

„Der Kampf einer Frau.“ Roman von Schmidt-Weißenfels. (Karlsruhe, Gebrüder Pollmann.) Der durch viele Werke bekannte Verfasser hat in der vorliegenden Arbeit mit altbewährter Meisterschaft ein echtes Stück modernen sozialen Lebens geschildert. Auf gesunder realistischer Grundlage erbaut und künstlerisch entwickelt, schreitet die von Anfang bis zu Ende in gleich reger Weise fesselnde, hochspannende Handlung bis zu dem tieftragischen Schluss-Effekte fort. Dabei sind die einzelnen handelnden Personen so naturgetreu und zugleich feinfühlig gezeichnet, dass wir uns bei so lebensvoller Charakteristik eines Majors von Hagen, dessen Tochter, der Hauptheldin der Handlung, der geheimnisvollen Berliner Börsenspekulanten Martin u. A. des Ausrufes nicht erwehren können: „Hier ist nicht nur Erzählung, hier ist Leben, frisches volles Leben ohne alle weichliche Empfindelei!“

„Ein neues Novellenbuch“ von Hans Arnold (Stuttgart, Ad. Bonz & Komp.) Die vorliegende Sammlung enthält nachstehende fünf Novellen: Die Gesellschaft. — Der gebrauchte Flügel. — Verzaubert. — Ein Rendez-vous und Pauls Geburtstag, welche dem Leser einige angenehme Stunden bereiten.

Das durch seine äußerst gewissenhafte Bearbeitung hinreichend bekannte „Briefmarken-Sammelbuch“ von H. Schwaneberger, dem Redakteur des Organs für Postwertzeichenkunde: „Der Philatelist“ ist soeben in 7. Auflage erschienen. Diese neue Auflage ist vollständig neu umgearbeitet, enthält alle bis November 1886 neu erschienenen Postwertzeichen und ist dadurch das einzige auf der Höhe der Zeit stehende Sammelbuch; die neuen Postwertzeichen sind fast sämmtlich durch Abbildungen veranschaulicht; außerdem sind die nur diesem Sammelbuch eigentümlichen geographischen, statistischen und politischen Notizen bis zum November 1886 ergänzt, so dass dasselbe außerdem ein wertvolles Nachschlagebuch für Jedermann bildet. Außer den beigegebenen Karten der einzelnen Länder ist diese neue Auflage mit einer in Buntdruck ausgeführten Karte der Berge der Erde geschmückt, welche sämmtliche bemerkenswerte Berge der Erde darstellt, ihre Höhen, Eigentümlichkeiten u. s. w. angiebt. Was dieses Sammelbuch von den anderen Albums außerdem voraus hat, ist, dass jeder Abnehmer ein gut gebundenes Briefmarkentauschbuch gratis erhält, es ist dies ein weich gebundenes Buch, das dazu bestimmt ist, die Doubletten aufzunehmen und bequem in der Tasche getragen zu werden.

Der Verleger (Ernst Heitmann in Leipzig) hat dieser neuen Auflage auch ein ganz neues Gewand gegeben, in dem er von einem berühmten Künstler für den Einband, welcher in sieben Farben hergestellt ist, einen neuen Entwurf hat anfertigen lassen.

Dieses Schwanebergersche Sammelbuch dürfte deshalb ganz besonders zu Weihnachtsgeschenken zu empfehlen sein.

Alle für das „Magazin“ bestimmten Sendungen sind zu richten an die Redaktion des „Magazins für die Litteratur des In- und Auslandes“ Leipzig, Georgenstrasse 6.

Verlag von **Wilhelm Friedrich**, K. R. Hofbuchhändler in **Leipzig**.

Die Religion der Moral

von W. M. Salter.

Herausgegeben von **Professor Dr. G. von Gizycki.**

broch. M. 3.—

Der amerikanische Prediger Chadwick nennt Salter „den Lehrer der höchsten moralischen Wahrheit und Inspiration der Gegenwart". Der Herausgeber (dessen Lebensaufgabe das Studium der Ethik ist) gesteht, dass er kein ethisches Werk kennen gelernt hat, welches einen so tiefen Eindruck auf ihn gemacht hat, wie dieses. Den Inhalt des Werkes bilden fünfzehn Abhandlungen über sociale und moralisch religiöse Gegenstände, die für Jedermann, der einigermassen auf Bildung Ansprüche machen kann, von hohem Interesse sind.

Fr. Jodl sagt in einer längeren äusserst günstigen Rezension in dem Beigabeheft des Neunundachtzigsten Bandes der **„Zeitschrift für Philosophie und philosophische Kritik"** am Schluss derselben: „Er möchte nicht unterlassen das Buch Salters der ernstesten Beachtung aller derjenigen zu empfehlen, welche das Bedürfnis empfinden, den leidigen Dualismus zwischen religiöser und wissenschaftlicher Weltansicht durch eine einheitlich gestaltete ideale Anschauung zu ersetzen."

Herder'sche Verlagshandlung, Freiburg (Baden).

Soeben ist erschienen und durch alle Buchhandlungen zu beziehen:

Geschichte des deutschen Volkes

seit dem Ausgang des Mittelalters. Von **Johannes Janssen.**

Fünfter Band: Die politisch-kirchliche Revolution und ihre Bekämpfung seit der Verkündigung der Concordienformel im Jahre 1580 bis zum Beginn des dreissigjährigen Krieges im Jahre 1618. Erste bis zwölfte Auflage. gr. 8. (XLIV und 714 S.) M. 7; geb. M. 8.40.

Früher ist erschienen und jeder Band einzeln käuflich:

Erster Band: Deutschlands allgemeine Zustände beim Ausgang des Mittelalters. gr. 8. (XLIV u. 628 S.) M. 6; geb. M. 7.20.

Zweiter Band: Vom Beginn der politisch-kirchlichen Revolution bis zum Ausgang der socialen Revolution von 1525. gr. 8. (XXVIII u. 592 S.) M. 6; geb. M. 7.20.

Dritter Band: Die politisch-kirchliche Revolution der Fürsten und Städte und ihre Folgen für Volk und Reich bis zum sogenannten Augsburger Religionsfrieden von 1555. gr. 8. (XXXIX. u. 758 S.) M. 7; geb. M. 8.40.

Vierter Band: Die politisch-kirchliche Revolution und ihre Bekämpfung seit dem sogenannten Augsburger Religionsfrieden vom Jahre 1555 bis zur Verkündigung der Concordienformel im Jahre 1580. gr. 8. (XXXI u. 515 S.) M. 5; geb. M. 6.20.

Ergänzung zu den drei ersten Bänden von demselben Verfasser:

An meine Kritiker. Nebst Ergänzungen und Erläuterungen zu den drei ersten Bänden meiner Geschichte des deutschen Volkes. gr. 8. (XI u. 227 S.) M. 2.20; geb. M. 3.20.

Ein zweites Wort an meine Kritiker. Nebst Ergänzungen und Erläuterungen zu den drei ersten Bänden meiner Geschichte des deutschen Volkes. gr. 8. (VII und 143 S.) M. 1.50; geb. M. 2.50.

Die beiden Ergänzungsschriften zusammengebunden in einem Band M. 5.

Einbanddecken à M. 1. für jeden der fünf Bände, zusammen für die beiden Ergänzungsschriften ebenfalls M. 1. — Neben der Band-Ausgabe existiert eine

Lieferungs-Ausgabe. — Die ersten vier Bände des Werkes nebst den beiden Ergänzungsschriften sind in den bereits vorliegenden 29 Lieferungen à M. 1 enthalten. Die 30. Lieferung eröffnet den V. Band, der 7 Lieferungen à M. 1 umfassen wird.

Nützlichste,

interessante und lehrreiche

Festgeschenke

aus dem Musikverlage von

LOUIS OERTEL, Hannover.

Der

erste Unterricht im Klavierspiel,

sowie Einführung in die Musiktheorie im allgem. Von F. M. Herr. Kompl. 3 M.

Geschichte der Musikkunst

von W. Schreckenberger. Preis 1 50 M.

Lehrbuch

der Harmonie und des Generalbasses.

Von A. Michaelis. Br. 4.50 M. geb. 5.50 M.

Vorstudien zum Kontrapunkte und Einführung in die Komposition

von A. Michaelis. Br. 3.00 M. geb 4 00 M.

Populäre Instrumentationslehre

mit genauer Beschreibung aller Instrumente und zahlreichen Partitur- und Notenbeispielen und Anleitung zum Dirigieren von Professor H. Kling. 2 Auflage, komplett gebunden M 5 50.

Anweisung zum Transponieren

v. Prof. H. Kling. Preis broch M 1,25

Gegen Einsendung des Betrages franko.

Mainländer, Ph. Die Philosophie der Erlösung. I. Band. Preis 10 M. — II. Band. Zwölf philosophische Essays. Preis 12 M. Hieraus apart: „Kritik der Hartmann'schen Philosophie des Unbewussten". Preis 3 M. Frankfurt a. M. C. Koenitzers Verlag. Hervorragende Besprechungen in den philosophischen Blättern des In- und Auslandes.

!! Bedeutende Preisermässigung !!

Eckermann's Gespräche mit Goethe.

3 Bde. 5. Aufl. (Originalausg. Brockhaus).

Statt 9 M. für 3 M.

In 3 Prachtbänden **M. 4.—**

H. Barsdorf, Buchhandlung in Leipzig.

Bibliotheken und einzelne Werke kaufe stets bar.

Eugen Dühring.

Es werden bald 25 Jahre, daß **Eugen Dühring** für Vermehrung und Reform der Wissenschaft in mehreren Gebieten als Denker und Philosoph, als Nationalökonom, als Mathematiker und Naturwissenschafter und nicht zum wenigsten als populärer und nationaler Schriftsteller und zwar mit immer neuer Hervorkehrung frischer Kräfte des Geistes und Charakters gewirkt hat. In jedem der letzten zehn Jahre sind entweder neue Auflagen früherer oder ganz neue Werke von ihm erschienen. Den abgesetzten circa vierzigtausend Bänden entspricht eine ansehnliche Zahl von überallhin zerstreuten Anhängern. Eine **Beglückwünschungsadresse** zu dem 25-jährigen Wirken wird an ihn erlassen werden, nicht in der Absicht einer Ceremonie, sondern als Gelegenheit für Viele, aus der gegenseitigen Isolirung herauszutreten.

Wer sich in diesem Sinne, sei es zunächst durch Unterzeichnung, sei es durch Aufsuchung anderer Anhänger betheiligen will, wird ersucht, namentlich behufs Uebermittelung von Exemplaren der bereits gedruckten und in weiter Circulation begriffenen Adresse, dem Correspondenten der unterzeichneten Gruppe, Dr. Emil Döll, Mittheilung zu machen.

H. Steinhauser, Oberamtspfleger in Waldsee i. W. — **Hermann Regen**, Bankkassirer in Berlin, Waldemarstraße 14. — **Fritz Kruk**, Civilingenieur und Maschinenfabrikant in Helmstedt i. Br.

Johannes Leonhard, Oberlehrer am Realgymnasium zu Dortmund. — **Dr. Karl Rübel**, Oberlehrer am Realgymnasium zu Dortmund. — **Georg Wert**, Oberlehrer am Realgymnasium zu Dortmund.

Professor Dr. Ludwig Kühl in Darmstadt. — **Dr. Emil Döll**, ordentl. Lehrer an der Handelsschule zu Leipzig, Gidenienstraße 40.

Für die Redaktion verantwortlich: Karl Bleibtreu in Charlottenburg. — Verlag von Wilhelm Friedrich in Leipzig. — Druck von Emil Herrmann senior in Leipzig.

Dieser Nummer liegen bei 6 Prospecte: G. Grote'sche Verlagsbuchhandlung in Berlin, Otto Wigand in Leipzig, Wilh. Friedrich in Leipzig, Ernst Heitmann in Leipzig, Fr. Thiel in Berlin-Friedenau und Bibliographisches Institut in Leipzig.

Das Magazin

für die Litteratur des In- und Auslandes.

Wochenschrift der Weltlitteratur.

1832 gegründet von Joseph Lehmann.

55. Jahrgang.

Preis Mark 4.— vierteljährlich.

Herausgegeben von Karl Bleibtreu.

Verlag von Wilhelm Friedrich in Leipzig.

No. 51. Leipzig, den 18. Dezember. 1886.

Unsern verehrlichen Lesern wird die Notwendigkeit der baldigen Erneuerung des Abonnements in freundliche Erinnerung gebracht.

Leipzig. Die Verlagshandlung des „Magazins“.

Inhalt:

Dramaturgische Stossseufzer.

Von Prof. Karl Skraup-Prag.

Alljährlich, zum Schlusse der Wintersaison, veröffentlichen die meisten Hof- und Stadttheater statistische Berichte über die künstlerische Tätigkeit des abgelaufenen Jahres. Vergleicht man diese statistischen Berichte der letzten Jahre, so gewinnt man den Eindruck, dass die dramatischen Novitäten, sowohl in qualitativer als auch quantitativer Beziehung, in stetem Rückgange begriffen sind.

Unter den Autoren, welche in der letzten Zeit das deutsche Bühnenrepertoire mit ihren Werken bereichert haben, suchen wir vergeblich die Namen unserer hervorragendsten Dichter. Das Novitätenrepertoire wird von einigen Autoren beherrscht, die, gleichsam in Mode gekommen, mit ihrer Dutzendwaare den Bühnenmarkt überschwemmen. Seichte Lustspiele, ohne geistigen Wert; tolle Schwänke, voller Unwahrscheinlichkeiten füllen das Repertoire, und vergebens suchen wir nach gediegenen Dramen und ernsten Schauspielen.

Und doch würde man Unrecht tun, wollte man aus dieser Wahrnehmung den Schluss ziehen, dass die dramatische Produktion im Rückschritte begriffen sei.

Werfen wir einen Blick in die Archive und Bibliotheken unserer größeren Theater, so werden wir finden, dass alljährlich eine Unzahl dramatischer Novitäten daselbst einlaufen und aufgestapelt werden.

Bei der Direktion eines größeren Theaters, dessen Bibliothek mir zugänglich ist, waren, um ein Beispiel anzuführen, im Laufe eines Jahres nicht weniger als dreihundertsiebenundfünfzig dramatische Novitäten eingelaufen.

Das Verhältnis dieser Zahl (die an bedeutenden Hof- und Residenztheatern sicherlich eine noch weit größere ist), zu der Zahl der alljährlich über die Bühne gehenden Novitäten, müsste notwendigerweise ein trauriges Licht auf die Qualität der heutigen dramatischen Produktion werfen.

Bei eben diesem Theater werden mir alle Novitäten zur dramaturgischen Beurteilung vorgelegt. Und so habe ich mich überzeugt, dass der deutschen Bühne weit mehr brauchbare Stücke zur Verfügung stehen, als tatsächlich im Repertoire Eingang finden. Unter hundert Novitäten, die ich der Prüfung unterzog, fand ich durchschnittlich zwanzig brauchbare Werke, sowohl Dramen, Schauspiele, als auch Lustspiele und Schwänke. Und doch giebt es große Theater, die in einer Saison höchstens nur 10—15 Novitäten mit Erfolg über die Bühne bringen.

Forschen wir nun nach den Hemmnissen, welche sich der Verbreitung der dramatischen Novitäten in den Weg stellen, so werden wir erkennen, dass die Art und Weise, wie mit den dramatischen Autoren und ihren Werken vorgegangen wird, einerseits so manches wertvolle Stück, anderseits aber manchen reichbegabten und hoffnungsvollen Autor der Bühne entzieht.

Betrachten wir einmal die Schicksale eines dramatischen Werkes, von dem Augenblicke an, wo der Autor dasselbe den Bühnen zugesandt hat.

Bei der Intendanz oder Direktion angelangt, wird das Stück ordnungsgemäß mit der fortlaufenden Bibliotheksnummer bezeichnet und in den staubigen Schrank des Archivs eingestellt. Bei jenen Bühnen, welche sich den „Luxus" eines Dramaturgen nicht gestatten können oder wollen, da sie sich bei Auswahl der Novitäten nur stets an das Muster der großen Hof- und Residenztheater anlehnen, wird nun jenes Stück so lange in der Bibliothek das ungestörteste Dasein genießen, bis der drängende Dichter nach mehrmaligen Anfragen dasselbe zurück erhalten wird, entweder mit der Erklärung, „dass die Direktion, mit anderen Novitäten reichlich versehen, um so weniger auf das Stück reflektieren könne, da es noch auf keiner größeren Bühne aufgeführt wurde," oder aber mit der noch härteren Motivierung, „dass das Stück nicht aufführbar sei."

Wie mancher Autor wurde durch eine solche Antwort in seiner Schaffensfreudigkeit gehemmt, ohne zu ahnen, dass sein Werk, von Niemanden gelesen, ihm nur deshalb zurückgestellt wurde, weil die Direktion seinem Drängen ein Ende machen wollte.

Man kann den Leitungen dieser Bühnen fürwahr keinen Vorwurf machen, dass sie sich mit den neuen Erscheinungen auf dramatischem Gebiete nicht eingehend beschäftigen. Für ihren Bedarf dienen ihnen die Novitäten der Residenz, auch nimmt die Leitung des Institutes sie und die Regisseure derart in Anspruch, dass sie zur Prüfung dramatischer Neuerscheinungen keine Zeit finden.

Nicht viel besser aber ergeht es dem unbekanntem Autor an größeren Bühnen. Diese halten sich zuweilen einen Dramaturgen, welcher die Aufgabe hat, alle einlaufenden Novitäten zu prüfen. Da aber dieser meistens noch eine Nebenbeschäftigung hat, sei es als Regisseur, sei es als Sekretär, so ist seine Zeit derart in Anspruch genommen, dass er die dramatischen Einläufe kaum bewältigen kann.

Als gewissenhafter Dramaturg prüft er die Stücke nach der Reihenfolge ihrer Bibliotheknummer. Dazwischen muss er ältere Werke einrichten und zur Inszenierung vorbereiten, kurz eine Menge Obliegenheiten erfüllen, von denen der unglückliche Autor, welcher der Prüfung seines Stückes mit heißem Sehnen entgegensieht, keine Ahnung hat.

Endlich, nach monatelangem Harren wagt der ungeduldige Autor eine bescheidene Anfrage bei der Intendanz oder Direktion.

Vielleicht erhält er schon jetzt sein Stück zurück, — ohne dass es gelesen wurde — weil der Herr Dramaturg den ungestümen Mahner sich vom Halse halten will. Jedenfalls aber vergeht eine lange, lange Zeit, bis ihm endlich über das Schicksal seines Stückes Klarheit wird.

Ich gebe zu, dass es hier und da gewissenhafte Dramaturgen giebt, die es mit der Erfüllung ihrer Pflicht ernst nehmen. Das Urteil eines solchen Mannes kann man mit Ergebung hinnehmen, selbst dann, wenn es ungünstig lautet. Jener Autor, der sein Stück nach gewissenhafter Prüfung als „unbrauchbar" zurück erhält, kann nicht klagen und murren, er kann nur mit dem Schicksal rechten, das ihm nicht genügend von jenem göttlichen Feuer verliehen hat, welches allein den Menschen zum Dichter macht.

Wie gewissenlos aber über die Werke geistigen Schaffens oft entschieden wird, möge eine kleine Episode ergeben, die einem Autor, der sich heute eines ansehnlichen Namens erfreut, vor mehreren Jahren begegnet ist.

Derselbe hatte einer der ersten deutschen Bühnen ein Stück eingereicht. Nach über einem Jahre erhielt er dasselbe als „unbrauchbar" zurück, trotzdem er die positive Gewissheit hatte, dass es gar nicht gelesen worden war, wie ihn einige Blätter belehrten, die er vor Einsendung des Stückes absichlich zusammengeklebt hatte und die sich noch in demselben Zustande vorfanden.

Sind diese zusammengeklebten Blätter nicht ein trauriges Zeichen für die Gewissenlosigkeit, mit der an einem Theater, das berufen wäre, allen deutschen Bühnen zur Richtschnur zu dienen, über das Schicksal dramatischer Autoren entschieden wird?

Nehmen wir an, das Stück eines Autors habe nun endlich die Prüfung bestanden und sei zur Aufführung angenommen worden. Sind jetzt etwa die Leiden des Autors überstanden? Steht er jetzt endlich am Ziele seiner Wünsche? — O, nein! Das Stück ist wohl angenommen, aber bevor es aufgeführt wird, kann noch eine lange Zeit vergehen. Da muss das Repertoire erst auf die Wünsche der Schauspieler Rücksicht nehmen; da muss erst dieses oder jenes Stück mit einer dankbaren Rolle für Herrn X oder Fräulein Y gegeben werden; da muss erst die Première eines banalen Schwankes eines modernen Autors absolviert sein, der eben in Berlin Erfolg gehabt, — kurz der unbekannte Autor wird von einer Woche zur andern vertröstet.

Ist sein Werk ein Lustspiel oder ein Schwank, nun, da mag sein Sehnen nach der ersten Aufführung noch eher gestillt werden. Aber wehe dem Autor, dem es einfällt, Tragödien oder ernste Schauspiele zu schreiben. Mögen diese in Form und Inhalt noch so bedeutend sein — gleichviel! — Das Publikum, so sagt vielleicht der Herr Direktor, liebt die Tragödien, das ernste Schauspiel nicht. Es verlangt nach

Heiterem und Pikantem. Das macht Kasse. — Und so wartet der Autor bis es dem Direktor endlich gefällt sein Stück aufzuführen. Da es aber ein Drama ist, da es voraussichtlich nicht „Kasse machen wird", so wird das Stück nur notdürftig besetzt, nur notdürftig inszeniert, wohl auch am schlechtesten Theatertage der Woche angesetzt. Und das Stück gefällt doch. — Aber ein Teil des Publikums, dem „Dumas Sohn" lieber ist als Bauernfeld, dem die „Theodora" besser gefällt als „Hamlet", hat sich gelangweilt, und so wird das Drama ein- bis zweimal gegeben, um dann in der Bibliothek weiter zu träumen von den Hoffnungen eines dramatischen Autors, der das furchtbare Unglück hat „Tragödien dichten" zu können.

Und da wundere man sich noch, dass unsere besten Dichter der dramatischen Kunst fern bleiben. Die Dichtkunst geht nach Brot wie jede andere Kunst. Und wenn der Dichter selbst auf den klingenden Lohn verzichten könnte und wollte, soll er sein Bestes daran setzen, um sein Werk als Stiefkind des Repertoires behandelt zu sehen?

Man könnte mir an dieser Stelle erwidern, dass beispielsweise Ernst von Wildenbruchs Dramen in kürzester Zeit den Weg fast über alle Bühnen machten. Zugegeben! — Aber, haben sich Wildenbruchs Dramen einen bleibenden Platz im Repertoire erworben? War es die Wertschätzung dieses hervorragenden Talentes, die Würdigung seiner mitunter großartigen Werke, welche diesen den Weg über alle Bühnen ebnete? Nein! — Die Sucht nach Sensationellem, die auch in der Kunst heimisch gewordene „Mode" hat hier ihr Wort gesprochen.

Nach langem Mühen und Hoffen war Wildenbruch endlich in Berlin zur Geltung gekommen. In Berlin wurde es „Mode" für Wildenbruch zu schwärmen. Und so zog diese Mode über ganz Deutschland hin und überall wurden seine Werke gegeben. Aber da diese nur vom Modeteufel gejagt wurden, so waren sie auch bald wieder von anderen „Modeartikeln" verjagt worden, und heute giebt es nur noch wenige Theater, die sich vom künstlerischen Standpunkte aus verpflichtet halten, Wildenbruchs Werken ab und zu im Repertoire ein Plätzchen zu gönnen. Blicken wir auf Arthur Fitger, Wilbrandt u. A. Haben ihre Werke nicht ebenfalls das gleiche Schicksal gehabt? Und ist es beispielsweise begreiflich, dass Felix Dahns „Markgraf Rüdiger von Bechelaren", ein Drama von hervorragender Art, der deutschen Bühne fast unbekannt ist? — Nicht die Sucht nach Sensationellem, das künstlerische und ästhetische Interesse soll die Richtschnur des deutschen Repertoires bilden.

So lange die maßgebenden Theater der Tragödie nicht die ihr gebührende Sorgfalt zuwenden, so lange wird die dramatische Produktion auf diesem Gebiete keinen erfreulichen Aufschwung nehmen.

Man wende ja nicht ein, dass das Publikum dieses Genre nicht goutiere. Man sehe auf die Erfolge der Meininger, auf die des Deutschen Theaters in Berlin, auf jene des k. k. Hofburgtheaters und überall dorthin, wo das ernste Drama in würdiger Weise dauernd kultiviert wird, und man wird wahrnehmen, dass es nur in den Händen der Bühnenleitungen liegt, den Geschmack des Publikums zu bilden und zu erziehen.

Werfen wir nun endlich einen Blick auf die Litteratur des Lustspieles und des Schwankes, so erkennen wir, dass das Repertoire dieses Genres lediglich von einzelnen Autoren beherrscht wird.

Ich habe bereits gesagt, dass die Provinzialbühnen sich bei Auswahl ihrer Novitäten größtenteils an das Repertoire größerer Städte, hauptsächlich aber an jenes Berlins anlehnen. Ein Stück, welches am Schauspielhause, am Deutschen Theater, oder am Residenz- und Wallnertheater einen durchschlagenden Erfolg errungen hat, wird mit großer Wahrscheinlichkeit seinen Weg über alle deutschen Bühnen machen und dem Autor überreichen Lohn einbringen. Wird aber ein gleichwertiges Stück zum ersten Male in einem Provinztheater aufgeführt, so wird es kaum beachtet. Die künstlerischen und litterarischen Ereignisse der Provinz stehen nicht so sehr im Vordergrund, um das allgemeine Interesse wachrufen zu können.

Erwägt man nun, dass am Schauspielhause und am Deutschen Theater durchschnittlich fünf durchschlagende Novitäten in der Saison zur Aufführung kommen, die übrigen Bühnen Berlins aber den Bedarf ihres Repertoires oft nur mit einem Stück für die ganze Saison decken, so kann man fast mit mathematischer Genauigkeit berechnen, dass alljährlich höchstens 10—15 Stücke ihren Weg machen. Alle übrigen dramatischen Werke führen aber nur ein vereinsamtes Dasein im Repertoire, und rauben, wegen geringer Aussicht auf Erfolg und Gewinn, den Autoren begreiflicherweise die Schaffensfreudigkeit.

Jene Autoren aber, denen ein glückliches Geschick dazu verholfen hat, in Berlin zur Aufführung und zu einem Erfolge zu gelangen, sind dadurch derart in Mode gekommen, dass sie, um dem Bedürfnis nach ihren Stücken gerecht zu werden, nicht rasch genug produzieren können. Die Folge davon ist, dass das Berliner Repertoire fast nur von diesen wenigen „Glücklichen" beherrscht wird, dass die Werke dieser Autoren, in der Jagd nach Geld und Gewinn, in Folge ihrer raschen Entstehung immer mehr und mehr verflachen. So sehen wir in Berlin alljährlich ein neues Stück der Herren Moser, Schönthan, Blumenthal u. s. w., sehen aber auch, dass die meisten neueren Stücke dieser Autoren lange nicht an den Wert ihrer ersten Werke heranreichen.

Trotzdem huldigt das Publikum diesen Namen, und da sich die Direktionen nicht die Mühe nehmen nach anderen Autoren und ihren Werken Umschau zu halten, so kommt man folgerichtig zu der Ansicht, dass die Zahl der befähigten dramatischen Autoren eine sehr geringe ist.

Und doch ist so manches wertvolle Stück eines unbekannten Autors unbeachtet in der Provinz aufgeführt worden, so manches aber auch unbeachtet liegen geblieben, das, wenn es etwa unter der Flagge eines modernen Namens in Berlin über die Szene gegangen wäre, einen sensationellen Erfolg gehabt hätte.

Wie wenige Theater in der Auswahl ihrer Novitäten selbständig vorgehen, ergeben am besten die Eingangs erwähnten statistischen Berichte, die fast überall dieselben Novitäten aufweisen.

Wie gering aber das Interesse ist, welches selbst jene Theater den neuen Erscheinungen auf dramatischen Gebiete entgegenbringen, denen ihre künstlerische Stellung es zur Pflicht machen sollte, ergiebt am besten der Theateralmanach, der uns ein Bild der Personalverhältnisse aller deutschen Bühnen giebt.

Es finden sich kaum zehn Theater, welche in ihrem Personalverzeichnis einen Dramaturgen an führen. Selbst Theater vom Range des Dresdener Hoftheaters, vom Stadttheater in Frankfurt am Main entbehren dieses wichtigen Postens; ebenso sämmtliche königlich preußische Hofbühnen.

Aus der Eingangs angegebenen Zahl der jährlich einlaufenden Novitäten erhellt jedoch am Besten, dass die Prüfung und Erledigung dieses Materials die Tätigkeit einer Person vollauf in Anspruch nimmt, und demnach nicht, wie es häufig der Brauch ist auf Regisseure übertragen werden sollte.

Wohl giebt es Intendanten und Direktoren, die noch neben ihrer anstrengenden Tätigkeit ab und zu Zeit finden, ein oder das andere Stück, auf das sie vielleicht durch besondere Verhältnisse hingewiesen wurden, zu prüfen und eventuell zur Aufführung zu bringen.

Genügt aber diese geringe Aufmerksamkeit den zahlreichen dramatischen Autoren, die vermöge ihrer Werke berechtigt wären, zu verlangen, dass auch ihnen ein Platz im deutschen Bühnenrepertoire vergönnt werde?

Entspricht das deutsche Bühnenrepertoire, das sich nur den modernen und sensationellen Erscheinungen zuwendet, in dieser seiner Einseitigkeit den Bedürfnissen des intelligenteren Theaterpublikums?

Dieses hat nicht nötig, sich mit den wenigen Novitäten abspeisen zu lassen, die man ihm, gleichsam als Nachtisch der Berliner Tafel, vorsetzt. Es kann beanspruchen, mit allen jenen Werken bekannt gemacht zu werden, welche vermöge ihres ästhetisch-dramatischen Wertes zur Aufführung berechtigt sind. Der dramatische Dichter aber kann vor Allen verlangen, dass seinen Werken jene Beachtung gegönnt wird, die der Bedeutung dieser Geistesarbeit entspricht.

Dem Feuilletonisten, dem Novellisten, ja selbst dem Romanschriftsteller, dessen geistige Produkte lange nicht nach so schweren und vielseitigen Kunstgesetzen geformt sein müssen, wie das dramatische Werk, wird die Verwertung seiner Arbeit weit leichter. Und dem dramatischen Dichter soll es allein so schwer gemacht werden?

Fürwahr, man kann sich nicht wundern, dass alle Jene, die durch schriftstellerische Tätigkeit ihr Brot erwerben, dem dramatischen Felde entfremdet werden und in anderer litterarischer Tätigkeit ihr Heil, ihren Ruhm und ihren Erwerb suchen.

Und sollte diesem Uebelstande nicht abzuhelfen sein? —

Mögen alle größeren Hof- und Stadttheater sich endlich von der götzendienerhaften Anbetung der dramatischen Ereignisse der Residenz emanzipieren und eigene Bahnen wandeln; mögen sie dafür Sorge tragen, dass die dramatischen Einläufe gewissenhaft und in tunlichster Beschleunigung von geeigneten Persönlichkeiten geprüft werden; mögen sie den beachtenswerten dramatischen Dichtern, auch wenn dieselben noch unbekannte Namen tragen, in ihrem Repertoire Eingang gewähren, und mögen sich diese Theater bemühen, durch gegenseitige Bekanntgabe von tatsächlichen Erfolgen den neuen dramatischen Werken Verbreitung zu schaffen — und wahrlich — man wird nicht mehr über eine solche Verarmung des Repertoires, nicht mehr über das Stagnieren der deutschen dramatischen Litteratur zu klagen haben.

Die Herren „Ueberall".

Eine sonderbare Art von Schriftstellern sind jene Journalisten, die sich dadurch den Schein von Bedeutung zu geben suchen, dass sie schwache und alberne litterarische Machwerke, von deren Existenz kein Gebildeter spricht, ans Licht ziehen und einer vernichtenden Kritik unterwerfen. Ein Fallstaffsches Heldenstück, das aber von den Gründlingen immer noch angestaunt und bejubelt wird! „Unser X. Y. ist doch ein Mordkerl! Haben Sie denn gelesen, wie er die Gedichte der Trine Mondschein verrissen hat? Nein? O, das müssen Sie lesen! Es ist köstlich! Er hat dem armen Frauenzimmer Nichts geschenkt und sie mit dem Rade der Lächerlichkeit nach allen Regeln der Nachrichterkunst von unten nach oben gerädert."

Solche „Mordkerle" schreiben wohl auch fürs Theater, weil sie sich gern auf die Bühne rufen und beklatschen lassen; auf Unsterblichkeit machen ihre Dramen keinen Anspruch. Ueberall, wo die Esse eines Palastes raucht und eine gesellschaftlich hochstehende Person Gäste versammelt, kann man solchem windigen Gernegroß begegnen; er fehlt bei keiner

Denkmalseinweihung, bei keiner Grundsteinlegung, bei keinem Festzuge, bei keinem Leichenbegängnis. Als gesinnungstüchtiger „Hans in allen Gassen" begleitet er selbst die Berühmtheiten zu Grabe, über die er Zeit ihres Lebens die schärfste Lauge seines Spottes ausgegossen hat ... wenn nur die Zeitungen berichten; „Herr X. war auch dabei." Es ist eine wahrhaft herostratische Sucht, von sich reden zu machen, ein Schinderhannes-Ehrgeiz, der diese Männlein erfüllt; aber der Prozess, der sie erzeugt und eine Zeit lang gedeihen lässt, ist ein krankhafter, und wie man eine bestimmte Gattung Bacillen im Sputum tuberculöser Patienten gefunden zu haben meint, so kommt diese Gattung von Journalisten fast nur in den Effluvien moralisch-pestkranker Hauptstädte und Residenzen vor.

Potsdam. Gerhard von Amyntor.

Litteraturbericht aus Russland.

I.

Das akademische Gymnasium und die akademische Universität im XVIII. Jahrhundert.

Nach handschriftlichen Dokumenten des Achivs der Akademie der Wissenschaften von Graf D. A. Tolstoi, aus dem Russischen von P. v. Kügelgen. St. Petersburg 1886.*)

Es ist überhaupt nicht gerade Brauch, dass Minister als Schriftsteller auftreten oder dass Schriftsteller Minister werden. Goethe ist darin eine hervorragende Ausnahme. Dass aber ein russischer Minister als Autor auftritt, namentlich im jetzigen Augenblick, darf als ein Phänomen bezeichnet werden. Und dass er, wie in vorliegendem Falle, gelegentlich einer historischen Studie sein eigenes System implicite begründet und verteidigt und es als legitime Fortsetzung des gesammten höheren Unterrichtswesens von allem Anfang an nachweist, dass er erhaben über Partei und Nationalleidenschaft, das große, eingreifende Verdienst deutschen Fleißes und Gelehrsamkeit um den höheren Unterricht in Russland hervorhebt, macht das Buch zu einem besonders merkwürdigen und in Deutschland gewiss willkommenen. Dabei hat der Autor, der sechzehn Jahre lang unter Alexander II. Unterrichtsminister war und nun schon vier Jahre dem Ministerium des Innern vorsteht, gleichsam nur mit Fakten und Dokumenten gesprochen, kaum hie und da eine polemische Bemerkung oder subjektive Schlussfolgerung einstreuend, streng sachlich sich haltend, objektiv wie es seinem hohen Standpunkt zukommt, obgleich er ja als Vertreter des klassischen Gymnasialunterrichts eigentlich ein Parteimann sein müsste, wenigstens nach den Anfeindungen zu schließen, welche die Gegner, die sogenannten Realisten, gegen sein System, seine Verwaltung und seine Person richteten. Seine Parteistellung, als Vertreter der klassischen Richtung, ist nur dadurch charakterisiert, dass er überhaupt ein solches Thema bearbeitet und die alten Akten aus dem Staube der Archive der jungen Generation vor Augen bringt. Um die ganze Bedeutung des Buches zu verstehen, muss man sich erinnern, wie Graf Tolstoi als Unterrichtsminister die russischen Gymnasien ungefähr auf dem Fuße der deutschen und französischen reguliette mit Zugrundelegung der klassischen Studien, der alten Sprachen konform dem Worte des großen Dichters, dass es wünschenswert sei, dass die alten Sprachen und das klassische Altertum für alle Zeiten Basis des höheren Unterrichts bleibe. In sofern als unsere ganze moderne Kultur auf der von Griechenland und Rom beruht, aus ihr erwachsen ist und nach verschiedenen Weltkatastrophen sich aus ihr stets wieder verjüngt und veredelt hat, kann am Ende auch der Unterricht nicht anders, als diesen historischen Gang wiederholen und sind die humanistischen Studien bei allen Kulturvölkern der gesammten höheren Bildung zu Grunde gelegt. Aber da eine große Partei in Russland sich und ihrer Nation eine originelle Begabung und eine nur von den reformatorischen Herrschern unterbrochene originelle Kultur vindiziert, da in dem Genius nationalis ein realistischer, utilisierender Zug nicht abzuleugnen, so erhob nicht nur die Partei, sondern auch viele besorgte Väter und Mütter, viele arbeitsunlustige Schüler und fast die gesammte Presse laute Proteste gegen den großen Umfang, welcher in dem Tolstoischen Stundenplan den lateinischen und griechischen Stunden eingeräumt war. In jedem Tram-way und Omnibus konnte man damals die Frage von der verschwendeten Zeit und dem unnötigen Latein debattieren hören; jeder Zeitungsschreiber kanzelte den klassischen Gymnasialunterricht als veraltet herunter.

Graf Tolstoi blieb fest und seiner Festigkeit hat man es zu danken, wenn überhaupt russischer Gymnasial- und Universitätsunterricht so ziemlich mit dem der übrigen civilisierten Nationen übereinstimmt an Umfang und inneren Gehalt.

Ebenso verdankt Russland, wie Graf Tolstoi nachweist, die Begründung von Gymnasien und Universitäten der Festigkeit seiner Regierenden, die ohne das nationale Bedürfnis und gegen die nationale Opposition, ja gegen eine Welt von Plagen und Hindernissen solche Anstalten gründete, erhielt und endlich zur Blüte brachte. Und hier liegt das tertium comparationis.

Der Ukas über Stiftung der Petersburger Akademie der Wissenschaften stammte bekanntlich noch

*) Paul von Kügelgen, früher Redakteur der Nordischen Presse, seit Rücktritt von Meyer-Waldek Redakteur der deutschen St. Petersburger Zeitung, ein charaktervoller Vorkämpfer des Deutschtums in Russland. Außerdem verdanken wir ihm eine Reihe wertvoller Uebersetzungen aus dem Russischen, unter Anderem mehrerer Schriften des Grafen Tolstoi.

von Peter dem Großen und war datiert vom 28. Januar 1724; ebenso hatte er 1706 schon ein Kaiserliches Petergymnasium zu stiften befohlen, dessen Programm und Statuten sogar schon ausgearbeitet waren. Das Regierungsgymnasium ebenso wie die Universität zu Petersburg waren zugleich mit der Akademie ins Leben getreten, indem die aus dem Auslande, zumeist aus Deutschland, berufenen Akademiker zugleich Lehrer an beiden Anstalten sein und für die Universität Studenten auf dem Gymnasium, für den Staat aber Lehrer und Gelehrte auf der Universität heranbilden sollten.

Wir folgen hierin unseren Gewährsmännern Tolstoi und Kügelgen. Das Gymnasium ward 1726 mit 112 Schülern eröffnet, die vorzugsweise guten Familien angehörten und zum Teil gut vorbereitet waren. Rektor war Bayer. Derselbe teilte das Gymnasium in eine dreiklassige deutsche Vorbereitungsschule und eine lateinische, zweiklassige Abteilung. „Die deutsche Schule war deswegen notwendig, weil die Lehrer Deutsche waren und die russische Sprache nicht kannten, so dass die Schüler sie nicht verstehen konnten, wenn sie nicht deutsch gelernt hatten“, sagt der Autor Seite 5.

Jedoch jedes Jahr traten weniger Schüler ein und als Peter II. die Residenz 1728 wieder nach Moskau verlegte, zogen alle Schüler aus den besten Familien mit ihren Eltern nach Moskau. Einen gleichen Schlag versetzte dem Gymnasium die Gründung eines adligen Kadettenkorps; von nun an traten nur mehr Söhne des Mittelstandes ein, bald musste man durch Ukase Seminaristen, Soldatensöhne, Dienerkinder requirieren, um nur überhaupt noch Schüler für das Gymnasium zu gewinnen, ja bei Neuberufung von Professoren an die Universität mussten sie sogleich auch einige Studenten vom Auslande mitbringen, sonst wären die Universitäts-Kollegien ohne Zuhörer geblieben. (S. 44.)

Als charakteristisch im höchsten Grad lassen wir folgende Stelle des Tolstoischen Werkes wörtlich folgen: „Dieser Kommission (Goldbach, Euler, Bayer und Kraft) reichte Fischer als Rektor des Gymnasiums ein Gutachten ein. . . . . Besonders originell ist aber in seinem Memorandum der Unterschied in den Anschauungen von der Gymnasialbildung in Russland und in anderen Staaten. „Viele Gelehrte“, sagt er, „haben an der Aufstellung eines Planes für den Volksunterricht gearbeitet: aber ihre Gedanken waren leichter zu Papier als in Ausführung zu bringen. — Die Umstände von Zeit und Ort und die nationalen Besonderheiten sind so verschieden, dass es unmöglich ist, in solchen Dingen allgemeine Regeln aufzustellen; so wird z. B. das, was in Deutschland hochgeschätzt wird, in Russland keineswegs ebenso geachtet: in Deutschland blühen die lateinische, die griechische und hebräische Sprache, die aristotelische Philosophie, das römische Recht und die spekulative Theologie; Alles das wird in Russland wenig geschätzt mit Ausnahme der lateinischen Sprache. Hier legt man vornehmlich auf praktisches Wesen das Hauptgewicht, besonders auf die mathematischen Wissenschaften, welche für das Land in Kriegs- und Friedenszeiten nützlich sind. Daher ist es bei der Gründung eines Gymnasiums in Russland notwendig, sich besonders mit diesen Anschauungen in Einklang zu setzen.“ Wenn man diese Zeilen liest, so erinnert man sich unwillkürlich der zu Beginn der siebziger Jahre stattgehabten Polemik unserer Realisten gegen die klassische Bildung, welche ebenfalls behaupteten, dass die russischen Kinder für den Unterricht nicht befähigt wären, welchen die Jugend in anderen Staaten erhält und dass der russische Nationalgenius ein ganz besonderer, mehr praktischer sei. Man muss bekennen, dass ein gewisser Teil der russischen Gesellschaft in anderthalb Jahrhunderten, was seine Anschauungen über Unterrichtswesen betrifft, nicht weit fortgeschritten ist, ja sogar Rückschritte gemacht hat, denn früher wurde wie man sieht, in Russland wenigstens der Nutzen der lateinischen Sprache von Allen anerkannt, während unsere Realisten auch diesen bestreiten.“ (S. 14 und 75.)

Ueber einen Brief des Grafen Rasumovsky, Präsidenten der Akademie und des akademischen Gymnasiums, wegen angeblich zu großer Strenge des Rektors Rothacker (aus Tübingen) gegen Kinder angesehener Personen wegen der alten Sprachen aus dem Jahre 1757 schreibt D. A. Tolstoi in beißender Ironie folgendes: „Dieser Brief charakterisiert vollständig die Anschauungen der Zeit von dem System der Bildung: bei uns in Russland können ja die Gymnasien nicht so eingerichtet sein, wie überall in fremden Staaten. Bei uns müssen nur die armen Schlucker ernstlich lernen, um nachher eine höhere Bildung und damit später auch ein Stück Brod zu erhalten; wir besitzen gewisse, in andern Ländern unbekannte adelige (vornehme) Wissenschaften, die in den neueren Sprachen und einigen leichteren, im praktischen Leben anwendbaren Fächern bestehen. Kann man sich darnach wundern, dass solche pädagogische Ansichten, von Generation zu Generation auf dem Wege der Tradition sich forterbend, bis auf unsere Zeit gelangt sind und sich so reliefartig im Kampfe der Realisten gegen die klassische Bildung ausgesprochen haben?“ „Man griff nun zu andern Mitteln, man bezahlte den Eltern eine kleine Pension für die ins Gymnasium geschickten Kinder, man befreite letztere vom Brückenzoll (das Gymnasium lag nämlich auf der Insel Wossili-Ostrow) etc.

Aber auch das Stipendiatensystem steigerte nicht die Lust angesehener Familien ihre Kinder aufs Gymnasium und später auf die Universität zu schicken, weil diese Anstalten nicht die Abiturienten mit einem Dienstrang und gewissen Dienstansprüchen entließen, wie die Kadettencorps. Man muss im Buche selber nachlesen, wie die Ausländer kamen, dozierten und probierten; wieder abgesetzt und heim geschickt wurden oder selbst wieder abzogen, oder starben, oder sonst unterlagen, in einzelnen Fällen aber auch prosperierten, Schüler bildeten, Lehrbücher schrieben Expeditionen mit machten, das Wissen verbreiteten, die Interessen des Staates förderten, wie es auch Lomenossow, Bezki und anderen Inländern nur ausnahmsweise gelang, wie Gymnasium und Universität eigentlich nur durch die Vorsorge der Regierung am Leben erhalten wurden. Es war dasselbe ein viertel Jahrhundert lang das einzige Gymnasium in Russland. Aber es krankte nach Graf Tolstoi an organischen Fehlern des Systems. „Das akademische Gymnasium hatte nie ein ordnungsgemäß bestätigtes Statut. Aber das pädagogische Werk erfordert Einheit des Gedankens und der Richtung und Beständigkeit in derselben. Indes in der Geschichte der Aufklärung Russlands hat es als das erste im Reich gegründete Gymnasium eine unzweifelhafte Bedeutung." (S. 117.)

Bezüglich der akademischen Universität finden sich einzelne merkwürdige Stellen: „Man muss die Berechtigung von Müllers (des Rektors) Meinung anerkennen, dass die jungen Leute zur bewussten Aneignung des Universitätskursus notwendig vorher eine gründliche Gymnasialschule durchmachen müssten, was viele seiner Zeitgenossen nicht erkannten und auch zu unserer Zeit nicht Alle anerkennen." (S. 174.) Der Autor schließt mit den Worten: „Am Ende des Direktorats der Fürstin Daschkow blieben an der Universität im Ganzen drei Studenten. Die Universität erlosch. . . ." Nicht ohne Grund sagte Tatischtschew zu Blumentrost: „Umsonst sucht ihr Saaten, wenn der Boden, in welchem gesäet werden soll, noch nicht vorbereitet ist." Richtig ist auch das Wort Boltins: „Sie wollten das in einigen Jahren machen, wozu Jahrhunderte nötig sind. Sie begannen das Gebäude unserer Aufklärung auf Sand zu bauen, ohne vorher ein zuverlässiges Fundament gelegt zu haben." (S. 218.)

Wahrlich Graf Tolstoi schont seine Landsleute nicht. Erfreulich und gleichsam die Rechtfertigung jener ersten, strebsamen Männer und ihrer zum Teil ungeschickten Versuche ist das Bild des jetzt in Russland erwachten Wissensdurstes und die Statistik seiner Lehranstalten. In Petersburg allein blühen sieben klassische Gymnasien, eine Universität, eine militär-medizinische Akademie, ein technologisches Institut, eine Kommerzschule, eine Anzahl von Privatgymnasien, Realschulen, Spezialschulen, der Militär-Schulen und -Akademien, der Mädchen-Gymnasien, -Pensionate und -Institute nicht zu gedenken, und ähnlich ist es in allen größeren Städten des ungeheuren Reichs, das neun Universitäten zählt. Aber alle diese Lehranstalten genügen nicht für den Andrang der Wissensdurstigen; alle sind sie überfüllt, überall ist man genötigt sie zu vergrößern und neue zu schaffen

Wir möchten wohl wünschen, dass eine so berufene Feder, wie die des Grafen Tolstoi, die Fortsetzung der Geschichte des früheren Schulwesens in Russland schriebe, wozu das vorliegende Werk als der interessante Anfang angesehen werden kann.

Petersburg. O. Heyfelder.

Alice de Chambrier.

Geboren 1861, gestorben 1882 zu Neuchâtel in der Schweiz.

Am 20. Dezember 1882 schloss der unerbittliche Tod zwei Augen für immer, die nur eine kurze Spanne Zeit, aber mit dem wunderbar tiefen Seherblick des Genius in die Welt und das Leben geschaut hatten; Augen, die ernst und forschend, im steten Wechsel der Erscheinungen das Dauernde und Bedeutsame, im Einzelnen das Allgemeine zu erspähen suchten; die sich voll sehnsüchtigem Verlangen immer wieder dem unergründlichen Geheimnis des weiten Himmelsraumes zu vertiefen liebten:

„Dans cet océan bleu, qu'on nomme l'infini."

Diese seltsamen Augen gehörten einem jungen, überaus lieblichen Mädchen an; einem hochbegabten Wesen, wie es die Natur zuweilen an einem Festtage erschafft, und das dann unter den Alltagsmenschenkindern heranwächst wie jene, in unvergänglicher Schönheit prangende Wunderblume der Steppe, von der die Sage berichtet, dass wer sie erblicke und ihren unbeschreiblich süßen, entzückenden Duft einsauge, plötzlich die ganze Welt verwandelt finde. „Was ihm bis dahin dunkel geschienen, wird nun mit einem Male sonnenklar; was stumm gewesen, gewinnt Sprache. Bäume, Tiere und Felsen reden zu ihm; er vernimmt die Harmonie der Sphären, den leisen Ton, der das Weltall durchklingt."

Die köstliche Märchenblume aber, die dieses Wunder bewirkt, ist nichts Anderes als das Genie, dem alle Zeit die geheimnisvolle Macht gegeben ist, uns eine neue Welt zu erschließen, eine Welt, die überstrahlt wird von der Sonne der Begeisterung, durchzuckt von den Blitzen glühender Phantasie und heiß auflodernder Empfindung. Für Alles, was dunkel in unserer Seele schlummert, wofür uns der rechte Ausdruck fehlt, findet der Genius das erlösende Wort; er, dem sich der Geist der Schöpfung gleichsam reiner und klarer geoffenbart, versucht es, die stumme Sprache der Natur zu übersetzen, unsere Augen zu öffnen für verborgene Schönheiten, an welchen wir ohne ihn ahnungslos vorübergehen würden.

Das junge, so früh ins Grab gesunkene Mädchen, von dem wir sprachen, Alice de Chambrier, war ein solches Genie.

Niemand, der sich in ihre ebenso schönen wie eigenartigen Dichtungen vertieft, wird dies bezweifein können. Tragen sie doch so deutlich das Gepräge einer großen, ungewöhnlichen Begabung an sich, dass der Gedanken, man habe es hier mit einem jener Durchschnittstalente, in deren Hervorbringung unsere Zeit so unerschöpflich ist, zu tun, ganz ausgeschlossen bleiben muss. Immer wieder fühlen wir uns versucht, diese Verse voll ruhiger Klarheit, Kraft und Gedankentiefe, frei von jeder weichlichen Sentimentalität und Rührseligkeit, einem Mann zuzuschreiben, und fast unbegreiflich will es uns erscheinen, dass sie in dem Kopfe eines jungen Mädchens entspringen konnten, das wenig Wochen nach vollendetem einundzwanzigsten Lebensjahre hinüberschlummerte in das Jenseits, welches so oft den Gegenstand ihrer Träume und Betrachtungen gebildet hatte.

Alice de Chambrier war eben eine Dichterin von Gottes Gnaden. Ihr war die Poesie kein eitler, müßiger Zeitvertreib, kein bloßes Mittel zur Befriedigung ihres Ehrgeizes, — Niemand konnte anspruchsloser und bescheidener sein als sie, — sondern ein Lebensbedürfnis wie das Atmen, eine zwingende Naturnotwendigkeit. Wie hoch sie die Kunst hielt, wie groß sie von dèr Aufgabe des Poeten dachte, das erfahren wir am besten aus einigen Versen, welche sie in einem „Dialog der Muse mit dem Dichter" der ersteren in den Mund legt:

. . . L'art est un séducteur, s'il n'est pas un flambeau.
„Et chacun de tes vers doit être une étincelle,
Une étincelle d'or qui monte vers les cieux
Et qui va, scintillant d'une flamme éternelle
Former un nouveau astre immense et radieux."

Auch folgende, nicht minder tief empfundene Stelle hat darauf Bezug:

„Je suis de ces rêveurs qu'une seule caresse
Suffit pour entraîner à ta suite, maîtresse,
O muse au front sacré!
Car tous ces rêveurs-là sont tes fils, les poètes,
Qui n'ont pas d'autre joie et n'ont pas d'autres fêtes,
Que ton culte adoré!"

Diese Zeilen bilden die Schlussstrophe eines längeren Gedichtes: „Qui es-tu?", welches wir nebst den Gedichten „Désir", „L'énigme", „Oh! laissez-moi!" und „Captif", das poetische Glaubensbekenntnis der jungen Dichterin nennen möchten. Wunderbar spiegelt sich darin ihre grenzenlose Natur, ihr rastloses Streben nach Erkenntnis, ihre ungestüme Sehnsucht nach einem ihr vorschwebenden Ideal. In dem Gedicht „Captif" steigert sich diese Sehnsucht zu wahrer Seelenqual; wir geben es hier unverkürzt:

Le poète jamais n'est maître de sa lyre,
Dont les cordes souvent éclatent sous ses doigts;
C'est lorsqu'il sent le plus, qu'il peut le moins décrire,
Et que voulant chanter, il demeure sans voix.

Lorsqu'à l'entour de lui tout n'est que poésie,
Que la nature en fête étale ses splendeurs,
Seul il reste muet, l'âme comme saisie,
Se sentant trop petit pour de telles grandeurs.

Et son coeur frémissant déborde d'harmonie,
Il écoute vibrer de célestes accords;
Mais un lien puissant enchaîne son génie:
Il demeure vaincu, malgré tous ses efforts.

Il voit les astres d'or dans les espaces luire,
Il voit le grand ciel bleu se mirer dans les flots,
Il entend leur langage et ne peut le traduire
Que par d'amers soupirs, pareils à des sanglots.

Ah! nul ne peut savoir ce qu'il souffre en lui-même,
Aux heures d'impuissance où, malgré son désir,
Il comprend, envahi par un regret suprême,
Qu'il touche à l'idéal sans pouvoir le saisir.

Il est comme un oiseau captif dans une cage
Et qui, par les barreaux de sa claire prison
Contemple, dominé par un désir sauvage
L'air bleu qui librement circule à l'horizon.

C'est en vain qu'il voudrait s'élever dans l'espace,
Se perdre en cet azur dont il se voit banni;
Je retombe brisé, l'aile meurtrie et lasse,
Les yeux mornes, encore tournés vers l'infini."

Alice de Chambrier besaß eine wahrhaft unerschöpfliche Phantasie, eine Einbildungskraft, die sich mit kühner Unerschrockenheit auf die entlegensten Gebiete wagte. Mit der bewundenswerten Intuition des Genies schreibt sie z. B. „Les Adieux de Socrate à Platon" und schließt mit den tiefsinnigen Strophen:

„Adieu, j'entends la mort qui s'approche et m'appelle;
Mon âme est sur le seuil de l'immortalité;
Encore quelques instants, et, déployant son aile,
Elle découvrira ce qu'est l'éternité.

Elle découvrira ce qu'elle est elle-même,
Et faisant à la terre un solennel adieu,
Humble et purifiée à cette heure suprême,
Entre elle et le néant, elle trouvera Dieu."

Ein anderes Mal stellt sie Betrachtungen über die Metempsychose an und grübelt darüber nach, ob sie nicht am Ende schon einmal an den Ufern des Neuchâteler Sees gelebt, wo vor einigen tausend Jahren die Helvetier ihre Zelte aufschlugen. Diesen sonderbaren Gedanken drückt sie in großartigen, klangvollen Versen aus:

„Peut-être que debout sur le seuil de nos tentes,
La plaine devant nous, l'infini sur nos fronts,
Nous écoutions rêveurs les notes éclatantes
Des cymbales et des clairons."

Schon als Sechzehnjährige dichtet sie Zeilen wie:

„Pourquoi te plaindre, ô mer, quand la terre est si belle?
Oh! dis-moi le motif de ta plainte éternelle,
Le mystère attirant que recèle ton eau! . . ."

Und dann wieder:

„Ce monde qui gravite, imperceptible atome
Dans cet océan bleu, qu'on nomme l'infini . . . ."

Alice de Chambriers reine, vornehme Seele glich einer Aeolsharfe, deren Saiten der leiseste Windhauch ertönen macht; der kleinste Anlass, das geringfügigste Ereignis genügte, eine Menge Ideenverbindungen und Vorstellungen in ihr wachzurufen, die sich meist durch große Originalität und Kühnheit auszeichnen. So erweckt der Anblick einer weißen Feder, welche sich aus dem Gefieder einer auffliegenden Taube löst, und langsam, wie widerstrebend, auf das schlüpfrige Straßenpflaster herabsinkt, wo sie in den Schmutz getreten wird, in der Dichterin den Gedanken an gefallene Menschenseelen, die rettungslos dem Verderben in die Arme sinken:

„C'est comme un ange aux grandes ailes
Qui les laisserait en passant
Tomber, hélas! blanches et frêles,
Sur notre sol noir et glissant.'

Pour les sauver il n'est personne,
Nul ne les tire du bourbier;
La nuit partout les environne
Et l'orgueil les foule du pied.

Der durch den Weltenraum dahinfliegende Komet „comme un oiseau de flamme aux gigantesques ailes", welchen die Sonne an sich zieht und in ihren leuchtenden Glutenball aufnimmt, wird ihr zum Bilde einer irrenden Seele, die durch Gottes allmächtige Anziehungskraft wieder in seinen Schoß zurückkehrt:

Et comme distinguant la lumineuse gerbe,
La comète retourne au grand astre de feu,
Dans son essor puissant, magnifique et superbe,
L'âme, prenant son vol, s'en revient à son Dieu."

Alice de Chambrier ist bei Lebzeiten fast gar nicht an die Oeffentlichkeit getreten. In seltner Bescheidenheit und Zurückhaltung hatte sie sich gelobt, ihre Dichtungen nicht vor ihrem dreißigsten Lebensjahre dem Druck zu übergeben; erst dann hoffte sie die künstlerische Reife und Vollendung, welche sie mit unermüdlichem Eifer anstrebte, erreicht zu haben. Zwar beteiligte sie sich mit Erfolg an verschiedenen lyrischen Preisbewerbungen, und einzelne ihrer Gedichte erschienen hier und da zerstreut in Sammlungen, wo sie sich denn doch in „zahlreicher Gesellschaft" befanden; aber eine, bei einer so hochsinnigen, sensitiven Natur leicht begreifliche Scheu hielt sie davor zurück allein dem Publikum gegenüber zu treten, dem „vielköpfigen Ungeheuer", das meist so schnell bereit ist, über jedes junge, aufstrebende Talent den Stab zu brechen. — — Erst nach dem unerwartet plötzlichen Tode des genialen Mädchens, übernahm es Philippe Godet, — ihr persönlicher Freund und Ratgeber — aus ihrem erstaunlich reichen Nachlass eine Sammlung der gelungensten Gedichte zu veranstalten und sie unter dem seltsamen, aber bezeichnenden Titel: „Au delà",*) „Vom Jenseits", zu veröffentlichen. Das kleine Bändchen liegt vor uns. Es ist mit dem Bilde Alice de Chambriers, einem Briefe von Sully Prudhomme an Philippe Godet, und einer längeren „biographisch-litterarischen Vorrede" von diesem selbst versehen. —

In warmen, tiefempfundenen Worten schildert er uns den kurzen, wenig ereignisreichen, aber überaus sonnigen Lebenslauf der jungen Dichterin, die um sich „den lächelnden Reiz" ihrer Jugend und Anmut verbreitete, harmlos und froh das Dasein genießend, welches, nach ihrem eignen Ausspruche, „keinen einzigen dunklen Punkt" mehr für sie hatte, seit ihr Vater ihr die Erlaubnis erteilt, sich ganz ihren litterarischen Neigungen widmen zu dürfen. — — Am 28. September 1861 zu Neuchâtel in der Schweiz geboren, entstammte sie einer hochangesehenen Familie, die sich um die öffentlichen Angelegenheiten und die Litteratur des Landes vielfach rühmlichst verdient gemacht hat. — Noch kein volles Jahr zählend, verlor Alice de Chambrier ihre Mutter, eine geborene Sandol-Roy. — Sie wurde in Neuchâtel erzogen und verbrachte ihr ganzes Leben daselbst, mit Ausnahme einiger kleinen Reisen, der steten Sommervilleggiatur in Bevaix und einem anderthalbjährigen Aufenthalt in Darmstadt, wohin man sie — 1876 — auf ihren Wunsch, zur Erlernung der deutschen Sprache, schickte. Sie eignete sich dieselbe in überraschend kurzer Zeit an und versuchte es sogar deutsche Verse zu schreiben.

Als Kind war Alice de Chambrier von äußerster Lebhaftigkeit, aber bei ihrem angeborenen Pflichtgefühl und dem eifrigen Bestreben ihrer Umgebung Freude zu machen, nicht schwer zu lenken. Als Erwachsene barg sie die leidenschaftliche Glut und Tiefe ihrer Empfindung, ihre außerordentliche Sensitivität und Liebesbedürftigkeit, unter einer jederzeit ruhig heitern Außenseite. — Mit zärtlichster Hingebung hing sie an den Ihrigen, — besonders ihrem Vater, — und erwarb sich durch ihre große Dienstfertigkeit, Herzensgüte und Menschenfreundlichkeit die Liebe Aller, die in nähere Berührung mit ihr kamen. Ihre größte Freude war, sich den Armen und Elenden mildtätig beweisen, sie durch kleine Gaben unterstützen zu können; noch ihr letzter Ausgang, acht Tage vor ihrem durch eine Erkältung herbeigeführten Tode, galt einer armen, kranken Frau.

Um uns ein Bild von der fast ans Unglaubliche grenzenden Produktionskraft, dem steten „Schaffensfieber" der jungen Dichterin zu entwerfen, giebt uns Philippe Godet ein Verzeichnis all ihrer, in einem Zeitraum von ungefähr fünf Jahren, — in Poesie und Prosa — niedergeschriebenen Dichtungen; erzählt mit kurzen Worten den Inhalt derselben und citiert eine Menge der hervorragendsten Stellen. Nicht als ob er uns glauben machen wollte, dass alle diese Werke schon tadellos und vollendet wären, — nein, im Gegenteile, der Herausgeber möchte uns durch ihre Erwähnung zugleich den Beweis liefern, mit welcher Diskretion er sich seiner Aufgabe unterzogen, wie er ganz in dem Sinne der Verstorbenen gehandelt zu haben glaubt, indem er bei der Auswahl der, für die Oeffentlichkeit bestimmten Gedichte, die möglichste Strenge beobachtete. — Dass auch diese hin und wieder kleine Mängel aufweisen, wird dem Auge des strengen Kritikers nicht entgehen; unsere Absicht ist es jedoch nicht, ihnen nachzu-

*) Poésies, quatrième édition. Paris, Librairie Fischbacher 1886.

spüren, sondern uns vielmehr rückhaltslos des Schönen zu freuen, es voll liebender Bewunderung für die Verewigte entgegenzunehmen, eingedenk ihrer Worte:

„Oui, la mort qui s'approche, implacable et farouche,
La mort, noir ennemi, grandit ce qu'elle touche."

Merkwürdig ist es, dass trotz ihrer so glücklichen, sorgenlosen, in jeder Hinsicht schön ausgefüllten Existenz, der Gedanken an einen frühen Tod häufig in Alice de Chambrier aufgestiegen zu sein scheint; ja, dass er in ihren Dichtungen mit einer gewissen Hartnäckigkeit immer wiederkehrt und sie ihn, wie der Herausgeber von „Au delà" sagt, „ohne Melancholie, ohne Furcht und ohne Schwäche", ausspricht:

„Comme l'oiseau, pleins d'allégresse,
Sûrs de notre immortalité,
Sachons, sans regret, sans tristesse,
Nous enfuir dans l'éternité."

Und in einer „Ode an den Mond":

„O lune, as-tu pu lire, en cette voûte immense,
Ce que la main de Dieu trace dans le silence?
Ah! peut-être, qui sait? encore quelques jours,
Tu luiras sur ma tombe en un vieux cimetière
Et tes rayons d'argent danseront sur la pierre
Où je dors pour toujours.

Es war, als könne sich dieses zart und fein organisierte Wesen doch nie ganz heimisch fühlen in dem Halbdunkel unserer Erde; als sehne sich ihre Seele in banger Vorahnung kommender Schmerzen und unvermeidlicher Kämpfe fort in eine Region des Lichtes und der Klarheit, als warte sie nur darauf sich „freudig und schnell" emporzuschwingen, „in die Ewigkeit" entfliehen zu können. — Den charakteristischsten Ausdruck findet dieses sehnsüchtige Hinausverlangen in dem Gedichte: „Le soir d'un jour de pluie", welches wir zum Schluss vollständig mitteilen:

„Il a plu toute la journée;
Les arbres rêvent tristement,
Et sur chaque feuille inclinée,
On voit trembler un diamant.

Mais au milieu du jour qui baisse,
Devant le grand ciel assombri,
Je sens une vague tristesse
Qui s'empare de mon esprit.

Au delà de la voûte grise,
Je voudrais, en un seul élan,
De lumière éclatante éprise,
Fuir dans le ciel étincelant.

Comme le plongeur téméraire
Qui, d'un effort audacieux,
En frappant de son pied la terre
Remonte vers le jour des cieux.

Je voudrais, joyeuse et rapide,
Dans un semblable et noble effort,
Au delà du ciel gris et vide
Rejoindre enfin le soleil d'or."

Riga. E. Richter.

Die Emanzipation der Frauen und der Dichter Calderon.

Von Edmund Dorer.

(Schluss.)

Die spanische Regierung war ebensowenig wie Calderon geneigt, die Bücher und die Waffen an die Frauen auszuliefern, damit sie sich die Emanzipation erkämpfen könnten; ja, sie ging noch weiter, und wagte einen reaktionären Eingriff in die alterworbenen Rechte derselben, indem sie ihnen die bewährten Waffen der Toilette zu entwinden suchte. Im März des Jahres 1623, unter der Regierung Philipps IV., wurde eine königliche Verfügung erlassen, in welcher der kostspielige Kleiderluxus verboten wurde. Besonders sollte es nicht mehr gestattet sein, die teuren Halskrausen und Spitzen zu tragen; statt dessen wurde das Tragen der einfachen, glatten Krägen, wie sie jetzt noch bei den spanischen Bauern üblich sind, geboten. Die Ehemänner und Familienväter konnten mit dieser Ordonnanz zufrieden sein; die Frauen aber betrachteten sie als eine Gewalttat und als einen neuen Beweis der Tyrannei der Männer. Die Damen erschienen nicht mehr in den Straßen, weil sie sich schämten ohne den gewohnten Schmuck sich zu zeigen. Um die neue Mode in Ansehen zu bringen und die gute Absicht der Regierung zu befördern, erschienen der König und seine Hofkavaliere in einfachen Halskragen ohne Halskrause und Spitzen, als ein feierlicher Kirchgang stattfand. Ganz Madrid lief herbei, um das seltene Schauspiel anzustaunen, aber die Propaganda für die neue Tracht blieb ohne Wirkung. Die Empörung und der Zorn der Damen dauerte fort. Da kam als rettender Engel der Prinz von Wales nach Madrid. Der englische Fürst stattete nämlich um diese Zeit dem spanischen Hof einen Besuch ab, um die Hand der Infantin Doña Maria zu erwerben. Man glaubte nun, und insbesondere war dies das Verlangen der Infantin Braut, dass man dem Prinzen zu Ehren einen größeren Luxus entfalten müsse, wozu die einfachen Halskrägen nicht passten. Eine zweite königliche Verfügung erschien und hob die Bestimmungen der ersten während des Aufenthalts des Prinzen auf. Die Halskrause, die Spitzen und anderer Schmuck wurden wieder überall sichtbar. Nach der Abreise des Prinzen dachte man, wie es scheint, nicht mehr an den ersten Erlass gegen den Luxus. Die Halskrause, die Spitzen hatten gesiegt; der glatte einfache Kragen war unterlegen. Die alte Ordnung der Dinge hatte wieder stillschweigend die Herrschaft erlangt.

Obwohl nun Calderon gelegentlich in seinen Stücken den Kleiderluxus und die lächerlichen Moden der Damen — besonders auch die damalige Krinoline „ein Gestelle, drin die Rippen wie im Gefängnis sitzen" — angegriffen hatte, so scheint er während den erzählten Ereignissen auf Seite der Frauen gestanden zu haben. Er verfasste in Gemeinschaft mit Freunden ein Gelegenheitsdrama auf den Sieg der Toilette unter dem Titel: „Die Rechte der Frauen" (los privilegios de las mugeres). In diesem Stücke wird ein ähnlicher Triumph der römischen Frauen erdichtet und geschildert. Die Geschichte des Coriolan musste dazu den Stoff abgeben, wobei freilich der historische Held sich in einen Madrider Galan verwandelte und die römische Geschichte in fabelhafter Weise behandelt wird.

Der Inhalt des halb ironisch, halb pathetisch gehaltenen Stückes ist kurz folgender: In Anbetracht, dass die Macht der Frauen und ihrer Schönheit so sehr über den kriegerischen, männlichen Geist der Römer gesiegt habe, dass diese nicht allein dem Waffendienst abhold werden, sondern auch ihre Zeit in weichlichen Festen und Galanterien zubringen, und in Anbetracht, dass Geld und Gut für die wechselnden und teuren Toiletten der Frauen verschwendet werden und der künstliche Putz nicht nur die Reize der Schönheit vermehre, sondern auch die Hässlichkeit und die körperlichen Fehler verberge, was offenbar Täuschung und Betrug sei: in Erwägung aller dieser Tatsachen, erlässt der weise Senat zu Rom eine Verfügung, durch welche den Frauen erstens jeder Zutritt zu einem militärischen oder öffentlichen Amt versagt und zweitens geboten wird, die einfachste Tracht zu tragen. Die Frauen dürfen sich nach dem Senatsbeschluss weder mit Gold und Silber, noch anderen Zierraten schmücken, sie dürfen keine neuen Moden erfinden, sie müssen die bizarren Kleidungen, die bereits den Anstand verletzen, ablegen; statt fremder Stoffe sollen sie einheimisches und selbstgewobenes Zeug zu Kleidern verwenden und endlich ist es ihnen nicht mehr gestattet, Salben, Schminken und dergleichen Hülfsmittel bei der Toilette zu verwenden.

Die Entrüstung der Römerinnen über den strengen Senatsbeschluss ist groß und ihr Unwille nicht zu beschwichtigen. Da kehrt just der siegreiche Coriolan nach Rom zurück. Seine Braut Veturia tritt ihm in den Weg und hält eine heftige Ansprache an ihn, in welcher sie mit eindringlicher Rhetorik die Verletzung der Frauenrechte und die Härte des Senats schildert. Sie sagt da: „Schmach euch, Männer! Ihr behandelt uns nicht wie Lebensgefährtinnen, sondern wie Sklavinnen und wollt uns sogar die freie Wahl der Kleidung verweigern. Aber nicht sowohl dies empört uns, als die Missachtung und der Hohn, mit welchem wir von euch behandelt werden. Wenn man uns im Beginne der Geschichte — vielleicht aus Furcht — den Gebrauch der Bücher und der Waffen vorenthielt, so ließ man uns wenigstens die Freiheit, die Reize der Natur durch Kunst zu erhöhen. Warum tastet ihr in Verachtung ewiger Gesetze unsere alten Rechte an? Die rohsten Völker, die wildesten Barbaren gewähren den Frauen Achtung und Nachsicht; ihr aber wollt uns schändlich unterdrücken! Aber wehe euch! Wenn ihr uns nicht die wohlbegründeten Rechte wieder zugesteht, so werdet ihr dafür büßen müssen. Niemals soll euch wieder unsere Freundlichkeit und Liebe beglücken und am Ende treibt uns der Zorn und Groll zu Gewalttaten. Auch in den Händen der Frauen stechen die Dolche und verwunden die Schwerter."

Nach diesen Drohungen fordert Veturia ihren Liebhaber auf, das Entsetzliche abzuwenden und den Beschluss der Senatoren umzuwerfen, denn wenn er dies nicht tue, so könne sie ihn nicht mehr achten und lieben. Coriolan schwankt zwischen seiner Pflicht als Staatsbürger und der Liebe, wie seinem galanten Sinn gegen die Frauen. Die Männer und unter ihnen vor Allen sein Vater Aurelio, der über die Toilettenkünste und ihre Gefahren besser unterrichtet ist, als der unverheiratete, junge Sohn, raten ihm, den Senat zu ehren und dessen weisen Beschluss unangetastet zu lassen. Die Frauen dagegen dringen in ihn mit Bitten und Klagen, damit er ihre Rechte gegen die tyrannischen Römer verteidige und den Senat zur Vernunft bringe. Sie überreden ihn und er beschließt, ihrem Gesuche nachzukommen. Freudig ruft Veturia: „Das ist Gerechtigkeit!" Vater Aurelio grollt: „Das ist Unsinn!" Coriolan aber meint: „Es ist Galanterie!" So wendet er sich an seine Krieger und spricht: „Auf, ihr unbesiegten Soldaten! Die Frauen sollen leben! Lasst uns in Rom einziehen! Der ganzen Welt zum Trotz will ich den Beschluss des Senates umwerfen." Mit dem lauten Ruf: „Hoch die Frauen!" folgen ihm die Soldaten und rücken in die Stadt. Coriolan verlangt nun sogleich von dem Senat den Widerruf des frauenfeindlichen Edikts; aber die alten und erfahrenen Herren des Senats verweigern dies aus guten Gründen. Der junge, galante Verteidiger der Frauenrechte wird zugleich als Empörer in den Kerker geworfen und dann verbannt. Er flieht voller Zorn zu den Feinden Roms, stellt sich an die Spitze ihrer Heere und kämpft siegreich gegen die Römer. Als Sieger zieht er nach Rom, um an der Vaterstadt und an dem starrsinnigen und groben Senat furchtbare Rache zu nehmen. Nur durch die Tränen seiner Geliebten Veturia wird er bestimmt, von seinen Rachepläuen abzulassen und seiner Vaterstadt zu verzeihen; natürlich ist nun auch der Senat gewillt, den Frauen die weitgehendsten Zugeständnisse zu machen und sie ungestört in ihren Rechten zu lassen. Selbst die Feinde Roms werden beschwichtigt und von Coriolan veranlasst, mit Rom Frieden zu schließen. So endet der zwiefache Hader zur Freude und Zufriedenheit aller Beteiligten.

In diesem Stücke, das Calderon später unter dem Titel: „Die Waffen der Schönheit" selbständig umarbeitete, lässt der Dichter die Frauen siegen, freilich nicht durch „Bücher und Degen", sondern durch Bitten, Worte und Tränen. Die Tränen der Frauen, diese „tauige Rhetorik der Augen", scheinen ihm besonders den Namen: „Die Waffen der Schönheit“ zu verdienen. „Weib weine und du wirst siegen!“ lautet der Titel eines späteren Dramas Calderons und in einem anderen Schauspiele, in welchem Alexander der Große auftritt, lässt der Dichter die Frauen des besiegten Darius den Helden mit Tränen um Erbarmen angehen:

„Habe Mitleid! Hab' Erbarmen!
Und beweise, dass die Milde
Ist des wahren Mutes Tochter!“

Alexander der Große und Großmütige, gewährt ihnen die erbetene Gnade mit einer Bemerkung, welche mehr an die freilich etwas später geborene Doña Maria de Zayas und ihre Geistesgenossinnen, als an die Frauen des Darius gerichtet zu sein scheint. Er sagt:

„Was beklagen sich die Frauen,
Dass die Männer ihnen Bildung
Und der Waffen Kunst versagen?
Brauchen Bücher sie und Degen,
Um gelehrt zu überreden,
Um die Krieger zu bezwingen?
Zu dem Zweck genügen ihnen
Ihrer Augen tau'ge Sprache,
Ihre holden, zarten Tränen.“

Aber auch ohne Worte und Tränen haben nach Calderon die Frauen eine siegreiche Gewalt über die Männer allein durch das, was sie sind. Ihnen genügt „der Gegenwart ruhiger Zauber“, um über den Mannesstolz zu siegen und von dem Edlen Achtung und Huldigung zu erwarten. „Denn“ — so lautet ein Ausspruch des ritterlichen Dichters —

„Ein Weib zu sein allein
Gilt als ein Empfehlungsbrief
Solcher Art, dass seine Aufschrift
Ist an jeden Mann gerichtet;
Und ihr göttlich hohes Wesen
Hat so eine unbeschränkte
Herrschaft über das Geschick,
Dass sie ohne selbst zu Wissen
Wem, mit solcher Macht gebieten,
Dass zu dienen kein Verdienst,
Nicht zu dienen ein Verbrechen.“

Litterarische Neuigkeiten.

Georg Ebers hat einen neuen Roman „Die Nilbraut“ vollendet, der in der Deutschen Verlags-Anstalt (vormals Eduard Hallberger) in Stuttgart erschienen ist. Diese eigenartige neue Dichtung führt den Leser in das durch die Araber jüngst eroberte Aegypten, und wird, nachdem der Verfasser als Dichter längere Zeit geschwiegen, für Tausende eine hochwillkommene und liebevolle Festgabe sein.

F. Volckmar in Leipzig hat soeben von seinem „Illustrierten Weihnachts-Katalog“ den X. Jahrgang herausgegeben. Derselbe enthält eine Auswahl vorzüglicher Bücher, Atlanten und Musikalien, die Jedem mit Rat zur Seite stehen werden.

„Hellenika.“ Argonautenfahrt durch Großgriechenland und Hellas von Adolf Schafheitlin. (Wiesbaden, G. Weiser.) Eine Art neuer Childe Harold-Versuch, voll warmer Schilderungspracht. Die Form ist ungleich, da der Dichter oft mit Ueberfülle von Gedanken ringt.

August Silbersteins „Mein Herz in Liedern“ erscheint in fünfter, vermehrter Auflage in der deutschen Verlagsanstalt (Hallberger) Stuttgart und wird in Kürze, mit dem Bildnisse des Dichters, in eleganter Ausstattung ausgegeben. Ein für sich selbst sprechender Erfolg. Von demselben Verfasser sind bei Wilhelm Friedrich, K. R. Hofbuchhandlung in Leipzig, zwei kleinere, überall Anklang findende Dichtungen „Die Rosenzauberin“ und „Frau Sorge“ erschienen, die sich vorzüglich zu Festgeschenken empfehlen, zumal die Ausstattung eine äußerst elegante ist und der Preis von M. 3 resp. M. 2.50 für das gebundene Exemplar äußerst gering ist.

„Kulturbilder aus Altpreußen“ von Alexander Horn (Leipzig, Karl Reißner). Von diesem, von den Süddeutschen man könnte fast sagen vielgeschmähten, wenigstens selten richtig beurteilten Land entrollt uns der Verfasser ein naturgetreues Bild, das nicht nur für den Altpreußen, sondern gewiss auch für den Süddeutschen, überhaupt für jeden Gebildeten zu lesen von großem Interesse sein wird.

Bezüglich des „Sumpf“ (siehe Nr. 25) von J. Hart, müssen wir nachträglich berichtigen, dass dieses Opus keineswegs, wie wir irrtümlich annahmen, in dem hochgeachteten Verlag von J. C. C. Bruns in Minden erschienen, sondern in der Buchdruckerei von Brunn in Münster, als Manuskript gedruckt, erschienen ist.

„Deutsche Sinngedichte.“ Eine Auswahl deutscher Epigramme, herausgegeben von D. Haek (Halle, Hendel). Ein sehr verdienstliches Werkchen. Ernste Epigramme, satirische Stachelverse, Scherzreime und Spruchdichtung sind darin vertreten. Vier Abteilungen umfasst diese Sammlung: 1. Von Luther bis Lessing. 2. Von Lessing bis Goethe. 3. Von Goethe bis zur Gegenwart. 4. Gegenwart (1860—86). Wie reich die Auswahl in letzterer Abteilung, zeigt schon allein die Reihe der ersten Alphabetnamen: Amyntor, Avenarius, Baehr, Barthel, Bauernfeld, Baumbach, Karl Beck, Herm. Beyer, Bleibtreu, Blumenthal, Bodenstedt, Böttger u. s. w.

Aus Anlass des Säculartages von Carl Maria von Weber (geb. 18. Dezember 1786) hat Adolf Kohut ein „Weber-Gedenkbuch“ erscheinen lassen. (Leipzig, O. Schmidt.) Dies Buch der Erinnerung bietet Neues und Interessantes in Fülle und so wird das Büchlein sicher dazu beitragen, das Andenken des ruhmreichen Tonschöpfers lebendig zu erhalten.

„L'égalité des sexes en Angleterre“, par F. Remo. (Paris, Nouvelle Revue.)

„Das unterirdische Russland“ von Stepnjack. Aus dem Italienischen übersetzt von Max Trautner. (Bern, Jenni.) Ein hochinteressantes Werk, auf das wir wahrscheinlich noch ausführlich zurückkommen werden. Die Uebersetzung liest sich wie Original. Von demselben Uebersetzer wurden auch Meister Zolas „Geheimnisse von Marseille“ soeben vorzüglich übertragen.

„Rauhenborn und Sohn.“ Schauspiel von Heinrich d'Altona. (Annaberg, Groningen.) Ein treffliches modernes Charakterstück.

„Der Einsiedler.“ Humoristischer Roman von M. Schleich. Herausgegeben von M. G. Conrad. (Franz'sche Verlagshandlung in München.) Ein Buch, das keiner Empfehlung bedarf und selbst seinen Weg machen wird. Conrad hat sich durch Bearbeitung dieses Meisterwerks wieder ein neues Verdienst erworben.

„Zu Goethes Gedichten.“ Von G. v. Loeper. „Nach W. Scherers Tode, welcher die Goethe-Philologie (prächtiges Wort!) als Teil der Germanistik (?!) am tiefsten und reinsten erfasste, wird es sich fragen, ob andere Schultern für ihre Aufgaben zureichen.“ So hebt unser Loeper an. O getrost! Die „Goethe-Philologie“ stirbt erst aus, wenn irgend eine Weltumwälzung das deutsche Philistertum, diesen Kehricht der Weltgeschichte, zur Tür hinaus fegt.

Unter der Presse: „Bona fide.“ Ein Sport-Roman in drei Bänden von E. v. Wald-Zedtwitz. (Otto Janke, Berlin.) Derselbe dürfte insofern das Interesse der Sports-Welt erregen, als er sich scharf gegen die Auswüchse des Sportwesens richtet.

„Karadi-nisa." Roman von F. v. Zobeltitz. (Minden, Bruns.) Der geistvolle und gewandte Verfasser hat sich kürzlich in der „Täglichen Rundschau" dazu hinreißen lassen, ein in der Charakteristik nicht übles und tüchtig „gemachtes" Romanprodukt der fürtrefflichen, obschon wenig bekannten, Sophie Junghans als Muster des Realismus den „ja recht bedeutsamen Talenten der jungen realistischen Schule" zu empfehlen (!!), indem er Sophie Junghans als eine „große Dichterin" (wörtlich!) preist. Nach solcher Verve in Aussprache seiner ästhetischen Ansichten ist es uns versagt, die Romane von Zobeltitz ausführlicher zu besprechen. Denn da wir selbst kein „großer Dichter" sind, so können wir „Karadinisa nicht so weit würdigen, um es unserer Schule als Muster vorzuhalten. Dagegen müssen wir bekennen, dass wir in neuerer Zeit selten einen „spannenderen" und flotter geschriebenen Roman gelesen haben. Die reiche Weltkenntnis des vielbewanderten Autors hat er aufs gewandteste verwertet.

„Zwei Schwestern", Schauspiel in vier Aufzügen. Nach dem Spanischen des Breton de los Herreros von Edmund Dorer. — Dresden, v. Zahn & Jänsch.

„Kritik der deutschen Parteien", ein volkswirtschaftlicher und politischer Essay von Dr. Karl Walcker (Leipzig, Rossbergsche Buchhandlung). Das vorliegende Werk Walckers wird gewiss viel zur Versöhnung der deutschen Parteien und zur Beseitigung der Missverständnisse und Vorurteile gegen das deutsche Reich Anregung geben, für alle Gebildeten ist dasselbe von Interesse, speziell für die, welche zu einem allgemeinen Urteil und Kritik berufen sind.

„Von der Ostsee bis zum Nordcap." Eine Wanderung durch Dänemark, Norwegen und Schweden von Ferdinand Krauß. Verlag von Rainer Hosch, Neutitschein, Wien und Leipzig. — Vollständig in ca. 25 Lieferungen. — Von diesem Reisewerke liegt uns die soeben erschienene erste Lieferung nebst einem ausführlichen Prospekte vor. Schon was diese erste Lieferung bietet, liefert uns den Beweis, dass wir es hier mit einem Werke zu tun haben, das ähnliche Erscheinungen der deutschen Litteratur weit überragt. Der Verfasser hat Dänemark und Skandinavien wiederholt bereist, das würden wir schon beim Lesen des ersten Kapitels „Land und Volk" herausfühlen, wenn es auch der Prospekt uns nicht sagen würde, denn seine Schilderungen tragen den Stempel der Naturtreue an sich, sie sind so lebenswarm, wie nur ein Mann, der Land und Volk gesehen, sie zu geben vermag. Aber auch die äußere Ausstattung des Werkes ist eine außergewöhnlich reiche. Die Illustrationen (die erste Lieferung enthält 1 Chromolithographie, 3 Vollbilder und 11 Textillustrationen) sind prächtig, Papier und Druck tadellos. Eine sehr wertvolle und gewiss allen Lesern willkommene Beigabe ist die Einleitung des Werkes bildende Musikbeilage „Vaterlandssang", welche uns mit einem herrlichen Nationalliede des norwegischen Volkes bekannt macht. Man muss in der Tat staunen, dass bei dieser reichen und eleganten Ausstattung, welche dem Werk seinen Platz unter den Prachtwerken anweist, der Preis so niedrig gehalten wurde; eine Lieferung desselben kostet nämlich nur 30 kr. ö. W. = 60 Pfennige = 54 Oere. Gewiss wird das Werk zahlreiche Abonnenten finden.

„Goethes Leben und Werke." Von G. H. Lewes. 15. Auflage. Bearbeitet von Prof. Dr. Ludwig Geiger. Verlag von Karl Krabbe in Stuttgart. Zum 15. Male in nicht ganz 30 Jahren unternimmt Lewes bekanntes Werk seinen Gang zu der deutschen Leserwelt. Ein Lieblingsbuch der deutschen Nation ist diese Goethebiographie von Anfang an gewesen, seit sie in deutscher Uebertragung ihr zu eigen gemacht wurde. Aber mit dem Anwachsen der Goethewissenschaft, mit dem Erschließen der zahlreichen Quellen, die in Briefwechseln etc. sich erst allmälig auftaten, hat sich der Stand der Goethekenntnis so wesentlich verändert, dass ein vor mehr als zwanzig Jahren geschriebenes Buch demselben naturgemäß nicht mehr vollständig entsprechen konnte. Ludwig Geiger, der Herausgeber des Goethejahrbuchs und berufene Goetheforscher hat nun eine Bearbeitung des Buches vorgenommen, die ein Muster größter Gewissenhaftigkeit genannt zu werden verdient und das Buch nun erst recht zu einem ganz und ganz deutschen macht. Was man zuvor an demselben geschätzt, die glühende Pietät, die Frische und Warmherzigkeit des Verfassers, ist ihm geblieben. Alles was uns fremd darin anmutete, ist beseitigt, die Zuverlässigkeit der Daten und Tatsachen ist unzweifelhaft und so ist hier im engen Rahmen ein schönes, wahres echtes Bild des großen Dichters und des großen Menschen gegeben seinem ganzen Volk — vor Allem auch den deutschen Frauen und der deutschen Jugend. Ein genaues sorgfältiges Register ist der 15. Auflage dieses besten Goethebuchs beigegeben; die Ausstattung ist nach jeder Richtung sehr schön.

M. Herbert: „Modernes Märchen." Gerd. von Oosten: „Vannina". H. Beta: „Der Spieler". Diese drei Novellen bilden den abwechslungsvollen Inhalt des eben erschienenen 23. Bandes von „Bachem's Novellen-Sammlung." (Dritter Band der neuen Reihe, Band 21 bis 40, letzterer bei Gesammtbezug gratis.) Prinzessin Marie, die Tochter eines deutschen Fürstenhauses, vereinsamt und in den Fesseln der Hof-Etiquette erzogen, vermag nicht dem Drang nach Freiheit zu widerstehen. Sie reißt sich los und unternimmt im strengsten Inkognito als Frau von Müller eine Reise, um Welt und Menschen kennen zu lernen. In der schönen Isarstadt gerät sie in einer „fashionabeln" Pension in einen Kreis liebenswürdiger, sehr verschiedenartiger Menschen. Was die Prinzessin dort erlebte und wie sie es erlebte, das muss man selbst lesen, wie Herbert es mit der ganzen geistreichen Grazie, die diesem Talent eigentümlich ist, erzählt. In der Tat ein modernes Märchen! — Die corsische Novelle „Vannina" bietet ein fesselndes Sittenbild voll abenteuerlicher Vorgänge. G. von Oosten erzählt augenscheinlich aus eigener Kenntnis der merkwürdigen Insel. — Der letzte Beitrag des Bandes ist eine amerikanische Spieler-Geschichte, ein Bild aus dem Farmer-Leben der neuen Welt, das ebenso sicher vielem Interesse begegnen wird.

Die Weihnachtszeit rückt immer näher und näher heran und schon rüstet sich Alles, um den Markt mit vielerlei schönen Sachen zu bedenken. Johannes Alt in Frankfurt a. M. zählt denn auch zu denen, welche sich die Gelegenheit nicht haben nehmen lassen und beglückt diesmal unsere Kleinen mit einem neuen Bilderbuch. Wenn auch die Parabel „Wie es Schneewittchen bei den Zwergen erging" nicht neu ist, so werden doch die recht gut ausgeführten Zeichnungen von Wilhelm Steinhausen gewiss das Nötige dazu beitragen, um dem Bilderbuch den Eingang in viele Familien zu vermitteln. Ebenda erschien eine kleinere Erzählung für junge Mädchen, betitelt „Schwester Barbara" von Fr. Andreae; das für das heranwachsende zarte Geschlecht anregend unterhaltend aber auch zugleich lehrreich geschrieben ist.

„Kinder der Zeit" und andere Novellen von M. Herbert. (Köln, J. P. Bachem.) Die beiden rasch in zweiter Auflage erschienenen prächtigen Romane „Das Kind seines Herzens" und „Jagd nach dem Glück" haben M. Herbert in zwei Jahren hohes Ansehen in der Lesewelt gebracht. Die diesjährige Novität umfasst in einem Bande fünf reizvolle Novellen, — „Kinder der Zeit" — „Die taube Blüte" — „Fräulein Käthe" — „Das böhmische Lied" — „Nur ein kleines Leben" — jede in ihrer Art apart, die letzte mit erschütternder Tragik schließend. Zweifellos wird dieser Novellenband dieselbe willkommene Aufnahme finden, wie seine beiden Roman-Vorgänger.

„Die ratende Freundin." Mitgabe für junge Mädchen beim Eintritt ins Leben. Von Marie von Lindeman. (Köln, Bachem.) Ein reich ausgestattetes Geschenk-Buch besonderer Art bringt hier der Verleger auf den litterarischen Markt. Fein und anregend auf religiöser Grundlage geschrieben, knapp in der Fassung, ist es ausserordentlich reichhaltig. Mit seinen trefflichen Unterweisungen, Ratschlägen und Winken bildet es einen Schatz für junge Mädchen. „Unserer weiblichen Jugend bietet sich in diesem Buche — so heisst es in der Einführung — manch guter Rat an, dessen Beherzigung jeder aufblühenden Jungfrau zu wünschen ist. Er kommt aus einem liebreichen Frauenherzen und ist, wie jedes Blatt zeigt, von eben so viel Erfahrung wie Liebe diktiert. Mögen diese Winke und Ratschläge zunächst allen jenen jungen Mädchen nützen, über die das Auge der Mutter nicht mehr wachen kann! Diese werden am ersten eine wohlmeinende ratende Freundin willkommen heißen.

Louis de Hessem: „L'oeuvre de la Chair." Paris, à la librairie illustrée 7 rue du croissant. Der originelle Titel des Bandes macht auf das Buch aufmerksam. Eine kurze Einleitung sagt: Ich leide an einem unheilbaren Uebel — dem Heimweh nach der Jugendstätte. Dieses wehvolle Uebel zeichnet nun in festen

Strichen und wunderbarer Plastik jene waldige, bäuerliche Gebirgsgegend. Die Sprache ist die feurige einer unglücklichen Liebe, unerschöpflich in packenden Ausdrücken und neuen Naturansichten. Es liegt eine nahezu erschreckende Wahrheit in diesen Landschaften und ihren Bewohnern und ein Farbenreichtum steht dem Erzähler zu Gebote, der durch die knappe Fassung wie ein überklares Transparentbild wirkt. Die sechs Erzählungen heißen: Le paysage, la femme, l'amour, l'enfant, la haine, l'homme. Vielleicht ist es für viele Leser ein Lob, wenn mit Bedauern hinzugefügt wird, dass „L'oeuvre de la chair" ein Buch ist, das die höhere Tochter erschreckt aus der Hand legt und das von jeder geistigen Verklärung des menschlichen Fehlens Abstand nimmt. Die edeln schönen Charaktere des Buches kommen zumeist recht schlecht davon und die anderen sinken in das Staubmeer der Millionen, welche vor ihnen irrten und starben.

Für das bevorstehende Weihnachtsfest hat die bekannte Verlagsfirma S. Schottländer in Breslau eine Reihe von neuen Werken erscheinen lassen, unter deren Verfassern wir glänzende Namen der Litteratur vertreten finden, während andere sich doch bereits die entschiedenste Anerkennung der lesenden Welt errungen haben. Da auf diese Weise die neuen Werke die sicherste Gewähr ihrer Vorzüglichkeit und Schönheit in sich tragen, so können wir, in dem wir uns eine eingehende Besprechung einzelner Novitäten vorbehalten, jetzt schon als prachtvolle Weihnachtsgeschenke davon unter anderen folgende empfehlen:

„Kunstwerke und Künstler." Dritte Sammlung vermischter Aufsätze von Wilhelm Lübke. Mit dem Porträt des Verfassers und 69 Illustrationen. Ein Band Lex.-8. 37 Bogen. Hochelegant brochiert M. 10.—; fein gebunden M. 12.

„Religion und Wissenschaft." Gesammelte Reden und Abhandlungen von Rudolf Seydel, a. o. Professor der Philosophie an der Universität in Leipzig. Ein Band gr. 8, 27 Bogen. Hochelegant brochiert M. 7.50; fein gebunden M. 9.

„Das Bürgerweib von Weimar." Eine Stadtgeschichte aus dem siebzehnten Jahrhundert. In fünf Büchern von Julius Grosse. 2 Bände (34 Bogen) 8. Elegant brochiert M. 9.—; fein gebunden M. 11.

„Gerke Suteminne." Ein märkisches Kulturbild aus der Zeit des ersten Hohenzollern. In drei Büchern. Von Gerhard von Amyntor (Dagobert von Gerhardt). 3 Bände 8 (61 Bogen) Eleg. broch. M. 13.—; fein geb. M. 16.

„Die Frau von 19 Jahren." Roman von Hugo Lubliner (Hugo Bürger). Ein Band (19 Bogen) 8. Elegant brochiert M. 4.—; fein gebunden M. 5.

„Große und kleine Leute in Alt-Weimar." Novellen von Otto Roquette. Inhalt: Das unterbrochene Opferfest. — Der Schülerchor. — Rinaldo. — Der gefrorene Kuss. — Der elfte Mal. — Die schöne Silie. Ein Band, 29 Bogen 8°. Elegant brochiert M. 5.—; fein gebunden M. 6.

„Aus meiner Welt." Novellen und Skizzenblätter von Elise Polko. Inhalt: Ein Stillleben. — Monsieur Alix. — In Bardolino. — Kinderliebe. — Ein Zauberschloss am Rhein. Ein Band, 18 Bogen 8. Elegant brochiert M. 4.—; fein gebunden M. 5.

„Meines Lebens Roman." Ein Zeitroman von M. von Eschen. 17 Bogen 8. Eleg. broch. M. 4.—; fein geb. M. 5.

„Missverständnisse." Als Schlussband des großen sensationellen Roman-Cyklus: „Die Frauen der Petersburger Gesellschaft." Von Wladimir Fürst Meschtschersky. — 21 Bogen 8. Elegant brochiert M. 4.—; fein gebunden M. 5.—. Preis des ganzen fünfbändigen Cyklus M. 21.— resp. fein gebunden M. 26.

Hierzu nennen wir noch die vor Kurzem erschienenen epochemachenden Werke:

„Mein Leben und ein Stück Zeitgeschichte." Von Karl Biedermann, ord. Honorar-Professor an der Universität in Leipzig. 1812—1886. Eine Ergänzung zu des Verfassers „Dreißig Jahre deutscher Geschichte". Mit dem Porträt (Radierung) des Verfassers. 2 Bände. Hochelegant brochiert M. 10.—; fein gebunden M. 13.

„Bericht über die Allgemeine deutsche Ausstellung auf dem Gebiete der Hygiene und des Rettungswesens" unter dem Protektorate Ihrer Majestät der Kaiserin und Königin in Berlin 1882—83. Mit Unterstützung des Königlich Preußischen Ministeriums der geistlichen, Unterrichts- und Medizinal-Angelegenheiten herausgegeben von Dr. Paul Boerner in Berlin. Mit einem Titelbilde, einer Tafel, einem Situationsplan, einem Porträt und 393 Text-Illustrationen. Complet in 3 Bänden brochiert M. 45.—; gebunden M. 52.50.

Erschienene Neuigkeiten.

„Friedrich der Große." Ein Gedenkblatt in gebundener Rede von Obstalden. — Pommerisch Stargard, Rud. Just.

„Zwischen zwei Weihnachten" von Roth Weiß. — Rathenow, Max Babenzien.

„Frihlengs-Knospel aus'n Zepser Blumgorten" obgeflockt van Rudolf Götz. — Leipzig, Moritz Lévai.

„Siegfrieds Tod." Tragödie in drei Aufzügen von Georg Siegert. — München, Josef Anton Finsterlin.

Die in Berlin bestehende freie litterarische Vereinigung „Durch!" bittet uns um Abdruck folgender Thesen:

Die unter dem Namen und Wahlspruch „Durch!" zusammengetretene freie litterarische Vereinigung junger Dichter, Schriftsteller und Litteraturfreunde hat keinerlei bindende Satzung; doch lassen sich die in diesem Kreise lebenden litterarischen Anschauungen durch folgende Sätze versinnbildlichen, welche zugleich den Charakter aller modernen Dichtung darstellen:

1. Die deutsche Litteratur ist gegenwärtig allen Anzeichen nach an einem Wendepunkt ihrer Entwickelung angelangt, von welchem sich der Blick auf eine eigenartige bedeutsame Epoche eröffnet.

2. Wie alle Dichtung den Geist des zeitgenössischen Lebens künstlerisch verklären soll, so gehört es zu den Aufgaben des Dichters der Gegenwart, alle bedeutungsvollen und nach Bedeutung ringenden Gewalten des gegenwärtigen Lebens in ihren Licht- und Schattenseiten poetisch zu gestalten und der Zukunft prophetisch und bahnbrechend vorzukämpfen. Demnach sind soziale, nationale, religiös-philosophische und litterarische Kämpfe specifische Hauptelemente der gegenwärtigen Dichtung, ohne dass sich dieselbe tendenziös dem Dienste von Parteien und Tagesströmungen hingiebt.

3. Unsere Litteratur soll ihrem Wesen, ihrem Gehalte nach eine moderne sein; sie ist geboren aus einer trotz allen Widerstreits täglich mehr an Boden gewinnenden Weltanschauung, die ein Ergebnis der deutschen idealistischen Philosophie, der siegreich die Geheimnisse der Natur entschleiernden Naturwissenschaft und der alle Kräfte aufrüttelnden, die Materie umwandelnden, alle Klüfte überbrückenden technischen Kulturarbeit ist. Diese Weltanschauung ist eine humane im reinen Sinne des Wortes und sie macht sich geltend zunächst und vor allem in der Neugestaltung der menschlichen Gesellschaft, wie sie unsere Zeit von verschiedenen Seiten her anbahnt.

4. Bei sorgsamer Pflege des Zusammenhanges aller Glieder der Weltlitteratur muss die deutsche Dichtung einen dem deutschen Volksgeist entsprechenden Charakter erstreben.

5. Die moderne Dichtung soll den Menschen mit Fleisch und Blut und mit seinen Leidenschaften in unerbittlicher Wahrheit zeichnen, ohne dabei die durch das Kunstwerk sich selbst gezogene Grenze zu überschreiten, vielmehr um durch die Grösse der Naturwahrheit die ästhetische Wirkung zu erhöhen.

6. Unser höchstes Kunstideal ist nicht mehr die Antike, sondern die Moderne.

7. Bei solchen Grundsätzen erscheint ein Kampf geboten gegen die überlebte Epigonenklassizität, gegen das sich spreizende Raffinement und gegen den blaustrumpfartigen Dilettantismus.

8. In gleichem Maße als förderlich für die moderne Dichtung sind Bestrebungen zu betrachten, welche auf entschiedene, gesunde Reform der herrschenden Litteraturzustände abzielen, wie der Drang, eine Revolution in der Litteratur zu Gunsten des modernen Grundprinzips herbeizuführen.

9. Als ein wichtiges und unentbehrliches Kampfmittel zur Vorarbeit für eine neue Litteraturblüte erscheint die Kunstkritik. Die Säuberung derselben von unberufenen, verständnislosen und übelwollenden Elementen und die Heranbildung einer reifen Kritik gilt daher neben echt künstlerischer Produktion als Hauptaufgabe einer modernen Litteraturströmung.

10. Zu einer Zeit, in welcher wie gegenwärtig jeder neuen, von eigenartigem Geiste erfüllten Poesie eine eng geschlossene Phalanx entgegensteht, ist es notwendig, dass alle gleichstrebenden Geister, fern aller Cliquen- oder auch nur Schulbildung, zu gemeinsamem Kampfe zusammentreten.

Alle für das „Magazin" bestimmten Sendungen sind zu richten an die Redaktion des „Magazins für die Litteratur des In- und Auslandes" Leipzig, Georgenstrasse 6.

Für die Redaktion verantwortlich: Karl Bleibtreu in Charlottenburg. — Verlag von Wilhelm Friedrich in Leipzig. — Druck von Emil Herrmann senior in Leipzig.

Dieser N[illegible]mer liegen bei 2 Prospecte: Wilhelm Friedrich in Leipzig und S. Schottlaender in Breslau.

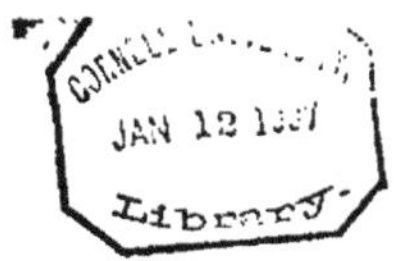

Das Magazin

für die Litteratur des In- und Auslandes.

Wochenschrift der Weltlitteratur.

1832 gegründet von Joseph Lehmann.

55. Jahrgang.

Preis Mark 4.– vierteljährlich.

Herausgegeben von Karl Bleibtreu

Verlag von Wilhelm Friedrich in Leipzig.

No. 52. — Leipzig, den 25. Dezember. — 1886.

Inhalt:

Eine neue Krankheit.

Von Ernst Heinrich Lehnsmann.

Zu den vielerlei Uebeln, unter denen unser öffentliches Leben leidet, ist in jüngster Zeit ein neues getreten, sehr dazu angetan, Verirrungen und Verwirrungen gerade bei Denjenigen hervorzurufen, welche unsere Litteratur noch immer einer näheren Aufmerksamkeit würdigen. Dieses bis zur vollkommenen Erkrankung fortgebildete Uebel besteht in der Sucht einer Anzahl neuerer Schriftsteller, Alles in einer nicht sowohl möglichst verständlichen, als möglichst unverständlichen Sprache zu sagen. Wir haben ja allerdings in dem Gedankenorakel Hegel ein leider noch immer zur Nachahmung reizendes Beispiel, allein erstens werden kaum sehr Viele darauf rechnen können, dass man hinter der Unverständlichkeit ihrer hegelesierenden Sprache immer Hegelschen Tiefsinn wittere und dann wäre auch sehr fraglich, ob der berühmte Philosoph des absoluten Seins, der bekanntlich kurz vor seinem Tode den Ausspruch tat, ein einziger Schüler habe ihn nur verstanden, dieser aber habe ihn missverstanden, bei einer auch für gewöhnliche Sterbliche verständlichen Darstellung nicht sehr viel von seiner philosophischen Glorie verloren hätte. Jedenfalls hätte man annehmen dürfen, dass die unverständliche Redeweise endlich aus unserem Schrifttum geschwunden sei. Allein sie tritt nicht nur mit allen Unarten wieder zu Tage, sondern erhebt dabei noch den Anspruch, durchaus neu und zukunftsbestimmend für unser Schrifttum zu werden. Da liegt ein merkwürdiges Buch von einem berühmten Mann vor mir; es führt den wunderbaren Titel: „Jenseits von Gut und Böse, Vorspiel einer Philosophie der Zukunft!" Man wird einräumen, die Aufschrift lässt an Anmaßung wenig zu wünschen übrig. Auch ist man wirklich geneigt, ganz etwas Besonderes zu erwarten, da der Autor Friedrich Nietzsche in früheren Schriften sich als wirklich originaler Denker und Schriftsteller auswies. Aber welch' ein Unterschied ist zwischen den früheren Arbeiten dieses Philosophen und diesem letzterschienenen Werke. Jenseits alles Guten befindet sich der Verfasser jedenfalls — in Bezug auf den schriftstellerischen Ausdruck. Er scheint eine neue Zunft stiften zu wollen; die Zunft litterarischer Diplomaten, bei denen die Sprache dazu dient, die Gedanken zu verbergen. Seine Darstellung muss um so mehr befremden, als das Buch aller Dogmatik den Krieg erklärt. Ja, ich muss gestehen, Etwas, was mehr Dogmatik wäre, als dieses Vorspiel einer Philosophie der Zukunft ist mir noch niemals vorgekommen. Herr Nietzsche teilt sein Werk allerdings nicht in Paragraphen; aber es wäre besser, er hätte die paragraphierte Form beibehalten und den Inhalt weniger dogmatisch gestaltet. Herr Nietzsche geht von [illegible] wunderbaren

Glauben aus, er sei glaubenslos, weil er nur an große Männer, an Heroen glaubt. Für diese Gewaltigen, zu denen er sich mit ehrlicher Offenheit selbst zählt, will er ganz besondere Moralgesetze aufstellen; eine Heroenmoral. Die Heroenmoral giebt Jedwedem, der den Mut besitzt, sich für einen großen Mann zu halten, die Freiheit, Alles, was wir bisher gut und sittlich genannt, mit Füßen zu treten; alle anderen Menschen sind den Heroen des Herrn Nietzsche gegenüber weiter nichts als Sklaven; für sie ist die Sklavenmoral; jene Moral der einfachen rechtlichen Leute, die bis auf diesen Tag noch immer an dem Grundsatz festhalten: „Was du nicht willst, das man dir tu, das füg auch keinem Andern zu!" Diese einfachen, nicht heroisch angelegten Naturen, also die Mehrzahl aller Menschen, sind nach der Philosophie der Zukunft nur der Humus, nur der Menschendünger, aus dem der köstliche Heroenstamm hervorgeht. Dies ist der Grundgedanke des Herrn Professor Nietzsche; jedoch glaube man gar nicht, dass diese Grundidee in einfachen, klaren Worten durchgeführt wird. Oh nein! Wenn unser undogmatischer Philosoph etwa sagen will: dies ist ein Tisch, so scheint ihm diese gemeine Ausdrucksweise sichtbar zu wenig heroenartig und gar zu sklavenmäßig. Der Herr Professor würde dafür etwa sagen: „Es giebt ein Etwas, wie eine Platte, gehalten von vier gehobelten und gemeißelten Holzstücken." Ja, und damit nicht genug! Herr Nietzsche beherbergt auch Etwas, wie einen unbewussten, aber sehr phantasiereichen Poeten in sich. Man lese nur Folgendes: „Ach, was seid ihr doch, ihr meine geschriebenen und gemalten Gedanken! Es ist nicht lange her, da wart ihr noch so bunt, jung und boshaft, voller Stacheln und geheimer Würzen, dass ihr mich niesen und lachen machtet — und jetzt? Schon habt ihr eure Neuheit ausgezogen, und einige von euch sind, ich fürchte es, bereit, zu Wahrheiten zu werden: so unsterblich sehen sie bereits aus, so herzbrechend rechtschaffen, so langweilig!" Ist das nicht reizend! „Gemalte" Gedanken, voller geheimer Würzen, die niesen und lachen machen? Gedanken, die unsterblich aussehen, und dabei herzbrechend rechtschaffen sind? Wahrhaltig, ob irgend ein anderer Mensch, außer Professor Nietzsche, bei gesundem Menschenverstande, solche Ungeheuer in seinem Gehirn herumträgt, wie diese Gedanken? Ich möchte es bezweifeln! Fast möchte man glauben, es sei gegen den Schluss dieses Satzes dem Herrn Professor ein geheimes, ein ganz geheimes Licht darüber aufgegangen, dass sein neuestes Werk vieles längst Bekannte und Ueberflüssige enthalte; dann kann man von einem Schriftsteller eine größere Selbsterkenntnis verlangen, als die, dass er seine eigenen Gedanken für „langweilig" erklärt?

Doch, im Ernst gesprochen: Herr Professor Nietzsche will sagen: Männer, die mit Aufopferung ihrer selbst für das allgemeine Beste ihr Leben hingeben, haben das Recht, mit einem anderen Maßstabe gemessen zu werden, als mit dem unserer gewöhnlichen Spießbürgermoral. Sie müssen oft unzählige Interessen verletzen, um der großen Gesammtheit dienen und das ihnen nur im Interesse der Gesammtheit vorschwebende Ziel erreichen zu können. Dagegen lässt sich ja wenig oder gar nichts aussetzen. Allein das weitere Streben eines jeden bedeutenden Menschen muss dahin gehen: die große Masse möglichst geistig zu heben, schon um sich in den weitesten Volksschichten Helfer für seine Wirksamkeit zu sichern. Große Ziele sind, so lange eine geschichtliche Entwickelung besteht, stets nur dann erreicht worden, wenn sie in dem Gesammtbewusstsein eines Volkes oder der ganzen Menschheit genugsam vorbereitet waren. Wie viele Genies gingen zu Grunde aus Mangel an Verständnis für ihre Ziele von Seiten ihrer Zeitgenossen! Das sind so allbekannte und banale Wahrheiten, dass es heut zu Tage unnütz sein sollte, auch nur ein Wort darüber zu verlieren! Leider giebt es jedoch eine Menge von Leuten, welche das an sich Klarste und Selbstverständliche verdrehen und auf den Kopf stellen. Sie fälschen geradezu das öffentliche Bewusstsein und martern unsere herrliche deutsche Sprache, aus keinem anderen Grunde, als um für etwas ganz Besonderes, für „Heroen" zu gelten. Dabei geschieht alles das unter dem donnernden Drommetenruf: „Hierher zu uns! Wir allein denken und sprechen echt deutsch!"

Es ist solchen absonderlichen Anschauungen und Bestrebungen gegenüber mit Nachdruck darauf hinzuweisen, dass die beiden gewaltigsten Vertreter des deutschen Schrifttums, dass Luther und Goethe, Jeder in seiner Art, stets dahin strebten, ihren Gedanken und Anschauungen einen möglichst klaren und fasslichen Ausdruck zu geben. Und dass diese beiden Männer trotzdem Kerndeutsch gewesen, wird selbst Herr Professor Friedrich Nietzsche nicht leugnen! Allerdings hatten Beide nicht nur Neues, sondern auch sittlich und geistig Gesundes zu verkünden. Der Schriftsteller, der, sei es aus Hochmut, sei es aus Unfähigkeit, nicht klar und deutlich seine Gedanken auszusprechen versteht, ist wahrhaftig nicht wert, von seinem Volke beachtet zu werden!

Neue Realisten.

Zu allen Zeiten hat eine unreife Baby-Aesthetik den Wert eines Schriftstellers nach seiner sogenannten Moral bemessen. Nun, Poesie und Moral sind beides in ihrer Art schöne Sachen und in ihrer höchsten Entfaltung sind sie sogar eins. Wo die gewaltigen Renaissance-Dichter groß waren, da waren sie auch moralisch. Und wurden sie unmoralisch, so verleugneten sie auch die Poesie.

Ganz anders aber steht es bei den geringeren Talenten und geringeren Gattungen der Poesie, besonders bei dem Lustspiel und Roman. Hier verzeichnet man im Gegenteil die bedauerliche Tatsache, dass „Immoralität" und Talent, „Moral" und Impotenz durchschnittlich als identisch gelten müssen. Dies lässt sich noch auf andere Schulbegriffe wie „Realismus" und „Idealismus", „Pessimismus" und „Optimismus" anwenden. Realisten und Pessimisten entwickeln meist mehr Begabung und — Idealität, als die Pseudo-Idealisten der akademischen Klassizität mit ihrem verlogenen Optimismus der sogenannten „poetischen Versöhnung". Die Welt jedoch will dies nicht Wort haben und vielleicht waltet hier ein tiefes mechanisches Gesetz ob, ohne welches die conventionelle Gesellschaftsordnung nicht denkbar wäre.

Unsere heutige Litteratur kann schlechterdings nicht mehr ärger verdorben werden, als es durch unsere Salonsäuseler und akademischen Formalisten geschehen ist. Auf den schlimmen Abwegen der Epigonen-Nachahmung stolziert unsere Verspoesie denn auch rüstig weiter. Da bleibt es denn noch ein Trost, dass jüngsthin wenigstens im Roman durch Zola eine entgegengesetzte Reaktion eintrat. Mag die Brutalität des Cynismus entfesselt werden, wenn nur zugleich die naturentstellenden Schönpflästerchen hinweggeschwemmt wurden.

Eine neue Schule betont rücksichtslos die Gesetze des animalischen Lebens. Man will eine Naturgeschichte des Menschenviehes schreiben und weist in der Charakteristik eine Verfeinerung der Individualitäten ab, um nur die Durchschnittstriebe gelten zu lassen.

In dem allen steckt doch ein tüchtiger Kern, ein gediegener Ernst. Und das ist die Hauptsache in unserer Zeit der Salon-Tättelei, wo „Witz" das große Schlagwort bildet. Jeder Begriff von Poesie scheint heute beinahe so völlig geschwunden, wie in jener Stuart-Epoche, wo Poet und „Wit" (Witzbold) Synonyma abgaben. Man geht auch heute noch in die Kaffeehäuser „to see the wits", die „Dichter" Lindau, Blumenthal, Lubliner, L'Arronge.

In den beiden realistischen Kraftprodukten dieses Weihnachtsmarktes: „Phrasen", Roman von H. Conradi*) und „Riesen und Zwerge" von C. Alberti, findet sich manche erschreckliche Offenheit, welche zarte Nerven empört, aber nirgends Schlüpfrigkeiten, wie bei Paul Heyse und Julius Wolff, den Lieblingen der Höheren Tochter.

Diese Lebensgemälde sind freilich etwas aus dem Handgelenk hingeklext. Es regnet Ohrfeigen und Nasenstüber gegen die Gesellschaft. Indem diese jungen Satiriker die bübischen Begierden der Sinnesmenschen entblößen, ekeln sie sich und haben doch auch wie Mephisto „ihre Freude dran". Sie beben vor keiner Situation und vor keinem Ausdruck zurück. Dabei handhaben sie einen spitzen pointierten Stil.

Es ist immer nur ein sehr kleiner Ausschnitt des Lebens, den sie zu schildern versuchen, mehr oder minder angefressene Gesellschaftsschichten, wie in Kretzers „Drei Weiber". Aber solche Schilderungen sind an sich wahr und werden auch stets wahr bleiben. Die Maske, die sozialen Bedingungen wechseln; das Muskel- und Nervensystem bleibt.

Das Alles bildet eine berechtigte Opposition gegen das gentlemanike Dekorum unserer formalistischen Afterlitteratur, welcher es sehr leicht fällt, tugendsam zu salbadern, da sie weder Genie noch Leidenschaft besitzt, und sogenannte abgerundete „Kunstwerke" zu drechseln, da sie ja in ihrer Armseligkeit nichts Neues zu sagen hat. Denn je elementarer und urwüchsiger ein Geist, desto langsamer und schwerer eignet er sich das Handwerk an, all die kleinen Kunstgriffe, die man heute „Kunst" zu schimpfen beliebt.

Doch aus einem Kunsthandwerker kann nie ein wahrer Künstler werden, aus einem Dilettanten und Amateur noch weniger, wohl aber aus einem ungehobelten Naturburschen, dem nicht eine Modelaune, sondern der innere ungestüme Drang die Feder in die Faust drückt.

Die unreife Afterkritik, all jene verächtlichen Janitscharen der bespeichelten Modehelden, die Scheerenschleifer und Kleisterpötte der Tagespresse, werden über Conradis Roman „Phrasen" herfallen.

Ein seltsames Buch, aber von unverkennbar ausgeprägter Physiognomie. Echtes Gefühl und falsche Empfindelei darin zu unterscheiden, fällt manchmal schwer. Es fehlt nicht an Schminke. Gleichwohl suchen wir nie nach der Zwiebel, welche die schönen Zähren entlockt, wie bei unseren moschusduftigen Modeflennern: Diese Tränen und diese Schmerzen sind wahr, wenn auch übertrieben und verzerrt.

Der Inhalt des Romans — aber hat er denn einen Inhalt? Das Ganze ist ein einziger Aphorismus. Wenn wir nach gutem alten Zunftbrauch nach irgend einer Analogie suchen, um Conradi einzuschachteln, so möchten wir ihn gewissermaßen einen tragischen Humoristen nennen und an Lorenz Sterne erinnern. Wie in dessen „Tristram Shandy", zerflattert das Stoffliche zwischen den Fingern und alles Reale löst sich naturgemäß in Gemütstüftelei aus.

Ein solcher empfindsamer Humor (auch der tragische Humor wie in „Phrasen") kann in seinem freien Walten auch realistische Detailzeichnung pflegen, kleine Kabinetsstücke entwerfen. Stillleben und Kleingenre malt auch Conradi mit sicherem Pinsel. Seine eigentliche Virtuosität, wie die jedes Reflexionspoeten, besteht darin, die geringfügigsten Ereignisse mit keckem Sichgehenlassen zu wichtigen Abhandlungen auszuspinnen und das Unmerkliche

*) Befindet sich unter der Presse und wird erst im Januar 1887 bei Wilhelm Friedrich in Leipzig erscheinen.

als Stoff unendlicher Betrachtungen auszuschlachten. So geht nun die Laune des Humoristen ihren eigenen störrigen Gang, immer drauflos durch Blumen, Gemüsegärten, Disteln und Nesseln. Sie ist nicht wählerisch! Duften die Rosen, so schlürft sie das Arom ein, und duftet der Mist, so findet sie darin einen eigenartigen Haut-Goût. Dieser Mauleseltrab über Stock und Stein mit ewigen Abschweifungen, Stockungen und Einschachtelungen hat etwas Ermüdendes. Außerdem verwischen sich vor dem kurzsichtigen Mikroskopauge des Dichters die Dinge, so dass die Unterschiede von Gut und Bös, Vernunft und Narrheit allmählich schwinden. Die unbestreitbare Charakterisierungsgabe Conradis fasst meist weniger den ganzen Menschen, als dessen Steckenpferde und Manien, auf.

Uebrigens erscheint seine Ironie durchaus nicht wohlwollend, sondern nährt sich aus galliger Weltverzweiflung. Conradi ist schonungslos auch gegen sich selbst, unerbittlich zerpflückt er seine eigenen Gefühle. Dieser Wahrheitsdrang des „Entrüstungspessimismus" schlägt bei ihm manchmal ins Manierirte, Krampfhafte um. Er schneidet Grimassen scheuer Lüsternheit, er wirft Togafalten des Weltschmerzes. Ein grelles Auflachen unterbricht das methodische Hämmern dieser zermalmenden, zerhackenden Maschine eines rastlosen Denkens. Die „saeva indignatia", welche Swifts Herz nach dessen Ausspruch zeitlebens zerfleischte, schmeckt man auch hier.

Alle Figuren des Romans sind mehr oder minder deutlich der Wirklichkeit entnommen. Weitaus am besten gelungen scheinen die Gestalten des Elternpaars, welches uns der Held und — Dichter des Romans vorführt. Sie sind auch die einzig sympathischen Gestalten des Romans, wenn wir die flüchtige Skizze ausnehmen, die uns von einem Genossen Heinrich-Conradis entworfen wird. Derselbe bleibt jedoch völlig im Halbdunkel und völlig in der Vergangenheit verborgen und tritt niemals handelnd auf, so dass wir bedauern, den Herrn nur so als Moment-Photographie einen Augenblick begrüßen zu dürfen. Wir wollen diese kurze Charakterskizze hierhersetzen, als Probe für Conradis Charakterisierungsvermögen:

„Der geniale Kraftmensch, der rücksichtlose Schrankenzerbrecher — der Einzige von Allen, die Heinrich kennen gelernt, der ohne Menschenfurcht gewesen. Der Ueberschäumende, der es wirklich fertig gebracht, alle Wurzelfasern aus der heimatlichen Scholle herauszureißen; der allen Bourgeoisie-Vorurteilen zum Trotz stets gewagt hatte, sich selbst durchzusetzen; der manchmal zwar nicht gerade wählerisch in seinen Mitteln, aber immer großgeistig und hochherzig gewesen; der Jüngling mit schneidender Verstandesschärfe und elementarem Poetensinn — reich, überreich nach allen Seiten beanlagt — von lechzendem Lebensdrang besessen und von dämonischer Todessehnsucht; sinnlich bis zur exstatischen Fleischverbissenheit — und dann wieder heimisch in den reinsten Gedankensphären, die der Ungewöhnlich wochenlang festhält — Siegfried — Faust — Narziss — Puritaner — Asket, Lüstling, aber immer mit einem Zug ins Große." — —

Alberti heroldet seine Novellen mit einer Vorrede, die bedrohlich wirkt, auch unsere Ansprüche hoch spannt. Doch werden wir bald angenehm überrascht von der Kombinationsgabe des Autors. Alberti vermeidet die Breite Conradis, welcher eine ganze Dokumentbibliothek vor uns ausschüttet. Die Verhältnisse werden gut entwickelt und erläutert. Nur das unkünstlerische matte Abbrechen und die fast komisch wirkende, schreiend unrealistische, Zufallsfügung des Kutschenüberfalls in der ersten Novelle, stören. Die Darstellungstechnik in der zweiten Novelle muss dagegen jeder Unbefangene freudig anerkennen, um so mehr hier eine gewisse Trockenheit des Tons überwunden wird.

Diese Methode raffinierter und minutiöser Ausmalung psychologischer Wandlungen ist die richtige. Man darf sich auch in langweilige und nachlässige Weitschweifigkeiten einlassen, um Illusion zu erwecken. Allerdings, tiefere Seelenkenntnis, nervige Sehkraft, übersprudelnde Drastik, wie in den großen wildbewegten Sittengemälden Kretzers, werden noch vermisst. Allein, jedes Talent hat Grenzen. Die Hauptsache bleibt immer hervorzuheben, dass es wahr und wahrhaftig Talent ist. Und das wollen wir von diesen beiden Büchern nachdrücklich bezeugt haben. Die „Schule" hat wieder einmal ausgewiesen, dass ihre Methode zum rechten Ziele führt.

Realistisch in der Detailzeichnung und Auffassung ist auch der neue Roman Gerhard von Amyntors „Gerke Suteminne" (Breslau, Schottländer) gehalten. Ein historischer Roman aus der Vorzeit Brandenburgs, speziell Berlins — ein schweres Wagnis, auch ein kühnes nach Willibald Alexis. Ueber die Bastardart des historischen Romans lässt sich ja streiten und für die Zukunft dürfte derselbe wohl ausgespielt haben. Die Farbe („Couleur"), welche V. Hugo und die gesammte romantische Schule besonders in Lokal- und Zeitkolorit suchten, scheint von zweifelhaftem Wert. Hier tritt stets das Dilemma ein, eine gute Dichtung mit Verletzung der Wahrheit oder eine schlechte Dichtung mit möglichster (meist auch nur angeblicher) Wahrheit zu liefern. Was aber als gesundes fruchtbares Element der historischen Dichtung bestehen bleibt und sogar an Bedeutung stetig gewinnen wird, sofern ein günstiger Einfluss davon für den modernen europäischen Sittenroman auf kosmopolitischer Grundlage zu erwarten, — das ist das Interesse für die Rassenmerkmale und den Begriff der Nationalität.

Die Gabe, historische Verhältnisse in anschaulicher Form zu entwickeln, ward Amyntor nicht versagt. Er zeigt auch in diesem Roman, wie in dessen Vorgänger „Frauenlob" Klarheit und Leichtigkeit in Führung der Fabel, eine sichere feste Hand in Urbarmachung des rohstofflichen historischen Gebiets. „Allerdings scheint der Kreis, in welchem er sich hier bewegt, ein enger. Aber der Dichter sitzt unter Ueberlieferungen und Denkmalen der märkischen Heimat so sicher und behaglich, wie ein Antiquar in seinem Museum, und so wird seinen Lesern wie ihm jenes altfränkische Stillleben des mittelalterlichen Bürgertums ein Selbstgeschautes.

Die lyrische Auslese des Weihnachtsmarktes ist diesmal kaum der Rede wert. Wir wollen jedoch einige Gaben gewissenhaft registrieren.

Die Leuchte Asiens nach dem Englischen von E. Arnold, deutsch von A. Pfungst. (Leipzig, W. Friedrich.) Eine zusammengestoppelte Mosaikarbeit kaleidoskopisch schillernder Bilder. Es macht auf Technikkundige den Eindruck, als habe der Poet sich eine Tabelle von Sitten, Flora und Fauna Indiens angelegt. Bei dieser Feeerie von Wandeldekorationen ist die künstlerische Ruhe einer geschlossenen Komposition natürlich kaum denkbar. Der exotische Kolorist bietet uns bengalische Rosen ohne Aroma und bunte Vögel ohne Gesang. Diese ethnographische Richtigkeit kommt der inneren Wahrheit nicht um einen Schritt näher. Mag man noch so sehr die ungefälschte Fabrikmarke solcher Kolonialwaaren anpreisen, tropisch scheint uns an diesen Seltsamkeiten nichts, als der übermäßige Verbrauch des — stilistischen Tropus.

Neue Gedichte von Karl Stelter (Elberfeld, Bädeker). Gedichte von Hedwig Kym (München, Ackermann). Die großen Richtungen der Klassizität und Romantik, welche die Weltlitteratur so lange beherrschen, lassen sich in all ihren Schattierungen wesentlich durch den kurzen Ausspruch kennzeichnen: die Klassizität sucht ihre Anregung im Altertum, die Romantik im Mittelalter. Dort reine Formgedanken in lichtem Marmor, Klarheit und schönheitsfrohe Harmonie — hier mystische Orgelklänge und himmelstürmende, wenn auch verschnörkelte, gotische Symbolik. — Die Romantik taugt etwas, sobald sie den nüchternen Formalismus der Klassizität zerbricht. Sie selber aber muss der mächtigeren Strömung des Realismus weichen, die gerade heute das Geistesleben stärker denn je durchflutet.

Wie aber steht es mit der heutigen Lyrik-Dichterei? Sie ist weder klassisch noch romantisch noch realistisch, sondern einfach dilettantisch und damit Basta. Jeder, der poetisch fühlt, bringt in mehr oder minder leidlichen Versen, was schon tausendmal vor ihm dagewesen, und die gefährliche Theorie vom „Gelegenheitsgedicht" verleitet dazu, jeden beliebigen Vorfall als Gedicht auszuschlachten. So haben wir denn entweder die alte liebe Lyrik, in der man jetzt sein Nachahmungstalent zu erproben pflegt, oder gereimte Prosa.

In den Gedichten Hedwig Kym's dringt hier und da noch ein tieferer Laut durch, so in den „Seestudien". An den braven Versen von K. Stelter sind höchstens die Uebersetzungen hervorzuheben. Leider zeigt sich hier wieder, wieviel beim Uebersetzen geopfert wird. Man lese Stelters Uebersetzung von Lamartines „Le soir" und vergleiche damit das Original!

Aber da liegen ja zum Schlusse in Aushängebogen aus dem Verlage von W. Friedrich in Leipzig vor mir „Lieder eines Sünders" von Hermann Conradi, dem begabtesten unter den Jüngeren der neuen Schule. Wie anders wirkt dies Zeichen auf mich ein! Nach all dem geistigen Eunuchentum ein wahres Labsal. Hier wagt sich wieder einmal eine junge Dichterseele hinaus in die offene See, als Wrack umhergeschleudert und in brüllendem Orkan wie in warmem Sonnenschein von der unendlichen Flut gewiegt, die in immer gleicher fühlloser Kälte und unheimlicher Schönheit uns alle von dannen spült.

Ein wahrer Dichter kreuzt wie die alten Seekönige von Küste zu Küste, wie Odin berauscht vom Meth aus Sagas goldenem Horn. Auf seiner Hochzeitsreise mit der wilden Walküre Wahrheit mag es da auch wohl vorkommen, dass er nach altem Wikingbrauch sich selbst und sein Drachenschiff im Feuerwerk cynischer Selbstvernichtung verbrennt.

„Inferno" heißt dieser Lieder erster Teil. Das Herz krampft sich zusammen vor diesem Aufwühlen aller geheimen Schreckensmächte, die unser Dasein unterhöhlen. Wo diese durch zahllose Kanäle sich hinwindende Reflexion zu klarem Strom sich sammelt, da wird uns in Conradis Weltauffassung eine mystische Harmonie offenbar, für welche das Naturganze von einer immanten Weltseele durchflutet und der Weltorganismus von derselben ordnenden Kraft gelenkt erscheint. Die innere Unteilbarkeit der Dinge wird empfunden, so z. B. in den tiefsinnigen Psalmen „Erdeinsamkeit" und „Im Vorüberfluge".

Nur Selbsterlebtes befähigt zu blutvoller Darstellung. Nur Subjektivität verleiht dem Poeten die rein künstlerische Befähigung. Die Weite des Gesichtskreises unterscheidet dann freilich noch den wahren Dichter vom bloßen Künstler. Zum Unendlichen hat sich Conradi bereits emporgeschwungen, zum Allgemeinen allerdings nicht. Seine eigenen persönlichen Schmerzen betrachtet er sub specie aeterni, aber für allgemeine Menschheitsschmerzen fehlt ihm noch der Ausdruck. Daher die Abwesenheit alles Historischen, die überhaupt bei der Lyrik des sogenannten „Jungdeutschland" auffällt. Das Schwelgen im Unendlichen verlockt aber leicht zur Allegorie und das ist allemal der Anfang vom Ende: Neigung zum Allegorischen scheint gemeiniglich das Zeichen einer greisenhaften Abstumpfung der im Wirklichen wurzelnden poetischen Genuss- und Lebenskraft. Auch Conradi liebt das reliefartige Herausmeißeln sinnlicher Allegorien, zu denen sich ihm irgend ein Begriff verdichtete. Nun ist zwar, wenn mit so gesteigerter Phantasiekraft ausgeführt, auch dies ein Prozess dichterischen Gestaltungsvermögens; aber er steht in direktem Gegensatz zu dem Verfahren der großen Dichter, bei denen umgekehrt das Reale eine tiefere symbolische Bedeutung gewinnt, während das kalt Begriffliche, Abstrakte, sich sofort vor ihrer belebenden Schöpferwärme zu realen Gestalten umschmilzt. — Wer wie Conradi gern das All reflektiv umspannen möchte, läuft Gefahr, sich im Allgefühl zu verlieren. Ein so gewaltiges Streben erfordert eine titanische Individualität. Conradi selbst zweifelt, ob er sie besitzt, und fühlt sich mehr als Vorläufer.

„Nur Wenige weinen, sie verstummen bald.
Was ich geträumt, sie geben ihm Gestalt.
Ich aber werde bald vergessen.“ (S. 28.)

Das wollen wir aber durchaus nicht hoffen, so sehr diese Ahnung und diese Erkenntnis ihn bei seinem sonst so trotzigen Selbstbewusstsein ehrt. Denn in ihm selber steckt ein echter und rechter Dichter. Dies zeigt die nervöse Stimmungsfeinheit, die leidenschaftliche Inbrunst, mit welcher er sein Ich zu der Bewegung der Weltkörper in Schwingung zu setzen scheint, die seltsame unirdische Schwermut, so mancher elementare Naturlaut in diesen Liedern.

Morgenfrische Glücksbegeisterung allein entbehrt Conradis Muse ganz. Aber wo soll die auch herkommen in einer Zeit wie der unseren?! Eine Zeit, welche ein feiles elendes Gesindel heranzüchtet wie jenes der Berliner . . „Tagesstimme“, welches unser Alberti so meisterlich in seinen Novellen geißelt?

Charlottenburg. Karl Bleibtreu.

Eine kroatische Homerübersetzung.

Die Uebersetzungskunst hat an der Ausbildung der Sprache, in welcher sie geübt wird, einen kaum geringern Anteil als die Originallitteratur selber; und es zeugt von dem richtigen Verständnisse der deutschen gebildeten Welt, dass sie Voss den Klassikern anreiht und auch die Verdienste von A. W. Schlegel, Tieck, Rückert, Donner u. A. richtig zu würdigen weiß. Hat doch Voss' Uebersetzung der der homerischen Epen in Deutschland die Bildung überhaupt und die Poesie insbesondere erheblich beeinflusst.

Auch die Kroaten haben seit einigen Jahren eine Uebersetzung der Odyssee (1882) und der Ilias (1883) im Versmaße des Urtextes. Sie stammt von Prof. Dr. Tomo Maretić, einem Gelehrten der jüngeren Generation, der sich binnen Kurzem auch außerhalb der Grenzen seines Vaterlandes vorteilhaft bekannt machen dürfte. Das Verdienst, welches er sich durch die eben erwähnte Arbeit erworben, möchte ich mit diesen Zeilen Allen, welche derlei Bemühungen zu würdigen wissen, klarlegen.

Zwei Umstände waren es, welche dem Uebersetzer sein Werk bedeutend erschwerten: der Vers und der Mangel an Komposita in der kroatischen Sprache. Was den Vers anbelangt, so sei kurz erwähnt, dass sowohl die Volkspoesie als auch die ältere Kunstdichtung gleich ihrem Vorbilde, der italienischen, die Silben im Vers bloß zählt, nicht betont. Nun haben sich die kroatischen Schriftsteller freilich vor zwanzig Jahren schon der Einsicht nicht verschließen können, dass der Rhythmus im Gedichte, um dem modernen und richtigen Geschmacke zu entsprechen, auf dem Accente beruhen müsse. Gerade der Accent aber war die Klippe, an welcher das Schifflein der zu skandirenden Schriftsteller zumeist scheitern pflegte. Denn im Kroatischen ist es um den Accent so bestellt, wie vielleicht in keiner zweiten Sprache auf der Welt. Während nämlich das geschriebene Wort — man mag die Sprache kroatisch oder serbisch nennen — von der Adria bis zu den Grenzen Bulgariens dasselbe bleibt, unterliegt seine Aussprache der verschiedensten Betonung, da die Volksdialekte in dieser Beziehung bedeutend variiren, und sich auch der gebildete Mensch ihrem Einflusse nur schwer entziehen kann. Diese Behauptung wird in unserem Falle um so begreiflicher, als der richtige Accent des Što-Dialektes, welcher die Schriftsprache repräsentiert, eigentlich nur in einem Teile Bosniens und besonders in der Herzegowina gesprochen wird. Und es ist trotz den diesbezüglichen Aufzeichnungen der serbischen Gelehrten Vuk Stef. Karadžić und Georg Daničić für den Einzelnen eine missliche Sache, die unzähligen Gesetze dieser Betonungsweise dem Gedächtnisse einzuprägen. Maretić nun, der seine Studien an der Agramer Hochschule absolvirte, wo diesem Zweige des Sprachstudiums allerdings die nötige Aufmerksamkeit geschenkt wird, drang in dessen Wesen so tief ein, dass er es bald wagen durfte, selbstständige Untersuchungen über die Theorie des Accentes zu veröffentlichen. Er erwies dadurch am besten, dass er berufen sei, einen kroatischen Hexameter strenge nach dem Prinzipe des Accentes zu bilden.

Was die Sprache selbst betrifft, so zeigt das kroatische Verbum wohl manche Aehnlichkeit mit dem griechischen, auch stimmt der Satzbau der kroatischen Sprache mit dem der homerischen Epen in Vielem überein. Eine kaum zu bewältigende Schwierigkeit für den slavischen Uebersetzer aber bieten die homerischen Komposita, da die slavischen Sprachen der Zusammensetzung von Wörtern zumeist widerstreben. Und das war der zweite Umstand, welcher unserm Uebersetzer die Arbeit bedeutend erschwerte. Um ihn zu bewältigen, studirte Maretić die heimische Volkspoesie auf das Gewissenhafteste, und analog dem Schmucke derselben schuf er mit großem Scharfsinn und zumeist auch mit richtigem Geschmacke seine Nachbildungen der homerischen Epitheta ornantia.

So ausgerüstet vollendete Maretić das Werk der Uebersetzung in verhältnismäßig kurzer Zeit, ohne dass man ihm den Vorwurf der Flüchtigkeit machen dürfte. Im Gegenteile ist die Uebertragung in philologischer Hinsicht so genau als möglich, der epische Ton ist glücklich getroffen, und der Wohllaut des Kroatischen mit seiner Fülle an wechselnden Vocalen tut das Uebrige. Und vor diesen Vorzügen verschwinden einige Eigenheiten und Mängel, ohne welche ein solches in seiner Art bahnbrechendes Werk nicht zu denken ist.

Maretić aber hat mit dieser Uebersetzung seinem Volke ein Geschenk gemacht, welches kaum vor einem halben Säculum durch ein zweites, besseres Werk dieser Art überholt werden dürfte.

Essek. Ferdinand Müller.

Aus russischen Kreisen.

Roman von Curt von Wildenfels. — Leipzig, Eugen Peterson, 1887.

Der Autor kennt augenscheinlich Land und Leute in Russland aus eigener Anschauung, namentlich aber die sogenannten Oberen Zehntausend, welche in Petersburg ebenso die „Gesellschaft" ausmachen, wie in London, Paris und New-York. Die Schilderung des Lebens am russischen Hofe ist eine anziehende, wie denn der Roman sich überhaupt durch eine spannende Handlung und interessante Konflikte auszeichnet. Die Charakterschilderung kann man als eine wohlgelungene bezeichnen. Man würde irren, wenn man im Rahmen dieser Erzählung jenen russischen Kaviar und jene Juchten vorgesetzt erhielte — welche gewissen russischen belletristischen Erzeugnissen jenes haut-goût verleihen, das mehr kosakisch als geschmackvoll ist. Nirgends findet man gar zu krasse Szenen und gewagte Situationen, alles ist vielmehr recht natürlich, einfach und mit einer gewissen Grazie erzählt. Sehr interessante Figuren in diesem Roman sind namentlich der russische Fürst, Leona, die verarmte, aber junge und schöne Dame, die durch ihren Kunstgesang alle Welt bezaubert, die mit Juwelen überladene Tochter des zwanzigfachen Millionärs Suwariew, die mit dem Fürsten kokettierende Gräfin Feodora u. a. m. Wenn allerdings das Tun und Treiben dieser russischen Gesellschaft uns ziemlich kalt lässt, so liegt das an den russischen Kreisen, mit ihrer Hohlheit, Oberflächlichkeit, Genussucht und all' ihren Sünden und Lastern, nicht aber an dem Verfasser, der uns diese russischen Kreise in ihrer ganzen Nichtigkeit vorführt. So ist denn „Aus russischen Kreisen" ein moderner, realistischer Roman im guten Sinne des Wortes, den wir aufs Beste empfehlen können.

Dresden. Adolph Kohut.

Gedichte von Kadocsa Elek.

Aus dem Ungarischen von M. Rückert

Búcsúszó.

(Abschiedswort.)

Schauernd fällt vom Baum das Blatt,
Das der Frost getroffen hat;
Schreiend flieht das totewunde
Arme Wild zum Waldesgrunde.

Schwan ist singend aufgeflogen,
Sterbend stürzt er in die Wogen;
Und der Harfe Saiten klingen
Schrillend auf vor dem Zerspringen.

Abschieds-Stimme jedes kleine
Der Atome hat — nur meine
Schweigt! Fluchen dir, ich kann es nicht —
Segnen doch verdienst du nicht!

Dalaim.

(Meine Lieder.)

Kleine Lieder summ' ich leise
Von der Liebe, von dem Glück,
In des lust'gen Vogels Weise
Schallt's vom laub'gen Ast zurück.

Und das Lied weckt neue Lieder,
Trüg'risch Glück, mir einst so teuer —
Traurig klingt's im Herzen wieder.
Lieder fort, ihr müsst ins Feuer!

Nein! Was hilft's, dass sie verderben,
Was nützt mir ihr Flammentod?
Kann das Herz mit ihnen sterben
Dann erst endigt alle Not!

Nem tudom —

(Nicht weis ich —)

Ich weiß es nicht: Auf schönen Sternen,
Wer wohnt wohl dort im Strahlenlicht? —
Du schaust mir glühend in die Augen:
Ist's Lieb' — ist's Hass? Ich weiß es nicht!

Kis Kezed.

(Deine kleinen Hände.)

Kleine Hände, süße Lippen —
Blumen sind es, frisch erblüht;
Lass, o lass daran ihn nippen,
Bis er flatternd weiter zieht!

Les Fils de Jahel.

Drama in fünf Akten und einem Vorspiel von Mlle Simone Arnaud.*) Erste Aufführung im Odéon Mitte Oktober 1886.

Im zweiten Jahrhundert v. Chr. wurde Judäa von Mattathias aus dem' Hause der Hasmonäer regiert. Dieser hatte fünf Söhne, die Makkabäer Judas (den Händel besungen hat), Johannes, Simon, Eleazar und Jonathan. Diese drei letzten kamen im Kampfe gegen den Eroberer Antiochus IV. Epiphanes um, den dann Judas besiegte. Während Antiochus über Juda herrschte, wurden auf Befehl des blutdürstigen Eroberers in Gegenwart ihrer Mutter Salomé sieben jüdische Brüder gekreuzigt, deren Namen nicht bekannt sind. Simone Arnaud hat die Mutter dieser sieben Märtyrer des jüdischen Glaubens Jahel genannt, ihre Söhne mit den fünf Makkabäern identifiziert, so dass Jahel als die Wittwe des Mattathias (die Verfasserin schreibt Mathattias) erscheint.

Der Schauplatz des Vorspiels sind die Wälder Gileads. Wir sind Zeugen, wie Jahel ihre fünf Söhne dem Aufgebote des Antiochus, das sein Verwandter Lysias ausführen soll, durch die Flucht entziehen lässt, und wie sie den Sendboten furchtlos schmäht, nachdem sie ihre Kinder in Sicherheit weiß, zu denen sie in einem unbewachten Augenblick entkommt.

Zwanzig Jahre später liegt Judas mit seinem Heere vor Jerusalem, das Antiochus besetzt hält. Der Makkabäer Johannes weilt als Kundschafter in der Stadt, hat sich aber zu einem Verhältnis mit Myrrha, der reizenden Tochter des Antiochus, hinreißen lassen und weigert sich nun, jene Spionendienste zu tun, zu denen ihn zwei seiner Brüder und seine Mutter, welche verkleidet zu ihm kommen, mahnen. Kaum haben Letztere den Johannes verlassen, als eine hereinstürzende Menschenmenge ihn töten will, da sie glaubt, Johannes habe die Statue der Siegesgöttin zertrümmert, welche tatsächlich Judas beim Enteilen zerschmetterte. Trotz Myrrhas Dazwischenkunft wird ihr Geliebter von einem Dolchstoß getroffen, der ihn aber nicht tötet. (1. Akt.)

Die Liebe lässt den schnell Geheilten des Zeichens vergessen, das er, als der Kampf entbrannt ist, als ein zweiter Raoul in den Hugenotten, seinen Brüdern geben soll: Eleazar, Jonathan, Simon fallen, ihr Heer wird geschlagen, Judas gilt für tot, Jahel wird gefangen. Verzweifelnd giebt sich Johannes dem Antiochus zu erkennen, aber erst nach langem Zögern erkennt Jahel den Abtrünnigen als ihren Sohn an und wird mit ihm abgeführt. (2. und 3. Akt.)

Myrrha gesteht dem Antiochus ihre Liebe zu Johannes, den sie zum Gemahl von ihrem sie vergötternden Vater erbittet. Lysias schlägt vor, beide auf den neubegründeten Tron von Judäa zu setzen, als die Nachricht kommt, dass Judas noch lebt, eine syrische Heeresabteilung geschlagen hat und sich der Stadt nähert. Jahel, welche man herbeigeholt hat, um ihre Zustimmung zu dem Plane zu erhalten, misstraut und verlangt, erst mit ihrem Sohne zu sprechen (4. Akt).

Die Mutter, anstatt den schwachen, von der neuen Aussicht hoch erfreuten Sohn zur Annahme zu bewegen, veranlasst ihn zu verzichten und den Opfertod zu erleiden. Als dies geschieht, vergiftet sich Myrrha. In dem Augenblicke dringt der siegreiche Judas in die Stadt ein, Jahel fällt tot zu den Füßen des eintretenden Sohnes nieder (5. Akt).

Wie ersichtlich reiht sich das Stück inhaltlich anderen biblischen Dramen an, wie: „Attalie" von Racine; „Absalon" von Duché; „Les Macchabées" von La Motte-Houdart; „Les Macchabées" von Guirand u. s. w.

Johannes ist augenscheinlich eine traurige Figur; Jahel ist dagegen mit um so größerer Liebe gezeichnet. Der Figaro nennt sie wegen ihrer Vaterlandsliebe einen Paul Deroulède in Frauenkleidung.(!) Dasselbe Blatt berichtet, dass den Haupterfolg nicht die Person der Jahel, sondern der vierte Akt errang, wo die Liebe des Antiochus zu seiner Tochter die Haupttellnahme verlangt. Es ist, als ob die Verfasserin in dem König ihr eigenes Vaterideal verkörpere.

Die Kritik tadelt die Menge der anstößigen Reime; lobt aber im Uebrigen das Stück sehr. Die Rollenverteilung war folgende: Antiochus (Paul Mounet), Lysias (Albert Lambert), Myrrha (Mlle Barétie), Johannes (Laroche), Judas (Rebel).

Die Kostüme waren von Vallet nach berühmten Gemälden hergestellt. Die Dekorationen entsprachen den Darstellungen Renans und Lamartines. Die Musik bestand aus alten Weisen, die Bourgaud-Ducoudray gesetzt hatte, und die von Schatté, dem Kapellmeister des Odéons, vortrefflich ausgeführt wurden.

Wismar. Dr. Léon Wespy.

*) Andere Werke derselben Verfasserin sind: „Mlle du Vigeant" und „1802".

Sprechsaal.

Selbstpersifflage. (Eingesandt.)

Ein starkes Stück unfreiwilliger Selbstpersifflage leistet sich die „Deutsche Rundschau" in ihrem letzten (Dezember-) Hefte. Das „Vornehme" Organ des Herrn Rodenberg bringt in demselben den Anfang eines (übrigens meisterhaft geschriebenen) Romans „Schnee" von Kjelland. Gleich im dritten Kapitel desselben verspottet der nordische Dichter mit der ganzen Gewalt seines beißenden Hohnes jene Sorte von Kritikastern, die nur die „idealisierende" Kunst anerkennen und alle realistische Poesie, welche noch etwas anderes darzustellen weiß, als die verlogenen „edlen" Gefühle verlogener „edler" Menschen in verlogener „edler" Sprache, mit Verleumdung und Kot zu bewerfen. Und das in dem Blatte, in dem eine Helene Böhlau als große Novellistin ihr Unwesen treibt, in der die Herren Schlenther und Brahm als maßgebende Kritiker grundsätzlich nur Fluch oder Hohn für Alles haben, was sich kraftvolles, eigenartiges und lebenswahres in der modernen deutschen Litteratur regt, in dem Paul Heyse als großer Dichter angepriesen und vorgestellt wird. Würde Herr Rodenberg jemals einem deutschen realistischen Dichter vom Schlage Kjellands in seiner Zeitschrift das Wort geben? Kjelland ist Ausländer — das ist etwas ganz Anderes, dann muss man ihn mit offenen Armen empfangen. Wir sind es ja gewöhnt, dass beim Ausländer in Deutschland Alles mit Jubel aufgenommen wird, was dem guten Deutschen als Frevel und Verbrechen angerechnet wird, dass der Ausländer in Deutschland litterarisch alle Rechte genießt, der Einheimische nicht eines und nur die Pflicht hat, sich in den ausgefahrensten Geleisen zu bewegen. So geht's im Theater zu, so auch in der Belletristik.

A.

Wir lesen die „Deutsche Rundschau", dies Prokustesbett altersschwacher Senilität, überhaupt nicht und kennen so unbedeutende Leutchen wie die genannten nur per Renommee. Als Streber sollen sie recht begabt sein. Wozu aber über die Mätzchen solcher Litteratur-Parasiten sich aufhalten! Heute rot, morgen tot — so flattern diese harmlosen Schmeißfliegen ihre Eintagsexistenzchen hin, indem sie von Verunglimpfung der wahren Größe und von Aufblähung ihres eigenen jämmerlichen Nichts zehren.

Kürzlich hat übrigens ein gewisser G. Weißstein, von der Pike auf gedienter Lanzknecht der Levysonschen Schule, einen Händewaschungs-Artikel pro Paul Lindau verbrochen und darin einige pöbelhafte Bemerkungen über ein imaginäres „Jung-Deutschland" und „realistische Kritiker" eingeflochten. Mit Entrüstung wiesen wir jedoch die uns sogar von angeblich Wissenden überbrachte Vermutung zurück, dass der Herausgeber dieses Blattes besonders damit getroffen sein solle. Die bloße Möglichkeit eines solchen Widerspruchs ist ja doch völlig ausgeschlossen! Noch heut bewahren wir Herrn Weißstein eine dankbare Erinnerung, weil ja er selbst zu den glänzenden Besprechungen, welche Karl Bleibtreus Werken früher im „Berliner Tageblatt" und „Deutschen Montagsblatt" gewidmet wurden, sein kostbares Scherflein beigetragen hat.

Litterarische Neuigkeiten.

Von den in der Liebelschen Buchhandlung in Berlin erschienenen „Sagen der Hohenzollern" von Oscar Schwebel liegt uns bereits die zweite Auflage vor, welche wohl am besten für die günstige Aufnahme, die das Werk gefunden hat, spricht.

„Die Vegetarier" betitelt sich eine von Max Engelmann herausgegebene ergötzliche Posse mit Gesang in drei Akten, die bei Julius Bohne in Berlin verlegt worden ist.

„Mutter und Tochter." Eine littauische Geschichte von Ernst Wichert (Leipzig, Carl Reissner). Ernst Wichert zeigt in der vorliegenden kleinen Erzählung, dass er auch als Novellist Vortreffliches leistet, gerade diese littauische Geschichte beweist uns dieses in vollem Maße.

„Sie schreibt" und andere Novellen von M. von Weissenthurn (Leipzig, Eugen Peterson). Die Novellen, die zum größten Teil dem Leben nacherzählt und auf wahren Begebenheiten zu ruhen scheinen, wirken einerseits dem Emanzipationsdrange der Neuzeit entgegen, andererseits führen sie uns seelische Konflikte vor, die der Autor vortrefflich zu schildern vermocht hat. Es werden dieselben gewiss nicht verfehlen, das Interesse des Lesers im hohem Grade zu fesseln, umsomehr als neben tiefem Ernst, der sich in ihnen abspiegelt, auch dem Humor Rechnung getragen ist.

„Zur Universalsprache." Kritische Studien über Volapük und Pasilingua von Hans Moser. „Betrachtungen über die Idee einer Weltsprache im Allgemeinen, und das System der Pasilingua ins Besondere von P. Steiner." „Eine Gemein- oder Weltsprache (Pasilingua)." Vortrag gehalten von P. Steiner. „Elementargrammatik, nebst Uebungsstücken zur Gemein- oder Weltsprache" von P. Steiner. Vorstehende Werke sind sämmtlich in Heusers Verlag in Neuwied erschienen, worauf wir noch ganz besonders unsere Leser aufmerksam machen.

„La Mara." Musikerbriefe aus fünf Jahrhunderten. Erstmalig nach den Urhandschriften herausgegeben. Mit den Namenszügen der Künstler. Zwei Bände. I. Band: Bis zu Beethoven. II. Band: Von Beethoven bis zur Gegenwart. (Leipzig, Breitkopf & Härtel.) Ein Werk, wie sich bisher ein ähnliches in der Musiklitteratur nicht findet. Die berühmtesten Musiker der letzten fünf Jahrhunderte mit Einschluss der Gegenwart werden in Briefen vorgeführt, die, bisher in deutschen und ausländischen Archiven, Bibliotheken, wie Privathäusern verborgen, zu diesem Behufe erstmalig ans Licht gezogen, übersetzt, erläutert und mit biographischen Nachweisungen, sowie mit den Namenszügen der Meister versehen worden. Als ein gewiss nicht unwillkommener Beitrag zur Geschichte der Musik und zur Charakteristik der Künstler, wendet sich das Buch nicht nur an den Musiker, sondern an das ganze musikliebende Publikum.

Von Alfred Friedmanns „Optimistischen Novellen" (Verlag von W. Friedrich in Leipzig) ist soeben eine Uebersetzung ins Ungarische erschienen. Die spannendste dieser Novellen „Liebe und Pflicht" gelangt demnächst in einem ungarischen Blatte zur Veröffentlichung.

„Die Hohenzollern als Pfleger der religiösen und intellektuellen Volksbildung durch Beispiel, Wort und Tat" von Berdrow. Brandenburg a. H., Fr. Ed. Keller. Der Verfasser stellt die Geschichte der Hohenzollern von einem idealen Gesichtspunkte aus dar: er will nicht die Hohenzollern als Kriegshelden vorführen, sondern als Friedensfürsten, als Förderer der geistigen Güter des Volkes. Wie unsere Landesväter in unermüdlichem Ringen und Kämpfen gewirkt haben für die Geltung der idealen Mächte im Leben des Volkes, vornehmlich für die Religion, Kunst und Wissenschaft, für Volksbildung, für Glaubens- und Gewissensfreiheit, für Befreiung des Geistes aus den Banden mittelalterlicher Finsternis und Rohheit, für allseitige Entfaltung der geistigen Gaben im bürgerlichen Leben, für die Gerechtigkeit in der Justiz, Humanität im Volk und Heer und das Recht des freien Mannes, für vaterländische Interessen und deutsche Freiheit und Einheit; wie sie mit ihrem persönlichen Beispiele dem Volke vorangingen in dem Streben nach christlichen Tugenden und patriotischer, nationaler Sinnesart, nach dem Idealen, Wahren und Schönen; wie sie durch charakteristische schwerwiegende Worte eine Saat von Ideen und Tugenden ausstreuten, gelangt in einfacher Sprache zum Ausdruck.

Im Verlage von Orell Füssli & Comp. in Zürich wurde soeben von F. O. Wolf eine Reisehandbuch über Wallis und Chamonix herausgegeben, daselbe ist mit vieler Sorgfalt zusammengestellt und gewinnt es noch durch vorzügliche (120) Illustrationen und mehrere angeheftete Karten.

Hildebrandt-Strehlen lässt im Verlage von M. Kellners Buchhandlung in Freiburg a. U. eine Reihe kleinerer „Romantischer Erzählungen aus Thüringens Vorzeit" erscheinen, in welchen er uns in bunten Bildern frei nach alten Chroniken das so sagenreiche Ländchen vorführt. Band I enthält eine sehr anheimelnde Erzählung, betitelt: „Der Schmied von Ruhla" und Band II „Die Förster von Haldensleben". Auch die Ausstattung ist eine sehr gute und dürfte das Erscheinen eines neuen Bändchens ein viel begehrter Wunsch sein.

„Zur Neujahrszeit im Pastorat zu Nöddebo." Eine Erzählung von Nicolai (Henrik Scharlink). Deutsch von P. J. Willatzen. Nach der 6. Auflage des dänischen Originals (Bremen, M. Heinsius). Mit psychologischer Feinheit und Kraft künstlerischer Darstellung, mit liebenswürdiger Schalkhaftigkeit und edlem Humor zeichnet der Dichter das reiche unschuldige Herzensleben eines 18jährigen Jünglings, die Frühlingsgewitter seiner Seele, sein Hangen und Bangen, seine Geniestreiche und seine Tölpelhaftigkeit, kurz die ganze Fülle jener gemütstiefen Dummheit, welche eine reiche Welt inneren Lebens für das kommende Mannesalter ahnen lässt. Ebenda ist erschienen: „Meine Frau und ich." Erzählung von Nicolai. Deutsch von P. J. Willatzen. Der nachstehende Roman ist die Fortsetzung zu obigem, in demselben wird erzählt, wie der junge Held seine Gattin freit und das Glück der jungen Eheleute in humorvoller, poetischer Weise geschildert.

Mary Emerson hat bei Carl Tittmann unter dem Titel „Short standard poems" eine englische Anthologie herausgegeben, von der wir bekennen müssen, dass eine sorgfältige Auswahl dabei getroffen, die nicht verfehlen wird, deutsche Leser zu fesseln.

„Quid novi ex Africa?“ Cassel, Theod. Fischer. Unter dem Titel veröffentlicht der bekannte Afrikareisende Gerhard Rohlfs eine grössere Arbeit, in welcher er uns mit den Verhältnissen dieses jetzt bis auf unbedeutende Strecken erforschten Erdteils näher bekannt macht. Das Werk ist anregend geschrieben und entrollt vor unseren Augen recht wahrheitsgetreue Bilder, die auch selbst für den Afrikakenner von großem Interesse sein dürften.

„Alpenrosen und Gentianen.“ Das ist der Titel eines soeben bei der Deutschen Verlagsanstalt (in Stuttgart) erschienenen Romans von J. Bajovar, der bei seiner ersten Veröffentlichung in „Ueber Land und Meer“ schon so grosses Aufsehen erregt hat. Die Erzählung, weit entfernt von dem Haschen nach grober Sensation, malt in tief-warmer Färbung und in feiner Darstellung eine bisher mit dem Schleier des Geheimnisses verhüllte Episode aus dem Leben des unglücklichen Königs Ludwig II. von Bayern und hat, abgesehen von dem künstlerischen Wert als psychologisch tief eindringendes Charaktergemälde aller hier auftretenden Personen noch eine ganz besonders das Bayerland nahe angehende Bedeutung. Die Ausstattung des kleinen Werkes mit Porträt und Facsimile weist auch durch äußerliche Erscheinung auf ein feines Geschenkbuch hin, welches als sinniges Andenken an den kunstliebenden Fürsten allgemein geschätzt und gewiss von Tausenden hochwillkommen geheißen werden wird.

„Deutsches Stil-Musterbuch“ mit Erläuterungen und Anmerkungen von Daniel Sanders (Berlin, H. W. Müller). Der auf lexikographisch- und deutschgrammatikalischem Gebiete rühmlichst bekannte Autor hat hier ein Werk geschaffen, welches für alle nach einem wirklich korrekten Stile Strebenden geradezu unentbehrlich ist. Wir haben an Mustersammlungen deutscher Prosa freilich keinen Mangel, jedoch die Eigenart, wodurch die vorliegende sich von den andern unterscheidet, beruht hauptsächlich auf den Erläuterungen und Anmerkungen in betreff des Stils, wodurch das Buch gleichzeitig eine Anleitung zum tiefer eindringenden und verständnisvollen Lesen und zur Aneignung des richtigen, guten und schönen Ausdrucks in der deutschen Sprache zu bezeichnen ist. Keine Bibliothek sollte versäumen sich das Werk anzuschaffen.

Eine kleine mit vielem Verständnis geschriebene Brochüre betitelt sich „Ein Krieg der Rache zwischen Frankreich und Deutschland“ von einem deutschen Offizier. Die Schrift, welche in der Helwingschen Verlagsbuchhandlung in Hannover erschienen ist, wird eine grössere Verbreitung wohl zu erwarten haben.

„Fürs deutsche Haus“ Blütenlese aus der Bibel und den mustergültigen griechischen und römischen Schriftstellern als Grundlage unserer Volks- und gelehrten Bildung von Daniel Sanders mit einem Titelbild von O. Wisniewski. Der bekannte geistvolle Verfasser sagt in der Vorrede: „Die Bibel als die Grundlage der Volks-, die alten Klassiker als die Grundlage der höheren Bildung, — wie Wenige kennen sie doch gründlich, d. h. anders als aus einer dunkeln Erinnerung von ihrer Schulzeit her! — Wie wenige ahnen daher auch nur, welch reiche Schätze für die Bildung des Geistes, des Gemütes und des Geschmacks hier aufgespeichert liegen und für die allgemeine deutsche Bildung nutzbar gemacht werden können! — Das war mein leitender Gedanke bei der vorliegenden Sammlung —.“ Wir können dieses wichtige Werk unseren Lesern nur warm empfehlen.

„Richard Wagners Frauengestalten“ von Ella Mensch. 2. Aufl. Stuttgart, Levy & Müller. Die Verfasserin, eine in Darmstadt lebende junge Schriftstellerin, die kürzlich die philosophische Doktorwürde an der Universität Zürich erworben, hat sich die Aufgabe gestellt, die weiblichen Charaktere, die Wagner geschaffen, aus den musikalischen Dramen, denen sie angehören, auszulösen und durch die ästhetische Erläuterung dieser Gestalten das Verständnis für Wagners Kunstauffassung, ja noch mehr für seine Weltauffassung weiteren Kreisen zu erschliessen. Diese Aufgabe ist mit großem Geschick gelöst und zeugt von tiefer Einsicht in die Wesenheit der Schöpfungen des Meisters. Das Ganze liest sich wie ein eleganter, geistvoller Essay.

„Wiener Humor“. Sammlung humor. Vorträge von C. A. Friese (Verlag von Moritz Stern in Wien). – Die nun bis zum 17. Hefte mit stetigem Erfolge vorgeschrittene Sammlung bringt in diesem wieder eine reiche Serie der besten humoristischen Originalvorträge von bewährten, beim Publikum des „Wiener Humor“ bereits bestens eingeführten Autoren. — Wir finden darin eine gelungene Parodie des bei manchen Theateraufführungen oft unabsichtlich parodierten Volks- und Rührstückes „Der Müller und sein Kind“ von H. Freiheim, welche in ihrer drastischen Komik an die Glanzepoche der Nestroyschen Parodien erinnert, ferner die auf die Lachmuskeln der Hörer geradezu rebellisch wirkenden czechisch-deutschen Gedichte Przesnaweks von A. Just, die Soloscene „Der Zerstreute“ von Jarits, beide vom Komiker Guttmann mit außerordentlichem Erfolg vorgetragen, und noch vieles Andere von bekannten Humoristen, wie R. Kraßnigg, Franz Waggner, Fr. v. Scherb, Dr. Märzroth, Franz Jos. Koch und Theod. Plamm.

„Zwischen Havel und Spree.“ Novellen von Emilie Erhard. (Stuttgart, Deutsche Verlagsanstalt). Der Gesammttitel dieser sechs niedlichen Geschichten kennzeichnet das Gebiet, innerhalb dessen sie sich abspielen. Trotz des örtlich beschränkten Grund und Bodens begegnen wir einer großen Mannigfaltigkeit der Bilder. Da finden wir Erinnerungen an den Prinzen Friedrich Karl, Episoden aus dem Leben Friedrich Wilhelm IV. und andere unterhaltende Begegnisse aus dem preussischen Hofleben, das der Verfasser der „Gräfin Ruth“, der „Lehnsjungfer“ und ähnlicher beliebter Werke so genau kennt. Wir treten in ein Haus unfern der Berlin-Charlottenburger Landstraße und helfen ein lustiges Osterfest feiern; wir lernen einen modernen „Vandalenfürsten“ kennen und verfolgen „Benedetta“, die hübsche junge Italienerin, mit ihrer angeborenen weiblichen Schlauheit bei ihren vielbewegten Abenteuern auf norddeutschem Boden. Alles das ist mit jener frischen Naturunmittelbarkeit erzählt, die wir an Emilie Erhard schon oft zu bewundern Gelegenheit gehabt hatten und durch welche seine Erzählungen für den Leser den fesselnden Reiz des Selbsterlebten erhalten.

Die von M. Em. Alglave herausgegebene „Bibliothèque Scientifique internationale“ ist um einen weiteren Band (LVII) vermehrt worden, derselbe enthält „Le magnétisme animal“ von Alfred Bined und Ch. Féré (Paris, Felix Alcan 108 Boulevard Sanct Germain.)

Von dem vortrefflichen Buche: „Der Trotzkopf“. Eine Pensionsgeschichte für erwachsene Mädchen von Emmy von Rhoden (Emmy Friedrich Friedrich). Stuttgart, Gustav Weise, ist bereits die dritte, mit dem Bilde der Verfasserin geschmückte Auflage erschienen. In drei Jahren drei starke Auflagen! Gewiss ein seltener Erfolg bei der Ueberfülle der jährlich auf dem Weihnachtsmarkte erscheinenden Jugendschriften.

„Neuer Deutscher Novellenschatz“ herausgegeben von Paul Heyse & L. Laistner Bd. 17/18, R. Oldenbourg in München. Band 17 enthält zwei Novellen: „Was wird sie tun“ von Katharina Zitelmann und „Die Dorfkokette“ von Friedrich Spielhagen und Bd. 18 „Die Volskerin“ von Gustar Floerke und „Aquis Submersus“, von Theodor Storm.

„Der Urgemütliche,“ Sammlung heiterer Vorträge in Poesie und Prosa, für Damen und Herren. Heft 1. — Die Verlagshandlung von Moritz Stern versendet unter obigem Titel soeben das erste Heft eines neuen Sammelwerkes, welches dazu bestimmt ist, den urwüchsigen und volkstümlichen Humor in den weitesten Kreisen bekannt und beliebt zu machen. Das mit Geschick zusammengestellte Heft bringt heitere Vorträge jeden Genres, humoristische Deklamationen, Couplets etc. von den hervorragendsten Autoren und auch Interpreten des volkstümlichen Humors. Ein Hauptvorzug dieser Vorträge besteht darin, dass sie ohne besondere Darstellungskunst und ohne Beihilfe szenischer Apparate auch von Dilettanten wirkungsvoll vorgetragen werden können, und so bald allgemein bekannt und populär sein werden.

Busken Huet hat im Verlage von H. D. Tjeenk Willink in Harlem in einer kleinen Brochüre die jüngeren holländischen Schriftsteller kritisch beleuchtet und wird dieselbe für Alle, die sich mit holländischer Litteratur beschäftigen, von Interesse sein. „Litterarische Fantasien en Kriticken door Cd. Busken Huet.“

Von Ferdinand Brunetière, dem Verfasser von „études critiques sur l'histoire de la littérature“, erschien bei Calman Lévy in Paris (Boulevard des Italiens 15) ein neues Opus „Histoire et Littérature“, welches den dritten Band der von Calman Lévy herausgegebenen „Bibliothèque contemporaine“ bildet.

„Bibliothek der Gesammtlitteratur des In- und Auslandes.“ 25-Pfennig-Ausgabe. (Halle a. S. Verlag von Otto Hendel.) Neuerdings sind in dieser in Bezug auf gute Ausstattung bei gleichzeitiger Billigkeit unübertroffenen Bibliothek, von welcher bekanntlich jede, 100—150 Seiten umfassende Nummer nur 25 Pfennige kostet, erschienen: Nr. 42 Shakespeare, Macbeth, — Nr. 43. Schiller, Jungfrau v. Orleans — Nr. 44. Goethe, Iphigenie auf Tauris. — Nr. 45. bis 47. Homer, Odyssee übersetzt von Joh. Heinr. Voss. — Nr. 48. Goethe, Egmont. — Nr. 49. 50. Génestet, Gedichte, übersetzt von J. R. Hanne. — Nr. 51. 52. Haek, D., Deutsche Sinngedichte von Luther bis zur Gegenwart. — Die ohnedies im Verhältnis zu dem geringen Preise äußerst gute Ausstattung ist neuerdings durch Beigabe von Portraits der Dichter noch verbessert worden.

Von der Gesammt-Ausgabe von Chaucers Werken in Uebersetzung von A. v. Düring liegt uns der dritte Band vor, welcher den zweiten Teil der „Canterbury-Erzählungen“ zum Inhalt hat. — Straßburg, R. J. Trübner.

Ein seltenes Künstlerfest. Jedermann kennt den „Pariser Taugenichts“, die lustige, wenn auch jetzt etwas veraltete Komödie vom „Gamin de Paris“, wie das Stück auf Französisch heißt; zwei, wenn nicht gar drei Generationen haben sich daran ergötzt. Der Verfasser des Lustspiels ist der Schauspieler Bouffé (den Namen seines Mitarbeiters habe ich vergessen), derselbe hat aber den Gamin nicht bloß gedichtet, sondern auch gespielt, créé nach Pariser Redeweise (in Deutschland wird er von Frauenzimmern gespielt). Als Bouffé vor zwanzig Jahren vom Theater Abschied nahm, wählte er zu seiner letzten Aufführung den Gamin. Aber vom Leben hat der heitre Mann noch lange nicht Abschied genommen. Am 9. November des Jahres 1876 feierte er mit seiner treuen Gattin, sa chère compagne, wie er sie nennt, in Auteuil bei Paris seine goldene Hochzeit; er war damals 70 Jahr alt! Und in diesem Jahre hat er am 9. November mit „seiner teuren Gefährtin“ die diamantene Hochzeit gefeiert! Das alte Paar Philemon und Baucis ist in den beiden Gatten wieder erschienen. Eine zahlreiche Gesellschaft von Künstlern und Schriftstellern aus Paris begrüßte das glückliche Paar an dem seltenen Jubelfest. Und auch wir haben ihm im Stillen unsere freudigen Glückwünsche dargebracht in dankbarer Erinnerung an die frohen Stunden, die uns der Pariser Taugenichts von Jugend auf bereitet hat. Wir wollen aber auch eine Moral aus dieser — wahren Geschichte (nicht Fabel!) ziehen. Die Pariser Bühnendichter wissen in der großen Mehrheit nichts als Ehebruchsdramen in Scene zu setzen. Wir haben schon längst dem deutschen Publikum, das darüber die Nase rümpft, aber doch sich die Stücke so gern ansieht, gesagt, dass es daraus keine Schlüsse auf die französischen Sitten ziehen soll, dass es der guten Ehen in Frankreich mehr giebt als der schlechten, dass überhaupt die französischen Sitten besser sind als die französische Litteratur und dass man nur die Geistesarmut dieser Pariser Dramatiker beklagen muss, deren Phantasie unfähig ist, das breitgetretene Geleis zu verlassen. Und siehe da! da kommt ein lustiges Paar Pariser Komödianten und bestätigt die Wahrheit unseres Ausspruchs. Ist es nicht ein herzerfreuendes Schauspiel, das dieser „Gamin de Paris avec sa chère compagne“ sechzig Jahre lang in dem „Sündenbabel“ aufgeführt hat? Auf der Bühne hat Bouffé vielleicht manchmal sein Schauspielertalent zu den Ehebruchsdramen der Pariser Litteratur hergeben müssen, aber zu Hause lebt das treue Paar in sechzigjähriger glücklicher Ehe. Der „Komödiant“ soll leben, mit seiner chère compagne noch lange, lange glücklich leben!

Der fünfundzwanzigste Band der bei Gebrüder Henninger in Heilbronn erscheinenden „Deutsche Litteraturdenkmale des 18. und 19. Jahrhunderts“ in Neudrucken herausgegeben von Bernard Seuffert, enthält „Kleine Schriften zur Kunst“ von Heinrich Meyer.

„Schleiermacher als Pädagog“ von H. Keferstein. — Jena, Fr. Maukes Verlag (A. Schenk). Vorliegende Arbeit, welche sich an die vom Verfasser bereits veröffentlichten über „Herder“, „Fichte“, „Schopenhauer“ als Pädagogen würdig anreiht, macht uns mit einem der reichsten Geister und edelsten wie mannhaftesten Charaktere unserer neueren und neuesten Geschichte, nach Seiten seiner pädagogischen Ideen näher bekannt; Philologen, besonders Bibliotheken sei das Werk ernstlich empfohlen.

Erschienene Neuigkeiten.

„Käthchen.“ Eine Herzensgeschichte, erzählt von Kurt Delbrück. — Bremen, Carl Rocco's Verlagsbuchhandlung.

„Das neue belgische Gesetz über das Urheberrecht“ von Rechtsanwalt Dr. Ludw. Fuld. — Berlin, Franz Vahlen.

„Ernst und Scherz.“ Gedichte von J. Weber. — München, G. D. W. Callwey.

„Gedichte“ von Leonhard Wohlmuth. Fünfte Auflage. — München, G. D. W. Callwey.

„König Hübich.“ Erzählende Dichtung von Hermann Kiehne. — Norden, Hinricus Fischers Nachfolger.

„Cancionero.“ Reiselieder und Zeitgedichte von Chillonius. (Neue Folge.) — München, G. D. W. Callwey.

„Mutterliebe.“ Ein Märchen in Versen von Walter Grosse. — München, Carl Merhoffs Verlag.

„Loreley.“ Trauerspiel von Hermann Grüneberg. — München, Carl Merhoffs Verlag.

„Die Schützenkönigin.“ Trauerspiel von Fr. Oka. — München, Carl Merhoffs Verlag.

„Der Mönch von Sanct Bernhard“ von Otto Franz Gensichen. — Berlin, Eugen Grosser.

„Jung Wuppertal.“ Ein Blütenstrauß aus der Heimat, herausgegeben von Albert Herzog. — Barmen, Albert Röder.

„Cypressen.“ Dichtungen von Carl Reuleaux, mit einer Illustration von Friedrich Steub. — München, Max Kellerers Hofbuchhandlung.

„Gedichte“ von Adolf Frey. — Leipzig, H. Haessel.

„Lose Blätter.“ Gedichte von Chr. Glücklich. — Leipzig, R. Fr. Pfau.

„Schwert und Rose.“ Lieder und Gedichte von Paul Freiherr von Roell. — Berlin, Vossische Buchhandlung.

„Fünf Dichtungen“ von Joseph Victor von Scheffel. Inhalt: Die Mär vom Rockertweibchen. — Der Brautwillkomm auf der Wartburg. Lyrisches Festspiel. — Die Linde am Ettersberg. Lyrisches Festspiel. — Prolog für die Festvorstellung zur Feier des fünfundzwanzigjährigen Chefs-Jubiläums Sr. Großherzogl. Hoheit des Prinzen Wilhelm von Baden. — Das Glückhaft Schiff. Kaisergruß auf Mainau. — Stuttgart, Bonz & Komp.

„Eisblumen.“ Gedichte von Emil Aeppli. — Aarau, H. R. Sauerländer.

„Die deutsche Handwerker-Braut“ von Karl Weise. — Wismar, Hinstorffsche Hofbuchhandlung.

„A bisserl was.“ Gedichte in niederösterreichischer Mundart von Moritz Schadeck. — Wien, Karl Konegen.

„Grundlinien einer Erkenntnistheorie der Goetheschen Weltanschauung, mit besonderer Rücksicht auf Schiller (zugleich eine Zugabe zu Goethes naturwissenschaftlichen Schriften)“ in Kürschners Deutscher National-Litteratur von Rudolf Steiner. — Stuttgart, W. Spemann.

„Der Sohn des Kommerzienrats.“ Schauspiel in fünf Akten von Erwin Bauer. (Hamburg, Richter.) Ein Zeichen unverkennbarster dramatischer Begabung. Nur die „ideal“ angelegten Gestalten schmecken etwas nach Luise Millerin und deren Limonade. Hingegen sind die sogenannten „chargierten“ Charaktere, die drastisch-komischen, wohlgelungen.

Alle für das „Magazin“ bestimmten Sendungen sind zu richten an die Redaktion des „Magazins für die Litteratur des In- und Auslandes“ Leipzig, Georgenstrasse 6.

Für die Redaktion verantwortlich: Karl Bleibtreu in Charlottenburg. — Verlag von Wilhelm Friedrich in Leipzig. — Druck von Emil Herrmann senior in Leipzig.

Lightning Source UK Ltd.
Milton Keynes UK
UKHW021344110119
335297UK00007B/250/P